Prisma-Woordenboeken
A. Kolsteren
**Vreemde woorden**

Prisma
Het Nederlandse Pocketboek

# Nederlands

## Vreemde woorden

A. Kolsteren

Prisma-woordenboeken worden in de handel
gebracht door:
Uitgeverij Het Spectrum B.V.
Postbus 2073
3500 GB Utrecht

Eerste druk 1956
Vijfde, herziene druk 1967
Tiende, geheel herziene druk 1987
Vijftiende druk 1993
Zestiende druk 1994
Zeventiende druk 1996

02.0002-17    ISBN 90 274 3410 7

CIP-GEGEVENS
KONINKLIJKE BIBLIOTHEEK, DEN HAAG

## Voorwoord

Deze nieuwe uitgave heeft een grondige en noodzakelijke hervorming ondergaan, die het resultaat is van een intensieve en vruchtbare samenwerking van de auteur met de redactiestaf van Uitgeverij Het Spectrum. Er moesten zeer vele nieuwe woorden worden opgenomen; wegens de beschikbare plaatsruimte moesten andere uit de vorige uitgave vervallen.

Bij de keuze van de op te nemen woorden in dit woordenboek hebben de samenstellers zich laten leiden door diverse overwegingen. Voorop stond steeds het beginsel: 'wordt dit woord in het hedendaags Nederlands nog als een vreemd woord ervaren.' Niet opgenomen zijn dan ook die woorden waarvan de oorsprong buiten onze landsgrenzen dient te worden gezocht, maar die door niemand meer als vreemde woorden worden beschouwd en in wier betekenis men zich niet meer zal vergissen. Wel opgenomen zijn dergelijke ingeburgerde woorden, wanneer hun juiste betekenis niet altijd gemeengoed is, of deze beter begrepen kan worden als men hun herkomst en oorspronkelijke betekenis kent.

Elke tak van wetenschap, kunst of kunde kent vele eigen vaktermen. Opgenomen in dit woordenboek zijn alleen die vaktermen die enigszins gemeengoed zijn geworden, zonder dat de leek hun precieze betekenis kan beoordelen. Diverse groepen vreemde woorden zijn bewust geheel weggelaten, onder andere namen van sierbloemen, heesters e.d., namen van edelstenen, van sterren en sterrenbeelden, van vele planten- en dierenorden, families, geslachten en rassen. Ook zal men tevergeefs zoeken naar de uitleg van afkortingen met een vreemde oorsprong. Hiervoor verwijzen wij naar het *Prisma Woordenboek van Afkortingen*.

Bij de samenstelling is uiteraard gebruik gemaakt van woordenboeken in de Nederlandse taal, in de moderne talen Engels, Frans, Duits, Italiaans en Spaans, en in de klassieke talen Latijn en Grieks. Voor Bargoense woorden en hun woordafleiding is gebruik gemaakt van het *Bargoens Woordenboek* van drs. Enno Endt; uit dat boek is met toestemming van en onder supervisie van genoemde schrijver een honderdtal woorden opgenomen. Vervolgens zijn geraadpleegd diverse encyclopedieën. Ook is geraadpleegd een aantal vakboeken, vooral op het gebied van de natuurwetenschappen en van de filosofie. Ten slotte is gewerkt met eigen notities, in de loop der jaren verzameld uit dagbladen en tijdschriften, en met opmerkingen en suggesties die wij van gebruikers mochten ontvangen. Voor verdere opmerkingen en suggesties houden wij ons gaarne aanbevolen.

Dit woordenboek is beslist niet bedoeld om de gebruiker aan te sporen zelf vreemde woorden te gebruiken waar een goed Nederlands woord voorhanden is. Wij zijn geen taalzuiveraars, maar achten wel de huidige verbastering van het Nederlands onnodig en verarmend. Wij eindigen met de waarschuwing van Johan Radermacher (die in 1568 de eerste Nederlandse grammatica schreef) tegen het gebruik van vreemde woorden in de taal van zijn tijd, een waarschuwing die nog steeds en met des te meer reden geldt voor de hedendaagse taal: 'sij sall so heel opgheten worden van 't mengsele der vremder schuymen, die noch daghelijks meer ende meer darin groeyen.'

Utrecht/De Meern, januari 1987

## Aanwijzingen voor de gebruiker

De trefwoorden – vetgedrukt – zijn groepsgewijze alfabetisch gerangschikt. Van een bepaalde groep bijeenbehorende trefwoorden staat de werkwoordsvorm in de meeste gevallen voorop, daarachter volgen het zelfstandig naamwoord, bijvoeglijk naamwoord en dergelijke, vaak zonder nadere toelichting, wanneer namelijk de betekenis zonder enige moeilijkheid uit de werkwoordsvorm afgeleid kan worden. Binnen de groep is op deze wijze de alfabetische orde meestal te loor gegaan, doch dit zal bezwaarlijk als hinderlijk ondervonden worden. Zo vindt men na **declare'ren**; declara'tie; declarant', declaratief'. Evenzo vindt men eerst **depute'ren** en daarna deputaat', deputa'tie, deputé.

Ieder trefwoord bestaande uit meer dan één lettergreep is voorzien van een klemtoonteken, waarbij opgemerkt wordt dat dit teken staat *na* de lettergreep waarop de klemtoon valt. Bij Franse woorden die accent(en) hebben, is evenwel dit klemtoonteken veelal weggelaten, omdat anders verwarring niet geheel en al denkbeeldig zou zijn.

De meervoudsvorm van zelfstandige naamwoorden is niet aangegeven, om overlading te voorkomen. Waar het woorden betreft die reeds in de meervoudsvorm staan, is dit aangeduid door het teken *mv*, zonodig is dan de vorm van het enkelvoud gegeven.

Na het trefwoord volgt allereerst tussen vierkante haken de aanduiding uit welke taal het woord afkomstig is. Staat er verder niets aangegeven, dan is de hier gegeven spelling dezelfde als in de betrokken vreemde taal, en is de betekenis in die taal ook die welke in de verklaring gegeven wordt. Om het kort te zeggen: het woord is gewoon uit de vreemde taal overgenomen. Voorbeelden zijn o.a. de vele muziektermen (meestal uit Italiaans) en de Latijnse uitdrukkingen of zegswijzen. Veelal echter zal het woord zoals *wij* het thans gebruiken min of meer verschillen van het oorspronkelijke woord. Dit wordt dan gegeven: eventueel met aanduiding hoe het samengesteld is of met verwijzing naar het grondwoord. Is geen vertaling gegeven, dan is de betekenis dezelfde als in de verklaring. Zo vindt men bijv. bij **abduce'ren** aangegeven Lat. *abdúcere*, dit laatste heeft geen vertaling achter zich staan, omdat het 'wegvoeren' betekent, zoals de verklaring geeft. Meestentijds heeft het oorspronkelijke woord wel een vertaling achter zich. Hierbij zij opgemerkt, dat het woord in de oorspronkelijke taal dikwijls vele uiteenlopende betekenissen heeft; vermeld wordt dan enkel die betekenis welke in het onderhavige geval van toepassing is.

De herhaaldelijk voorkomende voorvoegsels als bijv. de Latijnse ab, ad, de, ex, post, re enz. en de Griekse ana, meta, para enz. zijn niet telkens ter plaatse vertaald; men zij eens en vooral verwezen naar de lijst achterin. Reeksen die met hetzelfde deel beginnen, zoals bijv. aëro-, mono- e.d., hebben voorop een verklaring van dat deel staan, welke dan verderop niet meer herhaald wordt.

Bij Griekse en Latijnse woorden is vaak onmiddellijk volgend de tweede-naamvalsvorm aangegeven; bijv. bij **descenden'ten** vindt men Lat. *descéndens, -éntis*; bij **flo'ra** Lat. *flos, flóris* = bloem; deze genitief-vorm dient ter verklaring van de spelling. Bij Latijnse werkwoorden vindt men vaak aangegeven, om dezelfde reden, het onvoltooid deelwoord (o.dw) of het voltooid deelwoord (v.dw) (bijv. bij **migrant'** staat aangegeven Lat. *mígrans, migrántis* o.dw v. *migráre* = verhuizen); indien geen nadere aanduiding gegeven wordt, betreft het steeds de zgn. supinum-vorm (bijv. bij **adjunct'**, staat aangegeven: Lat. *adjúngere, adjúnctum* = verbinden, samenvoegen, waarbij *adjúnctum* dan betekent: om samen te voegen). De Latijnse werkwoorden worden in hun infinitief-vorm gegeven, de Griekse evenwel in de 1e persoon enkelvoud onvoltooid tegenwoordige tijd. Dit alles in aansluiting bij de veelal gebruikelijke methoden in Latijnse en Griekse grammatica's enz. De weg die het woord door verscheidene talen doorlopen heeft eer het in de ons bekende vorm bij ons beland is, kan in sommige gevallen lang en soms ingewikkeld zijn. Wij konden deze dan evenwel slechts kort en onvolledig aanduiden. Treft men bijv. deze reeks tekens aan: Fr. v. It. v. Arab., dan beduidt dit dat het woord tot ons uit het Frans gekomen is, dat het Frans het evenwel uit het Italiaans heeft gekregen, en deze laatste taal het uiteindelijk aan het Arabisch ontleend heeft. Er zijn gevallen waarin het woord dan nog betekenisveranderingen doorgemaakt heeft; wij hebben getracht zo goed mogelijk duidelijk te maken hoe dit ongeveer in zijn werk is gegaan, maar moesten daarbij veel aan het doorzicht van de gebruiker overlaten. Waar de afleiding onzeker is – en dat is nog wel eens het geval – hebben wij de vaak gekunstelde en gewrongen veronderstellingen die men soms aantreft, niet opgenomen, maar eenvoudig weg bekend: we weten het niet. Is een bepaalde veronderstelling wel waarschijnlijk hoewel niet zeker, dan ligt dit opgesloten in de toevoeging 'misschien', 'waarschijnlijk', of 'vermoedelijk'.

Na de uitweidingen tussen vierkante haken volgt, waar nodig, tussen ronde haakjes de aanduiding in welke tak van wetenschap, kunst of andere menselijke bedrijvigheid het betrokken woord als 'vakterm' gebruikt wordt.

De vertolking of verklaring die van het vreemde woord geboden wordt, is een algemeen verstaanbare omschrijving, zonder nochtans een strikt wetenschappelijke definitie te willen zijn. Opgenomen zijn enkel de meest gangbare betekenissen die het woord in ons taalgebruik gekregen heeft (soms min of meer afwijkend van de oorspronkelijke betekenis); zeldzame bijbetekenissen zijn achterwege gelaten.

Achter de verklaring of vertolking vindt men soms nog een of andere toelichting. Dit is steeds geschied uit praktische overwegingen, namelijk daar waar het wenselijk werd geacht voor een goed begrip.

Bij chemische elementen is het ranggetal vermeld. Dit betekent: het volgnummer dat het betrokken element heeft in het Periodiek Systeem der Elementen. Dit ranggetal, ook atoomgetal (symbool $Z$) genaamd, is steeds gelijk aan het aantal protonen *in* de kern en geeft dus ook het aantal positieve ladingen van de kern aan, en dus tevens het aantal elektronen *rondom* de kern bij niet-geïoniseerde atomen.

# Lijst van afkortingen

| | | | |
|---|---|---|---|
| a. | aan | i.d. | in de |
| aardr. | aardrijkskunde | id. | idem |
| a.d. | aan de | i.e. | in een |
| afk. | afkorting | iem. | iemand |
| afl. | afleiding | i.h. | in het |
| a.g.v. | als gevolg van | inz. | inzonderheid |
| a.h. | aan het | i.p.v. | in plaats van |
| a.h.w. | als het ware | iron. | ironisch |
| alg. | algemeen | It. | Italiaans, Italië |
| Am. | (Noord-)Amerika(ans) | i.t.t. | in tegenstelling tot |
| anat. | anatomie, ontleedkunde | i.v.m. | in verband met |
| Arab. | Arabisch | | |
| astr. | astronomie, sterrenkunde | Jap. | Japans |
| | | Jidd. | Jiddisch |
| Barg. | Bargoens | jur. | juridisch, rechtsterm |
| Belg. | Belgisch | juw. | juweliersterm |
| bep. | bepaalde | | |
| bet. | betekenis(sen) | kerk. | kerkelijk |
| betr. | betrekkelijk | | |
| beurst. | beursterm | Lat. | Latijn |
| Bijb. | Bijbels | LDu. | Laagduits |
| bijv. | bijvoorbeeld | lett. | letterlijk |
| biol. | biologie | lit. | literair, letterkundig |
| bkh. | boekhouden | LLat. | laat Latijn |
| bn | bijvoeglijk naamwoord | luchtv. | luchtvaart |
| bouwk. | bouwkunst | lw | lidwoord |
| bw | bijwoord(elijk) | | |
| | | m. | met |
| ca. | circa, ongeveer | m, mnl. | mannelijk |
| chem. | chemie, scheikunde | Mal. | Maleis |
| chir. | chirurgie | mar. | maritiem, scheepsterm |
| cul. | culinair | m.b.t. | met betrekking tot |
| | | m.b.v. | met behulp van |
| d. | de | m.d. | met de |
| d.e. | door een | m.e. | met een |
| d.i. | dit is | ME | Middeleeuwen |
| dicht. | dichterlijk | mech. | mechanica |
| dierk. | dierkunde | med. | medische term |
| div. | diverse | meetk. | meetkunde |
| d.m.v. | door middel van | MEng. | Middelengels |
| Du. | Duits | met. | meteorologie, weerkunde |
| dw | deelwoord | MGr. | Middeleeuws Grieks |
| d.w.z. | dat wil zeggen | MHDu. | Middelhoogduits |
| | | mijnb. | mijnbouw |
| e. | een | mil. | militaire term |
| econ. | economie | mineral. | mineralogie |
| e.d. | en dergelijke | missch. | misschien |
| eig. | eigenlijk | MLat. | Middeleeuws Latijn |
| elektr. | elektriciteit | MLDu. | Middellaagduits |
| Eng. | Engels, Engeland | m.n. | met name |
| enz. | enzovoorts | MNDu. | Middelnederduits |
| etc. | et cetera | MNed. | Middelnederlands |
| euf. | eufemisme | muntw. | muntwezen |
| ev | enkelvoud | muz. | muziek(leer) |
| e.v. | en volgende | mv | meervoud |
| evt. | eventueel | myth. | mythologie |
| | | | |
| fig. | figuurlijk | n. | naar |
| fil. | filosofie, wijsbegeerte | N. | Noord |
| fot. | fotografie | nat. | natuurkunde, fysica |
| Fr. | Frans, Frankrijk | Ned. | Nederland(s) |
| | | n.g.v. | naar gelang van |
| geol. | geologie, aardkunde | nl. | namelijk |
| Germ. | Germaans | N.T. | Nieuwe Testament |
| gesch. | geschiedenis, historie | NTGr. | Nieuwtestamentisch Grieks |
| gew. | gewoonlijk | nv | naamval |
| gewest. | gewestelijk | O. | Oost |
| godsd. | godsdienst | o.a. | onder andere |
| Gr. | Grieks, Griekenland | o.d. | op de |
| h. | het | o.dw | onvoltooid deelwoord |
| H. | Heilige | o.e. | op een |
| hand. | handelsterm | ODu. | Oud-Duits |
| Hebr. | Hebreeuws | OEng. | Oud-Engels |
| her(ald). | heraldiek, wapenkunde | off. | officieel |
| herv. | (Nederlands-)hervormd | OFr. | Oud-Frans |
| hum. | humoristisch | OHDu. | Oud-Hoogduits |

| | | | |
|---|---|---|---|
| *o.i.d.* | of iets dergelijks | *taalk.* | taalkunde |
| *o.i.v.* | onder invloed van | *t.b.v.* | ten behoeve van |
| *OLat.* | Oud-Latijn | *t.d.* | tot de |
| *o.l.v.* | onder leiding van | *tech.* | techniek |
| *onbep.* | onbepaald | *tegenst.* | tegenstelling |
| *onderw.* | onderwijs | *tel.* | telecommunicatie |
| *ONDu.* | Oud-Nederduits | *t.g.v.* | ten gevolge van |
| *oneig.* | oneigenlijk | *theat.* | theater, toneel |
| *ONFr.* | Oud-Noordfrans | *theol.* | theologie |
| *ong.* | ongunstig | *t.o.v.* | ten opzichte van |
| *ongev.* | ongeveer | *TV, tv* | televisie |
| *on.w* | onovergankelijk werkwoord | *tw* | tussenwerpsel |
| *onz.* | onzijdig | *t.w.* | te weten |
| *oorspr.* | oorspronkelijk | *typ.* | typografie |
| *O.T.* | Oude Testament | | |
| *overgel.* | overgeleverd | *univ.* | universiteit, universitair |
| *o.v.t.* | onvoltooid verleden tijd | *u.d.* | uit de |
| *ov.w* | overgankelijk werkwoord | *u.e.* | uit een |
| | | *uitspr.* | uitspraak |
| *parl.* | parlement(aire term) | | |
| *path.* | pathologie | *v.* | van, afgeleid van |
| *ped.* | pedagogie | *v.d.* | van de |
| *pers. vnw* | persoonlijk voornaamwoord | *v.dw* | voltooid deelwoord |
| *Perz.* | Perzisch | *v.e.* | van een |
| *plk.* | plantkunde | *verklw.* | verkleinwoord |
| *pol.* | politiek | *verm.* | vermoedelijk |
| *pop.* | populair | *vero.* | verouderd |
| *Port.* | Portugees | *vgl.* | vergelijk |
| *prot.* | protestant(s) | *v.h.* | van het |
| *psych.* | psychologie | *Vl.* | Vlaams |
| | | *VLat.* | Volkslatijn, Vulgair Latijn |
| *rad.* | radio | *vnl.* | voornamelijk |
| *rek.* | rekenkunde | *vnw* | voornaamwoord |
| *rk* | rooms-katholiek | *volkst.* | volkstaal |
| *Rom.* | Romeins | *v, vr.* | vrouwelijk |
| *Rus(s).* | Russisch, Rusland | *VS* | Verenigde Staten van Amerika |
| | | *v.v.t* | voltooid verleden tijd |
| *scheepv.* | scheepvaart | *vz* | voorzetsel |
| *scherts.* | schertsend | | |
| *schoolt.* | schoolterm | *W.* | West |
| *Sanskr.* | Sanskriet | *waarsch.* | waarschijnlijk |
| *soc.* | sociologische term | *wetensch.* | wetenschappelijk |
| *Sp.* | Spaans, Spanje | *wisk.* | wiskunde |
| *spec.* | speciaal | *ww* | werkwoord |
| *spoorw.* | spoorwegen | | |
| *sp.* | sport | | |
| *sport.* | sportterm | *Z.* | Zuid |
| *spot.* | spottend | *z.* | zich |
| *spr.* | spreek uit | *z.a.* | zie aldaar |
| *spraakk.* | spraakkunst | *zgn.* | zogenaamd |
| *ss* | samenstellingen | *zn* | zelfstandig naamwoord |
| *stud.* | studententaal | *Z.N.* | Zuidnederlands |

\* = gereconstrueerde vorm, dat wil zeggen: het woord als zodanig is niet in de literatuur
overgeleverd, maar is aan de hand van verwante woorden door taalkundigen gereconstrueerd.

**1 a-** [Lat.] = **ab** vóór sommige medeklinkers.
**2 a-** [Gr.] niet-, on-; zonder-.
**à** [Fr.] **1** tegen, in ruil voor (1 kilo à 55 cent);
**2** tot (5 à 6 gulden, 8 à 9 meter). (Het gebruik
van à in betrekking met ondeelbare zaken is
onjuist, bijv. in 7 à 8 personen, dit moet zijn:
7 of 8 personen.)
**-aal** [Lat. -*alis*] achtervoegsel met de
betekenis: op de ... betrekking hebbend, v.d.
...; *bijv.*: regionaal, provinciaal, nationaal e.d.
**aarts-** [Gr. *archi-* = eerste] uit de oude tijd
(aartsvader); eerste in rang (aartsbisschop); in
hoge mate (aartslui).
**-aat** (*chem.*) achtervoegsel ter aanduiding v.e.
zout v.e. zuur met normaal aantal
zuurstofatomen (bijv. natriumsulfaat =
natriumzout v.e zwavelzuur, $H_2SO_4$).
**ab** [Lat.] weg, vanaf, uit.
**ab absur'do** [Lat.] uit het ongerijmde; bewijs
—, bewijs dat aantoont dat het tegendeel tot
een ongerijmdheid voert.
**abaca'** [Sp.] bep. touwvezel, zgn.
manillahennep.
**ab-ac'tis** [Lat. *ab*, en *acta* = akten,
handelingen] secretaris v. univ.; secretaris v.
studentenvereniging.
**a'bacus** [Lat. v. Gr. *abax*] **1** rekenbord in
vakken verdeeld, in de Oudheid gebruikt en tot
in de ME in zwang; **2** een soort speelbord,
eveneens in vakken verdeeld; **3** schenktafel
met doorboorde vakken (om de puntkruiken in
te zetten); **4** ingelegde siertafel; **5** dekplaat v.
kapiteel.
**abaliëne'ren** [Lat. *abalienáre*, v. *ab* en *alienáre*
= vervreemden; *aliénus* = vreemd]
vervreemden, spec. iem. van geloof afvallig
maken. **abaliëna'tie** zn.
**abandon'** [Fr. *mettre à bandon* = overleveren
aan de rechtsmacht v.e. ander] **1** het afstand
doen van iets, overgeven aan een ander; **2** het
zichzelf overgeven (aan een neiging), vandaar
*ook*: willekeur; **3** toestand v. verlatenheid; **4**
losheid v. gedrag (in gunstige zin).
**abandonnement'** [Fr.] **1** de gevolgen van
*abandon*: afstand, overgave, verlating; **2**
(*hand.*) overdracht v. beschadigde goederen
(spec. schepen) aan
verzekeringsmaatschappij tegen volledige
vergoeding. **abandonne'ren** [Fr.
*abandonner*, OFr. *abandoner*] laten schieten,
laten varen; verlaten, iets of iem. aan zijn lot
overlaten.
**abasie'** [v. Gr. *a-* = niet, *basis* = het gaan, v.
*bainoo* = gaan] onvermogen om te lopen,
hoewel spieren, gevoel en evenwicht niet zijn
gestoord, als gevolg v.e. stoornis in het
centrale zenuwstelsel (*zie ook* **astasie**).
**abat-jour'** [Fr. = *lett.*: wat het licht neerwerpt]
dakvenster, vallicht, koekoek; lampekap.
**abat-vent'** [Fr. = *lett.*: wat de wind neerslaat]
draaibare kap op schoorsteen, die de wind
verhindert in de schoorsteen te slaan.
**abbrevië'ren, abbreviëren** [Lat. *ab* of *ad* en
*breviáre* = korter maken, *brevis* = kort] korter
maken, in- of afkorten; spec. bij Romeinen,
schrijven in soort stenoschrift. **abbrevia'tie**
zn. **abbreviatuur'** het af- of ingekorte.
**abdice'ren** [Lat. *abdicáre* = afstand doen, v.

*ab* en *dicáre* = plechtig verkondigen,
toewijden, overgeven] formeel afstand doen v.
macht, recht, bezit of ambt, spec.v. troon (*ook:*
**abdique'ren** [Fr. *abdiquer*]). **abdica'tie** zn.
**abdo'men** [Lat.] **1** (*anat.*) weke deel v.d. buik
(maag, ingewanden enz.); **2** (*dierk.*) achterlijf
v. geleedpotige dieren. **abdominaal'** wat de
buik betreft (bijv. chirurgie).
**abduce'ren** [Lat. *abdúcere*, v. *ab* en *dúcere* =
leiden, voeren] wegvoeren, verwijderen.
**abduc'tie** [Lat. *abdúctio*] wegvoering;
(*anat.*) beweging v.d. as v.h. lichaam af
gericht. **abduc'tor** spier die een lichaamsdeel
v.d. as v.h. lichaam af beweegt.
**abeceda'rius** [VLat. = *lett.*: iem. die het ABC
of de beginselen nog moet leren] beginnend
leerling, beginneling. **abeceda'risch:** —
*gedicht*, gedicht waarvan de beginletters der
strofen alfabetisch gerangschikt zijn.
**abeel'** [VLat. *albéllus*, verklw. v. Lat. *albus* =
wit] witte populier.
**-a'bel** [Lat. -*a'bilis*] uitgang met bet.v. ongev.
'(geschikt) om te', Ned. -*baar*; *bijv.*:
transferabel = overdraagbaar; soms ook: -*lijk*,
*bijv.*: abominabel = gruwelijk.
**a'bele spelen** [*abel* = kunstig] naam voor vier
toneelspelen v. wereldlijke aard (tegenover de
mysteriespelen waarvan de inhoud meer
bijbels is) uit de $2^e$ helft v.d. 14e eeuw, onze
oudst bekende wereldlijke spelen. Ze zijn
ernstig v. aard; het centrale thema is de liefde.
**aberre'ren** [Lat. *aberráre*, v. *ab* en *erráre* =
dwalen] afwijken, afdwalen. **aberra'tie 1**
(*fig.* en *lett.*) afdwaling; **2** (*biol.*) afwijking v.
type; **3** (*nat.*) het niet samenvallen v.
lichtstralen in brandpunt na breking in lens of
lenzenstelsel of na terugkaatsing in spiegel; **4**
(*astr.*) schijnbare verplaatsing v. hemellichaam
uit werkelijke positie door afwijking der
lichtstralen ten gevolge v.d. aardbeweging.
**ab ex'tra** [Lat.] van buiten af.
**ab hodier'na di'e** [Lat.] v.d. huidige dag af.
**abhorre'ren** [Lat. *abhorrére*, v. *ab* en *horrére*
= stijf staan, huiveren, ijzen] verafschuwen,
verfoeien. **abhorrescen'tie, abhorren'tie**
zn.
**abi'me** [Fr. v. Gr. *abussos*; *a-* = niet, en *bussos*
= diepte, bodem; bodemloos] afgrond.
**ab i'mo pec'tore** [Lat.: *lett.*: uit het diepst v.d.
borst] uit de grond v.h. hart.
**ab incuna'bilis** [Lat.] v.d. wieg af, v. jongsaf.
**ab ini'tio** [Lat.] v. den beginne.
**ab intesta'to** [Lat. = *lett.*: v. degene zonder
testament] bij versterf.
**abioge'nesis** [Gr. *a-* = niet, *bios* = leven,
*genesis* = wording] vanzelf ontstaan v. leven
uit levenloze stof (*zie* **generatio
spontanea**). **abio'se** schijnbaar levenloze
toestand v. lagere organismen bij uitdroging
e.d. **abio'tisch** niet op organismen betrekking
hebbend.
**abituriënt'** [Lat. *ab* en *iturus* = zullende gaan]
leerling die de school (vooral M.O.) geheel
doorlopen heeft en haar thans gaat verlaten.
**abituriënten-examen** eindexamen.
**abject'** [Lat. *abjícere, abjéctum,* v. *ab* en *jácere*
= werpen, *lett.*: neergegooid] verachtelijk,
gemeen, laag. **abjec'tie 1** verwerping; **2**
zelfverlaging; **3** toestand v. verworpen of
verlaagd zijn.
**ab Jo've princi'pium** [Lat.: *lett.*: bij Jupiter
het begin] beginnen bij het voornaamste.
**abjure'ren** [Lat. *abjuráre*, v. *ab* en *juráre* =
zweren; *lett.*: met eed iets of iem. verzaken]
afzweren (ook zonder eig. eed). **abjura'tie** zn.
**ablacta'tie** [Lat. *ab* en *lactare* = zogen: *lac,
lactis* = melk] het spenen v.e. zuigeling.
**abla'tie** [Lat. *ab* en *latus*, lijd. v. dw v. *férre*
= dragen] **1** (*med.*) wegneming v. enig
lichaamsdeel of orgaan; **2** (*aardr.*) afslijting v.
gletsjer of rots, resp. door smelten of door
werking v. water.
**ab'latief** [verlatijnsing' van volgende.]
**ablati'vus** [Lat. *eig.*: *ca'sus ablativus* = de
naamval die aangeeft: 'gebracht van ...'; v.
*auférre, ablátus* = *lett.*: wegdragen,

wegnemen, v. *ab*- en *férre* = dragen] zesde naamval in het Lat. aangevend de bron, oorzaak, dader, werktuig enz. van een handeling. **ablati'vus absolu'tus** [Lat. *sólvere, solútum* = losmaken] zesde naamval in Latijn verbonden met deelwoord om tijd of omstandigheden aan te geven; *bijv.: stante pede* = op staande voet; *Deo volénte* = met Gods wil.

**Ab'laut** [Du.] (*taalk.*) regelmatige klankwisseling in de stam van bep. woorden, spec. sterke werkwoorden; *bijv.*: sterven, stierf, gestorven; breken, brak, gebroken; ook in afgeleide woorden: bijv. van 'binden' band, bint, bond, bundel.

**ablu'tie** [Lat. *ablútio*, v. *ab* en *luo* = ik was] afwassing, spec. als ceremoniële handeling in eredienst (afwassing van handen, heilige vaten enz.).

**abnege'ren** [Lat. *abnegáre*, v. *ab* en *negáre* = ontkennen] 1 weigeren, verwerpen (v.leer); 2 zichzelf verloochenen. **abnega'tie** *zn*.

**aboli'tie** [Lat. *abolítio*, v. *abolére*, *abólitum* = wegmaken, verdelgen, vernietigen] afschaffing v. gebruik of wet; opheffing v. instelling; kwijtschelding v. straf.

**abolitionist'** (*gesch.*) voorstander van afschaffing v.d. slavernij in Amerika in 18e en 19e eeuw.

**abomina'tie** [Lat. *abominátio*, v. *ab* en *ominári* = verbidden; *omen, óminis* = voorteken] (*lett.*: afwijking van het voorteken) gruwel, afgrijzen. **abomina'bel** verwerpelijk, gruwelijk, afgrijselijk, al wat moreel of fysiek afschuw verwekt (meestal met overdrijving gebruikt voor al wat 'erg' is).

**ab om'ni par'te** [Lat.] van alle kant, in elk opzicht.

**abondan'ce** [Fr. = *lett.*: overvloed] bep. bod bij sommige kaartspelen.

**abondant'** [Fr.] *zie* abundant. **abondan'tie** [Fr. *abondance*, v. Lat. *abundantia* = overvloed] 1 de mate waarin iets aanwezig is; 2 (*chem.*) het percentage waarin de elementen in de natuur (in de kosmos, spec. in sterren) voorkomen; (*biol.*) het aantal individuen, relatief genomen, v.e. plantesoort i.e. bep. plantengemeenschap (bijv. i.d. heidevegetatie).

**à bon entendeur' demi' mot suffit'** [Fr.] een goed verstaander heeft maar een half woord nodig. **à bon marché** [Fr.] goedkoop.

**ab or'be con'dito** [Lat.] v.d. schepping der wereld af. (*Vgl.* **ab urbe condita**.)

**ab ori'gine** [Lat.] v.d. oorsprong af, van den beginne. **abori'gines,** [Lat.; vroeger o.a. afgeleid v. *ab*, en *orígo, oríginis* = oorsprong; thans in verband gebracht met gebergte de Abruzzen, of met *Bóreas* = Noorden] bij de Romeinen: oerbevolking v.d. landstreek Latium; *thans*: inboorlingen, oorspronkelijke bewoners v.e. land, m.n. Australië [Eng. *aboríginals*]; (*biol.*) inheemse planten en dieren.

**aborte'ren** [v. Lat. *abortáre* = ontijdig baren, v. *ab* en *oríri,órtum* = geboren worden] 1 *on.w.* een (spontane) miskraam krijgen; 2 *ov.w.* een miskraam opzettelijk verwekken, abortus provocatus uitvoeren. **aborteur'** [Fr.], vr. **aborteu'se** [Fr.] pers. die een abortus provocatus uitvoert.

**abor'tus** [Lat.] spontane miskraam, ontijdige geboorte v.d. vrucht (ook bij dieren), bij de mens spec. als deze vrucht nog niet levensvatbaar is (zo wel, dan spreekt men van premature bevalling); korte vorm van *abórtus provocátus*. **abor'tus (ar'te) provoca'tus** [modern Lat. v. Lat. *ars, artis* = kunst- (greep), en *provocá're* = te voorschijn roepen] kunstmatig verwekte miskraam, verwijdering v.d. vrucht.

**aboulie'** [v. Gr. *a*-. = zonder, *boulè* = wil] ziekelijke besluiteloosheid.

**à bout portant'** [Fr. = *lett.*: met de loop dragend op het doel] van nabij (schieten); *ook*: plotseling.

**ab o'vo** [Lat. = *lett.*: van het ei af] van de allereerste grondbeginselen af. **ab o'vo us'que ad ma'la** [Lat. = van het ei tot en met de appels, d.i. begin resp. einde v.d. Romeinse maaltijd] v.h. begin tot het einde.

**abracada'bra** (kabbalistisch woord, waaraan geheime ziektengenezende toverkrachten werden toegeschreven) *oorspr.*: tovertaal; *thans*: onbegrijpelijk gepraat.

**abra'sie** [Lat. *abrádere, abrásum* = afkrabben, v. *ab* en *rádere* = schaven, krabben] 1 (*med.*) wegkrabbing, afkrabbing (bijv. v.d. huid) met scherp instrument; 2 (*geol.*) landafslijting door inwerking van water.

**abrege'ren** [Fr. *abréger*, v. Lat. *abreviáre* = afkorten, inkorten] in het kort samenvatten. **abrégé** [Fr.] korte samenvatting, uittreksel.

**abrenuntia'tie** [Lat. *ab* en *re* en *nuntiáre* = boodschappen; *renuntiáre* = openlijk afkondigen, verklaren] afzwering, spec. afzwering v.d. duivel en zijn werken bij doopbeloften.

**abri'** [Fr., OFr. *abrier*] schuilplaats, afdak. **abri(vent')** [Fr.] wachthuisje of windschut, spec. bij tram- of bushalte.

**abricote'ren** [Fr. *abricoter*] warm gebak met abrikozenmoes bestrijken.

**abroge'ren** [Lat. *abrogáre*, v. *ab* en *rogáre* = een wet voorstellen] afschaffen, opheffen van een wet door een andere. **abroga'tie** *zn*.

**abs** [Lat.] = ab vóór c, q en t.

**abscis'** [Lat. *abscissa línea* = afgesneden lijn, v. *ab* en *scíndere, scíssum* = splijten, kloven, scheuren] (*meetk.*) stuk v.h. ene been v.e. hoek vanaf het hoekpunt, afgesneden door loodlijn vanuit een punt op het andere been; (*analytische meetk.*) afstand v.e. punt tot de y-as.

**absen'ce** [Fr. = *lett.*:afwezigheid] bep. kortstondige storing v.h. bewustzijn.

**absi'de, absis'** *zie* apsis.

**absint'** [Gr. *apsinthion* = alsem] 1 alsem, absint-alsem; 2 likeur uit aftreksel van bittere absint-alsem-toppen, gestookt met alcohol. Door misbruik van absint kan acute of chronische vergiftiging gepaard met erfelijke beschadiging ontstaan.

**absis', absi'de** *zie* apsis.

**ab'sit** [Lat. wens-vorm v. *ábesse* = afwezig zijn, v. *ab* en *esse* = zijn] het zij verre! **ab'sit invi'dia** [Lat.] zonder afgunst gesproken.

**absolu'tie** [Lat. *absolútio*, v. *absólvere*, v. ab en *sólvere, solútum* = losmaken] vrijspraak, kwijtschelding v.d. berouwvol beleden zonden en in de biecht, door de priester gegeven krachtens de hem door God verleende macht.

**absoluut'** [Lat. *absolútus*, afk. **abs.**, *lett*.: losgemaakt] volstrekt in zichzelf, onbeperkt, volmaakt (God is het absolute Zijn); onafhankelijk (absoluut monarch); zonder hulpmiddelen nodig te hebben (absoluut gehoor); zonder betrekkingen (absolute film, iets absoluut genomen); zonder beperkingen of voorwaarden (het is absoluut waar), vandaar *ook*: volstrekt, stellig (ik heb het absoluut niet gedaan); in natuurwetenschappen vaak gebruikt om grondmaat aan te duiden (absolute eenheden, absolute temperatuurschaal e.d.); tegenst.: *relatief*; (*astr.*) absolute grootte, werkelijke lichtsterkte van ster, tegenover de schijnbare helderheid (zoals door ons waargenomen). **absolute waarde** 1 (*wisk.*) of **mo'dulus** v.e. reëel getal is dat getal, er van afgezien of het positief of negatief is. (Men schrijft zo'n getal tussen twee rechte strepen. Zo is bijv. |5| gelijk aan +5 en gelijk aan het tegenovergestelde, nl. -5.); 2 (*statistiek*) waarde van grootheden die in de oorspronkelijke eenheden zijn uitgedrukt (dus in absolute cijfers) en niet in percentages, indexcijfers e.d. (relatieve cijfers).

**absolutis'me** alleenheerschappij zonder verantwoording in de staat door de vorst, of v.d. staat door haar regeringsstelsel.

**absolve'ren** [Lat. *absólvere*, v. ab en *sólvere* = losmaken] 1 vrijspreken; de absolutie geven;

**2** voltooien, afmaken.

**absor'bens**, *mv* **absorben'tia**; *ook*: **absorbent** [Lat. *absórbens, absorbéntis* = o.dw van *absorbére*] stof die absorbeert.

**absorbaat'** stof die is geabsorbeerd.

**absorbe'ren** [Fr. *absorber*, v. Lat. *absorbére* = *lett.*: inslurpen vanuit, v. *ab* en *sorbére* = inslurpen, verzwelgen; *vgl. ook* **adsorberen**] **1** opslorpen, opzuigen, in zich opnemen; **2** (*fig.*) geestelijk totaal in beslag nemen (*bijv.*: hij werd geheel door zijn werk geabsorbeerd).

**absorp'tie** [Lat. *absórptio*] opslorping, inzuiging, het opnemen in (in tegenstelling tot **adsorptie**) een vaste stof v.e. gas of vloeistof, of v.e. gas in een vloeistof, en het vasthouden daarin; de vermindering van intensiteit v. geluidsgolven of straling bij doorgang door materie (vast, vloeibaar of gasvormig); (*fysiologie*) het door de cellen v.e. organisme in zich opnemen van stoffen uit het hen omringende milieu; *ook*: het opgenomen worden van de stoffen. (*Vgl. ook* **resorptie**.)

**absou'te** [Fr. v. Lat. *Absólve, Dómine* = ontsla, Heer; de beginwoorden van dit gebed] plechtige gebeden en zegeningen v.e. lijk na de uitvaartmis.

**abs'que om'ni exceptio'ne** [Lat.] zonder enige uitzondering. **abs'que ul'la condicio'ne** [Lat.] zonder enige voorwaarde, onvoorwaardelijk.

**abste'mius** [Lat. v. *abs* en *temum* of *temétum* = bedwelmende drank] onthouder.

**(zich) abstine'ren** [Lat. *(se) abstinére*, v. *abs* en *tenére* = houden] zich onthouden.

**abstinent'** [Lat. *ábstinens, abstinéntis* = o.dw] onthouding beoefenend, matig.

**abstinen'tie** [Lat. *abstinéntia*] onthouding, spec. v. voedsel en drank.

**abstract'** [Lat. *abstráhere, abstráctum* = aftrekken, v. *abs* en *tráhere* = trekken] **1** (staat tegenover concreet): de zaak beschouwd zoals ze hier en nu is met al haar bijkomstigheden; afgetrokken (v.h. bijkomstige); een hoedanigheid los v.h. voorwerp beschouwd (bijv. witheid, sterkte); onstoffelijk; **2** (v. pers.) met zijn gedachten ergens anders, verstrooid. **abstract getal** getal dat een meting weergeeft zonder dat de aard v.d. gestelde voorwerpen wordt gegeven (bijv. 4, zonder meer, is een abstract getal, omdat niet wordt vermeld wat voor 4 dingen; in '4 peren' is de 4 geen abstract getal). **abstracte kunst** nonfiguratieve beeldende kunst. **abstracte wetenschap** wetenschap die zich bezighoudt met zuivere hoedanigheden afgezien v.d. realiteit.

**abstrac'tie** [Lat. *abstráctio*] **1** afgetrokken idee; **2** verstrooidheid.

**abstract'tum pro concre'to** [Lat.] een abstract denkbeeld voor het concrete (bijv. beroemdheid voor: beroemd persoon).

**abstrahe'ren** [Lat. *abstráhere, zie* **abstract**] abstractie maken (*z.a.*); *ook*: ergens een conclusie uit trekken, iets er uit afleiden.

**abstruus'** [Lat. *abstrusus*, v. *abstrúdere* = wegduwen, verbergen] gewrongen, duister (gezegd van stijl).

**abundant'** [Lat. *abundáre*, v. *ab* en *undáre* = golven, overstromen; *unda* = golf, stroom] overvloeiend, overvloedig, rijkelijk. **abundan'tie** [Lat. *abundántia*] overvloed.

**ab ur'be con'dita** [Lat.] vanaf de stichting der stad (Rome: 753 v. Chr.) (Jaartelling der oude Romeinen).

**abuse'ren** [Fr. *abuser*, v. Lat. *ab* en *úsus* = gebruik] slecht gebruik maken van, misbruiken; *zich —*, zich vergissen.

**ab utra'que par'te** [Lat.] van beide zijden, van weerskanten.

**abyssaal'** [Gr. *bn abussos* = grondeloos; zeer diep v. *a-* = niet, en *bussos* = bodem] wat met een diepte van meer dan 1000 m in verband staat.

**ac-** [Lat.] = **ad** vóór **c**.

**acade'mie** afk. acad., **akade'mie** [Gr. *akadémeia*, oorspr. tuin van Plato gewijd a.d.

halfgod *Akádemos*] **1** hogere school voor wetenschap of kunst; militaire academie voor hogere krijgswetenschap; **2** geleerd genootschap. **acade'misch** wat in verband staat met de hogeschool. **academisch vraagstuk** vraagstuk van louter theoretische aard, zonder direct belang voor de praktijk. **acade'micus 1** in Oudheid: volgeling van Plato; **2** persoon die een hogeschool doorlopen heeft, lid v.e. academie.

**acajou'** verkorting van *acajouhout*, hout v.d. acajouboom (*Anacardium occidentale*), die fijn meubelhout levert.

**acale'fen** [Gr. *akaléphai*] zeekwallen.

**acan'thus** [Gr. *akanthos; akantha* = doorn] **1** bepaalde doornachtige plant; **2** blad v. deze plant gebruikt als siermotief in de Gr. bouwkunst.

**a capel'la** [It., *cappella* = kapel; muziekkorps] (*muz.*) koorzang zonder begeleiding van instrumenten.

**a capric'cio** [It.] (*muz.*) naar de inval v.h. ogenblik.

**acarici'den** [v. wetensch. Lat. *acari* = mijten, Lat. *caedere* = doden] middelen ter bestrijding v. mijten. **acarologie'** [*zie* **-logie**] wetensch. bestudering v.d. mijten. **acaroloog'** beoefenaar v.d. acarologie.

**a'catalec'tisch** [Gr. *a-* = niet, en *katalèxis* = de laatste versvoet waaraan één of meer lettergrepen ontbreken] gezegd v.e. laatste versvoet die *volledig* is.

**acatène** [?] kettingloos rijwiel.

**accable'ren** [Fr. *accabler* = overladen, v. Gr. *a-* = niet, en *katabolè* = het neerleggen, v. *kata-balloo* = neer-werpen] overladen, overstelpen (*ook fig.*); neerdrukken, doen bezwijken, bezwaren. **accablant'** [Fr.] neerdrukkend, moeilijk te dragen (last, hitte enz.). **accablement'** [Fr.] lichamelijke of geestelijke gedruktheid.

**accapare'ren** [Fr. *accaparer*, It. *accaparare*] grote hoeveelheden goederen a.d. markt onttrekken om grove winst te kunnen maken. **accapareur'** [Fr.] persoon die accapareert.

**accarezze'vole** [It. *carezza* = liefkozing] (*muz.*) strelend.

**accede'ren** [Lat. *accédere* = *lett.*: er bij komen, v. *ad* en *cédere* = gaan] bijvallen; *ook*: zijn toestemming geven.

**acceleran'do afk. accel.** [It.] (*muz.*) in geleidelijk sneller tempo.

**acce'pi** [Lat.] ik heb ontvangen; afk. **a** (*hand.*) geaccepteerd.

**accept'** *zie* **accepta'tie. accepta'bel** aanvaardbaar, aannemelijk. **acceptant'** (*hand.*) hij die door handtekening een wissel accepteert. **accepta'tie** aanvaarding, verbintenis tot betaling. **accepte'ren** [Lat. *acceptáre*, frequentatief v. *accipere*, v. *ad* en *cápere* = nemen] aanvaarden, aannemen.

**acces'** [Fr. *accès*, Lat. *accéssus, zie* **accessie**] **1** toegangsweg, toegang; vergunning, toestemming; **2** aanval (v. koorts).

**accessi'bel** [Fr. *accessible*, Lat. *accessíbilis*] toegankelijk, genaakbaar.

**acces'sie** [Lat. *accessio*, v. *ac-cédere, -céssum* = *ad-cédere* = er bij komen] het verkrijgen in eigendom uit een zaak die men reeds bezit, aanwas, natrekking. **acces'sit** [Lat. *accéssit* = *lett.*: het is er bij gekomen] tweede prijs, eervolle vermelding. **accessoir'** [Fr. *accessoire*], **accesso'risch** bijkomend, bijbehorend.

**accident'** [Lat. *áccidens, accidéntis* = het toevallige, o.dw van *accídere* = ergens bij vallen, v. *ad* en *cádere* = vallen] **1** (*fil.*) bijkomstigheid, eigenschap die niet de zelfstandigheid raakt (bijv. kleur, smaak enz.); **2** voorval, toevallige gebeurtenis [Lat. *áccidit* = het gebeurt]; **3** (*muz.*) toevallig verhogings- of verlagingsteken dat niet a.d. sleutel staat. **accidenteel'** [Fr. *accidentel*, waarsch. v. VLat. *accidentális*] toevallig. **accidenta'lia** [Lat.] **acciden'tiën** *mv* bijkomstigheden, toevalligheden;

bijverdiensten.
**accijns'** afk. **acc.** oorspr. *accijs* (accijns o.i.v. cijns) [v. Fr. *accise* = verbruiksbelasting, v.MLat. *assisia* = rechtszitting, rechtsverordening, belasting] belasting op verbruiksartikelen.

**acclama'tie** [Lat. *acclamátio*, v. *acclamáre* = toeroepen, v. *ad* en *clamáre* = roepen] toejuiching (bij acclamatie kiezen: eenstemmig met gejuich of handgeklap kiezen)

**accommoda'tie** [Lat. *accommodátio*] **1** aanpassing; **2** aanpassingsvermogen, inschikkelijkheid; **3** geschikte inrichting. accommodatie v.h. oog met minder of meer bol worden v.d. ooglens naar gelang de afstand v.h. voorwerp. **accommodeer'** [Fr.] schikking.

**accommode'ren** [Lat. *accommodáre*, v. *ad, cum* en *modus* = wijze; volgens maat, passend] aanpassen van pers. of zaken aan iem. of iets anders; de bolheid v.d. ooglens veranderen naar gelang van de afstand v.h. voorwerp dat men beziet.

**accompagne'ren** [Fr. *accompagner* v. Lat. *ad, cum* en *panis* = brood, *lett.*: het brood met iem. delen] **1** (*alg.*) vergezellen; **2** (*muz.*) zang of spel v.e. ander met een muziekinstr. begeleiden. **accompagnateur'** [Fr.] begeleider op muziekinstr. **accompagnement'** [Fr.] muzikale begeleiding van zang of solist; *ook*: de bijpartijen die het hoofdinstr. of de hoofdstem begeleiden of afwisselen.

**accorde'ren** [Fr. *s'accorder*] het met elkaar kunnen vinden, elkaar verdragen. **accordeur'** [Fr.] (piano)stemmer.

**accor'do** [It.] (*muz.*) 12- tot 15-snarige viool, in de 17e en 18e eeuw in Italië zeer in zwang.

**accoste'ren** [Fr. *accoster*] aanklampen, aanspreken.

**accouchement'** [Fr.] verlossing, bevalling. **accouche'ren 1** (*ov.w*) als deskundige bij een verlossing hulp verlenen; **2** (*on.w*) bevallen. **accoucheur'** vroedmeester, verloskundige. **accoucheu'se** vroedvrouw.

**account'** [Eng. = *ook*: beschrijving, v. OFr. *acont*, v. *à* = naar, en *cont* v. VLat. *comptum* i.p.v. Lat. *computum*, v. *computáre* = berekenen] reclame-verzorging v.e. bep. produkt. **account-exe'cutive** [*zie* executief] persoon die bij een reclamebureau die het contact met opdrachtgevers onderhoudt.

**accoun'tant** [Eng. *to count* = tellen; de uitgang *-ant* van Fr. 15e eeuw *accomptant* van VLat. *accomptáre* voor *ad-computáre* = berekenen, uitrekenen, rekening opmaken] eig. boekhouder, meer spec. iem. die boekhouding controleert. **accoun'tancy** accountantschap, beroep van accountant.

**accredite'ren** [Fr. *accréditer*, v. Lat. *crédere* = *cor-dare*, *lett.*: het hart geven; geloven, vertrouwen schenken] vertrouwen, krediet verschaffen, volmacht geven. **geaccrediteerd gezant** gezant die voorgesteld en zijn geloofsbrieven heeft overhandigd. **accreditief' 1** opdracht aan bank tot uitbetaling a.e. derde; **2** geloofsbrief.

**accres', acte'ren** [Lat. *accrétio*, v. *accréscere* = aangroeien, v. *ad* en *créscere* = groeien] aanwas. **accresse'ren** aanwassen, zich ophopen. **accrescen'tie** *zn*.

**accroche'ren** [Fr. *accrocher*] aanknopen aan, vasthechten, verbinden.

**ac'cu** *zie* accumulator.

**accultura'tie** aanpassing in cultuurpatroon van een of meer groepen van verschillende culturen bij langdurig contact.

**accumule'ren** [Lat. *accumuláre*, v. *ad* en *cumuláre* = ophopen; *cúmulus* = hoop] opstapelen, openhopen. **accumula'tie** [Lat. *accumulátio*] opeenhoping. **accumula'tor** toestel om elektrische energie op te slaan.

**accusa'tie** [Lat. *accusátio*, v. *ad* en *causa* = rechtzaak] afk. **acc.** aanklacht. **ac'cusatief** [Lat. *cásus accusativus*, *lett.*: vertaling van Gr.

*aitiatikè* = causaal, i.d. bet. dat het object of doel de oorzaak der beweging of handeling is] vierde naamval.

**ace** [Eng.] opslag bij tennis waar de ontvanger niet bij kan.

**acerve'ren** [Lat. *acerváre* = opeenhopen; *acérvus* = hoop] opstapelen. **acerva'tie** opeenhoping. **acervaat'** het opeengehoopte.

**à charge** [Fr. *charge* = last, v. VLat. *carricáre*; *carrus* = kar] getuige à charge is een getuige die ten nadele v.d. de beschuldigde spreekt. (*Vgl.* **à décharge.**)

**acharné** [Fr. *à* en *chair* = vlees, *lett.*: vastgebeten aan zijn prooi] verwoed, verbitterd, hardnekkig.

**a'chelen** *zie* hachelen.

**acheneb'bisj** *zie* nebbisj.

**à cheval** [Fr. = *lett.*: te paard] schrijlings (gezeten)

**achil'leshiel** [Gr. *myth*: Achilles' enige kwetsbare plek was zijn hiel] zwakke plek in een overigens sterk geheel. **achil'lespees** (*anat.*) sterke pees van kuitspier naar hiel.

**a'chromaat** [v. Gr. *a-* = niet; *zie* chromaat] lenzenstelsel met matige correctie voor enkele kleurfouten (*Vgl.* **apochromaat.**) **achroma'tisch** kleurloos.

**achylie'** [Gr. *a-* = niet, en *chulos* = sap] (*med.*) afwezigheid van maagsap.

**a'cid** [Eng. v. Lat. *acidum* = zuur] door insiders gebruikte aanduiding van LSD.

**acidime'ter** [Lat. *ácidum* = zuur, en *meter*, *z.a.*] toestel om het zuurgehalte te meten.

**acidometrie'** bepaling van hoeveelheid zuur i.e. oplossing.

**aciditeit'** zuurheid; zuursterkte, -gehalte.

**acidofiel'** affiniteit hebbend tot zuur; (*biol.*) de voorkeur gevend a.e. zuur milieu.

**acido'se** (*med.*) een te hoge zuurgraad v.h. bloed.

**ac'me** [Gr. *akmè* = spits, scherpte] hoogtepunt v.e. crisis.

**ac'ne** [missch. verbastering van *acme*] huidziekte met veel kleine puistjes.

**acognosie'** [Gr. *akos* = geneesmiddel, en *gnosis* = leer] geneesmiddelenleer.

**acoliet'** [Gr. *akolouthos* = *lett.*: hij die volgt, dienaar; *zie ook* onder **anakoloet**] **1** (*rk*) pers. die de katholieke priester bij het opdragen der mis bedient, misdienaar; **2** (*alg.*) volgeling, aanhanger.

**à comp'te** [Fr.] ter waarde; (*hand.*) in mindering.

**aconceptief'** [Gr. *a-* = niet, en Lat. *concípere, conceptum* = ontvangen] de bevruchtbaarheid onderdrukkend: *aconceptieve tabletten.*

**à condition'** [Fr.] op voorwaarde; (*hand.*) op zicht.

**aconiti'ne** zeer giftig alkaloïde dat voorkomt in knollen, bladeren e.a. delen van planten v.h. geslacht *Aconitum*, als geneesmiddel sterk verdovend.

**a con'to** [It.] in mindering. (*Vgl.* **à compte.**)

**à con'tre cœur** [Fr.] met tegenzin.

**a cos'ti** [It.] ten uwent.

**à côté** [Fr.] ter zijde.

**acotyledo'nen** [Gr. *a-* = niet, en *kotulèdoon* = holte] planten zonder duidelijke zaadlobben.

**acoustiek**, ...**isch**, *zie* **akoestiek**, ...**isch**.

**acquest'** [OFr. v. Lat. *acquisítum* = de verworven zaak, v. *acquírere* = verwerven, v. *ad* en *quáerere* = zoeken] aanwinst, verwerving. **acquire'ren** [Lat. *acquírere*] verwerven, in bezit krijgen, zich eigen maken.

**acquisi'tie** [Lat. *acquisítio*] verwerving, koop; kwijting. **acquisiteur'** werver v. advertenties of verzekeringen.

**acquiesce'ren** [Lat. *acquiéscere* = tot rust komen, v. *ad* en *quiéscere* = rusten] zich tevreden stellen met, berusten in, zich laten welgevallen. **acquiescen'tie** *zn*.

**acquit'** [Fr., v. OFr. *acquiter* v. Lat. *ad* en *quiétáre* = rustig maken] **1** betaling, kwijting; *acquitteren*, tekenen voor voldaan; **2**

(*biljarten*) eerste stoot; plaats waar bal opgezet wordt.

**a'cre** [OEng. *aecer, vgl.* Gr. *agros,* Lat. *ager* = akker] Engelse oppervlaktemaat, 4840 vierkante yards = 4050 vierkante meter.

**acribie'** [Gr. *akribeia* = nauwkeurigheid, zorgvuldigheid] uiterste nauwgezetheid, zeer grondige nauwkeurigheid, spec. bij het beoefenen v.d. filologie.

**acribome'ter** klein soort van passer om kleine voorwerpen nauwkeurig te meten.

**acro-** [v. Gr. *akros* = puntig, spits, uitstekend] een spits, uiteinde of hoogte betreffend.

**acroama'tisch** [Gr. *akroaomai* = toehoren, aanhoren] eig.: op het horen, dus mondeling, overgeleverd aan kleine kring toehoorders; niet voor het grote publiek bestemd, niet populair; moeilijk te begrijpen.

**acrocefalie'** [*zie* acro-; Gr. *kephalè* = hoofd] **1** (*fysische antropologie*) het verschijnsel dat bij sommige volkeren de schedel koepelvormig is (in tegenst. tot *platycefalie* = platschedeligheid); **2** (*med.*) ziekelijke verhoging v.d. schedel, het zgn. punthoofd.

**acrodynie'** [Gr. *odunè* = kwelling] jeukend, brandend gevoel in handpalmen en voetzolen, gepaard met rood- tot blauwverkleuring en schilfering v.d. huid aldaar. **acrofobie'** [*zie* **fobie**] hoogtevrees.

**a'croleïen** [v. Lat. *acer* = scherp; *o'leum* = olie] propenal, acrylaldehyde, $CH_2 = CH -$ COH, een onverzadigd aldehyde met onaangename geur (waar te nemen als men een brandende kaars heeft uitgeblazen). Door oxidatie ontstaat acrylzuur, *zie* **acrylaten**.

**acromegalie'** [Gr. *akros, zie* acro-; *megalè* = vr. vorm van *megas* = groot] overmatige groei bij volwassenen van lichaamsuiteinden (handen, voeten, neus, kin) met vergroting v.d. ingewanden en verkromming v.d. wervelkolom, a.g.v. te grote hoeveelheids groeihormoon.

**acroniem'** [Gr. *onoma* = naam] letterwoord, d.w.z. woord dat gevormd wordt uit de beginletters (uitersten!) van andere woorden, bijv. Unesco, Sabena, radar e.d. **acro'polis** (om onduidelijke reden geen erkende spelling) *zie* akropolis.

**acros'tichon** (onjuiste beklemtoning; het woord is aldus samengesteld: akro-stichon; het zou dus moeten zijn: acro'stichon) [Gr. *stichos* = rij, gelid, versregel] naamvers, d.w.z. gedicht waarbij de beginletters v.d. versregels of de coupletten een naam of een spreuk vormen, *bijv.*: de beginletters van de 15 coupletten v.h. Ned. volkslied *Wilhelmus* vormen de naam 'Willem van Nassov'.

**acrote'rie** [Gr. *akrotèrion*] bekroning van gevelhoek of grafsteen.

**acryla'ten** [v. Lat. *acer* = scherp; *zie onder* **acroleïen**] verzamelnaam voor de esters v. acrylzuur (propeenzuur, $CH_2 = CH - COOH$), tevens verzamelnaam voor een groep kunststoffen die v. deze esters of v. die v.h. verwante methacrylzuur zijn afgeleid (bijv. polymethylmethacrylaat, afk. PMMA, en polyacrylonitril).

**act** [Eng. = *lett.*: handeling, daad; *zie* actio] meestal komische kleine reeks v. (min of meer) ingestudeerde handelingen.

**ac'ta** [Lat. *actum* = handeling, mv *acta*] handelingen. **Acta apostolo'rum** Handelingen der Apostelen (eerste boek van het Nieuwe Testament na de vier Evangeliën).

**acte de présen'ce** [Fr.]: — *geven*, welstaanshalve aanwezig zijn.

**actini'den** [*zie* **-ide 2**] naam voor de groep elementen die i.h. periodiek systeem der elementen volgen op actinium, nl. de elementen 90 t/m 103 (thallium t/m lawrencium).

**acti'nisch** [Gr. *aktis* = straal] chemische werking uitoefenend (gezegd van elektromagnetische stralen). **actiniteit' 1** (*chem.*) chemische werkzaamheid van elektromagnetische straling; **2** (*fot.*)

werkzaamheid van licht op fotografische plaat. **Acti'nium** radioactief op straling uitzendend) element, scheikundig symbool Ac, ranggetal 89.

**ac'tio** [Lat. v. *ágere, actum* = doen, handelen] spec. rechtshandeling. **actiona'ris, actionair,** houder van of handelaar in aandelen.

**act'ion-paint'ing** [Eng. = *lett.*: handeling-schilderen] wijze van schilderen met nadruk op de handeling v.h. schilderen, zonder dat men vooraf een denkbeeld heeft van wat men gaat maken; stroming die deze wijze van schilderen beoefent.

**acti'vum** [Lat.], **ac'tief** zn (*taalk.*) bedrijvende vorm v.h. werkwoord; overgankelijk werkwoord.

**acti'va** mv **1** (*taalk.*) mv van activum; **2** baten v.e. boedel (geld, vaste goederen, vorderingen enz.).

**actualis'me (aktualisme) 1** richting i.d. geologie die aanneemt dat alle veranderingen der aardkorst geleidelijk hebben plaatsgevonden en nog plaatsvinden door de inwerking van steeds bestaande krachten; **2** politiek systeem dat streeft naar beperking van de macht v.h. parlement en concentratie v.d. (vnl. bij een 1[e] minister berustende) uitvoerende macht. **actualist'** aanhanger v.h. actualisme. **actua'liter** [Lat.] *bw* werkelijk, inderdaad. **actua'ris** [v. Lat. *actuárius*] wiskundig specialist in de waarschijnlijkheidsrekening, die verzekeringsmaatschappijen e.d. van adviezen dient. **actuariële wetenschap** verzekeringswiskunde.

**actua'rius** [Lat. *eig.*: = boekhouder, administrateur] griffier.

**ac'tum ut su'pra** afk. **a.u.s.** [Lat.] gedaan als boven nl. op bovengenoemde datum.

**acuïteit'** [Fr. *acuité*] scherpte, hevigheid, gevoeligheid.

**a cuna'bilis** [Lat. = *lett.*: van de wieg af] van jongsaf (*zie ook* ab incunabilis).

**acupunctuur'** [v. Lat. *acus* = naald; *punctúra* = het steken] (*med.*) geneeswijze van bep. ziekten door op speciale plaatsen naalden i.h. lichaam te steken. **acupressuur'** [v. laat-Lat. *pressúra* = druk] variant van acupunctuur waarbij op speciale plaatsen van het lichaam uitwendige druk wordt uitgeoefend.

**acus'tica** [*zie* **akoestiek**] **1** geluidsleer; **2** gehoorleer.

**acu'to** [It.] (*muz.*) scherp. **acuut'** [Lat. *acútus* = scherp, snijdend] hevig, scherp (bijv. van pijn); hevig en snelverlopend (v. ziekte of ontsteking) (tegenst.: **chronisch** = slepend); dringend (bijv. acute kwestie, acute geldnood). **acu'tus** het accentteken'.

**ad** [Lat.] naar toe, tot naar, aan, bij; ten bedrage van.

**ad absur'dum** [Lat.] tot het ongerijmde. **ad ac'ta** [Lat.] bij de stukken (leggen), (als afgehandeld beschouwen).

**ada'gio** [It. = langzaam] (*muz.*) langzaam en bedaard te spelen gedeelte. **adagiet'to** [It.] (*muz.*) iets sneller dan adagio.

**ada'gium** [Lat. *adágio,* v. *ad* en '*agi-',* wortel v. *aio* = ik zeg] spreekwoord, traditionele stelregel. **adagia'rius** spreekwoordenverzamelaar.

**ad altio'ra** [Lat.] naar of tot het hogere.

**adamant'** [Gr. *a-* = niet, en *damnémi* = bedwingen] *oorspr.* gehard ijzer, staal, *later* diamant. **adaman'ten** diamanten, on(ver)breekbaar, zo hard als diamant; **adamantijn'** hardemail.

**ad amus'sim** [Lat. *amússis* = paslood] naar de regel, juist, nauwkeurig.

**adapte'ren** [Lat. *adaptáre,* v. *ad* en *aptáre* = geschikt maken; *aptus* = geschikt] aanpassen, schikken, voegen, passend maken. **adapta'tie** aanpassing, bewerking. **adapta'bel** aanpasbaar.

**ad ar'ma** [Lat.] te wapen. **ad a'stra** [Lat.] tot of naar de sterren, naar den hoge.

a'dat [Mal., v. Arab. *hadat* = wat terugkeert] inlands gewoonterecht, aloud gebruik dat ongeschreven wet is geworden.

a da'to afk. **a.d.** [Lat.] v.d. dagtekening af.

ad augus'ta per angus'ta [Lat.] *lett.*: naar het verhevene door de engten; men bereikt iets groots slechts door moeiten. (*Vgl.* **per aspera ad astra.**)

ad benepla'citum [Lat.] naar welgevallen.

ad calen'das (kalendas) grae'cas [Lat. = *lett.*: tot de Griekse Kalenden; *kaléndae* waren de eerste dagen der maand bij de Romeinen, de Grieken echter kenden die term niet] nooit, met sint-juttemis.

ad captan'dam benevolen'tiam [Lat. = om de bereidwilligheid te verkrijgen] kleine attentie om iemand goedgunstig te stemmen.

ad cap'tum [Lat.] naar bevattingsvermogen.

ad decre'tum [Lat.] volgens besluit.

adden'da [Lat. *mv.* van *addendum* = toevoegsel] bijlagen, aanhangsels (v.e.boek).

adde'ren [Lat. *addere*, v. *ad* en *dare* = geven] toevoegen. **addi'tie** [Lat. *additio*] optelling; toevoeging. **additief** [Fr. *additif*] **I** *bn* toevoegelijk, optellings-; **II** *zn* toevoegsel.

additioneel [Fr. *additionnel*] toegevoegd, bij wijze van aanvulling.

ad depo'situm [Lat.] ter bewaring.

addice'ren [Lat. *addicere* = toezeggen, v. *ad* en *dícere* = zeggen, spreken] gerechtelijk toewijzen. **addic'tie** [Lat. *addíctio*] toewijzing, toekenning in rechten; *ook*: verslaving.

ad di'es vi'tae [Lat. = *lett.*: voor de dagen v.h. leven] levenslang, voor het leven.

addi'o [It. = *lett.*: (ga) met God, v. *ad* en *Dio* = God, Lat. *Deus*] vaarwel!

addi'tie *zie onder* **adderen.**

adduce'ren [Lat. *addúcere*, v. *ad* en *dúcere* = voeren] aanvoeren, bijbrengen. **adduc'tie** [Lat. *addúctio*] *zn*. **adduc'tor** (*anat.*) spier die het lichaamsdeel waaraan zij gehecht is naar voren brengt. (*Vgl.* **abduceren.**)

adé (uit voormalig Ned. Oost-Indië) jongere broer of zuster.

à décharge [Fr.]: *getuige —*, getuige die ten voordele v.d. beschuldigde spreekt, ontlastende getuige. (*Vgl.* **á charge.**)

à demi' [Fr.] ten halve.

adenoïd' [Gr. *adèn* = klier en *eidos* = gelijkend op] klierachtig. **adenoïde vegetatie** klierachtige woekering in neus-keelholte.

adeno'ma (*med.*) goedaardig gezwel dat uit klierweefsel voortkomt.

adept' [Lat. *adadspíci*, v. *ad* en *apísci* = bereiken (*adéptus sum* = ik heb bereikt), met het verstand bereiken en vatten] bij de MLat. alchemisten: hij die het grote geheim bereikt heeft; ingewijde.

à deux [Fr.] met zijn tweeën, intiem.

à deux mains [Fr.] voor beide handen.

ad exem'plum [Lat.] naar het voorbeeld. ad fi'nem (us'que) [Lat.] tot het einde (toe). ad fun'dum [Lat.] tot de bodem.

adhere'ren [Lat. *adhaerére* = aan iets hangen. v. *ad* en *haerére* = vastgehecht zijn, kleven] aanhangen, aankleven. **adherent'** [Lat. *adháerens, -éntis,* o.dw] **I** *bn* verbonden aan, aanklevend; **II** *zn* aanhanger. **adhe'sie** [Lat. *adháesio* = het aanhangen] **1** (*nat.*) aanhangingskracht tussen twee verschillende stoffen, bijv. tussen water en glazen wand; **2** instemming (adhesie betuigen); **3** erkenning van nieuw staatshoofd.

ad hoc [Lat. = *lett.*: tot dit] tot deze zaak (*ad hoc negótium*), voor het onderhavige geval (bijv. commissie ad hoc = commissie ingesteld voor deze bepaalde zaak; hypothese ad hoc = hypothese uitgedacht om het voorliggende verschijnsel te verklaren, i.d. betekenis: snel voor dit doel uitgedacht en dus van weinig waarde).

ad hoc delega'tus [Lat.] hiertoe gemachtigd, hiertoe aangewezen.

ad ho'minem [Lat.] naar de mens; op de man af; *arguméntum —, zie* **argumentum.**

adhorta'tie [Lat. *adhortátio,* v. *ad* en *hortári* = aansporen] aansporing. **adhortati'vus** (*spraakk.*) aansporende wijs.

ad hunc lo'cum [Lat.] op deze plaats.

a di [It.] (*hand.*) v.d. dag der maand, op zicht.

adiaba'tisch [Gr.] *a-dia-bato* = niet over te trekken, *lett.*: on-doorgaanbaar] *eig.*: zonder overgang; **1** (*thermodynamica, meteorologie*) zonder warmte-uitwisseling; **2** (*mechanica, quantummechanica*) zeer langzaam verlopend, veranderend.

adiafaan' [Gr. *a-* = niet, *dia* = door, en *phainoo* = schijnen] ondoorschijnend.

adia'fora [Gr. *a-* = niet, en *diaphoron* = onderscheid in gunstige of ongunstige zin] oorspr. aanduiding van gedragingen die zedelijk onverschillig zijn, vervolgens van zaken die geen aanleiding hoeven te zijn tot confessionele geschillen.

adian'tum [Gr.] (*plk.*) venushaar.

adiathermaan' *zie* **athermaan.**

a di'e [Lat.] van de dag af.

adië'ren [Lat. *adeo* = gaan of komen tot iemand of iets] **1** (*jur.*) aanvaarden (van een erfenis); **2** zich wenden tot, aanspreken.

ad infini'tum [Lat.] tot (in) het oneindige. **ad in'star** [Lat.] geheel als, volkomen als.

ad in'terim [Lat.] voorlopig, tussentijds.

adipeus' [Fr. *adipeux,* v. Lat. *ádeps, ádipis* = vet] vetrijk. **adipo'sitas** vetzucht.

à discrétion [Fr.] naar believen.

a dit'to [It., *vgl.* **dito**] (*hand.*) van dezelfde dag.

adjacent' [Lat. *adjacens, adjacéntis,* o.dw van *adjacére* = bij iets liggen, v. *ad* en *jacére* = liggen] aanliggend, -grenzend, belendend.

adject' [Lat. *adjéctus,* v. *adjícere, adjéctum* = *ad* en *jácere* = werpen, gooien] bijvoegsel, toevoeging. **ad'jectief afk. adj.** [Fr. *adjectif,* Lat. *adjectívus*] **I** *zn* (*spraakk.*) bijvoeglijk naamwoord; **II** *bn* **1** (*alg.*) toevoegend; een toevoegsel betreffend; **2** (*taalk.*) bijvoeglijk.

adjourne'ren *zie* **ajourneren.**

adjudica'tie [Lat. *ad* = toe, en *judicáre* = rechtspreken] gerechtelijke toewijzing (v.e. eigendom). **adjudice'ren 1** gerechtelijk toewijzen; **2** gunnen.

adjunge'ren [Lat. *adjúngere, adjúnctum* = bijvoegen] als helper toevoegen.

adjuste'ren [MLat. *adjustáre,* Fr. *ajuster* = *rendre juste,* juist maken] **1** (balans of gewicht) goed stellen, ijken; **2** passend maken, harmoniseren, vereffenen; **3** regelen, in orde maken. **adjusta'ge** [Fr. *ajustage*] het adjusteren.

adju'tor [Lat. v. *ad* en *juváre* = helpen] helper.

adjuvan'tia *ev* **ad'juvans** bijkomstige geneesmiddelen die de werking v.h. hoofdgeneesmiddel versterken.

ad legen'dum [Lat.] ter lezing. **ad li'bitum** [Lat.] naar welgevallen, naar keuze. **ad li'mina** [Lat. = *lett.*: naar de drempels]: de katholieke bisschoppen zijn verplicht op bepaalde tijden *ad limina* te gaan, d.w.z. naar de paus, om verslag uit te brengen over de toestand van hun bisdom. **ad lit'teram** [Lat.] naar de letter, letterlijk. **ad majo'rem De'i glo'riam** [Lat.] tot grotere eer van God. **ad ma'nus** [Lat. bij de hand, ter hand. **ad manda'tum** [Lat.] naar bevel, naar last.

admini'culum *mv* **admini'cula** [Lat. = staak (voor klimopplanten); stut, steun; verwant met *minae* = tinnen v.e. muur] (*jur.*) ondersteuning, hulpmiddel.

admira'bel [Lat. *admirábilis,* v. *admirári, ad* en *mirári* = bewonderen] bewonderenswaardig. **admirateur'** [Fr.] bewonderaar.

admis'sie [Lat. *admíssio,* v. *admíttere* = toelaten, v. *ad* en *míttere, missum* = zenden] toelating, vergunning, toegang. **admissi'bel** aannemelijk; (*jur.*) ontvankelijk. **admitte'ren** toegang verlenen, toelaten.

admortica'tie [Lat. *ad* en *mors, mortis* = dood] overgang van goederen i.d. dode hand.

admoni'tie [Lat. *admónitio,* v. *admonére,* v. *ad*

en *monére, mónitum* = vermanen] vermaning, officiële berisping.

**ad mul'tos an'nos** [Lat.] nog vele jaren.

**adnominaal'** [Fr. van Lat. *ad* = erbij, en *nomen* = zelfstandig naamwoord] (*taalk.*) met een nomen verbonden gebezigd.

**ad nor'mam** [Lat.] naar de regel. **ad no'tam (nemen), ad noti'tiam** [Lat.] ergens goede notitie van nemen, goed opmerken en onthouden.

**adnota'tie** *zie* annotatie.

**ad o'culum, ad o'culos** [Lat. = *lett.*: voor ogen] duidelijk (bewijzen, voor ogen stellen).

**adolescent'** [Lat. *adoléscens, adolescéntis*, o.dw v. *adoléscere* = opgroeien; *vgl.* adult] jongeling. **adolescen'tie** [Lat. *adolescéntia*] jeugd, spec. rijpere jeugd; laatste jaren voorafgaand aan volwassenheid.

**Ado'nis** [in de Gr. myth. een schone jongeling] een mooie man; dandy.

**adorne'ren** [Lat. *adornáre*, v. *ad* en *ornáre* = versieren] versieren, opsieren.

**adornamen'to** [It.] (*muz.*) versierfiguur.

**adosse'ren** [Fr. *adosser; dos* = rug] **1** aarde schuin opwerpen (bijv. tegen muur); **2** (*mil.*) in de rug dekken.

**ad ostentatio'nem** [Lat.] voor de pronk.

**à double usa'ge** [Fr.] voor twee doelen te gebruiken.

**adouce'ren** [Fr. *adoucir*] **1** verzoeten, verzachten; **2** afslijpen (strepen op een diamant); **3** wegnemen (vreemde of broosmakende delen uit het goud); **4** (*schilderkunst*) de omtrekken van figuren minder scherp maken.

**ad pa'tres** [Lat.] tot de vaderen (verzameld): — *gaan*, sterven; — *zenden*, de weg ruimen; — *zijn*, overleden zijn. **ad perpe'tuam (re'i) memo'riam** [Lat.] (*meestal op gedenktekens*) ter eeuwige gedachtenis (v.d. zaak). **ad pi'as cau'sas of ad pi'os u'sus** [Lat.] voor vrome doeleinden (te gebruiken, bijv. geld). **ad pri'mum** [Lat.] bij het eerste punt (bij nadere uitwerking van opgesomde punten). **ad pro'ximam** [Lat.] (uitstel) tot de volgende. **ad ratifican'dum** [Lat.] ter bekrachtiging. **ad rem** [Lat. = *lett.*: tot de zaak] ter zake (bijv. dit is niet ad rem = dit doet niet ter zake); gevat (bijv. een antwoord ad rem).

**adrenali'ne** [v. medisch Lat. *adrénes* = bijnieren, v. Lat. *ad* en *rénes* = nieren] hormoon gevormd in het merg v.d. bijnieren, dat met het eveneens geproduceerde noradrenaline het organisme op verhoogde activiteit voorbereidt.

**adres'** [Fr. *adresse*] *behalve de bekende bet. ook* verzoekschrift. **adressant'** indiener van verzoekschrift. **adressograaf'** [Gr. *graphoo* = schrijven] adresseermachine, machine die regelmatig voorkomende adressen op poststukken stempelt (bijv. van abonnees op tijdschriften e.d.)

**adscenden'ten** *zie* ascendenten.

**adscribe'ren** [Lat. *ascríbere*, v. *ad* en *scríbere* = schrijven] toeschrijven; *ook*: toeëigenen.

**ad secun'dum** [Lat.] bij het tweede punt (*vgl.* ad primum).

**adsor'bens** *mv* **adsor'ben'tia;** *ook*: **adsorbent'** stof die sterke adsorptie vertoont, (*med.*) geneesmiddel dat i.h. maagdarmkanaal bepaalde chemische stoffen aan zijn oppervlak vasthoudt (*vgl.* absorbens). **adsorbaat'** geadsorbeerde stof.

**adsorbe'ren** [Lat. *ad* en *sorbére* = slurpen] *lett.*: aanslorpen; (gezegd v.e. stof) een andere stof aan zijn oppervlak ophopen (*vgl.* absorberen). **adsorp'tie** (*meestal*) stofophoping a.e. grensvlak (*vgl.* absorptie inslorping).

**adspirant'** *zie* aspirant.

**adstringe'ren** [Lat. *adstringere*, v. *ad* en *stringere, strictum* = strak aantrekken] samentrekken. **adstrin'gens** *mv* **adstringen'tia** (*med.*) stof die, bij uitwendige toepassing, op huid en

slijmvliezen een samentrekkende werking uitoefent doordat de bloedvaten daarin zich vernauwen. **adstringent'** [Fr.] **I** *bn* samentrekkend; *-e cosmetica*, kosmetische middelen die een zwakke samentrekkende werking op de huid uitoefenen en zo de huidporiën sluiten (crèmes, lotions e.d. na reiniging v.d. huid of na het scheren); **II** *zn* samentrekkend middel. **adstric'tie** samentrekking.

**adstrue'ren** [Lat. *adstrúere* = bevestigen, v. *ad* en *strúere* = *lett.*: opstapelen (*vgl.* construeren)] bewijzen aanvoeren, nader staven. **adstruc'tie** *zn*.

**ad'sum** [Lat. *ádesse* = aanwezig zijn, v. *ad* en *esse* = zijn] ik ben aanwezig, hier ben ik. **ad sum'mam** [Lat. = *lett.*: in de som] kortom. **ad sum'mum** [Lat.] ten hoogste. **ad tem'pus** [Lat. = *lett.*: voor een tijd] tijdelijk. **ad tem'pus vi'tae** [Lat.] voor het leven. **ad ter'tium** [Lat.] bij het derde punt (*vgl.* primum).

**a du'e** [It. = *lett.*: met zijn tweeën, v. Lat. *duo* = twee] (*muz.*) tweestemmig; *ook*: tweehandig.

**adule'ren** [Lat. *adulári* = vleien, kruipen voor] kruiperig vleien, pluimstrijken, flikflooien, slaafs vereren. **adula'tie** [Fr. *adulation*] *zn*.

**adult'** [Lat. *adúltus* = *lett.*: grootgebracht, volgroeid, v. *ad* en *álere*, (oud) *alum* = voeden, grootbrengen] **I** *zn* volwassen exemplaar v.e. diersoort; (*bij mens*) volwassene (*vgl.* adolescent); **II** *bn* volwassen.

**adultere'ren** [Lat. *ad* en '*ulter*' = aan gene zijde; *adulteráre* = overspel plegen of vervalsen] **1** echtbreuk plegen; **2** vervalsen (goederen, munten). **adul'ter** [Lat.] echtbreker. **adul'tera** [Lat.] echtbreekster. **adulteri'nus** [Lat.] kind uit echtbreuk geboren.

**adumbre'ren** [Lat. *adumbráre*, v. *ad* en *umbráre* = beschaduwen] **1** (*schilderkunst*) schaduwen, schetsen van omtrek; **2** bewimpelen. **adumbra'tie** [Lat. *adumbrátio*] *zn*.

**ad un'guem (fac'tus)** [Lat. = *lett.*: tot de nagel (gemaakt)] zeer fijn afgewerkt (zodat men bij een beeldhouwwerk of bouwwerk geen voegen voelt als men zonder te kijken er met de nagel over strijkt).

**adu'rens** *mv* **aduren'tia** [Lat. = o.dw van *adúrere* = aanbranden, v. *ad* en *úrere* = branden] (*med.*) bijtend middel.

**ad u'sum** [Lat.] voor het gebruik van, ten gebruike van.

**ad valo'rem** [Lat.] naar de waarde; — *rechten*, invoerrechten volgens een bepaald percentage v.d. waarde der ingevoerde produkten (tegenover *specifieke rechten*).

**advec'tie** [Lat. *advéctio* = aanvoer] **1** (*met.*) horizontale aanvoer op grote schaal van luchtmassa's; **2** (*oceanografie*) horizontale aanvoer van watermassa's door zeestromingen. **advectief'** door advectie ontstaan; *-ve mist*, mist die ontstaat doordat vochtige warme lucht naar een koud deel v.h. aardoppervlak stroomt en daar afkoelt, zodat een deel v.d. waterdamp condenseert.

**advenant'**, *ook*: **avenant'** [Fr. *avenant*, v. Lat. *advenire, zie* advent; het Fr. *bn avenant* = voorkomend, vriendelijk, maar à *l'avenant* = *lett.*: naar wat komt; in het vervolg, evenredig]: *naar advenant*, overeenstemmend met wat voorafgegaan is; naar verhouding (tot de oorzaak), in *volkstaal* verbasterd tot **navenant** (z.a.).

**advent'** *ook* **ad'vent** [Lat. *advéntus* = (aan)komst, v. *advenire, adventum*, v. *ad* en *venire* = komen] (*rk*) *lett.*: komst, nadering (des Heren); i.d. Westerse liturgie de periode van ongeveer vier weken die a.h. kerstfeest voorafgaat. **adventis'ten** *mv* door de Noordamerikaanse boer William Miller in 1831 gestichte christelijke sekte, die sterk eschatologisch (het einde dezer wereld verwachtend) gericht is.

**adventief'** [Fr. *adventif*] **1** (*alg.*) bijkomend; **2** (*plk.*) *a* aanduiding v.e. plant die door menselijke invloed (invoering) voorkomt i.e. gebied waar ze oorspronkelijk niet thuisbehoort; *b* aanduiding v.e. plante-orgaan dat zich ontwikkelt op een plaats waar het normaal niet voorkomt. **adventief'krater** nevenkrater, meestal een kleinere krater op de vulkaanhelling.

**adverbiaal'** [Lat. *adverbiális*, v. *ad* en *verbum* = woord] bijwoordelijk. **adver'bium** [Lat,] bijwoord.

**ad ver'bum** [Lat. = *lett.*: naar het woord] woordelijk. **ad verita'tem** [Lat.] naar waarheid.

**adversa'ria** of **adversa'riën** [Lat. *adversáre* = ijverig op iets richten] onder de aandacht gekomen zaken; *ook*: aantekeningen van diverse aard, mengelwerk. **adversatief'** [v. Lat. *adversativus* = tegenstelling betreffend, v. *ad* en *adversáre* = wenden] tegenstrevend, tegenstellend.

**ad vi'tam** [Lat.] voor het leven. **ad vi'tam aeter'nam** [Lat.] ten eeuwigen leven.

**advocatie'** [Lat. *advocátio* = *ook*: schaar der (Romeinse) advocaten] of **advocateur'** advocatenstand, de gezamenlijke advocaten, balie.

**advocatuur'** *zie* **advocatie**.

**ad vo'cem** afk. **a.v.** [Lat.] bij het woord (gebruikt bij verwijzingen naar woordenboeken, encyclopedieën e.d.); de uitdrukking betekent: 'Men zoeke het aangehaalde op onder het woord...' (meer gebruikelijk is de uitdrukking **sub voce**, afk. **s.v.**).

**adynamie'** [Gr. *a-* = zonder, *dunamis* = kracht] ziekelijke toestand van uiterste spierzwakte.

**Aene'is** of **Aeneï'de** heldendicht van de Lat. dichter Virgilius over Aenéas, die zich na omzwervingen in Latium vestigde en als stamvader van Rome werd beschouwd.

**aeo'lisch** van Aeólis [Gr. *Aiolis*], in de Oudheid noordwestkust van Klein-Azië met naburige eilanden, waaronder Lesbos; *-e dichtkunst*, dichtkunst in aeolische versmaat zoals die werd beoefend op Lesbos; *-e versmaat*, versvorm met afwisselend dactylen (*zie* **dactylus**) en trocheeën (z.a.).

**Aeo'lusharp** *zie* **Eolusharp**.

**ae'on** *mv* **aeo'nen** [Gr. *aioon* = tijd, wereldperiode, eeuwigheid] **1** (*in hellenistische periode*) de oneindige tijd als godheid; **2** *thans* wereldtijdperk, spec. het huidige; langdurige, onafzienbare tijd (meestal *aeonen*); eeuwigheid.

**aequ-** *zie* **equ-**.

**ae'quo a'nimo** [Lat.] *lett.*: met gelijkmoedige geest, gelaten, kalm, zonder geschokt te zijn.

**ae'ra** *zie* **era**.

**aera'rium** [Lat., v. *aes, aeris* = brons; *ook*: geld; *zie* **-arium**] schatkist.

**aera'tie** [Gr. *aēr* = lucht] **1** (*alg.*) het beluchten, d.w.z. in aanraking brengen met lucht; **2** (*bijz.*) bodemademhaling.

**ae're peren'nius** [Lat.] *lett.*: duurzamer dan brons; onvergankelijk.

**aëro-** [Gr. *aēr* = lucht; *vgl. aoo* = ademen] lucht-.

**aërob'** [Eng.] *bn* zodanig dat het lichaam veel zuurstof gebruikt zonder dat er zuurstoftekort ontstaat. **aëro'bics** [Eng.] *zn* vorm van als gymnastiek bedoeld ballet, op het strakke ritme van discomuziek.

**aërobiologie'** biologie van i.d. lucht zwevende micro-organismen (aëroplankton) en de verspreiding daarvan. **aërobio'se** [Gr. *bios* = leven] levenswijze van bacteriën die vrije zuurstof nodig hebben (*zie* **aëroob**).

**aë'roclub** vliegsportvereniging.

**aërodyna'mica** [Gr. *dunamis* = kracht] luchtstromingsleer, d.w.z. wetenschap die de stromingen van lucht en andere gassen en de daarbij optredende krachten bestudeert. (*Vgl.* ook **aëromechanica** en **aërostatica**.)

**aëro-elas'tica** leer van de elastische vervormingen van vliegtuigen e.d. in de lucht. **aëro-elasticiteit'** verzamelnaam voor de verschijnselen die een gevolg zijn v.d. elastische vervormingen van vleugels, staartvlakken en andere delen van vliegtuigen, projectielen e.d. door de daarop inwerkende luchtkrachten. **aëro-embolie'** [*zie* **embolie**] luchtembolie, d.w.z. vorming van stikstofbellen in bloed en weefsels na hoge druk (bijv. bij duikers als zij uit grote diepte te snel boven water komen).

**aërofagie'** [Gr. *phagein* = eten] het inslikken van abnormale hoeveelheden lucht.

**aërofobie'** [*zie* **fobie**] **1** ziekelijke angst voor frisse lucht; **2** (*biol.*) verschijnsel bij sommige lagere organismen die vrije zuurstof, resp. een teveel daarvan, ontvluchten. **aërofoon'** bep. soort megafoon.

**aërogel'** een in lucht vastgeworden colloïdaal stelsel (*zie* **gel**, *vgl.* **hydrogel**). **aërograaf'** [Gr. *graphoo* = schrijven] fijne verfspuit gevuld met speciale verf (*aëroverf*) ter verstuiving, luchtpenseel. **aërografie'** beschrijving van de dampkring.

**aëroliet'** [Gr. *lithos* = steen] *lett.*: luchtsteen, d.w.z. meteoorsteen op aarde neergekomen.

**aërologie'** [*zie* **-logie**] *lett.*: luchtkunde, kennis v.d. lucht; (meestal) deel der meteorologie dat luchtlagen boven ca. 1 km bestudeert (geen directe invloed op aardoppervlak).

**aëromecha'nica** [*zie* **mechanica**] deel der mechanica dat het gedrag v. lucht en andere gassen bestudeert in stromingen en in rust (resp. **aërodynamica** en **aërostatica**). **aërome'ter** [*zie* **meter**] luchtmeter, d.w.z. toestel voor de meting v.d. dichtheidsgraad v.d. lucht. **aërometrie'** kunde v.d. luchtmeting.

**aëronaut'** [Gr. *nautès* = schipper] luchtvaarder. **aëronautiek'** of **aëronau'tica** [Gr. *nautikos* = schepen betreffend] luchtvaart. **aëronau'tisch** op de luchtvaart betrekking hebbend. **aëronomie'** [Gr. *nomos* = wet] **1** deel der meteorologie dat luchtlagen boven ca. 40 km (onbereikbaar voor waarnemingsballons) bestudeert; **2** (*ruimte-onderzoek*) studie van de hogere luchtlagen (boven 100 km hoogte) wat betreft wisselwerking tussen luchtmoleculen en straling.

**aëroob'** [Gr. *bios* = leven] (van bacteriën gezegd) moleculaire zuurstof behoevend om te groeien (*obligaat aëroob*; tegenst. **anaëroob**, z.a.).

**aëropau'ze** gebied van de aardatmosfeer tussen 20 en 200 km hoogte, waar elementaire levensvoorwaarden successievelijk gaan ontbreken. **aëroplank'ton** [*zie* **plankton**] vrij in de lucht zwevende micro-organismen (*zie ook* **aërobiologie**).

**aëroscoop'** [Gr. *skopeoo* = bekijken] apparaat om de hoeveelheid stof in een volume lucht te bepalen. **aërosol'** [*zie* **sol**] (*techniek*) afkorting voor *aërosolverpakking*: spuitbus.

**aërosta'tica** [Gr. *statikos* = het evenwicht betreffend] leer v.h. evenwicht van lucht en andere gassen in rust.

**aërota'xis** [Gr. *taxis* = rangschikking] het verschijnsel dat micro-organismen zich richten op plaatsen met zuurstof.

**aërotherapie'** [Gr. *therapeia* = *lett.*: het dienen, *vandaar*: verzorging, verpleging] behandeling van bep. ziekten door een kuur met lucht van andere samenstelling of druk dan de gewone. **aë'rotrein** zich op luchtkussens voortbewegende trein.

**aërotropis'me** tropisme (z.a.) onder invloed van zuurstofrijkere lucht.

**aeschrologie'** [Gr. *aischrologia* = vuile lasterlijke taal, v. *aischros* = schandelijk, onterend, en *logos* = woord] het bezigen van schuttingtaal, het gebruiken van vieze woorden.

**aesculaap'** *zie* **esculaap.**

**aestiva'tie** [Lat. *aestivus* = zomers, v. *aestuáre* = brandend heet zijn] 1 (*plk.*) andere term voor knopdekking, d.w.z. de wijze waarop i.d. knop de bladbeginsels elkaar bedekken of elkaar raken; 2 (*dierk.*) zomerslaap, d.w.z. rustperiode i.e. staat van verdoving bij sommige dieren.

**aestua'rium** *zie* **estuarium.**

**ae'tas** [Lat.] leeftijd; *ook:* ouderdom. **aeta'te su'o** [Lat. = in zijn leeftijd] of **aeta'tis su'ae** [Lat. = van zijn leven] (op schilderijen e.d., gevolgd door een getal) aanduiding v.d. leeftijd v.d. afgebeelde persoon bij het maken v.h. schilderij.

**aeter'nus** [Lat., uit *aeviternus*, v. *aevum* = eeuwigheid, onbegrensde tijd; *vgl.* **aeon**] eeuwig, altijddurend, onsterfelijk.

**aeth..** (*chem.*) *zie* **eth....**

**aetiologie'** [Gr. *aitia* = oorzaak; *zie* **-logie**] 1 (*alg.*) leer der oorzaken; 2 (*med.*) leer der oorzaken van ziekten; 3 (*criminologie*) *criminele* —, wetenschap die zich bezighoudt met de oorzaken van het misdrijf.

**aetionoom'** [Gr. *aitia* = (uitwendige) oorzaak; *nomos* = wet]: *aetionome beweging*, beweging van plantedelen, spec. bladeren, veroorzaakt door invloed van buiten af (tegenover spontane of *endonome* beweging).

**af-** [Lat.] = **ad** vóór f.

**afagie'** [Gr. *a-* = niet; *phagein* = eten, slikken] onvermogen om te slikken (door uitvallen v.d. slikreflex achter i.d. mond-keelholte of door mechanische oorzaken).

**à faire** [Fr.]: — *nemen*, onderhanden nemen.

**afasie'** [Gr. *a-* = niet, *phasis* = het spreken] onvermogen om juist te spreken door verbreking v. een of andere baan tussen centra i.d. hersenen, bijv. de baan tussen begripscentrum en spraakcentrum (de eigenlijke of *motorische afasie*, waarbij de patiënt alles wel goed begrijpt, maar het niet onder woorden kan brengen).

**afe'lium** onterechte spelling (daar het een wetenschappelijk begrip betreft) van **aphe'lium**, *z.a.*

**affa'bel** [Lat. *affábilis*, *ad* en *fari* = spreken] (*lett.:* aanspreekbaar) minzaam, vriendelijk, innemend. **affabiliteit'** [Lat. *affabilitas*] innemendheid, minzaamheid. **affa'bile** [It.] (*muz.*) liefelijk.

**affabula'tie** [Lat. *ad* en *fábula* = fabel] strekking van een fabel.

**affai're** [Fr., v. *à* = te, en *faire* = doen, v. Lat. *fácere*] 1 zaak, aangelegenheid die behartigd moet worden; kwestie; geschiedenis; liefdeshistorie [Fr. *affaire d'amour*]; erezaak [Fr. *affaire d'honneur*], *vandaar ook* duel; 2 rechtszaak; 3 winkelzaak, handelstransactie; *geaffaireerd*, drukdoend.

**affect'** [Lat. *afféctus* = lichamelijke toestand; gemoedsaandoening, liefde] aandoening v.h. gemoed, ontroering, hartstocht; ook in ongunstige zin: overdreven aandoening. **affecta'tie** gemaaktheid. **affecte'ren** [Lat. *affectáre* = aangrijpen, v. *ad* en *fácere, factum* = doen; *afficere* = aandoen] 1 aandoen; 2 (gelden) uittrekken en bestemmen; *geaffecteerd*, (overdreven) aangedaan, gemaakt, aanstellerig.

**afferent'** [Lat.] aan-, toevoerend.

**affet'to, affetti'vo** [It.] (*muz.*) met aandoening, hartstochtelijk. **affettuo'so** [It.] (*muz.*) roerend, aandoenlijk. **affettuosamen'te** [It.] (*muz.*) geestdriftig.

**affida'tie** [Lat. *ad* en *fides* = trouw] verdrag, verplichting. **affida'vit** [*lett.:* hij heeft met eed bezworen, v. VLat. *affidáre; fides* = trouw] schriftelijke verklaring met eed bekrachtigd als gerechtelijk bewijs (in Engeland).

**affien'** affiniteit (*z.a.*) bezittend, verwant.

**affilie'ren** [Lat. *affiliáre* = als zoon aannemen, v. *ad* en *filius* = zoon] aannemen als kind; opnemen als lid i.e. genootschap; opnemen

van genootschap in wijdere organisatie.

**affilia'tie** *zn.*

**affine'ren** [Fr. *affiner* = *rendre plus fin* = zuiverder, fijner maken] fijn maken, louteren (v. metalen). **affinerie'** [Fr.] 1 werkplaats waar men ijzerdraad trekt of ijzer zuivert; 2 opgerold ijzer of ijzerdraad ter bewerking; 3 drijfhaard. **affineur'** [Fr.] hij die het affineren als bedrijf uitoefent.

**affiniteit'** [Lat. *affinitas* = verwantschap, v. *ad* en *finis* = grens] 1 verwantschap; 2 (*chem.*) vermogen van een element om zich met een ander te verbinden (bijv. koolstof heeft grote affiniteit tot zuurstof).

**affirme'ren** [Lat. *affirmáre* = vaster maken, v. *ad* en *firmus* = stevig, vast] bevestigen (een uitspraak e.d.). **affirma'tie** [Lat. *affirmátio*] *zn.* **affirmatief'** *bn & bw.*

**affix'** [Lat. *affigere, affixum* = vasthechten, v. *ad* en *fígere* = hechten, vastmaken] aanhangsel, toevoegsel; (*taalk.*) voor- of achtervoegsel bij (stam van) woord, waardoor de betekenis gewijzigd wordt.

**afflic'tie** [Lat. *afflíctio* = droefheid, gedruktheid, v. *afflictári* = zich beangstigen, versterkte vorm v. *affligere*, v. *ad* en *fligere* = ergens tegenaan slaan] droefheid, zielelijden, hartepijn. **afflit'to** [It.] (*muz.*) droef.

**affluen'tie** [Lat. *affluentia*, v. *afflúere*, v. *ad* en *flúere* = stromen, vloeien] toestroming.

**affodil'** *zie* **daffodil.**

**affole'ren** [Fr. *affoler*] radeloos maken, dol maken.

**affrettan'do, affretta'to** [It. *fretta* = haast] (*muz.*) snel.

**affreus'** [Fr. *affreux, vgl. affre* = doodsbenauwenis] verschrikkelijk, akelig, afschuwelijk.

**affricaat'** [Lat. *affricáre* = ergens tegen wrijven] klank beginnend als explosief en eindigend als spirant, bijv. pf in Hoogduits.

**affront'**, [Fr., v. Lat. *ad* en *frons, frontis* = voorhoofd, gelaat] (*lett. ongev.:* klap i.h. gezicht) smaad, openlijke belediging. **affronte'ren** beledigen, voor het hoofd stoten; *vandaar:* **affronta'tie** *zn.*

**affuit'** [Fr. *affût; vgl. fût* = hout waarop loop v. vuurwapen bevestigd is, v. Lat. *fustis* = knuppel, stok] onderstel v. kanon of mitrailleur.

**afiguraal'** [Gr. *a-* = niet; *zie* **figuraal**] (*beeldende kunst*) geabstraheerd van figuren zoals zij in de realiteit zijn.

**af'kicken** [*zie* **kick**] vrijwillig zich ontwennen van drugs.

**à fonds perdu'** [Fr. = *lett.:* als verloren eigendom] *oorspr.:* wijze van bezitsafstand tegen jaarlijkse rente gedurende het leven; *ook:* (gezegd van bijdrage) niet terugvorderbaar.

**afonie'** [Gr. *a-* = zonder, en *phoonè* = geluid, stem] onvermogen om te spreken of geluid voort te brengen.

**à forfait'** [Fr. = *lett.:* voetstoots] *zie* **forfait.**

**aforis'me** [Gr. *aphorizoo* = afgrenzen, v. *apo* = af en *horos* = grens] kernspreuk, levenswijsheid in zo beknopt mogelijke vorm, kort pittig gezegde. **aforis'tisch** *bn.*

**a fortio'ri** [Lat. *eig. afortióri ratióne* = met sterker reden, v. *fórtior* = sterker] met des te meer reden, temeer; (*vgl.* **a potiori**).

**afrodiet'** [v. Gr. *Aphrodite* = Griekse godin van de liefde en schoonheid] menselijk wezen van wie het geslacht niet kan worden bepaald. **afrodisi'acum,** *ook* **aphrodisi'acum,** *mv* **-siaca** middel om de seksuele drift en de potentie te versterken (alleen op medisch voorschrift te gebruiken). **afrodisie'** seksuele opwinding.

**a'frolook** [Eng. *afro-* v. *african*, en *look* = uiterlijk] 1 mode v. wijde, kleurig gedrukte kleding op zijn Afrikaans; 2 afrokapsel, d.i. een wijduitstaand kroezend kapsel.

**af'zaat** [MNed. *afsate* = kroonlijst van een gebouw] (*bouwk.*) aflopend bovenvlak van een drempel, vooral van een raamkozijn.

**af'zaatsgewijze** met hellend bovenvlak.

**ag-** [Lat.] = **ad** vóór **g**.

**a'ga** [Turks] 'heer', algemene titel voor wie geen *efendi* (*z.a.*) is.

**agaam'** [*zie* **agamie**] *bn* (*biol.*) zich ongeslachtelijk voortplantend.

**agace'ren** [Fr. *agacer*] ophitsen, uitdagen, prikkelen, irriteren; kittelen. **agaçant'** [Fr.] *bn*. **agacerie'** [Fr.] amoureuze aanlokking door vrouw.

**agalmatoliet'** [Gr. *agalma* = sieraad, en *lithos* = steen] beeldsteen, soort van veldspaat, meestal *Chinese speksteen* of *pagodiet* genoemd.

**a'gameten** [Gr. *a-* = niet; *zie* **gameten**] (*biol.*) delingsprodukten v.e. multipele celdeling, die tot zelfstandige organismen kunnen uitgroeien, zoals bij amoeben, (*z.a.*).

**agamie'** [Gr. *a-* = niet, en *gameoo* = huwen] toestand van ongehuwd zijn. **agamist'** oude vrijer. **agamogenie'** [Gr. *genesis* = voortbrenging] ongeslachtelijke voortplanting.

**aga'pe** [NTGr. *agapè* = (christelijke) liefde] liefdesmaaltijd der eerste christenen.

**a'gar-a'gar** [Mal.] gomachtig produkt uit tropische wiersoorten; vormt evenals gelatine met vloeistof een gelei.

**agathologie'** [Gr. *agathos* = goed; *zie* **-logie**] leer van het hoogste goed.

**agenesie'** [v. Gr. *a-* = niet, *genesis* = wording, ontstaan ] (*med.*) het in aanleg geheel ontbreken v.e. geheel orgaan of weefsel. (*Vgl.* **aplasie**.)

**a'gens** *mv* **agen'tia** [Lat. *ágere* = doen, handelen; *agens* is o.dw, *dus*: de dat of het handelende] **1** (*alg.*) werkende oorzaak of kracht, werkend beginsel; **2** (*chem.*) stof die een chemische werking veroorzaakt (*vgl.* **reagens**); **3** (*med.*) stof die een ziektetoestand teweegbrengt.

**a'ge quod a'gis** [Lat. = *lett.*: doe wat je doet] doe je werk goed.

**aggeneb'bisj** *zie* **nebbisj**.

**ag'ger** [v. OEng. *eagre* = vloedgolf; *eagre* staat zo goed als zeker i.v.m. OEng. *aegor* = vloed, zee, en met *Aegir*] kortdurende maar soms vrij sterke tussentijdse rijzing v.h. water tijdens eb; nadat de laagste waterstand is bereikt, stijgt het water weer min of meer, daalt vervolgens opnieuw tot de ebstand, waarna de eigenlijke vloed begint.

**aggiornamen'to** [It. = het bij de tijd brengen, v. *giorno* = dag, v. Lat. *diúrnus* = *lett.*: de dag (*dies*) betreffend] term door paus Johannes XXIII ca. 1960 geïntroduceerd om aan te duiden dat de rk Kerk zich in haar praktijk moet zuiveren van al wat uit de tijd is en ook moderne waarden tot hun recht dient te laten komen.

**aggiustamen'te** [It., *giusto* = juist] (*muz.*) zeer juist in de maat.

**agglomere'ren** [Fr. *agglomérer*, v. Lat. *agglomeráre* = op elkaar dringen, v. *ad* en *glomeráre* = opeenhopen; *glomus*, *glómeris* = kluwen, bal] samenklonteren. **agglomeraat'** [Fr. *agglomérat*] *eig.*: het resultaat van samenklonteren; **1** (*alg.*) opeenhoping waarin innerlijke samenhang ontbreekt; samenvoegsel van soortverschillende delen die van buiten af bij elkaar zijn gebracht; **2** (*geol.*) chaotisch samensmeltsel van vulkanische steenbrokken. (*Vgl.* **conglomeraat**.) **agglomera'tie** [Fr. *agglomération*] **1** (*alg.*) samenklontering, opeenhoping waarin innerlijke samenhang ontbreekt; **2** (*planologie*) aaneengegroeide woonkernen, spec. het complex v.e. stad en haar voorsteden. (*Vgl.* **conurbatie** en **conglomeratie**.)

**agglutine'ren** [Lat. *agglutináre*, v. *ad* en *glutináre* = samenlijmen; *glúten*, *glútinis* = lijm] aaneenlijmen, samenkleven, (van buiten af) verbinden. **agglutina'tie** *zn*. **agglutinerende taal** taal waarin geen uitgangen, maar enkel affixen aan (meestal) onveranderde stam voorkomen.

**aggrada'tie** [Lat. *gradatim* = trapsgewijze] trapsgewijze verandering.

**aggrave'ren** [Lat. *aggraváre* = zwaarder maken, v. *ad* en *graváre* = verzwaren; *gravis* = zwaar] verzwaren; verergeren, **aggrava'tie** *zn*. **aggravant'** [Lat. *aggravans*, *-ántis*, o.dw v. *aggraváre*] verzwarend; verergerend.

**aggre'ren** [Lat. *aggregáre*, v. *ad* en *gregáre* = tot kudde verzamelen; *grex*, *gregis* = kudde] verzamelen, bijeenhopen; *ook*: in vereniging opnemen. **aggregaat'** [Lat. *aggregátum* = het verzamelde] verzameling, bijeenhoping (met behoud v.d. natuur der afzonderlijke bestanddelen); samenstel v. twee of meer apparaten voor eenzelfde doel. **aggrega'tie** het verzamelen enz.

**aggrega'tie-toestand** toestand waarin een stof, zijnde een opeenhoping van moleculen, zich bevindt, t.w. gasvormig (moleculen vrij beweeglijk), vloeibaar (moleculen met beperkte glijdingsbeweging) of vast (moleculen in bepaald patroon, waarin zij alleen nog maar trillingen kunnen uitvoeren); *vierde aggregatietoestand*; *zie ook* **plasma**.

**agiel'** [Lat. *ágilis* = beweeglijk, v. *ágere*, = *doen*; Fr. *agile*] licht, gemakkelijk, beweeglijk, soepel, handig (tegenstelling van zwaar). **agiliteit'** beweeglijkheid enz.

**a'gio** [It. *aggio* = *lett.*: er boven op gezet; niet te verwarren met It. *agio* = gemakkelijkheid] opgeld boven vaste waarde; meerwaarde van een bepaalde munteenheid boven andere (bijv. £ 1000 goud is £ 1025 papier: agio = $2\frac{1}{2}\%$); percentage berekend bij omwisseling van meerwaardige in minderwaardige eenheden; speculatie.

**a'gior'no** [It. = *lett.*: als op de dag]: *illuminatie —*, heldere verlichting (met lampions e.d.) bij feestelijkheden 's avonds in open lucht.

**agiote'ren** [*zie* **agio**] met opgeld wisselen, inzonderheid speculeren in verband met agio. **agiota'ge** [Fr.] windhandel met aandelen e.d.; slinkse beïnvloeding van koersdalingen en -rijzingen. **agioteur'** [Fr.] geldwisselaar, speculant.

**agna'ten** *mv* [Lat. *agnátus* = bijgeboren kind van andere vrouw dan de echtgenote, v. *ad* en (*g*)*natus* = geboren, v. *gigni* = geboren worden; *mv agnáti* = zij die onder de vaderlijke macht van dezelfde *pater famílias* (*z.a.*) stonden; *vgl.* **cognaten**] (*oorspr.*) verwanten via dezelfde vader maar via andere moeder; (*thans*) naaste bloedverwanten van vaderszijde, mannelijke afstammelingen v.e. vader, maar in verschillende rechte linies.

**agneau'** [Fr.] (*cul.*) lam.

**agni'tie** [Lat. *agnítio* = erkenning] erkenning als echt, echtverklaring (bijv. van wissel, akte, aanspraak e.d.).

**agno'men** [Lat.] bijnaam.

**agnosce'ren** [Lat. *agnóscere* = erkennen] erkennen (wissel e.d.); geldig verklaren.

**agnosie'** [Gr. *agnoosia* = onkunde, v. *a-* = niet, *gnoosis* = kennis, inzicht] stoornis waarbij wel prikkels v.d. zintuigen worden opgenomen, maar deze geen bewuste waarneming in de hersenen teweegbrengen, daar bep. banen tussen hersencentra zijn verbroken; *optische*- (zieleblindheid), lijder ziet wel, maar kan niet zeggen wat hij ziet; *akoestische* - (zieledoofheid), lijder hoort wel, maar kan niet zeggen wat hij hoort; *agnostische alexie* (*zie* **alexie**), soort leesblindheid, lijder herkent geen schrifttekens, en al kan hij wel schrijven, hij kan niet lezen, zelfs niet wat hij zelf heeft geschreven. **agnos'tisch** *bn*.

**agnosticis'me** [Gr. *agnoostos* = onkenbaar, v. *a-* = niet, *gignooskoo* = weten] (*fil.*) opvatting dat men buiten de ervaringskennis (*empirie*, *z.a.*) niets met zekerheid kan weten. **agnos'ticus** *mv* **agnos'tici** aanhanger(s) v.h. agnosticisme.

**Ag'nus De'i** [Lat. = Lam Gods] **1** symbool van Christus; **2** een der misgebeden (vóór de communie); **3** Avondmaalslied i.d. meeste protestantse liturgieën; **4** ronde of ovale wassen medaillon, speciaal door de paus gezegend, met a.d. ene zijde een afdruk v.h. Lam Gods (*zie* **1**) met kruisvaan en naam v.d. regerende paus, a.d. andere zijde de beeltenis v.e. heilige.

**agogie'** [Gr. *agoogè* = leiding, besturing, opvoeding, opleiding, v. *agoo* = leiden] vormings- en opvoedingswerk van kinderen en volwassenen, werk ter bevordering van persoonlijke, culturele en maatschappelijk welzijn (*vgl.* andragogie). **agogiek' 1** (*ped.*) systeem v.d. praktische uitoefening v.d. agogie; **2** (*muz.*) [Gr. *agoogè* = *ook*: methode] behandeling, leer der tempovariaties ter wille v.e. meer expressieve voordracht. **ago'gisch 1** (*ped.*) op het vormings- en opvoedingswerk betrekking hebbend; **2** (*muz.*) op agogiek (**2**) betrekking hebbend. **agologie'** [*zie* -logie] wetenschappelijke theoretische bestudering van agogiek (**1**).

**ago'ne** [Gr. *a*- = niet, en *gonia* = hoek] de lijn over de plaatsen waar de kompasnaald geen 'hoek' maakt, d.w.z. niet afwijkt.

**agonie'** [Gr. *agoonia* = *lett.*: wedstrijd, strijd; *overdrachtelijk*: zielestrijd, angst, v. *agoon* = o.a.: wedstrijd, kamp, gevecht, strijd] **1** (*med.*) doodsstrijd (waarin vitale lichaamsfuncties geleidelijk tot stilstand komen); **2** (*overdrachtelijk*) hevige angst, hevige zielsbenauwdheid (*vgl.* 'doodsbang', 'doodsbenauwd'). **agonist'** [Gr. *agoonistès* = atleet, wedstrijdspeler] spier die rechtstreeks de verandering in positie v.e. lichaamsdeel kan veroorzaken (tegenst.: **antagonist**).

**agoog'** [Gr. *agoogos* = gids, brenger, v. *agoo* = leiden] welzijnswerker, iem. die agogiek **1** bedrijft, helper door persoonlijke taakgerichte hulp.

**agorafobie'** [Gr. *agora* = markt, plein; *ook*: volksvergadering, *phobos* = vrees] plein- of straatvrees, een vorm van ruimtevrees, ziekelijke angst voor open vlakten, *ook wel*: voor drukke straten.

**agraaf** *zie* agrafe **1**.

**agra'fe** [Fr., v. OFr. *grafe* = haak] **1** (*ook*: **agraaf**; *gesch.*) tweedelige metalen sluiting (haak en oog) voor het sluiten v.d. tuniek of de schoudermantel a.d. hals, vaak met edelstenen versierd; **2** (*med.*) kram, d.w.z. metalen strip met aan elk der uiteinden een loodrechte scherpe punt; deze kram wordt met een speciale tang kromgebogen om wonden te hechten.

**agrafie'** [Gr. *a*- = niet, *graphoo* = schrijven] onvermogen om te schrijven of juist te schrijven (een vorm v. **apraxie**, *z.a.*), als gevolg v.e. stoornis in het centrale zenuwstelsel, niet v.e. stoornis i.d. arm- of handspieren.

**agrammatis'me** [Gr. *a*- = niet, *grammatikè* = spraakkunst, grammatica] onvermogen om uit woorden zinnen te vormen (als gevolg van storingen i.d. hersenen).

**agranulocyt'** [Gr. *a*- = niet, Lat. *gránulum* = korreltje, Gr. *kutos* = vat (in biologie: cel)] wit bloedlichaampje dat niet gekorreld is (monocyt of lymfocyt). **agranulocyto'se** ontbreken in het bloed van granulocyten, die een essentieel deel v.h. normale afweermechanisme tegen bacteriën vormen.

**agrea'ble** [Fr.] aangenaam. **agreë'ren** [Fr. *agréér*, v. à en *gré* = wil, v. Lat. *gratum* = aangename zaak] gunstig aanvaarden, goedkeuren, toelaten.

**agree'ment** [Eng.] wederzijdse toestemming, overeenkomst, afspraak; *gentlemen's —*, (ongeschreven) overeenkomst gebaseerd op wederzijdse goede trouw en fatsoen.

**agrégé'** [Fr.] iemand die bevoegd is tot het geven van middelbaar of hoger onderwijs.

**agrément'** [Fr.; *vgl.* **agreëren**] **1** versiersel, spec. in muziek; **2** (*volkenrecht*) toelating door staat v.e. persoon als diplomatiek vertegenwoordiger v.e. andere staat.

**agrest'** [*via* Fr. *agreste* v. Lat. *agrestis* = landelijk, *ook*: ruw] **I** *zn* druivesap ter bereiding v. spijzen; **II** *bn* landelijk.

**agricultuur'** [Lat. *agricultúra* = akkerbouw, v. *ager* = akker, *cultúra* = verzorging, bebouwing] landbouw.

**a'griotype** [Gr. *agrios* = wild; *zie* **type**] wilde stamvorm van cultuurplant of van gedomesticeerd dier.

**a'gro-** [Gr. *agros* = akker] akker-. **a'grobiologie** [*zie* **biologie**] biologie v.d. akkerbodem. **a'grochemie** [*zie* **chemie**] landbouwchemie, chemie v.d. akkerbodem. **a'grogeologie** [*zie* **geologie**] geologie v.d. bodem bestemd voor land-, tuin- en bosbouw. **a'grohydrologie** [*zie* **hydrologie**] leer van de verbreiding en v.d. beweging van water i.d. bodem, en van neerslag, verdamping en afstroming van water, voor zover van belang voor de landbouw. **agronomie'** [Gr. *nomos* = wet] landbouwkunde, wetenschappelijke beoefening van al wat de landbouw betreft. **agrono'misch** landbouwkundig. **agronoom'** landhuishoudkundige, wetenschappelijk gevormd landbouwkundige (term thans vrijwel niet meer in gebruik).

**aha'-ervaring** [Du. *Aha-Erlebnis*] beleving als men plotseling de langgezochte oplossing v.e. probleem vindt.

**aide de camp'** [Fr. = *lett.*: veld-hulp] (*eig.* officier-ordonnans ten dienste van generaal) adjudant te velde. **aide mémoi're** [Fr. = *lett.*: geheugen-hulp] boek of document om geheugen te helpen, spec. in diplomatie. **aide ména'ge** [géén Fr.; quasi-Fr.] hulp in de huishouding.

**aiglefin'** of **aigrefin'** [Fr.] (*cul.*) schelvis.

**aigret'te** [Fr. v. *aigron*, dialect-vorm van *héron* = reiger; *vgl.* OHDu. *heigir* = reiger] **1** reigerpluim; **2** vederbos, pluim op kepie.

**aiguillet'tes** *mv* [Fr. = *lett.*: veters] (*cul.*) lange reepjes vlees, wild of gevogelte.

**aileron'** [Fr., v. *aile*, Lat. *ala* = vleugel] rolroer, beweegbare klep aan achterzijde van vliegtuigvleugel (*ook wel* aan staart v.h. vliegtuig) om de stand i.d. lucht te regelen.

**ailurofilie'** [Gr. *ailouros* = kat, en *philos* = vriend] liefde voor katten. **ailurofobie'** [Gr. *phobos* = vrees] ziekelijke vrees voor katten.

**-air** [v. Lat. *-arius*] uitgang met de betekenis: de eigenschappen hebbend van, i.d. hoedanigheid van; *bijv.*: planetair, parisitair, autoritair, primair e.d.

**air** [Fr. = *eig.*: lucht, Lat. *aër*, Gr. *aèr*; *lett.*: vóórkomen, uiterlijk] **1** houding aangenomen om bep. indruk te wekken die niet overeenkomt met kunde of vermogens, uiterlijk vertoon; – *d'importance*, voorgewende belangrijkheid, gewichtigdoenerij (de betekenis van *air* is wellicht als volgt ontwikkeld: lucht → opgeblazenheid → verwaandheid); **2** (*muz.*) [v. It. *aria* = lied, wijs] muziekstuk (zang of instrumentaal) met begeleiding v.e. instrument of andere zangstem (men).

**air'bus** [Eng., v. *air* = lucht, uiteindelijk v. Gr. *aër* = lucht] luchtbus, vliegtuig voor intensief vervoer van passagiers over korte afstanden.

**air'-conditioning** [Eng. = het in goede toestand brengen van lucht] luchtbehandeling, (binnen)klimaatregeling, het, d.m.v. onafhankelijke installaties, in een ruimte handhaven v.e. atmosfeer die een zodanige samenstelling, vochtigheidsgraad, temperatuur en stroming heeft, dat daarmee het beste effect wordt bereikt: voor personen een behaaglijke ruimte-conditie, voor goederen de optimale bewaar-condities.

**air'craft-car'rier** [Eng. = *lett.*: vliegtuigdrager] vliegtuigmoederschip, vliegdekschip. **airdrop'ping** [Eng.] het uitwerpen van voedsel of mil. benodigdheden uit vliegtuigen. **air-hos'tess** [Eng.] stewardess in passagiersvliegtuig.

**air-min'ded** [Eng.] luchtvaartgezind.

**air'-lock** [Eng. = *lett.* luchtslot] verstopping

van vloeistofstroom door buis veroorzaakt door damp- of luchtbel.

**air'glow** [Eng. = *lett.* luchtgloed) nachthemellicht, schijnsel v.d. onbewolkte nachthemel tussen de sterren.

**air'strip** [Eng., *strip* = strook) strook vlakke grond voor het landen en opstijgen van kleine vliegtuigen (bijv. op kleine eilanden).

**ais'** (*muz.*) door kruis met halve toontrap verhoogde a (la), a-kruis. **aisis'** (*muz.*) door dubbelkruis met hele toontrap verhoogde a (la), a-dubbelkruis. **ai'se** [Fr.) **1** gemak; **2** tevredenheid, genoegen; *à son -*, op zijn gemak.

**ajatolla** *zie* ayatolla.

**ajour'** [Fr., v. *à en jour* = (dag)licht] *bn & bw* **1** doorschijnend; **2** opengewerkt, d.w.z. met kleine openingen (van stof, ook van andere materialen met gatenpatroon); **3** (*bkh.*) bijgewerkt tot de lopende dag. **ajoure'ren** of **ajou'ren** [Fr. *ajourer* = v. openingen voorzien] ajour bewerken.

**ajourne'ren** [Fr. *ajourner*) verdagen, uitstellen tot bep. datum.

**ajuin'** [Fr. *oignon*, v. Lat. *únio* = ui] (*Z.N.*) ui, soms verbasterd tot *juin*.

**ajusteur'** [Fr.) (*Z.N.*) bankwerker. **ajusta'ge** *zie* adjustage.

**ak-** aldus beginnende woorden in de niet-voorkeurspelling zoeke men onder **ac**.

**akant'** *zie* acanthus.

**1 akatalek'tisch** [Gr. *a-* = niet, *katalegoo* = uitlezen, uitlichten, v. *kata* en *legoo* = bijeenlezen, verzamelen] aanduiding v.e. editie v.d. complete werken v.e. schrijver, dus niet van uitgezochte fragmenten van deze schrijver.

**2 akatalek'tisch** [Gr. *a-* = niet, *katalègoo* = ophouden, v. *kata* en *lègoo* = staken ophouden, nalaten] (*poëzie*) aanduiding v.e. versregel waarvan de laatste voet niet verkort is (wat meestal wel het geval is), die dus niet eerder ophoudt dan de andere voeten van de versregel.

**akefie'tje** of **akevie'tje** *zie* akkevietje.

**ake'la** (*scouting*) leidster (eventueel leider) v.e. groep welpen (adspirant-padvinders of -verkenners, 8-12 jaar oud). (*Vgl.* ook **baghera**.)

**a'ker** [v. Lat. *aquarium* = watervat] putemmer of melkemmer, veelal van metaal.

**akevie'tje** *zie* akkevietje.

**akinesie'** [Gr. *a-* = niet, *kinèsis* = beweging) (*neurologie*) onvermogen om bep. bewegingen uit te voeren (of om ze normaal snel uit te voeren) zonder dat dit het gevolg is van spierzwakte.

**akkevie'tje**, *ook*: **ak(k)efie'tje** *of* **akevie'tje** [*oorspr.*: *aquavitje* = glaasje brandewijn, *via* laat-Lat. *aquavita* v. Lat. *aquavitae* = levenswater] vanuit de oorspr. betekenis borrel ontwikkelde zich: **1** kleinigheidje, zaakje; **2** karweitje; **3** een vervelend karwei o.i.d.

**akoepedie'** [Gr. *akuoo* = horen, *paideia* = opvoeding, v. *pais*, *paidos* = kind) hulpverlening aan slechthorenden door hun gehoor te revalideren, d.w.z. hen beter te leren horen en hun gehoorapparaten goed te leren gebruiken. (*vgl.* **logopedie** = verbetering v. spraak). **akoepedist'**(e) assistent(e) v.e. oorarts die patiënten o.a. oefent in het gebruik v. hun gehoorapparaat.

**akoestiek'** [v. Gr. *akuoo* = horen) **1** geluidsleer (*zie* **acustica**) **2** wijze waarop het geluid zich voortplant in besloten ruimten (bijv. kerken, zalen) en de gevolgen daarvan voor de geluidswaarneming (bijv. *de -van deze zaal is slecht*, het geluid is niet overal in deze zaal zonder vervorming duidelijk waar te nemen). **akoes'tisch 1** de akoestiek betreffend; **2** door geluid werkend; door of op het gehoor werkend, kenbaar door het gehoor; *-e orientatie*, het zich oriënteren op waargenomen geluidstrillingen.

**akorie'** [Gr. *a-* = zonder, *koros* = verzadiging]

ziekelijke toestand waarbij de patiënt bij eten geen verzadigingsgevoel krijgt en dus overmatig veel eet. Het verschijnsel is het gevolg van bep. afwijkingen in de hersenen.

**akro'polis** [Gr., v. *akros* = spits, uitstekend, hoger dan de omgeving; *polis* = stad] de bovenstad (oorspr. met burcht van Griekse steden, spec. te Athene) aangelegd op lage bergtop of rotspunt (tegenover de benedenstad, de *polis*).

**Ak'tiengesell'schaft** [Du.] afk. **AG**, Naamloze Vennootschap.

**al-** [Lat.] = **ad** vóór **l**.

**al** [Arab.] de, het (*vgl.* algebra, alchemie).

**à la ...** [Fr., afk. van *à la mode ...* = op de manier van ...] in de trant van ..., op zijn ...; *bijv.*: een goal à la Cruijff (*à la* wordt vóór klinkers *à l'*, *bijv.*: *à l'anglaise* = op zijn Engels).

**à la bais'se** [Fr.] op koersdaling (speculeren). (*Vgl.* à la hausse.)

**alabas'ter** *zie* albast.

**à la bonheur'** [verbastering v. Fr. *à la bonne heure* = goed zo, mij goed) vooruit dan maar!, nou goed dan!, het zij zo!

**à la car'te** [Fr. = volgens de (spijs)kaart] (dineren) volgens de door het hotel voor die dag opgestelde spijskaart.

**alacriteit'** [Lat. *alácritas* = levendigheid; *alácer* = in levendige beweging, opgewekt] opgewektheid, levendigheid.

**à la fortu'ne** [Fr.] op goed geluk; — *du pot*, wat de pot schaft. **à la guer're comme à la guer're** [Fr. = *lett.*: in oorlogstijd volgens oorlogsomstandigheden) men moet het nemen zoals het is, zich in de omstandigheden schikken. **à la haus'se** [Fr.) (speculeren) op koersstijging. (*Vgl.* à la baisse.)

**à la let'tre** [Fr.) naar de letter, letterlijk. (*Vgl.* ad litteram.)

**alalie'** [Gr. *a-* = zonder, *laleoo* = praten) vroegere term voor alle soorten **afasie**, z.a.

**à la minu'te** [Fr. = *lett.*: op de minuut] ogenblikkelijk, direct zonder te wachten.

**a'lang-a'lang** [Javaans) lange (tot $1\frac{1}{2}$ m hoge) stugge grassoort in de Afrikaanse en vooral de Aziatische tropen; op bouwland een zeer hardnekkig onkruid.

**alas'trim** [Port., v. *alastar* = zich snel verspreiden] Braziliaanse goedaardige pokken, ook witte pokken of kafferpokken genaamd.

**à la tere** [Lat. = *lett.*: uit de zijde (geboren); *ongev.*: zoon]; *legátus* (afgevaardigde) *a látere*, spec. afgezant v.d. paus, die zijn persoon vertegenwoordigt bij bep. gelegenheid.

**albast'**, *ook*: **alabas'ter** [Gr. *alabastron* = soort onyxsteen; later ook naam voor andere gesteenten) **1** naam voor een variëteit v. calciet (calciumcarbonaat), ook wel *onyxmarmer* of *kalkalbast* genaamd; een geelachtig wit, enigszins doorschijnend soort marmer met banden en strepen; **2** naam voor een variëteit van gips, ook *gipsalbast* genaamd; een zeer dicht materiaal, meestal grijs en soms gevlekt.

**al'be** [Lat. *albus* = wit] lang wit kleed, dat de katholieke priester onder het kazuifel draagt bij de mis.

**albe'do** [Lat. = witte verf of kleur] (*astr.*) percentage zonlicht door planeten of maan teruggekaatst.

**albinis'me** [Lat. *albus* = wit] ziekelijk gebrek aan kleurstof in huid van mens of dier (bleekroze huidkleur, rode ogen, witte haren; wordt veroorzaakt door het uitvallen van erffactoren die pigmentvorming regelen).

**albi'no** [Sp.] lijder aan albinisme; bij negers spreekt men van witte *neger* of *wit(te)ling*; albinoplanten missen bladgroen en sterven dus reeds als kiemplant; niet te verwarren met **albica'tie** [Lat. *albicáre* = wit zijn] wit-bontheid = een mengeling van witte en groene vlekken o.d. bladeren.

**Al'bion** naam voor Engeland (de naam stamt uit Oudheid, afl. onzeker, misschien verband met Lat. *albus* = wit, n.a.v. de witte krijtrotsen

aan Engelands kust).
**albu'men** [Lat., uit *albuméntum* = wit v. ei]
(*plk.*) kiemwit. **albumi'nen** *mv* eiwitstoffen
(proteïnen) in plantaardige weefsels.
**albuminurie'** [Lat. *albúmen*, *albúminis*, en
*urina* (Gr. *ouron*) = water, pis] aanwezigheid
van eiwit in urine.
**alcan'na** *zie* **alkanna**.
**alchemie' (alchimie)** [Arab. = *lett*.: de
chemie, *z.a.*] middeleeuwse scheikunde, die
naast onderzoek van allerlei stoffen ook
beoogde uit onedele metalen goud en zilver te
maken, het levens-elixer te bereiden en de
steen der wijzen te vinden. **alchemist'
(alchimist)** beoefenaar der alchemie.
**aldehyd'** [kunstwoord, samentrekking uit
*álcohol dehydr*ogenátum = alcohol waaruit
waterstof (hydrogénium) onttrokken is] elke

organische verbinding die de groep—C<$\begin{smallmatrix}=O\\-H\end{smallmatrix}$
bevat.

**aldosteron'** [v. *aldehyd*, *z.a.*, de stof is een
aldehyde; *zie verder* **steroïen**] hormoon dat
de stofwisseling v. zouten i.h. lichaam regelt;
het remt de uitscheiding v. natriumzouten door
de nieren, terwijl het die van kaliumzouten
bevordert.
**al'drin** [naar de Duitse chemicus K. Alder,
1902-1958] een insekticide.
**ale** [Eng.] soort bier.
**a'lea jac'ta es'to** [Lat. = de teerling
(dobbelsteen) moet geworpen worden, de
kans zij gewaagd, het is erop of eronder] door
de Ned. humanist Erasmus (1469-1536)
verbeterde versie van *alea jacta est* (ook
geciteerd als *jacta est alea*) = de teerling is
geworpen (de beslissende stap is gezet). Deze
woorden zou Caesar hebben gesproken toen
hij met zijn legioenen in 49 v. Chr. de Rubico
overstak. Het ondanks Erasmus nog steeds
geciteerde *alea jacta est* wordt gebruikt in de
zin van: de beslissende stap is gezet, we
kunnen niet meer terug, de kogel is door de
kerk.
**aleatoir'** [Fr. *aléatoire* = wisselvallig, v. Lat.
*aleatórius* = de dobbelaar betreffend, v. *álea* =
dobbelsteen, dobbelspel] wisselvallig,
onzeker; - *contract*, kansovereenkomst (bijv.
verzekering). **aleatoriek'** stroming in de
moderne muziek, waarbij de muziek uit
toevallige factoren bij het componeren of
tijdens de uitvoering ontstaat, maar de
improvisatie is meestal geleid en door de
componist voorzien.
**a'lef** eerste letter van Hebr. en Fenicische
alfabet (*vgl*. Gr. *alfa*) (betekent *lett*: ossekop,
rund, omdat ze oudtijds als ∀ geschreven
werd).
**aleu'ron** [Gr. *aleuron* = (tarwe)meel] *alg*.:
eiwitachtige stof in plantenzaden, spec. in
meel van graansoorten (*zie ook* **gluten**).
**alexandrijn'** [vermoedelijk naar 12e eeuws Fr.
dichtwerk *Roman d'Alexandre*] jambische
versregel van zes voeten (12 of 13
lettergrepen).
**alexie'** [Gr. *a-* = niet, *legoo* = bijeenlezen] het
onvermogen om letters tot woorden samen te
voegen of gelezen woorden tot zinnen, en dus
om die woorden en zinnen te begrijpen; dit
a.g.v. stoornis in de hersenen. Dit is de zgn.
*leesblindheid*, het verlies v.h. vermogen om te
lezen, niet te verwarren met *woordblindheid*,
het onvermogen van kinderen om te léren
lezen, of althans de moeilijkheden daarbij
(*leeszwakte, zie* **dyslexie**).
**alf** *zie* **alven**.
**al'fa** [Gr. *alpha*] **1** eerste letter van het Gr.
alfabet (ontleend aan semitische talen; *vgl*.
Hebr. *aleph, zie* **alef**); **2** (*schoolterm*) leerling
van de A-afdeling op gymnasium; **3** (*astr*.) de
helderste ster in een sterrenbeeld.
**alfa-stralen** soort stralen, bestaande uit
helium-kernen, uitgezonden door sommige
radio-actieve stoffen.
**al'fabet** [Gr. *alpha* en *bèta*, de eerste twee
letters in het Gr., de a en de b] **1** het ABC, de

serie letters die in een bepaalde taal gebruikt
worden; **2** de beginselen van een wetenschap
of kunde.
**alfal'fa** [Arab. *alfakfakah* = het beste voeder]
luzerne, door Moren in Spanje, door
Spanjaarden in Midden- en Zuid-Amerika
ingevoerd groenvoedergewas en vandaar
verder verspreid.
**al'fanumeriek** [v. **alfabet** en Lat. *númerus* =
getal] code waarin zowel letters als cijfers
worden voorgesteld, bijv. om deze met een
speciale machine i.e. ponskaart vast te leggen.
**al'fastralen** (α-stralen) bundels snelle
*alfadeeltjes*, d.w.z. kernen van heliumatomen,
bestaande uit 2 protonen en 2 neutronen, dus
met 2 positieve ladingseenheden.
**al fres'co** [It., *fresco* = fris, vers] op natte kalk
(schilderen).
**Al'gae** *zie* **Algen**.
**al'gebra** [naam ontleend a.h. beginwoord v.d.
titel van het boek *al-jabr w'al mugâ-baleh* =
hergroepering en tegenstelling, v.d. Arab.
wiskundige Mohammed ibn moesa
al-Chwarizmi] stelkunde of letterrekening,
wiskundig leer d.v.d. betrekkingen tussen
grootheden voorgesteld door letters
(symbolen), bijv. a, b, c, x, y, z.
**Al'gen of Al'gae** (wetenschappelijke naam)
*mv* [Lat. *alga* = zeewier] in het Ned. *wieren*
genaamd, een verzamelnaam voor
verschillende lagere plantengroepen, die tot
de Thallofyten (*zie* **thallus**) behoren en dus
niet onderscheiden zijn in stengel, wortel en
blad. Ze bevatten wel bladgroen of soortgelijke
stoffen, i.t.t. zwammen en bacteriën.
**alge'sis** [Gr. *algèsis* = smart, pijn] *eig*.:
pijngevoel; *ook*: lichamelijke
overgevoeligheid.
**algici'de** [v. **Algen** en Lat. *cáedere* = slaan,
doden] chemisch bestrijdingsmiddel tegen
algen.
**-algie'** [Gr. *algos* = pijn] achtervoegsel dat
'-pijn' betekent, bijv. **neuralgie** = zenuwpijn.
**algien'zuur** [v. **Algen**; -gien volgens de
normvoorschriften, in de praktijk meestal
**-gi'ne**] een produkt van ingewikkelde
chemische samenstelling, gewonnen uit
bruinwieren. **alginaat'vezels** vezels
verkregen door een oplossing van
natriumalginaat via spindoppen te spuiten in
een bad met oplossingen van metaalzouten.
**algofobie'** [Gr. *algos* = pijn; *zie* **fobie**]
ziekelijke angst voor pijn. **algolagnie'** [Gr.
*lagneia* = wellust] vorm v. seksualiteit waarbij
wellust wordt ondervonden door een persoon
als zijn partner hem pijnigt (**masochisme**,
*z.a.*) of wanneer hij zelf zijn partner pijnigt
(**sadisme**, *z.a.*).
**algologie'** [*zie* **Algen** en **-logie**]
wetenschappelijke bestudering v.d. Algen.
**algoloog'** beoefenaar v.d. algologie.
**Algon'kium** [naar de Algonkin, Indianen a.d.
rivier de Ottowa in Canada; *ook* **Eozoïcum**
(*z.a.*) genoemd] de tweede periode v.h.
**Precambrium** (*z.a.*), *zie voor nadere*
*gegevens* **Proterozoïcum**; aardlaag i.h.
Algonkium gevormd.
**algorit'me** [*oorspr*.: *algorisme*, MLat.
*algorismus*, naar de Arab. wiskundige
al-Chwarizmi, *zie onder* **algebra**; de spelling
met *t* (vroeger *th*) i.p.v. *s* is te wijten aan
verwarring van algorisme met Gr. *arithmos* =
getal] **1** (*wisk*.) rekenwijze volgens een vast
schema, met behulp waarvan men bepaalde
grootheden kan berekenen, bijv. de grootste
gemene deler (GGD) van twee getallen door
opeenvolgende delingen (*algoritme van
Euclides*); **2** (*logica*) reken-, bewerkings- of
bewijsmethode met een geheel mechanisch
karakter volgens een reeks voorschriften,
waarbij v.d. persoon die de bewerking uitvoert
geen eigen vindingrijkheid wordt verwacht.
**algorith'mic language** [Eng. en Am.] (afk.
**Algol**) één van de programmeertalen waarin
computers geprogrammeerd worden.
**algrafie'** [v. **aluminium** en Gr. *graphoo* =

= schrijven; afk. v. aluminiumgrafie]
aluminiumdruk, in wezen gelijk aan de
steendruk (*lithografie, z.a.*), maar waarbij de
zware lithografische steen vervangen is door
een lichte aluminiumplaat, die bovendien kan
worden gebogen en dan geschikt is voor
rotatiedruk volgens het *offsetprocédé* (z.a.).

**a'lias** [Lat., *alias víces* = op een ander
tijdstip, op andere wijze, bij een andere
gelegenheid] **I** *bn* schertsend anders gezegd of
anders geheten; **II** *zn* schertsende bijnaam,
door anderen gegeven of zelf aangenomen.

**a'libi** [Lat., oude locativus (z.a.) van *álius* =
ander; dus *alíbi* = op een andere plaats, elders]
het ergens anders zijn (geweest); *een –
hebben, zijn – bewijzen,* aantonen dat men
elders was ten tijde v.h. misdrijf waarvan men
verdacht wordt; *(fig.) zich een – verschaffen,*
een schijnreden aanwenden op grond van een
bestaand iets om zijn ondeugden goed te
praten.

**alicy'clische verbindingen** [*zie* **alifatisch**;
Gr. *kuklos* = kring] chemische verbindingen in
ringvorm, waarbij de ringen alleen uit
koolstofatomen bestaan en geen dubbele
bindingen bevatten.

**aliëne'ren** [Lat. *alienáre* = vervreemden;
*aliénus* = vreemd] vervreemden, (bezit)
overdragen a.e. ander. **aliëna'tie** [Lat.
*alienátio*] vervreemding; het overgaan in
andere handen (door verkoop, verpanding,
afstand e.d.); overdracht. **aliëna'bel**
vervreemdbaar, verkoopbaar.

**alifa'tisch** [Gr. *aleipha* = zalfolie, olie]: —*e
chemie,* dat deel der scheikunde dat de
koolstofverbindingen met open keten
behandelt, tot welke groep de oliën en vetten
behoren. (*Vgl.* **aromatisch**.)

**aligne'ren** [Fr. *à en ligne* = lijn; Lat. *linea*] op
richtlijn of rooilijn plaatsen. **alignement'** [Fr.]
**1** het richten volgens rechte lijn; **2** rooilijn.

**alimente'ren** [v. Lat. *aliméntum* = voeding,
voedsel; *álere* = voeden] levensonderhoud
geven aan, onderhouden. **alimenta'tie**
levensonderhoud, verzorging; daarvoor
bestemde som gelds; toelage voor
levensonderhoud o.a. aan behoeftige bloed-
en aanverwanten in de rechte lijn.

**alimenta'tieplicht** verplichting om
levensonderhoud te verschaffen, spec. van
gehuwde man t.o.v. zijn vrouw (ook na
echtscheiding). **alimentair'** [Fr. *alimentaire*
= voedend] de voeding betreffende;
teweeggebracht door voedingsmiddelen.

**a li'mine** [Lat. = *lett.*: van de drempel] van
voren af aan. (*Vgl.* **a li'nea**.)

**à l'improvis'te** [Fr.] voor de vuist weg,
onverwachts.

**ali'nea** afk. al. [Lat. *a en línea* = regel; *lett.* =
van de lijn af] van voren af aan. (*Vgl.* **a
li'mine**.) (De veel gehoorde uitspraak aline'a
is onjuist.) **1** nieuwe regel in druk- of
schrijfwerk, meestal inspringend; deel v.e.
geschreven of gedrukt stuk dat met een
nieuwe regel begint, tot de volgende nieuwe
regel; **2** onderdeel v.e. wetsartikel, v.e.
reglement e.d. dat met een nieuwe regel
begint, gedeelte v.e. paragraaf.

**à lin'star** [Fr.] naar voorbeeld van.

**aliquan'do bo'nus dormi'tat Home'rus**
[Lat. = *lett.*: zelfs de goede Homerus is wel
eens slaperig] de beste breister laat wel eens
een steek vallen; het beste paard struikelt wel
eens.

**aliquot'piano** [Lat. *áliqot* = enige] piano die
zo gebouwd is, dat de grondtoon door
medeklinkende snaren ondersteund wordt.

**aliquot'-toon** neven- of bij-toon bij
grondtoon.

**a'liter** [Lat.] op andere manier, anders.

**alite'ren** *zie bij* **alumineren**.

**alizarin'** [volgens normvoorschriften; in de
praktijk nog vaak **alizari'ne**] [Levantijns
*alizari* = meekrapwortel, waarsch. v. Arab. *al*
= de, *'açarak* = extract ('*açara* = persen)] rode
kleurstof uit meekrapwortel, thans uit

steenkoolteer of uit antraceen bereid.

**alka'li** [Fr. *alcali,* v. Arab. *al-qaliy* = gesintelde
as; *qalay* = bakken] oorspr. soda
(natriumcarbonaat, $Na_2CO_3$) of potas
(kaliumcarbonaat, $K_2CO_3$); de daaruit bereide
hydroxiden NaOH en KOH noemde men
*bijtende alkali.* **alka'lisch** *bn* (*zie* **basisch**).
**alkaloï'den** [v. **alkali** en Gr. *eidès* =
gelijkend; *eidomai* = gelijken] (*chem.*) groep
van organische verbindingen, voorkomende in
planten, met alkalische eigenschappen en
gewoonlijk sterke gifwerking (bijv. morfine,
caffeïne e.d.).

**alka'limetalen** de elementen lithium, natrium,
kalium, rubidium, caesium en francium, alle
lichte, weke, laagsmeltende metalen, positief
eenwaardig en zeer reactief.

**alka'nen** *mv* de verzadigde koolwaterstoffen
met de algemene formule $C_nH_{2n+2}$, bijv. $CH_4$
(methaan), $C_2H_6$ (aethaan), $C_3H_8$ (propaan),
$C_4H_{10}$ (butaan); de verdere leden v.d. reeks
worden genoemd naar het Griekse telwoord
dat het aantal koolstofatomen (C) aangeeft.

**alkan'na,** ook: **alcan'na** [Arab. *al* = de, *kenna*
= henna] naam voor twee verschillende
verfplanten, de *henna* of echte alkanna, en de
*ossetongwortel* of valse alkanna. Bladeren en
wortels bevatten de kleurstof *alkannien,* die
wordt gebruikt voor het verven van textiel of
ter bereiding van *henna, z.a.*

**alke'nen** ook: **alkyle'nen,** koolwaterstoffen
met een dubbele binding in het molecule en
de algemene formule $C_nH_{2n}$. Zijn afgeleid
gedacht van alkanen (z.a.), maar bezitten
wegens de dubbele binding twee
waterstofatomen minder, bijv. *etheen,* $H_2C =
CH_2,$ tegenover ethaan, $H_3C–CH_3.$

**alkoof'** [Arab. *al* = het, en *qobbah* gewelf, Sp.
*alcova; oorspr.*: gewelfde inham of boog in
muur dienende als rust- of slaapplaats] klein
zijvertrek spec.om in te slapen.

**alkyd'harsen** *mv* kunstharsen verkregen door
polycondensatie van meerbasische
organische zuren, meestal ftaalzuur of
maleïnezuur, met meerwaardige alcoholen,
zoals glycerine, glycol e.d.

**alkyle'nen** *zie* **alkenen**.

**alky'nen** *mv* onverzadigde koolwaterstoffen
met een drievoudige binding in het molecule
(*vgl. alkanen* en *alkenen*). Algemene formule
$C_nH_{2n-2}$. Bekend is ethyn of acetyleen,
$HC\equiv CH.$

**all', alla** [It.] op de wijze van. (*Vgl.* Fr. à la.)
**alla cac'cia** [It.] (*muz.*) als jachtmuziek. **alla
mar'cia** [*muz.*] als marsmuziek.

**all'anti'co** (*muz.*) in oude trant.

**allargan'do** [It. *largo* = breed] (*muz.*)
verbredend. **allarge'ren** [Fr. *allarger; vgl.* Lat.
*largus* = rijkelijk, mild] breder maken.

**alla'ta** [Lat. *afférre, allátum,* v. *ad* en *ferre,
latum* = brengen; *lett.*: de aangebrachte zaken]
datgene wat de vrouw bij het huwelijk heeft
ingebracht.

**allecta'tie** [Lat. *allectátio,* v. *allícere, alléctum*
= aanlokken, v. *ad* en *\*lacio* = ik lok]
aanlokking.

**1 allee'** [Fr. *allée,* v. *aller* = gaan, lopen] *zn*
brede laan tussen twee (of meer) rijen bomen.
**2 allee'** [Fr. *allez*] *tw* vooruit!, komaan! (*Zie
ook* **allez**.)

**allega'tie** [Lat. *allegátio,* v. *allegáre, allegáre,
allegátum,* v. *ad* en *legáre* = als legaat
afvaardigen; *ook*: aanhalen, aanvoeren (als
bewijs)] aanhaling, verwijzing.

**allegorie'** [Gr. *allos* = ander, en *agoreuoo* =
in de *agora* (volksvergadering) spreken, in het
openbaar spreken; *lett. dus*: het als een ander
spreken, spreken met mom; NTGr. *allégoria*
= beeldspraak] voorstelling v. onstoffelijke
zaken en van relaties door personen of
materiële zaken of hun handelingen (*bijv.*: een
geraamte met een zeis in de hand is een
allegorie van de dood); (*stijlleer*) uitgewerkte
zinnebeeldige voorstelling, uitgesponnen

gelijkenis. **allego'risch** *bn & bw* v.d. aard v.e. allegorie, als een allegorie, gelijkend op een allegorie. **allego'rische exege'se** of **allego're'se** bijbeluitleg die er van uit gaat dat de bijbeltekst iets anders, diepers bedoelt dan er letterlijk staat (met al dan niet verwerping v.d. letterlijke tekst), ook als de tekst zelf geen gelijkenis of beeldspraak aanduidt.
**allegorise'ren 1** zinnebeeldig voorstellen; **2** zinnebeeldig verklaren. **allegoris'me** het gebruiken van zinnebeeldige uitdrukkingen.
**allegramen'te** [It. *allégro* = vrolijk] *(muz.)* opgewekt, vrolijk. **allegret'to** [It. *(muz.)* ietwat levendig en vlug. **alle'gro** [It.] *(muz.)* **1** *bw* vlug en levendig; **2** *zn* muziekpassage in levendig tempo; — *assai*, zeer levendig; — *con brio*, met levendigheid; — *con fuoco*, levendig met vuur; — *ma non troppo*, vlug, maar niet te zeer; — *maestóso*, vlug, maar waardig; — *moderáto*, gematigd vlug; — *vivắce*, levendig allegro. **allegris'simo** uiterst vlug.
**allentan'do** [It. *lento* = langzaam] *(muz.)* inhoudend, vertragend.
**allergie** [Gr. *allos* = ander, en *ergon* = werk] *(med.)* veranderde reactie bij tweede behandeling met zelfde stof; meer algemeen: overgevoeligheid van bepaalde personen voor bepaalde stoffen. **aller'gisch** lijdend aan allergie, ziekelijk overgevoelig voor bep. stof; *(oneigenlijk)* er niet tegen kunnende, zeer afkerig van. **aller'gische ziekten** ziekten door allergie veroorzaakt. **allergist'** geneeskundige gespecialiseerd in allergische ziekten. **allergeen'** [v. Gr. *gennaoo* = voortbrengen] stof die allergie kan veroorzaken bij daarvoor gevoelige personen.
**allez'** [Fr. *aller* = gaan] **1** ga je gang!; **2** loop heen! *(Zie ook allee 2.)*
**alliëren** [Fr. *allier*, v. Lat. *alligáre* (uit *ad-ligáre* = aan iets binden, vastbinden, v. *ad* en *ligáre* = binden) verbinden, verenigen, vermengen, samensmelten. *(Zie ook gealliëerden).*
**allia'ge** [Fr.] *(vero.)* samensmeltsel van twee of meer metalen; *thans*: legéring, *z.a.* **allian'ce –ring** [Fr. *alliance* = huwelijk] bandvormige ring die rondom geheel met kleine edelstenen is bezet, vaak als verlovingsring. **allian'tie** [Fr. *alliance* = *ook*: verbond, liga] bondgenootschap tussen twee of meer staten om door wederzijdse steun bep. doeleinden in bep. gevallen te bereiken, bijv. bij oorlogsgevaar of in oorlog.
**alliga'tie** [Lat. *alligo* = aan iets binden] vermenging, legéring van metalen.
**alligato'renkritiek** [v. Lat. *alligáre* = verbinden] (literaire) kritiek van iemand die niet vrij zijn mening geeft, maar zijn kritiek laat afhangen van bep. belangen of van onderlinge (uitdrukkelijke of stilzwijgende) afspraken.
**all'-in'** [Eng.] **I** *bn* alles inbegrepen, bijv. de prijs is —; **II** *vv* voor *zn*: met alle kosten inbegrepen, bijv. all-in-reis, all-in-tarief.
**allit(t)ere'ren** [v. Lat. *ad* en *lit(t)era* = letter] met dezelfde klank beginnen (gezegd van woorden). **allit(t)era'tie** letterrijm, stafrijm of beginrijm; gelijkheid van beginklanken van enige sterk beklemtoonde lettergrepen i.e. versregel, i.e. uitdrukking of i.e. zin, oorspr. zó dat de inhoud v.d. woorden die allitereren samenhang vertonen. Echte alliteratie (dus met inhoudelijke betrekking tussen de woorden) vindt men in nog steeds gebruikte uitdrukkingen, als bijv.: bont en blauw, door dik en dun, God noch gebod. Thans heeft alliteratie vnl. slechts klankwaarde, bijv. in oude kinderversjes (Leentje leerde Lotje lopen), aftelrijmpjes (iene miene mutte), in volkstaal (malle meid, luie lummel) en in reclameteksten (melk moet).
**alloca'tie** [Fr. & Eng. *allocation*, v. Lat. *ad* en *locáre* = plaatsen, v. *locus* = plaats] toewijzing, spec. van goederen bij onvoldoende hoeveelheid om alle te voldoen. **alloca'tiesysteem** wijze waarop produktiemiddelen en goederen worden verdeeld wanneer vraag en aanbod geen

automatische prijsvorming en dus ook niet een zekere verdeling veroorzaken. In dergelijke gevallen beslist de overheid d.m.v. een toewijzingssysteem (distributie, bouwvergunning, woningtoewijzing, teeltvergunning e.d.)
**allochrois'me** [v. Gr. *allos* = ander, *chroa* = huid, huidkleur, kleur] het vertonen v.e. andere kleur als men een voorwerp onder een andere hoek bekijkt (weerschijnkleuren).
**allochtoon'** [Gr. *chthoon* = aarde, grond, land] uit een vreemd land, van elders gekomen (tegenst.: **autochtoon** = i.h. land zelf thuisbehorend), gezegd van gesteenten, rivieren, planten, dieren en bevolkingsgroepen.
**allocu'tie** [Lat. *allocútio*, v. *álloqui*, *allocútus sum* = toespreken, v. *ad* en *loqui* = spreken] toespraak.
**allodiaal'** [MLat. *allódium*, v. Germ. *alood* = vrij eigendom, v. *al* = geheel en al, en *ood* = bezitting] vrij van leenrecht, geheel vrij in eigendom (tegenst.: **feudaal**). **allo'dium** niet leen-roerig goed.
**allogamie** [Gr. *allos* = ander, en *gameoo* = huwen] kruisbevruchting.
**allogeen'** [Gr. *allos* = ander, en *gignomai* = worden, geboren worden; *genos* = het gewordene, afstamming] van andere aard. *(Vgl. homogeen.)* **allolalie'** [Gr. *laleoo* = kletsen, babbelen, spreken] ziekelijk krom praten. **allomorfie'** [Gr. *morphé* = gedaante] het aannemen v.e. andere klankvorm door een taalelement onder invloed van omgevende klanken: bijv. 'Wat is dat?' wordt dan uitgesproken als 'Wat iz dat?' of als 'Wat is tat?'
**allon'ge** [Fr. *allonger* = verlengen; Lat. *longus* = lang] **1** verlengstuk; **2** aanhangsel aan wissel bestemd voor endossementen. **allon'gepruik** met lange krullen, staartpruik.
**allons'** [Fr. *aller* = gaan] laat ons gaan!, vooruit!
**allopathie'** [Gr. *allos* = ander, en *pathos* = ondervinding, aandoening, ziekte] geneeswijze door middelen die een werking uitoefenen tegengesteld aan die van de ziekte zelf (tegenstelling **homeopathie**, *z.a.*). **allopa'tisch** volgens de allopathie.
**alloplastiek'** [zie plastiek] *(med.)* chirurgische behandeling waarbij een ziek orgaandeel wordt vervangen door een kunststof (i.t.t. de plastische chirurgie, die van lichaamsweefsels gebruik maakt).
**allo'tria** *mv* [Gr. *allotrios* = aan een ander toebehorend] bezigheden die niet tot het eigenlijke werk of vak behoren, bijzaken; in overdrachtelijke zin: woorden of daden die er niet bijbehoren, ongepast zijn, dwaasheden.
**allotropie'** [Gr. *allos* = ander, *tropos* = wijze, v. *trapoo* = keren, wenden] het verschijnsel dat een en dezelfde stof in verschillende vormen (modificaties) voorkomt, die uiterlijk van elkaar verschillen en andere fysische eigenschappen bezitten, hoewel het chemisch dezelfde stof is. Men spreekt ook van *polymorfie* (veelvormigheid). **allotro'pisch** *bn* het verschijnsel van allotropie vertonend.
**all'otta'va** [It.] *(muz.)* een octaaf hoger of lager.
**alloueren** [Fr. *allouer* = (een gunst) toekennen, *zie* **allocatie**, verward met Lat. *allaudáre* (uit *ad* en *laudáre*) = prijzen, *vgl.* Eng. *to allow* = toestaan] inwilligen; laten gelden. **alloua'bel** [Fr. *allouable* = toekenbaar] voor inwilliging vatbaar; geldig.
**allo'ver** [Eng. = *lett.*: over het geheel] **1** doorlopend patroon over het gehele tapijt; **2** soort gordijnstof.
**alloxanti'ne** chemische stof ontstaan door waterstofonttrekking (reductie) van alloxaan, dat zelf een afbraakprodukt van urinezuur is. Alloxantine, een derivaat van ureum, $(NH_2)_2CO$, geeft roodkleuring als het met de menselijke huid in aanraking komt en wordt daarom toegepast in lippenstift.
**all-risk(s)'verzekering** [Eng. *all risks* = alle

risico's] verzekering die (op haar terrein) de ruimste dekking biedt die de verzekeraar pleegt te geven; meestal zijn niet *alle* risico's gedekt (bijv. bij inboedelverzekering niet de schade ontstaan door militaire explosieven, kernreacties, oorlogshandelingen, natuurrampen als aardbeving en overstroming, e.d.).

**all'round** [Eng. = alzijdig] (gezegd v. personen) in alle opzichten bedreven, bekend met alle voorkomende werkzaamheden in zijn vak. **allroun'der** (*hardrijder op schaats*) rijder die op alle gebruikelijke afstanden is getraind.

**all'spice** [Eng.] *zie* **piment.**

**allude'ren** [Lat. *allúdere* = zinspelen op, v. *ad* en *lu'dere* = spelen) toespeling maken.

**allumet'tes** [Fr. *lett.*: lucifers, v. *allumer* = aansteken v. Lat. *ad* en *lumen* = licht] (*cul.*) stengels van bladerdeeg in de vorm v.d. oude zwavelstokken, bestreken met een hartig mengsel.

**all'uniso'no** [It.] (*muz.*) op eenstemmige wijze; in één klank.

**allu're** [Fr. = *lett.*: manier van gaan; *aller* = gaan, lopen] gang; wijze van doen; houding; *van —*, voornaam.

**allu'sie** [Lat. *allúsio; zie* **alluderen**] toespeling. **allusief'** [Fr. *allusif*] zinspelend.

**allu'vium** [Lat. *allúvio* = aanspoeling door water, aangespoelde grond, v. *ad* en *lúere* = wassen, bespoelen] aanspoelsel, aanslibbing. **Allu'vium** (*vero.*) naam voor het tweede tijdvak van het zgn. Quartair, *z.a.*, waarin voornamelijk aanslibbing plaatsvond, van ongev. 12 000 jaar geleden tot heden; aardlaag in die periode gevormd; *zie* **Holoceen.**

**alluviaal'** 1 ontstaan door aanslibbing (*bijv.*: alluviale gronden); 2 behorend tot het Alluvium (*bijv.*: het alluviale tijdvak). **allu'vie** aangespoelde grond, aangeslibd land.

**alm** [Zwitsers: *Älm*] alpenweide in het hooggebergte, spec. wanneer deze alleen in het zomerseizoen wordt gebruikt en er dus geen permanent bewoonde nederzettingen bij zijn gelegen; almen zijn vrijwel steeds gemeenschappelijk bezit (*zie* **almende).**

**alma'gra** [Arab. *al* = de, en *maghra* = rode aarde] bruinrode oker.

**Al'ma ma'ter** [Lat. = *lett.*: vruchtbare moeder, milde moeder] de Universiteit.

**almavi'va** [Sp.] lange wijde schoudermantel, vastgemaakt met een koord.

**alme'mor** [Arab.] plaats in synagoge, waar men uit de thora voorleest.

**almen'de** [Du. *Allmende* = gemeenschappelijk gebruikte gemeentegrond] complex gronden dat in gemeenschappelijk gebruik is (of was) bij een bep. groep boeren uit een of meer nederzettingen, bijv. de vroegere markegronden (gemene gronden of meent), vele almen, *zie* **alm,** in de Alpen e.d.

**almicanta'ra,** betere naam *almacan'rat* [Arab.] hoogtecirkel, parallelcirkel aan de hemel.

**a'loëpil'** purgeerpil bereid met bestanddelen van aloë.

**aloï'ne** werkzaam, bitter bestanddeel van aloë.

**à loisir'** [Fr.] op zijn gemak.

**alopecie'** [Gr. *aloopécia* = vossen-huidziekte; *aloopèx* = vos] haaruitval, kaalhoofdigheid.

**1 alpa'ca** [Sp., v. inheemse Zuidam. taal der Ketshua (*al*)*pako,* v. *pako* = roodbruin] 1 kleine tamme lama, afstammend v.d. vicoenja; **2** (*textiel*) sterke lange haarvezel met zijdeglans, bruinachtig tot crème-kleurig, afkomstig van alpaca (**1**); **3** weefsel uit alpaca (**2**) als inslag en katoen als schering; *ook:* weefsel uit alpaca (**2**) gemengd met katoen, wol of rayon; **4** naam v.e. soort kunstwol.

**2 alpa'ca** (afl. v. naam onbekend) naam v.e. groep legeringen van koper, nikkel (12-30%) en zink (15-50%).

**al pa'ri** [It.] van gelijke waarde; zonder opgeld.

**al pe'so** [It.] naar het gewicht.

**al'pha pri'vans** [Lat. = *lett.*: de ontnemende alfa] de **a** a.h. begin van Gr. woorden die daaraan ontkennende betekenis verleent (*vgl.* Ned. on-). **al'pha en o'mega** afk. **A & Ω** (*Alpha et Omega*) [eerste en laatste letter v. Gr. alfabet] begin en einde (bekend symbool v. Christus).

**alpien'** (de voorgeschreven doch minder juiste spelling is alpi'ne) [Lat. *alpinus* = van de Alpen] *bn* de Alpen betreffend, i.d. Alpen voorkomend; (*bij uitbreiding*) op hooggebergte betrekking hebbend. **alpie'ne flora** vegetatie zoals ze voorkomt i.d. gebergten (niet alleen de Alpen) tussen de boomgrens en de grens v.d. eeuwige sneeuw. **alpie'ne fauna** dierenwereld v.d. hoge Alpen (en Noordam. hooggebergten) en v.h. hoge Noorden.

**alpinis'me** bergsport overal ter wereld (niet alleen i.d. Alpen), zoals rodelen, skiën en spec. bergbeklimming. **alpinist'** beoefenaar v.d. bergsport. **alpi'no** *oorspr.* muts als i.d. Alpen gedragen; *thans alg.:* een soort baret die min of meer nauw om het hoofd sluit.

**al sec'co** [It.; *secco,* Lat. *siccus* = droog] op droge kalk (schilderen); (*vgl.* **al fresco**).

**alt** afk. **A.** [It. *alto,* v. Lat. *áltus* = hoog; *eig.*: volgroeid, v. *álere* = voeden] (*muz.*) vrouwenstem (of jongensstem) met een omvang van ongeveer de kleine g-g″, dus lager dan sopraan (c-c″). De alt wordt onderverdeeld in verschillende soorten, o.a. contralto en mezzosopraan; *ook:* vrouw of jongen met altstem; altpartij, altviool of bespeler daarvan.

**alt'azimut** instrument waarmee men de hoogte en het azimut (*z.a.*) v.e. hemellichaam kan meten.

**al tem'po** [It.] (*muz.*) weer in de oorspronkelijk aangegeven maat.

**al'ter** [Lat.] een (of: de) ander. **altera'bel** [14e eeuws Fr. *altérer* = veranderen, v. MLat. *alteráre;* Lat. *alter* = ander] veranderbaar, bederfelijk.

**altera'tie** [*zie voorgaande*] (*eig.*: verandering in gemoedstemming) beroering, ontsteltenis, ontroering; *ook:* opschudding, zenuwachtige drukte, schrik (deze laatste betekenissen i.d. volkstaal *ook* **altera'sie,** *bijv.*: zij had i.d. alterasie haar huissleutel vergeten). **al'tera pars** [Lat. = *lett.*: het andere deel] wederpartij; *audiátur et altera pars,* ook de wederpartij worde gehoord; *audi et alteram partem,* hoor ook de wederpartij.

**alterca'tie** [Lat. *altercátio,* v. *altercári* = redetwisten; *alter* = ander] woordentwist, ruzie, onenigheid.

**al'ter e'go** [Lat. = het andere ik] tweede ik; gevolmachtigd afgezant; intieme vriend; echtgenote. **altere'ren** [*zie* **alterabel**] 1 veranderen (ten kwade); **2** ontstellen. **alter i'dem** [Lat.] een tweede precies hetzelfde.

**alterne'ren** [Fr. *alterner,* v. Lat. *alternáre* = afwisselen, v. *altérnus* = beurtelings, afwisselend] elkaar beurtelings afwisselen; op elkaar volgen in regelmatige afwisseling; (*landbouw*) wisselbouw toepassen; *alternerend rijm* (*ook* **alternantie,** *z.a.*), rijmschema waarbij de versregels om de beurt rijmen (a-b-a-b), meestal afwisseling van mnl. en vr. rijm (beklemtoonde en onbeklemtoonde lettergrepen); *alternerende reeks,* (*wisk.*) reeks met afwisselend positieve en negatieve termen (*bijv.*: $1 - \frac{1}{2} + \frac{1}{3} - \frac{1}{4} + \frac{1}{5} ...$ enz.). **alterna'tie** [Lat. *alternátio*], *ook:* **alternan'tie** [Fr. *alternance*] afwisseling, beurtwisseling; (*lit.*) alternerend rijm.

**alternatief'** [Fr. *alternatif* = afwisselend] **I** *bn* **1** (elkaar) afwisselend, om beurten; **2** keuze latend tussen twee mogelijkheden; **3** de andere van twee mogelijkheden betreffend; —plan, ander plan, opgesteld met de bedoeling een voorgesteld plan te vervangen; **4** (*thans ook*) bewust niet-officieel; niet aangepast a.d. bestaande maatschappelijke ordening maar gericht op een andere ordening; op totaal andere beginselen gevestigd, *bijv.:* *alternatieve academie;* **II** *zn* stel van twee mogelijkheden waaruit men moet kiezen.

**alterna'tor** [modern Lat.]
wisselstroommachine.

**Al'thing** het IJslandse parlement, het oudste van Europa (ingesteld 930).

**altime'ter** [v. Lat. *altus* = hoog; *zie* **meter**] hoogtemeter.

**altitu'de** afk. **alt**. [Lat. *altitúdo* = hoogte; *altus* = hoog] hoogte boven de zeespiegel; (*astr*.) hoogte van hemellichaam boven horizon in graden gemeten.

**altocu'mulus** [Lat. *altus* = hoog; *zie* **cumulus**] wolkengeslacht in de vorm van een grijze of witte wolkenbank of wolkenlaag, bestaande uit stroken, banden of grote schaapjeswolken, al dan niet samenhangend. Hoogte tussen 2 en 7 km (dus in de hoge troposfeer, *z.a.*). **altostra'tus** [*zie* **stratus**] wolkengeslacht in de vorm van een veld of laag (grauw of blauwachtig) die de hemel ten dele of geheel bedekt, met egaalstreperig of draderig uiterlijk, soms zo dun dat de zon er vaag doorheen zichtbaar is; behoort meestal bij een neerslagfront; hoogte tussen 2 en 7 km.

**altruis'me** [Fr. *altruisme*, v. It. *altrui* = van een ander, v. Lat. *álteri húic* = aan deze andere] gezindheid waarin men zijn handelwijze bepaald laat zijn door de belangen van de ander, onbaatzuchtigheid (tegenst.: **egoïsme**, *z.a.*). **altruist'** onzelfzuchtig persoon. **altruïs'tisch** *bn* onzelfzuchtig, onbaatzuchtig.

**aluchromist'** beeldhouwer die werkt met chroomaluminium.

**aluin'** [Lat. *alúmen*] $K_2SO_4.Al_2(SO_4)_3.24H_2O$, kaliumsulfaat-aluminiumsulfaat (een zgn. dubbelzout); *chroom'aluin* (kalium-chroomaluin) vindt toepassing als beitsmiddel (*zie* **beitsen**) en als looistuf.

**alumel'** legéring van nikkel en aluminium.

**alumine'ren** [*zie* **aluminium**] het laten indringen van aluminiummetaal i.h. oppervlak v.e. ander metaal, waardoor dit tegen aantasting of corrosie wordt beschermd. Het alumineren van staal wordt ook wel **caloriseren** (*z.a.*) of *alitieren* [Du. *alitieren*] genoemd. **aluminise'ren** het overdekken van een schijf met een laag zuiver aluminium door dit laatste in het luchtledige te verdampen (het oppervlak v.d. schijf wordt dan sterk spiegelend; dergelijke spiegels gebruikt men algemeen in de astronomie); *ook*: een voorwerp met een aluminiumlaag bedekken door bespuiting (met niet geheel zuiver aluminium).

**Alumi'nium** oorspr. *alumium* of *aluminum* [Lat. *alumen* = aluin] bep. element, metaal, chemisch symbool Al, ranggetal 13.
**alumi'niumdruk** *zie* **algrafie**.
**alumi'niumfolie** [Lat. *folium* = blad] bladaluminium, dun uitgewalst aluminium, op grote schaal gebruikt in condensatoren en als verpakkingsmateriaal, dat het vroegere 'zilverpapier' (was bladtin, staniol) heeft verdrongen. **alumi'niumverf** verzamelnaam voor verven waarvan het kleurend bestanddeel (pigment) bestaat uit schubbetjes aluminium.

**alumnaat'** [Lat. *alúmnus* = *lett*.: pleegzoon, v. *álere*, *altum* = voeden] kostschool, kweekschool. **alum'nus** *mv* **alum'ni** (inwonend) leerling; kweekeling; *ook wel*: student aan universiteit.

**al'ven** *mv* (*Noordse myth.*) oorspr.: geesten v.d. overledenen, die in hun woning aanwezig bleven als beschermgeesten. Later werden zij (omdat men meende dat zij schade veroorzaakten als men hun geen offers bracht) uitsluitend beschouwd als kleine boosaardige wezens en verward met aardgeesten (geesten die in de bodem leefden).

**alveolair'** [Lat. *alveolátus* = trosvormig uitgehold] *bn* de holte betreffend, spec. de tandholte; (*plk*.) blaasjesvormig. **alveo'len** *mv* [Lat. *alvéolus*, verkleinwoord v. *alveus* = holte] **1** blaasjes in het protoplasma v.d. cel; **2** holten (bijv. tand-), blaasjes (bijv. long-).

**al'ver** [v. Lat. *álbula* = witvis, v. *álbulus* = witachtig, verkleinwoord v. *álbus* = wit] zoetwatervis (*Alburnus alburnus*) uit de familie der Karpers.

**alzan'do** [It., *alzáre* = opheffen] (*muz*.) opwekkend.

**ama'bile** [It., v. Lat. *amábilis* = beminnelijk, v. *amáre* = beminnen] (*muz*.) liefelijk, beminnelijk, teder.

**amalgaam'**, *ook*: **amalga'ma** [MLat.; (taal der alchemisten) *amalgama*, *waarsch*. v. Arab. oorsprong] **1** (*chem*.) legéring van kwikzilver met een ander metaal (resp. mengsel v. andere metalen); vaak een weke deegachtige massa vormend, soms spoedig zeer hard wordend (tandvullingen); **2** (*fig*.) samensmeltsel, mengsel van ongelijksoortige bestanddelen; *vandaar ook*: mengelmoes. **amalgame'ren 1** (*chem*.) met kwikzilver legéren; spec. methode om goud en zilver uit hun ertsen te winnen door deze met kwikzilver te behandelen, waarbij een amalgaam wordt gevormd, waaruit vervolgens het kwik weer wordt verwijderd door destillatie; **2** (*fig*.) samensmelten, innig met elkaar verbinden.

**aman'da** puntig krentenbroodje met daarin amandelspijs (fijngemalen amandelen met suiker, eieren e.a. ingrediënten).

**amant'** [Fr., v. Lat. *ámans*, *amántis* = beminnend, v. *amáre* = beminnen] minnaar. **aman'te** [Fr.] minnares.

**amanuen'sis** [v. Lat. *sérvus a mánu* = *lett*.: slaaf voor de hand, d.i. slaaf-secretaris] daartoe opgeleid bediende spec. in chem. of nat. laboratoria (ook op scholen), die helpt bij het voorbereiden en uitvoeren van proeven.

**amarant'** [v. Gr. *a-* = niet-, en *marainoo* = verwelken; *amarantos* = onverwelkelijk, Lat. *amarántus* = amarant] **I** *zn* **1** legendarische onverwelkelijke bloem; **2** plantengeslacht uit de Amarantenfamilie; **3** (*dicht*.) het donkerrood, het purper; **4** bep. roodbruine of purperen kleurstof, ook voor voedingsmiddelen; **II** *bn* purperrood, bruinrood; *amarant'hout* purperhart, bep. houtsoort uit Zuid-Amerika.

**amarel'** [Fr. *amarelle*, v. amer, Lat. *amárus* = bitter] bep. zure kers, morel.

**amaril'** [Fr. *émeri(l)*, v. It. *smeriglio*, v. VLat. *smericulum*; *vgl*. Gr. *smaoo* = inwrijven, insmeren; *sméris* = polijstpoeder] slijppoeder, schuurpoeder (Ned. ook smergel); *—papier*, fijn schuurpapier.

**amaril'lo** [Sp. = bruingeel] **I** *bn* (bij *sigaren*) zeer licht van kleur; **II** *zn* lichtgekleurde sigaar.

**amasse'ren** [Fr. *amasser*; *vgl*. Lat. *massa* = deeg, klomp, kluit, massa] samenhopen, opstapelen, vergaren.

**ama'ti** naam voor elke viool gebouwd door de vioolbouwersfamilie Amati uit Cremona (Italië) van ca. 1535-1740.

**amauro'se** [Gr. *amauros* = zwak van licht] blindheid als gevolg van hersen- of gezichtszenuwafwijking.

**Amazo'nen** *mv* [Gr. *Amazones*, *ev Amazoon*] volgens Gr. legende een krijgshaftige volksstam van uitsluitend (op paarden strijdende) vrouwen in Pontus (het tegenwoordige Noord-Turkije). De Grieken verklaarden de naam als 'Borstlozen', v. *a-* = niet, *mazos* = vrouwenborst, en verzonnen daaruit hun verhaal dat deze vrouwen haar rechterborst amputeerden om beter de boog te kunnen hanteren. **amazo'ne 1** paardrijdster, spec. een gekleed in bep. damesrijkostuum met lange rok; **2** dit kostuum zelf.

**ambagieus'** [Lat. *ambagiósus* = vol omwegen; *ambáges* = omweg, v. *amb* (Gr. *amphí*) = rondom, en *ágere* = voeren] met veel omhaal.

**am'be** twee naast elkaar uitgekomen nummers v.d. vijf (bijv. in een loterij).

**am'ber** [Fr. *ambre*, v. Arab. *'anbar* = ambergris, *z.a.*] geel doorzichtig fossiel hars, voornamelijk voorkomend a.d. zuidkust v.d. Baltische Zee. **ambergris'** [Fr. *ambre gris* = grijze amber] geurige wasachtige stof door walvissen afgescheiden, gebruikt bij de parfumbereiding.

**amberiet'** uit nitroglycerine en nitrocellulose bereid explosief.

**ambian'ce** [Fr. = omgeving; *zie* **ambiëren**] sfeer van het milieu, omgeving.

**ambidex'ter** [Lat., v. *amb-* = aan beide zijden, en *dexter* = rechtshandig] iem. die zijn linkerhand evengoed kan gebruiken als zijn rechter.

**ambië'ren** [Lat. *ambire*, v. *amb-* = rondom, en *ire* = gaan; *ambiëns, ambiéntis* = de rondgaande] rondgaan; vriendelijk rondgaan (om iets te verkrijgen); dingen naar (een betrekking). **ambi'tie** [Lat. *ambítio* = het rondgaan, ezerucht, streven naar] eerzucht; ijver, lust. **ambitieus'** [Fr. *ambitieux*; Lat. *ambitiósus*] eerzuchtig, strevend naar, ijverig strevend.

**ambige'ren** [Lat. *ambígere*, v. *amb-* = aan beide zijden, en *agere* = handelen, doen] onzeker zijn, twijfelen, aarzelen.

**ambigu'** [Fr.] dubbelzinnig.

**ambiguïteit'** [Lat. *ambiguitas*] dubbelzinnigheid.

**am'bitus** [Lat., v. *amb-* = rondom, en *ire*, *itum* = gaan] omloop; omvang (*spec. muz.*: toonomvang); *ook*: omkoperij.

**ambivalent'** [Lat. *ambo* (Gr. *amphoo*) = beide, en *valére* = waard zijn; *válens, valéntis* o.dw] dubbelwaardig, twee tegengestelde eigenschappen of waarden tegelijk bezittend (bijv. liefde en haat t.o.v. hetzelfde voorwerp). **ambivalen'tie** het verschijnsel van het ambivalent zijn.

**amblyopie'** [v. Gr. *amblus* = stomp, *ook*: zwak; *oops* = oog; *ambluoopos* = met zwakke ogen] verzwakte gezichtssterkte van het oog, waarbij het oog zelf geen afwijking vertoont, maar de oorzaak is gelegen i.e. afwijking elders i.h. lichaam. (In het Ned. *lui oog* genaamd.)

**am'bo(n)** *mv* ambo'nes [Vlat. v. Gr. *amboon* = welving, verhoging] verhoogde lessenaar in eerste christenkerk, ook in sommige katholieke kerken heringevoerd.

**ambri'ne** pijnstillende zalf, bereid uit barnsteenhars en paraffine.

**ambrozijn'** [Gr. *ambrosios* = de goden toebehorend, v. *a-* = niet, en *brotos* = sterfelijk, stervelling] **1** godenspijs; **2** overheerlijke spijs. (*Vgl.* **nectar** = godendrank).

**ambulan'ce** [Fr. v. Lat. *ambuláre* = wandelen, diminutief v. *ambíre* = rondgaan, v. *amb-* = rondom, en *ire* = gaan] **1** (*mil.*) verplaatsbaar hospitaal bij leger te velde; *ook*: de dienst voor eerste hulp en vervoer van gewonden o.h. oorlogsterrein; **2** (*alg.*) wagen voor het vervoer van gewonden of zieken naar het ziekenhuis.

**ambulant'** [Lat. *ámbulans, ambulántis* = wandelend] **1** op de been; niet bedlegerig (v. zieke); **2** zonder vaste woonplaats of betrekking; heen en weer trekkend zonder vaste plaats (*bijv.*: toneelgroep); **3** (*onderw.*) hoofd v.e. school die geen eigen klas heeft, maar het onderwijs i.d. klassen begeleidt en administratieve werkzaamheden verricht e.d. **ambulantis'me** het ambulant zijn; het niet hebben v.e. vaste standplaats; het niet hebben v.e. eigen klas door schoolhoofd.

**ambulato'rium** [MLat.] wandelgang, kloostergang, kruisgang (*zie verder* **deambulatorium**).

**ambusca'de** [It. *imboscata* of Sp. *emboscada* = *lett.*: in het bos; hinderlaag] (*mil.*) verborgen stelling (*am i.p.v. im* is misschn. ontstaan door verwarring met Lat. *ambáges* = dwaalweg).

**ameliore'ren** [Fr. *améliorer*, OFr. *ameliorer*, uit *à* = naar, en *meillorer*, v. Lat. *melioráre* = verbeteren; *mélior* = beter] verbeteren, veredelen, verfraaien. **ameliora'tie** *zn.*

**a'men** [Hebr. *amin* = voorzeker, waarlijk, voorwaar; *aman* = sterkte] slotwoord v.

gebed; lange tijd opgevat i.d. betekenis: het zij zo, het moge zo zijn (*vgl.* het Fr. *ainsi soit-il*), thans vaak weer meer in de oorspr. betekenis van: jazeker; het is zo; *je* — = *zeggen*, met alles wat er gezegd wordt kritiekloos instemmen.

**amende'ren** [OFr. *amender*; Lat. *emendáre*, v. *e-* = uit, en *menda* = fout; *vgl.* Eng. *to mend* = herstellen] **1** verbeteren, corrigeren; **2** wijzigen bij amendement. **amen'de** [OFr. = herstel; *amendes* = (geld) -boete]: — *honora'ble*, [Fr.] openbare erkenning van schuld en verzoek om vergiffenis; — — *maken*, zijn verontschuldigingen aanbieden.

**amendement'** [Fr.] voorstel (door een of meer volksvertegenwoordigers) tot wijziging v.e. artikel v.e. wetsontwerp v.d. regering; (*bij uitbreiding*) voorstel ter verandering i.e. plan opgezet door een ander bestuurscollege.

**amenorroe'** (*uitspr.* -reu) [v. Gr. *a-* = niet-, *mèn* = maand, *rheoo* = vloeien] het niet optreden v.d. maandstonden, de menstruatie.

**a men'se et tho'ro** [Lat.] (scheiding) van tafel en bed.

**amen'tia** [Lat., v. *a* = *ab* = weg van, in *mens, mentis* = geest] waanzin.

**Ameri'cium** kunstmatig vervaardigd element; scheik. symbool Am, ranggetal 95 [naar Amerika].

**amerikanise'ren** (Noord-)Amerikaans maken; Am. worden; (zich) aanpassen aan de Am. wijze van leven. **amerikanis'me** typisch Am. taaleigen of Am. zegswijze, bijv. *store* (winkel) i.p.v. het Eng. *shop*, *elevator* i.p.v. het Eng. *lift* enz.; spec. i.h. 'slang' en in uitdrukkingen ontleend a.h. jargon v.d. onderwereld werd het aantal amerikanismen.

**ametallis'me** [Gr. *a-* = niet, en Lat. *metallum* = metaal] theorie die de ruilwaarde niet als uitgangspunt neemt i.p.v. de metaalwaarde van goud of zilver.

**ametho'disch** [Gr. *a-* = niet, en **methodisch**, *z.a.*] niet methodisch.

**amethist'** [Gr. *amethustos* = nuchter, niet dronken, v. *a-* = niet, en *methuskoo* = dronken maken; *methu, methuos* = bedwelmende drank] soort edelsteen, die in de Oudheid beschouwd werd als voorbehoedmiddel tegen dronkenschap. Amethist is een paarse variëteit van kwarts.

**ametrie'** [v. Gr. *a-* = niet-, *metron* = maat] **1** het zonder evenredigheid zijn, wanverhouding (tegenst. **symmetrie**); **2** (*dichtkunst*) het ontbreken v.e. vast metrum; **3** (*med.*) [v. Gr. *mètra* = baarmoeder] het aangeboren ontbreken v.d. baarmoeder.

**ametropie'** [Gr. *ametria* = overschrijding der maat, v. *a-* = niet, en *metron* = maat; *op-* = zien] ver- of bijziendheid.

**ameublement'** [Fr. v. *meuble* = meubel, v. Lat. *móbilis* = *movíbilis* = verplaatsbaar; *movére* = bewegen] geheel van meubelen in kamer, huis enz.

**amfetami'ne**, de chemische stof 2-aminopropylbenzeen, $C_6H_5\text{-}CH_2\text{-}CH(NH_2)\text{-}CH_3$, i.d. geneeskunde gebruikt als wekamine (middelen die het centrale zenuwstelsel stimuleren), maar ook als drug; ook wel gebruikt i.p.v. hard drugs.

**amfibie'ën** *mv* [v. Gr. *amphi* = aan beide zijden, dubbel; *bios* = leven] klasse van gewervelde dieren, met als kenmerkende eigenschap dat de larven waterdieren zijn (pootloos, visachtig), maar na gedaanteverwisseling landdieren worden (meestal met poten), waarvan sommige in water leven (doch geen waterdieren zijn) en de andere bij voorkeur in een vochtige omgeving. **amfibiologie'** [*zie* **-logie**] wetenschappelijke leer der amfibieën. **amfibioloog'** beoefenaar v.d. amfibiologie.

**amfi'bisch** v.d. aard van amfibieën, op de wijze van amfibieën; — *e operatie* (*mil.*) het gezamenlijk aanvallen op een vijandelijk kustgebied door (landings)troepen en oorlogsschepen (en ook vliegtuigen); — *e planten*, planten die op het land én in het water

kunnen leven. **amfibie'tank** (*mil.*) tank die zowel op het land kan rijden als op binnenwateren varen. **amfibie'vliegtuig** vliegtuig dat zowel van land als van water kan opstijgen en daarop landen.
**amfibie'voertuig** gemotoriseerd (veelal militair) voertuig te land dat door eenvoudige ingrepen geschikt kan worden gemaakt om als vaartuig op water te varen, en omgekeerd.
**amfibolie'** [Gr. *amphibolos* = dubbelzinnig] dubbelzinnigheid (wordt gezegd v.e. zin die op verschillende wijzen kan worden uitgelegd *vgl.* **equivoque**). **amfibool'** (*mineral.*) een silicaat, *z.a.*, waarin zowel silicumoxide als magnesium, aluminium, ijzer en calcium voorkomen. **amfi'brachys** [Lat., Gr. *amphibrachus* v. *amphi* = aan beide zijden, *brachus* = kort] versvoet bestaande uit lange lettergreep ingesloten door twee korte: ∪ — ∪
**amfioen'** [via Port. *anfiao* v. Arab. *afjoen* v. Gr. *opion* = plantesap, spec. opium, verklw. v. *opos* = plantesap] (*vero.*) ruwe opium.
**amfithea'ter** [Gr. *amphi* = aan beide zijden, en *theatron* = theater, schouwburg; *theaomai* = beschouwen] halvemaanvormige rijen toeschouwersplaatsen rond het toneel der Oudheid; *ook*: het gehele zodanig ingerichte theater zelf; tegenwoordig: alleen de geleidelijk oplopende rijen plaatsen tegenover het toneel.
**am'fora** [Lat. *ámphora*], *ook*: **amfoor'** [Gr. *amphiphoreus*, samengetrokken tot *amphoreus* = aan twee zijden te dragen, v. *amphi* = aan beide zijden, en *phereo* = dragen] kegelvormige kruik met twee oren bij Grieken en Romeinen.
**amfoteer'** [Gr. *amphóteros* = wederzijds, beide] (*chem.*): — *element*, element dat zowel zuurvormend als basevormend kan zijn; (*organische chem.*) = *amfotere verbinding*, verbinding die in haar molecule zowel een basische als een zure groep bevat (*bijv.*: *aminozuren*, *z.a.*).
**ami'** [Fr. v. Lat. *amicus* = vriend; *amáre* = beminnen] vriend. **amie'** [Fr.] vriendin.
**amiant'** [Lat. *amiantus*, Gr. *amiantos* = onbevlekt, zuiver, v. *a-* = niet, *miainoo* = bezoedelen; rein genoemd omdat het uit het vuur glanzend te voorschijn kwam, door het vuur was gelouterd] ook bergvlas, steenvlas of aardvlas genaamde fijne soort asbest die gemakkelijk splijt in buigzame vezels.
**amicaal'** [Lat. *amicális* = vriendschappelijk] op de wijze v.e. vriend (*bijv.*: amicaal omgaan met iem.); *ook*: gemeenzaam (*bijv.*: hij gaf mij een amicaal schouderklopje). **ami'ca ma'nu** [Lat. = *lett.*: door vriendelijke hand] (afk. **a.m.**) door vriendenhand, per vriendelijke gelegenheid (p.v.g.) (op adres v.e. brief).
**ami'ce** [Lat., roepnaamval v. *amicus* = vriend] (*spr.* amie(t)sje, niet als quasi-Fr. amies) vriend!, spec. als aanhef v. brief; ook als *zn*, *bijv.*: *een — van me*, een vriend, een goede kennis van mij. **amicis'sime** [v. Lat. *amicissimus* = zeer bevriend] allerbeste vriend!
**amici'tia** [Lat.] vriendschap. **amici'tiae cau'sa** [Lat. = *lett.*: ter oorzake van vriendschap] om der vriendschap wille.
**a'micronen** [Gr. *a-* = niet, en *mikros* = klein] zulke kleine deeltjes, dat ze met geen enkele microscoop zichtbaar te maken zijn.
**amict'** [Lat. *amictus* = oppergewaad, kap bij het gebed, v. *amicíre*, *amíctum* = omwerpen, omhullen, v. *amb-* = rondom en *jacére* = werpen] wit linnen (hoofd- en) schouderdoek van kath. priester bij het opdragen van de mis.
**ami'de** [v. beginletters v. **ammoniak**, *z.a.*, en *-ide*, *z.a.*] (*anorganische chem.*) ammoniak ($NH_3$) waarin een of meer waterstofatomen (H) door metaalatomen zijn vervangen.
**ami'ne** [v. beginletters v. **ammoniak**, *z.a.*, en *-ine*, *z.a.*] ammoniak ($NH_3$) waarin een of meer waterstofatomen (H) zijn vervangen door eenwaardige organische atoomgroeperingen.

**ami'nogroep** [v. **amine**, *z.a.*] de groep -$NH_2$, waarin dus 1 H-atoom van $NH_3$ (ammoniak) ontbreekt, zodat een eenwaardige basische atoomgroep is ontstaan. **ami'nozuren** organische zuren die behalve één of meer carboxylgroepen (-COOH, een zuurgroep) ook één of meer basische aminogroepen, -$NH_2$, in hun molecule bevatten.
**amis'sie** [Lat. *amíssio* = het van zich laten gaan; *amíttere* = verliezen, v. *a* = weg van, en *míttere*, *missum* = zenden] verlies. **amissi'bel** [Fr. *amissible*] verliesbaar.
**ammo'nia** [MLat. *ammónia liquida* = vloeibare ammonia; *zie* **ammoniak**] water, waarin ammoniakgas, $NH_3$, is opgelost.
**ammoniak'** [Gr. *ammoniakon* = tot Ammon (Libische bijnaam van Zeus) behorend; Lat. *sal ammoniacus* = zout uit de Ammonsoase in Libië; dit ammonium-zout werd oudtijds gevonden bij de tempel van Zeus Ammon in Libië (de tegenwoordige Siwah-oase)] gasvormige verbinding v. stikstof en waterstof, $NH_3$, die met zuren ammoniumzouten vormt.
**ammo'nium** (*chem.*) atoomgroepering voorkomend in ammoniumzouten; de ammoniumgroep is eenwaardig positief geladen in geioniseerde toestand ($NH_4^+$).
**ammoniet'**, **am'monshoorn** [MLat. *cornu Ammónis* = hoorn v. Jupiter Ammon] (schelp van) een soort fossiel kopvoetig dier.
**ammuni'tie** [Fr. *amunition*, volkst. v. *amonition*, door verwarring v. *la munition* met *l'amonition*] *zie* **munitie**.
**amnesie'** [Gr. *amnèsia* = het vergeten; *amnèsteoo* = niet gedachtig zijn, v. *a-* = niet, en *mnèmoneuoo* (*mimnèiskomai*) zich herinneren] verlies van geheugen voor een bepaald tijdvak, waarbij de lijder de gebeurtenissen van dat tijdvak zich niet meer of slechts ten dele kan herinneren. Amnesie verdwijnt meestal na kortere of langere tijd.
**amnestie'** [Gr. *amnèstia* = het vergeten van gepleegd onrecht), *zie verder* **amnesie**] kwijtschelding van straf (of opheffing van strafbaarheid bij nog niet veroordeelden) voor uitdrukkelijk genoemd(e) feit(en) i.e. bepaald tijdvak of i.e. bepaald geval, en wel straf(baarheids)kwijtschelding a.e. *groep* personen, meestal politieke gevangenen (*zie ook* **generaal pardon**).
**amoe'ben** *mv* [Gr. *amoibè* = afwisseling, verandering] orde van eencellige dieren uit de klasse Wortelpotigen, die het vermogen bezitten lobvormige uitstulpingen (schijnvoetjes) van de cel te maken en deze weer in te trekken, waardoor zij voortdurend van gedaante veranderen.
**amoe'bendysenterie** dysenterie (*z.a.*) veroorzaakt door een amoebesoort, die bij sommige mensen, vooral in warme streken, als onschuldige commensaal (*z.a.*) i.d. dikke darm leeft, maar onder bepaalde omstandigheden pathogeen (ziekteverwekkend) kan worden en tot allerlei aandoeningen kan leiden.
**amoeniteit'** (*uitspr.*: ameuniteit) [Lat. *amóenitas* = liefelijkheid; verwant met *amáre* = beminnen] liefelijkheid, bevalligheid.
**a'mok** [Mal. *amoq*] moordlustige razernij; — *lopen*, —*maken*, als waanzinnig moordlust rondlopen; —*maken* = *ook*: herrie schoppen.
**amoom'** [Gr. *amóomon* = specerijplant] geslacht Indische planten (*amómum*) waaruit een heerlijk geurende balsem wordt bereid.
**amoret'ten** *mv* liefdegodjes voorgesteld als jong kind (*vgl. cupidootjes en putti*).
**amoralis'me** of **amoraliteit** (*v. Gr. a-* = zonder; *zie* **moraal**] leer of althans standpunt waarbij men zedelijke normen buiten beschouwing laat. **amoralis'tisch** *bn*.
**amor'ce** [Fr.] lont, papieren slaghoedje, klappertje.
**amorf'** [Gr. *a-* = niet, en *morphè* = vorm] zonder vorm; niet kristallijn (*z.a.*) bijv. poedervormige stoffen die zelfs onder de microscoop geen kristalstructuur vertonen; door röntgenanalyse is gebleken dat ze echter

wel kristalachtige bouw vertonen; ook
sommige vaste stoffen die in wezen uiterst
taaie vloeistoffen zijn (bijv. glas) noemt men
amorf; (*psych*.) apathisch, lusteloos.

**a'mor fa'ti** [Lat.] liefde voor (aanvaarding
van) zijn lot, welk dat ook is.

**amoro'so** [It.] (*muz.*) liefdevol, teder, innig.

**amortise'ren** [Fr. *amortir* = minder krachtig
maken, v. VLat. *admortîre* = *lett*.: naar de dood
brengen, v. Lat. *ad*, en *mors, mórtis* = dood]
**1** schulddelging ineens of door periodieke
aflossingen; **2** onroerend goed doen overgaan
in de dode hand (= kerkelijke instellingen); **3**
ongeldig verklaren (door de rechter) van
waardepapier dat is ontvreemd of verloren of
vermoedelijk (maar niet zeker) is vernietigd.
**amortisa'tie** *zn.* **amortisa'tiefonds** (-kas)
fonds waaruit staatsschuld kan worden
afgelost. **amortisseur'** [Fr.] schokbreker
(auto, vliegtuig e.d.).

**amo'tie** [Lat. *amótio* = verwijdering, v.
*amovére, amótum* = verwijderen, v. *a-* = weg
van, *movére* = bewegen] **1** ontzetting uit
ambt; **2** ontvreemding; **3** sloping, afbraak v.e.
gebouw.

**amouret'te** [Fr. verklw. v. *amour* = liefde; Lat.
*amor*] kleine, niet ernstig gemeende
liefdesaffaire. **amoureus'** [Fr. *amoureux*] *bn
& bw* **1** verliefd; **2** op de liefde betrekking
hebbend, over liefde handelend.

**amove'ren** [*zie* amotie] **1** verwijderen; **2** uit
ambt ontzetten; **3** slopen, opruimen.

**amovi'bel** [Fr. *amovible*] afzetbaar.

**am'pel** [Fr. *ample*; Lat. *amplus* = rondom vol
v. *amb-* = rondom, en *ple-* = vol, *vgl. plenus*
= vol] uitvoerig, grondig, omstandig,
wijdlopig.

**ampère** afk. **A** eenheid v. stroomsterkte v.
elektrische stroom (nl. de stroomsterkte die de
spanning van 1 Volt kan zenden door de
weerstand van 1 Ohm) [naar André Ampère,
Fr. natuurkundige, 1775-1836].

**ampèra'ge** elektrische stroomsterkte in
ampères uitgedrukt.

**Am'pex (band)** band waarop een
televisieuitzending kan worden vastgelegd
[merknaam].

**amplecte'ren** [Lat. *amplécti* = omvatten,
omarmen, v. *amb-* = rondom, en *pléctere,
plexum* = vlechten; dus lett. zich ergens
omheen vlechten] omvatten; *ook*: aanvaarden.
**amplex'us** [Lat.] *zn.*

**amplet'** [Lat. *ampulla* = kruikje] buikvormig
medicijnflesje.

**amplia'tie** [v. Lat. *ampliáre* = uitbreiden;
*amplus* = wijd] uitbreiding, aanvulling; (*spec.
jur.*) verduidelijking of aanvulling v.e. eerdere
conclusie.

**amplifice'ren** [Lat. *amplificáre* = vergroten,
uitbreiden; *amplus* = wijd, en *fácere* = maken]
nader verduidelijken door omschrijvingen.
**amplifica'tie** [Lat. *amplificátio* =
vermeerdering, vergroting] **1** aanvulling; **2**
duplicaat; **3** verdaging van rechtszaak.

**amplitu'de** [Fr.] of **amplitu'do** [Lat. = *lett*.:
aanzienlijke omvang, grootte] **1** (*mechanica*)
grootste uitwijking v.e. trillend punt uit de
evenwichtstoestand (*bijv*.: slingerwijdte v.
slinger v.e. klok); **2** (*elektromagnetica*)
grootste uitwijking v.e. elektromagnetische
trilling (bijv. bij radiogolven, licht) uit de
evenwichtstoestand; **3** (*kosmografie*)
*opgangsamplitude of morgenwijdte*: boog v.d.
horizon tussen het punt v. opkomst v.e.
hemellichaam en het oostpunt (het punt o.d.
horizon dat precies het oosten aangeeft);
*ondergangsamplitude of avondwijdte*: idem
tussen punt van ondergang en het westpunt.
**amplitu'demodula'tie** (afk. **AM**) (*radio*)
modulatie (*z.a.*) v.d. amplitude v.d. draaggolf
om het signaal over te brengen (*vgl.
frequentiemodulatie*).

**ampul'** [Lat. *ampúlla*, verklw. v. *ámphora, z.a.*]
**1** klein flesje (voor olie bijv.); **2** (*rk*) kannetjes
voor water en wijn bij de mis; **3** (*med.*)
dichtgesmolten glazen buisje met

injectievloeistof.

**amulet'** [Lat. *amulétum*, afl. onzeker; *vgl.* Arab.
*hamalet* = aanhangsel] voorwerp op lichaam
gedragen als vermeend voorbehoedmiddel
tegen onheil, talisman.

**amusie'** [v. Gr. *a-* = zonder, en *muziek*] het
ontbreken van muzikaal gehoor. **amu'sisch**
[Gr. *a-* = zonder, en *musisch z.a.*] *bn* zonder
kunstgevoel.

**amyl'** [Lat. *ámylum* = zetmeel; Gr. *amulos* =
het fijnste v. meel] naam v.d. acht isomere
radicalen (*zie* **radicaal**) met de formule
$C_5H_{11}$ – . **amyl'alcohol of pentanol'** [v. Gr.
*pénte* = vijf; wegens de 5 koolstofatomen in
het molecule] naam voor de acht isomere
vormen van $C_5H_{11}OH$.

**amyla'se** *mv* enzymen die zetmeel (en
glycogeen en dextrinen) afbreken,
voorkomend o.a. in kiemend graan, in speeksel
en i.h. pancreas- (alvleesklier)sap van dieren.
**amylo'se** het bestanddeel van zetmeel dat in
water oplosbaar is (bij aardappelmeel ongev.
20%).

**an-** [Lat.] = **ad** vóór **n**.

**an-** [Gr.] = **a-** vóór klinkers.

**ana-** [Gr.] omhoog-, terug-, opnieuw-.

**-a'na** [MLat.] *ook*: -**ia'na** achtervoegsel achter
een familienaam met de bet.: verzameling
gezegden en uitspraken van, anekdoten over,
boeken, voorwerpen e.d. die betrekking
hebben op een bep. persoon, vaak een bekend
schrijver, bijv. Erasmiana.

**a'na** (afk. **aa** op recepten) [Lat. *ana* = van elk
(bij telwoorden); Gr. *ana* = bij ... tegelijk]
(neem) van beide stoffen dezelfde
hoeveelheid.

**anaal'** [v. Lat. *ánus* = aars] op de aars (anus)
betrekking hebbend; i.d. omgeving v.d. aars
gelegen. **anaal'erotiek** [*zie* **erotiek**]
(*psych.*) het samenhangen van veel
lustgevoelens met de anus en omgeving en de
functies daarvan. Dit treedt op bij kinderen van
1 tot en met 3 jaar, de zgn. anale levensfase.

**anabaptist'** [Gr. *ana* = opnieuw, en *baptizoo*
= dopen] wederdoper.

**anabio'se** [Gr. *ana* = opnieuw, en *bios* =
leven] schijndood v. sommige lagere
organismen (bijv. door uitdroging, na
bevochtiging komen ze weer tot leven).

**anabolis'me** [Gr. *ana* = omhoog-, op-, *bolè*
= worp; dus *lett*.: het omhoog gooien, het
'opwerpen'] opbouw van chemische stoffen,
spec. van eiwitten uit aminozuren, in levende
wezens; *zie ook* **assimilatie 3** (tegenst.:
**katabolisme**). **anabo'le steroïden** *zie*
**steroïden**. **anabo'lica** stoffen die de
opbouw van eiwitten bevorderen, dus
eiwitsparend zijn en zo o.a. het
uithoudingsvermogen bevorderen (vandaar
het gebruik als 'doping').

**anachoreet'** [v. Gr. *anachooreoo* = zich
terugtrekken; *chooris* = afgezonderd] eenzaat,
kluizenaar (bij voorkeur i.d. woestijn) i.d.
eerste eeuwen v.h. christendom.

**anachromaat'** [v. Gr. *an-* = niet-; *zie*
**achromatisch**] (*fot.*) lens die niet
achromatisch is (waarbij dus de kleurschifting
niet is opgeheven), soms opzettelijk gebruikt.

**anachronis'me** [Fr., via Lat. v. Gr.
*anachronismos*, v. *ana* = terug, en *chronos* =
tijd] **1** fout in tijdvolgorde bij opgave van
gebeurtenissen; **2** het plaatsen van iets in een
tijd waarin het niet thuishoort.

**an'aëroob** [v. Gr. *an-* = zonder, *aër* = lucht,
*bios* = leven] *bn* plaatshebbend zonder vrije
zuurstof (bijv. anaërobe processen i.h.
organisme); het zonder vrije zuurstof kunnen
leven (*facultatief*) of moeten leven (*obligaat*);
deze levenswijze, o.a. bij sommige bacteriën,
noemt men *anaërobiose*. (Tegenst. **aëroob**,
*z.a.*)

**anafoor'** [Gr. *anaphora* = opheffing,
terugbrenging, v. *ana* = terug, en *pheroo* =
dragen] herhaling v. woord of zinsgedeelte in
opeenvolgende zinnen of versregels.

**anafrodisie'** [v. Gr. *an-* = zonder-, *Aphrodíte*

= godin v.d. liefde] het ontbreken, of althans verminderd zijn, van de normale geslachtsdrift.

**anafylaxie'** [v. Gr. *ana-* = omhoog (= hier: te groot), *phulaxis* = behoeding] overgevoeligheid voor immuun makende stoffen; zo kan bij een tweede inspuiting v.e. serum een ernstige toestand ontstaan (*anafylactische shock*).

**anaglyf'** [Gr. *anagluphon* = het in reliëf gebeeldhouwde, v. *ana* en *gluphoo* = uitholling, graveren] 1 ornament in bas-reliëf; 2 ruimtebeeld, verkregen door een voorwerp met dubbelcamera te fotograferen, de twee foto's in complementaire kleuren (bijv. rood-groen) over elkaar heen af te drukken en het geheel met speciale bril (glazen eveneens i.d. betrokken complementaire kleuren) te bezien.

**anago'ge** [Gr. *anagoo* = naar boven brengen, v. *ana* = omhoog, en *agoo* = voeren] 1 zielsverheffing; 2 geestelijke of zinnebeeldige uitlegging v.d. H. Schrift. **anago'gisch** *bn*.

**anagram'** [Gr. *ana* = terug, en *graphoo* = schrijven] verwisseling v. letters v. woord of zin, zo dat nieuw woord of nieuwe zin ontstaat, letterkeer; bijv.: uit 'A. Hitler' kan door letterkeer worden gevormd 'The liar' (de leugenaar); het *palindroom* (z.a.) is een speciale vorm van anagram. **anagram'puzzel** kruiswoordpuzzel waarbij niet het woord zoals in de omschrijving is aangegeven moet worden ingevuld, maar een anagram daarvan.

**anakoloet'** [Gr. *anakolouthos* = zonder samenhang, v. *an-* = niet, en *akolouthos* = volgend; *vgl. a* (verbindingsletter) en *keleuthos* = weg] volzin zonder grammaticaal slotstuk, niet afgewerkte volzin.

**analec'ta** [Gr. *analegoo* = verzamelen, bijeenlezen] verzameling essays, opstellen of gedichten, bloemlezing.

**analep'tica** (*ev* **analep'ticum**) [Gr. *analèpsis* = weder-opneming, herstelling] (*med.*) middelen die stimulerend (opwekkend) werken op de centra i.d. hersenen die ademhaling en bloeddruk regelen (thans veelal vervangen door andere methoden).

**analgesie'** [v. Gr. *an-* = zonder-; *algésis* = pijn] of **analgie'** [Gr. *algos* = pijn] ongevoeligheid voor pijn met behoud van bewustzijn (bijv. 'roesje' bij kleine chirurgische ingrepen, en plaatselijke verdoving). **analge'tica** (*ev* **analge'ticum**) pijnstillende middelen.

**analist'** *zie* **analyst**.

**analogie'** [Gr. *analogia* = evenredigheid, overeenstemming] overeenkomst, en wel: 1 (*logica*) redenering uit overeenkomstige gevallen; 2 (*taalk.*) vorming van nieuwe woorden of woorduitgangen overeenkomstig reeds bestaande (bijv. cinemascoop is gevormd naar analogie van bioscoop); 3 (*biol.*) overeenkomst in vorm of functie tussen wezenlijk verschillende organen (bijv. vleugel v. vogel (voorpoot) en vleugel v. insekt (geen voorpoot maar huidvlies) (tegenst. **homoloog**, z.a.). **analoog'** *l bn* overeenkomstig, gelijksoortig, *bijv.*: analoog geval; *analoge computer, zie* onder **computer**; ll *bw* met analogie, *bijv.*: analoog redeneren. **ana'logon** iets dat analoog, overeenkomend is.

**analy'se** [Gr. *analusis* = ontbinding, v. *ana* en *luoo* = losmaken] ontleden in bestanddelen (tegenst.: **synthese**); nauwkeurig onderzoek naar de samenstelling; spec. scheikundige ontleding v. samengestelde stof in bestanddelen (qualitatieve = naar de aard der bestanddelen; quantitatieve = naar de hoeveelheden der bestanddelen); (*taalk.*) *a* zinsontleding of redekundige ontleding (*logische analyse*), d.w.z. ontleding in onderwerp, gezegde enz.; *b* woordbenoeming of taalkundige ontleding (*grammatische analyse*), d.w.z. ontleding v.e. zin in vnw, ww, bw enz.; (*wisk.*) bep. deel der wiskunde (o.a. over functies, differentiaal- en

integraalrekening, limieten, convergenties); (*fil.*) *logische analyse*, het onderscheiden van de elementen die een begrip vormen. (*Zie ook* **psycho-analyse** en **elektro-analyse**.) **analyse'ren** [Fr. *analyser*] ontleden, een analyse maken van (*bijv.*: een schaakpartij). **analyst'** (**analist**) persoon die, daartoe opgeleid en gediplomeerd, chemische of eenvoudige medische analyse als beroep uitoefent. **analysant'** hij die (bij een psychoanalytisch onderzoek, z.a.) geanalyseerd wordt. **analy'ticus** iem. die analyseert, spec. die psycho-analyse beoefent. **analy'tisch** *bn* & *bw* 1 in analyse bestaand, daarop berustend of daarmee werkend (*bijv.*: analytische methode, analytisch denken); —*e chemie*, onderdeel v.d. chemie dat zich bezighoudt met de qualitatieve en quantitatieve analyse van een gegeven monster v.e. stof; —*e psychologie*, psycho-analyse (z.a.); —*e meetkunde*, ontwikkeling v.d. meetkunde berustend op algebra, waarbij punten (en lijnen) i.h. platte vlak of i.d. ruimte door hun coördinaten (z.a.) worden voorgesteld; 2 analyserend, *bijv.*: analytisch inzicht; 3 gevormd door elektro-analyse (z.a.).

**anamne'se** [Gr. *anamnèsis* = herinnering, v. *ana* en *mimnèskoo* = herinneren] 1 terugroeping i.h. geheugen; 2 (*med.*) voorgeschiedenis v.d. ziekte.

**anandrie'** [Gr. *anandros* = zonder echtgenoot, v. *an-* = niet, en *anèr, andros* = man] (*plk.*) het verschijnsel dat sommige bloemen geen meeldraden (mannelijke organen) bezitten.

**anapest'** [Gr. *anapaistos* = omgekeerd, v. *ana* = terug, en *paioo* = slaan] versvoet van twee korte lettergrepen gevolgd door één lange ($\cup \cup —$).

**anapistogra'fische druk** druk waarbij de bladen eenzijdig worden bedrukt (*vgl.* **opistografisch**).

**anaplastiek'** [Gr. *anaplassoo* = herstellen] herstelling van misvormde lichaamsdelen i.d. natuurlijke vorm.

**anarchie'** [v. Gr. *an-* = zonder, *archoo* = heersen] regeringloosheid in deze zin, dat de burgers v.e. staat zich aan geen wetten gebonden achten en zich aan geen overheidsgezag onderwerpen; (*bij uitbreiding*), ordeloosheid, wanorde. **anarchis'me** sociaalpolitiek gedachtenstelsel, waarbij elke vorm van overheersing en dwang i.d. maatschappij moet worden verworpen, dus alle politieke en sociale dwangmaatregelen en economische monopolies. Het vrije handelen v.d. mens in vrije samenwerking op basis van vrijwillige overeenkomst, zonder enig centraal gezag, in bijv. kleine gemeenschappen, staat voorop. **anarchist'** aanhanger v.h. anarchisme. **anarchis'tisch** *bn* het anarchisme betreffend; het anarchisme aanhangend.

**anasta'tisch** [Gr. *ana* = opnieuw, en *sta-* = staan]: —*e druk*, methode om oud drukwerk door clichering opnieuw te drukken zonder opnieuw te zetten.

**anastigma'tisch** [Gr. *an-* = niet, en **astigmatisch**, z.a.]: —*e lenzen*, lenzen gecorrigeerd van **astigmatisme**, z.a.

**anastomo'se** [Gr. *anastomoo* = voorzien van een uitmonding; *stoma* = mond] 1 (*dierk.*) verbinding tussen zenuwen onderling of tussen holle organen (bijv. bloedvaten, lymfevaten, darmgedeelten); 2 (*plk.*) verbinding tussen vaatbundels; 3 (*chir.*) kunstmatige verbinding tussen holle organen (bijv. tussen maag en dunne darm).

**anastro'fe** [Gr. *anástrophè* = het omwenden, omkeer, v. *ana* = terug, *strephoo* = wenden, keren] 1 (*spraakk.*) woordomwisseling; het plaatsen v.e. voorzetsel achter de naamvalsuitgang waarbij het behoort; 2 (*med.*) baarmoederkanteling.

**anathe'ma** [Gr. *anathèma* = wijgeschenk, afgezonderd v. profaan gebruik; NTGr.

*anathema* = uitgebannene uit de gemeente, vervloekte; Gr. *anatithèmi* = opstellen, v. *ana* = omhoog, en *tithèmi* = stellen, zetten) **1** vervloekt persoon; **2** banvloek; *een — over iets uitspreken*, iets verdoemen, iets volledig veroordelen.

**anatocis'me** [Lat. *anatocísmus*] interest op interest.

**anatomie'** [Gr. *anatemnoo* = opensnijden; *temnoo* = snijden] ontleedkunde. **anato'misch** *bn* & *bw.* **anatoom'** ontleedkundige.

**anat'to** [woordafl. onbekend] kleurstof u.d. plant *Bixa orellana*, die vnl. in Zuid-Am. voorkomt. De oranjerode kleurstof bestaat u.h. rode *bixien* en het gele *orellien*, dat o.a. wordt gebruikt voor het kleuren van kaas, margarine, zijde en wol.

**an'ceps** [Lat. v. *amb-* = aan beide zijden, en *caput, cápitis* = hoofd] dubbelhoofdig.

**ancestraal'** [OFr. *ancestre* = voorouder, v. Lat. *antecéssor* = voorganger, v. *ante* = voor, en *cédere* = gaan] de voorouders betreffend.

**anciënniteit'** [Fr. *ancien* = oud, v. VLat. *antianus*; *ante* = voor, en uitgang *-anus*] volgorde in ouderdom of dienstjaren. **ancien régime** [Fr.] oude staatsvorm vóór Franse Revolutie.

**andamen'to** [It. *andáre* = gaan] (*muz.*) kalm tempo. **andan'te** [It.] (*muz.*) **I** *bn* gematigd, in kalm tempo; **II** *zn* passage in kalm tempo; *— contábile*, zangerig andante; *— con moto*, andante met beweging. **andanti'no** enigszins langzaam.

**andragogie'** [Gr. *anèr, andros* = man, mens, en *agoo* = voeren, leiden] deskundige hulpverlening aan volwassenen om hen verder op te voeden en te vormen. **andragogiek'** opvoedkundig stelsel gericht op volwassenen.

**andragologie'** [*zie* **-logie**] wetenschap die de andragogie tot voorwerp van studie en onderzoek heeft. **andragoloog'** beoefenaar v.d. andragologie.

**andriatrie'** [v. Gr. *anèr, andros* = man, *iatreia* = geneeskundige behandeling] tak v.d. geneeskunde die zich spec. met mannenziekten bezighoudt.

**andro-** [Gr. *anèr, andros* = man] in woorden v. Gr. oorsprong: man-, mens-. **androfagie'** [Gr. *phagein* = eten] menseneterij. **androfobie'** [*zie* **fobie**] **1** mensenschuwheid; **2** vrees (v. vrouw) voor al wat man is.

**androgeen'** [Gr. *gennaoo* = voortbrengen] mannelijke ontwikkelingsvormen voortbrengend; *androgene hormonen*, mannelijke geslachtshormonen. **androgyn'** [Gr. *gunè* = vrouw] hermafrodiet (*z.a.*), tweeslachtig wezen. **androgynie'** **1** (*biol.*) het aanwezig zijn van zowel mannelijke als vrouwelijke geslachtsorganen bij een zelfde organisme (bij planten en veel lagere dieren de normale toestand; bij hogere dieren een afwijking); **2** (*bij de mens*) het vóórkomen van vrouwelijke geslachtskenmerken en habitus (*z.a.*) bij een man. **androï'de** [Gr. *eidos* = beeld, gelijkenis] op mens gelijkende robot, ledepop of automaat. **andromanie'** [Gr. *mania* = waanzin] het manziek zijn. **androsteron'** [*zie* **sterolen**] een mannelijk geslachtshormoon.

**anemie'** [Gr. *an-* = niet, en *haima* = bloed] bloedarmoede.

**anemo-** [Gr. *anemos*] wind-.

**anemogamie'** [Gr. *gameoo* = huwen] bestuiving van planten door de wind. Dergelijke planten groeien zo mogelijk op winderige plaatsen (zijn *anemofiel*). [Gr. *phileoo* = beminnen]). **anemograaf'** [Gr. *graphoo* = schrijven] zelfregistrerend instrument om veranderingen v. windkracht op te tekenen. **anemologie'** [*zie* **-logie**] leer over de luchtstromingen. **anemome'ter** toestel om windsterkte te meten.

**anemoscoop'** [Gr. *skópein* = zien] windvaan. **anemostaat'** [Gr. *stasis* = het

staan] toestel ter regeling v.d. lucht bij binnenklimaat (air-conditioning).

**anemota'xis** [Gr. *taxis* = opstelling, v. *tassoo* = opstellen] het zich richten naar een luchtstroom, ofwel er tegen in (positieve anemotaxis), ofwel met de stroom mee (negatieve a.) (bijv. vlooien gaan steeds tegen een warme luchtstroom (afkomstig v. mogelijke gastheer) in lopen, zijn dus positief anemotactisch).

**anencefalie'** [Gr. *an-* = zonder, en *egkephalon* = hersens, v. *en* = in, en *kephalè* = hoofd] het bij de geboorte geheel of gedeeltelijk ontbreken van hersenen of schedeldak.

**anergie'** [Gr. *a-* = niet, en *ergon* = werk] het niet reageren o.e. infectie of een inspuiting. **anergool'** gezegd van mengsel waarvan de bestanddelen niet spontaan op elkaar inwerken.

**ânerie'** [Fr. *âne* = ezel; Lat. *ásinus*] ezelachtigheid, domheid.

**aneroï'de** [Gr. *an-* = niet, en *aèr* = lucht]:— *barometer*, barometer die werkt door drukverschillen op gesloten elastische metalen doos, waarin geen (d.i. verdunde) lucht is.

**anesthesie'** [Gr. *an-* = niet, en *aisthèsis* = gevoel] (*med.*) **1** ziekelijke gevoelloosheid; **2** pijnverdoving; *lokale —*, plaatselijke verdoving; **3** medisch specialisme dat zich met verdoving en narcose bezighoudt. **anesthesist'** specialist belast met verdoving en narcose, narcose-arts. **anesthiologie'** [*zie* **-logie**] wetenschappelijke leer v.d. verdoving en narcose, leer der narcose. **anesthioloog'** beoefenaar v.d. anesthiologie. **anesthe'ticum** (*mv -ca*) middel dat algemene narcose kan veroorzaken (thans gebruikt in combinatie met een spierverslappend middel en pijnstillers). **anesthe'tisch** *bn*.

**aneuri'ne** *zie* **thiamine**.

**aneuris'me, aneurys'ma** [Gr. *aneurusma*, v. *aneurunoo* = verwijden; *eurus* = wijd] plaatselijke verwijding v.e. slagader, ontstaan door verzwakking v.d. slagaderwand, adergezwel (dat kan openbarsten met als gevolg inwendige slagaderlijke bloeding). (*ook*: uitpuiling v.e. deel v.e. hartkamer: *aneurysma cordis* [Lat. *cor, cordis* = hart]).

**angarie'** [Gr. *aggaros* = renbode (oorspr. Perzisch woord); *aggareuoo* = iem. tot bodediensten dwingen] recht v.e. staat om in oorlogstijd de handelsschepen die onder vreemde vlag waren binnen zijn staatsgebied (niet in de territoriale wateren), in beslag te nemen en voor eigen doeleinden te gebruiken. Angarie betreft alleen het schip zelf, niet de bemanning en de lading; er moet volledige schadeloosstelling worden gegeven. Het recht komt toe aan oorlogvoerende landen t.a.v. neutrale schepen, maar ook aan neutrale landen t.o.v. schepen van oorlogvoerenden.

**an'geheitert** [Du.] lichtelijk dronken, 'vrolijk'.

**angeliek'** [Lat. *angélicus* = engelachtig; *ángelus* = Gr. *aggelos* = bode, in christelijke spraakgebruik: engel] engelachtig.

**angelologie'** [*zie* **-logie**] leer over de engelen.

**angi'na** [Lat., *vgl. ángere* = engen, samensnoeren] vernauwing v. de keel door opzwelling, keelontsteking; *— pectoris* (*lett.*: angina v.d. borst), ziekteverschijnsel bij sommige hart- en zenuwkwalen, gepaard met pijn in hartstreek, beklemming en angst.

**an'gio-** [Gr. *aggeion*, verklw. v. *aggos* = vat] voorvoegsel met de bet.: organische vaten betreffend. **angiografie'** [Gr. *graphoo* = schrijven] het maken v.e. röntgenfoto (na inspuiting v.e. contrastmiddel van lichaamsvat. röntgenstralen niet doorlaat) van bloedvaten. **angiogram'** [Gr. *gramma* = het geschrevene] röntgenfoto met behulp v. angiografie. **angiologie'** [*zie* **-logie**] leer v.d. bloed- en lymfevaten. **angioneuro'sen** *mv* [Gr. *neuron* = zenuw] stoornissen i.d. prikkeling door

zenuwen (innervatie) van bloedvaten,
waardoor de regeling van hun wijdte en de
doorlatendheid van hun wand voor bloed
afwijkt van het normale. **angio'ma** of
**angioom'** goedaardig gezwel dat bestaat uit
bloedvaten of lymfevaten. **angiopathie'** [Gr.
*pathos* = lijden, ziekte] ziekte der
(bloed)vaten. **angiosarcoom'** [*zie*
**sarcoom**] kwaadaardig vaatgezwel.
**angiospas'mus** [*zie* **spasmus**] vaatkramp.
**Angiosper'men** [Gr. *aggeion*, vat, betekent
hier: bergplaats; *sperma* = zaad]
bedektzadigen, groep van hogere planten
tegenover de **Gymnospermen**, (*z.a.*) of
naaktzadigen, gekenmerkt o.a. doordat de
zaadknoppen zich in gesloten vruchtbeginsels
bevinden. **angiosteno'se** [*zie* **stenose**]
vernauwing van een lichaamsvat.
**anglai'se** [Fr.] **1** Engelse vrouw; **2** (*muz.*) één
der vormen uit de barokke suite, een dans van
Eng. nation. karakter, hoewel ontstaan uit de
Fr. *rigaudon*; opgewekt, in 2-delige maatsoort.
**anglicaans'** [MLat. *Anglicánus*, v. Lat. *Anglii*
= de Angelen, Volksstam in Germanië] tot de
Engelse Staatskerk behorend. **anglicanis'me**
officiële Eng. eredienst. **anglicis'me** woord of
zegswijze aan Engels taaleigen ontleend (bijv.
een glimp opvangen [Eng. *to catch a glimpse*]
is een anglicisme voor: vluchtig zien).
**anglise'ren** [Lat. *Anglicus* = Engels] **1**
verengelsen; **2** [Fr. *angliser*] paard kortstaarten
en de spieren doorsnijden die de staart omlaag
trekken. **anglistiek'** wetenschappelijke
bestudering v.d. Engelse taal en letterkunde.
**anglist'** beoefenaar v.d. anglistiek.
**anglofiel'** [Gr. *philos* = vriend]
Engelsgezinde, vriend v. Engeland.
**anglofobie'** [Gr. *phobos* = vrees] vrees en
haat voor al wat Engels is. **anglomanie'** [Gr.
*mania* = waanzin] overdreven bewondering
voor al wat Engels is.
**ango'ra** [naar stad in Klein-Azië, Lat. *Ancyra*,
Gr. *Angkura*, thans Ankara] vezel afkomstig
van een langharig konijneras, het
angorakonijn. **ango'rawol** wol afkomstig v.
bep. schaperas.
**angostu'ra** [naar *Angostura*, vroegere naam
v.d. Venezolaanse stad Ciudad Bolivar]
tinctuur uit de bast v.e. Zuidamerikaanse
boom, thans nog gebruikt als bittere,
aromatische elixer bij cocktails.
**Angst'gegner** [Du. = *lett.*: tegenstander die
vrees inboezemt] (*sport*) tegenstander voor
wie men traditioneel meer dan normale vrees
heeft, niet zozeer om diens kwaliteiten dan wel
omdat men er vroeger vaak van heeft verloren.

**Ångström-eenheid** afk. **Å** [naar A.J.
Ångström, Zweeds natuurkundige,
1814-1874] tienmiljoenste deel van millimeter
(= 0.1 millimikron), vroeger gebruikelijk als
lengtemaat voor het meten van golflengte van
warmte-, licht-, ultraviolette en
röntgenstralen.
**anguil'le** [Fr., v. Lat. *anguilla* (= *lett.*: kleine
slang), v. *anguis* = slang] (*cul.*) paling.
**an'guis (la'tet) in her'ba** (*uitspraak:*
angwies) [Lat.] er schuilt een adder onder het
gras.
**angulair'** [Lat. *anguláris* = hoekig, v. *ángulus*
= hoek; *vgl. ancus* = gebogen] hoekig; *ook:*
door hoek gemeten, bijv. *angulaire*
*divergentie*, uiteenwijking door hoek gemeten.
**anhydri'de** [v. Gr. *an-* = zonder, *hudoor* =
water] (*chem.*) stof die uit een andere stof kan
ontstaan door aan deze laatste (een
anorganische base, een anorganisch of
organisch zuur) water te onttrekken. Met
water gaat het anhydride weer over in de
oorspronkelijke stof.
**anili'ne** [Fr. *anil*, Sp. *añil*, v. Arab. *annil* = de
indigo (*an* is lidwoord, *nila* = indigo; dit laatste
via Perzisch v. Sanskr. *nilas* = donkerblauw,
zwart] de stof $C_6H_5.NH_2$ (aminobenzeen of
fenylamine) een kleurloze vloeistof, die a.d.
lucht donker verkleurt; oorspr. uit indigo

bereid, thans uit steenkoolteer. Ze dient vnl.
voor de bereiding v. anilinekleurstoffen, o.a.
anilinerood en -zwart.
**a'nima** [Lat.] *oorspr.*: lucht, adem; *vandaar:*
levensbeginsel, ziel [v. stam *an-* = ademen,
waaien; *vgl.* Gr. *anemos* = wind; *zie* **ook**
**animus**]: —*mundi*, wereldgeest. **animaal'**
[Lat. *animális* = *lett.*: met levensgeest] dierlijk
(tegenover plantaardig). **a'nimal** [Lat. voor
*animále* (onzijdig v. *animális*) = het bezielde]
**1** elk levend stoffelijk waarnemend wezen
(i.t.t. planten en delfstoffen); **2** dier i.t.t. mens;
—*rationale*, redelijk, stoffelijk wezen, d.i. de
mens. **animal'cula** [enkelv. *animálculum* =
*lett.*: klein diertje] zaaddiertjes. **animalisa'tie**
de omvorming van levenloze stof in dierlijke
bestanddelen (door voedsel-assimilatie).
**animalise'ren** [Fr. *animaliser*]
(*textielindustrie*) het zodanig bewerken van
celluloseweefsel dat het wol lijkt.
**animalis'me 1** dierlijke levensactiviteit; **2**
verdierlijkte zinnelijkheid; **3** afgodische
verering van dieren. **a'nimal pro'tein**
**fac'tor** (afk. **APF**) [Eng. = dierlijk eiwit
bestanddeel] een (meestal geringe)
hoeveelheid dierlijk eiwit in het voedsel van
pluimvee en varkens, nadat was gebleken dat
voeding met uitsluitend plantaardige eiwitten
onvoldoende was. Thans grotendeels
vervangen door spec. antibiotica.
**anima'tie** [*zie* **animeren**] (*film*) het laten
optreden v. dieren als menselijke wezens in
tekenfilm (Eng. *animated cartoon*) **anima'to**
[It.] (*muz.*) levendig, bezield. **anima'tor**
[modern Lat.] bezieler, stuwer (bijv. v.e.
organisatie).
**animeer'meisje** meisje dat in bep.
drankgelegenheden de klanten moet
opwekken tot grotere consumptie.
**anime'ren** [Lat. *animáre* = met temperament
bezielen] begeesteren, opwekken, bezielen,
vurig maken; *geanimeerd*, opgewekt,
levendig.
**animis'me** [*zie* **anima**] **1** leer v.d. *anima*
*mundi* = wereldgeest, een onstoffelijk
algemeen beginsel, dat de verschijnselen v.h.
dierlijk leven teweeg zou brengen; **2**
geestenverering; het toeschrijven door
primitieve volkeren van natuurverschijnselen
aan zielen van overledenen of aan geesten, die
ook beschouwd worden als wonende in
natuurlijke voorwerpen (steen, boom enz.).
**a'nimo** [Lat. *animáre* = met temperament
bezielen] lust om iets te doen, opgewektheid;
kooplust (*bijv.*: er is weinig animo voor dit
artikel).
**animositeit'** [Lat. *animósitas* = hevigheid,
drift, v. *ánimus* = o.a. aandrift] actieve
vijandigheid, verbittende haat, gespannen
verhouding.
**animo'so** [It.] (*muz.*) zeer bezield, levendig.
**a'nimus** [Lat., eig. mannelijke vorm v. *ánima*
= levensbeginsel in het algemeen; *ánimus* =
hogere levensgeest] geest, ziel, gemoed,
stemming, neiging, gedachte, bedoeling.
**an'ion** [Gr. *ana* = omhoog, en *ioon* = de
gaande, v. *eimi* = gaan] negatief geladen
atoom of atoomgroep, die bij elektrolyse naar
de positieve pool (anode) gaat.
**aniset'te** [Fr., verkleinwoord v. *anis* = anijs]
likeur uit anijsolie bereid (zgn. 'witte
onschuld').
**aniso-** [Gr. *an-* = niet, en *isos* = gelijk]
ongelijk-; **anisometropie'** [v. Gr. *metron* =
maat, *oops* = oog] het ongelijk zijn van beide
ogen betreffende de lichtbreking.
**anisotropie'** [Gr. *tropos* = wending, v.
*trepoo* = wenden, keren] het verschijnsel dat
in bep. stoffen bep. natuurkundige
eigenschappen (lichtvoortplanting,
elasticiteit, elektrische geleiding,
warmtegeleiding) in verschillende richtingen
niet precies gelijk zijn, maar kleine verschillen
vertonen. **anisotroop'** *bn* (*bijv.*: -kristal).
**1 an'ker** [Lat. *áncora*, Gr. *agkura*; *vgl.* Lat.
*ancus* en Gr. *agkulos* = gebogen, krom] naam

voor verschillende inrichtingen i.d. scheepvaart, bouwkunde, elektrotechniek, in uurwerken.

**2 an'ker** [v. MLat. *anc(h)éria* = tonnetje] **1** inhoudsmaat voor wijn, 38,8 l (vroeger Amsterdams anker, ⅛ aam, ⅛ okshoofd), thans: 44 flessen (of 45, waarbij 1 voor mogelijke schade door breuk); **2** inhoudsmaat voor vis (spec. haringachtigen): fust (ton) die 50 kg bevat.

**ank'let** [Eng. = *eig.*: verkleinwoord v. *ankle* = enkel; *lett.*: versiering of steun voor enkel] korte herensok met elastiek.

**ankylo'se** [Gr. *agkulos* = gekromd] gewrichtsvergroeiing of -verstijving.

**ankylostomia'se** [Gr. *ankylostomos* = *lett.*: krombek; naam v. inwendige parasitaire worm *Ankylostómum duodenále*] ziekte veroorzaakt door mijnworm, mijnwerkersziekte.

**annaal** [Lat. *annális* = een jaar durend, v. *annus* = jaar; oorspr. *acnus* = kring, v. stam *ank-* = buigen) voor de tijd van één jaar.

**anna'len** *mv* [Lat. *annáles libri*] oorspr.: jaarboeken; boeken waarin de gebeurtenissen in tijdsvolgorde werden opgetekend; *teg. ook*: verslagen van een wetenschappelijk genootschap. **annalist'** [Lat. *annális* = betrekking hebbend op het jaar; *ánnus* = jaar] jaarboekschrijver, geschiedschrijver.

**annali'ne** ingrediënt bij papierbereiding, bestaande uit gemalen gips.

**annat'to** andere spelling van **anatto**, *z.a.*

**annecte'ren** [Lat. *annéctere*, *annéxum* = aanknopen, aanbinden, v. *ad* en *néctere* = binden] bijvoegen, aanhechten.

**annex'** [*zie* **annecteren**] **I** *bn* verbonden, bijbehorend, bijgevoegd; **II** *zn* alleen *mv* **anne'xen** al wat er bijbehoort (*bijv.*: speciale bepalingen bij een verdrag): *cum annéxis* [Lat.] met bijbehoren, met bijlagen.

**annexa'tie** inlijving van vreemd grondgebied; **annexe'ren** inlijven. **annexionist'** voorstander van annexatie.

**annihila'tie** [Lat. *annihiláre* = vernietigen, v. *ad* en *nihil* = niets] **1** (*alg.*) vernietiging; **2** (*jur.*) nietigverklaring; **3** (*atoomfysica*) het zich verenigen van een elementair deeltje met zijn antideeltje (bijv. negatief elektron met positief elektron), waarbij beide als zodanig verdwijnen en worden omgezet in straling. **annihile'ren** vernietigen; nietig verklaren.

**an'ni curren'tis** afk. **A.C.** of *a.c.* [Lat. *ánnus* = jaar, en *cúrrens* = lopend] v.h. lopende jaar; — **futu'ri** afk. **A.F.** of *a.f.* [Lat. *futúrus* = toekomstig] v.h. komende jaar; — **praeceden'tis** afk. **A.P.** of *a.p.* [Lat. *praecédens* = voorafgaand] v.h. voorafgaande jaar; — **praesen'tis** afk. **A.Pr.** of *a.pr.* [Lat. *praésens* = tegenwoordig] v.h. tegenwoordige jaar (van dit jaar); — **praeter'iti** afk. **A.P.** of *a.p.* [Lat. *praetéritus* = voorbijgegaan] v.h. vorig jaar.

**anniversair** [Lat. *anniversárius* = jaarlijks wederkerend, v. *annus* = jaar, en *vértere*, *versum* = keren] jaarlijks terugkerend. **anniversa'rium** jaarfeest, jaarlijks terugkerende feestelijke herdenking (*bijv.*: verjaardag); (*rk*) jaarlijkse dienst voor overledene o.d. datum van zijn sterfdag.

**an'no** afk. **A°** [Lat. ablativus, van *ánnus* = jaar] i.h. jaar; — **aeta'tis su'ae** [Lat. *aétas* = leeftijd en *súus* = zijn/haar] i.h. jaar van zijn/haar leeftijd, o.d. leeftijd van; — **an'te Chris'tum** [Lat.] i.h. jaar vóór Christus; — **curren'te** [Lat. *cúrrens* = lopend] i.h. lopende jaar; — **Do'mini** afk. **A.D.** [Lat. *dóminus* = heer] i.h. jaar des Heren; — **mun'di** afk. **A.M.** [Lat. *múndus* = wereld] i.h. jaar v.d. wereld; — **Sanc'to** afk. **A.S.** [Lat. *sánctus* = heilig] i.h. heilig jaar.

**annon'ce** [Fr., v. Lat. *annuntiáre*, v. *ad* en *nuntiáre* = boodschappen] aankondiging in krant of tijdschrift, waarin v. particuliere zijde iets wordt meegedeeld, aangeboden of gevraagd; advertentie. **annonce'ren** aankondigen.

**annota'tie** [Lat. *annotátio*, v. *annotáre* = aantekenen, v. *ad* en *notáre* = optekenen] aantekening, voorn. een die nader verklaart. **annote'ren** van opmerkingen en verduidelijkingen voorzien.

**annua'rium** [Fr. *annuaire*; Lat. *annus* = jaar] jaarboek. **annueel** [Lat. *annuális* = voor of van een jaar] jaarlijks. **annuel'len** *mv* eenjarige planten (die dus 's winters afsterven, in tegenstelling met overblijvende planten).

**annuïteit'** [MLat. *annúitas*, v. Lat. *ánnus* = jaarlijks) jaarlijkse rente, plus gedeeltelijke aflossing v. schuld.

**annule'ren** [Fr. *annuler*, v. VLat. *annulláre*, v. Lat. *ad* en *nullus* = geen] nietig verklaren, opheffen. **annula'tie** *zn*.

**annumere'ren** [Lat. *annumeráre* = toetellen, v. *ad* en *numerare* = tellen] bijrekenen. **annumera'tie** [Lat. *annumerátio*] *zn*.

**annuntia'tie (annuncia'tie)** [Lat. *annuntiáre*, v. *ad* en *nuntiare* = boodschappen] aankondiging, spec. boodschap van de engel aan Maria (Maria-Boodschap, 25 maart).

**an'nus bisex'tilis** [Lat. *annus* = jaar; oorspr. *acnus* = kring, v. stam *ank-* = buigen) bij Romeinen een jaar met tweemaal (*bis*) zgn. sextilen (6e dag vóór de 1e van de maand; *sex* = zes) in de maand februari (de 24e febr. werd dan dubbel geteld); *derhalve*: schrikkeljaar. **an'nus gra'tiae** [Lat. = jaar v.d. welwillendheid] (*prot.*) het jaar na het overlijden v.e. predikant, waarin de dienst wordt waargenomen door predikanten van diens ring.

**ano'de** [Gr. *ana* = omhoog, en *hodos* = weg] **1** positieve elektrische pool bij ontleding van opgeloste of gesmolten zouten (elektrolyse); de negatieve atomen of atoomgroepen (anionen) gaan dan naar de anode toe (*vgl.* **kathode** en **kation**); **2** positieve elektrode v. elektronenbuis (zgn. 'radiolamp'); **3** negatieve pool v. galvanisch element. **anodise'ren (ano'disch oxide'ren** of **eloxe'ren)** een daartoe geschikt metaal, spec. aluminium, voorzien v.e. vrij dikke oxidelaag (ter bescherming tegen aantasting) door het metaal als anode te hangen i.e. spec. elektrolyt (*z.a.*) en stroom door te voeren. Op het metaaloppervlak ontstaat dan actieve zuurstof, die zich ten slotte met het metaal verbindt.

**anomaal** [Gr. *anoomalos* = oneffen, ongelijk, v. *an-* = niet-, *homalos* = effen, gelijk] afwijkend v.d. regel, het normale, de gewoonte of het theoretisch berekende. **anomalie'** [Fr., via Lat. *anomalía* v. Gr. *anoomalía* = ongelijkheid, afwijking] **1** (*alg.*) afwijking v.d. regel enz.; **2** (*med.*) afwijking die hetzelfde blijft of zeer langzaam toeneemt en betrekkelijk onschuldig is; **3** (*astr.*) het aantal graden dat een planeet in haar ellipsvormige baan vanaf het punt het dichtst bij de zon (*perihelium*) op een bep. moment heeft afgelegd (van 0° tot 360°); het aantal graden dat de maan in haar baan vanaf het punt het dichtst bij de aarde (*perigeum*) heeft afgelegd. **anomalis'tisch** een anomalie betreffend, *bijv.*: *anomalistische maand*, tijdsduur tussen twee opeenvolgende doorgangen v.d. maan door haar perigeum: 27,5545 dagen (de maand tussen twee opeenvolgende volle manen is 29,5306 dagen, dus bijna 2 dagen langer).

**anomie'** [v. Gr. *a-* = zonder; *nomos* = wet, norm] normloosheid, d.w.z. óf gedrag dat niet (meer) in overeenstemming is met de algemeen aanvaarde standaarden, óf sociale situatie die niet (meer) wordt geleid door aanvaarde spelregels (het tegengestelde dus van orde en regelmaat).

**anoniem** [Gr. *anoonumos* = naamloos, v. *an* = niet, en *onoma* = naam] zonder vermelding van naam. **anonimiteit'** het verzwijgen van zijn naam. **ano'nymus** [Gr. *anoonumos*] ongenoemd persoon, die zijn naam niet bekend wenst te maken of iemand wiens naam niet bekend is (bijv. ME kunstenaars).

**ano'rak** [Eskimotaal] of **par'ka** [Aleoetisch] *eig.*: kledingstuk in poolstreken gedragen, nl. een soort winddicht jack met kap van bont; (*sport*) winddicht jack in eskimostijl.

**anorexie'** [v. Gr. *an-* = zonder, *orexis* = begeerte, lust] volkomen gebrek aan eetlust, vóórkomend bij veel ziekten, maar ook a.g.v. psychische stoornissen (*anorexia nervosa*), vooral bij jonge vrouwen, tot het weigeren van praktisch alle voedsel.

**anorga'nisch** [Gr. *an* = niet, en *organon* = gereedschap, werktuig] niet bewerktuigd (tegenstelling: **organisch** = bewerktuigd, uit de levende natuur stammend); tot de levenloze natuur behorend; *—e scheikunde*, scheikunde van alle verbindingen, uitgezonderd de meer samengestelde koolstofverbindingen, van welke laatste men vroeger meende, dat zij alleen door de levende natuur voortgebracht konden worden.

**anorgasmie'** [v. Gr. *an-* = zonder, en *orgaoo* = zwellen] het uitblijven van orgasme.

**anormaal'** [Lat. *a* = weg van, en *norma* = regel] van de regel afwijkend, onregelmatig.

**anorthografie'** [v. Gr. *an-* = zonder, *orthos* = recht, juist, *graphoo* = schrijven] onvermogen om behoorlijk te schrijven, een vorm van agrafie (*z.a.*), de zogenoemde *motorische agrafie*.

**anoxemie'** [v. Gr. *an-* = zonder; modern Gr.-Lat. *oxygenium* = zuurstof, Gr. *haima* = bloed] sterke daling v.h. zuurstofgehalte v.h. slagaderlijk bloed, die uiterlijk waarneembaar is door blauwheid v. huid en slijmvliezen.

**anoxie'** het geheel ontbreken van zuurstoftoevoer naar een bep. lichaamsweefsel, waardoor dit afsterft (bijv. bij langdurige afsnoering v.e. lichaamsdeel).

**anoxibio'se** anaërobiose, *zie bij* **anaëroob**.

**anoxibiont'** organisme dat zonder vrije zuurstof kan of moet leven, anaëroob organisme.

**an sich, an und für sich** [Du.] op zichzelf beschouwd.

**anta'cida** *ev – um* [onjuist gevormd uit Gr. *anti* = tegen, en Lat. *ácidum* = zuur] middelen tegen maagzuur, bijv. het zgn. 'natriumbicarbonaat' (NaHCO₃, juiste naam: natriumwaterstofcarbonaat), in het Z.N. 'maagzout' geheten.

**antagonis'me** [v. Gr. *antagoonizomai* = strijden tegen, v. Gr. *antagoon* = tegen, *agoon* = strijd] **1** (*alg.*) tegenwerking, het elkaar tegenstreven, vijandschap; *ook*: het uitoefenen v.e. tegengestelde werking; **2** (*biol.*) ongunstige invloed door organismen op elkaar uitgeoefend (tegenst.: **synergisme**, *z.a.*); dit kan op verschillende wijzen gebeuren; één daarvan is de **antibio'se** (*z.a.*); **3** (*anat., med.*) het verschijnsel dat twee organen of orgaanstelsels tegenst. functies hebben, bijv.: twee spieren waarvan de één een der ledematen buigt, de andere het strekt (tegenst.: **synergisme**, *z.a.*). **antagonist'** [Gr. *antagoonistès* = tegenstander; tegenpartij] **1** (*alg.*) tegenstander, rivaal, vijand; **2** (*anat. med.*) orgaan of stof waarvan de werking tegenst. is aan die v.e. ander orgaan of andere stof; bijv.: een strekspier is de antagonist v.e. buigspier (*agonist, z.a.*).

**antal'gica** *ev –um* [Gr. *anti* = tegen, en *algos* = pijn] pijnstillende middelen.

**antafrodisi'aca** *ev –um* [Gr. *anti* = tegen, en *aphrodisia* = geslachtelijk genot; *Aphrodítè* = godin der zinnelijke liefde] middelen die geslachtsdrift kalmeren.

**Antarc'tis** [Gr. *anti* = tegen, en *hè arktos* (*hè meizoon*)* = de (Grote) Beer, vandaar: het Noorden, de Noordpoolstreken] *lett.*: streken tegenover de Noordpool gelegen; het Zuidpoolgebied, d.w.z. het Zuidpoolvasteland mét de omringende zeeën (de Antarctische of Zuidelijke Oceaan). (*Vgl.* **Arctisch**.) **Antar'ctica** het Zuidpoolvasteland alleen; het zogenoemde zesde werelddeel.

**an'te** [Gr. *antè*] vierkante zuil ter afsluiting v.e. muur, hoekpilaster.

**antecedent'** [Lat. *antecédens* = het voorafgaande, v. *antecédere* = voorgaan, v. *ante* = voor, en *cédere* = schrijden, gaan; *cedens, cedéntis* = gaande] **1** vroeger gebeurd voorval, soortgelijk a.e. voorliggend geval, en thans dienende om over dit laatste te oordelen; **2** (*taalk.*) zinsdeel of woord waarop een betr. vnw terugslaat. **anteceden'ten** het verleden v.e. persoon (iemands—nagaan).

**anteces'sor** [Lat.] voorganger.

**an'te Chris'tum na'tum** [Lat. = *lett.*: vóór de geboren Christus] voor Christus' geboorte.

**antedate'ren** [Lat. *ante* = voor, en **datum**] op een stuk een vroegere dagtekening zetten dan die waarop het geschreven is (*ook*: antidatéren).

**an'te di'em** [Lat.] vóór de (vastgestelde) dag.

**antediluviaans'** [Lat. *ante* = voor, en *dilúvium* = overstroming, zondvloed] van vóór de zondvloed, i.d. bet.: 'van het jaar nul', zeer ouderwets.

**antelu'dium** [Lat. v. *ante* = voor, en *lúdere* = spelen] voorspel. (*Zie ook* **preludium**.)

**anteme'tica** *ev –um* (*spr.*: ant-eemeetieka) [Gr. *anti* = tegen, en *emeoo* = braken] middelen tegen braken.

**an'te meri'diem** (*spr.* -die-em) afk. **a.m.** [Lat.] vóór de middag (van 12 uur 's nachts tot 12 uur 's middags).

**anten'ne** [Lat. *anténna* = ra, v. *an* = Gr. *ana* = omhoog, en *téndere* = strekken (Gr. *teinoo*)] **1** spriet v. geleedpotige dieren; **2** zend- of ontvang-apparaat voor radio-, televisie- en radargolven (*zie ook* **radio-astronomie**).

**an'te om'nia** [Lat.] vóór alles, allereerst.

**antepenul'tima** [Lat. *sy'llaba—*; *ante* = voor, *paene* = bijna, en *últimus* = laatste] de voorvoorlaatste lettergreep; de 'antepenultimawet': de regel dat bij Latijnse woorden van meer dan twee lettergrepen de klemtoon ligt op de vóórvoorlaatste lettergreep, bijv. *antelúdium* = voorspel, *ánulus* = ring.

**antepen'dium** [Lat. v. *ante* = voor, en *péndere* = laten neerhangen, *pendére* = hangen] (*rk*) voorhangsel (aan altaartafel).

**antepone'ren** [Lat. *antepónere* = voor iets zetten, v. *ante* = voor, en *pónere, pósitum* = plaatsen] vooropstellen. **anteposi'tie** *zn.*

**anterioriteit'** [Lat. *antérior* = meer vooraan, *ante* = voor] langer dienstverband dan anderen.

**anthelmin'thica** *ev –um* [Gr. *anti* = tegen, en *helmis, helminthos* = worm] middelen om ingewandswormen af te drijven.

**anthologie'** [Gr. *anthología* = *eig.*: het bijeengaren van bloemen; in laat-Grieks: verzameling gedichten of proza; v. Gr. *legoo* = verzamelen, bijeenlezen] bloemlezing van gedichten of van prozastukken of van beide.

**anthypno'tica** *ev –um* [Gr. *anti* = tegen, en *hupnos* = slaap] middelen tegen slaap.

**anthyste'rica** *ev –um* [Gr. *anti* = tegen, en *hustera* = baarmoeder] middelen tegen aandoeningen v.d. baarmoeder.

**anti-** [Gr. *anti* = tegen; *ook*: naast; *vandaar ook*: in de plaats van] (*Anti-* komt ook wel in klassiek Latijnse woorden voor, maar is dan, zo die woorden niet u.h. Gr. zijn overgenomen, een andere schrijfwijze voor *ante* = voor-; *vgl.* ons antedateren voor antedateren.) Modern voorzetsel, in samenstellingen de betekenis: werkend tegen, gericht tegen, gezind tegen het i.d. samenstelling genoemde (*bijv.*: anti-Frans, anti-tankgeschut). Ook als *bn* gebruikt, *bijv.*: hij is zwaar anti-. Het Lat. woord voor 'tegen' is *contra*, maar in samenstellingen betekent het meestal: gericht tegen een voorafgaand iets, bijv.: contra-order = tegenbevel.

**an'ti** *zn* **1** iem. die tégen is, tegenstemmer; **2** afkorting van antirevolutionair, d.w.z. aanhanger v.d. (vroegere) Antirevolutionaire Partij (ARP *of* kortweg AR).

**anti-abolitionist'** [Lat. *abólere* = afschaffen] tegenstander v.d. afschaffing v.d. slavernij.
**anti-annexionist'** tegenstander van annexatie. **antibaptist'** [Gr. *baptizoo* = dopen] iem. die tegen het dopen is.
**antibio'se** [Gr. *bios* = leven] het verschijnsel dat bep. soorten organismen op een zelfde plaats een ongunstige invloed op elkaar uitoefenen (een vorm van *antagonisme, z.a.*), en wel doordat de stofwisselingsprodukten v.e. der soorten organismen giftig zijn voor de andere; deze gifstoffen zijn de antibiotica.
**antibio'tica** *ev* van organische stoffen geproduceerd door levende organismen (meestal micro-organismen) die de groei van andere micro-organismen (bacteriën, schimmels) remmen, een zogenoemde biostatische werking hebben, of deze andere micro-organismen doden (biocide werking). De meeste antibiotica worden gemaakt door bep. schimmelsoorten.
**anticag'liën** *mv* [It. *anticáglia* = oude rommel, v. *antico,* Lat. *antiquus* = oud] kleine antiquiteiten (munten e.d.).
**anticham'bre** [Fr. = *lett.*: voorkamer] wachtkamer. **antichambre'ren** wachten in voorvertrek tot men toegelaten wordt tot (hogergeplaatste) persoon die men wil spreken.
**antichloor'** [Gr. *anti* = tegen; *chloor, z.a.*] middel om met chloor gebleekte stoffen van resten chloor te ontdoen. (Een bekend antichloor is natriumthiosulfaat, $Na_2S_2O_3$.)
**antichre'se,** *ook* **antichre'sis** [Gr. *antichrèsis* = gebruik i.p.v. betaling] pandgenot, leencontract waarin wordt bepaald, dat de geldschieter het recht van vruchtgebruik v.h. onderpand heeft i.p.v. rente de ontvangen.
**antichrist'** [Gr. *Christos* = Christus] tegen-Christus, de grote vijand van Christus' Kerk op het einde der tijden.
**anticipa'tie** [Lat. *anticipátio,* v. *anticipáre* = vooruitnemen, v. *ante* = voor, en *cápere* = nemen] vooruitlopen o.e. zaak; bij voorbaat beschikken, verstrekken of nemen.
**anticipe'ren** vervroegen, vooruit genieten enz. **an'ticlimax** [Gr. *klimax* = trap, ladder] het tegengestelde van climax, neergang i.t.t. voorafgaande opgang.
**anticlinaal'** *of* **anticlina'le** [v. Gr. *klinoo* = neigen, hellen] (*geol.*) *oorspr.:* plooiing van aardlagen die naar boven toe convex (bol) is; *thans:* plooiing waarvan de oudste lagen i.d. kern zijn gelegen. (Tegenst.: **synclinaal,** *z.a.*).
**anticoagulan'tia** *ev -***um** [Lat. *coagulans, coagulantis* = stremmend, doende stollen; *zie* **coaguleren**] antistollingsmiddelen, d.w.z. middelen die de stolbaarheid v.h. bloed verminderen of zelfs geheel opheffen.
**anticonceptioneel'** de bevruchting verijdelend. **anticoncepti'va** *ev -***um** voorbehoedmiddelen tegen zwangerschap.
**anticonstitutioneel'** in strijd m.d. constitutie (grondwet), ongrondwettelijk.
**anticonvulsi'va** *ev -***um** middelen tegen de epileptische aanvallen (*zie* **epilepsie**) geheel of ten dele kunnen voorkomen door vermindering v.d. prikkelbaarheid v.h. centrale zenuwstelsel, zodat krampaanvallen niet zo gemakkelijk ontstaan.
**an'ticorps** [Lat. *corpus* = lichaam] (*med.*) antistof.
**anticorrosief'** [*zie* **corrosie**] corrosie tegengaand, roestwerend (gezegd v. verven).
**an'ticycloon** [Gr. *kuklos* = kring] (*met.*) draaiend system van hoge druk, vanwaar uit de lucht zich buitenwaarts beweegt (terwijl een *cycloon* juist een systeem van *lage* druk is, waar de winden naar het centrum toe waaien). **anticyclonaal'** behorend tot een anticycloon of daarop betrekking hebbend.
**antidate'ren** *zie* **antedateren.**
**an'tideeltje** deeltje van dezelfde massa als bep. elementair deeltje, maar met tegengest. magnetisch-elektrische eigenschap.
**antidiabe'tica** *ev -***um** middelen die de

**symptomen** van diabetes (suikerziekte) bestrijden (niet de kwaal zelf), doordat ze het bloedsuikergehalte, dat bij deze ziekte sterk is verhoogd, verlagen. Het bekendste diabeticum is *insuline.*
**anti'dota** *ev -***um** [Lat., echter geen oorspr. Lat. woord, maar een verlatijnsing v. Gr. *antidoton,* v. *doton* = het gegevene, de gift, v. *didoomi* = geven] tegengiften, d.w.z. middelen die een i.h. lichaam aanwezig vergif onschadelijk kunnen maken door het chemisch te binden of door het ziekteproces dat door het vergif is ontstaan geheel of ten dele tot stilstand te brengen; (*fig.*) middel tegen iets onaangenaams. **antidotaal'** 1 de kracht hebbend van een antidotum; 2 (*jur.*) *antidotaal verzoekschrift,* verweerschrift tegen de inhoud van een aan de rechter gericht verzoekschrift. **antidota'rium** [M Lat.] boek waarin recepten van tegengiften zijn opgenomen.
-**an'tie** moderne uitgang die een passieve eigenschap v.e. geheel aanduidt, bijv. tolerantie, impedantie [afgeleid van Lat. -**antia**] (*vgl.* -**atie** dat een handeling aanduidt).
**antie'ken** *mv* kunstwerken uit de Oudheid.
**Antie'ken** de Grieken en Romeinen in de Oudheid.
**anti-eme'tica** *ev -***um** [v. Gr. *emeoo* = braken] middelen ter onderdrukking v.d. neiging tot misselijkheid en braken, bijv. bij reisziekten en bij zwangerschapsbraken.
**anti-epilep'tica** *ev -***um** middelen tegen vallende ziekte (*ook anticonvulsiva, z.a.* genoemd).
**antifebri'ne** [v. Lat. *febris* = koorts] (*farmacie*) naam voor aceetanilide of fenylaceetamide, $H_5C_6.NH.CO.CH_3,$ dat een koortsdrukkende werking heeft.
**antifoon'** [Gr. *antiphoona* = onz. mv v. *antiphoonos* = wat als antwoord klinkt; *antiphooneoo* = antwoorden, *lett.*: tegengeluid geven; *phoonè* = geluid] 1 tegenzang (in koorzangen); 2 (*rk*) korte zang vóór en na psalm i.d. getijden e.d.; *ook* bep. lofzang ter ere v. Maria. **antifona'le** *ook:* **antifona'rium** (*rk*) boek met gezangen tijdens de getijden te zingen (het zangdeel dat de misgezangen bevat heet **Gradua'le**); 3 [Gr. *anti* = tegen, en *phoonè* = geluid] apparaat om het oor af te sluiten voor hinderlijke geluiden.
**antifra'se** [Gr. *antiphrásis* = tegenspraak] het gebruik i.e. zin v.e. woord dat juist het tegendeel aanduidt van wat men bedoelt, bijv. 'Fraai is dat!'
**antifric'tie-metaal** [Lat. *frictio* = het wrijven, v. *fricáre, frictum* = wrijven, schuren] metaallegéring waarmee draaiende machinedelen bekleed worden om wrijving tegen te gaan.
**antige'nen** *mv* [Gr. *gennaoo* = verwekken] stoffen die in het bloed gebracht daar antilichamen (antistoffen, *z.a.*), dus: verwekkers van tegenstoffen, doen ontstaan.
**antihistami'nica** *ev -***um** [*zie* **histamine**] middelen die histamine neutraliseren als dat in lichaamsweefsels vrij voorkomt; toegepast o.a. bij allergische ziekten (*zie* **allergie**).
**antiha'lo** (*fot.*) kleurstof om het optreden van halo te verhinderen. **antihy'po** (*fot.*) verzamelnaam voor chemische middelen die de spoeltijd na het fixeren verkorten, doordat ze resten hypo (natriumthiosulfaat) die zijn achtergebleven oxideren.
**antikw**- *zie* **antiqu**-.
**an'tilichamen** *zie* **antistoffen.**
**an'tilogaritme** getal waarbij een bep. logaritme behoort (bijv. 1000 is de antilogaritme van 3, want 3 is de log. v. 1000).
**antilogie'** [Gr. *antilogia* = tegenspraak, tegenstrijdigheid] tegenstrijdigheid, contradictio in términis, *z.a.*
**antimakas'sar** kleed over rug van canapé of fauteuil ter bescherming tegen een vroeger

gebruikelijk haarvet (macassar-olie); thans nog als sierkleedje.

**an'timaterie** materie geheel opgebouwd uit antideeltjes (z.a.).

**antimetabolie'ten** mv stoffen die de werking van metabolieten (stoffen die voor de celstofwisseling van wezenlijk belang zijn) beletten, en zo soms de dood v.d. cel veroorzaken. Ze worden toegepast om bacteriën en virussen te remmen of te doden, ook (maar nog met hinderlijke neveneffecten) om overmatige celgroei in tumoren, zoals bij kankergezwellen, tegen te gaan.

**antimilitarist'** tegenstander van militarisme en bewapening.

**Antimo'nium** (i.h. Ned. antimoon'), ook: **Sti'bium** [MLat antimónium, waarsch. v. Árab. alithmidun = spiesglans (een antimonium-verbinding] (chem.) bep. element, halfmetaal; scheikundig symbool Sb (Stibium), ranggetal 53. (De naam Stibium is afgeleid van Gr. stibi, Lat. stibi of stibium = spiesglans $Sb_2S_3$.)

**antimyco'tica** ev -um [v. Gr. mukês = paddestoel; i.d. moderne biol. duidt myc- op schimmel] geneesmiddelen ter bestrijding van schimmel- en gistinfecties.

**antinomie'** [Gr. antinomia = tegenstrijdigheid v.d. wetten met zichzelf; nomos = wet] tegenspraak tussen twee wetsbepalingen; (alg.) tegenstrijdigheid. **antinomis'me** levensbeschouwing die niet wenst uit te gaan van wetten (spec. theologie).

**anti-oxidan'ten** mv stoffen die oxidatie verhinderen (gebruikt in kunststoffenindustrie, ook bij fabricage v. rubberbanden).

**antipapist'** [kerk. Lat. papa = paus, v. laat-Gr. papas, v. Gr. pappas = vader] tegenstander v.h. pausdom; meer alg.: bestrijder v.h. katholicisme.

**an'tipassaat** tegenpassaat.

**antiperistal'tisch** [Gr. peristelloo = inhullen, bedekken, begraven; peri = rondom, en stelloo = bekleden]: —e beweging, beweging v.d. kringspieren v. maagdarmkanaal van beneden naar boven, dus i.d. tegengestelde richting als normaal, waardoor de spijzen i.d. verkeerde richting gestuwd worden.

**antipo'de** [Gr. pous, podos = voet] tegenvoeter, bewoner v.h. diametraal tegenoverliggende deel v.h. aardbol; (fig.) iem. met tegengesteld karakter, tegenstander.

**an'tiproton** proton met negatieve lading.

**antipyre'tica** ev -um [Gr. puretos = lett.: brandende hitte; koorts; pur = vuur] middelen tegen koorts. **antipyri'ne** de chemische verbinding dimethylfenylpyrazolon, die een koortswerende werking heeft (vandaar de naam), daarnaast ook een pijnstillende.

**antiquair'** [Fr. antiquaire, v. Lat. antiquárius, kenner v. oude litteratuur; antiquus = oud] oudheidkenner, verzamelaar of verkoper van oude kunstvoorwerpen, meubelen e.d. **antiquaar'** [als antiquair] verzamelaar of verkoper van oude boeken e.d. **antiquariaat'** handel in antiquiteiten of oude boeken. **antiqua'risch** als antiquiteit, als oud boek (bijv. antiquarisch verkopen). **antiquitei'ten** mv **1** antieke voorwerpen (ook in ev gebruikt); **2** (alleen mv) instellingen en gebruiken v.d. oude Grieken en Romeinen (voor zover onderwerp van studie).

**antiraketraket'** (mil.) raket, die een andere (vijandelijke) raket in de vlucht kan onderscheppen en vernietigen.

**an'tiretour** (sportviss.) apparaat o.d. molen v.e. hengel dat dient om terugdraaien te voorkomen.

**antirevolutionair'** [zie revolutie] I zn **1** tegenstander van revolutie (spec. v. de Franse Revolutie van 1789); **2** (Ned.) lid v.d. Anti-Revolutionaire Partij thans opgegaan in het CDA; II bn gekant tegen revolutie.

**antisemiet'** [Sem, een der zonen v. Noë of Noach; zijn afstammelingen zijn de Semieten,

waartoe ook de Joden behoren] jodenhater. **antisemitis'me** haat tegen al wat joods is.

**antisep'sis** [v. Gr. sêpoo = doen verrotten] het voorkómen van infectie van huid of slijmvliezen door de aanwezige bacteriën in hun groei te remmen. **antisep'tica** ev -um bacteriëndodend middel bestemd voor plaatselijke toepassing op huid of bep. slijmvliezen. **antisep'tisch** bn.

**antise'rum** [zie serum] of **immunserum** [zie immuun] serum dat veel antistoffen (z.a.) bevat en o.a. gebruikt wordt voor passieve immunisatie.

**antisociaal'** [zie sociaal] tegengesteld a.d. beginselen waarop de gemeenschap is gebouwd.

**antispasmo'dica** ev -um [Gr. spasmos = kramp] middelen tegen kramp.

**antispas'tus** [Gr. antispástos = krachtig gespannen] versvoet $(\cup — — \cup)$.

**an'tistoffen** of **an'tilichamen** eiwitstoffen die door het lichaam van mens of dier worden gemaakt als reactie op een antigen (z.a.), d.w.z. een vreemde stof die i.h. lichaam is binnengedrongen. Ze maken deze onschadelijk door ze chemisch mee te verbinden (zie verder **immuniseren**).

**an'tistrofe** [Gr. antistrophé = eig.: het omkeren, v. strephoo = draaien, keren] **1** in Gr. Oudheid: de tweede strofe het koor in Gr. tragedies zong als antwoord op de eerste (de strophè) die het (of de koorleider) had gezongen; **2** (redekunde) herhaling van woorden in tegenst. volgorde, bijv.: de bomen staan roerloos, roerloos staan de bomen.

**antithe'se** [Gr. antithesis = tegenstelling; antitithémi = zetten tegen, stellen tegen] **1** het tegenover elkaar plaatsen; het tegenover elkaar gesteld zijn, tegenstelling; het tegengest., (spec. fil.) het tegengest. v.e. these (stelling); **2** (lit.) stijlfiguur waarbij tegenover elkaar staande begrippen, voorstellingen of zinnen ook door hun plaats t.o.v. elkaar logisch tegenover elkaar worden gesteld (bijv.: 'Waar 't nijver bijtje honing puurt, daar zuigt de spin venijn'). **antithe'tica** leer v.h. opsporen van fouten i.d. bedrijfsorganisatie, d.m.v. het zoveel mogelijk in twijfel trekken van bestaande opvattingen. **antithe'ticus** iemand die de antithetica in toepassing brengt. **antithe'tisch** bn o.e. antithese betrekking hebbend.

**an'titoxine** tegengif, antistof (z.a.) die vergif van bep. bacteriën of slangegif onschadelijk maakt.

**an'titype** tegenbeeld, pendant.

**an'tivenine** [v. Lat. venénum = vergif] antitoxine of antiserum dat spec. slangegif onschadelijk maakt.

**an'tivitaminen** mv stoffen die in chem. bouw sterk gelijken op bep. vitaminen en door 'concurrentie' de werkzaamheid van deze tegengaan.

**antoniem'** [v. Gr. onoma = naam, woord] I bn van tegengest. bet; II zn **antoniemen** mv woorden waarvan de bet. tegengest. is, bijv.: goed en slecht, dag en nacht, (tegenst.: synoniem). **antonimie'** het tegengest. van bet. zijn.

**antonoma'sia** [Gr., v. antonomazoo = noemen in plaats van; anti = in plaats van] **1** het gebruik van een bijnaam i.p.v. de eigenlijke naam (bijv. IJzeren Kanselier i.p.v. Bismarck, Domstad i.p.v. Utrecht); **2** het gebruik v.e. (historische) eigennaam om een bep. eigenschap v.e. persoon aan te duiden (bijv.: een Salomo(n) = een wijs man, een Nero = een wreed heerser).

**antraciet'** [v. Lat. anthaakitès = koolachtig] bep. magere steenkoolsoort met hoog gehalte zuivere koolstof (ca. 95%) en laag gasgehalte (6-7%), die veel warmte ontwikkelt bij verbranding. **antraco'se** aandoening v.d. ademhalingswegen en de longen door ingeademd kolenstof. **an'trax** [Lat. antrax =

**bloedzweer, negenoog, pestkool, v.** Gr. *antrax* = kool] **1** miltvuur (door een bacteriesoort veroorzaakte infectieziekte bij vee, honden en katten; ook de mens kan ernstig worden besmet; **2** koolzweer, karbonkel ten gevolge van plaatselijke besmetting v.d. huid door miltvuurbacteriën.

**antropo-** [Gr. *anthroopos* = mens] in samenstellingen: mens-, mensen-.

**antropobiologie'** andere, moderne naam voor (biologische) **antropologie, z.a.**

**antropocen'trisch** [Gr. *kentron* = middelpunt, centrum] de mens beschouwend als middelpunt en doel van alles.

**antropofagie'** [v. Gr. *phagein* = eten] het eten van mensenvlees, kannibalisme. **antropofaag'** menseneter. **antropofobie'** [v. Gr. *phobos* = vrees] mensenvrees, mensenschuwheid.

**antropogeen'** [v. Gr. *gennaoo* = voortbrengen] door mensen veroorzaakt (gezegd van invloeden op flora, fauna of bodemgesteldheid v. bep. gebied, bijv. door ontbossing, ontginning, indijking e.d.).

**antropogene'se** (*of* **antropogenie'**) [v. Gr. *genesis* = wording, ontstaan] (*evolutieleer*) geleidelijke ontwikkeling i.d. loop v.d. evolutie van bep. apesoort(en) tot aapmensen en ten slotte tot echte mensen. **antropogene'tica** de erfelijkheidsleer (genetica) van de mens, d.w.z. de bestudering v. erfelijke eigenschappen van personen en families, v.d. alg. genetica o.a. onderscheiden doordat ze geen kruisingsproeven kan doen.

**antropografie'** [v. Gr. *graphoo* = schrijven] anatomische beschrijving v.d. mensenrassen, tevens i.v.m. hun verspreiding op aarde.

**antropoï'de** [Gr. *anthropoeïdes* = op een mens gelijkend; *zie* -**ide 2** en **5**] **I** *bn* mensachtig (in biologisch opzicht); **II** *zn* **antropoï'den** *mv* de geheie onderorde *Anthropoidea*, apen, die samen met de onderorde der halfapen de orde der primaten (opperdieren) vormt.

**antropologie'** (-*logie*) leer van de mens; **1** *biologische of fysische antropologie*, thans *antropobiologie* genoemd: de bestudering v.d. mens als biologisch organisme, welke dezelfde deelwetenschappen omvat als de biologie van plant en dier (systematiek, morfologie, fysiologie enz.) en zich richt zowel op uitgestorven mensengroepen (o.a. evolutieleer) als op de thans levende mensengroepen (rassenkunde, leer v.d. constitutietypen e.d.); **2** *culturele antropologie*: nieuwe benaming voor vergelijkende en beschrijvende volkenkunde (etnologie en etnografie), bestudering van niet-westerse culturen in al hun aspecten; **3** *sociale antropologie*: bestudering van de sociale structuur van niet-westerse samenlevingen en minder hun cultuur; **4** *wijsgerige antropologie*: wijsgerige leer over het wezen v.d. mens, i.d. moderne filosofie i.v.m. het feit dat de mens een eigen wereld, de wereld v.d. cultuur i.d. breedste zin, ontwerpt; **5** *theologische antropologie*: het onderdeel v.d. christelijke dogmatiek dat de mens beschouwt als religieus wezen, d.w.z. in zijn verhouding tot God, medemens en schepping. **antropo'gisch** *bn* & *bw* de antropologie betreffend. **antropoloog'** beoefenaar v.d. antropologie.

**antropometrie'** [v. Gr. *metreoo* = meten] vaststelling door vergelijkbare metingen v.d. vorm en de maten v.h. menselijk lichaam, waardoor o.a. een gemiddelde wordt verkregen. Dit is o.m. van belang voor de fabricage van meubels, werktuigen, confectiekleding en schoeisel.

**antropomorfis'me** [v. Gr. *morphè* = vorm] voorstelling en beschrijving van andere wezens als mensachtig en met menselijke eigenschappen; **1** van God: Hem voorstellend als mens, *bijv.*: 'God werd vertoornd en rees op'; **2** van dieren: hen in een verhaal laten

optreden als menselijk handelend, dus sprekend enz. **antropomorf'** menselijk, op de mens gelijkend, bijv. antropomorfe apen = mensapen. **antropomorfis'tisch** gelijkmakend a.d. mens o.d. wijze v.h. antropomorfisme.

**antroponymie'** [Gr. *antropo-*, *z.a.* en *onuma* = naam] leer der persoonsnamen.

**antroposociologie'** verzamelnaam voor diverse sociologische theorieën, die leren dat spec. het ras en de veranderingen daarin beslissend zijn voor het maatschappelijk-sociaal proces; een soort rassentheorie, die later wetenschappelijk weerlegd is. De antroposociologie heeft grote invloed uitgeoefend op de rassentheorieën van de nationaal-socialisten.

**antroposofie'** [v. Gr. *sophia* = wijsheid] beweging door Rudolf Steiner in 1912 gesticht, welke door bovenzinnelijke kennis v.d. menselijke natuur (in zijn verbinding met een geestelijk kosmisch wezen) wil komen tot een volle wezensbeschouwing v.d. gehele realiteit.

**antropotomie'** [Gr. *antropo-*, *z.a.* en *tomè* = het snijden] anatomie v.h. menselijk lichaam.

**antroscoop'** [Gr. *antron* = holte, en *skopeoo* = zien] (*med.*) instrument om een lichaamsholte te verlichten en te bekijken.

**an und für sich** *zie* an sich.

**anurie'** [Gr. *an* = niet, en *ouron* = water, pis] onvermogen om te urineren.

**a'nus** [Lat.] achterste opening v.h. spijsverteringskanaal, aars; — *praeternaturális* [modern Lat. = *lett.*: buitennatuurlijke anus] (*med.*) operatief aangelegde anus waardoor de darm uitmondt op de buikwand.

**aor'ta** [Gr. *aortè* = wat is opgehangen, v. *aeiroo* = opheffen, dragen, n.a.v. de wijze waarop de aorta 'hangt' over de linkertak v.d. luchtpijp] grote lichaamsslagader, ontspringend aan het hart, lopend tot ongev. a.d. lendenen, het begin vormend v.h. slagaderlijk bloedvatenstelsel, waardoorheen zuurstofrijk bloed door het lichaam gepompt wordt.

**aortografie'** het nemen van röntgenfoto's v.d. aorta en het begin v.d. slagaders, na vulling met een contrastmiddel dat röntgenstraling niet doorlaat.

**à outran'ce** [Fr.] tot het uiterste, op leven en dood.

**ap** [Lat.] = **ad** vóór p.

**apago'gisch bewijs** [Gr. *apagoo* = wegvoeren, v. *apo* = weg, en *agoo* = voeren] bewijs u.h. ongerijmde v.h. tegendeel. **apagogie'** het bewijzen u.h. ongerijmde.

**apaise'ren** [Fr. *apaiser*; *paix* = vrede, Lat. *pax*] bevredigen, doen bedaren, stillen.

**apana'ge** [Fr. v. *apaner* = begiftigen met middelen van bestaan, v. MLat. *appanáre*, v. Lat. *ad* en *panis* = brood] **1** toelage voor niet-regerende vorstelijke personen (bijv. kinderen), oorspr. bestaande uit inkomsten u.e. bep. gebied of een bep. ambt; **2** natuurlijke aanhang of natuurlijk attribuut.

**à pari** [Fr.] tegen gelijke waarde, met koerswaarde gelijk aan nominale waarde.

**apart'heid** bep. vorm van rassenscheiding (**segregatie**, *z.a.*) in de republiek Zuid-Afrika (de Ned. term is internationaal geworden).

**apathie'** [Gr. *apatheia*, v. *a* = niet, en *pathos* of *pathe* = aandoening] onverschilligheid, onaandoenlijkheid, gevoelloosheid. **apa'thisch** *bn*.

**apatiet'** [Gr. *apataoo* = misleiden, bedriegen] bep. mineraal, calciumfosfaat $Ca_3(PO_4)_2$ + $CaCl_2$ of $CaF_2$ (omtrent de samenstelling had men enige tijd in het onzekere verkeerd).

**apatri'de** [Fr. v. Gr. *a-* = niet, *patria* = afstamming, volksstam, Lat. = vaderland, *zie* **i'de**] staatloos persoon, iem. zonder nationaliteit (Du. *Heimatlose*). **apatridie'** staatloosheid.

**ap- en dependentiën** *zie* appendentiën (onder **appendage**).

**apepsie'** [Gr. *a*- = niet, en *pessoo* = *eig.*: koken, *ook*: verkroppen, verteren] onwerkzaamheid (of verminderde werkzaamheid) der spijsvertering.

**aperçu'** [Fr. v.dw van *apercevoir* = waarnemen] korte uiteenzetting, overzicht.

**aperio'disch** [Gr. *a*- = niet] *lett.*: zonder op-en-neer gaan; gezegd van meetinstrument, waarvan de wijzer niet schommelt, maar aanstonds in elke nieuwe stand stilstaat (volkomen demping).

**aperitief'** [Fr. *apéritif*, v. MLat. *aperitivus* (*apertivus*), v. Lat. *aperire* = openen] 1 (*alg.*) middel dat eetlust opwekt; 2 alcoholische drank vóór de maaltijd.

**apert'** [Lat. *aperire*, *apértum* = openen, v. *ad* en *párere* = te voorschijn brengen] open, duidelijk, klaarblijkelijk.

**à per'te de vue** [Fr., *lett.*: tot het verlies v.h. zien] zover het oog reikt.

**aper'to li'bro** [Lat. = *lett.*: het boek opengeslagen zijnde] (een tekst verklaren) waar men het boek openslaat, *dus*: zonder voorbereiding, voor de vuist weg. (Ook *ad apertu'ram libri.*)

**apertuur'** [Lat. *apertura* = opening, v. *aperire* = openen] 1 (*alg.*) opening waardoor een stralings- of deeltjesstroom kan passeren; 2 (*optica*) grootte v.d. opening die het licht i.e. optisch instrument toelaat (bij een sferische lens de grootte v.d. brekend oppervlak, bij een spiegel de grootte v.h. spiegelend oppervlak). De apertuur kan meestal met een diafragma (z.a.) worden geregeld. **apertuur'fout** andere term voor askring of *sferische aberratie*, z.a.

**à peu près** [Fr.] ten naaste bij.

**a'pex** [Lat. *vgl.* stam *ap*- = vasthechten; *aptus* = geschikt] punt, spits 1 (*astr.*): — *der zonsbeweging*, punt waarheen de zon zich i.d. alg. sterstroming beweegt; 2 (*plk.*) groeipunt a.d. top v.e. stengel of wortel. a'**pextarief** verlaagd vliegreistarief dat geldt als geruime tijd tevoren wordt geboekt; apex = *advanced purchase excursion ticket* = vliegreiskaart in voorverkoop.

**aphe'lium** [Gr. *apo* = vanaf, en *hèlios* = zon] (*spr.* afelium) punt v. planeten- of kometen-baan het verst v.d. zon. (*Vgl.* **perihelium**.)

**aphrodisi'acum** *zie* **afrodisiacum**.

**a piace're, a piacimen'to** [It.] naar believen.

**apicultuur'** [v. Lat. *apis* = bij (insekt), *cultúra* = verzorging] bijenteelt (van honingbijen).

**apidologie'** [-*logie*] bijenkunde, wetenschappelijke bestudering v.d. familie der *Apidae* (bijen en hommels). **apidoloog'** beoefenaar v.d. apidologie. **apitoxi'ne** [Lat. *apis* en *toxicum* = vergif] bijengif.

**apirie'** [Gr. *a*- = niet, en *peira* = proefneming, experiment] gebrek aan ondervinding.

**aplanaat'** [Gr. *aplanètos* = vrij van dwaling, van fout, v. *a*- = niet, en *planaoo* = zwerven, dwalen] stel lenzen (vooral in fot.) dat geen vertekening in de randpartijen geeft en tevens geen kleurschifting (chromatische aberratie, z.a.) (de stralen dwalen dus niet af en het lenzenstelsel is vrij van fouten).

**aplasie'** [v. Gr. *a*- = niet; *plassoo* = vormen] (*med.*) onvolledige aanleg of ontwikkeling van weefsels en organen, (*vgl.* **agenesie**).

**aplomb'** [Fr. *à plomb* = volgens schietlood, loodrecht; Lat. *plumbum* = lood] stelligheid, zekerheid (iets met — beweren); zelfverzekerdheid (met — optreden).

**apnoe'** (*spr.* apneu) [v. Gr. *a*- = niet, *pnoè* = adem] uitblijven v.d. ademhaling.

**apo-** [Gr.] van af-, weg-.

**a'po-alkaloiden** [v. Gr. *apo* = hier: afkomstig van; *zie* **alkaloiden**] alkaloiden die men chemisch enigszins heeft veranderd en die daardoor een andere werking dan die v.h. oorspr. alkaloide hebben verkregen, *bijv.*: **apomorfine**, z.a.

**apocalyps'** [Gr. *apokalupsis* = onthulling, v. *apo* = weg, en *kaluptoo* = omhullen]

openbaring, spec. de Openbaring aan de H. Johannes op het eiland Patmos, het laatste boek van het Nieuwe Testament. **apocalyp'tisch 1** als in het boek der Openbaring: groots visionair; *ook*: duister geheimvol; **2** —*e literatuur*, boeken met zgn. openbaringen i.h. latere jodendom.

**apo'chromaat** [v. Gr. *apo* = weg; *zie* **chromaat**] voorwerpslenzenstelsel waarbij de correctie van kleurfouten tot een zo hoog mogelijke graad is opgevoerd.

**apo'cope** [Gr. *apo* = af, en *koptoo* = hakken] weglating van letter of lettergreep het einde v.e. woord (*bijv.*: *eg* is ontstaan uit *egge*).

**apocrie'fen** *mv* [v. Gr. *apokruphos* = verborgen, v. *apo* = weg, en *kruptoo* = verbergen] *oorspr.* boeken die werden geheimgehouden; *thans* oude godsdienstige geschriften, die niet als canoniek (tot de Bijbel behorend) worden aanvaard. Met de term apocriefen worden door rooms-katholieken en protestanten twee verschillende groepen geschriften aangeduid. De katholieken noemen apocriefen die boeken welke de schijn hebben gewekt tot de Bijbel te behoren; deze heten bij de protestanten **pseudepigrafen** (z.a.). De protestanten noemen die boeken apocriefen, welke bij de katholieken **deuterocanonisch** (z.a.) heten. Apocriefen resp. pseudepigrafen willen soms verborgen dingen openbaren of de leer v.e. bep. sekte meer gezag verlenen. **apocrief'** *bn* niet-authentiek; (*fig.*) onaannemelijk, ongeloofwaardig.

**apocrien'** [v. Gr. *apo* = weg, *krinoo* = (af)scheiden] met uitwendige afscheiding (gezegd v. klier), d.w.z. het afscheidingsprodukt (*secreet*) door opening naar buiten voerend (*bijv.*: zweetklieren, talgklieren, spijsverteringsklieren). (Tegenst. **endocrien**, z.a.).

**apodic'tisch** [Gr. *apodeiktikos*, v. *apodeiknumi* = aantonen, aanwijzen, bewijzen, v. *apo* en *deiknumi* = tonen] onweerlegbaar, zeer stellig; *ook*: schoolmeesterachtig; *ook*: onvoorwaardelijk gebiedend, geen tegenspraak duldend.

**apo'dosis** [Gr. v. *apodidoomi* = teruggeven v. *apo* en *didoomi* = geven] hoofdzin volgend op voorwaardelijke bijzin (*protasis*) (*bijv.* als het regent, kom ik niet).

**apoftheg'ma**, *ook*: **apophteg'ma**, *mv* -mata [Gr. = uitspraak, geestig gezegde, v. *apo* = uit, en *phtheggomai* = geluid geven, spreken] kernspreuk, pittig gezegde, zedespreuk.

**apoge'um** [Gr. *apogeion* = grootste afstand der planeten v.d. aarde; v. *apo* = vanaf, en *gè* of *gaia* = aarde; *vgl.* *apogeios* = aflands] (*astr.*) punt v.d. maanbaan of v.e. kunstmaanbaan, het verst v.d. aarde verwijderd. (*Vgl.* **perige'um**.)

**apograaf'** [Gr. *apo* = af, en *graphoo* = schrijven] 1 afschrift; 2 'afschrijver', kopieertoestel.

**à poigne** [Fr. = *lett.*: met de vuist] potig, krachtig optredend.

**à point** [Fr.] van pas; precies kloppend; (*cul.*) juist gaar, juist voldoende gebraden of (in)gekookt enz.

**apol'lo** [naar Gr. god Apollo, o.a. god v.d. zon, natuur en schone kunsten, (v.h. evenwichtige)] toonbeeld v. mannelijke schoonheid. **apolli'nisch** [*lett.*: met de geest v. Apollo harmoniërend] evenwichtig, beheerst, van klassieke rust.

**apologie'** [Gr. *apologia* = rechtvaardiging, v. *apo* = van zich af, en -*logia* = het spreken] geschreven verdediging en verantwoording v.d. meningen of het gedrag v.d. schrijver (bijv. apologia pro vita súa); *spec.*: verweerschrift tegen aanvallen o.d. christelijke leer en gebruiken; bij uitbreiding: systeem ter verdediging v.h. christelijk geloof, *zie* **apologetiek**. **apologe'tisch** [Gr. *apologètikos*, v. *apologeomai* = zichzelf verdedigen] *bn*. **apologeet'**, **apologist'**

geloofsverdediger.

**Apologe'ten** *mv* de tweede generatie van christelijke schrijvers (ca. 120-ca. 180), die zich tot taak stelden het christendom te verdedigen tegen verdachtmaking en vervolging v.d. kant der heidenen.

**apologetiek'** [Gr. *ta apologètika* = de dingen die op apologie betrekking hebben] **1** verdedigingskunde v.h. christelijk geloof; **2** handboek van deze kunde. **apologe'tica** *zie* **apologetiek 1. apologie'ren** apologie bedrijven.

**apoloog'** [Gr. *apologos* = anekdote, vertelling] anekdote met moraal.

**apolo'gische spreekwoorden** spreekwoorden waarin iem. sprekend optreedt, en die een onverwachte, humoristische wending hebben, bijv.: 'Alles met mate, zei de snijder, en hij sloeg zijn vrouw met de el' (in Vlaanderen meestal *zeispreuken* genoemd).

**apomixie'** [Gr. *apo* = (hier) zonder, en *mixis* = bevruchting] (*plk.*) voortplanting zonder bevruchting.

**a'pomorfine** door chemische verandering van morfine verkregen stof die de werking van morfine niet meer vertoont, maar als braakmiddel wordt gebruikt *zie* **apo-alkaloïden**)

**apoplexie'** [Gr. *apopleksia*, v. *apoplèssoo* = geheel verdoofd slaan; *plèssoo* = slaan] beroerte, bloeduitstorting i.d. hersenen. **apoplec'tisch** *bn.*

**apophtheg'ma** *zie* **apofthegma**.

**aporie'** [Gr. *aporia* = radeloosheid, verlegenheid; *aporos* = moeilijk, lastig, radeloos, v. *a-* = niet, *poros* = doorgang, (*fig.*) hulpbron, uitweg] het geen uitweg meer zien, verlegenheid v.h. denken, moeilijkheid waarin men is gekomen door de problematiek v.d. zaak zelf, niet door verkeerde redenering. **apore'tisch** *bn* de aard v.e. aporie hebbend.

**aposiope'sis** [Gr. *aposiopèsis*, v. *apo* en *sioopaoo* = *sigaoo* = zwijgen] het plotseling afbreken v.h. spreken v.e. volzin.

**apostasie'** [Gr. *apostasia* = afval; *apostatis* = afstand, afval, het uittreden, v. *apo* = weg, en *sta-* = staan; dus *lett.*: het weg gaan staan] geloofsafval; (*alg.*) verzaking van partij e.d. **apostaat'** [Gr. *apostatès*] afvallige.

**apos'tel** [Gr. *apostolos* = *lett.*: gezondene, afgezant, v. *apo* = weg, en *stelloo* = zenden] **1** een der 12 uitverkoren leerlingen van Jezus; **2** (*alg.*) iem. die het geloof, of een bepaald stelsel, of door zijn leven een bepaalde deugd predikt (in laatste bet. bijv. apostel der liefde).

**apostolaat'** [Chr. Lat. *apostolátus*] apostelschap. **aposto'lisch** *bn* & *bw* **1** v.d. apostelen afkomstig of met hun geest overeenstemmend, bijv. de apostolische overlevering, de apostolische Kerk; **2** o.d. paus betrekking hebbend of van hem afkomstig, bijv.: *Apostolische Stoel*, de paus met zijn bestuursorganen; **3** op de wijze van een apostel, bijv.: apostolische ijver. **apostoliciteit'** (*rk*) de ononderbroken en rechtmatige ambtsopvolging vanaf de apostelen waarin de wettige zending der Kerk door Christus verankerd ligt; (*prot.*) een der kenmerken v.d. Kerk, nl. dat zij is gebouwd op en vasthoudt a.h. fundament dat door de apostelen is gelegd, niet zozeer haar ambt of roeping.

**a posterio'ri** [Lat. = *lett.*: van wat achteraf komt]: *redeneren —*, redeneren van gevolg tot oorzaak, dus inductief. (*Vgl.* **a prio'ri**.) **aposterio'ri** *zn.* **aposterio'risch** *bn* de aard v.e. aposteriori hebbend.

**apostil'le**, ook **apostil'** [Fr. *apostille*, v. VLat. *apostilla*] kanttekening op akte, verzoekschrift e.d., of aantekening o.h. einde v.e. geschrift, meestal 'om bericht, consideratie en advies' te geven of te vragen.

**apostrof'** [Gr. *hè apostrophos prosooidia* = de betoning (het teken) v.d. weglating, v. *apo* = weg, *strephoo* = wenden, keren] **1**

afkappings- of weglatingsteken, dat aangeeft dat één of meer letters v.h. woord zijn weggelaten, bijv. 's = des, 'n = een, d'avond = de avond, 't ondenkb're = het ondenkbare; **2** [Gr. *apostrophè* = het zich afwenden, het zich ergens heenwenden] (*stijlleer*) wending waarbij de spreker (of schrijver) zich rechtstreeks tot een persoon wendt, meestal een niet-aanwezige of een verpersoonlijkt iets (dier, levenloos voorwerp); *vandaar ook*: toespraak. **apostrofe'ren** een apostrof **2**, richten tot; *ook*: met nadruk spreken.

**apothe'ma** [Gr. *apotithèmi* = *hier*: neerzetten, neerlaten] loodlijn neergelaten u.h. middelpunt v.e. regelmatige veelhoek op een der zijden.

**apotheo'se** [Gr. *apotheoo* = een god maken van; *theos* = god] **1** vergoding, verheerlijking; **2** groots slottafereel of sloteffect van toneelstuk e.d.

**a potio'ri** [Lat.: *eig.*: a *potiori ratióne* = met machtiger reden, v. *potior* = machtiger] met des te meer reden, temeer. (*Vgl.* **a fortiori**.) **apotropae'isch** [Gr. *apo-*, *z.a.* en *tropeoo* = wenden] bezwerend, afwendend.

**appareil'** [Fr. = *eig.*: toestel] (*cul.*) compositie, mengsel, massa; *spec.* mengsel van geklopte eieren, suiker, een vloeistof en aromatische toevoegsels.

**apparen'tie** [Lat. *apparéntia* = uiterlijke vertoning, v. *ad* en *parére* = zich laten zien, verschijnen] uiterlijk voorkomen. **apparent'** [Fr.] zichtbaar, duidelijk.

**appari'tie** [Lat. *apparítio* = verschijning, v. *ad* en *parére*, *páritum* = verschijnen, in zicht komen] het zich ergens vertonen (gezegd van personen), verschijning, spec. v.e. geest of een bovennatuurlijk wezen. **appari'tor** [Lat. = magistraatsdienaar (die bij hem verschijnt om diens bevelen in ontvangst te nemen ter uitvoering daarvan)] gerechtsbode.

**appassiona'to** [It. *appassione* = hartstocht] (*muz.*) hartstochtelijk.

**appel'** [Fr., v. *appeler* = roepen, v. Lat. *appelláre* = aanspreken, toespreken, v. *ad* en *péllere* = slaan, iem. treffen; *appellátio* = aanspraak; *spec.*: hoger beroep] **1** (*jur.*) hoger beroep; (*fig.*) verzet tegen een of andere uitspraak i.h. algemeen; **2** (*mil.*) teken voor het verzamelen v.d. troepen; deze verzameling zelf (waarbij wordt gecontroleerd of iedereen aanwezig is; **3** (*fig.*) het doen v.e. beroep op, bijv.: een appel aan de gevoelens v.d. toehoorders; **4** (*sport*) het opmerkzaam maken v.d. scheidsrechter op een door hem niet geziene fout v.e. tegenspeler. **appelle'ren 1** (*jur.*) appel aantekenen, in hoger beroep gaan; **2** — *aan*, een beroep doen op; **3** (*sport*) de scheidsrechter opmerkzaam maken o.e. door hem niet geziene overtreding v.e. tegenspeler, bijv.: voor buitenspel appelleren. **appellant'(e)** [v. Lat. *appéllans*, *appelántis* = o.dw van *appelláre*] in hoger beroep gekomen partij i.e. rechtsgeding. **appel'latief** [Lat. (*casus*) *appellativus*] **1** aanspreeknaamval; **2** [Lat. (*nomen*) *appella'tivum*, v. *appelláre* = *ook*: noemen] soortnaam (tegenover eigennaam). **appellation'contrôlée** [Fr. = gecontroleerde naam, v. *appellation* = naam, benaming] aanduiding op fles Fr. wijn, ten teken dat de o.h. etiket vermelde naam van regeringswege op echtheid gecontroleerd is en er dus geen vervalsing heeft plaatsgevonden.

**appenda'ge** [Fr. *vgl.* Lat. *ad* en *pendére* = ergens aan- of afhangen] aanhangsel; bijbeh. onderdeel. **appendan'ce** [Fr. *vgl.* **appendage**] bijgebouw; *ook*: nieuwe aanwinst. **appendectomie'** [v. Lat. *ektemnoo* = uitsnijden] (*med.*) operatieve verwijdering v.d. appendix. **appenden'tiën** *mv* [Lat. *appendéntia* = aanhangende zaken, v. *ad* en *pendére* = ergens aanhangen] dingen die bij een bep. zaak behoren; *ap-* en *dependentiën*, al wat er bij een zaak aanhangt en er van

afhangt. **appendici'tis** [*zie* **appendix** en
**-itis**] ontsteking v.d. appendix. **appen'dix**
[Lat. = *lett.*: het aanhangsel, v. *ad* en *pendére*
= ergens aanhangen] **1** aanhangsel; **2**
wormvormig aanhangsel a.d. blinde darm (i.d.
volksmond wordt dit aanhangsel ten onrechte
blinde darm genoemd, en dientengevolge
appendicitis met 'blindedarmontsteking
vertaald).

**appercep'tie** [VLat *apperc(pere* =
waarnemen, v. Lat. *ad* en *perc(pere, percéptum*
= in zich opnemen, waarnemen, v. *per* = door
en door, en *cápere* = nemen, vatten; *percéptio*
= het begrijpen] bewuste waarneming.

**appertinen'tia** [VLat. *appertinére* = ergens
bijhoren, t.d. *appértinens, appertinéntis,* onz.
mv *-éntia,* v. Lat *ad* en *pertinére* = behoren bij,
v. *per* = door en door, en *tenére* =
(vast) houden] bijbeh. dingen.

**appetent'** [Lat. *appetens,* o.dw van *appétere*
= verlangen naar, v. *ad* en *pétere* = streven
naar] heftig verlangend. **appeten'tie** [Lat.
*appeténtia* = begeerte] verlangen, begeerte,
spec. geslachtsdrift. **appetij'telijk** [*zie*
**appetijt**] de eetlust opwekkend, smakelijk;
aantrekkelijk. **appetijt', appetit'** [Fr. v. Lat.
*appetitus* = begeerte, trek naar iets; *zie verder*
**appetent**] eetlust; *bon appétit!,* smakelijk
eten!

**applice'ren** [Lat. *applicáre* = bijvouwen,
vandaar: aanbrengen, aanwenden,
heenwenden, v. *ad* en *plicáre* = vouwen]
aanwenden, toepassen. **applica'tie** [Lat.
*applicátio* = het zich aansluiten] **1**
aanwending, toepassing; oplegging van
uitwendige geneesmiddelen; **2** toeleg, vlijt; **3**
oplegwerk ter versiering; aanleggen v.e.
verband; het opbrengen v.e. verflaag door
verfspuiten. **applica'tiecursus** aanvullende
(praktijk) cursus. **applicatuur'** (*muz.*)
vingerzetting. **applica'bel** aanwendbaar,
toepasselijk. **appliqué** [Fr.] applicatiewerk,
oplegwerk. **applique'ren** [Fr. *appliquer* =
ook: opleggen] oplegwerk aanbrengen.

**applombe'ren** [Lat. *ad* en *plumbáre* = met
lood dicht maken of soldéren; *plumbum* =
lood] vastsoldéren. **applomba'tie** *zn.*

**appoggiatu'ra** [It. = *lett.*: het steunen, het
leunen] (*muz.*) **1** voorslag; **2** het aanhouden
(slepen) v.d. tonen.

**appoint'** [Fr., = *lett.*: tot de punt (v. *à* en *point*
= punt)] **1** (*hand.*) de bij te voegen som die
de afrekening sluitend maakt; wissel die samen
met andere wissels een schuld vereffent;
wissel i.h. alg.; **2** pasmunt. **appointe'ren** [Fr.
*appointer* = bezoldigen] **1** bezoldigen (een
ambtenaar); **2** (*jur.*) de dag v.d. behandeling
v.e. zaak vaststellen; **3** [Fr. *appointir* =
aanpunten] aanstippen, pointeren (*z.a.*).
**appointement'** [Fr., v. *appointer*] **1**
bezoldiging [Fr. *appointements* = vast
salaris]; **2** (*jur.*) *a* voorlopige beschikking v.d.
rechter; *b* vaststelling v.d. dag waarop een zaak
zal worden behandeld.

**appone'ren** [Lat. *appónere* = bijplaatsen, v. *ad*
en *pónere* = plaatsen] opleggen, bijvoegen.

**apporte'ren** [Lat. *apportáre* = aandragen, v.
*ad* en *portáre* = dragen] aanbrengen, ophalen
van wild door hond: *apporte!* (bevel aan
hond) [Fr.] haal op!, breng hier! **apport'** **1**
wat ingebracht wordt (bijv. bij huwelijk); **2** het
aanbrengen v.e. voorwerp op paranormale
wijze.

**apposi'tie** [Lat. *appositio* = bijstelling,
toevoeging, v. *appónere, appósitum* =
bijzetten, v. *ad* en *pónere* = plaatsen, zetten]
**1** aanhechting (v. zegel); **2** (*spraakk.*)
bijstelling. **appositioneel'** *bn & bw.*

**apprecie'ren** [Lat. *appretiáre* = schatten,
waarderen, v. *ad* en *prétium* = prijs, waarde]
op prijs stellen, waarderen. **apprecia'tie** *zn.*

**apprehende'ren** [Lat. *apprehéndere* =
aangrijpen, v. *ad* en *prehéndere* = vatten,
grijpen; *vgl.* Fr. *apprendre* = leren] **1** gevangen
nemen; **2** vrezen (door inbeelding).
**apprehen'sie** [Lat. *apprehénsio* = het

begrijpen, het verstaan] **1**
bevattingsvermogen; **2** gevangenneming; **3**
ingebeelde vrees. **apprehensief'** [MLat.
*apprehensivus*] bevreesd voor iets; bezorgd
voor een persoon.

**apprenti'** [Fr., v. *apprendre* = leren; *vgl.* Lat.
*apprehéndere*: de uitgang *-ti* (OFr. *-tis*) v. Lat.
*-tivus*] leerjongen.

**apprete'ren** [Fr. *à* en *prêt,* Lat. *parátum* =
gereed] *eig.*: gereed maken, prepareren; spec.
linnen e.d. glanzen, pappen. **appret'** [Fr.
*apprêt*] **1** het appreteren; **2** appreteermiddel.
**appretuur'** middel om te appreteren; de door
appreteren verkregen glans.

**approach'** [Eng. = nadering, uiteindelijk v.
Lat. *ad* en *próximus* = zeer nabij] het naderen,
benadering (*ook fig.,* bijv. v.e. vraagstuk).

**approbe'ren** [Lat. *approbáre* = goedkeuren, v.
*ad* en *probáre* = beproeven, als beproefd
erkennen] goedkeuren, inwilligen,
vergunning geven. **approba'tur** [Lat. = *lett.*:
het wordt goedgekeurd] een der
formuleringen v. kerkelijke goedkeuring voor
boeken e.d. **approba'tie** [Lat. *approbátio*]
goedkeuring.

**approprië'ren** [Lat. *appropriáre* = dienstig
maken, v. *ad* en *próprius* = eigen] tot zich
trekken (in bezit nemen); gepast maken,
toeëigenen voor, goed inrichten.
**appropria'tie** [Lat. *appropriátio* = bereiding]
*zn* toeschrijving, toekenning.

**approuve'ren** [Fr. *approuver. vgl.* Lat.
*approbáre*] goedkeuren.

**approviande'ren** *zie* **provianderen.**
**approviand'** *zie* **proviand.**

**approxima'tie** [Fr. *approximation* =
benadering, raming, v. Lat. *ad* en *proximáre* =
naderen, v. *próximus* = zeer nabij,
overtreffende trap v. *prope* = nabij]
benadering (*spec. wisk.*). **approximatief'** *bn
& bw* [Fr. *approximatif*] benaderend; geraamd,
*bijv.*: approximatieve waarde.

**appuye'ren** [Fr. *appuyer*] **1** (onder) steunen,
doen steunen tegen; **2** de nadruk leggen op
(*bijv.*: een woord, [Fr. *appuyer sur un mot*]).

**apraxie'** [v. Gr. *a-* = niet; *praxis* = het doen,
v. *prattoo* = doen, handelen] onvermogen om
bep. complexe bewegingen of handelingen te
verrichten, waarbij div. spieren en
bewegingszenuwen betrokken zijn (bijv.
schrijven; *agrafie, z.a.,* is een vorm van
apraxie). Elke spier met bijbehorende zenuw is
intact, maar door een stoornis i.d. hersenen
ontbreekt de coördinatie die nodig is voor het
uitvoeren v.d. complexe doelbewuste
beweging of handeling.

**après la let'tre** [Fr. = *lett.*: na de letter]
benaming voor een prent wanneer daaronder
de titel, de signatuur v.d. maker en het 'adres'
(naam en eventueel woonplaats v.d. uitgever
of de drukkerij) is vermeld. (*Vgl.* **avant la
lettre**.) **après nous le déluge** [Fr.] na ons
(kome) de zondvloed; uiting van egoïstische
onbekommerdheid over de toekomst
(toegeschreven aan Madame de Pompadour,
maîtresse van Lodewijk XV van Frankrijk).
**après tout** [Fr. = *lett.*: na alles] alles wel
beschouwd, per slot van rekening.

**a pri'ma vi'sta** [It.] op het eerste gezicht; spec.
(*muz.*) v.h. blad (spelen); (*hand.*) bij eerste
aanbieding.

**a prio'ri** [Lat. = *lett.*: vanuit het eerdere]
(redenering) van oorzaak tot gevolg,
deductief; vooraf. **aprio'ri** *zn ook*: een
vooropgezette stelling. **aprio'risch** *bn*
berustend op of uitgaande van elementen die
a priori bestaan. **apriori'stisch** *bn & bw ook*:
uitgaand v.e. vooraf opgevatte mening;
vooruitlopend o.d. feiten. **apriori'sme**
redenering a priori; vooropgezette mening.
**à prix fi'xe** [Fr.] tegen vastgestelde prijs.

**à propos** [Fr. = *lett.*: tot het onderwerp, tot het
doel] geschikt, van pas, te juister tijd. **apropos**
*tw* (*eig.*: om terug te komen o.h. onderwerp)
wat ik zeggen woud!; *van zijn — raken,* **1** van
zijn stuk raken; **2** v.h. onderwerp afdwalen.

**apsis'**, *ook*: **absis'** *of* **absi'de** [Gr. *hapsis* = verbinding, boog, gewelf, v. *haptoo* = knopen, aanbinden] **1** (*bouwkunst*) ronde of veelhoekige overwelfde koornis of altaarnis; **2** (*astr.*) **apsis'** *mv* **apsi'den** uiteinden v.d. grote as van een (elliptische) baan v.e. planeet, maan of dubbelstercomponente, dus resp. perihelium en aphelium, perigeum en apogeum (perimartium en apomartium enz., naar gelang v.d. naam v.d. hoofdplaneet), periastron en apastron. **apsi'denlijn** (*astr.*) lijn die ontstaat als men de verbindingslijn van de beide apsiden (perihelium en aphelium enz.), dus de grote as v.d. baan, aan beide kanten tot i.h. oneindige verlengt.

**aptitu'de** [Fr. v. Lat. *áptitúdo*, v. *aptus* = passend, geschikt, v. stam *ap*- = vasthechten, passend maken] geschiktheid.

**a pun'to** [It. = *lett.*: tot de punt] precies overeenkomend.

**apurement'** [Fr. v. *pur*, Lat. *purus* = zuiver] het definitief nazien v. rekening en sluiten.

**apyriet'** [Gr. *a*- = niet, en *pur* = vuur] rookloos buskruit. **apy'risch** [*als* **apyriet**] vuurvast, onbrandbaar.

**a'qua** afk. **aq.** [Lat.] water. **a'qua destilla'ta** afk. **aq.d.** [MLat. *destillata* = overgehaald; Lat. *destillare* = afdruppelen; *stilla* = druppel] overgehaald (gedestilleerd) water. **a'qua for'tis** sterk water (salpeterzuur HNO₃).

**a'qua re'gia** koningswater (2 delen zoutzuur HCl en 1 deel salpeterzuur HNO₃, tast door ontwikkeling van vrij chloor zelfs goud, en platina aan). **a'qua vi'tae** levenswater, het levenselixer der alchemisten; *thans*: soort brandewijn.

**aquaduct'** [Lat. *dúcere, ductum* = voeren, leiden] waterleiding der oude Romeinen; *thans*: de ruinen daarvan.

**aquafoon'** [Lat. *aqua* en Gr. *phoonè* = geluid] toestel om lekken in buizen enz. op te sporen.

**aqualong'** [Eng. *aqualung* = *lett.*: waterlong] reservoir met samengeperste lucht en bijbehorende inrichtingen, o.d. rug bevestigd, waarmee e. duiker enige tijd onder water kan blijven. **aquamarijn'** [v. Lat. *áqua marína* = zeewater; *marínus* = tot de zee (*mare*) behorend] **I** *bn* blauwgroen, zeegroen; **II** *zn* blauwgroene of zeegroene edelsteen.

**aquametrie'** [Lat. *aqua*, z.a. en *metrie*, z.a.] leer v.d. methoden om de chemische en fysische samenstelling v.h. water te meten.

**aquanaut'** [v. Lat. *nauta* = schipper, Gr. *nautès*] diepzee-onderzoeker die i.e. speciaal toestel tot op grote diepten afdaalt en daar wetenschappelijke waarnemingen verricht.

**aquapla'ning** [Eng. *to plane* = zweven, glijden] het verschijnsel dat een auto o.e. natte weg (als regenwater niet voldoende kan wegstromen) de neiging heeft tot glijden en slippen, doordat in totale de wielen het wegdek niet meer raken maar o.e. dun laagje water rijden. **aquapunctuur'** [v. Lat. *púngere, púnctum* = steken] (*med.*) prikkeling v.d. huid met fijn doch krachtig waterstraaltje.

**aquarel'** [Fr. *aquarelle*, v. It. *acquarella*, verklw. v. *acqua* = water] waterverfschildering. **aquarellist'** iem. die aquarellen schildert. **aquarist'** iem. die aquarium houdt; aquariumliefhebber.

**aqua'rium** [Lat. *aqua* = water; *zie* **-arium**] kunstmatige vijver, bak met water waarin waterplanten en -dieren gehouden worden; gebouw waarin zulke inrichtingen voor het publiek zijn te bezichtigen.

**aquatel'** [samenst. van Lat. *aqua*, z.a. en Fr. *hôtel*] drijvend hotel, meestal voorzien van accommodatie voor watersport.

**aquaterra'rium** combinatie v. aquarium en terrarium.

**aquatiel'** [Lat. *aquátilis* = tot het water behorend] in of nabij het water levend (gezegd van planten en dieren).

**aquatint'** [Fr. *aqua-tinte*, It. *acqua tinta*, v. Lat. *aqua tincta* = gekleurd water; v. *tíngere, tinctum* = *eig.*: indopen; *ook*: verven] bep.

diepdruk-ets-procédé waarbij toon(tint) gradaties ontstaan door een egaal vlak verschillend in te bijten met een zuur; op deze wijze worden gewassen tekeningen nagebootst; ook de aldus ontstane prent (of reproduktie daarvan) heet aquatint.

**aqua'tisch** [uiteindelijk v. Lat. *aquáticus* = of in het water levend] hetzelfde als *aquatiel*.

**aquavit'**, *ook*: **aquaviet'** [v. Lat. *aqua vitae* = levenswater] bep. Scandinavische alcoholische drank (45%) met kummelsmaak.

**à qua'tre mains** [Fr.] [It. *a quáttro máni*] (*muz.*) voor vier handen. **a quat'tro vo'ci** [It.] (*muz.*) voor vier stemmen.

**aquavion'** [Fr., v. Lat. *aqua* = water; Fr. *avion* = vliegtuig] **1** draagvleugelboot; **2** hovercraft (z.a.).

**a'quicultuur** [Lat. *aqua* en *cultura*] kunstmatige visteelt.

**a quo** [Lat. = *lett.*: vanaf welke]: *términus*-, punt vanwaar af. (Tegenst.: **ter'minus ad quem** = eindpunt waarnaartoe.)

**à quoi bon?** [Fr.] waar is het goed voor, welk nut heeft het. (*Vgl.* **cui bono**.)

**ar-** [Lat.] = *ad* vóór r.

**arabesk'** [Fr. *arabesque*, Sp. *arabesco* = arabisch; v. Lat. en Gr. *Arabes* = Arabieren] versiering (i.d. trant v.d. arabische stijl) in teken- of bouwwerk met fantastisch ineengestrengelde bladermotieven, krullen e.d.; (*muz.*) bloemrijke melodische figuur.

**arabistiek'** wetenschap v.d. Arabische taal en letterkunde. **arabist'** beoefenaar v.d. arabistiek.

**a'rachis-olie** olie uit aardnoten (grondnoten, olienoten), gebruikt als sla-olie.

**arachnodactylie'** [v. Gr. *arachnos* of *arachnè* = spin; *daktylos* = vinger] lichaamsbouwafwijking, gekenmerkt door smalle, zeer lange vingers en tenen, en een magere, lange gestalte. **arachnoï'dea** [v. Gr. *arachnion* = spinneweb, *-eidès* = gelijkend op; *zie* **-ide 2**] (*anat.*) spinnewebvlies of spinneragvlies. Het middelste hersen- en ruggemergvlies, met netvormige (vandaar de naam) fijne balkjes verbonden m.h. binnenste hersenvlies (*pia mater*).

**à raison'** [Fr. = *lett.*: naar reden] tegen de prijs van.

**arak'** [Arab. *arag* = palmoliekeur] bep. Zuidoostaziatische alcoholhoudende drank, gestookt uit gegiste rijst (daarom ook *rijstbrandewijn* genoemd) of uit sap v.d.

**arènpalm** (z.a.) of uit suikerrietmelasse (40-42% alcohol).

**arbi'ter** [Lat. = *eig.*: iem. die naar iets toegaat om te kijken, *dus*: toeschouwer, getuige; vandaar ook: scheidsrechter, v. *ad* en *bítere* = gaan] **1** (*privaatrecht*) scheidsman (géén door de overheid aangesteld rechter) bij een geschil of dreigend geschil, door beide partijen aanvaard, om een formeel rechtsgeding te voorkomen (zijn schikking is bindend); **2** (*sport*) scheidsrechter. **arbitraal'** [VLat. *arbitrális*] scheidsrechterlijk, bijv.: arbitrale uitspraak; *arbitraal beding*, afspraak tussen partijen dat eventuele toekomstige geschillen aan arbiter(s) zullen worden voorgelegd.

**arbitra'ge** [Fr.] **1** werkzaamheid v. arbiter(s); regeling in een geschil door arbiter(s); **2** (*hand.*) het profiteren v.h. prijsverschil dat op een zelfde moment op twee markten bestaat, door o.d. goedkopere te kopen en tegelijkertijd op de duurdere te verkopen (dit kan betrekking hebben op goederen, effecten, wissels, geld, goud e.d.). **arbitrair'** *bn* & *bw* [Fr. *arbitraire* = willekeurig, despotisch, v. Lat. *arbitrárius* = scheidsrechterlijk, maar *ook*: op willekeur berustend] naar eigen dunk, willekeurig. **arbitre'ren 1** als arbiter optreden; **2** door arbiter(s) laten beslissen; **3** (*hand.*) arbitrage **2** toepassen.

**arboreaal'** [v. Lat. *árbor, árboris* = boom]: *arboreale levenswijze*, levenswijze van dieren die in bomen wonen. **arborescen'tie** [v. Lat. *arbóscens, arborescéntis* = een boom

wordend, tot boom opgroeiend] afzetting van
kristallen in struik- of boomvormige figuren
(*bijv.*: ijsbloemen op ruiten). **arbore′tum**
**-etum** duidt i.d. botanie o.e.
plantengemeenschap] een botanische tuin die
gespecialiseerd is i.h. verzamelen en kweken
van bomen en struiken voor studiedoeleinden.
(*Zie ook* **pinetum**.) **ar′boricultuur** [v. Lat.
*cultúra* = verzorging, verbouwing, kweking]
boomkweek. **ar′bor vi′tae** [Lat. = boom des
levens] eigenaardige boomachtige tekening,
die op doorsnede v. kleine hersenen te zien is.
**ar′bovirussen** *mv* [*arbo* is samentrekking v.
Eng. *arthropod-borne* = *lett.* uit
geleedpotigen geboren; van geleedpotigen
afkomstig] virussen die door geleedpotigen,
spec. muggen en teken, worden overgebracht
(o.a. het gele-koortsvirus).
**arc** [Fr. v. Lat. *arcus*] boog; *Arc de Triómphe*,
triomfboog, spec. die te Parijs. **arc-boutant′**
*mv* **arcs-boutants** [Fr.] bouwkundige
constructie i.d. vorm v.e. halve boog die een
muur te schragen tegen de druk v.h. erop
rustende gewelf. **arca′de** [Fr., v. It. *arcáta*, v.
MLat. *arcáta* = overwelfde passage of gang
tussen zuilen; Lat. *árcus* = boog] serie bogen
in eenzelfde vlak gelegen.
**arca′disch** [Gr. *Arkadía* = het middenland v.d.
Peloponnesus (Zuid-Griekenland)] landelijk,
herderlijk, idyllisch (in romantische zin).
**arca′num** *mv* **arca′na** [Lat. = gesloten,
vandaar: geheim, v. *arca* = kist, v. stam *arc-* =
afsluiten, beschutten] geheim; geheim middel.
**arca′to** [It. *arco* = boog, strijkstok, v. Lat. *arcus*
= boog] (*muz.*) m.d. strijkstok.
**arcatuur′** [Lat. *arcus* = boog] (*bouwk.*) serie
kleine arcaden aan bouwwerk.
**arce′ren** [v. Fr. *hacher* = *eig.*: in kleine stukjes
hakken, *hache* = aks, bijl] evenwijdige
streepjes trekken op tekeningen e.d. om
schaduw en halftinten aan te geven.
**archa′isch** [v. Gr. *archaïkos* = ouderwets; *vgl.*
*archè* = begin] *bn* **1** betrekking hebbend o.e.
zeer oud tijdperk van beschaving of daartoe
behorend; **2** idem o.e. zeer oud geologisch
tijdperk; **3** (*psych.*) behorend t.d. denkvormen
van primitieve volkeren of daarmee gelijkenis
vertonend. **archaïs′me 1** verouderde, in
onbruik geraakte uitdrukking, zinswending of
woord; **2** het opzettelijk toepassen v. dergelijke
uitdrukkingen als stijlmiddel; **3** (*psych.*) de
aard hebbend v.e. primitief stadium v.
beschaving. **archaïse′ren** [Gr. *archaïzoo* =
de ouden nabootsen] opzettelijk archaïsche
vormen of motieven of archaïsmen toepassen.
**archaïs′tisch** *bn & bw* opzettelijk het
verouderde toepassen, wat archaïsch is
navolgend. **Archae′icum** (*ook*
**Arche′icum**) [v. Gr. *archè* = begin], *ook*
genoemd **Azo′icum** [v. Gr. *a-* = zonder,
*zoöo* = leven] oudste periode v.d.
aardgeschiedenis, eerste deel v.h.
Precambrium, (*z.a.*), voorafgaand a.h.
Proterozoïcum (*z.a.*).
**archego′nium** [Gr. *archè* = begin, en *gonè* =
verwekking] orgaantje met vrouwelijke
geslachtscellen op het prothallium v. varens,
paardestaarten, mossen e.d.
**archeologie′** [v. Gr. *archaios* = oud (*archè* =
begin); *zie* **-logie**] oudheidkunde, d.w.z.
studie en kennis van stoffelijke overblijfselen
van produkten van nijverheid en kunst uit oude
beschavingen (vnl. de Griekse en Romeinse).
**archeoloog′** oudheidkundige.
**archety′pe** [Gr. *archetupon* = oorspronkelijk
beeld of model, type, origineel; v. *archè* =
begin, en *tupos* = het gevormde, het
ingeslagene, zegelafdruk, beeld, v. *tuptoo* =
slaan] **1** oerbeeld; **2** oudste handschrift of
oudste druk van een bepaald boek.
**archi-** [Gr. *archoo* = de eerste zijn, a.h. hoofd
staan] aarts-. **archiepis′copus** [Gr.
*episkopos* = opzichter, v. *epi* en *skopeoo* =
rondzien] aartsbisschop.
**archiva′ris** beheerder van een archief.
**archivares′se** vrouwelijke archivaris.

**archiva′lia** *mv* archiefstukken.
**archimandriet′** [MLat. *archimandríta*, v. laat-
Gr. *archimandrítès*; *mandra* = klooster] overste
van een of meer kloosters in Gr. kerk.
**ar′chipel** [v. It. *arcipelago*, v. Gr. *archi-* en
*pelagos* = zee] *oorspr.* zee met veel eilanden
(spec. Egeïsche Zee; *thans*: deze eilanden zelf,
groep eilanden, eilandenrijk.
**architraaf′** [Gr. *archi-* = hoofd, en Lat. *trabs*,
*trabis* = balk] bindbalk; onderbalk die direct
o.d. deksteen v.e. zuil rust.
**archivol′te** [It. *archivolto* = *arco volta*; *arco* =
boog, en *volta* = gewelf] voorzijde v.o. zuilen
steunend muurgedeelte boven bogen.
**archon′** of **archont′** *mv* **archon′ten** [Gr.
*archoon, archontos*, o.dw. van *archoo* = de
eerste zijn, aan het hoofd staan, regeren] een
der 9 hoofdmagistraten i.h. oude Athene.
**ar′co** afk. **arc.** [It. = *lett.*: strijkstok; *vgl.* Lat.
*arcus* = boog] (*muz.*) aanduiding dat weer
m.d. strijkstok gespeeld moet worden na
pizzicato (tokkelen); *ook*: **coll′arco** met de
strijkstok.
**arcoso′lium** [Lat. *árcus* = boog, en *sólium* =
troon of sarcofaag i.e. nis] boogvormig
afgedekte nis in crypte of catacombe.
**arcta′tie** [Lat. *arctáre* (*artáre*) = *arctátum* =
nauw samentrekken] (*med.*) vernauwing.
**Arc′tis** of **Arc′tica** [Gr. *artíkos*, v. *arktos* =
beer; *hè arktos hè meizoon* = de Grote Beer,
vandaar alg. *Arktos* = Noorden] het
Noordpoolgebied. (*Vgl.* **Antarctis** en
**Antarctica**.) **arc′tisch** het Noordpoolgebied
betreffend.
**ardent′** [Lat. *ardére* = branden; *árdens*,
*ardéntis* = brandend] brandend, vurig.
**arden′te** [It.] (*muz.*) vurig.
**arduin′** [Fr. *ardoise*, vermoedelijk afgeleid van
*Ardennen*] soort hardsteen die spec. i.d.
Ardennen wordt geëxploiteerd.
**a′re** afk. **a** [Lat. *área* = open vlakte, oorspr.
hooggelegen, v. stam *ar-* = hoog; *vgl. árduus*
= steil omhoog, Gr. *airoo* = omhoog heffen]
oppervlaktemaat vierkante decameter (dam$^2$)
= 100 m$^2$.
**areaal′ 1** oppervlakte-uitgestrektheid met
betrekking wat daarop aanwezig is, *bijv.*: bos,
akker, plantengroei, bebouwing e.d.; **2** gebied
waarin een bepaalde plant voorkomt.
**arefact′** [Lat. *arefácere*, *-fáctum* = drogen;
*arére* = droog zijn; *fácere* = maken] (*farmacie*)
gedroogd middel.
**a remo′tis** [Lat.] ter zijde (leggen).
**arèn** *zie* **arènpalm**.
**arèn′palm** [v. Javaans *arèn*] bep. palm in
tropisch Azië. Het suikerhoudende sap uit de
bloeiwijze en steel levert na indamping
palmsuiker (vandaar *ook suikerpalm* geheten)
en na gisting palmwijn, waaruit weer **arak**
(*z.a.*) wordt gestookt.
**are′ola** [Lat. = het kleine erf, v. *área* = het
open(gelaten) terrein] plekje, kring, spec. de
kleine bruine kring rond de tepel v.e.
vrouwenborst.
**areome′ter** [Gr. *araios* = dun] toestel om
dichtheid van vloeistoffen te bepalen.
**aretologie′** [Gr. *aretè* = deugd, *zie* **-logie**]
deugdenleer.
**aretijn′se (areti′nische) lettergrepen** of
lettergrepen ut (do), re, mi, fa, sol, la, si voor
benoeming van muzieknoten.
**Argen′tum** [Lat. = zilver, v. stam *argu* =
helder, wit, schitterend; *vgl.* Gr. *argos* =
schitterend] bep. element, metaal (zilver),
chemisch symbool Ag, ranggetal 47.
**argente′ren** [Fr. *argenter*] verzilveren.
**argentaan′** [v. Lat. *argéntum* = zilver]
legering van koper (60%), nikkel (20%) en
zink (20%), gelijkend op zilver (vandaar de
naam), gebruikt voor het vervaardigen van
lepels, vorken en messen; *ook witkoper* of
*nikkelkoper* geheten.
**Ar′gon** [Gr. *argos* = werkeloos, traag, v. *a-* =
niet, en (*w*)*ergos*; *ergon* = werk] bep. element,
een der zogenoemde edelgassen, dat met

andere elementen slechts onder zeer bepaalde omstandigheden reageert; chemisch symbool Ar, ranggetal 18.

**argot'** [Fr., afl. onbekend] in Fr.: groepstaal v.e. bep. klasse, spec. v. dieven, zwervers e.d.; Bargoens. **argote'ren** zich van boeventaal bedienen. **argotis'me** woord of uitdrukking uit het argot.

**argumen'tum:** *—e contrário* [Lat.], bewijs uit het tegengestelde; *— ad ho'minem*, bewijs, aangepast of ontleend aan denkwijze of standpunt (eventueel: gevoel) van de tegenstander; tegenst.: *— ad rem*, bewijs op de zaak zelf betrekking hebbend; *— a posteriori*, bewijs uit ervaring (uit de gevolgen t.d. oorzaak gaand); *— a priori*, bewijs uit theoretische bespiegeling (uit oorzaak t.d. gevolgen).

**ar'gusogen** scherp toeziende ogen, waaraan niets ontgaat.

**argu'tie** [Lat. *argútiae* = spitsvondigheid; *argútus* = spitsvondig] spitsvondigheid.

**argyro-** [Gr. *argurion* = zilver] zilver-.
- **a'ria** [Lat., *mv* v. -**arium**, *z.a.*] zaken die betrekking hebben op het voorafgaande woordgedeelte, *bijv.*: *culinária* = al wat op de kookkunst betrekking heeft; ook schertsend: *bijv. prullária* = rommel.

**Aria'nen** (*gesch.*) volgelingen van Arius v. Alexandrië (4e eeuw), die de godheid v. Christus loochende. **arianis'me** het stelsel van Arius.

**ari'de** [Fr., v. Lat. *áridus*] droog, dor (*bijv.*:— klimaat). **ariditeit'** [Fr. *aridité*, v. Lat. *áriditas*] dorheid, droogte.

**A'riër** [Sanskr. *arya* = edel; *oorspr.*: vereerder v.d. goden der brahmanen] term in Nazi-Duitsland gebruikt om iem. van zgn. zuiver Germaans ras aan te duiden (spec. in tegenstelling met Jood), daarbij uitgaande van bep. rassentheorieën die verkeerdelijk de taalkundige term arisch (*z.a.*) op rassenkundig terrein hadden toegepast en een zgn. Arisch ras hadden gepostuleerd. **a'risch** *bn:—e talen*, de talen van de Indo-Germaanse groep (Sanskrit, Iraans, Grieks, Latijn, Keltisch, Germaans, Slavisch en de moderne afstammingen daarvan); sommigen echter verstaan onder arische talen alleen de Perzische en Indische talen.

**ariet'ta** [It.] (*muz.*) kleine aria.

**ario'so** [It. = *lett.*: zangerig] (*muz.*) **I** zn kort stuk dat recitatief onderbreekt en meer de aard v.e. lied (kleine aria) heeft, overgangsvorm tussen recitatief en aria; **II** *bn* zangerig.
- **a'ris** [Lat.] uitgang die in modern spraakgebruik meestal een functie of beroep aanduidt, *bijv.*: notaris, secretaris, actuaris. (*Vgl.* -**arius**.)

**arise'ren** [*zie* Ariër] in Nazi-Duitsland joodse goederen of bedrijven overbrengen in arische (*lees:* niet-joodse) handen.

**aristie'** [Gr. *aristeia* = heldendaad, van *aristos* = edele] heldenkamp, strijd tussen uitgelezen strijders.

**aristocratie'** [Gr. *aristokratia*, v. *aristos* = beste, en *krateoo* = machtig zijn; *kratos* = macht] regering van edelen, voornaamsten of patriciërs. **aristocraat'** [Fr. *aristocrate*] lid van de aristocratie, (*fig.*) voornaam heer. **aristocra'tisch** [Gr. *aristokratikos*, Fr. *aristocratique*] **1** *bn & bw* van of eigen aan aristocraten, uit aristocraten bestaande (bijv. regering); **2** zoals men verwacht van aristocraten; voornaam, fijn beschaafd.

**Aristotelis'me** de wijsgerige leer van *Aristóteles van Stagira* (beroemd Gr. filosoof, 384-322 v.Chr.). **aristote'lisch** *bn* van of volgens de leer v. Aristoteles.

**aritme'tica** [Gr. *arithmos* = getal; *hè arithmêtikè technê* = de kunst van tellen] getallenleer, rekenkunde. **aritme'tisch** *bn* rekenkundig.

**aritmie'** [Gr. *a-* = niet, en *rhuthmos* = tijdmaat] gestoordheid v.h. normale ritme of afwezigheid v.e. vast ritme; (*med.*)

onregelmatig kloppen v.h. hart. **arit'misch** *bn*.

**aritmogrief'** [Gr. *arithmos* = getal en *griphos* = raadsel] getallenraadsel. **arithmomantie'** [Gr. *arithmos* en *manteia* = het waarzeggen] waarzeggerij uit getallen.

**-arium** [Lat. onz. van bn op *-arius*] in Lat. woorden uitgang die verzameling of verzamelplaats aanduidt (in klassiek Lat. bijv. *sanctuárium* = heiligdom, plaats waar de heilige zaken zijn; tegenwoordig is dit uitgebreid tot vormingen als: **rosarium**, **terrarium**, **aquarium**, **herbarium** e.d.).
- **a'rius** [Lat.] uitgang die i.h. moderne spraakgebruik meestal een functie of beroep aanduidt, bijv. actuarius (*z.a.*). (*Vgl.* -**aris**.)

**arma'da** [Sp. = *lett.*: de gewapende, v. Lat. *armáre*, *armátum* = uitrusten, wapenen] de zgn. Onoverwinnelijke Vloot van Filips II v. Spanje (1588); *thans ook alg.*: vloot van oorlogsschepen.

**Armaged'don** [Hebr. *Harmagedón* = gebergte van Megiddó] de vlakte van Megiddo is vaak slagveld geweest i.d. geschiedenis v.h. Joodse volk, waar het grote overwinningen heeft behaald.

**armamenta'rium** [Lat. *armaménta* = tuig, gereedschap; *-arium*, *z.a.*] tuighuis, arsenaal.

**armatuur'** [Lat. *armatúra* = wapening, uitrusting; *arma* = wapen] **1** (*mil.*) bewapening; **2** (*tech.*) stelsel ijzeren banden o.e. machine; draagconstructie voor lamp; **3** (*elektr.*) anker v. magneet.

**armée'** [Fr. v. Lat. *arma* = wapen(en)] leger.

**armillair'** [Lat. *armilla* = armband, bracelet; *vgl. armus* = bovenarm; ook: ijzeren ring] uit ringen samengesteld; *—sfeer*, sterrenkundig instrument: een skelet-hemelglobe samengesteld uit beweegbare ringen, die aequator, keerkringen enz. voorstellen.

**Arminia'nen** (*gesch.*) Remonstranten, aanhangers v. Arminius (verlatijnste naam v. Harmensen), een Ned. protestants theoloog, die spec. o.h. punt van predestinatie van Calvijns leer afweek.

**armoriaal'** [Fr. *armorial* = verzameling van *armoiries* = wapenschilden; v. *armoier* = lt. *armeggiáre* = steekspel houden; *vgl.* Lat. *arma* = wapen(en)] boek over heraldische wapens, (familie)wapenboek. **armu're**, *ook*: **armuur'** wapenrusting.

**aro'ma** [Gr. *arooma*, *aromátis* = specerij, welriekend kruid] welriekende geur v. spijs of drank. **aroma'tisch** *bn* **1** (*chem.*):—*e verbindingen*, organische verbindingen met gesloten koolstofketen, in tegenst. met de alifatische verbindingen, die een open koolstofketen hebben (sommige aromatische verbindingen hebben een welriekende geur); *—e chemie*, scheikunde die deze verbintenis behandelt; **2** werkzaam als, of gekenmerkt door aroma; aroma bezittend. **aroma'ten** *mv* **1** (*chem.*) aromatische verbindingen; **2** (*cul.*) alles wat aroma geeft, welriekende (plantaardige) stoffen (toegevoegd aan sausen, soepen e.d.); *ook*: specerijen, fijne kruiden, essences e.d. **aromatise'ren** [Fr. *aromatiser* = welriekend maken, kruiden] (*cul.*) kruiden en/of andere aromaten toevoegen.

**arpeg'gio** [It.: *arpa* = harp] (*muz.*) gebroken akkoord, waarbij de tonen snel opeenvolgend (dus niet gelijk, maar na elkaar klinkend) worden gespeeld. **arpeggië'ren** spelen als arpeggio.

**arraisonne'ren** [Fr. *arraisonner*] schip onderzoeken op gezondheidstoestand en identiteit van bemanning, en op herkomst, bestemming en aard v.d. lading.

**arrière** [Fr., v. Lat. *ad* en *retro* = terug]: *arrière-pensée*, (*lett.*: verborgen bedoeling) bijgedachte, bijbedoeling, onuitgesproken voorwaarde.

**arrime'ren** [Fr. *arrimer*] lading stuwen in schip. **arrima'ge** [Fr.] *zn*.

**arritmie'** *zie* **aritmie**.

**arrivé** [Fr. = *lett.*: die aangekomen is] iem. die zich tot hoge positie opgewerkt heeft.

**arrivis'me** het trachten om maatschappelijk vooruit te komen ongeacht de middelen.

**arrondissement** afk. **arr.** [Fr. *arrondir* = rond maken] 1 het rondmaken; het rondgemaakt zijn; 2 administratieve begrenzing: onderafdeling van departement of stad (in Frankrijk); gebied v.e. rechtbank.

**arrose'ren** [Fr. *arroser* = bedauwen; *vgl.* Lat. *ros, róris* = dauw] 1 bevochtigen; 2 (*cul.*) bedruipen van vlees, wild en de gevogelte tijdens het braden; 3 (*beursterm*) met kleine sommen afbetalen.

**arro'sie** [Lat. *arródere, arrósum* = aan iets knagen, v. *ad* en *ródere* = knagen] wegvreting v. oeverrand.

**ar'rowroot** [v. Aruwaken-taal op West-Indische eilanden *aru-aru* = meel van meel, dat is vervormd tot Eng. *arrow* = pijl, daar men meende dat de knol werd gebruikt om pijlengif uit wond te zuigen; *root* = wortel; dus *arrowroot* = pijlwortel] verzamelnaam voor zetmeelsoorten uit ondergrondse delen van div. planten, spec. v.d. pijlwortel, uit Zuid-Am. afkomstig.

**ars** [Lat. *eig.*: het voegen, v. stam *ar-*] kunst, iedere vaardigheid v. lichaam of geest, dus *ook*: handwerk, wetenschap. **ars lon'ga, vi'ta bre'vis** [Lat.] de kunst is lang, het leven is kort.

**Arseen'** Ned. naam voor **Arsenicum**, *z.a.*

**arsenaat'** (*chem.*) zout van arseenzuur H₃AsO₄. **Arse'nicum** [Gr. *arsenikon* = geel orpiment; v. Arab. *az-zernikh* = orpiment, v. Perz. *zerni* = goudgeel; *zar* = goud; de alchemisten leidden het woord ten onrechte af v. Gr. *arsén* = mannelijk, omdat zij de metalen indeelden in m en v] bep. element, halfmetaal, chemisch symbool As, ranggetal 32; (*volkstaal*) rattenkruit (As₂O₃, het trioxide van arsenicum). **arseniet'** (*chem.*) zout van arsenigzuur H₃AsO₃.

**ar'sis** [Gr. = opheffing, v. *airoo* = opheffen] ritmische heffing in melodie (tegenover **thesis**); beklemtoonde lettergreep in versvoet.

**Ar'sol-raden** [Du.] (*gesch.*) Arbeiders en Soldatenraden (Du. revolutie 1918).

**art-direc'tor** [Eng. = *lett.*: kunstadviseur] (*tijdschriftenbedrijf, reclamebedrijf*) grafisch of beeldend vormgever.

**artefact'** [v. Lat. *arte fáctum* = door kunst gemaakt, v. *ars, ártis* = kunst, *fácere, fáctum* = maken] 1 (*prehistorie*) voorwerp niet als zodanig uit de natuur afkomstig, maar door de mens bewerkt; 2 (*med.*) kunstmatige (door de patiënt soms bewust aangebrachte) of toevallige afwijking, die de waarneming v.e. lichaamsverschijnsel of v.e. ziekteverschijnsel kan verstoren (*bijv.*: een 'bewerkte' thermometer die altijd koorts aangeeft).

**arte'rie** [Lat. *artéria* = slagader, v. Gr. *artéria* = ader] slagader; **arterieel'** slagaderlijk; **arte'riografie** [v. Gr. *graphoo* = schrijven] het nemen van röntgenfoto's van slagaderen nadat deze met een contrastmiddel zijn ingespoten. **arteriosclero'se** [Gr. *skleros* = hard, dor] ziekelijke verandering i.d. wand van kleine slagaderen en arteriolen (niet te verwarren met **atherosclerose**, *z.a.*). **arterio'len** *mv* [v. modern Lat. *arteriola*, verklw. van *artéria*] de kleinste slagaderlijke bloedvaten, één orde groter dan de haarvaten. **arteri'tis** [*zie -itis*] slagaderontsteking.

**arte'sische put** [Fr. *artésien*, v. *Artois*, een Fr. provincie; Lat. *Artésium*] geboorde welput naar ondergrondse waterader.

**ar'tes libera'les** [Lat.] de 7 vrije kunsten (wetenschappen), t.w. grammática (spraakkunst), rhetórica (welsprekendheid), dialéctica (redeneerkunst), geometria (meetkunde), música (muziek), arithmética (getalkunde) en astronomia (sterrenkunde). (De eerste drie vormden het **tri'vium** (*lett.* drieweg), onderwezen op het gewone scholen; de

vier andere het **quadri'vium** (vierweg), onderwezen op universiteiten.)

**art-'house** [Eng. = *lett.*: kunst-huis] bioscoop voor de vertoning van films die artistiek bezien van hoge kwaliteit zijn.

**arthri'tis** [Gr. *arthron* = lid, gewricht, en *-itis, z.a.*] gewrichtsontsteking, jicht. **arthro'sis defor'mans** [Lat. *deformans* = misvormend] of **os'teo-arthro'se** [v. Lat. *os* = been] ontaarding van gewrichten (aangeboren of verworven), waarbij het gewrichtskraakbeen wordt aangetast, vervolgens de naburige beenderlaag en weke delen, hetgeen o.a. leidt tot moeilijker bewegen, vormverandering en pijn. De afwijking komt vnl. voor aan heup en knie; op latere leeftijd in lichte vorm bij vrijwel iedereen ('slijten' van gewrichten).

**artichaud'** [Fr.] (*cul.*) artisjok.

**articule'ren** [Lat. *articuláre* = in leden verdelen, vandaar overdrachtelijk: duidelijk spreken; *articulus* = verklw. v. *ártus* = gewricht, lid, ledemaat] 1 lid voor lid uiteenzetten; 2 duidelijk de afzonderlijke lettergrepen uitspreken. **articula'tie** 1 duidelijke uitspraak van lettergrepen bij het spreken; 2 geleding, gewricht.

**articulato'risch** *bn* verband houdend of betrekking hebbend op articulatie 1.

**ar'ti et amici'tiae** [Lat.] voor kunst en vriendschap (naam van sommige kunstzinnige verenigingen).

**artificieel'** [Lat. *artificiális*, v. *ars, ártis* = kunst, en *fácere* = maken] kunstmatig, kunstig. **artificieus'** [Fr. *artificieux*] listig, sluw.

**arti'kel** afk. **art.** [Lat. *articulus*, verklw. v. *ártus* = lid, ledemaat] 1 op zichzelf staand onderdeel v.e. geleed geheel, bijv. artikel v.e. wet, v.e. verdrag, geloofsartikel; 2 afgeronde verhandeling i.e. krant of tijdschrift; *ook*: afgerond stuk over een bep. woord i.e. woordenboek of encyclopedie; 3 stuk koopwaar, voorwerp v. handel, bijv. damesartikelen; 4 (*taalk.*) lidwoord.

**artistiek'** [Fr. *artistique*] volgens de regels der kunst, wat op de kunst betrekking heeft, kunstminnend. **artisticiteit'** kunstzinnigheid.

**ar'tium libera'lium magis'ter** [Lat.] Meester i.d. Vrije Kunsten [*zie* **artes liberales**]; thans nog graad in Engeland: M.A., Master of Arts.

**art nouveau'** [Fr. = nieuwe kunst] Fr. naam voor **Jugendstil**.

**artotheek'** [onregelmatig gevormd v. Lat. *ars, ártis* = kunst, en Gr. *théke* = bewaarplaats] instelling waar men beeldende kunst kan lenen.

**artsenij'** geneesmiddel.

**artsenij'bereidkunde** farmacie.

**art'work** [Eng. = *lett.*: kunstwerk] ontwerp door art-director, de vormgever, gemaakt.

**as-** [Lat.] = **ad** vóór **s**.

**as** (*muz.*) door molteken met halve toontrap verlaagde a (la), a-mol.

**a'sa foe'tida** [Perz. *aza* = mastiek, en Lat. *fóetidus* = stinkend] duivelsdrek, bep. Aziatische gomhars.

**a sal'vo** [It.: *vgl.* Lat. *sálvus* = ongeschonden] (op vrachtbrief) onbeschadigd.

**asbesto'se** [*zie* -ose] (*med.*) ziekte v.d. longen, veroorzaakt door asbeststof.

**ascari'den** [Gr. *askaris* = kleine worm, made] (*dierk.*) aars- of endeldarmwormen, spoelwormen.

**asceet'** *zie onder* **ascese**.

**ascendant'** [*zie* **ascendenten**] (*astrologische term*) teken v.d. Dierenriem dat bij iemands geboorte boven de horizon komt. **ascenden'ten, adscenden'ten** [Lat. *ascendéntes*, ev *ascéndens* = o.dw van *ascéndere* = opstijgen, v. *ad* en *scándere* = klimmen] verwanten in opklimmende lijn: zoon-vader-grootvader enz. **ascenden'tie** verwantschap in opklimmende lijn. **ascen'sie** [Lat. *ascénsio* = opklimming; *zie verder* **ascendenten**] 1 (*rk*) Hemelvaart (v.

Christus; **2** (*astr.*): *ascénsio recta*, rechte klimming i.d. lengte aan hemelglobe, overeenkomend met lengtegraden op aardbol; de rechte klimming v.e. ster is haar projectie o.d. hemelequator, waarbij het lentepunt als 0 wordt gerekend en vandaar oostwaarts wordt geteld.

**asce'se** [Gr. *askèsis* = oefening, v. *askeoo* = zich toeleggen op] christelijke oefening in de onthouding v.h. geoorloofde, om zich te oefenen en sterken tegen de verleiding v.h. ongeoorloofde, en om zich verdiensten te verwerven. **asce'tisch** *bn & bw* streng onthoudend; —*e geschriften*, stichtelijke geschriften, die de ziel sterken. **asceet'** beoefenaar van de ascese. **ascetis'me** [Fr. *ascétisme*] ascetisch leven. **ascetiek'** [Fr. *ascétique*] **1** (*rk*) leer v.d. christelijke ascese; **2** beoefening v.d. ascese.

**asci'tes** [v. Gr. *askos* = zak] buikwaterzucht, d.w.z. ophoping van vocht i.d. buikholte.

**ascorbi'nezuur** [v. Gr. *a-* = niet, en MNDu. *schorbúk* = scheurbuik] vitamine C.

**-ase** [naar de uitgang v. *diastase*] achtervoegsel ter aanduiding v. enzymen (het eerste deel v. zo'n naam is dan meestal ontleend a.d. naam v.d. stof die door het betrokken enzym wordt ontleed, bijv. amylase ontleedt amylum = zetmeel).

**aseksueel'** [v. Gr. *a-* = niet; Lat. *sexus* = geslacht, kunne] ongeslachtelijk (*bijv.*: voortplanting bij lagere organismen).

**aselect'** [v. Gr. *a-* = niet; Lat. *selectus* = uitgekozen]: —*e steekproef*, steekproef waarbij de keuze v.d. objecten onafhankelijk is v.h. te onderzoeken kenmerk (*bijv.*: als men een enquête wil houden over een bep. onderwerp, zal men de adressen niet halen uit de abonnee-lijst v.e. tijdschrift, omdat daardoor een selectie zou plaatsvinden).

**A'sen** [naamafl. onzeker] (*Oudnoorse myth.*) groep goden, wonende in Asgard. Hun aantal wisselde i.d. loop der tijden en groeide ten slotte tot 12. De voornaamste waren Odin (later de oppergod en Alvader), Thor, Baldr, Frigg, Heimdall en Tyr.

**asep'sis** [v. Gr. *a-* = niet, *sèpoo* = doen verrotten] het geheel v.d. maatregelen in operatiekamers om te voorkomen dat operatiewonden worden besmet door ziekteverwekkende bacteriën. **asep'tisch I** *bn* beschermend resp. beschermd tegen infectiekiemen; **II** *bw* zodanig dat infectie niet kan plaatshebben.

**as'faltbitumen** [*zie bitumen*] een bitumen dat i.d. natuur is ontstaan uit koolwaterstoffen en aardolie, of dat kunstmatig is bereid uit natuurlijke koolwaterstoffen of derivaten daarvan.

**asfe'risch** [Gr. *a-* = niet] (van lens gezegd) m.e. gebogen oppervlak dat geen deel v.e. bol uitmaakt, maar op andere wijze gebogen is (*bijv.* cilindrisch).

**asfyxie'** [Gr. *a-* = niet, en *sphuxis* = pols] (*med.*) stilstand der ademhaling, waardoor schijndood ontstaat (vergiftiging v. ademhalingscentrum door opgehoopt koolzuur $CO_2$; bij zware vormen ook stilstand der hartbeweging).

**asiel'** [Gr. *asulon*, onz. v. *asulos* = onschendbaar, v. *a-* = niet, en *sulè* = inbeslagneming] wijkplaats, toevluchtsoord voor vervolgden waar zij niet mochten worden gegrepen, vrijplaats; (*gesch. ook*:) plaats van onderdak en bescherming voor verlaten personen of geesteszieken; thans ook idem voor thuisloze huisdieren e.d.; *politiek—*, asiel voor pers. die in hun vaderland om politieke redenen worden vervolgd; *—recht*, recht om asiel te verlenen.

**asjewij'ne**, *ook*: **gasjewij'ne** *of* **sjewij'ne**, [v. Hebr. *hasjiweinoe* = 'voor ons terug', begin v.d. liturgische tekst bij het wegdragen v.d. wetsrol a.h. slot v.d. joodse eredienst]: — *gaan*, resp. *maken* en *zijn*, verdwijnen, resp. doen verdwijnen en verdwenen (vandaar:

dood) zijn. In niet-joodse mond verbasterd tot *kassiewijle*.

**Asjikena'zim** [naar *Asjkenaz*, de in Gen. 10:3 genoemde kleinzoon v. Jafet, zoon v. Noë, in het latere jodendom in verband gebracht met Duitsland] *oorspr.* de joden in Duitsland en Noord-Frankrijk; na hun verdrijving in de ME naar Oost-Europa de joden aldaar. *Thans* de joden die in de laatste eeuwen in Oost- en Midden- en ook ten dele in West-Europa woonden en hun afstammelingen in andere landen, wier oorspr. taal het Jiddisch was. Ze worden onderscheiden van de *Sefardim*, de Portugese joden, en van de *oriëntaalse joden*, die altijd in het Nabije Oosten hebben gewoond.

**asmodee'**, *ook*: **ratsmodee'**, [naar *Asmodéus* of *Asmodi*, Hebr. *Asjmedaj*, in o.a. de Talmoed en in het boek Tobia 3:8 de vorst der mannelijke boze geesten, die het huwelijksgeluk verstoort, de demon der zinnelijkheid] (*slang*): *naar de —*, stuk, naar zijn malle moer, naar de knoppen.

**asoma'tisch** [Gr. *a-* = niet, en *sooma* = lichaam] onlichamelijk.

**à son ai'se** [Fr.] op zijn gemak.

**aspalaat'** [Gr. *aspalathos* = doornachtige struik] Am. ebbehout.

**aspecifiek'** [v. Gr. *a-* = niet] niet-specifiek; (*med.*) niet door speciale oorzaak bepaald; bijv. aspecifieke aandoening.

**aspect'** [Lat. *aspéctus* = aanblik, uiterlijk aanzien, v. *aspicere*, *aspéctum* = iem. aankijken, v. *ad* en *spécere* of *spicere* = naar iets kijken] **1** aanblik, vóórkomen, verschijningsvorm, zijden van een zaak die kunnen worden beschouwd of van waaruit men het kan beschouwen, *bijv.*: een ander aspect van de zaak is ...; **2** vooruitzicht i.d. toekomst, *bijv.*: de aspecten v.d. staalindustrie zijn minder gunstig; **3** (*taalk.*) categorie bij een werkwoord dat begrenzing of niet-begrensd zijn uitdrukt, d.w.z. het werkwoord beschouwt als voortdurend, *bijv.*: er rijden auto's op de weg, zonder dat daarbij aan voltooiïng v.h. gebeuren wordt gedacht, maar aan herhaling (iteratief), óf dat juist een enkel gebeuren wordt bedoeld, *bijv.*: er valt iets, waarbij niet aan herhaling wordt gedacht (inchoatief); **4** (*astr. en astrologie*) speciale onderlinge stand van zon en een planeet of van zon en maan (*bijv.*: kwadratuur: lengteverschil 90°); in de astrologie spelen de aspecten v.d. planeten een grote rol.

**asper'ges en bran'che** [Fr.] (*cul.*) in hun geheel gekookte asperges, veelal met hardgekookte eieren, botersaus of gewelde boter, nootmuskaat en soms met ham opgediend.

**Aspergil'lus** [v. modern Lat. *aspergillum* = wijwaterkwast; *zie* **aspersie**, naar de vorm v.d. schimmels] geslacht van schimmels, waarvan veel soorten groeien op 'beschimmelde' etenswaren, en ziekten bij mens en dier kunnen veroorzaken.

**aspergillo'sis** longinfectie door een *Aspergillus*-soort.

**asperiteit'** [Lat. *aspéritas* = ruwheid, oneffenheid, scherpte, wrangheid, hardheid (v. omstandigheden), v. *asper* = ruw] ruwheid, scherpte, hardheid. **as'pera** *zie* **per aspera**.

**asper'sie** [Lat. *aspérsio*, v. *aspérgere*, *aspérsum* = besproeien, v. *ad* en *spárgere* = strooien, sprenkelen] besprenkeling (inz. met wijwater).

**aspic'** [Fr., eertijds 'een met bonte kleuren versierd gelei', vermoedelijk naar de gestreepte *aspic* = adder, v. Lat. en Gr. *áspis* = soort kleine zeer giftige adder] (*cul.*) **1** gerecht van stukjes gaar vlees, wild, gevogelte, vis of groente i.e. passend koud gelei; **2** (niet-Fr. betekenis) sterk gekruide bouillon, m.b.v. gelatine tot gelei gemaakt en gebruikt voor het glaceren en garneren van schotels.

**aspire'ren** [Lat. *aspiráre = eig.*: aanwaaien, v.

*ad* en *spiráre* = blazen, ademen, dingen naar, streven naar] **1** (*taalk.*) met aanblazing uitspreken (bijv. geaspireerde h); **2** naar iets streven. **aspirant', adspirant'** [Lat. *aspírans, aspirántis* = o.dw. van *aspiráre*) iem. die dingt naar een post of betrekking of lidmaatschap e.d.; *ook*: beginneling. **aspira'tie** [Lat. *aspirátio*] **1** aangeblazen uitspraak; **2** streving, spec. naar hoger.

**aspira'tor** [modern Lat.] of **aspirateur'** [Fr.] **1** luchtafzuiginstallatie in stoffige bedrijven (*bijv.*: graanmaalderijen); ook machine die gassen of vloeistoffen aanzuigt en verder transporteert; **2** (*med.*) toestel om vloeistoffen door opzuiging uit lichaamsholte te verwijderen.

**aspiri'ne** [v. Du. *Aspirin*, eig. een merknaam, afgeleid v. Du. *Spirsaüre* = salicylzuur, v. Lat. *sálex, sálicis* = wilg, daar salicylzuur oorspr. gewonnen werd uit de bast v.d. witte wilg] tot soortnaam geworden naam voor pijnstillende en tevens koorts onderdrukkende middelen, ook gebruikt tegen verkoudheid en sommige reumatische aandoeningen.

**assagaai** *zie* assegaai.

**assai** [It. v. Lat. *satis* = genoegzaam] (*muz.*) zeer, vrij sterk; — *lento*, vrij langzaam.

**assaisonne'ren** [Fr. *assaisonner, à* = naar, *saison* = juiste toestand; dus *lett.*: in goede toestand brengen] (*cul.*) op smaak brengen, met zout, peper, mosterd e.d. kruiden.

**assaut'** [Fr. v. VLat. *adsáltus*, v. Lat. *ad* en *saltus* = sprong] aanval, stormloop; (*mil. spec.*) laatste fase v. aanvalsactie; *ook*: oefening in schermen e.d.

**assecure'ren** [Lat. *ad* en *secúrus* = vrij van zorgen; veilig, zeker, v. *se-* (geeft scheiding aan), en *cura* = zorg] verzekeren, waarborgen.

**assegaai' (assagaai)** [v. Sp. *azagaya*, v. Arab. *azzaghayah*: *az* = *al* = de, *zaghayah* is Berbers woord] werpspeer v. Z. Afr. stammen.

**assemble'ren** [Fr. *assembler* = verzamelen; *ook*: samenvoegen, v. Lat. *assimuláre* = in latere betekenis: te zamen (*simul*) brengen, v. *ad* en *simul* = eig.: tegelijk (ertijd); *vgl.* **assimilatie**, *z.a.*] samenvoegen; (voertuigen of machines) in elkaar zetten met elders gemaakte onderdelen. **assembla'ge** [Fr.] het in elkaar zetten van onderdelen. **assemblée** [Fr.] vergadering, spec. algemene vergadering v.e. internationale organisatie; *Assemblée*, Algemene Vergadering der Verenigde Naties. **assente'ren** [OFr. *asenter*, v. Lat. *assentáre* of *assentari*, onregelm. frequentatief v. *assentíri* = toestemmen, v. *ad* en *sentíre* = gevoelen, denken, stemmen (zijn gevoelen doen blijken)] toestemmen, goedkeuren. **assen'su om'nium** [Lat.] met aller goedkeuring. **assentiment'** [Fr.] goedkeuring.

**asser'tie** [Lat. *assértio* = bewering, v. *assérere, assértum* = iets beweren, v. *ad* en *sérere* = eig.: aaneenvoegen; *ook*: bespreken, *vgl. sermo* = gesprek] bewering, bekrachtiging, verzekering, verklaring; *ook*: wat verklaard wordt. **assertoir'** [Fr.] **asserto'risch** [Lat. *assertórius* = bevestigend] verzekerend; *—eed*, bekrachtigende eed na getuigenis.

**assertief** [v. Eng. *assertive*] voor zichzelf opkomend. **assertiviteit'** [v. Eng. *assertivity*] het voor zichzelf opkomen.

**assertiviteits'training** training (in cursusverband) om beter zichzelf te zijn en voor zichzelf op te komen.

**asses'sor** [Lat., v. *ad* = bij, en *sedére* = zitten] bijzitter in rechtbank, toegevoegd a.d. voorzitter.

**assevere'ren** [Lat. *asseveráre, asseverátum* = in ernst beweren, v. *ad* en *sevérus* = ernstig] plechtig verklaren. **asseve'ratie** [Lat. *asseverátio*] plechtige verzekering.

**assez'** [Fr., v. Lat. *satis* = genoegzaam] genoeg.

**assibile'ren** [Lat. *assibiláre* = assibilátum* ruisen tegen of bij, v. *ad* en *sibiláre* = sissen, suizen, ruisen] (*taalk.*) met sisklank uitspreken. **assibila'tie** *zn*.

**assiduïteit'** [Lat. *assidúitas* = volharding, bestendige ijver, v. *assidére* = bij iem. zitten, v. *ad* en *sedére* = zitten] volhardendheid, onverdrotenheid, volhoudendheid.

**assignaat'** [Fr., v. Lat. *assignátum* = onz. v.dw van *assignare* = toewijzen, v. *ad* en *signáre* = tekenen, aanwijzen] (*gesch.*) papieren geld tijdens de Franse Revolutie. **assigna'tie** [Lat. *assignátio*] **1** aanwijzing, spec. schriftelijke aanwijzing tot betaling; **2** (*Z.N.*) dagvaarding. **assigne'ren** aanwijzen, toewijzen, spec. als fonds of middel van betaling.

**assimila'tie** [v. Lat. *assimiláre* = gelijk maken, v. *ad* en *símilis* = gelijk, gelijkend] **1** (*alg.*) gelijkmaking, gelijkstelling; **2** (*taalk.*) het (ten dele of geheel) gelijkworden van twee aaneengrenzende medeklinkers, *bijv.*: 'wat is tat?' i.p.v. 'wat is dat?' (*gedeeltelijke assimilatie*); adsimulare wordt assimilare (*d* voor *s* wordt *s*, enz.), potlepel wordt pollepel, zakdoek wordt zaddoek, banling wordt balling enz. (*totale assimilatie*); dit alles doordat men nu slechts één articulatiebeweging behoeft uit te voeren i.p.v. twee; **3** (*alg. biol.*), *ook*: **anabolisme** (*z.a.*), het geheel v.d. reacties v.d. stofwisseling, waarbij eenvoudige en meestal energie-arme chemische stoffen samengevoegd worden tot samengestelde en meestal energierijke verbindingen: o.a. eiwitten voor de opbouw v.d. cellen, en stoffen waarin energie is opgeslagen, zoals koolhydraten, vetten en fosfaten; **4** (*plk.*), *eveneens ook*: **anabolisme**, het geheel v.d. chemische omzettingen, waardoor anorganische stoffen uit de buitenwereld worden omgezet in samengestelde organische verbindingen als bouwmateriaal of als reservestoffen. Het belangrijkst is de omzetting van kooldioxide, $CO_2$, of de lucht, met water, $H_2O$, uit de bodem, in koolhydraten en zuurstof, door de *fotosynthese*; **5** het opnemen van personen of groepen i.e. vreemd milieu, hetgeen een sterke sociale aanpassing van hen vergt. **assimile'ren** *ww*: *zich —*, zich aanpassen.

**assist'** [v. Eng. *to assist* = helpen] (*ijshockey*) voorbereidend werk waaruit een punt gescoord door een andere speler ontstaat.

**associa'tie** [v. Lat. *associátio*, v. *associare*, v. *ad* en *sociáre* = vergezellen (*sócius* = gezel), *ook*: verenigen] **1** (*jur.*) aaneensluiting v. personen met economisch doel, maatschap, vennootschap, deelgenootschap; **2** (*vegetatiekunde*) plantengezelschap (beter: plantengemeenschap), d.w.z. ruimtelijke groepering van elkaar beïnvloedende planten, die een bep. min of meer homogene standplaats bevolkt en die i.e. bep. evenwicht verkeert, *bijv.*: beuken-eikenbos; **3** (*chem.*) het verschijnsel dat twee of meer moleculen van een zelfde stof zich tot één molecule verenigen; **4** (*psych.*) verbinding van bewustzijnsinhouden, zó dat bij het optreden van één gedachte, idee of voorstelling ook regelmatig een andere optreedt; *vrije associatie*, alles wat zich in de gedachtenloop aanbiedt zonder controle v.h. verstand aan elkaar rijgen. **associë'ren** [Fr. *associer*] **1** verbinden omwille van een of ander belang, zich verenigen met een of meer andere personen wegens gemeenschappelijk doel of belang; **2** een biologische gemeenschap vormen; **3** grotere moleculen vormen; **4** i.d. geest verbinden. **associatief'** I *bn* & *bw* op associatie berustend, daardoor gevormd, *bijv.*: een associatieve reeks van gedachten; II *bw* d.m.v. associatie, *bijv.*: beelden die elkaar associatief oproepen. **associé** [Fr.] **1** deelhebber; **2** (*hand.*) compagnon, vennoot.

**assonan'tie** [Lat. *assonáre* = tegenklinken, beantwoorden aan, v. *ad* en *sonáre* = klinken; *sonus* = klank] gelijkheid v. klinker in woorden, terwijl de slotmedeklinker verschilt, halfrijm, klinkerrijm, bijv. lief en lied of diep.

**assorte'ren** [Lat. *sortíre* = uitzoeken, verdelen; OFr. *assorter*, Fr. *assortir*, v. *à* = naar, en *sorte* = soort] waren uitzoeken en verdelen naar soort en hoedanigheid; voorraden van verschillende soorten waren opslaan.

**assortiment'** [Fr.] voorraad koopwaren van dezelfde aard, maar in verschillende soorten; gesorteerde groep waren van dezelfde klasse; verzameling bij elkaar passende zaken.

**assourde'ren** [Fr. *assourdir*] als doof maken; minder scherp maken (toon, overgang tussen twee kleuren) *vgl.* **sordino**.

**assume'ren** [Lat. *assúmere, assúmptum* = *lett.*: er bij nemen, v. *ad* en *súmere* = nemen] aannemen, aan zich toevoegen, opnemen.

**assump'tie** [Lat. *assumptio*] **1** aanneming; wat als feit aangenomen wordt, veronderstelling; **2** (*rk*) ten hemel opneming van de Moeder Gods, feestdag 15 aug.

**Assumptionis'ten** [Fr. *Congrégation des Augustins de l'Assomption* = Congregatie der augustijnen van de Ten-hemel-opneming van Maria] afk. **A.A.** priester-congregatie in 1845 door Emmanuel d'Alzon te Nîmes gesticht.

**assure'ren** [Fr. *assurer* = zeker maken, verzekeren; *sûr* = zeker, v. Lat. *secúrus*] verzekeren, waarborgen tegen schade, ongeval e.d. (*Vgl.* **assecureren**.

**assuran'tie** [Fr. *assurance*] **1** verzekering tegen schade enz.; **2** drieste verzekerdheid, brutaliteit. **assurant'** **1** verzekerde; **2** = **astrant** *z.a.* **assuradeur'** hij die verzekert tegen schade. **assuré-lijn** de balk bestaande uit horizontale lijntjes op kwitanties, wissels, cheques e.d., waarin het bedrag wordt geschreven, zodat het niet door wegkrabbing kan worden gewijzigd.

**assyriologie'** [*zie* **-logie**] kennis omtrent het oude *Assjur* = Assyrie. **assyrioloog'** kenner v.h. oude Assyrie.

**Astaat'** *zie* **Astatium**.

**astasie'** [v. Gr. *a-* = niet; *statis* = het staan] onvermogen om te staan, hoewel alle benodigde organen intact zijn, als gevolg van stoornis i.h. centrale zenuwstelsel waardoor de coördinatie v.d. spierbewegingen, nodig om het evenwicht te bewaren, ontbreekt. Astasie gaat uiteraard steeds gepaard met onvermogen om te lopen: **abasie**, *z.a.*

**asta'tisch** [v. Gr. *astatos* = onstabiel; *hier*: aan geen vaste stand gebonden]: —*e* *meetinstrumenten*, elektrische meetinstrumenten die (vrijwel) ongevoelig zijn gemaakt voor de invloed van magneetvelden buiten het instrument (aardmagnetische e.a.), bijv. door twee even sterke magneetnaalden boven elkaar te leggen, zó dat de noordpool van de ene boven de zuidpool v.d. andere ligt en omgekeerd.

**Asta'tium**, i.h. Ned. **Astaat** [v. Gr. *astatos* = onstabiel, wegens het radioactief zijn, dus het uiteenvallen v.d. atoomkernen] kunstmatig vervaardigd element, chemisch symbool At, ranggetal 85.

**-aster** uitgang met minachtende betekenis van *zn* die een bepaalde persoon aanduiden, bijv. criticaster = iem. die kritiek uitoefent zonder daartoe bevoegd te zijn.

**asterisk'** [Gr. *asteriskos* = verkleinwoord v. *astèr* = ster] (*typografie*) sterretje (*) voornamelijk gebruikt om woorden te merken voor verwijzing naar voetnoot. **asteris'me** het verschijnsel dat een puntvormige lichtbron wordt waargenomen als omgeven door 'stralen', veroorzaakt door onregelmatigheden i.d. breking of terugkaatsing v.h. licht i.e. niet homogene omgeving, zoals o.a. in onze ooglens, die wegens haar bouw niet ideaal kan zijn. Vandaar dat wij een ster tekenen als een figuur omgeven door zes puntige 'stralen'.

**asteroïde'** [Gr. *asteroeidès* = o.e. ster gelijkend, v. *astèr* = ster, en *eidès* = gelijkend; *eidos* = beeld] (*astr.*) een der kleine planeetjes of planetoïden van ons zonnestelsel, vnl. tussen Mars en Jupiter.

**asthenie'** [Gr. *astheneia* = krachteloosheid, v. *a-* = niet, en *sthenoo* = sterk zijn] zwakte, krachteloosheid; de term heeft echter in div.

verbanden ook verschillende bet., bijv. in de karakterkunde: zwakke functie v.d. wil en gering geestelijk uithoudingsvermogen (*zie verder* **neurasthenie**). **asthe'nisch** *bn* gepaard met grote zwakte of daaruit voortkomend; = *ziekteverloop*, verloop van ernstige ziekte, die echter met weinig ziekteverschijnselen gaat gepaard (bij oude of zeer zwakke patiënten).

**asthenopie'** [v. Gr. *asthenès* = zwak, *oops* = oog] het verschijnsel dat het gezichtsvermogen stoornissen vertoont (wazig zien, vermoeide pijnlijke ogen) na een betrekkelijk geringe inspanning v.d. ogen.

**asth'ma** [Gr. = het hijgen] benauwdheid, kortademigheid; *a ásthma brónchiale*, een aandoening v.d. ademhalingsorganen, *zie* **astma**; *b ásthma cárdiale*, aanvallen v. kortademigheid als gevolg van onvoldoende hartwerking, waardoor bloedstuwing i.d. longen ontstaat.

**astigmaat'** lenzenstelsel met niet (of niet geheel) is gecorrigeerd op astigmatisme, *z.a.* Is dat wel het geval, dan spreekt men van *anastigmaat* = *lett.*: niet-niet-stigmaat; *zie* **anastigmatisch**. **astigma'tisch** *bn.*

**astigmatis'me** [Gr. *a-* = niet, en *stigma, stigmatos* = punt] structuurfout v.e. lens (ook ooglens) waardoor de lichtstralen niet i.e. gemeenschappelijk brandpunt samenkomen (bij het oog heeft dit onduidelijk zien ten gevolge).

**ast'ma** [*zie* **asthma**] Ned. spelling voor *ásthma brónchiale*, oudtijds *aamborstigheid* geheten, een ziekte v.d. ademhalingsorganen, met aanvallen van benauwdheid, ademnood en hoesten. Inademing, maar vooral *uitademing* is dan bemoeilijkt door samentrekking v.d. fijne luchtpijpvertakkingen (*bronchioli*), terwijl bovendien hun slijmvlies gezwollen is en er taai slijm wordt gevormd, hetgeen ze nog verder vernauwt. **astma'tisch** *bn* **1** v.d. aard v. astma; **2** lijdend aan astma. **astma'ticus** lijder aan astma.

**astraal'** [Lat. *astrális*, v. *ástrum* = Gr. *astèr* = ster] de sterren betreffend, sterren—. **astrale religie** godsdienst die in nauwe betrekking staat tot hemellichamen, ofwel door rechtstreekse verering van zon, maan en/of sterren, ofwel door de opvatting dat er een nauwe samenhang bestaat tussen de bewegingen v.d. hemellichamen en het gebeuren op aarde. **astraal'lichaam**, *ook*: **meta-organisme** volgens occultisme veronderstelde tweede lichaam v.d. mens, etherisch, maar zuiver onstoffelijk, dat het stoffelijke lichaam geheel doordringt, maar onder normale omstandigheden niet waarneembaar voor de zintuigen.

**astraal'licht** schemerachtig licht a.d. hemel in heldere nachten, afkomstig van voor het oog onzichtbare sterren, de oorzaak dat de nachtelijke hemel niet pikzwart is.

**astraal'lamp** elektrische lamp met zeer gelijkmatige spreiding v.h. licht, glanslamp, sterrelamp.

**astragaal'** [Lat. *astragálus* = ring om zuil, v. Gr. *astragalos* = halswervel] (*bouwk.*) kraallijst boven of beneden om zuil, paarlsnoerversiering.

**as'trakan** huid v. jonge lammeren uit Astrakhan (Rusland) met gekrulde zwarte, op bont gelijkende, wol.

**astrant'** [v. Fr. *assurant* = brutaal zelfverzekerd, *zie* **assureren**] brutaal, vrijpostig.

**astrein'te** [Fr. *astreindre* v. Lat. *astringo* v. *ad* en *stringo* = binden] (*jur.*) dwangsom, dwangmiddel v.d. rechter om zeker te stellen dat een vonnis wordt uitgevoerd.

**astrin'gens** *zie* **adstringens**.

**as'tro-** [Gr. *astèr* = ster] sterre(n)-; thans ook modern voorvoegsel in niet zuiver Gr. samenstellingen (*bijv.*: astronavigatie; v. Lat. *navigáre* = varen).

**astrobiologie'** **1** wetenschap betreffende het

mogelijk voorkomen van leven op andere hemellichamen, spec. van plantaardig leven (*astrobotanie*); ook **exobiologie** genoemd; **2** (*ruimtevaart*) onderzoek naar de invloed van ruimtereizen op aardse organismen die deze reizen meemaken, spec. o.d. mens, en naar de omstandigheden waarin ze bij ruimtereizen en bij verblijf op andere hemellichamen komen te verkeren. **astrodyna′mica 1** wetenschap betreffende de bewegingen van hemellichamen i.d. ruimte, spec. van sterren; **2** (*ruimtevaart*) het berekenen v.d. baan van een ruimteschip in zonnestelsel onder invloed v.d. zwaartekracht en de stuwkracht v.d. motor. **astrofotografie** ′ [Gr. *astèr* en *fotografie*] het fotograferen van hemellichamen. **astrofotometrie** ′ [Gr. *astèr* en *fotometrie*] het meten v.d. lichtsterkte van sterren. **astrofy′sica** bestudering v.d. natuurkundige toestand en de chemische samenst. v.h. inwendige van sterren en van hun atmosfeer; voorts ook van planeten, manen, kometen, meteorieten, interstellaire materie, de bouw van ons melkwegstelsel en andere sterrenstelsels en v.h. gehele heelal. **astrognosie** ′ [v. Gr. *gnoosis* = kennis] kennis v.d. sterren die met het blote oog zichtbaar zijn wat betreft hun plaats a.d. hemel, hun onderlinge ligging en hun groepering in sterrenbeelden. **astrograaf** ′ [Gr. *astèr* en -*graaf*] toestel om sterrenkaarten te tekenen. **astrografie** ′ sterrenbeschrijving. **astroi′de** [*astèr*, en -*ide, zie* -**ide 2**] stervormige kromme lijn. **astrola′bium** [MLat. v. Gr. *lambanoo* = nemen, grijpen; stam *lab-, vgl. labè* = greep] sterrenkundig instrument waarmee men de poolshoogte der sterren 'neemt'. **astrolatrie** ′ [Gr. *astèr* en *latreuoo* = de goden dienen] aanbidding der sterren. **astrologie** ′ [*zie* -**logie**] leer die berust op de hypothese, dat de beweging v.d. hemellichamen het gebeuren op aarde beïnvloedt (*vgl.* **astrale religie**), spec. dat het lot van iedere mens beïnvloed wordt door de loop der sterren (*hier*: der planeten) v.h. tijdstip der geboorte tot de dood. **astroloog** ′ beoefenaar v.d. astrologie. **astronautiek** ′ [v. Gr. *nautès* = schipper, schepeling] ruimtevaart. **astronaut** ′, *ook*: (onder Russische invloed) **kosmonaut**, ruimtevaarder. **astronaviga′tie 1** (*luchtvaart*) navigatie met behulp van sterrewaarnemingen; **2** (*ruimtevaart*) navigatie i.d. ruimte. **astronomie** ′ [v. Gr. *astèr* = ster; *nomos* = verdeling, *ook*: wet] wetenschap van de sterren, sterrenkunde; in de Oudheid kennis v.d. positie der sterren (planeten) a.d. hemel en de wetten die hun bewegingen beheersen, nauw verweven met de *astrologie*. De moderne astronomie is de wetenschap v.d. hemellichamen i.h. heelal. In de eerste plaats een beschrijving v.d. hemellichamen, hun onderlinge afstanden, hun bewegingen en hun groeperingen. Vervolgens worden de waargenomen processen in verband gebracht met elkaar en met de wetten v.d. fysica. Ten slotte tracht de astronomie de evolutie van sterren, sterrenstelsels en v.h. heelal te leren kennen en te voorspellen hoe deze ontwikkeling in de toekomst zal verlopen. **astronoom** ′ beoefenaar v.d. astronomie. **astrono′misch** *bn* de astronomie betreffend of daarvoor dienend, bijv. astronomische waarnemingen *resp.* astronomische instrumenten; *astronomische eenheid* (AE), de gemiddelde afstand v.d. aarde tot de zon, die gelijk is a.d. lengte v.d. halve grote as van de (elliptische) baan v.d. aarde om de zon (circa 149 565 900 km). **astrue′ren** *zie* adstrueren. **asyl′** *zie* asiel. **asymbolie** ′ [v. Gr. *a*- = niet, zonder] onvermogen om uit zintuiglijke waarneming de daaraan beantwoordende voorstellingen en begrippen (symbolen) te vormen. Door stoornissen tussen de verschillende

hersencentra worden deze symbolen niet herkend; **agnosie**, *z.a.* **asymmetrie** ′ [Gr. *a*- = niet] gebrek aan symmetrie, wanverhouding in afmetingen e.d. **asymme′trisch** *bn & bw, ook*: van zodanige vorm dat de delen aan weerszijden v.e. vlak (of lijn) door de as v.h. lichaam niet aan elkaar gelijk zijn of tot elkaars spiegelbeeld vormen (er ontbreekt dus een zgn. symmetrievlak). **asymptoot** ′ [Gr. *assumptootos* = niet samenvallend, v. *a*- = niet, *sun* = samen, *piptoo* = vallen] rechte lijn die een gegeven kromme steeds dichter nadert zonder haar ooit in het eindige te raken. **asympto′tisch** *bn* de aard v.e. asymptoot hebbend. **a′synchroon** [Gr. *a*- = niet] niet-synchroon. **asyn′deton** [Gr. onz. v. *asundetos* = niet verbonden, v. *a*- = niet, en *sundetos* = verbonden, v. *sun* = samen, en *deoo* = binden] redekundige figuur waarbij nevengeschikte woorden, woordgroepen e.d. aan elkaar worden geregen zonder voegwoorden, *bijv.*: mannen, vrouwen, kinderen renden de straat op. **asynde′tisch** *bn & bw* zonder voegwoorden. **asystolie** ′ [Gr. *a*- = niet, en *sustolè* = *lett.*: beperking; samentrekking, v. *sustelloo* = te zamen plaatsen, samendringen, inkrimping, v. *su* = samen, en *stelloo* = ordenen] (*med.*) het geheel van verschijnselen die het gevolg zijn van gebrekkige hartwerking. **at-** [Lat.] = ad vóór t. **atac′tisch** [Gr. *ataktos* = niet in het gelid, v. *a*- = niet, *tassoo* = op rij zetten, ordenen] onregelmatig, ongeordend; *spec.* (*med.*) —*e koorts*, onregelmatig verlopende koorts; —*e gang*, onregelmatige gang. (*Zie verder* ataxie.) **a′taman** *zie* hetman. **a′tap** [Mal.] dakbedekking van inlandse huizen in Indonesië, vervaardigd van bladeren van verschillende palmsoorten of van alang-alangbladeren. **atarac′tica** *ev* -**cum** [v. Gr. *ataraxia* = kalmte, v. *a*- = niet, *tarassoo* = storen], *of* **tranquillizers** (*z.a.*), verzamelnaam voor middelen die een kalmerende werking hebben. **ataraxie** ′ onbewogenheid, ziele- of gemoedsrust, bij de Gr. filosoof Dèmokritos (Dèmokritos van A'bdera, ca. 460-380/370 v.Chr.) als gevolg v.e. juist verstandelijk inzicht, door andere wijsgerige stromingen in gewijzigde vorm overgenomen, en soms naderend tot de stoïcijnse onverschilligheid. **atavis′me** [Lat. *atavus* = betoudovergrootvader, overgrootvaders grootvader, v. *at* = et, hier in bet.: nog daarenboven, en *avus* = grootvader of overgrootvader, in het *alg.*: voorvader] (*erfelijkheidsleer*) gelijkenis met verwijderde voorvaders, het uiterlijk terugkomen v.e. erfelijke eigenschap nadat deze bij één of meer generaties niet tot uiting was gekomen; (*biol.*) het regelmatige verschijnsel bij alle individuen dat vaak voorkomt tijdens de ontwikkeling, waarbij het embryo kenmerken vertoont v. zeer verre voorouders. **atavis′tisch** *bn & bw* berustend op atavisme of daarop betrekking hebbend. **ataxie** ′ [*zie* atactisch] (*med.*) het niet gecoördineerd zijn v.d. samenwerking van spieren, zodat de patiënt geen geordende bewegingen kan maken. **atebri′ne** [Du. merknaam *Atebrin*, ook bekend onder andere namen, bijv. *mepacrine*] eerste synth. middel tegen malaria ter vervanging van kinine. Wegens ongunstige nevenwerkingen thans geheel vervangen door **chloroquine**. **atechnie** ′ [Gr. *a*- = niet, en *technè* = geschiktheid, handwerk, kunst] onervarenheid, onbedrevenheid. **atech′nisch** *bn & bw*. **atelie** ′ [v. Gr. *a*- = niet; *telos* = einde] het niet volledig uitgroeien, onvoldende groei-ontwikkeling. **a tem′po** [It.] (*muz.*) in de maat.

**atemporeel'** [Gr. *a-* = niet] niet gebonden aan tijd, staande buiten de tijd, tijdeloos.

**a ter'go** [Lat.] op de keerzijde; *ook*: achter iemands rug.

**a'terling** [v. Nederduits *etterling* = jonge hond uit eerste nest (met vermeende giftige beet)] *oorspr.*: bastaard; *thans*: onverlaat, onmens.

**atermoye'ren** [Fr. *atermoyer*, v. *à* = tot, *terme* = termijn, vervaltijd] de betaaldag uitstellen; bij uitbreiding: een overeenkomst sluiten met schuldeisers. **atermoyement'** [Fr.] uitstel van betaling tot bep. dag.

**atheïs'me** [Gr. *atheos* = zonder god, v. *a-* = zonder, *theos* = god] ontkenning v.h. bestaan, het kunnen bestaan of de bewijsbaarheid van een (persoonlijke) god. **atheïst'** aanhanger v.h. atheïsme. **atheïs'tisch** *bn* 1 het atheïsme aanhangend; 2 op het atheïsme betrekking hebbend of daartoe behorend.

**atheneum** [Gr. *athènaion* = heiligdom van *Athéné*, godin der wijsheid] 1 (*Ned.*) vroeger (*athenaeum*): inrichting voor hoger onderwijs op beperkte schaal, de zgn. *Illustre School*, dienend als voorbereiding op de universiteit of als theologische hogeschool; *thans*: volgens de Wet op Voortgezet Onderwijs (Mammoetwet, 1962): een van de drie schoolsoorten voor voorbereidend wetenschappelijk onderwijs; na het derde leerjaar gesplitst in een afdeling A (vnl. maatschappelijke en economische vakken) en een afdeling B (vnl. natuurwetenschappen en wiskunde); 2 (*België*) vroeger schooltype als voortzetting van Latijnse scholen; *thans*: *oud atheneum* met Grieks-Latijnse, Latijns-wiskundige en Latijns-wetenschappelijke afdeling, *modern atheneum* met wetenschappelijke A afdeling (vnl. wiskunde), wetenschappelijke B afdeling (vnl. natuurwetenschappen) en Economische afdeling.

**atherman'** [v. Gr. *a-* = niet, *thermè* = warmte] *bn* (*ook*: **adiatherman**) [Gr. *dia* = doorheen] geen 'warmtestraling' (infrarode straling) doorlatend, maar die absorberend, waarbij de straling in warmte wordt omgezet.

**atheroom'** [v. Gr. *athèrè* = brij, pap] 1 vetachtige afzetting i.d. wand van grote slagaderen, hetgeen tot *atherosclerose* (z.a.) kan leiden; 2 atheroomcyste.

**atheroom'cyste** [Gr. *kustis* = blaas] papgezwel, opeenhoping van vettige brij in weefsel, voornamelijk door afsluiting v.e. talgklier i.d. huid, zodat de huidsmeer (talg) zich daarin ophoopt. **atherosclero'se** [*skleros* = hard, dor], *ook*: **atherose of atheromatose**, degeneratie i.d. binnenwand van grote slagaders. Niet te verwarren met **arteriosclerose** (z.a.), degeneratie i.d. wand van kleine slagaderen en **arteriolen** (z.a.).

**-atie** [v. Lat. *-atio*] uitgang die handeling aanduidt, bijv. creatie (schepping) renovatie (vernieuwing) (*vgl.* **-antie** dat een passieve eigenschap aanduidt).

**atimie'** [Gr. *a-* en *timè* = eer] eerloosheid, verlies van burgerrecht.

**atlan'ten** *mv* [Gr. *Atlantes* mv v. *Atlas*] zuilen of pilaren in mannengedaante gebeeldhouwd, die een gebint ondersteunen.

**1 at'las** [door de Vlaamse cartograaf Mercator (1512-1594) ingevoerde term, naar, zoals hij zelf zegt, de legendarische figuur *Atlas*, administrator v.h. koninkrijk Etrurië, die Mercator zich ten voorbeeld stelde als het symbool v.d. kosmografie (bij Mercator zowel de beschrijving v.d. hemel als die v.h. aardoppervlak) — de naam atlas heeft dus niets te maken met de mythologische *Atlas* als hemeldrager] verzameling land- en zeekaarten, spec. die welke de gehele aarde omvat, in boekvorm of losbladig. De naam atlas wordt ook gebruikt voor boeken met kaarten, afbeeldingen, prenten e.d. op andere gebieden (bijv. astronomische atlas, historische atlas, literaire atlas).
2 **at'las** [naar de mythologische figuur *Atlas*,

de drager v.h. hemelgewelf] eerste halswervel (die het hoofd draagt).

**3 at'las** [v. Arab. *atlas* = *eig.*: minderwaardig, oorspr. gezegd van zijde als deze glad was, hetgeen als slechte eigenschap gold, vandaar = glad, fijn] naam van bep. soorten satijnweefsels.

**atleet'** [Lat. *athléta*, v. Gr. *athlètèr* of *athlètès*, v. *athleoo* = wedstrijden om kampprijs (*athlon*)] beoefenaar v. atletiek; pers. uitblinkend in een of andere lichaamsoefening; *ook*: sterk gespierd persoon. **atletiek'** de lichaamsoefening in haar verschillende takken (hardlopen, hoogspringen, kogelstoten, speer- en discuswerpen, enz.). **atle'tisch** *bn*; gespierd.

**at'man** [Sanskr. = oorspr. adem, geest, levensbeginsel) i.d. Indische wijsbegeerte: het zuivere 'Ik', het 'Zelf', de wezenskern, het centrum v.d. persoonlijkheid, bovenzinnelijk, onsterfelijk, de inwendige bestuurder van al de gedragingen v.d. mens. Ook de subtiele wezenlijkheid van al wat bestaat, de manifestatie van de universele *Atman*, de 'wereldziel' die ook de mens doordringt, later vereenzelvigd met **brahman**.

**atmoly'se** [v. Gr. *atmos* = damp, *lusis* = het losmaken], gefractioneerde diffusie, d.w.z. het scheiden van gassen in een gasmengsel door gebruik te maken v.h. feit, dat moleculen v.h. lichtere gas (die grotere snelheden bezitten) door een poreuze wand sneller passeren (diffunderen) dan de langzamere moleculen v.h. zwaardere gas. **at'mometer** verdampingsmeter.

**atmosfeer'** [v. Gr. *atmos* = damp, *sphaira* = bal, bol] 1 dampkring, gasvormig omhulsel om hemellichamen (de meeste planeten, sterren), spec. dat v.d. aarde; 2 (*als tech. term*) eenheid van druk, spec. bij het aangeven van gas- en dampdruk. De *standaardatmosfeer* (afk. atm) is de druk v.d. bovenliggende luchtlagen en is gelijk a.d. druk die wordt uitgeoefend door een kolom van zuiver kwik van 760 mm hoogte bij 0 °C, dat is ongeveer 1,036 kilogramforce (*z.a.*) per vierkante centimeter; 3 toestand v.d. aardse dampkring op een bep. plaats en bep. ogenblik (*bijv.*: de atmosfeer is helder); 4 lucht waarin men ademt (*bijv.*: een stoffige atmosfeer), *ook*: slechte (bedompte, benauwde, heße) atmosfeer; 5 (*fig.*) morele of geestelijke omgeving, milieu waarin men vertoeft en waarvan men de invloed ondergaat (*bijv.*: vijandige atmosfeer, prettige atmosfeer), *thans* algemeen **sfeer** genaamd; 6 gevoelssfeer uitgaande v.e. produkt v.d. geest of v.e. kunstwerk (*bijv.*: dit schilderij ademt een atmosfeer van rust en vrede). **atmosfe'risch** *bn* 1 voorkomend in de atmosfeer of daaruit stammend (*bijv.*: atmosferische storingen, atmosferische invloeden); 2 o.d. druk v.d. atmosfeer betrekking hebbend, of daarvan afkomstig of, daardoor werking uitoefenend (*bijv.*: atmosferische druk, atmosferische en vloed = getijden i.d. dampkring). **atmosferi'liën** [modern Lat. *atmosferilia*] *mv* bestanddelen v.d. dampkring; verschijnselen die daarin voorkomen.

**atol' (a'tol)** [v. Maladivisch *atoll*, verm. verwant met Mal. *adal* = sluitend] ringvormig koraalrif dat een lagune omsluit.

**atomair'** *bn* 1 op atomen betrekking hebbend, zoals dit op atomen wordt aangetroffen (*bijv.*: op atomaire schaal); 2 *bn* bestaande uit vrije atomen; *atomaire waterstof* resp. *zuurstof*, waterstof resp. zuurstof waarin de atomen H resp. O zich nog niet verenigd hebben tot moleculen $H_2$ resp. $O_2$. **atomaire massa-eenheid** eenheid gedefinieerd als $1/12$ v.d. atoommassa v.h. koolstofisotoop 12C of C-12. Het atoomgewicht (de atoommassa) daarvan is dus 12,0000.

**atomise'ren** 1 in kleinste deeltjes verdelen, verpulveren, verstuiven; 2 vernietigen met atoomwapens. **atomiseur'**

verstuiver. **atomis'me** [Gr. *atomos* = ondeelbaar, v. *a-* = niet, en *temnoo* = snijden] Gr. wijsgerige leer, die inhield dat de stof uit ondeelbare delen is opgebouwd; hieruit werd een mechanische natuurverklaring afgeleid. **atomist'** aanhanger v.h. atomisme.

**atonaal'** [Gr. *a-* = niet; *zie verder* toon] (*muz.*) zonder **tonica**, d.w.z. niet i.e. bep. doorgaande toonaard gecomponeerd, en zonder tonaal-harmonische functies; (bij uitbreiding): *atonale poëzie*, vorm van experimentele poëzie waarin een duidelijk programma ontbreekt, het beeld een eigen functie heeft en klanken en associaties een voorname rol spelen. **atonaliteit'** het atonaal zijn.

**atonie'** [Gr. *atonia* = slapheid, v. *a-* = niet, *tonos* = iets dat gespannen is, v. *teinoo* = spannen] ontbreken van *tonus* (weefselspanning), verslapping van weefsel, zwakheid. (*Vgl.* **tonicum**.) **ato'nisch** *bn*.

**atoom'** [*zie* atomisme] kleinste deeltje v.d. stof dat (met gewone laboratoriumhulpmiddelen) niet meer deelbaar is. Het bestaat uit *a* uit een kern, samengesteld uit een aantal positieve protonen en neutronen; *b* uit daaromheen een ruimte, bevolkt met een even groot aantal negatieve elektronen als protonen i.d. kern zodat het atoom als geheel elektrisch neutraal is. **atoom'bom, atoom'energie** vroegere onjuiste benamingen voor wat thans *kernbom* en *kernenergie* genoemd wordt.

**atoom'fysica** natuurkunde van de elektronen-ruimte van het atoom. (Atoomfysica niet te verwarren met *kernfysica*, die de samenstelling v.d. atoom*kern* en de veranderingen daarin bestudeert.)

**atoom'getal** of met een anglicisme **atoomnummer** [Eng. *atomic number*], het getal (symbool Z) dat aangeeft hoeveel protonen (dus positieve elementaire ladingen) de atoomkern van een bep. element bezit.

**atoom'gewicht**, *beter:* **atoom'massa**, het getal dat de verhouding v.d. massa v.e. bepaald atoom tot de atomaire massa-eenheid aangeeft. Het aantal grammen v.e. stof aangegeven door zijn atoomgewicht noemt men *gramatoom*. **atoom'klok** zeer nauwkeurig uurwerk dat wordt gebruikt als standaard voor de tijdmeting en zeer kleine tijdsverlopen te meten. Thans gebruikt men hiervoor de **caesiumklok**. **atoom'kop** deel v.e. projectiel dat een kernlading bevat; **atoom'mijn** kernwapen waarvan de functie kan worden vergeleken met die v.e. landmijn: het doen ontstaan v. wegversperringen, grote kraters enz. **atoom'paraplu** benaming v.d. kernwapens waarmee de VS de Westerse wereld kunnen beschermen tegen een nucleaire dreiging.

**atopie'** [v. Gr. *a-* = niet, *topos* = plaats] (*med.*) 1 abnormale ligging v.e. orgaan; 2 [Gr. *atopia* = ongewoonheid, het niet op zijn plaats zijn] bep. groep v. allergische aandoeningen, nl. die welke ontstaan op grond van een erfelijke constitutie (*atopische allergie*).

**à tort et à travers'** [Fr.] door dik en dun; *ook:* zonder redelijk overleg, onbezonnen.

**atout'** [Fr. v. *à* en *tout* = alles, nl. kleur die in kaartspel boven alle andere gaat] troef; *sans atout*, zonder troefkleur.

**à tou'te for'ce** [Fr.] uit alle macht. **à tout prix** [Fr.] tot elke prijs.

**ato'xisch** [Gr. *a-* = niet] niet giftig.

**atrabiliteit'** [Lat. *atra bilis* = zwarte gal] zwartgalligheid.

**atramente'ren** [Lat. *atraméntum* = zwart vocht] tegen roest beschermen door bedekking met een laagje ijzerfosfaat.

**a tre ma'ni** [It.] (*muz.*) voor drie handen.

**atresie'** [v. Gr. *a-* = zonder, *trèsis* = doorboring] het ontbreken v.e. lichaamskanaal, opening of holte bij pasgeborenen, bijv. het ontbreken v.e. uitwendige anaalopening (*atresia ani*) of de

ondoorgankelijkheid van (een deel v.d.) slokdarm (*atresia oesophagi*). Het ontstaan v.e. dergelijke afwijking o.e. later tijdstip na de geboorte noemt men **obliteratie**.

**a tre vo'ci** [It.] (*muz.*) voor drie stemmen.

**a'trium** [Lat., v. *áter* = zwart, donker; oorspr. een vertrek in d. oudste woningen dat door rook donkergekleurd was] 1 (*bouwk.*) i.d. oudromeinse woning de binnenste ruimte tussen ingang en woonvertrek, oorspr. het centrum v.h. gezinsleven, later ontvangstzaal. Het kreeg de vorm v.e. voorhof, met i.h. midden een open dak waaronder een bassin om de regen op te vangen, waaromheen zuilen of een zuilengalerij; 2 (*anat.*) 1 (n.a.v. het oudromeinse *atrium*) elk der beide hartboezems.

**atrociteit'** [Lat. *atrócitas*, v. *ater* = zwart; *atrox* = onheilspellend, gruwelijk, schrikkelijk; *ook:* wild, woest] wreedheid, afschuwelijkheid, gruweldaad.

**atrofie'** [v. Gr. *a-* = zonder, *trophè* = voedsel; *atrophos* = slecht gevoed] het afnemen van grootte en gewicht v.e. orgaan of lichaamsdeel door onvoldoende voeding of niet-gebruik (het tegengestelde van groei). De oorzaak kan van natuurlijke aard zijn, zoals bijv. de verschrompeling v.d. zwezerik i.d. puberteit; het atrofiëren v.d. eierstokken na ca. het 50e jaar, en als gevolg daarvan (vermindering v.d. hormonenproduktie door eierstokken) het atrofiëren v.h. baarmoederslijmvlies; het atrofiëren van spieren, skelet, huid enz. in hoge ouderdom. **atrofie'ren** *ww*, *ook:* wegkwijnen.

**à trois** [Fr.] met z'n drieën. **à trois mains** [Fr.] voor drie handen. **à trois voix** [Fr.] voor drie stemmen.

**atropi'ne** [naar wetenschappelijke plantennaam *A'tropa bélla-dónna* = wolfskers, genoemd naar Atropos, een v.d. Gr. schikgodinnen (*Morai*), de naam betekent: de Onafwendbare, v. *a-* = niet, *tropos* = wending] een alkaloïde (*z.a.*) in diverse plantesoorten v.d. Nachtschadefamilie (*Solanáceae*), o.a. in de wolfskers. Het is een mengsel van twee vormen van hyoscyamine. Het is voor de mens zwaar giftig, maar wordt i.d. geneeskunde in kleine hoeveelheden gebruikt, o.a. voor pupilverwijding en verslapping v.d. spieren v.h. maag-darmkanaal.

**attac'ca** [It., v. *attacáre* = verbinden; *zie* **attacheren**] (*muz.*) meteen verder gaan met het volgende deel zonder pauze.

**attache'ren** [Fr. *attacher* = een zaak stevig met een andere verbinden, v. *à* en VLat. *tasea* = dat wat vastmaakt; *vgl.* Sp. *tacha* = spijker] verbinden, toevoegen, hechten aan. **atta'che** [Fr.] 1 toevoegsel; 2 relatie, verbinding. **attaché** [Fr. = *lett.*: de aangehechte] toegevoegde (militair of burger) a.e. gezantschap. **attachement'** [Fr.] gehechtheid, verkleefdheid, genegenheid.

**atta'que** [v. Fr. *attaquer* = aanvallen; v. *attacáre* = eig.: verbinden, vastmaken; *zie* **attacca** en **attacheren**] 1 (*mil.*) aanval; 2 (*med.*) aanval v.e. ziekte, spec. van apoplexie, *z.a.* (beroerte); *vgl.* volkse verwensing: *krijg de takke!* **attaque'ren** [Fr. *attaquer*] aanvallen; *ook oneig.*: in geschrift of woord; *ook:* iem. aanklampen.

**atteint'** [Fr. = *lett.*: bereikt] (*cul.*) (juist) gaar.

**attempte'ren** [OFr. *attempter*, v. Lat. *attemptáre*, v. *ad* en *tentáre* (= *temptáre*) = beproeven] pogen, beproeven.

**atteno'je**, verbastering v. *addenoj*, *ook:* **ottenoje**, ook andere vormen als *oddenommele, oddeleheinu, ottelenojeheine* [v. Hebr. *Adonai Eloheinu* = mijn Heer en mijn God] oorspr. Jidd. en Barg. uitroep van verbazing, verontrusting e.d., ongev. 'mijn God' [*vgl.* Fr. *mon Dieu*].

**attentaat'** [v. Du. *Attentat* = aanslag, v. Lat. *attentáre, -átum* = iemand of iets beproeven of bestrijden] vijandige onderneming, inbreuk op iemands recht, gewelddaad, (moord)-aanslag.

**attente'ren** [Lat. *attentáre*; *zie* **attempteren**] inbreuk maken, zich vergrijpen, een aanslag doen.

**atteste'ren** [Lat. *attestári* = getuigen, v. *ad* en *testári* = getuigen; *téstis* = getuige] getuigen, met een attest staven. **attest'** (= **attestatie** [Lat. *attestátio* = getuigschrift] schriftelijke verklaring die moet dienen om iets te bewijzen of te staven, getuigschrift; *doktersattest*, schriftelijke verklaring v.e. dokter dat iem. gezond is, of juist dat hij een aandoening of ziekte heeft om bep. faciliteiten te verkrijgen.

**attesta'tie 1** schriftelijke verklaring betreffende een feit of toedracht, spec. als deze als getuigenis moet dienen; — *de vita*, schriftelijk bewijs v.d Burgerlijke Stand dat een bep. persoon in leven is (bijv. voor het innen v.e. pensioen); — *de morte*, overlijdensakte; **2** (*Ned. Hervormde Kerk*) kerkrijend getuigenis van lidmaatschap (en van goed gedrag: *attest van goed gedrag*) door de kerkeraad afgegeven bij verhuizing naar een andere kerkelijke gemeente.

**at'tica** *of* **attiek'** [Fr. *attique*] (*lett*.: het Attische) lage staande bovenbouw, die o.h. hoofdgestel v.e. bouwwerk rust en het dak a.h. oog onttrekt, en soms is versierd.

**atticis'me** [Gr. *attikismos*] **1** spraakgebruik v.d. streek Áttica, inzonderheid v. Athene (waar het Grieks geacht werd het zuiverst te worden gesproken); **2** verfijnde geestige manier van zeggen (*zie* **Attisch zout**).

**attiek'** *zie* **attica**.

**At'tisch zout** [naar A'ttica, waarmee spec. Athene bedoeld is, waarvan de inwoners zich beroemden op goede smaak en vlugge geest] fijne geestigheid, smaakvolle scherts (die het gesprek kruidt zoals zout een spijs).

**attitu'de** [Fr., v. Lat. *aptitúdo* = geschiktheid; *aptus* = geschikt (eig. deelwoord v. *apo* = vastbinden) lichaamshouding, -stand; (*psychologie*) denkwijze, opvatting.

**at'to** [v. Deens *atten* = 18, naar $10^{-18}$] voor-voegsel dat een triljoenste ($10^{-18}$) van de daarachterstaande eenheid aanduidt.

**attrac'tie** [v. Lat. *attráhere, attráctum* = tot zich trekken; v. *ad* en *tráhere* = trekken] **1** (*nat.*) aantrekking tussen twee stoffelijke lichamen ten gevolge v.d. algemene aantrekkingskracht of tussen twee lichamen die magnetisch tegengesteld zijn of tegengesteld elektrische ladingen bezitten; *vandaar ook*: het aangetrokken worden, aantrekkingskracht; **2** (*taalk.*) [Lat. *attráctio* = samen-, aantrekking] zinsconstructie waarin een woord in getal, persoon of naamval overeenstemt met een naburig woord, niet op grond van grammaticaal verband, maar op grond van betekenisassociatie, *bijv*.: een aantal leden *waren* niet aanwezig (i.p.v. *was*); **3** aantrekkingskracht o.e. persoon; **4** iets wat aantrekkelijk is; aantrekkelijkheid; vermakelijkheid (*bijv*.: een kermis met veel attracties. **attractief'** [Fr. *attractif*] *bn* aantrekkelijk, wat aantrekt. **attractiviteit'** aantrekkelijkheid.

**attrape'ren** [Fr. *attraper* = in val vangen, v. *trappe* = val (woord v. Germ. oorsprong)] betrappen (op heter daad).

**attribue'ren** [Lat. *attribúere, attribútum* = toedelen, v. *ad* en *tribúere* = delen, schenken] toeschrijven aan, toekennen aan. **attribu'tie** [Lat. *attribútio*] zn het toeschrijven aan.

**attributief'** *of* **at'tributief** [F. *attributif*] **I** *bn & bw* gebruikt als bijv. bep. bij een zn, *bijv*.: het *zieke* kind (tegenst. **predikatief**, *z.a.*, *bijv*.: het kind is *ziek*); *attributieve genitief*, tweede nv t.w. persoons- of zaaknaam als behorend bij een zelfstandignaamwoord, *bijv*.: *moeders* schoenen, *liefdes* mogelijkheden; **II** *bw* op de wijze van een attr. bijv. nw of van een attribuut; *bijv*.: dit woord is hier attr. gebruikt. **attribuut 1** (*fil.*) wezenlijke

eigenschap van iets wat bestaat; **2** (*taalk.*) bep. bij een zn of een vnw, *bijv*.: een *groot* huis; *Jans* brommer; men vindt dit meisje *knap*, ze noemen haar een *beeldje*. (*vgl.* **attributief**); **3** (*beeldende kunst*) teken waardoor een persoon of verpersoonlijking kenbaar is, teken dat steeds aan hem wordt toegekend, zodat het een kenteken of onderscheidingsteken is geworden, *bijv*.: weegschaal en blinddoek zijn de attributen van Vrouwe Justitia (verpersoonlijking van de Gerechtigheid).

**attri'tie** [Lat. *attrítio*, v. *attérere, attrítum* = ergens tegen wrijven, v. *ad* en *térere* = wrijven] **1** wrijving; **2** slaafs berouw omdat men de straf vreest.

**aty'pisch** [Gr. *a*- = niet, en *tupos* = slaan] ingeslagene, karakter, v. *tuptoo* = slaan] (*eig*.: zonder bep. type) afwijkend v.d. norm, niet het gewone type vertonend (*bijv*.: een atypische vorm v.e. ziekte, d.w.z. ziektevorm die niet de typische eigenschappen v.d. onderhavige ziekte vertoont).

**auba'de** [Fr. = morgenlied, v. *aube* = dageraad, v. Lat. *álba* = de witte] huldiging m.e. gedicht of een muziekstuk (eventueel met zang) i.d. ochtend.

**au bain Marie'** [Fr. = op het Maria-bad; v. Lat. *bálneum Maríae*; de betekenis is niet duidelijk, waarsch. is Maria hier het symbool van zachtheid] **1** (*chem*.) warmwaterbad, vat met warm water waarin een ander vat (bijv. kolf) is geplaatst dat een stof bevat die zacht verhit, zacht gekookt of drooggedampt moet worden, maar geen sterke verhitting verdraagt; **2** (*cul.*) (bereiden of op temperatuur houden van gerechten) o.e. heetwaterbad, zodat de temperatuur niet boven 100 °C kan stijgen.

**au besoin'** [Fr.] in geval van nood.

**au'burn** [Eng., v. OFr. *auborne*, v. Lat. *albúrnus* = witachtig; *álbus* = wit] kastanjebruin (spec. van haar). (De betekenis is ver v.d. oorsprong afgedwaald, zoals vaak bij namen v. kleuren voorkomt.)

**au contrai're** [Fr.] integendeel. **au courant'** [Fr.] i.d. loop (bijv. v.h. jaar); tegen de lopende prijs; o.d. hoogte (zijn).

**auc'tie** [Lat. *áuctio* = vermeerdering, veiling bij opbod, v. *augére, auctum* = vermeerderen] verkoping i.h. openbaar, bij opbod a.d. meestbiedende. **auctiona'ris** veilingmeester. **auctione'ren** verkopen bij opbod.

**auc'tor** [Lat. = *lett*.: de voortbrenger of bevorderaar, v. *augére, auctum* = laten wassen, voortbrengen) iem. die iets wat nog niet is doet ontstaan, of wat is doet gedijen; *zie* **auteur**; — *delicti*, bedrijver v.d. misdaad; — *intellectuális*, de geestelijke vader (v.e. plan bijv.), hoewel de uitwerking door een ander geschiedt.

**auctoriaal', auctorieel'** [v. Lat. *auctor* = zegsman, autoriteit]: in een auctoriale roman is er een verteller of vertelinstantie die alwetend en alomtegenwoordig is, en het verhaal kan onderbreken voor oordelen, commentaar en uitleg.

**auda'ce** [It.] (*muz*.) flink, met durf.

**audia'tur et al'tera pars** [Lat.] ook de tegenpartij moet worden gehoord; *ook* **au'di et al'teram par'tem** hoor ook de wederpartij (*zie ook* **altera pars**).

**audicien'** [v. Lat. *audíre* = horen] deskundige verkoper van gehoorapparaten. **audiën'tie** [Lat. *audiéntia* = gehoor, in bet.: luisteren naar, v. *audíre, audítum* = horen] **1** het verlenen van officieel gehoor door hooggeplaatst persoon (*bijv*.: de paus ontving hem in particuliere audiëntie); **2** (*jur.*) terechtzitting; *audiëntieblad*, zittingsblad, verslag v.e. burgerlijke terechtzitting.

**audio-** [v. Lat. *audíre* = horen] modern voorvoegsel m.d. betekenis: o.h. horen of o.h. geluid betrekking hebbend.

**audiofoon'** [v. Gr. *phoonē* = geluid] gehoorapparaat. **audiofrequent'** *bn* gezegd van elektrische trillingen die een hoorbaar geluid voortbrengen als zij worden omgezet in

mechanische trillingen. **audiogram'** [v. Gr. *gramma* = het geschrevene] met bep. toestel gemaakte grafiek v.h. toongehoor.
**audio-installa'tie** inrichting voor het weergeven van geluid en muziek via grammofoon en eventueel radio. **audiologie'** medisch specialisme betreffende het gehoororgaan en de ziekten daarvan.
**audioloog'** beoefenaar v.d. audiologie. **audiolo'gisch** *bn* op de audiologie betrekking hebbend. **audiometrie'** [v. Gr. *metreoo* = meten] het meten v.d. gehoorscherpte. **audiome'trisch** *bn*. **audiome'ter** apparaat ter meting v.d. gehoorscherpte. **au'diorack** [Eng. *rack* = rek] verrijdbaar rek waarin de stereoinstallatie wordt geplaatst en waarin grammofoonplaten kunnen worden opgeborgen. **au'diosignaal** het elektrisch of elektromagnetisch equivalent v.e. geluidssignaal, ontstaan door geluidsenergie i.e. elektrisch signaal om te zetten d.m.v. een microfoon. **au'diotypiste** typiste die o.h. gehoor het dictaat v.e. dicteermachine uittikt, ook *fonotypiste* of *dictafoniste* genoemd. **au'dioversterker** elektronisch apparaat dat audiosignalen (*z.a.*) moet versterken en als regelcentrale v.d. geluidsinstallatie dienst doet. **audiovi'sual** [Eng. *visual* = visueel, *zie verder* **audiovisueel**] diaserie met geluid. **au'dio-visueel'** op het horen en tegelijkertijd het zien werkend; *audio-visueel onderwijs*, onderwijs m.b.v. grammofoons, video, projectietoestellen, films enz.
**auditeur'** [Fr. v. Lat. *auditor* = toehoorder of rechter van instructie] **1** toehoorder; **2** (*jur.*) raadgevend bijzitter in gerechtshof; — *militair*, aanklager (ambtenaar van Openbaar Ministerie) bij krijgsraad van land- en luchtmacht; in België heet de hoogste militaire auditeur bij het Krijgshof **auditeur-generaal**. **audi'tie** [Lat. *auditio* = voordracht, v. *audire* = horen] **1** concert door nog onbekend kunstenaar voor genodigden ter kennismaking; proeve van muzikale bekwaamheid door kunstenaar afgelegd ter verkrijging v.e. contract; **2** rechtsgebied v.e. krijgsraad. **auditief'** wat het gehoor betreft, opnemend door het gehoor. **audi'tor** [Lat. = hoorder] leerling die lessen volgt zonder ingeschreven te zijn (en dus zonder recht om examen te doen). **audito'rium** [Lat., *onz.* v. *auditórius* = het toehoren betreffend] **1** de gezamenlijke toehoorders; **2** gehoorzaal (spec. in universiteit). **au fait** [Fr.] op de hoogte. **au fur et à mesu're** [Fr.] gelijktijdig en naar de mate van (*fur* v. Lat. *forum* = markt; *dus lett.*: naar markt en maat). **Auf'klärung** [Du.] (geestes)verlichting (hist. stroming in Duitsland i.d. 18e eeuw). **au fond** [Fr.] i.d. grond (der zaak). **Au'giasstal** een haast niet op te ruimen rommel (Gr. *myth.*: Augias bezat een veestal die jarenlang niet was gereinigd; een der werken aan Hercules opgedragen was deze stal in één dag te reinigen, wat normaal onmogelijk was, doch H. leidde twee rivieren door de stal en volbracht zo de taak). **augment'** [Lat. *augméntum* = aanwas, v. *augére, auctum* = groter maken, vermeerderen] **1** toevoegsel; **2** (*taalk.*) voorgevoegde klinker bij werkwoordstam die verleden tijdstip kenmerkt (in sommige oude Indogermaanse talen, bijv. e in het Grieks). **augmenta'tie** [VLat. *augmentátio*] **1** vergroting, vermeerdering, versterking; **2** (*muz.*) invoering v.h. thema in noten die langer zijn dan het oorspr. thema. **augmentatief'** [Fr. *augmentatif*] **I** *bn* vergrotend; **II** *zn* vergrotingswoord.
**au grand complet** [Fr.] zo voltallig mogelijk.
**au'gur** [Lat., uit: *avi-gur: avis* = vogel] bij de oude Romeinen godsdienstig waarzegger, die u.d. vlucht der vogels, later ook u.d.

ingewanden van offerdieren, uit sterren enz. moest vaststellen of de voortekenen (*ómina*) de staat welgezind waren of niet. **augu'renlach** betekenisvolle lach van verstandhouding tussen personen die elkaars geheimen resp. trucjes kennen, spec. bij bedriegers (de Rom. auguren werden later soms als bedriegers gezien). **augustijn'** (*typ.*) lettersoort van 12 punten hoogte [*zie* **punt**], 12-punts letter; *ook*: maat voor lengte van regel, bijv. een regel van 18 augustijn breed. De augustijn is hetzelfde als de *cícero*. **Augustij'nen** *mv* [kerk. Lat. (vroeger): *Ordo Eremitárum Sáncti Augustíni*, afk. *O.E.S.A.* = Orde der Eremieten v.d. H. Augustinus (na 1963): *Ordo Sancti Augustini*, afk. *O.S.A.* = Orde v.d. H. Augustinus) een der bedelorden, in de 13e eeuw gevormd uit bestaande eremieten-groeperingen (de *Magna Unio* = Grote Vereniging), die leefden volgens de Regel van Augustinus. **Augustines'sen** vrouwelijke religieuzen, levend naar de Regel van Augustinus. **augustinis'me** groep denkrichtingen i.d. middeleeuwse theologie en filosofie waarin de ideeën van Augustinus van Hippo Regius (354-430) een betrekkelijk grote rol speelden. **Augus'tus** [Lat. = de Verhevene, v. *augére* = vergroten, verhogen, verheffen] **1** bijnaam van keizer Octaviánus (63 v. Chr.-14 n. Chr.), na hem van vrijwel alle Romeinse keizers; **2** de achtste (bij de Rom. zesde) maand van het jaar, genoemd naar **1**. **au'la** [Lat., v. Gr. *aulē* = oorspr. in oud-Gr. woningen voorhal met zuilen, gelegen vóór het eigenlijke woonvertrek (*megaron*) later met allerlei vertrekken omringd, waardoor zo een binnenplaats of hof werd; in laat-Romeinse keizerpaleis is de *aula palatína* de audiëntie- en troonzaal] **1** grote gehoorzaal en ontvangzaal in universiteiten, scholen, musea, begraafplaatsen, crematoria enz.; **2** (*med.*) rode kring om een kleine huidontsteking.
**aumentan'do** [It., *aumentáre* = vermeerderen; *vgl.* Lat. *augére*] (*muz.*) stijgend.
**au naturel** [Fr.] (gekookt) o.d. meest eenvoudige wijze. **au pair** [Fr., *vgl.* Lat. *par* = gelijk] tegen kost en inwoning, zonder verdere vergoeding. **au pied de la let'tre** [Fr. = *lett.*: op de voet van de letter] letterlijk. **au porteur'** [Fr.] aan toonder. **au'ra** [Gr. = koeltje, wind; Lat. = luchtstroom; *ook*: uitwaseming; *ook*: glans, schijn] **1** (*occultisme*) kleurenspel om personen dat bep. occultisten (de 'sensitieven' = gevoeligen) beweren te 'zien'; volgens sommige theosofen een uiting v.h. astrale lichaam (*zie* **astraal**); **2** (*psychopathologie*) naam voor soms optredende, zeer kort durende voorbode v.e. epileptische aanval.
**au'rea medio'critas** [Lat.] gulden middenweg.
**aureool'** [Lat. *auréolus*, verkleinwoord v. *áureus* = gouden; *auréola coróna* = gulden kroon] **1** (*beeldende kunst*) licht of stralenkrans, meestal ellipsvormig, rondom de figuur van Christus, Maria, soms ook van heiligen; **2** (*met.*) *zie* **nimbus 3**. **au revoir'** [Fr.] tot ziens. **auriculair'** [Fr. *auriculaire*, v. Lat. *auriculárius*, v. *auricula* = verklw. v. *auris* = oor] het oor betreffende. **Aurignacien'** [Fr.] cultuur i.d. laatste periode v.h. Paleolithicum (Oude Steentijd), genoemd naar de eerste vindplaats van skeletten van deze Homosoort, nl. het Franse dorpje Aurignac. Enkele vondsten zijn gedateerd tussen 28 500 en 22 000 v.Chr.
**auripigment'** (*zie* **operment** (orpiment). **au'ri sa'cra fa'mes** [Lat.] de vervloekte gouddorst.
**auro'ra** [Lat., uit: *aus-osa*, verwant met Gr. *heoos*, Aeolisch *auoos*] morgenrood, dageraad; — *austrális*, zuider(pool)licht; —

*boreális*, noorderlicht.
**Au'rum** [Lat.] goud, chem. element, edel
metaal, symbool Au, ranggetal 79.
**à usan'ce** *zie* **a uso.**
**ausculte'ren** [Lat. *auscultáre* = toeluisteren,
afluisteren; *vgl. auris* = oor, *audíre* = horen]
*(med.)* onderzoek vnl. van borst- en
buikorganen door te luisteren met
stethoscoop. **ausculta'tie** [Lat. *auscultátio*]
*zn.* **auscultant'** [Lat. *auscúltans, auscultántis*
= t.d. van *auscultáre*] jong rechtskundige die
rechtszittingen bijwoont om ervaring op te
doen.
**Aus'dauer** [Du.] uithoudingsvermogen,
volhardingsvermogen.
**aus einem Guss** [Du.] uit één stuk.
**au sérieux** [Fr.] in ernst: *iem. — nemen,*
iemands woorden ernstig nemen; *ook wel*: *au
grand sérieux,* volledig ernstig nemen.
**Aus'lese** [Du. = selectie] term die aangeeft dat
de druiven die voor de bereiding van wijn zijn
gebruikt, speciaal zijn uitgezocht op rijpheid,
gaafheid e.d. (*Spätlese* = laat-selectie).
**a u'so** [It.] *(hand.)* volgens gebruik, op
gewoon zicht.
**auspi'cium** [Lat. uit: *avi-spícium*, v. *avis* =
vogel, en *spécere*, *spicere* = naar iets kijken]
*eig.*: voorspelling v.d. toekomst uit vlucht (of
verder gedrag) van vogels door de auspex
(oude benaming v. augur *z.a.*); overdrachtelijk
*ook*: opperste leiding. **auspi'ciën** [Lat.
*auspícia mv* van *auspícium*] **1** voortekenen,
vooruitzichten, *bijv.*: onder gunstige
auspiciën; **2** *onder auspiciën van,* onder
toezicht, bescherming, leiding van (gezegd
van een speciale boekuitgave, een bep.
onderneming door een groep personen).
**Ausput'zer** [Du. = *lett.*: opruimer,
schoonmaker] *(voetbal)* laatste verdediger
vóór doelman, vrije verdediger, thans meestal
**libero** genoemd.
**austeriteit'** [Fr. *austérité*, v. Lat. *austéritas*, v.
*austérus* = *eig.*: bitter, wrang, *ook*: streng]
strengheid, spec. wat betreft morele
opvattingen.
**austraal** [Lat. *austrális* = zuidelijk, v. *Auster*
= Zuidenwind, zuidelijk] *austraallicht,*
zuidpoollicht, zuiderlicht.
**autarchie'** (niet te verwarren met autarkie)
[Gr. *autos* = zelf, en *archoo* = heersen]
zelfheerschappij, soevereiniteit; *(gesch.)*
zelfbestuur van burgers van een stad
onafhankelijk v.e. vorst. **autarch'**
zelfregeerder.
**autarkie'** (niet te verwarren met autarchie)
[Gr. *autarkeia* = zelfgenoegzaamheid,
onafhankelijkheid, v. *autos* = zelf, en *arkeoo*
= afweren, beschermen, helpen, vandaar *ook*:
opgewassen zijn, uithouden, in staat zijn,
voldoende zijn] *(econ.)* toestand v.e. land dat
in zichzelf zijn economische bronnen vindt;
waarbij het zoveel mogelijk tracht genoeg te
hebben aan produkten van eigen bodem en de
invoer uit den vreemde te beperken.
**autar'kisch** *bn & bw.*
**auteur'** [Fr. v. Lat. *autor, author* = **auctor,**
*z.a.*] schrijver of schrijfster van een boek,
artikel e.d., spec. van literair werk; *(fig.)* werk
v.e. (letterkundig) schrijver, *bijv.*: hij leest geen
Amerikaanse auteurs.
**authentiek'** [Gr. *authentés*, samengetrokken
uit: *auto-hentés* = iem. die met eigen hand zelf
iets volbrengt; *authentikos* = Lat. *authénticus*
= eigenhandig geschreven (bijv. testament);
echt (niet vervalst)] **1** v.d. maker zelf
afkomstig, oorspronkelijk, *bijv.*: een
authentieke brief; **2** geheel overeenkomend
m.h. oorspronkelijke, *bijv.*: een authentiek
afschrift; **3** in wettelijke en vereiste vorm
opgemaakt door bevoegd ambtenaar en dus
rechtsgeldig, *bijv.*: een authentieke akte; **4**
echt, onvervalst, origineel, *bijv.*: een
authentiek schilderij; **5** geloofwaardig,
betrouwbaar, *bijv.*: een authentieke bron.
**authenticiteit'** [Fr. *authenticité*] echtheid;
waarachtigheid.

**autis'me** [v. Gr. *autos* = zelf] *(psychiatrie)*
ziekelijke in-zichzelf-gekeerdheid en
afwending v.d. buitenwereld, gepaard met
verminderde belangstelling voor de realiteit en
stoornis v.d. activiteit, spec. de sociale
werkzaamheid. *Infantiel autisme*
(*vroegkinderlijk autisme*), ernstige
ontwikkelingsstoornis bij kinderen, reeds i.d.
vroege jeugd begonnen, als gevolg v.e.
emotionele verwaarlozing i.e. zeer vroeg
stadium, onderscheiden van *pseudo-autisme,*
autisme bij kinderen als gevolg v.e. vroege
hersenbeschadiging of een intelligentie- of
een zintuig-defect. **autist'** lijder aan autisme.
**autis'tisch** *bn & bw* op autisme betrekking
hebbend of van de aard daarvan, *bijv.*:
autistisch denken; *ook*: aan autisme lijdend,
*bijv.*: een autistisch kind.
**auto-** [v. Gr. *autos* = zelf] modern voorvoegsel
met meestal de betekenis: zelf-, eigen-.
**1 au'to** verkorting van **autotypie,** *z.a.*
**2 au'to** (*spr.* autoo, niet ootoo) [verkorting van
automobiel, v. Gr. *autos* = zelf, en Lat. *móbilis*
= *movíbilis* = beweegbaar, v. *movére* =
bewegen] (*lett.*: zelfbewegend voertuig)
bestuurbaar voertuig op drie of meer wielen
met ingebouwd voortstuwingsmechanisme.
**au'toanalyse** analyse op zichzelf toegepast.
**autobiografie'** biografie die de schrijver zelf
tot onderwerp heeft, levensbeschrijving van
zichzelf; geschrift dat een eigen
levensbeschrijving tot inhoud heeft.
**autobiogra'fisch** *bn*; *ook*: op het leven v.d.
schrijver zelf betrekking hebbend, *bijv.*: hij
heeft in zijn roman ook autobiografische
elementen verwerkt.
**au'tobus** [samentrekking van *auto* (mobiel) en
Lat. omni*bus* = voor allen, voor iedereen;
thans verkort tot *bus*] openbaar vervoermiddel
in de vorm v.e. auto voor veel personen.
**au'tocar** grote reisautobus.
**autocefaal'** [Gr. *auto-, z.a.* en *kefalé* = hoofd,
leiding] zelfst.; benaming voor bep. Oosterse
kerken die niet onder het gezag staan van één
der patriarchen.
**autochroom'** [Gr. *chrooma* = kleur] (*lett.*:
zelfkleurend): — *plaat,* lichtgevoelige plaat
gebruikt bij kleurenfotografie.
**autochtoon'** [Gr. *chtoon* = aarde, grond,
land] (*lett.*: v.d. bodem zelf (voortgekomen) **I**
*zn* oorspronkelijke, vroegstbekende bewoner
van een land (*vgl.* **aborigines**); **II** *bn* inheems;
*ook*: niet van elders geïmporteerd, eigen, *bijv.*:
een autochtone ontwikkeling.
**autoclaaf'** [v. Gr. *kleioo* = sluiten; *kleis* v.
*kla(w)is* = sleutel] stevig metalen vat met
hermetisch sluitend deksel, oorspr. zó dat door
de stoomdruk het deksel zich automatisch
sloot (vandaar de naam 'zelfsluiter').
**autocraat'** [Gr. *autokratès* = zijn eigen heer,
onafhankelijk, v. *autos* = zelf, en *kratos* =
macht, sterkte, oppergezag] absoluut heerser;
eigenmachtig iem. **autocra'tisch** *bn & bw.*
**au'to-da-fe'** [Port.], **au'to-de-fe'** [Sp. =
daad des geloofs, v. Lat. *actus* = daad, en *fides*
= geloof] vonnis v.d. inquisitie; uitvoering
daarvan, spec. verbranding van ketter.
**autodidact'** [Gr. *didaskoo* = onderwijzer zijn,
onderrichten] iem. die zichzelf een bepaalde
wetenschap of kunde heeft geleerd, zonder
leermeester.
**au'to-erotiek** erotiek die op de eigen persoon
is gericht.
**autogeen'** [Gr. *gennaoo* = voortbrengen;
*genos* = het gewordene, v. *gignomai* =
worden] (*lett.*: vanzelf gebeurend): — *lassen,*
aaneenlassen van twee stukken metaal door
steekvlam (v. zuurstof met waterstof of
acetyleengas); *autogeen snijden,* snijden van
metaal door steekvlam als bij autogeen lassen,
maar met extra zuurstof uit aparte opening,
zodat het verhitte metaal smelt.
**autoge'nesis** [Gr. *genesis* = wording,
ontstaan, v. *gignomai* = worden] zelfontstaan
(thans verlaten theorie dat uit levenloze stof
vanzelf levende wezens konden ontstaan).

(*Vgl.* **abioge'nesis** en **genera'tio sponta'nea**.)

**autogi'ro** [Lat. *gyráre* = i.e. kring ronddraaien; *vgl.* Gr. *guros* = krom] zweefvliegtuig zonder vleugels maar met een molenschroef zoals een helikopter (welke schroef hier echter niet mechanisch wordt aangedreven, maar als het ware door het toestel 'zelf', t.w. door zijn valbeweging); oude naam: molenvliegtuig.

**autograaf'** [Gr. *autographos* = eigenhandig geschreven; *graphoo* = schrijven] **1** manuscript in handschrift v.d. auteur zelf; eigenhandig geschrift v. beroemd persoon (brief, handtekening e.d.); **2** soort kopieermachine. **autogram'** eigenhandig geschreven stuk; handtekening van beroemdheid.

**auto-immuun'ziekten** *mv* ziekten als gevolg van *antistoffen* i.h. bloed die *eigen* bestanddelen v.h. lichaam (bijv. bloedlichaampjes, spierweefsels, maagwand) 'aanvallen'. Normaal zijn antistoffen gericht tegen *vreemde* stoffen.

**au'to-infectie** zelfbesmetting, d.w.z. het overbrengen v.e. infectie ergens i.h. lichaam naar een ander lichaamsdeel.

**au'to-intoxicatie** zelfvergiftiging, d.w.z. vergiftiging door i.h. lichaam zelf gevormde stoffen.

**au'tokatalyse** [*zie* katalyse] versnelling v.e. chemische reactie door een der stoffen die daarbij ontstaan.

**autolatrie'** [Gr. *latreia* = *eig.*: loondienst; dienst, verering] zelfverheerlijking.

**autolo'gisch,** *ook*: **homolo'gisch** [Gr. *logos* = woord] hoedanigheid v.e. bn als het op zichzelf van toepassing is, d.w.z. als het zelf de eigenschap bezit die het aanduidt, bijv. 'kort' is zelf kort (een kort woord); 'vijflettergrepig' is zelf vijflettergrepig (bestaat uit vijf lettergrepen).

**autoly'se** [v. Gr. *lusis* = losmaking] zelfoplossing; het verschijnsel dat afgestorven cellen worden ontleed door hun eigen enzymen.

**automaat'** [Gr. *automatos* = zichzelf bewegend; uit eigen beweging (iets doend); *automatizoo* = eigenmachtig doen] **1** apparaat of machine dat of die, door een drijfkracht bewogen, zelfstandig bep. verrichtingen doet (technische of administratieve); **2** toestel dat na het inwerpen v.e. geldstuk bep. werkingen verricht (bijv. een beker v.e. drank schenkt, sigaretten, postzegels, kleine hapjes, snoepgoed levert, het lichaamsgewicht aangeeft e.d.); **3** automatische stuurinrichting; of versnellingsbak; **4** persoon die werktuiglijk handelt, die zich beweegt of handelt als een mechanische automaat. (**1**). **automa'tisch** *bn & bw* **1** (van apparaat) niet door mensenhand bestuurd, zelfwerkend i.d. zin van automaat (**1**); **2** bediend door automatische apparaten; **3** (*fysiologie*) niet a.d. wil onderworpen, bijv.: spieren v. maag en darm, hartspier; **4** (*fig.*) geschiedend buiten de wil of bewustzijn, 'werktuiglijk'; **5** vanzelf tot stand komend, bijv.: automatische prijsvorming door vraag en aanbod. **automatie'** **1** ongewenste vertaling v. Am. *automation*; bedoeld is **automatisering**, *z.a.*; **2** *a* zelfwerkzaamheid als v.e. automaat (**1**); *b* onwillekeurigheid, *zie* **automatisme**. **automatiek'** [-*tiek* gevormd naar analogie van Fr. -*tique*, zoals in *boutique* = winkel; -*tique* uiteindelijk v. Gr. *thèkè* = bewaarplaats; het Fr. woord *automatique* = automatisch, is alleen *bn*] hal met automatische toestellen voor verkoop v. vnl. snacks. **automatise'ren** automatisch maken, bijv.: het telefoonverkeer automatiseren. **automatise'ring** het automatisch maken; spec. het toepassen van automatisch werkende apparaten en machines in produktieprocessen, die zo verlopen dat de regelsystemen die het verloop besturen, optredende afwijkingen automatisch corrigeren en het proces zo in goede banen

houden. **automatis'me** (*fysiologie*), *ook*: **automatie'** samengestelde beweging, die wel met bewustzijn in gang is gezet, maar verder buiten het bewustzijn om verloopt, bijv. trappen lopen, het besturen v.e. auto of fiets.

**autoniem'** [Gr. *auto-*, *z.a.* en *onoma* = naam] *bn & bw* onder de ware naam v.d. schrijver verschenen; *vgl.* **anoniem**.

**autonomie'** [Gr. *autonomia* = staatkundige onafhankelijkheid, v. *nomos* = gewoonte, gebruik, wet] **1** (*volkenrecht*) zelfbestuur, het recht om eigen wetten te maken; **2** (*staatsrecht*) bevoegdheid van lagere rechtsgemeenschappen dan de staat om voorschriften uit te vaardigen in eigen aangelegenheden; **3** economische zelfstandigheid; **4** (*fil.*) onafhankelijkheid v.d. geest; **5** zelfstandigheid wat betreft een wetenschap, een kunst e.d. **autonomis'me** streven naar staatkundige onafhankelijkheid. **autonoom'** *bn & bw* (*jur.*) **1** autonomie (**1** of **2**) bezittend, zelf bepalend; **2** (*biol.*) zelfstandig werkend; *autonoom zenuwstelsel*, het vegetatieve zenuwstelsel dat o.a. spijsvertering, bloedsomloop regelt buiten de wil en het bewustzijn om; *autonome bewegingen*, bewegingen v. plant, niet veroorzaakt door prikkels van buiten af; **3** zelfstandig in morele of ethische zin, levend of tot stand komend volgens eigen maatstaven, bijv.: autonoom denken; autonome kunst.

**au'to-oxidatie** *zie* **autoxidatie**.

**au'toped** (v. Lat. *pes, pedis* = voet] andere naam voor **step**.

**autoplastiek'** [Gr. *plassoo* = vormen; *plastos* = gevormd; *plastiek* = boetseerkunst] het opnieuw vormen v.e. geschonden lichaamsdeel met behulp v.e. ander stuk weefsel van dezelfde persoon; *ook*: **autotransplantatie**.

**autopsie'** [Gr. *opsis* = het zien, v. stam *op-* = zien; *autoptès* = ooggetuige] *oorspr.*: het zien met eigen ogen, eigen waarneming; **1** (*biol.*) persoonlijke waarneming v.e. biologisch verschijnsel of organisme; **2** (*med.*) het bezien v.e. patiënt om zijn ziekte vast te stellen; *thans*: lijkschouwing, sectie op een lijk om de doodsoorzaak vast te stellen.

**autorever'se** [Eng. *to reverse* = omkeren] mechanisme in taperecorder dat ervoor zorgt dat, als de ene kant is afgespeeld, automatisch de andere kant wordt afgespeeld.

**autorise'ren** [Fr. *autoriser, zie* **autoriteit**] **1** volmacht verlenen, machtigen, vergunning geven; **2** als geldig erkennen, geldigheid verlenen. **autorisa'tie** [Fr. *autorisation*] verlening van bevoegdheid, machtiging; vergunning.

**autoriteit'** [Lat. *au(c)tóritas* = *eig.*: het doen ontstaan, v. *augére* (*zie onder* auctor); geldigheid, gezag] **1** wettige macht, gezag; **2** overheidspersoon of -lichaam; **3** persoonlijk overwicht, zedelijk gezag, gezag berustend op kennis, bijv.: met autoriteit spreken; **4** persoon van erkend gezag (geloofwaardigheid) o.e. bep. gebied van wetenschap of kunde, bijv.: hij is een autoriteit o.h. gebied der ruimtevaart. **autoritair'** [Fr. *autoritaire*] *bn & bw* **1** van een autoriteit, bijv.: autoritair gezag; **2** berustend op staatsmacht, niet op democratie, bijv. een autoritair bewind; **3** eigenmachtig, als v.e. autoriteit, geen tegenspraak duldend, zijn eigen gezag doende gelden, bijv.: autoritair optreden, een autoritair persoon.

**au'tos e'pha** [Gr.] *zie* **ipse dixit**.

**autoso'men** [Gr. *auto-* en *sooma* = lichaam] homologe (*z.a.*) chromosomen.

**au'tostop** mechanisme in cassette- en videorecorders dat, wanneer de band is afgespeeld, de stroomtoevoer afsluit.

**autostra'da** [v. **auto 2**, en It. *strada* = weg] autosnelweg.

**autosugges'tie** **1** zelfsuggestie, het zichzelf opdringen v.e. bep. voorstelling of overtuiging; **2** de aldus zichzelf opgedrongen voorstelling of overtuiging.

**autotherapie'** zelfgenezing (door natuurlijke krachten, zonder spec. geneesmiddelen).

**autotomie'** [v. Gr. *temnoo* = snijden; *tomos* = gesneden] zelfverminking (bijv. bij dieren die in gevaar het lichaamsdeel waarbij zij vastgegrepen zijn, loslaten, zoals de hagedis deel v. zijn staart).

**autotransplanta'tie** *zie* autoplastiek.

**autotrofie'** [v. Gr. *trophè* = voeding] het vermogen van organismen om hun organische lichaamsbestanddelen geheel uit anorganische stoffen op te bouwen, die dus niet aangewezen zijn op voedsel dat organische stoffen bevat. **autotroof'** *bn*.

**autoty'pe** [v. Gr. *tupos* = het gevormde, het ingeslagene, de afdruk v.e. stempel, v. *tuptoo* = slaan] **1** zelfgemaakte oorspronkelijke afdruk; **2** machine voor autotypie; **3** aldus gemaakt cliché. **autotypie.'1** reproduktieprocédé volgens hetwelk een cliché wordt gemaakt v.e. foto, door een raster opgenomen, van de figuur die moet worden gereproduceerd; **2** aldus vervaardigd cliché, kortweg ook **auto** genaamd; **3** afdruk v.e. dergelijk cliché.

**au'tovaccin(e)** entstof u.h. eigen lichaam v.e. aan een besmettelijke ziekte lijdende patiënt: men maakt een emulsie v.d. bacteriën u.h. lichaam v.d. zieke, laat deze bacteriën zich vermenigvuldigen, doodt ze daarna en spuit de emulsie weer in. Dit kan de vorming van antistoffen stimuleren.

**autoxida'tie**, *ook*: **au'to-oxidatie** [*zie* oxidatie] spontane maar langzaam verlopende oxidatie van stoffen die aan lucht of vrije zuurstof zijn blootgesteld, zonder zichtbare verbrandingsverschijnselen, bij lage temperatuur.

**autumnaal'** [Lat. *autumnális* = de herfst betreffend; *autumnus* = herfst, v. *augère* = vermeerderen; *lett.*: de vermeerderaar, de gever (van vruchten)] herfst-, herfstachtig.

**aux armes!** [Fr.] te wapen!

**aux fi'nes herb'bes** [Fr.] (*cul.*) met fijngehakte groene kruiden.

**auxilia'tie** [Lat. *auxiliátus* = hulpbetoning, *auxilium* = hulp] het verlenen van hulp, bijstand. **auxiliair'** [Fr. *auxiliaire*, v. Lat. *auxiliáris*] hulp-.

**auxi'nen** *mv* [v. Gr. *auxanoo* = doen groeien; *auxoo* = vermeerderen] plantenhormonen die de groei bevorderen (door cel-rekking) en bovendien in bijna alle hogere planten veel andere functies hebben.

**auxome'ter** [Gr. *auxè* = groei] instrument om de vergroting v.e. verrekijker te meten.

**auxotroof'** [v. Gr. *trophè* = voeding], *ook*: **auxoheterotroof'** *bn* hoedanigheid v.d. levenswijze v.e. organisme dat bep. groeifactoren m.h. voedsel moet opnemen, die het zelf niet kan vormen (vandaar de naam: aanvulling v.h. voedsel). Deze groeistoffen hebben dezelfde betekenis als de vitaminen i.h. voedsel v.d. mens.

**aval'** [Fr., v. *à* en *valoir* = waarde, v. Lat. *valor*] wisselborgtocht, garantie o.e. wissel gegeven door derde, die zich tot betaling verplicht indien deze niet tijdig wordt voldaan. **avalist'** avalgever, persoon die voor aval (borgtocht) tekent. **avale'ren** voor aval tekenen.

**avan'ce** [Fr., v. *avancer* = vooruitgaan; *avant* = voor, v. Lat. *ab* = vanaf, en *ante* = voor] **1** iets wat vóór de vastgestelde tijd wordt gedaan, spec. vooruitbetaling; (*beursterm*) koersstijging; **2** *avances maken*, eerste stappen doen tot verzoening of toenadering, spec. in laatste betekenis: vorderingen maken bij het winnen v.d. gunst v.e. meisje. **avancement'** [Fr.] bevordering in rang. **avance'ren** [Fr. *avancer*] **1** vooruitgaan; **2** bevorderen; bevorderd worden; **3** voorschot geven; **4** (*in uurwerk*) (afk. **A**) sneller laten lopen; **5** (*Z.N.*) opschieten, voortmaken.

**avanta'ge** [Fr., v. Lat. *ab* = vanaf, en *ante* = vóór, van te voren] winst, voordeel. **avantageus'** [Fr. *avantageux*] voordelig.

**avant'-corps** [Fr.] **1** (*mil.*) voorhoede; **2** (*bouwk.*) voorgebouw. **avant'-gar'de** [Fr.] **1** (*mil.*) voorhoede; **2** vooruitstrevende richting in kunst. **avant' la let'tre** [Fr. = vóór het schrift] gezegd v.e. proef v.e. prent (afdruk van gravure) vóórdat het onderschrift, de titel of de signatuur zijn aangebracht (*vgl*. **après la lettre en avec la lettre**). In oneigenlijke zin wordt de uitdrukking gebruikt voor een persoon die zijn tijd vooruit was.

**avant'-propos** [Fr.] voorrede (v.e. boek).

**avant'-scène** [Fr.] voorste deel van toneel; voortoneel.

**avarij'** *zie* averij.

**avatar'** [Sanskr.] **1** (Hindoestaanse godsdienst) afdaling, vleeswording v.e. godheid; **2** gemoedstoestand van iemand die fundamenteel anders over iets gaat denken.

**a've** (*spr.* aavee) [Lat. geb. wijs van *avére* = gegezeld, welvarend zijn] (wees) gegroet, wees gegezeld, heil; *ook*: vaarwel.

**avec' la let'tre** [Fr. = *lett.*: met het schrift] gezegd v.e. afdruk v.e. prent, waarbij het onderschrift geheel (of gedeeltelijk) aanwezig is (*vgl*. **avant la lettre en après la lettre**).

**a'vegaar** [uit *navegaar*, v. MNed. *navegheer*, v. *naaf* en *geer* = spies, v. Germ. *'gaiza*; dus *eig.*: spies of priem om naven te boren] bep. grote boor om wijde gaten te boren.

**A've Mari'a** [Lat. = Wees gegroet, Maria] eerste woorden van een bekend rk gebed (*vgl*. Luc. 1:28); *ook* zn: dat gebed.

**avenant'** *zie* advenant.

**avenu'e** [Fr., vrouwelijk v. dw van *avenir* = komen naar, v. Lat. *advenire*] **1** toegangsweg, oprijlaan (naar kasteel of landgoed, met bomen omzoomd); **2** brede rechte laan; met bomen beplante brede straat in stad; *ook*: brede hoofdstraat zonder bomen.

**avera'ge** [Eng., *zie* averij] schade aan lading door schip op reis geleden en gedeeld door belanghebbenden naar evenredigheid.

**averij'** *ook*: **avarij'** [Eng. *average*, missch. verband met OFr. *aveir* = goederen hebben, v. Lat. *habére* = hebben, bezitten] *oorspr.*: lading v.e. schip; *thans*: **1** (*zeewezen*) schade aan schip of lading gedurende de reis opgelopen; **2** (*jur.*) (volgens Ned. en Belgisch Wetboek van Koophandel) alle buitengewone onkosten ten dienste v.h. schip en de goederen gezamenlijk of afzonderlijk gemaakt, en alle schade, die a.h. schip en de goederen overkomt tussen het tijdstip van laden en dat van lossen (uiterste grens hiervoor de 21e dag na aankomst i.d. haven); *averij-grosse* of *gemene averij*, averij omgeslagen over schip, lading en vracht; *averij particulier* of *bijzondere averij*, averij aan schip afzonderlijk of aan lading afzonderlijk; **3** (*bij uitbreiding*) schade aan voorwerp of persoon, *bijv.*: ik ben van mijn fiets gevallen en heb nogal wat averij opgelopen.

**1 avers'** [Fr., v. Lat. *adversus* = gekeerd naar, v. *ad* en *vértere*, *vérsum* = wenden, keren] beeldzijde v. munt, penning of medaille.

**2 avers'** [Fr., v. Lat. *avértere* = afkeren, v. *ab* en *vértere*, *versum* = wenden, keren] *bn* afkerig. **aver'sie** [Lat. *avérsio*] afkeer, tegenzin, afschuw, walging.

**Aves'ta** [Iraans, vermoedelijke betekenis: grondtekst; vroeger **Zend-Avesta** = commentaar en grondtekst] verzameling heilige geschriften v.d. oudperzische godsdienst (mazdeïsme), gesticht door Zarathoestra (ca. 600 v.Chr.). Deze verzameling is bewaard gebleven door de Parsi's in Voor-Indië. **Aves'tisch** de oude Iraanse taal waarin de Avesta is geschreven.

**aviair'** [Lat. *avis* = vogel, *zie* -**air**] van vogels afkomstig (bijv. een aviaire infectie).

**avia'rium** [Lat., v. *avis* = vogel, *zie* -**arium**] vogelhuis, volière. **aviatiek'** [Fr. *aviatique*, v. Lat. *avis* = vogel] vliegkunst, luchtvaart met vliegtuigen, luchtvaartwezen. **aviateur'** [Fr.] luchtvaarder, vlieger. **aviatri'ce** [Fr.] vrouwelijke vlieger. **avicultuur'** [Lat. *avis* =

vogel, en *cultúra* = verzorging, kweking] het fokken v. vogels.
**aviditeit'** [Lat. *avíditas* = begeerte, v. *avére* = sterk begeren) **1** begerigheid, belustheid; **2** (*chem.*) kracht waarmee een zuur streeft naar neutralisering; **3** (*med.*) kracht waarmee een antiserum inwerkt op een toxine.
**avifau'na** [Lat. *avis* = vogel, en *Fauna* (myth.) zuster v. Faunus (Gr. Pan) de herdersgod; *zie verder* **faun** en **fauna**] de gezamenlijke vogels, de vogelstand v.e. bepaalde streek.
**avirulent'** [v. Gr. *a-* = niet; *zie* **virulent**] niet-virulent, geen ziekte meer verwekkend.
**avis'** [Fr., v. *à* en OFr. *vis* = het geziene, v. Lat. *vísum*, v. *vidére, vísum* = zien] **1** mening, opinie; **2** raad (advies); **3** bericht.
**avi'so(jacht)** [It. *avviso* = bericht] adviesjacht, oorlogsschip om snel te berichten over te brengen.
**a vis'ta** [It.] (*hand.*) op zicht (wissel).
**avitamino'se** [Gr. *a-* = niet; *zie verder* **vitamine**] ziekte ontstaan door een gebrek aan bep. vitamine. (*Vgl.* **hypo-** en **hypervitaminose.**)
**avive'ren** [Fr. *aviver* = levendig maken, v. *vif*, Lat. *vívus* = levend] **1** geverfde weefsels helderder en glanzender maken; **2** garens of weefsel met bep. middelen (*avivagemiddelen*) behandelen zodat ze soepeler, zachter en gladder aanvoelen (hun 'greep' te verbeteren).
**avoirdupois**, vroeger: **avoirdupois** (afk. **avdp**) [Eng., v. OFr. *avoir du poids* = het gewicht hebben] het Eng. handelsgewichtstelsel, waarbij **1** pound avdp = 0,4536 kg, en **1** kilo = 2,2046 pounds avdp. (Niet te verwarren met het troystelsel: 1 *pound troy* = 0,3732429 kilo; *zie* **troystelsel.**)
**à vol d'oiseau** [Fr.] **1** in vogelvlucht; **2** zoals de kraai vliegt: hemelsbreed. **à volonté** [Fr.] naar eigen goeddunken.
**à vo'tre santé** [Fr.] op uw gezondheid.
**avoue'ren** [Fr. *avouer*, v. *à* en *vouer*, v. VLat. *votáre*, frequentatief v. Lat. *vovére* = gelofte doen] bekennen, erkennen.
**à vous** [Fr.] **1** aan u (de beurt); **2** op uw gezondheid. **à vue** [Fr.] (*hand.*) op zicht (betalen); (*muz.*) van het blad; — *vertalen*, vertalen zonder voorbereiding.
**avul'sie** [Lat. *avúlsio* = het afscheuren, v. *avéllere, avúlsum* = afrukken] aanslibbing aan stuk land door elders losgescheurde grond.
**awn'ingdek** [Eng.] bovendek ter bescherming tegen de zon.
**a'xel** [v. Lat. *axis* = as waarom iets draait] (*schaatskunstrijden*) draaisprong, waarbij het lichaam eenmaal (of tweemaal: dubbele axel) om zijn lengte-as draait. **axiaal'** *bn & bw* **1** gericht volgens een as, liggend op een as; *ook*: t.o.v. een as, bijv.: *axiale symmetrie*, symmetrie t.o.v. een spiegelas; **2** tot een as behorend of deze (mede) vormend, bijv.: *axiale kabel*; **3** door een bep. beweging om een as gekenmerkt, bijv.: *axiale stoomturbine*, turbine waarbij de stoom evenwijdig a.d. as door de loopwielen loopt. **axiel'** (*plk.*) geplaatst a.d. as.
**axenie'** [Gr. *a-* en *xenía* = gastvrijheid] onherbergzaamheid.
**axillair'** [Fr. *axillaire*, v. Lat. *axílla* = oksel, verkleinw. v. *ala* = vleugel, oksel; *vgl. ágere* = drijven, zwaaien; *ala* = iets zwaaiends] **1** de oksel(s) betreffende; **2** (*plk.*) geplaatst i.d. oksels.
**axiologie'** [Gr. *axíos* = opwegend, waardig; *zie* **-logie**] waardenleer.
**axio'ma** *mv* **axioma's** *of* **axio'mata** [Gr. = waardeschatting; *later ook*: een zonder bewijs aangenomen grondstelling] grondwaarheid die niet kan worden bewezen (omdat er geen algemenere waarheden aan voorafgaan) (bijv. in meetkunde: de kortste verbinding tussen twee punten is een rechte lijn); (*bij uitbreiding*) onomstotelijke waarheid, bijv.: dat is voor mij een axioma. **axioma'tisch** *bn & bw* berustend op axioma's; *ook*: v.d. aard v. axioma's.

**axio'meter** [v. Lat. *axis* = as; *zie* **meter**] (*zeewezen*) roerverklikker, instrument o.d. brug v.e. schip, waarvan de wijzer de uitslag v.h. roer t.o.v. de lengte-as v.h. schip (de 'midscheeps') aangeeft.
**axmin'ster** [naar de Eng. stad Axminster ( = OEng. *mynster* = klooster; Axe = een rivier; *dus*: klooster a.d. Axe)] oorspr. tapijt te Axminster gemaakt; later een dergelijk tapijtweefsel.
**axo'lotl** *of* **axolotl'** [Aztekisch woord = dienaar van het water; *atl* = water, en *xolotl* = dienaar] soort salamander uit Mexicaanse meren, die steeds in larvetoestand blijft (tenzij speciaal gevoed met groeihormonen).
**a'xon** [v. Gr. *axoon* = as] *of* **neuriet**, uitloper v.e. zenuwcel (*zie* **neuron**). (*Vgl.* **dendriet.**)
**ayatol'la** *ook*: **ajatolla** [Arab.] rechtsgeleerde bij de islamitische sekte der Sjiieten.
**azi'den** *mv* [v. *azotum, z.a.*] (*chem.*) verbindingen afgeleid gedacht van stikstofwaterstofzuur, $HN_3$, daar het waterstofatoom is vervangen door een metaal of een organische atoomgroep.
**Azilien'** [Fr.] (naar de vindplaats Mas d'Azil in Frankrijk) bep. cultuur in de Midden-Steentijd (Mesolithicum), speciaal i.d. Dordogne (Fr.) en langs de Golf van Biskaje, met waarsch. invloed tot in West-Schotland en Noord-Ierland. Een merkwaardig produkt van deze cultuur zijn rolstenen die met abstracte motieven versierd zijn.
**a'zimut** [Arab. *assumut* = de wegen, v. *al* = de, en *sumut* *mv* van *samt* = weg] het — v. een hemellichaam is de hoek die in het zenith gemaakt wordt door de meridiaan en de grote cirkel door het betrokken hemellichaam, of wat hetzelfde is: het stuk horizon dat afgesneden wordt door deze grote cirkel, gerekend vanaf het zuidpunt westwaarts (of vanaf het noordpunt oostwaarts).
**azi'neblauw, azi'negroen** teerkleurstoffen voor het beitsen van hout.
**Azo'icum** [v. Gr. *a-* = zonder; *zoo on* = levend wezen] (oudste periode i.d. aardgeschiedenis, waarin nog geen organisch leven aanwezig was) *zie* **Archaeï'cum.**
**azo'isch** [Gr. *a-* = niet, en *zooè* = leven] zonder sporen van leven (gezegd v. geologische tijdvakken).
**a'zokleurstoffen** *mv* [*zie* **azotum**] kunstmatige kleurstoffen die de groep -N=N- bevatten, de zgn. *azogroep*, d.w.z. twee stikstofatomen (N = nitrogenium = stikstof) met een dubbele binding aan elkaar verbonden. Ze dienen voor het kleuren van zijde, wol, katoen, leer, papier, kokos, jute, stro, inkt, lakken en levensmiddelen.
**azoöspermie'** [Gr. *a-* = zonder, *zoooo* = leven, *sperma* = zaad] het ontbreken van spermatozoën (zaadcellen) in het zaadvocht (*sperma*).
**azo'tum** [v. Gr. *a-* = niet, *zoooo* = leven] oude naam voor stikstof (in het Fr. nog *azote*), aldus genoemd omdat men ontdekte, dat in lucht waaruit de zuurstof was verwijderd, dieren stikten. Het overblijvende gas (lucht min zuurstof) noemde men deshalve 'het niet voor leven geschikte', in het Ned. '*stikstof*'.
**azo'tisch** stikstofhoudend. **azotome'ter** [*zie* **meter**] toestel ter bepaling v.h. stikstofgehalte in organische stoffen.
**azuur'** [OFr. *azur*, v. MLat. *azúra*, v. Arab. *al* = de, en *lazhward* (Perz. *lazhward*) = lazuursteen] **1** hemelsblauw; **2** (*herald.*) blauw. (Het woord zou eigenlijk 'lazuur' moeten zijn: de l is weggevallen.)
**azuriet'** donkerblauw mineraal, ook koperlazuur geheten.
**azy'gisch** [Gr. *azugos* = zonder juk, v. *a-* = niet, en *zugon* = juk] ongepaard (gezegd v. organen).

**B**

**baad'je** [Mal. *bádjoe*] gestreept hemd; *iem. op zijn — komen* (*geven*), een pak slaag geven.
**baai'erd** *zie* **bajert**.
**baan'derheer** [verbastering v. Du. *Bannerherr*] (*gesch.*) edelman m.h. recht een eigen banier te voeren i.d. oorlog; *thans*: verder verbasterd tot banjer(heer) = geurmaker, opschepper, losbandige pretmaker.
**baar** [Mal. *bahroe* = nieuw] nieuweling, groentje.
**Bab'bitt-metaal** zachte metaallegéring bestaande uit tin, lood, antimoon en koper [genoemd naar de uitvinder].
**babi'che** [verbastering v. Fr. *barbiche*, verklw. v. *barbet* (*vgl.* **barbe** = baard)] ruigharige hond.
**ba'boe** [Jav.] Indische kinder- of huismeid.
**babou'che** *ook*: **baboes'je** [Fr. v. Arab. *babush*, v. Perzisch *pa* = voet, en *posh* = bedekking] Oosters muiltje van gekleurd leer zonder hak en hiel.
**ba'byfarming** [Eng. *to farm* = tegen betaling laten verzorgen] (*gesch.*) uitbesteding van ongewenste baby's. **babyfoon'** [Gr. *phoonè* = geluid] installatie waarmee men op afstand geluiden kan opvangen. **ba'bysit;** *ook*: **ba'bysitter** [Eng. *to sit* = zitten] persoon die op kind of kinderen past (in huis zit) bij afwezigheid v.d. ouders, dikwijls tegen betaling. **ba'bysitten** *ww*.
**baccalaureaat'** [VLat. *baccalaureátus*, verbastering v. *bacca lauri* = laurierbes] academische graad. **baccalau'reus** [*Lat. Artium Baccaláurius*, afk. **A.B.**] (*lett.*: de gelauwerde) iem. die het baccalaureaat behaald heeft.
**baccara(t)'** [Fr.] soort hazard kaartspel.
**baccarat'** [Fr.] soort kristalwerk.
**baccaro'le** *zie* **barcarolle**.
**bacchanaal'** [Lat. *Bacchanália* = feesten ter ere van Bacchus, de wijngod] wilde drink- of braspartij. **bacchan'te** (*vgl.* volgelinge of priesteres van Bacchus) dronken en losbandige vrouw. **bacchan'tisch** in wilde extase of dolle roes verkerend, uigelaten tierend.
**ba'chelor** [Eng.] **1** vrijgezel; **2** in Eng. *ook*: iem. die bep. graad aan universiteit heeft behaald (baccalaureus); [Eng. *Bachelor of Arts*, afk. **B.A.** *Bachelor of Science* afk. **B. Sc.** Baccalaureus in de natuurwetenschap.]
**bacil'** [Lat. *bacillum*, verkleinwoord v. *báculum* = stok] staafjesbacterie die zich met trilharen actief voortbeweegt (*zie verder* **bacterie**). (De woorden bacil en bacterie mogen niet door elkaar gebruikt worden, aangezien elke bacil wel een bacterie is, maar niet omgekeerd.) **bacillair'** [Fr.*bacillaire*] door bacillen veroorzaakt. **bacillendrager** iem. die met bacillen besmet maar (nog) niet ziek is, doch wel de ziekte kan overdragen.
**back** [Eng. = achter] (*bij balsporten*) achterspeler, verdediger. **backgam'mon** [Eng.] soort gezelschapsspel (te vergelijken met tric-trac).
**back'-bencher** [Eng. *back* = achter, *bench* = bank] volksvertegenwoordiger die i.h. Lagerhuis i.d. achterste rijen moet zitten en

niet tot de regeringsploeg behoort; minder belangrijk politicus. **back'en** [Eng. *to back*] **1** achter iem. staan, hem steun verlenen, hem 'dekken'; **2** (*sport*) als back spelen. **back'ing** [Eng.] het backen (**1**); ondersteuning, ruggesteun; (*amusementsmuz.*) instrumentale begeleiding van vocale groep of solozanger.
**back'ground** [Eng.] achtergrond.
**back'hand** [Eng.] (slag) met de rug v.d. hand naar voren (*vgl.* **forehand**). **back'service** [Eng. *service* = dienst] bedrag dat in pensioenfonds wordt gestort als er uitzicht is op pensioen met terugwerkende kracht.
**backwarda'tion** [Eng. *to ward* = beweren] percentage dat de verkoper van effecten betaalt voor uitstel van levering.
**baco've** soort banaan (uit West-Indië).
**bacterici'de** [**bacterie** *z.a.*, en Lat. *caedo* = ik dood (in samenstellingen; *-cido*)] bacteriëndodend, ook *zn*: bacteriëndodend middel.
**bacte'rie** [Gr. *baktèrion* = staafje, v. *baktron* = stok, staf] microscopisch klein ééncellig organisme, behorend tot de splijtzwammen. **bacterieel'** **1** door bacteriën veroorzaakt; **2** bacteriën betreffend. **bacteriofaag'** een virus dat in bacteriën parasiteert en in staat is ze op te lossen. **bacteriofagie'** *zn*. **bacteriologie'** [*zie* **-logie**] bacteriënkunde.
**bacteriolo'gisch** *bn*. **bacterioloog'** bacteriënkundige. **bacterioly'se** [Gr. *luoo* = losmaken] het oplossen van bacteriën. **bacterioscopie'** [Gr. *skopeoo* = zien] microscopisch bacteriënonderzoek.
**bacterio'sen** *mv* of **bacteriële plantenziekten** door bacteriën veroorzaakte plantenziekten. **bacteriosta'tisch** [v. Gr. *stasis* = het stilstaan] *bn* de groei v. bacteriën remmend zonder ze te doden.
**badaud'** [Fr., v. VLat. *badáre* = gapen, met open mond staan] *lett.*: iem. die overal staat te kijken en luisteren, *vandaar*: onnozelaard, uilskuiken.
**badge** [Eng. = insigne] insigne of plaatje, op borst gedragen, met naam, functie e.d. van de drager (bijv. op congres).
**badina'ge** [Fr., v. *badin* = iem. die graag lacht en speelt, dezelfde afleiding als **badaud**] scherts; gekeuvel; – *à part* (*lett.*: scherts terzijde), alle gekheid op een stokje.
**badine'ren** [Fr. *badiner*] schertsen; genoegelijk keuvelen (ook schriftelijk).
**badi'ne** [Fr., verm. samenhangend met *badin*, *zie onder* **badinage**] dunne wandelstok of rotting, rijzweepje.
**bad'jakker** *zie* **patjakker**.
**bae'deker** boek met reisgegevens over een bep. streek [naar Karl Baedeker die dergelijke uitgaven begon in 1827].
**baff'le-pla'te, baff'ler** [Eng. *to baffle* = hinderen] *eig.*: plaat die het uitstromen van vloeistof regelt of belet; in meer spec. betekenis: plaat die de luchtstroom voor motorkoeling reguleert.
**bagas'se** [Fr.] als brand- of vulstof gebruikte afval van suikerriet.
**bagatel'** [Fr. *bagatelle*, v. It. *bagatella*; afl. onzeker: ofwel v. *bagatella* verklw. v. *baga* = kist, ofwel v. *giuocchi di bagatella* = *lett.*: spel met het kistje, goochelen] eig. nutteloos en waardeloos iets; beuzelarij, kleinigheid, van geen betekenis.
**bagatel'le** [Fr.] (*muz.*) klein, onderhoudend, soms humoristisch muziekstuk, vooral in de Romantiek.
**bagatellise'ren** behandelen of voorstellen als een bagatel, als iets onbelangrijks of onbeduidends.
**baghe'ra** welpenleidster (*zie* **akela**).
**bagijn'** *zie* **begijnen**.
**bag'no** [It. = bad] In Frankrijk gevangenis voor veroordeelden tot zware dwangarbeid, in plaats van de galeien gekomen en in 1870 afgeschaft (het oorspronkelijk badhuis te Constantinopel is later ingericht als gevangenis, vandaar de naam).

**bag'pipe** [Eng. *bag* = zak, en *pipe* = pijp] doedelzak.

**baguet'te** [Fr., v. It. *bacchetta*, v. *baculetta*, verklw. v. Lat. *báculum* = stok] *eig*.: stokje; **1** trommelstok (-*de tambour*); toverstokje (-*de fée*); wichelroede (-*divinatoire*); dirigeerstok; **2** stokbrood; **3** (*juw.*) rechthoekig stukje zilver waaruit lepels en vorken gesmeed worden; **4** langwerpig geslepen stukje diamant.

**Baha'sa Indone'sia** de eenheidstaal in Indonesië (modern Maleis).

**baignoi're** [Fr.] badkuip; *ook*: loge in schouwburg (wegens de vorm).

**bai'leybrug** noodbrug geconstrueerd uit metalen balken (meccanoprincipe) [naar Donald C. Bailey].

**baiser'** [Fr. = zoen] schuimtaartje, bestaande uit twee meringues met ijs of room ertussen.

**bais'se** [Fr.] daling v. effectenkoers of v. prijs van goederen; *à la — speculeren* speculeren op daling van koers of prijs (tegenstelling: **à la hausse**, *z.a.*). **baissier'** persoon die à la baisse speculeert.

**bajadère** [Fr. *bayadère*, n. Port. *bailadeira* = danseres] **1** Indische danseres (spec. zulk een verbonden aan tempel in Zuid-India); bij uitbreiding ook: theaterdanseres; **2** soort veelkleurig gestreept weefsel; **3** lang gitten of bloedkoralen collier.

**ba'jert, baai'erd** ordeloze massa, chaos.

**bakeliet'** kunstmatig harsachtig isolerend materiaal uit gepolymeriseerde fenolformaldehyde [naar de uitvinder L.H.A. Baekeland (1863-1944].

**bakkelei'en** [Mal. *bekkelahi*] ruzie maken, elkaar plukharen, vechten.

**bakkenist'** [*bak* = hier: zijspan of zendapparatuur] **1** persoon i.h. zijspan v.e. crossmotor; **2** gebruiker v. 27 MC zendapparatuur.

**bako, ba(h)co** [naar de naam v.d. firma B.A. Hjorth en Co] universele, verstelbare moer- of schroefsleutel.

**bakt** ... *zie* bact ...

**bak'vis** [Du. *Backfisch* = *eig*.: vis die juist niet ondermaats is en dus niet in het water wordt teruggeworpen, oorspr. (vóór 1555) gezegd van jonge, onrijpe student] nog niet geheel volwassen meisje (ongeveer van 12-17 jaar).

**baladeur'** [Fr.] verschuifbaar tandwiel i.e. versnellingsbak.

**balalaï'ka of balalei'ka** [Rus.] driehoekig Rus. snaarinstrument (soort gitaar).

**balani'tis** [Gr. *balanos* = eikel; *zie* -itis] ontsteking v.d. eikel v.d. penis.

**bala'ta** [*balata* = hars v. boom in Venezuela, inheems woord] soort rubber. **bala'tum** soort vloerbedekking.

**balayeu'se** [Fr. = *lett*.: veger] strook stof aan binnen-onderrand v. japon of rok.

**bal'bes** [Barg., v. Hebr. *baäl* = heer, en *baith* = huis] (*lett*.: heer des huizes) huisbaas.

**balbutie'ren** [Lat. *balbutáre*, v. *balbus* = stamelend, *vgl. bárbarus* = iem. die onverstaanbaar spreekt, vreemdeling, barbaar] stotteren, stamelen.

**bal champêtre** [Fr. *bal*, VLat. *balláre* = dansen; v. Lat. *campéster* = o.h. vlakke land, v. *cámpus* = open veld, vlakte] bal i.d. open lucht.

**baldakijn'** [It. *baldacchino*, v. *Baldacco* = Bagdad, plaats van oorsprong] *oorspr*.: rijk brokaat; *thans*: troonhemel.

**bal'deren** *zie onder* baltsen.

**balein'** [OFr. *baleine*, v. Lat. *baláena*, Gr. *phalaina* = walvis] hoornplaat in bek van baardwalvissen; staaf daarvan (bijv. voor paraplu); *thans ook*: elke veerkrachtige staaf in kledingstukken e.d.

**1 ba'lie** [OFr. *bail*, v. Lat. *báculum* = stok, of verband met OFr. *baillier* = insluiten] **1** hekwerk als afsluiting, leuning; **2** rechterlijke macht (wegens het met hekwerk afgescheiden gedeelte v. rechtszaal).

**2 ba'lie** [Fr. *baille* = mand, It. *baglia*, v. VLat. *bacula*, verklw. v. *bacca* = bes, druif, vandaar:

**wijnvat**] mand.

**ba'liekluiver** [balie = *hier*: brugleuning] leegloper die over brugleuning hangt (oorspr. wachtend op karwei bij schepen lossen).

**balij'e** [Fr. *baillie*, *zie verder* baljuw] ridderschap, riddergenootschap (onderafdeling v. bep. ridderorden).

**balja'ren** [*oorspr*.: dansen van Surinaamse negers] stoeien; tieren.

**bal'juw** [OFr. *baillif* = wachter, magistraat (*vgl*. OFr. *bailler* = in handen geven; *baillir* = beheren), v. VLat. *bajulus* = torsen; *bajuláre* = torsen; *bájulus* = sjouwer, drager, vandaar kan de betekenisontwikkeling zijn geweest: hij die iets in handen heeft gekregen) (*gesch*.) ambtenaar in graafschap, regent, rechter, schout, drost.

**balla'de** [OFr. *balade*, v. Provençaals *balada* = dansen; *thans*: bep. vorm van verhalend gedicht.

**bal'last** [waarsch. v. MNed. *bar* = zuiver, enkel, en *last*, *vgl*. Oud-Deens *barlast*] **1** zwaar materiaal in schip of luchtballon om de stabiliteit te verhogen, nutteloze lading; **2** tegengewicht van draaibaar toestel; **3** stenen e.d. van zinkstukken; **4** onderlaag van grind enz. voor spoorrails.

**balleri'na** [It.] **1** balletdanseres; *prima —*, eerste danseres van balletgroep; **2** bep. damesschoen zonder hak. **balleri'no** balletdanser.

**bal'ling** *zie* banneling.

**ballis'ta** [Lat. v. Gr. *balloo* = werpen, slingeren] (*gesch*.) belegeringswerktuig om grote stenen te slingeren. **ballistiek'** leer v. h. werpen van projectielen, leer die beweging van projectiel i.d. lucht bestudeert (*ook*: **ballis'tica**).

**ballone'ren** opspringen van vliegtuig bij het landen. **ballonnet'** [Fr.] gasdichte kleine ballon in grote ballon (luchtschip bestaat uit vele ballonnets in gemeenschappelijk omhulsel).

**ballote'ren** [It. *ballotare*, v. *ballotta*, verklw. v. *balla* = bal] stemmen over toelating van persoon tot vereniging e.d., oorspronkelijk d.m.v. gekleurde balletjes. **ballota'ge** [Fr. *ballottage* = tweede stemming] stemming tussen kandidaten die bij voorafgaande stemming het hoogste stemmenaantal doch ieder afzonderlijk geen absolute meerderheid hebben behaald.

**ball'roomdancing** [Eng.] wedstrijddansen voor paren.

**bal-masqué** [Fr.] gemaskerd bal.

**bal'neologie** [Lat. *bálneum* = bad, samentrekking van *balíneum*, v. Gr. *balaneíon*, verwant met *blúoo*, uitstromen, *vgl. balloo* = slingeren, werpen; *zie* -logie] leer over baden en geneeskrachtige bronnen.

**bal neotherapie** geneeswijze door geneeskrachtige baden.

**bal'sem** [Lat. *bálsamum*, Gr. *balsamon*] *oorspr*.: harsachtig geneeskrachtig welriekend produkt van sommige bomen, gemengd met verscheidene oliën gebruikt voor het conserveren van lijken; *thans vnl*.: voor medisch gebruik (zalving, verzachting); *Canada-balsem*, kunstmatig produkt gebruikt bij microscopie.

**balsemiek'** [Fr. *balsamique*] welriekend; (*iron*.) vies ruikend; drukkende, zwoele atmosfeer.

**baltistiek'** [*baltisch* = v.d. landen om de Baltische Zee of Oostzee] studie der Baltische talen, d.i. een m.h. Slavisch verwante Indogermaanse taalgroep.

**balts** [Du. *Balz*] voortplantingsgedrag bij dieren, waarbij de partners elkaar signalen geven omtrent hun bereidheid tot paarvorming en/of de paring zelf. **balt'sen** de baltshandelingen verrichten (bij korhoenders spreekt men van **bal'deren** of **bol'deren**, bij zoogdieren van **bronst**, *z.a.*).

**balus'ter** [Fr. *balustre*, n. It. *balausta*, v. Gr.

*balaustion* = bloem van wilde granaatappel]
kort pilaartje, boven recht en dun, beneden
peervormig, als spijl in balustrade. *z.a.*
**balustra'de** [Fr.] rij balusters, ook als steunsel
van leuning, bijv. balkonleuning of trapleuning
(*vgl.* Eng. *bannisters*, n.d. oorspr.
granaatbloesemvormige knoppen der staven).
**bambo'che** [Fr. v. It. *bambóccio* = eig. dik
kind (*bambíno* = jongen, kind, domoor)] **1**
marionet; **2** uitspatting. **bamboche'ren** [Fr.
*bambocer* = de dwaas spelen] a.d. zwier zijn
of gaan, pierewaaien. **bambocheur'** [Fr.]
pierewaaier.
**bam'boe** [thans Mal., waarsch. niet
oorspronkelijk] **1** soort tropisch reuzegras; **2**
stok daarvan.
**Ba'mis** [verbastering v. Bavo-mis, Baafs-mis;
feestdag Sint-Bavo 1 okt.] : -*tijd*, de
oktoberdagen, herfsttijd; -*weer*, regenachtig
herfstig weer.
**ban** [VLat. *bannum* = proclamatie,
afkondiging] **1** banvloek, spec. kerkelijke
banvloek, uitstoting u.d. gemeenschap; **2**
afkondiging (bijv. van aanstaand huwelijk),
huwelijksban; **3** (*gesch.*) oproep van 's
konings vazallen voor mil. dienst; *ook*: de
opgeroepen troepen (*thans nog mil.*: de ban
openen of sluiten = mil. plechtigheid openen
of sluiten); *vandaar ook*: rechtsgebied,
heerschappij (*thans nog*: betovering, *vgl.*
*onder de ban ..., de ban breken*).
**banaal'** [Fr. *banal*, *zie* **ban**] *oorspr.*: betrekking
hebbend o.d. ban, d.i. de opgeroepen vazallen
of het rechtsgebied v.d. heerser, *later ook*:
betrekking hebbend op allen in dat
rechtsgebied; *vandaar*: voor of van allen,
triviaal, plat. **banaliteit'** [Fr. *banalité*] *oorspr.*:
publiek en gedwongen gebruik v. voorwerp
a.d. heer toebehorend; *thans*: platheid,
gemeenplaats.
**banaat', bannaat'** [v. Perzisch *ban* = meester,
heer] gebied in Hongarije en Kroatië door ban
bestuurd.
**banaliteit'** *zie onder* **banaal**.
**ban'co** [It. = bank] **1** bankgeld; **2** gefingeerde
geldswaarde, d.i. muntvoet waarnaar de bank
het geld berekent.
**banda'ge** [Fr. *bande* = band] (*med.*) zwachtel,
windsel, verband; [Fr. *bandage*] breukband.
**bandagist** [Fr. *bandagiste*] vervaardiger van
breukbanden en andere med.
verbandmiddelen. **bandeau** [Fr.] *oorspr.*:
band om het hoofd; *thans*: haarband.
**bandelier** [Fr. *bandoulière*, 17e eeuws
*bandouillere*, It. *bandoliera*, v. *bandola*,
verklw. v. *banda* = band] riem om wapens te
dragen (bijv. sabel), riem om schouder en
borst voor geweerpatronen.
**banderil'la** [Sp. = *lett.*: vaantje: *zie* **banderol**,
**banier**] stok met linten enz. bij
stieregevechten, dat de torero i.d. nek v.d. stier
steekt om hem te prikkelen. **banderille'ro**
torero die bij stieregevechten de banderilla's
i.d. nek v.d. stier steekt.
**banderol'** [Fr. *banderole*, verklw. v. *bandière*
= mastwimpel, *zie ook* **banier**] **1** wimpel of
vlaggetje (meestal met gespleten einde) a.d.
top v.d. mast of v.d. lans; **2** belastingbandje om
rookartikelen. **banderolle'ren** tabakswaren
van banderols voorzien.
**band'filter** [*zie* **filter**] inrichtingen bij radio
waardoor alleen de golflengten van een bep.
band worden doorgelaten.
**band'jir, ban'jir** [Mal.] onstuimige
watervloed t.g.v. heftige moessonregens.
**ban'dy** [Eng., missch. v. *to bandy* = heen en
weer kaatsen] *oorspr.* in Engeland een
speciale vorm van tennis; *thans* (ook onder de
naam *bandy-ball*) een balspel op ijs. een
combinatie van hockey en voetbal, vnl. in
Scandinavië.
**banier** [OFr. *baniere*, v. *bandiere*, *vgl.* It.
*bandiera*, v. VLat. *bandaria*, v. *bandum* = vlag,
v. Gothisch *bandwa* = teken, missch. van
zelfde stam als *band-*, *bind-*.] vaandel
waaronder de vazallen zich schaarden om met

hun heer ten strijde te trekken. **banistiek'**
vlaggenkunde.
**ban'jer**, *ook*: **ban'jerheer** [v. Mal. *banjak* =
veel; via banjerheer geassocieerd met
**baanderheer** (*z.a.*)] *eig.*: rijk man, groot heer;
*oneig.*: (*gemeenzaam*) opschepper,
druktemaker, patser; *ook*: onguur type.
**ban'jeren** zich gedragen als banjer, branie
schoppen; *ook*: passagieren; *ook*: met veel
vertoon op en neer lopen.
**bank-clea'ring** [Eng.] onderlinge verrekening
van bankvorderingen.
**banket'** [Fr. *banquet*, verklw. v. *banc* = bank]
**1** groot feestmaal; **2** soort gebak met
amandelspijs; **3** (*mil.*) verhoging langs
binnenkant van borstwering. **bankette'ren**
feestgelagen houden, smullen, verkwistend
leven. **banketteer'der** verkwister.
**bank ho'liday** [Am.] dag waarop de Beurs
gesloten is.
**bankroet'** [It. *banca rotta* = *lett.*: gebroken
bank; *vgl.* Lat. *rúmpere, ruptum* = breken]
*oorspr.*: bank waarvan de houder zijn
verplichtingen niet meer kon voldoen, ten
teken daarvan werd zijn toonbank afgebroken;
**I** *zn* faillissement; **II** *bn* failliet. **bankroetier'**
iem. die bedrieglijk bankroet maakt.
**banlieu'** [Fr. = *lett.*: ban-mijl; *vgl. ban* =
rechtsgebied] gebied rondom een grote stad,
spec. Parijs.
**ban'neling** [*zie* **ban**] iem. die uit zijn
oorspronkelijke gemeenschap gestoten is,
spec. hij die in vreemd land vertoeft.
**ban'tamgewicht** [*bantam* missch. v. Japanse
oorsprong] (*boksen en worstelen*)
gewichtsklasse (53,15 kg) tussen veder- en
vliegegewicht in.
**banzai** [Jap.] hoera! leve (de keizer)!
**baptist** [Gr. *baptistès*, Lat. *baptista*, v. Gr.
*baptizoo* = indompelen, NTGr. = dopen] *lett.*:
doper; aanhanger van het baptisme; *Sint-Jan
Baptist*, de heilige Johannes de Doper.
**baptis'me** naam voor praktijk van bep.
protestantse sekten die de kinderdoop
verwerpen en uitsluitend volwassenen, na
aflegging v. geloofsbelijdenis en doop, in hun
gemeenschap opnemen. **baptis'tisch** *bn*.
**baptiste'rium** [Lat., v. Gr. *batistèrion* =
plaats waar men baadt; in christelijke betekenis
= doopplaats] doopkapel.
**bar** [v. Gr. *barus* = zwaar] (*met.*) eenheid van
atmosferische luchtdruk: 1 bar = 1000 millibar
= 750,1 mm kwikdruk bij 0 °Celsius op 45,5
graad breedte op zeeniveau.
**barat'handel** [v. It. *barattáre* = ruilen,
kwanselen] ruilhandel.
**barbaar'** [Gr. *barbaros* = waarsch. brabbelaar]
iem. die vreemde taal (namelijk geen Grieks)
spreekt; niet-Griek, inzonderheid een Pers,
vandaar latere bijbet.: onbeschaafd iem.,
woesteling, wreedaard; *ook*: iem. zonder
smaak of gevoel. **barbaars** *bn*; *ook*: woest,
ruw, onbeschaafd; *ook*: onverdraaglijk (bijv.
barbaars heet). **barbaris'me** [Fr. via Lat. v.
Gr. *barbarizoo* = spreken als een vreemdeling]
uitdrukking, woord of zinswending ontleend
aan of o.i.v. vreemde taal of vreemd
spraakgebruik en in strijd met het Ned.
taaleigen. Men onderscheidt **germanismen**
(uit het Du.), **gallicismen** (uit het Fr.),
**anglicismen** (uit het Eng.), **latinismen** (uit
het Lat.), **graecismen** (uit het klassiek
Grieks) en **hebraïsmen** (uit het Hebr.) e.d.
**Barbarij'e** oude naam voor Berberije = land
der Berbers; Noord-Afrika.
**barbet'te** [Fr. = verhoging voor geschut
(zodat het over de borstwering kon schieten)]
geschutsoren op oorlogsschip (het woord is
een verkleinwoord van *barbe* = baard; *barbette*
betekent *ook*: keelbedekking die boven de
andere kleding uitkomt, vandaar de naam voor
geschutsplatform, dat boven de borstwering
uitkwam).
**barbier'** [Fr. v. *barbe*, Lat. *barba* = baard]
baardscheerder.
**barbies'jes** *zie* **barrebiesjes**.

**barbituur'zuur** [Du. *Barbitursäure*, door ontdekker aldus genoemd naar een eigennaam en ureum] of *malonyl-ureum*, een organisch zuur. Het heeft zeer geen farmacologische werking, wel echter een aantal derivaten ervan, de barbituraten. **barbitura'ten** derivaten van barbituurzuur; kalmeringsmiddelen, slaapmiddelen, pijnstillers en antikrampmiddelen.

**barbu'e** [Fr.] (*cul.*) griet (zeevis).

**barcarol'(l)e**, *ook*: **baccaro'le** [Fr. *barcarolle*, v. It. *barcaruola* = boot-lied; *barca* = boot] (*muz.*) lied van gondelier, *ook*: op dit gegeven gebaseerd instrumentaal muziekstuk of deel van een suite.

**barchaan'**, *ook*: **barkhaan'** [v. Toerkmeens woord] sikkelduin (duin i.d. vorm v.e. halve boog).

**bard** [Iers *bardh*] *oorspr.*: Keltisch minstreel; *thans ook*: lyrisch dichter.

**bar'de** [Fr.] (*cul.*) dun plakje vet spek of ham. **barde'ren** [Fr. *barder*] bereidingswijze waarbij een stuk gevogelte, wild (ook wel vlees of vis) in een *barde* gerold wordt, zodat het niet uitdroogt tijdens het braden en het ook pittiger laat smaken.

**bareel'** [Fr. *barre*, v. VLat. *barra* = stang, staaf] (*Z.N.*) slagboom, spoorboom, tolhek (*zie verder ook* **barrière**).

**barège** [Fr.] bep. doorschijnende luchtige japonstof, van wol en zijde of katoen [naar de stad Barèges].

**barensteel'** *zie* **palesteel**.

**baret'** [v. Fr. *barette*, v. laat-Lat. *birrétum*, v. Lat. *birrus*, *byrrus* of *byrrhus* = korte mantel met kap, v. Gr. *purrhos* = van goudgele kleur] plat hoofddeksel zonder klep, rond of met vier punten, oorspr. van fluweel.

**Bargoens'**, *ook* **Bragoens'** of **Borgoens'** [v. Fr. *baragouin* = iem. die verminkte overstaanbare taal spreekt of mompelt, verm. v. Bretons *bara* = brood, en *gwin* = wijn; vaak voorkomende woorden die de Fransen de inwoners van Bretagne aldus hoorden uitspreken en die het kernbegrip werden van 'brabbeltaal', in de geest van: 'Zij met hun baragwin!'; er zijn diverse andere afleidingen v.h. woord voorgesteld, o.a. van 'Bourgondisch', verm. later bedacht] *oorspr.*: geheimtaal van dieven, zwervers, rondreizende kooplieden, *later ook*: taal v.d. onderwereld e.d. Het Noordnederlandse Bargoens bevat veel elementen uit het Hebreeuws, Jiddisch en de zigeunertaal. In Zuid-Nederland zijn er verschillende vormen van Bargoens (o.a. de Teuten-taal in de Limburgse Kempen, het Nieuwmarkts van Roezelare en het Zelens i.e. nederzetting bij Zele), (*vgl. ook* **argot** en **Rotwelsch**).

**bariet'** [*zie* **Barium**] zwaarspaat, bariumsulfaat (BaSO₄).

**ba'riton** (*eig.* **baryton**) [Gr. *barutonos*, v. *barus* = zwaar, en *tonos* = toon] middelzware mannenstem (tussen tenor en bas).

**Ba'rium** [Gr. *barus* = zwaar] (*chem.*) element, metaal, symbool Ba, ranggetal 56; (het bariummineraal bariet of zwaarspaat valt op door zijn zwaarte).

**bark** [v. 15e eeuws Fr. *barque*, v. Provençaals, Sp. of It. *barca*, v. laat- Lat. *barca* = sloep, missch. v. Keltische oorsprong] naam van verschillende zeilschepen; *a* een koopvaardijschip met drie masten, na 1880 vaak vier of vijf; *b* bep. tot laat i.d. 19e eeuw o.d. Middellandse Zee gebruikte driemaster met merkwaardige tuigage. **barkas'** [v. Sp. *barcaza* = grote *barca* (*zie* **bark**) = boot, sloep] grote, zware sloep aan boord, soms met motor, speciaal voor vervoer van zware lasten.

**barkhaan'** *zie* **barchaan**.

**bar'maid** [Eng. *maid* = meid] dienster i.e. bar, barmeisje, buffetjuffrouw, schenkster.

**bar mits'wa** [Hebr. = zoon v.h. gebod] Joodse ceremonie, waarbij jongens van dertien jaar de rechten en plichten v.d. joodse man op zich nemen.

**baro-** [Gr. *barus* = zwaar; *baros* = gewicht, last] (*in wetenschappelijke woorden*) zwaar(te) - (van luchtdruk). **barograaf'** [Gr. *graphoo* = schrijven] zelfregistrerende barometer. **barogram'** wat door barograaf is opgetekend.

**barok'** [Fr. *baroque*, v. Port. *barroco*, Sp. *barrueco* = onregelmatig gevormde parel] I *bn* onregelmatig, bizar; II *zn* bep. stijl met overdadige versieringen.

**ba'rometer** [*zie* **baro-**] 1 toestel om atmosferische luchtdruk te meten; 2 (*econ.*) (*bij vergelijking*) omstandigheid die aanwijzing geeft (graadmeter is) voor de stand v.d. conjunctuur.

**baron'** afk. **Bar** [OFr. *barun*, v. VLat. *barónem* = vierde nv v. *baro*, *barónis* = man, vrij man; missch. v. Lat. *baro* = eenvoudig mens; *vgl.* Gr. *barus* = zwaar, Lat. *brutus* = onbeschaafd] een der lagere adellijke titels. **barones'** afk. **Bsse** vrouw van de baron. **baronet'** afk. **bt**. [Eng., verklw. v. **baron**] laagste adellijke titel. **baronie'** [OFr., v. VLat. *baronia*, zie verder **baron**] *oorspr.*: gebied van baron; thans nog in Ned. als streeknaam (bijv. Baronie van Breda).

**baroscoop'** [*zie* **baro-**] 1 toestel dat veranderingen i.d. atmosferische luchtdruk aantoont; 2 weger van gewichtsverlies dat een lichaam ondergaat wanneer het i.e. bep. gas wordt gebracht.

**barquet'te** [Fr. = *lett.* bootje; *zie verder* **bark**] (*cul.*) langwerpig bakje of schuitje van korstdeeg van chocolade, met een zoete of pikante vulling.

**barra'ge** [Fr., v. *barre* = stang; *barrer* = versperren] 1 versperring, afsluiting, spec. stuwdam of waterkering; 2 (*mil.*) spervuur; 3 (*sport*) beslissingswedstrijd als voorafgaande deelnemers een gelijk aantal punten hebben behaald.

**barrebies'jes**, *ook*: **barbies'jes** [v. Berbice, Indiaanse naam voor een rivier en haar omgeving in voormalig Brits Guyana, berucht om moordend klimaat, vroeger Britse strafkolonie] (*slang*): *naar de — gaan*, naar de duivel gaan, om zeep gaan, sterven; *naar de — wensen*, naar de Mokerhei, naar de hel wensen.

**bar'rel** [Eng., v. Fr. *baril*, missch. v. VLat. *barra* = staaf; *zie ook* **barrage** en **barrière**] *eig.*: vat met staven; inhoudsmaat voor natte waren in Engeland en de VS; de grootte varieert naar de te meten waren (in Eng. meestal 5 kubieke voet = 141,6 liter, (*barrel-bulk*); in de VS varieert de grootte niet alleen naar de te meten waren, maar ook naar de staat waarin ze geldt; het bekendst is de *US barrel for petroleum* = VS barrel voor aardolie = 0,1590 kubieke meter of 159 liter).

**bar'rels** [missch. verband met Eng. *barrel* = ton, vat] (*volkstaal*): *iets aan — slaan*, stuk slaan, aan diggelen slaan (*vgl.*: in duigen slaan)

**barrica'de** [Fr., (*vgl.* Sp. *barricada*) v. **barrique** (Sp. *barrica*) = vat, kist] haastig opgeworpen straatversperring van vaten, kisten, karren, meubels, stenen e.d. **barrica'ren** barricade opwerpen; *thans meestal*: versperren i.h. algemeen.

**barrière** [OFr., v. VLat. *barraria* v. *barra* = stang, staaf] tolhek; *ook*: wat de weg of voortgang verspert; *de Grote Barrière*, ijsmuur i.d. Rosszee in Antarctica.

**bar'ring** [Eng. *bar*, Fr. *barre*, VLat. *barra* = staaf, stang] 1 waarloos (= reserve) rondhout; *alg.*: rommel; 2 plaats midscheeps bovendeks, waar de barring geborgen wordt.

**barsoi'**, *ook*: **barzoi'** of **borzoi'** [Russisch *borzoj*] Russische hazewindhond, ook voor wolvenjacht gebruikt.

**barycen'trisch** [Gr. *barus* = zwaar, en *kentron* = middelpunt, centrum] het zwaartepunt, het zwaartekrachtcentrum betreffend. **barysfeer'** de kern v.d. aarde.

**1 bas** [v. Jidd. *beis*, v. Hebr. *bet* = letter b, als

getalwaarde 2] (*Barg.*) **1** twee (*ook*: **beis**) ; **2** [v. Du. *Batzen* = geldstuk, duit; *oorspr.*: munt te Bern geslagen met als stadsembleem *Bätz*, een beertje] stuiver. De 1e en 2e betekenis lopen door elkaar, zodat *bas* zowel stuiver als dubbeltje (twee stuiver, **beissie**) kan betekenen.

**2 bas** afk. **B**. [v. It. *basso*; *vgl.* Fr. *bas* = laag, v. VLat. *bassus* = kort (niet hoog)] **1** lage mannenzangstem; **2** laaggestemd muziekinstrument, (*zie ook* **basso**).

**basaal**- [*zie* **basis**] de basis of grondslag betreffend. **basaal-metabolis'me** grond-stofwisseling, d.i. stofwisseling bij volkomen rust v.h. lichaam.

**basalt'** (*ook*: **bazalt'** [v. Lat. *basáltes*, afgeleid v.e. Afrikaans woord] zeer hard, donkergrijs tot zwart vulkanisch gesteente, meestal in zeskantige zuilen. Wordt gebruikt voor havenhoofden, dijkglooiingen e.d. Ook is basalt de naam voor verscheidene stollingsgesteenten die bij vulkanische uitbarstingen a.h. aardoppervlak komen.

**bascu'le** [Fr., vroeger *bacule* = wip, v. *battre* = neerduwen, en *cul* = bil] soort balans voor zware overwerpen (1 kilo van het gewicht komt overeen met 10 kilo v.h. te wegen voorwerp); —*sluiting*, sluiting waarbij een staaf gedeeltelijk naar boven, gedeeltelijk naar beneden kan worden geschoven (bijv. aan balkondeuren).

**ba'se** [v. Gr. *basis*, = boom, voetstuk; *zie* **basis**] (*chemie*) i.d. traditionele opvatting een stof waarin een metaal verbonden is met een of meer hydroxylgroepen, –OH (bijv. NaOH, natriumhydroxide, natronloog).

**ba'se-ball** [Eng.-Am.] honkbal.

**Ba'sedow**: *ziekte van* —, bep. ziekte v.d. schildklier (verhoogde werking) [in 1838 beschreven door de Duitse arts Karl Adolph von Basedow].

**basement** [*zie* **basis**] fondament, fundering, benedenste metselwerk van een gebouw.

**basiciteit'** [*zie* **base**] **1** de mate van alkaliciteit of alkaliteit v.e. oplossing, uitgedrukt als de concentratie v.d. hydroxylionen (OH⁻-ionen), m.a.w. de sterkte van een base-oplossing; **2** het aantal waterstofionen v.e. zuur dat door metaalionen kan worden vervangen. *Bijv.*: zoutzuur, HCl, is éénbasisch; zwavelzuur, $H_2SO_4$, is tweebasisch, orthofosforzuur, $H_3PO_4$, is driebasisch.

**basiliek'** [Gr. *basilikê* (*oikia*) = koninklijk (paleis); *basileus* = koning; Lat. *basílica*] bij Grieken en Romeinen: gebouw voor rechtspleging of andere openbare instellingen; bij de christenen oorspronkelijk: een der 7 kerken gesticht door Constantijn; kerk van bep. rang; (*bouwk.*) kerk v. bep. stijl.

**basilisk'** [Gr. *basilískos* = *lett.*: koninkje; *basileus* = koning] boomhagedis; (*fabelleer*) slangdraak m. dodelijke blik.

**ba'sis** *mv* **ba'ses** [Gr. *basis* = schrede, gang, *ook*: datgene waarop men stapt of staat; grond, voetstuk; v. *bainoo* = stappen, gaan; Lat. *basis* = alles waarop iets rust] **1** datgene waarop een voorwerp rust of steunt, voet, grondvlak, grondslag; **2** (*wisk.*) grondlijn v.e. wiskundige figuur (bijv. driehoek) of grondvlak v.e. wiskundige lichaam (bijv. piramide); *ook*: grondtal van een logaritmenstelsel (*zie* **logaritme**); **3** (*mil.*) terrein of punt (en) van waar de operaties tegen de vijand uitgaan, bijv. *vlootbasis*, *vliegbasis*; **4** (*landmeting*) rechte lijn waarvan de lengte nauwkeurig is bepaald en waarop een driehoeksnet wordt opgebouwd, waaruit andere afstanden i.h. terrein kunnen worden berekend (*triangulatie, z.a.*); **5** (*fig.*) grondslag v.e. ontwerp, redenering, beschouwing e.d. (*bijv.*: dit stuk vormt de — van de bespreking; een kabinet op brede —). **ba'sisschool**, sinds 1 aug. 1985 school voor 4- tot 12- jarigen. **ba'sisch** [*zie* **base**] als of v.e. base, alkalisch; een *stof* heet basisch (alkalisch) als ze in staat is waterstofionen (H⁺) te binden.

**bas-reliëf** [Fr. *bas-relief* It. *basso-relievo*, v. *basso* = laag, en *relievo* = omhooggeheven, *vgl.* Lat. *levare* = heffen] halfverheven snij- of gietwerk, snijwerk of sculptuur in plaat of marmer, steen, hout, e.d,) waarbij de insnijdingen ondiep zijn, zodat de figuren minder dan de helft van de ware hoogte hebben.

**basset'hoorn** soort orkesthoorn, gelijkend op klarinet.

**bassin'** [Fr. v. OFr. *bacin*, v. VLat. *bachinus*, misschien v. *bacca* = bes, druif, wijnvat, watervat (de regelmatige vorm zou zijn geweest: *baccinus*) ] vat, bekken (ook in aardkundige zin, bijv. gletsjerbekken, kolenbekken); vijver, zwembad; haven, dok; (*cul.*) kom, pan.

**bas'so** [It.] (*muz.*) bas; —*continuo* afk. **B.C.** doorgaande bas, eenvoudige notering v.d. begeleidende partij, te spelen o.e. toetseninstrument, generale bas [Du. *Generalbass*].

**bas'ta** [It. *bastáre* = genoeg zijn] **1** genoeg!; **2** (in sommige kaartspelen) klaverenaas.

**bas'taard** [OFr. *bastard*, v. *bast* = pakzadel (dat door de muilezeldrijvers als bed en tent onwettige samenleving werd gebruikt)] onwettig kind; (*biol.*) dier of plant ontstaan door kruising van verschillende variëteiten, rassen, eventueel soorten. **bastaarde'ren** (*plk.*) kruisen. **bastaardij'** [OFr. *bastardie*] het onecht zijn; het onechte.

**basterd**- [*zie* **bastaard**] in samenstellingen betekent basterd-, evenals bastaard- meestal: niet zuiver, onecht: bijv. basterdsuiker, basterdnachtegaal.

**bastil'le** [OFr. *bastir* = Fr. *bâtir*, v. VLat. *bastíre* = bouwen] (*gesch.*) mil. versterking, fort, versterkt kasteel; *La Bastille*, vroegere Staatsgevangenis te Parijs in 1789 door het volk bestormd en met de grond gelijk gemaakt.

**bastion'** [Fr. v. It. *bastióne*, v. VLat. *bastíre* = bouwen; *vgl.* Fr. *bâtir*] vooruitspringend deel van versterking i.d. vorm v.e. onregelmatige vijfhoek met basis o.d. hoofdmuur; *algemeen ook*: bolwerk (ook fig.).

**bastonna'de** [Fr. *bâton* = stok, v. Lat. *báculum*] **1** Turkse straf, waarbij de voetzolen met een stok worden geranseld; **2** pak slaag. **bastonne'ren 1** schermen met stokken; **2** afranselen met een stok, de bastonnade geven.

**bat** [Eng.; *vgl.* OFr. *batte* = slaghout, v. *battre* = slaan, v. Lat. *battúere* = kloppen, slaan, stampen, stompen] slaghout bij bep. balspelen; inz. cricketspel.

**bataat'** [Sp. & Port. *batata*, v. Westindische naam der plant] soort eetbare tropische knol, rijk aan zetmeel en suiker, en aangenaam van smaak; zgn. Spaanse aardappel.

**bataljon'** [Fr. *bataljon*, v. *battre* = slaan, zie *verder* **bat**] (*mil.*) deel v. regiment, inz. van infanterie (de grootte is verschillend in diverse landen).

**bathy**- [Gr. *bathus* = diep] de diepzee betreffend. **bathya'le zone** zone der diepzee tussen 200 en 1000 m diepte. **bathymetrie'** meting v.d. diepte der zee. **bathyscaaf'** [Gr. *skaphe* = kuip, schip], **bathysfeer'** [Gr. *sphairos* = bol, bal] duiktoestel voor diepzeeonderzoek.

**ba'tik** [Javaans '*mbatik* = tekening] weefsel waarop door herhaalde gedeeltelijke bedekking met was en onderdompeling in verfstof gekleurde tekeningen zijn aangebracht. **ba'tikken** *ww*.

**batist'**, *ook*: **cambric**, oorspr. zeer fijn en zeer zacht weefsel van vlasvezels, later ook van katoen of wol (naar Baptiste van Cambrai, de eerste vervaardiger). **batist'mousseline** fijn, tamelijk los katoenen weefsel. (Voor *glasbatist*: *zie* **organdie**.)

**bâton'** [Fr. = stok] **1** stok, spec. witte stok van verkeersagent; **2** chocoladestaafje; staafvormig biscuitje; **3** bandje van militaire onderscheiding; bandje i.h. dagelijks leven op revers van jas, gedragen ten teken dat de persoon met een ordeteken is onderscheiden; het ordeteken zelf wordt alleen bij officiële gelegenheden gedragen.

**bats'man** [Eng.] (*cricket*) persoon die het **bat** (*z.a.*) hanteert, d.w.z. het wicket verdedigt door de bal die de bowler n.h. wicket werpt weg te slaan. **bat'ten** het bat hanteren.

**batterij'** [Fr. *batterie*, v. *battre*, v. Lat. *battúere* = slaan] **1** (*mil.*) aantal stukken geschut met toebehoren; **2** (*elektrotech.*) stel aaneengeschakelde galvanische elementen (*bijv.: accumulatorenbatterij* = combinatie van accu's in parallel- of serieschakeling). Onjuist spreekt men ook van batterij als men één enkelvoudig galvanisch element bedoelt, bijv. voor zaklantaarns e.d.; **3** (*veeteelt*) opeenstapeling van kooien, voor elk dier één. spec. van kippen (*legbatterij*) **4** (*schertsend, volkstaal*) het achterste, de billen.

**bat'tle dress** [Eng.: *battle* = veldslag, v. OFr. *bataille*, v. VLat. *battuália*, v. Lat. *battúere* = slaan; *vgl.* **bat** en **batterij**; *zie verder* **dressing**] *lett.*: strijdkleding; militair veldtenue zoals bij de geallieerden in gebruik sedert de Tweede Wereldoorlog.

**battologie'** [NTGr. *battologeoo* = onnodig omhaal v. woorden gebruiken, beuzelen; *vgl.* Gr. *battalos* = stotteraar] vervelende woordenherhaling.

**bauxiet'** aardachtig mineraal dat waterhoudend aluminiumoxide, $Al_2O_3$, bevat (naast ijzeroxide en kiezelzuur) en dat het voornaamste mineraal is voor de bereiding van aluminium.

**bavaroi'se** [Fr. = *lett.*: Beierse] (*cul.*) schuimige luchtige gelatinepudding van melk of room of vruchtesap met eierdooier, suiker, vulling, geur- en smaakstoffen.

**bavet'** [Fr. *bavette* = slabbetje, v. *bave* = speeksel; *zie verder* **bef**] morsslabbetje voor kinderen, befje.

**bazaar'**, *ook* **bazar** [Perzisch *bazar*] **1** overdekte Oosterse markt; **2** vroegere naam voor warenhuis; **3** verkoop van vrijwillig gegeven zaken voor liefdadige doeleinden.

**bazalt'** *zie* **basalt**.

**bazoo'ka** [Am.] licht, door één persoon draagbaar anti-tankwapen waarmee een speciale raket kan worden afgevuurd.

**bazuin'** [Lat. *bucina*, samentrekking van *bovicina* = ossehoorn, gebruikt als signaalhoren; v. *bos, bovis* = rund, os, en *cánere* = tonen laten horen, weerklinken, galmen) soort blaasinstrument; soort trombone.

**beach'comber** [Eng. = *lett.*:strandkammer] strandjutter; zwerver die in havensteden leeft van beroving van zeelieden.

**beaat'** [v. Fr. *béat*, v. Lat. *beátus* = zalig; *vgl.* **beata**] verheerlijkt (meestal ironisch bedoeld, *bijv.*: een beate glimlach).

**béarnai'se** [Fr. = uit Bearn] saus samengesteld uit azijn, eidooier, boter en kruiden.

**bea'ta** [Lat. vr. v. *beátus* = zalige, v. *beáre* = gelukkig maken; zelfde stam als *bonus* = goed, *bene* = wel] vrouwelijke zalige. **Bea'ta Vir'go (Maria)** [Lat.] de heilige Maagd (Maria). **bea'tae memo'riae** afk. **b.m.** [Lat.] zaliger gedachtenis. **beatifica'tie** [Lat. *fácere* = maken] (*r.k.*) zaligverklaring. **bea'ti possiden'tes** [Lat. = *lett.*: zalig de bezittenden] (*jur.*) bij twijfel omtrent eigendomsrecht geniet hij die in feite het bezit heeft, de voorkeur. **bea'tus** afk. **B.** mannelijke zalige.

**beat'niks** [Am.] leden v.d. *beat generation* (groep Amerikaanse schrijvers die zich afzetten tegen de gevestigde orde, in het midden der jaren '50).

**beau** [Fr., v. Lat. *bellus*] **I** *bn* mooi; **II** *zn* (*eig.*: mooie man) fat, modeheertje; *ook*: minnaar. **beau geste** [Fr.] (*lett.*: mooi gebaar) edelmoedig gebaar. **beau mon'de** [Fr.] de grote wereld, de deftige stand. **beau se'xe** [Fr.] het schone geslacht. **beauté** [Fr. *zie*

**beau**] **1** schoonheid; **2** mooie vrouw, mooi meisje; — *du diable* (*lett.*: duivelse schoonheid) frisse jeugdige (verleidelijke) schoonheid.

**beaufort'schaal** schaal om de windsnelheid (windkracht) weer te geven [naar de Engelse admiraal sir Francis Beaufort, die de schaal in 1808 invoerde].

**beau'ty** [Eng., *zie* **beau**] **1** schoonheid, bekoorlijkheid; **2** mooie vrouw, mooi meisje. **beau'ty-case** [Eng.; *case* = tas(je), koffertje] klein koffertje met make-up-artikelen voor dames. **beau'ty-spot** [Eng., *spot* = plek] schoonheids-moesje, klein plakkaatje op gezicht en tijdelang in mode bij dames om door contrast hun teint beter te doen uitkomen.

**bea'verteen** [Eng., v. *beaver* = bever, uiteindelijk v. Lat. *fiber* = bever; *beaver* = *ook*: bep. soort katoen als laken geweven, zo genoemd wegens gelijkenis met bevervel; *-teen* naar analogie met Eng. *velveteen* = katoenfluweel), *ook*: **bevertien'** bep. katoenen weefsel voor werkkleding, meestal blauw.

**bécas'se** [Fr.] (*cul.*) houtsnip. **bécassi'ne** [Fr.] (*cul.*) watersnip.

**bedak'** [Ind.] geparfumeerd rijstpoeder, gebruikt als blanketsel (*z.a.*). **bedakdonsje** poederdonsje. **bedakdoos** poederdoos.

**bedoei'nen** [Fr. *bédouin*, v. Arab. *badawin*, mv van *badawiy* = woestijnbewoner; *badw* = woestijn) rondzwervende Arabieren. (Het woord bedoeïen, in Ned. als *ev* gebruikt, is eigenlijk reeds *mv*.)

**Beël'zebub** [Chaldeeuws *baäl* = heer, god, en *bub* = vlieg] *lett.*: vliegengod; de duivel (*vgl.* Matt. 12: 24).

**bef** [v. Fr. *bavette* = morsslab, v. *bave* = kwijl. uitlopend speeksel] *oorsp.*: slabbetje, speekseldoek; *thans*: halsdoek bij bep. ambtskledij (advocaten, predikanten). **beffen** likken van vrouwelijk geslachtsdeel.

**Befehl ist Befehl** [Du., *lett.*: bevel is bevel] dooddoener van Duitse ondergeschikten om zich te onttrekken aan verantwoordelijkheid voor misdaden door zich op overheidsbevel te beroepen.

**beghar'den, begar'den** (*gesch.*) bedelende lekebroeders, die een genootschap vormden, maar zonder kloostergeloften [naar Lambert Bègue, stichter; *zie verder* **begijnen**]

**begie'te(n)**, *ook*: **begie'ter(d)** [v. Jidd. *begithoh* = met angst] (in Joodse mond gewoonlijk alleen **begiete**) (*Barg.*) bevreesd, bang, zonder lef.

**begij'nen** leden van genootschap van vrome lekezusters i.d. Nederlanden, zonder kloostergeloften [naar Lambert Bègue, stichter 1180; *vgl.* **begarden**].

**beha'viour** [Eng.] of **beha'vior** [Am.; *vgl.* Fr. *avoir*, Lat. *habére* = hebben] gedrag. **behaviouris'me** of **behavioris'me** richting i.d. psychologie (grondlegger J.B. Watson, Am. psycholoog, 1878-1958), die er naar streeft het gedrag (*behavior*) van mens en dier te verklaren uit de werkzaamheid van (vooral voorwaardelijke) reflexen).

**Behe'moth** [Hebr., *mv* van *behemah* = vee; *vgl.* Jidd. *behei'me* = vee; beest; mogelijk verband met Egyptisch *p-ehe-mau* = wateros = nijlpaard] naam v.h. reuzendier beschreven in Job 40:10 (grondtekst 40:15) e.v. door de meeste moderne exegeten vereenzelvigd m.h. nijlpaard.

**behen'noot** de Afrikaanse en Aziatische plantensoorten *Moringa oleifera* en *M. arábica* (behenneboom), spec. de olierijke vrucht daarvan. **behen'olie** uit behennoten geperste vette, niet drogende olie, o.a. gebruikt als horlogemakersolie.

**bei, bey, beg** [Turks *bey* = prins] bep. Turks heerser (bijv. in Tunis, Tripolis).

**bei'ge** [Fr., v. It. *bigio* = grijs, grauw] soort grijsachtig laken.

**beignet'** [Fr., v. Keltisch *bigne* = gezwel) in

frituurvet gebakken korst uit speciaal deeg met vulling v.e. vrucht (appel, abrikoos), kaas, vlees, vis e.d.

**beis** en **beis'sie** (twee stuiver) *zie onder* **1 bas**.

**beits** [v. Du. *Beize*, v. *beizen* = bijten; *eig*.: doen bijten] naam voor bijtende middelen gebruikt b.h. beitsen. **beit'sen** behandelen van oppervlakken met 'bijtende' chemische stoffen waardoor structuur of kleur wordt veranderd.

**bekat'tering** [v. Hebr. *megatreig* = tegenstander in rechtsgeding, beschuldiger; *vgl*. Gr. *katègoros* = *aanklager*] (*Barg*.) uitbrander, standje, afstraffing; bekeuring (*ook*: **kat**, *bijv*.: een kat krijgen; iem. een kat geven).

**bekkeneel'** [VLat. *bacchinum* voor *baccinum* = watervat, v. *bacca* = bes, druif, *vandaar ook*: wijnvat] bekken; schedel; doodshoofd.

**bel** eenheid of de logaritmische verhouding v.e. energie of vermogen (bijv. geluidssterkte) t.o.v. een als norm aangenomen energie of vermogen aan te geven [naar Alexander Graham Bell, Am. natuurkundige, 1847-1922] *vgl*. **decibel**.

**bel'can'to** [It. = *lett*.: schone zang] zangwijze waarbij de nadruk valt op klankrijkheid en welluidendheid, vaak met veel virtuositeit.

**belemniet'** [Gr. *belemnon* = *belos* = werptuig (pijl, speer)] kegelvormig puntig fossiel van uitgestorven inktvis.

**bel-esprit'** (*mv* beaux-esprits') [Fr. = *lett*.: schone geest] ontwikkeld iemand (spec. in kunst en litteratuur) en zich in fraaie taal weet uit te drukken. **bel'-etage** [quasi- Fr. voor: mooie verdieping] eerste verdieping.

**bel'fort**, *ook*: **bel'froot** [v. OFr. *berfrei*, v. VLat. *berefridus*, v. MHDu. *bercvrit* = wachttoren, alarmtoren, waarsch. v. *bergen* = schuilplaats, en OHDu. *fridu* = vrede] toren met klok.

**bel'ga** [vr. v. Lat. *Belgus* = Belg; *belga pecúnia* = belgisch geld] van 1926-1946 rekenmunteenheid in België, waarbij 1 belga gelijk was aan 5 Belgische francs.

**belgicis'me** eigenaardige Belgische uitdrukking, die een onjuiste wending inhoudt, ofwel v.h. Nederlands of v.h. Frans; *bijv*.: ik kom van zeggen (= ik heb zojuist gezegd), 'vertaling' van Fr. *je viens de dire*.

**Be'lial** [Hebr. *b'li-yaal* = de nietswaardige, de schadelijke, v. *b'li* = niet, en *yaal* = nut] volgens de Joodse godgeleerden de Vorst der Duisternis, de Boze geest, de duivel. **Belialskind** slecht mens, verworpene.

**belladon'na** [It. = schone dame/ (*plk*.) bep. soort nachtschade; (*med*.) geneesmiddel daaruit bereid (*zie* **atropine**); vroeger gebruikt ter vergroting v.d. oogpupil en voor glanzende ogen.

**bel'le** [Fr. vr. van **beau**. *z.a.*] **I** *bn* mooi; **II** *zn* schone; beminde; (*wielersport*) 3e rit (beslissingsrit) bij sprintwedstrijden.

**bel'lefleur** [Fr. *fleur*, Lat. *flos*, *floris* = bloem] bep. soort appel.

**bellettrie'** [géén Fr.; wel afgeleid v. Fr. *lettre*, Lat. *lit(t)era* = letter] de fraaie letteren, beoefening daarvan. **bellettrist'** kenner, beoefenaar der fraaie letteren. **bellettristerij'** overdreven zucht tot alles wat de bellettrie betreft. **bellettristiek'** bestudering, kennis v.d. bellettrie. **bellettris'tisch** eigen a.d. bellettrie.

**bellevue'** [Fr.; *vue* = zicht, v. Lat. *vidére* = zien] fraai uitzicht, schoonzicht (vaak naam van villa's, hotels e.d.).

**belligerent'** [Fr. *belligérant*, v. Lat. *belligerens*, *belligeréntis* o.dw van *belligeráre* = oorlog voeren, v. *bellum* = oorlog (uit *duéllum* = tweekamp; *duo* = twee) en *gérere* = uitvoeren, bedrijven] **I** *bn* oorlogvoerend; **II** *zn* oorlogvoerende.

**belomantie'** [Gr. *belos* = pijl en *mateia* = waarzeggerij] pijlwichelarij, wichelarij d.h. trekken van pijlen u.e. koker of d.h. schieten van pijlen.

**belvédère** [Fr.; It. *bel* = mooi, *vedére* = zien, v. Lat. *vidére*] mooi uitzicht; toren of koepel om mooi uitzicht te bekijken (ook vaak naam van villa's).

**be'ma** [Gr. *bèma* = verhoging, spreekgestoelte] platform i.e. synagoge, spreekgestoelte.

**ben'die**, [Ind.] licht, tweewielig en door één paard getrokken rijtuigje voor één persoon.

**bene-** [Lat.] wel-.

**benedic'tie** [Lat. = lofspraak; in christelijk Lat. zegening, v. *bene* = goed, wel, en *dícere*, *dictum* = zeggen] (*rk*) zegening.

**Benedictij'nen** [kerk. Lat. *Ordo Sáncti Benedícti*, afk. *O.S.B.* = Orde v.d. H. Benedictus] kloosterorde gesticht door Benedictus v. Nursia, ca. 480-547, de oudste orde i.d. Westerse Kerk. **Benedictines'sen** vr. kloosterlingen die de Regel v. Benedictus volgen, verdeeld in contemplatief-levende *moniales* en actief-levende *zusters-benedictinessen*.

**benedic'tio apostó'lica** [Lat. *lett*.: apostolische zegen] (*rk*) pauselijke zegen. **benedictiona'le** kerkboek waarin de teksten v.d. kerkelijke zegeningen zijn samengevat.

**be'ne est** [Lat.] het is goed.

**benefac'tor** [Lat. *fácere*, *factum* = doen] weldoener. **benefi'ce** [Fr. *bénéfice* = profijt, v. Lat. *beneficium*, v. *benefácere* = weldoen, v. *bene* en *fácere* = doen]: ter bevordering van, ten voordele van. **benefi'cevoorstelling** toneelvoorstelling waarvan de opbrengst geschonken wordt aan één of meer spelers. **benefi'cewedstrijd** een dergelijke wedstrijd. (*zie ook* **benefiet**.) **beneficiar'** [Fr. *bénéficiar*] met voorrecht van boedelbeschrijving (een erfenis - aanvaarden = onder beneficie van inventaris).

**beneficiant'** **1** persoon t.b.v. wie een benefice-voorstelling wordt gegeven; **2** student met studiebeurs. **benefícia'rius 1** geestelijke met beneficie = prebende (*z.a.*); **2** student met studiebeurs. **benefi'cie 1** prebende (*z.a.*) geschonken uit gunst; **2** (*jur*.) recht van ...; *onder — van inventaris*, met recht van boedelbeschrijving. **benefi'cium** [Lat.] **1** beneficie; **2** (*jur*.) *beneficium ....*, recht van ...

**benefiet'** voorstelling of uitvoering waarvan de baten ten goede komen aan één of meer bep. personen (bijv. een medespeler).

**be'ne meren'ti** [Lat. is *lett*.: a.e. verdienstvol persoon] (*rk*) bep. kerkelijke onderscheiding (voor trouwe dienst).

**bene'vole lec'tor** afk. **B.L.** [Lat.] welwillende lezer! **benevolen'tie** [Lat. *benevoléntia*, v. *bene* en *velle* = willen] welwillendheid, gunst, toegenegenheid. **benevolen'ti lecto'ri salu'tem** afk. **B.L.S.** [Lat.] de welwillende lezer heil.

**Ben'jamin** [Hebr. *Benjamín* = zoon van mijn rechterhand] jongste zoon v.d. aartsvader Jacob, zo genoemd ter nagedachtenis aan zijn beminde vrouw Rachel, die na de bevalling was overleden (Rachel zelf had stervende het kind Benoni = zoon van mijn smart genoemd); jongste en door allen vertroetelde kind v.e. groot gezin.

**benthaal'** [Gr. *benthos* = diepte der zee] de zeebodem betreffend. **ben'thos** diep de gezamenlijke levende wezens o.d. zeebodem.

**ben trova'to** [It.] goed gevonden, goed bedacht (*se non è vero, è ben trovato* = als het niet waar is, is het toch goed bedacht).

**benzeen'** (vroeger benzol') [*zie* benzoë] (*chem*.) olieachtige, brandbare, giftige vloeistof, formule $C_6H_6$, waarvan alle aromatische verbindingen afgeleid gedacht kunnen worden.

**ben'zoë** [eertijds *benjoin*, via Fr., Sp. It. v. Arab. *luban jawi* = wierook van Java; *lu* is weggevallen in de Romaanse talen omdat het verkeerdelijk voor lidwoord werd gehouden] geurige hars uit Indonesië en Achter-Indië.

**ben'zoëzuur** (benzeencarbonzuur, $C_6H_5COOH$) conserveermiddel uit

benzoëhars of synthetisch bereid.
**benzol'** oude naam voor benzeen, thans nog i.d. techniek gebruikt voor ruwe benzeen.
**Beo'tiër** [Gr. *Boioótia*, Lat. *Boeotia* = boerenlandstreek in het oude Griekenland, waarvan de inwoners door de Atheners geminacht werden om hun onbeschaafd en grof dialect] lomperd, onnozele hals.
**Ber'bers** [Arab. *barbar*, v. *barbara* = onduidelijk spreken, of v. Gr. *barbaros* = barbaar, *z.a.*] volksstam in Noord-Afrika (*vgl.* **Barbarije**).
**berceau'** [Fr. = wieg] **1** wieg; **2** priëel of met takken overkoepeld wandelpad; overwelfde gang, booggang, gewelfboog. **berceu'se** [Fr.] **1** wiegelied; **2** schommelstoel.
**bergamot'** [Fr. *bergamotte*, v. It. *bergamotta*, v. Turks *beg-armudi* = prinsenpeer] **1** bep. soort peer; **2** bep. soort citroen (*zie volgende*). **bergamot -olie** reukolie bereid uit bergamotcitroen [genaamd n.d. It. plaats Bergamo].
**ber'ge** (*uitspr. berzje*), **ber'zie** [missch. v. Fr. *bargé* = schuit]: *de hele* —, de hele zaak, de hele zooi.
**bergère** [Fr. *vgl.* Lat. *berbex* = hamel (ram)] **1** herderin; **2** soort leunstoel. **bergeret'te** herderslied.
**bergonisa'tie** bep. elektrotherapie.
**be'ribe'ri** [v. Ceylons *beri* = zwakte] tropische ziekte veroorzaakt door gebrek aan vitamine B.
**Beril'lium** *zie* **Beryllium**.
**Berke'lium** bep. kunstmatig element, chemisch symbool Bk, ranggetal 97 [naar Berkeley, Noordam. stad, alwaar het eerst vervaardigd].
**ber'kemeier** [MNed. *bare, bere* en *mey(e)* = bloeiende tak] grote drinkbeker, vervaardigd uit een berketak met schors.
**berlijns-blauw'** [Du. *Berliner Blau*] bep. donkerblauwe, onoplosbare stof, een pigment. Berlijns-blauw wordt wegens zijn lichtechtheid in schildersverven en bep. drukinkten aangewend. In de handel ook bekend als pruisisch-blauw of parijs-blauw.
**berli'ne** [Fr.] (*gesch.*) een vierpersoons gesloten koetsierssrijtuig op vier wielen en op veren, met twee zitbanken, bestemd voor vier reizigers; reiskoets voor lange reizen.
**ber'litzmethode** bep. gepatenteerde methode om vreemde talen te leren, waarbij spreken de hoofdzaak is [naar de grondlegger Maximilaan D. Berlitz (gestorven 1921); eerste school in 1878 te Providence i.d. Ver. Staten].
**Bernardijn'** kloostergeestelijke v.d. orde van St. - Bernard van Clairvaux, *zie* **Cisterciënzers**. **Bernardij'ne**, kloosterzuster v.d. orde van St. - Bernard.
**ber'rie** [MNed. *bare, bere* = draagbaar, lijkbaar] draagbaar; hooiraam, houten raam waarmee het hooi breder kan worden opgeladen.
**ber'serker** [O Noorse myth.] met buitennatuurlijke kracht begaafde strijder.
**beryllistiek'** waarzeggerij uit spiegels.
**Beryl'lium**, *ook*: **Beril'lium** [v. Gr. *bèrullos* = beril (edelsteen)] chemisch element, voornamelijk voorkomend i.d. berylsteen, metaal, symbool Be, ranggetal 4. (In Frankrijk heet dit element **glycinium**, wegens de zoete smaak der Be-verbindingen [Gr. *glukos* = zoet].)
**ber'zie** *zie* **berge**.
**bes** (*muz.*) door molteken met halve toontrap verlaagde b(si), b-mol.
**besei'belen** [v. Jidd. *seibel*, Hebr. *sebel* = drek] *lett.*: bevuilen; (*Barg.*) in laten lopen, bedriegen.
**besjoe'melen** [*missch.* via Du. *Schund* = uitschot, bocht, v. zigeunertaal *schindav* = schijten] (*volkstaal*) lichtelijk bedriegen, bedotten.
**besjok'ke** *zie* **mesjogge**.
**besjol'men**, *ook*: **besjol'lemen** of **besol'lemen** [Jidd. *mesjollemen*] (*Barg.*)

betalen.
**besog'ne** [Fr. v. It. *bisogna* = behoefte, nood; *vgl.* Fr. *besoin*] *oorspr.* moeite; *thans*: beslommering, werk, bezigheid.
**besol'lemen** *zie* **besjolmen**.
**bes'semerstaal** staal vervaardigd volgens de methode van Bessemer, uitgevonden in 1856, waarbij het ruwe ijzer i.d. zgn. convertor of bessemerpeer wordt gezuiverd van zuurvormende elementen als koolstof, kiezel, fosfor, mangaan, zwavel enz.
**bestiaal'** [Lat. *bestia'lis* v. *béstia* = (wild) dier] als een wild dier, dierlijk, beestachtig. **bestialiteit'** **1** dierlijkheid, beestachtigheid; **2** ontucht met dieren. **bestia'rium** [Lat. = *lett.*: dierenverzameling; *-arium* geeft verzameling aan] ME dierenboek meestal met vele fantastische verhalen en beschrijvingen van legendarische dieren (eenhoorn, griffioen e.d.).
**best'seller** [Eng. = *lett.*: beste verkoper] boek waarvan in korte tijd veel exemplaren worden verkocht.
**bè'ta** [Gr. letter b, naam ontleend aan Semietische talen, *vgl.* Hebr. *beth* voor de letter b, naar *bajth* = huis] **1** tweede letter v.h. Gr. alfabet; **2** (*astr.*) op een na de helderste ster v.e. sterrenbeeld; **3** leerling v.d. B-afdeling v.e. gymnasium (*vgl.* **alfa**).
**bè'ta-blokker** [afk. v. bèta-adrenerge receptor blokkeerder] (*med.*) geneesmiddel voor bloeddrukverlaging en regulering v.h. hartritme.
**bè'tastralen** soort stralen door sommige radio-actieve stoffen uitgezonden (snel bewegende elektronen; *vgl.* **alfa-** en **gammastralen**). **bè'tatron** [v. *bètadeeltjes* = elektronen, en **cyclotron**] cyclotron (*z.a.*) om zeer snel bewegende elektronen (*zie* **bètastralen**) te produceren.
**bètawetenschappen** de zgn. exacte wetenschappen (natuurwetenschappen en wiskunde-wetenschappen), tegenover *alfa-* en *gammawetenschappen*.
**bête** [Fr., v. Lat. *béstia* = wild dier] **1** *zn lett.*: dier; domoor, dommerik; **II** *bn* dom, stompzinnig, dwaas, onnozel; *— noire*, (*fig.*) het zwarte schaap (der familie). **bêti'se** [Fr.] domheid, stompzinnigheid; dom gezegde.
**be'tel** [Port., v. Mal. *vettila*] blad van bep. plant, *Piper betle*, in het Oosten gebruikt als omwikkeling v.d. arekanoot met bijmengsels om op te kauwen, de sirih-pruim.
**bête noire** *zie onder* **bête**.
**bet'jah** [Mal.] fietstaxi.
**bettera've** [Fr.] (*cul.*) biet.
**betuli'ne** stof u.d. berkeschors, berkekamfer.
**betune'ren** [geen afl. bekend] tabaksbladeren besprenkelen met tabaksafval ter verhoging v.d. geur.
**beu'kelaar** [*beukel* = ronde knop] soort rond schild.
**beur're** [Fr., v. Lat. *butyrum*, v. Gr. *bouturon*, v. *bous* = koe, en *turon* = kaas] boter; (*cul.*) *- manié* (behandelde boter), mengsel van boter en bloem voor het snel binden van sommige sausen; *-noir* (donkere boter), bruingebraden boter met veel gehakte peterselie en enkele druppels citroensap; *-noisette* (hazelnootboter) hazelnootkleurig gebruinde boter, soms gegoten op citroensap. **beurrer'** [Fr.] (*cul.*) bestrijken of invetten met boter.
**be'vatron** [Am., samentrekking van *billion electronvolt cyclotron* = miljard elektronvolt cyclotron (Am. *billion*= miljard)] synchrotron (*z.a.*) dat protonen en andere elementaire deeltjes kan versnellen tot een snelheid die overeenkomt met 5 à 6 miljard elektronvolt (*z.a.*).
**bevertien'** *zie* **beaverteen**.
**bévue'** [Fr.] grove fout, flater.
**bey** *zie* **bei**.
**bezaan'** [v. MNed. *besane*, sinds 1480 jongere vorm van *mesane*, Fr. *misaine*, v. It. *mezzana*, v. Arab. *mazzan*, v. e. Egyptisch woord 'mast']

gaffelzeil v.e. driemaster a.d. *bezaansmast*, d.i. de achterste mast.

**bezant'** [afgel. van Byzantium] **1** oude, gouden munt, geslagen in Byzantium; **2** (*her.*) kleine, gouden of zilveren schijf o.e. schild. **bezantè'** (*her.*) opgevuld met bezanten.

**bezi'que** [Fr. *bésigue*] Frans kaartspel met zoveel volledige spellen als er spelers zijn.

**bezoar'** [Fr. *bézoard*, v. Perzisch *padzahr*, Arab. *bazahr* = tegengif] steenachtige vorming in maag of ingewanden van sommige dieren, bijv. geit, eertijds beschouwd als wondermiddel, inzonderheid als tegengif.

**bhang** *ook:* **bheng** [Arab.] verdovend middel, verkregen uit de bladeren van de Indische hennep, marihuana.

**bi** [afk. van biseksueel] *zie* **biseksueel 2**.

**bi-** [Lat. *bi*-, vroeger *dui*; *vgl*. Gr. *di*, Sanskriet *dvi*] dubbel-, twee-.

**biais'** [Fr. = schuinheid, schuine lijn enz., missch. v. Lat. *bifax, bifacis* = met dubbel gelaat; *fácies* = gelaat] schuin geknipt oplegsel op japon e.d.

**bi'as** [Eng.; dezelfde afleiding als **biais**] vertekening, vervorming (*vgl. cut on the bias* = scheef geknipt); *ook:* vooroordeel.

**biandrie'** [Lat. *bi*, en Gr. *anèr, andros* = man] het gelijktijdig gehuwd zijn met twee mannen.

**biat'lon** [Gr. *athlos* = wedstrijd; *vgl.* **atleet** *lett.*] tweekamp; skiwedstrijd (Langlauf) met tegelijkertijd een schietwedstrijd.

**biaxiaal'** [Lat. *bi*, en *axis* = as] met twee (optische) assen (gezegd van kristal). (De straalbreking volgens deze assen is verschillend.)

**bibelot'** [Fr.] klein kunstvoorwerp, snuisterij, ornament.

**biberet'te** [Fr., v. Du. *Biber*, Gr. *biber* = bever] beverbont of imitatie daarvan.

**bi'bit** in Indonesië verzamelnaam voor de jonge zaailingen van rijst, tabak, suikerriet (daarvan ook de stekken) e.d.

**Bi'blia** [Gr. *ta biblia* = de boeken] de Bijbel. **biblicis'me** [v. Lat. *Biblia* = Bijbel, v. Gr. *ta biblia* = de boeken] **1** het hechten a.d. letter v.d. Bijbel; **2** het zich in alles baseren o.d. Bijbel. **biblicist'** aanhanger v.h. biblicisme (niet te verwarren met **biblist**, *z.a.*).

**biblio-** [Gr. *biblíon* = boek (rol), verklw. v. *biblíos* = papyrus-bast, *vandaar*, papier, boek] boeken betreffend. **bibliofiel'** [Gr. *philos* = vriend] **I** *zn* boekenvriend; **II** *bn* boekenminnend. **bibliograaf'** [Gr. *graphoo* = schrijven] **1** boekenschrijver; **2** maker van bibliografieën. **bibliografie' 1** boekbeschrijving (titel, formaat, drukker, plaats waar gedrukt, jaartal e.d.); **2** beschrijvende lijst van boeken en artikelen over een bep. onderwerp of van een auteur. **bibliogra'fisch** *bn*. **bibliomaan'** [Gr. *mania* = waanzin] boekenzot, iem. die ziekelijke verzamelwoede van boeken heeft. **bibliomanie'** verzamelwoede van boeken meestal v.e. bepaalde soort of vorm. **bibliomantie'** [Gr. *manteia* = waarzeggerij] waarzeggerij uit blindelings aangewezen tekst uit willekeurig opgeslagen bladzijde v.e. boek, voornamelijk de Bijbel. **bibliotheek'** [Gr. *thèke* = bewaarplaats, van stam *thè* = zetten, plaatsen] boekenverzameling, boekerij; plaats waar boeken worden bewaard; instelling tot het uitlenen van boeken, **bibliothecair'** op bibliotheken betrekking hebbend. **bibliotheca'ris** beheerder v.e. bibliotheek. **bibliothecares'se** vr. bibliothecaris. **bibliothecografie'** wetenschap omtrent boekenverzamelen, catalogiseren en het inrichten v.e. bibliotheek e.d. **biblist'** [VLat. *Biblia* = Bijbel, v. Gr. *ta biblia* = de boeken] bijbelkenner. **biblistiek'** bijbelkunde.

**bi'cameris'me** staatkundig stelsel met twee Kamers.

**bi'carbonaat** [v. Lat. *bi*-, *z.a.*; *zie* **carbonaat**] oude naam voor een zgn. dubbelkoolzuur zout, d.i. zout van koolzuur, $H_2CO_3$, waarin een der H-atomen niet is vervangen d.e. metaal of basische groep.

**bi'ceps** [Lat. = tweehoofdig, v. *caput, cápitis* = hoofd, in samenstellingen -*ceps*] elke spier die twee spierbuiken bezit, elk m.e. aparte oorsprong, maar die zich i.e. gem. eindpees verenigen, inz. v.d. bovenarm.

**bi'chromaat** onjuiste naam voor **dichromaat**.

**biconcaaf'** aan beide zijden hol (v. lens).

**biconvex'** aan beide zijden bol (v. lens).

**bidelot'** celluloid voorwerp om zelfbinders op te strikken.

**bidet'** [Fr. = *lett.*: klein paard] waskom (zitbad) voor het onderlichaam.

**bidon'** [Fr. = *eig.*: houten watervat van ongeveer 5 liter, *ook*: drinkfles] metalen of blikken veldfles (bijv. voor soldaten, wielrenners).

**bi'duum** (*uitspr.* bie-du-um) [Lat. *bi*, en *díes* = dag] tijdruimte van twee dagen.

**Bie'dermeier** [Du. = *lett.*: gezapige, goede, brave, eenvoudige, bekrompen burgerman, v. *bieder* = braaf, rechtschapen] **1** *zn* (Biedermeiertijd, Biedermeierstijl) periode van ca. 1815-1850 van bescheiden zelfvoldaanheid en de toen heersende stijl, spec. i.d. meubelkunst, gekenmerkt door huiselijke degelijkheid en brave burgerlijke behaaglijkheid; **II** *bn: bijv.*: een biedermeier stoel.

**biel** [v. Fr. *bille* = onbewerkt stuk hout, ruwe balk] bep. balk als dwarsligger voor spoorrails.

**bie'ma** *zie* **bema** en **almemor**.

**biënnaal'** [Fr. *biennal*, v. Lat. *bi*- (*z.a.*), en *annális* = een jaar durend, v. *annus* = jaar] tweejaarlijks. **bien'nium** [Lat., *uitspr.*: bie-énnium] tijdvak van twee jaren. **biënna'le** [It. *biennale* = tweejaarlijks] tweejaarlijkse tentoonstelling, tweejaarlijks festival of concours e.d.

**bienvenu'** [Fr., v. Lat. *bene* = wel, en *venire* = komen] welkom; *soyez le —*, wees welkom!

**bifi'dus** [Lat., v. *bi* = dubbel-, en *fíndere* = splijten] in tweeën gespleten; *spina bifida*, gespleten ruggegraat (aangeboren afwijking).

**bifilair'** [Lat. *bi* = dubbel-, twee-, en *filum* = draad (*hílum* = vezeltje; *vgl. níhil* = *lett.*: geen vezeltje, niets)] tweedradig, dubbeldradig (bijv. bifilaire radiospoel).

**bifocaal'** [Lat. *bi*-, *z.a.* en *focus* = brandpunt] *bn* & *bw* met twee brandpunten; bijv. een bifocale bril, bril met glazen bestaande uit twee stukken met verschillende sterkte.

**bifo'ra** [Lat. *bi*-, *z.a.* en *fóris*, *mv fores* = openingen naar buiten] (*bouwk.*) tweelingvenster.

**bifurca'tie** [Lat. *bifúrcus* = tweepuntig, v. *bi* = twee-, dubbel-, en *furca* = vork] vorkvormige vertakking.

**bigamie'** [Fr. v. MLat. *bigamus* = dubbel gehuwd, v. Lat. *bi* = dubbel-, en Gr. *gamos* = gehuwd, v. *gameoo* = huwen] het gelijktijdig gehuwd zijn met twee vrouwen.

**bigamist'** iem. die bigamie bedrijft.

**bigarreau'** [Fr., v. *bigarre* = bontkleurig] bep. kersesoort (*mv bigarreaux*), geconfijt gebruikt voor garnering van gebak, taart of pudding.

**bigot'** [Fr., afleiding twijfelachtig, missch. v. Ned. *bij God*] *lett.*: met overdreven, bekrompen en verkeerd gebaseerde vroomheid; schijnheilig vroom, bijgelovig dom, dweepziek, kwezelachtig. **bigotterie'** domme kwezelachtigheid enz.

**bijou'** [Fr. v. plat Bretons *bizou* = ring voor vinger] sieraad, kleinood (*ook fig.*); *ook*: bep. moscovisch gebak. **bijouterie'** bijou; *ook*: sieradenwinkel. **bijouterie'ën** sieraden, juwelen, kleinodiën.

**bilabiaal'** [v. Fr. *bilabial*, v. Lat. *bi*- = twee-, en M.Lat. *labiális* = de lip betreffend, v. Lat. *lábium* = lip] met beide lippen (gesproken of gevormd).

**bilateraal'** [Fr. *bilatéral*, v. Lat *bi*- = twee-, en *laterális* = wat de zijde betreft, v. *latus, láteris* = zijde] tweezijdig; *— contract*, wederzijds bindend contract.

**bilinguïs'me** [v. Fr. *bilingue*, Lat. *bilinguis* = dubbeltongig, v. *bi-* (z.a.), en *lingua* = tong, *ook*: taal] tweetaligheid.

**bilirubi'ne** [v. Lat. *bilis* = gal, en *ruber* = rood] geelbruine tot roodbruine stof i.d. gal.

**biliverdi'ne** [v. Fr. *verd*, OFr. *verd*, v. Lat. *viridis* = groen] groene stof i.d. gal.

**biljard'** [naar analogie van **miljard** en **biljoen**, z.a.] miljoen maal miljard = $10^6$ X $10^9 = 10^{15}$ of $1000^5$.

**biljoen'** [16e-eeuws Fr. *bi-million* = tweede macht van miljoen] miljoen × miljoen (1 met 12 nullen). (Thans in Fr. en Am. *billion* = duizend miljoen; in Eng. evenals bij ons = biljoen.)

**billet' d'amour'** [Fr.] liefdesbriefje (*ook* **billet doux'** = *lett.*: zoet briefje).

**biloca'tie** [Lat. *bi-*, z.a. en *locus* = plaats] het gelijktijdig op twee plaatsen aanwezig zijn v.e. lichaam.

**bimes'ter** [v. Fr. *bimestre*, v. Lat. *bimestris* = tweemaandelijks] tijdperk van twee maanden.

**bi'metaal** [v. Lat. *bi-* (z.a.); *zie* **metaal**] strookje van twee plat om elkaar gelaste metalen plaatjes met verschillende uitzettingscoëfficiënt bij verhitting. Bij verwarming kromt het strookje zich. De beweging kan worden overgebracht, bijv. voor het openen en sluiten v.e. elektrische contact (toepassing in thermostaat en knipperlicht).

**bimetallis'me** het gebruik v.d. zgn. dubbele standaard, d.i. waarbij het geldstelsel gebaseerd is op munten van twee metalen, met name goud en zilver.

**bims'beton** [v. Du. *Bims* = puimsteengruis u.h. Rijnbekken (niet andere puimsteen)] beton waarin puim of bims is verwerkt.

**binair'** [Fr. *binaire*, v. Lat. *binarius* = twee bevattend, *vgl. bini* = paar, en *bis* = tweemaal] paarsgewijs, volgens paren, dubbel-.

**binai're nomenclatuur'** [*zie onder* **nomen**] naamgeving met dubbele naam, spec. i.d. biologie, waarbij elk dier en elke plant als wetenschappelijke naam m.e. tweeledige naam wordt aangeduid, de geslachtsnaam (steeds voorop) en de soortnaam, (*bijv.*: appel = *Málus doméstica*; mens = *Hómo sápiens*).

**binoc'le** [Fr., v. Lat. *bini* = twee te zamen, paar, en *óculus* = oog] veld- of toneelkijker voor twee ogen. **binoculair** [Fr. *binoculaire*] **I** *bn* voor twee ogen, met twee oculairen; **II** *zn* binoculaire microscoop. **binoculariteit'** het zien met twee samenwerkende ogen.

**binominaal'** [*zie* **binomium**] tweenamig, bijv. het systeem ter benoeming van planten en dieren, waarbij ieder dier of plant een geslachtsnaam en een soortnaam ontvangt (geslachtsnaam steeds voorop).

**bino'mium** [MLat; v. *binómius* = Lat. *binóminis* = tweenamig, v. *bi-* = twee-, dubbel-, en *nomen, nóminis* = naam] tweeterm, algemene uitdrukking van twee termen verbonden door teken + of —; — *van Newton*, een formule gevonden door Newton om een willekeurige macht v.e. tweeterm te berekenen zonder stuksgewijze vermenigvuldiging. **binomiaal'** *bn*.

**bio-** [Gr. *bios* = leven] levens-. **bi'oakoestiek** [Gr. *bio-*, z.a., *zie verder* **akoestiek**] leer der diergeluiden. **bioceno'se** *zie* **biocoenose**. **biochemie'** [*zie* **chemie**] tak van wetenschap die de chemische verschijnselen in de levende wezens bestudeert. Zij verschaft opheldering v.d. chemische structuur en de fysiologische functie v.d. bestanddelen der levende organismen, en analyseert de talloze chemische processen die in biologische systemen voortdurend plaatsvinden en de produkten daarvan. (Vroeger fysiologische chemie genaamd, spec. wat het menselijk lichaam betreft.) **bioche'micus** beoefenaar der biochemie. **bioche'misch** *bn*. **bioci'den** [v. Lat. *caedere* = doden] stoffen voor het verdelgen van schadelijke organismen. **biocoeno'se, bioceno'se** [v. Gr. *koinos* = gemeenschappelijk] levensgemeenschap v.d. levende wezens i.e. bepaald gebied zoals ze op elkaar zijn ingesteld. **biodyna'mica** [*zie* **dynamica**] deel der levensverrichtingen = **fysiologie**. **bi'o-energe'tica** [Gr. *bio-*, z.a. en *energeia* = werkzaamheid] psychotherapeutische techniek waarbij lichamelijke inspanningen als uitwerking moeten hebben dat men ontspannende energiestromen i.h. lichaam voelt.

**bi'ofeedback** [Gr. *bio-*, z.a., *zie verder* **feedback**] gedragstherapie waarbij fysiologische signalen zoals de hartslag worden omgezet in visuele en geluidssignalen die de cliënt op hetzelfde moment te zien en te horen krijgt. **biofenomenologie'** beschrijvende leer der levensverschijnselen. **biofotogene'se** [Gr. *phoos, phootos* = licht, en **genesis** = wording, onstaan] het voortbrengen van lichtverschijnselen door levende wezens. **biofy'sica** leer v.d. toepassing der natuurkundige wetten op levende wezens. **bi'ogas** gas dat is onstaan door het vergisten van mest en huishoudelijk afval en dat wordt gebruikt als energiebron. Het brandt niet zo 'heet' als aardgas: er moet meer worden verstookt om hetzelfde warmteresultaat te bereiken. **bi'ogenealogie** [Gr. *bio-*, z.a., *zie verder* **genealogie**] onderzoek van biologische eigenschappen naar families. **bioge'nesis** [Gr. *genesis* = wording] leer dat levende stof slechts uit levende stof onstaat. **biogene'tisch**: —*e grondwet*, leer van Haeckel dat het individu in zijn eerste ontwikkeling als embryo de ontwikkeling van zijn stam (evolutie) in hoofdtrekken in snel tempo herhaalt. (Is geen eigenlijke wet, wel bruikbare werkhypothese met het nodige voorbehoud en veel beperkingen, eerder beschrijvend dan verklarend, maar die toch heeft bijgedragen tot de ontwikkeling v.d. evolutieleer.) **biogenie'** [Gr. *genos* = het gewordene, v. *gignomai* = worden] ontwikkeling v.e. levend wezen v.h. eerste begin af tot zijn volledige uitgroei. **bi'ogeografie'** [Gr. *bio-*, z.a., *zie verder* **geografie**] leer der verspreiding v.d. levende wezens over de aarde. **biograaf** [Gr. *graphoo* = schrijven] levensbeschrijver. **biografie'** [*laat-*Gr. *biographia*] levensbeschrijving. **bi'o-industrie** fokkerij i.h. groot met methoden ontleend aan de industrie, bijv. het vetmesten van vee door fysische en chemische middelen (*bijv.*: beweging vrijwel onmogelijk maken door kleine hokken, het (verboden) toedienen van hormonen, e.d.). **bi'oklimatologie** leer onderdeel v.d. algemene klimatologie dat zich bezighoudt m.d. invloed die klimaatomstandigheden hebben op het welbevinden van levende wezens, spec. van de mens (*bijv.*: de rol van ultraviolette stralen o.d. huid, de warmtehuishouding v.h. menselijk lichaam, verband v.h. weer en het klimaat m.h. optreden van ziekten. **biologe'ren** [Du. *biologieren*] iem. in een bep. toestand van verstarring brengen door hem strak aan te kijken; *gebiologeerd worden*, in zijn totale aandacht worden gevangen door bep. iets of iem., zodat men in een toestand van verstarring komt. **biologie'** leer v.h. leven in algemene zin, bestudering van levende wezens en levensverschijnselen; de biologie omvat voornamelijk: morfologie (vormleer), fysiologie (leer der levensverrichtingen); ontstaan en erfelijkheid, verspreiding van planten en dieren. **biolo'gisch** o.d. biologie betrekking hebbend. **bioloog'** beoefenaar der biologie. **biolo'gisch-dyna'mische landbouw** landbouw c.q. tuinbouw die uitsluitend gebruik maakt van natuurlijke meststoffen (dus geen kunstmest) om zo te komen tot een harmonisch samengesteld eindprodukt, dat dus gezonder is voor mens en dier. Ook chemische bestrijdingsmiddelen worden niet toegepast. **biomantie'** [Gr. *bio-*,

*z.a.* en *manteia* = waarzeggerij] **1** bepaling of leven aanwezig is; **2** waarzeggerij over iemands levensduur. **biomecha'nica** [Gr. *bio-*, *z.a.*, *zie verder mechanica*] leer v.d menselijke bewegingen i.h. dagelijks leven en bij revalidatie. **biome'disch:** — *onderzoek*, onderzoek t.b.v. de geneeskunde d.m.v. dierproeven. **biometrie'** [Gr. *metreoo* = meten; *metron* = maat] toepassing van statistische methoden op biologische gegevens. **biomorfologie'** [Gr. *morphè* = vorm; *zie* -logie] vormleer der levende organismen. **bio'nica** = **biotechniek**. **bio'nisch** lichamelijk sterk en stoer, en een natuurlijke levenswijze leidend (gezegd van mens). **bionomie'** [Gr. *bio-*, *z.a.* en *nomos* = wet] leer der levenswetten. **bioplastiek'** [Gr. *plassoo* = vormen; *plastikè* = boetseerkunst, plastiek] zielstoestand zich uitend in lichamelijke verschijnselen. **biopsie** [*zie* optica] het wegnemen v.e. stukje weefsel u.e. levend lichaam om het microscopisch te onderzoeken. **biorise'ren** melk kiemvrij maken door verstuiving, daarna plotseling te verhitten tot ongeveer 75° C en vervolgens snel af te koelen. **biorisa'tor** toestel voor het bioriseren. **bi'oritme** [v. Gr. *bios* = leven, en Lat. *rhytmus*, Gr. *rhuthmos* = tijdmaat] natuurlijk ritme v.d. biologische cycli van mens, dier of plant, en waardoor goed of slecht functioneren per moment kan worden bepaald. **biosfeer'** [Gr. *sphaira* = elk bolrond lichaam, bal, bol, kogel] deel v.d. aardkost (de lithosfeer), van het water op aarde (de hydrosfeer) en v.d. atmosfeer door levende wezens bewoond. **bi'oscopie'** onderzoek of er i.e. bep. lichaam leven is geweest. **biosta'tica** [Gr. *stasis* = het staan] middelen die de groei van microörganismen tot staan brengen. **biosystematiek'**, het opsporen van natuurlijke plant- en diergroepen (taxa) d.m.v. kruisingsproeven, chromosomen - onderzoek, kunstmatige mutaties, oecologie, chemische analyse e.d. (*vgl.* taxonomie). **biotechniek'** bestudering van technische problemen a.d. hand v.d. wijzen waarop dergelijke problemen i.d. natuur zijn opgelost, bijv. echoloding (*sonar*), in beginsel reeds bij vleermuizen. **biotherapie'** behandeling met stoffen die rechtstreeks van levende organismen komen, bijv. hormonen. **biothermogene'se** warmteproduktie door levende wezens. **biotiek'** levensleer. **bioti'ne** stof van vitamine B-complex. **biotoop'** [Gr. *topos* = plaats] natuurlijke omgeving van bep. levend wezen, daaronder begrepen de andere levende wezens die daar thuis horen. **biotroop'** *bn* van invloed o.d. levensverschijnselen (spec. weersomstandigheden). **bi'otype** [Gr. *bio-*, *z.a.* en *tupos* = beeld] contitutietype (*zie* constitutie en type).
**biparti'tie** [Fr. *bipartition*, v. Lat. *bipártio*, v. *bi-* = twee-, en *partire*, *partitum* = delen; *pars*, *partis* = deel] deling in tweeën.
**bipatri'de** *zn* iemand met twee nationaliteiten.
**biplaan'** [Lat. *bi-*, *z.a.* en *planus* = vlak] **1** *zn* tweedekker; **II** *bn* aan twee zijden vlak.
**bipolair'** [Fr. *bipolaire*] met twee polen, dubbelpolig.
**birds'-eye-view** [Eng.] perspectief v.u. vogelvlucht.
**1 bis** [Lat. = tweemaal, dubbel] nogmaals, nog eens; bij herhaling; tweede maal (bijv. bij nummers en artikels; *nummer 2 bis, art. 24 bis*); als uitroep: herhalen! (bijv. na zeer geslaagd zangnummer).
**2 bis** (*muz.*) door kruis met halve toontrap verhoogde b(si), b- kruis.
**bisbil'les** (*mv*) [Fr., v. It. *bisbiglio* = gefluister] kibbelarij over kleinigheid.
**biscot'te** [Fr.] (*cul.*) beschuit.
**biscuit'** [Fr.] **1** bep. droog koekje van zuivere tarwebloem met (weinig) vet en suiker en vanille, fijner dan een kaakje, bijv.: mariakoekje; ook gespeld: **biskwie'**; **2** (*ceramiek*) *a* onverglaasd porselein; *b* nog

ongeglazuurd en onbeschilderd aardewerk, slechts eenmaal gebakken.
**bis dat qui ci'to dat** [Lat.] wie snel geeft, geeft dubbel.
**biseau'** [Fr.] schuin geslepen rand.
**biseem'** [Lat. *bi-*, *z.a.* en Gr. *sèma* = kenteken] (*taalk.*) *bn* semantisch (*z.a.*) tweewaardig.
**biseks'** of **bi'seks**, *ook*: **bisex'**, *ook*: **bi** verkorting van **biseksueel 2**. **biseksueel'**, *ook* **bisexueel'** **1** (*biol.*) *a* de aanleg tot beide geslachten hebbend, biseksuele aanleg of *dubbelgeslachtelijke aanleg*; *b* met twee geslachten, d.w.z. bij generatiewisseling de generatie die twee geslachten bevat, de zgn *biseksuele generatie*, tegenover de generaties die zich ongeslachtelijk voortplanten; **2** *zn* *bn* (*psych.*) *a* gerichtheid op beide geslachten, d.w.z. zowel heteroseksueel als homoseksueel zijnde. **biseksualiteit'**, *ook*: **bisexualiteit'** het biseksueel zijn, spec. in betekenis **2**.
**biset'te** [Fr.] soort grove kant, boerenkant, goedkope kant van garen.
**bisextiel'** [Fr. *bissextil*, v. Lat. (*annus*) *bis*(*s*)*extilis* = jaar dat schrikkeldag bevat, bij de Romeinen tweemaal de 24e februari (*bisextus*) zijnde de zesde (*sextus*) dag voor de Kalenden van maart (1 maart)] *,* schrikkeljaar-, een schrikkeljaar betreffend.
**bisexueel'** *zie* **biseksueel**. **bisexualiteit** *zie* **biseksualiteit**.
**biskopee'(tjes)**, *ook*: **pieskopee'(tjes)** [v. Jidd. *pis-chen-pee* = mond opendoen; *ook*: praatje, voorwendsel] (*Barg.*) smoesjes, uitvluchten; *ook*: grapjes.
**biskwie'** *zie* **biscuit**.
**Bismut** [Du. oudtijds *Bismut*, thans *Wismut*] element, metaal, scheikundig symbool Bi, ranggetal 83.
**bis'nummer 1** herhaald nummer; **2** tweede exemplaar.
**bis'que** [Fr. = kreeftesoep] (*cul.*) pureesoep van schaaldieren.
**bis repeti'ta pla'cent** [Lat. = *lett.*: zaken die tweemaal zijn herhaald (d.w.z. 2 x genoemd) behagen] het is goed het behandelde nog eens te herhalen.
**bissectri'ce** [v.Fr. *ligne bissectrice* = lijn die twee gelijke delen deelt], *ook*: **bisec'trix** [Lat. *línea biséctrix* = in tweeën snijdende lijn, v. *bi-* = twee-, en *secáre*, *sectum* = snijden (*vgl.* Ned. *zagen*); de uitgang -*trix* is de vrouwelijke vorm van -*tor*] lijn die een hoek middendoor deelt.
**bisse'ren** [Fr. *bisser*, v. Lat. *bis* = tweemaal] doen herhalen, 'bis' roepen (*zie* **1 bis**); nogmaals spelen of zingen, herhalen (een muziek- of zangstuk).
**bis'ter** [Fr. *bistre*] **I** *zn* roetzwart, roetbruin (gebruikt bij graveren en tekenen); **II** *bn* bruinzwart; *ook*: donker (misschien oudtijds met bijbetekenis: onheilspellend, en mogelijk een verbastering v. OFr. *behistre* = *besistre* = *bissextile*, v. Lat. *bisextilis*, *zie* **bisextiel**).
**bistour** [Fr.] soort operatiemes.
**bistro'** of **bis'tro** [Fr. *bistro*, v. Russ. *bystro* = snel] *oorspr.*: soort wijnkroeg; *thans*: restaurant opzettelijk in eenvoudige stijl gebouwd.
**bi'sulfaat** (voor deze eigenlijke onjuiste naam *vgl.* **bicarbonaat**) dubbelzwavelzuur zout, d.i. zuur zout van zwavelzuur, $H_2SO_4$, waarin één waterstofatoom (H-atoom) niet door een metaal of basische groep is vervangen.
**bi'sulfiet** zuur zout van zwaveligzuur, $H_2SO_3$.
**bit** [Eng., samentrekking van *binary digit* = tweetallig cijfer; *zie* **binair**, en **digitaal**] **1** een cijfer u.h. tweetallig stelsel, nl. 0 of 1 (het tweetallig stelsel kent alleen de cijfers 0 en 1; de grootte v.h. geheugen v.e. computer (*z.a.*) wordt vaak in bits opgegeven; **2** (*informatietheorie*) eenheid van informatie.
**bi'tartraat** dubbelzout van wijnsteenzuur.
**bitonaal'** [Lat. *bi-* = twee-, en Gr. *tonos* = toon] gelijktijdig in twee toonaarden.

**bitu'men** [Lat. *bitúmen, bitúminis* = aardspek; *vgl.* Sanskr. *gatu-* = gom] internationale verzamelnaam voor mengsels van koolwaterstoffen (oplosbaar in zwavelkoolstof, $CS_2$) van natuurlijke oorsprong of door verhitting verkregen. *Alg.*: dikvloeibare of vaste stoffen, spec. als ze worden gebruikt voor wegbedekking; dit heet asfaltbitumen. **bitumineus'** [Fr. *bitumineux*] *bn* harsachtig (hout); aardpekachtig; bitumen bevattend (bijv. gesteenten). **bitumine'ren 1** bedekken met asfaltbitumen (bijv. wegdek); **2** bedekken m.e. laag halfvloeibaar bitumen (bijv. ondergrondse metalen pijpleidingen tegen roesten).
**bi'vak** [Fr. *bivouac*, OFr. *bivac, missch.* v. Du. *Beiwacht* = toegevoegde wacht, OHDu. *biwake*) *(mil.)* nachtverblijf in open lucht (zonder tenten). **bivakke'ren** in bivak verblijven.
**bivalent'** [Lat. *bi-* = twee-, en *válens, valéntis* = o.dw van *valére* = waard zijn] tweewaardig, dubbelwaardig; *(chem.)* *bivalent element*, element met vermogen twee eenwaardige atomen of atoomgroepen te binden.
**bixi'ne** rode kleurstof u.d. zaden v.d. Anatto of Orléan (*Bixa orellana*), verwerkt in lippenstift.
**bizar'** [Fr. *bizarre*, v. Sp. *bizarro, missch.* v. Baskisch *bizarra* = baard; oorspr. door Fransen gezegd van Spanjaarden wegens hun baarden, daarna met betekenis 'raar, gek'] grillig, zonderling, buitenissig. **bizarrerie'** vreemdheid, wonderlijkheid, zonderling gedrag.
**black** [Eng. missch. verwant met Gr. *phlegoo* = branden] zwart. **black ho'le** [Eng. = zwart gat] *(astr.)* door eigen zwaartekracht ineengestorte neutronenster met 'oneindig' kleine (zeer kleine) straal en 'oneindig' grote (uitermate grote) dichtheid. Door de immense zwaartekracht wordt zelfs straling (dus ook licht) vastgehouden, zodat zo'n ster per definitie onwaarneembaar is. **black'-list** [Eng.] zwarte lijst. **black-out'** [Eng.] **1** tijdelijke blindheid of zelfs bewusteloosheid bij piloten van snelle vliegtuigen als zij worden blootgesteld aan abnormaal grote gravitatiekrachten; **2** *(ruimtevaart)* het tijdelijk uitvallen van radioverkeer m.d. aarde als het ruimtevaartuig i.d. dampkring terugkomt (wegens vorming van laag geioniseerde gassen rondom het ruimtevaartuig); **3** *(psych.)*, naar analogie van **1**) plotseling tijdelijk verlies van concentratie of bewustzijn van wat men doet.
**bla'gue** [Fr., v. Du. *Balg* = rekbare zak] (opgeblazen) bluf, opschepperij, grootspraak, grootdoenerij. **balgueur'** [Fr.] opsnijder, snoever, bluffer, zwetser.
**blame'ren** [Fr. *blâmer* = afwijzen, afkeuren, berispen, v. Lat. *blasphemáre, zie* **blasfemie**] oneer aandoen, valselijk een smet werpen op, tot schande strekken. **blama'ge** *zn*.
**blanc d'oeuf** [Fr.] *(cul.)* wit van ei. **blanc fi'xe** barietwit of permanentwit, d.i. bariumsulfaat, $BaSO_4$, gebruikt als pigmentversnijder in verf.
**blanchement'** *(muntw.)* plaats waar de metaalschijven waarvan munten worden geslagen, tevoren worden gereinigd.
**blanche'ren** [Fr. *blanchir*, v. *blanc*, vr. *blanche* = wit, v. VLat. *blancus* = wit; *vgl.* Ned. *blinken*) *(cul.)* *lett.*: wit maken; een spijs (vlees, groente) vóór de eigenlijke bereiding met veel water a.d. kook brengen en na enkele minuten afgieten en koud afspoelen (sommige spijzen blijven dan blank, vandaar de naam) ook bijv. toegepast om scherpe smaak zwakker te maken. **blanc-manger'** [Fr., v. OFr. *blancmanger* = wit voedsel, v. *manger* = Lat. *manducáre* = eten] *(cul.)* gladde witachtige gelatinepudding met room en andere ingrediënten. **blanc-seign'** [v. Lat. *signum* = teken] niet ingevulde maar wel getekende akte of volmacht.
**blan'che** [Fr., verwant met Ned. *blinken*] de witte, de blanke; *(muz.)* halve noot.

**blan'co** [Sp. = wit] niet beschreven, niet ingevuld. **blanco-aan'deel** aandeel niet op naam. **blanco-krediet'** open krediet (gever niet gedekt); onbeperkt krediet. **blanco-stem'** stem noch vóór noch tegen. **blanco-vol'macht** onbeperkte volmacht.
**blan'da** [Mal. *belanda*] blanke, inz. Nederlander.
**blanket'sel** [v. Fr. *blanche* = wit] (meestal bleek roze) gelaatspoeder. **blanket'ten** het gelaat met blanketsel inwrijven.
**blankiet'** watervrij natriumhydrosulfiet; toepassing als bleekmiddel.
**blanquet'te** [Fr., v. *blanc* = wit] *(cul.)* **1** witte ragoût op basis van kalfs- of lamsvlees of van gevogelte in saus; **2** bep. witte mousserende wijn.
**blasé** [Fr., v. *blaser* = verdoven, afstompen] door overmatig genot ongevoelig voor verder genieten.
**blasfemie'** [Lat. *blasphemia*, v. Gr. *blasphèmia* = lastering, NTGr. = godslastering, v. *blasphèmeoo* = lasteren, v. *blaptoo* = hinderen, benadelen, beschadigen, en *phèmè* = faam, roem, *vgl. phèmí* = spreken] godslastering. **blasfe'misch** *bn* & *bw*.
**blasonne'ren** [Fr. *blasonner*] familiewapens schilderen; familiewapens verklaren.
**blasto-** [Gr. *blastè* = kiem] kiem-.
**blastoder'ma** [Gr. *derma* = huid, schaal] kiemblad (in zich ontwikkelend embryo).
**blastomeer'** ben. voor cellen die ontstaan bij de eerste klievingsdelingen. **blas'tula** ei-kiemblaasje.
**bla'zer** [Eng. v. *to blaze* = helle kleuren tonen; *blaze* = heldere vlam; *vgl.* Du. *blass* = bleek] *(oorspr.*: gekleurde) sporttrui, inz. voor zeilen en golfsport; bep. jasje.
**blazoen'** [Fr. *blason*, oorspr. bet.: schild] wapenschild; veldteken.
**blefaro-** [Gr. *blepharon* = ooglid] de oogleden betreffend. **blefari'tis** ooglidontsteking.
**blen'de** [oorspr. naam voor zinksulfide ZnS, Du. *blendendes Erz* = bedriegelijk erts, omdat het soms loodglans leek doch geen lood opleverde] naam voor bep. soort mineralen, zwavelverbindingen van bep. metalen (bij andere metalen heten deze zwavelverbindingen kies of glans).
**blennorroe'** of **blennorrhoe'a** (*uitspr.*: -reu'(a)) [ v. Gr. *blennos* = slijm, en *rheoo* = vloeien, stromen; *rhoos* = stroming, vloed] slijmvloed, sterke slijmafscheiding uit ontstoken slijmvliezen. Meestal bedoelt men de gonorroïsche, d.i. door venerische ziektekiemen veroorzaakte ontsteking v.h. bindvlies v.h. oog.
**bleu** [Fr., v. Du. *blau, vgl.* Lat. *flavus* = helle kleur, geel, verwant met *flamma* = vlam] blauw. (Het woord bleu = verlegen, bedeesd, is een nevenvorm van bloo, blode.)
**blinde'ren** [Fr. *blinde* = scherm voor raam] afsluiten met luiken, planken, of met kogelschermen; pantseren.
**blit'sen** [missch. v. Rotwelsch *Blitz* = nieuwe kleren, v. MHDu. *blic* = bliksem, schittering; *vgl.* Du. *Blitz* = bliksem] *(Barg.)* de grote goedgeklede heer uithangen; schitteren, pronken. **blit'ser** patser, souteneur in fraai kostuum en met grote auto. **blits I** *bn* volgens de laatste mode; **II** *zn: de blits maken*, een oog- (en hart-) verwarmende prestatie verrichten; *ook*: een zeer moderne indruk maken.
**Blitz'krieg** [Du. = bliksemoorlog] heftige aanvalsoorlog om spoedige beslissing te verkrijgen.
**blizz'ard** [Eng., klanknabootsend woord, met gedachtenassociaties van *to blow* = blazen, en *blind*] verblindende sneeuwstorm.
**blo** [*blode, blood* = laf, bang] vreesachtig, laf.
**bloc** [Fr., v. Du. *Bloch* = blok] blok; politieke groepering; *en masse*, het geheel tegelijk, in zijn geheel; voetstoots (verkopen) zonder gedetailleerd onderzoek. **bloc'note**, **blok'noot** [Fr. *bloc-notes*, v. *bloc* = blok, en *note* = geschreven notitie] boek met

onbeschreven vellen papier die langs geperforeerde rand kunnen worden uitgescheurd.

**blon'de** [Fr.] fijne zijden kant met bloemmotieven van dikker garen.

**blonde'ren** [Fr. *blondir* = blond worden, *zie verder* **blondine**] haar zo behandelen dat het blond wordt. **blondi'ne** [Fr. *blonde*; vermoedelijk samenhang met ODu. *blenden* = mengen, *vgl.* Eng. *to blend*, i.v.m. het mengsel dat de oude Germanen gebruikten als haarverfmiddel] meisje of vrouw met blond haar.

**blouson'** [Fr. = windjack] wijde blouse over de rok gedragen; *ook*: windjack.

**blow'en** [Eng. = uitblazen] het roken v.e. marihuanasigaret (= stickie of joint).

**blow-up'** [Eng. = opblazen] vergroting v.e. foto.

**blub'ber** [Eng. = walvisvet; OEng. *blober*; *vgl.* Eng. *bubble* = luchtbel, *bleb* = luchtbel, missch. nabootsing van geluid van barstende luchtbel of dergelijk geluid met lippen] walvisspek; modder; vettig vuil.

**bo'a** [Lat. v. *bova* = soort waterslang die koeien heette uit te zuigen; *bos, bovis* = rund] **1** soortnaam van een Z.Am. slangensoort, waartoe o.a. *Boa constrictor* behoort; **2** (*alg.*) reuzeslang; **3** lange damesboret om hals gedragen; ook van veren gemaakt.

**board** [Eng. = *eig.*: plank, *vandaar ook*: tafel, bestuurstafel, bestuur, comité, e.d.] soort houtkarton gebruikt als bouwmateriaal; [Am.] Kamer van Koophandel. **board'script** [Eng.: *script* v. Lat. *scribere, scriptum* = schrijven] *zie onder* **scrabble**. Board of Tra'de [Eng.] Departement van Handel.

**bob'bed** (hair) [Eng. = kortgeknipt (haar); *vgl. bob* = *ook*: haarknot] dameskapsel waarbij het haar achter recht afgeknipt is zodat het niet t.d. schouders reikt.

**bob'by** *mv* **bob'bies** [Eng. *bobby*, verbastering van Robert] politieagent in Engeland [naar sir Robert Peel, organisator v.h. Eng. politiewezen in 1828].

**bobijn'** [v. Fr. *bobine* = spoel, garenklos] (*Z.N.*) klos, spoel, spinklos. **bobi'ne** [Fr.] spoel van inductieklos; *ook*: inductieklos met triller voor automotor e.d.

**bobinet'** [v. Fr. *bobine*] elk open doorzichtig weefsel, zoals *tule*.

**bob'tail** [Eng. = *lett.*: korte (afgeknipte) staart; *tail* = staart] ruwharige Engelse herdershond (*Old English Sheepdog*).

**Bo'che** [Fr., vermoedelijk afkorting van *Alboche*, v. *Allemand* = Duits, en *-boche* = verachtende uitgang] scheldnaam voor Duitser, Mof.

**bocht** [v. Hebr. *boch* = drek] (*oorspr. Barg.*) slechte waar, rommel, uitschot, spec. van eetwaren en dranken gezegd (*bijv.: die koffie is —*, is niet te drinken).

**Bock'bier** *of* **Bock** [Du.] bep. soort zwaar donker Duits bier, vroeger alleen in december gebrouwen (naar Eimbeck of Aimbeck, plaats in Beieren; uit *Eimbecker Bier* ontstond *Ambock*, later verkort tot *Bock*). In Ned. **bokbier** genaamd.

**bode'ga** [Sp., v. Gr. *apothèke* = bewaarplaats] wijnkelder, wijnhuis. (*Vgl. ook* Fr. *boutique* = winkel.)

**bodhi** [Sanskr.] wijsheid, verlichting. **bodhisatt'vah** [Sanskr.] hij wiens wezen verlicht is, een 'heilige' op aarde.

**bo'dy** [Eng. = lichaam; wellicht verband met Du. *Bottich* = omhulsel, MLat. *bútica*, lichaam. **bo'dy-buil'ding** [Eng. = *lett.*: het lichaamsbouwen] lichaamsoefeningen ter ontwikkeling v.h. spierstelsel. **bo'dy-check** [Eng. *check* = *ook*: afwijzing, het terugslaan; *eig.*: schaak geven, *zie* **schaakmat**] (*sport*) opzettelijk zware lichamelijke botsing. **bo'dy-o'dour** [Eng.; *odour* v. Lat. *ódor* = geur] lichaamsgeur (eufemistisch afgekort tot b.o.).

**boed'dha** [Sanskr., v. dw van *budh* = wakker,

dus *lett.*: de ontwaakte, de verlichte, *zie* **bodhi**] titel van leraar i.h. boeddhisme; de Boeddha bij uitstek was Sakyamuni, ook Gautama of Siddhartha genaamd, 5e eeuw v.Chr. in Noord-Indië, de stichter v.h. boeddhisme. **boeddhis'me** bep. Aziatische godsdienst. **boeddhist'** aanhanger v.h. boeddhisme. **boeddhis'tisch** *bn* & *bw*.

**boekanier'** [Fr. *boucanier* = *oorspr.*: buffeljager, v. Caraïbisch *boucan* = vleesrooster] Westindische vrijbuiter i.d. 17e eeuw, piraat, zeerover.

**boeket'** *of* **bouquet'** [Fr. *bouquet*, v. *bosquet* (verklw. v. *bois*, = *bos*); It. *boschetto* = struik, bosje, v. *bosco* = bos] bos bloemen. (*Zie verder* **bouquet**.)

**boe'merang** [Eng. *boomerang*; waarsch. v. *bou-ma-rang*, een woord ontleend a.d. Turuwal-taal, een taal van Australische inboorlingen bij Sydney; missch. verbastering van *woomera*, een soort speerwerper] een houten, plat, min of meer gebogen werpwapen, vooral door Australische inboorlingen gebruikt. De boemerang beschrijft een *rechte* baan en keert *niet* n.d. werper terug. Een speciale soort heeft een spiraalvormige verdraaiing; wanneer deze m.e. speciale polsbeweging wordt geworpen, beschrijft hij cirkels en komt weer i.d. buurt v.d. werper terug. *Fig.*: m.b.t. een maatregel die tegen iemand of iets is uitgevaardigd, maar ten slotte de uitvaardiger zelf schade blijkt te berokkenen (zgn. *boemerang effect*).

**boer'noes** [Arab. *burnus*] Arabische lange witte wollen mantel met kap.

**bœuf** [Fr., v. Lat. *bos, bovis*, Gr. *bous* = rund] (*cul.*) rundvlees (staartstuk). **bœuf à la mode** [Fr.] gemarineerd gebraden runderstaartstuk.

**bo'gie** [Eng.] draaibaar onderstel onder het eind v.e. spoorwagen of een locomotief.

**bohè'me** [Fr.] de vrije ongeregelde levenswijze van kunstenaars, vnl. in grote kunstcentra. **bohémien'** [Fr. = *lett.*: Bohemer, zigeuner] (jeugdig) kunstenaar die geen vast geregeld leven leidt. **bohémien'ne** vr. bohémien.

**boi'ler** [Eng. = *lett.*: koker, v. Lat. *bullire* = koken, v. *bulla* = (damp)bel] **1** (*huishoudelijk*) evenals warmwaterreservoir een minder juiste naam voor *warmwatervoorraadtoestel*, d.i. een toestel dat heet water maakt en dit opslaat i.e. tank (i.t.t. een *geiser, z.a.*, die geen warm water opslaat); **2** (*stoomtechniek*) stoomketel, d.i. tankstoomgenerator.

**boise'ren** [Fr. *bois* = bos, hout] **1** met hout beplanten; **2** met hout beschieten. **boise'ring**, *ook*: **boisa'ge**, *ook* **boiserie' 1** het boiseren; **2** beplanting, beschot.

**bojaar'** [Rus. *bojarin* = groot heer] (adellijk) grondeigenaar in Slavische landen.

**bokaal'** *of* (*vero.*) **pokaal'** [v. Fr. *bocal* = vroeger: glas met dikke buik, v. It. *boccale*, v. Lat. *baucalis* = lemen vat om vloeistof koel te houden, v. Gr. *baukalis* = vaatwerk; pokaal *via* Du. *Pokale*] grote drinkbeker op voet, vaak met deksel; *ook*: wijdmondige fles of glazen kom voor vloeistoffen.

**bok'bier** *zie* **Bockbier**.

**bokkenees'** *oorspr.*: onbeschaafd iem.; stug, onvriendelijk iem. (met gedachtenassociatie bokkig) [naar Boeginees, inboorling van bep. stam op Makassar].

**boks'kalf** *zie* **boxcalf**.

**bol'deren** *zie onder* **balts**.

**boleet'** [v. Lat. *boletus*, v. Gr. *boolitès* = eetbare paddestoel, v. *boolos* = ronde massa] naam voor enkele soorten eetbare paddestoelen, bijv. eekhorentjesbrood (*Bolétus édulis*); andere *Boletus*-soorten zijn giftig.

**bole'ro** [Sp.] bep. Spaanse langzame dans in ³/₄ maat, met begeleiding van castagnetten en zang, door een of meer paren gedanst; *ook*: het daarbij gezongen lied.

**bo'lero** [onjuiste uitspraak van Sp. *bole'ro*] **1**

dameslijfje met mouwen; **2** kort mouwloos damesmanteltje; **3** Spaanse ronde hoed.

**boli'de** [v. Gr. *boolos* = kluit; *ook*: zonnebal] **1** (*met.*) vuurbal, grote meteoor; **2** racewagen.

**bollandis'ten** voortzetters v.h. werk van J. Bolland, die in 1643 begon m.e. verzameling levensbeschrijvingen van heiligen.

**bollebof'** [v. Jidd. *baäl habojes*, v. Hebr. *baäl habaït* = heer des huizes] **1** (*Barg.*) huisbaas, baas, katelein; *ook*: chef, politiecommissaris (*bollebof van de bezaar*), rechter, gevangenisdirecteur; **2** (*gemeenzaam*) geluksvogel (associatie met *boffen*); **3** bolleboos (*z.a.*). **bolleboffin'** (*Barg.*) bazin, waardin. **bolleboos** [woordafleiding als **bollebof**] **1** (*Barg.*) baas; burgemeester; **2** (*alg. beschaafd*) iem. die ergens bijzonder in uitmunt, die speciaal begaafd is, een 'baas'.

**bolsjewiek', bolsjeviek'** [Rus. *bolsheviki* = *lett.*: de meerderen; partij die het max. v. haar eisen ingewilligd wilde zien, tegenover de *mensheviki* = de gematigden] aanhanger v.h. bolsjewisme. **bolsjewis'me, bolsjevis'me** bep. politiek-staatkundig stelsel zoals in Rusland n.d. revolutie van 1917 uiteindelijk is ingevoerd.

**bo'lus** [MLat., v. Gr. *boolos* = aardkluit] (*med.*) pil; *ook*: soort gebak i.d. vorm v.e. slakkehuis met vulling (amandelspijs, gember of stroop).

**bom** [*zie* **bombarde**] met springstoffen of brandbare stoffen gevuld voorwerp bestemd om afgeschoten of door vliegtuigen of vijandelijke doelen te worden geworpen.

**bombar'de** [Fr., v. MLat. *bombárda*, v. Lat. *bombus* = Gr. *bombos* = dof geraas] ME oorlogswerktuig om grote stenen te slingeren. **bombardon'** [It. *bombardóne* = *lett.*: groot ding dat geraas maakt] bep. zwaar koperen blaasinstrument.

**bomba'rie** [verbastering van **bombast**, *z.a.*] drukte, lawaai, opschudding.

**bom'bast** [OFr. *bombace*, v. VLat. *bómbax*, *bombácis* = katoen, verbastering v. Lat. *bómbyx*, *bomycis*, v. Gr. *bombux* = zijde(worm)] overdreven opgeblazen stijl (vroeger werden kleren m. bombace opgevuld].

**bombazijn'** [Fr. *bombasin*, v. Lat. *bombycínus* = zijden, v. *bombyx* = zijde(worm), *zie onder* **bombast**] soort wollen stof (oorspr. soort zijden stof).

**bom'be** [Fr. = bom] bep. ijspudding (*bombe glacée*).

**bombe'ren** [Fr. *bomber*, zie **bombast**] opvullen met kapok; bol maken.

**bo'na** (*mv*) [Lat., ev *bónum*] goederen.

**bonang** [Ind.] slaginstrument b.d. gamelan (*z.a.*); bestaande u.e. aantal kleine gongs o.e. rek.

**bonafi'de** [Lat. *bóna fídes* = goede trouw] te goeder trouw.

**bo'na ve'nia** [Lat. *bónus* = goed, en *vénia* = verlof, *vgl. vénus* = lieftalligheid] met welwillende toestemming.

**bonbonnière** [Fr.] bonbonschaaltje.

**bon chrétien'** [Fr. = *lett.*: goed christen, verbastering van Lat. *pira crustumína* = peer van Crustumerium, een stad in Italië] christuspeer.

**bonda'ge** sexuele variant, waarbij één der partners vrijwillig gebonden en gekneveld wordt. (*Zie ook* **sadisme** en **masochisme**).

**bon gen're** [Fr. = *lett.*: goede soort] beschaafd gedrag. **bon gré mal gré** [Fr. *gré* = believen, v. Lat. *grátus* = aangenaam] goedschiks of kwaadschiks.

**bonheur'** [Fr. v. *bon* = Lat. *bónus* = goed, en *heur*, v. Lat. *hora* = uur] geluk, meevaller. **bonheur' du jour** [Fr.] 18e eeuwse pronkkast met spiegels.

**bonhomie'** [Fr.] goedhartigheid, *ook*: goedgelovigheid. **bonhom'me** [Fr.] eenvoudig en goed iem.; onnozele hals, sul.

**bo'ni** [It.] batig saldo.

**bonifica'tie** [Lat. *bónus* = goed, en *fácere* =

doen, maken] (schade)vergoeding.

**boniment'** toespraak tot publiek van marktkoopman of kermisgast (*bonisseur*).

**bo'nis** [Lat. *bóna* = goederen]: *in bonis*, welgesteld, in goeden doen.

**bo'nis a'vibus** [Lat. = *lett.*: met goede vogels, waaruit de auguren hun voorspellingen deden, *zie* **augur**, **auspiciën**] met gunstige voortekenen. **bo'nis auspi'ciis** *zie* vorige.

**bonisseur'** iem. die op kermis voor ingang v.d. tent reclame maakt.

**boniteit'** [v. Lat. *bo'nitas*, *bonitátis* = goedheid, v. *bónus* = goed) (*hand.*) kredietwaardigheid.

**bonite'ren** [Fr.] vaststellen en classificeren v.d. geschiktheid van grond voor bosbouw en v.d. kwaliteit v.h. hout.

**bonjour'** [Fr.] goedendag. **bonjou'ren**: *iem. de deur uit —*, iem. de deur uit zetten.

**bon-mot'** [Fr. v. *bon* = goed, en *mot* = woord, v. Lat. *mutíre*, of *muttíre*, *muttítum* = mompelen] goede zet, kwinkslag.

**bon'ne** [Fr.] kindermeisje.

**bon'ne fortu'ne** [Fr.] **1** buitenkansje; **2** liefdesavontuurtje.

**bonnet'** [OFr. *chapel de bonet* = hoofddeksel van *bonet*, v. MLat. *bon(n)etus* = bep. materiaal, thans onbekend] muts; bep. hoofddeksel van rk geestelijken.

**bonnetterie'** *oorspr.*: mutsenwinkel; *thans*: winkel van gebreide en geweven goederen.

**bo'no cum De'o** afk. **B.c.D.** [Lat. = *lett.*: met de goede God] met Gods hulp.

**bon sens** [Fr.] gezond verstand.

**bonsoir'** [Fr.; *vgl.* Lat. *sérus* = laat) goedenavond.

**bon-ton'** [Fr. = *lett.*: goede toon] goede manieren (in spreken en handelen), welgemanierdheid.

**bo'num commu'ne** [Lat.] gemeengoed.

**bo'nus** [Eng., v. Lat. *bónus* = goed] uitkering van bijzondere aard, extra uitkering aan aandeelhouders i.d. vorm v.e. aandeel (*bonusdeel*); winstaandeel aan verzekerden v.e. levensverz. mij.; *ook*: extra loon, gratificatie.

**bon-vivant'** [Fr. = *lett.*: goede levend] iem. die het er goed van neemt, pretmaker, doordraaier, losbol. **bon voya'ge** [Fr.] goede reis!

**bon'ze** [Fr., v. Port. *bonzo*, *missch.* v. Japans *bonzô* v. Chinees *fan seng* = religieus persoon] **1** Japanse of Chinese boeddhistische monnik; **2** (*spottend*) partijleider; bezoldigd verenigingsbestuurder. **bonzocratie'** [Gr. *krateoo* = heersen] heerschappij van bonzen.

**boo'by-trap** [Eng. = *lett.*: kwajongens- of dwazen-val; *booby missch.* v. Sp. *bobo* = dwaas, *missch.* v. Lat. *balbus* = stamelaar] **1** (*eig.*) iets boven o.e. deur die op een kier staat, zodat het o.h. hoofd valt van wie het eerst de deur opent; **2** (*mil.*) bom verbonden met onschuldig uitziend voorwerp (bij aanraking daarvan ontploft de bom).

**book'maker** [Eng.] organisator van weddenschappen bij paardenwedrennen (*oorspr.* betekenis: iem. die boeken compileert voor geldelijk gewin).

**book'test** [Eng.] bibliomantie, *z.a.*

**boom** [Eng.] plotselinge sterke prijsstijging.

**Boor**, Ned. naam voor Borium, *z.a.*

**boor'water** waterige oplossing van boorzuur, $H_3BO_3$, in verdunde toestand o.a. als ontsmettingsmiddel v.d. ogen gebruikt.

**boo'tie** [Eng., v. *boot* = laars] korte herenlaars.

**boot'legger** [Am.] (*gesch.*) Amerikaans dranksmokkelaar tijdens de drooglegging aldaar (die oorspr. de drank verborg in de schacht van zijn laars (*bootleg*)). Tegenwoordig: vervaardiger en distributeur van illegale ('witte'), langspeelplaten of geluidsopnamen; de artiest of de platenmaatschappij heeft daarvoor dus géén toestemming gegeven.

**bo'ra** [It., v. Lat. en Gr. *boreas* = noordoostenwind] koude valwind u.h.

noordoosten a.d. oostkust v.d. Adriatische Zee.

**boraat'** zout van boorzuur, $H_3BO_3$.

**borat'** ook: **brat** [v. Fr. *burat* of *bourat* naast *bure* = grove wollen stof, baai] uit gekamde wol vervaardigd sajetgarens om te breien; ook: een goedkoop soort stopsajet.

**bo'rax** [MLat., v. Arab. *burak* of *baurak*, v. Perzisch *bûrah* = boorzuur natrium] natriumtetraboraat, $Na_2B_4O_7.12H_2O$.

**bordeaux'se pap** een mengsel van kopersulfaat, kalk en water, spuitmiddel ter bestrijding van schimmelziekten bij planten (vooral vruchtbomen en aardappelen). Thans weinig meer gebruikt.

**bordelai'se** [Fr. = de Bordeauxse; *Le Bordelais* = Het Bordeauxse: landstreek rondom Bordeaux] **1** Bordeauxse wijnmaat (vat van 224-228 liter); **2** Bordeauxse wijnfles; **3** *vandaar* ook: wijnhuis; **4** (*cul.*) bep. bruine saus uit bordeauxwijn en kruiderijen met stukjes rundermerg.

**bor'der** [Eng., v. OFr. *bordereau* = rand, zoom, v. *laat*-Lat. *bordatura*, v. *bordus* = houten bord] rand van bloemen e.a. sierplanten rond gehele tuin of deel daarvan.

**borderel'** [OFr., Fr. *bordereau*, v. OFr. *bordier* = bezitter v.e. *borde* = tiendplichtige woning *eig.*: tiendenlijst v.d. *bordier*; lijst, ceel, staat waarop de onderscheiden bestanddelen v.e. bedrag, een geldsom, hoeveelheid waren elk apart staan opgegeven; *spec.*: lijst van te verzenden goederen, te incasseren wissels e.d.

**bordes'** [v. MNed. *bordessce* = luifel, v. OFr. *bretesche* = belegeringstoren; houten uitbouw boven een poort] **1** verhoging met treden vóór of achter een huis; **2** vloertje midden i.e. trap als plaats voor korte rust; **3** (*spoorwegen*) laadvloer.

**bordu're** [Fr. = rand, zoom, v. *bord* = rand] (*cul.*) rand van aardappelpuree, rijst e.d. om een gerecht.

**boreaal'** [v. Lat. *boreális*, v. Lat. en Gr. *boreas* = noordoostenwind, noordenwind] noordelijk, het hoge Noorden betreffend, arctisch.

**Borgoens'** *zie* **Bargoens.**

**bori'de** verbinding met borium (*z.a.*) metaal.

**Bo'rium**, i.h. Ned. **Boor**, [*zie* **borax**] chemisch element, niet-metaal, symbool B, ranggetal 5.

**borne'ren** [v. Fr. *borner* = begrenzen, v. *borne* = grenssteen, grenspaal] beperken, afpalen, begrenzen; *geborneerd*, beperkt van verstand, kortzichtig; ook: bekrompen van opvattingen, kleingeestig, enghartig.

**borsjtjs** [Russisch *borshch*] bep. Oosteuropese soep; - *op Russische wijze*, soep uit bieten e.a. groenten met gesneden runderpoelet.

**borzoi'** *zie* **barzoi.**

**boss** [Eng.-Am., verbastering v. Ned. *baas*] meester, baas, voorman, partijleider; de of het beste in zijn soort.

**bosse'ren** [v. Fr. *bosseler* = deuken, drijfwerk maken, v. *bosse* = *eig.*: bult; ook: reliëf, versiersel en reliëf] drijfwerk in edele metalen maken. **bosse'ren** [v. Fr. *bosse* = ook: pleistermodel] reliëfwerk maken uit weke stoffen (bijv. was).

**bos'ton** **1** soort kaartspel; **2** bep. dans (n.d. stad Boston). **bostonne'ren** bostonspel spelen.

**bota'nica**, ook: **botanie** [Gr. *botanè* = weide, gras, veevoeder; *vgl. boskoo* = Lat. *páscare* = weiden] plantkunde. **bota'nicus** plantkundige. **bota'nisch** de botanie betreffend. **botanise'ren** planten en kruiden verzamelen.

**botel'** [samentrekking van *boot* en *hotel*, in navolging van **motel**, *z.a.*] hotel op een boot gevestigd.

**bot'telen** [Eng. *bottle* = fles, v. VLat. *butícula*, verklw. v. *but(t)is* = wijnvat] op flessen doen.

**bottelier'** **1** keldermeester; **2** hofmeester op

schepen.

**botti'ne** [Fr., verklw. v. *botte* = laars] halve laars, hoge schoen.

**bott'le-neck** [Eng. = flessehals] nauwe plaats waar opstopping ontstaan, knelpunt (*ook fig.*).

**botulis'me** [Lat. *bótulus* = *eig.*: darm; worst] vergiftiging door het gebruik van met bep. bacteriën geïnfecteerde spijzen, met name vis- en vleesconserven; worstvergiftiging; ook: dodelijke infectieziekte v. watervogels.

**boucharde'ren** [v. Fr. *boucharder*] natuursteen of beton een ruw oppervlak geven door beklopping m.e. hamer waarvan het slagvak met koppen of punten is bezet (*bouchardeerhamer* of *bouchardhamer*).

**bouchée** [Fr. = *lett.*: hap, mondvol, v. *bouche* = mond; *vgl.* Lat. *bucca* = wang] **1** pasteitje van korstdeeg gevuld met ragout; **2** versnapering.

**bouclé** [Fr. = gekruld; *vgl.* It. *buccula* = haarkrul, v. Lat. *búccula*, verklw. v. *búcca* = wang] een weefsel met lussen of krullen door toepassing van bouclégarens (garens m.e. ongelijkmatige verklijk) in de inslag, gebruikt voor damesmantels.

**bouclé-tapijt** op speciale wijze met lussen geweven tapijt.

**boudoir'** [Fr. *bouder* = pruilen] *oorspr.*: kamertje om zich in stilte terug te trekken; smaakvol ingerichte dameskamer.

**bouffan'te** [v. Fr. *bouffer* = *oorspr.*: zijn misgenoegen te kennen geven door 'bouf' (= 'poeh') te zeggen; zich opblazen] dikke lange wollen herendas (waardoor men als het ware opgeblazen lijkt).

**bougie** [Fr., v. Arab. *Bijiyah* = Algerijnse stad bekend om wandkandel] **1** (*eig.*) waskaars, wasstaaf; **2** ontsteker in explosiemotor; **3** (*med.*) chirurgisch instrument, een buigbare sonde, om nauwe lichaamskanalen te verwijden, om te onderzoeken, vandaar: **bougisse'ren** *ww.*

**bouillabais'se** [Fr., Provençaals *boulabasso*] bep. soep in Zuid-Frankrijk (*spec.* te Marseille) met veel vis van diverse soorten.

**bouilli'** [Fr. = *lett.*: gekookt, v. *bouillir* = koken, v. Lat. *bullíre* = opborrelen, v. *búlla* = dampbel] gekookt soepvlees.

**bouleverse'ren** [Fr. *bouleverser*, v. *boule* = rond voorwerp (Lat. *bulla* = luchtbel, rond voorwerp), en *verser* (Lat. *vértere*) = keren, wentelen, het onderste boven keren] in grote wanorde brengen, i.d. war schoppen, ondersteboven keren.

**bouquet'** [*zie* **boeket**] **1** ruiker bloemen; **2** aroma, fijne geur en smaak van bijv. wijn; **3** slotstuk van vuurwerk. **bouquet' garni'** [Fr. = *lett.*: gegarneerd boeket] bosje kruiden (peterselie, tijm, laurier e.d.) om gestoofd vlees, soep of saus tijdens bereiding aroma te geven.

**bourdon'** [Fr. = hommel] **1** brombas, ook: bassnaar; **2** orgelregister (16- of 32 voets); **3** grootste klok i.e. klokkentoren.

**bourdonné** *bn* (*herald.*) gezegd v.e. kruis: a.d. vier uiteinden v.e. knop voorzien.

**bourgeois'** [Fr.] burger; — *satisfait* [Fr. = voldaan burger, v. Lat. *satisfácere* = verzadigen, v. *satis* = genoeg, en *fácere* = maken], spotnaam van politiek links georiënteerden voor bekrompen behoudzuchtige. **bourgeoisie'** [Fr. = burgerij] spotnaam voor bekrompen behoudzuchtige bezittende klasse.

**bourgon'disch** [v. Fr.] uit Bourgondië; uitbundig, overvloedig.

**bourrée** [Fr.] vrij snelle OFr. dans uit Auvergne in tweedelige maat; muziek daarvoor.

**bourret'tezijde** uit afval v.d. zijdespinnerij gesponnen garen.

**bousso'le** [Fr., v. It. *bussola* = doosje, kompas; *vgl.* It. *bossola* = buxuspalm, ook: collectebus; *via* Lat. v. Gr. *puxis* = (palmhouten) doosje] kompas; bep. instrument van landmeters; instrument om stroomsterkte direct in ampère

te meten (**tangentenboussole**).
**bouta'de** [*vgl.* Fr. *bouter* = stoten met scherpe punt] geestige uitval, humeurige uitval, beleefde spot; (*muz.*) caprice.
**bouton'** [Fr.] knop, knoopje, spec. als versiering v.e. ridderorde. **boutonnière** i.h. knoopsgat gestoken bloem of teken v.e. ridderorde.
**bouw** [Mal. *baḫoe*] Ind. oppervlaktemaat (bijna 7100 m²).
**bovie'ne tuberculo'se** [v.Fr. *bovin*, Lat. *bovinus* = runderachtig, v. *bos, bóvis* = rund, os; *zie verder* **tuberculose**] rundertuberculose.
**bovist'** [v. Du. *Bubenfist* = *lett.*: boevenveest; veest = buikwind] bep. eetbare paddestoel (met opgeblazen voorkomen).
**bow'denkabel** holle kabel waarin een stalen draad kan bewegen om op afstand een mechanisme te bedienen, bijv. een rem of een koppeling.
**bo'wiemes** [Am. *bowie-knife*] soort lang jachtmes [in de Wild West gebruikt; naar J. Bowie].
**bowl** [Eng. = *eig.*: bassin, drinkschaal; het woord is verwant met Ned. *bol*] 1 schaal; 2 bep. drank uit vruchten en hun sap bereid met witte wijn of niet-alcoholische drank.
**bow'len** [v. Fr. *boule* = rond voorwerp, v. Lat. *bûlla* = luchtbal, rond voorwerp; Eng. *bowl* = bep. soort bal] bij cricketspel de bal werpen naar wicket der tegenpartij dat door de batsman verdedigd wordt; kegelen.
**bow'ling** [Am.] Amerikaanse vorm van kegelen.
**box** [Eng. = *eig.*: kist, *waarsch.* v. Gr. *puxis* = (palmhouten) doosje] alles wat iets kan bevatten of omsluiten; doos; brievenkastje voor partikulieren op postkantoor (**postbox**); loge in schouwburg; stalling voor één paard; stalling voor één auto; babybox.
**box'calf** [Eng.], *ook*: **boks'kalf** met chroom gelooid zwart fijn kalfsleer [naar Joseph Box, een Londense schoenmaker; en niet omdat het leer thans van kistkalveren (Eng. *box* = *ook*: kist) afkomstig is].
**box'spring** [Eng.] houten bak waarin springveren bevestigd zijn, dienend als ondergrond voor een matras.
**boy** [Eng., *vgl.* Oost-Fries *boi* = jonge heer, missch. hetzelfde woord als Ned. *boef*, in vroegere betekenins van: knecht; *vgl.* Du. *Bube*] 1 jongen; 2 inlands bediende in verscheidene landen.
**boy'cotten** [Eng. *to boycott*] straffen door systematische weigering van economische gemeenschapsbetrekkingen [naar Boycott, een Iers rentmeester door de ontevreden bevolking als eerste aldus behandeld in 1880]; thans ook i.d. betekenis: dwarsbomen. **boy'cot** *zn.*
**boy'-scout** [Eng. = *lett.*: jongen-verspieder] padvinder, verkenner, lid van organisatie gesticht door Baden Powell.
**Brabançon'ne** Belgisch vrijheidslied, onstaan b.d. afscheidingsbeweging van Nederland in 1830.
**bra,** afk. van **brassière,** *z.a.*
**bracelet'** [OFr., verklw. v. *bracel,* v. Lat. *bráchium* = (onder)arm; *vgl.* Gr. *brachioon* = arm] armband; (*ironisch*) handboei.
**brachiaal'** [Lat. *brachiális* = tot de arm behorend, v. *bráchium* = (onder)arm] arm-, de arm betreffend.
**brachy-** [Gr. *brachus* = kort] kort-. **brachycefaal'** [Gr. *kephalē* = hoofd] kortschedelig (breedte minstens viervijfde v. lengte). **brachydac'tylisch** [Gr. *daktulos* = vinger] kortvingerig. **brachygrafie'** [Gr. *graphoo* = schrijven] kunst van snel te schrijven met verkortingen. **brachylogie'** [Gr. *logos* = woord; *-logie* niet i.d. betekenis van wetenschap] redekundige figuur, waarbij kortheidshalve zinsdelen worden weggelaten (*bijv.: jong gewend, oud gedaan*).
**bractea'ten** *mv* [Lat. *bractea* of *brattea* = dun

blaadje, goudblaadje] (*gesch.*) slechts aan één zijde bestempelde dunne zilveren munten i.d. ME in omloop.
**braderie'** [Z.N. *braderij,* oorspr.: braadplaats] kermisachtige feestelijke markt.
**bradycardie'** [Gr. *bradus* = langzaam, traag, en *kardia* = hart] trage hartslag. **bradypepsie'** [Gr. *pepsis* = spijsvertering, v. stam *pep-* = koken] langzame spijsvertering.
**Bragoens'** *zie* **Bargoens**.
**brah'man** [Sanskr., *waarsch. oorspr.* = fundamentele dragende kracht] fundament v.d. schepping en v.d. menselijke persoonlijkheid. **brahmaan' 1** lid van de hoogste kaste i.d. Indische samenleving, een soort priester-adel, een leraars- en geleerdenstand, gezaghebbend betreffende de overlevering v.d. offerwetenschap; **2** aanhanger v.h. brahmanisme, *z.a.* **brahmaans'** *bn* v.d. brahmanen. **brahmanis'me** tweede fase i.d. Indische godsdienst en cultuur, aansluitend b.d. oude vedische (*zie* **vedisch**) godsdienst, en voorafgaand a.d. hindoeïstische cultuur (*zie* **hindoeïs'me**).
**braidis'me** soort hypnotische toestand veroorzaakt door staren naar blinkende voorwerpen [het eerst wetenschappelijk toegepast en verklaard door Dr. J. Braid in Engeland in 1842].
**brail'leschrift** blindenschrift, bestaande in punten in reliëf op papier, waarbij elke letter door een bep. combinatie van dergelijke punten wordt voorgesteld [n.d. blinde Franse uitvinder Louis Braille, 1809-1852].
**brain-** [Eng. = hersenen; *vgl.* Ned. *brein*] hersen-. **brain drain** [*lett.*: aftapping van hersenen; Eng. *to drain* = aftappen] naam voor het in grote aantallen weg gaan van wetenschapsbeoefenaars n.h. buitenland, spec. van Europa n.d. VS. i.d. jaren '60. **brain'storming** [Am.; *to storm* = te keer gaan] door Alex F. Osborn ontworpen methode om in vergadering van belangrijke personen van diverse pluimage (niet-deskundigen) ideeën ter oplossing v.e. bepaald probleem ongehinderd naar voren te laten brengen, welke ideeën later deskundigen (misschien) van nut kunnen zijn. **brain'trust** [Am. = *lett.*: combinatie van hersenen; *zie* **trust**] *oorspr.* naam voor groep adviseurs van VS-president Roosevelt in 1932; *thans ook* meer algemeen: groep deskundigen. **brain'washing** [Eng.; *to wash* = wassen] hersenspoeling. **brain'wave** [Eng. = *lett.*: hersengolf] briljante ingeving.
**braise'ren** [v. Fr. *braiser*] (*cul.*) smoren of stoven. **braisière** [Fr.] stoofpan, casserole met deksel om in te stoven.
**brancard'** [Fr., v. Provençaals *brancal*] draagbaar voor vervoer van zieken of gewonden. **brancardier'** drager v.e. brancard.
**branda'de** [Fr.] (*cul.*) speciale Zuidfranse (Languedoc, Provence) bereidingswijze van kabeljauw.
**brandebourgs'** *mv* [v. Fr. *Brandebourg* = Brandenburg] *oorspr.* een deel v.d. militaire kleding in Brandenburg, met rijke garnering met tressen bij de sluitingen v.d. knopen; *thans* tresgarnering op pyjama's, mantels e.d.
**bras dessus bras dessous'** [Fr. = *lett.*: arm erboven arm eronder] arm in arm.
**brasili'ne** [*zie* **braziel**] bep. rode kleurstof uit fernambukhout (braziliaans hout).
**bras'sen** [Fr. *brasser* = omroeren of mengen door armbewegingen, v. *bras* = arm], *ook*: brouwen *zie* **brasserie**] **1** zwelgen (spijs zowel als drank); geld verbrassen, veel geld verteren; **2** (*scheepsterm*) de raas brassen, de zeilen — , de zeilen n.d. wind stellen.
**brasserie'** [Fr., *zie* **brassen**] bierbrouwerij; *ook*: kroeg.
**brassière** [Fr., v. *bras* = arm] bustehouder, beha.
**brat** *zie* **borat**.

**brave'ren** [Fr. *braver*, v. *brave* = sterk, dapper, kloek] trotseren. **brava'de** [Fr.] trotsering.

**bravo'** [It., *vgl.* F. *brave*, zie **braveren**] *tw* uitroep van bijval: goed zo! **bravis'simo** [It., overtreffende trap van *bravo*] uitroep van levendige bijval: prachtig zo!

**bra'vo** (*mv* **bra'vi**) [It.] gehuurde sluipmoordenaar in Italië.

**bravou're** [Fr., v. *braver* = sterk, dapper, kloek] moed, onverschrokkenheid, *ook*: uiterlijk vertoon van flinkheid (bijv. een rol met veel bravoure spelen). **bravoure-aria** aria die a.d. zanger technisch zeer hoge eisen stelt.

**braziel'** [*Brazil* is oorspr. Sp. Port. en Fr. naam voor bep. Engels-Indische boomsoort, daarna overgegaan op daarop lijkende Zuidam. soorten, waaraan het land Brazilië ten slotte zijn naam ontleent] **1** bep. Braziliaanse houtsoort (vroeger voornamelijk ter bereiding van verfstoffen); **2** Braziliaanse tabak.

**1 break** [Eng., missch. v. vroeger Eng. *brake* = breidel, mogelijk omdat dit soort rijtuigen gebruikt werd om jonge paarden te wennen aan het trekken v. rijtuigen] brik, licht open rijtuig op vier wielen met zítbanken aan de zijkanten van de bak.

**2 break** [Eng., v. *to break* = breken; *vgl.* Lat. *frángere*] pauze; *ook*: geïmproviseerde frasering in rustinterval bij bep. jazz-muziek.

**break'-down** [Eng.; *down* = naar beneden] instorting, inzinking.

**break-e'ven point** [Eng.] punt i.e. bedrijfskundige grafiek, dat weergeeft bij welke afzetgrootte de financiële opbrengst gelijk is a.d. totale kosten en waarbij een onderneming noch winst noch verlies maakt.

**bree'ches** *mv* [Eng., *mv* v. *breech-* = broek-, v. oud-Germ. *brōks* (mv) = bekleding van lendenen en dijen] korte (rij)broek met band onder de knie.

**Breit'schwanz** [Du. = *lett.*: brede staart] bontsoort v.d. behaarde huid van onvoldragen lammeren v.h. persianerschaap; *ook*: imitatie daarvan (weefsel).

**brelo'que** [Fr., *ook: berloque*] sierhangertje (meestal van weinig waarde) aan horlogeketting, armband e.d.

**bren** [Am., woord gevormd uit de beginletters van *Brno*, stad in Tsjechoslowakije alwaar het eerst gemaakt, en *En*field, stad i.d. VS] bep. soort licht machinegeweer. **bren'carrier** [Eng. *carrier* = drager] lichte gevechtswagen met bren.

**bre've** [Lat. *brevis* = kort; *vgl.* Gr. *brachus*] beknopt schrijven v.d. paus.

**brevet'** [Fr. = akte, diploma, v. Lat. *brevis* = kort] *oorspr.*: geschrift v.d. koning waardoor een bevoegdheid of titel werd verleend, zonder dat dit officieel i.d. registers werd ingeschreven; *thans*: getuigschrift, bewijs van bekwaamheid (bijv. vliegbrevet). **brevette'ren** [Fr. v. *breveter*] een brevet verlenen.

**bre've vis'ta** [It.] (*hand.*) wissel op kort zicht.

**breviatuur'** [v. Lat. *breviáre* = korter maken, v. *brevis* = kort] verkorting; het ingekorte (meestal **abbreviatuur**).

**brevier'** [v. kerk. Lat. *breviárium*, v. Lat. *breviárium* = kort overzicht, v. *brevis* = kort, *breviárius* = kort samengevat] getijdenboek der rk geestelijken, ontstaan door inkorting (vandaar de naam) v.d. vroegere lange getijden; deze inkorting geschiedde oorspr. t.b.v. de zielzorgers, die het koorgebed niet konden bijwonen. **brevie'ren** als afzonderlijk persoon de getijden v.d. dag u.h. brevier bidden.

**bre'vi ma'nu** [Lat. = *lett.*: met korte hand] zonder omhaal. **brevita'tis cau'sa** [Lat.] kortheidshalve. **bre'viter** [Lat., *bw* van *brevis* = kort] i.h. kort.

**bric-à-brac** [Fr. = verscheidenheid van gelegenheidskoopjes; *vgl.* de *bric et de brac* = van hier en daar, met stukken van allerlei herkomst] allegaartje; snuisterijen; *ook*: oude rommel.

**bride'ren** [Fr. *brider* = *lett.*: intomen, beteugelen, v. *bride* = breidel, toom, teugel] op bep. wijze opbinden van wild, grote stukken vlees, gevogelte of vis om panklaar te maken.

**brie'fing** [Eng., v. *brief*, Lat. *brevis* = kort] korte mondelinge instructie, vnl. van vliegtuigbemanningen in oorlogstijd (ook wel van grondtroepen) vóór het begin v.e. aanvalsoperatie omtrent doel, uitvoering e.d. **brie'fingroom** [Eng., *room* = kamer] kamer of zaaltje waar *briefing* wordt gegeven.

**brigantijn'** [Fr. *brigantin*, It. *brigantino* = *lett.*: kleine rover] oorspr. kaperschip; bep. soort zeilschip met twee masten.

**1 brik** *zie* **1 break**

**2 brik** [Eng. *brig*, afk. van *brigantine*, zie **brigantijn**] soort schip met twee masten, ontwikkeld u.h. brigantijntype.

**briket'** [Fr. *briquette*, verklw. v. *brique* = baksteen (*oorspr.*: afgebroken stuk steen), missch. v. Germ. stam *brek-* = breken; *vgl.* Eng. *brick*] blok bestaande uit stof van steenkolen met bindmiddel samengeperst.

**brillanti'ne** [Fr.] bep. haarvet dat haar doet glanzen. **brille'ren** [Fr. *briller*] schitteren, uitblinken.

**bri'o** [It.] levendigheid. **con brio** (*muz.*) levendig.

**brio'che** [Fr. = *lett.*: tulband] bep. zoet luxebroodje van fijn brooddeeg (*briochedeeg*) met eieren en boter, ook als gebak gebruikt: — *mousseline*, smal, hoog, cilindervormig gebak uit briochedeeg.

**brisant'** [Fr., o.dw van *briser* = breken] zeer` explosief (bijv. granaat).

**bris'ling** [Noors] sprot in olie in blik (vaak onder de naam sardine).

**brisu're** [Fr.] (*herald.*) breuk, verandering i.h. blazoen (*z.a.*) van jongere zonen.

**brocaat'** *zie* **brokaat**.

**brocatel'** *zie* **brokatel**.

**broccatel'lo** [It.] marmersoort met gele, rode of paars-grijze aderen.

**broc'coli** [It.] Italiaanse bloemkool, groen, minder vast en kleiner dan gewone bloemkool.

**bro'che** [Fr. *algemeen*: pin, woord v. Keltische oorsprong] **1** vrouwensieraad voorzien van speld om het op borstkleding vast te steken; **2** braadspit; **3** wat a.h. spit wordt gebraden; *en* —, a.h. spit gebraden.

**broche'ren** [Fr. *brocher* = *eig.*: goud- of zilverdraden inweven in stoffen, *vandaar*: innaaien] boeken innaaien en inlijmen zonder te binden. **brochu're** [Fr. = klein gebrocheerd boekje] klein boekje of vlugschrift, meestal gewijd a.e. actueel onderwerp.

**brochet'** [Fr.] (*cul.*) snoek.

**brochet'te** [Fr., verklw. v. **broche 2**] (*cul.*) pin van metaal of hout om daaraan kleine stukjes vlees te roosteren, braadspitje.

**broderie'** [Fr. = borduurwerk, v. *broder* = borduren] **1** borduurwerk; **2** (*muz.*) versiering in zang.

**brokaat'** *ook:* **brocaat'** [It. *broccato*, Sp. & Port. *brocado*; *vgl. broche* = pin met juwelen] bep. kostbaar weefsel met ingeweven figuren en reliëf, vaak met goud- of zilverdraad. **brokatel'** brokaatachtige stof met zijden garens i.p.v. goud- of zilverdraad. *Ook:* **brocatel**.

**bromaat'** [*zie* **Bromium**] zout van broomzuur HBrO₃.

**bromatologie'** [Gr. *brooma* = spijs, voedingsmiddel, en *logia* = leer, kunde] voedingsmiddelenleer, dieetleer, voedingsleer.

**bromi'de** verbinding van broom m.e. metaal, de atoomgroep NH₄—, een niet-metaal of een organische atoomgroep, waarin bromium het negatieve bestanddeel vormt. De (vaste) metaalbromiden zijn zouten van broomwaterstofzuur, HBr.

**Bro'mium** [v. Gr. *broomos* = stank, i.h. Ned. **Broom** [v. Gr. *broomos* = stank] chemisch element, niet-metaal, bij normale temperatuur vloeibaar met scherpe

geur, symbool Br, ranggetal 35.
**bronchiaal'** [Fr. *bronchial*, v. Gr. *brogchos* =
keel, luchtpijp] de luchtwegen betreffend.
**bron'chiën** *mv* [Gr. *brogchia*] vertakkingen
v.d. luchtpijp, ook de fijnere i.d. longen.
**bronchi'tis** ontsteking v.d. slijmvliezen
waarmee de luchtpijp en haar vertakkingen
inwendig bekleed zijn. **bronchologie'** [*zie*
**-logie**] leer v.d. ziekten der luchtwegen.
**bronchoscopie'** [v. Gr. *skopeoo* =
rondspieden, kijken] inwendige inspectie v.d
luchtpijp en haar takken.
**bron'cho** [v. Sp. *bronco* = ruw] wild of
halfgetemd paard (in Californië enz.).
**bronst** [*oorspr.* = gloed, v. OHDu. *brunst* =
brand, *ook*: jeuk, v. Germ. *brinnan* = branden;
de huidige bet. waarsch. van MHDu. *brunft* =
geschreeuw van herten i.d bronsttijd, v.
OHDu. *breman* = brullen, brommen] i.h. Ned.
*paardrift*, periodieke toestand van
geslachtelijke opwinding bij (geslachtsrijpe)
dieren, waarin zij geneigd zijn te paren, spec.
bij zoogdieren (maar niet uitsluitend). De
bronst ontstaan veranderingen, o.a. speciale
geur, opzwelling van geslachtsklieren, bij
vogels en vissen kleurveranderingen
(*bruiloftskleed*), veranderingen in gedrag, bijv.
uitstoten van speciale geluiden,
schijngevechten, baltsverschijnselen.
**bronto-** [Gr. *brontè* = donder] donder-.
**brontofobie'** [*zie* **fobie**] vrees voor onweer.
**brontosau'rus** [*zie* **saurus**] bep. soort
voorhistorisch reptiel (in Jura- en
Krijtperiode).
**Broom** *zie* **Bromium**.
**brouille'ren** [Fr. *brouiller* = mengen, klutsen,
(*fig.*) misverstand wekken] oneningheid
zaaien; *gebrouilleerd zijn*, ruzie hebben, met
elkaar overhoop liggen.
**brouillon'** [Fr.] klad, ontwerp; *ook*: kladboek
voor schetsen.
**brow'ning** [Eng.] semi-automatisch pistool
met het magazijn i.d. kolf [naar John M.
Browning, Am. wapenconstructeur, die dit
soort pistool in 1897 vervaardigde] (de naam
*browning* wordt meestal gebruikt als
verzamelnaam voor alle semi-automatische
pistolen, doch geheel ten onrechte).
**broye'ren** [Fr. *broyer*] verbrijzelen, tot vlokken
walsen van brokken papier.
**bruine'ren** ['vertaling' v. Fr. *brunir*] (*cul.*) a.e.
gerecht een bruine kleur geven door verhitting,
bruin braden.
**brunch** [Eng., samentrekking van *breakfast* =
ontbijt, en *lunch* = koffiemaaltijd midden o.d.
dag] informele maaltijd tussen half 11 's
morgens en half 2 's middags.
**brunet'te** [Fr., v. *brun* = bruin] vrouw of
meisje met donker haar. (*Vgl.* **blondine**.)
**brunoi'se** [Fr.] kleine blokjes gemengde
groente, vlees of vis, gesmoord in boter,
gebruikt als garnituur of als vulling voor
soepen.
**bruske'ren** *zie* **brusskeren**.
**bru'to** afk. **Br**. [It., *vgl.* Fr. *brut* = wat niet
gefatsoeneerd is, ruw] ruw; — *gewicht*,
gewicht met verpakking; — *opbrengst*
opbrengst zonder aftrek van wat nog afvalt bij
zuivering; — *loon*, loon zonder aftrek van
inhoudingen.
**bru'tum ful'men** [Lat. = *lett*.: blindelings
treffende bliksem] loze bedreiging.
**bruusk** [Fr. *brusque*, v. It. *brusco* = ruw,
scherp] onverhoeds; ruw onbeschaafd.
**bruuske'ren** bars bejegenen, ruw
toesnauwen; met geweld doordrijven.
**bruyant'** [Fr. *bruire* = geraas maken] tierend,
lawaaierig.
**bruyère** [Fr. v. Keltisch *brug* = struik] struikheide;
pijp van bruyère gemaakt.
**bryologie'** [Gr. *bruon* = soort zeemos, mos; *zie*
**-logie**] kennis der mossen.
**bubo'nenpest** [Gr. *bouboon* = lies; VLat.
*bubo* = kliergezwel spec. in lies; It. *bubóne* =
gezwel] builenpest.

**bucentaur'** [Gr. *bous* = rund, os; *zie verder*
**centaur**] 1 myth. wezen, half mens half stier;
2 (*gesch.*) praalschip v.d. Doge van Venetië.
**buck'ram** [v. OFr. *boquerant* of v. It.
*bucherane*] ruw gestijfd linnen.
**buck'skin** [Eng. = *lett*.: bokkehuid] bep.
weefsel, stevige stof voor broeken.
**buco'lisch** [Gr. *boukolos* = koeherder,
*boukolikos* = de herder betreffend. v. *bous* =
rund, en *kol-*, *vgl*. Lat. *cólere* = verzorgen]
herderlijk, pastoraal, landelijk.
**bud'dy seat** [Am.; *buddy* = makker, maat,
verklw. v. *bud*, kinderlijke uitspraak van
*brother* = broer; *seat* = zitplaats; *vgl*. Lat.
*sedére* = zitten] langwerpig zadel voor twee
personen op motorfiets e.d.
**bud'get** [Eng., v. OFr. *bougette* = kleine beurs,
verklw. v. *bouge* = leren tas, v. VLat. *bulga*
(Gallisch woord) = knapzak, leren
klerenkoffer] begroting v. inkomsten en
uitgaven, financieel overzicht. **budgettair'**
[Fr. *budgétaire*] het budget betreffende,
**budgette'ring** het opmaken v.h. budget.
**bufeta'ria** [*zie* **buffet**] soort cafetaria.
**buf'fer** [Eng., waarsch. klanknabootsing van
geluid bij stoot; *vgl*. Ned. 'poef' en Fr. *bouffer*
= *lett*.: 'poeh' zeggen] schokbreker van
kussens, veren of stevige balken, spec. bij
spoorwagens.
**buffet'** [Fr. *buvette*, v. *boire* = drinken, Lat.
*bibere*] 1 tafel met dranken en lichte spijzen,
spec. op stations, in schouwburgen e.d.; 2 [Fr.
*buffet*] kasttafel voor het opbergen van
porselein e.d.
**buf'fo** [It.] grappig, komisch. (*Zie* **opera
buffa**.)
**bu'gel** [Eng. *bugle*, Fr. *bugle*, v. OFr. *bugle* =
jonge stier, v. Lat. *búculus*, verklw. v. *bos*,
*bovis* = os, rund] oorspr. jachthoorn (van
ossehoren vervaardigd); bep. koperen
blaasinstrument.
**bug'gy** [Eng., woordafleiding onbekend] licht
open rijtuigje voor één of twee personen,
getrokken door één paard, spec. in (vroegere)
Engelse koloniën, en de VS.
**Büh'ne** [Du. = toneel] in Ned.: het toneel of
het podium bij cabaret of amusementsmuziek.
**Büh'nenfieber** [Du.; *vgl*. Lat. *febris* = koorts]
plankenkoorts, zenuwachtige toestand vóór 't
tijdens publiek optreden.
**buks** [v. Du. *Büchse*, OHDu. *buksa*, v. VLat.
*buxis*, v. Gr. *puxis* = doos van palmboomhout]
bep. soort kort geweer.
**buk'skin** Ned. spelling van **buckskin**, *z.a*.
**bul** [Lat. *bulla* = rond voorwerp, klomp; *later*:
lood- of wasklomp waarin zegel gedrukt
werd] oorkonde v. academische senaat voor
gegradueerde (doctorsbul); oorkonde v. vorst;
bep. pauselijk schrijven.
**bulbair'** *bn* (*med.*) betrekking hebbend o.h.
verlengde ruggemerg.
**bulbeus'** [Fr. *bulbeux*, v. Lat. *bulbus* = bol van
ui of andere bolgewassen, Gr. *bolbos* = ui]
bol- of knolachtig.
**bulk'carrier** [Eng.; *bulk* = lading, *missch*. v
ONoors *bulki*; *carrier* = drager] schip dat los
gestorte goederen, zoals graan, erts, e.d.
(*bulkgoederen*) vervoert.
**bull** [Eng.] stier; *John Bull*, verpersoonlijking
van Engeland. **bull'dozer** [Eng., v. *bulldoze*
(slang) = er onder krijgen, bedwingen] *lett*.:
sterke bedwinger; krachtige tractor voorzien
van brede plaat vooraf gebruikt bij het
opruimen van obstakels en het effenen van
terreinen, grondschuiver, tractorschuif.
**bul'lebak** [*lett*.: stierekaak, stierekop] ruw
heerszuchtig persoon. **bul'lebijter** (*gesch*.)
hond afgericht om tegen stieren te vechten (als
volksvermaak); (*fig*.) bullebak.
**bulletin'** [Fr., v. It. *bulletino*, verklw. v. *bulletta*
= loterijbriefje, zelf verklw. v. *bulla* = gezegeld
stuk, v. Lat. *bulla*, *zie* **bul**] kort officieel bericht
over een publieke aangelegenheid, groot
nieuws of toestand van hooggeplaatste zieke.
**bul'ly** [Eng. *to bully off* = kruisen v. sticks bij
hockey, *to bully* = o.a. uitdagen] (*hockey*)

kruising der sticks bij begin van wedstrijd of wanneer de bal weer i.h. spel wordt gebracht.
**bun'der** [v. OFr. *bonnier*, v. MLat. *bonnárium*; *waarsch.* v.e. Gallisch woord] vlaktemaat (niet officieel), gelijk aan 1 hectare = 10 000 m².
**bun'galow** [Eng. = *lett.*: Bengaals huis, v. Hindi *bangla* = Bengalen betreffend] oorspr. Indisch laag landhuis met veranda's rondom; *thans*: alleenstaand fraai huis met alle vertrekken gelijkvloers, bestemd voor één gezin; *ook*: vakantiehuisje voor één gezin.
**bun'ker** [afleiding onzeker] 1 kolenruim van schip; **2** (*mil.*) ondergrondse schuilplaats; *ook*: versterking van beton en staal. **bun'keren** kolen aan boord nemen.
**Bun'senbrander** [naar R.W. Bunsen, Du. chemicus, 1811–'99] laboratorium, waarbij door luchttoevoer een zeer hete vlam kan worden verkregen die geen roetaanslag geeft.
**bureaucratie'** [Fr. *bureau* (v. OFr. *bure* = rode stof waarmee men schrijftafels bedekte, v. Lat. *búrrus* = rood) en Gr. *krateoo* = heersen] ambtenarenheerschappij, willekeurige vormelijkheid en letterdienarij. **bureaucraat'** heerschzucht ambtenaar die enkel de letter der voorschriften volgt. **bureaulist'** kaartjesverkoper aan schouwburg of bioscoop.
**bureau'-minis'tre** schrijftafel met zijladen en opening voor knieën en benen, en zonder opstand. **bureau'landschap** grote kantoorruimte waarin de diverse afdelingen niet door wanden maar door beplanting in grote bakken gescheiden zijn (zgn. *kantoortuin*). **bureel'** (*spec. Z.N.*) administratiekantoor, ambtelijk bureau.
**buret'** [verklw. v. Fr. *buire* = schenkkan] glazen buis met maatverdeling en aftapkraan, waarmee men vloeistofhoeveelheden zeer nauwkeurig kan afmeten (tot minder dan 0,1 cm³ nauwkeurig), spec. in scheik. laboratoria gebruikt.
**burijn', burin'** [Fr. *burin*, waarsch. v. OHDu. *bora* = boor] graveerstift. **burine'ren** m.d. graveerstift bewerken.
**burlesk'** [Fr. *burlesque*, v. It. *burlesco*, v. VLat. *burla* = klucht] kluchtig, komiek, koddig. **burles'ke** toneelklucht of grappig-koddig muziekstuk.
**bur'nus** *zie* **boernoes.**
**bu'rowwater** oplossing van aluin en loodacetaat, gebruikt voor *compressen* (*zie* **compres II**) en als *desinfectans* (*z.a.*) [genoemd naar K.A. Burow, 1809–'74].
**bursaal'** [v. VLat. *bursa* = geldbuidel, beurs] *zn* iemand die een beurs geniet, beursstudent.
**bu'shel**, afk. **bs.** [Eng., v. OFr. *boissiel*, v. VLat. *buscellus*, v. Lat. *buxus* = buksboom, al wat van palmhout gemaakt is vat, kist; *zie* **box**] inhoudsmaat (8 gallons) voor koren, fruit e.d.
**bus'iness** [Eng. = *lett.*: het bezig zijn; OEng. *bisignes*] zaak, zaken. **bu'siness-class** klasse zitplaatsen i.e. vliegtuig die wat comfort betreft ligt tussen de eerste klas en de toeristenklas; *ook*: **exe'cutive class. business-man** [Eng.] zakenman.
**bus'te** [Fr. misschn. v. Lat. *bustum* = brandstapel, graf, v. *combúrere, combústum* = verbranden, wegens gewoonte borstbeeld v.d. overledene op het graf te plaatsen] 1 borstbeeld; **2** vr. borsten.
**butaan'** [Lat. *butyrum*, Gr. *bouturon* = boter, v. *bous* = rund] bep. gasvormige koolwaterstof $C_4H_{10}$, waarvan boterzuur, *ácidum buty'ricum*, kan worden afgeleid. **butadiëen'** bep. gas, $CH_2 = CH — CH = CH_2$, dat gepolymeriseerd kan worden tot synthetische rubber. **butyl-** [*zie* **-yl**] de atoomgroep $C_4H_9$—.
**but'ler** [Eng., v. OFr. *bouteillier* = bottelier, keldermeester, v. *bouteille* = fles, Eng. *bottle*, v. VLat. *buticula*, verklw. v. *buttis* = wijnvat] hoofdhuisknecht, chef der bedienden.
**but'ton** [Eng. = *eig.*: knoop, knop]

herkenningsteken in knoopsgat; opgespeld insigne (met bijv. naam) op vergaderingen, congressen e.d.
**butyri'ne** [Gr. *bouturos* = boter] boterstof, glycerineëster van boterzuur.
**butyrome'ter** [*zie* **butaan** en **meter**] toestel om vetgehalte van melk en boter te bepalen.
**bu'xi** [combinatie van *bus* en *taxi*] lijntaxi.
**buz'zer** [Eng. *to buzz* = brommend-zoemend geluid maken (klanknabootsing)] zoemer.
**by'pass** [Eng. = omleiding, rondweg] omloopleiding, hulpleiding.
**bys'sus** [Lat. v. Gr. *bussos* = soort fijn linnen] draden waarmee sommige schelpdieren zich vasthechten.
**by'te** computerinformatiegeheel, bestaande uit acht bits (een bit is de kleinste informatie-eenheid waarmee de computer werkt; symbool **B**).
**bythometrie'** [Gr. *buthos* = diepte der zee] meting der zeediepte.
**byzantijns'** [Lat. *Byzantínus*, v. Gr. *Buzantios*, v. *Buzantion* = tegenwoordige Constantinopel] **1** van Byzantium; **2** kruiperig, slaafs (naar het vleierige hofceremonieel v. h. Byzantijnse Rijk); —*e muziek*, muziek der Griekse Kerk. **byzantinis'me** slaafsheid, vleierige kruiperij tegenover persoon van hogere rang of stand.

**cab** [Eng., afk. v. **cabriolet**, *z.a*] klein huurrijtuig.

**cabaal'** [Fr. *cabale*, v. MLat. *cabala* = geheim genootschap, v. Hebr. *qabbalah* = overlevering, *zie* **kabbala**] samenzwering, samenspanning, complot, geheim verbond.

**caballe'ro** [Sp., v. Lat. *caballus*, verklw. v. *cabo* = paard] ruiter; ridder; cavalier.

**caban'** [Fr., v. Sp. *gaban*] regencape met mouwen en capuchon.

**caba'ne** [Fr., v. VLat. *capanna*, v. Keltisch woord] huisje, hut, hok; *ook*: scheepskajuit, klein scheepje (*vgl.* cabine).

**cabaret'** [Fr. = kroeg, café, v. Arab. *chamarat* = wijnhuis] *oorspr.*: gezelschap dat musiceerde, zong en voordroeg i.e. café om de gasten te verpozen; *thans*: (eig. cabaret *artistique* = kunstzinnig cabaret) *a* bep. soort lichte vermaakkunst met afwisseling van muziek, voordracht, conférence en dans, op iets hoger plan dan *variété*, *z.a.*; *b* groep die cabaret ten gehore brengt, kleinkunstgezelschap; *c* gebouw of zaal daarvoor, kleinkunsttheater. **cabaretier'** [Fr.] cabaret-artiest. **cabaretiè're** cabaret-artieste.

**cabillaud'** [Fr.] (*cul.*) kabeljauw.

**cabochon'** [Fr. = koperen of verzilverde meubelspijker] halfronde slijpvorm van edelstenen.

**cabota'ge** [Fr., afl. twijfelachtig, misschn. v. Sp *cabo* = kaap] kustvaart, handel over zee tussen havens v.h. zelfde land. **cabote'ren** *ww*. **caboteur'** kustvaarder.

**cabret'leer** [Lat. *capra* = geit] leer van jonge geit.

**cabriolet'** [Fr., v. *cabriole* = capriool, bokkesprong, v. Lat. *caper, capris* = bok] licht tweewielig rijtuig met één paard bespannen, sjees; soort gesloten auto.

**ca-can'ny** [Eng. = *lett.*: zachtjes aan] sabotage door lijntrekkerij en letterlijke opvolging der voorschriften, waardoor het werk niet opschiet.

**cac'cia** [It. = jacht]: (*muz.*) *alla —*, als jachtmuziek.

**caché** [Fr., v.dw van *cacher* = verbergen, v. Lat. *coarctāre* = samendringen, inpersen] geheim, verborgen.

**cachelot'** [Fr. *cachalot*, v. Gascons *cachau* = grote tand] potvis, soort tandwalvis.

**ca'chemir** *zie* **kasjmier**.

**cachenez'** [Fr., *lett.*: neusbedekker] lange das die om hals en onderkant van gelaat gewikkeld wordt. **cachepot'** [Fr., *lett.*: potbedekker] papieren of stoffen omhulsel voor bloempot in kamer.

**cache'ren** [Fr. *cacher*] **1** bedekken; **2** verbergen. **cache-sexe** [Fr.] driehoekig lapje ter bedekking der geslachtsdelen bij openbaar optreden.

**cachet'** [Fr., v. *cacher* = verbergen, *zie* **caché**] *oorspr.* zegel; *thans*: stempel (*fig.*), bep. onderscheid in gunstige zin, distinctie (aan iets cachet verlenen); medicament in verteerbaar omhulsel.

**cachexie** [Gr. *kachexia*] (*med.*) slechte algemene lichamelijke toestand.

**cacholong'** melkwitte opaal.

**cachot'** [Fr., v. *cacher* = verbergen, *zie* **caché**] kleine gevangenis, arrestantenhok.

**caco-** *zie* **kako-**.

**cadans'** [Fr. *cadence*, It. *cadenza*, v. Lat. *cádere* = vallen] herhaling van tonen of bewegingen die elkaar regelmatig of maatsgewijze opvolgen, ritmische maatgang in muziek, bij dans, in poëzie; ritmische stemval. **cadance'ren** een zin welluidend maken.

**cada'ver** *zie* **kadaver**. **cadavereus'** [Fr. *cadavéreux*] lijkachtig. **cadaveri'ne** een lijkegif.

**cad'die** [Eng., v. Fr. *cadet*, v. Gascons *capdet* = als tweede geboren jongere] jongen die bij golfbalspel de clubs (golfstokken) draagt.

**caden'za** afk. **cad.** [It. *zie* **cadans**] (*muz.*) kunstige, *oorspr.* door de solist zelf gemaakte inlassing in concertstuk, meestal o.h. einde v.e. deel.

**cadet'** [*zie* **caddie**, Fr. = jongere zoon] leerling van militaire school voor officiersopleiding.

**Cad'mium** [Lat. *cadmia* of *cadmea* = galmei of kalamijn: een zinkerts] (*chem.*) element, metaal, symbool Cd, ranggetal 48.

**cadran'** [Lat. *quadrans*, *zie* **kwadrant**] plaat van zonnewijzer.

**ca'dre** [Fr. = lijst, omlijsting] (*bilj.*) verdeling v.h. biljart in zes of negen vakken, door drie of vier krijtstrepen.

**caduce'ren** [Fr. *caduc* = bouwvallig, nietig] (*hand.*) (een wissel) vervallen of oninbaar verklaren.

**cadu'ceus** (*uitspr.* kadoetseeoes) [Lat. v. Gr. *karukeion, karukion* = slangenstaf van Mercurius, symbool van vrede en handel] heraustenstaf, vredesstaf.

**cae'cum** [Lat. *caecus* = blind] (*med.*) blinde darm.

**Cae'sar** [Lat. familienaam]: *Cajus Julius Caesar*, de veroveraar van Gallië; later: naam van alle Romeinse keizers van Augustus tot Hadrianus: na Hadrianus was Caesar de titel v.d. toekomstige opvolger.

**Cae'sium** *zie* **Cesium**.

**caesuur'** *zie* **cesuur**.

**café-chantant'** [v. Fr. *chanter* = zingen, Lat. *catáre*] café waar gezongen en muziek gemaakt wordt, tingeltangel (in Fr.: *café-concert*).

**café noir** [Fr.] zwarte koffie (zonder melk). **café au lait** koffie met melk of room. **café complet'** koffie met toebehoren (gebak en andere lekkernijen) (*vgl.* **thé complet**).

**cafei'ne** *zie* **caffeine**.

**caffeine**; *ook*: **cafei'ne** of **coffeïne** [Fr. *café'ine*] alkaloïde voorkomend in koffie en thee (de chemisch dezelfde stof als theïne).

**cahier** [Fr., v. Lat. *quatérnio* = de vier, v. *quater* = quat(t)uor = vier; OFr. *quaer*, Eng. *quire*] *oorspr.* 4 bladen papier dubbel gevouwen zodat een boekje van 8 pagina's ontstond; later alg.: schrijfboek van ineengevouwen bladen, (school)schrift.

**cail'le** [Fr.] (*cul.*) kwartel.

**cairn** [v. Gaelic *carn* = *oorspr.* wellicht grafteken van pre-keltische bevolking] piramide van ruwe stenen opgericht als gedenkteken, grafzerk of baken.

**cais'se** [Fr., v. Lat. *capsa* = kast, kist, v. *cápere, cáptum* = nemen; *ook*: bevatten, inhouden] **1** (geld)kas, kassa; **2** (*cul.*) papieren bakje waarin kleine gebakjes en dergelijke worden verkocht en gepresenteerd; **3** (*cul.*) deegbakje. **caissier'** [Fr.] kashouder. **caissière** (*uitspr.* kèssière) kashoudster, kassajuffrouw.

**caisson'** [Fr., *zie* **caisse**] **1** (*mil.*) munitiewagen bij artillerie; **2** duikerklok met samengeperste lucht voor werk onder water; *ook*: betonnen zinkstuk voor het dichten van dijkgaten, het maken van kistdammen e.d.

**cajepot'** *zie* **kajepoet-olie**.

**cajole'ren** [Fr. *cajoler*] flemen, flikflooien.

**ca'ke** Eng. gebak. **ca'ke-walk** [Eng.] *oorspr.* bij negers koekdans, d.i. dans met als prijs een koek; later: als kermisvermaak een op en neer en voor- en achteruit bewegende plank (eig. *cake-walk road*).

**calamiteit** [Lat. *calámitas* = onheil, schade (bijv. aan oogst), ongeluk, nederlaag; *vgl. in-cólumis* = on-gedeerd] grote ramp, alg. plaag. **calamiteus** [Fr. *calamiteux*, Lat. *calamitósus*] wat de aard v.e. calamiteit heeft, rampspoedig.

**calan'do** [It., *calare* = verminderen] (*muz.*) afnemend in sterkte en snelheid.

**calan'ge** [Fr., v. Lat. *calúmnia* = aantijging] bekeuring en aangifte van strafbaar feit de belastingen betreffend.

**calcedoon'** of **calcidoon'** *zie* **chalcedoon.**

**calciferol'** [v. *calcium, z.a.,* en Lat. *ferre* = dragen, brengen] naam voor vitamine $D_2$, ontstaat uit ergosterol door bestraling met ultraviolette stralen en is chemisch vrijwel hetzelfde als vitamine $D_3$; nodig voor de afzetting v. kalkzouten en zodoende beenvorming i.h. skelet.

**calcine'ren** [*zie* **Calcium**] *eig.:* verkalken; (*chem.*) oudere term voor het verhitten ('gloeien') v.e. stof a.d. lucht; **gecalcineerde soda,** soda die door verhitten watervrij is gemaakt.

**Cal'cium** [Gr. *chaliks* = kiezelsteen; kalk; Lat. *calx, calcis* (v. wortel *kar-* = iets hards) = steen, spec. kalksteen] (*chem.*) element, metaal, symbool Ca, ranggetal 20.

**calcule'ren** [Fr. *calculer,* v. Lat. *calculare,* v. *cálculus,* verklw. v. *calx* = steen; steen op rekenbord; vandaar: berekening] berekenen. **calcula'tie** [Lat. *calculátio*] berekening. **calcula'tor** [modern Lat.; in klassiek Lat. = rekenmeester of boekhouder] **1** persoon die bij bedrijf of instelling de kost- en verkoopprijzen berekent; **2** elektronische rekenmachine in zakformaat. **calculatri'ce** vrouwelijke calculator. **cal'culus** [Lat. = *eig.:* rekensteentje; *ook:* berekening] de rekenkunde, bijv. *cálculus differentiális* = differentiaal-rekening.

**caldei'ra** [Port., Sp. *caldero* = pot, v. Lat. *caldarium* = badketel] kratercircus, wijde vlakke kratermond met steile wanden.

**calèche** [Du. *Kalesche,* v. Pools *kalaska*] vierwielig open rijtuig met kap die kan worden teruggeslagen.

**caleidoscoop'** [Gr. *kalos* = mooi, *eidos* = beeld; *zie* **-scoop**] kijkbuis inwendig met spiegelende vlakten, gekleurde stukjes glas bevattend, welke bij draaiing om as wisselende symmetrische figuren te zien geeft.

**calembour'** [Fr., naar titel van verzameling] woordspeling, spel met woorden van gelijke of bijna gelijke klank maar met verschillende betekenis.

**calen'dae** *ook:* **kalendae** [Lat. *calo, vgl.* Gr. *kaleoo* = roepen] eerste dag v.d. Romeinse maand (omdat op die dag de nieuwe maan door de hogepriesters 'uit de dood' werd terug *geroepen*). **ad calendas Graecas** *zie* bij **ad.**

**calenda'rium** [Lat. = *eig.:* schuldenboek; de interest werd op de eerste der maand (*Kaléndae*) verrekend] lijst der kerkelijke feestdagen.

**cale'ren** [Fr.] (*autosport*) afslaan v. motor door gebrek aan gastoevoer of door een verkeerde manoeuvre.

**cal'gon** natriummetafosfaat, in gebruik als waterontharder.

**calibre'ren** *zie* **kalibreren.**

**ca'lico** [Eng., *ook: ca'licot,* oorspr. *Calicuth-cloth* = weefsel van Calicuth = Calicot = Calcutta in India] fijne op linnen gelijkende stof van ongebleekt katoen (boekbinderslinnen); bep. gevlekt katteras.

**caliet** zeer harde legering van ferro-aluminium en nikkel.

**Califor'nium** kunstmatig chemisch element, symbool Cf, ranggetal 98.

**call'**, *ook:* **call'-optie** [Eng. *to call* = (af) roepen] optie (*z.a.*) die de houder het recht geeft aandelen i.e. onderneming te kopen

tegen een van tevoren vastgestelde koers en binnen een bepaalde periode.

**callandro'ne** [It.] (*muz.*) houten blaasinstrument met twee kleppen, It. schalmei.

**call'-girl** [Eng., v. *call* = roep; *ook:* telefoongesprek; *girl* = meisje] luxe-prostituée met wie men telefonisch een afspraak kan maken.

**calli-** *zie* **kalli-.**

**calliditeit'** [Lat. *calliditas,* v. *cállidus,* v. *calláre* = *eig.:* dikke huid hebben, overdrachtelijk: slim zijn; *callum* = dikke huid, eelt, gevoelloosheid] sluwheid, doortraptheid, geslepenheid.

**call'-money** [Eng.], *ook:* **call'-geld** [v. Eng. *to call* = roepen; *money* = geld; *lett.:* roepgeld] geld dat is geleend op voorwaarde dat beide partijen de lening elke dag kunnen opzeggen.

**callositeit'** [Lat. *callósitas* = hardheid van huid, *zie* **calliditeit**] huidverharding, eeltigheid.

**cal'mans** *mv* **calman'tia** [wetensch. Lat. woord, v. Fr. *calme* = kalm, v. Sp., Port. of It. *calma*] kalmerend middel.

**calomel'** [v. Gr. *kalos* = mooi, en *melas* = zwart] kwik (I) chloride, $Hg_2Cl_2$ (een witte stof, die met ammoniak zwart wordt wegens ontstaan van metalliek kwik; wellicht vandaar de naam).

**calomnie'** [Fr.] kwaadsprekerij, roddel.

**calorie'** *afk.* **cal.** [v. Lat. *calor, calóris* = warmte, hitte] (*nat.*) eenheid van warmtehoeveelheid, nl. hoeveelheid warmte die nodig is om 1 g water van 14.5° tot 15.5 °C te verwarmen (15° is normaaltemperatuur). De term calorie werd ook veel gebruikt i.d. voedingsleer de zgn. 'verbrandingswarmte' van levensmiddelen i.h. lichaam aan te geven; men bedoelde daarmee de grote calorie (kilocalorie). Sinds 1 jan. 1978 is i.d. landen v.d. E.E.G. de term calorie verboden en moet worden vervangen door **joule** (1 cal = 4,184 joule); i.d. voedingsleer dus door *kilojoule* (1000 joule). **calo'risch** *bn.* **calorifère** [Fr., v. Lat. *ferre* = dragen] verwarmingstoestel dat via buizen een gebouw verwarmt; *ook:* grote kachel.

**calorime'ter** [*zie* **meter**] toestel om soortelijke warmte v.e. stof te meten.

**calorise'ren** *zie bij* **alumineren.**

**calot'je** (kalot), **calot'te** [Fr., verklw. v. *cale* = kleine kap] klein kapje dat alleen kruin bedekt, spec. gedragen door bep. geestelijken.

**calque'ren** [Fr. *calquer,* v. Lat. *calcáre* = *eig.:* op iets trappen (v. *calx, calcis* = hiel), vast indrukken] een tekening overtrekken op doorschijnend papier; *ook:* kopiëren d.m.v. carbonpapier e.d. **cal'que** overgetrokken tekening. **calqueer'papier** papier om tekeningen over te trekken.

**calumet'** [Fr.-Canadese vorm v. *chalumet* = buis, pijp, v. Lat. *calaméllus,* verklw. v. *cálamus* = riet] vredespijp bij Noordam. Indianen.

**calumnië'ren** [Lat. *calumniári; vgl. calvi* = met listen bedriegen] (be)lasteren.

**calvil'le** [Fr.] bep. soort fijne tafelappel.

**calvinis'me** leerstelsel van Calvijn (Jean Calvin, 1509-1564), protestantse stroming. **calvinist'** aanhanger v.h. calvinisme; (*fig.*) iem. met zeer strenge opvattingen. **calvinis'tisch** *bn & bw.*

**calyp'so,** bep. soort lied, afkomstig v.d. Caribische eilanden; *ook:* bep. dans.

**camaïeu'** [Fr.] het schilderen met één kleur in verschillende tonen.

**camaraderie'** [Fr.] gemeenzaamheid tussen kameraden; *ook:* geest van coterie, z.a.

**camaril'la** [Sp. = *lett.:* kamertje] hofkliek, kleine groep die achter de schermen grote invloed uitoefent op regeerder.

**cambiё'ren** [Lat. *cambiáre* = wisselen, ruilen, *vgl.* Gr. *kamptoo* = buigen, zwenken] ruil-, wisselhandel drijven. **cam'bio** [It.] wisselbrief. **cambiaal'recht** wisselrecht. **cambia'ta** [It.] (*muz.*) wisselnoot.

**cam'bium** [*plk.*] teeltweefsel, celweefsel

onder bast dat naar binnen toe hout vormt en zo de diktegroei veroorzaakt.

**cambre'ren** [MLat. *cameráre* = gewelf maken] boogvormig welven, buigen (bijv. hout).

**cam'bric** *zie* **batist**.

**Cam'brium** [v. Lat. *Cámbria*, andere vorm *Cumbria*, v. Keltisch *Cymru* = Wales; v. OKeltisch *Cambrojes* = medevaderlander] (*geol.*) oudste tijdvak v.h. hoofdtijdperk Primair of **Paleozoïcum** (*z.a.*) met eerste rijk dierlijk leven in zee, 600-500 miljoen jaar geleden.

**camee'** [It. *caméo; vgl.* MLat. *cammáeus*] siersteen en reliëf gesneden.

**camerlen'go** [It.] *lett.*: huishouder; beheerder der financiën aan pauselijk hof, schatbewaarder v.h. Heilig College.

**camion'** [Fr.] lage vlakke grote wagen op vier wielen, sleperswagen; *thans ook*: vrachtauto, truck.

**camoufla'ge** *zie bij* **mimicry**.

**camp** [Am.] zó lelijk, smakeloos of ouderwets, dat het weer interessant wordt gevonden.

**campaan'** [It. *campana*] (kerk)luiklok [naar It. provincie Campánia].

**campag'na** [It. v. Lat. *Campánia*, v. *campus* = vlakte, veld] de vlakte Z.O. v.d. Tiber.

**campag'ne** [It. *campagna, z.a.*] 1 (*mil.*) veldtocht; *ook*: propaganda-actie vóór verkiezingen, voor loterij e.d., wervingsactie; 2 verwerking van oogst (bijv. bieten-).

**campanel'la** [*zie* **campaan**] luiklokje.

**campani'le** [It.] apart staande klokketoren. (*Ook*: **campanil'la**.) **campanolo'gie'** v. Lat. *campana* = klok, en *zie* **-logie**] leer en kennis v.d. klokkenspellen. **campanoloog'** deskundige wat betreft klokkenspellen.

**campê'chehout** bep. verfhoutsoort [naar stad San Francisco de Campèche in Mexico].

**cam'per** kampeerwagen. **cam'ping** [Eng.] 1 het kamperen; 2 terrein daarvoor.

**cam'po** [It. v. Lat. *câmpus* = vlakte] 1 kamp, veld; 2 uitgestrekte grasvlakte (savanne) in Brazilië.

**cam'pus** [Lat. = veld] in Eng. en Am. het b.e. college behorende veldencomplex.

**ca'nadabalsem** heldere doorschijnende terpentijnsoort u.d. Canadese pijnboomsoort *Abies balsamea* u.d. dennenfamilie (*Pináceae*), gebruikt i.d. geneeskunde en i.d. optiek.

**canai'gre** looistof u.i. Midden-Amerika groeiende plant.

**canail'le** [Fr. v. lt. *canaglia* = *lett.*: het hondengeslacht, v. Lat. *canis* = hond] gepeupel, gespuis; *ook*: liederlijke gemene vrouw.

**canapé** [Fr. = *lett.*: mannelijke eend; vroeger in drukkersvaktaal: vliegend krantje] 1 u.d. lucht gegrepen krantebericht dat niet op waarheid blijkt te berusten; opzettelijk vals of verzonnen krantebericht; 2 (*cul.*) eend.

**canas'ta** [Sp. = *eig.*: korf, mand] bep. kaartspel, afkomstig uit Argentinië, met twee stellen van 52 kaarten en 4 jokers, een combinatie van poker, bridge en rummy.

**cancel'len** [v. Lat. *cancélli mv*, verklw. v. *cancel* = tralie] 1 traliewerk; 2 (*muz.*) de doortalen voor windaanvoer in orgel.

**can'cellen** [v. Eng. *to cancel*, v. Lat. *cancelláre* = tralievormig maken; *zie* **cancel'len**] *eig.*: dóórkruisen; afgelasten, een geplande gebeurtenis schrappen, niet laten doorgaan.

**cancelle'ren** [Fr. *canceller, vgl.* Eng. *to cancel*] traliegewijs dóórstrepen, dóórkruisen.

**can'cer** [Lat. = kreeft, *lett.*: het traliedier] (*med.*) kankergezwel. **cancri'nisch vers**

kreeftvers (vers dat ook achterstevoren kan worden gelezen).

**cande'la** [Lat. = kaars; v. *candére* = schitterend wit zijn, glanzen, gloeien; *cándidus* = schitterend wit] (*nat.*) eenheid van lichtsterkte, d.i. de lichtstroom per eenheid ruimtehoek i.e. bep. richting. **candela'ber** *zie* **kandelaber**.

**cande'ren** [*zie* **kandij**] in gesmolten suiker dopen; suikeren, in suiker konfijten.

**candidaat'** enz. *zie* **kandidaat** enz.

**Candida'tus Reveren'di Ministe'rii** afk. **Cand. Rev. Min.** [Lat. = kandidaat voor het eerwaardig ambt] kandidaat tot het predikambt.

**can'did-camera** [v. Eng. *candid* = oprecht; *zie* **candide**] (gecamoufleerde) camera waarmee men opnamen maakt van personen die zich niet bewust zijn dat ze worden gefotografeerd.

**candi'de** [Fr., v. Lat. *candide* bw = wit, rein, oprecht, v. *candére* = glanzend wit zijn] argeloos oprecht.

**canefo'ren** [Gr. *kanéforos* = manddragend] vrouwenfiguren m.e. korf o.h. hoofd als *kariatiden* (*z.a.*).

**Can'nabis-produkten** soft-drugs (hasj en marihuana) van hennep, *Cánnabis sativa*, u.d. Hennepfamilie (*Cannabáceae*).

**cannele'ren** [v. Fr. *canneler* = groeven, v. Lat. *canna*, Gr. *kanna* = riet] 1 groeven maken; 2 (*cul.*) ribbels, groefjes of kerfjes maken m.e. speciaal mesje op groenten (bijv. worteltjes) of vruchten (bijv. citroen) die dienen als garnituur of garnering. **cannelê** [Fr. = *lett.*: gegroefd] geribde zachte wollen stof voor dameskleding. **cannelu're** [Fr.] grootvormige verticale groef in zuilen, pilaren e.d.

**cannu'le** [Lat. *cánnula* (verklw. v. *canna* = riet) = klein dun rietje] (*med.*) pijpje om wonden open te houden of injecties te doen (*ook* **canule**).

**ca'non** [Gr. *kanoon* = rieten stok, maatstok; regel, voorschrift, v. *kanna* = riet] (*rk*) 1 geloofsregel; 2 vaste gebeden of de mis van Sanctus tot Pater noster; 3 lijst der geïnspireerde boeken der H. Schrift; 4 jaarlijkse (erf)pachtsom; 5 (*muz.*) kettinggezang waarbij alle partijen dezelfde tekst zingen doch na elkaar invallen.

**cañon'** [Sp.] of **can'yon** [Eng.] [Sp. *cañon* = buis, v. *caña* = riet, Lat. *canna*] diepe kloof in rotsbodem door rivier daarin uitgesleten in sommige delen van Amerika.

**cano'nicus** [Kerkelijk Lat. = domheer] oorspr. priester die volgens een bep. regel (canon) m.d. bisschop in gemeenschap leefde, kanunnik (*z.a.*). **canoniek'** (*rk*) volgens de canon; —*e boeken*, bijbelboeken die door de kath. Kerk als echt zijn erkend; — *recht*, kerkelijk recht volgens de Codex Iuris Canónici. **canonise'ren** heiligverklaren, opnemen (door de paus) i.d. lijst (canon) der heiligen. **canonisa'tie** *zn*. **canonist'** beoefenaar, kenner v.h. kerkelijk recht.

**Canos'sa** (*gesch.*) bergkasteel in Modena, waar keizer Hendrik IV boete deed en zich met Paus Gregorius VII verzoende (1077); *naar — gaan*, zich vernederen.

**cant** [Eng.] 1 jargon, dieventaal; 2 schijnheilige praatjes.

**canta'bile** [It. v. *cantáre* = zingen] (*muz.*) I *bn* zangerig; II *zn* zangerig voor te dragen gedeelte van muziekstuk. **cantan'do** [It.] (*muz.*) zingend. **canta'te** [It. *cantáta*] (*muz.*) uitgebreid zangstuk bestaande uit solo's, recitatieven en koren. **can'tecleer** [v. Fr. *chante-clair* = helder-zang] de 'luidkraaier', naam v.d. haan in ME dierenepos Reinaard de Vos.

**cantharel'**, *ook*: **cantarel'** [v. wetensch. naam *Cantharéllus*, v. Lat. *cántharus*, Gr. *kantharos* = drinkbeker] bep. eetbare paddestoel met trechtervormige hoed, meestal dooiergeel van kleur (*ook dooierzwam*, *eierzwam* of *hanekam* genaamd).

**canthari'de** [v. Lat. *cántharis*, Gr. *kantharis*] Spaanse vlieg (soort kever). **cantharidi'ne** blaartrekkende stof uit Spaanse vlieg en verwanten.

**can'ticum** afk. **Cant.** *mv* **can'tica** [Lat. v. *cantáre*, intensitief v. *cánere* = tonen van zich af geven, zingen] gezang; spec. bijbelse poëziestuk buiten de psalmen in brevier. **Can'ticum cantico'rum** [Lat. = *lett.*: zang der zangen, en hebraïsme voor: verheven zang] Hooglied (bep. boek v.d. Bijbel).

**cantiek'** *zie* **kantiek. cantile'ne** [Fr. *cantilène*, v. Lat. *cantiléna* = lied, deun] zeer zangerig gedeelte van muziekstuk; *ook*: kort (volks)lied.

**can'tilever** [Eng.] (*bouwk.*) kraagligger, grote verbindingsklamp om vooruitstekende delen te ondersteunen.

**cantil'le** [Fr.] goud- of zilverdraad in spiraalvorm waardoor buigzaam pijpje is ontstaan (voor borduurwerk e.d.).

**can'to** [It.] (*muz.*) gezang (*vgl.* **belcanto**).

**can'tor** [Lat. = zanger, *zie* **canticum**] (voor)zanger bij kerkdiensten. **cantorij'** [Du. *Kantorei*] kerkzangkoor. **can'tus fir'mus** [Lat. = *lett.*: vaste zang] hoofdmelodie bij koralen.

**canu'le** [Fr.] *zie* **cannule.**

**can'vas** [Eng., v. Fr. *canevas*, v. *canève*, oude vorm van *chanvre* = hennep, v. VLat. *cannabáceus*, v. Lat. *cannabis*, Gr. *kannabis* = hennep; *zie ook* **Cannabis-produkten**] dun maar sterk ongebleekt weefsel van hennep of vlas, voor sterke kleding, zeildoek, tentdoek, doek voor schilderijen.

**can'vasser** [Eng., v. *to canvass* = oorspr.: in doek doen en schudden; *vandaar*: agiteren] stemmenwerver.

**can'yon** *zie* **cañon.**

**canzo'ne** [It. v. Lat. *cantiónem*, 4e naamval v. *cántio* = gezang; *zie* **canticum**] klein lied.

**caout'chouc** [Fr. v. Caribisch *cahuchu*] ongevulcaniseerde rubber.

**cap** [Eng. *to cap* = eig.: een speler (voetballer e.d.) zijn *cap* geven, d.i. belonong bijeengezameld i.e. *cap* = muts (*vgl.* met de hoed rondgaan) (*balsporten*) internat. wedstrijd v.e. speler (*bijv.*: hij heeft 17 caps, d.i. 17 × i.h. nat. team gespeeld).

**capa'bel** [Fr. *capable*, v. VLat. *capábilis* (onr. vorm i.p.v. *capíbilis*) = oorspr.: plaats hebbend vóór, v. *cápere* = vastpakken, houden] bekwaam, in staat te ... **capaciteit'** [Fr. *capacité*, v. Lat. *capácitas*] *lett.*: inhoudsvermogen; wat een hol voorwerp kan bevatten, *ook*: elektrisch opladingsvermogen van geleider, condensator e.d.; (*fig.*) geschiktheid, bekwaamheid om een bep. werk te doen of een bep. taak te vervullen (*meestal mv* capaciteiten).

**capillair'** [Lat. *capilláris* = het haar betreffend, v. *capillus* = zn hoofdhaar (oorspr. *capillus bn*, namelijk bij: *crinis* = haar), verwant met *caput*, *cápitis* = hoofd] I *zn* haarvat, haarbuis (vat of buis met zeer kleine inwendige diameter); II *bn* capillairen betreffend. **capillariteit'** [Fr. *capillarité*] capillaire aantrekking of afstoting.

**ca'pita selec'ta** [Lat.] uitgezochte hoofdstukken (gezegd wanneer in een cursus niet de gehele stof maar slechts bep. gedeelten worden behandeld).

**capito'lium** [Lat., misschien van *cáput* = hoofd] 1 (*oorspr.*) hoofdtempel van Jupiter o.d. Tarpeïsche berg i.h. oude Rome, tegenover de burcht; 2 *Capitool* het gebouw v.d. volksvertegenwoordiging in Washington.

**capitonne'ren** [Fr. *capitonner*, v. It. *capitone* = floszijde] opvullen met zachte stof (meubels of muurbekleding).

**capitule'ren** [Fr. *capituler* = onderhandelen over overgave, v. MLat. *capituláre* = in hoofdstukken indelen, v. Lat. *capitulum* = hoofdstuk, v. *caput* = hoofd] zich overgeven, oorspr. op bep. voorwaarden, opgesomd in 'hoofdstukken', thans ook onvoorwaardelijk;

(*fig.*) zwichten, toegeven. **capitula'tie** *zn*.

**capitulant'** [Fr. *capituler*, *o.dw. capitulant* v. Lat. *caput* = hoofd(stuk)] 1 onderhandelaar over overgave (die vroeger wel tot stand kwam onder bep. voorwaarden welke in hoofdstukken waren genoemd); 2 (*vroeger*) beroepssoldaat die zich vrijwillig verplichtte tot langere diensttijd.

**ca'po** [It.] hoofd; (*muz.*) *da —*, v.h. begin af herhalen.

**capote'ren** [Fr. *capoter*] over de kop buitelen (van auto of vliegtuig).

**cap'pa** [VLat. *vgl.* Eng. en Fr. *cape*] (*gesch.*) soort mantel; thans nog als liturgisch gewaad of als dracht van bep. ridderorden (**cappa magna**).

**capric'cio** [It.] (*muz.*) grillig muziekwerk. **capriccio'so** [It.] (*muz.*) grillig. **capri'ce** [Fr., v. It. *capriccio*, v. Lat. *caper, capri* = bok] *lett.*: bokkesprong; gril, plotseling onberedeneerd besluit. **capricieus'** [Fr. *capricieux*] *bn*. **caprio'len** [v. It. *capriola* = 1 reegeit; 2 bokkesprong; Fr. *cabriole*] luchtsprongen van paard; bokkesprongen, dwaze grillige bewegingen; (*fig.*) rare streken.

**capri'ne** vluchtig zuur dat zich vormt bij het oud vanden van kaas; het riekt naar zweet.

**caprolac'tam** uit steenkool bereide grondstof voor nylon en andere plastic stoffen.

**cap'sa** [Lat. v. *cápere* = houden; *vgl.* Eng. *case*] doos, kist. **capsu'le** [Fr. v. Lat. *cápsula*, verklw. v. *capsa*] 1 overtrek over kurk op fles; 2 omhulsel om medicijnen die afstotende smaak hebben; 3 (*ruimtevaart*) speciale hermetisch gesloten cabine voor één of meer personen, voor ruimtevaart of vluchten op zeer grote hoogte. **capsule'ren** afsluiten met een capsule.

**cap'tain** [Eng., v. VLat. *capitáneus* = hoofdman, v. Lat. *caput, cápitis* = hoofd aanvoerder; *— of industry*, grootindustrieel.

**capta'tio benevolen'tiae** [Lat.] poging om welwillendheid of gunstige stemming te verkrijgen.

**capte'ren** [Fr. *capter*, v. Lat. *captáre*, frequentatief v. *cápere* = vatten] listig trachten te verkrijgen. **capta'tie** [Fr. *captation*, v. Lat. *captátio*] najaging v.e. doel met listen. **cap'tie** [v. Lat. *cáptio*, v. *cápere*, *captum* = vatten] verstrikking, *vandaar ook*: *captie(s) maken*, een ander verstrikken in zijn listen om uitvluchten om ergens onder uit te komen, uitvluchten zoeken, tegenstribbelen; *zie verder* **kapsies**. **captieus'** [Fr. *captieux*, Lat. *captiósus*] verstrikkend; listig bedrieglijk, met drogredenen.

**captive'ren** [Fr. *captiver* v. Lat. *captáre* = najagen, v. *cápere* = nemen] 1 gevangen nemen; 2 (*fig.*) boeien; **captuur'** [Fr. v. Lat. *captúra* = vangst] 1 het prijsverklaren van een schip op zee; 2 gevangenneming van een schuldenaar op last v.d. schuldeiser.

**capu'che** [Fr. *capuce* v. It. *cappuccio*, *zie verder* **cappa**] kap, spec. v.e. monnik. **capuchon'** [Fr. verklw. v. *capuce*] kap over het hoofd, die achteruit kan worden geslagen.

**ca'put** [Lat.] hoofd, hoofdstuk (afk. *c* of **cap**). **ca'put mor'tuum** [Lat. = *lett.*: dood hoofd] (*chem.*) waardeloos overblijfsel na destillatie of sublimatie, spec. ijzeroxide met bijmengsels (zgn. dodekop) dat overblijft na verhitting van ijzersulfaat.

**caquelon'** [Fr.] aardewerken kookpotje.

**carabinie'ri** [It. = *lett.*: karabijnmannen, *zie* **karabijn**] soort gendarmes.

**caraco'le** [Fr. = spiraal, v. Sp. *caracol* = schelpslak] 1 hele of halve zwenking van paard; 2 *zie* **karakol**. **caracole'ren** *mv* caracoles (1) uitvoeren.

**caram'ba** [Sp. & Port.] vrij onschuldige bastaardvloek, *ongev.*: bliksems, drommels.

**carambo'le** [Fr.] (*biljarten*) het met de gestoten bal beide andere achtereenvolgens raken. **carambole'ren** *ww.*

**carb-** aldus beginnende woorden zijn afgeleid van Lat. *cárbo* = kool (van vuur: gloeiend of

gedoofd).
**carbicel'** soort kunstmest, bestaande uit schuimplastic met zeer veel cellen die koolzuur vasthouden.
**carbid'** [v. chemische term **carbide**, z.a.] verkorting van calciumcarbide, $CaC_2$, dat met water het brandbare gas ethyn (acetyleen), $H_2C_2$, ontwikkelt. **carbi'de** [zie **carboneum**, en **-ide**] verbinding van koolstof (carboneum, C) m.e. metaal of silicium.
**carbol'**, niet-wetenschappelijke naam voor **carbol'zuur** [v. **carboneum**, en **-ol**] of **fenol** (zie ook **daar**), $C_6H_5OH$, dus benzeen, $C_6H_5$, waarin een waterstofatoom (H) is vervangen door de groep -OH (**hydroxyl**, z.a.). Gezuiverde carbol, een vaste kleurloze stof, wordt gebruikt als ontsmettingsmiddel.
**carboline'ren** houtwerk met carbolineum (z.a.) bestrijken om verrotting te voorkomen.
**carboline'um** [v. **carboneum**, en Lat. óleum = olie] donkerbruine olie-achtige vloeistof, teerolie, gewonnen uit koolteer, gebruikt om hout voor verrotting en borende insekten te vrijwaren.
**carbonaat'** [zie **-aat**] (chem.) zout van koolzuur, $H_2CO_3$, bijv.: natriumcarbonaat, $Na_2CO_3.10H_2O$ (huishoudsoda).
**carbona'do** [Sp., v. carbón = kool] zwarte diamant, niet bruikbaar voor sieraden, gebruikt i.d. industrie (bijv. in boorkoppen).
**carbona'tie** [Fr. carbonisation] opneming van koolzuur.
**Carbone'um** [zie **carb-**] koolstof, chemisch element, niet-metaal, symbool C, ranggetal 6 (komt i.d. natuur voor in twee vormen: diamant en grafiet, z.a.; de zgn. amorfe koolstof (o.a. roet) bestaat uit submicroscopische kristallietjes grafiet.
**carbo'nisch** betrekking hebbend op carbonisatie (z.a.) of h.Carboon (z.a.).
**carbonise'ren** [Fr. carboniser] verkolen.
**carbonisa'tie** [Fr. carbonisation] verkoling.
**Carboon'** (geol.) het voorlaatste tijdperk v.h. hoofdtijdperk **Paleozoïcum** (z.a.) of Primair, 350-270 miljoen jaar geleden.
**carbon'dum** [wetensch. Lat., v. **carb-**, z.a., en corundum] (chem.) verbinding van koolstof en silicium, CSi, een zeer hard materiaal.
**carbun'culus** [Lat., verklw. v. carbo = kool (gloeiend of gedoofd); ook: roodachtig glanzend edelgesteente (robijn); ook: gloeiende rode zweer] bloedzweer, pestkool, negenoog. (Vgl. **karbonkel**.)
**carbure'ren** [Fr. carburer] behandelen met koolstof of koolstofrijke verbindingen (bijv. ijzer om het tot staal te maken); lichtgas vermengen met koolwaterstoffen van hoog koolstofgehalte (om vlam meer lichtgevend te maken). **carbura'tie** zn. **carbura'tor** [modern Lat.], **carburateur** [Fr.] vergasser (in explosiemotor, waarbij benzine in fijnverdeelde toestand gebracht wordt en met lucht vermengd, zodat ontplofbaar mengsel ontstaat).
**carcinogeen'** [zie **carcinoom**, en v. Gr. gennáo = voortbrengen] I bn kankerwekkend; II zn stof die kanker verwekt (of kan verwekken). **carcinoom'** [v. Gr. karkínooma = zweer, v. karkínos = kreeft, krab; zie **cancer**] (bep. vorm van) kankergezwel.
**cardan'** [Fr.] krukas met cardanische koppeling. **carda'nische — koppeling**, kopp. v. assen waarbij deze zich zowel in de lengterichting als dwars kunnen bewegen; — **ring**, toestel waaraan voorwerpen zó opgehangen kunnen worden, dat ze vrij kunnen schommelen om twee onderling loodrechte, door één punt gaande assen (bijv. kompas op schip) [naar G. Cardano, It. wiskundige, 1501-1576].
**car'dia** [Gr. kardía] 1 hart; 2 maagmond, bovenste maagopening. **cardialgie** [Gr. álgos = pijn] 1 pijn a.d. maagmond (maagkramp); 2 zenuwpijn i.d. hartstreek.
**cardiazol'** opwekkend middel, in zijn werking verwant aan kamfer.

**cardina'lia** [v. Lat. cardo = deurhengsel] hoofdtelwoorden, (vgl. **kardinaal**).
**cardiograaf'** [v. Gr. graphoo = schrijven] toestel om hartbewegingen te registreren. **cardiogram'** [v. Gr. gramma = het geschrevene] het door een cardiograaf geregistreerde. **cardiologie** [zie **-logie**] wetenschap v.h. hart en de bloedvaten en de ziekten van deze beide. **cardioloog'** medisch specialist betreffende hart en bloedvaten.
**cardioscoop'** [zie **-scoop**] speciale stethoscoop (z.a.) voor hartonderzoek.
**cardi'tis** [zie **-itis**] hartontsteking.
**car'do quaestio'nis** [Lat. cardo = deurhengsel] het punt waar de kwestie om draait, de kern van de zaak.
**cardulan'ce** [v. Gr. kardía = hart; en ambulance, z.a.] ambulance speciaal voor hartpatiënten, waarin ook eerste verzorging kan worden gegeven voordat men snel het ziekenhuis bereikt (zgn. hartnenwagen).
**caren'tie** [Fr. carence, v. Lat. carére = ontberen] ontbering, het missen v. iets noodzakelijks. **carenz'dagen**, ook: **karenzdagen** [Du. Karenfrist, Karenzzeit] wachttijd bij verzekering tijdens welke nog geen aanspraak op uitkering kan worden gemaakt.
**caresse'ren** [Fr. caresser, v. It. carezzare, v. Lat. carus = duur, (overdrachtelijk) dierbaar] liefkozen, strelen.
**carez'za** [It.] geslachtsgemeenschap met opzettelijke terughouding v.d. ejaculatie (z.a.). **carezze'vole** [It.] (muz.) strelend.
**car'ga** [Sp. = last, lading, vracht, v. MLat. cárricum, v. VLat. carricáre = laden; vgl. Lat. carrus = vrachtkar] (factuur van) scheepslading. **cargadoor'** [v. Sp. cargador'] scheepsbevrachter, belader van schepen. **car'go** [Sp. = last; zie **carga**] scheepslading.
**caricatuur'** enz. zie **karikatuur** enz.
**ca'riës** [v. Lat. cáries = vermolmdheid] aantasting en bederf van beenderen, spec. van tanden (tandwolf). **carieus'** bn met tandbederf.
**carillon'** [Fr., v. VLat. quadinio, MLat. quadrilio, quadrilionis = vereniging van vier dingen; vgl. Lat. quat(t)uor = vier] klokkenspel (oorspr. bestaande uit 4 klokken).
**ca'ritas, caritatief'** zie **charitas, charitatief**.
**car'naval** [Fr., v. It. carnevale, een vereenvoudiging v.h. oorspronkelijk carnelevale, v.d. kunstmatige Lat. uitdrukking carnem leváre = het vlees opheffen, afschaffen of opbergen, daar i.d. daarop volgende vastentijd het gebruik van vlees grotendeels was verboden] vastenavondfeest, de drie dagen voor Aswoensdag.
**carnavalesk'** [Fr. carnavalesque] bn & bw als bij of v.e. carnaval.
**carnet'** [Fr., v. Lat. quatérnum; zie verder **cahier**] 1 klein boekje met nota's, formulieren, postzegels e.d.; 2 aantekenboekje, spec. van makelaar; 3 autopaspoort.
**carnivo'ren** [v.Lat. carnívora, v. caro, carnis = vlees, en voráre = verslinden] (alg.) dieren die in hoofdzaak van dierlijk voedsel leven (tegenover **herbivoren**, z.a., en **omnivoren**, z.a.).
**ca'ro** [It., Lat. carus] dierbaar; caro mio, m'n beste.
**carog'ne** [Fr.] zie **karonje**.
**caro'lus** (gulden) gouden munt m.d. afbeelding van Karel de Stoute.
**caroteen** [v. Lat. caróta = peen, wortel] bep. provitamine (o.a. in wortelen).
**caro'tis** [v. Gr. karootídes, v. karos = duizeligheid] halsslagader (dichtdrukken van beide halsslagaders brengt duizeligheid teweeg).
**carot'ten** [Fr., mv; zie **caroteen**] (cul.) worteltjes.
**car'pe di'em** [Lat. = pluk de dag] geniet v.h. ogenblik.
**carpologie** [Gr. karpos = vrucht; zie **-logie**]

vruchtenkunde.

**car'pooling** [Eng.; *zie* **3 pool**] het met meer personen in één auto naar werk en terug rijden (i.p.v. ieder met zijn eigen auto) om benzine te besparen.

**carrageen** [v.d. farmaceutische naam *Muscus carraghen*] (*chem.*) stof, gewonnen uit gedroogde Roodwieren, gebruikt als verdikkingsmiddel in bijv. pudding en crèmes.

**carré** [Fr., v. Lat. *quadrátus* = vierkant, v. *quát(t)uor* = vier] (*mil.*) slagorde in vierkante opstelling. **carreau** [Fr. = ruit] (*kaartspel*) ruiten. **carré de veau** [Fr.; *veau* = kalf, v.OFr. *veél*, v. Lat. *vitéllus*, verklw. v. *vítulus*, OGr. *witalos*] (*cul.*) kalfsrug.

**carrefour** [Fr., v.VLat. *quadrifúrcum* = viervork] plaats waar (verscheidene) wegen elkaar kruisen, vier- of meer-sprong.

**car'rier** [Eng. = drager, v. VLat. *carricáre* = beladen, v. Lat. *carrus* = vrachtwagen] **1** vrachtfiets met drie wielen; **2** (*mil.*) soort lichte gevechtswagen (bijv. brencarrier, *zie* **bren**); *ook:* vliegkampschip; **3** (*med.*) drager of draagster van ziektekiemen, die zelf niet ziek wordt (voor die kiemen immuun is) maar wel anderen kan besmetten (die als ze niet immuun zijn wél ziek worden).

**carrosserie** [Fr., v. Lat. *carrus*] **1** bovenbouw van rijtuig, auto e.d., koetswerk; **2** rijtuigenfabriek.

**car'te** [Fr., v. Lat. *charta*, Gr. *chartès* = blad papier] kaart (je); — *blanche* [= *lett.*: onbeschreven papier], machtiging voorzien van handtekening maar verder oningevuld, zodat de gebruiker zelf de omvang van zijn machtiging kan bepalen, onbeperkte volmacht.

**cartel'** *zie* **kartel**.

**car'ter** [Fr. = *ook*: kettingkast, krukkast] metalen kamer voor krukas van bep. motoren (naar eigennaam Carter).

**carte'ren** *zie* **karteren**.

**cartesiaans'** van of volgens René Descartes of Cartesius [Fr. filosoof en wiskundige, 1596-1650]. **cartesianis'me** wijsgerig stelsel van Cartesius (uitgaande van methodische twijfel).

**cartilagineus'** [Fr. *cartilagineux*, v. Lat. *cartilágo, -laginus*] kraakbeenachtig.

**car'ting** *zie* **karting**.

**cartodroom'** [v. Gr. *dromos* = o.a. renbaan] skelterbaan.

**cartografie'** [*zie* **carte**, en v. Gr. *graphoo* = schrijven] de kunst v.h. tekenen van landkaarten, atlassen, plattegronden, zeekaarten, luchtkaarten e.d. **cartograaf'** *oorspr.*: tekenaar van landkaarten; thans *alg.*: beoefenaar v.d. cartografie. **cartografisch** *bn & bw.* **cartogram** [*zie* **-gram**] geografische (*z.a.*) kaart waarop de grafische voorstellingen van verschijnselen (in cijfers, grafieken, stippen enz.) zijn aangegeven o.d. plaatsen waar die verschijnselen zijn waar te nemen. **cartomantie** [Gr. *manteia* = waarzeggerij] het waarzeggen uit kaarten.

**carton'** *zie* **karton**.

**cartoon** [Am.; *zie* **karton**] getekend humoristisch (vaak spottend) plaatje, getekende grap. **cartoo'nist** (niet **cartooniste**) ontwerper en tekenaar van cartoons, meestal voor kranten.

**cartotheek'** [*zie* **carte** en **-theek**] kaartsysteem; *ook*: verzameling van dergelijke systemen.

**cartou'che** [Fr., v. It. *cartoccio* = *eig*.: (papieren) zak, huls, vergrootwoord v. *carta*, Lat. *charta*, *zie* **carte**] **1** patroon (huls), kardoes voor vuurwerk; **2** sierlijst of -rand rond spreuken, inscripties, wapens, landkaarten e.d.; lofwerk.

**car'wash** [Eng. = auto wassen] autowastunnel.

**caryati'de** *zie* **kariatide**.

**ca'sa** [It., v. Lat.] huisje, hutje; *thans ook:* huis. **casa'que** [Fr., v. It. *casacca*, v. *casa z.a.*] wijde jas of mantel, kazak.

**casca'de** [Fr., v. It. *cassata*, v. *cascáre* = vallen] kleine waterval (natuurlijk of kunstmatig), spec. een die trapsgewijs van rots op rots valt; *ook*: bep. vuurwerk als nabootsing van zo'n waterval. **casca'demethode** methode voor het verkrijgen van lage temperaturen of hoge elektrische spanningen door het proces trapsgewijs te doen verlopen. **cascadeur'** (*circus*) een grappenmaker die evenwichtstoeren verricht die zogenaamd mislukken en eindigen i.e. valpartij; stuntman.

**cascena'de** *zie* **keskedie**.

**cas'co** [Sp. = *eig.*: schedel] romp van schip; — *assurantie*, verzekering van schip met lading.

**casei'ne** [Lat. *cáseus* = kaas] kaasstof in melk, eiwitachtig bestanddeel.

**casement'** verdiept veld in metselwerk.

**case-work** [Am., v. Eng. *case* = geval] vorm van maatschappelijk werk, waarbij de behandeling is aangepast a.d. bijzondere omstandigheden v.d. persoon die moet worden geholpen.

**cas fortuit'** [Fr.] onvoorzien geval.

**cash** [Eng., v. OFr. *casse* (thans Fr. *caisse*), v. Lat. *capsa* = doos, kist, v. *cápere* = houden] *eig.*: kassageld; contant geld. **cash and car'ry** [Eng. = betaal contant en neem mee] (*hand.*) zelfbedieningshandel, waarbij de goederen, ook grote, onmiddellijk moeten worden betaald en de koper zelf voor het vervoer moet zorgen. **cash'-flow** [Am., v. *to flow* = vloeien, v. Lat. *flúere*] (*bedrijfshuishoudkunde*) i.e. bep. periode verkregen liquide middelen en netto-vorderingen (door de verkoop van produkten) die niet voor het doen van lopende uitgaven behoeven te dienen. l.h. algemeen: de afschrijvingen en de winst (onder aftrek van belasting), samen met de rente over eigen vermogen.

**cash on deli'very** [Eng.] contante betaling bij levering, afk. **c.o.d.**

**ca'simir** *zie* **kasjmier**.

**cassa've** [v. Haitisch *casávi*] meel u.d. maniokwortel (*zie* **maniok**).

**casse'ren** [Fr. *casser* = breken, v. Lat. *quassáre* (O.Lat. *cassáre*) = schokken, schudden, verbrijzelen] **1** nietig verklaren (*bijv.*: vonnis); **2** ontzetten uit ambt. **cassant'** [Fr. *casser* = breken; *o.dw.* cassant] (te) scherp kritisch. **cassa'tie** [Fr. *cassation*, v. VLat. *cassátio*] **1** vernietiging van vonnis van lager gerechtshof; **2** oneervol ontslag uit dienst.

**casserol'e** [Fr., v. It. *cassa*, v. Lat. *capsa, z.a.*] braad- of stoofpan met deksel, kasserol. **casserolier** [Fr.] (*hotelwezen*) oorspr. hulpkok voor het braden; *thans:* bordenwasser in hotel.

**casse-tête** [Fr. = *lett.*: hoofdbreker] **1** ploertendoder; **2** moeilijk geval, ingewikkeld probleem dat veel hoofdbrekens kost.

**cassolet'te** [Fr.] (*cul.*) pannetje, potje of schaaltje als hoofdingerei (oorspr. is cassolette een vaas ter verbranding van reukwerk of i.d. bouwkunde een versiering i.d. vorm v.e. vaas met uitslaande vlammen).

**cast** [Eng.; *eig.*: worp; *ook*: vorm waarin iets is gegoten, v. *to cast* = werpen] de groep acteurs en actrices i.e. film, show e.d. en de verdeling van hun rollen.

**castagnet'ten** [Sp. *castañeta*, v. *castaña* = kastanjeboom] duimkleppers bij dansen gebruikt.

**castellaan'** [Lat. *castellánus* = bewoner van kasteel, v. *castéllum* = versterkte plaats, kasteel, verklw. v. *castrum* = vesting, verwant met *casa z.a.*] slotvoogd, burchtvoogd (*vgl.* **kastelein**).

**castige'ren** [Lat. *castigáre*, v. *castus* = zuiver, en *ágere* = drijven] **1** tuchtigen; **2** zuiveren van zaken die aanstoot geven. **castiga'tie** [Lat. *castigátio*].

**cas'tor-olie** [afleiding onzeker, waarsch. v. Lat. *castor*, Gr. *kástoor* = bever, die vroeger geneesmiddelen leverde], wonderolie.

**cas'tra** [Lat.] vierhoekige legerplaats.
**castre'ren** [Lat. *castráre*; *vgl. castus* = rein, Gr. *katharos*] ontmannen, snijden, teelkracht ontnemen. **castra'tie** verwijdering van ovaria of testikels. **castraat'** gecastreerde, ontmande.
**ca'su** [Lat. 6e naamval v. *casus z.a.*] bij geval; *in—*, i.h. (dit) geval; waarvan sprake is (afkorting *i.c.*); *— quo*, in welk geval; zo het 't geval is (afkorting *c.q.*).
**casualis'me** [*zie* casus] leer dat alles van toeval afhangt. **casualist'** aanhanger dezer leer. **casualiteit'** toevalligheid.
**casua'ris** *zie* **kasuaris**.
**casueel'** [Fr. *casuel* v. Lat. *casuális*, v. *casus z.a.*] toevallig; (*volkstaal*) *het is —*, het is merkwaardig. **casua'liter** [Lat.] *bw* wanneer het toeval zich voordoet, toevalligerwijs.
**casuïstiek'** [*zie* casus] onderdeel v.d. ethiek en de moraaltheologie dat de toepassing v.d. algemene beginselen en wetten op afzonderlijke concrete gewetensvragen ('gevallen') vastlegt. Zij houdt rekening m.d. omstandigheden en de elkaar soms kruisende regels, en heeft oog voor soms noodzakelijk geworden afwijkingen v.d. regel. **casuïst'** beoefenaar v.d. casuïstiek. **casuïs'tisch** op de wijze v.d. casuïstiek.
**ca'sus** [Lat., v. *cádere*, *cásum* = vallen] **1** geval; *ook:* toeval (*vgl.* **casueel**); **2** naamval; *— belli*, directe aanleiding tot oorlog.
**catachre'se** [v. Gr. *katachrèsis*, v. *kata-chraoo* = mis-bruiken] bep. stijlfiguur waarin een beeldspraak op onjuiste of onverenigbare, onlogische wijze wordt gebruikt, *bijv.*: 'de tand des tijds, die al zoveel wonden heeft geheeld'.
**cataclys'me** [v. Gr. *kataklusmos* = overstroming, zondvloed, v. *kata-* (*z.a.*), en *kluzoo* = (aan-, weg-)spoelen] grote algemene ramp.
**catacom'ben** *mv* [v. Gr. *kata kumbas* = *ongev.*: b.d. kuil, neer i.d. uithollingen; *kumbè* = *lett.*: al wat hol is] oorspr. naam van een laag gelegen terrein buiten Rome, overgegaan op de oude steengroeve in de nabijheid, door eerste christenen te Rome gebruikt als begraafplaats; later ging de naam catacomben over op alle dergelijke begraafplaatsen te Rome en ook elders, met onderaardse gangen, spelonken en gewelven.
**catafore'se** [Gr. *kataphora* = snelle beweging naar beneden] beweging van elektrisch geladen deeltjes i.e. vloeistof onder invloed v.e. elektrisch veld; *ook:* **elektroforese**.
**catakoustiek'** [Gr. *katakouoo* = ingespannen luisteren] leer v.d. echo of terugkaatsing v.h. geluid; *ook:* **catafoniek**.
**catalec'ten** *mv* [v. Gr. *katalegoo* = uitkiezen, uitlezen (niet verwarren m. *katalégoo* = eindigen)] overgebleven fragmenten van oude dicht- en prozawerken. **catalec'tisch** [v. VLat. v. Gr. *katalèktikos* = ophoudend, v. *katalégoo* = eindigen] onvolledig; *— vers*, vers dat de laatste voetvd mist.
**catalepsie'** [v. MLat. *catalepsia*, v. Gr. *katalepsis*] het vatten, overrompeling; toestand van algemene lichamelijke verstarring. **catalep'tisch** [VLat. *catalepticus*, v. Gr. *kataleptikos*] star, stijf.
**cata'logus**, (niet **catalo'gus**), *ook*: **kataloog'**, afk. **cat.** [VLat. v. Gr. *katalogos*, v. *katalegoo* = naar volgorde opstellen, opsommen] lijst, opsomming van voorwerpen, spec. van boeken. **catalogise'ren** i.e. catalogus ordenen. **catalo'gue raisonné** [Fr.] beredeneerde catalogus.
**catama'ran** [Eng., v. Tamil. *catu* = binden, en *maram* = houten blok] zeilboot met twee rompen, evenwijdig aan elkaar en dwars met elkaar verbonden, om omslaan tegen te gaan, gebruikt in Zuid-Azië als vissersboot, i.h. Westen als zeilboot.
**catamne'se** [Gr. *kata* = naar beneden en *amnèsis* = herinnering] ziektegeschiedenis ná behandeling [*zie ook* anamnese].
**cataplas'ma** [v. Gr. *kataplastus* = zalf en

pleister; v. *kataplassoo* = zalven] (*med.*) brijomslag, natte omslag m.e. papje.
**cataplexie'** [v. Gr. *kataplèxis* = schrik, v. *kataplèssoo* = neerslaan, verschrikken, v. *kata*, en *plessoo* = slaan] verstarring door schrik (of beroerte). (*Vgl.* **apoplexie**.)
**cataract'** [Lat. *catarácta*, v. Gr. *katarraktai* = stroomversnellingen spec. i.d. Nijl, v. *katarraktés* = met steile helling naar beneden, v. *kata*, en *arassoo* = werpen] **1** waterval; **2** staar (oogziekte) [missch. v. tweede betekenis van *cataracta*, nl. valdeur].
**catar're**, *ook*: **katar'** [v. Fr. *catarrhe*, v. Lat. *catarrhus*, v. Gr. *katarrhoos* = katarrhous = het naar beneden vloeien, v. *kata* (*z.a.*), en *rheoo* = stromen, vloeien] ontsteking van slijmvlies, spec. in neus. **catarraal'** *bn*.
**catar'sis** *zie* **catharsis**.
**catastro'fe** [Gr. *katastrophè* = wending, v. *kata*, en *strephoo* = wenden] *oorspr.*: keerpunt in drama uitlopend op droevig einde en ondergang; de droevige ontknoping zelve; grote ramp; noodlottige afloop; gebeurtenis die de gevestigde orde van zaken onderstboven keert (spec. in geologie wat betreft aardlagen e.d.). **catastrofaal'** *bn* met het karakter v.e. catastrofe.
**catatonie'** *ook*: **katatonie'** [v. Lat. *catatonus*, Gr. *katatonos*, v. *katateinoo* = omlaag spannen, strak aantrekken] (*med.*) neurotische toestand waarin spieren verstarren in een eenmaal aangenomen positie. **catato'nisch** *bn*.
**catch as catch can** [Eng. = *lett.*: pak zoals je kunt pakken] worsteling waarbij geen bep. grepen zijn verboden die dat bij gewoon worstelen wél zijn. **cat'chy** [v. Eng. *to catch* = pakken, treffen] pakkend, aantrekkelijk.
**cateche'se** [Kerkelijk Lat. *catechésis*, Gr. *katèchèsis* = onderricht in godsdienst, van laat Gr. *katècheoo* = tegenklinken, onderrichten (door vraag en antwoord), v. *kata*, en *echoo* = (weer)galm] onderricht i.d. vorm van vraag en antwoord, spec. in godsdienst.
**cateche'tisch** *bn & bw*. **catechise'ren** [Lat. *catechizare*, Gr. *katèchizoo*] onderwijzen in vraag-en-antwoord-vorm, spec. in godsdienst. **catechisa'tie** *zn* godsdienstonderricht. **catechisant'** leerling bij catechisatie. **catechis'mus** [Lat.] leerboek in vraag-en-antwoord-vorm, spec. over katholieke godsdienstleer. **catechetiek'** catechetische onderwijsmethode.
**catecheet'** catechiserende onderwijzer. **catechist'** (*rk*) inlandse medehelper van missionaris (voor eerste onderricht).
**catechu'** [Mal. *kachu*] samentrekkend extract uit bast van betelpalm en diverse andere Indische planten.
**catechumeen'** [Kerkelijk Lat. *catechúmenus*, Gr. *katèchoumenos*] doopleerling.
**catechumenaat'** onderricht aan doopleerlingen; het doopleerling zijn.
**categorie'** (niet catego'rie) [Lat. *categoria*, Gr. *katègoria* = *oorspr.*: aanklacht; *later*: uitzegging, uitspraak, predicaat, attribuut] (*logica*) elk der meest algemene klassen waarin alle eindige naturen die zijn of kunnen zijn (de objecten v.h. denken) verdeeld kunnen worden; (*alg.*) klasse van dingen van dezelfde aard; afdeling, groep. **categoriaal'** een categorie vormend; volgens groepen, groeps-; *categoriale bond*, vakbond die in principe slechts een bep. categorie werknemers (bijv. ambtenaren) omvat, niet aangesloten bij een grote vakbond.
**catego'risch** onvoorwaardelijk, stellig, vrij van twijfel (*bijv.*: iets —weigeren, iets —ontkennen); *— imperatief*, (in stelsel van I. Kant) gewetensbevel als grond der morele wet, onvoorwaardelijke geldigheid van wat zedelijkheidsbesef of rede gebiedt.
**cate'nen** [Lat. *caténa* = ketting] verzameling(en) bijbelverklaringen (uit geschriften der kerkvaders bijeengegaard).
**ca'tering** [Eng.; *to carter* = levensmiddelen

leveren of verschaffen, v. vroeger *acater*, v.
OFr. *aceator* = koper, MFr. *acheteur*, v. *acheter*
= kopen] het bedrijfsmatig bereiden van
(verpakte) maaltijden voor vliegtuigen, grote
bijeenkomsten e.d.

**ca'terpillar** [Eng., missch. v. OFr. *chatepelose*
= harige kat] *lett.*: rups; *(techn.)* metalen of
rubber band zonder einde lopend over twee
wielen voor voortbeweging over oneffen en
ruw terrein, spec. voor tractors, tanks e.d.;
voertuig met dergelijke rupsbanden of
kettingwielen.

**cat'gut** [afl. onzeker] materiaal voor
violsnaren, medicinaal hechtgaren e.d.
gemaakt uit gedraaide darmen van schapen,
paarden of ezels (niet van katten!).

**cathar'sis** *ook*: **katharsis** [Gr. = reiniging,
loutering] **1** *(med.)* reiniging v.h. lichaam,
purgatie *(z.a.)*; **2** *(psychocatharsis)* loutering
v.d. ziel door het afreageren van onderdrukte
gevoelens.

**ca'thedra** [Lat. v. Gr. *kathedra* = zetel, stoel,
v. *kat-izoo* = neer-zetten] spreekgestoelte
(oorspr. van bisschop in kerk, die zijn
gelovigen zittend toesprak); *ex —*, *(rk)*
uitspraak v.d. paus in zaak betreffende geloof
of zeden, gedaan krachtens hoogste leergezag
als plaatsbekleder van Christus, en derhalve
door leden der katholieke Kerk als onfeilbaar
aanvaard; *ook overdrachtelijk*: *ex — spreken*,
op geen tegenspraak duldende
onderrichtende toon spreken.

**cathe'ter** [Lat. v. Gr. *kathetos* = neergelaten,
v. *kat-hièmi* = neer-zenden] buis om urine af
te tappen.

**cauchemar'** [Fr., v. Lat. *calcáre* = op iets
trappen (*calx*, *calcis* = hiel), drukken, en Ned.
*mare* = nachtelijk spookbeeld] nachtmerrie,
schrikbeeld.

**caudil'lo** [Sp.] legeraanvoerder, leider v.e.
politieke beweging, spec. in Spanje, vgl. Franco.

**cauliflorie'** [Gr. *kaulos* = schacht, stam, Lat.
*flórére* = bloeien) (*plk.*)] het verschijnsel dat
bloemen direct o.d. stam of een tak bloeien.

**cau'sa** [Lat. = *eig*.: geval, v. *cádere*, *cásum* =
vallen] zaak, spec. rechtszaak; oorzaak, iets
wat een gevolg voortbrengt; *— efficiens*,
werkoorzaak; *— exempláris*, voorbeeld als
oorzaak; *— finális*, doel als oorzaak; *—
formális*, de *forma* als oorzaak; *— materiális*, de
*matéria* als oorzaak; *— prima*, eerste oorzaak,
spec. *Causa Prima* = God. **causaal'** [Lat.
*causális* = tot de oorzaak behorend]
oorzakelijk. **causaliteit'** [Fr. *causalité*]
verband tussen oorzaak en gevolg,
oorzakelijkheid. **causatief'** [v. Lat.
*causatívus*] **1** *bn* veroorzakend; **2** *zn zie*
**causativum. causati'vum**, i.h. Ned.
**cau'satief** [v. Lat. (*vérbum*) *causatívum* =
veroorzakend (ww)] (*spraakk.*) oorzakelijk
ww dat het doen geschieden v.e. handeling tot
uitdrukking brengt, *bijv*.: leggen = doen
liggen; drenken = doen drinken.

**cause célèbre** [Fr., *lett*.: = de beroemde, d.i.
beruchte zaak] geruchtmakende rechtszaak.

**cause'ren** [Fr. *causer*] zich gemoedelijk en
gezellig met elkaar onderhouden, keuvelen.

**causerie'** [Fr.] gemoedelijk praatje;
voordracht in losse vorm. **causeur'** [Fr.]
gezellig prater, praatgraag iem. (in gunstige
zin). **causeu'se** [Fr.] **1** vr. causeur; **2**
tweepersoonssofa.

**caustiek** [Lat. *cáusticum*, Gr. *kaustikos*, *zie*
**cauteriseren**] stof die organisch weefsel
weg 'brandt', brand- of bijtmiddel.

**cauterise'ren** [Fr. *cautériser*, v. VLat.
*cauterizáre*, v. Gr. *kautérion* = brandijzer, v.
*kaíoo* = branden] uitbranden met gloeiend
ijzer (spec. wonden). **cauterisa'tie** [Fr.
*cautérisation*] zn.

**cau'tie** [Lat. *cáutio* = behoedzaamheid;
borgtocht, v. *cavére* = op zijn hoede zijn]
zekerheidstelling. **cautione'ren** [Fr.
*cautionner*] zich borg stellen.

**cavalca'de** [Fr., v. Provençaals *cavalcada*, v.
VLat. *caballicáre* = paardrijden, v. Lat. *caballus*

= paard, *zie* volgende] optocht van ruiters.

**cavalerie'** [Fr. *cavallerie*, It. *cavalliera*, v. Lat.
*caballus*, *eig*.: verklw. v. *cabo* = paard] (*mil.*)
paardenvolk, troepen te paard; *thans*:
tankwapen. **cavalerist'** soldaat b.d. cavalerie.

**cavalier'** [Fr. = *eig*.: ruiter, It. *cavaliere*]
galant heer, spec. die dame begeleidt.

**ça va seul** [Fr.] dat spreekt vanzelf.

**cavati'ne** [It. *cavatína*] (*muz.*) kort eenvoudig
zangstukje, korte aria.

**ca'veant con'sules** [Lat.] *lett*.: laten de
consuls (de overheid) op hun hoede zijn;
*overdrachtelijk*: wees op uw hoede. **ca've**
**ca'nem** [Lat.] pas op voor de hond. **cave'ren**
[Lat. *cavére* = op zijn hoede zijn] borg blijven.
**cavent'** [Lat. *cavens*, *cavéntis* = o.dw] borg.

**caver'na** [Lat.] of **caver'ne** [Fr.] **1** hol,
spelonk; **2** holten i.e. lichaamsorgaan die
ontstaan door weefselvertering. **caverneus'**
[Fr. *caverneux*, v. Lat. *cavernósus*, v. *cavérna*
= hol, v. *cavus* bn = hol] vol holten.

**cavilla'tie** [Lat. *cavillátio* = woordenzifterij]
spitsvondige haarkloverij.

**caviteit'** [Fr. *cavité*, *zie cavemeus*] holte,
uitholling. **cavita'tie** het ontstaan v. holten.

**ce'del**, *ook*: **ceel** [v. Fr. *cédule*, v. Lat. *schédula*
= blaadje papier, verklw. v. Gr. *schíde*, Gr.
*schídé*) = afgescheiden reep van papyrusplant;
*vgl*. Gr. *schizoo* = splijten] **1** ontvangstbewijs
v.e. veem; *ook*: schriftelijke kennisgeving,
bewijsstuk e.d.; **2** schriftelijke opsomming; al
dan niet geschreven lijst; *een hele ceel*, een
lange rij (bijv. van klachten); *iemands
doopceel lichten*; *zie* **doopceel**.

**cede'ren** [Lat. *cédere* = weggaan, afstand
doen] afstand doen, overdragen; *ook*:
zwichten. **cedent'** [Lat. *cedens*, *cedéntis* =
o.dw] hij die afstand doet, die vordering
overdraagt.

**cedil'le** [Fr., v. Sp. *cedilla* = kleine c, v. It.
*zediglia*, verklw. v. Gr. *zéta* = z] teken onder
de c (ç), aangevend dat ze als scherpe s moet
uitgesproken worden (bijv. in *garçon*).

**cedre'la** [naar wetensch. naam] het ten
onrechte **ceder** genoemde hout van enige
soorten u.h. geslacht *Cedréla* v.d. familie
Meliáceae in tropisch Amerika, voorts van
*Toona*-soorten van dezelfde familie in
Zuidoost-Azië.

**cédret'** [Fr. = cederappel] *ook*: **cedraat'** **1**
schil v.d. cederappel ofwel muskaatcitroen
(een *citrus*-soort), met suiker ingelegd; **2**
sukade.

**ceel** *zie* **cedel**.

**cefali'tis** [Gr. *kephalé* = hoofd; *zie verder*
-itis] hersenontsteking.

**cefeï'de** bep. soort periodiek veranderlijke ster
(naar de ster delta v.h. sterrenbeeld Cefeus, het
type v. deze klasse).

**cei'ling** [Eng. = *lett*.: plafond, missch. v. Fr. *ciel*
= hemel, plafond, v. Lat. *caelum* = hemel]
(*luchtvaart*) plafond, grootste hoogte die bep.
vliegtuig kan bereiken.

**ceintuur'** [Fr. *ceinture*, v. Lat. *cinctúra* =
omgording, v. *cingere*, *cinctum* = gorden]
gordel; *—baan*, ringbaan, tram of spoor rond
een stad.

**cel** [v. OFr. *celle*, v. Lat. *cella* = kleine kamer;
*vgl*. *domi-cil-ium* (*z.a.*) en *cel-áre* =
verbergen; *vgl*. Gr. *kalía* = hol] **1** woning v.
kluizenaar; **2** kamertje voor één persoon in
klooster, gevangenis, krankzinnigengesticht
e.d.; **3** afdeling van honigraat; **4** afgerond
geheel van protoplasma bij plant en dier; **5**
(*politiek*) kleinste organisatie, spec. bij
communisten; **6** hokje voor publieke telefoon.

**celadon'** [Fr.] bleekgroen, wilgegroen,
zeegroen; *ook*: bep. Oostaziatische ceramiek in
die kleur.

**celebre'ren** [Lat. *celebráre* = feestelijk vieren;
*céleber* = gevierd] **1** feestelijk vieren; **2** (*rk*) de
mis opdragen. **celebrant'** [Lat. *célebrans*,
*celebrántis* = o.dw] priester die de mis
opdraagt. **celebriteit'** [Lat. *celébritas*] **1**
vermaardheid; **2** beroemd persoon.

**ce'lere** [It., v. Lat. *céler* = snel] (*muz.*) snel.

**céleri** [Fr.] (*cul.*) selderie; — *en branches*, bleekselderie; — *rave*, knolselderie.

**celest'** [Fr. *céleste*, v. Lat. *caeléstis*, v. *caelum* =hemel] hemels. **celes'ta** [It.] (*muz.*) bep. register v. orgel; bep. orkestinstrument (metalen staven door toetsen aangeslagen).

**Celestijn'** monnik v.d. celestijner orde, een strenge orde v. eremieten, ca. 1235 gesticht door de latere Paus Celestinus V.

**celibaat'** [Lat. *caelebs* of *coelebs* = ongehuwd] de verplichte ongehuwde staat voor rk geestelijken. **celibatair'** [Fr. *célibataire*] vrijgezel, ongehuwde man.

**cella'rius** [Lat. *céllar* = kelder, *zie* -**arius**] keldermeester.

**celliet'** mengsel van azijnzure cellulose en een surrogaat van kamfer, wegens zijn onbrandbaarheid wel gebruikt voor films.

**cellofaan'** [kunstwoord uit *cellulose*, *z.a.*, en Gr. *phainoo* = tonen] doorzichtige kunststof (voor verpakking) uit cellulose vervaardigd.

**celloïdi'ne** collodium (*z.a.*) in zeer geconcentreerde vorm.

**cellota'pe** *zie* **tape**.

**cellulair'** [Fr. *cellulaire*, v. Lat. *céllula* = kleine cel, *z.a.*] celvormig; uit cellen bestaande; — *gevangenisstraf*, gevangenzetting i.e. cel afzonderlijk van andere gevangenen.

**celluloïd'** [onregelmatig gevormd uit *cellulose*, *z.a.*, en -*oid*, v. Gr. *eidês* = gelijkend op] plastic-achtige stof uit kamfer en cellulosenitraat.

**cellulo'se** [Fr., v. Lat. *céllula* = kleine cel, *z.a.*] stof door plantencellen aan hun wanden afgescheiden, waardoor een geraamte ontstaat dat a.d. plant stevigheid verleent.

**cem'balo** [It. = cimbaal, *z.a.*] (*muz.*) bep. oud snaarinstrument dat als voorloper v.d. piano kan worden beschouwd; hakkebord.

**cemente'ren** [v. Fr. *cémenter*, v. OFr. *ciment*, v. Lat. *caeméntum*, v. *cáedere* = (steen)houwen] **1** bestrijken met cement (bijv. een muur) ter bedekking en afsluiting; **2** smeedijzer met koolstof gloeien, waardoor staal (cementstaal, *thans*: carboneerstaal) ontstaat. **cementa'tie** het gloeien met koolstof in gesloten vat. **cement'asbest** bouwmateriaal i.d. vorm van platen, uit asbest en cement geperst.

**cena'kel** [Lat. *coena* = maaltijd] **1** (*gesch.*) zaal v.h. Laatste Avondmaal; **2** lit(t)eraire kring.

**cenobie'ten** [v. VLat. *coenobīta*, v. Gr. *koinobion* = convent, v. *koinos* = gemeenschappelijk, en *bios* = leven] gemeenschappelijk levende monniken (i.t.t. de **eremieten** = kluizenaars of eenzaten).

**cenotaaf'** [Fr. *cénotaphe*, v. Gr. *kenotaphion*, v. *kenos* = leeg, en *taphos* = graf] praalgraf, dodenmonument (waarin of waaronder echter het lijk niet rust).

**cense'ren** [Lat. *censére* = schatten, oordelen] **1** met kennis van zaken onderzoeken en beoordelen; **2** een berisping toedienen (dus oordeel uitspreken). **cen'sor** [Lat.] keurder, beoordelaar (bijv. van brieven in oorlogstijd, van krantenberichten, frontnieuws e.d.).

**censuur'** [Lat. *censúra* = onderzoek] **1** toezicht op drukwerk, brieven e.d. in bep. omstandigheden; **2** openlijke berisping. **censure'ren** [Fr. *censurer*] hevig berispen, wraken; censuur **1** uitoefenen.

**censura'bel** [Fr. *censurable*] **1** berispelijk; **2** cijnsplichtig. **cen'sus** [Lat. = opgave van personalia en bezit bij Romeinen] **1** cijns, belasting; **2** volkstelling; **3** opgave of schatting v. bezit en inkomsten. **cen'suskiesrecht** [Lat. *census* = opgave van personalia en bezit] kiesrecht dat afhankelijk is van de belasting die men betaalt.

**centaur'** [Lat. *centáurus*; v. Gr. *kentauros*] fabelachtig monster, soort paard-mens.

**cen'tenaar** [Lat. *centenárius* (*póndera*) = gewicht van 100 ponden, v. *centum* = honderd] gewichtsmaat van 100 pond (variërend in onderscheiden landen);

centenaarslast, (*fig.*) zwaardrukkende last,

**cen'teren** [Eng. *to centre* of *to center*] **1** (een voorwerp) vastklemmen tussen de centerpunten o.d. draaibank; **2** (*sport*) bal van vleugel naar midden spelen.

**centi-** [v. Lat. *centésimus* =,honderdste] voorvoegsel dat 0,01 $(10^{-2})$ deel v.d. daarachter staande eenheid aangeeft; afk. c-, bijv. centimeter (cm), centigram (cg), centiliter (cl), centiare (ca), kubieke centimeter (ccm of – onjuist – cc).

**centiem'** [v. Fr. *centime*, v. Lat. *centésimus* = honderdste] **1** 1/100 Belgische frank.

**centi'me** [Fr.] 1/100 Franse franc.

**cen'to** [Lat. = lapwerk, gelapte deken v. bedelaar; *vgl.* Gr. *kentroon* = spitsboef] gedicht of muziekstuk uit verschillende delen of strofen van andere werken samengesteld.

**centre'ren** [Fr. *centrer*] (*techn.*) as v. cilindervormig lichaam dat past i.e. toestel (bijv. granaat in kanon) laten samenvallen m.d. as van dat toestel; zorgen dat twee assen samenvallen (bijv. bij kijker optische en mechanische as).

**centrifu'ge** [Fr. = middelpuntvliedend; v. Lat. *centrum*, *z.a.* en *fúgere* = vlieden, vluchten] toestel dat door snelle omwentelingen sterke centrifugale krachten opwekt (waardoor bijv. vaste stoffen snel van vloeistof gescheiden kunnen worden). **centrifugaal'** middelpuntvliedend. **centripetaal'** [v. Lat. *pétere* = zoeken, streven naar] middelpuntzoekend.

**centroscopie'** [Lat. *centrum* = het midden, *zie* -**scopie**] **1** bepaling v.h. middel- of zwaartepunt; **2** beschouwing v.d. zwaartekracht.

**centuple'ren** [Fr. *centupler* v. Lat. *centuplex* = honderdvoudig, v. *centum* = 100, en *plicare* = vouwen] verhonderdvoudigen.

**cen'tury** [Eng., v. Lat. *centúria* = groep van 100, v. *céntum* = 100] (*cricket*) 100 runs (*zie* **run**).

**cèpe** [Fr., v. Lat. *caepa* of *cepa* = ui] grote platte Franse eetbare paddestoel.

**ceramiek'** [Gr. *kerameia*, v. *keramos* = pottenbakkersaarde, aardewerk, pot] pottenbakkerskunst, kunst om aardewerk te maken. **cera'misch** *bn*.

**cer'berus** [Lat., v. Gr. *Kerberos* = de hellehond met 3 (of 100) koppen, die de Tartarus of Hades (onderwereld) bewaakte] barse portier.

**cer'cle** [Fr., v. Lat. *circulus*, verklw. v. *circus* = cirkel] kring, gezelschap.

**cerebraal'** [Fr. *cérébral*, v. Lat. *cérebrum* = de hersenen] de hersenen betreffend; enkel door verstand tot stand gekomen.

**ce'rebrospinaal'** [Lat. *spina* = ruggegraat] de hersenen en het ruggemerg betreffend.

**ceremo'nie** [v. Lat. *ceremónia* = godsdienstige plechtigheid] plechtigheid, spec. kerkelijke; hofgebruik; vormelijke plichtpleging; bep. serie gewoontehandelingen; —*meester*, hij die de gang van zaken bij een feest regelt; bep. functie aan hof. **ceremonieel'** [Fr. *cérémoniel*] **I** *bn* wat de ceremoniën betreft; vormelijk plechtig; **II** *zn* het geheel van ceremoniën bij bep. plechtigheid voorgeschreven. **ceremonieus'** [Fr. *cérémonieux*] vormelijk.

**ceresi'ne** [v. Lat. *céra* = was] aardwas, minerale was die bijenwas vervangt; er wordt vaseline van gemaakt.

**cerf** [Fr., v. Lat. *cérvus*] (*cul.*) hert.

**ceri'se** [Fr., v. VLat. *cerésia*, dat uitgesproken werd als "keresia"] **I** *zn* a kers; b bep. koekje bereid met likeur, m.e. geconfijte kers erop; **II** *bn* kersrood.

**Ce'rium** element, metaal, chem. symbool Ce, ranggetal 58.

**ceroplastiek'** [Lat. *cera*, Gr. *kèros* = was, en Gr. *plassoo* = vormen] boetseerkunst in was.

**certifice'ren** [v. MLat. *certificáre*, *certificátum* = *lett.*: zeker maken, verklaren; *vgl.* Lat. *certiórem fácere* = bericht geven (*lett.*:

zekerder maken), *certus* = zeker (*v. cérnere* = afscheiden), beslist, bepaald] zwart op wit verzekeren. **certificaat'** [MLat. *certificátum* = schriftelijke verklaring, getuigschrift; (*hand.*) gedeelte v.e. aandeel. **cer'to cer'tius** [Lat. = *lett.*: zekerder dan zeker] wis en waarachtig.

**cervelaat'** [v. It. *cervellàta*, v. *cervelleto*, verklw. v. *cervello* = hersenen, *zie* **cerebraal**] harde gedroogde worst van gehakt varkensvlees met spek, eventueel met knoflook (vroeger vormden varkenshersenen een bestanddeel van cervelaat, vandaar de naam).

**cer'vix** [Lat. = hals] (*med.*) hals v.e. orgaan spec. **cervix u'teri** = baarmoederhals.

**ces** (*muz.*) door molteken met halve toontrap verlaagde c (do), c-mol.

**cesaris'me** [*zie* **Caesar**] alleenheerschappij (berustend op geweld). **cesaropapis'me** [*papa* = paus] het zich aanmatigen van geestelijke macht door wereldlijk heerser.

**Ce'sium** *ook*: **Cae'sium** [v. Lat. *cáesius* = hemelsblauw] chemisch element, metaal, symbool Cs, ranggetal 55.

**cesse'ren** [Fr. *cesser*, v. Lat. *cessáre* = vervallen, intensitief v. *cédere* = weggaan] een einde nemen, ophouden. **ces'sie** [Lat. *céssio*] afstand van recht of zaak t.b.v. een ander, overdracht. **cessiona'ris** [Fr. *cessionnaire*] begunstigde bij cessie.

**c'est au cho'se** [Fr.] dat verandert de zaak. **c'est entendu'** [Fr.] afgesproken!

**cesuur'** *ook*: **caesuur'** [Lat. *caesura* = het afhouwen, v. *cédere* = houwen, hakken] verssnede, rustpunt in versregel na bep. aantal lettergrepen.

**ce'tera** [Lat. onz. mv. van *céterus*, Gr. *heteros* = de andere] de andere dingen, de rest; *et—*, en zo voort; — *désunt*, de rest ontbreekt; — *desideràntur* (*lett.*: de rest wordt verlangd) de rest ontbreekt. **ce'teris pa'ribus** afk. c.p. [Lat. = *lett.*: de andere dingen gelijk zijnde] in gelijke omstandigheden.

**cha'chacha** bep. dans, gelijkend op de mambo, *z.a.*

**chacon'ne** [Fr., v. It. *ciacona*) (*muz.*) oorspr. (ca. 1600) een dans, mogelijk van Sp. afkomst. Thans compositie van ernstig karakter in 3/4 maat, o.e. vrijwel niet veranderend thema i.d. bas, waartegen zich contrapuntisch (*z.a.*) vrije variaties afspelen.

**chacun' à son goût** [Fr.] ieder naar zijn smaak. **chacun' pour soi (Dieu pour nous tous)** [Fr.] ieder voor zich (en God voor ons allen).

**1 chagrijn'**, *ook*: **segrijn'** [v. Fr. *chagrin*, v. Turks *saghri* = *eig.*: achterste van paard; bewerkte huid] gekorreld leer v.d. huid van paard, ezel e.d., ook v.d. huid v.e. bep. rog (kraakbeenvis).

**2 chagrijn'**, *ook*: **sjagrijn** [v. Fr. *chagrin*, verm. van voorgaande, wegens ruwheid van chagrijnleer; *overdrachtelijk*: wat schrijnt, pijn doet] kommer, verdriet; *ook*: gemelijk humeurig lastig persoon. **chagrij'nig** humeurig, lastig, gemelijk. **chagrine'ren** [Fr. *chagriner*] 1 reliëftekening in leer persen; 2 bedroeven, verdriet aandoen.

**chai'se-lon'gue** [Fr. = *lett.*: lange stoel; *vgl. cathedra*] ligstoel, luie stoel.

**chalcedoon'** of **chalcedon'**, *ook*: **calcedo(o)n'** of **calcido(o)n'** (*alg.*) een doorschijnende kwartssoort, vóórkomend in diverse kleuren.

**chalcografie'** [Gr. *chalkos* = erts, d.w.z. koper, en *graphoo* = schrijven] kopergraveerkunst. **chalcotypie'** [*zie* **type**] koperdruk.

**chalet'** [Fr.-Zwitsers woord, missch. verklw. v. *casella*, verklw. v. It. *casa* = huis] klein houten huis van Zwitserse bergbewoners; (vakantie)woning of villa i.d. stijl daarvan.

**chama'de** [Fr.] 1 trompetsignaal ten teken v. overgave v.e. belegerde stad; 2 (*fig.*) *de— blazen*, terugkrabbelen.

**chamberloek'** *zie* **sjamberloek**.

**cham'bre arden'te** [Fr. = *lett.*: vurige kamer] *oorspr.*: Fr. gerechtshof in 16e eeuw waar ketters steeds tot vuurdood werden veroordeeld; *thans*: rouwkapel met veel brandende kaarsen (*ook*: **chapelle ardente**) waar het lijk v.e. aanzienlijk persoon ligt opgebaard.

**chambre'ren** [Fr. *chambrer*, v. *chambre* = kamer] wijn (u.d. koude kelder) op kamertemperatuur laten komen vóór het schenken. **chambret'** [Fr. *chambrette* = kamertje] slaapkamertje of afgeschoten hokje op grote slaapzaal, spec. op kostscholen.

**chamois'** [Fr., *vgl.* It. *camoscio*, v. OGerm. *gamuz*, OHDu. *gamz* = gems] I *zn* soort gems; leer v. gemzehuid; II *bn* & *zn* soort lichtgeel.

**chamot'te** [Fr.] vuurvaste steen.

**champêtre** [Fr., v. Lat. *campéster*, *campéstris* = op het vlakke veld, *zie* **campus**] landelijk; *bal—*, bal in open lucht.

**chan'ce** [Fr. v. VLat. *cadéntia*, v. Lat. *cádere*, *cásum* = vallen) (*eig.*: wijze waarop dobbelstenen vallen), wijze waarop de dingen voorvallen, de stand v.d. dingen; kans, mogelijkheid tot fortuin of geluk; succes bij het andere geslacht; (*volkstaal*) verkering.

**chan'ge** [Fr., Eng. v. Lat. *cambiáre*, *vgl.* Gr. *kamptoo* = buigen, omzwenken; *zie verder* **cambiëren**] ruil: het wisselen (v. geld). **change'ren** [Fr. *changer*] verwisselen, verruilen; weerschijn hebben (v. kleuren). **changeant'** [Fr.] I *bn* veranderlijk; met weerschijnkleuren; II *zn* stof met weerschijn (bijv. changeantzijde). **changeur'** [Fr.] geldwisselaar.

**chanson'** [Fr. *chanson* (*populaire*), v. Lat. *cántio* = gezang, v. *cantáre* = *cánere* = zingen] (volks)liedje, variërend van satire op gevallen u.h. dagelijks leven tot sentimentele levensliedje of liefdesliedje, cabaretliedje. **chansonnier'** [Fr.] liedjeszanger. **chansonnière** [Fr.] liedjeszangeres.

**chanta'ge** [Fr. v. de uitdrukking: *faire chanter quelqu'un* (*lett.* = iem. laten zingen)] = chantage plegen] het afpersen van geld of gunsten van iem. onder bedreiging anders diens geheimen openbaar te maken. **chanteur'** [Fr.] 1 zanger; 2 chantagepleger, afperser. **chanteu'se** [Fr.] zangeres.

**cha'os** [Lat., Gr. = (oneindige) lege ruimte, baaierd, verwarde massa waaruit het heelal geschapen is] ordeloze massa of toestand. **chaoot'** chaotisch (*z.a.*) persoon, warhoofd. **chao'tisch** *bn* & *bw*.

**chapeau'** [Fr. = hoed, v. *chape* = (koor)kap, v. Lat. *cappa*] 1 (*typ.*) bovenkop, meestal cursief gedrukte kleinere kop boven de eigenlijke kop v.e. artikel; 2 begeleider, hij die chaperonneert (*z.a.*).

**chapel'le arden'te** [*zie* **chambre ardente**] rouwkapel met veel kaarsen.

**chapelu're** [Fr.) (*cul.*) paneermeel; geraspt of gemalen oud brood.

**chaperon'** [Fr. = *lett.*: schoudermantel met kap, v. *chape* = kap, *zie* **cappa**] leer of oudere dame die jong meisje of de jonge vrouw begeleidt wanneer zij uitgaat. **chaperonne'ren** een jeugdig persoon, spec. meisje, begeleiden.

**chapi'tre** [Fr., v. Lat. *capítulum*] hoofdstuk; onderwerp (van gesprek).

**char-à-bancs'** [Fr. *lett.*: wagen met banken] groot open rijtuig (of auto) met dwarsbanken achter elkaar, janplezier.

**characteris'tica** [*zie* **karakter**] karakteristieke kenmerken.

**chara'de** [Fr., v. Provençaals *charrado* = keuvelarij] soort raadsel waarbij een vage bet. der lettergrepen wordt opgegeven (bijv. mijn eerste is ... mijn tweede ... mijn geheel ...).

**char'ge** [Fr. v. VLat. *carrica*, v. *carricáre* = laden; *vgl.* Lat. *carrus* = vrachtwagen] 1 vracht, last; 2 (*mil. en politie*) uitval, spec. van cavalerie, op burgers (charge met de blanke sabel); het losbranden; 3 overdrijving; 4 contract over scheepslading tussen bevrachter en schipper. **charge'ren 1** (*mil.*) een charge uitvoeren; **2** overdrijven. **chargé d'affai'res** [Fr.] zaakgelastigde, ambassadeur van lagere rang.

**charis'ma**, *mv* **charis'mata** [NTGr. = genadegeschenk] **1** bep. genadegave v. God; **2** speciale gave om anderen te inspireren en te leiden uit kracht v.d. eigen boeiende persoonlijkheid. **charisma'tisch** op charisma betrekking hebbend; charisma bezitten (*bijv.*: een charismatisch leider).

**cha'ritas**, *ook*: **caritas** [Lat. *caritas* = hoge prijs, waardering, hoogachting, liefde, v. *carus* = duur, dierbaar; christelijk Lat. *charitas* = liefde tot God en de naaste] christelijke naastenliefde, liefdadigheid. **charitatief'**, *ook*: **caritatief** op chr. naastenliefde betrekking hebbend.

**chariva'ri** [Fr., afleiding onzeker] lawaaierig geraas van ketelmuziek, gejoel en getier (gericht tegen bep. persoon om ontevredenheid uit te drukken).

**charlatan'** [Fr., v. It. *ciarlatano*, v. *ciarlare* = babbelen, kletsen] kwakzalver; iem. die wel veel praatjes heeft maar weinig vakkennis bezit.

**char'me** [Fr., v. Lat. *carmen* = gezang] *eig.*: magisch betoverend gezang; iets dat liefde of bewondering opwekt: aantrekkelijkheid, bekoorlijkheid, innemendheid. **charmant'** [Fr.] bekoorlijk, zeer lief. **charme'ren** [Fr. *charmer*] betoveren, bekoren. **charmeur'** [Fr.] iem. die weet te charmeren door mooie woorden en manieren. **charmeu'se** [Fr. = *lett.*: vrouwelijke charmeur] bep. zijden stof.

**char'ta** [Lat., v. Gr. *chartes* = blad van papyrusplant] blad papier (*vgl.* Ned. *kaart*). **chartaal'**: (*hand.*) — *geld*, wettige betaalmiddelen (door overheid aangewezen).

**char'ter** [Eng., *zie* **charta**] **1** oorkonde; **2** grondwet of constitutie (bijv. Atlantic Charter). **char'teren** schip huren (door chertepartij, *z.a.*); *bij uitbreiding*: iets voor gebruik tijdelijk bemachtigen (huren, lenen). **char'tervliegtuig** vliegtuig (gehuurd) voor een speciale vlucht (*bijv.*: toeristenvlucht), niet voor de normale lijndienst.

**chartreu'se** [naar *La Grande Chartreuse*, het moederklooster der *kartuizers* (*z.a.*), 30 km ten noorden van Grenoble] **1** algemene naam voor elk karthuizerklooster; **2** likeur gestookt uit wijn en ca. 130 verschillende kruiden; **3** gebakje van zandtaartdeeg gevuld met o.a. *crème au beurre* waarin chartreuse; **4** (*cul.*) mengsel van div. groenten.

**Charyb'dis** [Lat., v. Gr. *Charubdis* = draaikolk i.d. Straat van Messina]: *tussen Scylla en —*, tussen twee vuren, tussen twee uiterst gevaarlijke situaties.

**chasseur'** [Fr. = *lett.*: jager, v. Lat. *captare* = vangen, v. *cápere* = vatten] loopknecht in hotel, sociëteit e.d.

**chassis'** [Fr. *châssis* = omlijsting, v. *châsse* = schrijn, *zie* **capsa**] **1** raampje waarin fotografische plaat wordt geschoven; **2** onderstel v. auto.

**châtaig'ne** [Fr.] (*cul.*) tamme kastanje. (De wilde kastanje heet in het Fr. *châtaigne de cheval* = paardekastanje, niet geschikt voor menselijke consumptie).

**chateaubriand'** [n.d. Franse schrijver F.-R. de Chateaubriand, 1768-1848] biefstuk (ossehaas).

**châtelain'** [Fr.] = **castellaan**, *z.a.*

**châtelai'ne** [Fr.] **1** burchtvrouwe; **2** ketting met gebruiksvoorwerpen (bijv. sleutels) die a.h. lichaam wordt gedragen.

**chaton'** [Fr. = katje] (*juw.*) zetting waarbij de steen door pootjes of klauwtjes wordt vastgehouden.

**chaud-froid'** [Fr. = *lett.*: warm-koud] (*cul.*) stukjes gaar vlees, wild of gevogelte, bedekt met mousse (*z.a.*) en overgoten m.e. speciale saus (chaud-froid-saus).

**chaussée** [Fr., v. Oudnoordfrans *caucie*, v. VLat. *calciáta* = platgetrapt, v. Lat. *calcáre* = met voeten treden, v. *calx, calcis* = hiel]

*oorspr.*: verhoogde weg door laag en vochtig terrein; straatweg (*vgl.* Eng. *causeway*).

**chec'ken** [Eng. *to check* = *eig.*: schaak zetten bij schaakspel] controleren, verifiëren. **check'-list** [Eng.] lijst van te controleren zaken. **check'point** [Eng.] controlepost. **chec'kers** [Am., *vgl.* Ned. *schaken*] vorm van damspel op bord met 64 ruiten, waarbij elke speler 24 stenen heeft.

**cheer** [Eng. = *eig.*: gemoedstoestand, v. in onbruik geraakt *cheer* = gelaat (waarvan de gemoedstoestand is af te lezen), v. OFr. *chere*, v. laat-Lat. *cara* = gelaat, *missch.* v. Gr. *kara* = hoofd] hoerageroep, gejuich, een hoera'tje.

**chef** [Fr., v. Lat. *caput* = hoofd] leider, hoofd; — *de bureau*, hoofd v.e. kantoorafdeling; — *de cuisine*, keukenchef; — *d'équipe*, leider v. ploeg sportlieden in grote wedstrijd; — *de mission*, leider van afvaardiging sportlieden naar grote wedstrijd; — *d'oeuvre*, meesterwerk, meesterstuk.

**Chelléen** [Fr.] bep. cultuurperiode v.d. oud-steentijd (naar Fr. dorpje Chelles, waar resten zijn gevonden).

**chemiatrie'** [v. *chemie*, *z.a.* en Gr. *iatreia* = genezing] heelkunde door chemische middelen.

**chemie'** (*uitspraak*: gemie met zachte g) [v. Gr. *chèmeia* = het veranderen van metalen, verm. v. *chèmia*, de Gr. vorm van Egyptisch *Khemi* = het land Egypte, *lett.*: het zwarte land (de Nijloevers tegenover de gele woestijn; het Gr. woord *Aiguptos* duidde oorspr. alleen de rivier de Nijl aan); *chèmia* betekent dus: Egyptische kunst, later verkeerdelijk afgeleid van Gr. *cheeo* = gieten] de zgn. scheikunde, de natuurwetenschap die de samenstelling uit elementen, de bouw en de bereiding bestudeert van stoffen (niet van de stof als zodanig, *zie* **fysica**), voorts de blijvende veranderingen die deze stoffen (kunnen) ondergaan en de daarbij optredende wetmatigheden. **chemica'liën** *mv* produkten, door de chemische industrie vervaardigd, waarmee men bep. chemische processen kan doen plaatsvinden.

**chemicien'** [Fr.] o.h. gebied der chemie gespecialiseerde, geschoolde technicus van lagere rang die i.d. chemische industrie installaties en apparaten bedient, een bedieningsvakman in een bedrijf v.d. chemische industrie (niet te verwarren met de volgende). **che'micus** scheikundige, een universitair opgeleide wetenschappelijk beoefenaar van de chemie; *ook*: student in de chemie.

**chemiesorp'tie** adsorptie (*z.a.*) waarbij het geadsorbeerde door chemische krachten wordt vastgehouden, zodat de toestand van vóór de adsorptie niet meer kan worden hersteld.

**che'misch** scheikundig, de chemie betreffend (*bijv.*: chemische verbinding, chemische formule, chemisch laboratorium). **che'mische industrie** [*zie* **industrie**] alle takken van industrie die voor de vervaardiging van hun produkten uit grondstoffen gebruik maken van chemische omzettingen in het groot; in België rekent men synthetische vezels niet tot de chemische industrie, daarentegen wel rubberprodukten. **che'misch reinigen** (ook wel *drycleaning* of *droogreinigen* of *stomen* genaamd) het reinigen van textiel met organische oplosmiddelen (o.a. benzine, perchlooretheen), die vet oplossen en onoplosbaar vuil losweken.

**chemi'se** [Fr. v. laat-Lat. *camísia*] hemd, spec. dameshemd; *ook*: overtrek, omhulsel. **chemise'ren** [Fr. = *lett.*: een hemd aandoen] (*cul.*) een vorm van buiten overtrekken of van binnen bekleden met een laagje farce (*z.a.*), gelei e.d. **chemiset'(te)** [Fr.] halfhemd.

**chemotherapeu'tica**, *ev* -**ticum** [*zie* **therapeut**] synthetisch bereide chemische geneesmiddelen tegen infectie door micro-organismen. Onder chemotherapeutica vallen dus niet de chemische preparaten tegen niet-infectieziekten en ook niet de antibiotica, *z.a.*, die niet synthetisch (maar door schimmels) bereid worden. **chemotherapie'** geneeskundige behandelingswijze van infectieziekten d.m.v. chemotherapeutica.

**chemurgie'** [ *-urgie* v. Gr. *ergon* = werk; *vgl.* **chirurgie en metallurgie**] leer en kunde v.h. bereiden van chemische produkten uit ruwe plantaardige stoffen.

**chenil'le** [Fr. = rups, v. Lat. *canicula* = hondje, v. *cánis* = hond] **1** fluwelen boordsel of koord; **2** soort pluche garen.

**cher** [Fr., v. Lat. *carus*] duur; dierbaar, lief; *mon* —, mijn waarde.

**cherchez' la fem'me** [Fr. = *lett.*: zoek de vrouw] er is een vrouw i.h. spel.

**chéri**, *vr.* **chérie** [Fr.] teerbeminde, lieveling.

**chertepartij** [Eng. *charter-party*, v. Fr. *charte partie* = gedeeld document, *zie* **charta**] contract tussen scheepseigenaar en koopman over huur v. schip en levering v. lading (*zie ook* **charteren**).

**che'rub** [v. Hebr. *Kerub*, *mv* *Kerubim*, i.h. Ned. verbasterd tot **cherubijn'** met als *mv* cherubijnen, dat dus een dubbel meervoud is] (*rk*) engel v.e. bep. rang (de engelen worden traditioneel verdeeld in 9 rangen of koren). **cherubijn'tje** een lief popperig kind; (*kunst*) engelekopje gedragen door twee vleugels.

**ches'terfield 1** soort overjas; **2** soort armstoel [naar Earl of Chesterfield, 19e eeuw].

**cheval'** [Fr., v. Lat. *caballus*, verklw. v. *cabo* = paard] paard; — *de bataille*, strijdros; lievelingsonderwerp, stokpaardje. **chevalier'** [Fr. = *lett.*: paardrijder] ridder; — *d'industrie*, fortuinzoeker zonder eergevoel; — *sans peur et sans reproche*, ridder zonder vrees of blaam. **chevaleresk'** [Fr. *chevaleresque*] ridderlijk.

**chevet'** [Fr.] (*bouwk.*) koorafsluiting in kerk. **cheviot'** [Eng., Fr. ook *cheviotte*] wol (of stof daaruit gemaakt) van schapen u.d. Cheviotheuvels in Schotland.

**chevreau'** [Fr. = *lett.*: jong geitje] leer van jonge geitjes. **chevret'te** [Fr. = geitje; ook reegeit, v. *chèvre* = geit, v. Lat. *caper* = bok, *capra* = geit] (*cul.*) reegeit. **chevreuil'** [Fr. = reebok] (*cul.*) reeë.

**chevron'** [Fr. v. *chèvre*, v. Lat. *capra* = geit; Lat. *capréolus* = gems, *overdrachtelijk*: tweetandige vork ∧, steunbalk] **1** (*bouwk.*) dakspar, keper; **2** (*mil.*) omgekeerd V-vormig onderscheidingsteken op mouw v. uniform.

**chias'me** [Gr. *chiasmos* = kruisstelling, v. Gr. letter X (chi)] stijlfiguur waarin in tweede deel een omgekeerde woordvolgorde met eerste deel wordt gebruikt, waardoor bijeenbehorende paren termen resp. i.h. midden en aan begin en einde komen staan (bijv. 'ik ga lopen, stilzitten kan ik niet').

**chia've** [It., v. Lat. *clávis* = sleutel] (*muz.*) toonsleutel, muzieksleutel, d.i. bep. teken a.h. begin van elke notenbalk, dat de hoogte der noten o.d. lijnen v.d. balk bepaalt (resp. G-, F- en C-sleutel).

**chic**, *ook wel*: **sjiek** [Fr. *chic*, eertijds = spitsvondigheid; sinds vorige eeuw = goede smaak; waarsch. v. MHDu. *Schick* = gepastheid, orde; *ook*: handigheid] **1** *zn* **1** sierlijkheid, modieuze verfijning, elegantie; **2** de elegante wereld; **II** *bn & bw* elegant, smaakvol, zwierig. (N.B.: *chique* is de verbogen vorm i.h. Ned., niet in Fr.)

**chica'ne** [Fr. = spitsvondigheid, rechtsverdraaiing; dit is ontleend aan: zijn kansen uitbuiten, o.a. door trucjes, i.h. balspel *chicane*, v. ME Gr. *tzukanizoo* = polo spelen, v. Perzisch *tchogan* = polostok, waarsch. v.e. Prakrit-woord voor polo-speelplaats] **1** kleinzielige tegenwerking of aanmerking, vitterij; *ook*: sofisterij, uitvluchten; **2** rechtsverdraaiing door spitsvondigheden, juridische haarkloverij als verweermiddel in proces, juristerij; **3** (*autosport*) opzettelijk i.h. circuit aangebrachte kunstmatige bocht.

**chicane'ren** [Fr. *chicaner*] vitten, gezochte bezwaren maken, *ook*: zeuren, zaniken. **chicaneur'** [Fr.] persoon die chicaneert, vitterig en lastig iemand, spec. in rechtsgeding. **chicaneus'** *bn* chicanes makend. **chicaneu'rig** (verbasterd tot **sikkeneurig**) humeurig, lastig, brommerig, overdreven nauwlettend en daardoor vitterig; *ook*: lusteloos en daardoor gemelijk en onvriendelijk.

**chicard'** [Fr.] chic gekleed heer.

**chick** [Am., v. *chicken* = kuiken] (*jongerentaal*) meisje, 'stuk'.

**chicorée** [Fr., *zie* **cichorei**] cichorei; — *de Bruxelles*, Brussels lof, witlo(o)f; *chicorée-endive*, andijvie.

**Chief Scout** [Eng. = *lett.*: opper-padvinder] algemeen hoofd v.d. padvindersbeweging.

**chiffon'** [Fr. = lomp, vod] bep. soort stof. **chiffonnière** [Fr. = latafel waarin men lapjes en kleinigheden bewaart] hoge latafel; *ook*: linnenkast.

**chiffona'de** [Fr.] (*cul.*) **1** kropsla, zuring, andijvie e.d. gesneden tot dunne reepjes (*zie ook* **julienne**), in boter licht gesmoord, als soepgarnituur; **2** mengsel van gelijke hoeveelheden kropsla en zuring.

**chignon'** [13e-eeuws Fr. *chaaignon* = nek, *vgl.* Fr. *chaînon*, v. VLat. *caténio* = schakel, v. Lat. *caténa* = ketting] laaggeplaatste wrong.

**chijl** [Lat. *chylus*, Gr. *chulos* = sap, maagsap, v. *cheoo* = gieten] melkachtig vocht waarin voedsel is veranderd na inwerking van gal en pancreassap op zure maagbrij (chijm) en dat uit de chylvaten uit de darmen wordt afgevoerd n.d. bloedsomloop.

**chilia'de** [Gr. *chilias*, *chiliados* = duizendtal, v. *chilioi* = duizend] *alg.*: duizendtal; *spec.*: duizendjarige periode. **chilias'me** [Gr. *chiliasmos*] leer van en geloof i.h. komende 1000-jarig rijk van vrede vóór wereldeinde. **chiliast'** [Gr. *chiliastès*] aanhanger v. ch.

**chimae'ra** [Lat.], **chimère** [Fr., v. Gr. myth. *Chimaira* = de Geit, monster met kop v. leeuw, lichaam v. geit en staart v. slang] drogbeeld, hersenschim, ingebeeld iets.

**chinchil'la** [Sp., verklw. van *chinche*, v. Lat. *cimex* = wandluis, bedwants] **1** knaagdier (*Chincílla lániger*) u.d. familie der wolmuizen (Chinchíllidae); **2** bont v.d. chinchilla.

**chiné** [Fr.] gevlamd weefsel.

**chintz** [Eng., vroeger *chints*, als *mv* aangezien *mv* van Hindi *chint*, v. Sanskr. *chitra* = bont] bep. bedrukte katoenen stof, meestal geglansd (*vgl.* **sits**).

**chip** [Am. = *lett.*: schilfer, spaan, reepje] **1** *in Am. & Eng.*: patat; *hier*: dun schijfje gebakken aardappel; **2** (*computerterminologie*) (*ook wel* flinter) elektronisch onderdeel v.e. computer, slechts enkele vierkante millimeter groot (het onderdeeltje is voor menselijke handen te klein en wordt daarom op een reepje kunststof geplakt, vandaar de naam).

**chipola'ta** [Fr., v. It. *cipollata*, v. *cipólla* = ui] (*cul.*) **1** Italiaanse vleesragoût met veel uien; **2** Italiaans worstje gekruid met uien; **3** garnituur van uitjes, kastanjes, worteltjes en stukjes rookspek; **4** soort pudding m. likeur.

**Chippenda'le** [Eng.] bep. meubelstijl van rond 1750 [naar Thomas Chippendale, 18e-eeuws meubelmaker].

**chir'agra** [v. Gr. *cheir* = hand, en *agra* = vangst] *lett.*: het gevangen zijn v.d. hand; handjicht.

**chiro-** [Gr. *cheir* = hand] hand-. **chirogra'fisch** [Gr. *graphoo* = schrijven; *cheirographon* = handschrift] o.e. geschreven stuk berustend; bij onderhandse akte. **chirologie'** [*zie* **-logie**] vingertaal v. doofstommen. **chiromantie'** [Gr. *manteia* = waarzeggerij] het voorspellen v.d. toekomst uit handlijnen. **chiropodologie'** [Gr. *pous, podos* = voet; *zie* **-logie**] leer v. hand- en voetverzorging. **chiropodist'** verzorger v. handen en voeten (nagels, eksterogen, eeltknobbels). (*Vgl.* **manicure** en **pedicure**.)

**chiroprac'tor** [Am.], ook **chiroprac'ticus** [modern Lat., *zie* **praktijk**] fysiotherapeut (*z.a.*) die zich speciaal toelegt o.h. behandelen van aandoeningen v.d. wervelkolom (hernia e.d.) door speciale massagetechnieken.

**chirurgie'** [Fr., v. Gr. *cheirourgia* = beoefening v. handwerk of kunst, spec. heelkunde, de heelkunde zelf, v. *cheir* = hand, en *ergon* = werk; *vgl.* Ned. *chirurgijn* en Eng. *surgery*] heelkunde door operatief ingrijpen.

**chirur'gisch** *bn.* **chirurg'** specialist die chirurgie uitoefent.

**chiti'ne** [Fr., v. Gr. *chitoon, chitoonos* = onderkleed, kleed, pantser; het woord zou dus eig. chitonine moeten luiden] organische substantie waaruit de huid tevens skelet der geleedpotige dieren gevormd is.

**chloas'ma** [Gr. *chloa* = jong groen] verhoogde huidpigmentering, o.a. door de pil.

**Chloor,** Ned. naam voor **Chlo'rium** [v. Gr. *chlóóros* = geelgroen] chemisch element, geelgroen, gasvormig, niet-metaal, symbool Cl, ranggetal 17. **chloor'kalk** bleekmiddel en desinfectans, CaCl(OCl). **chloor'water** in water opgelost chloorgas, als bleekmiddel. **chloraal'**, afk. van **chloraal'hydraat** een verbinding van water met chloraal of trichlooraceetaldehyde (Cl₃C-COH), nl. Cl₃C-CH(OH)₂. (*zie verder* **hydraat**). **chloraat'** zout van chloorzuur, HClO₃. **chloralis'me** chloraalvergiftiging. **chlorami'ne** antiseptisch middel, oplossing van chloorstikstofverbinding. **chlori'de** zout van chloorwaterstofzuur, HCl (zoutzuur).

**chloroform'** (-*form* omdat het afgeleid kan worden gedacht van àcidum *formícicum* = mierezuur, HCOOH; *zie ook*: *formaldehyde*), chemische naam *trichloormethaan*, HCCl₃, een stof met sterk bedwelmende werking.

**chlorofyl'** [*zie* **chloor**, en Gr. *phullon* = blad, *mv* loof] bladgroen, stof in groene delen van planten die de assimilatie van koolzuur uit de lucht mogelijk maakt.

**chloro'se** [Fr., *zie* **chloor**] bleekzucht, bep. soort bloedarmoede (gebrek aan hemoglobine, *z.a.*) waarbij de huid een geelgroene tint krijgt (vandaar de naam). **chloro'tisch** [Fr. *chlorotique*] betrekking hebbend op chlorose.

**choc des opinions'** [Fr.; *vgl.* Ned. *schok*] het botsen van tegengestelde meningen.

**chocolaterie'** [Fr. = chocoladefabriek] winkel voor chocoladewaren.

**cho'ke** [Eng. *to choke* = verstikken, smoren] (*auto*) luchtklep v. carburateur.

**cho'lera** [Lat., v. Gr. *cholera* = *eig.*: naar beneden lopende dakgoot; ziekte waarbij vochten uit het lichaam lopen] acute besmettelijke darmziekte (*cólera asiática*), veroorzaakt door cholerabacterie, gekenmerkt door diarree en braken; (*cólera nostras*, de inheemse cholera is echter een vorm v. paratyfus].

**chole'ricus** [Lat., v. Gr. *cholerikos* = galachtig] opvliegend iem. (drift werd vroeger aan gal toegeschreven). **choleriek'** [Fr. *cholérique*], **chole'risch** opvliegend, driftig.

**cholesterol'** [v. Gr. *cholè* = gal, en *steros* = vast lichaam; *zie* **sterolen**] een op vet gelijkende stof, het belangrijkste *sterol* in gewervelde dieren (dus ook de mens), nodig voor de opbouw van div. stoffen i.h. lichaam. I.d. gal komt het procentsgewijze meer voor (vandaar de naam) dan elders i.h. lichaam.

**choliam'be** [Gr. *choolos* = verminkt, en *iambos* = jambische versvoet, *z.a.*] hinkjambe, een drievoetig jambisch vers met als laatste voet een trochaeus (-∪).

**chop'per** [Eng. *to chop* = hakken, in stukken verdelen] (motor)fiets met verlengde voorvork, een lang zadel en vaak een hoge rugsteun.

**choque'ren** [Fr. *choquer* = botsen; *vgl.* Ned. *schokken*] een schok geven in de zin van: aanstoot geven. **choquant** [Fr.] aanstootgevend, aanstotelijk.

**chor'da** [Gr. *chordè* = darm, *ook*: pees] weefselstreng bij gewervelde dieren in embryonaal stadium, die later wordt vervangen door de wervelkolom. **Chorda'ta** dieren met chorda (Manteldieren, Schedellozen en Gewervelde dieren).

**chor'dometer 1** instrument om de grootte van hoeken te meten door het meten van hun koorden b.e. bep. straal; **2** (*muz.*) instrument om de dikte v.e. snaar te meten.

**cho'rea** [Gr. *choreia* = het dansen] dansziekte, hersenaandoening gepaard met krampachtige bewegingen.

**choreeg'** [Gr. *chorègos*] koorleider.

**choreografie'** (niet te verwarren met chorografie) [Fr. *chorégraphie*, v. Gr. *choreia* = (rei)dans, en *graphoo* = schrijven] kunst om danspassen en -figuren aan te geven, balletten te componeren. **choreogra'fisch** *bn.* **choreograaf'** beoefenaar v.d. choreografie.

**choriam'bus** antieke, vierlettergrepige versvoet (-∪∪-).

**cho'rion** [Gr. *chorion* = ingewandsvlies] vlokkenvlies, buitenste vlies v.h. embryo.

**chori'zo** [Sp.] (*cul.*) bep. worstsoort sterk gekruid met Spaanse peper.

**chorologie'** [Gr. *choora* = landstreek; *zie* **-logie**] dieren- en plantengeografie. **chorografie'** [Gr. *graphoo* = schrijven] landenbeschrijving (niet te verwarren met choreografie).

**cho'se** [Fr., v. Lat. **causa**, *z.a.*] ding, zaak, aangelegenheid, kwestie; *de hele* —, de hele troep.

**chou** [Fr.; evenals ons *kool* v. Lat. *caulis* = stengel; *later ook*: kool] (*cul.*) kool; *choucroute*, zuurkool; *choux de Bruxelles*, spruitjes; *chou-fleur*, bloemkool; *chou frisé*, boerenkool; *chou de Milan*, savooiekool; *chou-navet*, koolraap.

**chrestomathie'** [Fr., v. Gr. *chrèstomatheia*, v. *chrèstos* = bruikbaar, degelijk, goed, schoon, en *math-*, stam v. *manthanoo* = leren, *vgl.* *mathètès* = leerling] bloemlezing, verzameling uitgezochte stukken.

**chris'ma** [Gr., andere vorm v. *chrima* = zalfolie, v. *chrioo* = o.d. huid smeren] (*rk*) gewijde zalfolie bij bep. riten gebruikt.

**Chris'tian Sci'ence** [Eng. = *lett.*: Christelijke Wetenschap] i.h. Ned. *De Christelijke Wetenschap*, een door Mary Baker Eddy in 1866 gestichte metafysische leer, God is het goddelijk Beginsel van al wat bestaat, en daar Hij Geest is, zijn ook al zijn werken goed en geestelijk: stof, zonde, ziekte en dood bestaan niet reëel. Christian Science beroept zich o.d. Bijbel en de woorden en daden van Jezus Christus. Zonde en ziekte wordt overwonnen als men de onwerkelijkheid ervan en de alheid van God of het goede inziet.

**christo-** [*zie* **Christus**] Christus-. **christofoor'** [Gr. -*phoros*, v. *pheroo* = dragen] Christusdrager. **christogram'** [Gr. *gramma* = letter, geschrift, v. *graphoo* = schrijven] de ineengeschreven Gr. beginletters van Christos, nl. chi (X) en rho (P). **christologie'** [*zie* **-logie**] deel der godgeleerde wetenschap dat handelt over Christus.

**Chris'tus** afk. **Chr.** [Gr. *Christos* = de Gezalfde (*zie* **chrisma**), vertaling v. Hebr. *Meshiah*] het mensgeworden Woord Gods, Jezus, de Messias. **chris'ten** [Lat. *christiánus*] volgeling v. Christus. **christin'** vr. christen. **chris'telijk** volgens de leer der christenen.

**chro'ma** [Gr. *chrooma* = *eig.*: huidkleur; kleur; *ook* blanketsel; i.d. muziek: modulatie] **1** kleur; **2** (*muz.*) interval v.e. halve toon; *ook*: verhogings- of verlagingsteken (*zie* **chromatische tekens**). **chromaat'1** (*optiek*) (*zie* **chroma**) voorwerpslens zonder correctie voor kleurfouten; doordat de breking v.d. afzonderlijke kleuren verschillend is, komen de stralen v.d. diverse kleuren niet in één brandpunt samen (*zie* **chromatische aberratie**), waardoor de beelden door zo'n

lens gevormd gekleurde randen vertonen (*vgl.* **achromaat** en **apochromaat**); **2** (*chem.*) (*zie* **chroom**) zout van chroomzuur, $H_2CrO_4$.
**chromati'ne** bep. organische substantie in celkern, die zich vóór de kerndeling samenbalt tot chromosomen, *z.a.* Chromatine neemt gemakkelijk bep. kleurstoffen op (vandaar de naam) en kan zo zichtbaar gemaakt worden.
**chroma'tisch 1** van, veroorzaakt door of met heldere kleuren; *chromatische aberratie*, het niet samenvallen van lichtstralen van verschillende kleur in het brandpunt van een niet voor kleurfouten gecorrigeerde lens (*zie* **chromaat 1**); **2** (*muz.*) met halve tonen; *chromatische toonladder*, toonschaal die met halve tonen opklimt (*vgl. diatonisch*); *chromatische tekens*, de muziektekens kruis en mol. **chromatocyt'** gekleurde cel, rood bloedlichaampje. **chromatofo'ren** *mv* [v. Gr. -*phoros* = -dragend, v. *phereo* = dragen] *lett.*: de kleurdragers, d.w.z. kleine structuren (lichaampjes) i.e. cel die kleurstof bevatten. **chromatome'ter** instrument om de intensiteit van kleuren te meten.
**chrome'ren** [*zie* **chroom**] m.e. laag chroom overtrekken, verchromen.
**Chro'mium** *zie* **Chroom**.
**chro'mo** verkorting van **chromolithografie** [*zie* **lithografie**] **1** kleursteendrukkunde; **2** afb. hierdoor verkregen. **chromofotografie** [*zie* **fotografie**] kleurenfotografie.
**chromosfeer'** een dunne laag i.d. zonnedampkring, tussen de **fotosfeer**, *z.a.*, en de **corona**, *z.a.* **chromoso'men** *mv* [*zie* **chromatine**, en v. Gr. *sooma* = lichaam] kernlissen waarin bij kerndeling v.d. cel de chromatinemassa v.d. celkern zich samenbalt. De chromosomen bevatten de genen (*zie* **gen**), de dragers der erfelijke eigenschappen.
**chromotypie'** [*zie* **chroma** en **type**] kleurendruk (hoogdruk), niet te verwarren met *chromolithografie*, *z.a.*
**chro'nicum** v. Lat. *chrónicus*, Gr. *chronikos* = op tijd betrekking hebbend, v. *chronos* = tijd] jaartalvers, d.i. vers of spreuk waarin de letters die Romeinse cijfers zijn (bijv. M, C, D, L, I, V) na optelling het jaartal leveren dat door dat vers wordt herdacht. (Ook **chronogram**, *z.a.*).
**chroni'que scandaleu'se** [Fr. = *lett.*: schandaalkroniek] de praatjes over de schandaaltjes v.e. bep. gemeenschap.
**chroniqueur'** [Fr., *vgl.* **chrono-**] kroniekschrijver, spec. in dagblad.
**chro'nisch** [*zie* **chrono-**] op gezette tijden voorkomend; —*e ziekte of kwaal*, slepende ziekte of kwaal v. lange duur (tegenst.: acute ziekte).
**chrono-** [Gr. *chronos* = tijd] tijd-.
**chronogram'** [Gr. *gramma* = geschrift, v. *graphoo* = schrijven] *zie* **chronicum**.
**chronologie'** [*zie* -logie] **1** tijdrekenkunde, wetenschap v.h. vastleggen van tijdschalen en de data van gebeurtenissen, spec. door astronomische waarnemingen; **2** het verloop van gebeurtenissen i.d. tijd (bijv. de chronologie van iemands leven).
**chronologisch** *bn & bw* **1** volgens de tijdrekenkunde (*bijv.*: een chronologisch overzicht v.d. geschiedenis v.h. Oude Egypte); **2** volgens chronologie **2** (bijv. chronologische volgorde). **chro'nometer** of **chronome'ter** [*zie* **meter**] **1** uurwerk dat zeer nauwkeurig loopt; **2** *zie* **stopwatch**; **3** (*muz.*) *zie* **metronoom**. **chronometrie'** [v. Gr. *metreoo* = meten] leer v.h. meten van tijdsduren.
**Chroom**, Ned. naam voor **Chro'mium** chemisch element, metaal, symbool Cr, ranggetal 24. (De naam is afgeleid v. Gr. *chrooma* = kleur, v. *chroma*, wegens het feit dat veel chroomverbindingen gekleurd zijn, meer dan die van andere elementen.)
**chroom'leer** leer gelooid met chroomlooistoffen (in plaats van natuurlijke looistoffen). **chroom'staal** staal waarvan het

voornaamste legeringselement chroom is.
**chrysali'de** [Lat. *chrysállis*, -*idis*, Gr. *chrusallis*, -*idos*; *chrusos* = goud] (goudgele) pop v. vlinder.
**chto'nisch** [Gr. *chthoon* = aarde, grond] met betrekking t.d. aarde, aarde-.
**chut'ney** [Eng., v. Hindi *chatni*] (*cul.*) **1** Indiaas gerecht met vruchten en specerijen; **2** zoetzuur tafelzuur uit vruchten en kruiden met azijn en basterdsuiker.
**chy'lus** wetensch. naam voor **chijl**, *z.a.*
**chy'mus** wetensch. naam voor **chijm**, *zie bij* **chijl**.
**cibo'rie** [Lat. *cibórium*, Gr. *kiboorion* = zaadhuls v. bep. waterlelie als drinkbeker gebruikt, drinkbeker] (*rk*) **1** kelkvormig vat met deksel om de geconsacreerde hosties in te bewaren; **2** op zuilen rustende koepel boven altaar (meestal **cibo'rium** genoemd).
**ci'cero 1** goed redenaar [naar M. Tullius Cicero, Romeins redenaar en staatsman, 106-43 v. Chr.]; **2** bep. lettersoort; *ook*: typografische maat (4½ mm = 12 punten).
**cicero'ne** [It., afgeleid v. **cicero**] gids (voor reizigers de bezienswaardigheden bezichtigen, oorspr. te Rome de oudheden).
**ciceronia'nen** [Lat. *ciceroniánus* = volgens Cicero] humanisten, spec. i.d. 16e eeuw, die in Lat. taalgebruik en stijl als enig voorbeeld Cicero getrouw navolgden.
**cichorei** [v. Lat. *cichórium*, Gr. *kichoorion* = wilde cichorei] wortel v.d. gekweekte cichoreiplant, *Cichórium íntybus* variëteit *sativum*, v.d. composietenfamilie (*Compósitae*). De wortels worden in stukken gesneden en gedroogd; deze stukken heten *cichoreibonen*, welke vervolgens worden geroosterd en gefermenteerd. In tijden van schaarste aan echte koffiebonen is cichorei vaak gebruikt als koffiesurrogaat. Fijngemalen cichorei wordt *peekoffie* genoemd (pee = wortel).
**cicisbe'o** [It.] in Italië i.d. 18e en begin 19e eeuw de vaste begeleider v.e. aanzienlijke gehuwde dame, een soort 'ereridder', daar in hogere kringen een gewoonte vereiste dat de echtgenoot zelf (althans na het eerste huwelijksjaar) i.h. publiek en in gezelschap zich niet met zijn echtgenote bemoeide. Heeft nu vaak de bet. van 'huisvriend' in de zin van erkende minnaar. Dit was de cicisbeo juist niet, daar zijn erefunctie hem dit verbood.
**cid** [Sp. = heer, v. Arab. *sayyid*]: *Cid*, titel v. Ruy Diaz, 11e-eeuws voorvechter tegen de Moren (*eig.*: *mío Cid el campeador* = mijn heer de voorvechter).
**ci'der** [v. OFr. *sidre*, v. Lat. *cicera*, Gr. *sikera*, v. Hebr. *sjekar* = sterke (bedwelmende) drank] vruchtenwijn uit gegist sap van appels of peren.
**cigaril'lo** [Sp.] klein sigaartje.
**cij'fer** [v. OFr. *cyfre*, v. Arab. *cifr* = nul; oorspr. als *bn* = leeg] teken dienende om i.e. bep. stelsel een bep. aantal aan te geven. Wij gebruiken de zgn. *Arabische cijfers*, nl. 0, 1, 2, 3, 4, 5, 6, 7, 8, 9. *Romeinse cijfers*, de tekens I, V, X, L, C, D, M, *resp.* 1, 5, 10, 50, 100, 500 en 1000.
**cijns** [v. Lat. *census* = aantekening v. personalia en bezit v. iedere Rom. burger, hoofdgeld, belasting, v. *censére* = schatten] belasting. (*Vgl.* **accijns**.)
**ci'lia** *mv* [Lat. *cilium* = ooglid; *vgl.* Gr. *koilos* = gewelfd, en Lat. *caelum* = hemelgewelf] ooghaartjes. **ci'liën** zweephaartjes v. eencelligen.
**cili'cium** [Lat., v. Gr. *kilikion*] geitenharen boetekleed.
**cilin'der** [Lat. *cilindrus*, Gr. *kulindros* = (stenen) rol, v. *kulindoo* = rollen] **1** (*meetk.*) lichaam dat ontstaat wanneer een rechte lijn evenwijdig met zichzelf bewegend met haar beide einden en langs een bep. gesloten kromme beschrijft (inz. een cirkel, dit bijv. wanneer een rechthoek om een v. zijn zijden wentelt); **2** (*alg.*) elk rolvormig lichaam (hol of massief);

hoge zijden hoed; **3** (*techn.*) kamer of buis waarin zuiger v. motoren op en neer beweegt door werking v. stoom e.d.; **4** metalen roller op drukkerij.

**cimbaal** [Lat. *cýmbalum*, Gr. *kumbalon* = bekken] bep. muziekinstrument; bep. orgelregister; clavecimbel (*z.a.*).

**ci'neac** of **cineac'** [*zie* cinema] journaalbioscoop, bioscoop met doorlopende voorstelling van nieuwsreportages, tekenfilms, documentaire films e.d. **cineast'** filmmaker, iem. die de filmkunst i.d. praktijk beoefent. **ci'neclub** groep van cinefielen, vnl. voor het houden van besloten voorstellingen van minder commerciële films. **cinefiel'** [v. Gr. *phileoo* = beminnen] **I** *zn* liefhebber v.d. veelal ook kenner) van films; iem. die vaak bioscoop bezoekt; **II** *bn* van films houdend. **cinel'len** [It.] (*muz.*) kleine koperen bekkens.

**ci'nema** [afk. v. **cinematograaf**, Fr. *cinématographe*, v. Gr. *kinéma* = beweging, v. *kineoo* = bewegen, en *graphoo* = schrijven] bioscoop. **cinematografie'** filmkunst.

**CinemaSco'pe** (merknaam) [v. Gr. *skopeoo* = rondkijken] filmsysteem met een speciale optiek bij het opnemen. De film, eveneens met een speciale optiek, wordt geprojecteerd op een zeer breed, enigszins hol staand scherm waardoor een grotere ruimtewerking wordt verkregen.

**cin'gel** *zie* singel.

**cinna'ber** [Lat. *cinnabaris*, v. Gr. *kinnabari*, woord v. oosterse oorsprong] chochenillerood tot bruinrood mineraal, bestaande uit kwiksulfide, HgS, een zeer belangrijk mineraal voor de winning van kwik.

**cinquecen'to** [It. = eig. 500, (met weglating van *mil*) = 1500] 16e eeuw.

**circuit'** v. Lat. *circúitus* = rondgang, v. **circum-** (*z.a.*), en *ire*, *itum* = gaan] **1** gesloten stelsel van buizen, elektrische leidingen e.d.; *televisiecircuit*, gesloten stelsel van televisieverbindingen (niet voor de buitenwereld); **2** (*rensport*) gesloten parcours, dat door wielrenners, raceauto's of racemotoren één of meermalen (ronden) moet worden afgelegd; **3** (*fig.*) reeks van instellingen die met elkaar voeling houden, waarin een groep kunstenaars optreedt; *ook*: onderlinge gesloten politieke connecties (*het Haagse circuit*); *ook*: onderlinge illegale geldsomloop (*het zwarte en grijze circuit*).

**circulai're** [Fr., v. Lat. *circuláris* = cirkelrond, *zie* cirkel] *eig.*: rondgaande brief; gedrukte mededeling aan veel personen verzonden.

**circule'ren** [Fr., contr. v. Lat. *circuláre* = rondgaan] in omloop zijn (bijv. geld); in kringen rondlopen. **circula'tie** [Fr. *circulation*] **1** kringloop, omloop; *algemene atmosferische circulatie*, het totaalbeeld van stromingen i.d. atmosfeer; **2** *spec.*: geldsomloop (bijv. geld in — brengen); **3** (*fig.*) *iem. uit de* — *nemen*, iem. onschadelijk maken of i.d. gevangenis zetten.

**cir'culus vitio'sus** [Lat. = *lett.*: foutieve cirkel] cirkelredenering, waarbij men niets anders bewijst dan datgene waarvan men is uitgegaan; (*alg.*) situatie waarbij een gevolg de oorzaak weer oproept of versterkt (bijv. nervositeit veroorzaakt slapeloosheid en deze versterkt weer de nervositeit). (*Zie ook* **vicieuze cirkel**.)

**circum-** [Lat.] om-, rondom, i.h. rond. **circumboreaal'** [Lat. *circum* en *bóreus* = noordelijk] gelegen om het Noorden. **circumcen'trisch** rondom een gemeenschappelijk middelpunt. **circumci'sie** [v. Lat. *circumcídere*, *-cisum*, v. *cáedere* = vellen, houwen, snijden] *lett.*: het rondom wegsnijden, nl. v.d. voorhuid; besnijdenis.

**circumferen'tie** [Lat. *circum* en *fero* = in beweging brengen] cirkelomtrek. **circumflex'** [Lat. *circumfléctere*, *-fléxum* = ombuigen; van een ^voorzien] omgebogen teken (^) voor verlengde lettergreep.

**circumpolair'** [Fr. *circumpolaire*, v. Lat. *polus* = pool] circumpolair zijn voor een bep. plaats die sterren, welke bij de schijnbare dagelijkse beweging om de pool (die alle sterren vertonen) nooit onder de horizon komen, dus niet verder v.d. pool zijn verwijderd dan de plaats in graden v.d. evenaar (= hoogte ter plaatse v.d. hemelpool boven de horizon).

**circumscrip'tie** [Lat. *circumscriptio* = kring, v. *circumscribere*, *-scriptum* = om-schrijven] omschrijving; afbakening binnen bep. grenzen.

**circumspec'tie** v. *circumspicere*, *-spectum* = rondom zich heen zien] omzichtigheid, behoedzaamheid. **circumstan'tie** v. *circumstáre* = om iets heen staan] omstandigheid. **circumstantieel'** [Fr. *circonstanciel* = wat v. omstandigheden afhangt of deze aangeeft] omstandig, met brede uitweidingen.

**circumven'tie** [Lat. *circumvéntio*, v. *circumvenire*, *-ventum* = om iets heen zijn, in 't nauw brengen, bedriegen] bedrog, misleiding.

**cir'cus** [Lat. = loopbaan, renbaan (*vgl. circum* = rondom); verzamelplaats v. waarzeggers, goochelaars e.d.] reizende troep die voorstellingen geeft v. dressuur, acrobatische toeren e.d.; gebouw of tent daarvoor.

**ciré** [Fr. *cire* v. Lat. *cera* = was] gewast kunstzijden weefsel. **cire'ren** met was insmeren. **cireu'se** apparaat om een vloer met was in te smeren.

**cir'kel** [v. Lat. *círculus*, verklw. van *circus* = kring] juister **cir'kelschijf 1** (*meetk.*) deel v.e. plat vlak dat wordt begrensd door een cirkelomtrek. Een cirkelomtrek is de verzameling van alle punten die even ver v.e. bepaald punt (het *middelpunt*) zijn gelegen; **2** (in minder strenge zin) kring, *bijv.*: i.e. cirkel ronddraaien (behoeft niet zuiver rond te zijn); *vicieuze cirkel, zie* **circulus vitiosus**. **cir'kelsector** [Lat. *séctor* = afsnijder, v. *secáre* = snijden] deel van cirkelschijf begrensd door twee stralen en de tussenliggende cirkelboog (deel v.d. cirkelomtrek). **cir'kelsegment** [v. Lat. *segméntum* = snede, deel; verwant met *secáre* = snijden] deel van cirkelschijf begrensd door een koorde (lijn die een cirkelomtrek in twee punten snijdt) en een cirkelboog (deel v.d. cirkelomtrek).

**ci'rometer** [Gr. *kuros* = kracht] instrument waarmee men de sterkte van vezels kan bepalen.

**cirrocu'mulus** en **cirrostra'tus** *zie onder* **cirrus**.

**cirro'se** [v. Gr. *kirros* = geel, naar de gele knobbeltjes o.d. lever bij deze ziekte] *oorspr.*: ziekelijke verkleining en verharding v.d. lever, thans i.h. algemeen: elk proces waarbij orgaancellen verworden tot geschrompeld bindweefsel.

**cir'rus** [Lat. = franje, draden, kroes] afzonderlijke hoge wolken (op onze breedten boven de 5 km), i.d. vorm van fijne witte draden, plukken of banden. l.h. Ned. *vederwolken* genoemd. **cirrocu'mulus** [Lat. *cúmulus* = hoop] dunne witte laag of bank van hoge wolken (op onze breedten boven 5 km), bestaande uit kleine ribbels, korrels e.d. l.h. Ned. spreekt men van *schaapjeswolken*, een naam die ook gegeven wordt aan altocumulus, *z.a.* maar daar zijn die de afzonderlijke elementen groter. **cirrostra'tus** [v. Lat. *strátum* = het uitgespreide, v. *stérnere*, *stratum* = spreiden] witachtige doorzichtige wolkensluier, vezelachtig of egaal, die soms de gehele hemel bedekt en die haloverschijnselen (*zie* halo) vertoont.

**cis** (*muz.*) door kruis met halve toontrap verhoogde c (d door kruis), c-kruis. **cis-** [Lat.] aan deze zijde van. **cisalpijns'** [Lat. *cisalpínus*] aan deze zijde v.d. Alpen (van Italië uit gezien). (Tegenst.: **transalpijns**.)

**cisele'ren** [Fr. *ciseler*, v. OFr. *cisel* = Fr. *ciseau* = beitel, v. VLat. *ciséllum*, v. Lat. *cáedere* = houwen, snijden] **1** (edele) metalen bewerken met steekbeitel zodat er figuren op ontstaan; **2** (*cul.*) vis of vlees inkerven; *ook:* groenten snipperen. **ciseleur'** [Fr.] iem. die ciseleert.

**cisiojaan'** [MLat. *cisiojánus*, v. *cisio* = *circumcisio* = besnijdenis, en *janus* = jaar of januari; 1 jan. = Jezus' besnijdenis (*middeleeuws*) hulpmiddel om de kerkelijke feestdagen te onthouden. Het bestond uit Lat. verzen, waarvan de beginletters die dagen aanduidden.

**Cistercïen'zers** *mv* contemplatieve kloosterorde, in 1098 gesticht door Robertus van Molesme te *Cistercium* = Citeaux, 23 km ten zuiden van Dijon, *vgl.* **Cluniacenzers.**

**cister'ne** [v. OFr. v. Lat. *cistérna* (*vgl. cista*, Gr. *kistè* = kist, kast] onderaardse verzamelbak voor water e.d., regenput.

**cita'tie** [Lat. *citátio* = commando] (*jur.*) gerechtelijke oproeping, oproeping.

**citadel'** [Fr. *citadelle*, v. It. *cittadella*, verklw. v. *cittade*, v. Lat. *civitátem* = 4e naamval v. *cívitas* = stad] (*mil.*) kleine vesting bij stad.

**cita'to lo'co** (meestal *loco citáto*) [Lat.] ter aangehaalde plaatse (gebruikt wanneer een reeds aangehaalde plaats nogmaals wordt geciteerd; wordt wel hetzelfde boek, maar een andere plaats daarin aangehaald, dan gebruikt men *ópere citáto* (o.c.) = i.h. aangehaalde werk, resp. *artículo citáto* (art. cit.) = i.h. aangehaalde artikel.

**cité** [Fr. v. Lat. *civitas* = stad] stadscentrum, woonwijk.

**ci'to** [Lat., *bw* afgeleid van *bn citus* = snel, ras] *bw* met spoed; *ook:* dadelijk, aanstonds; (*als aansporing*) vlug! **ci'to ci'to** (versterking van *cito*) vlug vlug. **ci'to ci'tius** [MLat.; *lett.:* snel sneller; Lat. *citius* is de vergrotende trap van *cito*] (*iron.*) vlugger dan vlug, d.w.z. zeer vlug, zo snel mogelijk.

**citrien'** [naar *citrus* = citroen, wegens citroengele kleur] een zeldzame variëteit van **kwarts**, *z.a.*: gele, soms goudgele tot roodgele edelsteen.

**citronel'la-olie** etherische olie, naar citroenen riekend (vandaar de naam), bereid uit bep. grassoorten. De olie wordt o.a. gebruikt als parfum voor zeep en als insektenwerend middel.

**citroni'ne** citroengele kleurstof.

**ci'ty** [Eng. v. Lat. *civitas* = stad; *the City*, bep. gedeelte v.d. Londense binnenstad (zaken- en kantorenwijk). **ci'tybag** kleine reistas.

**civet'** [v. Fr. *civette*, v. Arab. *zabad*] soort muskus, afscheidingsprodukt v. civetkat, in parfumerie gebruikt. **civet de lièvre** [Fr.] (*cul.*) hazepeper.

**civiel'** afk. **civ.** [Fr. *civil*, v. Lat. *civílis* = wat de *civis* (burger) betreft] burger-; beschaafd (v. vroegere stadsbewoner tegenover plattelander); burgerlijk (= niet-militair); schappelijk (*bijv.*: prijs); —*e lijst*, uitgaven voor huishouding v.d. vorst; —*e partij*, eisende partij in rechtszaak over bezit, recht, schadevergoeding e.d.; —*requestrant*, eiser; —*gerequestreerde*, gedaagde. **civilisa'ren** [Fr. *civiliser*] beschaven. **civilisa'tie** Fr. *civilisation*] *zn.* **civilist'** kenner v.h. burgerrecht. **civiliteit'** [Lat. *civílitas*] beschaafdheid, hoffelijkheid.

**ciwaïs'me** bep. stroming i.h. Hindoeïsme (naar godheid Ciwa).

**claim** [Eng. v. OFr. *cla(i)mer*, Lat. *clamáre* = roepen] aanspraak, vordering, eis; recht op voorkeur bij uitgifte van verdere aandelen; recht op stuk grond om te zoeken naar delfstoffen. **cla'men** *ww* aanspraak maken op, een claim doen gelden.

**clair-obscur'** [Fr., v. Lat. *clarus* = helder, en *obscúrus* = donker] (*schilderk.*) sterk licht-en schaduweffect.

**clairvoyan'ce** [Fr., v. Lat. *clarus* = helder, en *vidére* = zien] helderziendheid. **clairvoyant'** [Fr.] **I** *bn* helderziend; **II** *zn* helderziende.

**clan** [Schots = geslacht, stam] (*fig.*) kliek, spec. familiekliek.

**clandestien'** [Lat. *clandestinus* = geheim] heimelijk tegen wet of. wet in.

**cla'que** [Fr. klanknabootsing] **1** klakhoed; **2** de claqueurs. **claqueur'** betaald applaudisseur in schouwburg.

**cla'ra vo'ce** [Lat.] met heldere, luide stem.

**cla'rence** [Eng.] vierwielig rijtuig met glas a.d. voorkant.

**cla'ret** [Eng., v. OFr, MFr. *clairet*, verklw. v. *clair*, Lat. *clarus* = klaar, helder] bep. Franse wijn (Eng. en Am. naam).

**clari'no** [It.] (*muz.*) **1** oud, trompetachtig blaasinstrument [*vgl.* Fr. *clairon* = signaalhoorn]; **2** orgelregister met deze klank.

**clarifië'ren** [v. Fr. *clarifier* = helder maken, vloeistof klaren, v. Lat. *clarificáre*, v. *clárus* = helder, en *fácere* = maken] (*cul.*) klaren; boter, bouillon, jus e.d. zuiveren.

**Claris'sen** *mv* een strenge, beschouwende orde van slotzusters, in 1212 begonnen door Clara van Assisi (1194-1253).

**clash** [Eng. = botsing, conflict] hevige botsing van meningen, leidend tot een breuk.

**clas'sic** [Eng.] klassiek. **classicaal'** de classis (*z.a.*) betreffend. **classicis'me** [Lat. *clássicus* = v.d. eerste klasse] navolging v.d. klassieke stijl. **classiciteit'** het klassieke (en daarom normgevend) zijn. **classiek'** *zie* **klassiek.** **clas'sicus** iem. die onderlegd is i.d. klassieke letteren. **classifice'ren** [Lat. *classis*, *z.a.*, en *fácere* = maken] in klassen of groepen indelen. **classifica'tie** [Fr. *classification*] *zn.*

**classificeer'der** meestal los arbeider voor ruw en zwaar werk aan zeeschepen: vnl. voor het schoonmaken van tanks en het afbikken van zandstralen v.d. buitenromp van het schip. De classificatie (het indelen in bepaalde klassen door een verzekeringsmaatschappij) geschiedt door deskundigen na deze grote schoonmaak.

**clas'sis** [Lat. = de bijeengeroepen verzamelde menigte (v. *caláre* = roepen, *vgl.* Gr. *klèsis*, v. *kaleoo* = roepen; *vgl. ook ecclesia* = kerk); afdeling, klasse] bep. afdeling in Ned. Herv. Kerk gevormd door een aantal ringen, die op hun beurt weer bestaan u.e. aantal gemeenten.

**claus(e)** [v. Lat. *cláudere* = sluiten] (*toneel*) wachtwoord, sleutelwoord, d.i. slotwoord v.e. passage v.e. medespeler (ook deze achtereen gesproken passage wordt *claus(e)* genoemd) waarop een medespeler wacht om zelf te gaan spreken. **claus'tra** (*bouwkunde*) betonnen rooster ter versiering v.e. wandvlak. **claustrofobie'** [v. Lat. *claustrum* = afgesloten ruimte (*vgl.* Ned. *klooster*); *zie* **fobie**] ziekelijke angst voor verblijf in (kleine) afgesloten ruimten.

**claus'trum** [Lat. = afsluiting] zuilengang om een binnenplaats of tuin, behorende bij een kerk.

**clausu'le** [v. Lat. *cláusula* = slot, bepaling, v. *cláudere* = sluiten] *eig.*: sluitstuk; toevoeging bij contract, verdrag e.d. waardoor bep. punten ingeperkt of uitgebreid worden; nader beding. **clausuur'** [Lat. *clausúra* = slot v. deur] het afgesloten zijn voor de buitenwereld van bep. kloostergedeelten; bepalingen daaromtrent; het aldus afgesloten gedeelte.

**clavecim'bel** [Lat. *clavis* = sleutel; *zie verder* **cimbaal**] *zie* **klavecimbel. claviatuur'** toetsenbord (v. piano e.d.). **clavichord'** [15e eeuws Lat. *clavichórdium*, v. Lat. *chorda* = snaar] bep. soort klavier, eerste muziekinstrument met toetsen en snaren.

**clavi'cula** [Lat. *clávis* = sleutel] sleutelbeen. **cla'viger** [Lat. *clávis* en *gérere* = dragen] *lett.*: sleuteldrager (als waardigheidsteken), concierge van een gymnasium, pedel. **cla'vis** [Lat.] (*muz.*) sleutel.

**clean** [Eng. = *lett.*: klaar, helder; duidelijk; zuiver] **1** *bn* & *bw* rechtlijnig, zonder emoties, steriel; **2** niet meer verslaafd aan drugs; *ook:* momenteel niet onder invloed van of i.h. bezit van drugs. (I.h. Ned. *schoon*.)

**clea'ring** [v. Eng. *to clear* = schoon maken, v. Lat. *clárus* = helder] verrekening, vereffening; spec. onderlinge verrekening van vorderingen en schulden, wissels en cheques tussen een aantal daartoe toegelaten banken, met 'gesloten beurzen', zodat alleen saldi (rekeningsoverschotten) behoeven te worden betaald.

**cleistogaam'** [Gr. *klèioo* = sluiten, en *gamos* = huwelijk] (*plk.*) wordt gezegd van bloemen waarvan de knoppen gesloten blijven en die toch vruchten hebben.

**clement'** [Lat. *clémens, -éntis*] lankmoedig, goedertieren. **clemen'tie** [Lat. *cleméntia*] welwillendheid, lankmoedigheid.

**clementi'ne** (*plk.*) soort mandarijn.

**cleresie', clerezij'** [*zie* **clerus**] geestelijkheid; *Oud Bisschoppelijke Clerezij*, oud-katholieke Kerk in Nederland.

**clergé** [Fr., v. Lat. *cléricus*, *zie* **clerus**] de geestelijkheid als stand; de gezamenlijke geestelijken.

**clericaal'** *zie* **klerikaal. cle'ricus** [Kerk. Lat. *zie* **clerus**] iem. die i.d. geestelijke stand is opgenomen. **clerocratie'** [Gr. *krateoo* = heer zijn] heerschappij v.d. geestelijke stand.

**cle'rus** [v. Gr. *kléros* = lot, erfdeel] *eig.*: het erfdeel des Heren; de geestelijkheid.

**cle'ver** [Eng.] slim, handig, bekwaam.

**cliché** [Fr.] metalen plaat waarop in reliëf een afbeelding is aangebracht, die dient tot het drukken v. tekeningen, foto's e.d.; (*fig.*) afgezaagde uitdrukking of stijlfiguur. **cliche'ren** [Fr. *clicher*] het maken v. cliché's voor drukwerk (van cliché wordt matrijs gemaakt, en hiervan stype).

**cliënt** [Lat. *cliens, cliéntis* = beschermeling v. rijke, *ook*: horige, van *\*cluens*, v. *cluére*, Gr. *kluoo* = horen, gehoorzamen] 1 wie de hulp v.e. advocaat inroept; 2 koper, klant. **clientèle** [Fr., v. Lat. *clientéla*] de klanten.

**clignoteur'** [Fr.] knipperlicht als richtingaanwijzer.

**climacte'rium** [Lat. *climácter* = veranderingsjaar, gevaarlijk wisseljaar (volgens de Ouden was elk 7e jaar kritiek), v. Gr. *klimaktèr* = sport v. ladder, v. *klimax* = ladder] (*fysiologie*) overgangstijdperk (40-65 jaar) waarin de vitaliteit afneemt, inz. bij vrouwen de overgangsjaren waarin de menstruatie ophoudt (de meno-pauze begint).

**clinch** [Eng., v. *to clinch* = *eig.*: vastklinken, *ook*: het elkaar vastgrijpen (van boksers)] (*sp.*) lijf aan lijf boksen, d.w.z. zo dicht bij elkaar komen, eventueel elkaar met de armen omvatten, dat geen volle stoten meer kunnen worden gegeven; (*fig.*) *met iem. i.d. — gaan* of *liggen*; met het iem. a.d. stok krijgen, resp.: hebben; ruziën (met woorden of met handtastelijkheden).

**cli'nicus** of **clinist** [*zie* **kliniek**] praktizerend geneesheer i.e. kliniek. **cli'nisch** *zie* **klinisch**.

**clip** [v. Eng. *to clip* = stevig grijpen] 1 metalen haakje als knijper gebogen om papieren bijeen te bundelen (zgn. *paperclip*); 2 bep. soort sierspeld; 3 verkorting van *videoclip* (promotiefilm bij bijv. een popsong).

**clip'per** [Eng., v. *to clip* = *o.a.*: scheren], of **klip'per**, (*gesch.*) snelvarend zeeschip met scherpe boeg (dat door het water 'scheerde').

**cli'que** [Fr.] *zie* **kliek 1**.

**cliquet'** [Fr. *cliquette* = klepper] een in één richting draaiend rad waardoor men ergens kan binnentreden.

**cli'toris** [v. Gr. *kleitoris*] (*anat.*) kittelaar.

**cloa'ca** [Lat. = riool, v. *cluo* = ik reinig] uitscheidingsholte, verwijding v.h. einde v.h. darmkanaal waarin de endeldarm, de urineleiders en de eileiders uitmonden (bij vogels, reptielen, mierenegels en vogelbekdieren).

**clochard'** [Fr.] vagebond, dakloze zwerver (vooral in Parijs).

**cloche** [Fr.] (*cul.*) stolp.

**cloisonné** [Fr. = *lett.*: verdeeld in vakjes, v. Lat. *cláudere, clausum* = sluiten] 1 (*emailtech.*) procédé waarbij men smalle gouden repen soldeert o.e. (meestal) gouden plaat; 2 (*aardewerk*) techniek waarbij men smalle dammetjes van klei op tegels of vaatwerk aanbrengt, die figuren vormen. De ontstane vakjes worden met verschillend gekleurd email gevuld en het geheel wordt vervolgens gebakken; *ook*: het aldus vervaardigde email zelf.

**clo'nus** [v. Gr. *klonos* = heftige beweging] (*med.*) snelle doch korte krampachtige spiersamentrekking (*vgl. spasmus*); *clonische* (*ook: klonische*) *kramp*, kramp i.d. vorm van kort op elkaar volgende spiersamentrekkingen.

**cloon** *zie* **kloon**.

**cloqué** [Fr.; *vgl. cloque* = (brand)blaar] in strikte zin: dubbelweefsel met crêpe-effect (*zie* **crêpe**); in oneigenlijke zin: op andere wijze gebobbeld katoenen weefsel, dat eigenlijk *wascloqué* of *cloquette* heet.

**closet'** [Eng. *clo'set* = (privé-)kamertje, bijv. voor studie, privé-gesprekken e.d.; i.h. Eng. níet wc, die heet *wa'ter-clóset; closet* v. OFr. *clore*, v. Lat. *cláudere, cláusum* = sluiten] afk. van watercloset, wc.

**clo'se** [Eng., v. Fr. *clos* = gesloten, v. *clore*, Lat. *cláudere, cláusum* = sluiten] dicht bij elkaar. **clo'se rea'ding** [Eng., *to read* = lezen] het nauwkeurig en aandachtig lezen van teksten, spec. literaire, als beginsel van interpretatie v.d. tekst, waarbij men zich zo dicht mogelijk houdt aan wat er staat en zo de tekst analyseert, terwijl de persoon v.d. schrijver en biografische gegevens buiten beschouwing blijven, tenzij dit voor het begrijpen v.d. tekst absoluut noodzakelijk is. **close-up'** fotografische opname, spec. filmopname, van dichtbij, vaak v. gezicht.

**clou** [Fr. = spijker, v. Lat. *clávus*, verwant met *clávis* = sleutel, en *cláudere* = sluiten] 1 het wezenlijke, datgene waarom het gaat, de pointe (*z.a.*); *bijv.: de* — v.e. mop niet begrijpen; 2 hoogtepunt, glanspunt, dat wat de meeste aandacht trekt. **cloute'ren** [v. Fr. *clouter* = met spijkers beslaan] (*cul.*) kleine spijkervormige stukjes prikken in vlees, wild of gevogelte.

**club** [Eng., v. Oud-Noors *klubbe* = knots, ontstaan uit *klumba* klomp] 1 stok met dik uiteinde, voornamelijk als slaghout bij golf; 2 (sedert begin 19e eeuw in Engeland: wetensch. genootschap, later ook gezelligheidsvereniging; *a* sociëteit, besloten gezelschap; *ook*: het gebouw (clubgebouw) waar men bijeenkomt; *b* verzameling van personen met gemeenschappelijke interesse en ter gezamenlijke beoefening daarvan; *c* in losser verband: groep van vrienden; *ook*: groep personen die min of meer toevallig tijdelijk contact met elkaar hebben; 3 clubstoel, clubfauteuil (oorspr. zetels i.d. deftige Engelse herenclubs). **club'fauteuil** [*zie* **fauteuil**] lage en brede gemakkelijke herenstoel met armleuningen, spec. een die met leer is bekleed.

**Cluniacen'zers** *mv* monniken v.e. congregatie van benedictijnenkloosters vanaf 909 tot i.d. 13e eeuw. De eerste abdij werd in 909 gesticht te *Cluniacum*, het huidige Cluny in Bourgondië. Omdat niet op alle punten de geest v.d. regel van Benedictus van Nursia (de stichter der Benedictijnen, *z.a.*) werd nageleefd, scheidden zich de Cisterciënzers (*z.a.*) af.

**clys'ma** *zie* **klysma**.

**co-** [Lat., korte vorm van *com* (*cum*) = samen met] samen-, mede-.

**coach** [Eng. = *oorspr.*: grote reiskoets, meestal met vier paarden bespannen; v. Fr. *coche* = koets, v. Hongaars *kocsi* = van Kocs, een plaats in Hongarije] 1 bep. model auto, met aan elke zijde één brede deur; 2 begeleider v.e. sportploeg. **coa'chen** als *coach* 2 optreden voor persoon of sportteam; *ook*: iem. opleiden voor een speciale functie, een nieuwe employé in zijn beginfase inwerken.

**coac'tie** [v. Lat. *cógere, coáctum* = samendrijven, dwingen, v. *co-* en *ágere* = drijven] dwang gepaard met geweld.

**coadju'tor** [Lat. *adjútor* = helper, *zie* **adjutor**] helper in ambt; *(rk)* hulpbisschop.

**coagule'ren** [Lat. *coaguláre* = stremmen, v. *cógere* = *co-ágere* = samen-drijven] stollen, stremmen, samenklonteren v. gesuspendeerde deeltjes. **coagula'tie** *zn.*

**coali'tie** [v. Lat. *co-aléscere, co-álitum* = aaneen-groeien; *aléscere* = opgroeien; *vgl. álere* = voeden] 1 een verbond van staten, waarbij deze gelijk berechtigd zijn; 2 het samengaan van twee of meer politieke partijen, die samen een meerderheid vormen en het over de hoofdzaken v.h. te voeren regeringsbeleid eens zijn en op deze wijze een **coalitiekabinet** kunnen vormen.

**coas'ter** [Eng., v. *coast* = kust, v. Lat. *costa* = rib, zijde] kustvaarder, klein zeeschip voor de vaart langs kustplaatsen.

**coa'ten** [v. Eng. *coat* = overjas, mantel, v. OFr. *cote*, v. MLat. *cotta; vgl.* OHDu. *chozza* = (kleed van) ruige wollen stof] 1 dunne, goed hechtende laag aanbrengen o.e. ander materiaal, spec. een kunststof op papier of weefsel, ter verfraaiing, maar meestal om de onderlaag spec. eigenschappen te geven *(bijv.*: kleinere waterdoorlatendheid, betere weerstand tegen slijtage); 2 *(optiek)* oppervlakken van lenzen bedekken m.e. dunne laag v.e. stof die inwendige spiegeling i.e. lenzenstelsel tegengaat, een zgn. anti-reflectielaag (i.h. Ned. *ontspiegelen*).

**co'axiaal** [v. Lat. *co-*, z.a. en *axis* = as] 1 *(wisk.)* met gemeenschappelijke as; 2 *(techn.): coaxiale kabel*, geleider die geïsoleerd geheel omgeven is door een andere buisvormige geleider.

**Cobal'tum**, i.h. Ned. **kobalt** [Du. *Kobalt*, naar **kobold**, z.a.; kobalterts werd eertijds door mijnwerkers m.e. aardgeest in verband gebracht] chem. element, metaal, symbool Co, ranggetal 27.

**cob'bler** [Am., oorsprong van naam onbekend] Amerikaanse drank gemaakt van vruchtenlimonadesiroop en rum, of diverse alcoholische dranken, en 'on the rocks' *(ook sherry cobbler* genoemd).

**co'ca** [Sp., v. Peruaans *cuca*] naam van twee Zuidamerikaanse plantesoorten, nl. *Erythroxylon coca* en *E. novogranatense* u.d. familie der Erythroxláceae. De bladeren ervan bevatten diverse alkaloïden *(z.a.)* met sterk opwekkende werking, spec. cocaïne, z.a.

**cocaï'ne** [*zie* **coca**] het voornaamste alkaloïde, z.a., v.d. coca-planten. I.d. geneeskunde gebruikt als plaatselijk verdovingsmiddel. Cocaïne veroorzaakt ook euforie, z.a., een ongevoeligheid voor honger en pijn, en wordt daarom ook als drug gebruikt. Spoedig volgen echter depressieve stemmingen, die tot hernieuwd gebruik aanzetten, zodat o.m. verslaving ontstaat *(cocaïnisme)*.

**Cocag'ne** *zie* **Kokanje**.

**cocas** [Fr. *cocasse*] = belachelijk] koddig.

**coc'cus** [modern Lat., v. Lat. *coccum*, Gr. *kókkos* = pit van boomvrucht; *ook* = bes; Lat. *mv* **coc'ci**, Ned. *mv* **coc'cen**, in medische kringen is de spelling **kok'ken** gebruikelijk] bolvormige bacterie, z.a. De belangrijkste zijn de **stafylokokken**, z.a., en de **streptokokken**, z.a.

**cochenil'le** [Lat. *coccínus* = scharlakenrood, *zie* **coccus**] schildluissoort (oorspr. Mexicaans) waaruit scharlakenverf bereid wordt; die verfstof.

**cock'ney** [v. MEng. *coken-ey* = haneëi, ei zonder dooier = scheldwoord v. plattelanders voor verwijfde stedeling (de beperking tot Londen is v. latere datum)] I *zn* rasechte Londenaar, spec. uit volkswijken; II *bn* typisch plat-Londens (bijv. accent).

**cock'pit** [Eng. = *eig.: hanekuil*, ruimte met verhoogde rand voor hanengevecht] stuurkuip (op klein schip), stuurhuis of -cabine (bijv. in vliegtuig).

**cock'tail** [Am., oorspr. v. naam onbekend] van oorspr. Amerikaanse drank samengesteld uit verschillende alcoholische en niet-alcoholische dranken, vaak met melk, room, suiker, stroop, vruchtensiroop, ijs enz., in zeer veel variaties; *culinaire*—, cocktail hoofdzakelijk bestaande uit vaste bestanddelen in pikante saus. **cock'tailparty** ontvangst van veel gasten tussen 5 en 8 uur 's avonds, waarbij cocktails en andere dranken worden geserveerd.

**cocon** [Provençaals, *vgl.* Fr. *coque* = eischaal] omhulsel dat de zijderups spint als ze zich gaat verpoppen (door voorzichtig afhaspelen v.d. draad verkrijgt men ruwe zijde).

**cocot'te** [Fr. = *lett.*: kippetje] 1 prostituée; 2 *(cul.)* pan om er gevogelte in te braden; ronde of ovale vuurvaste schaal of vuurvaste pot met goed sluitend deksel, waarin het gerecht niet alleen wordt bereid, maar ook opgediend.

**co'da** [It., v. Lat. *cauda* = staart] *(muz.)* naspel buiten het eigenlijke schema v.h. stuk, slot met korte variaties der thema's.

**co'de** [Fr., v. Lat. **codex**, *z.a.*] 1 wetboek, stelsel v. wetten; *erecode*, het totaal van ongeschreven regels i.v.m. erezaken, al wat i.e. bep. kring al dan niet eershalve is geoorloofd; 2 *(alg.)* stelsel van signalen en hun betrekkingen onderling waarmee een bep. informatie wordt overgebracht; 3 *(spec.)* lijst van afgesproken letter- en/of cijfercombinaties, als geheimschrift, of als verkorting van woorden (bijv. in telegram) of voor classificatie; 4 *(computer)* systeem van symbolen voor een machine die informatie verwerkt. **code'ren** in code brengen; registreren. **codeer'der, codeer'ster**, *ook* **codist', codis'te** persoon die codeert, spec. persoon die o.e. boekhoudafdeling financiële stukken controleert, van code voorziet en registreert. **codeur'** [Fr.], *ook*: **codist'**, iem. die gegevens in code omzet; *(computer)* persoon die programma's van programmeur in code omzet voor een bep. computer (assistent van programmeur).

**codeï'ne** [v. Gr. *koódeia* = kop v. papaver, maankop] bep. alkaloïde, z.a., nauw verwant aan morfine, z.a., dat evenals dit in opium z.a.; voorkomt. I.d. geneeskunde gebruikt, spec. als middel tegen hoest.

**co'dex** afk. cod. *mv* **co'dices** [Lat. = *caudex* = *eig.*: boomstam, met was bestreken plankje, boek, wetboek] 1 wetboek; 2 oud handschrift.

**codicil'** [Lat. *codicíllus*, verklw. v. *codex*] toevoegsel bij testament. **codifica'tie** [v. Lat. *codex, códicis*, z.a., en *fácere* = maken] het in één wetboek stellen v. verspreide wetten, regels en gewoonten; het samenstellen v.e. wetboek.

**codist'** *zie* **codeur** codeerder. **codis'te** codeerster.

**coëduca'tie** [*zie* **educatie**] het samen opvoeden v. beide seksen.

**coëfficiënt** [*zie* **efficiënt**] *(algebra)* vaste factor v. veranderlijke of onbekende grootheid; *(nat.)* gegeven constante; *uitzettings*—, factor die volumeverandering bij temperatuursverandering aangeeft; *wrijvings*—, factor die de grootte der wrijving tot uitdrukking brengt.

**coelestij'ne** *zie* **celestijnen**.

**coeliakie** [v. Gr. *koiliakos* = de buik (ingewanden) betreffend, v. *koilía* = buikholte, ingewanden, v. *koilos* = hol, *koilon* = holte] aandoening v.d. dunne darm bij jonge kinderen (tegen het einde v.h. eerste levensjaar), waarbij deze absorbüpt geen gluten, z.a., voorkomend in tarwemeel, verdraagt.

**coeloom** [Gr. *koilooma* = uitgehold lichaam] lichaamsholte.

**coenobie'ten** [Gr. *koinos* = gemeenschappelijk, en *bios* = leven] naam v.d. eerste religieuzen die i.e. gemeenschap leefden.

**co'ënzym** [v. Lat. *co*-, en *enzym, z.a.*] ; (vroeger coferment genaamd) de niet-eiwitcomponent v.e. groot aantal enzymen, die samen met het apo-enzym het holo-enzym vormt.

**coërci'tie** [v. Lat. *coërcítio* = dwangmiddel, v. *coërcére* = bijeenhouden, beteugelen, in bedwang houden, v. *co*-, *z.a.*, en *arcére* = insluiten, *ook*: in bedwang houden] dwang; het bedwingen; *ook*: samendrukking. **coërcitief'** bedwingend.

**coëxisten'tie** [*zie* existentie] het mede bestaan, het gelijktijdig naast elkaar bestaan; *vreedzame* —, het vreedzaam naast elkaar bestaan van twee of meer staten, c.q. volken, met tegengestelde belangen en verschillende sociaal-economische systemen, spec. v.d. Verenigde Staten van Amerika en de Sovjetunie.

**co'ferment** [Lat. *co*-, *z.a.*, en *fermentum* = gist] vroegere naam voor **coënzym**, *z.a.*

**coffeï'ne** *zie* **caffeïne**.

**co'filiatie** [Lat. *co*-, *z.a.*, en *filius* = zoon] gemeenschappelijke afstamming.

**co'gito er'go sum** [Lat.] ik denk, dus: ik besta (uitgangspunt v.h. wijsgerig stelsel van René Descartes, Fr. filosoof, 1596-1650, grondlegger v.h. moderne rationalisme).

**cogna'ten** *mv* [v. Lat. *co*-, *z.a.*, en *(g)natus* = geboren; *gigni* = geboren worden; *gignere* = voortbrengen] bloedverwanten van moederszijde (*vgl.* agnaten).

**cogni'tie** [Lat. *cognítio*, v. *cognóscere* = leren kennen, kennis nemen; *ook*: gerechtelijk onderzoek instellen; *vgl.* agnitie] 1 kenvermogen; 2 kennisneming, onderzoek v.e. zaak (*spec. jur.*) (*Vgl.* agnitie). **cognitief'** *bn* kennis betreffend; *bw* met kennis (*bijv.*: — begaafd).

**cognossement'** *zie* **connossement**.

**cohabita'tie** [v. Lat. *co-habitáre* = samenwonen] samenwoning; geslachtelijke samenleving.

**coherent'** [Lat. *cohǽrens*, *-éntis*, o.dw van *cohǽrere*, *zie* **cohesie**] samenhangend; — licht, licht zoals dit voorkomt i.e. laserstraal; met geordende samenhang (*bijv.*: — spreken).

**cohe'sie** [Lat. *co-haérēre*, *-háesum* = samenhangen] het onderling samenhangen (bijv. van moleculen). (*Vgl.* adhesie.)

**cohibi'tie** [Lat. *cohibítio*, v. *co-hibére*, *-hibitum* = samen-houden] intoming, matiging, terughouding (*zie ook* inhibitie).

**cohort'** [Lat. *cohors*, *cohórtis* = eig.: omheinde plaats bijv. voor vee (*vgl.* hortus = tuin), schare, menigte] 1/10 deel v. legioen (*z.a.*).

**coiffe'ren** [Fr. *coiffer* = het hoofd bedekken, v. *coiffe*, v. VLat. *cofea* = soort muts] haar kappen of opmaken; vleien; *gecoiffeerd*, *ook*: zeer ingenomen, 'verguld' met; *ook*: dwaas vereerd door. **coiffeur'** [Fr.] kapper. **coiffeu'se** [Fr.] kapster. **coiffu're** [Fr.] haardracht, kapsel.

**coïncide'ren** [Lat. *co*-, en *incídere* = voorvallen, gebeuren, v. *in*- en *cádere* = vallen] samenvallen. **coïncident'** [Lat. *incidens*, *-entis*, o.dw van *incídere*] samenvallend. **coïnciden'tie** samenloop v. omstandigheden, het tegelijk voorvallen.

**coin-de-feu'** [Fr. = *lett.*: hoek v.d. haard] huisjas.

**co'itus** [Lat. *coitus*, v. *co-íre* = samen-gaan] geslachtsgemeenschap; — *interruptus*, terugtrekken' vóór de zaadlozing.

**co'ke** [Am.] 1 verkorte naam voor coladranken, spec. voor het merk Coca Cola; 2 verkorte vorm van cocaïne (*z.a.*).

**co'kes** [Eng. *coke*, woordafl. onzeker], *ook*: **kooks**, grijs tot zwart hard koolstofhoudend produkt dat overblijft na sterke verhitting onder afsluiting van lucht (*droge destillatie*, *carbonisatie*) van vooral steenkool. Cokes wordt gebruikt in hoogovens, in ijzergieterijen en als brandstof.

**col-** [Lat.] = **com-** (*cum*) vóór **l**.

**col** [Fr. = nek, v. Lat. *collum*] 1 hoog gelegen pas in bergketen; soms *ook*: hoogste punt tussen twee dalen; 2 kraag die de hals geheel omsluit, spec. aan japon, trui (*coltrui*) e.d.

**colatuur'** *zie onder* **coleren**.

**colbert'** [géén Fr. woord; in het Fr. *veston* of *complet veston*] 1 herenjasje zonder panden; 2 colbertcostuum. **colbert'kostuum** herenkostuum, bestaande uit kort jasje, broek en eventueel vest. [Naar Jean-Baptiste Colbert, Fr. staatsman, 1614-1683].

**cold'-cream** [Eng. = verkoelende zalf] zachte verkoelende zalf tegen gesprongen handen (winterhanden), tegen jeuk e.d. Ook als nachtcrème.

**cold tur'key** [Eng. = *lett.*: koude kalkoen] naam voor de ontwenningsverschijnselen (o.a. koude rillingen) bij verslaafden die plotseling van drugs zijn verstoken.

**cole'ren** [v. Lat. *coláre* = ziften, zijgen, zuiveren] (*farmacie*) filtreren v.e. plantenextract om vaste deeltjes te verwijderen. Het aldus gezuiverde extract heet *colatuur*.

**co'libacil** [v. 1 colon, *z.a.*] bacil in darmen die vertering v. spijzen bevordert maar in bep. omstandigheden ontstekingen of infecties veroorzaakt.

**Colise'um** *zie* **Colosseum**.

**collaar'** [Lat. *colláris* = halskraag (o.a. v. slaven als strafwerktuig), v. *collum* = hals] halsbedekking v. priesters.

**collabore'ren** [Lat. *col-laboráre* = mede-arbeiden] meewerken met bezettende vijandelijke macht in oorlogstijd. **collabora'tie** zn. **collaborateur'** [Fr.] wie collaboreert.

**collaps'** [Lat. *collápsio* = het samen neerstorten, v. *col-labi* = ineen-storten; *labi* = wegglijden, wegzinken] ineenstorting; (*med.*) plotselinge stoornis in een of andere organische functie (bijv. hart-collaps).

**coll'ar'co** [It.] (*muz.*) met de strijkstok.

**collateraal'** [Fr. *collatéral*, v. MLat. *collaterális*, v. Lat. *latus*, *láteris* = zijde] zijdelings, i.d. zijlijn.

**colla'tie** [Fr. *collation*, v. Lat. *collátio* = samenbrenging, vergelijking, v. *con-férre*, *col-látum* = samen-dragen; *ook*: bijeenbrengen van geld, gift] 1 vergelijking van afschrift met oorspr. stuk; afk. **coll.** *of* **col.** (Lat. *colláto*) vergeleken met; 2 recht van schenking v.e. ambt, spec. een kerkelijk ambt m.d. daaraan verbonden inkomsten (*collatierecht*). **collatie'ren** [Fr. *collationner*] een afschrift vergelijken met de oorspr. tekst. **collationis'te** vergelijkende kantoorbediende die stukken controleert op tikfouten.

**collec'te** [v. Lat. *collécta* (*pecúnia*) = ingezameld (geld), geldelijke bijdrage, inzameling, v. *colligere*, *colléctum* = *cum-légere* = samen-lezen] 1 inzameling van geld of goederen voor liefdadige doeleinden; het aldus ingezamelde; 2 het verkopen van loten v.d. Staatsloterij. **collecte'ren** een inzameling houden, spec. van geld, voor bijzondere doeleinden. **collectant'** inzamelaar; (*rk*) wie i.d. kerk met schaal of zakje rondgaat om geld in te zamelen. **collecteur'** [Fr.] officiële verkoper v. staatsloterijloten. **collectri'ce** [Fr.] vr. collecteur. **collec'tie** [Fr. *collection*] 1 verzameling van doorgaans gelijksoortige, vaak waardevolle voorwerpen, bijv. een collectie schilderijen; 2 het geheel van kledingstukken, behorend tot de mode van een bepaald seizoen. **collectief'** [Fr. *collectif*] I *bn* samenvattend; gezamenlijk, gemeenschappelijk; II *zn* werkgroep, groep personen die samenwerken voor een ideële

zaak. **col'lectief** [v. Lat. (*nomen*)
*collectívum*] (*taalk.*) verzamelnaam, d.i. naam
v.e. aantal gelijksoortige zelfstandigheden als
eenheid, bijv. jeugd ( = de jeugdige personen),
bos ( = verzameling bomen), adel.
**collectioneur** [Fr. *collectionneur*]
verzamelaar van waardevolle voorwerpen
zoals schilderijen, postzegels, boeken, spec.
als hobby.
**collectivis'me** economisch stelsel dat de
produktiemiddelen a.d. gemeenschap wil zien
toebedeeld. **collectivis'tisch** *bn & bw.*
**collec'tor** [modern Lat.] toestel om
elektrische lading in op te slaan.
**collegia'le kerk** kerk onder een collegium,
stiftskerk waar geen bisschop maar een proost
a.h. hoofd staat. **colle'gium** [Lat.] bestuur v.
studentencorps, senaat.
**colle'ren** [v.Fr. *coller* = lijmen; v. Gr. *kolla* =
lijm] (*cul.*) een saus binden.
**colli** *mv v.* **collo** (*z.a.*) (soms als *ev*).
**collide'ren** [Lat. *col-lidere*, -*lísum* =
samenstoten, v. *laedere* = kwetsen] botsen.
**collier'** [Fr., v. Lat. *collum* = hals] halsketting
als sieraad.
**colli'sie** [*zie* collideren] botsing.
**col'lo** [It., *oorspr.* = last op of om nek
gedragen, v. Lat. *collum* = hals] stuk
vrachtgoed (*zie ook* colli).
**colloca'tie** [Lat. *collocátio* = plaatsing] (*jur.*)
aanwijzing v.d. rangorde van schuldeisers.
**collo'dium** [Gr. *kolloodès* = kleverig, v. *kolla*
= lijm] bep. soort hechtstof in geneeskunde
(en fotografie) (oplossing v. genitreerde
cellulose in ether).
**colloï'den** enz. *zie* **kolloïden** enz.
**collo'quium** [Lat., v. *cól-loqui* =
samen-spreken] samenspraak; — *doctum*,
(*lett.*: geleerd gesprek) onderzoek naar kennis
en ontwikkeling door docent, i.p.v. examen of
voor toelating tot univ. studie.
**collu'sie** [Lat. *collúsio*, v. *col-lúdere*, -*lúsum* =
samen-spelen] geheime verstandhouding (in
ongunstige zin).
**collu'vium** [Lat. *collúvio* = samenspoeling]
(*geol.*) leemgrond die door afspoeling in
beekdalen is gevormd.
**colofon'** [Gr. *kolophoon* = top, einde]
sluitstuk in boek, oorspr. met gegevens over
schrijver e.d., die thans op titelpagina staan,
tegenwoordig nog met gegevens over drukker,
gebruikte lettersoort e.d.
**colofo'nium** [Gr. *colophónia* (*resina*) =
(hars) uit Colophon] bep. soort hars, viool- of
spiegelhars [naar Gr. stad Kolophoon].
**colombier'** [Fr.] naam v.h. papierformaat 93
× 63 cm.
**Colombi'ne** [Fr., v. It. *Colombina* = Duitje,
v. Lat. *colúmba* = duif] geliefde v. Harlekijn;
bep. maskeradekostuum.
**1 co'lon** [Lat., v. Gr. *koolon*] (*anat.*) karteldarm
(eerste deel v.d. dikke darm).
**2 co'lon** [Eng., v. Lat. *colon* = onderdeel v. vers
of periode, v. Gr. *koolon* = lichaamslid, deel,
voet] dubbelpunt.
**colonna'de** [Fr. v. *colonne*, v. Lat. *colúmna* =
zuil, v. *cólumen* = top, gevel, zuil; *vgl. cel-sus*
= hoog] (*bouwk.*) rij zuilen. **colon'ne** [Fr. =
zuil] (*mil.*) opstelling achter elkaar; *vijfde* —,
geheime medewerkers v.e. mogendheid in
ander land met vijandige bedoelingen.
**coloratuur'** [It. *coloratúra*, v. Lat. *coloráre* =
kleuren] versiering v. solozang (spec. v.
sopraan) met kunstige, vlugge en hoge
passages. **coloratuur'sopraan** [*zie*
**sopraan**] coloratuurzangeres die zeer hoge
tonen (tot f'''') kan zingen.
**colore'ren** [v. Fr. *colorer* = kleuren, v. Lat.
*coloráre*, v. *cólor* = kleur] **1** (*culinair*) kleurstof
toevoegen a.e. gerecht; **2** (*fig.*) (iets) mooier
voorstellen dan het is.
**coloriet'** *zie* **koloriet**.
**colorimetrie'** [Lat. *color*, *colóris* = kleur; *zie
verder meter*] methode tot bepaling v. sterkte
v. oplossingen door middel v. kleur, die
vergeleken wordt met die v.

standaardoplossing(en).
**Colosse'um** [v. Lat. *colosséus* = reusachtig, v.
Gr. *kolossos* = reuzenbeeld] latere naam voor
het grote amfitheater in het oude Rome, het
*Amphitheátrum Flávium*.
**colos'trum** [Lat. *colóstra* of *colústra*]
moedermelk i.d. eerste dagen n.d. bevalling.
**co'lour-bar** [Eng. = *lett.*: kleurbarrière]
scheiding tussen blanken en kleurlingen, spec.
in Zuid-Afrika.
**colporte'ren** [Fr. *colporter*, v. *col* = hals, Lat.
*collum*, en *porter* = dragen, Lat. *portáre*;
oorspr. rondventen met waren rond de hals
gehangen] rondventen, spec. met kranten,
tijdschriften en boeken. **colporta'ge** [Fr.] *zn.*
**colporteur'** [Fr.] venter v. tijdschriften enz.
**colportri'ce** vr. colporteur.
**Colt** merknaam v. bep. soort geweer en
revolver [naar de uitvinder S. Colt].
**columba'rium** [Lat. = *eig.*: duiventil;
*overdrachtelijk*: gat in muur]
urnenbewaarplaats (met als v. overledenen).
**col'umn** [Am. = kolom] bep. rubriek in krant
of tijdschrift, door dezelfde met dáme
genoemde schrijver geschreven, waarin deze
zijn onderwerpen zelf kiest en op zijn eigen
wijze behandelt. Ook vaak onder pseudoniem.
**col'umnist(e)** schrijver (schrijfster) van
column(s).
**com-** [Lat. *com* (*cum*)] samen met, bij-, be-.
**1 co'ma** [v. Gr. *kooma* = diepe vaste slaap] **1**
langdurige diepe bewusteloosheid, waaruit de
patiënt niet kan worden gewekt; **2** slaapziekte.
**2 co'ma** [v. Gr. *komè* = hoofdhaar] **1** (*astr.*)
nevelachtig kopomhulsel v.e. komeet, *z.a.*; **2**
(*optiek*) afbeeldingsfout ontstaan doordat b.e.
optisch stelsel stralen die relatief verwijdig
a.e. bijas die een grote hoek maakt m.d.
optische hoofdas, sferische aberratie (*z.a.*)
vertonen.
**combattant'** [Fr., v. *combat* = strijd, v. *com-*,
*z.a.*, en v. Lat. *báttere*, *battúere* = vechten]
strijder die oorlogshandelingen moet
verrichten en tegen wie rechtstreekse
oorlogshandelingen worden gericht. (Welke
personen combattant zijn, is vastgelegd in
internationale verdragen.) (Tegenst.:
**non-combattant**, *z.a.*).
**combi'bo** [Lat.] (*mede*)-drinkebroer.
**com'bi** verkorting voor *combinatiewagen*, d.i.
auto die zowel voor het vervoer van personen
als van lichte vracht kan dienen, zgn.
**stationcar**, *z.a.* **combi'ne** [Fr.] (*wielrennen*)
tijdelijke samenwerking van concurrerende
rijders om de kansen van bep. andere
tegenstanders te breken. **combi'ne** [Eng.]
gecombineerde maai-dorsmachine, die in één
werking maait en dorst.
**comble'ren** [Fr. *combler*, v. Lat. *cumuláre*
= ophopen; *cumulus* = hoop, *zie*
**accumuleren**] opeenhopen; overladen.
**com'ble** [Fr.] toppunt.
**com'bo** [Am. slang; *vgl.* Lat. *combináre*
= samenvoegen] (*muz.*) klein ensemble (*z.a.*)
van 3 tot 7 personen voor het spelen van
amusements- of jazzmuziek.
**combusti'bel** [Fr. *combustible*] brandbaar.
**co'me** [It., *vgl.* Fr. *comme*, v. Lat. *quómodo*
= op de wijze van, evenals] zoals; -*sopra*, als
boven.
**come-back'** [Eng. = terugkeer] het weer
optreden v.e. kunstenaar of een sportman, na
geruime tijd geen activiteiten te hebben
ontplooid (wegens vormverlies of anderszins).
**come'die** *zie* **komedie**.
**come'do** [modern Lat., v. *com-* (*z.a.*) en *édere*
= eten] meeëter, d.w.z. talgklier (haarzakje)
die door sterke verhoorning v.d. uitmonding
geen talg meer kan uitscheiden en dus verstopt
is (dus niet veroorzaakt door een of andere
parasiet). Zichtbaar als zwart puntje o.d. huid.
**comesti'bles** *mv* [Fr., v. Lat. *comédere*,
*coméstum* = opeten, v. *édere* (*esse*) = eten]
etenswaren, spec. fijne waren.
**cometa'rium** [Lat. *cometes* = staartster]
toestel waarmee men de komeetbanen kan

laten zien.
**comfoort'** [Fr. *confort* = *oorspr.*: vertroosting, v. Lat. *confortáre* = versterken, v. *fortis* = sterk] stuk stijf leer o.d. hak of tegen de hiel i.e. schoen aangebracht ter ondersteuning.
**co'mic** [Am.] stripverhaal, beeldverhaal.
**co'micus** [*zie* **komiek**] blijspelschrijver. (*Vgl.* **tragicus.**)
**co'ming man** [Eng. = *lett.*: komende man] iem. die op bep. gebied een leidende figuur aan het worden is.
**comité** [Fr., v. Eng. *committee*, oud Anglo-Frans woord voor Fr. *commis*, v.dw van *committre*, v. Lat. *com-mittere* = bijeen-brengen, toevertrouwen] groep personen met bep. opdracht (vrijwillig of daartoe aangewezen); *en petit* —, met enkele personen (vertrouwelijk beraadslagen).
**comité-generaal'** vergadering met gesloten deuren.
**comiteit'** (*Z.N.*) comité.
**commanditair'** [Fr. *commanditaire*]; —*e* *vennootschap*, vennootschap met stille vennoot (die zich bepaalt tot kapitaal verstrekken).
**comme ci comme ça** [Fr.] zo zo, tamelijk.
**comme'dia dell'ar'te** [It.] kluchtenspel met vaste thema's en vaste figuren als Harlekijn en Colombine, i.d. zestiende tot achttiende eeuw in It. en Fr. gebruikelijk.
**comme il faut** [Fr.] zoals het behoort.
**commemore'ren** [Lat. *commemoráre* = iets in gedachten brengen, v. *memor* = gedachtig] herdenken. **commemora'tie** [Lat. *commemorátio*] gedachtenisviering, herdenking, herinnering.
**commensaal'** [Fr. *commensal*, v. Lat. *com-* (*z.a.*) en *mensa* = tafel, dis] 1 kostganger; 2 (*dierk.*) soort die op of i.e. andere een schuilplaats vindt, of gelegenheid tot voedsel of aanhechting, zonder dat de gastheer daar enige invloed van ondervindt; (*med.*) bacterie op of in menselijk lichaam die normaal onschadelijk of zelfs nuttig is.
**commensura'bel** [Fr. *commensurable*, v. Lat. *com-* (*z.a.*) en *mensurábilis* = meetbaar, v. *mensuráre* = meten; *vgl. metíre*, *zie* **meter**; *commēnsus* = evenredige verhouding] meetbaar m.e. gemeenschappelijke maat. Twee getallen zijn commensurabel als hun verhouding kan worden geschreven als het quotiënt (*z.a.*) van twee eenvoudige gehele getallen, bijv. 3/5; tegenst. **incommensurabel.**
**commer'cial** [Am.: *zie* **commercie**] reclame-uitzending op televisie of radio.
**commer'cie** [Fr., v. Lat. *commércium* = handel, v. *merx*, *mercis* = koopwaar; *vgl. meréri* = verdienen] handel. **commercieel'** [Fr. *commercial*] de handel betreffend, zakelijk.
**commère** [Fr. *mère*, Lat. *mater* = moeder] 1 meter bij doop; 2 inleidster bij revue.
**commies'** [Fr. *commis*, v. Lat. *commíssus*, v. *committere*, *zie* **comité**] bep. lagere ambtenaar bij belastingen, posterijen, gemeentesecretarie e.d.; tolbeambte; commiesbrood. **commiesbrood** soldatenbrood.
**commissionair'** [Fr. *commissionnaire*] lasthebber; tussenpersoon in effectenhandel; persoon die op eigen naam zaken voor een ander doet. **commis'voyageur'** [Fr.] handelsreiziger.
**committe'ren** [v. Lat. *com-mittere* = bijeen-brengen, toevertrouwen; *vgl.* **comité**] volmacht geven, last geven; *gecommitteerde*, afgevaardigde. **committent'** lastgever van commissionair, *z.a.*
**commodaat'** [Lat. *cómmodum*] bruikleen.
**commo'de** [Fr., v. Lat. *cómmodus* = geschikt, *lett.*: volgens *modus* = maat] tafelkast met laden, spec. voor babyverzorging.
**commodo're** [Eng., v. Lat. *commendator*] bevelhebber v.e. eskader bij luchtvaart, Amerikaanse en Engelse marine; (de Ned. term

is commandeur).
**Com'monwealth** [Eng. = *lett.*: publiek welzijn; *vgl.* Lat. *res pública*, *zie* **republiek**] Gemenebest; — *of Nations*, Gemenebest van Naties, groep onafh. staten en afh. gebiedsdelen (dominions) met als middelpunt de Britse Kroon; — *of Australia*, de Australische Statenbond, de officiële naam van Australië.
**commo'tie** [v. Lat. *commo'tio*, v. *com-*, *z.a.*, en *movére*, *mótum* = beweging] *eig.*: gemoedsbeweging; *vandaar*: ontsteltenis, opschudding, nodeloze drukte; (*med.*) hersenschudding, waarbij de hersenen niet waarneembaar zijn beschadigd.
**communaal'** [v. Fr. *communal* = de *commune* (gemeente) betreffend, v. Lat. *commúnis* = gemeenschappelijk, v. *com-*, *z.a.*, en *únus* = een] gemeentelijk; binnen de gemeente (bijv. telefoongesprek). **communauteit'** [Fr. *communauté*, v. Lat. *commúnitas*] gemeenschap (spec. v. kloosterlingen). (*Zie ook* **communiteit.**) **communautair'** [Fr.] een gemeenschap betreffende, spec. de Europese Economische Gemeenschap.
**commu'ne** [Fr.] groep personen die in gemeenschap leeft zonder dat er een formeel gezag is, en die idealen als bijv. gemeenschap van goederen kan nastreven. **Commu'ne** [Fr. = Gemeente] (*gesch.*) revolutionaire gemeenteraad te Parijs (1792 e.v.); socialistisch revolutionair regime te Parijs (1871). **commu'ne bo'num** *zie* **bonum commune. communica'bel** [Fr. *communicable*] mededeelbaar.
**communice'ren** [Lat. *communicáre* = mededelen, aan iets laten deel hebben, gemeenschappelijk maken; *ook*: met iem. omgaan, aan iets deelnemen] 1 (*rk*) de communie (geconsecreerde hostie) ontvangen; (*prot.*) a.h. Avondmaal deelnemen; 2 in verbinding met elkaar staan (bijv. communicerende vaten); 3 in geestelijk contact met elkaar staan.
**communicant'** [v. Lat. *communicans*, *-cántis* = deelhebbend] (*prot.*) persoon die a.h. Avondmaal deelneemt; (*rk*) persoon die de communie ontvangt, spec. kind dat zijn eerste communie doet (op 7-jarige leeftijd); (*rk*) kerklid, (*bijv.*: die parochie telt ruim 1000 communicanten). **communica'tie** [v. Lat. *communicátio* = mededeling, gesprek] 1 mededeling, kennisgeving; 2 verbindingsmogelijkheid door middel van materieel verkeer (bijv. de — tussen deze dorpen wordt onderhouden door een streekbus); gemeenschap door geestelijk verkeer, geestelijk contact, informatie-overdracht; *communicatie-media*, alle middelen waardoor vooral geestelijke communicatie wordt onderhouden of informatie wordt overgedragen (bijv. telefoon, krant, radio, televisie e.d.).
**commu'ni consen'su** [Lat.] met algemeen goedvinden. **commu'nio** [Lat.] gemeenschap; (*rk*) gezang v.d. mis bij de communie v.d. priester. **communiqué** [Fr. v. *communiquer* = mededelen] officiële mededeling. **commu'nity sin'ging** [Eng.] het gezamenlijk zingen v.e. grote massa mensen (bijv. op bijeenkomst, bij voetbalwedstrijd e.d.). **commu'nis opi'nio** [Lat.] het alg. gevoelen. **communis'me** stelsel dat afschaffing v. privaatbezit en gemeenschap v. gebruiks- en produktiegoederen voorstaat. **communist'** aanhanger v.h. communisme. **communis'tisch** *bn & ww*. **communiteit'** [Lat. *commúnitas*] 1 gemeenschappelijk bezit; 2 (klooster)gemeenschap (*zie* **communauteit**).
**commuta'bel** [Lat. *commutábilis*, v. *mutáre* = veranderen] verwisselbaar. **commuta'tie** [Lat. *commutátio*] verwisseling.
**commuta'tor** [modern Lat.] stroomwisselaar, inrichting om elektrische

stroom van richting te doen veranderen.
**commuun'** [Fr. *commun*] algemeen.
**co'modo** [It.] *(muz.)* met gemak, rustig.
**compact'-disk** [Eng.] kleine schijf waarop
aan één kant geluid is opgeslagen en die bij
het afspelen wordt afgetast d.e. laserstraal.
**compac'tie** [Lat. *compáctio* = dichte
samenvoeging] samenpakking door
uitwendige druk, bijv. *(geol.)* van aardlagen
door latere afzettingen.
**compagnon'** afk. **Co.** [Fr., v. OFr.
*compaignon*, v. VLat. *compánio, -paniónis*, v.
Lat. *panis* = brood; Lat *lett.*: die het brood met
iem. deelt] gezel; medewerker; *(hand.)*
deelgenoot in zaak. **compagnie'** [Fr.] **1**
vennootschap; afk. **Cie; 2** *(mil.)* bep.
legerafdeling.
**comparatief'** [v. Fr. *comparatif*, v. Lat.
*comparáre, zie* **1 compareren**] *bn*
vergelijkend (bijv. comparatieve
taalwetenschap). **com'paratief** of
**comparati'vus** [Lat. *comparatívus grádus*]
*(spraakk.)* vergelijkende trap, bijv. beter (dan),
groter, mooier enz. *(vgl.* **superlatief**).
**1 compare'ren** [v. Lat. *comparáre*, v. *com-*,
*z.a.,* en *par* = gelijk] vergelijken;
**comparateur'** instrument om een lengte te
vergelijken m.d. standaardmaat; **compara'tie**
vergelijking.
**2 compare'ren** [v. Lat. *comparére* =
verschijnen, v. *com-, z.a.,* en *parére* = te
voorschijn komen] verschijnen voor rechter of
notaris. **comparant'** persoon die compareert.
**compari'tie** verschijning voor rechter of
notaris; opkomst ter vergadering.
**compartiment'** [Fr., v. VLat.
*compartiméntum*, v. Lat. *partíri* = verdelen, v.
*pars, partis* = deel] afdeling, vak; vertrek
(kamer); coupé in trein.
**compas'cuüm** [Lat. *compáscua* =
gemeenteweiden, v. *pascua* mv = weide]
gemeenschappelijk eigendom v.
weidegronden.
**compas'sie** [Fr. *compassion*, v. VLat.
*compássio*, v. Lat. *pássio* = lijden v. *pati* =
lijden] medelijden. **competi'bel** [MLat.
*compatibilis*, v. *compáti* = lijden met] elkander
verdragend, verenigbaar. **compatibiliteit'**
verenigbaarheid.
**compen'dium** [Lat. = *lett.*: wat men bespaart
b.h. wegen, besparing, inkorting, v. *péndere*
= laten neerhangen, wegen] korte
samenvatting v. wetenschappelijk onderwerp.
**compense'ren** [Lat. *compensáre, -átum*,
frequentatief v. *compéndere* = bijeenwegen, v.
*com-, z.a.,* en *péndere* = wegen] tegen elkaar
opwegen, vergoeden. **compensa'tie** [Lat.
*compensátio*] *zn*; —*slinger*, slinger met
verschillende staafjes metaal met verschillende
uitzettingscoëfficiënt, zo gekozen dat
temperatuurswisseling geen invloed heeft op
afstand v. zwaartepunt tot ophangingspunt.
**compensator'** [Fr. *compensatoire*, v. Lat.
*compensátio* = vereffening] met
compenserende *(z.a.)* werking.
**compère** [Fr. *père*, Lat. *pater* = vader] **1** peter
bij doop; **2** inleider bij revue.
**compete'ren** [Lat. *competére* =
samenkomen, overeenkomen, toekomen, v.
*pétere* = gaan naar, streven] **1** toekomen
volgens recht; **2** mededingen. **competent'**
[Lat. *compéténs, -peténtis*, o.dw van
*compétere*] gerechtigd, bevoegd; bekwaam;
—*e portie, (jur.)* toekomend deel.
**competen'tie** [Fr. *compétence*]
bevoegdheid. **competi'tie** [Fr. *compétition*]
mededinging bijv. in wedstrijdenserie; deze
serie zelf.
**compile'ren** [Fr. *compiler*, missch. v. Lat.
*compilare* = plunderen] een nieuw boek
samenstellen uit gegevens en fragmenten van
andere boeken. **compila'tie** [Fr. *compilation*]
het compileren; het gecompileerde.
**compila'tor** wie compileert.
**complanair'** [Lat. *com- z.a.,* en *planus* = vlak]
*(wisk.)* gelegen in hetzelfde platte vlak.

**complement'** [Lat. *compleméntum* =
aanvulsel] aanvulsel tot een hoek 90° is.
**complementair'** [Fr. *complémentaire*]
aanvullend; —*e kleuren*, kleuren die in juiste
menging wit opleveren; — *vennoot*, beherend
vennoot in commanditaire vennootschap.
**complet'** [Fr.] volledig kostuum waarvan alle
delen uit dezelfde stof zijn gemaakt (voor
heren: jas, vest en broek; voor dames: japon
met bijpassend jasje); *thé* —, *café* —, thee,
koffie met diverse versnaperingen.
**comple'ten** [Kerkelijk Lat. *completo'rium*]
laatste der 7 getijden, waarmede de dag wordt
besloten.
**complex'** [Fr. *complexe*, v. Lat. *compléxus* =
omvatting, v. *complécti*, v. *pléctere* =
vlechten] **I** *bn* verschillende zaken omvattend,
samengesteld; ingewikkeld; —*getal*, getal
bestaande uit verschillende soorten getallen
(bijv. een reëel en een imaginair); *complexe
verbindingen*, chemische verbindingen
waarbij een centraal atoom omgeven is door
een aantal andere atomen of atoomgroepen; **II**
*zn* samengesteld geheel; *ook*:
bijeenbehorende gebouwen, blok huizen;
*(psychoanalyse)* samenstel v. voorstellingen
beheerst door bep. affect (bijv.
angstcomplex). **comple'xie** [Lat. *complexio*]
**1** gesteldheid v. lichaam en geest; **2** huidkleur.
**compli'ce** [Fr., v. Lat. *complex, cómplicis* =
*lett.*: die ermee is ingewikkeld, *zie*
**compliceren**] medeplichtige.
**compliciteit'**, medeplichtigheid.
**complice'ren** [Lat. *com-plicáre* =
samenvouwen] ingewikkeld maken.
**complica'tie** [Lat. *complicátio*]
verwikkeling, bijkomende omstandigheid die
moeilijkheden veroorzaakt.
**component'** [Lat. *com-pónere* =
samen-stellen; o.dw *componens, -ponéntis*]
samenstellend deel (bijv. kracht).
**composie'ten** [*zie* **compositum**] *(plk.)*
samengesteldbloemigen. **compo'situm** mv
**-ta** [v. Lat. *com-pónere, -pósitum* =
samenstellen] samengesteld woord.
**compositeur'** [Fr.] **1** letterzetter; **2** *(Z.N.)*
componist.
**com'pos men'tis**. [Lat., van *com-, z.a.,* en
*-pos, vgl. pósse* = kunnen, bij machte zijn,
vermogen; *mens, méntis* = geest] i.h. bezit van
zijn geestelijke vermogens. **com'pos su'i**
[Lat.] meester van zichzelf.
**com'post** [v. Eng. *cómpost*, via OFr. v. Lat.
*compósitus* = samengesteld, v. *com-pónere* =
samen-zetten] samengestelde meststof, o.a.
bereid uit vaste afvalstoffen van huis- en
stadsvuil. **composte'ren** (afval) tot compost
verwerken.
**composteur'** [Fr., *zie* **compositeur 1**]
zethaak van letterzetter.
**compô'te** [Fr., v. Lat. *compósitus* =
samengesteld] *(cul.)* hele vruchten of stukjes
daarvan i.e. (gearomatiseerde) suikerstroop of
in hun eigen, iets gebonden, sap.
**compound'** [Eng., v. Lat. *compónere*]
samengestelde stoommachine met twee
ongelijke cilinders; — *dynamo*, dynamo
waarbij de magneten met twee draden v.
verschillende dikte zijn omwikkeld.
**comprehende'ren** [Lat. *com-prehéndere* =
samen-houden] samenvatten; bevatten,
begrijpen. **comprehen'sie** [Lat.
*comprehénsio*] bevattings-,
begripsvermogen.
**compres'** v. Lat. *com-prímere, -préssum* =
samen-drukken] **I** *bn* dichtineengedrukt (ook
v. zetwerk); vast; **II** *zn* strak aangelegd
drukkend omslag bij ontstekingen of wonden.
**compressi'bel** [Fr. *compressible*]
samendrukbaar. **compres'sie** [Lat.
*compréssio*] samenpersing, verdichting.
**compres'sor** [modern Lat.; Lat. *compressor*
= *stuprator* = verkrachter]
samenpersmachine; (bij vliegtuigen) aanjager
die lucht of benzine naar motor perst.
**comprime'ren** [Lat. *comprimere*]

samenpersen.

**comproba'tie** [Lat. *comprobátio*, v. *probáre* = goedkeuren] goedvinding.

**compromis'** [Fr., v. Lat. *compromíssum*, = wederzijdse belofte, afspraak, vergelijk, v. *promíttere* (*pro-míttere* = vooruit-zenden, nl. laten hopen) = beloven] (minnelijke) schikking, akkoord waarbij beide partijen iets van hun eisen laten vallen.

**compromitte'ren** [Fr. *compromettre*, v. Lat. *zie* compromis] *eig.*: i.e. compromis betrekken, i.e. zaak betrekken; in opspraak brengen, in onaangename zaak betrekken; onder verdenking brengen. **compromittant'** [Fr. *compromettant*] bn.

**compta'bel** [Fr. *comptable*, v. *compter* = rekenen, v. Lat. *com-putáre* = op-rekenen] rekenplichtig. **compta'bele** zn 1 comptabel ambtenaar; 2 (Z.N.) comptabel boekhouder. **comptabiliteit'** rekenplichtigheid, verantwoordelijkheid. **comp'te** [Fr.] rekening; rekenschap; —*rendu*, verslag.

**compul'sie** [Fr., v. Lat. *compúlsio* = dwang] 1 aandrijving; 2 dwang.

**compunc'tie** [Lat. *compúnctio*, v. *com-púgnere* = met iets steken, prangen (v. geweten)] berouw.

**compu'ter** [Am. v. Eng. *to compute* = rekenen, via Fr. *compter* v. Lat. *com-putáre* = *lett.*: samen-rekenen; uitrekenen, berekenen], *ook*: **compu'tor** [modern Lat.; i.h. klassieke Latijn heet een 'nauwkeurig berekenaar' *computátor*], in beginsel elke rekenmachine; thans verstaat men onder computer echter een rekenmachine die is opgebouwd uit elektronisch werkende eenheden (Eng. *units*). Deze eenheden worden bestuurd door een centrale verwerkingseenheid (*central processor*). Voorts zijn er mechanische onderdelen: invoer (*input*) en uitvoer (*output*). De invoeronderdelen dienen om de gegevens die moeten worden verwerkt en de wijze waarop dit moet gebeuren, het zgn. programma in spec. code (*software*, tegenover *hardware* = de apparatuur zelf), a.d. computer toe te voeren. Dit alles wordt opgeborgen i.h. 'geheugen' v.d. centrale verwerkingseenheid. **compute'ren** uitrekenen, berekenen. **computa'tie** [v. Lat. *computátio*] berekening; (*spec. jur.*) berekening v.e. verwantschapsgraad. **computerise'ren** 1 (gegevens) door een computer laten verwerken; 2 van computers voorzien.

**com'te** [Fr., v. Lat. *comes*, *cómitis* = metgezel, v. *com-*, z.a. en *ire* = gaan] graaf. **comtes'se** [Fr.] gravin.

**con-** [Lat. *com* (*cum*)] samen-, bij-, aaneen-. **con** [It.] met; *con amóre*, met liefde, met lust; *con brío*, (*muz.*) met levendigheid.

**cona'tie** [Lat. *conátus* = poging] (*psych.*) streving.

**concaaf'** [Lat. *concávus* = geheel hol, v. *con-* en *cavus* = hol, gewelfd] hol (v. lens, spiegel); -*convex* [*zie* convex], holbol.

**concasse'ren** [v. Fr. *concasser* = in stukken hakken, v. *con-* = Lat. *cum-* z.a.; *zie verder* **casseren**] (*cul.*) tomaat, paprika e.d in niet te kleine stukjes snijden. **concasseur'** [Fr. *casser* = breken] werktuig om van puin en stenen steenslag te maken, steenbreker.

**concatena'tie** [Lat. *concatenátio*, v. *caténa* = ketting] aaneenschakeling.

**conce'ren** [Lat. *concédere*, -*céssum*, v. *cédere* = wijken] toestaan. **conce'do** [Lat.] ik geef toe (bij redenering).

**concen'to** [It., v. Lat. *concéntus* = harmonische muziek, v. *cánere* = zingen, klinken] samenklank.

**concentra'tiekamp** afgesloten kamp waarin personen worden gevangen gehouden die een bepaalde regering onwelgevallig zijn. Met name joden, zigeuners enz. vóór en tijdens de Tweede Wereldoorlog.
 **concentratiekampsyndroom** (*zie ook* **syndroom**), *ook*:
 **postconcentratiekampsyndroom** of

**K.Z.-syndroom** [K.Z. van Du. *Konzentrationslager*] het geheel van lichamelijke en geestelijke ziekteverschijnselen als gevolg v.h. verblijf i.e. concentratiekamp.

**concen'trisch** [MLat. *concéntricus*] rondom gemeenschappelijk middelpunt.

**concept'** [Lat. *concéptus* = het samenvatten, gedachte, v. *concípere*, -*céptum* = bijeen-nemen, zich voorstellen] (*logica*) begrip, denkbeeld; (*alg.*) ontwerp, schets.

**concep'tie** [Lat. *concéptio*], bevruchting, ontvangenis; het in zich opnemen; begrip.

**concep'tual art** [Eng.] kunstrichting die de ideeën die haar beheersen belangrijker vindt dan de uitbeelding daarvan.

**concerne'ren** [Fr. *concerner*, v. Lat. *cérnere* = (onder)scheiden, zien; in MLat. = betrekking hebben op] van belang zijn voor, aangaan.

**concern'** [Eng.; *vgl. to have a — in*, interesse, deel hebben in ] zeer groot bedrijf; belangenvereniging v. grote bedrijven.

**concertan'te** [v. lt. v. *concertare* = in harmonie zijn met] bep. concertstuk.

**concerti'na** [It.] trekharmonika. **concer'to gros'so** [It. *grosso* = groot, zwaar] muziekstuk voor verscheidene solo-instrumenten met begeleiding.

**conces'sie** [Lat. *concéssio*, zie **concederen**] vergunning, spec. v. overheid (bijv. voor ontginning, mijnbouw); het toegeven; tegemoetkoming. **concessie'ren** een c. verlenen. **concessiona'ris** houder v.e. concessie.

**concies'** *zie* **concis**.

**concilia'bel** [Fr. *conciliable*, v. Lat. *conciliáre* = verenigen, v. *concílium*, *zie* **concilie**] verzoenbaar. **concilia'tie** [Lat. *conciliátio*] verzoening. **conciliant'** [Fr.] *bn & bw* verzoeningsgezind, verzoenend. **conci'lie** [Lat. *concílium*, v. zelfde stam als *caláre* = roepen, dus ongev. het bijeengeroepene] (*rk*) kerkvergadering; vergadering v. bisschoppen v. bep. streek (provinciaal concilie) of v. alle bisschoppen met de paus (alg. concilie). **concilie'ren** [Fr. *concilier*] verzoenen.

**concipië'ren** [Lat. *concípere, zie* **concept**] ontwerpen; ontvangen, zwanger worden. **concipiënt'** ontwerper.

**concis'**, *ook*: **concies'** [Fr., v. Lat. *concísus* = *eig.*: afgeknot; v. *con-cídere* = *con-cáedere* = neer-houwen] beknopt, bondig. **conci'sie** [Fr. *concísion*] beknoptheid.

**conclaaf'**, *ook*: **concla've** [Lat. *concláve* = vertrek, kamer, v. *clavis* = sleutel] van buitenwereld afgesloten deel v.h. Vaticaan bij vergadering v. kardinalen voor pauskeuze; de vergadering zelf. **concludent'** [Lat. *cóncludens*, -*éntis* = o.dw] afdoende.

**conclusief'** [Fr. *conclusíf*] besluitend, het eindbesluit vormend.

**concomitant'** [Fr., v. Lat. *concomitáre* = begeleiden, v. *comitáre*, v. *com-*, z.a., en *ire*, *ítum* = gaan; *zie* **comte**] begeleidend.

**concordaat'** [Fr. *concordat*, v. Lat. *concordáre* = eensgezind zijn, v. *cor*, *cordis* = hart] verdrag, spec. v. paus met bep. staat ter regeling v. verhouding Kerk en Staat. **concordan'tie** [Fr. *concordance*] alfabetische lijst v. bijbeltermen met verwijzing waar ze i.d. Schrift te vinden zijn. **concor'daat cum origina'li** [Lat.] het komt overeen m.h. oorspronkelijke stuk (gezegd v. afschrift). **concor'dia** [Lat.] eendracht.

**concours'** [Fr., v. Lat. *con-cúrrere* = samenlopen] wedstrijd; —*d'élégance*, schoonheidswedstrijd; —*hippique*, ruiterijwedstrijd waarbij het niet zozeer om hardrijden dan wel om alg. eigenschappen v. paard en ruiter gaat.

**concreet'** [Lat. *concrétus* = dicht, stijf v. *concréscere* -*crétum* = samen-groeien] bestaand; niet afgetrokken (*vgl.* abstract); — *begrip*, begrip waarbij een voorstelling met een bep. bestaand voorwerp wordt verbonden; — *getal*, benoemd getal. **concrement'** [Lat.

*concreméntum*] samengroeisel, vaste aaneengegroeide massa. **concre'tie** [Lat. *concrétio*] samengroeiing, verharding. **concretise'ren** [Fr. *concrétiser*] concreet maken, verwerkelijken. **concre'to**: *in —*, in feitelijkheid.

**concubinaat'** [Lat. *concubinátus*, v. *con-cubáre* = samen-liggen] het samenleven v. man en vrouw zonder huwelijk. **concubi'ne** [Fr., v. Lat. *concubina*] bijzit.

**concurre'ren** [Lat. *con-cúrrere* = samen-lopen, vijandig samenkomen] wedijveren, mededingen; (*wisk.*) door één punt gaan. **concurrent** [Lat. *concurrens, -curréntis* = o.dw] **I** zn mededinger, spec. in handel; **II** *bn* (*wisk.*) door één punt gaande; (*kerkelijk*) samenvallend (v. feesten). **concurren'te** *vr.* concurrent. **concurren'tie** [Fr. *concurrence*] het samenlopen; wedijver tussen personen of bep. zaak, spec. tussen kooplieden betreffende werving v. kopers door het bieden v. lagere prijzen en extra voordelen. **concur'sus** [Lat.] samenloop.

**condemna'tie** [Lat. *condemnátio*, v. *condemnáre*, v. *damnáre* = veroordelen] veroordeling, vonnis; afkeuring.

**condense'ren** [v. Lat. *condensáre* = dicht maken, samenpersen, v. *con-, z.a.*, en *dénsus* = dicht] **1** zich verdichten, d.w.z. van gasvormige of dampvormige toestand overgaan in vloeibare toestand door afkoeling en/of samenpersing; spec. i.d. meteorologie: het overgaan van waterdamp in waterdruppeltjes (wolken, mist, nevel e.d.); **2** indampen, spec. van melk (*gecondenseerde melk*); **3** (*fig.*) in minder woorden samenvatten, inkorten. **condensaat'** dat wat is gecondenseerd, spec. het water dat i.e. stoommachine i.d. condensor (*z.a.*) uit afgewerkte stoom is gevormd. **condensa'tie** [v. Lat. *condensátio* = verdikking] het condenseren, verdichting. **condensa'tor** [modern Lat.] elektrisch apparaat, bestaande uit twee geleiders waartussen een isolator (niet-geleider) is aangebracht, bijv. papier, mica of een keramisch produkt e.d. Zo'n toestel kan elektrische ladingen ophopen t.e. bep. maximum, de capaciteit. **condens'melk** [germanisme voor *gecondenseerde melk*, zie **condenseren 2**] volle melk in fabriek ingedampt tot ca. 1/3 v.h. volume. **conden'sor** [modern Lat.] **1** luchtdicht afgesloten reservoir i.e. stoommachine waarin de afgewerkte stoom door afkoeling met koelwater tot water wordt verdicht; **2** (*optiek*) lenzenstelsel (of enkelvoudige lens) waardoor de divergerende (uiteenwijkende) lichtstralen v.d. lichtbron in evenwijdige of in convergerende (naar elkaar toelopende) stralen worden omgezet. Deze gebundelde 'samengeperste' lichtstralen vallen o.e. klein vlak, dat dus helder wordt verlicht, bijv. het voorwerp i.e. microscoop of het diapositief i.e. projectietoestel.

**condescen'tie** [Fr. *condescendance*] neerbuigende vriendelijkheid. **condisci'pel** [Lat. *condiscipulus; zie* **discipel**] medeleerling, medescholier. **condi'tie** [Lat. *condicio* (niet *conditio*) = afspraak, toestand, v. *condícere* = afspreken, v. *dícere* = spreken] voorwaarde; gesteltenis, toestand. **conditione'ren** [Fr. *conditionner*] bedingen, voorwaarde, stellen; overeenkomen, afspreken. **condi'tio si'ne qua non** [Lat. *condicio ...*] *lett.*: voorwaarde zonder dewelke niet; voorwaarde zonder welke het geheel niet doorgaat of niet kan bestaan. **conditiona'lis** [Lat. *condiciónalis* = voorwaardelijk] (*spraakk.*) voorwaardelijke wijs. **conditioneel'** [Fr. *conditionnel*] voorwaardelijk. **condole'ren** [Lat. *con-dolére* = met iem. lijden; *dolor* = smart] rouwbeklag doen, deelneming betuigen bij verlies. **condolean'tie, condoléance** [Fr.] *zn.* **condomi'nium** [*zie* **dominium**]

gemeenschappelijk bezit of beheer. **condoom'** voorbehoedmiddel bestaande u.e. dun hoesje van rubber of van kunststof, dat vóór de geslachtsgemeenschap over de penis in erectie wordt geschoven om bevruchting of om infectie te voorkomen [naar eigennaam]. **condottie're** [It. *condotto* = gehuurd, v. Lat. *con-dúcere, -dúctum* = samen-voeren, huren] (*gesch.*) aanvoerder en werver v. huursoldaten. **conduct'** [Lat. *con-, z.a.*, en *ducere, ductum* = leiden] (*muz.*) buis waardoor de wind u.d. laden n.d. pijpen v.h. orgel wordt gevoerd. **conduc'tie** [Fr. v. Lat.] geleiding, overdraging. **conduc'tor** [modern Lat.] **1** (*elektriciteit*) geleider; **2** (*bij boringen*) geleidebuis. **condui'te** [Fr. v. *conduire* = leiden, v. Lat. *condúcere*] manier van zich te gedragen, gedrag; *—staat,* (*mil.*) lijst met aantekeningen omtrent gedrag. **condylo'ma** [Gr. *kondulooma* = gezwel] (*med.*) wratvormig gezwel o.d. huid als gevolg v.e. geslachtsziekte.

**confabula'tie** [Lat. *confabulátio*, v. *con-fabuláre* = be-praten; stam Lat. *fa-*, Gr. *pha-* = spreken] gemoedelijk gesprek. **confec'tie** [Lat. *conféctio* = vervaardiging, v. *conficere, -féctum* = maken] fabriekmatige produktie spec. v. kleding; aldus in voorraad vervaardigde kleding. **confedera'tie** [*zie* **federatie**] verbond v. onafhankelijk blijvende staten om tegenover het buitenland gemeenschappelijk op te treden. **con'fer, confera'tur** [Lat. v. *con-férre* = samendragen, vergelijken] vergelijk, men vergelijke [afgekort tot **cf.** of **cfr.**). **confere'ren** [Fr. *conférer*, v. Lat. *con-férre* =samen-dragen] **1** vergelijken; **2** een bespreking houden, onderhandelen. **conferen'tie** zakelijke bespreking; *ook*: geestelijke toespraak niet in preekvorm. **conféren'ce** [Fr.] voordracht. **conférencier'** [Fr.] persoon die de nummers v.e. amusementsprogramma inleidt en onderling verbindt door meestal humoristische praatjes. **confes'sie** [Lat. *conféssio,* v. *confitéri* = belijden, v. *fatéri* = bekennen] belijdenis spec. v.h. geloof; bekentenis (v. zonden). **confessionalis'me** stelsel dat leert dat de geloofsbelijdenis het wezen v.d. godsdienst vormt. **confessioneel'** [Fr. *confessionnel*] de geloofsbelijdenis betreffend; volgens de geloofsbelijdenis. **confes'so** i.d. uitdrukking *in confesso* [Lat.] (*jur.*) erkend. **confident'** [Lat. *cónfidens, -fidéntis*, o.dw v. *confidere* = vertrouwen] vertrouweling. **confiden'tie** vertrouwelijkheid; mededeling in vertrouwen. **confidentieel'** [Fr. *confidentiel*] *bn* & *bw* vertrouwelijk. **configure'ren** [Lat. *con-figuráre* = ergens naar vormen, v. *figúra* = figuur, *z.a.*] gedaante geven. **configura'tie** [Lat. *configurátio* = gelijke vorm] samengesteldheid uit verschillende onderdelen in bep. verband, bijv. samenstel v.e. computer en daarop aangesloten randapparatuur, samenstand v. sterren of planeten. **confinement'** [Fr.] opsluiting. **confine'ren** [Fr.] opsluiten zonder proces, maar wel rechtsgeldig. **confirman'dus** [Lat. = *lett.*: hij die moet worden bevestigd, v. *confirmáre* = bevestigen, v. *firmus* = stevig] nieuw als te nemen lid van kerkgenootschap. **confirma'tie** bevestiging; (*rk*) vormsel. **confirmatief'** bevestigend. **confirme'ren** bevestigen, opnemen als lidmaat v.d. Kerk; (*rk*) vormen. **confirma'tie** bevestiging; (*rk*) vormsel. **confirmatoir'** [Fr. *confirmatoire*] bevestigend, *ook*: bevestigingseed. **confisca'bel** [*zie* **confisqueren**] verbeurd verklaard kunnende worden. **confisca'tie** [Lat. *confiscátio*] verbeurdverklaring. **confiserie'** [Fr., v. Lat. *conficere* = *con-fácere*

= aaneen-maken, samenstellen, *ook*: verteren] banketbakkerij. **confiseur'** [Fr.] banketbakker.

**confisque'ren** [Fr. *confisquer*, v. Lat. *confiscáre*, v. *con-*, *z.a.*, *zie* **fiscus**] gerechtelijk in beslag nemen, verbeurd verklaren.

**confitu're** [Fr., *zie* **confiserie**] **1** *mv* **confituren** vruchten met suiker ingemaakt (gekonfijt); **2** *zn* jam, vruchtengelei.

**conflagra'tie** [v. Lat. *conflagrátio*] verwoestende brand, wereldconflict.

**confluen'tie** [Lat. *confluéntia*, v. *flúere* = vloeien] samenvloeiing.

**confocaal'** [Lat. *con-*, *z.a.*, en *focus* = stookplaats = brandpunt] (*wisk.*) met hetzelfde brandpunt.

**conform'** [Fr. *conforme*, v. Lat. *confórmis* = gelijkvormig, v. *forma* = vorm] gelijk aan, in overeenstemming met, overeenkomstig. **conforme'ren** [Lat. *conformáre*] gelijkvormig maken, in overeenstemming brengen. **conforma'tie** *zn*. **conformis'ten** *[Eng. gesch.]* protestanten die zich in 1562 onderwierpen a.d. Anglicaanse belijdenis i.t.t. de non-conformisten (puriteinen). **conformiteit'** [Fr. *conformité*] overeenstemming, gelijkvormigheid.

**confra'ter** [Lat.] **confrère** [Fr.] ambtsbroeder, medebroeder. **confrerie** [Fr. *confrérie*] broederschap.

**confucianis'me** stelsel v. Confúcius (K'oengfoe-tse, ca. 500 v. Chr., Chinees zedenhervormer).

**con furo're** [It.] *lett.*: met razernij; (*muz.*) met gloed, met veel vuur.

**confuta'tie** [Lat. *confutátio*, v. *confutáre* = neerzetten, dempen] weerlegging.

**confuus'** [Lat. *confúsus*, v. *con-fúndere*, *-fúsum* = samen-gieten, vermengen, verwarren] verward, verlegen. **confu'sie** [Lat. *confúsio*] verwarring, verlegenheid.

**congé** [Fr., v. Lat. *commeátus* = het vrij komen en gaan, v. *com-* en *meáre* = gaan] ontslag; afscheid; vrijaf.

**congela'tie**, *ook*: **conglacia'tie** [Lat. *con-*, *z.a.*, en *glaciáre* = tot ijs maken] bevriezing, verstijving.

**congeniaal'** [v. Lat. *con-*, *z.a.*, en *geniális* = de *génius* (beschermgod) gewijd; *zie* **genie**] verwant naar de geest.

**congenitaal'** [v. Lat. *congénitus* = tegelijk geboren, v. *gignere*, *génitum* = baren] aangeboren.

**conges'tie** [Lat. *congéstio* = samenhoping, v. *con-gérere* = bijeen-dragen] stuwing, aandrang spec. v. bloed naar hoofd.

**conglomere'ren** [Lat. *conglomeráre*, *zie* **agglomereren**] samenhopen tot een klit. **conglomera'tie** *zn. spec.*: stad met haar voorsteden [*zie* **agglomeratie**] én haar omliggende gemeenten. **conglomeraat'** samengroeisel v. verschillende mineralen. (*Vgl.* **agglomeraat**.)

**conglutinaat'** [Lat. *conglutinátio* = het aaneenlijmen] het aaneengelijmde. **conglutine'ren** aaneenlijmen.

**congratule'ren** [Lat. *congratulari*, v. *gratus* = dank verdienend] gelukwensen, feliciteren. **congratula'tie** [Lat. *congratulátio*] *zn*.

**congregaat'** [v. Lat. *congregáre* = tot een kudde verenigen; *grex*, *gregis*, = kudde; *zie* **aggregaat**] niet-kristallijn gesteente onregelmatig uit diverse bestanddelen opgebouwd. **congrega'tie** [Lat. *congregátio*] vereniging v. kloosterlingen zonder plechtige geloften (zoals een orde wel heeft); vrome lekenvereniging, samenkomst daarvan.

**congrue'ren** [Lat. *congrúere*, v. *\*grúere*, verwant met *rúere* = rennen] overeenstemmen, gelijk en gelijkvormig zijn. **congruent'** [Lat. *cóngruens*, *-éntis* = o.dw] overeenstemmend; (*meetk.*) gelijk en gelijkvormig. **congruen'tie** [Lat. *congruéntia*] *zn*.

**conifeer'** [Lat. *cónifer* = kegeldragend, v. *conus*, *z.a.*, en *ferre* = dragen) (kegeldragend) naaldgewas. **conisa'tie** [*zie* **conus**] (*med.*) het wegnemen v. e. kegelvormig stukje weefsel uit de baarmoederhals. **co'nisch** *zie bij* **conus**.

**conjectuur'** [Lat. *conjectúra*, v. *con-jícere* = bijeen-werpen, v. *jácere* = werpen] gissing, veronderstelling. **conjecture'ren** [Fr. *conjecturer*] gissingen maken. **conjecturaal'** op gissingen berustend.

**conjugaal'** [Lat. *conjugális*, v. *conjugáre* = samenbinden, v. *júngere*, *júnctum* = verbinden] het huwelijk betreffend. **conjuga'tie** [Lat. *conjugátio* = *ook*: stamverwantschap v. woorden] vervoeging v. werkwoorden. **conjuge'ren** werkwoorden vervoegen.

**conjunctie** [Lat. *conjúnctio* = verbinding, overeenstemming] **1** (*taalk.*) voegwoord; **2** (*astr.*) samenstand v. twee of meer hemellichamen. **con'junctief** (of minder juist **conjunctief'**) [Lat. (*módus*) *conjunctívus*] (*spraakk.*) aanvoegende wijs. **conjunc'tis vi'ribus** [Lat.] met vereende krachten. **conjunctivi'tis** [v. MLat. *conjunctiva* = bindvlies v. oog; *zie -itis*] ontsteking v.h. vlies dat de oogbol (en de achterzijde v.d. oogleden) bekleedt. **conjunctuur'** [Fr. *conjoncture*] samengaande omstandigheden die van invloed zijn; *spec.*: het samengaan van tijdsomstandigheden die het economische leven positief of negatief beinvloeden. **conjunctureel'** de conjunctuur betreffend; o.d conjunctuur berustend.

**conjure'ren** [Lat. *con-juráre* = samen-zweren] samenzweren. **conjura'tie** [Lat. *conjurátio*] *zn*.

**con mo'to** [It.] (*muz.*) met beweging.

**connaisseur'** [Fr., v. *connaître*, v. Lat. *co-gnóscere* = leren kennen, v. *gnóscere* = *nóscere* = weten] kenner, spec. kunstkenner.

**connataal'** [Lat. *con-*, *z.a.*, en *natális* = v.d. geboorte] aangeboren.

**connec'tie** [Lat. *con-nectere*, *-nexum* = samenknopen] samenhang, verband; persoon met wie men relaties heeft, (*mv*) kennissen; **connecties aanknopen**, relaties tot stand brengen met personen. **connec'tor** [modern Lat.] verbindingsmiddel; (*elektriciteit*) steker en contrasteker. **connex'** [*zie* **connectie**] verbonden. **connex'ie** het verbonden zijn.

**connive'ren** [Lat. *conivére* = zich samenneigen, de ogen sluiten; *vgl. núere* = neigen] door de vingers zien. **conniven'tie** [Lat. *connivéntia*] het oogluikend toestaan (en daardoor medeplichtig zijn).

**connossement', cognossement'** [v. Lat. *cognóscere* = er-kennen] vrachtbrief v. zeeschip.

**connota'tie** [v. Lat. *con* = bij, en *notare* v. *nota* = kenmerk] gevoelswaarde v.e. woord naast de eigenlijke betekenis.

**connu'bium** [Lat.] huwelijksgemeenschap, echtelijke samenleving.

**conquistado'res** [Sp.] veroveraars v. Sp. koloniën in Amerika en hun nakomelingen.

**con'rector** [v. *con-*, *z.a.*, *zie* **rector**] onderrector, plaatsvervangend rector bij middelbaar onderwijs.

**consacre'ren, consecre'ren** [kerk. Lat. *consacráre, consecráre* = wijden, v. *sacer* = heilig, gewijd] de consecratie (*z.a.*) verrichten; een kerk plechtig wijden; de bisschopswijding toedienen. **consacra'tie** *zie* **consecratie**.

**consanguiniteit'** [Lat. *consanguínitas*, v. *sánguis*, *sanguínis* = bloed] bloedverwantschap.

**consciën'tie** [Lat. *con-sciéntia* = het mede-weten, v. *scire* = weten] geweten. **consciëntieus'** [Fr. *conscientieux*] gewetensvol, nauwgezet.

**conscrip'tie** [Lat. *conscríptio* = beschrijving, v. *con-scríbere*, *-scríptum* = bijeen-schrijven] loting of lichting voor mil. dienst.

**consecre'ren** *zie* **consacreren**. **consecra'tie** [kerk. Lat., *consecrátio* =

wijding] zelfstandigheidsverandering v. brood en wijn i.h. lichaam en bloed v. Christus; plechtige kerkwijding; bisschopswijding. **consecra'tor** [Lat.] wie de bisschopswijding verricht.

**consecutief'** [Fr. *consécutif*, v. Lat. *cón-sequi* = volgen, v. *sequi* = volgen] volgend (in tijdsorde of uit oorzaak).

**consen'sus** [Lat. v. *con-sentíre* = van hetzelfde gevoelen zijn] overeenstemming, algemeen gevoelen; *ook:* toestemming; — *ómnium*, overeenstemming v. allen. **consent'** vergunning (sbewijs) spec. om goederen uit te voeren. **consente'ren** [Lat. *consentíre*] toestemmen, goedkeuren.

**conserva'tor** [Lat.] bewaarder en beheerder v. museumstukken. **conserva'trix** [Lat.], **conservatri'ce** [Fr.] vr. conservator. **conservato'rium** [MLat.], **conservatoi're** [Fr.] hogere muziekschool. **conservatief' I** *bn* behoudzuchtig, spec. in politiek; **II** *zn* behoudzuchtig persoon. **conservatis'me** behoudzucht. **conservatoir'** [Fr. *conservatoire*] : — *beslag*, voorlopig beslag op goederen (ter bewaring).

**considere'ren** [Lat. *consideráre* = aandachtig beschouwen] in aanmerking nemen, overwegen; hoogachten. **considera'bel** [MLat. *considerábilis*] aanzienlijk; hoog te achten. **consi'derans**, *mv* -*rántia* beweegreden; inleiding voorafgaande aan wet, besluit e.d. waarin de beweegredenen worden opgesomd. **considera'tie** [Lat. *considerátio*] overweging; het in aanmerking nemen v. bijzondere omstandigheden, toegeeflijkheid.

**consig'ne** [Fr., *zie* consigneren] instructie (aan wachtpost); wachtwoord, parool. **consigne'ren** [Lat. *con-signáre* = ver-zegelen, v. *signum* = zegel, (merk)teken] gerechtelijk in bewaring geven; goederen naar elders zenden ter verkoop voor rekening v. afzender; *soldaten* —, soldaten verbieden de kazerne te verlaten. **consigna'tie** het zenden v. goederen ter verkoop voor rekening v. afzender.

**consi'lium** [Lat.] raad; beraadslaging; besluit; — *abeúndi* [Lat. = *lett.*: raad om heen te gaan] geruisloze verwijdering v. student van hogeschool en universiteit. **consi'lio manu'que** [Lat. = *lett.*: met raad en hand] met raad en daad (*vgl.* Fr. *par l'habilité et par la main*).

**consistent'** [Fr. *consistant*, v. Lat. *con-sistere* = blijven staan, v. *sístere* = stoppen, stilstaan, v. *stáre* = staan] **1** stevig, vast, dicht, duurzaam, weerstand biedend, (v. vloeistof) visceus, *z.a.*; **2** zichzelf gelijkblijvend (*bijv.*: consistent gedrag); **3** geen innerlijke tegenspraak bevattend (*bijv.*: consistente theorie). **consisten'tie 1** dichtheid, samenhang, stevigheid, duurzaamheid; (v. vloeistoffen) viscositeit; **2** het zichzelf gelijkblijven; **3** het innerlijk met zichzelf overeenstemmen. **consistent'-vet** halfvast smeervet voor machine-onderdelen (mengsel van olie en zeep).

**consisto'rie** [Lat. *consistorium* = verzamelplaats, kabinet v.d. keizer] (*rk*) vergadering v. kardinalen o.l.v. de paus; (*prot.*) kerkeraad; bijgebouw v. Prot. Kerk (consistoriekamer) o.a. voor vergaderingen v.d. kerkeraad. **consistoriaal'** *bn*.

**consola'tie** [Lat. *consolátio*, v. *consolári* = vertroosten, v. *con-* = met, en *solári* = troosten, v. *solus* = alleen) troost.

**conso'le** [Fr., afleiding onzeker] tafeltje aan muur (bijv. om beeldje op te plaatsen); piëdestal; (*bouwk.*) kraagstuk ter ondersteuning.

**consolide'ren** [Lat. *consolidáre*, v. *sólidus* = massief; *zie* **solide**] vast maken, verduurzamen; een fonds vormen om de betaling v. openbare schuld e.d. te dekken. **consolida'tie** [Lat. *consolidátio*] *zn*. **con'sols** [Eng. = *consolidated stocks*]

geconsolideerde fondsen, Engelse staatsschuldpapieren.

**consommé'** [Fr.] heldere bouillon of bouillonsoep.

**consone'ren** [Lat. *con-sonáre* = samen-klinken; *sonus* = klank] goed samenklinken. **consonant'** [Lat. *consonans*, -*sonántis* = o.dw] **I** *bn* **1** eenstemmig; **2** (*muz.*) harmonisch samenklinkend; **II** *zn* **1** medeklinker; **2** (*muz.*) harmonische samenklank.

**con sordi'no** [It.; *vgl.* Lat. *surdus* = doof] (*muz.*) met demper.

**consor'ten** *mv* [Lat. *cónsors* = lotgenoot, deelgenoot, v. *sors, sortis* = lot] gelijkgezinden (vaak ongunstig). **consor'tium** [Lat. = deelgenootschap] vereniging v. banken tot gezamenlijke transacties; (*afg.*) vereniging spec. in handel of nijverheid.

**conspire'ren** [Lat. *con-spiráre* = samen-blazen, samenwerken, samenzweren] samenzweren. **conspira'tie** [Lat. *conspirátio*] *zn*.

**constella'tie** [Lat. *constellátio*, v. *stella* = ster] sterrenbeeld; bep. groepering of samenstelling (bijv. in politiek).

**consterna'tie** [Lat. *consternátio*, v. *consternáre* = schichtig maken, intensitief v. *consternere* = met iets bedekken, neerwerpen] opschudding; verslagenheid.

**constipa'tie** [Lat. *constipátio* = ophoping, v. *con-stipáre* = opeen-dringen] hardlijvigheid.

**constitue'ren** [Lat. *constitúere*, v. *statúere* = plaatsen] vaststellen; instellen; *zich* —, zich wettig instellen (bijv. bestuur v. vereniging). **constituan'te** [Fr.] wetgevende vergadering; **constitue'rend** vormend; **constitu'tie** [Lat. *constitútio*] **1** vaststelling; **2** grondwet; **3** (lichaams)gestel. **constitutioneel'** [Fr. *constitutionnel*] **1** grondwettelijk; **2** i.h. gestel zetelend (bijv. ziekte). **constitutief'** [Fr. *constitutif*] vaststellend. **constitutionalist'** voorstander v. regeringsvorm met grondwet.

**constric'tie** [Lat. *constríctio*, v. *con-stríngere*, -*stríctum* = snoeren] samentrekking.

**con'substantia'tie** [Lat. *con-*, *z.a.* en MLat.*substantia* = zelfstandigheid] (*theol.*) het werkelijk tegenwoordig zijn v.h. lichaam en bloed van Christus na de consecratie (*z.a.*) in het brood en de wijn, (lutherse leer; voor rk leer *zie* **transsubstantiatie**).

**con'sul** [Lat. = bep. regeringsambtenaar] gevolmachtigde v.e. regering i.e. plaats i.h. buitenland om de landsbelangen en de belangen v. landgenoten aldaar te behartigen. **consulaat'** [Lat. *consulátus*] ambt v. consul; gebouw v. consul. **consulair'** [Fr. *consulaire*] betreffende de consul.

**consulent'** [Lat. *cónsulens*, -*suléntis*, o.dw v. *consúlere* = raadplegen] raadgever; predikant in prot. kerken die tijdens vacature de belangen v.d. gemeente behartigt. **consult'** [Fr. *consulte*] raadpleging (v. arts of advocaat); beraadslaging (bijv. v. doktoren over ziektegeval). **consulte'ren** [Lat. *consultáre*, intensitief v. *consúlere*] raadplegen; consult houden.

**consumentis'me** [v. Lat. *consumens*, -*méntis*, v. *consúmere* = in alle delen nemen; *zie* -**isme**] bewustwording v.d. consument betreffende prijs en kwaliteit v.h. gebodene.

**consump'tiemaatschappij** samenleving waarin het bezit en het verbruik van goederen primair is (tegenover *produktiemaatschappij*). **consumma'tie** [Lat. *consummátio* = voltooiing] de voltrekking (v.h. huwelijk door de geslachtsgemeenschap). **consumma'tum est** [Lat.] het is volbracht (*zie* Joh. 19 : 30).

**contagieus'** [Fr. *contagieux*, v. Lat. *contagiósus*, v. dezelfde wortel als *tángere* = aanraken] besmettelijk.

**contamine'ren** [Lat. *contamináre* = beroeren, bevlekken, v. dezelfde wortel als *tángere* = aanraken] verontreinigen; (*taalk.*) twee

verwante uitdrukkingen of woorden zo vermengen dat een foutief geheel ontstaat.
**contamina'tie** [Lat. *contaminátio*] verontreiniging; (*taalk.*) vermenging van twee synonieme formuleringen, *bijv.*: opteleforenen.

**con'te** [It., *vgl.* Fr. **comte**] graaf.

**contempla'tie** [Lat. *contemplátio*, v. *templum* = plaats waar de auguren hun waarnemingen verrichten; *zie* **tempel**] beschouwing, spec. godsdienstige overweging. **contemplatief'** [Lat. *contemplatívus*] **I** *bn* beschouwend; **II** *zn* lid v. beschouwende orde.

**contemporain'** [Fr., v. Lat. *contemporáneus*, v. *tempus*, *témporis* = tijd] **1** *zn* tijdgenoot; **II** *bn* contemporair. **contemporair'** behorend tot dezelfde tijd, gelijk in tijd.

**contemp'tie** [Lat. *contémptio*, v. *conténmere*, *-temptum*] verachting.

**contentieus'** [Fr. *contentieux*, v. Lat. *contentiósus*, v. *con-téndere*, *-téntum* = strak spannen, vechten] **1** twistziek; **2** een geschil betreffend.

**conterfeit'sel** *zie* **konterfeitsel**.

**con'terfort** *zie* **contrefort**.

**contes'sa** [It., *zie bij* **conte**] gravin.

**conteste'ren** [Lat. *contestári* = een rechtszaak door samenbrengen (*zie* **con-**) van getuigen (*testes*) in gang zetten] betwisten; tegenspreken. **contesta'tie** [Lat. *contestátio*] **1** betwisting; **2** openlijke, actieve bestrijding van bestaande maatschappelijke of kerkelijke structuren.

**con'text** [Lat. *contéxtus*, v. *contéxere*, *-téxtum* = samen-weven] **1** samenhang, verband met rest van zin of passage; **2** verband waar iets voorkomt (bijv. dit besluit moet men zien i.d. politieke context); *vandaar ook*: situatie, sfeer (*bijv.*: de context v.e. ziekenhuis). **contextuur'** [Fr. *contexture*] samenkoppeling, verband.

**contigu'** [Lat. *contíguus*, v. *contíngere* = *contángere* = beroeren, aanraken] aangrenzend (zonder verdere samenhang) (*vgl.* **continu**). **contiguïteit'** het aangrenzend zijn.

**continent'** [v. Lat. *cóntinens*, *continéntis* = samenhangend, v. *continére* = *contenére* = samen-houden] **1** *zn* vasteland; werelddeel; **II** *bn* de uitscheiding kunnende beheersen. **continentaal'** [Fr. *continental*] het vasteland betreffend; — *plat*, of — *plateau* [Eng. *continental shelf*] voortzetting v.h. vasteland onder zee met een flauwe glooiing, tot a.d. veel steilere continentale helling; — *stelsel* afsluiting v.h. vasteland van Europa door Napoleon om de handel met Engeland te verhinderen. **continen'tie** [Lat. *continéntia*] **1** het zich inhouden, zelfbeheersing; **2** onthouding, matiging; **3** inhouding van uitscheiding (*vgl.* **incontinentie**).

**contingent'** [Fr., v. Lat. *contíngens*, o.dw van *contíngere* = voorvallen; *zie* **contigu**] **I** *bn* toevallig; **II** *zn* aandeel in troepen, lasten e.d.; officieel vastgestelde hoeveelheid goederen voor in- of uitvoer. **contingente'ren** [Fr. *contingenter*] officieel in- en uitvoer beperken door bep. hoeveelheden vast te stellen. **contingen'tie** het toevallig zijn.

**continue'ren** [Lat. *continuáre* = in samenhang brengen, voortzetten, v. *contínuus*, *zie* **continu**] voortzetten. **continua'tie** [Lat. *continuátio*] *zn.* **continu** [Lat. *contínuus*, v. *continére*, *zie* **continent**] aangrenzend (met samenhang), doorlopend, voortdurend. **continuïteit'** [Lat. *continúitas*] het continu zijn. **conti'nuo** [It.] (*muz.*) ononderbroken, aanhoudend (*zie ook* **basso continuo**).

**contisse'ren** [v. Fr. *contisser* = *lett.*: samenwerven, v. *con-* = Lat. *cum-*, *z.a.*, en *tisser* = weven, v. Lat. *téxere*] (*cul.*) overdwarse inkervingen maken in filets, om daarna in die insnijdingen een vulling (tong, truffel) aan te brengen.

**con'to** [It., v. Lat. *computáre*] rekening.

**contor'sie** [Lat. *contórsio* = gewrongenheid] (*med.*) heftige, onwillekeurige spierbewegingen.

**contour'** [Fr., v. *con-* en *tour*, *z.a.*] omtrek (v. tekening).

**con'tra** [v. Lat.] tegen.

**contraban'de** [It., v. Lat. *bannum* = verbod] goederen die in- of uitgevoerd worden tegen wet of beperking; smokkelwaar.

**con'trabas** [*zie* **bas**] (*muz.*) grote basviool, diepstklinkend strijkinstrument.

**contrabassist'** bespeler v.d. contrabas.

**contrabazuin'** 10 m. lange orgelpijp met bazuinstem. **con'traboek** (*hand.*) boek met controle v. rekeningen; boek met uitgelote loten v. staatsloterij.

**contracep'tie** korte vorm van contraconceptie [*zie* **contra** en **conceptie**] *lett.*: het tegengaan v.d. ontvangenis = bevruchting; geboortebeperking. **contraceptief'** [modern Lat. *contraceptivum*, *mv -va*] middel dat bevruchting tegengaat, voorbehoedmiddel.

**contract'** [Lat. *contráctus*, v. *con-tráhere*, *-tráctum* = samen-trekken] verbintenis, overeenkomst, verdrag. **contracte'ren** [Fr. *contracter*] **1** een contract sluiten; **2** samentrekken. **contractant'** [Fr.] wie een contract sluit. **contrac'tie** [Lat. *contráctio*] samentrekking. **contractiel'** [Fr. *contractile*] samentrekbaar. **contractiliteit'** [Fr. *contractilité*] samentrekbaarheid. **contractueel'** [Fr. *contractuel*] volgens contract. **contractuur'** [Lat. *contractúra* = versmalling, samentrekking] (*med.*) blijvende samentrekking van spieren.

**con'tradans** (*muz.*) gezelschapsdans, uitgevoerd door tegenover elkaar geplaatste dansparen, bijv. de écossaise *z.a.*

**contradic'tie** [Lat. *contradíctio*, v. *contra-dícere*, *-díctum* = tegen-spreken] tegenspraak; tegenstrijdigheid. **contradictoir'** [Fr. *contradictoire*] tegenstrijdig; — *vonnis*, vonnis gewezen na tegenspraak. **contradicto'risch** m.e. hoedanigheid tegenstrijdig a.e. andere (contradictorische begrippen zijn bijv. groot en niet-groot; *vgl.* **contrair**). **contradic'tio**: — *in adjec'to* [Lat.] tegenspraak i.h. bijv. naamw. (bijv. koud vuur); — *in términis*, tegenspraak tussen de termen v.e. redenering.

**contrahe'ren** [Lat. *contráhere*, *zie* **contract**] samentrekken.

**con'tra-indicatie** [*zie* **indicatie**] omstandigheid of aanwijzing om een bep. maatregel niet te nemen, spec. om een bep. geneesmiddel niet voor te schrijven.

**contrair'** [Fr. *contraire*, v. Lat. *contrárius*] tegengesteld; tegenwerkend (contraire begrippen zijn bijv. groot en klein; *vgl.* **contradictorisch**).

**con'tramine** (*mil.*) tegenmijn; tegenstreving; speculatie met bedoeling de koers te doen dalen; *i.d.* — *zijn*, dwars zijn, anders willen dan iedereen. **contramineur'** speculant die koers tracht te doen dalen (baissier).

**con'trapositie** [*zie* **positie**] omkering v. bevestigde oordeel in ontkennend en omgekeerd. **con'trapost 1** (*boekh.*) boeking waardoor een andere, foutieve boeking wordt tenietgedaan; **2** (*kunst*) contrast, tegenwicht.

**con'traprestatie** [*zie* **prestatie**] tegenprestatie. **con'traprestatieregeling** regeling waarbij kunstenaars hun werk afstaan a.d. overheid in ruil voor een uitkering; contraprestatie kan ook betekenen: die uitkering zelf of het orgaan dat m.h. uitvoeren v.d. regeling is belast.

**con'trapunt** [Lat. *punctus contra punctum* = noot tegen noot] (*muz.*) de kunst v.h. samenvoegen van 'horizontale', gelijkwaardige melodieën. Het resultaat heet **polyfonie** (*z.a.*).

**Con'trareformatie** [*zie* **Reformatie**] Tegenhervorming, (*gesch.*) katholieke hervorming als reactie o.d Hervorming.

**con'traremonstrant** [*zie* **remonstrant**]

gomarist (z.a.). **con'trarevolutie** [zie **revolutie**] tegenrevolutie, weer omverwerping v. door een revolutie ontstane toestand.

**contra'rie** [Lat. contrárius, zie **contrair**] tegenovergesteld; tegen- (v. wind).
**contra'rie** ren tegenwerken.

**con'traseign** [Fr. contreseign, zie **signeren**] mede-ondertekening v. Koninklijk Besluit of v.e. wet door de verantwoordelijke minister.
**con'trasigneren** [Fr. contresigner] medeondertekenen.

**con'traspie** spie die i.e. andere spie wordt geslagen om het losraken van die andere te verhinderen.

**con'traspionage** [zie **spionage**] tegenspionage, het bespioneren v.d. vijandelijke spionagedienst.

**contrecoeur'** [Fr. contre v. Lat. contra = tegen, en coeur, Lat. cor = hart]: à —, met tegenzin, tegen het gemoed in.

**con'tredance** [Eng. country dance = eig.: landelijke dans] bep. reidans; figuur bij quadrille, à

**contrefort'** [Fr., v. contre, Lat. contra = tegen, en fort, Lat. fortis = sterk] 1 (bouwkunde) steunmuur; 2 (schoenmakerij) stijf stuk leer aan binnenkant v. hak v. schoen e.d. ter versterking en tot steun v.d. voet; ook: **konterfoor(t)** of komfoort.

**contrei'** [v. Fr. contrée, v. VLat. contráta = tegenoverliggend land; vgl. Eng. country] landstreek, oord.

**contribue'ren** [Lat. con-tribúere, -tribútum = toe-delen] bijdragen, spec. evenredig deel bijdragen. **contribuant'** [Fr.] wie zijn deel bijdraagt; belastingplichtige. **contribua'bel** [Fr. contribuable] belastingplichtig.
**contribu'tie** [Lat. contribútio] bijdrage, spec. die v. lid v.e. vereniging ter bestrijding v.d. kosten.

**contri'tie** [Fr. contrition, v. Lat. térere, tritum = wrijven] innig berouw.

**controle'ren** [Fr. contrôler, v. OFr. contreroller = een afschrift v.d. rol v.d. rekeningen houden] narekenen, nagaan, toezicht houden.
**controleur'** [Fr. contrôleur] wie officieel toezicht houdt; (in vroeger Ned. Oost-Indië) bep. bestuursambtenaar. **control'ler** [Eng.] economisch-financieel deskundige die deel uitmaakt v.d. directie v.e. bedrijf of instelling.

**controver'se** [Fr., v. Lat. controvérsia, v. controversári = twisten, v. contra en vértere, vertum = keren, wenden] strijdvraag, spec. op wetenschappelijk of godsdienstig gebied.
**controversieel'** [Eng. controversial], ook: **controversioneel'** bn onderwerp zijnde v.e. controversie, omstreden. **controvers'** bn (jur.) in geschil zijnde, betwist.

**contuma'cie** [Lat. contumácia, v. contumax, contumácis = zwellen] weerspannigheid tegen gerechtelijk bevel.
**conturba'tie** [Lat. conturbátio, v. con-turbáre, turbátum = verwarren] opschudding, verwarring.

**contu'sie** [v. Lat. contúsio = kneuzing, v. contúndere, contúsum = stuk stoten] (med.) contúsio cérebri, zgn. zware hersenschudding, waarbij hersenweefsel waarneembaar is beschadigd; zie verder onder **commotie**.

**conurba'tie** [v. Eng. conurbation, v. Lat. con-, z.a., en urbs, urbis = stad] stedenregio, d.w.z. twee of meer steden of gesloten agglomeraties (z.a.) die dicht bijeen zijn gelegen. De kernen daarin (steden en dorpen) zijn zelfstandig, maar sterk op elkaar betrokken, hoewel niet samengesmolten tot één complex. Zo vormen Zaanstreek, IJmond, Haarlem, Amsterdam via Utrecht tot de Utrechtse Heuvelrug een conurbatie. (Vgl. **agglomeratie** en **conglomeratie**.)

**co'nus** [Lat., v. Gr. koonos = denneappel] kegel (als wiskundig lichaam). **co'nisch** kegelvormig.

**convalescent'** [v. Lat. convaléscens, -éntis, v. convaléscere, v. valére = waard zijn, gezond

zijn] I bn herstellend van ziekte; II zn zieke a.d. beterende hand, herstellende.

**convalescen'tie** [v. Lat. convalescéntia = genezing] 1 herstel van ziekte; 2 ook: het weer van kracht worden.

**convec'tie** [v. Lat. convéctio = het bijeenbrengen, v. con-, z.a., en véhere, véctum = bewegen, voeren, brengen] 1 overbrenging van warmte door stromende moleculen in gas of vloeistof, dus door een zich bewegende middenstof; 2 (met.) opstijgende of dalende luchtmassa's (dus verticale beweging) i.d. dampkring. **convec'tor** [modern Lat.] verwarmingstoestel dat lucht, na deze te hebben verwarmd, in stroming brengt en dus warmte voornamelijk overdraagt door convectie en in veel mindere mate door straling.

**convenië'ren** [v. Lat. con-venire = samen-komen; ook: passen, voegen, geschikt zijn; ook: overeenkomen, overeenstemmen, in goede verstandhouding staan; convenire, convéntum v. con-, z.a., en veníre = komen] 1 gelegen komen, passen (bijv.: deze aankoop convenieert me niet = kan ik me nu niet veroorloven); 2 afspreken, overeenkomen (bijv.: deze maatregel is niet geconvenieerd, is niet overeengekomen). **convena'bel** [Fr. convenable] geschikt, fatsoenlijk, gepast.
**convenant'** overeenkomst, afspraak.
**convenient'** [v. Eng. convenient, v. Lat. convéniens, conveniéntis, o.dw. v. convenire, zie **convenieren**] 1 passend, gepast; 2 inschikkelijk. **convenien'tie** [v. Lat. conveniéntia = overeenstemming, harmonie, sympathie] 1 gepastheid, betamelijkheid; 2 inschikkelijkheid.

**convent'** [v. Lat. convéntus = het samenkomen; vergadering, vereniging, gezelschap] 1 (alg.) bijeenkomst; 2 (spec.) samenkomst van kloosterlingen v.e. klooster; het klooster zelf. **conven'tie** [v. Lat. convéntio = samenkomst; ook: overeenkomst, afspraak, verdrag] 1 verdrag, overeenkomst; 2 etiquetteregel; vormelijkheid.
**conventioneel'** [Fr. conventionnel, v. Lat. conventionális = het verdrag betreffende] 1 berustend op overeenkomst of gewoonte; 2 volgens de vormelijke regels; conventionele wapens, oorlogswapens die geen kernwapens zijn. **conventue'len** mv [v. kerk. Latijn conventuáles, o.dw. v. convéntus = kloostergemeenschap] personen die t.e. bep. klooster behoren. **Conventue'len** eigennaam van een der drie autonome kloosterorden waarin de oorspronkelijke orde van St. Franciscus (minderbroeders) i.d. loop der tijden is gesplitst. De officiële naam is Ordo Fratrum Minórum Conventuálium, afk. O.F.M.Conv., = Orde der minderbroeders-conventuelen.

**converge'ren** [v. VLat. convérgere, v. Lat. con-, z.a., en vérgere = ergens heen gericht zijn] 1 (alg.) het zich richten en samenkomen in één punt (v. lichtstralen, lijnen, verkeerslijnen, e.d., ook fig. van strevingen); 2 (algebra) het steeds kleiner worden van termen v.e. rij getallen, bijv.: 1, 1/2, 1/4, 1/8 … convergeert naar 0, d.w.z.: hoe verder men de rij getallen voortzet, hoe dichter de laatste term 0 nadert. **convergent'** [v. Lat. vérgens, vergéntis, o.dw van vérgere] 1 (alg.) naar één punt gericht en daar samenkomend; 2 (algebra): convergente rij, zie **convergen** 2. **convergen'tie** 1 (alg.) het gericht zijn op en het samenkomen in één punt; 2 (biol.) het verschijnsel dat planten en dieren uit geheel verschillende groepen door aanpassing a.h. milieu een grote overeenkomst vertonen in uitwendige lichaamsbouw en levenswijze, bijv.: zeezoogdieren zoals walvisachtigen en vissen.

**conver'sie** [v. Lat. convérsio = omdraaiing, zie **converteren**] 1 (alg.) omzetting; spec. bekering; 2 (economie) de omzetting v.e. lening van hoge rente i.e. van lagere rente; ook:

omwisseling van (converteerbare) obligaties in aandelen; **3** (*psychiatrie*) het verschijnsel dat een persoonlijk conflict m.d. daarmee gepaard gaande spanning wordt verdrongen, en tot uiting komt in lichamelijke klachten (*bijv.*: evenwichtsstoornissen, pijnen); **4** (*logica*) omkering v.e. logische prepositie, *bijv.*: 'geen christen is een heiden' kan men omzetten in: 'geen heiden is een christen'.

**converte'ren** [v. Lat. *con-vértere*, *vérsum* = omdraaien, v. *-vértere* = keren] verwisselen, veranderen.

**conver'tor** [modern Lat.] (*techn.*) peervormige retort voor staalbereiding (bessemerpeer).

**convex'** [Lat. *convéxus* = naar onder of boven aflopend, *vandaar*: bolrond gewelfd, v. *convehi* = samengebracht worden, v. *con-* en *véhere* = bewegen] bolrond.

**convex-concaaf'** bol-hol.

**convict'** [v. Lat. *convictus*, v. *con-vívere*, *-víctum* = samen-leven] huis waarin priesters en/of toekomstige priesters, die studeren aan een hoger-onderwijs-instelling, samenwonen.

**convince'ren** [Lat. *con-víncere*, *-víctum* = volkomen overwinnen, overtuigen] overtuigen. **convic'tie** [Lat. *convíctio*] overtuiging.

**convi'vium** [Lat. v. *con-vívere* = samen-leven] gastmaal.

**convoce'ren** [Lat. *con-vocáre* = samen-roepen] oproepen ter vergadering. **convoca'tie** [Lat. *convocátio*] zn.

**convul'sie** [Lat. *convulsio*, v. *convellere*, *-vúlsum* = geheel uiteenrukken; *convélli* = uiteengerukt worden, kramp krijgen] hevige kramp, stuiptrekking. **convulsief'** [Fr. *convulsif*] stuiptrekkend.

**coöpere'ren** [Lat. *co-operáre* = samen-werken, v. *opus*, *óperis* = werk] samenwerken spec. op handels- of economisch terrein. **coöpera'tie** afk. **coöp.** [Lat. *cooperátio*] samenwerking; vereniging die het stoffelijk welzijn van haar leden bevordert door gezamenlijk handelen. **coöperatief'** [Fr. *coopératif*] samenwerkend; een coöperatie betreffend.

**coöpte'ren** [Lat. *co-optáre* = bij-kiezen] nieuwe leden aannemen (door de leden v.e. vereniging). **coöpta'tie** [Lat. *cooptátio*] zn.

**coördine'ren** [Fr. *coordiner*, v. *co-* en Lat. *ordináre* = ordenen, v. *ordo*, *órdinis* = orde] rangschikken, naast elkaar schikken zodat een ordelijke samenhang ontstaat, zaken naar elkaar voegen. **coördina'tie** [Fr. *coordination*] **1** zn; **2** (*taalk.*) nevenschikking. **coördina'ten** *mv* grootheden v.e. stelsel van lijnen of vlakken (*coördinatenstelsel*) die de ligging v.e. punt, lijn of vlak bepalen. **coördina'tor** [modern Lat.] persoon die bij de uitvoering v.e. veelomvattend werk zorgt dat de verschillende werkzaamheden goed bij elkaar aansluiten en i.d. juiste volgorde verlopen.

**copart'nership** [Eng., *zie* partner] het deelhebben in winst en bedrijfskapitaal van employés v.h. bedrijf.

**copeau'** [Fr.] (*cul.*) schil van citroen e.d.

**Copernicaans'** volgens de leer van Copérnicus (1473-1543), die de zon i.h. middelpunt v.h. heelal plaatste, tegenover de destijds geldende opvatting dat de aarde het middelpunt was; *-e zwaai*, algehele verandering van standpunt.

**co'pia verbo'rum** [Lat.] woordenschat.

**copieus'** [Fr. *copieux*, v. Lat. *copiósus*, v. *cópia* = overvloed, v. *co-opia*, v. *ops*, *opis* = vermogen, rijkdom] overvloedig.

**copiïst'** [Fr. *copiste*; *zie* kopiëren] overschrijver.

**cop'la** [Sp.] bep. dichtvorm (in vier regels).

**coplanair'** [Lat. *co-*, *z.a.* en *planus* = vlak] (*wisk.*) in hetzelfde platte vlak gelegen.

**co'pra** *zie* kopra.

**co'produktie** [Lat. *co-*, *z.a.* en *producere*,

*productum* = voortbrengen] gezamenlijke produktie, spec. i.d. wereld van toneel, film en revue.

**coprofagie'** [Gr. *kopros* = uitwerpselen, en stam *fag-* = eten] het eten van uitwerpselen.

**coproliet'** [Gr. *kopros* = uitwerpselen, en *lithos* = steen] **1** dreksteen, versteende uitwerpselen van prehistorische dieren; **2** (*med.*) darmsteen.

**co'promotor** [Lat. *co* = korte vorm van *com* = samen met, bij, en *promotor* v. *promovére* = voorwaarts bewegen] tweede promotor bij academische promotie.

**co'pula** [Lat. v. *co-apula*, v. dezelfde stam als *ápere* = vasthechten] **1** verbinding, band; **2** (*taalk.*) koppelwoord; **3** (*muz.*) koppeling v. klavieren v. orgel; **4** (*biol.*) paring. **copule'ren** [Lat. *copuláre*] koppelen, verbinden; (*biol.*) paren; enten v. vruchtbomen. **copula'tie** [Lat. *copulátio*] zn. **copulatief'** [Lat. *copulatívus*] koppelend, verbindend.

**co'py** [Eng., v. Fr. *copie*, v. Lat. *cópia* = bezit, middel; *vgl. dare cópiam legéndi* = de gelegenheid geven om te lezen = een boek geven] exemplaar v.e. boek. **co'pyright** [Eng.] auteursrecht; recht v.d. uitgever. **co'pywriter** [Eng.] schrijver van reclameteksten.

**coquet'** *zie* koket. **coquet'te** kokette vrouw.

**coquil'le** [Fr.] (*cul.*) schelp.

**cor-** = **com** (*cum*) vóór **r**.

**co'ram po' pulo** [Lat. = *lett.*: i.h. aangezicht v.h. volk] i.h. publiek.

**cordiaal'** [Fr. *cordial*, v. Lat. *cor*, *cordis* = hart] hartelijk; hartstrekkend. **cordialiteit'** [Fr. *cordialité*] hartelijkheid.

**cordiet'** [Fr. *cordie* = koord, v. Lat. *chorda*] bep. rookloos explosief (naar het uiterlijk).

**cordon'** *zie* kordon.

**cordon' bleu** [Fr. = blauw lint] **1** naam voor een zeer goede kokkin (vroeger 'onderscheiden' met een blauw lint); **2** (*cul.*) toevoeging achter naam v.e. gerecht (bijv. kalfsoester) om aan te geven dat dit gevuld is met ham en kaas.

**corduaan'** [Sp. *cordobán* = van Cordova] bep. geiteleer.

**cor'duroy** [*missch.* v. Fr. *corde du roi* = koningskoord] ruwe dikke geribde katoenen stof.

**co'-referent** [Lat. *co-*, *z.a.* en *refero*, o.dw *referens* = verslag uitbrengen] iemand die naast iemand anders over een zaak verslag uitbrengt, spec. (bij een promotie, *z.a.*) iemand die naast de promotor het proefschrift beoordeelt.

**Corin'thisch:** — *zuil*, zuil met klokvormig kapiteel versierd met acanthusblad-motieven (*vgl.* **Dorische** en **Ionische**).

**cork tip'ped** [Eng.] (sigaret) met kurken mondstuk. (*Vgl.* **gold tipped.**)

**corna'ge** [Fr.] strottehoofdaandoening bij paarden, waardoor de ademhaling wordt bemoeilijkt.

**cor'nea** [Lat. *córnea tela* = hoornachtig weefsel, v. *cornu* = hoorn] hoornvlies v.h. oog.

**cor'ner** [Eng. = hoek, v. OFr. *cornier*, uiteindelijk v. Lat. *cornu* = hoorn] (Am. *hand.*) combinatie v. makelaars of opkopers om alle voorraden in handen te krijgen en daarna de prijs op te drijven; (*voetbal*) hoekschop, (*hockey*) hoekslag.

**cornet'** [Fr. = hoorntje] **1** *zie* kornet; **2** (*cul.*) puntig hoorntje met vulsel, puntzak voor het spuiten van room e.d.

**corni'che** [Fr.] kroonlijst, hoek v.e. omlijsting; *ook*: rand van stuifsneeuw o.e. bergkam.

**cornichon'** [Fr.] (*cul.*) augurk.

**corol'la** [Lat. = kransje voor toneelspelers als huldeblijk, v. *corólla*, verklw. v. *coróna* = kroon] bloemkroon.

**corolla'rium** [Lat. = kransje voor toneelspelers als huldeblijk, v. *corólla*, verklw. v. *coróna* = kroon] geschenk; aanhangsel, spec. verklarend aanhangsel bij bewezen stelling met nadere bijzonderheden.

**coroman'del** in 't Ned. *gestreept ebbehout*, houtsoort v. Celebes en de Molukken.

**coro'na** [Lat., v. Gr. *koroonè*] kroon;

(*astronomie*) buitenste laag v.d. zonne-atmosfeer. **coronair**': -*e slagaders*, de kransslagaders (die het hart als een kroon omringen) welke de hartspier van zuurstofrijk slagaderlijk bloed voorzien.

**co'roner** [Eng., v. Anglo-Frans *corouner*, v. *coroune*, Lat. *coróna* = kroon] gerechtelijk lijkschouwer (ambtenaar v.d. Kroon).

**cor'pora** [Lat. *mv* van *corpus*] studentenverenigingen.

**corpora'tie** [Lat. *corporátio*, v. *corpus*, *córporis* = lichaam] vereniging, gilde, beroeps- of bedrijfsorganisatie. **corporatief**' [Fr. *corporatif*] behorend tot of v.e. corporatie; volgens het stelsel van corporaties; *corporatieve staat*, staat gegrondvest o.e. maatschappij, waarin groepen met elk bep. gemeenschappelijke belangen (corporaties) organisch samenwerken. **corporatis'me** (het streven naar) staatsordening met corporaties. **corporeel'** [Fr. *corporel*, Lat. *corporális*] lichamelijk.

**corps** (*uitspraak* còr) [Fr., v. Lat. *corpus* = lichaam] studentenvereniging; — *diplomatique*, afk. *C.D.*, de gezamenlijke gezanten b.e. hof. *Zie verder* **korps.**

**corpulent'** [Lat. *corpuléntus*, v. *corpus* = lichaam] zwaarlijvig, gezet. **corpulen'tie** zwaarlijvigheid.

**cor'pus** *mv* **cor'pora** *zie* **korpus**; — *delícti* [Lat.] het voorwerp waarmee het misdrijf is gepleegd; *Córpus Júris Canónici* (C.I.C.), kerkelijk Wetboek.

**corpus'culum** *mv* **-la** [Lat. = verklw. v. *corpus* = lichaam] materiedeeltje (bijv. elektron). **corpusculair'** [Fr. *corpusculaire*] corpuscula betreffend; —*e stralen*, stralen bestaande uit materiedeeltjes.

**cor'ral** [Sp. v. *corro* = kring v. toeschouwers; v. *corretoros* = stieregevecht geven, v. Lat. *cúrrere* = lopen] kraal, ringvormige omheining voor vee.

**corra'sie** [Lat. *cor*-, *z.a.* en *rádere, rasum* = schaven] (*geol.*) slijpende werking van zand(storm) en stromend water.

**correaal'** [Lat. *cor*-, *z.a.* en *réus* = schuldig, verplicht om iets te doen] (*jur.*) hoofdelijk aansprakelijk.

**correct'** [Lat. *corrígere, -réctum* = recht maken, v. *con-* en *régere* = richten] zonder fouten; i.d. juiste vorm; volgens de eisen (v. welvoeglijkheid, eerbaarheid e.d.). (De zegswijze: dat is correct, i.d. betekenis: dat is juist, is een anglicisme). **correc'tie** [v. Lat. *corréctio*] **1** verbetering v.e. fout of onnauwkeurigheid; **2** terechtwijzing, tuchtiging tot rechtzetting v.e. begane fout; **3** (*Z.N.*) politiekamer.

**correlaat'** [v. Lat. *con-* en *reférre, relátum* = terug-dragen, op iets terug-voeren] wederzijds betrekkelijk begrippenpaar. **correla'tie** [Fr. *corrélation*] wederzijdse betrekking, onderlinge afhankelijkheid. **correlatief'** [Fr. *corrélatif*] met wederzijds verband. **correle'ren** in correlatie staan of brengen met.

**corridor'** [Fr., v. It. *corridóre*, v. *córrere*, Lat. *cúrrere* = lopen] gang; smalle strook door gebied v.e. andere mogendheid (bijv. om verbinding met zee te hebben).

**corrige'ren** [Lat. *corrígere*, *-rectum* = rechtmaken, v. *con-* en *régere* = richten] **1** verbeteren; **2** berispen.

**corrigen'da** [Lat. = *lett.*: zaken die moeten worden verbeterd] (lijst van) nog aan te brengen verbeteringen of fouten.

**corrigen'tia** *mv*; **cor'rigens** *ev* [Lat. *córrigens, corrigéntis* = o.dw.] bestanddelen van geneesmiddelen om smaak en reuk te verbeteren.

**corrobora'tie** [v. Lat. *cor-roboráre* = ver-sterken, v. *róbor = róbur* = sterkte] versterking; staving (v.e. argument, v.e. redenering). **corroboratief'** [Fr. *corroboratif*] **I** *bn* versterkend; **II** *zn* versterkend middel [Fr. *corroborant*].

**corrode'ren** [Lat. *cor-ródere, -rósum* = stuk-knagen] uitbijten, wegbijten, invreten, aantasten. **corro'sie** [Fr. *corrosion*] **1** ongewenste aantasting v.e. materiaal, spec. een metaal, beginnend b.h. oppervlak; **2** (*geol.*) chemische aantasting van gesteenten door water, waarbij humuszuren en koolzuur een grote rol spelen (verwering); **3** aantasting van vaste stoffen door bijtende middelen. **corrosief'** [Fr. *corrosif*] invretend, bijtend.

**corrumpe'ren** [Lat. *cor-rúmpere, -rúptum* = geheel verscheuren] bederven, omkopen; corrupt zijn of worden. **corrupt'** [Lat. *corrúptus*] bedorven spec. in politiek of zedelijk opzicht; omkoopbaar. **corrup'tie** [Lat. *corrúptio*] bederf; omkoping.

**corsa'ge** [OFr. *cors*, v. Lat. *corpus* = lichaam, lijf] **1** lijfje v. japon; **2** garnering, versiersel, meestal van bloemen of kunstbloemen, (o.d. corsage **1** gedragen).

**corselet'** [Fr.] combinatie van bustehouder en korset (*z.a.*).

**corsetterie'** [Fr.] winkel van korsetten e.d.

**cor'so** [It. = paardenrenbaan; *vgl.* *cúrrere* = lopen, rennen] optocht v. versierde wagens.

**cortège** [Fr., v. It. *corteggio*] stoet, geleide, optocht; gevolg.

**Cor'tes** [Sp. & Port. = *lett.*: hofhoudingen] volksvertegenwoordiging, parlement.

**cor'tex** [Lat.] **1** (*biol.*) bast, schil, schors; **2** (*anat.*) buitenste laag v.e. orgaan.

**cortison'** (*med.*) hormoon u.d. bijnierschors, werkzaam tegen ontstekingen.

**corvee'** [Fr. *corvée*, v. VLat. *corrogáta* (*ópera*) = gerequireerd (werk) v. Lat. *rogáre, rogátum* = vragen] heredienst, verplichte dienst zonder loon, (*mil.*) huishoudelijke dienst; (*fig.*) vervelend werk.

**coryfee'** [Lat. *coryphéus*, v. Gr. *koruphaíos* = aanvoerder, v. *koruphé* = top, kruin, hoofd] uitmunter, wie belangrijke prestaties verricht op een bep. terrein.

**co'secans** afk. cosec. [*zie* **secans**] secans v. complement v.e. hoek.

**co'sinus** afk. cos. [*zie* **sinus**] sinus v. complement v.e. hoek.

**cosme'tica** [v. Gr. *kosmos* = indeling (*kosmeoo* = regelen), orde, sieraad] schoonheidsmiddelen, *zie* **kosmetica**. **cosmetiek'** [*zie* **kosmetiek**] cosmetica.

**cosmora'ma** [Gr. *kosmos* = wereld, en *horama* = schouwspel v. *horaoo* = zien] voorstelling in panorama van bekende plaatsen i.d. wereld.

**cos'ti** [It.] (al)daar; *a costi* = ten uwent.

**costu'men** *mv* [Fr. *costume*, v. It. *costume*, v. Lat. *consuetúdo* = gewoonte] gebruiken, gewoonten. **costume'ren** *zie* **kostumeren.**

**costumier'** [Fr.] wie kostuums maakt, verkoopt of verhuurt; wie de kostuums in schouwburg verzorgt. **costumière** [Fr.] dameskleermaakster. **costuum'** *zie* **kostuum.**

**co'sy** [Eng. = *lett.*: comfortabel, gezellig (verkorting van *teacosy*)] theemuts. **co'sy-cor'ner** [Eng.] hoeksofa.

**cotan'gens** afk. cotan. [*zie* **tangens**] tangens v. complement v.e. hoek.

**côte de porc** [Fr.] (*cul.*) varkensrib.

**coteli'ne** [Fr. *cotelé* = geribd] dwarsgeribde meubelstof met ingeweven motieven.

**coterie'** [Fr. = *oorspr.*: verzameling van plattelandsbevolking, v. OFr. *cote* = hut; *vgl.* Eng. *cottage*] intieme kring, exclusieve partij of club; kliek.

**cot'tage** [Eng., v. OFr. *cote* = hut] landhuisje.

**cotyledo'nen** [v. Gr. *kotulèdoon* = komvormige holte, v. *kotulè* = holte] (*plk.*) zaadlobbige planten.

**couche'ren** [Fr. *coucher*, v. Lat. *collocáre*, v. *con-* en *locáre* = plaatsen, neerleggen, v. *locus* = plaats] **1** naar bed gaan of te bed leggen; **2** te boek stellen. **cou'che** [Fr.] **1** aardlaag; **2** (*schilderk.*) verflaag. **couchet'te** [Fr.] kooi aan boord v. schip, slaapplaats in trein.

**coula'ge** [Fr. v. *coule* = verspilling]

**vloeistofverlies** (door lekkende vaten).
**coulant'** [Fr., v. *couler* = vloeien, v. Lat. *coláre* = filtreren] vlot, inschikkelijk in zakelijke aangelegenheden. **coulan'ce** *zn.*
**couleur'** [Fr. v. Lat. *color* = kleur] kleur; verf; —*locale*, plaatselijke kleur (bijv. in roman de beschrijving v. lokale toestanden).
**coulis'** [Fr.] (*cul.*) dikke saus of soep, dik nat.
**coulis'se** [Fr. v. OFr. *couleis*, v. Lat.* colaticius*, v. *coláre* = filtreren, vloeien] oorspr. schuifdeur; niet vaste zijwand v. toneeldecor.
**couloir'** [Fr.] wandel- of verbindingsgang; (*geol.*) nauwe steil oplopende bergkloof.
**coulomb'** afk. **C** bep. hoeveelheid elektriciteit, namelijk die welke per seconde door een willekeurige doorsnede v.e. geleider stroomt bij een stroomsterkte v. 1 ampère [naar Charles-Augustin de Coulomb, Fr. natuurkundige, 1736-1806].
**coun'selen** [Eng. *to counsel* = adviseren, v. Fr. *conseiller*, v. laat-Latijn *consiliáre*, v. Lat. *consílium* (eig.: het erbij springen) raad] (*psych.*) iem. helpen in zijn moeilijkheden, niet zozeer door rechtstreekse raad, dan wel door gesprekken met hem te voeren die hem inzicht in zijn eigen moeilijkheden kunnen verschaffen.
**count** [Eng., v. OFr. *conte*, v. Lat. *comes*; *vgl.* It. **conte**] graaf. **coun'tess** [Eng., *vgl.* It. **contessa**] gravin.
**count down** [Am.] het aftellen (systematische controle) voor start van raket.
**coun'teren** [v. Eng. = *to counter* = *eig.*: tegenzet doen v. Fr. *contre*, Lat. *contra* = tegen] (*sport, spec. voetbal*) een snelle onwerkte tegenaanval doen vanuit verdedigingspositie. **coun'ter** een dergelijke tegenaanval.
**coup** [Fr., v. VLat. *colpus*, v. Lat. *cólaphus*, v. Gr. *kólaphos* = slag] slag, trap, greep e.d.; —*d'état*, staatsgreep; —*de grace*, genadeslag; —*de théâtre*, toneeltruc; onverwachte wending (*vgl. ook*: **deus ex machina**).
**cou'pe** [Fr. v. *couper* = snijden, hakken] **1** snit (v. kleren en haar); **2** het afnemen v.d. kaarten bij kaartspel; **3** [v. Lat. *cupa* = kuip] drinkbeker, schaal; zijstuk op schoorsteenmantel naast pendule; **4** (*cul.*) ijs met slagroom, vruchten e.d., opgediend in laag, wijd glazen of zilveren bakje op voet (zelf ook coupe geheten). **coupe'ren** [v. Fr. *couper*] afsnijden; staart inkorten (bij paard, bij hond ook oren inkorten); bijtijds de pas afsnijden, verhinderen, aftroeven; de kaarten afnemen bij kaartspel. **coupeur'** [Fr.] kleermaker die de stof op maat knipt.
**coupeu'se** [Fr.] vrouw die stof op maat knipt; gediplomeerde naaister.
**coupero'se** [Fr.] (*med.*) huidaandoening met rode vlekken door gesprongen adertjes.
**coupon'** [Fr., v. *couper* = snijden] lap stof, spec. overgebleven laatste stuk v.e. rol; rentebewijs v. obligatie. **coupu're** [Fr.] insnijding; afsnijding van een bocht in een rivier e.d.; weglating v. stukken u.e. toneelstuk, opera, boek e.d.; bankbiljet met waarde v.e. onderdeel v.groter bankbiljet; stuk dat een onderdeel v.d. waarde v.e. effect vertegenwoordigt.
**cour** [Fr., v. OFr. *cort*, v. Lat. *co(ho)rs*, *co(ho)rtis* = *eig.*: omheinde plaats voor vee, v. *co-* = samen (en *vgl. hortus* = tuin, hof)] **1** hof;—*maken*, het hof maken; **2** (*Z.N.*) (ook: **koer**) binnenplaats, spec. open plaats bij huis waar de privaten resp. urinoirs zijn; (*bij scholen*) speelplaats.
**coura'ge** [Fr., v. OFr., v. Lat. *cor* = hart (als zetel v. gemoed)] moed, manhaftigheid.
**courageus'** [Fr. *courageux*] moedig, onverschrokken.
**courant'** [Fr., o.dw van *courir* = Lat. *cúrrere*, *cúrsum* = lopen] **I** *bn* gangbaar (-e maat); geregeld verkocht en in prijscourant genoteerd (- artikel); lopend (kleine schuld); **II** *zn* **1** gangbaar betaalmiddel; **2** krant, nieuwsblad.
**couran'te** [Fr. v. *courir*, o.dw *courant* =

**lopend**] oorspr. oude hoofse dans in 3-delige maat en snel tempo, vanaf begin 17e eeuw. Handhaafde zich t.h. midden van de 18e eeuw (Bach) als vast onderdeel v.d. suite (*z.a.*).
**courantier'** [Fr.] dagbladschrijver; *ook*: redacteur of uitgever v. krant, kranteman.
**courget'te** *zie* **zucchetti**.
**courier'** [Fr.] reisleider. **cours** [Fr., v. Lat. *cúrsus* = loop, ren; *vgl.* Eng. *course*] loop, koers, wedren.
**courta'ge** [v. MLat. *cociatia*, of *cocianatúra*, v. *cócio*, *cociónis* = tussenpersoon, makelaar, Fr. *courtier*] loon v. makelaar, provisie.
**court-bouillon'** [Fr.] gearomatiseerd kookvocht, gemaakt van water, wijn en azijn of olijfolie, met kruiderijen en specerijen, voor het bereiden van vis, groenten enz.
**court d'argent'** [Fr. *court* = kort] het slecht bij kas zijn, geldgebrek.
**courtisa'ne** [Fr., v. It. *cortigiana*, vr. v. *cortigiano* = man a.h. hof, *zie* **cour**] oorspr.: hofdame, vaak van losse zeden. **courtoisie'** [Fr., v. *cour* = hof] hoffelijkheid spec. jegens dames, beleefdheid.
**court-pendu'** [Fr.] agaatappel (*ook*: **korpendu**).
**coûte que coûte** [Fr.] koste wat het kost, tegen elke prijs.
**couteus'** [Fr. *coûteux*] duur.
**coutu're** [Fr., v. *coudre* = naaien, v. Lat. *consúere* = samen-naaien]: *haute*—, fijne naaikunst, kleermakerij v. stand. **couturier'** [Fr.] dameskleermaker.
**couvert'** [Fr., v. *couvrir* = Lat. *co-operire* = bedekken] **1** tafelbenodigdheden voor één persoon; *per*—, per persoon; **2** briefomhulsel, enveloppe.
**couvertu're** [Fr. *couvrir*, *couvert* = bedekken] **1** boekomslag; **2** chocolade voor bonbons en garnering; **3** deksel.
**couveu'se** [Fr., v. *couver* = broeden, v. Lat. *cubáre* = neerliggen] broedmachine; apparaat om te vroeg geboren kinderen op tempatuur te houden.
**co'ver** [Eng., v. *to cover* = bedekken, v. OFr. *cuvrir*, v. Lat. *co-operíre*] **1** omslag van boek, tijdschrift, hoes v. grammofoonplaat e.d.; **2** namaak. **co'vercoat** (géén oorspr. Eng. woord; betekenis ongev.: dekjas) bep. stof v. getwijnd kamgaren of van kamgaren en katoen voor herenjassen en -kostuums. **co'veren** [v. Eng. *to cover* = bedekken] **1** een nieuw loopvlak aanbrengen op glad gesleten autobanden; **2** imiteren, spec. het opnemen van een muziekstuk dat door andere artiesten is gecomponeerd en op de plaat gezet.
**co'ver-girl** [Eng.; *girl* = meisje] meisje of jonge vrouw waarvan de (meestal min of meer pikante) foto op de omslag v.e. tijdschrift is afgebeeld. **co'ver-story** [Eng.; *story* = verhaal] omslagartikel, d.w.z. artikel in tijdschrift waarop de afbeelding o.d. omslag slaat.
**coxi'tis** [Lat. *coxa* = heup, en -*itis*, *z.a.*] heupgewrichtontsteking.
**crack** [Eng., v. *to crack* = kraken; *lett.*: iemand die tegenstanders 'kraakt'] (*sport*) uitblinkende speler; *ook*: beste paard v.e. renstal.
**crampon'** [Fr., v. VLat. *crámpo*, *crampónis*, v. stam *cram* = ergens insteken] klimijzer met meestal tien tanden, dat a.d. schoen wordt bevestigd bij beklimmen v. gletsjers of hellingen met harde sneeuw.
**cran'berry** [Eng., via Noordamerikaanse kolonisten van Duitse oorsprong v. Nederduits *Krônbere*] Amerikaanse veenbes of lepeltjeheide (*Oxycóccus macrocárpos*).
**cranerie'** [Fr. *crâne* v. Gr. *kranion* = schedel] overmoedig gedrag, dolle streek (v. iemand die 'een *kraan*' wil zijn).
**crank** [Eng., waarsch. v. OEng. *cringan* = omkrullen] verbindingsstuk tussen pedaal v.e. fiets en trapas.
**crapaud'** [Fr. = *lett.*: pad (dier)] kleine lage fauteuil.

**crapu'le** [Fr., v. Lat. *crápula* = dronkenschap, v. Gr. *kraipalè* = roes] gepeupel, gespuis; liederlijk persoon, schoft. **crapuleus'** [Fr. *crapuleux*] liederlijk, laag, beestachtig.

**craquelé'** [Fr., v. *craquer*, v. *crac*: krak!] barsten in email, in glazuur v. porselein of in vernislaag v. schilderij.

**crash** [Eng., klanknabootsing, missch. verband met Zweeds *krasa* = breken, *vgl.* Ned. *kraken*] ernstig ongeluk met motorvoertuig of vliegtuig. **cra'shen** [Eng. *to crash*] *ww.*

**cra'sis** [Gr. *krasis* = menging, v. *kerannumi* = mengen] samentrekking v. twee klinkers tot een klank, spec. v. laatste en eerste v. twee woorden in samenstelling (bijv. Lat. co-opia wordt copia).

**crava'te** [Fr., v. Du. *Krawatte*, *lett.*: Kroatiër; wegens dracht v.d. Cravates, een vroeger Fr. regiment v. vreemdelingen] heren-halsdoek, herendas.

**crawl** [Eng., *waarsch.* v. Noors woord; *vgl.* Deens *kravle* = kruipen, Zweeds *krafla* = tastend voelen] (*lett.*: kruipen); bep. slag bij zwemmen.

**crayon'** [Fr., v. *craie*, v. Lat. *creta* = krijt] potlood, potlood- of krijttekening.

**cream** [Eng., v. OFr. *cresme*, Fr. *crême*, v. Lat. *chrisma*, z.a.] room.

**creationis'me** [v. Lat. *creátio*, v. *creáre*, *creátum* = scheppen, en -*isme*] (*biol.*) *oorspr.*: leer dat alle diersoorten en plantesoorten door de Schepper elk afzonderlijk zijn geschapen en dat deze soorten c.q. geslachten niet aan verandering onderhevig zijn; *thans*: de afwijzing v. evolutie door streng-prot. groeperingen.

**creatuur'** [Lat. *creatúra*] **1** schepsel, spec. de mens; **2** vreemd of meelijkwekkend schepsel; *ook* minachtend *dát creatuur!*; **3** persoon die zijn positie heeft verkregen niet op grond van zijn bekwaamheden maar enkel door de gunst v.e. hooggeplaatste persoon.

**credentiaal'** [v. Lat. *credentialis* = introductiebrief] geloofsbrief; (*prot.*) schriftelijk bewijs van afvaardiging om a.e. vergadering te kunnen deelnemen.

**cre'dit** afk. **cred.** [Fr. *crédit*, v. Lat. *crédere*, *créditum* = geloven, vertrouwen, *eig.*: *cor dare* = het hart geven; *zie ook* **krediet**] tegoed, te vorderen posten in boekhouding (*vgl.* **debet**).

**cre'dit-card** [Eng. *card* = kaart] door banken, ondernemingen e.d. uitgegeven kunststof plaatje, op vertoon waarvan men in bep. hotels, restaurants en winkels resp. kan logeren, eten en kopen.

**credite'ren** [Fr. *créditer*] op creditzijde boeken; vertrouwen schenken; op vertrouwen geven. **crediteur'** [Fr. *créditeur*] schuldeiser.

**cre'do** [Lat. = ik geloof] *zn* de geloofsbelijdenis (naar eerste woord v.d. katholieke geloofsbelijdenis); geloof (iemands politiek—). **creduliteit'** [Lat. *credúlitas*, v. *crédulus* = lichtgelovig] lichtgelovigheid.

**crème** [Fr. = *lett.*: room; *zie* **cream**] (*cul.*) **1** soort romige vla; **2** soort gebonden soep met room; **3** (*likeuren*) *crème de ...* vv voor naam likeur om aan te duiden dat deze extra zoet is (bijv. *crème de cacao*; *crème de menthe*); **4** (*fig.*) het neusje v.d. zalm, het beste, het fijnste [Fr. *la crème de la crème*]; **5** (*kosmetiek*) huidzalf.

**cremo'na** bep. beroemde soort Italiaanse viool [naar stad Cremona].

**cre'mor tar'tari** [Lat. *crémor* = brij; modern Lat. *ácidum tartáricum* = wijnsteenzuur] in 't Ned. *wijnsteen* (want vormt een harde laag op de wand v. wijnvaten), kaliumwaterstoftartraat, het zure kaliumzout v. rechtsdraaiend wijnsteenzuur, KOOC(CHOH)$_2$COOH. Dit wordt in div. technieken gebruikt.

**crenele'ren** [Fr. *créneler*, v. Lat. *crena* = inkeping, kerf] kerven, tanden; (munten) kartelen; (muur) v. schietgaten voorzien.

**crenologie'** [Gr. *krènè* = bron, *zie verder* **-logie**] letterkundig bronnenonderzoek.

**Creool'** [v. Sp. *criollo*, door negers gevormd woord, missch. v. Sp. *criadillo*, verklw. v. *criado* = geteeld, v. *criar* = Lat. *creáre* = scheppen] volbloed Europeaan in tropisch Amerika geboren; afstammeling van Europeanen in Latijns-Amerika en West-Indië; minder juist: persoon aldaar van gemengd Europees en niet-Europees bloed.

**creosoot'** [Fr. *créosote*, v. Gr. *kreas* = vlees, en *soozoo* = redden, bewaren; *sootèr* = redder] bederfwerend middel (bijv. voor vlees, hout). **creosote'ren** [Fr. *créosoter*] (hout) behandelen met creosoot.

**crêpe** [Fr., v. Lat. *críspa*, vr. v. *críspus* = gekruld] **1** gekruld, gekroesd, niet-glanzend linnen weefsel, krip, krulvelours; —*de Chine*, een dergelijk licht weefsel van zijde; —*georgette*, weefsel van zijde, kunstzijde of kamgaren geheel uit crêpegaren bestaande; **2** (*cul.*) flensje; *crêpes suzettes*, flensjes met likeurcrème.

**crêpepapier** in één richting geplooid (gekreukeld) dun papier.

**crescen'do** afk. **cres.** [It., v. Lat. *créscere* = groeien] (*muz.*) aanzwellend; (*alg.*) in steeds grotere mate.

**cresol'** *zie* **kresol**.

**cretin'** [Fr., v. Alpendialect, v. Lat. *Christiánus* = christen, menselijk schepsel, in bet.: nog juist menselijk] lijder aan cretinisme.

**cretinis'me** ziekte (ontstaan door gebrekkige werking v. schildklier) bestaande in gebrekkige lichamelijke ontwikkeling gepaard met idiotie, vaak ook met mismaaktheid.

**creton'ne** [Fr.], *ook*: **kreton'** stevig weefsel van katoenvezels (vroeger van hennep en vlas) met patronen bedrukt vooral voor gordijnen en meubelbekleding, zgn. Zwitsers bont (naar dorp Creton in Normandië).

**crevet'te** [Fr.] (*cul.*) garnaal.

**crew** [Eng., v. OFr. *creue*, v. *croistre* = Lat. *créscere* = groeien] bemanning (v. schip of vliegtuig).

**cri** [Fr., v. *crier* = roepen, v. Lat *quiritáre* = de hulp der *quirites* (burgers) inroepen, om hulp roepen] roep, schreeuw; —*du coeur*, hartekreet, innige verzuchting; *dernier*—, laatste modesnufje. **criant'** [Fr.] schreeuwend, wraakroepend.

**cri'me** [Fr., v. Lat. *crimen*, *críminis*] misdaad; schande of ramp ('t is een —); —*passionel*, misdaad uit hartstocht. **cri'me sto'ry** [Eng.] misdaadverhaal. **cri'men** [Lat. = punt v. gerechtelijk onderzoek, aanklacht, misdaad; verwant met *cer-nère* = (onder)scheiden, *cri-brum* = zeef, Gr. *krinoo* = scheiden] misdaad; —*laesae majestátis*, majesteitsschennis. **criminalist'** [Fr. *criminaliste*] strafrechtkenner; kenner v.d. criminaliteit. **criminalistiek'** [Fr. *criminalistique*] kennis betreffende de praktijk v.d. misdaden, politiewetenschap, dat tevens de methode van opsporing van misdadigers omvat, bijv. vingerafdrukken. **criminalist'** beoefenaar v.d. criminalistiek. **criminaliteit'** [Fr. *criminalité*, v. Lat. *criminális* = de misdaad betreffend] misdadigheid; strafbaarheid volgens recht. **crimineel'** [Fr. *criminel*, Lat. *criminális*] misdadig; het strafrecht betreffend, strafrechtelijk (bijv. vonnis); —*recht*, strafrecht; (*volkstaal*) *het is*—, het is verschrikkelijk. **criminologie'** [*zie* **-logie**] wetensch. leer v.d. misdadigheid en de misdaad, en de sociale en psychologische achtergronden daarvan, criminele sociologie; **criminoloog'** beoefenaar v.d. criminologie.

**crinoli'ne** [Fr., v. *crin* = lang dierenhaar, v. Lat. *crinis* = hoofdhaar] (*gesch.*) hoepelrok (oorspr. met paardehaar wijd uitgezet gemaakt).

**cri'sis** *mv* **crises** [Lat., v. Gr. *krisis* = beslissing, v. *krinoo* = scheiden, beslissen; *vgl.* Lat. *cérnere*] keerpunt, beslissende wending (in ziekte, in zaak); bedenkelijke staat v. zaken, teruggang i.h. economische leven.

**crisiscentrum** hoofdkwartier voor informatie

en overleg bij plotselinge kritieke situaties.
**crisis (interventie) centrum** instelling voor tijdelijke opvang van personen met acute emotionele stoornissen.

**cris'py** [Eng. v. *crisp* = bros, v. Lat. *crispus* = kroes, gekruld] **1** zout krokant koekje, meestal met kaas, b.d. borrel; **2** *mv* **cris'pies** gepofte en daarna geroosterde graankorrels.

**crite'rium** [Gr. *kriterion*, v. *krinoo*, *zie* **crisis**] **1** kenmerk ter onderscheiding; maatstaf om een zaak te toetsen of te beslissen; **2** (*wielersport*) wegwedstrijd over een gesloten parcours dat een bep. aantal keren moet worden afgelegd.

**criteriologie** leer v.d. bepaling van criteria (*z.a.*); **criteriolo'gisch** *bn* en *bw*.

**criticas'ter** [*zie* **criticus**, en **-aster**] wie kritiek uitoefent zonder de benodigde kunde, vitter, muggezifter, onoordeelkundig en onbetekenend beoordelaar. **critiek'** *zie* **kritiek.**

**cri'ticus** [Lat.] beoordelaar (v. boeken, kunstwerken, muziek e.d.); *ook* ongunstig; bedilal, vitter. **critise'ren** *zie* **kritiseren.**

**critologie** [*zie* **-logie**] leer aangaande het menselijk kennen, kenleer, kenkritiek.

**croisa'de** [Fr. v. *croix*, Lat. *crux*, *crucis* = kruis] kruistocht. **croise'ren** kruisen van lijnen, wegen, spoorwegen, brieven.

**croix** [Fr., v. Lat. *crux*] kruis; **— de guerre**, oorlogskruis, bep. onderscheiding; **—
d'honneur**, erekruis.

**Cro-Magnon** bep. vóórhistorisch mensenras (waarvan skeletten gevonden i.e. aldus genaamd hol in Dordogne, Fr.).

**crom'lech** [Welsh *crom* = gebogen, *llech* = platte steen] voorhistorisch monument v. rechtopstaande grote stenen in kring geplaatst om nog grotere in centrum (in Bretagne en Engeland).

**croon'er** [Eng. *to croon* = neuriën, brommen; oorspr. voornamelijk Schots; *vgl.* Ned. *kreunen*] liedjeszanger die neuriënd of declamerend zingt.

**croquant'** [Fr. = o.dw van *croquer* = kraken] knappend (bijv. van broodje).

**cro'quet** [Eng., missch. v. Noordfranse dialectische vorm v. Fr. *crochet*] bep. balspel waarbij met hamers houten ballen door ijzeren boogjes moeten worden geslagen.

**croquis'** [Fr.] ontwerp, schets.

**cross-coun'try** [Eng.: *to cross* = kruisen, dwars door gaan, v. Lat. *crux*, *crucis* = kruis] hinderniswedstrijd dwars door velden, veldloop. **cros'sed cheque** [Eng.] cheque met twee evenwijdige diagonale lijnen waartussen naam v.d. bank welke zal uitbetalen. **crossing-o'ver** [Eng.] (*biol.*) samensmelting in overkruiste toestand v. twee kernlissen, zodat na deling twee kernlissen ontstaan die elk een gedeelte der erfelijke eigenschappen v.d. oorspr. andere kernlis hebben. **cross'-pass** [Eng.] (*voetbal*) het doorgeven v.d. bal aan medespeler i.d. breedte v.h. veld.

**croup** *zie* **kroep.**

**croupier'** [Fr. = *oorspr.*: wie achter op paard meerijdt; *croupe* = achterdeel v. bep. dieren, v. Germ. *kruppa*] beambte v. speelbankhouder die inzetten int en winsten uitbetaalt en het spel leidt.

**cru** [Fr., v. *crú*, v. dw van *croître* = groeien] opbrengst, oogst, spec. v. wijngaard.

**cru'cifix** [OFr. *crucefix*, v. Lat. *cruci fixus* = aan het kruis gehecht, v. *crux*, *crucis* = kruis, en *fígere*, *fixum* = vasthechten] kruis met beeld v.d. gekruisigde Christus erop vastgehecht.

**crudeliteit'** [Lat. *crudélitas*, v. *crudus* = rauw] wreedheid.

**crusta'tie** [v. Lat. *crustáre*, *-átum* = m.e. korst bedekken; *crusta* = korst, schaal; *vgl. crudus* = ruw] het krijgen v.e. korst, omkorsting.

**crux** [Lat. = *lett.*: kruis] moeilijk probleem (bijv. *crux astronomorum* = het kruis der astronomen, nl. de berekening v.d. maanbaan).

**cryochirurgie'** [v. Gr. *kruos* = vorst, en *zie* **chirurgie**] (*med.*) het wegvriezen v. afwijkende cellen. **cryogeen'** [v. Gr. *gennaoo* = voortbrengen) koudmakend; **— mengsel**, mengsel dat lagere temperatuur bezit dan de oorspr. stoffen afzonderlijk, bijv. v. zout en ijs; **— laboratorium**, laboratorium voor proeven bij uiterst lage temperaturen. **cryoscopie'** [*zie* **-scopie**] bep. v. vriespunt v.e. vloeistof.

**cryp't(e)** [Lat. *crypta*, Gr. *kruptè* grot, gewelf, v. *kruptoo* verbergen] onderaardse gang of ruimte, spec. onder kerk; grafkelder.

**cryp'to-** [Gr. *kruptos* = verborgen] i.h. geheim (bijv. cryptokatholiek, cryptocommunist).

**cryptoga'men** [Gr. *gamos* = huwelijk] sporeplanten (*vgl.* **fanerogamen**).

**cryptografie'** [v. Gr. *graphoo* = schrijven] kunst v. geheimschrift schrijven.

**cryptogram'** [Gr. *gramma* = geschrift] iets in geheimschrift geschreven; kruiswoordpuzzel waarbij de aanduidingen in raadsels worden gegeven. **cryptoscopie'** [v. Gr. *skopeoo* = (rond)kijken] helderziendheid.

**csar'das** [Hongaars *czardas*] bep. Hongaarse dans; muziek daarbij.

**cu'i bo'no?** [Lat. *lett.*: tot welk goed?] waartoe dient het? **cui'que su'um** [Lat.] ieder het zijne.

**cu'ius re'gio illi'us et reli'gio** [Lat. = wiens land ook diens godsdienst) (*gesch.*) stelregel dat de onderdanen de godsdienst v. hun vorst moesten volgen.

**cuisinier'** [Fr., v. *cuisine* = keuken, Lat. *coquina*, v. *coquere* = koken) kok. **cuisinière** [Fr.] kokkin, keukenmeid; keukenfornuis.

**cu'jus re'gio** ... *zie* **cuius regio** ...

**culbute'ren** [Fr. *culbuter*, v. *cul* = het achterste, zitvlak (v. Lat. *culus* = aars) en *buter* = stoten) over de kop gaan, buitelen; ook, i.h. verderf storten. **culbuteur'** [Fr.] (*techn.*) tuimelaar in motor. **cul de lam'pe** [Fr.] (*oorspr.*: ornament in gewelf of aan plafond, van beneden gezien lijkend op onderzijde v. kerklamp); vignet op staartpagina op einde v. hoofdstuk of boek. **cul de Paris'** [Fr.] vroeger in mode zijnde opvulsel v. damesjaponnen op achterdeel. **cul de sac'** [Fr. = *lett.*: bodem v.e. zak] doodlopend slop; (*fig.*) impasse.

**culmine'ren** [VLat. *culmináre*, *-átum* v. Lat. *culmen*, *cúlminis* = top, v. *cólumen*, *zie* **kolom**] het hoogste punt bereiken; (*astr.*) door de meridiaan gaan. **culmina'tie** *zn.*

**cul'pa** [Lat., missch. v. dezelfde oorsprong als Gr. *kolaphos* = vuistslag; *zie* **coup**] schuld; **mea —**, door mijn schuld, het is mijn schuld.

**cultive'ren** [VLat. *cultiváre*, v. Lat. *cultiva* (*terra*) bebouwd (land); *zie* **cultuur**] bebouwen (grond met planten); kweken, verbouwen (planten); aankweken (vriendschap e.d.); beoefenen (een kunst); beschaven (volk); *gecultiveerd*, beschaafd.

**cultiva'tor** bep. soort machine voor landbewerking. **cultu're** [Lat. *cultúra* = landbouw, v. *cólere*; *zie* **cultuur**] verbouw v. gewas i.h. groot (bananen-, koffie- enz.) (*ook* **cultuur**). **cul'tus** [Lat.: *zie verder* **cultuur**] openbare verering v. godheid, erediensts; *ook overdrachtelijk*; overdreven verering.

**cultureel'** [Fr. *culturel*, Du. *kulturell*] o.d. geestesbeschaving betrekking hebbend.

**cultuur'** [Lat. *cultúra*, v. *cólere*, *cultum* = land bewerken (oorspr. bet. v. stam is: omdraaien, ploegen, bebouwen, verzorgen, vereren)] **1** *zie* **culture**; **2** veredelende beschaving v.d. geest en v. zeden, de daardoor bereikte toestand; **3** bacteriënkweek (van één soort = reincultuur).

**cum** [Lat., OLat. *com*; *vgl.* Gr. *sun*] **I** *vz* met; **II** *zn*: *een cummetje halen*, slapen m.d. vermelding *cum laude*, *cum anne'xis* met bijbehoren. **cum approbatio'ne** met goedkeuring. **cum benefi'cio inventa'rii** met recht v. boedelonderzoek. **cum De'o** met God. **cum gra'no sa'lis** met een korrel zout. **cum lau'de** met lof; *summa cum laude*, m.d.

hoogste lof. **cum licen'tia** met toestemming. **cum su'is** met de zijnen. **cum ve'nia** met verlof.

**cumule'ren** [Lat. *cumulāre, -ātum,* v. *cúmulus* = hoop; *zie* **accumuleren**] opeenhopen, opstapelen; samenvoegen (ambten).

**cumulatie** zn. **cumulatief** [Fr. *cumulatif*] opeenhopend, opstapelend;— *preferent aandeel,* aandeel dat het recht geeft aanvulling in volgende jaar op te weinig betaald dividend v. vorige jaar te ontvangen vóór het normale dividend der gewone aandelen. **cu'mulus** [v. Lat. *cúmulus* = hoop] stapelwolk. **cu'mulo**-stapelwolk-; *-cirrus,* stapelvederwolk, schapewolk; *-nimbus,* gewone buiwolk, onweerswolk; *-stratus,* torenwolk.

**cuneiform'** [v. Lat. *cúneus, cúnei* = wig, en *forma* = vorm] wigvormig (zoals het oud-Assyrische spijkerschrift).

**cupel** [MLat. *cupélla,* v. Lat. *cupélla,* verklw. v. *cupa* = vat] poreus kroesje of vlamoven met poreuze bodem waarin loodhoudend zilver of onzuiver goud met lood wordt gesmolten bij ruime luchttoevoer; lood en andere bijmengsels worden geoxideerd, trekken i.d. poreuze wanden en laten het zilver of goud in metallieke toestand zuiver achter. **cupelle'ren** goud of zilver in cupel zuiveren. **cupella'tie** zn.

**cupiditeit'** [Lat. *cupíditas,* v. *cúpere* = begeren] begeerlijkheid, spec. geldzucht. **cu'pidootje 1** beeldje v.d. Romeinse liefdesgod Cupido i.d. vorm v.e. knaapje; **2** (*fig.*) lief beeldrig knaapje.

**cupriet'** [*zie* **cuprum**] rooda koprerts.

**Cu'prum** [Lat., v. vroeger *aes cuprium* = Cypers brons; Cyprus leverde in Oudheid veel koprerts] Koper, bep. element, metaal, chem. symbool Cu, ranggetal 29.

**cura'bel** [v. Lat. *curábilis; zie* **cureren**] heelbaar, geneeslijk.

**cura're** [v. inheems woord *curari, ook: urare, wurali*] verzamelnaam voor diverse Zuidamerikaanse pijlvergiften, die door Indianen van o.a. het Amazonegebied bij de jacht en bij de oorlog werden gebruikt. **curari'ne** alkaloïde (*z.a.*) uit curare.

**curate'le** [v. Fr. *curatelle,* v. Lat. *curáre* = *ook:* zorg dragen voor; *zie* **cureren**] voogdij over meerderjarige betreffende beheer van zijn geldmiddelen (krachtens rechtelijk vonnis wegens geestelijk onvermogen of verkwisting; zo iemand wordt *onder curatele gesteld*); *onder—stellen, ook:* iem. zonder rechterlijk vonnis het vrije beheer over zijn zaken ontnemen; (*fig.*) kortwieken.

**cura'tor** [Lat. = *eig.* verzorger, opzichter, commissaris; *ook:* voogd, curator] **1** door kantonrechter benoemde beheerder v.d. goederen v.e. onder curatele gestelde of zorgdrager voor de belangen v.e. ongeboren kind; *curator i.e. faillissement,* door de rechtbank benoemde persoon belast m.h. beheer v.e. failliete boedel; **2** lid van raad van toezicht over een instelling van hoger onderwijs. **curato'rium 1** het curatorschap; **2** de gezamenlijke curatoren v.e. hogeschool. **curatri'ce** [v. Lat. *curátrix, curatrícis*] vrouwelijke curator.

**cur'cuma** *zie* **kurkuma**.

**curé** [Fr., v. VLat. *curátus* = met zielzorg belast] pastoor, parochiepriester.

**cure'ren** [v. OFr. *curer,* v. Lat. *curáre* = zorg (*cúra*) dragen, verzorgen, verplegen, zieke behandelen] genezen, beter maken. **cura'tie** [Lat. *curátio* = *ook:* behandeling, genezing] het doen genezen. **curatief'** [v. Fr. *curatif*] op praktische genezing gericht, genezend; *curatieve geneeskunde,* praktische geneeskunde v.e. patiënt (tegenover *preventieve* (voorkómende) *geneeskunde*). **curet'te** [Fr. v. VLat. *cúra* = zorg; *ook:* verpleging, kuur (*zie* **cureren**) en Fr. verkleiningsuitgang *-ette, z.a.*] (*med.*) lepelvormig instrument met scherpe rand en i.h. midden een opening. Hiermee verwijdert men ziekelijk veranderd slijmvlies (spec. v.d. baarmoeder) of resten v.e. (afgestoten) vrucht i.d. baarmoeder. **curette'ren** of **curetta'ge** behandelen m.e. curette; ook om een stukje slijmvlies af te schrapen voor onderzoek (*proefcurettage*).

**cu'ria** [Lat.; volgens sommigen missch. van *co-viria* = mannenbond, v. *co-* = samen, en *vir* (*mv víri*) = man, volgens anderen is *curia* verwant met *Quirítes* = oorspr. de bewoners v.d. Sabijnse stad Cures, later na de vereniging m.d. Sabijnen naam v.d. Romeinse burgers] (*gesch.*) in het oude Rome; **1** elk der 30 afdelingen waarin volgens de overlevering Romulus de 3 stammen v.h. Romeinse volk indeelde; in werkelijkheid is deze indeling van latere datum, maar in elk geval zeer oud; **2** de gemeensch. cultusplaats en vergaderzaal v.d. *curiae* (*mv*) *later:* het vergadergebouw v.d. Romeinse Senaat, ook de senaat zelf. **Cu'rie,** kerkelijk Lat. **Cúria,** [v. Lat. *curia, z.a.*] de gezamenlijke pauselijke of bisschoppelijke beambten in kerkelijke bestuurszaken.

**curie** eenheid van radioactiviteit (*zie onder* **radio**), d.w.z. de hoeveelheid radioactieve stof die $3,7 \times 10^{10}$ (37miljard) uiteenvallingen van atoomkernen (*desintegraties, z.a.*) per seconde vertoont. Bij radium is die hoeveelheid 1 gram.

**curieus'** [Fr. *curieux* = nieuwsgierig, eigenaardig, v. Lat. *curiósus* = vol zorg (*cura*), zorgvuldig, ijverig, navorsend, weetgierig] merkwaardig, eigenaardig, opvallend en aantrekkelijk wegens zeldzaamheid. **curio'sum** *mv* **-sa** curiositeit (voorwerp). **curiositeit'** [Lat. *curiósitas*] **1** merkwaardigheid, zeldzaamheid; **2** merkwaardig zeldzaam voorwerp (*curiosum*).

**Cu'rium** bep. kunstmatig verkregen element, scheik. symbool Cm, ranggetal 96 [naar Madame Curie, Fr. chemica en fysica, 1867-1934].

**cur'rency** [Eng., v. Lat. *cúrrere* = lopen, rennen] geldmiddel in omloop, spec. papieren geld. **current'** [Lat. *currens, -éntis* = o.dw] in omloop of algemeen gebruik. **curri'culum** [Lat. = loop, omloop] (studie) cursus; — *vitae,* levensloop. **cursief'** [MLat. *cursívus,* Fr. *cursif*] lopend (v. schrift) (*zie verder* **italiek**). **cursive'ren** met schuine (lopende) letter drukken; (*fig.*) onderstrepen (naar onderstreping in kopij, wat betekent: cursief zetten).

**curvatuur'** [Lat. *curvatúra,* v. *curváre, -átum* = krommen; *curvus* = gekromd; *vgl.* **circus**] kromming. **cur've** [Lat. *curvus* = gebogen] kromme lijn, spec. als grafische voorstelling. **curvime'ter** [*zie* **meter**] instrument om lengte v. kromme lijnen te meten.

**custo'de** *zie* **custos 2** en **3. cus'tos,** *mv* **custo'des** [Lat. *cústos, custódis* = wachter] **1** koster (kerkbewaarder); concierge, huisbewaarder; beambte die de dagelijkse zorg heeft over museum, bibliotheek, verzameling van waardevolle zaken, e.d. (gebouw en collectie); **2** bladwachter, lettergreep onder aan bladzijde, gelijk de eerste v.d. volgende, als vervolgmerkteken (vroeger algemeen in boeken, thans nog in officiële stukken, akten, zakenbrieven e.d.); **3** (*muz.*) klein nootteken aan einde van notenbalk aangevend de eerste noot v.d. volgende balk.

**cut'terzuiger** [v. Eng. *to cut* = snijden] snijzuiger, zuigslijp-baggermachine, machine die harde ondergrond door draaiende messen vóór de zuigmond lossnijdt en vervolgens opzuigt.

**cuvela'ge** [Fr.] (*mijnb.*) bekleding van mijnschachten met waterdichte metalen ringen.

**cuvet'te** [Fr., verklw. v. *cuve* = groot vat, v. Lat. *cupa* = vat, kuip] spoelbakje; bakje gevuld met vloeistof (in fotografie als kleurfilter, bij projectie om tegen te sterke verhitting te beschermen).

**cyaan'** [v. Gr. *kuanos* = lazuurkleur, een blauw

mineraal] (*chem.*) gas met stekende reuk, — verbinding v. koolstof en stikstof, $C_2N_2$; — *waterstof*, blauwzuur, HCN (wegens blauwe huidskleur bij cyaanvergiftiging). **cyanaat'** zout v. cyaanzuur HOCN. **cya'nen** *mv* [v. Gr. *kuanos* = blauwe lazuursteen, vandaar *kuaneos* = *ook*: donkerblauw] groep blauwe of violette (ook rode) kleurstoffen die zeer verbreid zijn i.h. plantenrijk, spec. in bloemen en vruchten. **cyani'de** zout v. cyaanwaterstofzuur (blauwzuur), HCN. **cyano'se** (*med.*) blauwzucht (ten gevolge v. hart- of longaandoening). **cyanotypie'** [Gr. *tupos* = indruk, afdruk] blauwdruk. **cybernantroop'** [*zie* **cybernetica** en Gr. *anthroopos* = mens] automatisch gestuurde robot. **cyberne'tica** [Eng. *cybernetics*, v. Gr. *hè kubernètikè technè* = stuurmanskunst, v. *kubernaoo* = stuurman zijn] stuurkunde, d.w.z. wetenschap (of groep van wetenschappen) tussen biologie en techniek, die de automatische regelmechanismen en stuurprocessen in organismen en in techniek, bestudeert, spec. de analogieën tussen dergelijke processen bij levende wezens en machines. (*Zie ook* **feed back**.) **cyclamaat'** handelsnaam voor een zoetstof i.p.v. suiker gebruikt, chemische naam natriumcyclohexylsulfamaat. **cy'cle cross** [Eng. v. *bicycle* = rijwiel, via Fr. v. *bi*-, *z.a.*, en Gr. *kuklos* = kring; *ook*: wiel; Eng. *to cross* = kruisen] wedstrijd op ongebaande wegen (**cross country**, *z.a.*) op rijwiel. **cyclis'me** [Fr., v. *cycle* = kringloop; *ook*: rijwiel] wielersport, wielrennerij. **cy'clisch** [Lat. *cyclicus*, Gr. *kuklikos*, v. *kuklos* = ring; *zie* **cyclus**] tot een cyclus behorend, een cyclus vormend; (*chem.*) m.e. gesloten atoomketen; *cyclische verbindingen*, organisch chemische verbindingen waarin een ringvormige structuur voorkomt, i.t.t. de ketenvormige *alifatische verbindingen*, *z.a.* **cyclofrenie'** [Gr. *phrèn*- = geest-] (*med.*) psychose (*z.a.*) waarbij de patiënt beurtelings ziekelijk opgewekt en diep neerslachtig is. **cycloon'** [wetensch. woord onr. gevormd v. Gr. *kuklos* = kring] (*met.*) gebied van lage luchtdruk waarin de winden zich i.d. richting v.h. centrum bewegen (kringvormig t.g.v. de draaiing v.d. aarde; *vgl.* **anti-cycloon**, *z.a.*). **cyclonaal'** [v. Fr. *cyclonal*] op cycloon betrekking hebbend. **cycloop'** [Gr. *Kukloops*, v. *kuklos* = kring, wiel, en *oops*, = oog; *lett.*: wieloog] reus met één groot oog die Odysseus op zijn zwerftocht ontmoette; éénoog; *ook* woesteling. **cyclo'pisch** volgens de legende door Cyclopen gebouwd; bijv. —*e muren*, reusachtige bouwwerken uit ruwe stenen u.d. prehistorie. **cyclora'ma** [Gr. *horama* = schouwspel] schilderij dat de hele horizon of de achtereenvolgende gebeurtenissen i.e. tijdvak laat zien. **cyclothymie'**, *ook*: **cyclotymie'** [v. Gr. *kuklos* = kringloop, en *thumos* = *lett.*: opwelling; *ook*: karakter, aard] (*psych.*) gesteldheid met sterke stemmingswisselingen, van vrolijkheid tot diepe neerslachtigheid. **cyclothy'misch** *bn.* **cyclotron'** [uit *cyclo*- en **elektron**, *z.a.*] trommelvormig toestel om geladen elementaire materiedeeltjes een zeer grote snelheid te geven door ze herhaalde malen aan hetzelfde spanningsverschil te onderwerpen waarbij zij halve cirkels doorlopen m.e. steeds grotere straal, zó dat de tijd voor het afleggen v. die halve cirkels steeds gelijk is (lengte v. baan gedeeld door snelheid = constant). **cy'clus** [Gr. *kuklos* = kring, kringloop] kring; tijdsverloop na afloop waarvan dezelfde verschijnselen zich weer herhalen; serie gedichten, romans, e.d. die samen rond een centraal thema een bep. geheel vormen; serie muziekwerken v. één componist achtereenvolgens ten gehore gebracht (bijv. Beethovencyclus). **cylin'der** *zie* **cilinder**.

**cymbaal'** *zie* **cimbaal**. **cy'nicus** aanhanger v.h. cynisme (*z.a.*); cynisch (*z.a.*) iem. **cynis'me 1** wijsgerige leer v.d. Gr. filosoof Antisthenes die zijn lessen gaf i.d. Kunosarges, een oefenschool voor onwettige kinderen (*ongev.*: de hondenoefenschool) bij Athene, vandaar de naam, spoedig geassocieerd met *kunikos* = honds, wegens zijn openlijke minachting voor genoegens en zijn strenge soberheid (*vgl.* *hondemaal* = slecht eten); [Gr. *kuoon*, *kunos* = hond]; **2** cynische levensopvatting (naar wereldminachting der cynische school). **cy'nisch** [Lat. *cynicus*, Gr. *kunikos* = volgens de cynische leer = wereldminachtend] schaamteloos ongevoelig, niet gelovend aan het goede in andere mensen en dit spottend latende blijken. **cynocefa'len** [Gr. *kunokephaloi*, v. *kuoon*, *kunos* = hond, en *kephalè* = hoofd] legendarische volksstam met hondehoofden (missch. naar reizigersverhalen over bavianen). **cynodroom'** [v. Gr. *kuoon*, *kunos* = hond, en *dromos* = loop, renbaan] hondenrenbaan. **Cyril'lische letters** bep. schrift door de H. Cyrillus (9e eeuw) gebruikt, grondtype v.h. Russische schrift. **cys'te** [Gr. *kustis* = blaas] week gezwel, bestaande uit bindweefselkapsel gevuld met weke inhoud. **cysticer'cen** [v. Gr. *kerkos* = staart] blaaswormen (in rundvlees). **cysti'tis** [*zie* -**itis**] blaasontsteking. **cytologie** [v. Gr. *kutos* = holte, urn; i.d. moderne biologie: cel; *zie* -**logie**] celleer, leer v.d. levende cellen. **cytoloog'** beoefenaar v.d. cytologie. **cytoplas'ma** [*zie* **plasma**] levende substantie in plante- of dierecel binnen het membraan en buiten de kern. **cytoscoop'** [*zie* -**scoop**] instrument om de blaas van binnen te bekijken. **czar'das** *zie* **csardas**.

**da ca'po**, afk. **D.C.** [It. = v.h. begin; *vgl.* Lat. *caput* = hoofd, begin] *(muz.)* van voren af aan (herhalen).

**dactyliotheek'** [Gr. *daktulos* = vinger, en *thékè* = bewaarplaats] collectie gesneden edelstenen. **dactylograaf'** [Gr. *graphoo* = schrijven] typist, schrijfmachineschrijver. **dactylologie'** gebarentaal met vingers. **dactyloscopie', dactylotypie'** [Gr. *skopeoo* = kijken; -*typie zie* type] het identificeren v. personen d.m.v. vingerafdrukken. **dac'tylus** [Lat., v. Gr. *daktulos*] versvoet bestaande uit een lange en twee korte lettergrepen — ∪ ∪. **dacty'lisch** met dactyli.

**dadaïs'me** [Fr. *dada* = stokpaardje; door de oprichters willekeurig gekozen woord] radicale kunstrichting (1915-1924), die de absurditeit en de toevalligheid in het leven benadrukte, i.t.t. de burgerlijke, meer op de esthetiek gerichte kunstuitingen van die tijd.

**daffodil'** [v. **affodil** (de d waarschijnlijk oorspr. lw), v. Gr. *asphodelos*] graflelie, soort gele narcis.

**daï'mio** [Japans, v. Chinees *dai* = groot, en *myo* = naam] *(gesch.)* adellijke grootgrondbezitter in Japan.

**da'lai-la'ma** geestelijk en wereldlijk leider v.d. boeddhisten in Tibet.

**dalmatiek'** [Fr. *dálmatique*, v. Lat. *dalmática vestis* = Dalmatisch kleed, kleed met korte mouwen] *(rk)* opperkleed v. diaken.

**dal seg'no** afk. **D.S.** [It., *segno*, v. Lat. *signum* = teken] *(muz.)* vanaf het teken (herhalen).

**daltonis'me** [Fr.] gedeeltelijke kleurenblindheid [naar John Dalton, Eng. scheikundige, gest. 1844, die aan deze afwijking leed].

**dal'tonstelsel** onderwijsstelsel dat berust op zelfwerkzaamheid der leerlingen, die buiten klasseverband bep. taken afwerken [naar de Amerikaanse plaats Dalton, waar het stelsel, in 1905 ontworpen door Helen Parkhurst, in 1919 op grote schaal werd toegepast]. **daltonise'ren** het daltonstelsel toepassen.

**damasce'ren** sabels vlammig etsen; goud of zilver inleggen in stalen voorwerpen; sierfiguren weven in stof [naar stad Damascus]. **damasce'ner** van staal dat gedamasceerd is. **damast'** [v. It. *Damasco* = Damascus] weefsel van zijde, wol of linnen waarin figuren geweven zijn.

**damna'tie** [Lat. *damna'tio*, v. *damnáre* = veroordelen] veroordeling, verdoeming.

**dam'num** [Lat.] schade, verlies, nadeel.

**dan'dy** [Eng., oorspr. Schots = *Andrew*] fat, te modieus gekleed heertje.

**dan'se maca'bre** [Fr.] dodendans; voorstelling daarvan spec. op kerkhoven. **danseur'** [Fr.] danser. **danseu'se** [Fr.] danseres.

**dantesk'** [Fr. *dantesque*] i.d. geest of stijl v. Dante.

**darwinis'me** leer der evolutie v.d. levende wezens vnl. volgens natuurlijke teeltkeus [naar Charles R. Darwin, Eng. bioloog, 1809-1882].

**dash'board** [Eng. = oorspr. schut vooraf voertuig tegen modder; *to dash* = bespatten] instrumentenpaneel in auto of vliegtuig.

**da'ta** *mv* van **datum**, *z.a.* **da'tabank** uitgebreid bestand van gegevens (data) o.e. bep. gebied, waaruit men de gegevens die men nodig heeft, met behulp v.e. computer kan lichten. **da'taprocessing** [v. Eng. *to process* = behandelen; *process* = werkwijze] volgens opgeslagen gegevens (data) opeenvolgende bewerkingen uitvoeren. **da'tatransmissie** het overbrengen van opgeslagen gegevens (data) n.e. verwijderd punt (meestal door elektrische signalen). **date'ren** dagtekenen, gerekend worden v.e. bep. tijdstip af.

**da'tief** afk. **dat.** [Lat. *cásus dativus*, v. *dare*, *datum* = geven, Lat. vertaling v. Gr. *dotikè* = geneigd tot geven, *ook:* gever] het naamwoord staat in de datief of *derde naamval*, als het belanghebbende (meewerkend) voorwerp of bepaling daarbij is; voorts hebben veel voorzetsels en ww i.h. Lat. het naamwoord i.d. datief. Het moderne Ned. heeft de datief nog slechts in enige vaste uitdrukkingen, *bijv.*: Gode (= aan God) zij lof; met voorbedachten rade, in aller ijl.

**da'to** [Lat., 6e naamval van **datum**, *z.a.*] *de dato* (afk. *d.d.* of *dd.*) v.d. zoveelste dag der maand, *bijv.*: uw brief de dato 12 april; *na dato*, na genoemde dag, *bijv.*: te betalen binnen 4 weken na dato.

**da'tum** [v. Lat. *dare*, *datum* = geven; *lett.*: het gegevene] gegeven, spec. in *mv* **data** = gegevens; gegeven omtrent tijd, dagtekening, dag. v. kalender. **da'tum ut su'pra** [Lat.] gedaan als boven.

**dau'be** [Fr.] *(cul.)* **1** gerecht gehuld in stijve gelei (aspic); **2** (*als Fr. keukenterm*) vleesgerecht langdurig gestoofd i.e. marinade.

**dauphin'** [Fr. = oorspr. familienaam (v. Lat. *delphinus* = dolfijn) v.d. edelen v. Dauphiné) *(gesch.)* titel v. Fr. kroonprins. **dauphi'ne** gemalin v.d. dauphin.

**daviaan', da'vylamp** veiligheidslamp voor mijnwerkers [naar sir Humphry Davy, Eng. natuurkundige, 1778-1829].

**da'vits** *mv* [waarsch. naar mansnaam David] standers aan zijkant van schip waarin de reddingsboten hangen.

**da'vylamp** zie **daviaan**.

**de** (*uitspr.*: dee) [Lat. = van boven af, vanaf, weg] in Lat. samenstellingen vaak: af-, ont-; soms ook versterking v.h. grondwoord met bet.: geheel.

**dé-** [Fr., v. Lat. *dis*, *z.a.* of Lat. *de*, *z.a.*] *zie* **de**.

**dead'-heat** [Eng., v. *dead* = dood, en *heat* = *eig.*: onderdeel v. wedstrijd; *ook:* uitslag] *(sp.)* onbesliste wedren doordat meer dan één deelnemer tegelijk de eindstreep passeerde. **dead'-line** grens, limiet (oorspr. van veilige zone); *(fig.)* uiterste datum waarop een werk gereed moet zijn. **dead'-lock** [Eng. *lock* = slot] *(fig.)* dode punt. **dead'weight** [Eng. *weight* = gewicht] draagvermogen.

**deal** [Eng.] transactie, overeenkomst, afspraak. **dea'len** [v. Eng. *to deal* = handel drijven, distribueren (*vgl.* Ned. ver-delen)] *spec.*: in drugs handelen. **dea'ler** [Eng.] **1** vertegenwoordiger voor bep. artikel (*bijv.*: dealer v.e. automerk); **2** handelaar in drugs.

**deambulato'rium** [v. Lat. *deambuláre* = rondwandelen] **1** kooromgang; *ook:* omgang om een crypte; **2** i.h. algemeen: gaanderij, wandelgang; *spec.*: kloostergang.

**débâcle** [Fr. *débâcle* = *eig.*: het breken v. ijsmassa's; *bacle* = sluitboom, v. Lat. *baculus* = stok] volledige ondergang, mislukking.

**deballote'ren** afwijzing bij stemming door ballotage.

**débarcadè're** [Fr. *débarquer* = ontschepen) los- en laadplaats, steiger, perron.

**debardeur** [v. Fr. = dokwerker] trui zonder mouwen en kraag, slip-over.

**debarke'ren** [Fr. *débarquer*] ontschepen.

**debent'** [Lat. *debens*, *debéntis*, o.dw van *debére*, v. *de* = van, en *habére* = iets hebben v. iem. = schuldig zijn] schuldenaar.

**debent'ure** [Eng., v. Lat. *debéntur* = zij zijn

verschuldigd] obligatie, schuldbrief. **de'bet** [Lat. = *lett.*: hij is schuldig] wat betaald moet worden.

**debiel'** [Lat. *débilis* = gebrekkig, zwak, v. *de-* = on-, en *hábilis* = bekwaam, vlug] I *bn* achtergebleven in verstandelijke ontwikkeling, zwakzinnig; II *zn* debiel persoon, zwakzinnige.

**debiliteit'** [Lat. *debilitas* = gebrekkigheid, zwakte] 1 aangeboren zwakheid; krachtenverlies; **2** (beperkt tot *debilitas méntis* = geesteszwakte, [v. Lat. *mens*, *méntis* = geest]) zwakzinnigheid.

**debiet'** [v. Fr. *débit*, v. *débiter* = verkopen] **1** afzet (verkoop) van goederen, *bijv.*: *dit artikel heeft een groot debiet*, wordt veel verkocht; **2** produktie v.e. gasbron, olieveld e.d.; **3** (*bij een rivier*) het aantal kubieke meters water dat i.e. dwarsprofiel o.e. bep. plaats per seconde voorbijstroomt.

**debite'ren** [Fr. *débiter*, *zie verder* **debet**] op debetzijde boeken; verkopen; (ook *fig.*) een grap vertellen, (een verhaal) opdissen, (nieuws) verspreiden. **debiteur'** [Fr. *débiteur*] schuldenaar. **debitri'ce** [Fr. *débitrice*] schuldenares.

**deblokke'ren** ontblokken (een blok v. spoorweg); blokkade opheffen.

**de bon coeur** [Fr.] van harte. **de bonne grâce** [Fr.] gewillig.

**debouche'ren** [v. Fr. *déboucher* = open-, vrijmaken] versperring wegnemen; ontkurken; (*mil.*) u.e. dekking te voorschijn komen.

**debraye'ren** [Fr. *débrayer*, v. *dé-*, en *embrayer* = koppelen] ontkoppelen, de overbrenging v. motor op as buiten werking stellen.

**debute'ren** [Fr. *débuter*] voor het eerst optreden. **debutant'** [Fr. *débutant*] wie debuteert. **debuut'** [Fr. *début*] eerste optreden.

**de'ca-**, ook **de'ka-**, afk. **da** [v. Gr. *deka* = tien] i.h. metrieke stelsel voorvoegsel dat 10 maal (10¹) de daarachter staande eenheid aangeeft.

**decaan'** [Lat. *decanus* = hoofd v. tien man, v. *decem* = tien] voorzitter v. faculteit, deken.

**deca'de** [Lat. *decas*, *decadis*, v. Gr. *dekas*, v. *deka* = tien] tiental; periode v. 10 dagen (in kalender van Fr. Republiek, thans nog in meteorologie); periode v. tien jaren.

**decaden'tie** [MLat. *decadéntia*, v. Lat. *cádere* = vallen] het decadent zijn. **decadent'** in vervallen staat, achteruitgaand.

**decaloog'** [Lat. *decálogus*, Gr. *dekalogos*; *logos* = woord] de tien geboden.

**decalque'ren** [v. Fr. *décalquer* = natrekken] tegenafdruk maken v. tekeningen of gravures; slaafs navolgen.

**decalu'men** bep. eenheid v. lichtsterkte.

**decampe'ren** [v. Fr.] opbreken; zijn biezen pakken.

**decanaat', dekenaat'** (*rk*) gebied v.e. deken.

**decante'ren** [Fr. *décanter*, v. MLat. *decanthare*, v. Gr. *kanthos*, Lat. *canthus* = nauwe hals v. vaas] vloeistof voorzichtig afgieten of bezinksel.

**decat'lon** [Gr. *deca* = tien, en *athlon* = wedstrijd] tienkamp.

**decem'ber** afk. **dec.** [Lat. v. *decem* = tien] de 10e maand volgens de oude Romeinse kalender (het jaar begon op 1 maart), onze 12e maand.

**decemviraat'** [Lat. *decemvirátus*, v. *decem* = tien, en *vir* = man] (*gesch.*) tienmanschap.

**decen'nium** [Lat. *decem* = tien, en *annus* = jaar] tijdperk v. tien jaren. **decennaal'** [Lat. *decennális*] tien jaren durend, tienjarig.

**decent'** [Lat. *decens*, *decéntis*, o. dw v. *decére* = passen] gepast, fatsoenlijk, eerbaar. **decen'tie** [Lat. *decéntia*] gepastheid enz.

**decep'tie** [Lat. *decéptio*, v. *decípere*, v. de en *cápere* = vatten] ontgoocheling, teleurstelling; bedrog, misleiding.

**dechar'ge** [Fr. *décharge*] **1** ontheffing; vrijspraak; ontlasting; **2** (*mil.*) ontlading; *à —*, ontlastend (getuige). **decharge'ren** [Fr. *décharger*] ww.

**deci-** [verkorte vorm v. Lat. *décimus* = tiende,

v. *decem* = tien] voorvoegsel dat 0,1 (10⁻¹) van de daarachter staande eenheid aangeeft. **de'cibel** afk. **dB** 0,1 bel. **decimaal'** [MLat. *decimális*, v. *décima* = tiende (belasting), doch beschouwd als afgeleid v. *décimus* = de tiende] I *bn* tiendelig (bijv. breuk); II *zn* cijfer achter komma bij tiendelige breuk; *decimaalteken*, de komma of punt die in tiendelige breuk de eenheden van de decimalen scheidt; — *systeem* bep. systeem ter classificatie v. boeken naar inhoud door cijfercombinaties. **decima'tie** [*zie* **decimaal**] heffing v. tienden; [Lat. *decimátio*] het decimeren. **deci'me** (*muz.*) de tiende toon v. grondtoon af; interval v. octaaf plus terts. **décime** [Fr.] 1/10 franc. **decime'ren** [Lat. *decimáre* = elke tiende man uitlichten ter bestraffing] *oorspr.*: elke tiende man doden; sterk uitdunnen.

**decipië'ren** [Lat. *decipere*, *zie* **deceptie**] **1** misleiden; **2** ontgoochelen.

**deci'sie** [Lat. *decísio*] beslissing; (*jur.*) uitspraak. **decisief'** [Fr. *décisif*] beslissend; beslist, stellig (toon). **decisoir'** (*jur.*) beslissend [Fr. *décisoire*].

**decistère** afk. **ds.** 1/10 stère, 0,1 m³ of 100.000 cm³.

**declame'ren** [Lat. *declamáre*, *-clamátum* = luid opzeggen, v. *clamáre* = roepen] voordragen v. verzen of proza. **declama'tie** [Lat. *declamátio*] zn. **declama'tor** [Lat.] voordrachtkunstenaar. **declamatri'ce** [Fr. *déclamatrice*, v. Lat. *declamatrix*, *-icis*] vr. declamator. **declamato'rium** [Lat. *declamatórius* = de oefening i.h. voordragen betreffend] voordrachtsoefening; voordracht met muziekbegeleiding of afgewisseld met muziek.

**declare'ren** [Lat. *declaráre*, *-clarátum* = te kennen geven, v. *clarus* = helder, klaar] verklaren, betuigen (bijv. liefde met huwelijksaanzoek); aangeven (goederen bijv. bij grenskantoor); dienstonkosten opgeven, *ook*: honorarium berekenen. **declara'tie** [Lat. *declarátio*] zn. **declarant'** [Lat. *declarans*, *-clarántis* o.dw] wie verantwoording aflegt. **declaratief'** [Fr. *déclaratif*] I *bn* verklarend; II *zn* beweegreden (v. e. vonnis).

**declasse'ren** [Fr. *déclasser*] *ook*: **deklasse'ren** uit de klasse stoten waartoe iem. behoort. **déclassé** [Fr.] aan lager wal geraakt iemand.

**decline'ren** [Lat. *declináre*, *-clinátum* = v.d. rechte weg afleiden, verbuigen] verbuigen (woorden); *ook*: v.d. hand wijzen. **declina'tie** [Lat. *declinátio* = afwijking] afwijking (bijv. van magneet); (*spraakk.*) verbuiging; (*astr.*) afstand v. ster tot de hemelequator in graden, boogminuten en boogseconden.

**decoct'** [Lat. *decóquere*, *-cóctum* = afkoken] afkooksel. **decoc'tie** [Lat. *decóctio*] afkoking.

**decode'ren** in gewone taal overbrengen uit code, ontcijferen.

**decolla'tie** v. Lat. *de-colláre* = ont-halzen, v. *collum* = hals] onthoofding. **décolleté** [Fr.] uitsnijding v. dameskleding aan hals.

**decompensa'tie** [Lat. *compensare* = vereffenen] onvoldoende compensatie; onvoldoende werking v.h. hart.

**decomposi'tie** het uiteenvallen van iets samengestelds, ontleding.

**decompres'sie** [Fr. *décompression*] het verminderen v.d. gasdruk in explosiemotor.

**deconcentra'tie** (*staatkunde*) het overhevelen van bep. taken door een centralistisch bestuur aan lagere bestuursorganen.

**deconfessionalise'ring** [v. Lat. *de* = ont-] het zich losmaken van binding met een bep. confessie door een tot dan toe confessionele politieke partij, vakbond, school of andere maatschappelijke organisatie, in die zin dat men de godsdienstige gezindte niet meer i.d. eerste plaats als basis neemt (zonder overigens zijn godsdienstige overtuiging te loochenen).

**deconfitu're** [Fr. *déconfiture*, v. *déconfire* = volkomen nederlaag bijbrengen] volslagen nederlaag; onvermogen tot betalen.

**decor'** [Fr. *décor*, v. Lat. *decus*, *décoris* = sieraad] toneelaankleding. **decore'ren** [Lat. *decoráre*, *decorátum* = optooien, versieren] een onderscheiding (ridderorde) verlenen. **decora'tie** [Lat. *decoration*] versiering; onderscheidingsteken, ridderorde.

**decora'tieschilder** sierschilder.
**decoratief'** [Fr. *décoratif*] I *bn* versierend; II *zn* versiering. **decorateur'** [Fr.] sierkunstenaar. **deco'rum** [Lat. = het passende] uiterlijke welgevoeglijkheid, fatsoen.

**decortique'ren** [v. Fr. *décortiquer* = lett.: schors wegnemen; pellen; v. Lat. *decorticáre* = van bast ontdoen, schillen, v. *de-* (z.a.) en *córtex*, *córticis* = schors, bast, schaal] (*cul.*) pellen van garnalen, vruchten enz.

**decoupe'ren** [v. Fr. *découper*] in stukken snijden; (*cul.*) voorsnijden in passende porties.

**decreet'** [v. Lat. *decrétum*, v. *decérnere*, *decrétum* = beslissen, besluiten, bepalen, vaststellen] verordening, besluit (v.d. overheid).

**decrement'** [Lat. *decrementum*, v. *decréscere* = in wasdom afnemen, v. *créscere* = groeien] verval, afname, vermindering.

**decrescen'do** (*muz.*) geleidelijk in sterkte afnemend. **decrescen'tie** [Lat. *decrescéntia*, *zie* **decrement**] afname, vermindering.

**decrete'ren** [v. Fr. *décréter*; *zie* **decreet**] door een decreet bevelen, beslissen, vaststellen (zonder mogelijkheid van tegenspraak).

**decu'bitus** [v. Lat. *cubáre*, *cúbitum* = liggen] het doorliggen t.g.v. langdurige ziekte.

**dedaigneus'** [Fr. *dédaigneux*, v. Lat. *dedignári* = versmaden] minachtend, versmadend.
**dedain'** [Fr. *dédain*] minachting.
**de da'to** *zie onder* **dato**.

**dedica'tie** [Lat. *dedicátio*, v. *de-*, en *dicáre*, *dicátum* = opdragen (geschrift), intensief v. *dícere* = zeggen] opdracht v. geschrift.

**deduce'ren** [Lat. *de-dúcere*, *-dúctum* = wegvoeren, af-leiden] afleiden (uit iets).
**deduc'tie** [Lat. *dedúctio*] 1 afleiding (u.h. algemene tot het bijzondere); 2 aftrekking v.e. som. **deductief'** [Fr. *déductif*] afleidend (u.h. algemene).

**de fac'to** [Lat.] in feite (bijv. erkennen) (*vgl.* **de jure**).

**defaille'ren** [Fr. *défaillir*] in gebreke blijven.
**défaite** [Fr., v. *dé-faire* = vernietigen wat gemaakt is, verslaan; Lat. *fácere* = maken] nederlaag. **defaitis'me** onwil om te strijden ook al kost het de nederlaag. **defaitis'tisch** wanhopend a.d. overwinning.

**defaveur'** [Fr. *défaveur*] ongunst, ongenade; lage prijs. **defavora'bel** [Fr. *défavorable*] ongunstig.

**defeca'tie** [Lat. *defaecátio*, v. *de-* en *faex*, *faecis* = drek] stoelgang, ontlasting.

**deferen'tie** [Lat. *déférence*, v. Lat. *de-ferre* = naar beneden brengen, toedelen, opdragen] eerbied; achting.

**défiance** [Fr., v. *défier*, v. *diffidéntia*, v. *dis-*, en *fídere* = vertrouwen] het wantrouwen.
**défié'ren** [Fr. *défier*] 1 wantrouwen; 2 uitdagen.

**deficiënt'** [Lat. *deficiens*, *deficiéntis*, v. *deficere*] ontbrekend. **deficiën'tie** [VLat. *deficiéntia*] het te kort schieten.

**de'ficit** [Lat., 3e persoon tegenw. tijd v. *deficere*] (*hand.*) tekort, nadelig saldo. **deficitair'** *bn* een tekort inhoudend (*bijv.*: een begroting).

**defilé** [Fr. = *eig.*: engte i.h. terrein (bijv. bergengte)] (*mil.*) voorbijmars in lange smalle rij, spec. als eerbewijs aan hooggeplaatst persoon. **defile'ren** [Fr. *défiler*] in lange rij voorbijtrekken.

**definië'ren** [Lat. *de-finíre*, *-finítum* = be-grenzen; *finis* = grens] een definitie geven. **defini'tie** [Lat. *definítio*] nauwkeurige omschrijving v.e. zaak (zo mogelijk het wezen rakend). **definitief'** [Lat. *definitivus*] uiteindelijk, voorgoed, beslissend, onherroepelijk.

**deflagra'tie** [Lat. *deflagrátio* = verbranding, brand, v. *deflagráre* = verbranden, afbranden] explosieve verbranding, een meestal vrij langzaam verlopende chemische explosie waarbij het vlamfront (de reactiezone) door de explosieve stof voortloopt v.d. laag waar de reactie plaats heeft n.d. volgende laag.

**1 defla'tie** [v. Lat. *de-fláre*, *-flátum* = weg-blazen, v. *de-* en *fláre* = blazen, waaien] (*geol.*) uitslijting (erosie) door wind, het wegvoeren van materiaal door de wind.

**2 defla'tie** [v. Fr. *déflation*; eveneens v. Lat. *fláre*, *flátum* = blazen] (*econ.*) vermeerdering v.d. koopkracht v.h. geld, waardoor de prijzen dalen.

**deflecte'ren** [Lat. *de-fléctere*, *-fléxum* = af-buigen] van koers afwijken (bijv. v. lichtstralen). **deflec'tie** afbuiging. **deflex'ie** [Lat. *defléxio*] *zn*; (*taalk.*) verdwijning v. buigingsverschijnselen.

**defoliant'** [v. Fr. *foliation* = bladvorming, v. Lat. *folium* = blad] chemisch ontbladeringsmiddel.

**deform'** [Lat. *defórmis*, v. *forma* = vorm] misvormd, mismaakt, wanstaltig.
**deforme'ren** [Lat. *deformáre*] vervormen, misvormen. **deforma'tie** [Lat. *deformátio*] misvorming.

**defraude'ren** [v. Lat. *fraus*, *fraudis* = bedrog] bedriegen, spec. door belastingontduiking. **defrauda'tie** *zn*.

**defunc'tus** [v. Lat. *de-fúngi* = ten einde brengen] overledene; — *adhuc lóquitur*, al is hij gestorven toch spreekt hij nog (bijv. door het voorbeeld dat hij heeft gegeven).

**degagement'** [v. Fr. *dégager* = vrijmaken] dienstgang; verbreken v.e. verbintenis.

**de'gel** [v. Lat. *tégula* = tegel, dekplaat, v. *tégere* = bedekken] 1 rechthoekige vlakke plaat bij handpers om het papier tegen het zetsel te drukken; *ook*: bep. kleine machinale drukpers; 2 rol v.e. schrijfmachine.

**degenere'ren** [Lat. *de-generáre*, *-generátum* = ont-aarden; *genus*, *generis* = geslacht] ontaarden, niet meer beantwoorden aan zijn functie (bijv. gedegenereerd orgaan) of aan vroegere beschaving (gedegenereerd persoon). **degenera'tie** [Fr. *dégénération*] *zn*. **degeneré** [Fr.] gedegenereerd iemand.

**deglace'ren** [Fr. *déglacer* = lett.: van ijs ontdoen; *ook*: ontglanzen, v. *glace*, Lat. *glácies* = ijs] loskoken, (af)blussen, afmaken van jus door deze bruin te maken met behulp v.d. vleesdeeltjes die op de bodem van de pan zijn vastgebakken of vastgebraden.

**degoût'** [Fr. *dégoût*, v. *goût* = Lat. *gustus* = smaak] afkeer, walging. **degoutant'** [Fr. *dégoûtant*] weerzinwekkend, walglijk.

**degraisse'ren** [Fr. *dégraisser*, v. *graisse* = vet (*zn*), v. Lat. *crassus* = vet (*bn*)] (*cul.*) ontvetten, vet afscheppen.

**degres'sie** [Lat. *de-gredi* = de-*gradi* = af-gaan] relatieve afneming (*vgl.* **regressie** = teruggang in absolute zin). **degressief'** [Fr. *dégressif*] afnemend.

**de haut en bas** [Fr.] i.e. superieure neerbuigende manier.

**dehydre'ren** [Lat. *de-* en Gr. *hudoor* = water] van water ontdoen, ontwateren, water (of de elementen daarvan) onttrekken a.h. lichaam. **dehydra'tie** *zn*.

**dei** [v. Turks *day*] vroegere heerser van Algiers (1600-1830), ook van Tunis (tot 1705), later gespeld bij of **bey**.

**deifica'tie** [v. Lat. *deificáre*, v. *deus* = god, en *fácere* = maken] vergoddelijking.

**De'i gra'tia** [Lat.] door de genade Gods.

**deik'tisch** [v. Gr. *deiknumi* = tonen, aanwijzen] aanwijzend.

**de indus'tria** [Lat.] met opzet.

**de in'tegro** [Lat.] opnieuw.

**deïs'me** [v. Fr. *déisme*, v. Lat. *deus* = god]

stelsel dat het Godsbestaan erkent op grond
v.d. rede, maar een Openbaring verwerpt (i.t.t.
het **theïsme**, z.a.). **deïs'tisch** bn & bw.
**deïst'** aanhanger v.h. deisme.
**déjà vu** [Fr. afk. van *sentiment de déjà vu*
= gevoel van reeds te hebben gezien]
verschijnsel waarbij het de betrokken persoon
schijnt alsof hij de hele situatie waarin hij zich
bevindt, vroeger al een keer precies zo heeft
gezien.
**dejec'tie** [Lat. *dejícere, -jéctum* = *de-jácere*
= af-werpen, verdrijven] verstoting.
**déjeuner'** [Fr. v. *dé-*, en *jeune* = Lat. *jejúnus*
= nuchter] ontbijt. **dejeune'ren** ontbijten.
**de ju're** [Lat., v. *jus, juris* = recht] rechtens
(bijv. erkennen) (*vgl.* **de facto**).
**deka-** *zie* deca-.
**de'ken** [Lat. *decánus* = tien-man, v. *decem*
= tien] hoofd v. bep. groep (bijv. van een
faculteit, v. corps diplomatique); (*rk*) pastoor
belast met toezicht op groep aangrenzende
parochies. **dekenaat'** *zie* **decanaat**.
**dekolonisa'tie** opheffing v.d. koloniale
verhoudingen door westerse mogendheden;
het zelfstandig worden van koloniën.
**délai** [Fr., v. *délayer* = (vloeistof) verdunnen,
v. Lat. *dilúere*, v. *dis* en *lúere* = wassen] uitstel;
termijn.
**de'le, delea'tur** [Lat. *delére* = vernietigen]
schrap, het worde geschrapt (op
drukproeven). **dele'tie** vernietiging,
uitwissing.
**delibere'ren** [Lat. *deliberáre, -átum*, v. *libra*
= weegschaal] beraadslagen. **delibera'tie**
[Lat. *deliberátio*] beraadslaging, overleg.
**delibera'to** [It.] (*muz.*) met beslistheid.
**delict'** [Lat. *delínquere, delíctum* = falen, een
fout begaan, v. *línquere* = verlaten] (*jur.*)
strafbare daad, misdrijf.
**delinea'vit** afk. del. of **delin**. [Lat. v. *línea* =
lijn] ... heeft het getekend (op tekeningen
e.d.).
**delinquent'** [Lat. *delínquens, -éntis* = o.dw
van *delínquere*; *zie* **delict**] misdadiger,
boosdoener, overtreder.
**deliquescent'** [Lat. *deliquéscens, -éntis*
= o.dw van *de-liquéscere* = weg-smelten]
wegsmeltend.
**delire'ren** [v. Lat. *deliráre* = *eig.*: (bij het
ploegen) uit de *lira* (= vore) wijken, van de
rechte weg afwijken; raaskallen] aan delirium
lijden, ijlen.
**deli'rium** [Lat. = het ijlen, krankzinnigheid, v.
*deliráre*] *ook:* **delier'**; ijlkoorts, ijlende
waanzin, een psychotisch ziektebeeld waar
een lichamelijke aandoening aan ten
grondslag ligt, zoals infecties ('ijlen' bij
kinderen) operaties, hersenaandoeningen,
schedelletsels of vergiftigingen. Berucht is het
**delirium trémens** (bevend delier) bij chronisch
alcoholmisbruik, waarbij de patiënt sterk
transpireert en beeft.
**deloyaal'** [*zie* loyaal] ontrouw, zijn woord
brekend, oneerlijk. **deloyaliteit'**
trouweloosheid enz.
**del'ta** [vierde letter v.h. Gr. alfabet, *vgl.* Hebr.
*daleth* = *oorspr.*: deur; de Gr. letter *delta* wordt
geschreven: Δ] gebied v. monding v. rivier met
twee of meer armen (naar de driehoeksvorm);
(*astr.*) ster v. bep. sterrenbeeld die de 4e in
helderheid is.
**del'tavlieger** driehoekig zeil met stang
waarmee men kan zweefvliegen door v. hoog
punt te springen.
**demagogie'** [*démagoogia* = volksleiding, v.
*démos* = volk, en *agoo* = voeren, leiden]
volksmennerij, n.d. macht streven door het
volk te winnen met opwekking van zijn lagere
instincten. **demago'gisch** bn & bw.
**demagoog'** [Gr. *démagoogos*] volksmenner.
**de mal en pis** [Fr.] van kwaad tot erger.
**demarca'tie-lijn** [v. Sp. *demarcar* = de grens
met merktekens aangeven] afbakeningslijn,
scheidslijn (bij wapenstilstand, verdrag).
**demar'che** [Fr. *démarche*] poging, stap (bijv.
ondernemen om een zaak op te lossen of een

onderhandeling aan te knopen).
**demarque'ren** [v. Fr. *marquer* = kenmerken,
markeren] afbakenen, grenslijnen trekken; bij
biljart puntentelling door aftrekking.
**demarre'ren** [Fr. *démarrer* = de *amarre*
(= ketting) losmaken; *vgl.* Ned. *meren*
= ankeren] de motor aanzetten; (*wielrennen*)
plotseling wegspurten. **demarra'ge** zn.
**demaske'ren** [Fr. *démasquer*] ontmaskeren.
**demasqué** [Fr. *démasqué*] ontmaskering op
einde v. gemaskerd bal.
**dematerialisa'tie 1** (*atoomfysica*) vereniging
v.e. materiedeeltje met zijn *anti-deeltje* (z.a.),
bijv. v.e. positon (positief geladen elektron) en
een negaton (negatief geladen 'gewoon'
elektron), waarbij beide als materiedeeltje
verdwijnen en worden omgezet in
stralingsquanten; **2** (*spiritisme*)
onstoffelijking: het weer verdwijnen v.e.
'gematerialiseerde' verschijning.
**dement'** [Lat. *démens, deméntis* = zwakzinnig
= verstandeloos; *zie* **dementie**] zwakzinnig
(door lichamelijke oorzaken). **demente'ren**
[Fr. *démentir*, v. *mentir* = liegen, v. Lat. *mentíri*
= uitdenken i.d. geest (= *mens, mentis*) wat
niet waar is, liegen] heten te liegen,
ontkennen. **dementi'** [Fr. *démenti*] (officiële)
ontkenning. **demen'tie** [Lat. *deméntia* =
verstandsverbijstering, v. *de-* en *mens, méntis*
= geest] (*psychiatrie*) het achteruitgaan v.d.
persoonlijkheid, m.d. nadruk v.h. verval v.d.
verstandelijke vermogens, als gevolg van
vooral organische stoornissen.
**demi** [Fr. v. Lat. *dimídius* = v. *dis* = uit elkaar,
en *médius* = in 't midden] half; afkorting voor
demi-saison, z.a.; à —, ten halve.
**demijohn'** [Eng. verbastering v. Fr. *dame
Jeanne* = mevrouw Johanna, verbastering v.
Damaghan, stad in Perzië] mandefles.
**demilitarisa'tie** [Fr. *démilitarisation*] het
militaire apparaat of karakter verwijderen.
**demi'-mon'de** [Fr.] schijnbaar nette, in
werkelijkheid losbandig levende mensen.
**demi'-mondai'ne** [Fr.] vrouw die van nette
stand schijnt te zijn doch in werkelijkheid een
publieke vrouw is. **demi'saison** [Fr. = *lett.*:
half seizoen] lichte herenjas voor
overgangsjaargetijden. **demi'-sec** [*zie* sec]
een weinig sec (v. wijn).
**demineralisa'tie** onttrekking van minerale
zouten, spec. kalkzouten, aan beenderen door
ziekteproces.
**demis'sie** [Lat. *demíssio*, v. *de-míttere*,
*-míssum* = neer-zenden] ontslag (name).
**demissionair'** [Fr. *démissionnaire*] ontslag
genomen hebbend, aftredend (bijv. kabinet).
**demi'-tein'te** [Fr.] (*schilderkunst*) halftint.
**demiurg'** [Gr. *démiourgos* = handwerksman,
kunstenaar] volgens bep. Gr. filosofie wezen
tussen opperwezen en mens, dat de
waarneembare dingen heeft geschapen.
**demi'-vol'te** [Fr.] halve zwenking.
**demobilise'ren** strijdkrachten ontbinden (op
die der vredessterkte na). **demobilisa'tie** zn.
**demo-** [Gr. *démos* = volk] volks-.
**democratie** [Gr. *dèmokratia* =
volksheerschappij, v. *krateoo* = machtig zijn,
heersen] regeringsvorm waarbij alle rangen
v.h. volk deelhebben i.h. bestuur. **democraat'**
voorstander v.d. democratie. **democra'tisch**
volgens de democratie, als een democraat.
**demografie'** [Gr. *graphoo* = schrijven]
volksbeschrijving, statistiek v.d. samenstelling
v.e. bevolking. **demograaf'** beoefenaar v.d.
demografie.
**de'mon** [Gr. *daimoon* = *oorspr.*: godheid;
*daarna*: halfgod, beschermgeest, geest; in N.T.
en elders: boze geest, boze wezen met
ongunstige werking] duivel; boze geest.
**demonie'** karakter of werking v.e. demon.
**demo'nisch** duivels; als v.e. demon.
**demonis'me** geloof aan boze geesten.
**demonologie'** (*rk*) leer over de duivels.
**demonomanie 1** vrees voor boze geesten,
spoken, kwade invloeden; **2**
bezetenheidswaan (vorm van

godsdienstwaanzin waarbij de patiënt meent door een boze geest te zijn bezeten); ook **demonopathie** genoemd.

**demonstrati'vum** [Lat. *pronómen demonstrativum*] (*taalk.*) aanw. vnw (*bijv.*: deze, die, dit, dat, gene, zulk).

**demonte'ren** [Fr. *démonter*] **1** uit elkaar nemen (*bijv.*: een machine); **2** daardoor onschadelijk maken (*bijv.*: een landmijn, een onontplofte bom). **demonta'ge** zn.

**demoralise'ren** [Fr. *démoraliser*] het zedelijk gevoel ontnemen; het moreel verzwakken.

**demoralisa'tie** [Fr. *démoralisation*] zn.

**de mor'tuis nil ni'si be'ne** [Lat.] gew. minder juist vertaald met 'over de doden niets dan goeds'. De juiste vertaling is: 'over de doden (spreke men, denke men) niets tenzij op goede wijze'.

**demotive'ren** het motief (de beweegreden) wegnemen, ontmoedigen.

**demystifica'tie** [Fr. *démystification*] rechtzetting v.e. misvatting; onthulling v.e. mystificatie.

**dena'rius** [Lat. = tien bevattend, v. *decem* = 10] Rom. munt (oorspr. 10 as waard).

**denationalise'ren 1** weer in particulier bezit brengen wat eerder was genationaliseerd; **2** de nationaliteit ontnemen. **denationalisa'tie** zn.

**denaturalise'ren** het staatsburgerschap ontnemen aan iem. die eerder was genaturaliseerd.

**denature'ren** [Fr. *dénaturer*] stof die tevens voedings- of genotmiddel kan zijn voor consumptie ongeschikt maken, zodat ze uitsluitend voor andere (industriële) doeleinden wordt gebruikt; *bijv.*: gewone alcohol (ethylalcohol of ethanol, $C_2H_5OH$) wordt met de veel giftigere methylalcohol (methanol, $CH_3OH$) gedenatureerd tot industrieel gebruikte spiritus. **denatura'tie** zn.

**denazifica'tie** [v. Fr. *dénazification*] politieke zuivering in Duitsland en Oostenrijk door verwijdering van nationaal-socialistische ambtenaren en opvattingen na 1945.

**dendriet** [v. Gr. *dendrités* = boomachtig, boom-, v. *dendron* = boom] **1** een der vertakkingen v.e. zenuwcel (boomvormig; *vgl.* **neuriet**) die de prikkeling naar cel toe geleidt; **2** figuur op vlakken of spleten van sommige gesteenten i.d. vorm v.e. struik of boompje: een oxidatieverschijnsel. **dendrografie** beschrijving van bomen. **dendrograaf 1** boefenaar v.d. dendrografie; **2** apparaat dat de variaties in dikte van bomen registreert. **dendrologie** leer der bomen en houtige gewassen, boomkunde. **dendroloog** beoefenaar v.d. dendrologie. **dendroliet** [v. Gr. *lithos* = steen] stuk versteende boomstam of heester.

**den'gue** [waarsch. v. Zanzibars woord, geassimileerd aan Sp. *dengue* = preutsheid, stijfheid, in verband met stijve nek v. dengue-patiënten]: *knokkelkoorts, vijfdaagse koorts*, een virusinfectie in tropen en subtropen.

**denier** [v. Lat. *denárius, z.a.*] *eig.*: penning; oorspr. oud It. gewicht van 0,05 gram; thans i.d. textielindustrie gebruikt als basis voor het garennummerstelsel. Dit nummer geeft aan hoeveel denier 450 meter garen wegen, of wat op hetzelfde neerkomt, hoeveel gram 9000 meter wegen.

**denigre'ren** [Lat. *denigrare* = geheel zwart maken; v. *níger* = zwart] (*fig.*) zwart maken, belasteren. **denigre'rend** o.dw, ook als *bn* en *bw*: een denigrerende opmerking; denigrerend over iem. spreken.

**de'nim** [Eng.] een stevig katoenen weefsel voor werkkleding, meestal blauw of bruin. [Oorspr. uit de Fr. stad Nîmes; de naam *serge de Nîmes* is verbasterd tot denim.]

**denivelle'ren** een voorafgaande nivellering te niet doen.

**denomina'tie** [v. Lat. *nómen* = naam]

**1** naamgeving, onderscheiding door een naam; **2** [v. Eng. *denomination*] i.h. Angelsaksische taalgebied een kerk, verbond van religieuze gemeenten of sekte ter onderscheiding als instituut van andere dergelijke gemeenschappen; i.d. Ned. wetgeving 'kerkgenootschap'.

**deno'minatief** [zn wv gevormd v.e. zn of een *bn* Lat. *nómen*] (*bijv.*: fietsen van fiets, bruinen van bruin); II *bn* afgeleid v.e. naamw.

**denonce'ren** [Fr. *dénoncer*, v. Lat. *denuntiáre*] *zie* **denunciëren**.

**densiteit** [v. Lat. *dénsitas*, v. *dénsus* = dicht ineen] **1** (*fysica*) dichtheid v.e. stof; **2** (*alg.*) concentratie, dichtheid; **3** (*fot.*) mate van zwarting. **densime'ter** (*fys.*) apparaat om dichtheid van spec. vloeistoffen te meten. **den'sitometer** (*fot.*) zwartingsmeter.

**dentaal** [v. Fr. *dental* = dentaire, v. Lat. *dens, déntis* = tand] I *bn* **1** de tanden betreffend; **2** m.d. tanden gevormd (medeklinker); II *zn* m.b.v. de tanden gevormde klank (waarbij de tong de tanden raakt), tandletter (d en t).

**denunciëren** [Lat. *de-nuntiáre, -nuntiátum* = aankondigen, v. *nuntiáre* = boodschappen] aangeven bij rechterlijke macht; verklikken. **denuncia'tie** zn. *Zie ook* **denonceren**.

**De'o annuen'te** [Lat. = *lett.*: als God ja knikt] met Gods zegen. **De'o faven'te** afk. **D.F.** [Lat. = *lett.*: wanneer God goedgunstig is] als God het wil, als het Gode behaagt. **De'o gra'tias** afk. **D.G.** [Lat.] Gode zij dank. **De'o juvan'te** [Lat. = *lett.*: als God helpt] met Gods hulp. **De'o op'timo ma'ximo** [Lat.] aan de algoede alhoge God (gewijd). (Als opschrift van kerken: **D.O.M.**) **De'o volen'te** [Lat.] afkorting **D.V.**; als God het wil.

**deo'dorans** *mv* **deodoran'tia** [modern Lat., v. Lat. *de-* = weg, en *ódor, odóris* = geur], *ook*: **deso'dorans**, middel om slechte geuren (spec. lichaamsgeuren) te verwijderen.

**departi'tie** [v. Lat. *partítio*] verdeling.

**dépêche** [Fr. *dépêche*, v. Lat. *dépêcher* = bespoedigen, het tegengestelde v. *empêcher* = verhinderen, v. Lat. *impedicáre*, v. *pes, pedis* = voet] spoedbericht, telegram; ambtelijke mededeling; *ook*: postzak, brievenmaal.

**dependan'ce** [Fr. *dépendance*, v. Lat. *de-pendére* = af-hangen] bijgebouw (bij hotel, rusthuis e.d.): onderhorigheid.

**dependant** [Lat. *depéndens, -pendéntis* = o.dw] afhankelijk. **dependen'tie** afhankelijkheid. **dependen'tiën** [v. Lat. *dependéntia* = afhangende dingen] *zie* **appendentiën**.

**depersonalisa'tie** *ook wel*: **derealisa'tie** (*psych.*) verstoring i.h. bewustzijn v.d. eigen persoon, v.h. eigen ik. De patiënt beleeft een onwerkelijkheid van eigen gevoelens, gedachten en handelingen, v.h. eigen lichaam resp. lichaamsdelen en lichaamsfuncties, v.d. omgeving en wat daarin plaatsvindt (*derealisatie*), of v.e. verandering in d. beleving v.d. tijd.

**depile'ren** [v. Lat. *depiláre* = van haren beroven, plukken, v. *de-* (*z.a.*) en *pílus* = haar] ontharen (*beter*: **epileren**). **depila'tie** zn. **depilato'ria** [modern Lat.] ontharingsmiddelen.

**deplace'ren** [Fr. *déplacer*, v. *place* = plaats] verplaatsen; uit ambt of betrekking zetten.

**deplora'bel** [Fr. *déplorable*, v. Lat. *de-plorare* = hevig bewenen] jammerlijk, betreurenswaardig.

**depolitise'ren** [Fr. *dépolitiser*] ontpolitiseren, van politiek ontdoen.

**depone'ren** [Lat. *depónere, -pósitum* = neerleggen] neerleggen, in bewaring geven; ter zijde leggen (*beter*: **seponeren**). (*jur.*) getuigen. **deponent** [Lat. *depónens, -ponéntis* = o.dw] wie in bewaring geeft; (*jur.*) getuige.

**deport** [Fr.] het tegengestelde v. report (*z.a.*); koersdaling bij tijdsaffaires.

**deporte'ren** [Lat. *de-portáre* = weg-dragen]

wegvoeren spec. in ballingschap, verbannen naar strafkolonie. **deporta'tie** zn.
**deposant'** [Fr. déposant; zie **deponeren**] depositorekeninghouder bij een bank.
**depositai're** [Fr. dépositaire, v. Lat. depositárius = hij bij wie iets wordt neergelegd] 1 iem. die in bewaring neemt (geld of goederen); 2 drogistdepothouder v. bep. artikel. **depositeur'** [Lat. depositárius] wie iets in bewaring geeft. **deposi'tie** [Lat. depositio = het in bewaring geven; (jur.) getuigenis. **depo'sito** het in bewaring geven tegen rente, het belegde geld; — bank, bank die geld tegen rente in bewaring neemt. **depo'situm** het in bewaring gegeven goed.
**depossede'ren** [Fr. déposséder, zie **possederen, possessie**] uit bezit verdrijven.
**depot'** [Fr. dépôt, v. Lat. depósitum = om neer te leggen] 1 bewaarplaats, stapelplaats v. goederen, magazijn; het opgeslagen goed; (mil.) aanvullingsmagazijn, plaats voor aanvullingstroepen; 2 bezinksel in wijn (droesem)
**depouille'ren** [Fr. dépouiller, v. Lat. de-spoliáre] 1 (alg.) beroven, plunderen; 2 (cul.) een saus uitkoken.
**deprecië'ren** [Fr. déprécier, v. Lat. depretiáre = gering schatten, in waarde verminderen, v. prétium = prijs] in waarde doen verminderen; laag schatten, afbrekend beoordelen.
**deprecia'tie** [Fr. dépréciation] geringschatting.
**depres'sie** [Lat. de-prímere, -préssum = neerdrukken, v. prémere = drukken] 1 (psych.) sombere gedrukte gemoedstoestand, spec. als ziekelijke toestand; 2 (fysische aardr.) gebied omgeven door hoger terrein, spec. land dat lager dan de zeespiegel ligt; 3 (handel) toestand van gedrukte markt, langdurige lage conjunctuur, economische crisis; 4 (met.) gebied van lage luchtdruk, zgn. 'slecht-weergebied'.
**depressief'** [Fr. dépressif] terneerdrukkend (thans ook vaak onjuist gebruikt voor 'gedeprimeerd', 'terneergedrukt', bijv.: 'ik ben zo depressief' i.p.v. 'ik ben zo gedeprimeerd'.
**deprime'ren** neerdrukken, ontmoedigen.
**deprive'ren** [v. Lat. de- (z.a.) en privare, v. prívus = afzonderlijk] beroven. **depriva'tie** [v. MLat. deprivátio = beroving] (psych.) 1 gemis aan (moederlijke) liefde b.h. jonge kind; 2 gemis aan bep. zintuiglijke ervaringen bij volkomen isolatie v.d. buitenwereld; 3 gemis aan slaap. Alle drie toestanden kunnen leiden tot zeer ernstige lichamelijke en psychische stoornissen.
**depute'ren** [Lat. deputáre; -putátum = schatten, bestemmen voor, v. putáre = rekenen] afvaardigen. **deputaat'** [Lat. deputátus] afgev. n.e. kerkelijke vergadering, speciaal: afgev. n.e. kerkelijke vergadering (prot.) speciaal: afgev. n.e. kerkelijke vergadering. **deputa'tie** [Fr. députation] afvaardiging; de afgevaardigden. **député** [Fr.] afgevaardigde.
**deraille'ren** [Fr. dérailler] ontsporen. **deraillement'** [Fr.] ontsporing.
**derange'ren** [Fr. déranger, v. range = rang] uit de normale positie brengen, in wanorde brengen; storen. **derangement'** [Fr. dérangement] verwarring; stoornis.
**der'by** wedstrijd tussen twee sportteams (spec. voetbalclubs) uit dezelfde stad of streek (streekderby). [Naar de Earl of Derby, stichter v. paardenrennen in 1780].
**derealisa'tie** zie **depersonalisatie**.
**de règle** [Fr.] zoals het betaamt.
**de rigueur** [Fr., vgl. Lat. rigor = stijfheid] verplicht (bijv. van avondkleding.)
**derive'ren** [Lat. deriváre, -átum, v. rivus = stroom] afleiden. **deriva'tie** [Lat. derivátio] zn. **derivaat'** het afgeleide, chem. stof afgeleid v.e. andere.
**der'ma** [Gr.] huid. **dermati'tis** huiduitslag.
**dermatologie'** leer v.d. huidziekten.
**dermatoloog'** huidspecialist.
**dermatoplastiek'** [Gr. plassoo = vormen] kunst om oppervlakkige misvormingen

chirurgisch te verbeteren.
**der'nier cri** [Fr. = lett.: laatste roep] laatste modesnufje. **der'nier ressort'** [Fr.] laatste toevlucht.
**der'ny, mv der'nies** [Eng.] bep. lichte motor, bereden door een daartoe getraind berijder, als gangmaker bij bep. wielerwedstrijden (ook wegwedstrijden).
**deroge'ren** [Fr. déroger = inbreuk maken op, Lat. derogáre = wet gedeeltelijk afschaffen, zie **abrogeren**] wet gedeeltelijk opheffen, afwijken van of inbreuk maken op bepaling. **deroga'tie** [Lat. derogátio] zn.
**derrière** [Fr. = achterste] (volkstaal) zitvlak.
**der'wisj** [v. Perzisch darwish = arm] mohammedaanse 'monnik' die zich spec. toelegt op strengheid en armoede, bedelmonnik.
**des** (muz.) door molteken met halve toontrap verlaagde d (re), d-mol.
**des-** [Fr. dés-, v. Lat. dis = uiteen, naar twee kanten; vgl. **duo** = twee] weg-, uit-, niet-.
**desaccorde'ren** [v. Fr. désaccorder = onmin brengen tussen] niet overeenstemmen.
**desaggrega'tie** [v. Fr. désaggrégation = het uiteenvallen] scheiding i.d. bestanddelen waaruit iets is samengesteld, het uiteenvallen in samenstellingseenheden.
**desagrea'bel** [Fr. désagréable] onaangenaam.
**desappointe'ren** [Fr. désappointer = lett.: de punt (pointe) afstompen] teleurstellen.
**desastreus'** [Fr. désastreux, v. dés-, en astre = ster (waaraan voorspoed werd toegeschreven; vgl. Ned. onder een goed gesternte) rampspoedig.
**desavantageus'** [Fr. désavantageux] onvoordelig.
**desavoue'ren** [Fr. désavouer, v. avouer, Lat. advocáre = erkennen] niet erkennen, loochenen; iem. —, iem. afvallen.
**descenden'ten** mv [Lat. descéndens, -éntis = o.dw van de-scéndere = af-dalen, v. scándere = klimmen] afstammelingen.
**descenden'tie** afstamming. **descen'sie** [Lat. descénsio] nederdaling, neergang.
**descrip'tie** [Lat. descríptio, v. de-scríbere, -scríptum = be-schrijven] beschrijving.
**descriptief'** [Fr. descriptif] beschrijvend.
**desegrega'tie** [v. Lat. de- = niet, segregare = v.d. kudde afzonderen] het teniet doen v.e. scheiding (m.n. tussen rassen).
**desensibilise'ren** het ongedaan maken van overgevoeligheid. **desensibilisa'tie** 1 (med.) het tot staan brengen v.e. allergie door het toedienen van steeds grotere doses van stoffen die de allergische reacties als het ware verlammen; 2 (fot.) behandeling v. lichtgevoelig materiaal met bep. kleurstoffen, zó dat bij het ontwikkelen een vrij sterke donkere-kamerverlichting kan worden gebruikt.
**desequilibre'ren** [Fr. déséquilibrer] het evenwicht doen verliezen (spec. geestelijk); **gedesequilibreerd**, het geestelijk evenwicht verloren hebbend.
**deserte'ren** [Fr. déserter, v. Lat. desérere, desértum = wegdoen, in de steek laten, v. sérere = aaneenrijgen] de krijgsdienst heimelijk verlaten, weglopen. **deser'tie** [Fr. désertion] zn. **deserteur'** [Fr. déserteur] wie deserteert.
**desespere'ren** [Fr. désespérer, v. Lat. sperare = hopen] wanhopen.
**déshabillé** [Fr., v. habiller = kleden] lett.: ontkleed; huiselijke kledij.
**desidera'tum** mv -a [v. Lat. desideráre, desiderátum = verlangen, v. stam sid- = naar iets omzien] wat wordt gewenst, ontbrekend iets, vereiste.
**desillu'sie** [Fr. désillusion] ontgoocheling.
**desillusione'ren** ontgoochelen.
**desinfecte'ren** [Fr. désinfecter] ontsmetten.
**desinfec'tans** ontsmettingsmiddel.
**desinfec'tie** zn; spec. radicale doding of verwijdering van alle micro-organismen die

infectie (ontsteking) kunnen veroorzaken.
**desintegra'tie** [Fr. *désintégration*] het uiteenvallen in bestanddelen, spec. het uiteenvallen v.e. atoomkern door uitzending v.e. alfa-deeltje (heliumkern), een negatief of positief elektron of door kernsplijting. Desintegraties treden spontaan op bij radioactiviteit, of worden ingeleid door bombardement v.d. atoomkern met andere deeltjes.
**desinteres'se** het niet geïnteresseerd zijn.
**desinveste'ren** een investering verminderen of geheel teniet doen.
**désir** [Fr., v. *désirer* = Lat. *desideráre*; zie **desideratum**] het verlangen, het begeren.
**desira'bel** [Fr. *désirable*] begerenswaard.
**desiste'ren** [Lat. *de-sistere* = af gaan staan] opgeven, laten varen, afzien van.
**desolaat** [Lat. *desolátus*, v. *desoláre*, *desolátum* = verlaten, v. *solus* = alleen] verlaten, woest; troosteloos, diep bedroefd; onbeheerd (boedel). **desola'tie** [Lat. *desolátio*] **1** verwoesting; **2** troosteloosheid.
**des'order** [v. Fr. *désordre*] verwarring, wanorde. *Vgl. ook* **disorde(r)**.
**desorganise'ren** [Fr. *désorganiser*] ontwrichten, ontredderen, in wanorde brengen.
**desoriënte'ren** [Fr. *désorienter*] v.d. goede weg afbrengen, v.d. wijs maken.
**des'oxyribonuclei'nezuur**, internationale afk. **DNA** [v. Eng. *deoxyribonucleid acid*], organisch zuur, het bestanddeel v.d. **chromosomen** (*z.a.*) i.d. kern van plante- en diercellen waardoor de erfelijke eigenschappen v.d. moedercel o.d. dochtercel worden overgedragen.
**despect** [Lat. *despéctus*, v. *de-spícere*, *-spéctum* = neer-zien, verachten] veracht.
**desperaat** [Lat. *desperátus*, zie **desespereren**] wanhopig; vertwijfeld. **despera'do** [Sp.] niets ontziende (want niets te verliezen hebbende) rover. **despere'ren** *zie* **desespereren**.
**despoot** [Gr. *despotès* = heerser, heer] naar willekeur regerend vorst, dwingeland. **despo'tisch** als een despoot, eigengerechtigd. **despotis'me** heerschappij gebaseerd op willekeur.
**des Pudels Kern** [Du.] de zaak waar het om draait.
**des'sa, de'sa** [Jav.] Javaans dorp.
**dessin** [Fr. v. *déssiner* = tekenen, v. Lat. *designáre*] tekening, schets, ingeweven patroon. **dessinateur'** patroontekenaar. **dessinatri'ce** patroontekenares.
**dessous** [Fr. = onder, v. Lat. *sub*, *z.a.*] damesondergoed; het onderliggende, d.i. de geheime toedracht v.e. zaak.
**destabilise'ren** iets of iemand zijn stabiliteit doen verliezen; zijn stabiliteit verliezen. **destabilisa'tie** *zn*.
**destalinisa'tie** het ongedaan maken van het **stalinisme** (*z.a.*) en zijn gevolgen.
**destille'ren** [Lat. *de-stilláre* = af-druppelen, v. *stilla* = druppel, ook minder juist naar Fr. voorbeeld **distilleren**] overhalen, door verhitting de meer vluchtige bestanddelen afzonderen; *gedistilleerd*, sterke dranken. **destilla'tie** *zn*. **destillateur'** wie destilleert.
**destina'tie** [Lat. *destinátio*, v. *destináre*, *-átum* = *eig.*: vaststellen] bestemming.
**destroy'er** [Eng. *to destroy* = Lat. *destrúere*, zie **destrueren**]; (*oorspr.*: *torpedoboatdestroyer* = *torpedobootvernietiger*) torpedobootjager, d.w.z. marineschip bestemd om torpedoboten op te sporen en te vernietigen. **destruc'tie** [Lat. *destrúctio*, zie **destrueren**] vernietiging, vernieling, het tegengest. v. constructie. **destructief'** [Lat. *destructívus*] vernielend, verwoestend. **destruc'tor** [modern Lat.] vernietigingsmachine (bijv. voor ondeugdelijk vlees). **destrue'ren** [Lat. *destrúere*, *-strúctum* = afbreken] vernietigen.
**detache'ren** [Fr. *détacher*, v. Romaans *tacca*

= spijker] losmaken, afscheiden; *soldaten —*, soldaten v. de hoofdmacht losmaken en ergens heenzenden. **detachement'** [Fr. *détachement*] afdeling soldaten afgezonderd v.d. hoofdmacht en ergens heengezonden (op expeditie).
**detec'tie** [v. Fr. *détection*, v. Lat. *de-tégere*, *detéctum* = ont-dekken (*eig.*: van dak ontdoen), blootleggen] **1** verkenning, onderzoek; opsporing, vaststelling dat iets aanwezig is; **2** waarneembaarmaking v. opgevangen radiogolven door omzetting in gelijkgerichte elektrische trillingen. **detec'tor** [modern Lat.] apparaat dat straling of materiedeeltjes op een of andere wijze waarneembaar maakt; *mijndetector*, apparaat om landmijnen op te sporen.
**déten'te** [Fr. = ontspanning, v. Lat. *de-*, en *téndere* = spannen] ontspanning op internationaal politiek gebied, politieke ontspanning spec. tussen westerse landen en het Oostblok.
**deten'tie** [*zie* **detineren**] hechtenis, arrest.
**deter'gens**, *mv* **deter'gen'tia** [v. Lat. *detérgere* = reinigen, afwissen, v. *de-* (*z.a.*) en *térgere* = wrijven, wissen] reinigingsmiddel, 'elke organisch-synthetische capillair-actieve stof, andere dan zeep, met reinigende werking' (Ned. Wasmiddelenbesluit). **deter'gent**, *mv* **deter'gents** [Eng.] hetzelfde als **detergens**, synthetisch wasmiddel.
**deteriora'tie** [v. Lat. *deterioráre* = slechter, vergr. trap v. het niet gebruikte *de-ter*, *vgl. térere* = wrijven, schuren, slijten] het erger worden, ernstige verslechtering, verval.
**determine'ren** [v. Lat. *de-* en *termináre* = be-grenzen, v. *términus* = grens] bepalen, vaststellen; *ook*: bestemmen; (*biol.*) familie, geslacht (*genus*) en soort (*species*) van plant of dier vaststellen naar uiterlijke kenmerken m.b.v. daartoe opgestelde tabellen (*determineer-* of *determinatietabellen*); *gedetermineerd*, door beschikking bepaald, onvrij. **determina'tie** vaststelling, besluit, bepaling; (*biol.*) vaststelling van familie, geslacht en soort van plant of dier.
**determinant'** [v. Lat. *détermínans*, *determinántis* o.dw van *determináre*] **1** bepalend element, factor die een toestand of ontwikkeling bepaalt of althans medebepaalt; **2** (*wisk.*) verzameling v.e. onbep. aantal getallen i.h. kwadraat, i.e. vierkant geschreven in rijen en kolommen, waarmede bep. wiskundige vraagstukken kunnen worden opgelost. **determinatief'** [v. Fr. *déterminatif*] *bn* (*taalk.*) bepalingaankondigend (bijv. vnw); bepalend; *-samenstel* (*-compósitum*), samengesteld woord waarvan het eerste lid het tweede nader bepaalt, *bijv.*: wijnglas. Het eerste lid 'wijn' bepaalt nader dat het tweede lid 'glas' voor wijn is bestemd.
**determinis'me** [Fr. *déterminisme*] leer dat de menselijke wilsbepalingen en handelingen door uiterlijk voorafgaande oorzaken of omstandigheden zijn bepaald. Dit determinisme, of noodwendigheidsleer, ontkent dus de wilsvrijheid. **determinist'** aanhanger v.d. leer v.h. determinisme. **determinis'tisch** volgens het determinisme.
**deteste'ren** [v. Lat. *de-testári* = onheil afroepen, v. *testáre* = getuigen] verafschuwen, verfoeien. **detesta'bel** [Lat. *detestábilis*] verfoeilijk.
**detine'ren** [v. Lat. *de-tinére*, *de-téntum* = terug-houden, v. *de-* (*z.a.*) en *tenére* = houden] gevangen houden; *gedetineerde*, gevangene.
**1 detone'ren** [via Fr. *détoner* v. Lat. *de-tonáre* = losdonderen] ontploffen. **detona'tie** [Fr. *détonation*] **1** heftige vorm van chemische *explosie* waarbij door de stof een *detonatiegolf* loopt (de stof explodeert dus niet meteen in zijn geheel, de explosie is zgn. heterogeen), die echter een veel grotere snelheid heeft dan bij *deflagratie* (*z.a.*); **2** (*motortechniek*)

onjuiste naam voor niet gewenste homogene explosie (het gehele explosieve benzine-lucht-mengsel explodeert tegelijkertijd i.p.v. langzaam te verbranden).
**detona'tor** [modern Lat.] ontstekingsmechanisme v.d. explosieve lading bij projectielen.
**2 detone'ren** [v. Fr. *détoner*, v. *ton* = toon] u.d. toon zijn met, vals zingen; *(fig.)* u.d. toon vallen.
**détour** [Fr. v., *tourner* = draaien] **1** verandering v. richting, omweg, bocht; **2** *(fig.)* uitvlucht.
**detrimenteus'** [Lat. *detrimentósus*, v. *detriméntum* = schade, v. *de-térere* = af-slijten] nadelig, schadelijk. **detriment':** *ten detrimente van*, ten nadele van, ten koste van.
**detri'tus** [v. Lat. *de-térere*, *-trítum* = af-slijten] wat afgeslepen is door water (zand, grind e.d.); *ook:* organisch afval in water.
**de trop** [Fr. = te veel] ongewenst, onwelkom.
**deu'ce** [Eng., v. Lat. *duo* = twee] *(tennis)* 40 gelijk.
**de'us ex ma'china** [Lat. = *lett.* een god u.d. (toneel)installatie, onverwachte verschijning v.e. god in toneelstuk] onnatuurlijke gelukkige oplossing v. probleem.
**Deute'rium** [v. Gr. *deuteros* = tweede, v. *duoo* = twee] zware waterstof, d.i. waterstof met atoomgewicht 2 i.p.v. 1; scheik. symbool D, ranggetal 1. **deu'teron** kern v. Deuterium, bestaande u.e. proton (waterstofkern) en een neutron.
**deuterocano'nisch** *- e boeken*, *(rk)* naam van enkele oud- en nieuwtestamentische geschriften, waarvan de echtheid (canoniciteit) in de vroege christenkerk door sommigen werd betwijfeld, maar die door het Concilie van Trente als echte Bijbelboeken zijn erkend. De protestanten noemen deze boeken **apocrief** *(z.a.)*. *(vgl.* verder **pseudepigrafen)** . **Deuterono'mium** afk. **Deut.** [v. Gr. *nomos* = wet] *lett.:* tweede wetboek, het vijfde boek v.d. Bijbel (het laatste v.d. Pentateuch, z.a.).
**deux à deux** [Fr.] twee aan twee.
**deux-pièces** [Fr. = *lett.:* twee stukken] tweedelig dameskostuum (jasje en rok).
**devalue'ren** [Fr. *dévaluer*, v. Lat. *valor* = waarde] ontwaarden, in waarde verminderen; officieel de ruilwaarde v. munt ten opzichte v. buitenland verminderen. **devalua'tie** [Fr. *dévaluation*] zn.
**déveine** [Fr.] tegenslag in sport of spel, tegenspoed.
**devia'tie** [v. Fr. *déviation* = afwijking] **1** afw. v.d. normale toestand; **2** *(nat., astr.)* afw. v. lichaam uit baan of v. lichtstralen uit richting, afdwaling.
**devië'ren** [Lat. *de-viáre*, *-viátum*, v. *via* = weg] afwijken v.d. rechte weg.
**de vi'su** [Lat.] van zelf gezien hebben, uit eigen aanschouwing.
**devolve'ren** [Lat. *de-volvére*, *-volútum* = afrollen] afrollen, afwentelen op, a.e. ander vervallen. **devolu'tie** zn.
**Devoon'** [v. Eng. *Devonian* = van Devonshire] *(geol.)* **1** vierde v.d. 6 perioden v.h. **Paleozoïcum** *(z.a.)*, ca. 400 - 350 miljoen jaren geleden; **2** aardlagen in deze periode gevormd (in 1839 ontdekt i.h. Eng. graafschap Devonshire).
**devoot'** [Lat. *devótus*, v. *de-vovére*, *-vótum* = toewijden aan godheid] vroom, godvruchtig; *de devoten*, de fijnen. **devo'tie** [Lat. *devótio*] godvruchtige aandacht, verering.
**de'warfles, de'warvat** dubbelwandige glazen fles met tussen de wanden een luchtledig gemaakte ruimte. De binnenzijde v.d. wanden is bedekt m.e. zilver- of goudspiegel die de warmtestraling terugkaatst. [Naar de uitvinder sir James Dewar, Schots fysicus en chemicus, 1842-1923.]
**dexteriteit'** [Lat. *dextéritas*, v. *dexter*

= rechts] behendigheid. **dextri'nen** *mv* bep. gomachtige stoffen die ontstaan bij afbraak v. zetmeel door verhitting met water (voor naam *zie* **dextrose**).
**dextro'se** rechtsdraaiende vorm v. glucose [naam naar eigenschap der oplossing het polarisatievlak v. gepolariseerd licht te draaien naar rechts].
**di** [Gr. *di-*] dubbel-, twee-.
**dia-** [Gr. *dia*] doorheen-; uiteen-.
**di'a** gebruikelijke afk. van **diapositief** *(z.a.)*.
**diabe'tes** [v. Gr. *dia-bainoo* = door-gaan] suikerziekte (waarbij suikers ongeassimileerd door het lichaam gaan). **diabe'ticus** lijder aan suikerziekte.
**diabo'lisch** [Gr. *diabolikos*] duivels.
**diachro'nisch, diachronis'tisch** [v. Gr. *dia* = door, en *chronos* = tijd] een verschijnsel in tijdsorde in zijn historische ontwikkeling bestuderend.
**diaconaat'** [*zie* **diaken**] waardigheid v. diaken. **diacones'** *(prot.)* verpleegzuster. **diaconie'** *(prot.)* kerkelijk armbestuur, de gezamenlijke diakenen.
**diacri'tisch** [v. Gr. *dia-krinoo* = onderscheiden] onderscheidend; *diacritische tekens* geven de juiste uitspraak v.e. letter aan.
**diadeem'** [Lat. *diadema*, Gr. *diadèma* = haarwrong of hoofdband der vorsten, v. *diadeoo* = aan beide zijden vastbinden] band met juwelen aan het hoofd, kroon; haartooisel.
**diado'chen** *mv* [Gr. *dia-dochos* = overnemer, opvolger] de opvolgers v. Alexander de Grote.
**diae'resis** [Gr. *diairesis* = scheiding, v. *diaireoo* = uit elkaar nemen] uitrekking v.e. lettergreep in twee lettergrepen (bijv. doorn in doren, half in hallef); gescheiden uitspraak v.e. tweeklank in twee klinkers of van twee opeenvolgende klinkers (bijv. reïncarnatie); verssnede a.h. eind v.e. versvoet.
**diafaan'** [MLat. *diaphanus*, v. Gr. *diaphanès*, v. *dia-phainoo* = laten doorschijnen] doorschijnend.
**dia'fora** [Gr. *diaphora* = verschil, v. *pheroo* = dragen] herhaling v. woord in andere betekenis, *(bijv.:* wat een weer weer).
**diafrag'ma** [Lat., v. Gr. *diaphragma*, v. *dia-* *(z.a.)* en *phrassoo* = omheinen] **1** *(anatomie)* middenrif; **2** verstelbare ringvormige opening vóór de lens (objectief) v.e. microscoop of fotocamera, waarmee de hoeveelheid v.h. invallend licht kan worden geregeld; **3** poreuze tussenwand bijv. bij elektrolyse.
**diagene'se** v. Gr. *dia* = door, *genesis* v. stam *gen-* = worden, groeien] verhardingsproces in afzettingsgesteenten door druk, verkitting of herkristallisatie.
**diagno'se, ook: diagno'sis** [Gr. *diagnoosis*, v. *dia-gignooskoo* = nauwkeurig leren kennen] *(med.)* onderkenning, vaststelling v.d. aard en de bron v.e. ziekte uit de verschijnselen *(fig.)* idem v. met ziekte vergelijkbaar verschijnsel *(bijv.:* de diagnose v.d. economische crisis).
**diagnostiek'** kunst v.e. juiste diagnose te stellen; leer v.d. diagnose. **diagnos'ticus** persoon die bedreven is i.h. stellen van diagnosen. **diagnostice'ren** [Fr. *diagnostiquer*] de diagnose stellen, de diagnose opmaken van...
**diagonaal'** [Lat. *diagonális*, v. Gr. *goonia* = hoek] **I** zn lijn die twee niet aangrenzende hoeken v.e. meetkundige figuur of v.e. door vlakken begrensd lichaam verbindt; **II** bn overhoeks; dwars.
**diagram'** [Gr. *diagramma* = tekening, v. *graphoo* = schrijven] **1** schetsmatige voorstelling d.m.v. figuurtjes die bep. betekenis hebben (veelal ook ten onrechte grafische voorstelling genoemd); **2** *(muz.)* vijflijnige toonladder, notenbalk.
**dia'ken** [Lat. *diáconus*, Gr. *diakonos* = dienaar] *(rk)* rang beneden priester; *(prot.)* kerkelijk armenverzorger.
**dialect'** [Lat. *dialectos*, Gr. *dialektos*

= tongval, v. *dia-legoo* = uit-lezen, converseren] wijze v. spreken eigen aan streek of klasse, met eigen woorden, uitdrukkingen e.d., streektaal. **dialec'tica, dialectiek'** [v. Gr. *dialektikos* = tot het disputeren behorend] **1** disputeerkunst, redeneerkunde, vaardigheid i.h. voeren van disputen; stelselmatige wijze van redeneren; **2** kritische denkleer, het denken van twee uitgangspunten uit d.m.v. dialoog; **3** (*fil.*) theorie v.d. tegenstellingen; oplossing van innerlijke tegenst. i.e. hogere eenheid; *dialectiek v.h. marxisme.*
**dialec'ticus 1** beoefenaar v.d. dialectiek; **2** beoefenaar v.d. dialectkunde. **dialec'tisch** *bn & bw* **1** behorend t.d. dialectiek; berustend o.d. dialectiek **3**; *dialectisch materialisme*, het beginsel v.d. dialectiek, overgenomen v.d. Duitse filosoof Georg W.F. Hegel (1770-1831), op sociaal-economisch gebied uitgewerkt door Karl H. Marx (1818-1883) en Friedrich Engels (1820-1895) als tegenst. tussen de maatschappelijke klassen en tot de wereldbeschouwing v.h. marxisme geworden; **2** eigen a.e. streektaal (*bijv.*: een dialectische uitspraak; een alleen maar dialectisch vóórkomend woord). **dialectologie'** leer v.d. dialecten (streektalen). **dialectoloog'** beoefenaar v.d. dialectologie.
**dialoog'** [Lat. *dialogus*, Gr. *dialogos*, v. *logos* = woord] gesprek, samenspraak, het gesprokene i.e. toneelstuk e.d.; gedachtenwisseling en discussie tussen twee of meer groepen van personen.
**dialy'se** [v. Gr. *dialusis* = ontbinding, v. *dia-luoo* = oplossen, scheiden, v. *dia-* = uiteen, en *luoo* = losmaken] **1** (*chem.*) methode tot scheiding v. kolloiden (z.a.) en niet-kolloiden (kristalloiden) d.m.v. een halfdoorlatend vlies (semipermeabel membraan); **2** (*med.*) afscheiding van afvalstoffen u.h. bloed met behulp v.e. kunstnier (*hemodialyse*) bij patiënten bij wie de nieren niet meer of onvoldoende functioneren. **dialysa'tor** toestel voor dialyse.
**di'ameter** afk. **diam.** [Gr. *diametros grammè* = lijn die dwars over meet] middellijn, doorsnede. **diametraal'** volgens de diameter; liggend o.d. uiteinden v.d. diameter, lijnrecht tegenover elkaar.
**diapa'son** [Lat., v. Gr. *dia pasoon chordoon* = door alle (acht) snaren] octaaf; omvang v. stem of instrument; stemvork; normale stemming.
**diapositief'** glazen plaat met positief v. foto waardoor ter projectie licht wordt geworpen; thans algemeen kortweg **dia** genoemd.
**dia'rium** [Lat., v. *dies* = dag] dagboek.
**dia'spora** [NTGr. = verstrooiing, v. *diaspeiroo* = uit-strooien] verstrooiing, het verspreid onder de heidenen wonen v. joden buiten Palestina, later ook v. christenen gezegd die onder de heidenen woonden.
**diasto'le** [modern Lat., v. Gr. *diastolè* = scheiding, verschil, interval, v. *stelloo* = zenden] uitzetting v. hartdeel of slagader (afwisselend met **systole**, z.a.).
**diathermaan'** [Fr. *diathermane*, v. Gr. *diathermainoo* = warm maken, v. *thermos* = warm] stralende warmte doorlatend.
**diathermie'** [Gr. *thermè* = warmte] bep. geneesk. methode om d.m.v. elektrische stromen in dieperliggende weefsels warmte te produceren.
**diatomee'ën** *mv* [v. Gr. *dia-* = door, en *temnoo* = snijden, *tomos* = het gesnedene] klasse v.d. goudwieren (*Chrysophyta*), i.h. Ned. ook *kiezelalgen* of *kiezelwieren* genoemd. **diatomee'ënaarde** zeer fijne afzetting bestaande uit gefossiliseerde celwanden van afgestorven diatomeeën.
**diato'nisch** [v. Lat. *diatónicus*, Gr. *diatonikos* = van het ene einde tot het andere gaande] voortgaande in hele en halve tonen, bestaande u.e. natuurlijke opeenvolging van tonen (*vgl.* **chromatisch** 2).
**diatri'be** [Lat. *diatriba*, v. Gr. *diatribè*

= wegslijting v. tijd, gesprek, v. *triboo* = wrijven] *oorspr.*: geleerd onderhoud; stuk met scherpe bittere kritiek, hekelschrift.
**dichotomie'** [Gr., v. *dicho* = in tweeën, en *temnoo* = snijden] tweedeling; tweedelige classificatie; (*plk.*) gaffel- of vorkvormig.
**di'chromaat** [v. Gr. *di-* = dubbel-; *zie* **chromaat**], onjuist ook **bichromaat** genoemd; zout afgeleid v.h. hypothetische dubbelchroomzuur $H_2Cr_2O_7$.
**dick'ey seat** [Eng.] oorspr. zitplaats v. bediende achter op de wagen; zitplaats achter o.e. motorfiets of een wagen; dichtklapbare zitplaats achter i.e. auto (kattebak).
**Dicoty'len** *mv*, ook wel **Dicotyledo'nen** [v. Gr. *di-* = twee, en *kotulèdoon* = schaal] tweezaadlobbige planten, d.w.z. planten waarvan de eerste bladeren v.d. kiem of de zaadlobben, cotylen of cotyledonen] normaliter twee in aantal zijn.
**dicte'ren** [v. Lat. *dictáre, dictátum*, frequentatief van *dícere* = zeggen] **1** voorlezen of voorzeggen wat iem. moet opschrijven; **2** voorschrijven; voorwaarden opleggen.
**dictaat' 1** het dicteren; **2** het gedicteerde, spec. thuis uitgewerkte aantekeningen van hetgeen een hoogleraar op het college heeft behandeld; **3** het voorgeschrevene (*bijv.*: iem. een dictaat opleggen); **4** (*Z.N.*) dictee (z.a.).
**dictafoon'** [*zie* **dicteren**; v. Gr. *phoonè* = stem] apparaat dat het gesproken woord vastlegt en het later weer kan reproduceren t.b.v. typiste, dicteermachine (v. bep. fabrikaat). **dictafoonis'te** typiste die met dictafoon werkt. **dicta'tor** [Lat. = i.h. oude Rome magistraat die in buitengewone omstandigheden onbeperkte macht had t.b.v. een speciale taak voor een bep. tijd] niet-vorstelijk gezaghebber met (vrijwel) onbeperkte macht. **dictatoriaal'** [Fr. *dictatorial*] v.e. dictator, als een dictator, eigenmachtig streng gebiedend. **dictatuur'** [Fr. *dictature*] **1** dictatorschap (ook bij uitbreiding: v.e. groep, *bijv.*: dictatuur v.h. proletariaat); **2** heerschappij door een dictator; **3** staat geregeerd door een dictator. **dictee'** [v. Fr. *dictée*] het voorlezen ter opschrijving door een of meer anderen, spec. op school als oefening i.h. juist spellen enz. v.h. voorgelezene; het zo opgeschrevene.
**dic'tie** [Lat. *dictio*, v. *dícere, dictum* = zeggen] de manier van zeggen, van voordragen; de voordracht zelf.
**dictionai're** [Fr. *dictionnaire*, v. MLat. *dictionárium*, v. Lat. *dícere* = zeggen] woordenboek.
**didactiek'** [v. Gr. *didaskoo* = onderrichten] de kunst of leer v.h. onderrichten. **didac'tisch** onderrichtend. **didac'ticus** [v. Gr. *didaktikos* = onderwijzend] vervaardiger v. leerdichten.
**die'-hard** [Eng. = *lett.*: iem. die moeilijk sterft] onverzettelijk persoon, fanatiek doorzetter.
**diëlek'tricum**, *mv* **-trica** [v. Gr. *dia* = doorheen; *zie* **elektriciteit**] vaste, vloeibare of gasvormige stof (eventueel ook de ledige ruimte) m.e. hoge specifieke weerstand voor elektrische stromen.
**di'es** [Lat., v. wortel *di-* = *ongev.*: stralen] dag; — *ater*, *lett.*: zwarte dag, ongeluksdag; — *irae*, dag v. wraak; — *natális*, geboortedag, stichtingsdag (bijv. van universiteit); — *non*, dag waarop geen recht gesproken mocht worden; dag die niet meetelt (bij berekening v. termijn); *de dag* afk. *d.d.* (op recepten) per dag.
**diets** [v. *diet* = volk] volkstaal; *iem. iets — maken*, iem. iets wijs maken.
**Dieu et mon droit** [Fr.] God en mijn recht.
**dif-** = **dis-** vóór **f**.
**diffama'tie** [Lat. *dittamare, -famátum* = ruchtbaar maken, v. *dis-*, en *fama* = faam] laster, eerroof.
**differe'ren** [Lat. *dif-férre* = uiteen-dragen] verschillen; uitstellen, differentiëren. **different'** [Lat. *differens, -feréntis* = o.dw] verschillend.
**differentia'tie** [v. MLat. *differentiáre*] het

verschillend maken of worden. **differen'tie**
[Lat. *differéntia*] verschil, onderscheid.
**differentiaal'** [v. MLat. *differentiális*, Fr.
*différentiel*] limiet van zeer kleine toename v.
veranderlijke grootheid; — *rekening*, (*wisk.*)
het rekenen met differentialen. **differentieel'**:
—*gear*, [Eng. *differential gear*] inrichting die
veroorlooft de beide achterwielen v. voertuig
verschillende snelheden te geven (bij nemen
v. bochten); *differentie'le rechten*
invoertarieven die verschillen vertonen naar
gelang bep. omstandigheden.
**difficiel'** [Lat. *difícilis*, v. *dis*-, en *fácilus*
= gemakkelijk; *vgl. fácere* = doen] moeilijk;
moeilijk te voldoen. **difficulteit'** [Lat.
*difficultas*] moeilijkheid, zwarigheid.
**diffiden'tie** [Lat. *diffidéntia*, v. *diffídere*, v.
*dis*-, en *fides* = trouw] twijfel, wantrouwen.
**diffrac'tie** [Lat. *diffráctio*, v. *dis*-, en *frángere*
*fráctum* = breken] straalbreking.
**diffunde'ren** [v. Lat. *dif-fúndere*, -*fúsum*
= uit-gieten] in elkaar doordringen, zich
vermengen. **diffu'sie 1** het zich vermengen
van twee verschillende gassen of vloeistoffen
als gevolg van transport v.d. ene soort
moleculen door de andere heen; **2**
ongelijkmatige terugkaatsing, d.w.z.
verstrooiing van lichtstralen of andere stralen.
**diffuus'1** verspreid; — *licht*, onregelmatig
teruggekaatst licht; **2** (*van stijl*) wijdlopig,
duister.
**diftong'** [Gr. *di*- = dubbel-, en *phthoggos*
= klank] tweeklank.
**digere'ren** [Lat. *di-gérere*, -*géstum*
= *disgérère* = uiteen-dragen, verteren,
verdelen, sorteren] **1** een stof met water of een
andere vloeistof bij zachte verhitting (ca. 40
°C) onder voortdurend roeren lange tijd in
aanraking laten om tinctuur, elixer, essence
e.d. te bereiden; **2** verteren (voedsel). **di'gest**
[Eng., v. Lat. *digesta* = verzameling juridische
uitspraken] samenvatting van belangrijke
tijdschriftartikelen. **diges'tie** [Lat. *digéstio*]
spijsvertering. **digestief'** [Fr. *digestif*, v. Lat.
*digestívus*] de spijsvertering bevorderend
middel.
**digitaal'** [Lat. *digitális*, v. *digitus* = vinger] **1**
de vingers betreffend; **2** [Eng. *digital*, v. *digit*
= *eig.*: vinger; elk cijfer van 0 tot en met 9] met
cijfers werkend, dus in niet-continue vorm.
**digita'lis** (*farmacie*) verzamelnaam voor een
aantal geneesmiddelen ter bestrijding van bep.
hartkwalen, voornamelijk verkregen uit
soorten v.h. plantengeslacht vingerhoedskruid
(*Digitális*).
**digni'ta'ris** [v. Lat. *dígnitas* = waardigheid, v.
*dignus* = waardig] waardigheidsbekleder;
bezitter v. ereambt.
**digres'sie** [Lat. *di-gredi* = *dis-gradi*
= weggaan, afwijken, v. *gradi* = schrijden;
*gressus sum* = ik ben gegaan] uitweiding;
buitensporigheid.
**di'i** (of di) **mino'res** [Lat. = de lagere goden
die niet tot de i.d. staatscultus vereerde (grote)
goden behoorden] thans uitdrukking voor: de
minder belangrijke personen.
**dilata'tie** [Lat. *dilátátio* = verwijding, v.
*dilatáre, dilátátum*, v. *dis* = uiteen, en *látus*
= wijd] uitzetting, toeneming van op zijn minst
één afmeting v.e. lichaam door uitwendige
kracht (bijv. trekkracht, rek) of door
temperatuursverandering.
**dilem'ma** [v. Gr. *di*- = dubbel-, en *lèmma*
= het aangenomene, v. *lambanoo* = nemen]
keuze tussen twee zaken beide onaangenaam
of lastig.
**dilettant'** [It. *dilettante*, v. *dilettare*, v. Lat.
*delectáre* = genoegen geven, vermaken]
beoefenaar v. kunst of wetenschap of vak uit
liefhebberij, vaak in ongunstige zin v. niet
geheel bekwame liefhebber; niet-vakman.
**dilettantis'me** het verschijnsel v. liefhebberij
in kunst e.d.
**diligen'ce** [Fr. v. Lat. *diligéntia, zie
diligentie*] **1** toewijding, vlijt, **2** (*gesch.*) bep.
publiek vervoermiddel tevens postwagen.

**diligent'** [Lat. *díligens, diligéntis*, o.dw van
*dilígere* = beminnen, vermaak scheppen in, v.
*dis*-, en *légere* = kiezen] toegewijd, ijverig,
naarstig, oplettend, stipt. **diligen'tie** [Lat.
*diligéntia*] zorgvuldige vlijt, nauwgezetheid,
oplettendheid.
**dilue'ren** [Lat. *dilúere* = weken, verdunnen, v.
*dis*-, en *lúere* = wassen) verdunnen; afwassen.
**dilu'vium** [Lat. = watervloed, *zie* **dilueren**]
zondvloed; in prehistorie aangeslibde grond.
**Dilu'vium** oude naam voor de geologische
periode die thans **Pleistoceen** (*z.a.*) heet.
**diluviaal'** [Lat. *diluviális*] aangeslibt; tot het
Diluvium behorend (*bijv.*: diluviale gronden).
**dimen'sie** [Lat. *diménsio*, v. *dis*- = uiteen, en
*metíri* = meten; *mensus sum* = ik heb
gemeten] **1** afmeting; *vierde —*, (*wisk.*)
beschouwing over vierde afmeting naast
lengte, breedte, hoogte (een vierdimensionaal
lichaam staat t.e. gewoon lichaam (v. drie
dimensies) als dit staat tot een vlak (v. twee
dimensies); **2** (*fys.*) aanduiding in welke
eenheden een grootheid moet worden
uitgedrukt; **3** (*fig.*) afmeting in fig. zin, *bijv.*: de
muziek voegde een nieuwe dimensie toe a.h.
menselijk bestaan. **dimensionaal'** de
dimensie betreffend.
**diminuen'do** afk. **dim.** [It.; *zie* **diminutie**]
(*muz.*) langzaam afnemend in sterkte.
**diminu'tie** [v. Lat. *diminúere, diminútum*
= verbrokkelen, v. *dis*- = uiteen, en *minúere*
= klein(er) maken] vermindering.
**diminutief'** [Lat. *diminutívum*]
verkleinwoord. **diminutief'suffix** [*zie*
**suffix**] verkleiningsuitgang.
**dimorf'** [v. Gr. *dimorphos*, v. *di*- = dubbel-, en
*morphè* = vorm) in twee versch. kristalvormen
voorkomend (gezegd van een en dezelfde
chemische stof). **dimorfie' of dimorfis'me**
tweevormigheid; **1** (*dierk.*) het vóórkomen van
hetzelfde dier in twee verschillende vormen,
spec. **seksueel dimorfisme**, waarbij
mannetje en vrouwtje uiterlijk (soms zeer
sterk) van elkaar verschillen; **2** (*kristalkunde*)
eigensch. van bep. stoffen om in twee
verschillende kristalvormen te kunnen
kristalleren.
**di'nar** [v. Lat. *denárius* = Romeinse zilveren
munt, v. *déni* = tien tegelijk, v. *décem* = tien]
naam v.d. munteenheid in verschillende
landen nl. Tunesië, Joegoslavië, Jordanië,
Koeweit en Irak.
**dindon'** [Fr.] (*cul.*) kalkoen. **dindonneau'**
[Fr.] jonge kalkoen.
**din'gey**, *ook*: **din'ghy** [Eng., v. Hindi *dengi*]
*oorspr.*: roeiboot der Indiërs; kleine roeiboot v.
schip, jol; *ook*: opblaasbaar rubberbootje als
reddingboot (bijv. van vliegtuig).
**diocees** [MLat. *diocesis*, v. Gr. *dioikèsis* =
huishouding, bestuur v. *oikos* = huis] bisdom.
**diocesaan' I** *bn* van of betreffende een
diocees; **II** *zn* gelovige v.e. diocees.
**dio'de** [v. Gr. *di*- = dubbel-, en *hodos* = weg]
halfgeleider of elektronenbuis met twee
elektroden.
**diony'sisch** [Gr. myth. *Dionusus* = Bacchus]
bij Dionysus behorend; (*fig.*) extatisch,
uitbundig.
**diop'ter** [Gr. *dioptèr* = be-, verspieder; *dioptra*
= optisch instrument met vizier; v. stam *op*-
= zien] kijkspleet of vizier bij bep. optische
instrumenten (spec. bij
landmetersinstrumenten). **dioptrie'** [Fr.]
eenheid v. breking bij lenzen
(brandpuntsafstand in cm gedeeld op 100 cm;
een lens met brandpuntsafstand van 25 cm
heeft dus een sterkte van 100:25 = 4 dioptrie).
**dioptriek'** [Fr. *dioptrique*] leer v. breking v.
lichtstralen bij lenzen.
**diora'ma** [v. Gr. *di-oraoo* = doorheen zien,
*horama* = aanblik, schouwspel] schildering op
doorschijnend materiaal die zowel bij
opvallend als doorvallend licht kan worden
bekeken, waardoor bij wisselende belichting
bijzondere effecten ontstaan.
**dioxien'** [buiten wetenschappelijke kringen

dioxi'ne] 2, 3, 7, 8-tetrachloordibenzodioxien, afgek. 2, 3, 7, 8-TCDD. Dioxien is de giftigste stof die ooit door mensenhanden is gemaakt. Het ontstaat o.a. bij verbranding van polyvinylchloriden (pvc's).

diplo- [Gr. *di-plous* = twee-voudig] dubbel-, met twee-. **diplo'ma** [Lat., v. Gr. *diplooma*, = *lett.*: het verdubbelde, v. *diplo-oo* = verdubbelen] *oorspr.*: dichtgevouwen lastbrief (zodat de inhoud niet zichtbaar was); **1** (*gesch.*) oorkonde, officieel stuk; **2** schriftelijk bewijs dat een bep. examen met goed gevolg is afgelegd; **3** bewijsstuk dat o.e. tentoonstelling of bij een wedstrijd een onderscheiding is toegekend; **4** bewijs van lidmaatschap. **diplomaat'** [Fr. *diplomate*] staatsdienaar in buitenlandse dienst, die i.e. bep. staat de politieke en handelsbelangen van zijn land behartigt; onderhandelaar in politieke zaken; (*fig.*) iem. die te werk gaat als een diplomaat, d.w.z. uitlatingen doet met grote voorzichtigheid en eventuele bijbedoelingen. **diploma'ticus** beoefenaar v.d. oorkondenkennis (*zie* diplomatiek II). **diplomatie'** [Fr.] **1** internat. staatskunde m.b.t. de relatie v.d. staten onderling; het voeren van onderhandelingen tussen staten; **2** het als een diplomaat handelen, handige geslepenheid i.d. omgang met personen. **diplomatiek'** [Fr. *diplomatique*] **I** bn volgens de diplomatie; handig, sluw, slim, geslepen; **II** zn oorkondenkennis. **diploma'tisch 1** t.d. diplomatie behorend, daarop betrekking hebbend; diplomatiek; **2** *lett.*: op oorkonden berustend; volkomen gelijk aan het origineel (*bijv.*: diplomatische herdruk v.e. boek). **diplome'ren** [Fr. *diplômer*] een diploma verlenen.

dipool' [v. Gr. *di-* = twee-, dubbel-; *zie* pool] dubbelpool; elektrisch stelsel waarin de zwaartepunten v.d. negatieve en positieve ladingen niet samenvallen (bijv. molecule van water). **dipool'antenne** halvegolf-antenne, antenne waarvan de beide in elkaars verlengde liggende geleiders ongeveer een kwart golflengte (samen een halve golflengte) lang zijn.

diptiek' [Gr. *di-* = twee-, en *ptux* of *ptuchè* = vouw] tweeluik.

directie'ven *mv* [Fr. *directives*, v. Lat. *dirigere*, *diréctum* = een richting geven] richtlijnen, alg. voorschriften hoe te handelen.

Directoi're [Fr.] (*gesch.*) uitvoerend (niet wetgevend) bewind v.d. Franse Republiek van 1795-1799. **directoraat'** [Fr. *directorat*] ambt v. directeur.

directo'rium [Lat. = *lett.*: voorgeschreven weg] bestuurslichaam.

dirige'ren [Lat. *dirigere* = richting geven] **1** ergens heen zenden; **2** besturen, leiden, spec. koor of orkest. **dirigis'me 1** geleide economie; **2** het dwingend leiden in geesteszaken.

dis (*muz.*) door kruis met halve toontrap verhoogde d (re), d-kruis.

dis- [Lat. *dis* = uiteen; *vgl. duo* = twee, en Gr. *di-* = twee-] uiteen-, ont-, on- (in verkorte vorm di; vóór f dif-).

disa'gio nadelig verschil tussen werkelijke en nominale waarde v. geldswaardig papier.

discalcea'ten *mv* [Lat. *dis-calceátus* = on-geschoeid, v. *cálceus* = schoen, v. calx, *calcis* = hiel] ongeschoeide monniken.

discant' [v. Lat. *discantus*, v. *dis-*, *z.a.*, en *cántus* = zang] *oorspr.* hoge tegenstem, bovenstem, later syn. met sopraan; *thans*: bij toetsinstrumenten de hoge helft v.d. klaviatuur.

disci'pel [Lat. *discípulus*, v. *díscere* = leren] leerling; *discipelen*, spec. de leerlingen v. Jezus. **discipli'ne** [Fr., v. Lat. *disciplína* = onderrichting, leer; *ook*: school, tucht] **1** leerstelsel, leerwetenschap; **2** tucht, spec. krijgstucht. **disciplinair'** [Fr. *disciplinaire*] betr. hebbend o.d. tucht. **discipline'ren** [Fr.

disciplinér] tucht aanwennen.

disco- [v. Gr. *diskos* = schijf] in samenstellingen het eerste lid dat aangeeft, dat het tweede lid betrekking heeft op grammofoonplaten of het draaien daarvan. **1 dis'co** afk. van **discotheek**, *z.a.* **2 dis'co** jeugdig persoon behorend tot een bep. subcultuur. **discofiel'** [v. Gr. *philos* = liefhebber, minnaar, vriend, v. *phileoo* = beminnen] liefhebber van grammofoonplaten. **discotheek'** [v. Gr. *thèkè* = bewaarplaats, v. *títhêmi* = zetten, plaatsen] **1** verzameling van grammofoonplaten (van elke aard); **2** instantie waar grammofoonplaten worden uitgeleend; **3** bar of café met dansvloer waar een discjockey platen draait.

disconte'ren [*zie* disconto] (*hand.*) een wissel voor de vervaldag verhandelen met aftrek v. rente. **disconti'nu** [Fr.] niet-continu, met onderbrekingen of gapingen. **discontinuïteit'** [Fr. *discontinuité*] gebrek aan continuïteit, aan samenhang. **discontinue'ren** [Fr. *discontinuer*] niet voortzetten, staken.

discon'to afk. disc. [It.; *zie verder* discount] aftrek v. rente bij verhandeling v. wissels vóór de vervaldag e.d.

discorde'ren [Lat. *discordáre*] niet overeenstemmen, niet harmoniëren. **discordan'tie** zn. **discordant'** (*geol.*) niet evenwijdig (v. aardlagen).

dis'count [Eng. = *eig.*: vermindering van prijs, zie OFr. *descompter* v. MLat. *discomputáre*, v. *dis-*, *z.a.*, en Lat. *computáre* = berekenen] eenvoudige winkel met vrij klein assortiment en geringe service, waar goederen in grote hoeveelheden tegen lage prijs worden verkocht (*discountbedrijf*).

discours' [Fr., v. Lat. *discúrsus*, v. *dis-cúrrere*, *-cúrsum* = uiteen-lopen, bespreken] gesprek, onderhoud.

discreet' [Lat. *discrétus*, v. *dis-cérnere*, *-crétum* = onderscheiden] (individueel) onderscheiden, gescheiden; bescheiden, kies, bedachtzaam. **discre'tie** [Fr. *discrétion*] kiesheid, bedachtzaamheid spec. om niet te zeggen wat niet gezegd mag worden, om geheim te bewaren.

discrepan'tie [Lat. *discrepántia*, v. *dis-crepáre* = niet overeenstemmen, v. *crepáre* = klinken] verschil, niet-overeenstemming, tegenstrijdigheid, het niet 'kloppen'.

discrimine'ren [Lat. *discrimináre*, v. *discrímen* = onderscheid, v. *discérnere*; *zie* discreet] onderscheiden ten nadele van, ongelijk behandelen, discriminatie toepassen. **discrimina'tie** [Fr. *discrimination* = het onderscheid maken] verwerpende onderscheiding ten ongunste v.d. ene persoon of groep ten gunste v.d. andere, verschillende behandeling, achterstelling. **discriminatoir'**, *ook*: **discriminator'** [Fr. *discriminatoire*] discriminerend.

disculpe'ren [Fr. *disculper*, v. Lat. *dis-*, *z.a.*, en *culpa* = schuld] van schuld vrijpleiten, verontschuldigen. **disculpa'tie** [Fr. *disculpation*] zn.

discursief' [Fr. *discursif*; *zie* discours] volgens gesprek, redenerend.

dis'cus [Gr. *diskos* = schijf] (*sport*) werpschijf. **discus'sie** [Lat. *discússio*, v. *dis-cútere*, *-cússum* = *dis-quátere* = uiteen-schokken, bespreken] bespreking v. voor en tegen, gedachtewisseling, debat. **discussie'ren**, *ook*: **discute'ren** [Lat. *discútere*] het voor en tegen bespreken enz. **discuta'bel** [Fr. *discutable*] betwistbaar.

disharmonie'ren niet-samenklinken; onenigheid hebben, de **disharmonie** wanklank; twist.

disk'-drive [Eng. *drive* = aandrijven] apparaat waarin schijfgeheugens kunnen worden gelezen en beschreven.

disket'te [Eng. v. Gr. *diskos* = schijf] kleine magneetschijf van soepel materiaal voor het opslaan en raadplegen van gegevens = *floppy* *(disk)*.

**dis'krediet** het ontberen v. vertrouwen; kwade faam.

**diskwalifice'ren** [*zie* dis- en **kwalificeren**], *ook*: **disqualifice'ren** iem. bij wedstrijd de behaalde prijs niet toekennen wegens onregelmatigheden, of het van tevoren van deelname uitsluiten wegens het niet voldoen a.d. vereiste voorwaarden; *meer alg.*: ongeschikt verklaren. **diskwalifica'tie**, *ook*: **disqualifica'tie** *zn.*

**disloca'tie** [v. MLat. *dislocáre* = uiteen-plaatsen, v. Lat. *dis-*, *z.a.*, en *locáre* = plaatsen; *lócus* = plaats] **1** (*geol.*) het verschijnsel dat gesteentelagen door bewegingen v.d. aardkorst uit hun oorspronkelijke (veelal horizontale) ligging zijn gebracht in de vorm v.e. plooiing of een breuk; **2** (*med.*) het verplaatst zijn van botdelen na een breuk (fractuur); **3** (*mil.*) het verplaatsen van troepen u.d. centrale opstelling naar verspreide gebieden.

**dis'orde(r)** [Eng. *disorder*, *vgl.* **desorder**] wanorde, verwarring.

**disparaat** [v. Lat. *disparáre* = afzonderen, v. *dis-*, *z.a.*, en *paráre* = gereed maken; bet. onder invloed van *dispar* = ongelijk] wezenlijk verschillend, ongelijk, niet bij elkaar passend, ongelijksoortig, zonder onderlinge verhouding. **dispariteit** [Fr. *disparité*, v. Lat. *disparátus*] ongelijkheid tussen twee vergeleken zaken, ongelijkwaardigheid, het uiteenlopend zijn.

**dispense'ren** [Lat. *dispensáre*, frequentatief v. *dis-péndere*, *-pénsum* = uit-wegen (voor ieder zijn deel), uitdelen, regelen] dispensatie verlenen, geneesmiddelen bereiden en afleveren. **dispensa'tie** [Lat. *dispensátio*] ontheffing v. algemene verplichting in bijzonder geval. **dispensato'rium** receptenboek v. apothekers.

**disperge'ren** [v. Lat. *dispérgere*, *dispérsum*, v. *dis-*, *z.a.*, en *spárgere* = strooien] verstrooien; **1** lichtstralen uiteen doen wijken; **2** (*chem.*) een vaste stof fijn verdelen i.e. andere stof, een dispersie 2 maken.

**disper'sie** [Lat. *dispérsio* = verstrooiing] **1** (*nat.*) kleurschifting, splitsing v. samengesteld licht in grondkleuren door buiging of breking; **2** (*kolloïdchemie*) fijne verdeling v.e. stof i.e. andere, spec. zodanig dat eerstgenoemde stof een kolloidale oplossing wordt.

**displa'ced per'son** afk. **D.P.** [Eng. = *lett.*: verdrongen persoon] ontheemde, vluchteling uit eigen land.

**display'** [Eng. = vertoning, tentoonspreiding, v. OFr. *displeier*, v. Lat. *dis-*, *z.a.*, en *plicáre* = vouwen; *dus*: uiteen-vouwen] afleesscherm van computer-vertaler.

**dis'plezier** [OFr. *desplaisir*] ongenoegen, verdriet.

**dispone'ren** afk. disp. [v. Lat. *dis-pónere*, *dis-pósitum* = uiteen-plaatsen, ordenen] regelen, beschikken; — *over*, beschikken over (geld, zaken, diensten van personen); invorderen van geld; *gedisponeerd*, niet (goed) — zijn, niet i.d. geschikte stemming zijn om ..., geen lust hebben. **disponent'** [v. Fr. *disposer* = (rang)schikken, beslissen] persoon die bij expeditie de inzet van voer- en vaartuigen regelt; zaakgelastigde. **disponi'bel** afk. disp. [Fr. *disponible*] beschikbaar, ter beschikking staand; (*hand.*) rechtstreeks leverbaar. **disposi'tie** afk. disp. [Lat. *dispositío*] **1** inrichting, beschikking; **2** aanleg, spec. aanleg voor een bep. ziekte, vatbaarheid; gesteltenis; **3** invordering van betaling; **4** gemoedstoestand; gemoedsgesteltenis; **5** beschikking, *bijv.*: ik ben tot uw dispositie, u kunt vrij gebruik maken van mijn diensten. **dispropor'tie** wanverhouding, het niet evenredig zijn der delen.

**dispute'ren** [Lat. *dis-putáre*, *-putátum*

= afrekenen, uiteen-zetten; *putáre* = rekenen] redetwisten, debatteren. **disputa'tie** [Lat. *disputátio*] redetwist. **disputa'bel** [Lat. *disputábilis*] aanvechtbaar. **dispuut'** [Fr. *dispute*] **1** disputatie; **2** studentenclub. **disqualifice'ren** *zie* **diskwalificeren**.

**disrespect'** [Eng.; *zie* **dis-**, en **respect**] gebrek aan eerbied (respect), veronachtzaming, lompheid.

**disruptief'** [v. Lat. *dis-* = uiteen-, en *ruptio* v. *rumpere* = breken] verbrekend, verwoestend.

**dissen'sie** [Lat. *dissénsio*, v. *dis-sentíre*, *-sénsum* = verschillend gevoelen] verschil v. mening, het onenig zijn. **dissen'ters** *mv* [Eng. = andersdenkenden] non-conformisten, niet t.d. Episcopale Kerk behorende protestanten.

**disserte'ren, dissere'ren** [Lat. *dissertáre*, *-tátum*, frequentatief v. *dis-sérere*, *-sértum* = uiteen-zetten, v. *sérere* = knopen] een wetenschappelijke uiteenzetting houden. **disserta'tie** [Lat. *dissertátio*] wetenschappelijke verhandeling, spec. proefschrift ter verkrijging v.d. doctorsgraad.

**disside'ren** [Lat. *dis-sídere* = uiteen-zitten, v. *dis-*, *z.a.* en *sedére* = zitten] v.e. ander gevoelen zijn. **dissiden'ten** [Lat. *dissídens*, *-sidéntis* = o.dw] **1** andersdenkenden; schismatieken; **2** spec. i.d. Sovjetunie vooraanstaande personen (schrijvers e.d.) die openlijk kritiek leveren o.h. regime, daarom vervolgd worden en al dan niet hun land weten te verlaten.

**dissimila'tie** [v. Lat. *dissímilis* = on-gelijk] het tegengestelde van assimilatie; **1** (*taalk.*) het verschijnsel dat twee kort op elkaar volgende medeklinkers, die oorspr. gelijk waren, ongelijk worden, bijv. het oorspr. toveraar wordt tovenaar; **2** (*biol.*) katabolisme, het geheel v.d. stofwisselingsreacties waarbij energie vrijkomt door afbraak van energierijke verbindingen.

**dissimula'tie** [Lat. *dissimulátio*, v. *dis-simuláre*, *-simulátum* = verhelen, verbergen, v. *dis-*, *z.a.*, en *simuláre* = gelijkend maken, v. *símilis* = gelijk] het ontveinzen, verheimelijking, vermomming, huichelarij.

**dissipa'tie** [Lat. *dissipátio* = verstrooiing, v. *dis-sipáre*, *-sipátum* = uiteen-werpen] **1** verkwisting; **2** verstrooiing van energie.

**dissocia'tie** [Lat. *dissociátio*, v. *dis-sociáre*, *-sociátum*, v. *dis-*, *z.a.*; *sócius* = gezel] het tegengestelde van associatie, ontbinding, het uiteenvallen; (*spec. chem.*) het omkeerbaar uiteenvallen van moleculen in minder samengestelde bestanddelen, veelal door afsplitsing van eenvoudige moleculen of ionen.

**dissolve'ren** [v. Lat. *dissólvere*, *-solútum* = van elkaar losmaken, v. *dis-*, *z.a.*, en *sólvere* = losmaken] **1** ontbinden (bijv. een vereniging); **2** (*chem.*) oplossen. **dissol'vens**, *mv* **dissolven'tia** [Lat. *dissólvens*, *-solvéntis*, o.dw], *ook*: **dissolvant'** [Fr.] oplosmiddel. **dissolu'tie** [Lat. *dissolútio* = oplossing; opheffing, afschaffing] **1** oplossing; **2** opheffing v. bep. band, ontbinding.

**dissone'ren** [Lat. *dis-sonáre*, v. *dis-*, *z.a.* en *sonus* = klank] niet overeenstemmen, onwelluidend klinken. **dissonant'** [Lat. *dissonans*, *-ántis* = o.dw] wanklank, vals klinkend akkoord. **dissonan'tie** het dissoneren.

**dissymmetrie'** [v. Lat. *dis*, v. Gr. *di* = twee, *symmetria* v. Gr. *summetria* = evenredigheid] het voorkomen in twee vormen die elkaars spiegelbeeld zijn (bijv. handen).

**distantië'ren** [*zie* **distantie**] afstand maken, verwijderen; *zich —*, zich o.e. afstand plaatsen, ergeen deel meer aan willen hebben. **distant'** [Fr.] **1** afstand bewarend; **2** veraf (ook fig. wat de tijd betreft). **distan'tie** [Lat. *distántia*, v. *distáre*, v. *dis-*, *z.a.*, en *stáre* = staan] **1** afstand (ruimtelijk); **2** (*fig.*) afstand, *bijv.*: *distantie bewaren*, zich afzijdig houden.

**dis'tichon**, *mv* **dis'ticha** (*beter*: **di'stichon**) [v. Gr. *distichos* = van twee verzen of regels, v. *di-* = twee-, en *stichos* = rij, versregel] couplet van twee regels, die samen een volzin vormen, veelal bestaande uit een zesvoetig vers (*hexámeter*) en een vijfvoetig vers (*pentámeter*), ook vaak gebruikt voor epigrammen.

**distille'ren** [Fr. *distiller*] minder juist voor **destilleren** enz., z.a.

**distinct'** [Lat. *distínctus*, v. *distingúere*, *distínctum*, v. *dis-*, z.a. en *stingúere*, verwant met Gr. *stizoo* = steken] onderscheiden en daardoor duidelijk. **distinc'tie** [Lat. *distínctio*] onderscheid, het onderscheiden; spec. het zich onderscheiden door fijne beschaving, voornaamheid. **distinctief'** [Fr. *distinctif*] **I** *bn* onderscheidend, kenbaar makend; **II** *zn* onderscheidingsteken, teken v. rang. **distingue'ren** onderscheiden; *gedistingeerd*, zich onderscheidend, spec. door beschaafde omgangsvormen, verzorgde kleding en verder uiterlijk e.d.; voornáám.

**distract'** [Lat. *distráctus*, v. *dis-tráhere*, *-tráctum* = uiteen-trekken] verstrooid, afgetrokken. **distrac'tie** [Lat. *distráctio*] verstrooidheid.

**distribue'ren** [Lat. *dis-tribúere*, *-tribútum* = uitdelen] uit-, ronddelen. **distribu'tie** [Lat. *distribútio*] uitdeling, spec. het van overheidswege aanwijzen v. rantsoenen levensbehoeften. **distributief'** [Fr. *distributif*] verdelend.

**district'** [v. MLat. *districtus* = rechtsgebied, v. Lat. *dis-stríngere*, *-stríctum* = uiteen-rekken, v. *dis-*, z.a. en *stríngere* = snoeren] bep. gebied m.b.t. bestuurszaken en administratie, afd. v. departement.

**ditheïs'me** [v. Gr. *di* = twee, en *theos* = god] tweegodendom.

**dithyram'be** [Gr. *dithurambos* = bijnaam v. Dionysos, koorlied te zijner ere] vurige lofzang.

**di'to** afk. **do** [It. (tegenw. *detto*) v. Lat. *dictus*, v. *dícere*, *dictum* = zeggen] *lett.*: het gezegde; hetzelfde, insgelijks.

**diure'ticum** *mv -ca* [Lat., v. Gr. *diourètikos*, v. *dia*, en *oureoo* = urineren] urineafdrijvend middel.

**di'va** [It., v. Lat. *dívus*, vr. *diva* = goddelijk; verwant met *deus* = god] beroemde actrice of zangeres.

**divage'ren** [v. Lat. *dí-vagi* = overal rond-zwerven] **1** afdwalen van onderwerp, temen, uitweiden; **2** onzin verkopen. **divaga'tie 1** afdwaling, uitweiding; **2 divaga'ties** *mv* onzin.

**diverge'ren** [v. Lat. *dis-*, z.a. en *vérgere* = hellen] uiteenwijken in verschillende richting, uiteenlopen. **divergent'** [Fr.] uit elkaar wijkend; *divergente reeks* (*wisk.*), reeks waarvan de som groter kan worden dan elk willekeurig bepaald getal, dus niet tot een limiet nadert. **diver'gen'tie** *zn*.

**divers'** [Fr., v. Lat. *diversus*, v. *divértere* = uiteenwenden, v. *dis-*, z.a. en *vértere* = keren] **1** *bn* verscheiden, verschillend; *ook*: ongelijksoortig; **2** *zn mv* **diver'sen** afk. **div.** zaken of onderwerpen die onderling verschillen, spec. als ze niet onder een bep. categorie zijn onder te brengen (bijv. de post 'diversen' op een begroting). **diver'sie** (MLat. *divérsio*] (*mil.*) afleidingsmanoeuvre.

**diversifica'tie** v. MLat. *diversificáre*, v. Lat. *fácere* = maken] het verscheiden maken, verscheidenheid brengen in. **diversifié'ren** [v. Fr. *diversifier* = afwisseling brengen in, v. MLat. *diversificáre*, zie **diversificatie**] verscheidenheid brengen in. **diversifie'ring** *zn* het diversifiëren; *ook*: **diversificatie**, z.a.

**diversiteit'** [v. Fr. *diversité*, v. Lat. *divérsitas*] verscheidenheid. **diverte'ren** [v. Fr. *divertir* = *eig.*: afleiden; vermaken] : *zich —*, zich vermaken.

**divertimen'to** [It. = vermaak] (*muz.*) bep. licht cyclisch muziekstuk (oorspr. als gezelligheidsmuziek bedoeld).

**divertissement'** [Fr.] ontspanning, vermakelijkheid.

**divide'ren** [Lat. *divídere*, *-visum* = verdelen; *vgl. viduus* = ledig van, gescheiden van] verdelen; (*rekenkunde*) delen. **dividend'** afk. **div.** [Lat. *dividéndum* = wat moet worden verdeeld] aandeel i.d. winst; **di'vide et im'pera** [Lat.] verdeel en heers. **di'vide in par'tes aequa'les** (div. in part. aeq.) [Lat.] (op recepten) verdeel in gelijke delen.

**divina'tie** [Lat. *divinátio*, v. *divináre*, *-átum* = goddelijke ingeving hebben, v. *dívinus* = goddelijk, *zie* **diva**] waarzeggerij, voorspellingsgave; voorgevoel, vermoeden (als bij ingeving). **divinato'risch** [v. Lat. *divinátor* = ziener] de waarzeggerij betreffend.

**divisi'bel** [Lat. *divisibilis*; *zie* **divide'ren**] deelbaar.

**divulge'ren** [Lat. *divulgáre*, *-vulgátum* = algemeen maken, v. *dis-*, z.a., en *vulgus* = de massa, het volk] in grote kring bekend maken, ruchtbaarheid geven aan. **divulga'tie** *zn*.

**di'xi** [Lat. = ik ben klaar met zeggen] ik heb gezegd (op eind v. toespraak).

**djinn** *zie* **jinn**.

**djon'gos** (i.h. voormalige Ned. Oost-Indië) inlandse huisbediende, boy.

**DNA** *zie* **desoxyribonucleïnezuur**.

**do** (*muz.*) eerste toon v.d. natuurlijke (*diatonische*, z.a.) toonladder (voor de naam **do** *zie* **aretijnse**); in Frankrijk **ut**; de toon **c**.

**doceet'** aanhanger v.h. docetisme, z.a.

**doce'ren** [Lat. *docére*, *doctum* = onderwijzen, leren] onderricht geven, spec. mondeling. **docen'do dis'cimus** [Lat.] we leren door zelf te onderrichten. **docent'** [Lat. *docens*, *docéntis* = o.dw] leraar bij middelbaar en voorbereidend hoger onderwijs.

**docetis'me** [MLat. *docetismus*, v. Gr. *dokeoo* = o.a. schijnen] (*gesch.*) ketterij die leerde dat Christus slechts een schijnlichaam bezat.

**dociel'** [Fr. *docile*, v. Lat. *docilis* = leerzaam, *zie* **doceren**] vatbaar voor onderrichting; volgzaam, gedwee. **dociliteit'** [Lat. *docílitas* = leerzaamheid, zachtheid] volgzaamheid.

**doc'tor** afk. **Dr.** [Lat. = de leermeester] iem. die hoogste academische graad heeft behaald; *— honóris causa* afk. *h.c.*, eredoctor, iem. wie de doctorstitel verleend is om wille van buitengewone verdiensten in bep. vak. **doctoraal'** [Fr. *doctoral*] **I** *bn* doctor betreffend; **II** *zn* laatste examen af te leggen voor men tot doctor kan promoveren (de geslaagde noemt men **doctorandus**). **doctoraat'** [Fr. *doctorat*] het doctor zijn, doctorsgraad. **docto're'ren** de doctorsgraad behalen, promoveren. **doctoran'dus** afk. **Drs.** [Lat. = *lett.*: die doctor moet worden] iem. die het doctoraalexamen heeft afgelegd maar nog moet promoveren tot doctor.

**doctri'ne** [Lat. *doctrína*] leerstelsel, wetenschap. **doctrinair'** [Fr. *doctrinaire*] leerstellig, streng vasthoudend a.d. leer.

**do'cudrama** [v. Fr. *docu(mentaire)* v. Lat. *documentum* = bewijs, toonbeeld en Gr. *drama* = handeling, v. *draoo* = doen] film of toneelstuk waarvan de historische feiten zo getrouw mogelijk zijn geënsceneerd.

**document'** [Lat. *documéntum* = toonbeeld, bewijs, v. *docére*, *zie* **doceren**] oorkonde, schriftstuk als bewijs; *mv ook*.: bescheiden. **documente'ren** [Fr. *documenter*] met schriftelijke bewijzen staven. **documenta'tie** *zn*. **documentair'** [Fr. *documentaire*] een document betreffend; als document; —e *film*, de werkelijkheid weergevende film over bep. toestand of gebeuren, dus zonder acteurs of actrices die een bep. rol spelen, maar wel met eigen creatieve mogelijkheden en geen weergave v.d. werkelijkheid zonder meer. (Ook kortweg **documentaire** genaamd.) **document' humain** [Fr.] *lett.*: menselijk document, d.w.z. verslag (geschrift, film, *eventueel ook*: voorwerp) dat getuigt v.h. menselijk leven, spec. v.h. leed.

**dodecaë'der** [v. Gr. *doodeka* = twaalf, en *hedra* = zetel; (zit)vlak] *(meetk.)* lichaam begrensd door 12 regelmatige vlakken.
**dodecafo'nisch** [Gr. *phoonè* = geluid] volgens de 12-toons toonladder.
**dodij'nen** [Fr. *dodiner*] wiegen.
**doe'ma** [Russisch] *(gesch.)* volksvertegenwoordiging vóór 1917. **doe'rak** [Russ. = domkop, sufferd] *(volkstaal)* schurk, ellendeling, laaghartig gemeen persoon.
**dog'-cart** [Eng.; *dog* = hond, *cart* = kar] licht tweewielig open rijtuig, getrokken door één paard, waarin de inzittenden rug tegen rug zitten; oorspr. voor vervoer van jachthonden vandaar de naam.
**do'ge** [v. Lat. *dux, dúcis* = leider] *(gesch.)* regeringshoofd te Venetië en Genua.
**Dog'ger** of **Bruine Jura** de middelste serie v.d. Jura, *z.a.*, tussen Lias en Malm; de Dogger duurde v. 170-150 miljoen jaar geleden; *(doggers* = zandsteenconcreties in Engeland).
**dog'ma** [Lat., v. Gr. *dogma, dogmatos* = mening, filosofische stelling; NTGr. = godsdienstig gebod; v. Gr. *dokeoo* = menen, geloven; *vgl.* **docetisme**] tegenspraak uitsluitende leerstelling; *(spec. rk)* verplicht te aanvaarden punt v.d. geloofsleer.
**dogmatiek'** [v. Gr. *dogmatikos* = v.h. dogma] wetenschap omtrent de geloofsleer.
**dogma'ticus** beoefenaar v.d. dogmatiek.
**dogma'tisch** leerstelling, geen tegenspraak duldend. **dogmatise'ren** [Fr. *dogmatiser*, v. Lat. *dogmatisáre*, v. Gr. *dogmatizoo*] op dogmatische toon onbewezen stellingen voordragen. **dogmatis'me** leerstelsel dat op besliste wijze onbewezen stellingen leert.
**dogmatologie'** wetenschap betr. de dogma's.
**doksaal', doxaal'** [v. Lat. *dorsále* = plaats achter de rug, v. *dorsum* = rug] *(rk)* oorspr.: priesterkoor (wat achter de rug v.d. dienstdoende priester was); *thans*: zangkoor *(ook geschreven* **oksaal)**.
**dol'ce** afk. **dol**. [It., v. Lat. *dulcis)* *(muz.)* zoet, liefelijk, zachtvloeiend; — *far niénte,* het zalig nietsdoen. **dolcis'simo** [It., v. Lat. *dulcíssimus* = zeer zoet] *(muz.)* zeer dolce.
**Dol'drums** [Eng., waarsch. verband met *dull* = traag, sloom] deel v.d. Atlantische Oceaan b.d. evenaar waar vaak windstilte heerst.
**dolean'tie** [v. Lat. *dólium* = klacht; *vgl.* Lat. *dolor, dolóris* = smart; *dolére* = smart lijden] bezwaarschrift, klacht; *de Doleantie*, afscheiding v.d. dolerenden, *z.a.* **dolen'te** [It.] *(muz.)* weemoedig klagend. **dole'ren** bezwaar indienen; t.d. richting der dolerenden behoren. **dole'renden** in 1886 v.d. Ned. Herv. Kerk afgescheiden protestantse sekte.
**dolichocefaal'** [Gr. *dolichos* = lang, en *kephalè* = hoofd] **I** *bn* langschedelig; **II** *zn* langschedelig persoon.
**doli'nen** *mv* [v. Servo-Kroatisch woord] *(geol.)* trechter- of ketelvormige inzinking in bodem van oplosbaar gesteente (o.a. kalkbodem). Ze ontstaan door oplossing v.h. gesteente door regenwater *(oplossingsdolinen)* of door instorting doordat het onderliggend gesteente is opgelost *(instortingsdolinen).*
**dol'man** [Turks *dolaman* = gewaad] huzarenwambuis met tressen.
**dol'men** [Fr., missch. v. Cornwalls *doll* = hol, en *men* = steen] Keltisch hunebed, speciaal in Bretagne.
**dolomiet'** bep. soort mineraal (magnesiumhoudende kalksteen) [naar Deodatus Gratet de Dolomieu, Fr. geoloog, 1750-1801].
**doloro'so** [It., v. Lat. *dolorósus* = smartelijk, v. *dolor, doloris* = smart] *(muz.)* smartrijk, treurig.
**Dom** [afk. v. Lat. *Dóminus* = heer] titel v. benedictijnerpriester; titel v. aanzienlijke personen in Portugees sprekende gebieden.
**domein'** [v. Fr. *domaine*, v. Lat. *dominícum* = wat v.d. heer is, v. *dóminus* = heer] land of

goed in eigendom a.d. kroon of de staat; *(fig.)* gebied, terrein v. kennis of bevoegdheid (dit is niet mijn domein). **domaniaal'** [Fr. *domanial*] tot een domein behorend.
**domestica'tie** [v. MLat. *domesticáre*, v. Lat. *domésticus* = tot het huis *(domus)* behorend] het temmen v. wilde dieren tot huisdieren.
**domici'lie** [Lat. *domicílium*] woonplaats, wettelijke vaste verblijfplaats. **domicilië'ren** [Fr. *domicilier*] woonachtig zijn, tot domicilie kiezen; *(hand.)* een wissel betaalbaar stellen aan het adres v.e. derde. **domiciliair'** [Fr. *domiciliaire*] het domicilie betreffend.
**do'mina** afk. **Da** *[zie* **dominee]** *(prot.)* predikante, vr. dominee.
**domina'tie** [Lat. *dominátio*, v. *dominári* = heersen, *zie* **domineren**] overheersing, het domineren. *(Vgl.* **dominantie.)** **dominant'** [Fr., v. Lat. *dóminans, domin ántis*, o.dw van *dominari*] **I** *bn* 1 overheersend; **2** *(biol.)* gezegd v.e. erfelijke factor die een andere overheerst, zodat deze laatste niet tot uiting komt; **II** *zn* 1 *(alg.)* hetgeen dat of degene die overheerst; **2** *(biol.)* erfelijke factor die een andere verhindert zich te uiten; **3** *(schilderkunst)* kleur die overheerst; **4** *(muz.)* grote kwint. **dominan'tie** 1 *(alg.)* het overheersen; **2** *(biol.)* het dominant zijn v.e. erfelijke factor; **3** *(plk.)* het overheersen v.e. plantesoort of enkele soorten i.e. vegetatie.
**do'minee** [v. Lat. *dominus* = heer] *(prot.)* predikant.
**domine'ren** [v. Lat. *dominari* = heersen; verwant met *domáre* = temmen] 1 overheersen, beheersen; duidelijk op de voorgrond treden *(bijv.*: die toren domineert de stad = is overal zichtbaar; *ook fig.*: hij domineert in dit gezelschap); **2** domino spelen.
**Dominica'nen** *mv* leden v.d. orde van de heilige Dominicus (Dominicus de Guzman, 1170-1221), officieel *Ordo Fratrum Praedicatorum* = Orde der Predikbroeders, afk. O.P. **Dominicanes'sen** *mv* vrouwelijke religieuzen, verbonden met de dominicanen.
**domi'nion** [Eng., via OFr. v. VLat. *domínio, dominiónis,* v. Lat. *domínium* = o.a. heerschappij, v. *dóminus* (heer) tot het Britse Gemenebest (Commonwealth) behorend land of gebied met volledige eigen bestuur (bijv. Canada, Australië). De dominions zijn alleen nog door de Britse Kroon symbolisch met de andere delen v.h. Gemenebest verbonden. Oorspr. werden de oudste dominions nog door het Verenigd Koninkrijk beheerst (vandaar de naam *dominion*). **domi'nium** [Lat., v. *dominus, z.a.*] 1 heerschappij; **2** eigendom, bezit.
**do'mino** [It. = heer, v. Lat. *dominus, z.a.*] 1 *oorspr.* mantel met kap, dracht v. geestelijke *(domino); later*: lange wijde meestal zwarte mantel met capuchon en wijde mouwen als maskerade; *ook*: aldus vermomd persoon; 2 gezelschapsspel, (winnaar is 'heer').
**Do'minus** afk. **D** of **Dom** [Lat. *dóminus* = heer (des huizes); v. *domáre* = temmen; niet verwant met *domus* = huis, maar met Gr. *damnèmi = damnaoo* = temmen, bedwingen] de Heer, de Here, God.
**dompteur'** [Fr., v. *dompter*, v. Lat. *domitáre*, intensief v. *domáre* = temmen; *dómitor* = temmer] dierentemmer.
**do'mus** [Lat., v. Indogerm., stam die ongeveer betekent: passend maken, in elkaar passen; *vgl.* Gr. *demoo* = bouwen, en Ned. *timmeren*] huis; — *Déi*, het huis van God, godshuis; — *Dómini*, het huis des Heren.
**1 Don** [Sp., v. Lat. *dóminus* = heer] eretitel (vóór de naam) van voorname mannen. **2 Don** [It., v. Lat. *dóminus* = heer] eretitel (vóór de naam) van geestelijken en aristocraten. **Doña** *(uitspr.* donja) [Sp., v. Lat. *dómina* = heerseres, vr. v. Lat. *dóminus* = heer] eretitel voor voorname vrouwen.
**dona'tie** [Lat. *donátio*, v. *donáre, donátum* = geven, v. *dónum* = geschenk] 1 *(alg.)* schenking; 2 *(med.)* hoeveelheid bloed door

donor (bloedgever) gegeven. **donateur'** [Fr., v. Lat. *donátor*] begunstiger (v. vereniging e.d.). **donatri'ce** [Lat. *donátrix, donatrícis*] vr. donateur. **donata'ris** [MLat. *donatórius*] aan wie wordt gegeven.
**don gratuit'** [Fr.] vrijwillige gift.
**donjon'** [Fr., v. VLat. *dómnio, domniónis* (v. *domnus* = Lat. *dóminus*) dubbelvorm v. *domínio; zie* **dominion**] voornaamste toren v. burcht.
**Don Juan** [Sp.; *uitspr.*: Goean] vrouwenverleider [naar legendarische Don Juan Tenorio].
**don'key** [Eng. = *lett.*: ezel; *(fig.)* dom iemand; *vgl.* Ned. **dommekracht**] kleine stoommachine op grote schepen voor de takels en de pompen, spec. stoomlier.
**Don'na** [It., v. Lat. *dómina*, vr. v. *dóminus* = heer; *vgl.* Sp. **Doña**] eretitel (vóór naam) van voorname vrouwen.
**do'no'dit afk. D.D.** [Lat. = heeft ten geschenke gekregen] als onderschrift van bedden, schilderingen e.d.: *... dono dedit, ...* heeft (dit) geschonken.
**do'nor** [modern Lat., v. Lat. *dónum* = gift, gave; klassiek Lat. is *donátor*] 1 bloedgever; 2 gever v. sperma voor kunstmatige inseminatie; 3 gever v. lichaamsorgaan voor transplantatie.
**donquichotterie'** [Fr.], ook wel minder gebruikelijk **donquichottis'me**, belangeloos maar dwaas-onpraktisch idealisme; een daaruit voortkomende daad ('tegen windmolens vechten'), [naar Don Quijote, Fr. Don Quichotte, de hoofdfiguur v.d. wereldberoemde roman van Miguel de Cervantes Saavedra (1547-1616)].
**doodle** [Eng.] krabbeltekeningen maken terwijl men met zijn gedachten bij andere zaken is.
**door'gefourneerd 1** (v. loten in staatsloterij) geldig in alle klassen; 2 doortrapt, in merg en been.
**doop'ceel** [*zie cedel*] *eig.*: uittreksel u.h. doopregister, afschrift van iemands doopbewijs.
**do'pe** [Eng. = *oorspr.*: dikke saus waarin men brokken voedsel doopte (*vgl.* Ned. (in)dopen; Westfries *doop* = saus)] stof a.e. andere toegevoegd ter verbetering v.d. eigenschappen daarvan; *(slang)* bedwelmende drank, ook: opwekkend middel, *drug, z.a.* **do'ping** [Eng.] 1 *(techn.)* toevoeging van verbeterende stoffen aan motorbenzine en motorsmeerolie (*gedoopte olie*) in kleine hoeveelheden; 2 *(elektronica)* het toevoegen van kleine hoeveelheden v.e. andere stof aan halfgeleiders om deze de gewenste elektronische eigenschappen te geven; 3 *(sport)* het toedienen (resp. het zichzelf toedienen) van stimulerende middelen aan deelnemers v.e. wedstrijd.
**dora'do** [Sp., v. Lat. *deaurátus* = verguld, v. *aurum* = goud] goudland, paradijs (*zie* **el dorado**). **dore'ren** [Fr. *dorer*, v. Lat. *deauráre*] vergulden; vergoelijken.
**Do'risch:** —*e stijl*, een der drie bouwstijlen der Grieken: —*e zuil*, gegroefde zuil met vierkant kapiteel. (Doris is deel v.h. oude Griekenland.)
**dormeu'se** [Fr. = *lett.*: slaapster, v. *dormir*, v. Lat. *dormíre* = slapen] *oorspr.*: slaapmuts; slaapstoel, fauteuil waarin men in liggende houding een dutje kan doen.
**dormitief'** [Fr. *dormitif*] slaapmiddel.
**dormito'rium** [Lat. = het tot slapen ingerichte] slaapzaal (*zie ook* **dortoir**).
**dormobi'le** [v. Fr. *dormir* = slapen, en *automobiel* = auto] auto zodanig ingericht dat men daarin normaal kan slapen.
**dorsaal'** [v. MLat. *dorsális*, v. Lat. *dorsum* = rug] de rug betreffende, rugge-. **dorsa'lia** *mv* [kerkelijk Lat.] rugtapijten op koorstoelen.
**dor'so** *(hand.)* keerzijde v. wissel.
**dortoir'** [Fr., *zie* **dormito'rium**] slaapzaal.
**dos à dos** [Fr., v. Lat. *dorsum* = rug] rug aan rug, met de ruggen tegen elkaar.
**dose'ren** [Fr. *doser*; *zie* **dosis**] de dosis bepalen, spec. v. medicijnen. **do'sis**, *mv*

**do'ses** [Gr. *dosis* = gave, v. *didoomi* = geven] hoeveelheid, spec. van artsenij die in één keer mag worden toegediend; (ook fig.) *bijv.*: een grote — zelfvertrouwen, een aanzienlijke — geduld.
**dossier'** [Fr., v. *dos* = rug, v. Lat. *dórsum*] oorspr. 'rugleuning', vandaar 'omslag v. aktenbundel', ten slotte: aktenbundel, bundel van stukken; verzameling stukken over een bep. persoon of een bep. zaak.
**dote'ren** [Lat. *dotáre* = een *dos* (bruidschat) geven] beschenken, begiftigen. **dota'tie** schenking, gift.
**douairière** [Fr., v. *douaire* = weduwgoed, v. VLat. *dotárium, zie* **doteren**] *eig.*: weduwe met weduwgoed; adellijke weduwe.
**dou'ble** [Eng. = dubbel, v. Lat. *dú-plus* = twee-voudig; *zie* **doubleren** en **duplicaat**] 1 dubbelganger; spec. stuntman (resp. stuntvrouw) die in films de plaats inneemt v.d. acteur (resp. actrice) in gevaarlijke situaties; 2 *(voetbal)* het winnen door een club van zowel het kampioenschap als van de beker.
**doublé** [Fr. = *lett.*: gedubbeld] onedel metaal (geelkoper) bedekt met een laagje goud.
**double'ren** [Fr. *doubler*, v. Lat. *du-plicáre* = dubbel-vouwen, v. *dúo* = twee, en *plicáre* = vouwen] 1 *(alg.)* verdubbelen, spec. inzet bij spel (bijv. bij bridge aankondigen dat de verlies- of winstpunten dubbel zullen tellen); 2 samen optreden met, verenigen met (*bijv.*: eigenbelang gedoubleerd met driest optreden); 3 *(toneel)* de rol v.e. ander overnemen; ook: een dubbelrol spelen; 4 *(school)* een klas tweemaal doorlopen, 'blijven zitten'; 5 *(schilderkunst)* verdoeken; 6 *(kleding)* voorzien van voering. **doublet'** [Fr.] 1 dubbel exemplaar (bijv. i.e. postzegelverzameling); 2 *(nat.)* dubbele spectraallijn (twee i.e. spectrum dicht naast elkaar liggende energie-niveaus); 3 *(taalk.)* dubbelvorm, d.w.z. twee woorden die etymologisch gelijkwaardig zijn, *bijv.*: ambt en ambacht. **doubleur'** [Fr.] 1 persoon die als double 1 optreedt; 2 *(school)* leerling die dezelfde klas tweemaal doorloopt, 'zittenblijver'. **doublu're** [Fr.] 1 *(toneel)* plaatsvervanger van toneelspeler; ook: dubbelrol; 2 *(kleding)* voering; 3 het dubbel behandelen van eenzelfde onderwerp, (bijv. in encyclopedie: opvoedkunde en pedagogie).
**douceur'** [Fr. v. *doux*, v. Lat. *dúlcis* = zoet] geschenk in geld, fooi; ook: bijverdienste; *een aardig douceurtje*, een niet te versmaden neveninkomst.
**down** [Eng. = naar beneden] 1 neerslachtig; 2 *(kaartspel)* het aantal gecontracteerde slagen niet gehaald hebbend.
**doxaal'** [Fr. *doxal*] *zie* **doksaal**.
**drach'me** [Gr. *drachmè* = *lett.*: handvol (nl. 6 obolen, *z.a.*), v. *dressomai* = grijpen] 1 i.h. oude Griekenland een zilveren munt, het dagloon v.e. handwerksman; 2 huidige munteenheid van Griekenland, onderverdeeld in 100 lepta; 3 oud apothekersgewicht van 60 grein (ca. 3,9 gram).
**draco'nisch** [v. wetten] zeer gestreng [naar Drakoon, Atheens wetgever, 621 v. Chr.].
**dragant'**, *ook*: **tragant** [v. Du. *Tragant*; verkorting v. *tragacant, z.a.*] 1 bep. gele tot bruinachtige gom (uit heesters v.h. geslacht *Astrágalus*); 2 *(cul.)* mengsel van gelatine (eertijds met Arabische gom bereid) en poedersuiker.
**dragee'** [Fr. *dragée*, volgens sommigen v. Gr. *tragèmata* = dessert v. vruchten en gebak] 1 *(med.)* met suiker omgeven pil v.e. geneesmiddel (dat ongeglaceerd onaangenaam zou smaken); 2 pit v. amandel, perzik, abrikoos e.d. overtrokken met suiker; met suiker overtrokken versnapering, met chocolade, likeur e.d. gevuld.
**drag'line** [Eng., *to drag* = slepen, trekken] bep. graafmachine, sleepgraver, trekgraver, sleepschop.
**dragon'** [v. Fr. *dragonne*] sabelkwast, zgn. troetel.

**dragon'der** [v. Fr. *dragon*, v. Lat. *dráco*, *dracónis* = draak, naar de in het vaandel gevoerde draak; volgens anderen naar het wapen dat gevoerd werd, een lichte karabijn, *dragon* (draak) genaamd] **1** (*gesch.*) lid v.d. in de 16e eeuw in Frankrijk opgerichte lichte ruiterij. Dragonders werden berucht om hun ruw en bandeloos gedrag (*vgl.*: vloeken als een dragonder, zo dronken als een dragonder); **2** (*fig.*) manwijf, grote zware heerszuchtige vrouw. **dragonna'de** [Fr. = oorspr. vervolging v. protestanten onder Lodewijk XIV d.m.v. ingekwartierde dragonders] bekering van andersdenkenden d.m.v. mil. geweld; (*alg.*) dwangmaatregel door mil. geweld.

**draine'ren** [Fr. *drainer*, v. Eng. *to drain*, verwant met *dry* = droog] overtollig water uit grond afvoeren d.m.v. poreuze buizen. **draina'ge** [Fr., Eng.] het draineren.

**draisi'ne** [Fr.] rail-lorrie die m.b.v. trappers wordt voortbewogen; loopfiets.

**dra'ma** [Gr. *drama*, *dramatos* = handeling, v. *draoo* = doen] treurspel, toneelstuk v. ernstige inhoud; droevig voorval. **dramatiek'** [v. Gr. *dramatikos* = het drama betreffend] **1** toneelkunst; **2** het dramatische. **drama'tisch** het drama betreffend; toneelachtig; tragisch treurig. **dramatise'ren** [Fr. *dramatiser*] de vorm of strekking v.e. drama geven (bijv. een verhaal); tot een drama maken (bijv. een gebeurtenis). **dra'matis perso'nae** [Lat.] de handelende personen i.e. toneelstuk. **dramaturgie'** [Gr. *dramatourgia* = vervaardiging v.e. drama, v. *ergos* = werkend] leer v.d. dramatische kunst. **dramaturg'** oorspr. drama-schrijver, *thans ook*: toneelkenner.

**drap** [Fr., v. VLat. *drappum*] laken. **drape'ren** [Fr. *draper*] met laken behangen; in plooien schikken. **draperie'** [Fr.] bekleding met geplooid doek. **drapeau'** [Fr.] vlag.

**Drauf'gänger** [Du., v. *darauf* = er op af, en *gehen* = gaan] haantje-de-voorste, vechtersbaas; *ook*: zeer energiek iemand.

**draw** [Eng., v. *to draw* = trekken; *vgl.* Ned. *dragen*] onbesliste wedstrijd, gelijkspel, remise. **draw'back** [Eng.] onaangename keerzijde, nadeel, nadelige omstandigheid.

**dread'nought** [Eng. = *lett.*: niets-vrezer] bep. slagschip met groot aantal zeer zware kanonnen. *Dreadnought* was de naam v.h. eerste slagschip van dit type.

**dresse'ren** [OFr. en Fr. *dresser*, v. VLat. *directiáre*, v. Lat. *dirigere* = richten] **1** africhten (dieren), drillen (personen); **2** (*cul.*) het rangschikken v. spijzen op schotels o.d. voorgeschreven wijze. **dresseur'** [Fr.] africhter. **dressuur'** africhting, methode van africhten, het drillen; het afgericht zijn v.e. paard zodat het zijn berijder gehoorzaamt.

**dres'sing** [Eng., veel bel.; *hier*: saus; uiteindelijk dezelfde woordafleiding als **dresseren**, z.a.] (*cul.*) samengestelde saus, spec. voor salades.

**dressoir'** [Fr. *dresseur*; *vgl.* Eng. *dresser*; v. MLat. *directórium*] oorspr. open aardewerkkast; aanrechttafel, buffet.

**dril** of **drill** [Eng.], *ook*: **triel'tje** [v. Lat. *trilix* = driedraads, v. *tres* = drie, en *licium* = draad] stevig dichtgeweven weefsel van katoen, linnen of halflinnen in keperbinding, oorspr. drieschachts (vandaar de naam). Gebruikt voor bedrijfskleding, tentdoek, postzakken e.d.

**dri've** [Eng. v. *to drive* = *lett.*: voortdrijven; *ook* o.a. slaan (een bal); bezielen (bijv. een auto)] **1** (*tennis*) zodanige slag dat de bal juist over het net scheert, lage bal; **2** (*hockey* en *cricket*) zodanige slag dat de bal over de grond schuift; **3** bridgewedstrijd voor groot aantal paren. **drive-in-** [Eng. = *lett.*: inrij-] eerste deel v. samenstellingen waarbij als tweede deel de naam v.e. instelling staat, met de betekenis dat men de genoemde instelling met auto kan bezoeken (zonder uitstappen, bijv.: drive-in-bioscoop; *drive-in-woning*, woning met ingebouwde garage, zodanig dat deze gelijkvloers is en men binnendoor in de er

boven gelegen eigenlijke woning kan komen.

**droge'ren** [v. Fr. *droguer* = veel geneesmiddelen geven, v. *drogue* = apothekersmiddel, chemische stof, (slecht) geneesmiddel] stimulerende middelen toedienen; *gedrogeerd* = o.i.v. die middelen.

**drop'pen** [v. Eng. *to drop* = *lett.*: druppelen (*vgl.* Ned. *droppelen*); ook o.a.: laten vallen, vallen] goederen of personen met parachute uit vliegtuig werpen. **drop-out'** [v. Eng. *to drop out* = uitvallen] *zn* **1** (*alg.*) uitvaller; **2** *spec.*: iem. die zich min of meer buiten de maatschappij heeft geplaatst door zijn manier van leven, al dan niet opzettelijk.

**dros'saard** *zie* **drost**.

**drosse'len** [v. Du. *drosseln* = *lett.*: wurgen] machine- of motorvermogen verminderen, (stoom) smoren, (bij auto) gas wegnemen.

**dros'sen** [oorspr. scheepsterm in de bet. van meedrijven, *vgl.* Fr. *drosser* = doen afdrijven, naar de kust afdrijven] weglopen, 'zich drukken', spec. deserteren.

**drost** of **dros'saard** [v. MNed. *drossate*] (*gesch.*) bestuursambtenaar of gerechtsambtenaar op het platteland, baljuw.

**drug** [Am., via Eng. = oorspr. een eenvoudig geneesmiddel, v. Fr. *drogue*] verdovend, stimulerend of hallucinaties verwekkend middel. I.d. geneeskunde in sommige gevallen in afgepaste hoeveelheden aangewend, maar ook op eigen gelegenheid gebruikt om een tijdelijke toestand van welbehagen te bereiken. *Zie* **hard-drug**; **soft-drug**.

**drug'-store** [Am.; *store* = (Am.) winkel, (Eng.) voorraad] winkel waarin geneesmiddelen en kosmetische produkten worden verkocht (dus een apotheek-drogisterij), maar daarnaast ook genotmiddelen, boeken, drank en snacks. **drug'team** [Eng., *zie* **team**] groep deskundigen om verslaafden aan hard-drugs geneeskundige en sociale hulp te geven.

**drui'de** [v. Oudkeltisch *druid* = tovenaar] priester-tovenaar b.d. oude Kelten in Frankrijk en Engeland.

**drum'stick** [Eng.] kippeboutje.

**dry** [Eng.; *vgl.* Ned. *droog*] niet zoet (bijv. wijn). **dry clea'ning** [Eng.] bep. wijze v. klerenreiniging.

**drya'de** [Gr. *druas*, *druados*, v. *drus* = boom] boomnimf.

**dualis'me** [v. Lat. *duális* = van twee, v. *dúo* = twee] **1** leer die o.e. bep. gebied of i.h. alg. twee onafhankelijke, onherleidbare, vaak tegenover elkaar staande beginselen aanneemt ter verklaring v.d. verschijnselen, bijv. goed en kwaad, God en de Boze, geest en stof, tweeheidsleer (tegenover **monisme**, z.a.); **2** tweeslachtigheid, d.w.z. innerlijk tegenstrijdige houding jegens dezelfde persoon of hetzelfde verschijnsel. **dualist'** wie het dualisme aanhangt. **dualis'tisch** volgens het dualisme, de aard v.h. dualisme hebbend (bijv. wereldbeschouwing). **dualiteit'** [Fr. *dualité*] dualisme; tweeslachtigheid, vereniging van verschillende eigenschappen.

**dubieus'** [v. Lat. *dubiósus*, v. *dúbius* = tussen tweeën, weifelend; *vgl. dúo* = twee] twijfelachtig, onzeker. **du'bium** [Lat.] twijfel; *in dubio*, in tweestrijd.

**dubloen'** [v. Sp. *doblón* = dubbel, v. Lat. *du-plex* = twee-voudig] oorspr. oude Sp. gouden munt.

**duc** [Lat. *dux*, *dúcis* = leider] hertog. **duc'dalf** *zie* **dukdalf**. **duché** [Fr.] hertogdom.

**ductiel'** [Fr. *ductil*, v. *dúctilis*, v. *dúcere*, *ductum* = leiden] (v. metalen) taai, smeedbaar.

**duecen'to** [It. = *lett.*: tweehonderd, met weglating van *mil* = twaalfhonderd] de 13e eeuw i.d. Italiaanse cultuur.

**dug-out'** [Eng. = *lett.*: ondergrondse schuilplaats, v. *to dug* = *to dig* = graven] (*sport*) aparte zitplaats onder de tribune bij bep. wedstrijden, spec. voetbal, voor trainers, reservespelers e.d.

**dukaat** [Fr. *ducat*, v. It. *ducáto*, v. VLat.

*ducátus* = hertogdom (Fr. *duché, z.a.*), v. Lat. *dux* = leider] gouden of zilveren munt die in diverse vormen voorkomt.

**dukaton'** [Fr. *ducaton*] i.d. Zuidelijke Nederlanden van 1618 tot i.d. 18e eeuw een zilveren munt ter waarde van f 3,–.

**duk'dalf**, ook **duc'dalf** samenstel van stevige houten palen (één verticale paal in het midden en vier of meer schoorpalen er omheen), dat voor het meren van schepen dient [waarsch. naar Fr. *duc d'Alve* = hertog van Alva, wegens diens onverzettelijkheid].

**dulcine'a** [v. Lat. *dúlcis* = zoet] geliefde, spec. de geïdealiseerde geliefde [naar Dulcinea van Toboso, de imaginaire geliefde van Don Quijote].

**dum-dum'-kogels** kogels waarvan de harde mantel de loden kern niet geheel omgeeft of die van insnijdingen is voorzien. Dergelijke kogels zetten zich in het menselijk lichaam gemakkelijk uit of drukken zich plat. Daardoor worden grote gapende, moeilijk te genezen wonden veroorzaakt, bovendien kunnen botten versplinterd worden.

**dum'my** [Eng., v. *dumb* = stom; *vgl.* Ned. *dom*] **1** proefexemplaar v.e. boek met alleen de eerste pagina's bedrukt en de rest blanco, als model v.d. definitieve uitvoering; **2** (*kaartspel*) blinde; **3** figurant, stroman; **4** leeg etalagestuk; (*etalage*)pop; pop v.e. buikspreker.

**dump** [Eng.; *vgl.* Noors *dumpa* = plomp neervallen] depot (tijdelijk) van legergoederen. **dum'pen** [Eng. *to dump*] **1** goederen i.h. buitenland o.d. markt brengen tegen een lagere prijs dan aldaar geldt, om de binnenlandse markt te overvleugelen, om tijdelijke overschotten te spuien, om concurrentie van anderen onmogelijk te maken e.d.; **2** storten, lozen. **dum'ping** [Eng.] het dumpen.

**duode'cimo** [v. Lat. *in duodécimo* = in twaalfde, v. *duodécimus* = twaalfde] boekformaat waarbij een vel in 12 bladen (= 24 pagina's) is gevouwen. **duodecimaal'** [Fr. *duodécimal*] twaalfdelig. **duode'num** [v. Lat. *duodeni* = twaalf] twaalfvingerige darm wegens lengte v. ongeveer 12 vingers.

**du'plex** [Lat., v. *duo* = twee, en *plicáre* = vouwen] tweevoudig; — *woning*, woning die tijdelijk voor twee gezinnen kan worden ingericht. **duplice'ren** antwoord geven o.d. repliek v. aanvallende partij. **duplica'tor** toestel voor het vermenigvuldigen v. bep. drukwerken. **duplicaat'** [v. Lat. *duplicáre*, -*plicátum* = dubbel samenvouwen] dubbel-exemplaar, het gelijke v.h. oorspronkelijke. **dupliek'** antwoord op repliek. **dupliciteit'** [Lat. *duplicitas, -tátis*] dubbelheid; dubbelhartigheid. **du'plum** [Lat.] het dubbele; *in du'plo*, in tweevoud.

**dur** [v. Lat. *durus* = hard] (*muz.*) majeur, grote terts. **dura'bel** [Lat. *durábilis*, v. *duráre* = eig. hard maken, voortduren, blijven bestaan] duurzaam. **du'ra ma'ter** [Lat. = *lett.*: de harde moeder] (*med.*) het harde hersenvlies (*vgl. pia mater*).

**duralumi'nium** [Du. *Duralumin*] oude naam voor legering v. aluminium, koper e.a. stoffen, (sterk en toch licht metaal).

**duratief'** [v. Lat. *duráre* = duren] (*taalk.*) *bn & bw* een handeling uitdrukkend zonder tijdsbegrenzing, dus een vóórtdurende handeling. **du'ratief** *zn* duratief ww.

**dus'ter** [Eng., v. *to dust* = stof afnemen, v. *dust* = stof] damesstofjas; *ook*: ochtendjas voor dames (ook zonder functie van stofjas).

**duümviraat'** [Lat. *duumvirátus*, v. *duumvir* = tweeman, v. *duo* = twee, en *vir* = man] tweemanschap.

**duxel'les** [Fr.] (*cul.*) vulling.

**dyna'mica** [v. Gr. *dunamis* = kracht; *dunamikos* = de kracht betreffend] het deel v.d. mechanica (*z.a.*) dat zich bezighoudt met bewegingen van mechanische systemen die door krachten worden veroorzaakt (ook evenwichtssituaties waarbij het systeem in rust blijft, vallen hier eigenlijk onder, maar dan

spreekt men liever van statica, *z.a.*). De dynamica zoekt n.d. oorzaak v.d. bewegingen. **dyna'misch** [v. Gr. *dunamikos* = de kracht betreffend] **1** de dynamica betreffend; —*stelsel*, eenhedenstelsel i.d. mechanica, -*e elektriciteit*, elektriciteit opgewekt door een dynamo (bewegingsapparaat); **2** de sterkte aangevend; (*taalk.*) —*accent*, nadruk betreffende de kracht v.d. uitspraak; (*muz.*) —*e tekens*, tekens die de sterkte v.d. voordracht aangeven (p = piano, f = forte enz.; *zie onder* **dynamiek'**); **3** (*fig.*) met sterke innerlijke bewegendheid (*bijv.*: een dynamisch persoon, onze dynamische tijd). **dynamiek'** [Fr. *dynamique* = leer v.d. bewegingskrachten] **1** (*muz.*) praktische leer v.d. sterktegraden, v.h. zachte pianissimo t.h. sterke fortissimo; **2** (innerlijke, resp. ritmische) bewogenheid, vaart, beweging (*bijv.*: de maatschappelijke dynamiek van deze tijd). **dynamiet'** springstof v. glycerinetrinitraat in een poreuze stof, bijv. diatomeeënaarde. **dyna'mo** [verkorting v. dynamo-elektrische machine] machine die elektrische stroom opwekt door een gesloten geleider i.e. magnetisch krachtveld te laten draaien. **dyna'mometer** krachtmeter, apparaat om het arbeidsvermogen v.e. machine te meten.

**dynast'** [via VLat. v. Gr. *dynastès* = machthebber, vorst, v. *dunamai* = vermogen, kunnen, macht hebben] heerser, vorst, lid v.d. dynastie. **dynastie'** [Gr. *dunasteia* = heerschappij] vorstenhuis. **dynastiek'** de dynastie betreffend.

**dy'ne** afk. **dn** [Fr., afgel. v. Gr. *dunamis* = kracht] (*nat.*) eenheid van kracht i.h. centimeter-gram-secondestelsel (cgs-stelsel), d.w.z. de kracht die aan één grammassa een versnelling geeft van 1 cm per seconde als ze daarop 1 seconde werkt; *korter*: een versnelling van 1 cm/s$^2$; 1 dyne is $10^{-5}$N (**newton**, *z.a.*).

**dys-** [Gr. *dus-* = mis-, on-] slecht-, moeilijk-; **dyscalculatie'** [v. Lat. *cálculus* = het rekenen] moeilijkheid b.h. leren rekenen bij kinderen die overigens normaal kunnen leren. Gaat vaak samen met **dyslexie**, (*z.a.*). **dysenterie'** [Lat. *dysenteria*, v. Gr. *dusenteria*, v. *entera* = ingewanden] ziekte veroorzaakt door een amoebe (*amoebedysenterie* of *amoebiasis*) of door bacillen. De *bacillaire dysenterie* kenmerkt zich door buikkrampen, diarree en koorts. **dyslexie'** [v. Gr. *legoo* = bijeenlezen] moeilijkheid bij het leren lezen bij overigens normaal lerende kinderen. Soms is dit het gevolg van een onjuiste leermethode. De oorzaken kunnen echter ook in het kind zelf zijn gelegen en van velerlei aard zijn. De term *specifieke dyslexie* betekent, dat de oorzaak is gelegen i.e. onvoldoende ontwikkeling van een bep. gedeelte v.d. hersenschors. **dysmelie'** [Gr. *dus-*, en *melos* = lid] (*taalk.*) niet passende verbinding tussen zinsdelen. **dysmenorroe'** pijnlijke menstruatie of menstruatiekrampen. **dyspepsie'** [Lat. *dyspepsia*, v. Gr. *duspepsia*, v. *pessoo* = koken, verteren] slechte spijsvertering. **dyspnoe'** (*uitspr.* dispneu) [Gr. *dus-*, en *pneuma* = adem] ademnood. **Dyspro'sium** [v. Gr. *dusprositos* = moeilijk te naderen; zo genoemd wegens het feit dat het door zeer sterke chemische gelijkenis met Holmium zeer moeilijk in holmiumoxyde was te ontdekken en daaruit was af te scheiden] bep. element, chemisch symbool Dy, ranggetal 66 (een der zgn. zeldzame aarden of lanthaniden). **dysteleologie'** [Gr. *dus-*, en *telos* = doel] verkeerde doelgerichtheid. **dystopie'** [Gr. *dus-*, en *topos* = plaats] toekomststaat die verwerpelijk is. **dystrofie'** [v. Gr. *trephoo* = voeden] slechte ontwikkeling v.e. orgaan t.g.v. gestoorde voedseltoevoer. **dysurie'** [Gr. *dus-*, en *oureoo* = wateren, v. *ouron* = urine] (*med.*) pijnlijke en/of branderige urinelozing, druppelpis.

**e** [Lat.] verkorte vorm v. **ex**, *z.a.* **é** [Fr. v. Lat. *e*] weg-, uit-, af-, ont-.
**-ea'na** *zie* **-iana**.

**earl** [Eng.] graaf (titel tussen *marquis* en *viscount*).

**eau** [Fr., v. Lat. *áqua*) water. **eau de colog'ne** [Fr. = water v. Keulen) oorspr. uit Keulen afkomstig reukwater, bereid uit alcohol van 90% en reukstoffen, voornamelijk bergamot-, citroen- en pomeransolie. **eau de lavan'de** [Fr.] lavendelwater. **eau de javel'le** [Fr.] bleekmiddel, bestaande uit een oplossing van kaliumhypochloraat, KClO, in water. **eau de la rei'ne** [Fr.] koninginnewater, 'lodderein', een oud reukwater. **eau des car'mes** [Fr.] karmelietenwater (*spíritus aromáticus*), (*med.*) aftreksel v. kaneel, koriander, marjolein e.d. op verdunde alcohol, gebruikt o.a. tegen maagkrampen. **eau de vie** [Fr. = *lett.*: levenswater] alg. benaming voor een sterke drank die bereid is door destillatie v. wijn of v. gegist sap v. andere vruchten (resp. plantedelen) dan druiven.

**ebarbe'ren** [Fr. *ébarber*, v. *é-* = Lat. *e(x)* = uit, weg; Fr. *barbe* = baard] (*cul.*) baarden v. oesters of mosselen wegnemen.

**ebauche'ren** [Fr. *ebaucher*, v. *bau* = delkbalk v. schip; *ebaucher* betekent oorspr.: staketsel opzetten] een vluchtige schets maken; een tekening of schilderij 'aanleggen'; (*beeldhouwkunst*) een model maken in klei of was voor marmeren of metalen beeld.

**E'ben Haë'zer** [Hebr. = Steen v.d. Hulp] steen door Samuel opgericht tussen Mispa en Sen na een overwinning v.d. Israëlieten op de Filistijnen, met de woorden: 'Tot hiertoe heeft de Heer ons geholpen'.

**ebenist'** [Fr. *ébéniste* oorspr. maker v. meubels v. *ébène* = ebbehout, v. Lat. *ébenus*, Gr. *ébenos*) schrijnwerker, maker v. fijne meubels, spec. met inlegwerk.

**eboniet'** [Fr. *ébonite*, v. Eng. *ebony*, v. Lat. *ébenus*, Gr. *ébenos* = ebbehout] harde zwarte stof, ontstaan door rubber bij hoge temperatuur met zwavel te behandelen, tot volledig gevulcaniseerde rubber is verkregen.

**ebullioscopie', ebulliometrie'** [Lat. *e-bullíre* = opborrelen, bellen uitstoten; *vgl.* *bulla* = iets ronds, luchtbel; *zie* **bul**; Gr. *skopeoo* = (rond) kijken; *-metrie* *zie* **meter**) meting v.d. kookpunten v. vloeistoffen.

**eburi'ne** [v. Lat. *ébur* = ivoor) surrogaat voor ivoor.

**ec-** andere schrijfwijze (naar Lat. voorbeeld) v. Gr. *ek-*, *bijv.*: eclips [Lat. *eclipsis*, Gr. *ekleipsis*), ecloge [Lat. *ecloga*, Gr. *eklogè*) e.d.

**eca'de** [v. Gr. *oíkos* = woning, omgeving, en Fr. *-ade* = *proces*) door het milieu veroorzaakte verandering in de structuur (bijv. groei) v.e. organisme.

**écaillé** [Fr. v. *écaille* = schub, v. Gotisch *skalja* = dakpan; *vgl.* Ned. *schaal*) (*her.*) geschubd.

**écartelé** [Fr. v. *é-*, *z.a.*, en *quart*, v. Lat. *quártus* = vierde] (*her.*) gevierendeeld (v. schild).

**ecarte'ren** [Fr. *écarter* = verwijderen (*vgl.* Eng. *to discard*), v. *é-*, *z.a.*, en *carte* = kaart, v. Lat. *charta*, v. Gr. *chártès* = papyrusblad)
**1** speelkaarten ter zijde leggen; **2** verwijderen,

ter zijde schuiven; *ook*: vermijden; **3 ecarté** (*z.a.*) spelen. **ecart'** [Fr. *écart*] afwijking. **ecarté** [Fr. *écarté*) bep. kaartspel voor twee personen (soort 'afleggen').

**ec'ce** [Lat. uit *en-ce*) zie; — *hómo*, zie de mens (woorden v. Pilatus toen hij de gegeselde Christus toonde); ook *zn*: beeld v.d. Christus met doornenkroon.

**eccymo'se** [Gr. *ek-* = uit, en *chumos* = sap, vloeistof) (*med.*) uitgebreide onderhuidse bloeding.

**eccle'sia** [Lat. = volksvergadering; christelijk Lat. = kerk, v. Gr. *ekklèsia* = de bijeengeroepen vergadering; NTGr. = gemeente, kerk; v. *ek-kaleoo* = uit-roepen) kerk. **ecclesiarch'** [Gr. *ekklèsia* en *archos* = aanvoerder) hoofd der Kerk. **ecclesiastiek'** [Gr. *ta ekklèsiastika* = de dingen die de kerk betreffen) leer over de Kerk. **ecclesias'tisch** kerkelijk.
**Ecclesias'tes** [Gr. *ek-klèsiastès* = *lett.*: deelnemer aan volksvergadering; spreker, prediker] (*Bijb.*) het boek Prediker (afgekort *Eccle*; *vgl.* het volgende). **Ecclesias'ticus** [Lat. = het kerkelijk boek, het in de kerke lezen boek) (*rk*) (*Bijb.*) het aldus geheten boek v.h. O.T. (afgekort *Eccli*), auteur Jezus Shirach; (*prot.*) tot de apocriefe boeken gerekend.

**echan'ge** [Fr. *é-change* = uit-wisseling; *zie* **changeren**) ruil.

**échappa'de** [Fr. v. *échapper* = ontsnappen, v. *é-*, en *chape* = omhulling, v. VLat. *cappa*, *z.a.*) fout, die aan de aandacht ontsnapt is, fout door onnadenkendheid; (*graveerkunst*) missnede. **echappement'** [Fr. *échappement* = *lett.*: ontsnapping) haakrad in uurwerk, spiraalveer v. onrust.

**échauder** [Fr. = begieten met heet water, v. Lat. *cálidus* = warm] (*cul.*) broeien; met heet water overgieten om bep. bestanddelen te verwijderen.

**echauffe'ren** [Fr. *échauffer*] verwarmen, heet maken; *zich* —, z. opwinden, z. kwaad maken.

**echec'** [Fr. *échec* = *lett.*: schaak, v. Perzisch *chaah* = koning; *vgl.* **sjah**) mislukking; *ook*: schade, tegenslag; — *lijden*, zijn doel niet bereiken; *in* — *houden*, in bedwang houden.

**echel'le** [Fr. *échelle*, v. Lat. *scala* = ladder, v. *scándere* = klimmen] toonladder; schaal (reeks die doorlopen kan worden). **echelon'** [Fr. *échelon* = elk der graden v.e. serie) (*nat.*) apparaat met trapsgewijze nauwere spleten; (*mil.*) troepenopstelling v. kleine vrijstaande afdelingen achter of schuin achter elkaar.

**echinie'ten** [Lat. *echínus* = zeeëgel] versteende resten v. zeedieren zoals zeeëgels, zeeklitten en zeeappels. **echi'nus** rond kussen tussen schacht en dekplaat v.e. Dorische zuil.

**e'cho** [Lat. v. Gr. *èchoo* = klank, spec. weerklank] **1** herhaling v. geluid door terugkaatsing zó dat het hoorbaar is; weergalming; **2** plaats waar een echo hoorbaar is (*bijv.*: hier is een mooie echo); **3** (*fig.*) weerklank, uiting die een herhaling is v.e. andere; *de* — *v. iem. zijn*, diens meningen of woorden herhalen, iemand napraten.

**éclair** [Fr. v. *éclaircir* = o.a. glanzend maken, v. Lat. *clárus* = helder] (*cul.*) langwerpige soes met koffie- of mokkaglazuur.

**eclaire'ren** [Fr. *éclairer* = verlichten] **1** duidelijkheid verschaffen; **2** (*mil.*) verkennen. **eclaireur'** (*mil.*) verkenner.

**eclampsie'** [Gr. *ek-lampoo* = uit-blinken, zich vertonen) soort epileptische krampen, kinderstuipen, stuipen, spec. bij zwangeren of kraamvrouwen, (naam eclampsie i.v.m. hallucinaties die met de stuipen gepaard gaan).

**éclat'** [Fr. = o.a. schittering] **1** glans, luister; **2** wat opzien baart; schandaal. **eclatant'** [Fr. *éclatant* = schitterend, luisterrijk] **1** schitterend (bijv. succes); **2** verbluffend, opzienbarend, in het oog vallend.

**eclec'ticus** [Lat. v. Gr. *eklektikos* = uitkiezend, v. *ek-legoo* = uit-lezen) iem. die uit verscheidene stelsels het beste (naar zijn

inzicht) kiest. **eclec'tisch** het beste kiezend.
**eclecticis'me** richting (spec. wijsgerige) die
uit andere stelsels het beste kiest.
**eclips'** [Lat. *eclipsis*, v. Gr. *ekleipsis*, v.
*ekleipoo* = uitblijven, v. *leipoo* = verlaten]
verduistering v.e. hemellichaam doordat een
ander het licht daarvan of het licht v.d.
verlichtingsbron onderschept; (*fig.*) heimelijke
verdwijning. **eclipse'ren** [Fr. *éclipser*]
verduisteren; heimelijk verdwijnen. **eclip'tica**
[v. Lat. *eclipticus*, v. Gr. *ekleiptikos* = tot een
eclips behorend] baan v.d. aarde rond de zon,
of wat hetzelfde is: schijnbare zonnebaan (zo
genoemd omdat eclipsen slechts kunnen
plaatsvinden als de maan zich bevindt nabij
een snijpunt v. maanbaan en eclitica).
**ec'loge** [Lat. *ecloga*, v. Gr. *eklogé* = uitgekozen,
uitgelezen stuk, v. *ek-legoo* = uit-lezen]
herdersdicht.
**ecologie'**, **oecologie** (*spr.*: eukoo-) [v. Gr.
*oikos* = woning, huis; zie **-logie**] leer van het
verband van plant of dier met zijn omgeving.
**(o)ecolo'gisch** *bn*. **(o)e'cosysteem** [*zie*
**systeem**] (*biol.*) de totaliteit van dieren- en
plantengemeenschappen in een bep. gebied,
in zoverre ze met de milieufactoren in
wisselwerking staan.
**econometrie'** [*zie* **economie** en **meter**]
onderdeel v.d. economie dat zich bezighoudt
met de meting van in getallen uitgedrukte
economische verschijnselen en factoren.
**econome'trisch** *bn* & *bw* op de econometrie
betrekking hebbend, volgens de econometrie.
**econometrist'** beoefenaar v.d. econometrie.
**economie'** [Gr. *oikonomia* = huishouding, v.
*oikos* = huis, en *nemoo* = verdelen, bezitten,
besturen; zie **astronomie**] staat- of
landhuishoudkunde, (wetenschap
v.h.) beheer v. bronnen, bedrijvigheid,
uitgaven e.d. v. gemeenschap; leer v.h.
verband tussen werkzaamheid en welvaart in
een maatschappij; doelmatige inrichting;
spaarzaamheid, zuinigheid. **econo'misch**
volgens de economie; zonder ondoelmatige
verspilling, zuinig. **eco'nomiser** [Eng.]
apparaat waarmee het voedingswater v.e.
stoomketel wordt voorverhit. **economise'ren**
[Fr. *économiser*] uitsparen, bezuinigen.
**economist'** staathuishoudkundige.
**econoom'** [Gr. *oikonomos* = heer des huizes,
bestuurder] **1** economist; **2** wie belast is met de
huishouding v. instellingen; *ook*:
administrateur, rentmeester.
**eco'nomy-class** [Eng.] (*luchtv.*) klasse met
een laag tarief (en minder comfort en service),
zgn. toeristenklasse.
**écor'ce** [Fr.] (*cul.*) schil, schors, korst of bast.
**écossais'** [Fr. *écossais* = Schots] *zie* tartan.
**écossai'se** [= Schotse] bep. Schotse dans
(polka).
**e'cosysteem** *zie onder* **ecologie**.
**écrasant'** [Fr. v. *écraser* = verpletteren;
woord v. Scand. oorsprong] verpletterend.
**écrasez l'infâme** [Fr.] verpletter de eerloze.
**écrasier'** springstof, voor het grootste deel
bestaande uit picrine.
**écrevis'se** [Fr.] (*cul.*) rivierkreeft.
**écrin'** [Fr. *écrin*, v. Lat. *scrínium* (vanwaar ook
ons woord schrijn) = kastje of kistje voor
papieren, zalven e.d.] juwelenkistje.
**écru'** [Fr. *écru* = niet geprepareerd,
ongebleekt, v. *é-*, *z.a.*, en *cru* = Lat. *crúdus*
= rauw, ruw] ongebleekt; crèmekleurig,
lichtgeel, lichtbeige.
**ecto-** [Gr. v. *ektos* = buitenkant]
buiten-, uitwendig-. **ectoderm'** [Gr. *derma*
= huid] buitenste cellaag van zeer jonge
dierlijke vrucht (uit het ectoderm ontstaat het
zenuwstelsel) (*vgl.* **endoderm** en
**mesoderm**). **ectoparasiet'** [*zie* **parasiet**]
parasiet levend buiten op het lichaam v.d.
gastheer (*vgl.* **endoparasiet**). **ectoplas'ma**
[Gr. *plasma* = het gevormde, v. *plassoo*
= vormen] **1** (*biol.*) buitenste
protoplasmalaag; **2** (*spiritisme*) substantie die
verondersteld wordt uit te stromen uit het

medium gedurende de trance.
**ecu'** [OFr. *écu* = daalder; Eng. letterwoord v.
European Currency Unit] Europese girale
munteenheid, ecu, eurodaalder.
**écumer** [Fr., v. *écume* = schuim, waarsch.
door vermenging v. Lat. *spuma* en Frankisch
*skuum*] (*cul.*) afschuimen.
**écusson'** [Fr.] (*her.*) wapenschildje.
**eczeem'**, **ecze'ma** [Gr. v.e. *ekzema*, v. *ekzeoo*
= opborrelen, wemelen van, v. *ek-* = uit-, en
*zeoo* = zieden, koken; wegens de jeuk]
algemene naam voor een groot aantal
oppervlakkige huidontstekingen.
**Ed'da** [woordafl. duister] naam voor twee
verzamelwerken uit de Oud-IJslandse
literatuur: *a Snorra Edda* van Snorri Sturluson
(1178-1241), een in proza geschreven
handboek over godenleer en bouw van verzen;
*b* de *poëtische Edda*, in 1643 ontdekt in een
13e-eeuws handschrift, bestaande uit een
verzameling zeer uiteenlopende gedichten
(heldenliederen en godenliederen) uit
verschillende tijden.
**E'den** [v. Hebr. *heden* = oorspr.: vreugde,
vermaak] het aardse paradijs (Hof van Eden),
volgens de bijbel (Gen. 2 : 15) de verblijfplaats
van Adam en Eva bij hun schepping; (*fig.*)
paradijselijk oord, lustoord.
**edict'** [Lat. *edíctum* = uitspraak, v. *e- dícere*,
*e- díctum* = uit-spreken] landsverordening,
door vorst of landsoverheid uitgevaardigde
verordening; bevelschrift, besluit.
**e'didit** [Lat. (hij) heeft uitgegeven; *zie* **editie**],
afk. **ed.** of **edid.**, uitgegeven door ... (d.w.z.
verzorgd en bewerkt door ... niet de uitgever).
**e'dik** [v. Lat. *acétum* = azijn, v. *ácidus* = zuur,
v. *ácer* = scherp; in VLat. *átécum*, vanwaar
edik (*vero.*; *gewest.*) azijn.
**edi'tie** afk. **ed.** [Lat. *editío*, v. en *dáre* = geven] uitgave
= uitgeven, v. *e-*, *z.a.*, en *dáre* = geven] uitgave
v. boek e.d., ook v. krant (*bijv.*: ochtendeditie)
druk (*bijv.*: dit boek is al aan zijn vierde editie).
**édition'** [Fr.] uitgave; *— de luxe*,
prachtuitgave. **editeur'** afk. **éd.** [Fr. *éditeur*]
uitgever. **edi'tio prin'ceps** [Lat.] eerste
uitgave v. oude schrijver na uitvinding v.d.
boekdrukkunst.
**educa'tie** [Lat. *educátio*, v. *e-dúcere*,
*e-dúctum* = *lett.*: weg-voeren; *ook*: in de
hoogte trekken, opvoeren; *ook*: (een kind)
grootbrengen, opvoeden] opvoeding.
**educatief'** [Fr. *éducatif*] opvoedend.
**educt'** [Lat. *educere*, *eductum* = uittrekken,
afleiden] (*chem.*) stof die uit een grondstof
wordt verkregen door technische (en niet
chem.) bewerking (*vgl.* **produkt**).
**ee'ga** [v. *ee* = echt, huwelijk; *vgl.* Du. *Ehe* en
*ga*; *ook*: *gade* = gelijke] echtgenoot,
echtgenote.
**-een** (*chem.*) uitgang v.d. naam v.e.
koolwaterstof, aanduidend dat deze een of
meer dubbele bindingen tussen
koolstofatomen bezit, *bijv.*: *etheen*, $H_2C$
$= CH_2$.
**-eet** [v. Gr. *-ètès*] uitgang van vele aan het Gr.
ontleende zelfst. naamw. die de 'uitvoerder'
v.e. werkzaamheid aanduiden, *bijv.* profeet,
atleet, poëet, anachoreet, exegeet, estheet.
**ef** = **ex** vóór **f**.
**efe'be** [Gr.] (*eig.*) jonge Atheense militair;
(*lieflijke*) jongeling v. 16-20 jaar, vooral wat
betreft gestalte.
**efemeer'**, **efeme'risch** [Gr. *ephémeros* = één
dag durend, v. *epi-*, en *hémera* = dag] v.e. dag,
korte tijd durend, kortstondig, vergankelijk.
**efemeri'de 1** eendagsvlieg, haft; **2** [Fr.
*éphéméride*] stand v.e. hemellichaam op bep.
tijdstip.
**efen'di**, *ook*: **effen'di** [Turks, v. Gr. *authentès*
= meester] oorspr. Turkse titel voor hoge
staatsfunctionarissen, in de 19e eeuw titel
voor aanzienlijke burgerpersonen, ongev.
'mijnheer'.
**efface'ren** [Fr. *effacer*, v. *é-*, en *face* = gelaat,
Lat. *fácies*] uitwissen, wegstrepen; *zich —*,
zich achteraf houden uit bescheidenheid.

**effemina'tie** [Lat. *effeminátio*, v. *ex*-, en *fémina* = vrouw] het krijgen of hebben v. vrouwelijke karaktertrekken, verwijfdheid, verwekelijktheid.

**effen'di** *zie* **efendi**.

**effervescen'tie** [v. Lat. *effervéscere* = bruisen, v. *ex*-, en *fervéscere*, inchoatief v. *fervére* = heet zijn] opbruising.

**efficaciteit'** [Lat. *efficácitas*, v. *éfficax*, *efficácis* = werkzaam, v. *efficere*, *efféctum* = uitwerken, v. *ex*-, z.a., en *fa'cere* = doen] doeltreffendheid.

**effi'ciency** [Eng.] of **efficiën'tie** [*zie* **efficiënt**] doelmatigheid, doelmatige inrichting, het verkrijgen v.d. grootst mogelijke uitwerking (effect, resultaat) met een gegeven middel, spec. de doelmatige toepassing van economische beginselen in het bedrijfsleven.

**efficiënt'** [v. Lat. *efficiens*, efficiéntis = o.dw v. *efficere*, *zie* **efficaciteit**] doelmatig, doeltreffend, nuttig effect hebbend.

**effi'gies** (*spr.*: effiegiejes of effiedziejes) [Lat. v. *ef-fíngere* = nabootsen, uit-beelden, v. *ex*-, en *fíngere*; *zie* **fingeren**] afbeelding, beeltenis. **in effi'gie** in afbeelding (bijv. van iem. die men ter dood gebracht wil zien, maar die ongrijpbaar is, een afbeelding verbranden, ophangen e.d.).

**effile'ren** [Fr. *effiler*] uitdunnen van haar.

**efflorescen'tie** [Fr. *efflorescence*, v. Lat. *efflorescere*, v. *ex* = uit, en *florescere* = beginnen te bloeien, ontluiken] **1** (*plk.*) bloei, bloeitijd; **2** (*med.*) huiduitslag; **3** (*chem.*) het verschijnsel van zoutkristallen (bijv. salpeteruitslag op muren).

**effu'sie** [Lat. *effúsio*, v. *ef-fúndere*, -*fúsum* = uit-gieten] uitstorting; uitstroming; ontboezeming.

**egaal'** [Fr. *égal*, v. Lat. *aequális*, v. *aequus* = gelijk] glad, effen, zonder verhevenheden, gelijkmatig; *het is me* —, het is me onverschillig. **egalise'ren** [Fr. *égaliser*] egaal maken, vereffenen; evenaren (bijv. een record). **egalisa'tie** [Fr. *égalisation*] zn. **egalisa'tor** (*elektrotech.*) gelijkrichter. **egalist'** voorstander v. maatschappelijke gelijkheid. **egalitair'** [Fr. *égalitaire*] *bn* & *bw* op gelijke behandeling gericht, op voet van gelijkheid, gelijkheid nastrevend. **egaliteit'** [Fr. *égalité*] gelijkheid; het egaal-zijn, uniformiteit.

**egard'** [Fr. *égard*, v. é, z.a. en *garder* = bewaren, v. Germ. *wardon*] eerbiedig ontzag, uiting daarvan; (meestal *mv*) beleefdheid, eerbiedsbetuiging.

**egg'-head** [Am.] intellectueel, geleerde.

**e'go** [Lat.] ik, het ik; het bewust denkende subject; *iemands al'ter* —, tweede ik, persoon die uiterlijk en in doen en laten op iem. lijkt; (*scherts.*) *mijn alter* —, mijn echtgenote.

**egocen'trisch** *bn* zichzelf als middelpunt beschouwend, alles op zichzelf betrekkend, het eigen ik steeds voorop stellend. **egoïs'me** ikzucht, zelfzucht, eigenbaat (tegenst.: **altruïsme**). **egoïst'** zelfzuchtig persoon. **egoïs'tisch** *bn* & *bw* zelfzuchtig. **egotis'me** zelfverheerlijking, zelfvergoding, overdreven persoonlijkheidsgevoel, zucht om steeds over zichzelf te spreken. **e'go-tripper** v. Eng. *to trip* = reizen, spec. het maken van een LSD-trip] persoon die heel erg op zichzelf gericht is en zich uitsluitend manifesteert omwille van zijn eigengevoel.

**égoutter** [Fr., v. é-, z.a., en *goutte*, v. Lat. *gútta* = druppel] (*cul.*) laten uitdruipen, afgieten.

**egrotaat'** [Lat. *aegrótus* = ziek] getuigschrift dat men ziek is, doktersattest.

**egyptologie'** [v. Gr. *Aiguptos* = oorspr.: de Nijl; Egypte; *zie* -**logie**] kennis v.h. oude Egypte. **egyptoloog'** beoefenaar v.d. egyptologie.

**eidetiek'** [v. Gr. *eidos* = vorm, voorkomen, gestalte; *eidoo* = zien] het vormen v. gedachtenbeelden, het inbeelden. **eide'ticus** iem. die gezichtswaarnemingen scherp in zijn geheugen gegrift kan bewaren. **eide'tisch** op

---

het aanschouwend waarnemen betrekking hebbend.

**Einstei'nium** bep. kunstmatig vervaardigd element, chem. symbool Es, ranggetal 99 [naar Albert Einstein, Du., later Am. natuurkundige, 1879-1955].

**E'ire**; *ook*: **E'yre** of **Eiriu**, de Ierse naam v. Ierland [Eng.: *Ireland*, v. OEng. *Ir(a)land* = land der Ieren]; *zie ook* **Erin**.

**eïs'** (*muz.*) door kruis met halve toontrap verhoogde e (mi), e-kruis.

**ejacula'tie** [Lat. *e-jaculári* = uit-werpen, uitspuiten; *vgl. jáculum* = werpspies, v. *jácere* = werpen] uitwerping; zaadlozing; (*fig.*) uitroep; *ook*: schietgebed.

**ejec'tie** [v. Lat. *ejéctio*, v. *ejícere*, *ejéctum* = uitwerpen, uitdrijven, v. *e-* = uit-, en *jácere* = werpen] uitwerping met geweld.

**ejus'dem** [Lat. 2e *nv* v. *idem* = dezelfde] afk. **ejusd.** v. dezelfde, v. hetzelfde; —*ánni* v. hetzelfde jaar.

**ek-** [Gr. *ek*; vóór klinkers ex-, bijv.: *exodus*] van-, uit-; *zie ook* **ec-**.

**elabore'ren** [Lat. *e-laboráre* = uit-werken, v. *labor*, *labóris* = arbeid] zorgvuldig uitwerken, afwerken, bearbeiden. **elabora'tie** [Lat. *elaborátio* = inspanning] uitwerking enz.

**elai'ometer** [Gr. *elaion* = olie; *zie verder* **meter**] toestel om soortelijk gewicht e.d. (en zo de zuiverheid) v. olie te bepalen.

**elan'** [Fr. *élan*, v. *élancer* = met kracht stoten; *zie* **lanceren**] zwier, aandrift, vuur, levendigheid; *élan vital*, levensdrijf- en stuwkracht v. Bergson, Fr. wijsgeer). **ela'tie** [v. Lat. *elátio* = verheffing, verhoging, v. *efférre*, *elátum* = uitdragen, (v. *ex* = uit, en *férre* = dragen); *ook*: verheffen, verhogen] vervoering, extase, opgetogenheid.

**eldora'do** [Sp. *el dorado*; *el* = het; *zie* **dorado**] goudland, paradijs, ideaal land; het voorvoegen v.e. Ned. *lw* voor *eldorado* is onjuist, omdat *el*- reeds *lw* is.

**elec'tie** [v. Lat. *eléctio*, v. *elígere*, *eléctum* = uitkiezen, v. *e-légere* = uit-lezen, v. *e* = uit, en *légere* = lezen] (uit)verkiezing, keur. **electoraal'** [Fr. *électoral*] op de verkiezing betrekking hebbend. **electoraat'** [Fr. *électorat*] de kiezers, het kiezersvolk. **electoralis'me** neiging v. politici om hun doen en laten af te stemmen op het winnen v. kiezers.

**elefantia'sis** [v. Gr. *elephas*, *elephantos* = olifant] olifantsziekte, olifantspoot of knobbelmelaatsheid, ziekelijke sterke gezwollenheid v. delen v.h. lichaam door verdikking v.d. huid en het daaronder gelegen weefsel.

**elegie'** [Lat. *elegía* v. Gr. *elegeia* = de *elegos* (klaagzang) betreffend] klaagzang. **ele'gisch** als een klaagzang, klagend.

**elek'tra** [*zie* **elektriciteit**] (*volkst.*) **1** (levering v.) elektriciteit; **2** elektrische artikelen. **elektricien'** [Fr. *électricien*; *zie* **elektriciteit**] vakman op praktisch elektr. gebied. **elektriciteit'** [v. Gr. *élektron* = o.a. barnsteen] **1** elementaire natuurkracht, een vorm v. energie, een kracht die soms tussen twee stoffelijke voorwerpen aanwezig is en niet door de alg. aantrekkingskracht v. Newton verklaard kan worden; vroeger ook wel 'barnsteenkracht' genoemd, omdat gewreven barnsteen lichte voorwerpen aantrekt; **2** levering v. elektr. stroom, aansluiting op het elektr. net; **3** verbruik v. elektr. stroom. **elektrifice'ren** [v. Lat. *fácere* = maken] inrichten voor elektr. kracht, voorzien v. elektr. installaties, spec. v. spoorwegen om treinen op elektriciteit te laten rijden. **elektrifica'tie** zn. **elek'trisch** de elektr. bedreffend. **elektrise'ren** in iets elektr. opwekken of daaraan geven; iets of iem. de werking doen ondergaan van elektr.; (*fig.*) iem. sterk bezielen, aanvuren; iem. schokken.

**elektro-** [*zie* **elektriciteit**] met elektriciteit in verband staande. **elek'tro-analyse** chemische analyse door galvanische

ontleding. **elektrocardiogram'**, afk. **e.c.g.**
cardiogram (z.a.) verkregen door de
elektrische impulsen (actiestromen) v.h. hart
zichtbaar te registreren. **elektrochemie'** [zie
chemie] leer der chemische verschijnselen in
verband met elektr. **elektrocute'ren**
[gevormd naar executeren] doden d.m.v.
elektr. stroom, ofwel opzettelijk (ter dood
veroordeelde misdadigers), ofwel door
ongeval. **elektrocu'tie** zn.
**elektro'de** [v. Gr. hodos = weg, pad] geleider
waarlangs elektronen een stelsel
(electrolysecellen, elektronenbuizen,
galvanische elementen e.d.) binnenkomen of
verlaten. De pool waar de (neg. geladen)
elektronen binnentreden, dus de neg. pool,
heet **kathode** (z.a.); pos. geladen deeltjes
(**kationen**) naar hun 'weg' daarheen. De
pool waar de elektronen het systeem verlaten,
de pos. pool, heet **anode** (z.a.), waar neg.
geladen deeltjes (**anionen**) naar toe gaan.
**elektrodyna'mica** [zie **dynamica**] leer der
elektr. stromen (veranderingen v. elektr.
velden in de tijd) en de wisselwerking tussen
elektr. velden en magnetische velden. (Vgl.
**elektrostatica**.) **elektrodyna'misch** bn op
de elektrodynamica betrekking hebbend.
**elektro-encefalografie'** [v. Gr. egkephalon
= hersenen (lett.: wat in het hoofd is) en
graphoo = schrijven] methode om via op de
hoofdhuid geplaatste elektroden de
wisselende elektr. potentiaalverschillen die in
de hersenen optreden zichtbaar te registreren.
**elektro-encefalogram'**, afk. **e.e.g.** het zo
geregistreerde. **elektrofoor'** [Gr. phoros
= drager] toestel om opgewekte elektriciteit
op te slaan. **elektroloog'** [zie -**loog**] (med.)
specialist voor **elektrotherapie** (z.a.).
**elektroly'se** [v. Gr. lusis = losmaking, v. luoo
= losmaken] ontleding v. chemische
verbindingen door elektriciteit. **elektrolyt'**
chemische stof die d.m.v. elektriciteit ontleed
kan worden doordat ze zich in oplossing of in
gesmolten toestand splitst in positieve en
negatieve ionen. **elektroly'tisch** bn d.m.v.
elektrolyse; —e dissociatie, het uiteenvallen v.
elektrolyten in ionen in oplossing of in
gesmolten toestand. **elektromagnetis'me**
[zie **magnetisme**] leer v.h. verband tussen
elektr. en magnetische verschijnselen;
toestand waarin deze verschijnselen optreden.
**elektromagne'tisch** bn met
elektromagnetisme in verband staande.
**elektromagneet'** toestel om een sterk
magnetisch veld op te wekken d.m.v. een
elektr. stroom. **elektrometeo'ren** [Gr.
meteooros = in de lucht] naam voor de elektr.
verschijnselen in de dampkring, zoals de
bliksem. **elektrome'ter** [zie **meter**] elektr.
meetinstrument, naam voor els toestel dat een
elektr. grootheid meet, bijv. spanning
(voltmeter).
**1 elek'tron** of **ne'gaton** elementair deeltje v.d.
materie, het lichtste deeltje met een
(negatieve) elektr. lading.
**2 elek'tron** bij de oude Grieken de naam voor
barnsteen; bij de Romeinen eléctrum genaamd
(zie **elektriciteit**).
**elektro'nica** [onjuiste term, naar analogie v.h.
Eng. electronics] wetenschap die zich
bezighoudt met de studie v.h. gedrag v.
losgemaakte (vrije) elektronen in het
luchtledige, verdunde gassen en halfgeleiders,
spec. in transistoren (z.a.) en
elektronenbuizen. **elektro'nisch** bn d.m.v. of
met vrije elektronen werkend. **elektronvolt**
(symbool eV) bewegingsenergie die een vrij
bewegend elektron verkrijgt als het een
spanningsverschil van 1 volt ondervindt
(ongeacht de afstand).
**elektroscoop'** [zie -**scoop**] apparaat
waarmee men de aanwezigheid v. elektr.
lading kan aantonen. **elek'troshock** [zie
**shock**] shock opgewekt door een
stroomstoot die door de schedel geleid wordt;
geneeswijze voor sommige psychische

afwijkingen (vroeger veel toegepast, tegenw.
nog zelden).
**elektrosta'tica** [zie **statica**] leer v.d.
elektriciteit in rust (niet bewegende elektr.
ladingen). (Vgl. **elektrodynamica**.)
**elek'trotechniek** [zie **techniek**] het deel
der tech. als toegepaste wetenschap, dat zich
bezighoudt met de opwekking, geleiding en
praktisch gebruik van elektr. energie, waarin
praktische tech. doeleinden worden
verwerkelijkt door gebruik van elektr.,
magnetische resp. elektromagnetische
verschijnselen. **elektrotech'nisch** bn in
verband staande met de elektrotechniek,
daarop betrekking hebbend.
**elektrotherapie'** [zie **therapie**]
behandeling d.m.v. elektriciteit van bep.
neurologische stoornissen, toepassing in de
praktische geneeskunde van elektr. stromen.
**element'** [Lat. eleméntum, misschien van
dezelfde wortel als álere = voeden;
elementum, zou dan eig. zijn alìméntum, lett.:
voedsel = iets waaruit iets anders groeit of
gegroeid is] **1** (oude natuurfil.) oerstoffen
waartoe alle dingen herleid kunnen worden;
**2** (chem.) elk der grondstoffen waaruit alle
andere stoffen opgebouwd zijn en die langs
gewone weg (bijv. door elektr., door verhitten)
niet meer herleidbaar zijn. Er zijn nu 105 (of
106) elementen bekend, waarvan een aantal
alleen langs kunstmatige weg te verkrijgen is;
**3** (nat.) apparaat voor het opwekken v. elektr.
d.m.v. chemische reacties (galvanisch
element); **4** elk v.d. eenheden die een geheel
vormen, bijv. geprefabriceerde elementen voor
de huizenbouw; **5** bestanddeel dat in het
geheel een rol speelt (bijv.: dit voorstel bevat
vele positieve elementen); in maatschappelijk
opzicht: persoon die in een bep. kring invloed
uitoefent, meestal ong. **elementair** [Lat.
elementárius] de grondbeginselen betreffend
(bijv.: elementaire wiskunde, tegenover
hogere wiskunde); de grondbestanddelen
vormend (bijv.: elementaire deeltjes in de
atoom- en kernfysica).
**eleva'tie** [Lat. elevátio, v. e-levâre, e-levátum
= uit-lichten, opheffen, v. lévis = licht]
verhoging, verheffing. **eleva'tiehoek** (mil.)
hoek die de loop v. h. kanon maakt met het
horizontale vlak. **eleva'tor** [modern Lat.]
toestel om op te heffen, te hijsen of omhoog
te brengen, nl. voor het lossen van losse
stoffen als graan, meel, ertsen ofwel door
emmers aan draaiende band (paternoster)
ofwel door zuigen, spec. graanzuiger.
**élève** [Fr., lett.: die omhooggebracht wordt, die
opgevoed wordt] leerling, kwekeling, spec.
van een vakschool.
**elf** zn [zie **alven**] (Germaanse myth.) oorspr.:
boze geest (vgl. Du. Alp = nachtmerrie),
aardgeest, kabouter, dwerg, ofwel boosaardig
(zwarte alf) ofwel goedaardig (lichtalf);
tegenwoordig verstaat men onder elfen
(gefantaseerde) ijle geestengedaanten, spec.
als jonge meisjes (die in het maanlicht
dansen).
**elide'ren** [Lat. elidere, ellsum v. e- = uit-, en
laedere = kwetsen, stoten] uitstoten v.e.
onbeklemtoonde klinker; zie verder **elisie**.
**elim'** [Hebr. = geweldige bomen; oase in de
Sinaï waar de Israëlieten na hun doortocht
door de Schelfzee uit Egypte zich het eerst
legerden; Ex. 15 : 27 en 16 : 1, Num. 33 : 9]
rustoord.
**elimine'ren** [Lat. eliminâre, eliminátum = over
de drempel zetten, v. e- = uit-, weg-, en limen,
liminis = drempel] **1** uitbannen, uitstoten,
uitschakelen, verwijderen, wegwerken;
**2** (algebra) een grootheid die in twee of meer
vergelijkingen voorkomt wegwerken zodat
een nieuw stelsel vergelijkingen ontstaat
waarin deze grootheid niet meer voorkomt.
**elimina'tie** zn. **eli'sie** [zie **elideren**] het
uitstoten v.e. klinker op het einde v.e. woord
wanneer het volgende woord met een klinker
begint; de uitstoting wordt aangegeven door

een apostrof ('), *bijv.*: d'aarde. Ook midden in
een woord kan een onbeklemtoonde klinker
soms uitgestoten worden, (thuis i.p.v. het
oorspronkelijke tehuis).

**eli'te** [Fr. *élite* = *lett.*: het uitgekozen deel, v.
Lat. *eligere, eléctum*, ontstaan uit *ex-légere*
= uit-lezen, uit-kiezen] het uitgelezen deel, de
keur, de besten. **elitair'** [nieuw gevormd
woord] de elite betreffend, tot de elite
behorend. **elitaris'me** het verschijnsel van
elitevorming.

**elix'er**, *ook*: **elix'ir** [MLat., v. Arab. *al-iksir* (*al*
= lidwoord), waarsch. v. laat-Gr. *xèrion*
= uitdrogend poeder, dat in de opvatting v. d.
oude Gr. alchimisten onedele metalen in edele
zou omzetten] *oorspr.*: in de ME alchemie: een
sterk extract waaraan soms buitennatuurlijke
krachten werden toegeschreven
(levenselixer); *thans*: waterig aftreksel van
bittere plantaardige of geneeskrachtige
stoffen.

**ellips'** [v. Gr. *elleipsis* = gebrek, v. *elleipoo*
= weglaten, overslaan, te kort schieten]
**1** (*wisk.*) langwerpig ronde gesloten kromme
die ontstaat wanneer een plat vlak een kegel
doorsnijdt onder een hoek met het grondvlak
*kleiner* dan die van de kegelmantel met dit
grondvlak; **2** (*taalk.*) het weglaten van een
woord of woorden die er gemakkelijk bij
gedacht kunnen worden (*bijv.*: zo heer, zo
knecht = zoals de heer is, zo is de knecht).
**ellipsoï'de** [*zie* -**ide 2**] ellipsvormig lichaam
met drie in lengte verschillende assen (waarbij
alle doorsneden loodrecht op een der assen
ellipsen zijn). Zijn twee v.d. assen in lengte
gelijk, dan spreekt men van **sferoïde**, *z.a.*; zijn
alle drie de assen even lang, dan heeft men een
bol. **ellip'tisch** een **1** (*wisk.*) de vorm v.e. ellips
hebbend, langwerpig rond; **2** (*taalk.*) met een
ellips (*bijv.*: elliptische zegswijze).
**ellipticiteit'** [Fr. *ellipticité*] elliptische vorm,
het elliptisch-zijn.

**el'musvuur** of **sint-el'musvuur**, *ook*:
**elms'vuur** waaiervormig veranderlijk
lichtschijnsel (lichtpluimen) aan spitse
voorwerpen bij bep. elektrische atmosferische
toestanden.

**elocu'tie** [Lat. *elocútio*, v. *é-loqui*
= uit-spreken; *locútus sum* = ik heb
gesproken] **1** manier van spreken, spreektrant;
**2** welsprekendheid, welbespraaktheid.

**élo'ge** [Fr., v. Lat. *elógium* = opschrift, v. Gr.
*elegeíon* = opschrift in dichtvorm, distichon
(*vgl.* **elegie**); *elogium* is verwant met Lat.
*lóqui* = spreken, *elegeíon* met Gr. *legoo*
= spreken] lofrede of lofschrift.

**elonga'tie** [VLat. *elongátio* = verlenging, v.
Lat. *e-* = uit-, en *lóngus* = lang] **1** (*astr.*)
afstand in booggraden v.e. planeet tot de zon
op een gegeven tijdstip; **2** (*nat.*) grootste
uitwijking v.h. zwaartepunt van een slinger uit
evenwichtsstand (dus halve slingerwijdte).

**eloquent'** [Lat. *éloquens, eloquéntis*, v. *éloqui*,
*zie* **elocutie**] welsprekend, welbespraakt.
**eloquen'tie** [Lat. *eloquéntia*]
welsprekendheid.

**eloxe'ren** [samentrekking van *e*lektrolytisch
*ox*ideren] hetzelfde als **anodiseren**, *z.a.*

**elp, el'penbeen** [v. OHDu. *Helfantbein* (Du.
*Elfenbein*), v. *Helfant* = olifant, *Bein* = been;
*Helfant* v. Lat. *élephas* of de gebruikelijker
*elephántus*, v. Gr. *elephas, elephantos*]
slagtand van olifant, ivoor.

**elucide'ren** [v. VLat. *elucidáre*, v. Lat. *e-*
= *uit*-, en *lucidus* = helder, v. *lux, lúcis* = licht]
verhelderen, verklaren, toelichten. **elucida'tie**
ophelderende toelichting, verklaring.

**elucubra'tie** [v. Lat. *elucubráre* = bij lamplicht
werken] resultaat van moeizaam, vaak
's nachts tot stand gebracht geesteswerk.

**elude'ren** [Lat. *elúdere, elúsum* = *eig.*: in het
spel afwinnen; *voor* de gek houden, ontwijken,
v. *e-* = *uit*-, en *lúdere* = spelen] (*handig*)
ontsnappen, ontwijken. **elusief'** geneigd te
ontsnappen, ontwijkend, onvatbaar.

**Ely'sium** [Gr. myth. *Elusion (pedion)* = het

Elysische (veld) = verblijfplaats v.d.
uitverkorenen der goden (helden, denkers,
dichters) die daar zonder te sterven werden
opgenomen] der Gr. hemelse paradijs; later
speciaal deel van het algemene dodenrijk voor
vrome mensen na hun dood; (*fig.*) lustoord,
verrukkelijk verblijf (*ook*: **Elizee'se** of
**Elyse'ische velden**). **Ely'sisch** tot het
Elysium behorend, van de aard v.h. Elysium.
**Elysée** [Fr., v. *Elysium*] oorspr. naam v.e.
18e-eeuws paleis te Parijs, tegenwoordig
ambtswoning van de Fr. president.

**em-** in Gr. en Fr. woorden = **en-** vóór **b** of **p**.

**emace'ren** [Lat. *emaceráre*, v. *e-* = uit-, en
*mácer* = mager] uitmergelen; *ook*: (doen)
vermageren. **emacera'tie** vermagering.

**email'** [Fr. *émail*, v. OFr. *esmail*, v. MLat.
*smaltum* = smelt] **1** glasachtig materiaal
(doorschijnend of ondoorzichtig) dat in één of
meer lagen wordt aangebracht op metalen,
glas, stenen voorwerpen of ceramiek; **2** het
glazuur op tanden en kiezen; **3** (*her.*)
gemeenschappelijke naam voor de vier in de
wapenkunde gebruikte hoofdkleuren, nl. keel
(rood), sinopel (groen), azuur (blauw) en
sabel (zwart). **emaille'ren** [Fr. *émailler*] email
aanbrengen op; brandschilderen, versieren
met emailwerk.

**emancipe'ren** [Lat. *emancipáre*,
*emancipátum* = een zoon uit de vaderlijke
macht ontslaan, v. *e-* = uit-, en *mánceps*
= bezitter, v. *mánus* = hand, en *cápere*
= vatten] **1** *eig.*: vrijstellen van vaderlijk gezag
of voogdij, mondig verklaren; **2** voor de wet
gelijkstellen, vrijmaken van beperkende
regelingen of conventies; **3** zelfstandig maken
of als zodanig verklaren; *spec.*: bevrijden van
een drukkend gezag; *zich* —, zich
ontworstelen aan beperkende machten, zich
van belemmeringen ontdoen. **emancipa'tie**
[Lat. *emancipátio*] zn; spec. het sociale proces
waardoor bep. groeperingen uit een
maatschappelijke positie van de tweede rang
zich opwerken naar een volwaardige plaats en
in de maatschappelijke orde worden
geïntegreerd. **emancipato'risch** de
emancipatie bevorderend.

**emane'ren** [Lat. *e-manáre, e-manátum*
= uit-vloeien] uitvloeien, afkomstig zijn,
uitgaan. **emana'tie** [Lat. *emanátio*]
**1** uitvloeiing; **2** (*geol.*) uitstroming van gassen;
vroegere naam voor **radon**, *z.a.*

**emballe'ren** [Fr. *emballer*, v. *en-* = in-, en
*balle* = baal] verpakken (v. goederen).
**emballa'ge** [Fr.] verpakking.

**embar'go** [Sp. v. *embargar*, v. VLat.
*imbarricáre* = verhinderen, v. *barra* = staaf; *vgl.*
**barrage** en **barrière**] *oorspr.*: het beslag op
een schip van een vreemde mogendheid en het
beletten dat dit schip de haven uitvaart om
deze vreemde mogendheid onder druk te
zetten; tegenwoordig vooral het verbod van
uitvoer van goederen naar een vreemde
mogendheid om deze economisch te isoleren
en zo druk uit te oefenen (wapenembargo,
olie-embargo, graanembargo e.d.).

**embarke'ren** [Fr. *embarquer*, v. *en-* = in-, en
*barque, zie* **bark**] inschepen, aan boord doen
gaan of brengen.

**embarras'** [Fr., via lt. v. VLat. *barra* = staaf, *zie*
**embargo**] hindernis, belemmering; *ook*:
verwarring, verlegenheid; — *du choix*,
verlegenheid door te overvloedige
mogelijkheden van keuze. **embarrasse'ren**
[Fr. *embarrasser*, v. lt. *imbarazzare*]
belemmeren, hinderen; *ook*: in verlegenheid,
in verwarring brengen.

**embellise'ren** [Fr. *embellir* = verfraaien,
opsmukken] mooier maken of worden.

**embêtant'** [Fr. v. *en*, en *bête*, *z.a.*] vervelend.

**embleem'** [Lat. *emblema* = ingelegd of
mozaïekwerk, Gr. *emblèma* = invoeging, v.
*em-balloo* = in-werpen] symbool,
zinnebeeldige, typische voorstelling,
heraldisch wapen. **emblema'tisch** dienend
als typisch zinnebeeld.

**embolie'** [v. Gr. *embolos* = invoegsel, stop, wig, v. *em-balloo* = in-werpen, in-voegen] toestand veroorzaakt doordat gestold bloed, vet of lucht in de bloedstroom een of meer bloedvaten afsluit. *Vgl. verder* **trombose.**

**embonpoint'** [Fr., v. *en bon point* = in goede conditie] gezetheid, 'buikje'.

**embouchu're** [Fr., v. *en*, en *bouche* = mond, v. Lat. *bucca* = kaak, wang] monding (v. rivier, kanon e.d.); mondstuk v. blaasinstrument, wijze v. aan de mond zetten v. blaasinstrument.

**embouté** [Fr. *embout* = versiering aan het eind] *bn (her.)* voorzien van een ring aan het eind.

**embras'se** [Fr. *embrasser* = omarmen] band van (gordijn) stof en de gordijnen heen, om ze op te houden.

**embrasu're** [Fr.] muuropening, schietgat in een borstwering.

**embraye'ren** [Fr. *embrayer*] koppelen, de koppeling aanzetten (tegenst.: **debrayeren**).

**embroche'ren** [Fr. *embrocher* = aan het braadspit (*broche*) steken, v. MLat. *embrocáre*] (*cul.*) stukjes vlees, vis, ui, e.d. aan het spit steken om te braden.

**em'bryo** [MLat. *émbryo*, *embryónis*, verbastering v. Gr. *embruon* = ongeboren vrucht, v. *bruoo* = zwellen] zich ontwikkelend organisme gedurende de tijd dat het zich nog bevindt in de ruimte waarin de eerste ontwikkeling uit de bevruchte eicel plaats grijpt; bij de mens spreekt men van *embryo* (vrucht) vanaf de bevruchting tot 6-8 weken later; na het begin van ongeveer de 3e zwangerschapsmaand spreekt men van *foetus*, *z.a.* **embryonaal'** een embryo betreffend, van een embryo. **embryologie'** [*zie* -**logie**] wetenschap die het ontstaan v.h. embryo (**embryogenie'**) en de ontwikkeling daarvan vanaf de bevruchte eicel tot voldragen vrucht bestudeert alsmede het functioneren v.d. organen van het embryo. **embryoloog'** beoefenaar van de embryologie.

**embusca'de** [Fr. v. It. *imboscata*, *zie* **ambuscade**] hinderlaag.

**e'melt** [MNed. *amelte* of *emelte* = larve, mijt; *vgl.* Noors *aame* en Zweeds dialect *åma* = made, larve] in de grond levende larve van het geslacht Langpootmug (*Tipula*), spec. van de koollangpootmug (*T. oleràcea*).

**emende'ren** [Lat. *emendáre*, *emendátum*, v. *e-* = uit- en *méndum* = fout, *zie* **amendement**] emendaties maken in een geschrift, van fouten of feilen zuiveren; verbeteringen voorstellen of aanbrengen. **emenda'tie** [Lat. *emendátio* = verbetering] **1** het verbeteren van bedorven teksten (onjuiste lezingen) in geschriften; **2** een aldus aangebrachte verbetering.

**emerald'** [Eng. *emerald*, Fr. *émeraude*] smaragd.

**eme'ritus** afk. **em.** *of* **emer.** [Lat. = uitgediend, spec. uitgediend soldaat, veteraan, v. *emerére*, *eméritum* = uit-dienen, v. *e-* = uit, en *merére* = verdienen; *méritus* = zich verdienstelijk gemaakt hebbend] rustend geestelijke of ambtenaar. **emeritaat'** [Lat. *émeritát*] ambtsrust, staat van geestelijke of hoogleraar die wegens het bereiken v.d. leeftijdsgrens zijn ambt heeft neergelegd.

**eme'tica**, *ev* **eme'ticum** [v. Gr. *emetikos* = braking opwekkend, v. *emeoo* = braken] braakmiddelen, d.w.z. middelen die ofwel rechtstreeks het braakcentrum in de hersenen prikkelen, ofwel indirect via zenuwen in het maagslijmvlies.

**emfa'ze** [Gr. en Lat. *émphasis*, v. *emphainoo* = zichtbaar maken, tonen, v. *phainoo* = tonen] nadruk, klem bij het spreken, spreken met nadrukkelijke uiting van gevoel. **emfa'tisch** met klem of ophef, nadrukkelijk.

**emfyseem'** [v. Gr. *emphusèma* = het opgeblazene of uitgezette, blaas, bel, v. *phusaoo* = blazen] uitzetting v.e. orgaan of weefsel door te veel lucht of ander gas.

**e'mier** *zie* **emir.**

**emigre'ren** [Lat. *e-migráre*, *e-migrátum* = uit-trekken, verhuizen] verhuizen naar een ander land (tegenst. **immigreren**, *z.a.*). **emigra'tie** [Lat. *emigrátio*] verhuizing uit het vaderland; *landverhuizing* om economische redenen, *uitwijking* om politieke en godsdienstige redenen. **emigrant'** [Lat. *emigrans*, *emigrántis* = *o.dw* van *emigráre*] wie emigreert, wie uitwijkt.

**emince'ren** [v. Fr. *émincer*, v. *mince* = dun, smal v. VLat. *minutiáre*, v. Lat. *minútus* = klein, v. *minúere* = verminderen] (*cul.*) in dunne schijfjes of plakjes snijden.

**eminent'** [Lat. *éminens*, *eminéntis*, v. *e-mínére* = uitsteken] uitstekend, voortreffelijk. **eminen'tie** [Lat. *eminéntia*] verhevenheid; uitnemendheid. **Eminentie** afk. **Em.,** aanspreektitel van kardinalen. **éminen'ce grise** [Fr. = grijze eminentie] oudste persoon in een bep. kring die wegens zijn ervaring en wijsheid groot gezag heeft.

**e'mir**, *ook*: **e'mier** [v. Arab. *amir* = bevelhebber, v. *amara* = bevelen] Arabisch vorst of bevelhebber. **emiraat'1** waardigheid van emir; **2** grondgebied v.e. emir.

**émissai're** [Fr.], **emissa'rio** [Sp.] *zie* **emittent** (*eig.*: uitgezondene), geheime bode; *ook*: verspieder. **emis'sie** [Lat. *emíssio* = uitzending, *zie* **emitteren**] **1** (*nat.*) uitzending door een lichaam v.e. deeltje dat daarbuiten ergens een uitwerking uitoefent; **2** (*hand.*) uitgifte van effecten (obligaties of aandelen) door overheid, ondernemingen e.a. om nieuw kapitaal te verwerven. **emitte'ren** [Lat. *e-mittere*, *e-míssum* = uit-zenden] **1** (*nat.*) uitzenden (deeltjes); **2** het uitgeven van effecten. **emittent'** [Lat. *emíttens*, *emitténtis* = *o.dw* van *emitteren*] wie nieuwe effecten uitgeeft (zelf of via een bank of bankconsortium).

**emolumen'ten** *mv* [Lat. *emoluménta* (v. stam *mol-*, Gr. *mul-* = malen) = het gemalene, het verkregene, winst, voordeel] extra baten, ongeregelde bijverdiensten boven de vaste inkomsten die aan een ambt verbonden zijn.

**empale'ren** [Fr. *empaler*] spietsen, aan een paal rijgen (als lijfstraf).

**empare'ren** [Fr. *s'emparer*, v. Lat. *ante* = vóór, en *paráre* = gereed maken]: *zich —*, zich meester maken van.

**empathie'** [v. Gr. *en-* = in-, en *-patheia* = aangedaan zijn; *vgl.* **sympathie**] het zich invoelen in een ander om zijn reacties en houding beter te begrijpen.

**empereur'** [Fr., v. Lat. *imperátor*, *zie* **imperium**] keizer. **empi're** [Fr., v. Lat. *impe'rium*, *z.a.*] keizerrijk; *— stijl*, stijl uit de Napoleontische tijd. **em'pire** [Eng., als voorgaande] het Britse wereldrijk (*the British Empire*).

**empirie'** [Gr. *empeiria* = ervaring, v. *peiraoo* = beproeven] ervaring, ervaringsleer. **empi'risch** volgens ervaring, volgens waarneming of proefneming; *—e wetenschap*, wetenschap die vnl. uitgaat v. waarneming en proefneming (bijv. fysica, chemie). **empi'ricus** [Lat., v. Gr. *empeirikos*] wie zijn kennis alleen aan de ervaring ontleent. **empiris'me** kennis gegrond op ervaring; wijsgerig stelsel dat leert dat al onze wetenschappelijke kennis geheel en al op ervaring berust en daaruit is af te leiden (tegenover **rationalisme**, *z.a.*). **empirist'** aanhanger v.h. empirisme.

**emplacement'** [Fr. v. *place* = plaats, v. Lat. *platéa*, v. Gr. *plateia* = straat] (bouw)terrein, terrein bij station (voor rangeren e.d.).

**emplooi'** [Fr. *emploi*, v. *employer*, *zie* **employeren**] gebruik, aanwending, *implicáre* = in-vouwen] gebruik, aanwending, werk, werkkring, dienst, ambt; rol waarvoor speler gecontracteerd is. **employe'ren** [Fr. *employer*] gebruiken, aanwenden. **employé** [Fr.] beambte, bediende.

**empoche'ren** [Fr. *empocher*, v. *poche* = jaszak, v. OHDu. *pokka*] in de zak steken, opstrijken.

**empo'rium** [Lat., v. Gr. *emporion*, v. *emporia* = handel; *vgl. poros* = doorgang (*zie* **porie**), *maar ook*: hulpbron, verwerving, geld] stapelplaats; handelsplaats.

**empyeem'** [Gr. *empuos* = een inwendige verzwering hebbend] *zn* (*med.*) opeenhoping van etter in een lichaamsholte.

**empyre'um** [MLat., v. Gr. *empuros* = vurig, v. *en-* = in-, en *pur* = vuur] in de kosmologie der Oudheid de vuurhemel, de 7e en hoogste v.d. hemelsferen; in de ME (Dante) de opperste hemel, het paradijs, de plaats des lichts.

**emula'tie** [Lat. *aemulátio*, v. *aemulári* = iem. nastreven, wedijveren, benijden] wedijver, naijver, afgunst.

**emulge'ren** [v. Lat. *e-mulgére, e-múlsum* = uit-melken] een emulsie (*z.a.*) maken.

**emulga'tor** [modern Lat.] stof die het emulgeren of de houdbaarheid v.e. emulsie bevordert (in dit laatste geval ook wel *stabilisator* genaamd). **emul'sie** (*nat.*) kolloidale verdeling v.e. vloeistof in een andere vloeistof, melkachtige 'oplossing' waarin de ene vloeistof, verdeeld in zeer kleine druppeltjes blijft zweven. De verdeelde vloeistof heet de *disperse* of *gedisperseerde* fase.

**emun'dans** *mv* **-an'tia** [Lat. o.dw van *e-mundáre* = uit-zuiveren, v. *mundus* = zuiver, rein] (*med.*) zuiverend middel.

**en- 1** [Gr.] in-; **2** [Fr.] in-.

**en** [Fr.] (o.a.) in; soms te vertalen door 'als' (*bijv.: en garçon*, als vrijgezel).

**e'nak** of **e'nakskind** [waarsch. betekenis 'langhals', d.i. 'reus'; *vgl.* Arab. *unk* = hals] volgens de bijbel (Num. 13 : 28 en 33) waren Enakskinderen of Enakieten een volksstam van geweldige reuzen in Kanaän; (*fig.*) reus, boom van een kerel.

**enal'lage** [v. Gr. *enallagè* = verwisseling] stijlfiguur waarbij verwisseling optreedt van woordsoorten of woordvormen, bijv. een heerlijke kop koffie. i.p.v. een kop heerlijke koffie.

**enamel'** [Eng. *enámel* = email] moffellak, ook emaillak genaamd (niet echter niets met echt email te maken), een bep. bitumineuze strijklak.

**enantiotropie'** [v. Gr. *en-antios* = tegenovergesteld, en *tropos* = wending, v. *trepoo* = keren] het verschijnsel dat twee verschillende vormen v.e. element (bijv. rhombische en monokliene zwavel) naast elkaar bestaan elk in *stabiele* toestand.

**enarra'tie** [Lat. *enarrátio*, v. *e-narráre, -atum* = omstandig vertellen, uit-leggen] verhaal.

**en arrière!** [Fr.] achteruit! **en attendant** [Fr.] in afwachting, intussen. **en avant'!** [Fr.] vooruit! **en badinant'** [Fr.] schertsend. **en bagatel'le** [Fr.] als kleinigheid (*bijv.: iets— opnemen*, iets licht opnemen, er niet zwaar aan tillen). **en bloc** [Fr.] in zijn geheel, als geheel; allen bij elkaar, gezamenlijk. **en bran'ches** [Fr.] (*cul.*) in struikjes. **en bro'che** [Fr.] (*cul.*) aan het spit gebraden.

**encadre'ren** [Fr. *encadrer*, v. *cadre*, v. Lat. *quadrans*, *zie* **kader**] **1** omlijsten; **2** (*mil.*) in kaders verdelen. **encadreur'** [Fr.] lijstenmaker.

**encanaille'ren** [*zie* **canaille**]: *zich —*, gemeenzaam zijn met lieden v. lage of lagere rang of stand.

**encaustiek'** [v. Gr. *egkaustikos*, v. *egkaioo*, v. *en* = in, en *kaioo* = branden] het schilderen door inbranden van verven.

**encefali'tis** [v. Gr. *egkephalon* = hersenen, van *en-* = in, en *kephalè* = hoofd; *zie verder* **-itis**] hersenontsteking (*zie* het verwarren met **meningitis**, *z.a.*). **encefalogram'** [v. Gr. *gramma* = het geschrevene, v. *graphoo* = schrijven] röntgenfoto v.h. hersenoppervlak.

**enchante'ren** [Fr. *enchanter*, v. Lat. *in-cantáre* = betoveren, v. *in-* = tegenin, tegen, en *cantáre* = zingen] betoveren, verrukken.

**enchiri'dion**, *ook* **encheiri'dion** [v. Gr. *egcheiridios* = wat men in de hand houdt, van *en-* = in-, en *cheir* = hand; gelatiniseerd *enchirídium*] (*oorspr.* dolk); handboek, compendium, verzameling uittreksels.

**encein'te** [Fr.] ringmuur om een vesting.

**encla've** [Fr., v. VLat. *enclaváre*, v. Lat. *clavis* = sleutel, of *clavus* = spijker] stuk gebied geheel ingesloten door vreemd gebied.

**enclavist'** iem. die in een enclave woont en in de omgeving daarvan stroopt.

**encli'sis** [Gr. = neiging, v. *eg-klinoo* = ergens heen neigen] (*taalk.*) aanleuning v. woord bij voorafgaand woord waarbij accent verloren gaat en geworpen wordt op het voorafgaande (bijv. wanneer *gebéúrt* het nou; *lóóp* dan).

**encli'tisch** *bn* & *bw*.

**enco'mium** [Lat., v. Gr. *egkoomion*, v. *en* = in, en *koomos* = feestelijke optocht met lofgezangen] loflied, hooggestemde lofrede.

**enco're!** [Fr. (v. Lat. *ad hanc hóram* = tot dit uur) = tot nu toe; opnieuw] nog eens!, bis!

**en corps** [Fr.] gezamenlijk.

**encoun'tertraining** [v. Eng. *encounter* = ontmoeting; *zie verder* **trainen**] groepsoefening, overeenkomst vertonend met **sensitivitytraining** (*z.a.*), met vele lichamelijke oefeningen die bedoeld zijn om psychische spanningen op te heffen.

**encourage'ren** [Fr. *encourager*] aanmoedigen.

**encycliek'** [v. VLat. *ency'clicus*, v. Gr. *egkuklios* = kringvormig, algemeen, v. *en-* = in-, en *kuklos* = kring] rondschrijven of zendbrief v.d. paus bestemd voor allen.

**encyclopedie'** [VLat. *encyclopaedia*, v. foutief Gr. *egkuklopaideia* voor *egkuklios paideia* = algemene alzijdige opvoeding; *paideia* v. *pais, paidos* = knaap] woordenboek met wetenschappelijke, oriënterende gegevens over zaken (alg. of op bep. gebied); *ook*: systematisch inleidende behandeling v. bep. wetenschappen (systematisch ingerichte —). **encyclope'disch** op de wijze v.e. encyclopedie, *ook*: veelzijdig algemeen wetenschappelijk (bijv. *een—e kennis*). **encyclopedis'ten** *mv* (*gesch.*) de samenstellers v.e. grote Fr. 18e-eeuwse encyclopedie (bijv. d'Alembert en Diderot).

**endemie'** [v. Gr. *en-* = in-, en *démos* = volk] inheemse ziekte, ziekte kenmerkend voor bep. land (*vgl.* **epidemie**). **ende'misch** inheems, plaatselijk (spec. ziekte).

**en dépit' de** [Fr.] in weerwil van. **en dépôt** [Fr.] **1** in bewaring; **2** in voorraad gegeven ter verkoop in het klein. **en déshabillé** [Fr., in ochtendjapon] in huiskledij, niet gekleed (om in het openbaar te verschijnen). **en détail 1** in bijzonderheden; **2** (*hand.*) in het klein (verkopen) (*vgl.* **en gros**).

**endo-** [v. Gr. *endon* = binnen] binnen-, inwendig- (*vgl.* **exo-**).

**endocardi'tis** [Gr. *endo-*, en *kardia* = hart, *zie ook* **-itis**] (*med.*) ontsteking aan de binnenwand van het hart.

**endocrien'** [v. Gr. *krinoo* = (af)scheiden] *bn* met inwendige afscheiding, met interne secretie (stern). (tegenst. **apocrien**, *z.a.*). **endocrinologie'** [*zie* **-logie**] leer en kennis v.d. klieren met inwendige afscheiding en hun stoornissen, spec. als medisch specialisme. **endocrinoloog'** beoefenaar v.d. endocrinologie. **endoderm'** [v. Gr. *derma* = huid] binnenste cellaag van zeer jonge dierlijke vrucht (*vgl.* **ectoderm** en **mesoderm**).

**endofyt'** [Gr. *futon* = wezen] (*plk.*) parasiet in een plant.

**endogamie'** [v. Gr. *gamos* = huwelijk] gebruik of ongeschreven wet volgens welke men alleen huwt (resp. mag huwen of bij voorkeur huwt) binnen de eigen sociale eenheid (stam, ras, stand, geloofsovertuiging of dorpsgemeenschap), (tegenst. **exogamie**, *z.a.*). **endogeen** [*zie* **-geen**; *genos* = het gewordene] binnen ontstaand, binnenin

groeiend, van binnenuit afkomstig; **1** (*med.*) niet door factoren v.h. milieu bepaald, maar door processen binnen in het organisme (*bijv.*: door constitutie of erfelijke aanleg); **2** (*geol.*) **endogéne krachten**, krachten stammend uit het inwendige v.d. aarde, die voortdurende veranderingen v.d. aardkorst teweegbrengen (o.a. vulkanisme, gebergtevorming).
**endonoom'**: *endonome beweging*, *zie bij* **aetionoom**. **en'doparasiet** [*zie* parasiet] inwendige parasiet, organisme dat in het lichaam v.d. gastheer leeft (bijv. lintworm, *vgl.* **ectoparasiet**). **endorfi'nen** [*zie* morfine] door het lichaam zelf geproduceerde stoffen die pijn verminderen. **endosmo'se** [*zie* **osmose**] het gaan van vloeistof door halfdoorlatende wand van buiten naar binnen, bijv. bij levende cel wanneer de concentratie van opgeloste stoffen in de cel zelf hoger is dan daar buiten (*vgl.* **exosmose**). **endosperm'** [v. Gr. *sperma* = zaad, kiem] kiemwit, d.i. eiwit dat rond of bij de kiem in zaden van bedekzadigen aanwezig is.
**endosse'ren** [Fr. *endosser*, v. *dos* = rug, v. Lat. *dorsum*] (*hand.*) een wissel op naam overdragen aan een ander door op de rugzijde v.d. wissel dit te vermelden en met handtekening te bekrachtigen; *geëndosseerd*, aan wie de wissel is overgedragen. **endossement'** [Fr.] overdracht door endosseren. **endossa'bel** kunnende overgedragen worden. **endossant'** wie endosseert.
**endotheel'** [Gr. *endo-*, en *thèleoo = thalloo* = *eig.*: groen zijn, groeien] laag platte cellen tegen de binnenwand van hart en vaten. **endotherm'** [v. Gr. *endon* = binnen, en *thermé* = warmte] (van chemische reactie) warmte opnemend (*vgl.* **exotherm**); —*e* **verbinding**, chemische verbinding ontstaan onder warmtetoevoer (bij ontbinding komt dus warmte vrij).
**energie** [v. Gr. *energeia* = werkzaamheid, v. *en-* = in-, en *ergon* = werk; *energos* = in werk (*en ergooi*) zijnde] **1** (*nat.*) arbeidsvermogen, v. **2** (*v. persoon*) werkkracht, geestkracht, kracht waarmee men iets verricht of iets nastreeft, wilskracht. **energe'tica** [Fr. *énergétique* = de kracht betreffend] leer v.h. arbeidsvermogen en het behoud daarvan. **energe'tisch** energie betreffend, van de aard van energie. **energiek'** [Fr. *énergique*] **1** *bn* begaafd met energie, met kracht handelend, vervuld van krachtig streven om iets te bereiken, wilskrachtig; getuigend van geest, geestkracht; **II** *bw* met kracht. **energie'winkel** winkel waar men energiebesparende artikelen verkoopt.
**enerve'ren** [Lat. *e-nerváre* = ont-zenuwen, v. *nervus* = zenuw] ontzenuwen; zenuwachtig maken. **enerve'rend** *bn* ontzenuwend (*niet*: opwindend).
**en fa'ce** [Fr.] met het gelaat er naar toe, van voren (bijv. foto) (*vgl.* **en profil**); recht tegenover. **en famil'le** [Fr.] in huiselijke kring.
**enfant** [Fr., v. Lat. *in-fans = in-fántis* = dat nog niet kan praten, v. *in-* = niet, en *fari* = spreken] kind; — *chéri*, lieveling (spec. v. dames); — *terrible*, kind dat aan verkeerde personen vertelt wat het gehoord of gezien heeft en zo ouders in pijnlijke verlegenheid brengt; *ook fig.* van volwassene: flapuit die door een ondoordachte uitlating anderen in verlegenheid brengt of hun belangen schaadt.
**enfile'ren** [Fr. *enfiler*] in de lengte met geschut bestrijken.
**enfin'** [Fr. v. *en-* = in-, en *fin* = einde, Lat. *finis*] tenslotte; in het kort, om kort te gaan (in volkst. verbasterd tot afijn, met ook de betekenis: het zij zo).
**en flagrant délit** [Fr.] op heterdaad (*vgl.* **in flagranti delicto** en **flagrante delicto**).
**engage'ren** [Fr. *engager*, v. *gages* = loon, v. OFr. *guage*, v. Germ. *wadjo*, *vgl.* Ned. *wedde* (salaris)] verplichten, in dienst nemen, spec.

een speler; *ook*: uitnodigen; *zich* —, zich verbinden; zich verloven. **engagement'** verbintenis, contract; verloving; *geëngageerd*, **1** verloofd; **2** betrokken bij de problemen van de tijd.
**en garçon'** [Fr. = *lett.*: als jongen] als vrijgezel.
**en général'** [Fr.] in het algemeen.
**En'glish spo'ken** [Eng.] hier spreekt men Engels (aankondiging op winkels e.d.).
**en gran'de tenue** [Fr.] in groot tenue, op zijn paasbest. **en gros** [Fr.] ruw genomen; (*hand.*) in het groot (*vgl.* en **détail**).
**enharmo'nisch** [Gr. *enarmonios* = overeenstemmend; *zie* **harmonie**] (*muz.*) van gelijke toonhoogte, maar verschillend genoteerd. **enharmonise'ren** een harmonie anders schrijven met behoud v. toonhoogten.
**enig'ma** [Gr. *ainigma*] raadsel. **enigma'tisch** raadselachtig.
**enjambe'ren** [Fr. *enjamber*, v. *jambe* = been, VLat. *gamba*] een enjambement vormen. **enjambement'** [Fr.] het doorlopen v.d. zin op volgende versregel zonder rustteken.
**enlumine'ren** [Fr. *enluminer*] **1** kleuren; **2** verluchten met gekleurde (miniatuur) tekeningen.
**en mas'se** [Fr.] in grote menigte, als één massa. **en minia'ture** [Fr.] in het klein, in miniatuur.
**en négligé** [Fr.] in ochtendtoilet.
**ennui** [Fr., v. Lat. *in odio* = in haat] verveling. **ennuyant'** [Fr., v. *ennuyer*] vervelend.
**enoda'tie** [Lat. *enodátio*, v. *e-nodáre* = ontknopen; *nodus* = knoop] ontknoping.
**enologie** *zie* **oenologie**.
**en particulier'** [Fr.] in het bijzonder; als particulier persoon. **en passant'** [Fr.] in het voorbijgaan, terloops. **en petit' comité** [Fr.] in klein gezelschap, in besloten kring. **en plein public'** [Fr.] in het volle publiek. **en pri'se** [Fr.] (v. schaakstuk) in een positie om genomen (geslagen) te worden. **en privé** [Fr.] als particulier persoon. **en profil'** [Fr.] van ter zijde gezien (*vgl.* en **face**).
**enquê'te** [Fr. v. Lat. *inquire*, v. *quaerere* = zoeken; *zie* **inquisitie**] onderzoek op last van een der staatsmachten; *parlementaire* —, onderzoek vanwege het parlement tot voorlichting daarvan aangaande zaken die onderworpen zijn aan zijn beslissing; (*bij uitbreiding*) onderzoek door het stellen van vragen aan vele willekeurig gekozen personen naar meningen, gewoonten e.d. die onder het volk leven. **enquête'ren** [Fr. *enquêter*] een enquête houden. **enquêteur'** [Fr.], **enquêtri'ce** [geen Fr., dat is *enquêteuse*] persoon die een enquête houdt, vrouwelijke enquêteur.
**en rapport'** [Fr.] in verband met. **en règle** [Fr.] volgens de regel, zoals het hoort.
**enrobe'ren** [Fr. *enrober*] (*cul.*) bedekken met een laagje chocolade.
**enrole'ren** [Fr. *enrôler*] (*mil.*) in dienst nemen (v. soldaten), aanwerven, ronselen.
**en rou'te** [Fr.] op weg.
**ens**, *mv* **en'tia** [laat-Lat., *lett.*: het ding; 'vertaling' v. Gr. *to on* = het zijnde] het zijnde, wat 'is' (als abstract begrip); een eerste en meest algemene begrip om de onherleidbare aanwezigheid van de werkelijkheid aan te duiden.
**enscene'ren** [*zie* **scène**] **1** in scène zetten, voor toneel of film gereedmaken of regelen; **2** (*fig.*) als schijnvertoning in elkaar zetten en uitvoeren.
**ensem'ble** [Fr., v. Lat. *in-* = in-, en *simul* = tegelijk] **1** het geheel, alles of allen bijeen of tezamen; **2** muziekgezelschap, toneelgezelschap e.d.; **3** dameskostuum dat uit delen bestaat (japon en mantel) maar geen mantelpak is.
**ensile'ren** [Fr. *ensiler* = *eig.*: graan in silo doen, v. *en-* = in-, en *silo*, *z.a.*] (warm) inkuilen ter conservering van groenvoeder (meestal gras) dat voor veevoeder bestemd is. **ensila'ge** [Fr.] het inkuilen.

**en sui'te** [Fr.] achter elkaar liggend (bijv. *kamers* —, kamers achter elkaar, door schuifdeuren verbonden)

**entame'ren** [Fr. *entamer*, v. VLat. *intamináre*] aansnijden, aanpakken (werk), aanknopen (gesprek, onderhandeling).

**enté** [Fr. *enter* = aaneenvoegen] *bn* (*her.*) wordt gezegd van een schild waarvan de delen in golvende lijnen aaneensluiten.

**entelechie'** [v. Gr. *entelecheia* = *en telei echoo* = op het doel (*telos*) gericht houden] wat op het doel gericht is; *ook*: wat in zich zijn doel heeft; *ook*: levenskracht. (*Zie verder* **vitalisme 1.**)

**enten'te** [Fr., v. *s'entendre* = elkaar verstaan, eens zijn, v. Lat. *in-téndere* = spannen naar, richten naar] verstandhouding; verbond; — *cordiále*, hartelijke verstandhouding tussen staten.

**enteri'tis** [v. Gr. *enteron* = ingewand, darm; *zie* **-itis**] ontsteking van het slijmvlies v.d. dunne darm. **enterogeen'** [Gr. *enteron* = ingewand, en de stam *gen-* = ontstaan] *bn* in de darm ontstaan.

**entertai'nen** [Eng. *to entertain* = onderhouden, v. Fr. *entretenir* = onderhouden, v. Lat.-Lat. *intertenére*, v. Lat. *inter* = tussen, onder, en *tenére* = houden] gezellig bezighouden (van gezelschap door beroepskracht), amuseren. **entertai'ner** [Eng.] conferencier, humoristisch voordrachtkunstenaar e.d. **entertain'ment** [Eng.] amusement, voorstelling of show.

**en-tête** [Fr. *en* = in, en *tête* = hoofd] (*drukkunst*) hoofd van een brief, koplijst.

**enthalpie'** [Gr. Gr. *thalpos* = warmte] bep. thermodynamische grootheid.

**entiteit'** [laat-Lat. *éntitas*, v. *ens*, *éntis*, *zie* **ens**] wezenlijkheid, iets dat wezenlijk is, wezenlijk bestaand iets; wezenlijk bestaan.

**entomo-** [v. Gr. *entomos* = ingesneden, v. *en-* = in-, en *temnoo* = snijden; *entomon* = insekt (ingesneden, 'gekerfd' dier)] insekten-. **entomografie'** [v. Gr. *graphoo* = schrijven] beschrijving van insekten. **entomoliet'** [v. Gr. *lithos* = steen] versteende fossiel insekt. **entomologie'** [*zie* **-logie**] insektenkunde. **entomolo'gisch** de entomologie betreffend. **entomoloog'** insektenkenner.

**entoura'ge** [Fr., v. *en-* = in-, en *tour* = omtrek] *lett.*: wat rond iets geplaatst is; omgeving (*ook fig.*).

**en tout'** [Fr.] in zijn geheel. **en tout cas'** [Fr.] in elk geval.

**entr'ac'te** [Fr. *zie* **entre-**] **1** pauze tussen twee bedrijven v.e. toneelstuk; **2** in die pauze opgevoerd tussenbedrijf, gespeeld muziekstuk of balletuitvoering; spec. bij opera: instrumentaal muziekstuk tussen de bedrijven; **3** kleine sigaar die in de pauze kan worden opgerookt.

**en train'** [Fr.] aan de gang, in gang. **entrain'** [Fr.] vaart, voortvarendheid.

**entrainement'** [Fr.] oefenterrein.

**en'tre** [Fr., v. Lat. *inter*] tussen-.

**entrecô'te** [Fr. v. *côte*, Lat. *cósta* = rib] (*cul.*) tussenribstuk; lendebiefstuk met een rand vet.

**entre-deux'** [Fr. = *lett.* tussen twee] tussenzetsel (bijv. bij japon); middelstuk; tussenruimte; tussenwand.

**entree'** [Fr. *entrée*, v. Lat. *intráre* = binnengaan, v. *intra* = binnenin, en *íre* = gaan] **1** toegang, ingang; **2** intrede, binnenkomst; **3** recht van toegang; prijs van toegang (entreegeld, entreeprijs); **4** (*cul.*) voorspijs (na de soep en vóór het hoofdgerecht); **5** (*muz.*) voorspel, inleiding; *ook*: eerste dans.

**entrefilet'** [Fr., *zie* **filet**] tussengeschoven bericht of artikeltje in krant of periodiek om ruimte te vullen. **entremets'** [Fr., v. *mets* = gerecht, v. Lat. *missus* = gezonden (ter tafel)] *ev* (*mv id.*) tussengerecht.

**en'tre nous'** [Fr. = onder ons] onder ons gezegd.

**entrepot'** [Fr. *entrepôt*, v. Lat. *pónere*, *pósitum* = plaatsen, zetten] stapelplaats voor goederen zonder dat invoerrechten daarvoor betaald behoeven te worden, zolang ze tijdelijk opgeslagen zijn.

**entresol'** [Fr., v. *sol* = bodem, grond, v. Lat. *sólum*] lage tussenverdieping tussen gelijkvloers en eerste verdieping; 'insteekkamertje'.

**entrevue'** [Fr., v. *entre* = *hier*: wederkerig, elkaar-; *zie* **vue**] samenkomst, afgesproken onderhoud.

**entropie'** [v. Gr. *en-*, en *tropè* = omzetting, v. *trepoo* = wenden] (*astr.*) gelijkmatige toestand in heelal door vermindering v. energie-verschillen; (*nat.*) maat voor de niet-vatbaarheid v.d. warmte v.e. systeem voor omzetting in mechanische arbeid, verlies v. nuttig arbeidsvermogen bij omzetting v. warmte in mechanische arbeid.

**enumere'ren** [Lat. *e-numeráre* = op-tellen, v. *númerus* = getal] opnoemen (stuk voor stuk), opsommen; optellen. **enumera'tie** [Lat. *enumerátio*] *zn.* **enumeratief'** [Fr. *énumératif*] opsommend.

**enuntië'ren, enuncië'ren** [Lat. *e-nuntiáre*, *-nuntiátum* of *e-nunciáre* = uit-boodschappen] verkondigen, uitspreken, uitdrukken, vermelden. **enuntia'tie, enuncia'tie** [Lat. *enuntiátio*, *enunciátio*] *zn.* **enuntiatief', enunciatief'** [Lat. *enuntiativus*] toelichtend, verduidelijkend.

**enure'sis** [v. Gr. *ouron* = water, urine] onwillekeurige lozing van urine; — *noctúrna*, aflopen van urine tijdens de slaap, bedwateren.

**envers'** [Fr., v. Lat. *invérsus* = omgekeerd, v. *vértere*, *vérsum* = keren] keerzijde; verkeerde kant.

**environ'ment** [Eng., v. *to environ* = omringen, omgeven, v. OFr. *environ*, v. *viron* = circuit, *vgl.* Fr. *virer* = draaien] modern kunstwerk in de vorm van een min of meer besloten gestileerde ruimte waarvan de toeschouwer zelf deel uitmaakt en gestimuleerd wordt actief mee te spelen. **environnement'** [Fr. = omgeving, milieu, v. *environner* = omgeven, omringen] (*Z.N.*) omgeving, de omtrek.

**en vo'gue** [Fr.; *vgl.* It. *voga* = *lett.*: het roeien, *fig.*: mode] in zwang, in de mode.

**envoûtement'** [Fr., v. Lat. *in*, en *vultus* = gelaat] begelovige poging iem. te treffen door een beeldje dat hem voorstelt te doorsteken of op andere wijze te mishandelen, waarbij bedoeld wordt deze handelingen op magische wijze op de afgebeelde persoon over te dragen.

**envoyé'** [Fr. *envoyer* = zenden] diplomatiek vertegenwoordiger buiten de gebruikelijke.

**enzoötie'** [Gr. *en-*, *z.a.*, en *zooion* = dier] endemische ziekte bij dieren (*zie ook* **epizoötie**).

**enzy'men** *mv* (*ev* **enzym'**) [v. Gr. *en-* = in-, en *zumè* = zuurdeeg, gist], vroeger ook fermenten (*zie* **fermenteren**) genaamd, katalysatoren v.d. chemische reacties die in levende organismen plaatsvinden.

**e'o a'nimo** [Lat.] met die bedoeling.

**Eoceen'** [v. Gr. *éoos* = dageraad, en *kainos* = nieuw; *Eoceen* = *ongev.*: Dageraad van het Nieuwe Tijdperk] **1** eerste (oudste), volgens een andere indeling tweede (op een na oudste) tijdvak van het geologisch tijdperk Tertiair 60-40 miljoen jaren geleden; **2** aardlagen tijdens dit tijdvak gevormd.

**eo'dem di'e** [Lat.] op dezelfde dag. **e'o ip'so** [Lat.] juist daardoor, door het feit zelf, vanzelf (dus zonder nadrukkelijke uitspraak van bevoegde zijde).

**Eoli'thicum** [v. Gr. *éoos* = dageraad, en *lithos* = steen] cultuurperiode vóór het Paleolithicum toen de primitieve mens als werktuigen alleen nog maar stenen gebruikte zoals hij die in de natuur vond, de zgn. **eolieten**.

e'olusharp, *ook*: ae'olusharp [naar Gr. myth. *Aiolos* = god v.d. wind; *aiolos* = beweeglijk] windharp, bep. snaarinstrument, bestaande uit houten kast met een aantal snaren boven een klankbord gespannen, dat een muzikaal geluid voortbrengt als de wind er in blaast.

e'on, e'oon wel gebruikte maar niet toegelaten spellingen van aeon, *z.a.*

e'o sen'su [Lat.] in die zin, in dezelfde zin.

eosien', *ook* eosi'ne [v. Gr. *èoos* = (de roze) dageraad] een organische kleurstof (kaliumtetrabroomfluoresceïen), een roodbruin poeder; in de geelrode waterige oplossing geven zuren een roodoranje neerslag. Met eosien geven vrijwel alle oplosbare zouten fraai-rode kleurlakken.

Eozo'icum *zie* Paleozoïcum.

ep- = epi (*z.a.*) vóór niet-aangeblazen klinkers.

epac'ta *mv* epac'ten [v. Gr. *epaktos* = van buiten aangevoerd, v. *epi* = bij, en *agoo* = voeren] ouderdom v.d. maan op 1 jan. (*oorspr.*: inlasdagen om het maanjaar gelijk te maken aan het zonnejaar).

epanalep'sis [Gr. *ep-*, *z.a.*, en *análèpsis* = het weer opnemen] (*taalk.*) stijlfiguur waarbij de beginwoorden van een zin weer worden opgenomen.

epa nodos [Gr. *ep-*, *z.a.*, en *anodos* = opgang] (*taalk.*) stijlfiguur waarbij men een zin herhaalt in omgekeerde volgorde, bijv. 'Absolom mijn zoon! Mijn zoon Absolom!'.

epate'ren [Fr. *épater*, v. *é-*, en *patte* = poot] = verbrijzelen] verbluft doen staan, 'overdonderen'. **epatant'** [Fr. *lett.*: verbluffend] buitengewoon, kras. **épateur'** [Fr.] branieschopper.

epaulement' *zie bij* epaulet]

'schouderweer', borstwering tegen vijandelijk geschut. **epaulet'** [Fr. *épaulette*, v. *épaule* = schouder, v. Lat. *spáthula* = schouderblad, v. *spatha*, Gr. *spáthè* = breed zwaard] (*mil.*) schouderbedekking met afhangende kwasten of koorden.

epen'thesis [v. Gr. *ep-* = *epi-* = erbij-, en- = in-, en *thesis* = zetting, plaatsing, v. *tithèmi* = zetten] (*taalk.*) inlassing v.e. klank of lettergreep in een woord, *bijv.*: snor(p)en, snor(re)tje, dien(d)er, hoen(d)ers. **epenthe'tisch** *bn* ingelast (van klank).

epi- [Gr.] op-, erbij-, *soms*: na-.

épi'ce [Fr. v. OFr. *espice*, v. Lat. *spécies*, als *mv* = specerijen, ingrediënten; *zie* species en specerij] (*cul.*) specerij of keukenkruid.

epicen'trum [v. Gr. *epi-* = erop-; *zie* centrum] punt v.h. aardoppervlak recht boven een (onderaardse) aardbevingshaard gelegen.

epicho'risch [Gr. *choora* = land, gebied, grond] inheems, typerend voor de inlanders.

epicri'se [Gr. *epi-*, *z.a.* en *krisis* = onderzoek] wetenschappelijke beoordeling van een ziektebeeld vanaf de oorzaak tot de afloop.

epicuris'me levenshouding die volgt uit de ethiek van Epicurus, Gr. wijsgeer, ± 342-270 v. Chr. Voor Epicurus is geestelijke rust en persoonlijk geluk het hoogste in het menselijk leven; geluk is gegrondvest op 'lust', 'lustgevoelen', d.w.z. afwezigheid van pijn. 'Lust' is dus het doel v.h. menselijk handelen, niet zozeer het kortstondige lichamelijke genot, dan wel een geestelijk genot in de vorm van een blijvend welbehagen, liefst in de beslotenheid van een vertrouwde vriendenkring. – Later kreeg epicurisme via 'genotzucht' de betekenis: zinnelijke wellust, zwelgerij. **epicu'risch 1** de levenshouding v.h. epicurisme betreffend; **2** (*oneig.*) genotzuchtig, wellustig. **epicurist' 1** aanhanger van Epicurus; **2** (*oneig.*) genotzuchtig iemand, persoon die verfijnde genoegens nastreeft, smulpaap. **epicuris'tisch** betr. de wijze v.e. epicurist; epicurisch.

e'picus *zie onder* epiek.

epidemie' [via VLat. v. Gr. *epidèmia*, v. *epidèmios* = inheems, verspreid onder het volk, v. *dèmos* = volk, land] tijdelijke sterke toeneming van het aantal gevallen van een bep. besmettelijke ziekte in een bevolking van een of meer landen. (*Vgl.* endemie.)

epide'misch de aard v.e. epidemie hebbend, als een epidemie; (*oneig.*) zich verspreidend als een epidemie.

epideik'tisch [Gr. *epideiktikos* = pronkend] *bn* wordt gezegd van een redevoering waarbij aan de vorm meer aandacht besteed is dan aan de inhoud.

epidemiologie' [*zie* epidemie en -logie] **1** leer der epidemieën; **2** (*thans ook*) wetenschappelijk onderzoek naar het verband tussen veelverbreide ziekten of afwijkingen van lichamelijke of psychische aard en bep. factoren die vermoedelijk de oorzaak van deze verbreiding zijn (*bijv.*: verband tussen verkeerde levenswijze en hartinfarct).

epider'mis [v. Gr. *epi-* = erop-, en *derma* = huid] opperhuid; de bovenste verhoornde lagen v.d. huid bij dieren; de laag cellen die bij planten bladeren, stengels en wortels bedekt.

epidiascoop' [v. Gr. *epi-* = op, *dia* = doorheen, en *skopeoo* = kijken] projectielantaarn, ook voor lichtbeelden van ondoorzichtige voorwerpen (het licht valt dan niet *door* maar *op* het voorwerp en werpt via spiegels en lenzen een vergrote afbeelding op het doek).

epidi'dymis [Gr. *epi-*, *z.a.* en *didumos* = tweevoudig] (*anat.*) bijbal, gedeelte van de teelbal waarin de zaadbuisjes samenkomen in de zaadleider.

epiek' [v. Lat. *épicus*, Gr. *epikos* = verhalend] verzamelnaam voor alle produkten v. verhalende literatuur (dus niet alleen het epos, *z.a.*). Deze produkten kunnen zowel in poëzie als in proza geschreven zijn; kenmerk is de objectieve beschrijving van een gebeuren. (*Vgl.* lyriek.) **e'pisch** *bn & bw* **1** verhalend, behorende tot de verhalende literatuur, spec. tot het heldendicht; **2** de verhalende literatuur, spec. de heldenpoëzie beoefenend. **e'picus** [v. Lat. *épicus poéta* = verhalend dichter] schrijver die verhalende literatuur schrijft, spec. epische poëzie.

Epifanie' *zie* Theofanie.

epifoor' of epi'fora [Gr. *epiphoora* = (*lett.*: nadracht), herhaling, v. *epi-* = na-, en *pheroo* = dragen] (*stijlleer*) herhaling van hetzelfde woord aan het eind van opeenvolgende volzinnen of versregels (meestal om een climax te verkrijgen). De epifoor wordt ook **epistrofe** genoemd. (*Vgl.* ook anafoor.)

epify'se [v. Gr. *epi-* = erop, en *phusis* = groeisel, v. *phuoo* = doen groeien] **1** pijnappelklier, gelegen boven de middenhersenen, die bij vogels en zoogdieren een stof afscheidt die de geslachtsklieren beïnvloedt; bij lagere gewervelde dieren echter waarschijnlijk dienend voor het waarnemen van lichtprikkels (zgn. derde oog), (*vgl.* hypofyse); **2** verbenend uiteinde van de in aanleg uit kraakbeen bestaande pijpbeenderen.

epify'ten *mv* [v. Gr. *epi-* = op, en *phuton* = plant, v. *phuomai* = groeien] planten die op andere planten groeien zonder daar voedsel aan te onttrekken zoals parasieten dat doen (bijv. mossen en korstmossen op bomen).

epige'isch [Gr. *epi-*, *z.a.* en *gè* = aarde] *bn* (*plk.*) gezegd van wat zich boven de grond bevindt.

epige'nesis [*zie* genesis] leer dat het leven zich geleidelijk uit levenloze anorganische stof ontwikkeld heeft, abiogenesis, *z.a.*; leer dat de kiem niet uitsluitend ontwikkeld wordt uit reeds daarin aanwezige factoren, maar ook door nieuwe vorming van buiten af.

epiglot'tis [Gr. *epi-*, *z.a.* en *gloossa* = tong] tongwortel, strotklep.

epigo'nen *mv* (*ev* epigoon) [Gr. *epigonoi* = *lett.*: de erbij (later) geborenen; nakomelingen, v.d. wortel *-gen-* = worden; *gennaoo* = telen, voortbrengen] in kunst en wetenschap slaafse navolgers van een groot meester, of voortbouwend op diens ideeën zonder eigen originele inbreng, meestal van middelmatige begaafdheid, de zgn. nabloeiers.

**epigraaf'** [Gr. *epigraphè* = het opschrijven, v. *graphoo* = schrijven] opschrift op gebouw, steen, munt e.d. **epigra'fie** leer en kennis der op- of inschriften. **epigra'fisch** (als) v.e. epigraaf; op de epigrafie betrekking hebbend.

**epigram'** [Gr. *epigramma* = opschrift; v. *graphoo* = schrijven; *gramma* = het geschrevene] puntdicht; meestal hekelend, kort gedicht eindigend met onverwachte geestige wending. **epigramma'tisch** als een epigram; puntig.

**epilepsie'** [Gr. *epilèpsis* = vallende ziekte, v. *epi-lambanoo* = (lett.: erbij-nemen) overvallen] naam voor een aantal stoornissen die met elkaar gemeen hebben dat ze verlopen in aanvallen gepaard met bewustzijnsverlaging. **epilep'ticus** resp. **epilep'tica** [Lat., v. Gr. *epileptikos*] lijder resp. lijdster aan vallende ziekte.

**epile'ren** [Fr. *épiler*, v. é- = uit-, en Lat. *pilus* = haar] (ongewenste) haren uittrekken met wortel en al. **epila'tie** *zn*.

**epiloog'** [v. Gr. *epi* = na-, en *logos* = woord] *oorspr.*: naspel, nawoord toegevoegd aan toneelstuk (vaak in opdracht van de uitgever door een andere schrijver dan de toneelschrijver) waarin strekking en betekenis v.h. toneelstuk werden uiteengezet of het stuk kort werd samengevat; *thans*: nawoord bij een literair werk; slotrede; (*oneig.*) naspel v.e. serie gebeurtenissen; (*muz.*) in de sonnetvorm kleine afsluiting na de expositie van de twee hoofdthema's.

**épinard'** [Fr.] (*cul.*) spinazie.

**épineus** [Fr. *épineux*, v. *épine* = doorn, v. Lat. *spina*] netelig, met haken en ogen.

**épinglé** [Fr.] *bn* (v.e. stof) fijn geribd.

**epirogene'se** [Gr. *epirooomai* = bij iets in golvende beweging zijn, en *genesis* = ontstaan] (*geol.*) vorming van opheffings- en dalingsgebieden.

**e'pisch** *zie onder* epiek.

**episcoop** [*zie* epidiascoop] projectielantaarn voor ondoorschijnende voorwerpen (dus met opvallend licht).

**epi'scopus** afk. ep. [Lat., v. Gr. *epískopos* = op-zichter, v. *epi*- = op-, en *skopeoo* = rondzien, gadeslaan] bisschop.

**episcopaal'** [VLat. *episcopális*] bisschoppelijk; (in Engeland) anglicaans; *de Episcopale Kerk*, de Anglicaanse Kerk; *episcopa'len* (*mv, ev episcopaal*) aanhanger v.d. *episcopale kerkorde* (z.a.) van de Anglicaanse Kerk, waarin het bestuur berust bij bisschoppen, ieder zelfstandig in 'eigen bisdom; de aartsbisschop is slechts 'eerste onder gelijken' (*primus inter pares*). Episcopalen staan tegenover **presbyterianen**; z.a. **episcopaat'** [christelijk Lat. *episcopátus*] **1** de bisschoppelijke waardigheid; **2** de gezamenlijke bisschoppen; **3** bisdom, diocees.

**episo'de** [Gr. *epeisodion*, v. *ep*- = epi- = erbij-, en *eisodios* = toegang (v. *eis*- = in-, en *hodos* = weg)] (*oorspr.*) ingeschoven, ingelast stuk, nl. deel tussen twee koorzangen in de Gr. tragedie; (*thans*) deel v.e. verhaal dat op zichzelf staat; *ook*: min of meer een zelfstandig geheel vormend deel van een reeks voorvallen. **episo'disch** een episode vormend, de aard van een episode hebbend.

**epistasie'** [Gr. *epistasis* = het doen stilstaan] verschijnsel in de erfelijkheidsleer dat een eigenschap belemmerd wordt in haar ontwikkeling door een andere factor die niet tot het factorenpaar behoort.

**epis'tel** [Lat. *epistola* of *epistula*, v. Gr. *epistolè*, v. *epi-stello* = toe-zenden] **1** brief (vnl. ironisch of schertsend gebruikt); **2** (*rk*) lezing (meestal uit een apostelbrief) voorafgaand aan de evangelielezing in de mis.

**epistemologie'** [v. Gr. *epistèmè* = het weten, wetenschap; *zie* -**logie**] **1** wetenschap der wetenschappen, wetenschapsleer, wetenschapstheorie, leer die zich bezighoudt met de vraag wat wetenschap *is*, dus met het begrip 'wetenschap', en het ideaal van wetenschap, met de methode v.d. wetenschappen (*methodologie*), met de samenhang van de verschillende wetenschappen, en tenslotte met de ethiek der wetenschap; **2** (*fil.*) kennisleer of kennistheorie, tak v.d. wijsbegeerte die het tot stand komen en de betrouwbaarheid van onze kennis tot onderwerp heeft. **epistemolo'gisch** kennistheoretisch.

**epistro'fe** [Gr. *epistrophè*, v. *epi-strephoo* = heen-wenden] *zie* epifoor.

**epistyl'** [Lat. *epistylum*, Gr. *epistulion*, v. *stulos* = zuil] bindbalk, draagbalk, architraaf.

**epitaaf'**, **epita'fium** [Gr. *epitaphion* = grafschrift, v. *epi-* = op, en *taphos* = graf] *oorspr.*: opschrift op grafmonument; *sedert 15e eeuw*: het grafmonument zelf.

**epitheel'**, **epithe'lium** [modern Lat., v. Gr. *epi-* = erop-, en *thèleoo* = *thalloo* = groen zijn; groeien; *epithelium* = ongeveer: het erop groeiende] bedekkend, vaak afsluitend weefsel van aaneengesloten cellen dat een uitwendig lichaamsoppervlak of een lichaamsholte bekleedt.

**epi'theton** [Gr. = toevoegsel, bijstelling, v. *epi*- = erop-, en *tithèmi* = zetten, plaatsen] bijvoeglijk naamwoord in vaste verbinding met een zelfstandig naamwoord (spec. eigennaam) om dit laatste nader te kenmerken (*epitheton necessárium* = noodzakelijk epitheton), *bijv.*: de IJzeren Kanselier (Bismarck), of dat louter als 'versiering' dient (*epitheton órnans* = versierend epitheton), zoals vaak bij Homerus, *bijv.*: de rozevingerige dageraad.

**epi'tome** [Gr. *epitomos* = afgesneden, v. *temnoo* = snijden] uittreksel uit een boek of groot werk, korte samenvatting daarvan.

**epitoma'tisch** *bn* in uittreksel, als epitome.

**epi'trope** [v. Gr. *epi*- = erbij-, en *tropè* = wending, *zie* troop] stijlfiguur die begint in toegevende vorm (*bijv.*: het is inderdaad waar dat ..., maar ...).

**epizeu'xis** [Gr., v. *epizeugnumi* = aan-binden] (*stijleer*) opstapeling, d.w.z. herhaling v.e. woord om groot nadruk te geven (*bijv.*: nooit, nooit zal ik je verlaten).

**epizo'ën** *mv* [Gr. *epi*- = op-, en *zooion* = dier] dieren die op (of in) de huid van andere dieren leven (*bijv.*: luizen, mijten).

**epizoötie'** [recente term naar analogie v. epidemie, Gr. *zooion* = dier] epidemie bij dieren, spec. epidemische veeziekte.

**e plu'ribus u'num** [Lat.] uit velen (= verscheidene) één (zinspreuk v.d. VS).

**epo'che** [via VLat. *epochè* = *oorspr.*: constellatie; later: rustpunt in tijdrekening; *vandaar ook*: tijdvak; v. *epechoo* = op-houden, stilstaan, v. *ep*- = *epi*- = op-, en *echoo* = houden] **1** (*astr.*) tijdstip waarop bep. astronomische grootheden betrokken zijn, *bijv.*: de baanelementen v.e. hemellichaam, het helderheidsminimum v.e. veranderlijke ster e.d., dus tijdstip waarop zich iets bepaalds voordoet of iets bepaalds geldt, het tijdstip v.e. bepaalde waarneming; **2** (*tijdrekenkunde*) begindatum v.e. tijdrekening; **3** *zie* epoque.

**epo'de** [Gr. *epooidè* = *lett.*: bij-zang; gezang, bep. troost- of bezweringsformule; v. *ep*- = *epi*- = erbij, en *ooidè* = gezang] *oorspr.*: kort distichon toegevoegd aan een lang distichon; *later*: lyrisch gedicht bestaande uit dergelijke disticha.

**epopee'** [Fr. *épopée*, v. Gr. *epopoiia*, v. *epos*, z.a., en *poieoo* = maken; *vgl.* **poëem, poëzie**] heldendicht, epos.

**epo'que** [Fr. *époque*; dezelfde woordafleiding als **epoche**] tijdstip of tijdvak gekenmerkt door een zeer bijzondere gedenkwaardige gebeurtenis of reeks van gebeurtenissen.

**e'pos** *(mv* e'**pen,** *ook* e**possen)** [Lat., v. Gr. *epos* = *lett.*: gesproken woord; verhaal] heldendicht, breed uitgewerkt verhalend gedicht over een gebeuren (historisch of mythisch) met als middelpunt een held en diens avonturen; *(fig.)* gebeurtenissen die als het ware een heldendicht vormen.

**epouvanta'bel** [Fr. *épouvantable,* v. *épouvanter,* v. VLat. *expaventáre* = plotseling hevig doen schrikken, v. Lat. *ex-,* en *pavor* = schrik] ontzettend, afgrijselijk.

**epox'ygroep** [v. Gr. *ep-* = *epi-* = erbij-; en modern Gr.-Lat. *oxygenium* = zuurstof]

verbindingen die de groep $H_C{\overset{O}{\underset{}{}}}_C H$

bevatten, waarin dus in de normale koolstofketen - C - C - nog een zuurstofatoom (O) 'erbij gekomen' is. **epox'yharsen** *mv* naam voor een groep kunststoffen die een of meer epoxygroepen bevatten en die na toevoeging van zgn. harders (polyamiden, zuren e.a.) bij verhitting harde en sterke materialen leveren. Deze epoxyharsen zijn goede elektrische isolatoren, zijn bestendig tegen inwerking van chemicaliën en bezitten zeer goede hechteigenschappen. **epox'ylijmen** *mv* lijmen die bestaan uit twee componenten, waarvan de ene een epoxyhars is, de andere een verbinding met een actief waterstofatoom.

**ep'pe** [v. Lat. *ápium* = *lett.*: de plant die door bijen *(ápis* = bij) veel bezocht wordt] selderie.

**épreu've** [Fr., v. *éprouver,* v. *prouver,* v. Lat. *probáre* = beproeven; *vgl.* Ned. *proberen*] proef.

**épris'** [Fr.] gegrepen door hartstocht.

**ep'silon** [Gr. *e psilon* = de kale e] de 5e letter v.h. Gr. alfabet; ster v. sterrenbeeld 5e in helderheid. *(Vgl.* **èta**; *spr.* è.)

**epure'ren** [Fr. *épurer,* v. *pure* = zuiver, Lat. *purus*] louteren, zuiveren. **epura'tie** [Fr. *épuration*] *zn.*

**equ-** [v. Lat. *aequus*] gelijk-. **equaal'** [v Lat. *aequalis,* v. *aequáre* = gelijk maken] gelijk.

**e'qualizer** [Eng. *to equalize* = in balans brengen] toonregelaar die het frequentiespectrum onderverdeelt in 10 of meer banden en deze elk apart kan versterken.

**equanimiteit'** [Lat. *aequanimitas,* v. *aequus* = gelijk, en *ánimus* = gemoed] gelijkmoedigheid, gemoedsrust. **equa'tie** [Lat. *aequátio* = *lett.*: gelijkmaking] 1 vereveming; **2** *(wisk.)* algebraische vergelijking. **equa'tor** [modern Lat.] evenaar, evennachtslijn, linie, op aarde de grote cirkel even ver van beide polen verwijderd; aan de hemel de grote cirkel even ver van beide hemelpolen verwijderd. **equatoriaal'** [Fr. *équatorial*] van de equator of van de streken bij de equator.

**equidistant'** [Lat. *aequidistans, - distántis, o.d.w* v. *distáre* = verwijderd zijn, v. *dis* = uiteen, en *stáre* = staan] hoedanigheid van twee rechte lijnen als de punten van de ene gelijke afstanden hebben tot de andere. In de euclidische meetkunde zijn dat parallelle of evenwijdige lijnen.

**equilateraal'** [Lat. *aequilaterális,* v. *latus, láteris* = zijde] gelijkzijdig.

**equilibrist'** [Fr. *équilibriste,* v. Lat. *aequilíbrium* = evenwicht; *libráre* = in evenwicht houden; *libra* = weegschaal] evenwichtskunstenaar, zowel koorddanser als jongleur.

**equinox'** [Fr. *équinoxe*] *ook:* **equinoc'tium** [v. Lat. *aequus* = gelijk, en *nox, noctis* = nacht] elk der twee punten waar de ecliptica de hemelequator *(zie* equator*)* snijdt. Deze zijn het *lentepunt* (omstreeks 21 maart) en het *herfstpunt* (omstreeks 22 sept.). De zon passeert dan de equator in N., resp. Z. richting, dag en nacht zijn dan even lang. **equinoctiaal'** *ook:* **equinoxiaal'** [Fr. *équinoxial*] *bn* op het equinoctium betrekking hebbend.

**equipa'ge** [Fr. *équipage,* zie equiperen] *eig.*:

uitrusting voor onderneming of reis; **1** bemanning v.e. schip; **2** officiersuitrusting; **3** rijtuig met paard(en) en bediende(n).

**equi'pe** [Fr. *équipe*] ploeg die gezamenlijk iets verricht, team. **equipe'ren** [Fr. *équiper, waarsch.* v. Oud Noors *skipa* = (een schip) bemannen, v. *skip* = schip] uitrusten met benodigdheden; (een schip) v. bemanning voorzien. **equipement'** [Fr. *équipement*] uitrusting.

**equipotentiaal'** [Lat. *aéquus* = gelijk, en *poténtia* = vermogen] *bn* gelijk vermogen bezittend.

**equiteit'** [Lat. *áequitas* = gelijkheid, ook gelijkheid voor recht, billijkheid] billijkheid.

**equivalent'** [Lat. *aequiválens, -valéntis* = *o.d.w* van *aequiválére* = evenveel vermogen; v. *valére* = waard zijn] **I** *bn* gelijkwaardig; **II** *zn* iets wat gelijkwaardig is aan iets anders; iets wat ter vervanging kan dienen. **equivalent'gewicht** *(chem.)* het atoom-, molecuul- of iongewicht gedeeld door de waardigheid **(valentie,** *z.a.)* ervan. **equivalen'tie** [Fr. *équivalence*] **1** gelijkwaardigheid; **2** *(chem.)* gelijkwaardigheid v.d. hoeveelheden van twee verschillende stoffen in die zin, dat ze samen een verbinding kunnen vormen zonder dat er van beide stoffen iets ongebruikt overblijft.

**equivo'que** [Fr. *équivoque,* v. Lat. *aequívocus* = dubbelzinnig, v. *vocáre* = noemen; *vox, vócis* = stem] **I** *bn* gelijkluidend (gezegd van twee woorden die naar vorm gelijk, maar naar betekenis verschillend zijn, *zie* homoniem), *vandaar:* dubbelzinnig; **II** *zn* dubbelzinnig gezegde, woordspeling, spec. als deze onbetamelijk is. **equivociteit'** [MLat. *aequívócitas, -vocitátis*] meerzinnigheid, veelzinnigheid, eigenschap v.e. term die op verschillende zaken in verschillende betekenissen wordt toegepast. Van *toevallige* equivociteit is sprake bij homoniemen, *z.a.* Van *opzettelijke* equivociteit is sprake bij paroniemen, *z.a.*

**e'ra,** *ook* **ae'ra** [VLat. = getal uitgedrukt in cijfers; het woord is afgeleid van Lat. *aes, aeris* = brons, geld] **1** groot tijdperk; **2** jaartelling.

**eradia'tie** [v. Lat. *e-* = uit, en *radius* = straal] uitzending v. stralen, uitstraling.

**Er'bium** bep. element, metaal, zeldzame aarde, chem. symbool Er, ranggetal 68 [naar Zweedse stad Ytterby, *zie ook* ytterbium].

**erec'tie** [Lat. *eréctio* = oprichting, v. *e-rígere, e-réctum* = op-richten] oprichting v.e. orgaan of deel daarvan, spec. de verstijving en oprichting v.d. penis, de clitoris, en de tepel.

**eremiet',** *ook:* **heremiet'** [v. Lat. *eremíta,* v. Gr. *erèmites* = *erèmía* = woestijn, eenzame streek] eenzaat, kluizenaar, christelijk asceet die zich in de eenzaamheid terugtrok; *(fig.)* zeer teruggetrokken levend persoon.

**erentfest'** *bn* (vroeger vóór titels) zeer achtbaar.

**erethis'me** [Gr. *erethismos,* v. *erethizoo* = prikkelen] overprikkeldheid. **ere'thisch** prikkelbaar.

**ere'xit** [Lat. = 3e persoon volt. teg. tijd van *erígere; zie* **erectie**] ... heeft opgericht.

**erg** [v. Gr. *ergon* = werk] eenheid v. arbeid of energie (arbeid die 1 dyne verricht in richting v.d. kracht, d.i. arbeid vereist om 1 g in 1 sec. 1 cm in de richting v.d. kracht te verplaatsen; 1 erg = $10^{-7}$ joule.

**ergas'tulum** [Lat. = tuchthuis, v. Gr. *ergazomai* = werken, zwoegen, v. *ergon* = werk] strafwerkplaats.

**er'go** [Lat.] dus, derhalve.

**ergograaf'** [Gr. *ergon* = werk, en *graphoo* = schrijven] toestel om krachtsinspanning te meten.

**ergo'nen** *mv (ev* er'**gon)** [v. Gr. *ergon* = arbeid, werk] stoffen die in zeer kleine hoeveelheden nodig zijn om fysiologische processen in het organisme mogelijk te maken en te regelen, nl. enzymen, hormonen en vitaminen. *(Zie* **telergonen**.)

**ergonomie'** [v. Gr. *ergon* = werk, en *nomos* = wet] bestudering en aanpassing v.d. arbeidsomstandigheden aan de mogelijkheden en de aard v.d. mens; doel is de taak aan te passen aan de mens (en niet omgekeerd) om niet alleen economische efficiëntie, maar ook humanisering v.d. arbeid te bereiken. **ergono'misch** *bn* & *bw*.
**ergonoom'** beoefenaar v.d. ergonomie.
**ergostaat'** [Gr. *ergon* = werk, en stam *sta* = staan] toestel om zieken voorgeschreven spierarbeid te laten doen.
**ergosteri'ne** (*biol.*) stof die in planten voorkomt en waaruit het vitamine D2 ontstaat als zij wordt blootgesteld aan ultraviolette stralen die het zonlicht bevat.
**ergotami'ne** [v. Fr. *ergot* = *eig.*: hanespoor; 'brand' in koren (wegens gelijkenis met hanespoor van aangetaste graanhalmen); *zie* *amine*] een der alkaloïden (*z.a.*) die voorkomen in moederkoorn (*Claviceps*), bep. schimmelsoorten op graan. Ergotamine veroorzaakt samentrekking v.d. baarmoeder.
**ergote'ren** [Lat. *ergo* = dus] over elke kleinigheid redeneren, haarkloven.
**ergotherapie'** [v. Gr. *ergon* = arbeid, werk; *zie* *therapie*] systematische oefening d.m.v. bep. werkzaamheden om verzwakte of uitgevallen lichaamsfuncties weer op peil te brengen of te herkrijgen. **ergoti'ne** een alkaloïde uit moederkoorn. Het veroorzaakt ergotisme.
**ergotis'me** [Fr.] kriebelziekte, gevolg van het eten van brood gemaakt uit met moederkoorn besmet meel. (*Vgl.* **ergotamine**.)
**-erie'** [v. Fr.] uitgang die de verkoopplaats aanduidt, *bijv.*: chocolaterie = chocoladewinkel.
**E'rin** [verwant met *Eire*, *z.a.*] in Engelstalige romantische literatuur in Ierland in de 18e en 19e eeuw dichterlijke naam voor Ierland.
**er'lenmeyer** [n.d. Duitse chemicus E. 1825-1909] glazen kolf met platte bodem.
**Erl'könig** [Du. = *lett.*: elzekoning, foutieve vertaling v. Deens *ellerkonge* = elfenkoning] in de Du. folklore een gekroonde reus die jonge kinderen naar het dodenland lokt (*vgl.* Goethes beroemde ballade *Erlkönig*).
**ermita'ge** [Fr.; *zie* **eremiet**] *ook*: **hermitage** kluizenaarsverblijf, kluis.
**erode'ren** [Lat. *e-ródere*, *e-rósum* = uit-knagen] **1** wegknagen, wegvreten; **2** afslijten. **ero'dens**, *mv* **eroden'tia** [Lat. *eródens*, *eroděntis*, *o.dw* van *erodere*] eroderend middel.
**erogeen'** [v. Gr. *eroos* = zinnelijke liefde; *zie* *verder* **-geen** 2] *bn* erotische prikkels opwekkend of daarvoor gevoelig.
**ero'sie** (*zie* **eroderen**) **1** (*geol.*) proces waarbij los materiaal wordt weggevoerd door wind, water of ijs; **2** (*tech.*) aantasting van steen, beton, metalen e.d. door mechanische wrijving of doordat er vreemde stoffen (zoals zand) langs schuren als zij door een zich snel bewegende middenstof (bijv. lucht = wind) worden meegevoerd.
**ero'ten** [v. Gr. *Eroos* = god v.d. liefde] *mv* minnegodjes in de vorm van gevleugelde knaapjes, *ook* **amoretten** genaamd.
**erotiek'** [via Du. *Ero'tik* v. Gr. *erootikos* = de liefde betreffend, v. *eroos*, *erootos* = liefde] het gehele complex van verschijnselen, gevoelens en gedragingen die de liefde betreffen. Behalve de zinnelijke, op het geslachtsleven gerichte liefde, ook de hogere geestelijke vormen van liefde. **ero'tisch** [v. Gr. *erootikos*, *zie* **erotiek**] betrekking hebbend op de seksuele liefde, vervuld van zinnelijke liefde. **ero'ticus** minnedichter; *ook*: schrijver van liefdesverhalen. **erotomanie'** [v. Gr. *erootikos* = tot de liefde behorend, en *mania* = waanzin] ziekelijke, allesbeheersende zinnelijke liefde voor een ander.
**erra'te huma'num est** [Lat.] dwalen (vergissen) is menselijk. **erra'tisch** [v. Lat. *erráre* = (rond)zwerven, (rond)dwalen] zwervend; *—e stenen, blokken*, zwerfstenen,

gevonden op plaatsen ver van hun oorsprong af (in ijstijden meegevoerd door het ijs).
**erra'ta**, *ev* **erra'tum** zetfouten en eventueel andere onjuistheden die bij het afdrukken v.e. boek zijn blijven staan. Vaak wordt, spec. in wetenschappelijke werken, achterin het boek een lijst van deze meestal storende fouten gegeven, mét de verbeteringen. **erreur'** [Fr., v. Lat. *érror* = dwaling] fout, vergissing, dwaling. **er'ror** [Lat.] dwaling, vergissing *mv* **erro're excep'to** [Lat., meestal in het *mv* **erro'ribus excep'tis**] (afk. **e.e.**) behoudens vergissing(en). **erro'ribus et omissio'nibus excep'tis** [Lat.] (afk. **e.e.o.e.**) behoudens vergissingen en weglatingen.
**ersatz'** [Du. *Ersatz* = wat er voor in de plaats gezet wordt; v. *ersetzen* = vervangen] vervangingsmiddel, surrogaat.
**erudiet'** [Lat. *eruditus*, v. *erudire* = van ruwheid ontdoen, onderrichten, v. *ex*, en *rudis* = onbewerkt, ruw] **I** *bn* geleerd, met grote algemene ontwikkeling; **II** *zn* geleerde.
**erudi'tie** [Lat. *eruditio*] geleerdheid.
**erup'tie** [Lat. *erúptio*, *e-rúmpere*, *e-rúptum* = uit-breken] uitbarsting, spec. v. vulkaan.
**eruptief'** [Fr. *éruptif*] door eruptie uitgeworpen (bijv. gesteente). **erupti'va** stollingsgesteenten.
**erytheem'** [Gr. *erutħéma* = roodheid, v. *eruthaínoo* = rood zijn, v. *eruthros* = rood] met bloed gevulde grote rode plek op de huid.
**erythrocy'ten** *mv* v. Gr. *eruthros* = rood; *voor* **-cyten** *zie* **leukocyten**] rode bloedlichaampjes.
**es** (*muz.*) met halve toontrap verlaagde e (mi), e-mol.
**esbattement'**, *ook*: **esbatement'** [OFr. = *ongev.*: speels vermaak; *vgl.* Fr. *s'ébattre* = zich vermaken, dartelen, stoeien] rederijkersklucht; door de rederijkers uit het Fr. overgenomen als meer ontspanningstoneelstuk, later 'klucht', een grappig, veelal satirisch toneelstukje na een ernstig allegorisch 'spel van sinne'.
**escadril'le** [Fr., v. Sp. *escuadrilla*; *zie verder* **eskader**] (*mil.*) kleine groep in formatie vliegende vliegtuigen (3 of 5).
**escala'de** [Fr.] het met stormladders beklimmen van vestingmuren.
**escala'tie** [Eng. *escalation* = *lett.*: opklimming, v. Lat. *scála* = trap] het geleidelijk (trapsgewijs) heviger maken of worden v.e. conflict (rel, demonstratie); zó dat een terugweg niet goed meer mogelijk is en een openlijke oorlog dreigt. **escale'ren** [Eng. *to escalate*, *ov.w* en *on.w.*] het voorwerp maken of worden v.e. escalatie.
**escalo'pe** [Fr.] (*cul.*) afgeplat lapje vlees of moot vis, gebakken in boter of vet; *— de veau*, kalfsoester.
**escamote'ren** [Fr. *escamoter*, v. Sp. *escamotar*] als een goochelaar wegmoffelen; (een geheim) ontfutselen.
**escapa'de** [Fr., v. Sp. *escapada*, v. VLat. *excappáre* = onder de *cappa* (mantel) uit gaan, ontsnappen; *vgl.* Eng. *escape*, Fr. *échapper*] misspronge v. paard; slippertje, ongeoorloofd uitstapje of dolle streek.
**escapis'me** neiging om zich aan onaangename zaken te onttrekken door vlucht in andere zaken.
**escargot'** [Fr. = huisjesslak] (*cul.*) eetbare slak.
**escar'pe** [Fr., v.lt. *scarpa*] binnenglooiing v. vestingwal.
**eschatocol'** [v. Gr. *eschatos* = laatste, uiterste, en *kolla* = lijm] (vroeger aangeplakt) sluitstuk v.e. oorkonde; slotformule. **eschatologie'** [Gr. *eschatos* = laatste, uiterste; *zie* **-logie'**] leer over de gebeurtenissen bij het einde v.d. wereld, over de uitersten (dood, oordeel, hemel, hel). **eschato'logisch** *bn* & *bw*.
**escomp'te** [v.N. *sconto; zie* **conto**] disconto.
**es'cort** [Eng.] jonge man of vrouw die, in opdracht van een bureau, tegen betaling met klanten (bijv. van elders komende

zakenlieden) dineert, met hen uitgaat, sex bedrijft enz. **escor'te** [Fr., v. It. *scorta*, v. *scorgere* = begeleiden, v. VLat. *excorrigere* = lett.: uitmederichten, v. Lat. *régere* = richten] 1 gewapend geleide (per motorrijwiel of te paard), gegeven ter begeleiding van hooggeplaatste binnen- of buitenlandse autoriteiten; 2 (*marine*) geleide door oorlogsschepen of marinevliegtuigen van vliegdekschepen, koopvaardijschepen e.d. **escorte'ren** [Fr. *escorter*] ww.

**escu'do** [Sp. & Port., v. Lat. *scútum* = schild] in de 16e-19e eeuw naam van div. Spaanse, Portugese en Z.Am. munten; thans nog munteenheid in Portugal en Chili.

**esculaap'** [naar *Aesculápius*, Lat. vorm v. Gr. *Asklēpios*, de god der geneeskunst] 1 (*scherts.*) geneesheer; 2 esculaapteken. **esculaap'slang** van 2 m lange, niet-giftige bruine slang (*Elaphe longissima*) in Zuid-Europa en West-Azië. Bij de Romeinen symbool van Aesculapius. **esculaap'teken** (officiële spelling **aesculaap'teken**) een staf met daaromheen een slang gekronkeld, het teken van de waardigheid v.d. god Aesculapius. Thans een herkenningsteken voor geneeskundigen, te voeren op hun auto.

**-esk** [v. It. *-esco*] achtervoegsel achter *zn* met de betekenis: volgens of in navolging van het *zn*; *bijv.*: *dantesk* = Dante-achtig; oorspr. achter eigennamen, tegenwoordig ook anderszins, zoals *soldatesk, clownesk* e.d.

**eska'der** [in MNed. *escadre* = troepenafdeling, v. Fr. *escadre*, v. It. *squadre* = slagorde in vierkant opgesteld, v. VLat. *exquadra*, v. *quadra* = vierkant; *zie* **kwadraat**; de moderne bet. vlootafdeling is opnieuw aan het Fr. *escadre* ontleend] 1 (*marine*) vlootverband van vrij grote omvang, omvattende eenheden van verschillende soort en klasse, waartoe op zijn minst twee schepen van groot type behoren. Een kleiner eskader noemt men meestal smaldeel; 2 (*marine*) onderdeel v.e. grote vloot dat vrijwel geheel uit schepen van dezelfde soort bestaat, bijv. eskaders van 4 of 8 slagschepen of van kruisers; een eskader van lichtere schepen heet **flottielje** (*z.a.*); 3 (*luchtv.*) groep van een aantal escadrilles (*z.a.*) van oorlogsvliegtuigen. **eskadron'** [Fr. *escadron*, v. It. *squadrone, zie* **eskader**] *vroeger*: elke groep die in een vierkante formatie vocht, *later*: ruiterafdeling van bep. grootte; *thans*: onderdeel v.e. tankbataljon of v.e. verkenningsbataljon (*zie* **bataljon**).

**esmeral'da**, **esmeraud'** [OFr. *esmeralde*, vgl. Fr. *émeraude*] oude namen voor smaragd.

**esote'risch** [v. Gr. *esootérikos*, v. *esooteros* = vergrotende trap van *esoo* = binnen] alleen voor ingewijden bestemd en begrijpelijk (*vgl.* **exoterisch**).

**espa'da** [Sp. = *eig.*: degen, zwaard] voornaamste stierevechter, met degen gewapend, die te voet de doodsteek geeft aan de stier (*zie ook* **torero**).

**espagnolet'**, *ook* **spanjolet'** [Fr. *espagnolette*, verklw. v. *espagnol* = Spaans] draaibare stang, met aan uiteinden ronde haken die om vaststaande pinnen grijpen, om vensterluiken, ramen of openslaande deuren van binnenuit te sluiten.

**espalier** [Fr., v. It. *spalliere*, v. *spalla* = schouder] (latwerk voor) leiboom.

**espèce** [Fr., v. Lat. *spécies*, verwant met *spécere* = naar iets zien] soort; kleingeld; —*s*, klinkende munt (*zie ook* **specie**).

**Esperan'to** [zelf een Esperanto-woord, *bet.*: de hopende; *vgl.* Lat. *sperare* = hopen] bep. kunst-wereldtaal (samengesteld door Zamenhoff, 1887). **esperantist'** beoefenaar v.h. Esperanto.

**esplana'de** [Fr., v. Sp. *esplanada*, v. *esplanar* = Lat. *ex-plánáre* = effen maken, v. *planus* = effen, *vgl.* Ned. plein] plaats, plein (om te exerceren of te wandelen); open veld voor groot gebouw.

**espressi'vo** afk. **espr.** [It.; *zie* **expressie**] (*muz.*) uitdrukkingsvol.

**espres'so** [It. = *lett.*: de uitgeperste, v. Lat. *exprimere, expréssum* = uitdrukken, uitpersen, v. *ex-* = uit-, en *prémere* = drukken] zwarte koffie bereid in speciaal apparaat, waarin kokend water onder druk (pressie) door fijngemalen koffiebonen wordt geperst.

**esprit'** [Fr., v. Lat. *spíritus, z.a.*] geest, scherpzinnigheid; geestigheid; — *de clocher*, (*lett.*: geest v.d. dorpstoren) kleinsteedse bekrompenheid met enkel waardering voor eigen milieu; — *de corps*, korpsgeest, het eensgezind-zijn van bep. groep; — *de l'escalier*, (*lett.*: geest v.d. trap) geestigheid die te laat te binnenschiet of de gedebiteerd wordt; — *fort*, (*lett.*: sterke geest) vrijdenker. **esqui're** afk. **Esq.** [Eng., v. OFr. *esquier*, v. Lat. *scutárius* = schilddrager, v. *scutum* = schild] *ongev.*: weledelgeboren heer (als titel op brieven: Esq. achter de naam).

**essaai'** [v. Fr. *essai*, v. *essayer* = beproeven, v. Lat. *exágium* = afweging, v. *exigere* = *ex-ágere* = uit-drijven, afwegen] onderzoek naar gehalte van zuiver goud of zilver in legeringen daarvan met onedele metalen. **essaaie'ren**, *ook*: **essaye'ren** [Fr. *essayer*] het goud- of zilvergehalte toetsen van voorwerpen of munten; *ook*: het goud- of zilvergehalte van ertsen onderzoeken. **es'say** *of* **essay'** [Eng.; Fr. *essai, zie* **essaai**] opstel, proeve, prozageschrift van enige lengte, spec. over een cultuurfilosofisch, maatschappelijk, ethisch of esthetisch onderwerp, met persoonlijke benadering daarvan. **essaye'ren** *zie* **essaaieren**. **essayeur'** [Fr.] keurmeester, rijksambtenaar voor het controleren v.h. goud- of zilvergehalte van voorwerpen of munten. **essayeu'se** [Fr.] winkeljuffrouw die kleren aanpast. **essayist'** [Eng.] schrijver van essays. **essayis'tisch** de aard v.e. essay hebbend. **essen'ce** [Fr., v. Lat. *esséntia; zie* **essentie**] 1 het wezenlijke v.e. zaak; 2 *oorspr.*: aftreksel van plantedelen dat een of ander werkzaam bestanddeel bevatte; *thans*: geconcentreerd aftreksel, spec. geconcentreerde oplossing van natuurlijke of chemisch bereide geur- en smaakstoffen in een geschikt oplosmiddel, gebruikt bij de bereiding van allerlei produkten; 3 geconcentreerde chemische vloeistof, bestemd om sterk verdund gebruikt te worden (bijv. azijnessence).

**essen'tie** [vertaling v. Gr. *ousia* = wezen), v. niet-bestaand *o.dw'éssens, esséntis* van *ésse* = zijn] 1 (*fil.*) wezenheid, d.w.z.: datgene waardoor een zaak (blijvend) is wat ze is; 2 (*meer alg. spraakgebruik*) het wezen, het wezenlijke, de kern v.e. zaak, daar waar het op aan komt (*vgl.* **essence 1**). **essentieel'** [Fr. *essentiel* = a wezenlijk; b noodzakelijk, v. VLat. *essentiális*] 1 *bn* 1 wezenlijk, de kern der zaak betreffend, het wezen uitmakend; 2 noodzakelijk (*bijv.*: voorwaarde); *essentiële aminozuren*, aminozuren (bouwstenen van eiwitten) die het dierlijk organisme niet zelf kan maken en die dus noodzakelijk zijn in de voeding; II *bw* [MLat. *essentiáliter*] in het wezenlijke (*bijv.*: deze zaken verschillen essentieel); III *zn*: het *essentiële*, het wezenlijke, het eigenlijke v.e. zaak. **essen'tia'lia** *mv* (*ev* **essentia'le**) [MLat.] tot de essentie behorende zaken, wezenlijke zaken. **essentia'lisme** (*schilderk.*) richting die het wezen v.h. onderwerp tot uitdrukking wil brengen.

**esta'blishment** [Eng., v. *to establish* = oprichten op permanente basis, v. Lat. *stabilíre* = bevestigen, v. *stábilis* = vast(staand)] gevestigde orde, bestaand bestel; *ook*: gezeten leidende (groep(en)) personen (veelal in afkeurende betekenis).

**estaca'je** [Fr.] paalwerk.

**estaminet'** [Fr., Waals *staminet*, oorspr.: standplaats, v. Lat. *stare* = staan] (*Z.N.*) herberg, kroeg, klein café, bierhuis (*ook*: **staminee**).

**esta'te** [Eng., v. OFr. *estat*, v. Lat. *stáre* = staan] landgoed.

**es'ters** *mv* [kunstwoord, samentrekking v. Du. *essigäther* = azijneter, zelf samentrekking van *essigsäure äthyläther* = azijnzure ethylether] (*chem.*) groep verbindingen die ontstaan uit een zuur (anorganisch of organisch, maar spec. dit laatste) en een alcohol onder afsplitsing van water (*verestering* of *estrificatie*).

**esthe'tica** [v. Gr. *aisthètikos* = zintuiglijk waarnemend; *aisthèsis* = zintuiglijke waarneming, gevoel; smaak; *aisthanomei* = waarnemen, voelen; smaak hebben voor], *ook*: **esthetiek'** *oorspr.*: alles wat v.d. aard van zintuiglijke gewaarwording is of daarmee samenhangt. Later (1750) werd de term ingevoerd voor een tak v.d. filosofie die zich bezighoudt met schoonheid en kunst.

**esthe'tisch** [Du. *ästhetisch*] *bn* & *bw* **1** betrekking hebbend op de waarneming en de waardering voor het schone; **2** volgens de regels der esthetica, kunstzinnig, smaakvol; **3** voor schoonheid gevoelig. **esthe'ticus** beoefenaar v.d. esthetica. **esthetiek'** [Du. *Aesthétik*, Fr. *esthétique*] *zie* **esthetica**.

**estheticis'me** [Du. *Aesthetizismus*] levensbeschouwing waarin de zinnestrelende schoonheidservaring, het zintuiglijke kunstgenot, een dominerende rol speelt. **estheticis'tisch** *bn* het estheticisme betreffend, van de aard v.h. estheticisme. **estheet'** [Du. *Aesthet*, Fr. *esthète*] beoefenaar v.h. estheticisme, schoonheidsdienaar, minnaar van schoonheid en kunst. **esthetici'en'ne** [Fr. *esthéticienne*] = kenster v. schoonheid] bep. schoonheidsspecialiste. **esthesiome'ter** tastzinmeter, apparaat om de gevoeligheid v.d. tastzin te meten door de afstand te bepalen waarop twee gelijktijdige indrukken op twee punten v.d. huid, op enige afstand van elkaar gelegen, nog gevoeld worden als inderdaad twee gescheiden indrukken.

**estime'ren** [Lat. *aestimare, aestimátum*] **1** schatten, begroten op, ramen; **2** waarderen, hoogachten. **estima'bel** [Fr. *estimable*, v. Lat. *aestimábilis* = schatbaar] hoog te achten, achtenswaard. **estima'tie** [Lat. *aestimátio*] **1** schatting, raming, taxatie, prijswaardering; **2** achting. **esti'me** [Fr.] **1** achting; **2** raming, gissing.

**estiva'tie**, *ook*: **aestiva'tie** [v. Lat. *aestas* = zomer; *vgl.* Gr. *aithoo* = branden] **1** (*plk.*) knopligging (d.i. de wijze waarop de bloembekleedsels in de knop liggen en hoe ze open gaan); **2** (*dierk.*) zomerslaap (van sommige dieren in het warme, droge seizoen).

**est mo'dus in re'bus** [Lat., *lett.*: er is een maat in de dingen] alles heeft zijn grenzen, in alles is er een maat.

**estompe'ren** [Fr. *estomper; vgl.* Ned. *stomp*] een tekening doezelen door de lijnen uit te smeren met opgerold stuk papier o.i.d.

**estouffa'de** [Fr.; *vgl.* Ned. *stoven*] (*cul.*) bruin nat, bruin fonds (*z.a.*).

**estra'de** [Fr., v. Provençaals *estrada*, v. Lat. *strata* = bespreid (met vloerkleden), v. *stérnere, stratum* = uitspreiden] verhoogd gedeelte in de vertrek (voor troon, praalbed).

**estrapa'de** [Fr., v. It. *strappata* = ruk] *oorspr.*: wipgalg; zijsprong v. paard om ruiter af te werpen; (*fig.*) uitspattinkie.

**es'trik** [v. MLat. *astricus, astracus* = plaveisel] gebakken (en verglaasde) vloertegel.

**estro-** *zie* **oestro-**.

**estua'rium**, *ook*: **aestua'rium** [*mv* **estua'ria**, **-riën**] [Lat. *aestuárium* = poel waarin de zee bij vloed binnenstroomt; v. *aestus* = golving, branding, verwant met Gr. *aithoo* = branden] trechtermond, d.i. trechtervormige open riviermond die door de werking v.d. getijden vrij breed is.

**èta** [Gr.] de 7e letter v.h. Gr. alfabet, (Ned. è).

**etablissement'** [Fr. *établissement*, v. *établir*, v. Lat. *stabilíre* = bevestigen, v. *stábilis*

= vaststaand, **stabiel**, *z.a.*] vestiging (v. handelshuis e.d.); instelling, gesticht; nederzetting; inrichting (gebouw).

**etagère** [Fr. *étagère*] staand of hangend open kastje met verschillende schappen (etages) boven elkaar, dienend voor het uitstallen van bibelots en andere snuisterijen; pronkkastje.

**etalon'** [Fr. *étalon*, v. OFr. *estalon* = dekhengst (*vgl.* Eng. *stallion*), v. OHDu. *Stal* = stal; als tweede betekenis heeft *étalon* in het Fr.: standaardmaat] standaardmaat of standaardgewicht bij het ijken. **etalonne'ren** [Fr. *étalonner*] ijken (maten of gewichten).

**étang'** [Fr. = *lett.*: vijver, v. Lat. *stágnum* = poel, stilstaand water; *vgl.* **stagneren**] lagune, hafachtig zout strandmeer.

**état** [Fr. = *o.a.* staat, v. Lat. *status*, v. *stáre* = staan] staat; stand. **état-major'** **1** de gezamenlijke officieren v.e. oorlogsschip; **2** de staf van een opperofficier, generale staf.

**etatise'ring** naasting, het plaatsen onder beheer van de staat. **etatis'me** [Fr. *étatisme*] leer v. staatsinmenging op velerlei gebied; overdreven staatsbemoeiing; voorrang v.h. staatsbelang boven het volksbelang, staatssocialisme.

**etce'tera** [Lat. *et cétera* = en de overige] (*afk.* **etc.**) enzovoorts.

**eterniet'** [naar Lat. *aetérnus* (uit *\*aevitérnus* = eeuwig; *aevum* = eeuw] algemene naam voor produkten op basis van asbestcement, een harde geperste massa die bestaat uit cement met asbestvezels. Het wordt in de vorm van vlakke of gegolfde platen, pijpen, kokers e.d. gebruikt als dakbedekking, voor isolatie, voor rookkanalen enz. De naam eterniet is ontleend aan een dezer produkten, met de merknaam *Éternit* (*lett.*: 'eeuwigdurend' materiaal).

**ethaan'** [*zie* ether 2] (*chem.*) gasvormige verzadigde koolwaterstof met de formule $C_2H_6$, d.i. $H_3C$-$CH_3$. **etheen'**, oudere naam: **ethyleen'** [*zie* ethyl-] (*chem.*) gasvormige onverzadigde koolwaterstof met de formule $C_2H_4$, d.i. $H_2C = CH_2$ (met de dubbele binding).

**e'ther** [Gr. *aithèr* = fijne lucht, bovenlucht, hemel; door Aristoteles als 5e element bijgevoegd naast de vier elementen: aarde, water, lucht en vuur als stof waaruit de sfeer der hemellichamen was opgebouwd] **1** (*nat.*) een vroeger veronderstelde elastische, onbeweeglijke, niet rechtstreeks waarneembare middenstof, die alle ruimten vulde, krachten kon doorgeven en elektromagnetische golven voortplantte; *nu*: elektrische en magnetische veldsterkten als zelfstandige realiteiten in de fysische ruimte (*zie verder* **ether**- als eerste lid van samenstellingen); **2** (*chem.*) in het algemeen een verbinding van twee zgn. koolwaterstofgroepen door een zuurstofatoom, in het bijzonder **ethoxyethaan**, $H_5C_2$-O-$C_2H_5$, de 'gewone' ether; **3** (*dicht.*) hoge lucht, hemelruim, hemel.

**ether-** [*zie* ether 1] in samenstellingen als eerste lid aanduidend dat het in 't tweede lid genoemde radio- en/of televisie betreft, *bijv.*: ethergolven, etherpiraat (illegale zender), etherreclame. **ethe'risch** [*zie* ether] **1** zeer licht en ijl; tot het hogere, fijnere behorend, hemels, in tegenstelling tot het zware stoffelijke op aarde; *ook*: vergeestelijkt; **2** (*nat.*) vluchtig, snel verdampend.

**ethiek'**, *ook*: **e'thica** [v. Gr. *èthikos* = met de zedelijke persoonlijkheid in verband staande, v. *èthos* = gewone verblijfplaats; gewoonte, zede, zedelijke hoedanigheid, karakter; of v. *ethos* = gewoonte; in het *mv* zeden; ethiek (Fr. *étique*, Du. *E'thik*) is tot *zi* geworden *bn*] zedenleer als onderdeel v.d. (praktische) wijsbegeerte, handelend over zedelijke begrippen en zedelijke handelingen, moraalfilosofie. Ethica is allereerst de bestudering v.h. ethische, d.w.z. van dat wat de mens moet zijn (of meent te moeten zijn).

**e'thisch** *bn* & *bw* van of volgens de ethica, zedenkundig; het zedelijk gevoel betreffend.

**et hoc ge'nus om'ne** [Lat.] en alles van dit soort.

**ethologie'** [v. Gr. *ethos* = ethiek, ethica; *zie* -logie] **1** beschrijving en leer v.d. gedragingen v.d. mens; **2** (*dierk.*) een richting in het onderzoek van het gedrag van dieren, waarbij men het natuurlijke gedrag centraal stelt en d.m.v. objectief waarneembare verschijnselen beschrijft en verklaart. **e'thos** [*zie* ethiek] de zedelijke motivering v.e. persoon of een groep en de daaruit resulterende zedelijke houding, tegenover **ethiek** als (wetenschappelijk) systeem v.d. zedelijkheid. (*Zie ook onder* ethiek.)

**ethyl-** [afgeleid v. *ethaan*, *z.a.*; *zie verder* -yl] (*chem.*) de eenwaardige organische atoomgroep $C_2H_5$-, deel uitmakend v.e. molecule, bijv. in *ethylalcohol* (thans *ethanol*), de gewone alcohol, $C_2H_5OH$, of in *ethylbromide*, $C_2H_5Br$.

**ethyleen'** *zie* **etheen**. **ethyn'** de sterk onverzadigde koolwaterstof $C_2H_2$, HC≡CH (dus met drievoudige binding; *vgl.* **ethaan** en **etheen**). In de techniek wordt ethyn meestal nog aangeduid met de oude naam *acetyleen*. Ethyn is een zeer brandbaar gas, dat met zeer helle vlam brandt.

**etiole'ren** [Fr. *étioler* = verbleken] (*plk.*) het onevenredig uitgroeien van stengelleden door gebrek aan licht, soms daardoor ook achterblijvend in chlorofylvorming.

**etiologie'**, *ook*: **aetiologie'** [v. Gr. *aitia* = oorzaak; *zie* -logie] leer der oorzaken, spec. die der ziekteoorzaken.

**etiquet'te** [Fr. *étiquette*] stelsel van overgeleverde uiterlijke gedragsnormen voor de omgang in meer deftige kringen.

**et'nisch** v. Gr. *ethnikos* = tot het ras behorend, aan het volk eigen, v. *ethnos* = groep, ras, natie, volksstam, volk] *bn* volk(en) betreffend. **etnoci'de** [v. Gr. *ethnos* = volk, en Lat. *caédere*, *caésum* = neerslaan, doden] volkenmoord, uitroeiing van een volk. **etnografie'** [v. Gr. *graphoo* = schrijven] volkenbeschrijving, beschrijvende volkenkunde. **etnogra'fisch** *bn* & *bw*. **etnograaf'** beoefenaar v.d. etnografie. **etnologie'** [*zie* -logie] volkenkunde (vergelijkend en verklarend). **etnolo'gisch** *bn* & *bw* **etnoloog'** volkenkundige. **etnomusicologie'** studie van volksmuziek.

**être** [Fr. = wezen; v. Lat. *ésse* = zijn] (*als scheldwoord*) vervelend wezen, naarling, mispunt (in Ned. plat verbasterd tot *etter*).

**et sequen'tes**, afk. **et sqq.** [Lat.] en de volgenden. **et sequen'tia**, afk. **et sqq.** [Lat.] en de volgende. **et sic de ce'teris** [Lat.] en zo ook wat betreft het overige (of de overigen). **et sic por'ro**, afk. **et s.p.** [Lat.] en zo vervolgens. **et ta'lia qua'lia**, afk. **e.t.q.** [Lat.] en dergelijke zaken. **et tu, Bru'te** [Lat.] ook gij, Brutus [Lat. 'vertaling' van Gr. *kai su*, *teknon* = ook jij, mijn zoon), woorden die Caesar zou gesproken hebben toen hij onder zijn moordenaars zijn gunsteling (die als het ware zijn zoon was) Brutus ontdekte. Thans uitroep van verwondering en verbittering als men vijandig wordt behandeld door iemand die men als vriend of medestander beschouwde.

**-et'te** [Fr. verkleiningsuitgang] modern achtervoegsel dat aan allerlei woorden uit verschillende talen gehaakt wordt om kleinheid aan te duiden, *bijv.*: *kitchenette* = kleine keuken.

**etu'de** [Fr. *étude*] studie, schets; oefenstuk; spec. muzikale compositie opzettelijk gecomponeerd om de technische vaardigheid v.d. muziekleerling te oefenen en te testen. **e tut'ti quan'ti**, afk. **e.t.q.** [It.] en allen van die soort, en allen bijeen, de hele troep. **étuvée** [Fr. = gestoomd] (*cul.*) gesmoord of gestoomd gerecht.

**e tymolo'gicon** [Gr.] etymologisch (*z.a.*)

woordenboek. **etymologie'** [v. Gr. *etumon* = *lett.* zin of oorspr. vorm v.e. woord, v. *etumos* = werkelijk, waar; *zie* -logie] woordafleidkunde, tak der taalwetenschap die de herkomst en de veranderingen in vorm v.d. woorden v.e. taal (of v.e. groep verwante talen) onderzoekt. **etymolo'gisch** *bn* & *bw*. **etymoloog'** beoefenaar v.d. etymologie. **e'tymon** [Gr.] grondbetekenis v.e. woord, stamwoord.

**eu-** [Gr.; *spr.*: ui-] goed-, wel-.

**eubiotiek'** [v. Gr. *eu-*, *z.a.*, en *bios* = leven] de kunst goed te leven (wellevenskunst), te onderscheiden van **macrobiotiek**, *z.a.* De eubiotiek streeft naar een verstandig en efficiënt gebruik van de mogelijkheden die het leven biedt en het bereiken van een optimale gezondheid.

**eucharistie'** [Gr. *eucharistia* = dankbaarheid, dank, v. *eucharisteoo* = dankbaar zijn, danken, v. *eu-*, *z.a.*, en *charis* = geschenk, dank; *charizomai* = gaarne aanbieden; NTGr. *eucharistia* = dankzegging; in kerkelijk gebruik ook: heilig avondmaal] viering v.h. heilig avondmaal, in gebruik bij katholieke, orthodoxe, anglicaanse en sommige protestantse kerken; de viering v.d. maaltijd des Heren. Thans spreekt men bij voorkeur niet van 'mis', maar van *eucharistieviering*. **eucharis'tisch** *bn* de (verering en viering van de) eucharistie betreffend.

**eucli'disch**: —*e meetkunde*, de meetkunde die uitgaat van de drie loodrecht op elkaar staande rechte dimensies van lengte, breedte en hoogte. Ze is gebouwd op vijf *postulaten*, *z.a.*, (*bijv.*: de kortste verbinding tussen twee punten is een rechte lijn); naar *Euclides*, Gr. *Eukleides*, Gr. wiskundige te Alexandrië, ca. 300 v. Chr.

**eudemonis'me** [v. Gr. *eudaimonia* = *lett.*: het bezitten v.e. goede *daimoon* (= hogere geest), *vandaar*: geluk; v. *eu-*, *z.a.*, en *daimoon*, *zie* **demon**] ethische leer die het einddoel van alle handelen stelt in het geluk.

**eudiome'ter** [v. Gr. *eudios* = helder, stam *di-* = stralen, helder zijn; *vgl.* Zeus, *Dios* = god v.d. stralende hemel; *dies* = dag; *deus* = god; *zie verder* **meter**] toestel om volumeverandering v. gassen na chem. reactie te meten; idem om zuurstofgehalte v. lucht te bepalen (en zo ook de zuiverheid).

**eudoxie'** [Gr. *eu-doxia*, v. *doxa* = mening] de goede dunk v.e. ander over een persoon, goede faam. **eufemis'me** [Gr. *euphèmismos*, v. *eu-phèmeoo* = goed-spreken, d.i. slechts goede woorden uiten, storende geluiden vermijden; *euphèmos* = onheilspellende woorden vermijdend; verzachtend (spreken)] verzachtende term of uitdrukking voor a iets onaangenaams of discriminerends, *bijv.*: *arbeidsreserve* voor werklozen, *gastarbeider* voor buitenlandse arbeider; *b* iets dat men aanstootgevend of onwelvoeglijk vindt klinken, *bijv.*: *zijn handen wassen* voor urineren; *c* iets dat men vreest, *bijv.*: *ontslapen* of *heengaan* voor doodgaan, sterven. **eufemis'tisch** *bn* & *bw* verzachtend, verbloemend. **eufonie'** [v. Gr. *eu-phooia* = goede stem, v. *eu-*, *z.a.*, en *phoonè* = geluid, stem] **1** welluidendheid; **2** het verschijnsel dat een klinker of medeklinker in een woord wordt ingelast om de uitspraak te vergemakkelijken of omwille van de welluidendheid, bijv. *vadertje* i.p.v. *vaderje*. **eufo'nisch** *bn* & *bw* **1** welluidend; **2** omwille van de welluidendheid ingelast, *bijv.*: een eufonische e. **euforie'** [v. Gr. *euphoros* = goed te dragen; *ook*: zich gemakkelijk bewegend, v. *eu-*, *z.a.*, en *phereo* = dragen] gevoel van psychisch en lichamelijk welbehagen, samen met een positieve geestesgesteldheid. Dit gevoel van welbevinden kan het gevolg zijn van goede gezondheid, maar kan ook een symptoom zijn bij allerlei ziekten. Euforie kan ook opgewekt worden door diverse psychofarmaca of door genotmiddelen, zoals alcohol. **eugene'tica**, *ook*: **eugenetiek'** of **eugene'se** [v. Gr. *eugenēs* = van goede geboorte, v. *eu-*, *z.a.*, en stam **gen-** = ontstaan, geboren worden] wetenschappelijk onderzoek naar de middelen om genetische verbetering v.d. mensheid te bereiken, toepassing v.d. *genetica* (*z.a.*) bij de mens om het nageslacht op peil te houden of zelfs te verbeteren. **eugene'tisch** *bn* de eugenetica betreffend. **eumorf'**, **eumor'fisch** [Gr. *morphē* = vorm, gestalte] welgevormd. **eumu'sisch** [Gr. myth. *Mousa* = muze] kunstzinnig (*vgl. amusisch*). **eunuch'** [Lat. *eunúchus*, v. Gr. *eunouchos* = *lett.*: bedbewaarder, v. *eunē* = bed, en *echoo* = houden, verzorgen; slaapkamerdienaar] ontmande, castraat, inz. als bewakers van de harems, aan het Byzantijnse hof als een soort kamerheren, later als toezichthouders in de serails.

**eupathie'** [v. Gr. *pathos* = wat men ondervindt, *ook*: lijden] **1** welbevinden; **2** geduld in lijden. **euporie'** [Gr. *euporia* = gemakkelijkheid om iets te doen, v. *poros* = doorwaadbare plaats] gunstige gelegenheid, gemak.

**eure'ka** [Gr. *heurēka* = 1e pers. v.t.t. van *heuriskoo* = vinden] ik heb het gevonden! (volgens legende de uitroep v. Archimedes (± 212 v. Chr.) toen hij al badend de wet v.d. opwaartse druk op ondergedompelde voorwerpen ontdekt had).

**euritmie'** [*zie* eu- en ritme] bewegingskunst waarbij een aantal lichaamshoudingen beantwoordt aan daarbij behorende klanken, hetzij spraakklanken hetzij muziektonen; ontworpen door Rudolf Steiner (1861-1925), Oostenrijks wijsgeer, grondlegger van de antroposofie (*z.a.*).

**euro-** [v. Europa] voorvoegsel dat aanduidt dat het tweede lid v.d. samenstelling met *a* geheel (West-) Europa of *b* met de landen van de E.E.G. in verband staat. **eu'rodollars** Amerikaanse dollars in handen van niet-Amerikanen, als internationaal betaalmiddel gebruikt, oorspr. in enkele Westeuropese landen, thans algemeen circulerend in het internationale betalingsverkeer voor het verrekenen van transacties tussen niet-dollarlanden, ter vervanging (ten dele) van goud als internationaal betalingsmiddel. **eu'rocommunisme** [*zie* communisme] stroming binnen de Westeuropese communistische partijen (spec. Italië, Spanje, Frankrijk), los van directieven van de Sovjet-Unie. **eu'rodaalder** *zie* ecu. **Euro'pium** chemisch element, metaal, zeldzame aarde, symbool Eu, ranggetal 63 [naar werelddeel Europa].

**eurysoom'** [Gr. *eurus* = breed, en *sooma* = lichaam] breedgebouwd.

**eusta'tisch** [Gr. *eu-*, *z.a.* en *statos* = recht omhoog of omlaag gaand] *bn* betrekking hebbend of veroorzaakt door tektonische (*z.a.*) veranderingen, spec. rijzingen of dalingen van de zeespiegel.

**eutanasie'** *zie* euthanasie.

**eutec'ticum** [v. Gr. *eutēktos* = gemakkelijk te smelten, v. *tēkoo* = smelten] laagst mogelijke smeltpunt v.e. mengsel (het smeltpunt verandert niet de relatieve hoeveelheden der bestanddelen v.h. mengsel).

**euthanasie'**, *ook*: **eutanasie'** [v. Gr. *eu-*, *z.a.*, en *thanatos* = dood] *lett.*: een goede dood, d.w.z. sterven zonder veel lijden. In de praktijk verstaat men eronder: toepassing van middelen om de stervenspijn te verlichten. Dit kan bestaan in *a* het bieden van geestelijke en lichamelijke verlichting aan stervenden zonder hun leven te verkorten; *b* hulp bij het sterven door inspilting met eventuele levensverkorting, alsmede het niet-toepassen van medische middelen om het lijdensproces te bekorten (*passieve euthanasie*); *c* het opzettelijk veroorzaken van de dood bij ongeneeslijke ziekte en/of onduidbare pijn, al

dan niet op verzoek van de patiënt (*actieve euthanasie*). **eutrofie'** [*eu-*, *z.a.*, en *trophē* = voedsel] voedselrijkdom voor planten en dieren.

**evacue'ren** [Lat. *e-vacuáre*, *-átum* = ont-ledigen, leeg maken, v. *vácuus* = leeg] **1** (*alg.*) afvoeren en elders onderbrengen van de burgerbevolking in geval van rampen; **2** (*mil.*) a afvoeren v.d. burgerbevolking uit gebieden waar oorlogsgeweld dreigt of waar verdediging wordt voorbereid; *b* afvoeren van troepen door schepen of vliegtuigen uit gebieden waar zij geen stand kunnen houden tegen een vijandelijke overmacht en terugtrekking over land onmogelijk is; **3** (*nat.* en *techn.*) luchtledig zuigen v.e. hol lichaam. **evacua'tie** *zn.* evacué. **evacuee'** geëvacueerd persoon.

**evade'ren** [Lat. *e-vádere* = uit-gaan, ont-lopen] ontkomen, ontsnappen.

**evalue'ren** [Fr. *évaluer*, v. Lat. *válor* = waarde] op waarde schatten, taxeren; het belang of de betekenis van iets schatten. **evalua'tie** [Fr. *évaluation*] het taxeren of vaststellen hoe waard is of welk belang of welke betekenis aan iets toegekend moet worden; *ook*: koersberekening.

**evange'lie** [v. Gr. *eu-aggelion* = *eig.*: fooi voor het brengen v.e. goede tijding; *alg.*: goede boodschap, v. *eu-*, *z.a.*, en *aggelloo* = boodschappen; *vgl.* engel v. *aggelos* = bode (*spec.*: bode v.d. goden)] **1** de blijde boodschap van het heil, de leer van Jezus Christus; **2** elk der eerste vier boeken v.h. N.T. (de vier evangeliën, volgens Mattheüs, Marcus, Lucas en Johannes; de vier *canonieke* evangeliën, tegenover de *apocriefe* – niet als echt erkende – evangeliën, zoals het evangelie van Petrus, van Filippus, van Thomas e.d.); *ook*: de vier canonieke evangeliën gezamenlijk; **3** lezing tijdens de eucharistieviering genomen uit een der vier evangeliën; **4** (*oneig.*) onomstotelijke ontwijfelbare waarheid; **5** (*fig.* en *spot.*) leer die een bep. groep aanhangt. **evange'lisch 1** volgens het evangelie of daarop berustend; **2** (*prot.*) *in het algemeen*: naam voor diverse protestantse instellingen. **evangelist'** [NTGr. *euaggelistēs*] **1** oorspr. *in de eerste eeuwen*: persoon die als zendeling het evangelie verkondigde; **2** (*sinds de 3e eeuw*) elk der vier schrijvers v.d. canonieke evangeliën; **3** (*prot.*) persoon die, zonder in het ambt gesteld te zijn (niet-academisch gevormd prediker), leiding geeft aan het evangelisatiewerk; **4** persoon die in het gezongen passieverhaal de verhalende teksten zingt. **evangelise'ren** [v. Gr. *euaggelizomai* = blijde tijding brengen; NTGr. = het evangelie verkondigen] **1** het evangelie prediken; **2** tot het evangelie bekeren. **evangelisa'tie** (*prot.*) **1** de verkondiging van het Evangelie, inz. aan onkerkelijken en andersdenkenden in eigen omgeving (tegenover *zending* onder niet-christenen, tegenwoordig is dit onderscheid kleiner); **2** bekering tot het evangelie.

**evapore'ren** [Lat. *e-vaporáre*, *-ratum* = uit-dampen, v. *vápor* = damp] uitwasemen, uitdampen, verdampen. **evapora'tie** [Lat. *evaporátio*] *zn.*

**eva'sie** [v. Lat. *e-vádere*, *-vásum* = uit-gaan, ontkomen] **1** het ontvluchten, ontsnapping, ontwijking; **2** uitvlucht, voorwendsel. **evasief'** [Fr. *evasif*] ontwijkend.

**evec'tie** [Lat. *evéctio* = opvaart, v. *e-véhere*, *-véctum* = uit-varen, ver-heffen] bep. onregelmatigheid in de beweging v.d. maan (ongelijkheid in longitude = lengte).

**eventueel** [Fr. *éventuel*, v. Lat. *evéntus* = toevallige gebeurtenis; *zie echter* **ook** **eventus**] **I** *bn* mogelijk, kunnende voorkomen, kunnende gebeuren; **II** *bw* in voorkomend geval, gebeurlijk, mogelijkerwijs. **eventualiteit'** [Fr. *eventualité*] **1** mogelijk voorval, gebeurlijkheid, iets dat mogelijk kan gebeuren; **2** mogelijkheid dat iets gebeurt.

**eventua'liter** [Lat.] in mogelijk voorkomend geval, mogelijkerwijze. **even'tus** [Lat. v. *evenïre*] *hier*: afloop, uitslag v.e. gebeurtenis; —*docebit*, de afloop zal het leren.

**e'vergreen** [Eng.: altijd-groen] **1** altijd groene plant, d.w.z. boom of heester die altijd groene bladeren heeft; **2** (*muz.*) instrumentaal of vocaal amusementsnummer met een blijvende populariteit.

**ever'sie** [Lat. *eversio*, v. *e-vértere, e-vérsum* = om-keren, om-werpen] omwerping, omwenteling; verwoesting. **eversief** omverwerpend, een omwenteling veroorzakend of beogend; verwoestend. (Gebruikelijker is **subversief**, *z.a.*)

**evertebra'ta** *zie bij* **vertebrata**.

**evic'tie** [Lat. *evíctio* = gerechtelijke uitwinning, terugverkrijging, v. *e-víncere*, -*víctum* = uit-winnen] (*jur.*) uitwinning, d.i. het verhalen v.e. vordering op eigendommen (vermogensbestanddelen die daarvoor vatbaar zijn van een schuldenaar op wie verhaalsrecht van toepassing is.

**evident** [Lat. *évidens, evidéntis*, v. *e-*, *z.a.*, en *vidëre* = zien; *évidens* = door-zichtig, duidelijk] uit zichzelf duidelijk, klaarblijkelijk, duidelijk in het oog springend. **eviden'tie** [Lat. *evidéntia* = doorzichtigheid, duidelijkheid] duidelijke zekerheid.

**evince'ren** [*zie bij* **evictie**] (*jur.*) uitwinnen.

**evoce'ren** [Lat. *e-vocäre, -vocätum* = te voorschijn roepen], *ook* (Z.N.) **evoke'ren of evoque'ren** [v. Fr. *évoquer* = oproepen] roepen; *ook*: een zaak naar een andere rechtbank verwijzen] oproepen, voor de geest roepen. **evoca'tie** [Lat. *evocátio*] **1** het voor de geest roepen; *ook*: wat wordt opgeroepen; **2** (*jur.*) bevoegdheid van een hoger gerechtshof om een geding dat bij een lagere rechter aanhangig is, tot zich te trekken en te behandelen; dagvaarding voor een vreemde rechter. **evocatief** *bn* & *bw* voor de geest brengend, herinneringen oproepend, beeldend, plastisch.

**evolu'tie** [v. Lat. *evolútio* = het ontrollen v.e. boekrol, v. *e-vólvere, -volútum* = uitrollen] **1** (*alg.*) geleidelijke ontwikkeling; **2** (*in diverse wetenschappen*) ontwikkeling v.e. voorwerp of v.e. stelsel van voorwerpen van het ontstaan af tot de toestand van dit ogenblik, *bijv.*: evolutie van het heelal; **3** (*biol.*) de geleidelijke ontwikkeling van organismen uit andere (lagere) vormen in de loop der tijden; *zie verder* evolutieleer; **4** zwenking, *spec. mil.*: verandering in opstelling v. troepen of v. oorlogsschepen. **evolue'ren** [via *evolutie* afgeleid v. Lat. *e-vólvere* = ontwikkelen] **1** zich geleidelijk ontwikkelen; **2** zwenken, wendingen maken, (*mil.*) manoeuvreren.

**evolu'tieleer** leer dat de verschillende organismen (planten, dieren en mens) hun vorm en plaats in de natuur danken aan een geleidelijke ontwikkeling uit vroegere lagere vormen, uiteindelijk uit eencellige oerorganismen. **evolutief** *bn* duidend op een evolutie, de evolutie betreffend. **evolutionair** *bn* op de evolutie betrekking hebbend; de aard v.e. evolutie hebbend, uit de evolutie voortkomend. **evolutionis'me** aanvaarding van een als heersende evolutie. **evolutionist** **1** aanhanger v.h. evolutionisme; **2** (*spec.*) aanhanger v.d. biologische evolutieleer.

**evoque'ren** *zie* evoceren.
**E'vriet** *zie* **Iwriet**.

**evulge'tur**, afk. **Evulg**. [v. Lat. *e-vulgáre* = onder het *vulgus* (gewone volk) brengen] het worde gepubliceerd, d.i. kerkelijk verlof om een bep. boek of geschrift te publiceren; *vgl.* imprimatur *in* **nihil obstat**.

**1 ex-** [Lat.] **1** uit-, weg-, van-, ont-; **2** modern voorvoegsel met betekenis oud-, gewezen, vroegere, voormalig; *ook zn*: *mijn ex*, mijn gewezen man resp. vrouw; **3** (*hand.*) zonder, *bijv.*: ex-dividend.

**2 ex-** [Gr.] = **ek-** (*z.a.*) voor klinkers; *bijv.*:

*exodus*.
**Exa-**, afk. **E** (*metrologie*) voorvoegsel dat het triljoenvoud ($10^{18}$) van de daarachterstaande eenheid aangeeft.

**ex abrup'to** [Lat.] plotseling. **ex absur'do**, *ook* **ab absur'do** [Lat.] uit het ongerijmde; *bewijs —*, bewijs door aan te tonen dat het tegengestelde tot een ongerijmdheid voert. **ex abundan'tia cor'dis (os lo'quitur)** [Lat.] uit de overvloed des harten (spreekt de mond).

**exacerba'tie** [Lat. *ex-*, *z.a.*, en *acérbitas* = hardheid, bitterheid, v. *acer* = scherp] (*med.*) verergering (v.h. ziektebeeld).

**exact'** [Lat. *exáctus* = volkomen, nauwkeurig, v. *ex-ígere* = ex-ágere, *ex-áctum* = lett.: uit-drijven; afmeten; *vgl.* examen] nauwkeurig, stipt; —*e wetenschappen*, metende en bepalende wetenschappen die volgens een streng deductieve methode te werk gaan, nl. wiskunde, fysica, chemie en aanverwante wetenschappen. **exactitu'de** [Fr.] nauwkeurigheid, stiptheid.

**ex ae'quo** [Lat. = *lett.*: uit het gelijke] op gelijke voet, gelijkelijk; (*sp.*) gelijk eindigend bij wedstrijd, d.w.z. gelijkertijd de eindstreep gepasseerd of een even groot aantal punten behaald hebbend. **ex ae'quo et bo'no** [Lat.] naar recht en billijkheid (bijv. bij schadevergoeding als het juiste bedrag niet objectief is vast te stellen).

**exagere'ren** [Fr. *exagérer*, v. Lat. *exaggeráre*, -*dátum* = ophopen, v. *ágger* = hoop aarde] overdrijven. **exagera'tie** [Fr. *exagération*, v. Lat. *exaggerátio*] *zn*.

**exalte'ren** [Lat. *ex-altáre, -altátum* = ver-hogen, v. *áltus* = hoog] **1** ophemelen, verheerlijken; **2** in geestvervoering brengen, verrukken; *geëxalteerd*, overdreven, overspannen; ziekelijk opgewonden. **exalta'tie** [Lat. *exaltátio*] **1** ophemeling; **2** zielsverrukking, geestvervoering; **3** overspanning, abnormale opwinding.

**examinan'dus**, *mv* -**ándi** [Lat. = *lett.*: wie onderzocht moet worden] mannelijk persoon die aan een examen onderworpen wordt. **examinan'da**, *mv* -**ándae** vrouwelijk persoon die aan een examen onderworpen wordt. **examina'tor** [Lat. = onderzoeker] wie examen afneemt. **examinatri'ce** [Lat. *examinátrix, -trícis*] vrouwelijke examinator.

**ex a'nimo** [Lat., *zie* **animus** = o.a. gemoed; *ook*: bedoeling] **1** van harte; **2** met de bedoeling, met opzet. **ex an'te** [Lat. = *lett.*: uit het *ervoór*] *bw* door het voorafgaande bepaald en dus van te voren voorzien, verwacht (*vgl.* ex post).

**exantheem'** [v. Gr. *ex* = buiten, en *anthos* = bloem; de uitgang *-eem* voor huiduitslag naar analogie v. **eczeem**, **oedeem** (*z.a.*)] algemene naam voor in korte tijd ontstaande huiduitslag van voorbijgaande aard, bestaande uit aparte vlekjes, blaasjes of knobbeltjes; *spec.* huiduitslag bij bep. infectieziekten (roodvonk, rode hond, mazelen, vlektyfus e.d.) of bij overgevoeligheid voor bep. stof(fen): *allergisch exantheem*. (*Vgl.* **erytheem**).

**exarch'** [Gr. *exarchos* = voorganger, v. *ex-*, *z.a.* en *archoo* = besturen] **1** (*gesch.*) stadhouder in Italië ten tijde van de Griekse overheersing aldaar; **2** (Gr. Orthodoxe Kerk) metropoliet (*z.a.*) die namens de patriarch (*z.a.*) bisschoppen en kerken visiteren.

**exaspera'tie** [Lat. *exasperátio*, v. *ex-asperáre*, -*dátum* = geheel ruw maken, v. *ásper* = ruw, rauw] *eig.*: opdrijving tot het uiterste; **1** verbittering, zware ergernis; **2** (kwaadwillige) overdrijving, vergroting; **3** (*med.*) verergering v.e. ziekte.
**exaspere'ren** *ww*.

**ex benepla'cito** [Lat.] naar welgevallen. **ex ca'thedra** *zie* **cathedra**. **ex ca'pite** [Lat.] **1** uit het hoofd (= geheugen); **2** (gevolgd door genitief) uit hoofde van ...

**excava'tie** [Lat. *excavátio*, v. *ex-caváre* = uit-hollen, v. *cávus* = hol] **1** uitholling,

uitgraving; **2** het uitgeholde, holte; *ook*: putje.
**excavateur'** [Fr.] (grond)graafmachine met grijpbak; *ook*: baggermachine met emmers.
**excede'ren** [Lat. *ex-cédere* = uit-gaan, over-schrijden] de grenzen te buiten gaan, overschrijden, te boven gaan. **excedent'** *bn* wat boven een bepaalde waarde uitgaat, overschot, batig saldo.
**excelle'ren** [Lat. *excéllere* = uitsteken, v. *ex-* = uit, en niet gebruikte *céllere* = bewegen] uitblinken, uitmunten. **excellent'** [Lat. *excéllens*, *-éntis* = *o.dw* van *excéllere*] uitstekend, uitblinkend, voortreffelijk; prachtig, heerlijk. **excellen'tie** [Lat. *excélléntia*] voortreffelijkheid. **Excellen'tie** titel van ministers en andere hoge staatsdienaren; ook van hoge militaire bevelhebbers.
**excel'sior** [Lat. = vergrotende trap v. *excélsus* = uitstekend, hoog; *zie* **excelleren**] (immer) hogerop!
**excentriek'** [Fr. *excentrique*, v. Lat. *ex-* = uit-, en *centrum* = middelpunt] **I** *bn* & *bw* uitmiddelpuntig; **2** (*fig.*) buitenissig, van de norm afwijkend, zonderling, raar; **II** *zn* **1** (*techn.*) op een geplaatste niet-ronde schijf, of ronde schijf waarbij de as (draaipunt) niet in het middelpunt ligt; **2** zonderling iemand, buitennissig persoon (*ook scherts*).
**excentrie'keling**. **excentriciteit'** [Fr. *excentricité*] **1** uitmiddelpuntigheid, ligging buiten het middelpunt; **2** (*wisk.*) verhoudingsgetal dat de aard v.e. kegelsnede (*bijv.*: ellips, hyperbool) aangeeft; **3** (*fig.*) buitenissigheid, het afwijkend-zijn van het normale, zonderlingheid, neiging zich opvallend abnormaal te gedragen.
**excen'trisch** niet centraal (= buiten het middelpunt) gelegen, uitmiddelpuntig.
**excep'tie** [Lat. *excéptio*, v. *ex-cípere*, *ex-céptum* = *ex-cápere* = uit-nemen] **1** (*alg.*) uitzondering; **2** (*jur.*) tegenwerping, d.i. verweer in burgerlijk geding door aan te voeren (zonder de eis zelf aan te tasten) dat de eis niet-ontvankelijk is, bijv. doordat de rechter niet bevoegd is, of doordat een bep. termijn nog niet verstreken is, of door een beroep op verjaring of de eis. **exceptief** [Fr. *exceptif*] *bn* **1** uitzondering makend (bijv. voorschrift); **2** (*jur.*): — *verweer*, verweer d.m.v. exceptie (*z.a.*). **exceptioneel'** [Fr. *exceptionnel*] *bn* & *bw* een uitzondering vormend, bij wijze van uitzondering, uitzonderlijk, buitengewoon. **excep'tis excipien'dis** [Lat. = *lett.*: uitgezonderd wat of wie uitgezonderd moet (en) worden] de nodige uitzonderingen daargelaten.
**excerpe'ren** [Lat. *ex-cérpere*, *-cérptum* = *ex-cápere* = uitplukken; *vgl.* Gr. *karpos* = vrucht] een uittreksel maken uit een boek of geschrift; *ook*: aantekeningen daaruit maken met een bep. doel. **excerpt'** uittreksel; *ook*: het geheel van samenvattingen of notities uit een geschrift.
**exces'** [Lat. *excéssus*, v. *excédere*, *-céssum* = uit-gaan] **1** wat de perken te buiten gaat, buitensporigheid; uitspatting; overdaad; gewelddaad; **2** overschrijding van bevoegdheid die het ambt geeft; **3** (*wisk.*) overschot (bijv.: *sferisch* —, aantal graden dat de som der hoeken v.e. boldriehoek de 180° overschrijdt). **excessief** [Fr. *excessif*] buitensporig, overdreven, overdadig.
**exci'pe** (zomt alleen voor als afk. **exc.**) [Lat. = *lett.*: neem uit] uitgezonderd.
**excipie'ren** [Lat. *excípere*, *excéptum*, *zie* **exceptie**] uitzonderen; (*jur.*) exceptie (*z.a.*) maken.
**exci'sie** [Lat. *excísio*, v. *excídere*, *excísum* = *ex-cáedere* = uit-houwen, afsnijden] (*med.*) uitsnijding v.e. ziek lichaamsdeel (term meestal slechts gebruikt voor een kleine ingreep); *ook*: uitsnijding v.e. wond.
**excite'ren** [Lat. *excitáre* = opjagen] opwekken, prikkelen. **excita'tie** [Lat. *excitatio*] opwekking, aansporing. **ex' citans**,

*mv* **excitan'tia** [Lat. = *o.dw*] opwekkend middel.
**exclame'ren** [Lat. *ex-clamáre* = uit-roepen] uitroepen. **exclama'tie** [Lat. *exclamátio*] uitroep; uitroeping.
**excla've** [*zie* **enclave**] gebiedsdeel dat geheel afgescheiden ligt in vreemd gebied.
**exclude'ren** [Lat. *ex-clúdere*, *-clúsum* = uit-sluiten] uitsluiten, afzonderen.
**exclu'sie** [Lat. *exclúsio*] buitensluiting, wering. **exclusief'**, afk. **excl.** [Fr. *exclusif*, v. MLat. *exclusívus*] **1** met uitsluiting van iets anders; bij wijze van buitensluiting; niet inbegrepen (*bijv.*: BTW, bedieningsgeld); **2** andere personen dan uit eigen kring uitsluitend, gesloten (*bijv.*: gezelschap, club); (*winkelierstaal*) elders niet verkrijgbaar, bijzonder (*bijv.*: aanbieding, kunstveiling e.d.) of althans niet overal te koop (*bijv.*: kostuums met exclusieve dessins). **exclusivis'me** (neiging of streven naar) stelselmatige uitsluiting van anderen buiten eigen kring, kliekvorming. **exclusiviteit'** hoedanigheid van exclusief-zijn.
**ex com'modo** [Lat.] op zijn gemak.
**excommunice'ren**, *ook*: **excommunië'ren** [v. VLat. *excommunicáre*, *resp.* v. Lat. *ex-* = *uit-*, en *commúnio* = gemeenschap] buiten de kerkelijke gemeenschap sluiten, in de kerkelijke ban doen. **excommunica'tie** [kerk. Lat. *excommunicátio*] (*rk*) kerkban, waarbij geestelijken of leken van de gemeenschap der gelovigen worden uitgesloten (o.a. verbod van toediening of ontvangen van sacramenten). **ex conces'su** of **ex conces'sis** [Lat.] krachtens hetgeen ingewilligd of toegegeven is. **ex consen'su** [Lat.] met of volgens instemming, *ook*: krachtens algemeen besluit of algemeen gevoelen.
**excorpora'tie** [v. Lat. *ex-* = uit-; *zie verder* **corporatie**] uitstoting uit een corporatie, corps, college of enig ander verband.
**excre'tie** [via Fr. *excrétion* v. Lat. *ex-cérnere*, *ex-crétum* = uit-scheiden] actieve uitscheiding van een organisme van binnengedrongen of door stofwisselingsprocessen ontstane stoffen die voor het organisme onbruikbaar zijn, zoals kooldioxide (zgn. koolzuur), afvalstoffen v.d. eiwitstofwisseling (bijv.: ureum en urinezuur), onverteerde voedselresten (faeces). **excreet'** uitscheidingsprodukt. **excremen'ten** *mv* [Lat. *excreméntum* = afscheidsel (uit neus of mond), uitwerpsel] uitwerpselen, spec. vaste uitwerpselen, ontlasting.
**excu'dit**, afk. **exc.** [Lat. = 3e pers. v.t.t. v. *ex-cúdere* = uit-slaan, smeden, wrochten] (op gravures) ... heeft gegraveerd; (op prenten) ... heeft gedrukt en uitgegeven).
**exculpe'ren** [Eng. *to exculpate*, v. Lat. *cúlpa* = schuld] vrijspreken v. schuld, verontschuldigen. **exculpa'tie** [Eng. *exculpation*] *zn*.
**excusez'** (Fr.) neemt u het me niet kwalijk; — *du peu!* (*lett.*: verontschuldig de kleine hoeveelheid) (*iron.*) het is nogal niks ook!; — *le mot* [Fr.] neem me het woord niet kwalijk.
**ex-dividend'** [v. Lat. *ex-* = zonder], *zie* **dividendbewijs**.
**ex do'no** (gevolgd door genitief) [Lat.: uit de gift van ...] geschonken door ...
**ex'eat** [Lat. = hij ga heen, hij mag heengaan] **1** verlofbiljet; **2** ziekteverlof.
**execra'bel** [Lat. *execrábile*, v. Lat. *exsecrábilis* = vervloekt, v. *exsecrári* = aan de wraak der goden wijden, v. *ex-* = uit-, weg-, en *sácer* = toegewijd; *zie* **sacerdotaal**] vloekwaardig, afgrijselijk, afschuwelijk.
**execute'ren** [Lat. *executáre* v. MLat. *exsecutáre*, v. Lat. *éx-sequi* = doorzetten tot het eind, v. *séqui* = volgen, *secútus sum* = ik ben gevolgd] voltrekken, ten uitvoer leggen; terechtstellen; eigendom verkopen door gerechtelijke dwang. **executant'** [Fr. *exécutant* = *o.dw*] uitvoerder; speler (op

toneel of in orkest). **execute'le** [v. Lat. *exséquor, exsecútus sum,* en Gr. *telos* = betaling van baten] taak v.e.
executeur-testamentair (z.a.). **executeur'** [Fr. *exécuteur,* Lat. *ex(s)ecútor*] uitvoerder v.e. vonnis; — *testamentair,* uitvoerder v.e. testament. **execu'tie** [Fr. *exécution,* Lat. *ex(s)ecútio*] tenuitvoerlegging; voltrekking v. vonnis; terechtstelling; gerechtelijke verkoop v. boedel; *parate —,* onmiddellijke uitvoering v. vonnis. **executief'** [Fr. *exécutif*] uitvoerend (bijv. comité). **executie've** [Eng. *executive*] uitvoerend bestuursorgaan (dat de wetten uitvoert, tegenover *legislatief* = wetgevend). **executoir', executoor'** [Fr. *exécutoire*] gereed voor uitvoering wegens gerechtelijk vonnis; invorderbaar. **executoriaal'** ter uitvoering v.e. vonnis; ten gevolge v.e. vonnis. **executri'ce** [Fr. *exécutrice*] vr. executeur.
**exe'dra,** *ook:* **exhedra** [Gr. *ex-, z.a.* en *(h)edra* = zetel, holte, halfronde uitbouw, erker (*bouwk.*) nis, halfronde ruimte.
**exege'se** [Gr. *exégèsis* = uiteenzetting, v. *ex-* = uit-, en *hègeomai* = leiden] (*alg.*) uitlegging, verklaring v.e. tekst; (*spec.*) uitlegging van bijbelteksten, schriftverklaring. **exegeet'** [Gr. *exègètès*] (*alg.*) verklaarder v.e. tekst; (*spec.*) bijbelverklaarder. **exegetiek'** uitlegkunde, leer v.d. exegese. **exege'tisch** *bn* & *bw* verklarend, uitleggend.
**exem'pel** [Lat. *exémplum,* v. *exímere* = *ex-émere, ex-emptum* = uit-nemen, v. *ex-* = uit-, en *émere* = *eig.*: nemen (vandaar kopen); *exemplum* = *eig.*: iets dat ergens is uitgenomen om aard v.h. geheel te tonen, vandaar: monster, voorbeeld] **1** voorbeeld, model; **2** (*lit.*) stichtelijk verhaal uit de ME dat als voorbeeld dient van het ingrijpen van God of van een heilige in de loop der gebeurtenissen. **exemplair'** [Fr. *exemplaire,* v. Lat. *ex-empláris*] *bn* & *bw* voorbeeldig; als voorbeeld dienend, als waarschuwing dienend (bijv. straf). **exempla'risch** *bn* kunnende dienen als voorbeeld; representatief. **exem'pla sunt odio'sa** [Lat.] voorbeelden zijn hatelijk, d.w.z. men moet geen persoonlijke voorbeelden bij name noemen in ongunstige zaken. **exemplifica'tie** [v. Lat. *exémplum* en *fácere* = maken] toelichting aan de hand van voorbeelden. **exempli cau'sa of exem'pli gra'tia** [Lat.] bijvoorbeeld (afk.: **e.c.** *resp.* **e.g.**).
**exempt'** [v. Lat. *exémptus* = *lett.*: uitgenomen, *zie* **exempel**] onttrokken aan, niet vallend onder, vrijgesteld, ontheven van voorschrift. **exemp'tie** [Lat. *exémptio*] het niet-vallen onder bep. gezag of voorschrift.
**excerce'ren** [v. Lat. *ex-ércere ex-ércitum* = *ex-árcere* = *eig.*: in voortdurende beweging houden; beoefenen, uitoefenen, v. *ex-* = (*hier*): volkomen, zeer, gans, en *árcere* = bedwingen; *vgl. exércitus* = a oefening, b (geoefend) leger] **1** uitoefenen; **2** (*mil.*) bewegings- en wapenoefeningen uitvoeren; *zie verder volgende.* **exerci'tie** [Lat. *exercítio* = oefening] (*mil.*) **1** het uitvoeren door militairen van voorgeschreven bewegingen in groepsverband of bep. commando's (zgn. *drillen*); **2** methodische oefening in het gebruik van wapens. **exerci'tia spiritua'lia** *mv* [christelijk Lat.] geestelijke oefeningen.
**ex'eunt** *zie bij* **exit 1**.
**exfolia'tie** [Lat. *ex-foliáre* = ontbladeren, v. Lat. *ex-* = ont-, en *fólium* = blad] **1** ontbladering, bladverlies van planten; **2** (*geol.*) verweringsproces v.e. gesteente waarbij zich splijtvlakken vormen evenwijdig aan het oppervlak (ook *desquamatie* genoemd, v. Lat. *squama* = schub); **3** (*tech.*) het loslaten v.d. lagen van produkten die laagsgewijs zijn opgebouwd (gelamineerd zijn).
**exhale'ren** [Lat. *ex-haláre* = uitblazen, uit-dampen] uitademen, uitwasemen (*vgl.* **inhaleren**). **exhala'tie** [Lat. *exhalátio*] *zn*;

*exhalaties,* door vulkaan uitgestoten gasvormige produkten.
**exhaus'tie** [v. Lat. *ex-haurire* = uit-scheppen, *ook:* uitputten] uitputting. **exhaustief'** [Fr. *exhaustif*] *bn* & *bw* uitputtend; *ook:* een onderwerp uitputtend = diepgaand, grondig, geheel en al. **exhaus'tor** [modern Lat.] *ook:* afzuiger, toestel om lucht, spec. stoffige lucht weg te zuigen (bijv. in werkplaatsen met veel stof producerende machines).
**exhibe'ren** [Lat. *ex-hibére, ex-hibitum* = *ex-habére* = eruithebben = voor de dag brengen, vertonen] **1** ten toon spreiden, uitstallen; **2** (een bewijsstuk) vertonen, overleggen; (een stuk) indienen. **exhibent'** [Lat. *exhíbens, exhibéntis* = *o.dw*] wie exhibeert, indiener, overlegger (v.e. stuk). **exhibi'tie** [Lat. *exhibítio* = uitlevering] **1** overlegging, vertoning, indiening (v. stuk); openlegging (v. boekhouding); **2** tentoonstelling. **exhibitionis'me 1** ziekelijke neiging bij sommige mannen om in het openbaar de geslachtsdelen aan vrouwen of jonge meisjes te vertonen; **2** (*overdrachtelijk*) overdreven zucht om met bep. eigenschappen te koop te lopen; ook het pronken met het lichaam door vrouwen. **exhibitionist'** lijder aan exhibitionisme **1**. **exhibitionis'tisch** *bn* & *bw* het karakter van exhibitionisme bezittend. **exhi'bitum,** afk. **exh. 1** overgelegd stuk; **2** datumstempel op ingekomen stuk met archiefnummer (of letter) waaronder het opgeborgen moet worden.
**exhorte'ren** [Lat. *exhortári* = aansporen, aanvuren, v. *ex-* = (*hier*): zeer, en *hortári* = aanzetten, vermanen] aanmanen, opwekken; *ook:* vermanen. **exhorta'tie** [Lat. *exhortátio*] aansporing; vermaning. **exhortatief'** [Lat. *exhortatívus*] *bn* & *bw* aanpassend, opwekkend.
**exige'ren** [Lat. *exígere* = *ex-ágere, ex-áctum* = *lett.*: uitdrijven; *overdrachtelijk*: (geld) invorderen, eisen, verlangen] eisen, vorderen. **exigeant'** [Fr., v. Lat. *exígens, exigéntis* = *o.dw* van *exígere*] veeleisend. **exigen'tie** [Lat. *exigéntia*] eis, behoefte, het dringend-zijn; *naar — van zaken,* naargelang de loop van zaken zal eisen.
**exiguïteit'** [Lat. *exigúitas,* v. *exíguus* = klein, bekrompen, v. *ex-igere, zie exigeren*] kleinheid, geringheid; onbeduidendheid; bekrompenheid.
**exil'** [Fr., v. Lat. *exílium,* ook: *exílium* = verblijf buiten het vaderland, verbanning; verwant met *exsilíre* = uitspringen, v. *ex-* = uit-, en *salíre* = springen] ballingschap, verbanning; *ook:* plaats v.d. ballingschap.
**exime'ren** [Lat. *ex-ímere* = *ex-émere, ex-émptum* = uit-nemen; *zie* **exempt**] vrijstellen, onttrekken aan.
**ex improvi'so** [Lat.] onvoorzien, onverwachts. **ex indus'tria** [Lat.] met opzet. **ex in'tegro** [Lat.] van voren af aan.
**existe'ren** [via Fr. *exister* v. Lat. *ex-sístere* = *eig.*: voor de dag komen, naar buiten treden, te voorschijn treden, ont-staan, v. *ex-* (z.a.), en *sístere* = gaan staan, reduplicatief v. *stáre* = staan] bestaan, zijn; in stand blijven, in leven blijven. **existent'** [v. Lat. *exsístens, exsisténtis, o.dw* van *exsístere*] bestaand, zijnd. **existen'tie** [MLat. *ex(s)isténtia*] **1** het bestaan, het reële zijn (in de werkelijkheid); **2** het levensbestaan; **3** (*fil.*) in de middeleeuwse en latere wijsbegeerte: datgene waardoor een zaak bestaat. **existentialis'me** [Fr.] of **existen'tiefilosofie'** wijsgerig stelsel waarin de nadruk valt op het individu en zijn existentie, het bestaan in de aanwezige situatie, de spanning tussen het zijn en de dood. Belangrijkste vertegenwoordigers: Sartre, Heidegger en Jaspers. **existentialist'** aanhanger v.h. existentialisme. **existentialis'tisch** *bn* & *bw* volgens het existentialisme, betr. het existentialisme. **existentieel'** [Fr. *existentiel*] *bn* & *bw*

**1** betrekking hebbend op de existentie, uit het oogpunt v.d. existentie beschouwd; **2** (*fil.*) de concrete menselijke existentie als zodanig betreffend en als middelpunt beschouwend.

**ex'it 1** [v. Lat. *ex-ire* = weg-, uit-gaan] (*theat.*) hij (of zij) gaat af; *mv* **ex'eunt** zij gaan af; **2** [Eng., v. Lat. *éxitus* = *eig.*: het weggaan; *vandaar*: plaats waarlangs men weggaat] uitgang (van gebouw).

**ex ju're** [Lat.] volgens recht, rechtens. **ex le'ge** [Lat.] volgens de wet. **ex-lex'** [Lat. = aan geen wet gebonden] *bn* buiten de wet gesteld.

**ex li'bris** [Lat. = uit de boeken] (als inschrift) behorende tot de boeken (van ...). **exli'bris** of **ex-li'bris** *zn* boekmerk, vignet geplakt aan de binnenzijde v.d. boekband, bevattende de naam, de initialen of het devies v.d. eigenaar, vaak uitgebreid met een toepasselijke afbeelding, een wapen of een tekst.

**ex manda'to** [Lat.] krachtens opdracht, op bevel.

**exmatricula'tie** [*zie* immatriculeren] schrappen uit de lijst van studenten, verwijdering van hogeschool.

**ex me'ra conjectu'ra** [Lat.] louter uit gissing. **ex me'ra gra'tia** [Lat.] louter uit genade. **ex me'ro mo'tu** [Lat.] geheel eigener beweging, geheel vrijwillig.

**exmis'sie** [v. Lat. *ex-* = uit-, en *mittere*, *missum* = zenden; *vgl.* emissie] (*jur.*) gerechtelijke uitzetting uit woning of ontzetting uit bezit.

**ex mo're** [Lat.] volgens gebruik (van oudsher); —*maiórum* of *pátrum*, volgens de zede der voorvaderen. **ex necessita'te** (re'i) [Lat.] door de nood (der zaak) gedwongen, noodgedwongen, uit noodzaak. **ex ne'xu** [Lat.] buiten verband; (*hand.*) buiten verbintenis. **ex ni'hilo ni'hil** (fit) [Lat.] uit niets (komt) niets, alles heeft een oorzaak. **ex nunc** [Lat.] van nu af aan; (*jur.*) ogenblikkelijk in werking tredend (van overeenkomst, van voorschrift e.d.) (*vgl.* ex tunc).

**exo-** [v. Gr. *exoo* = naar buiten-] buiten-, naar of van buiten- (*vgl.* endo-).

**ex'obiologie** [*lett.*: biologie daar buiten] ruimtebiologie in de zin van **astrobiologie 1** (z.a.). **exocrien'** [v. *exo-*, z.a., en Gr. *krinoo* = (af)scheiden] *bn* met afscheiding naar buiten (klier) (*vgl.* endocrien).

**ex'odus** [Lat., v. Gr. *exodos*, v. *ex-* = uit-, en *hodos* = weg] uittocht; *ook fig.*: het niet groepsgewijs doch vrij algemeen wegtrekken van bep. personen. **Ex'odus** in Lat. vertalingen, in navolging v.d. Griekse Septuagint, naam v.h. tweede boek van de bijbel. Hierin wordt o.a. de uittocht van de Israëlieten uit Egypte beschreven.

**ex offi'cio**, *afk.* **e.o.** [Lat.] krachtens ambt, ambtshalve (*vgl.* ex professo en ratione officii).

**exogamie'** [v. Gr. *exo-*, z.a., en *gameoo* = huwen] verplichting (of gewoonte) zijn huwelijkspartner te kiezen buiten de eigen groep (stam, clan, familie, gezin) (*vgl.* endogamie). **exogeen'** [v. Gr. *gennaoo* = voortbrengen; *genos* = het gewordene; *zie* -geen 1] van buiten afkomstig, door krachten van buiten af veroorzaakt (*vgl.* endogeen); **1** (*geol.*) *exogene krachten*, krachten die van buiten af de aardkorst veranderen (o.a. klimaat, werking van water, planten, dieren, mens); **2** (*psychiatrie*) *exogene factoren*, uitwendige factoren die sommige psychische ziektebeelden veroorzaken (o.a. fysische en chemische inwerkingen van buitenaf, infecties, vergiftigingen, vitaminegebrek, hormoonstoornissen).

**exonera'tie** [Lat. *ex-*, z.a. en *onus* = last] vrijwaring, ontlasting, spec. **exoneratie-clausule**, een beding in een vervoerscontract waardoor de vervoerder wordt gevrijwaard tegen wettelijke aansprakelijkheid als gevolg van schade aan of zoekraken van het vervoerde.

**exoot'** [*zie* exotisch] van elders afkomstige plant of dier.

**exorbitant'** [Fr., v. Lat. *exorbitáre* = buiten het karrespoor gaan, v. *orbita* = wagenspoor, *vgl. orbis* = iedere ronding, kringbaan, loop] buitensporig, overdreven hoog (bijv. prijs).

**exorcise'ren** [Lat. *exorcisáre* of *exorcizáre*, v. Gr. *exorkizoo*, v. *horkos* = eed] = geesten bezweren; de duivel uitdrijven. **exorcis'me** duivelbezwering. **exorcist'** [Lat. *exorcísta*, Gr. *exorkistès*] duivelbezweerder.

**exor'dium** [Lat. v. *ex-ordíri* = *eig.*: een weefsel opzetten (*vgl. ordo* = rij), beginnen] inleiding v.e. redevoering.

**ex'osfeer** [v. Gr. *exoo* = buiten; *zie* sfeer] buitenlaag v.d. atmosfeer (boven de ionosfeer). De ondergrens stelt men op 600 km hoogte, de bovengrens op 2000 km.

**exosmo'se** [v. Gr. *exoo* = naar buiten; *zie* osmose] het gaan van vloeistof door halfdoorlatende (semipermeabele) wand van binnen naar buiten, bijv. bij levende cel wanneer de concentratie van opgeloste stoffen buiten hoger is dan in de cel zelf (*vgl.* endosmose).

**exote'risch** [Gr. *exooterikos*, v. *exooteroo* = vergrotende trap v. *exoo* = buiten] ook voor niet-ingewijden, voor de grote menigte (bevattelijk), populair (*vgl.* esoterisch).

**exotherm'** [v. Gr. *exoo* = naar buiten, en *thermè* = warmte] (van chem. reactie) warmte ontwikkelend (*vgl.* endotherm); —*e* *verbinding*, chem. verbinding ontstaan onder warmteafgifte (voor ontbinding is dus warmtetoevoer nodig).

**exo'tisch** [Lat. *exóticus*, v. Gr. *exootikos* = buitenlands] van vreemde herkomst, uitheems; *ook*: zoals men in verre vreemde landen aantreft. **exotis'me** zucht naar of cultus van het exotische, naar het uitheemse.

**expande'ren** [Lat. *ex-pándere*, *ex-pánsum* = uit-spreiden] uitzetten (= in omvang toenemen), uitbreiden, zich uitbreiden.

**expan'der** [Eng.] sterke spiraalveer die men zo ver mogelijk uitrekt als spieroefening.

**expan'sie** [Lat. *expánsio* = het rekken, het uitspannen] **1** (*nat.*) vergroting v.h. volume, d.i.: kubieke uitzetting van een lichaam of fysisch systeem (meestal door temperatuurstijging); **2** (*internationale pol.*) het op uitbreiding gericht machtsstreven v.e. staat op militair, politiek of economisch gebied; **3** (*bedrijfsecon.*) duurzame uitbreiding v.d. activiteiten v.e. bedrijfshuishouding; **4** (*fig.*) uitbreiding op enig gebied, *bijv.*: geestelijke expansie.

**expansief'** [Fr. *expansif*] **1** op expansie betrekking hebbend of van de aard daarvan, uitzetbaar; *expansieve kracht*, spankracht, uitzettingsvermogen; **2** tot expansie geneigd; **3** (*fig.*) (van personen) zich naar buiten uitend, mededeelzaam, spraakzaam.

**expansibiliteit'** [Fr. *expansibilité*] uitzetbaarheid, uitzettingsvermogen.

**expansionis'me** streven naar expansie.

**expansionist'** persoon die naar expansie streeft. **expansionis'tisch** *bn* & *bw* volgens of van het expansionisme.

**ex par'te** [Lat.] ten dele: van één zijde.

**expatrie'ren** v. Lat. *ex-*, z.a. en *patria* = vaderland] **1** (*on.w*) het land verlaten; **2** (*ov.w*) uit het land verdrijven.

**expectant'** [Lat. *exspéctans*, *exspectántis*, *o.dw* van *ex-spectáre* = uitzien naar, tegemoet zien, verwachten] persoon die dingt naar lidmaatschap of naar een opengevallen post, resp. daar recht op heeft. **expectatief'** afwachtend, *spec.*: *expectatieve geneeskunde*, geneeskunde die niet ingrijpt maar afwacht hoe de ziekte zich natuurlijkerwijs ontwikkelt.

**expectore'ren** [Lat. *expectoráre*, v. *ex-* = uit-, en *péctus*, *péctoris* = borst] **1** slijm opgeven; **2** (*fig.*) zijn hart luchten. **expectora'tie 1** het opgeven van slijm; **2** (*fig.*) ontboezeming.

**expec'torans**, *mv* expectoran'tia,

slijmverdrijvend middel. **expedië'ren** [v. Lat. *ex-pedíre, ex-pedítum* = van (voet)boeien ontdoen; van dezelfde wortel als *pes, pédis* = voet; *vgl.* de tegenstelling **impediëren**] **1** afzenden, verzenden; **2** wegzenden, de laan uitsturen; **3** van kant maken, afmaken, doden. **expedient'** [Lat. *expédiens, -iéntis, o.dw* van *expedíre*] **1** afzender; **2** uitvaardiger; **3** beambte belast met de verzending; **4** hulpschrijver, d.i. assistent van bevrachter die de benodigde vervoersdocumenten invult e.d.; **5** uitweg, redmiddel.
**expediet'** [Lat. *expedítus* = onbelemmerd] *of* **expeditief'** [Fr. *expéditif*] *bn & bw* voortvarend, snel (*vgl.* **expeditie 1**).
**expediteur'** [Fr. *expéditeur*] **1** bevrachter, vrachtondernemer, d.i. persoon die zich bezighoudt met het *doen* vervoeren van goederen; **2** vakman-sorteerder van poststukken bij de posterijen. **expedi'tie,** afk. **exp.** [Lat. *expeditío* = behandeling, het afdoen; *ook*: tocht, spec. tegen vijand] **1** snelle afhandeling, afdoening of uitvoering; **2** (*hand.*) verzorging van verzending van goederen, bevrachtingsonderneming (*zie* **expediteur 1**); *ook*: afdeling v.e. bedrijf dat de gereedgemaakte produkten verzendt; **2** onderzoekingstocht in een ver (meestal weinig bekend) gebied; **3** (*mil.*) krijgsonderneming in een min of meer ver verwijderd gebied door een (deel van het) leger, dat geheel zelfstandig kan opereren, tegen een vijand of opstandelingen; **4** (*jur.*) gerechtelijke uitvaardiging, door de griffie uitgegeven authentiek afschrift v.e. vonnis of een andere rechterlijke beslissing.
**expeditionair'** [Fr. *expéditionnaire*] **I** *bn* behorend tot of betrekking hebbend op een expeditie **3** (*bijv.*: expeditionnaire macht); **II** *zn* **1** afzender; **2** uitvaardiger; **3** employé op expeditiekantoor als hulpschrijver (= expediënt **4**).
**expen'sen** *mv* [Lat. *expénsa,* v. *ex-péndere, -pénsum* = uitwegen, uitbetalen, v. *péndere* = laten neerhangen, wegen] uitgaven, spec. rechtskosten. **expensief'** [*vgl.* Eng. *expensive*] met grote uitgaven gepaard gaande.
**experiën'tie** [Lat. *experiéntia,* v. *experíri* = beproeven, ervaren, *expértus sum,* ik heb ondervinden, v. stam *per-, vgl.* Gr. *peíra* = proefneming] ervaring, ervaring. **experien'tia do'cet** [Lat.] de ondervinding leert.
**experiment'** [Lat. *experiméntum* = proeve, v. *experíri, zie* **experiëntie**] proefneming, spec. op natuurwetenschappelijk gebied, waarbij bep. factoren in diverse omstandigheden worden bestudeerd met uitsluiting van storende invloeden van buiten; dit alles volgens een bep. plan, om nieuwe kennis op te doen of een bestaande theorie te toetsen; thans ook proef op andere gebieden om nieuwe inrichtingen, methoden e.d. aan de praktijk te toetsen. **experimentalis'me** experimentele kunstbeoefening. **experimentalist'** *zn.* **experimentalis'tisch** *bn & bw.* **experimenta'tor** [modern Lat.] persoon die (natuurwetenschappelijke) proeven neemt of de onderrichting demonstreert. **experimenteel'** [Fr. *expérimental*] **1** proefondervindelijk; **2** de aard v.e. experiment hebbend, bij wijze van proef. **experimente'ren** [Fr. *expérimenter*] een proef of proeven nemen, oorspr. alleen op natuurwetenschappelijk gebied, thans ook op andere gebieden. **experimen'tum cru'cis** [Lat.] beslissende proefneming.
**expert'** [Fr., v. Lat. *expértus* = wie ondervonden heeft (*zie* **experiëntie**)] deskundige. **experti'se** [Fr.] onderzoek door expert(s) en zijn (hun) uitspraak. **exper'to cre'de** [Lat. = *lett.*: geloof wie het ondervonden heeft) *ongev.*: geloof me, ik weet er van mee te praten.
**expië'ren** [Lat. *ex-piáre* = zoeken *pius*

(genadig, welgezind) te maken; *pius* = handelend volgens plicht, toegewijd = v.d. kant v.d. hogere; genadig, goedig) uitboeten, door boete verzoenen. **expia'tie** *zn.*
**expiato'risch** uitboetend-, zoen-.
**expila'tie** [v. Lat. *piláre* = de haren uittrekken, plunderen, v. *pilus* = haar] het uitschudden, plundering; (*jur.*) het vervreemden v. goed uit onverdeelde boedel.
**expire'ren** [v. Lat. *ex-spiráre* = uit-blazen] **1** uitademen; **2** de laatste adem uitblazen; **3** ten einde lopen, aflopen, vervallen. **expira'tie** [Lat. *ex-spirátio = lett.*: uitwaseming (van de aarde)] **1** uitademing; **2** het sterven; **3** het aflopen, het vervallen (v.e. termijn).
**expira'tiedatum** vervaldag. **expirato'risch** de uitademing betreffend.
**explana'tie** [Lat. *explanátio,* v. *ex-planáre, -planátum* = effen maken, v. *planus* = vlak] opheldering, uitlegging, verklaring.
**ex plenitu'dine potenta'tis** [Lat.] uit de volheid van gezag.
**exple'tie** [Lat. *explétio,* v. *ex-plére, -plétum* = op-vullen] aanvulling. **expletief'** [Lat. *expletívus,* v. *ex-plére, ex-plétum* = opvullen (*vgl. plénus* = vol), v. *ex-* = (*hier.*) zeer, volkomen, en *plére* (= 'vullen'), stamwoord van o.a. *complére* = geheel vullen] *bn* een overbodige aanvulling behelzend, overtollig. **expleti'vum** (*taalk.*) woord dat in een zin een onnodige aanvulling vormt of als zodanig fungeert, stopwoord.
**explice'ren** [v. Lat. *ex-plicáre, ex-plicátum* of *ex-plícitum* = uiteen-vouwen); *ook*: **explique'ren** [Fr. *expliquer*] uitleggen, ophelderen, verklaren. **explica'tie** [Lat. *explicátio*] *zn.* **explica'bel** [Fr. *explicábilis*] vatbaar voor uitlegging. **explicateur'** [Fr., v. Lat. *explicátor*] uitlegger, verklaarder.
**explicatief'** [Fr. *explicatif*] *bn & bw* verklarend. **expliciet'** [Fr. *explicite*] *bn & bw* uitdrukkelijk (*vgl.* **impliciet** = stilzwijgend).
**ex'plicit** [Lat. *is ten einde, is afgelopen (nl. *líber* = het boek); *waarsch.* verkorting van *explicitus est* (*liber*) = het boek is geheel afgerold (*explicáre = ook*: afrollen van boekrol), dus 3e pers. *ev* in plaats van *v.dw*] slotwoord dat einde v. boek of geschrift aangeeft (*vgl.* **dixi** = ik heb gezegd (ik ben gereed met spreken) op einde v.e. redevoering). **expli'cite** [Lat.] *alleen bw,* uitdrukkelijk (tegenover: stilzwijgend). **explicite'ren** [v. Fr. *expliciter* = nader uiteenzetten] expliciet maken, uitdrukkelijk met zoveel woorden zeggen of omschrijven, uitdrukkelijk formuleren. **explicita'tie, explicite'ring** *zn.* **explique'ren** *zie bij* **expliceren.**
**explode'ren** [Lat. *ex-plódere, ex-plósum* = *ex-pláudere* = eruitklappen, van het toneel jagen door lawaai te maken; v. *pláudere* = kletsend klappen] ontploffen, uit elkaar klappen; *zie verder* **explosie.**
**exploit'** (*spr.* exploot) *of* **exploot'** [Fr. *exploit,* v. Lat. *explicitáre* = (*hier.*) ten uitvoer leggen; *zie verder* **exploiteren**] (*jur.*) het ambtshalve aanzeggen door deurwaarder van een dagvaarding, rechterlijk vonnis of het uitreiken v.e. stuk; betekening; *ook*: de door de deurwaarder daarvan opgemaakte akte.
**exploite'ren** [Fr. *exploiter,* v. Lat. *explicitáre,* frequentatief v. *explicáre; zie* **expliceren**] **1** iets dat men bezit gebruiken om er financieel voordeel uit te trekken, het winstgevend te maken; ontginnen (*bijv.*: stuk grond, mijn); een bedrijf in werking stellen en houden (*bijv.*: bioscoop); **2** iemands arbeidskracht, diensten, goedgelovigheid misbruiken door uitbuiting; **3** (*jur.*) exploten doen, betekenen.
**exploita'bel** [Fr. *exploitable*] exploiteerbaar, in staat winstgevend gemaakt te worden, ontginbaar, bebouwbaar. **exploitant'** [Fr. = *o.dw* van *exploiter*] ontginner, ondernemer, iem. die exploitatie **1** verricht. **exploita'tie** [Fr. *exploitation*] **1** het exploiteren: ontginning, bebouwing v. grond, het in

werking stellen en houden v.e. bedrijf;
**2** uitbuiting v.e. persoon. **exploiteur'** [Fr.
= uitbuiter] **1** exploitant **1**; **2** uitbuiter;
**3** persoon die exploten doet, deurwaarder (Fr.
*huissier exploitant*). **exploot'** *zie* exploit.
**explore'ren** [Lat. *explorāre* = doorzoeken,
verkennen, missch. eruit laten vloeien (om te
zien wat het is), v. *ex-* = eruit- en *plúere*
= vloeien] nauwkeurig onderzoeken,
doorzoeken, spec. een (onbekend) gebied of
zeebodem onderzoeken op mogelijk
aanwezige bodemschatten; *ook fig.*: een
onbekend wetenschappelijk terrein
onderzoeken. **explora'tie** [Lat. *explorátio*]
onderzoeking van onbekend gebied;
opsporing van winbare delfstoffen.
**explorateur'** of **explora'tor** [resp. Fr. en
Lat.] **1** onderzoeker, persoon die exploreert;
**2** ontdekkingsreiziger.
**explo'sie** [Lat *explōsio* = lett.: het wegjagen
van toneel door lawaaierig handgeklap,
uitjouwing, *zie* **exploderen**] **1** (*nat.* en
*chem.*) ontploffing; *ook fig.*, *bijv.*: explosie
(uitbarsting) van woede; **2** (*overdrachtelijk*)
plotselinge sterke uitbreiding in omvang of
aantal (*bijv.*: bevolkingsexplosie). **explosief'**
[Fr. *explosif*] **I** *bn* ontplofbaar (v. stoffen); tot
een uitbarsting aanleiding kunnende geven
(*bijv.*: explosieve toestand); onstuimig, heftig,
op de wijze v.e. uitbarsting (*bijv.*: explosieve
stijging van prijzen); **II** *zn* (*zie* **volgende**).
**explosie'ven** *mv* **1** explosieve stoffen, d.w.z.
stoffen of mengsels van stoffen waarin
chemische energie is opgehoopt, die door een
explosieve reactie kan vrijkomen (explosie);
**2** (*taalk.*) plofklanken, medeklinkers waarbij
de adem in de mond korte tijd wordt
vastgehouden door afsluiting en daarna met
een plof ontsnapt doordat de afsluiting
plotseling wordt opgeheven. In het
Nederlands de p, b, t, d en k.
**ex'po** verkorting van expositie
(tentoonstelling) resp. van Eng. *exposition.*
**expone'ren** [Lat. *ex-pónere*, *ex-pósitum*
= uit-stallen; *vgl.* **expositie**] **1** blootstellen;
(*spec. fot.*) blootstellen aan inwerking van
licht; *geëxponeerd zijn*, zich in een kwetsbare
positie bevinden (*bijv.* politicus);
**2** uiteenzetten (een mening, een voorstel).
**exponent'**, afk. **exp.** [Lat. *expónens*, *-éntis*
= *o.dw*] **1** (*wisk.*) machtsaanwijzer, d.w.z. het
getal dat aangeeft tot welke macht een getal
is verheven, *bijv.*: in $2^3$ (twee tot de derde
macht = $2 \times 2 \times 2$) is 3 de exponent;
**2** typerend vertegenwoordiger van een bep.
richting, stroming of groep. **exponentieel'**
[Fr. *exponentiel*] op de exponent(en)
betrekking hebbend; uitgedrukt in
exponent(en) of als zodanig fungerend.
**export'** of **ex'port**, afk. **exp.** [via Eng. v. Lat.
*exportáre* = **1** uitvoeren; **2** verbannen, v. *ex-*
= naar buiten, en *portáre* = dragen] uitvoer,
uitvoerhandel; (*overdrachtelijk*) uitgevoerde
goederen, *ook*: de hoeveelheid daarvan.
**export-** voor uitvoer bestemd (*bijv.*:
exportprodukten); voor uitvoer werkzaam
(*bijv.*: exportbedrijf); op uitvoer betrekking
hebbend (*bijv.*: exportcijfer). **exporte'ren**
[Fr. *exporter*] naar het buitenland uitvoeren,
uitvoerhandel drijven; *vgl.* **importeren**.
**exporta'tie** [Lat. *exportátio* = **1** uitvoer;
**2** verbanning] **1** het exporteren; **2** (van
personen) het land uitzetten, uitwijzen.
**exporteur'** [quasi-Fr.; Fr.: *exportateur*] wie
uitvoerhandel drijft, koopman die voor eigen
rekening goederen naar het buitenland
verkoopt en verzendt.
**expose'ren** [Fr. *exposer*, v. Lat. *expónere*,
*expósitum*, v. Lat. *exponeren*] **1** tentoonstellen,
vertonen; artikelen op een tentoonstelling
inzenden of zelf als standhouder daaraan
deelnemen; **2** een uiteenzetting geven,
blootleggen, blootstellen; *zich —*, zich
blootstellen, spec. aan levensgevaar.
**exposant'** [Fr. = *o.dw* van *exposer*] wie iets
tentoonstelt; inzender op een tentoonstelling.

**exposé** [Fr.] (korte) uiteenzetting,
samenvattend overzicht; openlegging v.e.
zaak. **exposi'tie** [Fr. *exposition*]
**1** tentoonstelling; **2** uiteenzetting,
ontvouwing; **3** (*muz.*) deel v.e. muziekwerk
waarin het hoofdthema voor het eerst wordt
aangegeven; **4** (*lit.*) deel v.e. roman of een
drama waarin de stand van zaken wordt
gegeven; **5** blootstelling aan de inwerking v.h.
licht (*spec. fot.*); **6** ligging v.e. helling ten
opzichte van de hemelstreek, spec. t.o.v.
zonnestraling.
**ex post** (**fac'to**) [Lat. = *lett.*: uit het (feit) erna;
*vgl.* **ex ante**] achteraf, naderhand.
**ex post-grootheid** (*econ.*) economische
grootheid zoals ze zich in feite heeft
ontwikkeld (tegenover ex ante-grootheid).
**expres'sie** [Lat. *expréssio* = uitpersing,
uitdrukking] **1** gelaatsuitdrukking;
**2** taaluitdrukking, gezegde; **3** uitdrukking v.h.
gevoel; **4** uitpersing. **expressief'** [Fr.
*expressif*] *bn* & *bw* **1** sterk sprekend,
veelzeggend (*bijv.*: gebaar); uitdrukkingsvol
(*bijv.*: gelaat); **3** sterk doende gelden
(*bijv.*: expressieve kracht). **expres'sievak**
(*onderw.*) schoolvak dat eigen kunstzinnige
uitingen v.d. leerlingen bevordert (*bijv.*:
muziek, tekenen). **expressionis'me**
kunstrichting (ca. 1910-1925) die in
beeldende kunsten, literatuur en muziek het
innerlijk doorleefde en aanschouwde
symbolisch of stilistisch tot uitdrukking wilde
brengen, zonder het werkelijke uiterlijk der
dingen in hun precieze vorm weer te geven
(*vgl.* **impressionisme**). **expressionist'**
aanhanger v.h. expressionisme.
**expressionis'tisch** *bn* & *bw* van of volgens
het expressionisme. **expres'sis ver'bis** [Lat.
= *lett.*: met uitdrukte woorden) in
(duidelijke) woorden uitgedrukt, uitdrukkelijk,
met zoveel woorden. **expressiviteit'** mate
waarin iets expressief is, sterke
uitdrukkingskracht.
**ex profes'so**, afk. **e.p.** [Lat. = *lett.*: uit het
beroep] beroepshalve, ambtshalve, als
deskundige (*vgl.* **ex officio** en **ratione
officii**).
**exproprië'ren** [VLat. *expropriáre*, v. Lat. *ex-*
= buiten, en *próprium* = eigendom]
onteigenen, buiten bezit stellen.
**expropria'tie** *zn.* **ex pro'priis** [Lat.] uit
eigen middelen.
**expul'sie** [Lat. *expúlsio*, v. *ex-péllere*,
*ex-púlsum* = uit-drijven] **1** uitdrijving met
geweld, uitzetting (uit een land);
**2** (*verloskunde*) opzettelijke vruchtafdrijving.
**expulsief'** [Fr. *expulsif*] **I** *bn* uitdrijvend; **II** *zn*
vruchtafdrijvend middel.
**expurge'ren** [Lat. *expurgáre* = reinigen,
zuiveren; *ook*: reinigen van schuld,
rechtvaardigen, verontschuldigen, v. *ex-*
= geheel en al, en *purgáre* = zuiveren, *eig.*:
*purigáre*, v. *púrus* = zuiver, en *ágere* = voeren,
maken] **1** zuiveren, castigeren (van boek);
**2** rechtvaardigen, ontlasten van schuld,
verontschuldigen. **expurga'tie** [Lat.
*expurgátio* = rechtvaardiging] **1** zuivering,
castigatie; **2** rechtvaardiging.
**exquis'** [Fr.], *ook*: **exquisiet'** [Lat. *exquisítus*,
v. *ex-quíere*, *ex-quísitum* = *ex-quǽrere*
= uit-zoeken, uitkiezen] uitgelezen, fijn,
uitgezocht, voortreffelijk.
**exse'quiën** [Lat. *exséquiae*, v. *éx-sequi*
= uitgeleiden] uitvaart,
begrafenisplechtigheden.
**exsicca'tor** [modern Lat., v. Lat. *ex-siccáre*
= uit-drogen] (*chem.*) droogtoestel voor
chemische stoffen, *d.i.*: dikwandig, hermetisch
afgesloten glazen vat, waarin de te drogen stof
geplaatst wordt op een rooster boven een
waterbindende stof (*bijv.*: 98% zwavelzuur,
watervrij calciumchloride).
**exstirp-** *zie* **extirp-**.
**exsuda'tie** [Lat. *exsudátio*, v. *ex-sudáre*
= uit-zweten; *súdor* = zweet] uitzweting.
**exsudaat'** [Lat. *exsudátum* = het uitgezwete,

uitzweetsel] bij ontsteking vocht dat door de wand v.d. haarvaten uit het bloed treedt en in het omringende weefsel dringt of zich ophoopt in een lichaamsholte. **exsudatief'** het karakter van exsudatie hebbend; geneigd tot exsudatie (*bijv.*: exsudatieve diathese = dauwworm).

**ex tem'pore** afk. **e.t.** [Lat.: uit de tijd, d.w.z. uit het ogenblik] voor de vuist weg, onvoorbereid. **ex-tem'pore** redevoering, voordracht in proza of poëzie, spel of zang voor de vuist weg, zonder voorbereiding. **extempore'ren** voor de vuist weg spreken enz.

**extende'ren** [Lat. *ex-téndere*, *ex-ténsum* = uit-spannen] **1** uitstrekken tot, uitbreiden, groter maken; **2** uitwerken (in de vereiste vorm). **exten'sie** [Lat. *exténsio*] **1** uitgestrektheid, omvang; **2** uitstrekking; **3** uitwerking (in de vereiste vorm); (*jur.*) uitgewerkte uitspraak. **extensief'** [Lat. *extensívus*] *bn* & *bw* **1** volgens uitgebreidheid; zich ver uitstrekkend; omvattend; **2** over een grote oppervlakte zich uitstrekkend, maar weinig en dus goedkope bewerking vereisend (*bijv.*: extensieve cultuur); **3** uitbreidend (*bijv.*: extensieve uitlegging v.d. wet) (*vgl.* **intensief**). **exten'sleapparaat** (*med.*) rekverband. **extensive'ren** meer extensief maken. **exten'so**, in- zie **in extenso**.

**exterieur'** [Fr. *extérieur*, v. Lat. *extérior* = vergrotende trap v. *éxter* of *éxterus* = uitwendig] **I** *bn* uitwendig, uiterlijk; **II** *zn* het uitwendige (bijv. van gebouw), de buitenkant (*vgl.* **interieur**). **exteriorisa'tie** [Fr. *extériorisation*] (*spiritisme*) naar-buiten-treding (v.h. zgn. astraallichaam).

**extern'** [Lat. *extérnus* = uitwendig, uitlands, v. *éxter*; zie **exterieur**] *bn* **1** niet inwonend; **2** het uitwendige betreffend (*bijv.*: externe kritiek, kritiek op de vorm, niet op de inhoud); **3** van buiten komend, buitenliggend (*bijv.*: oorzaak); **4** naar buiten tredend (*bijv.*: klier met externe secretie, d.w.z. klier waarvan het uitscheidingsprodukt naar buiten treedt en niet in de klier zelf door het bloed wordt opgenomen (*vgl.* **intern**); **5** afk. **ext.** (*med.*) uitwendig (op recepten). **externaat'** [Fr. *externat*] **1** dagschool die geen leerlingen in de kost heeft (tegenover **internaat** = kostschool); **2** het niet-inwonend zijn. **exter'ne** uitwonend leerling, assistent in ziekenhuis e.d.

**exterritoriaal'**, *ook* **extraterritoriaal'** [Lat. *ex-* = uit, resp. *extra* = buiten, en **territoriaal** *z.a.*] buiten het landsgebied (inclusief de territoriale wateren) gelegen. **ex(tra)territorialiteit'** (*volkenrecht*) volkenrechtelijke immuniteit (*z.a.*), het niet-onderworpen zijn aan de gezagsuitoefening (rechtspraak, indirecte belastingen, controle e.d.) door een vreemde staat te bep. personen of zaken die daar vertoeven resp. aanwezig zijn. Dit zijn: personen in diplomatieke of consulaire dienst, staatsschepen (oorlogsbodems en voor publiekrechtelijke functies bestemde schepen, geen staatshandelsschepen), buitenlandse staatshoofden, VN-functionarissen, leden van internationale rechtscolleges, en vreemde legertroepen.

**extinc'tie** [Lat. *exstínctio*, v. *ex-stínguere*, *ex-stínctum* = uit-blussen, v. *ex-* = uit, en *stínguere* = verstikken; vgl. Gr. *stízoo* = steken, stikken] **1** uitdoving, blussing; **2** uitdelging, geleidelijke vernietiging; **3** het uitsterven v.e. ras of v.e. diersoort of plantesoort; **4** (*nat.*) vermindering van intensiteit van elektromagnetische straling als zij een middenstof doorloopt. **extinct'** uitgestorven (van dier- of plantesoort, tegenover *recent* = nog levend voorkomend). **extincteur'** [Fr., v. Lat. *extínctor* = uitblusser] brandblusapparaat.

**extirpe'ren**, *ook*: **exstirpe'ren** [Lat. *ex-stirpáre* = met wortel en tak uit-roeien, v.

*stirps* = worteleind, stam] **1** uitroeien, geheel verdelgen; *ook fig.*, *bijv.*: een misbruik; **2** (*med.*) uitsnijden van ziekelijke uitwas, eventueel geheel orgaan, door chirurgische ingreep (*bijv.*: kankergezwel, gehele baarmoeder). **ex(s)tirpa'tie** [Lat. *exstirpátio*] *zn*. **ex(s)tirpa'tor** [modern Lat.] of **ex(s)tirpateur** [Fr. *extirpateur*] landbouwmachine die onkruid weet en ook kan dienen om bovenlaag van grond los te woelen en met kunstmest te vermengen.

**1 ex'tra** [Lat.] *vz* buiten.
**2 ex'tra** [Lat. v. *éxtera* (*párte*) = *extr.* buitenkant; zie **exterieur**] **I** *bw* **1** boven het normale (*bijv.*: dat kost extra); **2** in bijzondere mate; **II** *bn* nog een, bijkomend (*bijv.*: een extra jas); **III** *zn* (als verklw.): *extraatje*.

**extra-** buiten de normale regeling vallend (*bijv.*: extra-editie v. krant, extradienst, extratrein e.d.).

**extracellulair'** [zie **extra** en **cellulair**] aanwezig buiten de lichaamscellen (*bijv.*: vocht). **ex'tracorrectie** verbetering op de gezette tekst (drukproef) door deze tekst in afwijking van de kopij alsnog te veranderen.

**extract'** afk. **extr.** [v. Lat. *ex-tráhere*, *ex-tráctum* = uit-trekken] **1** uittreksel v.e. boek, v.e. geschrift e.d. (*bijv.*: uit burgerlijke stand); **2** aftreksel; werkzaam bestanddeel uit een organische stof verkregen door deze in aanraking te brengen met een oplosmiddel (water, alcohol, ether) en de oplossing in te dampen. **extrac'tie** (*MLat. extráctio*) **1** het maken v.e. extract (1) of (2); **2** (*med.*) het uittrekken v.e. kies of tand, verwijdering v.e. splinter e.d.

**extragalac'tisch** [v. Lat. *extra-* = buiten-; zie **galactisch**] (*astr.*) buiten ons eigen sterrenstelsel (het Melkwegstelsel) gelegen.

**extrahe'ren** [Lat. *ex-tráhere* = uit-trekken; zie **extract**] **1** uittrekken; **2** een uittreksel maken (v. geschrift); **3** (*tech.*) een of meer bestanddelen onttrekken van een mengsel met behulp van een oplosmiddel.

**extrajudicieel'** [v. Lat. *extra-* = buiten-; zie **judicieel**] buitengerechtelijk, niet onder rechtsgeding vallend. **extramaritaal'** [zie **maritaal**] buitenechtelijk. **extramundaan'** [v. Lat. *mundánus* = tot de *mundus* (wereld) behorend] buitenwereldlijk. **extramuraal'** [v. Lat. *murális* = tot de *murus* (muur) behorend] buiten het gebouw (verzorgingsinstelling, ziekenhuis, inrichting) vertoevend of plaatshebbend, *bijv.*: extramurale zorg (tegenst. **intramuraal**).

**extra'neus**, (*spr.*: -nee-oes) *mv* **extra'nei**, vr. **extra'nea**, *mv* **extra'neae** [Lat. *extráneus* = vreemdeling] persoon die eindexamen aflegt van een school of universiteit zonder tot de gewone leerlingen daarvan te behoren.

**extraordinair'** [Fr. *extraordinaire*; v. Lat. *extra-* = buiten-; zie *verder* **ordinair 1**] buitengewoon. **extraordina'rius** [zie **ordinarius 1**] buitengewoon hoogleraar, d.w.z.: hoogleraar voor een vak buiten het gewone programma v.d. hogeschool.

**extraparlementair'** [zie **parlementair**] *bn*: *extraparlementair kabinet*, kabinet niet gevormd (althans grotendeels) uit vertegenwoordigers van de politieke partijen.

**extrapole'ren** [v. Lat. *extra-* = buiten-; zie *verder* **interpoleren**] *lett.*: 'buitenlassen', tegenover inlassen; **1** (*wisk.*) uit bekende termen v.e. reeks termen buiten de grenzen van die reeks berekenen (bijv. door de grafiek van die reeks buiten de limieten door te trekken); **2** (*fig.*) iets buiten de oorspronkelijke relatie beschouwen of brengen. **extrapola'tie** *zn*.

**ex'trasensory percep'tion** [Eng.] (afk. **ESP**) buitenzintuiglijke waarneming (term van J.B. Rhine, Am. parapsycholoog).

**extrasoma'tisch** [v. Lat. *extra-* = buiten-, en Gr. *soomatikos* = het *sooma* (lichaam) betreffend] buitenlichamelijk.

**extrasystolie'** [v. *extra-* = buiten het normale; zie **systole**] (*med.*) extra-hartsamentrekking,

d.w.z. vroegtijdige samentrekking van
hartboezem of hartkamer.

**extraterrestrisch'** [v. Lat. *extra-* = buiten-,
en *teréstris* = aards, v. *térra* = aarde] *bn* & *bw*
**1** buiten de aarde gelegen of aldaar gebeurend
e.d.; **2** vanuit de ruimte komend; **3** de ruimte
betreffend.

**extraterritoriaal** enz. *zie* **exterritoriaal** enz.

**extra-uterien'** [modern Lat. *extra-uterínus*, v.
Lat. *extra-* = buiten, en *úterus* = baarmoeder,
schoot (*úterus* voor *útterus*; vgl. Gr. *hustera*,
*zie* **hysterie**] *bn* buitenbaarmoederlijk (*bijv*.:
zwangerschap, waarbij de vrucht zich heeft
genesteld buiten de baarmoeder, meestal i.d.
eileider).

**extravage'ren** [Lat. *extra-vagári*
= erbuiten-rondzwerven, v. *vagári*, OLat.
*vagáre* = zwerven] **1** buiten de regel of maat
gaan, uitspattingen begaan; **2** onzin praten,
raaskallen. **extravagant'** [Fr., v. Lat. *extra-*
= buiten-, en *vágans*, *vagántis* = *o.dw* van
*vagáre*] **1** buitensporig, overdreven (*bijv*.: eis);
**2** onzinnig. **extravagan'tie** [Fr.
*extravagance*] **1** buitensporigheid, het
overdreven-zijn; *ook, concr.*: extravagante
daad; **2** onzinnigheid; *ook, concr.*: onzinnige
daad.

**extravert'**, *ook, minder juist*: **extrovert'** [v.
Lat. *extra-* = (*hier*:) naar buiten-, en *vértere*,
*vérsum* = keren, wenden] **I** *bn* & *bw* naar
buiten gekeerd, georiënteerd op de
buitenwereld en daarvoor openstaand; **II** *zn*
extravert persoon (tegenst.: **introvert**, *z.a.*).
**extraver'sie** [v. Lat. *vérsio* = kering]
geestesgesteldheid van persoon die in denken
en doen op de buitenwereld gericht is en
daarvan invloed ondergaat.

**extreem'** [Lat. *extrémus* = meest naar buiten
gelegen, uiterst; overtreffende trap v. *éxter*; *zie*
**exterieur**] **I** *bn* & *bw* uiterst, gaande tot
grens, in de hoogste graad; **II** *zn* **1** zaak in haar
uiterste graad of omvang; **2** (*wisk.*) uiterste
waarde. **extrême** [Fr.] *zn* het uiterste;
hoogste graad, toppunt; *les—s se touchent*,
de (twee tegengestelde) uitersten raken
elkaar. **extre'mis, in—** *zie* **in extremis.**
**extre'mis ma'lis extre'ma reme'dia** [Lat.]
voor buitengewone (zeer ernstige) kwalen
buitengewone (zeer krachtige)
geneesmiddelen. **extremis'me** het drijven
van principes tot de uiterste consequenties,
het gaan tot het uiterste, radicalisme in de
hoogste graad. **extremist'** persoon die tot het
uiterste gaat, spec. in politiek. **extremis'tisch**
*bn* & *bw* **1** het karakter van extremisme
hebbend; **2** van of door extremisten.
**extremiteit'** [Lat. *extrémitas*] *zn* **1** verst
afgelegen deel, uiterste; *de —en*, de
ledematen; **2** laatste toevlucht; uiterste
verlegenheid.

**extrinsiek'** [Lat. *extrínsecus*, v. *extra-*
= buiten-, en *sécus* = (oorspr.:) volgend; *vgl.*
*séqui* = volgen; *zie* **executeren**] *zn*
**1** behorend tot het uiterlijke, niet wezenlijk;
**2** van buiten komend; **3** (*hand.*) nominaal
(tegenst.: **intrinsiek**).

**extrovert'** *zie* **extravert.**

**extrude'ren** [Lat. *ex-trúdere, ex-trúsum*
= uit-drijven] (*techn.*) vormen met behulp v.e.
*extruder* (*z.a.*), c.q. *extrusiepers*. **extru'sie**
**1** (*techn.*) het plastisch vervormen (spuiten)
van materialen door deze onder hoge druk
door een opening te persen; **2** (*geol.*) het
uitvloeien van taaivloeibare lava's uit het
binnenste der aarde. **extru'der** [Eng.]
spuitmachine, machine waarmee eindeloze
produkten (*bijv*.: buis, folie) worden
vervaardigd door een plastische stof onder
druk uit een spuitmond te persen.

**ex tunc** [Lat.] (*jur.*) in werking tredend op een
aangegeven tijdstip (*vgl.* **ex nunc**).
**exuberant'** [v. Lat. *exúberans, -ántis, o.dw*
van *exuberáre* = in overvloed te voorschijn
komen, v. *úber* = vruchtbaar] *bn* & *bw*
**1** overvloedig, overstelpend; weelderig,
rijkelijk; **2** (*v. pers.*) overvloeiend van gemoed,

zich uitbundig uitend. **exuberan'tie** [Lat.
*exuberántia*] **1** overstelpende rijkdom,
overgrote weelde; **2** (*v. persoon*)
uitbundigheid.

**ex u'su** [Lat.] **1** door het gebruik; **2** in onbruik.
**ex vo'to** [Lat.] uit gelofte. **ex-vo'to** *zn*
geloftegift, symbolisch voorwerp uit edel
metaal (*bijv*.: zilveren hart) dat is opgehangen
bij het beeld v.d. heilige op wiens voorspraak
(na gedane belofte) men meent v.e. kwaal a.h.
afgebeelde lichaamsdeel genezen te zijn.

**eye-cat'cher** [Eng. = *lett.*: oog-vanger]
blikvanger. **eye-li'ner** [Eng. = oog-omlijner]
(*kosmetiek*) kleurmiddel om de randen v.d.
oogleden te doen uitkomen; *ook*: penseel om
dergelijk middel aan te brengen.

**fa** (*muz.*) vierde toon v.d. natuurlijke (*diatonische*, *z.a.*) toonladder (voor de naam **fa** *zie* **aretijnse**); de toon f.

**faag**, verkorte vorm van **bacteriofaag**, *z.a.*

**fabrice'ren** [Lat. *fabricáre, fabricátum* = vormen, maken; *fabricári* = vervaardigen, nl. smeden, timmeren, bouwen enz., v. *fáber, fabri* = handwerksman in metaal, hout, steen e.d.] **1** op min of meer grote schaal produkten maken of bewerken uit grondstoffen m.b.v. werktuigen; **2** (*bij uitbreiding*) in elkaar zetten, maken (*bijv.*: woordenlijst); **3** (*ongunstig*) verzinnen, verdichten (*bijv.*: een verhaal fabriceren). **fabrica'ge** (géén Fr.) of **fabrica'tie** [Fr. *fabrication*, v. Lat. *fabricátio* = vervaardiging] het fabriceren, het maken of bewerken i.e. fabriek; *fabricátie ook*: wijze waarop een produkt is vervaardigd of bewerkt. **fabrikaat'** [Lat. *fabricátum* = het gemaakte] produkt v.e. fabriek; *halffabrikaat*, produkt van grondstofverwerking dat dient voor verdere fabricage van voorwerpen. **fabrikant'** [Fr. *fabricant*, v. Lat. *fábricans, -ántis*, o.dw van *fabricáre*] eigenaar of ondernemer v.e. fabriek. **fabriek'** [Fr. *fabrique*, v. Lat. *fábrica* = kunde, handwerk; *ook*: *fábrica officína* = werkplaats v.e. handwerksman (*fáber*)] **1** inrichting om op grote schaal produkten te maken uit grondstoffen, m.b.v. gereedschappen, meestal ook machines; **2** het gebouw van deze inrichting; **3** het personeel v.e. fabriek (*bijv.*: de fabriek gaat uit = de werklieden verlaten na sluitingstijd het fabrieksgebouw); **4** (*rk*) *kerkfabriek* (v. Lat. *fábrica* = constructie) *a* het geheel van bezittingen en gelden bestemd voor onderhoud v.h. kerkgebouw en voor de uitoefening v.d. eredienst; *b* de beheerders v.h. geldelijk kerkvermogen, d.i. het kerkbestuur. **fabule'ren** [v. Lat. *fabulári* = kouten, v. *fábula*] fabeltjes of verzinsels vertellen, spec. als psychische afwijking waarbij de patiënt zelf gelooft wat hij fantaseert. **fabulant'** [Fr.] wie fabuleert. **fabuleus'** [Fr.] fabelachtig, ongelofelijk, onwaarschijnlijk.

**façade** [Fr., v. It. *facciata*, v. *faccia* = gezicht, gelaat, v. Lat. *fácies*] gevel, voorkant van (groot) gebouw; (*fig.*) schone uiterlijke schijn waarachter iets minder fraais is verborgen.

**fa'ce** [Fr., v. Lat. *fácies* = gezicht, gelaat] *en* —, [Fr. = openlijk, in het gezicht]; Ned. *en face* = recht van voren, *bijv.*: gesteld of foto; *face maken* [Fr. *faire face à* = gekeerd zijn naar, het hoofd bieden aan], zich teweer stellen en stand houden. **fa'ce-à-main'** [Fr. = *lett.*: gezicht-ter-hand] lorgnet op steel.

**fa'ce-lift**, *ook*: **fa'ce-lif'ting** [Eng., v. *face* = gezicht, gelaat (Lat. *fácies*); *to lift* = oplichten] plastische operatie waardoor rimpels worden weggenomen door de gelaatshuid strak te trekken; (*ook fig.*) gezichtsverbetering.

**facet'** [Fr. *facette* = *lett.*: klein gezicht, gezichtje] **1** geslepen vlak van edelsteen e.d.; **2** (*fig.*) aanblik, blik vanuit bep. zijde, aspect, bep. kant v.e. zaak, kwestie of situatie; **3** elk der afzonderlijke elementen v.h. samengestelde oog bij vele geleedpotige dieren zoals bijv. bij insekten en kreeften (*facettenoog*).

**fâcheux' troisième** [Fr. = hinderlijke derde; *fâcheux* = o.a. hinderlijk, v. Lat. *fastósus* = vol trotsheid, v. *fástus* = trotsheid, hooghartigheid) door zijn aanwezigheid hinderlijke derde bij intiem samenzijn v. twee personen.

**faciaal'** [Fr. *facial*, v. MLat. *faciális*, v. Lat. *fácies* = gelaat; *zie* **face**] het gelaat betreffend. **fa'cie** (*volkstaal*) gezicht, gelaat.

**faciel'** [Fr. *facile* = o.a. gemakkelijk, v. Lat. *fácilis* = o.a. gemakkelijk (om gedaan te worden) v. *fácere* = maken, doen] (v. *persoon*) gemakkelijk, gewillig, inschikkelijk, meegaand. **faci'le** [Fr.] gemakkelijk, licht. **fa'cile prin'ceps** [Lat. = *lett.*: gemakkelijk de eerste] wie zonder ernstige mededinging veruit de eerste is onder vakgenoten.

**facilitair'** : — *bedrijf*, bedrijf dat voorzieningen (faciliteiten) levert.

**facilite'ren** [Fr. *faciliter*] vergemakkelijken.

**faciliteit'** [Lat. *facílitas* = gemakkelijkheid, inschikkelijkheid] tegemoetkomende bepaling, vergemakkelijkende schikking bij verplichting; voorziening; gemak; inschikkelijkheid, gemakkelijkheid.

**façon'** [Fr., v. Lat. *fáctio* = het doen, handelingen, v. *fácere* = doen] **1** wijze van doen, manier; **2** vorm, vóórkomen, fatsoen; *c'est une — de parler*, bij wijze van spreken; *sans* —, zonder complimenten, zonder plichtpleging. **façonne'ren** [Fr. *façonner* = bewerken] de goede vorm geven, fatsoeneren.

**facsi'mile** [met uitspraak als Fr. *facsimilé*; v. Lat. *fácere* = maken, en *símilis* = gelijk (vormig)] nauwkeurige nabootsing of nadruk van tekening, geschreven stuk, boek (*facsimile-uitgave*), reproduktie.

**fac'ta** *mv* van **factum**, *z.a.*; — *non vérba*, daden gen woorden (geen woorden maar daden). **facteur'** [Fr., v. Lat. *fáctor* = wie doet, maker, bewerker] (*Z.N.*) postbode, brievenbesteller. **fact'in'ding mis'sion** [Eng. = zending om feiten op te sporen] groep personen die op zoek gaat naar de ware toedracht v. gebeurtenissen. **facti'ce** [Fr. = kunstmatig, v. Lat. *facticius* = door kunst gemaakt, nagemaakt, v. *fácere, fáctum* = maken] nagemaakt, vals. **faciciteit'** kunstmatigheid. **fac'tie** [v. Lat. *fáctio* = het doen; *ook*: aanhang, partij, spec. partij met politieke actievoering] politieke actie voerende partij of kliek (buiten parlement), thans spec. met terroristische inslag. **factieus'** [Fr. *factieux* = partijdig; Lat. *factiósus* = vlug tot handelen, met grote aanhang, partijdig, woelziek] oproerig. **fac'tisch** *bn & bw* [v. Lat. *factum* = daad, gebeurde] op feiten steunend, in feite, feitelijk, werkelijk. **factitief'** I *bn* bewerkend; II *zn* ww dat het doen geschieden v.e. handeling aanduidt, causatief (*bijv.*: leggen = doen liggen; zetten = doen zitten). **fac'to: de** — [Lat. = in feite, feitelijk. **factorij'** [v. MLat. *factoria*] handelsnederzetting, handelskantoor i.h. buitenland (spec. in overzeese gebieden); walvisvaarder die zelf traan stookt. **factoor'** handelsagent (spec. in Indië in 16e-17e eeuw; filiaalhouder (*zie verder* **factoring**). **fac'toring** [Eng.] het behartigen van kredietrisico's v. bedrijven door een speciale maatschappij, de *factoring-maatschappij* of *factoor*-maatschappij. Aan deze verkopen bedrijven hun vorderingen op klanten; zij zorgt dan voor verdere afwikkeling, zoals het incasseren v.d. vorderingen, het verzorgen v.d. debiteurenadministratie e.d. **facto'tum** [v. Lat. *fácere* = doen, en *totus* = geheel; *lett.*: = doe-al] helper die voor alles zorgt, manusje-van-alles, duvelstoejager. **fac'tum** *mv* **fac'ta** [Lat.] gebeurde feit, daad. **facture'ren** [Fr. *facturer*; *vgl. facteur* = handelsagent (*zie* **factoor**] facturen (*zie* **factuur 1**) opmaken en uitschrijven. **facturist'** wie het factureren verzorgt. **facturis'te** vr. facturist. **factuur'** [*zie*

**factoor**] 1 lijst van geleverde artikelen met vermelding v.d. prijzen, wijze en datum van verzending e.d.; 2 [v. Lat. *factúra* = vervaardiging; *ook*: lichaamsbouw, eveneens v. *fácere*, *fáctum* = maken] makelijk, bouw.

**facultatief'** [Fr. *facultatif*, v. Lat. *facúltas*, *zie* **faculteit**] naar verkiezing te doen of aan te wenden, niet verplicht. **faculteit'** afk. **Fac.** [Lat. *facúltas* = vermogen, kracht, mogelijkheid, v. OLat. *facul* = *fácile* = gemakkelijk, *zie* **faciliteit**] 1 vermogen om iets te doen; 2 tak v. wetenschap of hoofdafd. aan universiteit; de gezamenlijke hoogleraren in zo'n afdeling; *ook*: de gezamenlijke studenten; 3 (*wisk.*) product v. alle gehele getallen voorafgaande aan genoemde getal met het genoemde getal, *bijv.*: 4 faculteit (geschreven 4!) = 1×2×3×4.

**fa'de** [Fr., missch. v. Lat. *vápidus* = bedorven, verschaald] zouteloos, smakeloos.

**fade-out'** [Eng. *to fade* = geleidelijk verdwijnen; *zie* **Fr. fade**] (*filmtechn.*) langzame verdwijning v.h. beeld door verduistering. **fa'ding** [Eng.] (*radiotech.*) het verschijnsel dat de sterkte v.h. ontvangen geluid plotseling aanzienlijk vermindert en dan weer normaal wordt, sluiereffect.

**faeca'liën** of **feca'liën** *mv*, *ook*: **fae'ces** of **fe'ces** *mv* [Lat. *faeces*, *mv* van *faex* = droesem, heffe, drab, bezinksel] vaste uitwerpselen van mens of dier, drekstoffen. De term *faecaliën* wordt ook gebruikt voor faeces en urine samen (zgn. *beer*). **faex po'puli** [Lat.] de heffe des volks.

**fagocy'ten** [v. Gr. *phag-* = eten; *-cyt* = biologische cel, v. Gr. *kutos* = holte, urn, vat] bep. soort witte bloedlichaampjes die in bloed geraakte vreemde organische substanties (*bijv.* bacteriën) onschadelijk maken door ze te verslinden.

**fäh** [Du.] bep. bontsoort van Siberische eekhoorns, petitgris.

**fai'ble** [Fr., v. Lat. *flébilis* = beklagenswaardig, v. *flere* = wenen] zwak, voorliefde. **faibles'se** [Fr.] zwakheid.

**faien'ce** [Fr. *faience*] *ook*: **fayen'ce**, soort geglazuurd en beschilderd aardewerk, half-porselein [naar It. stad Faenza].

**faille'ren** [v. Fr. *faillir* = falen; *ook*: failliet gaan; *faillir* v. VLat. *fallire* = Lat. *fállere* = bedriegen, misleiden; *ook*: teleurstellen, in de steek laten] failliet gaan (*zie verder* **faillissement**). **failliet'** [v. Fr. *faillite* = faillissement; *faire faillite* = lett.: faillissement maken = failliet gaan] I *bn* bankroet, in staat van faillissement verkerend of komend te verkeren; II *zn* 1 *m* persoon die failliet is [Fr. *failli*]; 2 *onz. a* (*fig.*) mislukking (*bijv.*: het — van het nazisme); *b* [Z.N.: v. Fr. *faillite* = faillissement] faillissement. **faillissement'** een rechtsinstelling dienende om, wanneer een persoon of bedrijf zijn schulden niet meer kan betalen, door een rechterlijke uitspraak beslag te leggen op zijn vermogen en dit zo nodig te gelde te maken om de opbrengst te verdelen onder de schuldeisers.

**failli'bel** [Fr. *faillible*, *zie verder* **fallibel**] feilbaar. **faillibiliteit'** [Fr. *faillibilité*, *zie verder* **fallibiliteit**] feilbaarheid. **fail'lure** [Eng., v. *to fail* = falen, v. OFr. *faillir*, *zie* **failleren**] mislukking.

**fainéant'** [Fr. *faire* = doen, en *néant* = niets; het woord is een verdraaiing v. OFr. *faignant* = traag lui persoon, v. *faindre* = zich verbergen, wegkruipen] leegloper, luilak. **fai're bon'ne mi'ne à mauvais' jeu** [Fr. = *lett.*: een goed gezicht zetten bij kwaad spel] een onaangename situatie (uiterlijk) onbewogen ondergaan, 'zich niet laten kennen', zich goed houden. **fai're sui'vre** afk. **F.S.** of **f.s.** [Fr. = *lett.*: laten volgen] (op brieven) nazenden.

**fair'yland** [Eng., v. *fairy* = fee] feeënland, toverland, wonderland.

**faisa'bel** [Fr. *faisable*, v. *faire* = Lat. *fácere*

= doen] doenlijk, te doen, uitvoerbaar.

**faisan'** [Fr.] (*cul.*) fazant. **faisander'** wild adellijk laten worden. **faisandé** adellijk (v. wild).

**fait** [Fr., v. Lat. **factum**, *z.a.*] het gebeurde, feit, daad; *au* —, op de hoogte; — *accompli*, voldongen feit. **faits** [Fr.]: — *divers*, gemengde berichten; — *et gestes*, doen en laten, handel en wandel.

**fa'ke** [Eng., v. *to fake* = *eig.*: toonbaar maken, uit stukken en brokken in elkaar zetten; missch. v. Du. *fegen* = vegen] trucfilm, *ook*: gefingeerd iets, mystificatie.

**fa'kir**, *ook* **fa'kier** [v. Arab. *fakir* = arm, behoeftig] 1 *oorspr.*: islamiet die wegens armoede in aanmerking komt voor de bij de wet geregelde weldadigheid; *spec.*: soefistische asceet die vrijwillig afstand doet van alle bezit, zich totaal op Allah verlaat en zijn onderhoud bijeen bedelt; 2 via de islam heeft de term fakir ook ingang gevonden in India en wordt daar gebruikt voor hindoeïstische asceten en yogi's, die fysieke pijn trachten te overwinnen door het ontwikkelen van een haast ongelooflijk uithoudingsvermogen.

**fa'lanx** [Lat., vroeger *phálanx* v. Gr. *phalagx*], *ook*: **falanx'** 1 bep. gesloten slagorde van zwaarbewapenden i.d. Oudheid; 2 (*fig.*) dicht aaneengesloten strijdbare schare. **Falan'ge** (*hist.*) Spaanse politieke eenheidspartij onder het Franco-regime. **falangist'** 1 aanhanger v.d. Spaanse Falange, Spaans fascist; 2 *thans ook*: lid van extreem rechtse partijen, bijv. de christelijke falangisten in Libanon.

**falbala'** [Fr., afl. onbekend] wijd geplooid boordsel, geschulpte zoom aan damesmers kleren, gordijnen e.d.

**faler'ner** [Du. *Falerner*, v. Lat. *Falérnum* (*vínum*) = de Falernische (wijn)] vurige lichtgele It. wijn uit d. omgeving v. Falerno in Campanië (ten noorden v. Napels. Reeds i.d. Oudheid was de *Falérnus áger* = de Falernische akker beroemd om zijn voortreffelijke wijn.

**fallacieus'** [Fr. *fallacieux*, v. Lat. *fallaciósus* = vol bedrieglijke streken, v. *fállax*, *fallácis* = bedrieglijk, v. *fállere* = misleiden] bedrieglijk. **falli'bel** [v. VLat. *fallíbilis*; *vgl.* **faillibel**] feilbaar. **fallibiliteit'** [MLat. *fallibílitas*; *vgl.* **faillibiliteit**] feilbaarheid.

**fal'lisch** en **fallisme** *zie onder* **fallus**.

**fall-out'** [Eng.] radioactieve neerslag. Deze ontstaat doordat radioactieve atomen v.e. kernexplosie die i.d. atmosfeer terechtkomen, zich vastzetten op materiedeeltjes die na verloop van tijd op aarde neerdalen.

**fal'lus** [Gr. *phallos* = penis, mannelijk lid] voorstelling v.d. penis in erectie als vruchtbaarheidssymbool in diverse culturen, bijv. de Oudgriekse, thans nog bij de Hindoes (*linga*). **fal'lisch** o.d. fallus of het fallisme betrekking hebbend. **fallis'me** (*ook wel*: **fallicis'me**) het geheel van gebruiken en ideeën die verband houden m.d. verering v.d. fallus.

**fal'sa** *zie bij* **falsum**. **falsa'ris** [Lat. *falsárius*, v. *fállere*, *fálsum* = misleiden, bedriegen] wie vervalsing pleegt, *spec.* schriftvervalsing; *ook*: oplichter. **falset'** [v. It. *falsetto*, verklw. v. *falso* = vals, onecht], **fausset'** [Fr., *fausse*, vr. v. *faux* = vals] (*muz.*) I *zn* *a eig.*: kopstem, d.w.z. het middenstemregister bij vrouwen, het hoogste stemregister bij mannen; spec. bij deze laatsten: nabootsing v.d. vrouwelijke altstem; *b* persoon die het falset zingt; II *bw*: falset zingen, met nagebootste kopstem zingen. **falsifica'tie** [VLat. *falsificátio*, v. *fálsus* = vals (v. *fállere*, *fálsum* = bedriegen) en *fácere* = maken] 1 vervalsing (in deze bet. ook *falsificaat*); 2 falsifiëring (*z.a.*). **falsifice'ren** [*zie* falsificatie], **falsifië'ren** [Fr. *falsifier*] 1 vervalsen; valselijk opstellen (*bijv.*: een balansoverzicht); 2 als ongeldig zijnde bewijzen, de onjuistheid van iets aantonen. **falsifië'ring** het aantonen v.d. onjuistheid

van iets (*bijv.*: v.e. hypothese). **falsiteit'**
**1** onwaarachtigheid, onoprechtheid; valsheid;
onwaarheid; **2** (*jur.*) valse handtekening,
vervalsing. **fal'sum,** *mv* **fal'sa** [v. Lat. *fálsus*
= vals] schriftvervalsing.
**fameus'** [Fr. *fameux*, v. Lat. *famósus*
= faam-rijk, beroemd, v. *fama*]
**1** veelbesproken; (*iron.*) beroemd; **2** zeer groot
(*bijv.*: vermogen); **3** verbazend, bijzonder
(goed, mooi enz.); *een fameuze kerel*, een
prachtvent, een 'reuze' kerel. - N.B. In het Z.N.
(*ong.*): *hij is een fameuze*, hij valt tegen.
**familiaal'** [Fr. *familial* = van het gezin]: (Z.N.)
*familiale helpster*, gezinsverzorgster.
**familiaar'** afk. **fam.** (niet **familiair**, *z.a.*) [via
OFr. *familier* = vertrouwelijk, gemeenzaam, v.
Lat. *familiáris* = t.h. gezin of de familie
behorend; *ook*: m.h. gezin bekend, vertrouwd,
vriendschappelijk] **1** vertrouwelijk,
gemeenzaam, ongedwongen (zoals bij
familieleden onder elkaar) (*bijv.*: doe niet zo
—: terechtwijzing aan iemand die zich al te
gemeenzaam gedraagt); **2** zonder
plichtplegingen, onvormelijk.
**familiarise'ren** *zich* — [Fr. *se familiariser*
= gemeenzaam worden] familiaar worden,
zich gemeenzaam maken; *ook*: zich te
vrijpostig gedragen. **familiariteit'** [Fr.
*familiarité*, v. Lat. *familiáritas*] **1** gemeenzame
omgang, vertrouwelijkheid, ongedwongen
gemeenzaamheid; **2** uiting van
gemeenzaamheid of van te grote
vertrouwelijkheid. **familiair'** [Lat. *familiáris*
= tot de familie behorend] **1** (*med.*): *familiaire
ziekte*, ziekte die in bep. families vaak
voorkomt, zonder dat er sprake is v. duidelijke
erfelijkheid; **2** (ten onrechte) familiaar.
**1 fan** [Eng., afk. v. *fanatic* = **fanaticus**, *z.a.*]
enthousiast, vaak dweepziek
bewonderaar(ster) v.e. bep. sportheld,
popidool, filmster e.d.; *ook*: hartstochtelijk
liefhebber v.e. bep. vorm van sport of muziek.
**2 fan** [Eng., v. Lat. *vánnus* = van; *vgl. véntus*
= wind] **1** mechanisch aangedreven waaier,
ventilator ter verfrissing in warme landen;
**2** (*techn.*) onderdeel v.e. aanjager
(compressor of gasmenger).
**fanaal'** [Eng. *fanel*, v. It. *fanale*, v. Gr. *phanos*
= fakkel, v. *phainoo* = schijnen] bakenlicht,
kunstlicht, seinlicht te water.
**fanaat'** I *zn* fanaticus; fanatiek voorstander of
aanhanger, fanatiekeling; II *bw* fanatiek (*bijv.*:
ergens — op zijn). **fanatiek'** [via Fr. *fanatique*
v. Lat. *fanáticus* = door godheid
aangeblazene, geïnspireerde, v. *fánum*
= heilige plaats], *ook*: **fana'tisch** [Du.] *bn &
bw* **1** dweepziek, bezeten van door blinde
ijver (voor een idee, een geloof); **2** in zeer hoge
of overdreven mate het genoemde zijnde
(*bijv.*: een fanatiek liefhebber, bewonderaar).
**fana'ticus,** *mv* **fana'tici** dweper, wie
fanatiek is, geestdrijver. **fanatie'keling**
(*spott.*) dweper, fanaticus; *ook*: wie in een of
ander opzicht zich overdreven gedraagt.
**fana'tisch** *zie* **fanatiek.** **fanatis'me** [Fr.]
dweepzucht, hartstochtelijke felle ijver voor
een ideaal (spec. een godsdienstig), gepaard
gaande met onverdraagzaamheid tegenover
andersdenkenden; blinde doordrijving.
**fan'club** club van fans (*zie* **1 fan**) v.e. bep.
persoon.
**fan'cy** [Eng. samentrekking v. *fantasy*
= fantasie] gril, luim; verbeelding (vandaar in
samenst. *ook*: onecht, *bijv.*: fancy-sieraden).
**fan'cy-artikel** weeldeartikel, luxe-artikel,
weeldeartikel. **fan'cy-fair** [Eng., *fair*
= jaarmarkt, kermis, v. Lat. *fériae* = vrije dagen,
voor *fes-iae, vgl. féstus* = glanzend] bazar voor
liefdadigheidsdoeleinden; daartoe worden de
te verkopen artikelen tegen willekeurige zeer
hoge prijzen verkocht, verloot enz.
**fan'cy-prijs** zeer hoge willekeurige prijs.
**fandan'go** [Sp.] vrij snelle Spaanse volksdans
in driedelige maatsoort voor twee paren,
afgewisseld met zang en begeleid door gitaar
en castagnetten.

**fanfa're** [Fr.] **1** kort opgewekt militair
muziekstuk voor koperen blaasinstrumenten;
opgewekt trompetgeschal; **2** fanfarekorps
(*z.a.*); **3** grote ophef, drukte, 'tam-tam'; grote
woorden zonder veel inhoud. **fanfa'rekorps**
muziekgezelschap dat alleen koperen
instrumenten en slagwerk bespeelt, i.t.t. een
harmonie die ook houten blaasinstrumenten
bespeelt. **fanfa'remaatschappij** (Z.N.)
fanfarekorps. **fanfa're-orkest** *zie* **orkest.**
**fan'go** [It. = modder; *vgl.* Fr. *fange* = slijk, en
Sp. *fango* = moeras, poel, slijk; alle uiteindelijk
verwant met Oudindisch *panka-* = moeras,
modder, en de Gotische stam *fanja-* = slijk,
evenals ons 'ven' en 'veen'] geneeskrachtige
modder (waarin de patiënt zich baadt:
modderbad).
**fan'-mail** [Am.-Eng.; *zie* **1 fan**] brieven van
dwepers en dweepsters (fans) aan
beroemdheden i.d. film-, muziek- of
sportwereld.
**fantasie'** [via OFr. v. Gr. *phantasía*
= inbeelding; **2** praal, pronk, opzien, 'show',
v. *phantazomai* = vertonen, v. *phainoo* = a.d.
dag brengen, tonen] **1** verbeeldingsvermogen;
**2** verbeelding; **3** produkt v.d. verbeelding;
**4** (*muz.*) *a* improvisatie; *b* compositie in vrije
vorm.
**fantasie- voorvoegsel** [v. Gr. betekenis **2**] niet
echt, niet in stijl; *fantasiestof*, niet effen, niet
zwarte stof.
**fantas'ma** [Gr. *phantasma* = verschijning,
spook] **1** fantasiebeeld; **2** elk waarneembaar
fenomeen.
**fantasmagorie'** [v. Gr. *phantasma*
= verschijning, droombeeld (v. *phainoo*
= laten zien, verschijnen), en *agora*
= volksvergadering; woord n.a.v. openbare
vertoning v. optische illusies te Londen, 1802]
toverbeeld, oproeping v. schijngeest,
schouwspel v. schijnfiguren (door spiegels en
optische apparaten in donkere ruimte),
spookachtige voorstelling.
**fantoom'** [v. Fr. *fantôme* = spook, v. Gr.
*phantasma, zie* **fantasmagorie**]
angstaanjagend droombeeld,
geestverschijning, spook, hersenschim.
**fantoom'pijn** werkelijk ervaren pijn die de
patiënt 'voelt' (lokaliseert) i.e. geamputeerd
lichaamsdeel, ook al weet hij dat dit is
geamputeerd.
**fan'zine** [Eng. samentrekking v. *fan* en
*magazine*] tijdschrift voor fans.
**fa'rad** [symbool F] eenheid v. elektrische
capaciteit, nl. lading van 1 coulomb per 1 volt
[naar M. Faraday, Eng. fysicus, 1791-1867].
**farando'le** [Fr., Provençaals *farandoulo*]
(*gesch.*) bep. Franse dans v. Provençaalse
herkomst, in ³/₄ of ⁶/₈ maat, gedanst door paren
i.e. rij, waarbij de dansers elkaar bij de hand
vasthielden en sierlijk-gevarieerde figuren
uitvoerden.
**fa'rao** [Lat. *Pháhrao*, Gr. *Pharaoo*, v.
Oud-Egyptisch *pr'oa* = groot huis] (*gesch.*)
(titel v.d.) oppherheerser v.h. oude Egypte sinds
de 18e dynastie, daarvóór naam v.h. paleis en
zijn bewoners, dus het hof.
**far'ce** [Fr., v. Lat. *farcíre* = opvullen,
volstoppen] **1** (*cul.*) vulling van wild,
gevogelte e.d. met fijngehakt vlees, vis of
vruchten; **2** klucht; (*oneig.*) dwaze dolle grap.
**farce'ren** [Fr. *farcir*] (*cul.*) een gerecht vullen
met farce, ragoût, gehakt, truffels, vruchten
e.d. **farceur'** [Fr.] grappenmaker. **farci'** [Fr.]
(*cul.*) gevuld.
**farine'ren** [Fr. *fariner*, v. Lat. *farína* = meel]
(*cul.*) met meel bestrooien.
**Farizee'ën** *mv* v. Lat. *Phariséi*, Gr. *Pharisaioi*,
v. Hebr. *parush* = afgescheidene] (*gesch.*)
joodse godsdienstige leiders die stipte
naleving v.d. wetsvoorschriften beoefenden,
maar ten slotte vervielen tot formalisme,
letterknechterij en huichelachtige vroomheid.
**farizee'ër** huichelaar, schijnheilige.
**farizees'** *bn & bw* huichelachtig, schijnheilig.
**farm** [Eng., v. Fr. *ferme* = schuur] groot

particulier boerenbedrijf, spec. in
Noord-Amerika en Australië. **far'mer**
eigenaar v.e. farm, groot landbouwer of
veehouder.
**farmaceut'** [v. Gr. *pharmakeutès*
= geneesmiddelenhandelaar; *pharmakeus*
= geneesmiddelenbereider] **1** apotheker;
**2** student in de farmacie (z.a.).
**farmaceu'tisch** betr. hebbend o.d. bereiding
van geneesmiddelen, artsenijkundig; —e
*industrie*, industrie die geneesmiddelen i.h.
groot vervaardigt. **farmacie'** [v. Gr.
*pharmakeia* = het toedienen v.
geneesmiddelen] **1** artsenijbereidkunde,
praktische kennis van geneesmiddelen en de
bereiding daarvan; **2** ook naam voor apotheek.
**farmacodynamie'** [v. Gr. *pharmakon*
= geneesmiddel; *zie* **dynamica**] *eig.*: leer v.d.
inwerking die chemische stoffen hebben op
levende organismen. **farmacodyna'misch**
*bn* de genezende werking betreffend (*bijv.*: de
farmacodynamische waarde v.d.
geneesmiddelen). **farmacognosie'** [v. Gr.
*gnoosis* = kennis, v. *gignooskoo* = kennen]
kennis v.d. kenmerken die plantaardige (niet
kunstmatige chemische) geneesmiddelen
vertonen, een onderdeel v.d. farmacie.
**farmacokinetiek'** het effect v.h. levende
organisme op chemische stoffen.
**farmacokine'tisch** *bn*. **farmacologie'** *eig.*:
wetensch. leer v.d. werking van chemische
stoffen op levende organismen;
wetenschappelijke leer en kennis der
geneesmiddelen o.a. verkregen door proeven.
**farmacolo'gisch** *bn* de farmacologie en de
toepassingen daarvan betreffend.
**farmacoloog'** beoefenaar v.d. farmacologie.
**farmacomanie'** verslaafdheid aan bep.
geneesmiddelen. **far'macon** [Gr.
*pharmakon*; (*mv* **far'maca**) geneesmiddel;
*ook*: farmaceutisch produkt. **farmacopee'** [v.
Gr. *poiia* = het maken, v. *poieoo* = maken]
officieel boek met voorschriften omtrent de
geneesmiddelenbereiding. **farmacotheek'**
[v. Gr. *thêkê* = bewaarplaats] kleine huis- of
reisapotheek, medicijnkistje.
**farmacotherapie'** behandeling v. ziekten
met (spec. chemische) geneesmiddelen.
**Far'si** Nieuwperzisch of Nieuwiraans, de taal
v.h. huidige Iran [naar de provincie Fars in het
Z.W.; uit het aldaar gesproken dialect v.h.
Middelperzisch (*Pehlewi*) heeft zich de
nationale taal ontwikkeld].
**fa'rynx** [Gr. *pharugx* = strot, keel] keelholte.
**faryngi'tis** ontsteking v.d. keelholte (zgn.
keelontsteking). **faryngoscoop'** keelspiegel.
**fas'ces** *mv* (*ev* **fas'cis** = bundel, bos, pakket)
[Lat. = roedenbundel; missch. verwant met Gr.
*phakelos* = bundel, bos; *vgl.* Lat. *fáscia*
= band] bundel roeden van berke- of
olmetakken, met in het midden een daaruit
stekende bijl (*fásces et secúres*). Deze bundel
werd door *líctores* (*zie* **lictor**) vóór de hoogste
magistraten (*praetor, consul*, eventueel
*dictator*) uit gedragen als zij i.h. openbaar
verschenen, oorspr. ter geseling voor wie niet
voor hen opzij ging, later als symbool v.d.
macht van deze magistraten over leven en dood
(tuchtiging) en dood (bijl). Dit door de
Romeinen v.d. Etruriërs overgenomen
symbool is op zijn beurt overgenomen door het
*fascisme* (z.a.).
**fasci'kel** afk. **fasc.** [Du. *Fascikel*, Fr. *fascicule*,
v. Lat. *fascículus*, verklw. v. *fáscis* = bundel,
pakket, *zie* **fasces**] aflevering v.e. tijdschrift,
boekwerk of reeks.
**fasci'ne** [Fr., v. Lat. *fascináre* = *lett.*: snoeren;
*zie* **fascineren**] takkenbos, regelmatig
afgewerkte bos rijshout, bijeengehouden door
rijsbanden, gebruikt ter bekleding van dijken,
oevers e.d. of tot het maken van aarden
dammen.
**fasci'ne'ren** [via Fr. *fasciner* = tot zich trekken
door aankijken, biologeren, betoveren, v. Lat.
*fascináre* = *lett.*: snoeren; vandaar: betoveren,
beheksen; *fascínum* = betovering; verband

met *fáscia* = band] *eig.*: iemand beheersen of
verlammen door hem aan te kijken (*bijv.*: als
gefascineerd bleef hij staan bij het zien van dit
schouwspel); (*fig.*) in sterke mate boeien; *ook*:
betoveren, verblinden. **fascina'tie** [Lat.
*fascinátio*] betovering, verblinding; het (door
de blik) beheersen of worden beheerst;
onweerstaanbare charme of het
onweerstaanbaar geboeid zijn.
**fascis'me** [*zie* **fasces**] (*gesch.*) bep. politiek
stelsel in Italië van 1922-1943, gesticht door
Benito Mussolini (1883-1945). Het fascisme
was ultrarechts, ultra-nationaal, autoritair,
dictatoriaal, totalitair, anti-democratisch en fel
anti-communistisch. Het streefde een
organisch opgebouwde sociale orde na
(corporatisme), waarin het individu
automatisch n.g.v. zijn bekwaamheid en
aanleg de plaats zou vinden die hem toekwam
in de maatschappij, onder leiding v.d.
eenheidspartij-staat, berustend op één
beginsel. De naam fascisme wordt ook
gebruikt ter aanduiding van ultra-rechtse
bewegingen in andere landen dan Italië sinds
ca. 1920, die overeenkomsten vertoonden met
het Italiaans fascisme. Te noemen zijn onder
andere: Spanje onder Franco (1936-1975),
Portugal onder Salazar (1932-1968),
Argentinië onder Perón (1946-1955).
**fascist'** **1** (*gesch.*) lid v.d. fascistische partij in
Italië; **2** aanhanger van fascisme als stroming.
**fascis'tisch** *bn* & *bw* v.h. fascisme of daarop
betr. hebbend; het fascisme als zodanig
toegedaan. **fasci stoï'de** *bn*; *lett.*: op het
fascisme gelijkend; neigend naar het fascisme,
fascistische trekken vertonend (gezegd v.
diverse huidige ultra-rechtse politieke
opvattingen of v. dergelijke
(splinter)groeperingen).
**fa'se** [v. Gr. *phasis* = verschijningsvorm, v.
*phainoo* = (ver)schijnen] **1** (*alg.*) trap v.
ontwikkeling die een of ander verschijnsel i.e.
bep. stadium bereikt heeft; *ook*: dat stadium
zelf; **2** (*astr.*) schijngestalte v.d. maan, d.w.z.
het door de zon verlichte gedeelte dat wij v.d.
aarde af zien; **3** (*trillingsleer*) het stadium
waarin een periodiek verschijnsel (trillend
punt, elektrische of magnetische trilling) zich
bevindt, dus de stand in trillingsperiode; *ook*:
de waarde i.e. periodiek veranderlijk
verschijnsel, bijv. wisselstroom; **4** (*fysische
chemie*) een deel v.e. systeem dat homogeen
is, fysisch te onderscheiden en (althans in
beginsel) mechanisch is af te zonderen.
**fasemodula'tie** [*zie* **modulatie**]
(*radiotechniek*) modulatie v.e. hoogfrequente
wisselspanning door de fase te wijzigen.
**fase'ren** **1** (*alg.*) in verschillende fasen
(stadia) laten verlopen of uitvoeren, spreiden
in de tijd; **2** (*psych.*) in opeenvolgende
stappen verdelen.
**fa'shion** [Eng., v. OFr. *façon, z.a.*] mode;
goede wijze v. gedrag. **fashiona'bel** [Eng.
*fashionable*] volgens de mode; fatsoenlijk,
netjes, volgens de goede toon.
**fast food'-restaurant** [Eng., *fast* = snel, en
*food* = voedsel] eethuis dat gespecialiseerd is
in eenvoudige gerechten die snel zijn bereid.
**fat** [Fr., v. Lat. *fátuus* = dwaas; *vgl. fatéri* = aan
de dag leggen, v. stam *fa-* = spreken, *oorspr.*:
lichten (*zie* **face**)] dandy, modegek. **fat'terig**
als of op de wijze v.e. fat, overdreven modieus.
**fa'ta morga'na** [It. = fee Morgana, missch.
v.d. 'fee der wateren' Morgain of Morque, uit
de Arthur-legende] oorspr. luchtspiegeling
i.d. Straat v. Messina; dubbele luchtspiegeling
a.g.v. straalbreking in warme en koude
luchtlagen boven land- of wateroppervlak;
(*fig.*) luchtkasteel.
**fath'om** afk. **fth.** [Eng., verwant met Gr.
*petannumi* = spreiden; *vgl.* Ned. omvademen]
vadem, lengtemaat voor diepte v. water = 6
feet = 6 × 0,3048 = 1,83 m.
**fatige'ren** [v. Fr. *fatiguer*, v. Lat. *fatigare*
= vermoeien] **1** afmatten, vermoeien; *ook*:
hinderen, lastig vallen; **2** (*cul.*) sla murw

maken door deze te vermengen (aan te maken) m.e. passende saus. **fatigant'** *bn & bw* [Fr. o.dw van *fatiguer*] vermoeiend; *ook*: vervelend, hinderlijk, lastig.

**fa'tum** [Lat. = godsspraak, lot, bestemming, v. *fari* = spreken, *vgl.* Gr. *phèmí*] noodlot.

**faubourg'** [Fr. v. OFr. *forsbourg*, v. VLat. *foris* = buiten, en *burgum* = burcht] voorstad, buitenwijk.

**fault** [Eng., v. OFr. *faut(e)*, v. VLat. *fallita*, v. Lat. *fállere* = misleiden) **I** *bn* fout; **II** *zn* (bij tennis) verkeerde slag, misser.

**faun** [Lat. *Faunus* = Latijnse god geïdentificeerd met Gr. *Pan*] halfgod v. bos of veld; *(fig.)* wellustige oude man. **fau'na** [MLat., naar *Fauna* = de zuster v. Faunus] de gezamenlijke dieren in een bep. streek, de dierenwereld.

**faus'se** *zie* **faus.**
**fausset'** *zie* **falset.**
**fau'te** [Fr. *zie* **fault**] gebrek, fout; — *d'argent*, bij gebrek aan geld; — *de mieux*, bij gebrek aan beter.

**fauvis'me** [v. Fr. *fauve* = wild dier] richting i.d. schilderkunst in Frankrijk van ca. 1905-1910 die in opstand kwam tegen het impressionisme, streefde naar ongeremde weergave v.h. 'gevoel' en daardoor n.e. harmonie tussen emotionele en decoratieve expressie. Zij maakte daarbij t.h. uiterste gebruik van ongemengde ('reine') kleuren. **fauvist'** schilder die het fauvisme aanhing. **fauvis'tisch** *bn & bw*.

**faux** [Fr., v. Lat. *fálsus*, v. *fállere*, *fálsum* = bedriegen] vals, verkeerd, mis; — *pas*, *(fig.)* misstap. **faus'se** vr. vorm van *faux*; — *attaque*, schijnaanval; — *couche*, miskraam.

**faveur'** [Fr., v. Lat. *fávor*] gunst, begunstiging; *ten—à van*, ten gunste van; *onder— van*, *(jur.)* met beroep op. **favora'bel** [Fr. *favorable*, v. Lat. *favorábilis*] gunstig.

**fa'vus** [Lat. = honingzoet] in Ned. *kletskop* of *kalkklieren*, besmettelijke huidziekte veroorzaakt door een schimmel, op huid maar vooral o.h. behaarde hoofd (*hoofdzeer*).

**fax** [afgel. v. *facsimile*, *z.a.*] apparaat waarmee brieven, berichten, tekeningen e.d. i.d. vorm van digitale geluidssignalen telefonisch worden overgebracht v.h. ene postkantoor naar het andere, *ook*: **faxmachine** of **facsimile**.

**fayen'ce** *zie* **faïence.**
**fea'ture** [Eng., = *eig*: gelaatstrek; het meest opvallende in iets; via OFr. *faiture* v. Lat. *factúra* = vervaardiging, v. *fácere*, *fáctum* = maken] **1** glanspunt, iets dat bijzonder opvalt en de aandacht trekt; **2** speciaal 'glansartikel' in tijdschrift of krant.

**febriel'** [Fr. *fébrile*, v. Lat. *febris* = koorts] koortsig, koortsachtig.

**februa'ri** [Lat. (*mensis*) *Februárius* = reinigingsmaand, v. *februáre* = reinigen, verzoenen] 2e maand v.h. jaar (bij Romeinen tot 449 v. Chr. de laatste, waarin de godsdienstige zuivering der afgestorvenen plaats had).

**feca'liën** of **fe'ces** *zie* **faecaliën, faeces.**
**fe'cit**, afk. f, *ook*: **fec.** [Lat. 3e persoon v.t.t. v. *fácere* = maken] ... heeft gemaakt (op kunstvoorwerpen).

**fecunde'ren** [Lat. *fecundáre*, v. *fecúndus* = vruchtdragend, v. *fecúndus* = voortbrengen] vruchtbaar maken, bevruchten. **fecunda'tie** bevruchting. **fecunditeit'** [Lat. *fecúnditas*] vruchtbaarheid.

**federe'ren** [Fr. *fédérer*, v. Lat. *foederáre* = bij verdrag maken v. *foedus*, *foederis* = verbond; verwant met *fides* = trouw] t.e. federatie samensmelten. **federaal** [Fr. *fédéral*] een federatie betreffend. **federalis'me** streving naar federeren. **federalist'** voorstander v. federalisme. **federalis'tisch** federatief. **federa'tie** [Lat. *foederátio*] vereniging v. organisaties, staten e.d. tot één geheel, echter met behoud v. bep. zelfstandigheid der delen.

**federatief'** [Fr. *fédératif*] v.e. federatie of naar een federatie strevend.

**feed-'back'** [Am. = *lett.*: terug-voeding] **1** (*alg.*) terugkoppeling, het terugvoeren van (een deel v.h.) uitgangssignaal n.h. ingangssignaal (van hetzelfde teken: **meekoppeling**, of van tegengest. teken: **tegenkoppeling**), waardoor een corrigerende werking optreedt, vooral gebruikt in elektrotechniek e.d. Feed-back wordt ook in figuurlijke zin gebruikt, i.d. zin van: het invloed uitoefenen op iets, nadat men eerst een invloed van dat iets heeft ondervonden; **2** (*psych*.) reactie of commentaar v.d. patiënt.

**fee'ling** [Eng., v. *to feel* = voelen] het bij intuïtie aanvoelen, spec. v.e. bep. situatie (*bijv.*: feeling hebben voor iets).

**felien'** [Lat. *felínus* = katten betreffend, v. *félis* = kat] katachtig.

**fel'lah** [Arab. = werker] *mv*: **fellahin** in het Nabije Oosten naam voor inheemse boer, spec. voor kleine boer in Egypte.

**fella'tie** [Lat. *fellátio* v. *fellâre* = zuigen] het met de mond stimuleren v.d. penis, pijpen.

**fel'low** [Eng., v. OEng. *féolaga* = wie geld neerlegt in deelgenootschap, dus *eig*.: geldlegger (*vgl.* Eng. *fee* = te betalen som, loon, honorarium, fooi); meledid, makker] **1** a d. Eng. universiteiten v. Oxford en Cambridge na een examen toegelaten lid v.e. *college*; **2** lid v. een of ander wetenschappelijk genootschap (zonder revenuen), zoals van de Royal Society, de Geological Society e.d. **fel'low-traveller** [Eng. = medereiziger] iemand die bep. politieke ideeën voorstaat zonder zich bij de partij aan te sluiten.

**feloek'** [via Fr. *felouque*, Sp. *feluca* en It. *felucca* v. Arab. *faluka*, v. Gr. *epholkion* = *lett.*: dat wat achter het schip wordt aangesleept] bep. schip (kustvaarder) zonder verdek met latijnzeil of riemen aan beide zijden in het Middellandse Zee-gebied.

**felonie'** [Fr. *félonie*, v. OFr. *felon*, v. laat-Lat. *féllo*, *fellónis* = boosaard, wreedaard, missch. v. Lat. *fel* = gal] (*gesch*.) leenbreuk, trouwbreuk jegens leenheer, verraad.

**fel'sen** [v. Du. *falzen* v. OHD u. *falzjan*, een intensiefvorm v. *faltan* = vouwen; *vgl.* Du. *falten*] het (meestal machinaal) samenvoegen van dunne metalen platen door randen om te buigen, deze in elkaar te doen grijpen en ze samen te persen.

**femini'num**, afk. f, *ook*: **fem.** [Lat. (*nómen*) *femininum* = vr. zn v. *femininus* = vrouwelijk, v. *fémina* = vrouw; *eig.*: 'zoogster'; *vgl. vgl. fállere* = zuigen] (*taalk.*) (woord v.h.) vrouwelijk geslacht. **femininisa'tie**, *ook*: **feminisa'tie** vervrouwelijking, het optreden van vrouwelijke kenmerken bij mannen (*bijv.*: zwelling v.d. borsten) door een overmaat v. vrouwelijke hormonen. (*Zie ook* **virilisatie**.) **feminis'me** vrouwenbeweging, oorspr. om meer rechten voor de vrouw te verkrijgen, later om gelijke rechten voor vrouw en man, emancipatie v.d. vrouw. **feminist'** voorstander v.d. emancipatie v.d. vrouw. **feminis'te** voorstandster van het feminisme. **feministisch** *bn & bw* o.h. feminisme betrekking hebbend of daarvoor strijdend (*bijv.*: feministische literatuur).

**fem'me du mon'de** [Fr.] vrouw v.d. wereld. **fem'me fata'le** [Fr. = fatale vrouw] vrouw die haar minnaars noodlottig wordt.

**femto-** afk. f- [v. Deens *femten* = 15] voorvoegsel dat het duizendbiljoenste $(10^{-15})$ v.d. daarachterstaande eenheid aangeeft.

**fe'niks** [Lat. *Phoenix*, v. Gr. *phoinix* = soort reigerachtige vogel] **1** bep. mythologische vogel, die volgens een fabel i.d. Oudheid zich na 5 eeuwen liet verbranden, maar verjongd u.d. as herrees; **2** persoon met zeldzame gaven op zijn gebied; *ook*: iets voortreffelijks dat onvergankelijk is.

**fenogenetiek'** [Lat. *fénus* = opbrengst en Gr. *genesis* = afstamming] leer v.d. betrekkingen tussen erfelijke aanleg en omgeving en v.d. invloed v.d. omgeving o.d. individuele ontwikkeling.

**fenol'** [v. Gr. *phainoos* = lichtend, v. *phainoo* = schijnen] (*chem.*) de verbinding $C_6H_5OH$, die ook de namen *carbol* of *carbolzuur* en *hydroxybenzeen* draagt. Fenol kan worden opgevat als een tertiaire aromatische alcohol. **feno'len** *mv* i.h. alg.: aromatische verbindingen die één of meer -OH-groepen (hydroxylgroepen) direct a.d. benzeenkern gebonden bezitten. **fenol'formaldehyde** een door verhitting hard wordende (thermohardende) kunststof, verkregen door polycondensatie v. fenol en formaldehyde. **fenol'harsen** of **fenoplas'ten** *mv* groep van bij verhitting hard wordende (thermohardende) kunststoffen ontstaan uit fenolen of gesubstitueerde fenolen met een aldehyde (bijv. formaldehyde). **fenol'lijmen** *mv* produkten gebaseerd op fenolformaldehyde m.e. hoge condensatiegraad. **fenyl'** [v. *fenol* (*z.a.*); *zie verder* -**yl**] (*chem.*) de eenwaardige atoomgroep $C_6H_5$-.

**fenomeen'** [via VLat. v. Gr. *phainomenon* = het verschijnende, onz. dw van *phainomai* = verschijnen] **1** (*alg.*) (waarneembaar) verschijnsel, luchtverschijnsel; *vandaar*: buitengew. verschijnsel, zonderlinge gebeurtenis (ook *fig.*: bijv. helderziendheid en dergelijke fenomenen); **2** persoon die door bijzondere begaafdheid de aandacht trekt, genie. **fenomenaal'** [Fr. *phénoménal* = buitengewoon, wonderlijk] **1** (*alg.*) verbazingwekkend, buitengewoon, verwonderlijk; **2** (*fil.*) o.d. verschijnselen (fenomenen) als zodanig betrekking hebbend, berustend op waarneming (bijv.: volgens sommige wijsgeren is al onze kennis fenomenaal; *zie fenomenalisme*). **fenomenalis'me** (niet te verwarren met *fenomenologie*) (*fil.*) leer dat de eigenschappen der dingen slechts de wijze zijn waarop het ons onbekende *Ding an sich* aan ons verschijnt; *ook*: opvatting dat de kennis slechts de verschijningsvorm, niet het wezen betreft. **fenomenologie** [*lett.*: wetensch. der verschijnselen] **1** (*natuurwetenschappen*) eerste beschrijvende fase v.e. onderzoek, waarin de verschijnselen kritisch worden geregistreerd zonder vooropgezette mening, maar wel met het doel op deze wijze later samenhangen en evt. ook oorzaken te ontdekken; **2** (*fil.*) wijsgerige methode die de verschijnselen (fenomenen) zo nauwkeurig mogelijk beschrijft, maar de vraag n.d. oorzakelijke oorsprong ervan voorlopig buiten beschouwing laat. Deze methode is afkomstig v.d. Duitse wijsgeer Edmund Husserl (1859-1938). **fenomenolo'gisch** *bn & bw* **1** (*alg.*) o.d. verschijnselen als zodanig betrekking hebbend, zich beperkend t.d. verschijnselen zoals ze voorkomen, zonder oorzakelijk of historisch verband te zoeken (*fenomenologische beschouwingswijze*); **2** (*fil.*) volgens de leer v. Husserl, die de verschijnselen bestudeert zoals ze zich voordoen zonder vooroordeel. **fenomenoloog'** aanhanger v.d. fenomenologie volgens Husserl.

**fenoplas'ten** *mv* [v. *fenol* (*z.a.*), en Gr. *plassoo* = vormen] *zie* **fenolharsen**.

**fe'notype** v. Gr. *phainomai* = verschijnen; *zie verder* **type**] uiterlijke verschijningsvorm van dier of plant, waarin echter niet alle erfelijke eigenschappen (alleen de dominante, niet de recessieve eigenschappen) a.h. licht treden (*vgl.* **genotype**).

**fenyl** *zie bij* **fenol**.

**feodaal'** *ook*: **feudaal'** [MLat. *feudális*, v. *feudum* of *feodum*, dat is ontstaan uit MLat. *feum*, dat zelf weer is afgeleid v.e. Germ. woord dat 'vee, bezit' betekent; *vgl.* OHDu. *fihu* of *fehu* = vee, rijkdom, bezit] **1** het

leenstelsel betreffend, daartoe behorend; *een feodale bezitting*, een leenroerige bezitting, een leen; **2** door de adel beheerst of daaruit bestaande (bijv.: een feodale heerschappij), *of*: a.h. vroegere leenstelsel herinnerend (bijv.: feodale toestanden). **feodaliteit'** *ook*: **feudaliteit'** leenroerigheid, leenstelsel. **feodalis'me** *ook*: **feudalis'me** leenstelsel.

**fer'man**, *ook minder juist*: **firman** [v. Perzisch *ferman*] (*gesch.*) schriftelijk bevel, uitgevaardigd door de groot-vizier namens de sultan v. Turkije, spec. schriftelijk verlof tot handeldrijven, handelspas.

**ferma'te** [It. v. *fermare* = vasthouden, v. Lat. *fírmus* = stevig, vast; *vgl.* Ned. *ferm*] (*muz.*) teken voor onbep. verlenging v. e. noot (resp. rustteken), boven of onder de noot aangegeven (*Z.N.*: orgelpunt, v. Fr. *point d'orgue*)

**ferment'** [v. Lat. *ferméntum* = gisting veroorzakende stof, verkorting v. *ferviméntum*, v. *fervére* = koken, zieden] oorspr. de naam voor micro-organismen (gistcellen) die in vruchtesappen voorkomende suikers omzetten in alcohol en kooldioxide. Later (1897) werd ontdekt, dat daarvoor geen levende cellen nodig waren, maar dat ook het extract v. gisten deze reactie bewerkstelligt. Thans gebruikt men vrij alg. de naam **enzym** (*z.a.*) i.p.v. ferment, en verstaat daaronder elke chemische verbinding, i.e. biologisch systeem voorkomend, die als katalysator werkt. **fermente'ren** [Lat. *fermentáre* = tot gisting brengen] (doen) gisten, omzetten d.m.v. enzymen, broeien; (*fig.*) in beroering zijn, gisten. **fermenta'tie** [Lat. *fermentátio*] gisting; (*fig.*) beroering, gisting.

**Fer'mium** bep. kunstm. verkregen radio-actief chemisch element, symbool Fm, ranggetal 100 [naar Enrico Fermi, It. fysicus, 1901-1954].

**fermoir'** [Fr. = slot, haak; *ook*: steekbeitel; v. *fermer* = sluiten, v. Lat. *firmáre* = vastmaken] sluithaak, slothaak van boek. **fermoor'** [Fr. *fermoir*; *zie vorige*] (*techn.*) zware hak- of steekbeitel met afgeschuinde kanten voor houtbewerking, spec. bij scheepstimmerlieden.

**ferociteit'** [Lat. *ferócitas, ferocitátis*, v. *férox, ferócis* = woest, wild, v. *férus* = Gr. *thèr* = wild dier] wildheid, ongetemdheid, woestheid.

**feromo'nen** *mv*, [v. Gr. *pheroo* = dragen] vluchtige geurstoffen door vrouwelijke insekten afgescheiden om mannetjes te lokken (*zgn. sex attractants*).

**ferri-** en **ferro-** [v. Lat. *férrum* = ijzer] willekeurig gevormde voorvoegsels bij wetensch. termen voor bep. zaken die met ijzer hebben te maken. **fer'rizouten** *mv* oude naam (soms nog wel gebruikt) voor zouten afgeleid van driewaardig ijzer, bijv. *ferrichloride*, $FeCl_3$, thans aangeduid als ijzer (III)-chloride (*vgl.* **ferrozouten**). **fer'rolegeringen** *mv* [*zie* **legering**] legeringen v. ijzer met chroom, silicium, fosfor, mangaan, wolfram, titaan e.d. die dienen als legeringstoeslag b.d. bereiding van speciale staalsoorten. **ferromagne'tische stoffen** *mv* verzamelnaam voor materialen (metalen, legeringen, oxiden, keramische produkten) die bij kamertemperatuur ferromagnetisme vertonen, d.w.z. zich in magnetisch opzicht gedragen als ijzer. Dit zijn voornamelijk de metalen kobalt en nikkel alsmede hun legeringen. Daarnaast bestaan er ferromagnetische legeringen van metalen die zelf niet ferromagnetisch zijn, bijv. aluminium, koper, chroom, mangaan, platina (de zgn. *heuslerlegeringen*). **fer'rozouten** *mv* eertijds naam (soms nog wel gebruikt) voor zouten afgeleid van tweewaardig ijzer, bijv. *ferrochloride*, $FeCl_2$, thans aangeduid als ijzer (II)-chloride (*vgl.* **ferrizouten**).

**Fer'rum** [Lat.] ijzer, bep. chemisch element, symbool Fe, ranggetal 26. IJzer vertoont sterke chem. overeenkomst met kobalt (27) en nikkel (28); Fe, Co en Ni vormen de zgn. 'ijzergroep'.

**fertiel'** [Lat. *fertilis* = tot dragen geschikt, rijkdragend, v. *ferre* = dragen] vruchtbaar.
**fertilise'ren** [Fr. *fertiliser*] vruchtbaar maken.
**fertiliteit'** [Lat. *fertilitas*] vruchtbaarheid.

**fervent'** [Lat. *férvens, fervéntis* = o.dw van *fervére* = koken, gloeiend zijn] vurig, bruisend, ijverig. **ferveur'** [Fr., v. Lat. *fervor*] gloed, vuur, ijver. **fer'vet o'pus** [Lat.] het werk bruist (oorspr. v. bijenkorf gezegd), er is driftige bedrijvigheid.

**fes** (*muz.*) door molteken met halve toontrap verlaagd f (fa), f-mol.

**festi'na len'te** [Lat. vert. v. Gr. *speude bradeoos*, lijfspreuk v. keizer Augustus] haast je langzaam (vaak aangevuld met: *cáuta fac ómnia ménte* = doe alles met behoedzame geest).

**festoen'**; *ook:* **feston** [Fr. *feston*, v. It. *festone* = bloemenslinger, bloemenguirlande] slinger van groene bladeren, bloemen en/of vruchten, aan twee horizontaal gelegen punten opgehangen als versiering. **feston'** [Fr.; *zie* **festoen**] **1** festoen, ornament v. groen en bloemen; **2** geborduurde geschulpte rand of zoom, spec. aan onderkleding. **festonne'ren** [Fr. *festonner*] bep. borduurtechniek waarbij met de zgn. *festonneersteek* een zoom zodanig wordt vastgelegd, dat de stof langs de buitenkant kan worden weggeknipt zonder rafels te geven, zó dat een geschulpte rand ontstaat.

**fête'ren** [Fr. *fêter*, v. *fête* = feest, v. Lat. *féstum = dies féstus*] feest vieren ter ere v. iem.; vieren; *iem. —*, iem. gul en feestelijk onthalen.

**fe'tisj**, *ook:* **fe'tisch** [v. Fr. *fétiche*, v. Port. *feitiço* = tovervoorwerp, *oorspr.*: opzettelijk gemaakt, v. Lat. *facticius* = door kunst gemaakt, v. *fácere, fáctum* = maken] **1** (*volkerenkunde*) door een medicijnman vervaardigd voorwerp waaraan een magische kracht wordt toegekend voor een bep. doel (bijv. genezing of handelsvoordeel); **2** (*psychiatrie*) voorwerp afkomstig v.e. geliefd en begeerd persoon (vrijwel steeds een vrouw) dat seksuele bevrediging veroorzaakt (*zie* **fetisjisme 2**). **fetisjis'me 1** geloof in en gebruik van fetisjen (1); **2** (*psychiatrie*) seksuele aanleg, meestal bij mannen, waarbij een voorwerp (bijv. schoen, kous) afkomstig v.e. persoon, erotische gevoelens en seksuele opwinding en bevrediging veroorzaakt. **fetisjist'** wie geloof in en gebruik maakt van fetisjen (1); **2** iemand bij wie fetisjen 2 een grote rol in het seksleven hebben. **fetisjis'tisch** *bn.*

**feudaal'** *enz. zie* **feodaal** enz.

**feu** [Fr., v. Lat. *focus* = haard, v. stam *fa-* = lichten, *zie* **face**] vuur; *— sacré*, heilig vuur, ijver.

**feuille mor'te** [Fr. v. Lat. *fólium* = blad en *mórtuus* = dood] (*luchtv.*) luchtacrobatische stunt waarbij de piloot de motor afzet en het toestel naar beneden laat 'dwarrelen' (als een dood blad).

**feuilletée** [Fr., v. *feuille*, Lat. *fólium* = blad] (*cul.*) bladerdeeg. **feuillanti'ne** bep. koekje v. bladerdeeg. **feuillete'ren** [Fr. *feuilleter*, v. *feuillette* = blaadje] vluchtig doorbladeren. **feuilleton'** [Fr. = *lett.*: verhaal in losse blaadjes] vervolgverhaal in krant in dagelijkse afleveringen, vooral vroeger gebruikelijk.

**feut** [v. Lat. *foetus, z.a.*] (*studentataal*) groentje, noviet; (*plat*) mispunt.

**fève** [Fr.] (*cul.*) boon; *fèves des marais*, tuinbonen.

**fez** [v. Turks *fes*, mischien v. stad Fez] hoofddeksel in bep. gebieden rond Middellandse zee.

**fiaal'**, *ook:* **fia'le** [v. OFr. *fillole* = dochtertje, Lat. *filíola*] (*bouwk. gotiek*) siertorentje, hetzelfde als *pinakel* (*z.a.*).

**fia'cre** [Fr.] oorspr. vierwielig Fr. rijtuig; huurrijtuig [naar eerste standplaats der huurrijtuigen 1640 te Parijs bij het Hôtel Saint Fiacre].

**fiancé** [Fr., v. OFr. *fiance*, v. Lat. *fídere*

= vertrouwen; *fidus = bn* trouw] verloofde.
**fiancée** [Fr.] vr. verloofde.

**fias'co** [It. = fles (in omhulsel van stro)] openlijke mislukking (afl. onduidelijk).

**fi'at** afk. F [Lat. 3e pers. t.t. aanv. wijs van *fíeri* = worden] I *tw* (*lett.*: het worde) het geschiede; *fiat ermee*, nou vooruit dan maar, ik geef toestemming; II *zn* (schriftelijke) goedkeuring, inwilliging: *zijn — geven*, goedkeuren dat iets ten uitvoer wordt gebracht; *fiat lux*, het licht worde, er zij licht. **fiatte'ren** zijn fiat geven, goedkeuren (ter uitvoering). **fiatte'ring** *zn.*

**fi'ber** [v. Fr. *fibre*, Lat. *fibra* = vezel; verdere afl. daarvan onzeker] bep. plaatmateriaal uit papiervezels, met zinkchloride behandeld en tot platen geperst, waarna het oppervlak wordt gesatineerd en eventueel gelakt. **fi'berglas** merknaam v. glasvezels (vezels bestaande uit gesponnen glas). **fibreus'** [Fr. *fibreux*, v. laat-Lat. *fibrósus* = vol vezels, vezelrijk; het klassieke Lat. heeft *fibrátus*, vezelig, dradig] **1** (*alg.*) vezelachtig, vezelig, draderig (vandaar ook 'taai', gezegd van bijv. vlees); **2** (*med.*) op bindweefsel gelijkend, bindweefselachtig. **fibril'** [modern Lat. *fibrílla*, verklw. v. *fíbra*] **1** vezeltje als bestanddeel van spier-, bind- of zenuwweefsel; **2** trilhaar. **fibrillair'** vezelachtig. **fibrille'ren 1** een weefselstructuur geven of krijgen, vervezelen; **2** (*med.*) onregelm. snelle samentrekkingen van afwisselend andere vezelbundels i.e. spier, spec. i.d. hartspier (boezemfibrillen).

**fibri'ne** (*med.*) bloedvezelstof, een vast netwerk v. draden die de grondslag vormen van bloedstolsel. **fibrinogeen'** [v. Gr. *gennaoo* = voortbrengen] oplosbaar vezelig bloedeiwit v. hoog molecuulgewicht (400.000). **fibroom'**, *ook:* **fibro'ma** goedaardig gezwel, vooral in lichaamsholten, dat in bouw gelijkt op bindweefsel. Soms moeilijk te onderscheiden v.d. kwaadaardige *fibrosarcomen* die een soortgelijke bouw bezitten.

**fi'bula** [Lat.] gesp, doekspeld, sluitspeld.

**fi'che** [Fr. = *eig.*: stuk hout of metaal dat ergens moet worden ingeslagen, v. Lat. *figere, fixum* = in iets vaststeken, vasthechten] **1** speelpenning, plat schijfje v. been of plastic dat bij kaart- en andere spelen om geld als voorlopig betaalmiddel dient; **2** kaartje voor een kaartsysteem.

**fichu** [Fr.] bep. dameshalsdoek, meestal driekantig; *ook:* zo'n hoofddoek.

**fic'tie** [Lat. *fíctio*, v. *fingere, fictum* = met de hand vormen, door strijken maken, verzinnen] verzinsel, verdichting, iets ingebeelds. **fictief'** [Fr. *fictif, vlg.* Lat. *facticius*] niet werkelijk doch alleen in verbeelding bestaande, denkbeeldig, verzonnen. **fic'tion** [Eng.] literatuur bestaande uit verdichte vertellingen. **fictionaliteit'** het fictioneel (*z.a.*) zijn. **fictioneel'** [Eng. *fictional* = gefingeerd] niet de werkelijkheid beschrijvend, verdicht (bijv.: verzonnen verhaal, roman).

**fideel'** [Lat. *fidélis* = getrouw, v. *fides* = trouw] **1** trouw, trouwhartig; **2** met opgeruimd gemoed en bereid tot gezellige activiteiten (bijv.: een fidele vent); v.e. opgewekte gezelligheid. **fideliteit'** [Lat. *fidélitas*] **1** trouwhartigheid; **2** gemoedelijke opgeruimde gezelligheid. **fi'dei-commis'** [Fr. *fidéicommis*, MLat. *fideicommíssum*, v. Lat. *fídei* = aan de trouw, en *commíssum* = toevertrouwd] erfstelling over de hand, aanwijzing als erfgenaam m.d. verplichting dat hij de erfenis moet bewaren en deze na zijn dood moet nalaten a.e. aangewezen derde (de *verwachter*) of meer derden. Hij mag het goed dus niet vervreemden. Van deze a.h. latere Romeinse recht ontleende instelling werd bovenal door de adel gebruik gemaakt om bep. goederen (stamgoederen) binnen de familie te houden (*perpetueel fidei-commis*). **fi'des** [Lat.] **1** geloof (i.d. juistheid van iets); **2** vertrouwen (op de deugdelijkheid van iem.), trouw; — *Púnica*, Punische (Carthaagse) trouw, d.w.z. trouweloosheid, valsheid, verraad. **fi'de, sed cu'i, vi'de** [Lat.] vertrouw, maar kijk uit, wien; heb vertrouwen, maar niet blindelings in ieder.

**fidu'cie** [Lat. *fidúcia*, v. *fídere* ww = vertrouwen, v. *fídes* = trouw] (*volkstaal*) geloof i.d. betrouwbaarheid of deugdelijkheid v.e. persoon of zaak, vertrouwen o.d. goede afloop v.e. zaak (*bijv.*: ik heb geen fiducie in deze zaak; ik heb meer fiducie in A dan in B). **fiducia'rius** [Lat.] (*jur.*) vertrouwensman. **fiduciair'** [Fr. *fiduciaire*] *bn* op vertrouwen gegrond; *ook*: op *fidei-commis* (*z.a.*) betrekking hebbend; — *geld*, papieren geld, waarvan de waarde is gebaseerd o.h. vertrouwen dat men heeft i.d. Staat (of andere instelling) die het in omloop brengt als ruilmiddel. **fi'dus Acha'tes** [Lat. = trouwe Achates, gezel van Aeneas] trouwe onafscheidelijke gezel.

- **fiel** [v. Gr. *philos* = vriend, v. *phileoo* = beminnen] - vriend, - minnaar, - liefhebber; *bijv.*: *discofiel* = liefhebber v. grammofoonplaten; *anglofiel* = bewonderaar van al wat Engels is.

**field work** [Eng. = *lett.*: werk i.h. veld] term die eigenlijk in bep. wetenschappen de waarnemingen aanduidt die buiten de muren van wetenschappelijk instituut of studeerkamer worden gedaan (spec. in de sociologie).

**fielt** [v. Fr. *vil*, v. Lat. *vílis* = gemeen, laag] gemene kerel, ploert.

**fieselemie'**, *ook*: **fiselemie'** [verbastering v. **fysiognomie,** *z.a.*] (*volkstaal*) gezicht, gelaat.

**fie'teldans** (verbastering v. *Sint-Vitusdans*) bep. zenuwziekte (*chórea infectuósa*), waarbij de patiënt aanhoudend onwillekeurige bewegingen maakt (alleen in wakende toestand). De ziekte komt vooral voor bij kinderen tussen 4 en 15 jaar, spec. bij meisjes.

**fi'fo** *zie* **first in first out.**

**fif'ty-fif'ty** [Eng. = *lett.*: vijftig-vijftig] gelijk op delen, ieder de helft (ieder 50%).

**fi'garo** franse hoofdpersoon uit het toneelstuk *Le barbier de Séville* (de barbier van Sevilla) van Besumarchais (1775) en vervolg-toneelstukken) 1 koelbloedige intrigant en sluwe koppelaar in liefdesaffaires; **2** algemene benaming voor kapper; **3** mouwloos dameshesje.

**figure'ren** [v. Lat. *figuráre* = vormen; *zie verder* **figuur**] als figurant op lijst staan, een rol vervullen, een plaats innemen. **figura'tie** [Lat. *figurátio*] *eig.*: vormgeving, uitbeelding; (*muz.*) versiering v. hoofdthema. **figurant'(e)** [Fr.] wie (meestal niet-sprekende) bijrol in toneelstuk vervult. **figuraal'** (*muz.*) met varieringen; — *stem*, stem die hoofdmelodie versiert. **figuratief'** [Fr. *figuratif*, v. VLat. *figuratívus*] versierend; zinnebeeldig.

**figuris'me** (*theol.*) leer dat de verhalen v.h. Oude Testament zijn te beschouwen als figuren v.d. gebeurtenissen u.h. Nieuwe Testament. **figurist'** aanhanger v.h. figurisme.

**figuur'** afk. **fig.** [Lat. *figúra* = wat gevormd is, v. *fíngere*; *zie* **fingeren** en **fictie**] vóórkomen, gestalte, gedaante; model; tekening; dansvorm; persoon; (*wisk.*) v. samenstelling punten, lijnen en vlakken; (*spraakk.*) vorm v.d. rede, stijlvorm; (*muz.*) versierende tonen. **figuur'lijk** afk. **fig.** als beeldspraak, niet-letterlijk.

**fijt** [MNed. nevenvorm v. *fijc*, v. Lat. *ficus* = vijg, *ook*: vijgzweer of *panaritium*, v. Lat. *panaricium* = ziekte a.d. nagels] etterige ontsteking a.d. binnenzijde v.e. vinger, die zich kan uitbreiden tot de buikpezen en zelfs t.h. bot v.h. vingerkootje.

**fil** [Lat. v. Lat. *filum* = *hilum* = vezeltje] draad; — *d'écosse*, weefsel v. katoenen en linnen draden, spec. voor dameskousen.

**filagram'** *zie* **filigram** onder **filigraan.**

**filament'** [v. VLat. *filare* = spinnen, v. Lat. *filum* = draad; *zie* **fil**] vezel; *ook*: meeldraad.

**filantroop'** [Gr. *philanthroopos* = menslievend, v. *phileoo* = beminnen, en *anthroopos* = mens] menslievend persoon, weldoend iem. **filantropie'** [Gr. *philanthroopia*] menslievendheid, liefdadigheid. **filantro'pisch** *bn & bw.*

**filaria'sis** [v. Lat. *filum* = draad] infectie met *filáriae*, parasitaire wormen, behorende tot de stam der Draadwormen, die in dierlijk weefsel leven.

**filatelie'** [v. Gr. *phileoo* = beminnen, en *ateleia* = vrijdom v. belastingen, v. *a-* = niet, en *tela* = belastingen] de kennis en het verzamelen v. postzegels (postzegel is teken dat ontvanger v. brief vrij is van portokosten). **filatelist'** postzegelverzamelaar en -kenner. **filatelis'tisch** de filatelie betreffend.

**fi'le** [Fr., v. Lat. *filum* = draad; *zie* **fil**] rij van stilstaande of zich langzaam voortbewegende personen of voertuigen. **file'ren** [Fr. *filer*, v. Lat. *filáre*, v. *filum* = draad] **1** tot filet **1** maken; **2** (*kaartspelen*) de kaarten stuk voor stuk openleggen (*ook*: een kaart wegmoffelen); **3** (*muz.*) een toon aanhouden met dezelfde sterkte. **fileet'** *zie* **filet 2. filet'** [Fr., verklw. v. **fil,** *z.a.*] **1** dun uitgesneden ontgraat stuk vis (*bijv.*: tongfilet) of ontbeend stuk vlees (*bijv.*: lendestuk); — *de bœf*, ossehaas; **2** (*typ.*); *ook*: *fileet*, figuurlijn of ornamentlijn of lijn om hoofdstukken, kolommen e.d. te scheiden; **3** netvormig weefsel, open kant, netwerk van geknoopte mazen.

**filharmo'nisch** v. Gr. *phileoo* = beminnen; *zie verder* **harmonisch**] toonkunstminnend; — *orkest*, andere term voor symfonie-orkest, een groot orkest bestaande uit uitgebreide afdelingen van vele diverse muziekinstrumenten (strijkers, blazers, harpen, slagwerk), *zie verder* **orkest.** Men zou filharmonisch hier dus kunnen opvatten als: de harmonie tussen vele diverse instrumenten beminnend.

**filiaal'** [v. VLat. *filiális* = het kind betreffend, kinderlijk, v. *fílius* = zoon, *fília* = dochter, *eig.*: zuiger, zuigster; *vgl. feláre* = zuigen, *fémina* = zoogster, vrouw] **I** *bn* bestaand tussen ouders en kinderen, van kinderen t.o.v. ouders (*bijv.*: filiale plicht tot onderhoud); **II** *zn* [via Fr. *filiale* = dochtermaatschappij, dochteronderneming] bijwinkel, bijkantoor of depotwinkel afhankelijk v.h. hoofdkantoor maar elders gevestigd; evt. ook van niet-handelsondernemingen, *bijv.*: filiaalbibliotheek, -klooster, -kerk. **filia'tie** [MLat. *filiátio*, v. *filiáre* = een kind ter wereld brengen] verwantschap in rechte lijn door afstamming; *ook*: samenhang van handschriften (het ene afgeleid van het andere).

**filibus'ter** [Eng., via Fr. en Sp. van Ned. *vrijbuiter*] in de Am. politiek: persoon die obstructie voert, bijv. in senaat door het houden van eindeloze redevoeringen om zo behandeling v.e. wetsontwerp uit te stellen.

**filigraan'**, *ook*: **filigrain'** [Fr. *filigrane*, v. It. *filigrana*, v. Lat. *filum* = draad; *zie* **fil,** en *gránum* = graankorrel] *lett.*: 'korreldraad'; versiering met metalen (goud, zilver) draden, die gemaakt zijn v.e. enkelvoudige zeer dunne geplette goud- of zilverdraad of van twee koordvormig gewonden draden die eveneens zijn platgeslagen. In dit laatste geval zijn de zijden v.d. draad lichtelijk gekorreld, vandaar de naam 'korreldraad'. **filigram'**, *ook*: **filagram'** [v. Fr. *filigrane* = watermerk; *filigram* is echter niet afgeleid als *filigraan* (*z.a.*), maar van Lat. *filum* = draad, en Gr. *gramma* = het geschrevene, v. *graphoo* = schrijven] watermerk in papier, spec. waardepapier.

**filip'pica** [Gr. *hoi Philippikai* = de 12 redevoeringen v. Demosthenes tegen Philippus de Macedoniër; naar zijn voorbeeld noemde ook Cicero elk v. zijn redevoeringen tegen Antonius ook *Philíppica* (*orátio*)] heftige strafrede.

**filis'ter** [Du. *Philister*; *zie* **filistijn**] i.d. vroegere taal v. corps-studenten: niet-student en dus in hun ogen gewoon burger, i.d. zin van platburgerlijk bekrompen persoon, iem. met kleinzielige opvattingen. **filisterij'** het filisterdom; platburgerlijkheid.

**Filistijn'** [Fr. *Philistin*, via VLat. v. Gr. *Philistinos = Palaistinos* (*vgl.* Ned. *Palestina*)] lid v.e. volksstam a.d. zeekust v.h. oude Kanaän, aartsvijand v.d. Oudtestamentische Joden. **filistijnen 1** verachtelijk volk; **2** *naar de — helpen*, zoek maken; *ook:* stuk maken; *naar de — zijn*, stuk zijn, onbruikbaar geworden zijn.

**film** [Eng. = dun vlies, v. dezelfde wortel als Ned. *vel*; Gr. *pella*, Lat. *péllis* = huid] **1** dun vliesje of laagje dat iets a.d. bovenkant bedekt (*bijv.*: een vloeistof); (*i.d.* schilderkunst) niet a.d. ondergrond gehechte laag hard geworden vernis of verf; **2** buigzame lange strook v. celluloid of acetylcellulose, bedekt m.e. lichtgevoelige laag waar fot. negatieven op staan; de daarvan gemaakte positieven v. opeenvolgende foto's geven, geprojecteerd, de indruk v. bewegende beelden; **3** het geheel van personen en instanties die zich als het ware als een film (**2**) voor iemands ogen voltrekken; **5** bioscoop. **fil'men 1** fotografische opnamen maken zodanig, dat daaruit een film kan worden gemaakt; **2** een film maken van; o.e. film vastleggen. **fil'misch** *bn & bw* eigen a.d. film, v. of betreffende de film.

**filo-** [v. Gr. *philos* = vriend; *phileoo* = beminnen, liefhebben] beminnend -.

**filografie'** [v. Gr. *graphoo* = schrijven] het verzamelen en de kennis van **autografen** (z.a.), d.i. van brieven, documenten, foto's e.d. van bekende personen. **filogy'ne** [v. Gr. *guné* = vrouw] vrouwengek. **filologie'** *oorspr.*: liefde voor de taal en de letteren, spec. v.d. Grieken en Romeinen; *wetensch.* beoefening v.d. taal en de letteren v.e. bep. volk (*bijv.*: Germaanse filologie). **filoloog'** beoefenaar v.d. filologie, taalkundige. **filologisch** *bn & bw.* **filomeel'** *ook:* **filome'le** [Gr. myth. *Philoméla* ('de zang minnende'), v. *melos* = zang] (*dicht.*) nachtegaal. **filopedie'** [v. Gr. *pais, paidos* = kind] liefde en zorg voor kinderen en goede opvoeding daarvan. **filope'disch** kinderlievend, gericht op zorg voor een goede opvoeding van kinderen.

**filosel'**, *ook:* **filozel'** [Fr. *filoselle*, v. lt. *filosello*, missch. v. VLat. *follicéllus*, verklw. v. Lat. *fóllis* = zak; vorming v. *filosello* beïnvloed door lt. *filo* = draad, *zie* **fil**] bep. soort minderwaardige zijde gesponnen v.d. draden v.d. harde binnenkant v.d. cocon (*ook: floretzijde*).

**filosofas'ter** [*zie* **-aster**, minachtende uitgang] *zie onder* **filosoof 3**.

**filosofie'** [Lat. & Gr. *philosophía*, v. Gr. *phileoo* = beminnen, begeren, en *sophia* = wijsheid] **1** wijsbegeerte, wetenschap v.d. rede [Gr. *logos*], die n.e. totale verklaring v.d. mens en de wereld streeft; **2** bep. wijsgerig stelsel (*bijv.*: de filosofie van Kant); **3** (*in oneigenlijke verzwakte opvatting*) wereldbeschouwing, levensopvatting (*bijv.*: mijn filosofie is dat ...); (*nog verder verwaterd*) [*naar* Eng. *philosophy*] mening, bedoeling, opvatting die van iets de grondslag vormt (*bijv.*: de filosofie achter dit plan is parttime banen voor jongeren te scheppen); **4** bestudering v.d. algemene principes v.e. bep. kennis-terrein (*bijv.*: de filosofie v.d. wiskunde). **filosofe'ren** [v. Gr. *philosopheoo*, Lat. *philosophári*] **1** wijsbegeerte beoefenen, een onderwerp volgens wijsgerige methoden behandelen; een probleem diepgaand overdenken; **2** peinzen, min of meer diep nadenken; *ook:* vaag

mijmeren. **filoso'fisch I** *bn & bw* **1** wijsgerig, betrekking hebbend o.d. filosofie; **2** betrekking hebbend o.d. natuurwetenschappen, *nog in:* de filosofische faculteit v.e. universiteit, d.i. de faculteit der natuurwetenschappen; term stammend u.d. alchemie, toen de alchemisten i.e. bep. distilleerkolf, *het filosofisch ei*, de steen der wijzen (filosofen) trachtten te bereiden; **II** *bw* gelaten, berustend, kalm (*bijv.*: zij nam het slechte nieuws nogal filosofisch op). **filosoof'** [Gr. *philosophos*] **1** beoefenaar v.d. filosofie, wijsgeer; **2** student i.d. filosofie; **3** (*mild spottend*) iem. die bespiegelende beschouwingen ten beste geeft (niet te verwarren met **filosofas'ter** = waanwijze die zich als filosoof voordoet, maar onder het mom van wijsgerig lijkende uitspraken zinledige beuzelpraat verkoopt; *vgl.* criticaster, poëtaster e.d.); **4** (*cul.*) bep. jachtschotel.

**filozel'** *zie* **filosel**.

**fil'ter** [v. MLat. *filtrum*, v. Germ. *\*felta* en *\*feltir*. Het MLat. *filtrum* betekent 'vastgestampte wol b.h. vollersproces', vanwaar het Ned. *vilt* (Fr. *feutre*) waarvan de eerste filters werden gemaakt] **1** apparaat dat wordt gebruikt om vloeistoffen of gassen van daarin aanwezige vaste deeltjes te zuiveren via een laag stof die wel vloeistof c.q. gas doorlaat, maar geen vaste deeltjes; **2** (*fot.*) laag of plaat die slechts licht v.e. bep. kleur doorlaat en andere lichtgolflengten tegenhoudt (er uit filtreert); **3** (*elektr.*) toestel (combinatie van spoelen en condensators) dat slechts elektrische trillingen v.e. bep. frequentie laat passeren; **4** mondstuk van sigaret (resp. sigaar) dat een deel v.d. schadelijke produkten in de rook tegenhoudt. **filtraat'** de door **filtreren** (z.a.) vaste deeltjes gezuiverde vloeistof (resp. gas). **filtra'tie** het *filtreren* (z.a.). **filtre'ren** (niet te verwarren met **filteren**, *z.a.*) [modern Lat. *filträre*] *a* (*on.w*) doorzijgen, zuiveren d.m.v. een filter; *b* (*on.w*) door een filter (of quasi-filter) lopen. **fil'teren** [Fr. *on.w filtrer* = doorsijpelen] *a* sijpelen door, als het ware door een filter te voorschijn treden (*bijv.*: het zonlicht filterde door de bladeren v.d. bomen); *b* [Fr. *ov.w filtrer* = filtreren] (*in volkstaal*): koffie filteren, koffie bereiden m.b.v. een filter of filterzakje, waarin door gemalen koffiebonen kokend water sijpelt.

**fimo'sis**, *ook:* **fimo'se** [Gr. *phimooo* = vastbinden] vernauwing v.d. uitwendige opening v.d. voorhuid.

**finaal'** [Lat. *finális* = het einde betreffend, v. *finis* = einde (*eig.*: scheidsgrens), verwant met *fíndere* = splijten] **I** *bn* **1** een slot vormend, uiteindelijk (*bijv.*: een finale resolutie); **2** algeheel (d.i. tot het einde toe) (*bijv.*: finale uitverkoop); **II** *bw* **1** als slot, ten slotte (*bijv.*: finaal beslissen); **2** geheel en al, volkomen (*bijv.*: finaal mis, de stok brak finaal doormidden); **3** (*volkstaal*) zonder meer, gewoonweg (*bijv.*: hij gooide hem finaal i.d. gracht). **fina'le 1** laatste en beslissende deel v.e. groep wedstrijden, nl. de eindstrijd tussen de twee het best geklassificeerde deelnemers of deelnemende teams (de *finalisten*); **2** (*muz.*) slot. [It. *finale*] slot v.e. muziekstuk. **finaliteit'** [VLat. *finálitas*] doelgerichtheid, doel als werkende oorzaak. **finalis'me** (*biol.* en *fil.*) de leer dat de evolutie, ondanks zoekende afwijkingen, een bep. doel, een finaliteit, nastreeft, welk doel uiteindelijk de mens is. Deze leer ziet i.e. opeenvolging i.d. tijd steeds hogere evolutievormen, een aanwijzing, dat er vanaf het begin een zich steeds verder ontwikkelend 'bewustzijn' (Teilhard de Chardin) werkzaam is geweest.

**finan'ce** [Fr., v. OFr. *finer* = betalen, schuld beëindigen, v. Lat. *finis*; *zie* **finaal**] de financiën, geldwezen; *la haute —*, de invloedrijke geldmannen, de grote bankiers.

**fin de siècle** [Fr. = *lett.*: einde v.d. eeuw] karakteristiek voor einde v.d. 19e eeuw (1890-1900), decadent nieuwmodisch.

**fi'ne** [It., v. Lat. *finis*; *zie* **finaal**] (*muz.*) einde.

**fi'ne:** *ter* —, ten einde, m.h. doel.
**fineer'** [verbastering v. **fourneer**, *z.a.*] dunne laag v.e. mooie, kostbare of harde houtsoort die o.e. andere goedkopere houtsoort (bijv. bij meubels) wordt gelijmd, om deze het aanzien v.e. dure en mooie houtsoort te geven.
**1 fine'ren** [*zie* **fineer**] met fineer beleggen;
**2 fine'ren** [v. Fr. *fin* = tijn, v. Romaans *fino*, waarsch. *finito* = beëindigd (= afgewerkt), v. Lat. *finire* = eindigen, v. *finis* = einde] zuiveren. **fi'ne fleur** [Fr.] de bloem, de keur v.e. groep. **fi'nes her'bes** [Fr.] (*cul.*) fijne kruiden als toekruid of garnering gegeven, bijv. bij een omelet (kervel, peterselie, tijm e.d.).
**fines'se** [Fr.] kleine fijne bijzonderheid; *de* —*s*, de fijne details v.e. zaak.
**finge'ren** [v. Lat. *fingere*, *fictum* = zacht aanraken, met de hand vormen, verzinnen] doen alsof, voorwenden; verzinnen, verdichten (een gefingeerd voorval, verhaal).
**fin'gertip** *zie onder* **topper.**
**fini!** [Fr., v. *finir* = eindigen] *zie* **2 fineren** klaar!, uit!, afgelopen! **fi'nis** [Lat., *zie* **finaal**] einde; doel; — *corónat opus*, het einde kroont het werk. **fi'nishing touch** [Eng. = *lett.:* beëindigende aanraking] de laatste hand (a.e. werk), afwerking.
**fiool'** [v. Gr. *phialè* = vat meer breed dan diep; schaal] bep. flesje met wijde buik of lange hals; *de fiolen van zijn toorn uitgieten*, hevig verbolgen uitvaren; *fiolen laten zorgen*, zich zorgeloos gedragen.
**fioritu'ra** [It., v. *fiore*, v. Lat. *flos*, *floris* = bloem] bep. versiering in zang.
**fire** [Eng., *vgl.* Gr. *pur* = vuur] vuur; — *proof*, vuurvast, bestending tegen vuur.
**fir'ma** afk. **Fa**, ook **fa** [It. = handtekening, v. Lat. *firmus* = stevig (bevestigd); *firmáre* = bevestigen] *oorspr.:* handtekening van handelsonderneming; naam waaronder een persoon handelszaken drijft, die niet zijn eigenlijke naam is, of waaronder diverse vennoten handel drijven.
**firmament'** [Lat. *firmaméntum* = *eig.:* bevestigingsmiddel, v. *firmáre* = bevestigen] uitspansel, hemelgewelf, volgens de Ouden de vaste hemelsfeer waaraan de zgn. vaste sterren onwrikbaar waren bevestigd.
**fir'man** *zie* **ferman.**
**firn** [Du. = korrelig sneeuwijs, v. *firn* = v.h. vorige jaar] overjarige sneeuw die een korrelstructuur heeft gekregen doordat ze herhaaldelijk gedeeltelijk is verdampt of ontdooid en daarna weer gesublimeerd (als damp neergeslagen) of bevroren.
**first** [Eng. = eerste; *vgl.* Ned. *vorst* = voorste, eerste, hoogste gezaghebber] *bn* eerste; — *aid*, eerste hulp (bij ongelukken); — *class*, eerste klas, prima; — *day cover*, enveloppe met postzegel die is atgestempeld o.d. dag waarop ze voor het eerst is uitgegeven; — *in — out* (afgekort *fifo*), eerste in eerste uit: methode van opslag van goederen i.e. magazijn, zó dat de eerste binnengekomen partijen er ook weer het eerste uitgaan (oude voorraad het eerst eruit); — *lady*, eerste dame: echtgenote van staatshoofd, president, premier e.d., meer plaatselijk ook echtgenote van burgemeester v.e. stad; — *rate*, eersterangs, bijzonder goed.
**fis** (*muz.*) door kruis met halve toontrap verhoogde f (fa), f-kruis.
**fis'cus** [Lat. = gevlochten mand (*vgl.* **fasces**), geldmand, schatkist] **1** schatkist, staatskas, staatsvermogen, de staat als belastingheffer; **2** de belastingdienst, de gezamenlijke ambtenaren of de belastingen moeten innen; **3** penningmeester van studentenvereniging.
**fiscaal'** [v. VLat. *fiscális* = de schatkist betreffend] **I** *bn* de fiscus betreffend; de belasting betreffend, belastings-; *fiscaal recht*, belastingsrecht; *fiscale kinderen*, kinderen voor welke men belastingaftrek krijgt; **II** *zn vroeger:* gerechtsambtenaar die waakte voor de rechten van o.a. de fiscus, *thans:* ambtenaar v.h. Openbaar Ministerie bij zeekrijgsraden en Bijzondere Gerechtshoven.

**fiselemie'**, *ook:* **fieselemie'** [verbastering v. *fysiognomie*, *z.a.*] (*slang*) gezicht, gelaat.
**fiselefa'sie** [wellicht verbastering v. *fysiognomie*, *z.a.*, en van *facie*, *z.a.*] (*slang*) gezicht, gelaat.
**fissuur'** [Lat. *fissúre*, v. *findere*, *fissum* = splijten] scheur, spleet, kloof.
**fis'tel** [Lat. *fistula* = pijp, kanaal] pijpzweer, door lichaam gevormd etterkanaal naar buiten; *ook:* kunstmatig aangebrachte etterbuis of etterafvoer.
**fit** [Eng. = *eig.:* gepast voor; woord stamt reeds uit 1440, afleiding onzeker] in goede lichaamsconditie. **fit'nesscentre** [Eng.],
**fit'nesscentrum** plaats waar men oefeningen kan doen om de lichamelijke conditie te verbeteren.
**fix** [v. Lat. *fíxus* = vast, blijvend, v. *figere*, *fíxum* = vaststeken] **1** [Fr.] *bn* bepaald, vast, vastgesteld; **2** (*cul.*) vastmaking, bijv. met aspic; **3** [Eng.] *zn* (*slang*) inspuiting v.e. drug direct i.e. ader. **fixe'ren** [Fr. *fixer*, v. MLat. *fixáre*, v. Lat. *fíxus*, *zie* **fix**] **1** onbeweeglijk vastzetten (een gebroken arm); (*fig.*) vastleggen, vaststellen (*bijv.:* een bedrag of prijs, een datum); **2** *iem. fixeren*, iem. onafgebroken aankijken (meestal op onbescheiden, oneerbiedige wijze); **3** (*fot.*) een fotografisch beeld op plaat of film of afdruk daarvan zo met chemicaliën behandelen, dat hij ongevoelig wordt voor verdere inwerking van licht; een tekening vernissen om uitwissing te voorkomen; **4** (*biol.*) levend weefsel of levende cellen voor microscopisch onderzoek snel doden, zodat de structuur zo goed mogelijk blijft behouden. **fixa'tie** [Fr. *fixation*] **1** het fixeren, bepaling, vastlegging, vastzetting; **2** het gefixeerd zijn; (*psych.*) abnormaal sterke binding a.e. bep. persoon of aan vroegere ervaring of ontwikkelingsfase.
**fixatief'** [Fr. *fixatif*] fixeermiddel, *spec.:* middel ter vastlegging v. houtskool- of krijttekeningen door bespuiting met snelverdampende oplossing van bep. hars of schellak; middel om kapsel in bep. vorm te houden. **fi'xen** (*slang*) drug rechtstreeks in ader spuiten. **fix'ing** [Eng.] (*beursterm*) officiële vaststelling v.d. middagkoersen (middenkoersen). **fi'xum** [Lat. = het vaste, onz. v. *fíxus* = vast] vastgesteld bedrag, vaste som gelds.
**fjeld** [Noors] ruwe bergvlakte in Scandinavië.
**fjord** [Noors] smalle inham in bergachtige zeekust op hoge breedten, spec. in Noorwegen, die diep i.h. land doordringt (vaak meer dan 100 km), soms vertakt is, en wordt omgeven door steile bergwanden.
**flacon'** [Fr., v. VLat. *flasco*, missch. v. Lat. *vásculum*, verklw. v. *vas* = vat] flesje met stop, spec. voor reukwater.
**flageolet'** [Fr., verklw. v. OFr. *flajol*, verdere afl. onzeker] kleine hooggestemde fluit; bep. orgelregister; — *toon*, fijne kunstmatig versterkte boventoon v. snaarinstrument.
**flageolets'** [Fr. *mv*, v. *fageolet*, verklw. v. *fageol*, v. Lat. *faséolus* verklw. v. *phasélus* v. Gr. *phasélos* = gewone stok- of stamboon, wegens nierachtige vorm bootje (*phasélos*) genaamd (dus geen verband met vorige)] bep. lichtgroene platte boontjes.
**flagellan'ten** *mv* [Lat. *flagellans*, *-ántis* = o.dw v. *flagelláre* = geselen, v. *flagéllum*, verklw. v. *flagrum* = gesel, v. *flígere* = tegenaanslaan] (*gesch.*) zwervende geselbroeders in ME (spec. 13e eeuw).
**flagellantis'me** [v. Lat. *flagelláre* = geselen, en -*ismus* = typisch gedrag] geselzucht, seksueel geprikkeld worden door geselen of geseling.
**flagrant'** [Lat. *flagrans*, *-ántis* = o.dw van *flagráre* = branden] zeer duidelijk, onmiskenbaar. **flagran'te delic'to** [Lat. = *lett.:* het misdrijf nog heet zijnde] op heterdaad (*ook:* **in flagran'ti delic'to**).
**flag'stone** [Eng., *flag* = *oorspr.:* zode; uitgehouwen plat stuk steen] grote platte

steen als plaveisel (bijv. van tuinpaden).
**flair** [Fr., v. *flairer* = reuken, v. VLat. *flagráre*
= Lat. *fragráre* = (wel)riekend zijn] scherp
reukvermogen v. jachthond; (*fig.*) fijne neus
voor wat goed is, handigheid, gemak.
**fla'kes** [Eng., *mv* v. *flake* = dun en breed
afgescheid stuk, missch. uiteindelijk v.d.
Indo-Germ. werkwoordstam *plag-* = slaan]
geplette tarwe of maisvlokken.
**flambard'** [Fr.] slappe breedgerande vilten
hoed.
**flambe'ren** [v. Fr. *flamber*, v. OFr. *flambe*
= vlam, v. Lat. *flamma* = flag-ma, vgl. *flagáre*
= branden] **1** door een vlam halen (*bijv.*
instrument ter ontsmetting); **2** vluchtig
afbranden (bijv. kleine veertjes v. gevogelte na
plukken, of van haren van haarwild en wild
zwijn); **3** het in brand steken v.e. sterk
alcoholische drank die over een heet gerecht
is gegoten, dat zo brandend wordt opgediend.
**flambouw'** [v. Fr. *flambeau*, v. OFr. *flambe*
= vuurtekens, v. Lat. *flámmula*, verklw. v.
*flamma* = vlam] toorts, fakkel, d.w.z. stuk hout
waarvan het boveneinde is voorzien van een
brandbare stof, die aangestoken als
verlichtingsmiddel dient. **flamboyant'** [Fr.,
o.dw van *flamboyer* = vlammen] vlammend,
met gevlamde figuren; — *stijl*, laatgotische stijl
met vlamvormige ornamenten.
**flamingant'** [Fr.] Vlaamsgezinde Belg (*vgl.*
**franskiljon**).
**flane'ren** [Fr. *flâner*] rondkuieren om te
worden gezien (en bewonderd). **flaneur'** [Fr.
*flâneur*] wie flaneert.
**flankeur'** [Fr. *flanqueur*] verkenner a.d. flank
v.e. leger.
**1 flap** [Eng. = *eig.*: klap met iets breeds
(klanknabootsing)] naar binnen gevouwen
rand v. boekomslag, meestal bedrukt met korte
bespreking v.h. boek of van andere informatie
v.d. uitgever.
**2 flap** (*cul.*) bep. warm gebakje uit bladerdeeg
of piedeeg, gevuld met hartige vulling; *ook*:
zoet koud gebakje gevuld met vruchten (bijv.
appelflap), jam e.d.
**fla're** [Eng., afleiding onbekend]
magnesiumfakkel v. vliegtuig (voor landen in
duisternis).
**flash-back'** [Eng. = *lett.*: terugflits] scène (in
verhaal of film) u.e. vroegere periode dan die
waarin het verhaal speelt. Het verhaal wordt
onderbroken en daardoor begrijpelijker,
doordat het een bep. achtergrond aangeeft.
Uiteindelijk komt het verhaal weer op het
heden terug.
**flatte'ren** [Fr. *flatter*, v. Nederduits *flat* = vlak]
vleien; met kunstgrepen mooier maken dan de
werkelijkheid is (een geflatteerd portret); goed
staan (v. kleding). **flatteus'** flatterend, spec.
in bet.: vleiend.
**flatulent'** [Fr., v. Lat. *flatus* = wind, veest, v.
*flare* = blazen, waaien] opgeblazen; last v.
winderigheid hebbend; *ook*: grootschijnend
maar onbeduidend. **flatulen'tie**
winderigheid, ophoping v. gassen i.d. darmen.
**flebi'tis** [v. Gr. *phleps, phlebos* = ader]
aderontsteking. **flebografie'** [v. Gr. *phlebs,
phlebos* = ader, en *-graphia* = beschrijving]
het maken van röntgenfoto's v.d. aderen.
**flebotomie'** [v. Gr. *temnoo* = snijden]
aderlating.
**flèche** [Fr. = pijl, spitse punt] (*mil.*) open
veldwerk met scherpe uitspringende hoek.
**flecte'ren** [Lat. *fléctere, fléxus* = buigen]
(*taalk.*) verbuigen of vervoegen, verbogen of
worden vervoegd. **flec'tie** woordverbuiging
of vervoeging.
**fleg'ma** [via VLat. v. Gr. *phlegma* = ontsteking,
slijm, *ook*: lymfe, v. *phlegoo* = ontsteken,
branden; OFr. *fleume*, vgl. Ned. *fluim*]
onaandoenlijkheid, ongevoeligheid,
onverstoorbaarheid i.d. opvatting der Ouden
dat het karakter werd bepaald door het
overheersen v. een of ander lichaamsvocht; de
flegmatici hadden te veel lymfe.
**flegma'tisch, flegmatiek'** [Fr.

*flegmatique*] onaandoenlijk, lauw,
onverstoorbaar. **flegma'ticus** onaandoenlijk
nuchter persoon.
**flens** [v. Eng. *flange*, missch. v. OFr. *flanche*
= flank, rij] kraag, d.w.z. opstaande rand aan
einde van buizen om ze met elkaar te kunnen
verbinden d.m.v. bouten en moeren; *ook*:
uitstekende rand (radkrans) aan wielen van
spoorwagons.
**flen'sen, *ook*: flen'zen** [v. Eng. *flench* of
*flense* = spek afsnijden v.e. walvis, villen v.e.
zeehond; vgl. Noors *flensa* = strook huid]
walvis ontvlezen door er repen af te snijden;
*ook*: robbehuid a.d. binnenzijde ontdoen van
vleesresten (missch. v. *flensen* ook *flenter*
= dunne schijf, en *flensje* = dunne
pannekoek).
**flerecijn'** [v. Fr. *pleurésie*, v. MLat. *pleuresis*,
v. Gr. *pleuritis*, v. *pleura* = zijde v.h. lichaam i.d.
ribbenstreek; *zie ook* **pleuritis**] (*Z.N.*) jicht;
*ook*: podagra, reumatiek.
**flet** [Fr.] (*cul.*) bot (vis). **flétan'** [Fr.] (*cul.*)
heilbot.
**1 fleur** bep. vistuig, nl. lijn a.d. top v.e. hengel
die over een klosje loopt, voor de vangst v.
grote vissen. **fleu'ren** *ww* vissen m.e. fleur;
*ook* (in *studententaal*): (iem.) overhalen,
'lijmen'.
**2 fleur** [Fr. = bloem, v. Lat. *flos, flóris*] **1** bloei;
*fine* — *zie bij* **fine**. **fleur-de-lys'** [Fr.
= lelieblloem] (*her.*) lelie in de wapenkunde,
spec. de gestileerde Fr. lelie i.h. wapen v.d.
Franse koningen. **fleuret'** [Fr.], *ook*: **floret'**
[OFr., v. It. *fioretto* = bloempje] **1** stootdegen,
bep. schermdegen met dop op punt; **2** (*fleuret-
of floretzijde*) minderwaardige zijde
gesponnen v.d. draden v.d. harde binnenkant
v.d. cocon v.d. zijderups (*vgl.* **filosel**), *ook*
wel uit afval (te korte draden) van goede zijde.
(N.B. niet verwarren met **flosszijde**, *z.a.*, die
juist afkomstig is v.d. warrige *buitenste* draden
v.d. cocon. Sommige woordenboeken geven
bij 'fleuretzijde' ten onrechte als equivalent
'flos- of vloszijde'.) **fleurettist'** of
*fleurettiste*, *ook*: **florettist'** schermer met
fleuret (floret).
**fleu'ris** (*Z.N.*) pleuris (*zie* **pleuritis**).
**fleurist'** [Fr. *fleuriste* = bloemist,
bloemenverkoper; maker v. kunstbloemen, v.
*fleur*, Lat. *flos, flóris* = bloem, *ook*: **florist'**
(*vgl.* Du. *Florist* = bloemist (*ook*
= plantenkenner)] **1** (*Z.N.*) bloemkweker;
**2** bloemenvriend; **3** maker v. kunstbloemen;
**4** bloemschilder. **fleuron'** [Fr.] **1** ornament
i.d. vorm v.e. bloem o.d. band (ring) v.e. kroon;
*ook*: dergelijk ornament op top v. pinakel;
**2** (*boekdrukkunst*) versiering i.d. vorm v.e.
gestileerde bloem (of ander motief) als
slotvignet v.e. bladzijde; **3** (*cul.*)
halvemaanvormig gebak of hanekam v.
bladerdeeg (feuilletédeeg), gebruikt voor
garnering bij warme vleesschotels.
**flexi'bel** [Lat. *flexibilis*, v. *fléctere, fléxum*
= buigen] **1** buigzaam v. lenig; **2** gedwee,
meegaand; **3** gemakkelijk aanpasbaar
naargelang de omstandigheden veranderen;
**4** (*taalk.*) verbuigbaar. **flexi'ble respon'se**
[Eng.] strategie v.h. aangepaste antwoord o.e.
vijandelijke dreiging of manoeuvre.
**flexibiliteit'** [Lat. *flexibilitas*] buigzaamheid,
*ook*: lenigheid. **fle'xie** [Lat. *fléxio*] **1** buiging;
**2** (*taalk.*) verandering v. vorm v. bep. woorden
(*bijv.*: zelfst. naamw.) ter aanduiding v.h.
grammaticale verband waarin ze staan.
**flexuur'** [Lat. *flexúra*] **1** buiging, kromming;
**2** (*geol.*) knikplooi i.e. gesteentelaag.
**flibustier'** [Fr., v. Ned. *vrijbuiter*] vrijbuiter ter
zee uit 17e eeuw.
**flint'glas** [v. Eng. *flint* = bep. steensoort van
vrijwel zuivere kiezel, missch. verwant met Gr.
*plinthos* = tichelsteen] bep. heldere glassoort
(oorspr. met flintsteen bereid).
**flip** [Eng., missch. v. *ww flip* = m.e. zweep
(*whip*) slaan; *whip up* = opzwepen,
aanvuren] mengsel v. bier en sterke drank,
soms met eierdooier (*egg-flip*), gezoet en met

heet ijzer verwarmd.

**flip'side** [Eng.; *vgl. to flip over* = *to flick over* = bladzijden snel omslaan; *side* = kant, zijde] achterkant, spec. B-kant v.e. single.

**flirt** [Eng. = *eig.*: snelle ruk of beweging, gefladder (bijv. van vogelstaart) (klanknabootsend)] **1** speelse verliefdheid zonder ernstige bedoeling; **2** wie van flirten houdt. **flir'ten** [Eng. *to flirt*] speels verliefd doen, minnespelen. **flirta'tion** [Eng.] flirtpartijtje.

**flobert** bep. soort klein geweer, zgn. *tuingeweer*, om in boomgaarden schadelijke vogels met kogels of hagel te beschieten [naar Louis-N-A. Flobert, Fr. wapenfabrikant, 1818-1897].

**floëem** [v. Gr. *phloos* = bast] bast v. plant met onderliggende weefsels (zeefweefsel; *vgl.* **xyleem**).

**1 floers** [v. Fr. *velours*, (*z.a.*) = fluweel, ook in Ned. gespeld als *veloers, vgl.* verder woordafleiding **fluweel**] **1** (*Z.N.*) fluweel (*ook*: **floer**); (*fig.*) **2** de opstaande gladgeschoren haartjes op fluweel (de *pool*).

**2 floers** [*vgl.* Du. *Flor* (dial. = bloei)] **1** uit zijde of wol ras geweven weefsel, dat een typisch crêpe-achtig uiterlijk verkrijgt door het in water te koken (*krippen*). Zwart geverfd als *krip* [Fr. *crêpe*] dient het als rouwkleding voor vrouwen; **2** (*fig.*) waas, wazig makende of bedekkende sluier (bijv.: een floers v. tranen); **floersring** (*vgl.* Du. *Florring, Kreppring*), een der ringen v. Saturnus.

**flogis'ton** [v. Gr. *phlogizoo* = in brand steken, v. *phlox, phloges* = vlam] (*gesch.*) door oudste scheikundigen voorondersteide stof in brandbare stoffen aanwezig, die brandbaarheid veroorzaakte en bij verbranding ontweek.

**flood'-light** [Eng. = *lett.* vloedlicht] spreidlicht, verlichting v.e. gebouw met diverse stellen schijnwerpers, die zo zijn opgesteld, dat geen slagschaduwen kunnen ontstaan, maar de gehele belichting ineenvloeit.

**floor'manager** [Eng. *floor* = vloer; *zie* **manager**] **1** persoon die bij een show e.d. de zorg heeft voor de verlichting, het geluid e.d.; **2** chef v.e. afdeling i.e. grote winkel. **floor'-show** [Eng.; *zie* **show**] dans of andere vertoning o.d. middenvloer v.e. nachtclub.

**flop** [Eng. *slang* = fiasco, v. *to flop* = *eig.*: klossen; mislukken] (grote, eventueel totale) mislukking, echec (bijv.: zijn optreden werd een flop). **flop'pen** *ww* (*gemeenzaam*) mislukken (bijv.: het plan flopte).

**flop'py (disk)** [Eng. = slappe schijf] gemagnetiseerd plaatje voor het opslaan van informatie die door computer wordt verwerkt = *diskette, z.a.*

**flo'ra** [naar Lat. *Flora* = bloemengodin, v. *flos, floris* = bloem] **1** de gezamenlijke planten v.e. streek of land, ook de niet bloeiende (*vgl.* **fauna**); **2** boek voor het determineren van planten v.e. bep. gebied; **3** de bacteriënwereld i.e. lichaam of een deel daarvan (bijv.: flora v.d. mondholte, darmflora). **Floréal** [Fr. = bloeimaand, v. Lat. *floreus* = bloemrijk] achtste maand volgens de kalender v.d. Eerste Fr. Republiek (20 april-19 mei i.d. jaren I-VII; 21 april-20 mei i.d. jaren VIII-XIII). **flore'ren** [Lat. *florére* = bloeien] in welstand zijn, bloeien (*fig.*) (bijv.: die zaak floreert tegenwoordig uitstekend). **floret 1** en **2** *zie* **fleuret 1** en **2**. **florettist'**, *ook*: **fleurettist'** schermer met floret (fleuret)degen. **flor fi'na** [Sp. = fijne bloem] eerste kwaliteit (kwaliteitsaanduiding voor sigaren). (*Vgl.* **fine fleur**.) **floricultuur'** [*zie* **cultuur**] bloemen kweken.

**florijn'** [Fr. *florin*, v. MLat. *florinus*] oorspr. een gouden munt van 3$^{1}/_{2}$ gram in 1252, het eerste goudstuk in West-Europa in omloop gebracht en wel door de stad Florence. Thans is de gulden alleen nog i.d. delen (eventueel vroegere) v.h. Koninkrijk der Nederlanden de

rekeneenheid v.h. muntstelsel.

**florile'gium** [MLat., vert. van Gr. *anthologion* (*zie* **anthologie**); v. Lat. *flos, floris* = bloem, en *légere* = (bijen)lezen, verzamelen] bloemlezing. **florissant'** *bn* [gelatiniseerde vorm v. OFr. *flourissant* (modern Fr. *fleurissant*), v. *flourrier*, v. Lat. *florére* = bloeien] (*fig.*) bloeiend, welvarend, in bloeiende gezondheid; (*oneig.*) zeer gunstig (bijv.: een florissant vooruitzicht). **florist' 1** *zie* **fleurist; 2** [*vgl.* Du. *Florist* = *ook*: plantenkenner] kenner v.d. flora, beoefenaar v.d. floristiek. **floristiek'** tak v.d. botanie die de diverse flora's in beperkte gebieden bestudeert, leer v.d. verspreiding v.d. plantesoorten in beperkte gebieden. **floris'tisch** *bn* de floristiek betreffend.

**flo'ruit** [Lat. = 3e pers. v.t.t. v. *florére* = bloeien; vaak afgekort *fl.*] hij bloeide (was werkzaam) (*circa annum...*), omstreeks het jaar...), gezegd van vroegere geleerde, schrijver, kunstenaar e.d. van wie het juiste geboorte- en sterfjaar niet bekend zijn.

**flos'zijde**, *ook*: **vlos'zijde** [missch. v. OFr. *flosche* = dons, v. Lat. *flóccus* = vlok, wolligheid van vruchten] vlokzijde, zijde v. goedkope kwaliteit, afkomstig v.d. buitenste draden v.d. cocon v.d. zijderups.

**flota'tie** [Eng. *flotation*, andere spelling van *floatation*, v. *to float* = drijven, *ook*: doen drijven] een methode om gesuspendeerde mengsels van poedervormige stoffen (bijv. fijngemalen ertsen) in hun bestanddelen te scheiden, en wel op grond van hun bevochtbaarheid door water. **flote'ren** flotatie toepassen. **flotte'ren** [Fr. *flotter* = drijven, dobberen, golven, *ook*: weifelen, v. Lat. *fluctuáre* = door golven heen en weer geslingerd worden, v. *flúctus* = golf, v. *flúere, flúctum* = vloeien] **1** dobberen, vlotten, in onvaste beweging zijn; **2** (*fig.*) weifelen. **flottiel'je** [Fr. *flotille*, v. Sp. *flotilla*, verklw. v. *flota* = vloot] kleine vloot v. gelijksoortige lichte oorlogsschepen of een groep daarvan in tactisch verband gebracht.

**flou** [Fr. = wazig, v. Germ. oorsprong; *vgl.* Ned. *flauw*] (*schilderk.*) wazig, zacht overgaand, vervloeiend.

**flous'je** [v. Du. *Flausen* = praatjes; *ook*: smoesjes, uitvluchten] smoesje, uitvlucht, opraapsel; ook met bijgedachte aan *flauw*: flauwiteit, flauw smoesje. **flous'jesmaker** [Du. *Flausenmacher*] praatjesmaker.

**fluctue'ren** [Lat. *fluctuáre, -átum*; *zie* **flotteren**] schommelen, op en neer gaan; (*fig.*) weifelen; *fluctuerende variabiliteit,* (*biol.*) vloeiende variaties v. kwantitatieve eigenschappen bij nakomelingen v. eenzelfde levend wezen. **fluctua'tie** *zn.*

**fluiditeit'** [Fr. *fluidité,* v. Lat. *flúidus* = vloeibaar, vloeiend, v. *flúere* = vloeien] vloeiendheid, *ook*: radheid (v. tong). **flu'idum** voorondersteide uit dierlijke lichamen uitvloeiende magnetische straling (i.d. vorm v.e. zeer fijne bijzondere vloeistof).

**fluim** [v. OFr. *fleume; zie* **verder flegma**] opgehoeste slijmvlok.

**Fluo'rium, Flu'or** [v. Lat. *flúere* = vloeien] bep. chemisch element, niet-metaal, symbool F, ranggetal 9. **fluori'de** verbinding van fluor m.e. ander element. **fluoride'ring** het toevoegen v.e. fluoride (bijv. natriumfluoride, NaF) aan drinkwater, soms ook aan voedingsmiddelen of tandpasta, om het ontstaan van tandbederf (wolf, *cariës*, e.a.) tegen te gaan. **fluorescen'tie** [naar het mineraal *fluoriet,* dat het verschijnsel vertoont] het verschijnsel dat bep. stoffen bij opvallend licht (of andere straling) zelf licht (van dezelfde of langere golflengte) gaan uitstralen zolang ze worden bestraald. **fluorescen'tiefotografie** [*zie* **fotografie**] het fotograferen van fluorescentieverschijnselen (ook wel van fosforescentieverschijnselen), waardoor details worden vastgelegd die bij gewoon licht

niet zichtbaar zijn. Meestal wordt het
voorwerp bestraald met ultraviolet, waardoor
de onzichtbare details zichtbaar licht gaan
uitzenden door fluorescentie (of soms
fosforescentie). **fluorescen'tielamp** een
lage-druk kwiklamp (een type
gasontladingslamp). Bij de ontlading worden
i.h. binnenste ultraviolette stralen gevormd,
die door een fluorescentiepoeder o.d.
binnenkant v.h. glas in licht worden omgezet
(bijv. TL-buis).
**fluviatiel'** [v. Lat. *fluvia'tilis* = bij of i.e. rivier
zijnde, rivier-, v. *flúvius* = stromend water,
rivier, v. *flúere* = vloeien, stromen] **1** gevormd
door stromend water (*bijv.*: fluviatiele erosie,
fluviatiele sedimentatie); **2** betrekking
hebbend op rivieren (*bijv.*: fluviatiele planten,
ook *fluviatielen* genaamd); — *district*, een v.d.
plantengeografische districten v. Nederland,
nl. langs de belangrijke rivieren en Zeeland.
**flu'viometer** toestel om de stroomsnelheid
van rivieren te bepalen.
**flux** [v. Lat. *flúxus* = het vloeien, stroming,
vloed, v. *flúere*] **flux de bou'che** [quasi-Fr.]
radheid v. tong, vermogen om snelle
woordenvloed te uiten (het Fr. *flux de bouche*
betekent 'speekselvloed'; 'radheid van tong' is
i.h. Fr. *flux de paroles*).
**fly-in'** [Eng.] vliegdemonstratie, vliegshow v.
bep. modellen.
**Fly'ing Dutch'man** [Eng.] **1** Vliegende
Hollander (legendair spookschip); **2** bep.
klasse van jollen i.d. internationale zeilsport
(afgekort FD).
**fly-o'ver** [Eng.] (*verkeer*) ongelijkvloerse
wegkruising, etage-wegkruising, resp. diverse
kruisende verkeerswegen in etages boven
elkaar.
**fob of f.o.b.** zie *free on board* onder *free*.
**fobie'** [Gr. -*phobia* = -vrees, hier zelfstandig
gebruikt; *phobos* = vrees] (*psychiatrie*) een
ongegronde ziekelijke maar soms zeer
drukkende onontkoombare angst voor bep.
situaties, toestanden, voorwerpen of dieren.
Zo kent men o.a. pleinvrees, straatvrees
(*agorafobie*), vrees voor gesloten ruimten
(*claustrofobie*), angst dat men een bep. ziekte
zal krijgen (*nosofobie*, bijv. angst voor kanker:
*carcinofobie*), vrees voor scherpe voorwerpen
(*aichmofobie*), angst voor katten (*ailurofobie*)
en vele andere. Een merkwaardige fobie is de
*fobofobie*: vrees dat men een fobie zal krijgen.
**focaal'** [v. Lat. *fócus* = haard, v. wortel *fa*
= lichten; *zie* **face**] o.h. brandpunt betrekking
hebbend. **fo'cus**, afk. f [Lat.] brandpunt,
brandpuntsafstand. **fo'cussen** de
brandpuntsafstand regelen, scherp instellen
(v. lens).
**foedraal'** [v. Du. *Futteral*, v. *Futter*
= voedering, voering] koker, overtreksel,
schede, etui.
**foe'lie** [v. Lat. *fólium* = blad; MLat.
*stannifólium* = bladtin, v. VLat. *stánnum* = tin,
verward met het lood-zilvermengsel dat de
Romeinen 'stannum' noemden] **1** i.h. alg.:
bladmetaal, dun geslagen of geplet metaal,
dus niet alleen bladtin, maar ook bladzilver en
bladgoud; spec. het amalgaam van kwik en tin
waarmee de achterkant v. spiegels wordt
bedekt; *ook*: niet geplet maar op andere wijze
verkregen dun vel v.e. metaal (bijv.
aluminium) of kunststof of rubber (*zie ook*
**2 folie**); **2** (*cul.*), *ook*: **ma'cir** [Lat., v. Gr.
*maker*] rood vlies over de bast v.d.
muskaatnoot, in een veel slippen verdeelde
zaadrok. Na droging i.d. zon krijgt dit vlies een
geelbruine kleur. Foelie bevat veel etherische
oliën en vet, en wordt gebruikt als specerij.
**foe'liën** een voorwerp aan één zijde met foelie
**1** bedekken. **foe'liesel** metaal dat men
gebruikt om te foeliën (dus foelie **1**).
**foera'ge**, *ook*: **fou'rage** [Fr. *fourrage*
= veevoeder, *ook*: het halen daarvan, v. OFr.
*fuerre* = veevoeder, *ook*: stro] voeder en stro
voor vee en paarden, spec. hooi; (*schertsend*)
voedsel voor mensen; *op — uitgaan*, (*mil.*)

voedsel gaan halen. **foerage'ren**, *ook*:
**fourage'ren** [Fr. *fourrager*] foerage
verschaffen of gaan halen, op foerage uitgaan;
(ook wel gezegd van i.h. wild levende dieren)
voedsel zoeken. **foerageur'**, *ook*:
**fourageur'** [Fr. *fourrageur*] (*mil.*) **1** soldaat
die foerageert; **2** cavalerist [naar Fr. *attaque en
fourrageur* = aanval in verspreide orde v.d.
cavalerie]. **foerier'** [Fr. *fourrier*] (*mil.*)
onderofficier belast m.d. zorg voor een
administratie van kleding en uitrusting v.d.
soldaten, eventueel ook de légering.
**foet** (*spreek uit*: feut) *zie* **feut**. **foetaal'** de
foetus (*z.a.*) betreffend.
**foe'tus** (*spreek uit*: feutus) [Lat. *foetus*
= vrucht, dracht; *vgl.* Gr. *phuoo* = verwekken;
*zie* **fysica**] ongeboren, dus nog i.h.
moederlichaam aanwezige vrucht die reeds
zover is ontwikkeld, dat de grotere vormen
(hoofd, armen, benen e.d.) aanwezig zijn en
het geslacht kan worden bepaald. Bij de mens
spreekt men van foetus van af het begin van
de derde maand; voor die tijd van *embryo*
(*z.a.*).
**foe'zel** v. Du. *Fusel*, verdere afl. zeer
omstreden] alcohol waar de bij de gisting van
suikerhoudende grondstoffen ontstane
**foezelolie** (*z.a.*), die een slechte geur en
smaak heeft, niet is verwijderd; *dus*: slechte
jenever. **foe'zelolie** mengsel van hogere
alcoholen, d.w.z. alcoholen die meer
koolstofatomen bevatten dan de gewone
alcohol (ethanol, $C_2H_5OH$), spec.
amylalcoholen (pentanolen, $C_5H_{11}OH$).
**föhn** [Du. *Föhn*, v. Lat. *Favónius* = warme
westenwind in februari, v. *favére* = gunstig
zijn, koesteren, v. stam *fa-* = glanzen; *zie* **face**]
**1** een warme langs een berghelling dalende
luchtstroom. De naam is inheems a.d.
noordkant v.d. Alpen, maar föhnwinden
kunnen overal voorkomen waar bergketens
zijn; **2** apparaat waarmee warme lucht wordt
geblazen. Een ventilator wekt een luchtstroom
op die vervolgens langs een elektrisch
verwarmingstoestel gaat. Het toestel wordt
medisch gebruikt bij spierreumatiek en bep.
huidziekten, verder als droogapparaat, spec.
als haardroger. **föh'nen** haar drogen met föhn
**2**.
**foi** [Fr., v. Lat. *fides*] geloof, trouw; *ook*:
(ere)woord; *de bonne —*, te goedertrouw (in
Ned. verbasterd tot bonnefooi); *ma — !*, op
mijn woord!
**foie** [Fr.] (*cul.*) lever; *foie gras* [Fr. = *lett.*: vette
lever] (*cul.*) ganzelever, lever v. bep. ganzeras
dat door vetmesting vergrote lever krijgt; *pâté
de foie gras*, ganzeleverpastei.
**foks** [*Barg.*, v. Du. *Fuchs* = vos; dieventaal
werd een gouden penning reeds vroeg *vosch*
genoemd wegens rossige kleur] goud; *fokse
spie*, gouden tientje.
**foliant'** [Du. *Foliant*, woord i.d. 17e eeuw
ontstaan voor een boek in ongevouwen
bladen (vellen), v. later Lat. *in fólio* = in
bladgrootte, v. Lat. *fólium* = blad; (*zie ook*
**folio 2**)] **1** *eig.*: boek met ongevouwen bladen
(elk blad dus twee bladz*ijden*; 'blad' en
'bladzijde' niet met elkaar verwarren; men kan
uit een boek wel één blad scheuren, maar niet
één bladzijde); **2** *thans*: boek in folioformaat
(*zie* **folio 2**), d.w.z. met eenmaal gevouwen
vel, (zodat twee bladen met vier bladz*ijden*
ontstaan; het grootste formaat papier voor
boeken; (*bij uitbreiding*) groot (en lijvig) boek
i.h. alg.
**1 folie** [Fr. v. *fol* of *fou* = gek, dwaas, v. Lat.
*follis* = leren zak, windblaas] dwaasheid, zotte
streek.
**2 fo'lie** [uit Du. overgenomen spelling v.
**foelie**, *z.a.*, zonder overneming v.d. Duitse
uitspraak, die fo-li-e (dus drielettergrepig) is]
foelie, zeer dun blad v. metaal of van
kunststof; *aluminiumfolie*, zeer dun vel
aluminium.
**folië'ren** [v. Lat. *fólium* = blad; *zie ook* **folio**
**1**] de bladen (niet de bladzijden) van een boek

nummeren. Elke *rechter*bladzijde krijgt een nummer. **fo'lio** afk. **f⁰** of fol. [v. later Lat. *in fólio...* = op blad... ] **1** *eig.*: ongevouwen blad v.e. koopmansboek of ander boek of v.e. register; deze bladen worden stuk voor stuk o.d. voorzijde genummerd (*zie* **foliëren**); *fólio récto* (afk. *fol. r⁰*), o.d. voorzijde v.h. blad (dus rechts i.h. boek); *fólio vérso* (*lett.*: o.h. omgeslagen blad; afk. *fol. v⁰*) o.d. achterzijde (keerzijde) v.h. blad (dus links i.h. boek); **2** boekformaat of formaat v.e. geschrift waarbij het wel papier eenmaal is gevouwen, zodat twee bladen, d.i. vier bladzijden (pagina's) ontstaan. *Vgl.* ook **kwarto (quarto).** Volgens de Ned. normvoorschriften zijn er twee reeksen papierformaten, de A-reeks en de B-reeks. Het folioformaat v.d. A-reeks (A₀) heeft een oppervlakte van 841 bij 1189 mm (ca. 1 m²), dat v.d. B-reeks (B₀) is groter, nl. 1000 bij 1414 mm. Men spreekt van *klein-* en *groot-folio.* De naam *folio* wordt ook gebruikt voor een formaat schrijf- of stencilpapier, nl. 34,5 bij 44 cm; **3** *(fig.)* *in fólio,* in grote, hoge mate (*bijv.*: *leugenaar in folio* = aartsleugenaar).

**folk** [Eng., afk. van *folk-song* = volkslied] genre i.d. popmuziek, gebaseerd op de traditionele (Anglo-Amerikaanse) volksmuziek.
**folk'lore** [Eng., v. *folk* = volk, en *lore* = overlevering, leer] **1** het geheel v.d. (soms zeer oude) volkszeden, volksgebruiken e.d. (*zie verder onder* **2**) i.e. volksgemeenschap die trouw is a.d. traditie; **2** wetenschappelijke bestudering en kennis v.d. traditionele gemeenschapscultuur, thans bij voorkeur *volkskunde* genoemd – niet te verwarren met volkerenkunde (etnologie). Deze volkskunde omvat zowel de materiële als de geestelijke volkscultuur (subcultuur). **folklorist'** *oorspr.*: kenner en wetensch. beoefenaar v.d. folklore; *thans*: amateuristisch verzamelaar v. gegevens die o.d. folklore betrekking hebben. De wetensch. beoefenaar v.d. folklore noemt zich bij voorkeur *volkskundige.* **folkloris'tisch** *bn oorspr.*: o.d. folklore betrekking hebbend of daartoe behorend; *thans*: toeristische belangstelling vertonend voor plaatselijke folklore. **folk'-song** [Eng. = volkslied] populair lied met folkloristische inslag.
**folli'kel** [v. Lat. *folliculus* = opgeblazen bol, verklw. v. *fóllis; zie* **1 folie**] *(med.)* zakje of blaasvormige verhevenheid i.e. slijmvlies, *bijv.*: de darmfollikels (darmvlokken), de haarzakjes, *spec.*: blaasje aan eierstok rond rijpend ei (follikel van De Graaf). **folliculair'** de follikels betreffend. **folli'kelhormoon (folliculi'ne)** verouderde naam voor *oestrogene hormonen, z.a.*
**follow-up'** [Eng. = nabehandeling, voortzetting] onderzoek naar hoe een persoon b.e. bep. behandeling na verloop van tijd zich heeft ontwikkeld; *ook*: het onderzoek n.h. resultaat van sociale maatregelen, v.e. reclamecampagne e.d.
**fomente'ren** [Lat. *fomentáre,* v. *foméntum* = *foviméntum,* v. *fovére* = koesteren] met warme omslagen behandelen, pappen; ophitsen, ruziestoken. **fomenta'tie** [Lat. *fomentátio*] *zn.* **foment'** [Lat. *foméntum*] warme omslag.
**fonce'ren** [Fr. *foncer* = v.e. bodem voorzien; *ook*: *foncer* = donker maken] *(cul.)* bodem of zijkanten v.e. vorm bekleden of beleggen. **foncé** [Fr.] donker (v. kleur).
**fond** [Fr., v. Lat. *fúndus* = bodem] *(cul.) a* bodem of wortelstok v. artisjok of selderie; *b* onderlaag v. gesneden groenten, puree, moes of rijst; *c: à – koken,* geheel inkoken of indampen, inblikken. **fond-** *zie* **fund-**.
**fon'dre** [Fr., v. Lat. *fúndere* = gieten, smelten] *(cul.)* laten slinken of smelten met boter en/of water; *b* appelen, abrikozen e.d. met weinig water gaar maken. **fondant'** [Fr., o.dw van *fondre; fondant*] betekent dus: smeltend] **1** *(cul.)* bep. op de tong smeltend

suikergoed; **2** (*emailleertechniek*) kleurloos mengsel van verschillende stoffen, smeltbaar en verglaasbaar, dat dient als basis voor email.
**1 fonds** [v. Fr., v. Lat. *fundus* = bodem, v. *fundáre* = grondslag leggen] (bedrijfs)kapitaal; geldvoorraad voor bep. doel bestemd (bijv. stakingsfonds); vereniging die gelden van leden int en beheert om uitkeringen te doen in bep. gevallen (bijv. ziekenfonds); effect, aandeel, staatspapier (bijv. op beurs: de fondsen dalen, incourante fondsen); bep. wisselrecht; de gezamenlijke door een uitgever uitgegeven en uit te geven boeken en tijdschriften. (*Zie ook* **à fonds perdu.**)
**2 fonds** [Fr., met Fr. uitspr.; v. Lat. *fúndere* = smelten, gieten] *(cul.)* vocht dat ontstaat bij braden, koken en stoven van vlees, gevogelte, vis, groenten e.d. en dat (evt. ingedampt) dient als grondstof voor soepen, sauzen en ragoûts.
**foneem'** [v. Gr. *phoonè* of *phonèma* = geluid, stem, spraak] kleinste taalklankeenheid die betekenisonderscheid teweegbrengt. De Ned. woorden *ram* en *rem* hebben verschillende betekenis maar zijn overigens gelijk, behalve dat het ene woord een ă (korte a) en het andere een ě (korte e) heeft. ă en ě zijn dus twee Ned. fonemen. **fonema'tisch** *bn* de fonemen betreffend.
**fonetiek'** [v. Gr. *phoonètikos*], *ook*: **fone'tica** *oorspr.*: het proefondervindelijk onderzoek der spraakklanken; thans verstaat men onder fonetiek (korte term voor *fonetische wetenschappen*) de bestudering in ruime zin van het mechanisme v. spreken en verstaan. **fone'tisch** *bn & bw* **1** de fonetiek of de spraakklanken betreffend; **2** volgens de spraakklanken; — *schrift,* het klank voor klank weergeven van de taal d.m.v. zgn. *fonetische tekens,* waarbij elke klank consequent door zijn eigen teken wordt weergegeven. **fone'ticus** beoefenaar v.d. fonetiek.
**foniatrie'** geneeskunde v.d. spraakorganen, onderzoek naar en opheffing van spraakstoornissen. (*Zie ook* **logopedie.**)
**foniek'** kunst v.d. klankmengeling en klankcombinatie, leer v.d. klankverhouding.
**fo'nisch** [*vgl.* Fr. *phonique* = klank-, geluids-, stem-] *bn & bw* de klank(en) betreffend.
**fono-** [v. Gr. *phoonè* = geluid, stem] klank-, geluids-. **fo'nobar** discobar. **fonofoor'** [v. Gr. *phoros* = dragend] gevoelige microfoon.
**fonograaf'** [v. Gr. *graphoo* = schrijven] apparaat voor het vastleggen en laten weergeven van geluiden d.m.v. met stanniool bedekte draaiende rol waarin een trillende naald groeven sneed; uitvinding van Edison, voorloper v.d. grammofoon. **fonogram'** [v. Gr. *gramma* = het geschrevene, schrift] **1** het door een fonograaf vastgelegde; **2** rol of plaat v.e. fonograaf; **3** telefonisch overgebracht telegram. **fonologie'** tak van taalwetenschap die zich bezighoudt met klanken v.e. taal (niet die v.d. spraak; deze worden bestudeerd in de **fonetiek,** *z.a.*) als samenhangend stelsel beschouwd. **fonolo'gisch** *bn & bw* de fonologie betreffend of daarop gegrond. **fonoloog'** beoefenaar v.d. fonologie. **fonome'ter** apparaat om de sterkte van geluiden te meten. **fonometrie'** **1** geluidssterktemeting; **2** *(med.)* onderzoek van bep. lichaamsholten door de echo van door een stemvork opgewekt geluid te meten. **fo'nopost** gesproken brieven d.m.v. grammofoonplaten of geluidsbandjes; het opnemen en verzenden daarvan. **fonoscoop'** [v. Gr. *skopeoo* = rondzien, waarnemen] **1** toestel om geluiden waar te nemen; **2** *(med.)* stethoscoop met versterker. **fonotheek'** [v. Gr. *tithèmi* = zetten; *thèkē* = bewaarplaats] verzameling grammofoonplaten, geluidsbandjes, cassettes; uitleeninstelling daarvan. **fonotypis'te** *zie* **audiotypiste.**
**fons et ori'go** [Lat.] bron en oorsprong.
**fontanel'** [Fr. *fontanelle,* v. It. *fontanella*

= fonteintje, v. Lat. *fons, fóntis* = bron, wel]
**1** elke plaats i.h. schedeldak van zuigelingen waar het bindweefsel nog niet is verbeend, zodat de schedelbeenderen niet geheel aan elkaar sluiten; **2** (*med.*) kunstmatige ettering om schadelijke vochten af te voeren (thans weinig meer toegepast).

**fool'proof** [Eng. = *lett.*: dwaas-bestendig] *bn&bw* zo geconstrueerd dat zelfs een onbevoegde er geen ongelukken mee kan maken; bedrijfszeker.

**foon** [v. Gr. *phoonè* = geluid] de eenheid van luidheid. De foonschaal en de decibelschaal zijn bij 1 000 Hz (Hertz) per definitie identiek, maar bij lagere Hz is een groter vermogen in dB (decibel) nodig. Door i.e. decibeldiagram de punten van gelijke luidheid door lijnen te verbinden (*isofoon*), kan men de verhouding dB/Hz aflezen.

**-foor** [v. Gr. *phoros* = dragend] -drager.

**foor** [v. Fr. *foire*, v. Lat. *féria* = vrije dag (*eig.*: *fes-nia* = glanzende dag) *féstus* = glanzend; *vgl.* Du. *Ferien* = vakantie, v. Lat. *vv fériae* = vrije dagen] (*Z.N.*) jaarmarkt, kermis.

**foor'wagen** (*Z.N.*) kermiswagen.

**foot** *mv* **feet** afk. **ft** [Eng.] voet, bep. Eng. lengtemaat, 30,48 cm.

**Foraminife'ren** *mv* [wetensch. naam Foramini'fera] Krijtdiertjes of Gaatjesdiertjes [v. Lat. *forámen, foráminis* = opening, gat, en *férre* = dragen] eencellige diertjes (Protozoa) uit de klasse Wortelpotigen (Rhizopoda of Sarcodina), voornamelijk zeediertjes.

**for'ce**, afk. **F** [Fr., v. VLat. *fórtia*, v. Lat. *fórtis* = sterk] kracht, macht, geweld, dwang; —*de frappe* (= macht om toe te slaan, slagkracht), naam v.d. Fr. strategische kernmacht; —*majeure*, overmacht, nooddwang, omstandigheid die iets verhindert en waaraan niets valt te veranderen (*bv.*: ziekte, ongeval, oorlog, opstand); *par* —, met geweld.

**for'ceps** [Lat. = *lett.*: aanvatter v. iets heets, v. stam *for* = heet (*vgl. fornax* = oven, fornuis; *vgl.* Gr. *therm-* = warm), en *cápere* = vatten] tang, spec. verlostang.

**force'ren** [Fr. *forcer*, *zie* **force**] **1** met geweld openbreken; (*mil.*) zich met geweld een doortocht banen; **2** beschadigen door te grote of onjuiste kracht aan te wenden; **3** iets doordrijven met geweld tegen de natuurlijke ontwikkeling in; **4** (*tuinbouw*) vóór de natuurlijke tijd tot bloei of rijpheid brengen door spec. middelen; **5** (*metaalbewerking*) metaal met kracht over een vorm buigen of wringen om zo voorwerpen zonder naad of solderen te vervaardigen. **forcer'der** werkman die metaal forceert.

**forclu'sie** [Fr. *forclusion*, v. Lat. *fóris* = buiten (*zie* **foreest**), en *cláudere, cláusum* = sluiten] (*jur.*) uitsluiting.

**foreest** v. Fr. *forêt*, v. MLat. *foréstis* (*silva*) = (bos) buiten de omheining v.h. park, v. Lat. *fóris* = buiten; *vgl.* Lat. *fóris* = Gr. *thura* = deur] bos, woud.

**fore'hand** [Eng. afk. v. *forehand drive*] (*tennis*) slag met de palm v.d. hand naar voren, waarbij de arm een soepele zwaai maakt.

**forens'** [v. Lat. *forénsis* = buiten plaatshebbend, v. *fóris* = buiten; *zie* **foreest**] wie buiten de stad of gemeente woont waar hij zijn werkzaamheden heeft.

**foren'sisch** [v. Lat. *forénsis* = tot de gerechtsplaats behorend, v. *fórum* = gerecht (oorspr. vierkante open ruimte in stad voor markt, rechtspraak e.d.; *zie* **forum**)] gerechtelijk (niet: de forens betreffend); —*e geneeskunde*, medisch onderzoek in strafzaken betreffende aard v. verwondingen, doodsoorzaak e.d.; —*e psychiatrie*, tijdens een strafzaak te hulp geroepen tak v.d. psychiatrie om de rechter(s) van advies te dienen aangaande de geestelijke vermogens v.d. verdachte, eventuele terbeschikkingstelling v.d. regering (t.b.r.) e.d.

**foren'zen** dagelijks op en neer reizen tussen woongemeente en gemeente waar men zijn werkzaamheden verricht.

**forfait'** [Fr., v. *forfaire* (MLat. *foris fácere*) = buiten de norm iets doen (spec. misdoen, maar *ook*: afwijkend handelen), v. *fors* = Lat. *fóris* = buiten (*zie* **foreest**), en *faire* = Lat. *fácere* = doen] **1** misdaad, misdrijf; **2** (*bw uitdrukking*) *à forfait* = bij de hoop, niet stuk voor stuk, voor een bedrag ineens; (*bij aanbesteding*) voetstoots, ineens, d.i. tegen overeengekomen loon (niet stuk-loon) of prijs (met risico voor aannemer of leverancier); (*hand.*) *disconter à forfait*, disconteren met afstand van recht op verhaal; **3** (*Z.N.*) verstek; *forfait geven*, verstek laten gaan, spec. door een sportclub waardoor de wedstrijd door de in gebreke blijvende club reglementair wordt verloren; *forfaitcijfers*, score als bij forfait; **4** *huurwaardeforfait*, bedrag (deel v.d. netto-huurwaarde) dat een eigenaar v.e. door hem zelf bewoond huis voor de belasting bij zijn inkomen moet optellen als compensatie voor de aftrek van hypotheekrente. **forfaitair'** [Fr. *forfaitaire*] *bn* volgens afspraak in vaste termijnen of ineens te leveren of te betalen; —*reis*, vakantiereis tegen vooraf bepaalde ronde som, die niet later kan worden verhoogd; —*bedrag*, voor ieder gelijke ronde som.

**forint'** Hong. munteenheid, verdeeld in 100 fillér.

**for'ma** [Lat.] vorm; —*natúra*, (*lett.*: de natuur is de vorm) natuurlijke (pas)vorm; *pro* —, voor de vorm. **formaat'** [Fr. *format*, v. Lat. *formáre, formétum* = vormen) grootte en vorm; *van* (*groot*) —, belangrijk op zijn gebied (bijv. geleerde).

**form'aldehyde** [v. modern Lat. *ácidum formícicum* = mierezuur, v. Lat. *formíca* = mier; *zie verder* **aldehyde**] methanal, HCOH, aldehyde afgel. van methaan, CH₄, of afgel. gedacht van mierezuur, HCOOH. Kleurloos gas met stekende geur, dat voor velerlei doeleinden wordt gebruikt.

**formali'ne** [naar West-Du. merknaam *Formelin*]; *ook*: **formol'**, handelsnaam voor een 35-40% waterige oplossing van formaldehyde, gebruikt als desinfecterend middel met sterk bacteriedodende eigenschappen.

**formalise'ren** [Fr. *formaliser*, v. Lat. *forma*, e.a.] **1** streng i.d. vorm brengen (*bijv.*: geformaliseerde logica); **2** stipt de uiterlijke regels en vormen naleven; *zich* —, zich beledigd gevoelen door een gebrek i.d. vorm. **formalis'me** het stipt hechten a.d. uiterlijke vorm met voorbij zien of onderschikking v.d. inhoud, geest of betekenis, overdreven eerbied voor uiterlijkheden, vormendienst. **formalist'** persoon die zich uitsluitend aan uiterlijke vormen houdt. **formalis'tisch** *bn* & *bw* **1** t.h. formalisme behorend; **2** te veel op formaliteiten of de vorm gesteld zijn.

**formaliteit'** [Fr. *formalité*, v. Lat. *formálites*] **1** iets wat alleen omwille v.d. vorm (*pro fórma*) gebeurt (*bijv.*: dit is zuiver een formaliteit); **2** uiterlijke vorm die bij een spec. officiële of publieke handeling is voorgeschreven, of die men daarbij in acht pleegt te nemen.

**formant'** [Lat. *formáre* = vormen, construeren, en *-ant* = effect veroorzakend ding] vormend bestanddeel; enkele geluidsfrequenties die samen een spraakklank vormen.

**formeel'** [v. Lat. *formális*] **I** *bw* & *bw* **1** n.d. vorm, (slechts) de vorm betreffend (*bijv.*: formeel heeft hij gelijk); **2** waarbij de vormen in acht genomen zijn; *vandaar*: geheel het karakter hebbend van wat het zn uitdrukt, *dus*: echt, waar (*bijv.*: formeel; *ook* als *bw*: in alle vormen duidelijk (hij weigerde hem dit formeel); **3** (*jur.*) het formele recht, procesrecht (tegenover materieel recht); **II** *zn* constructie (meestal van houtwerk) waarop een gewelf of een boog wordt gemetseld, welke constructie later weer wordt

weggenomen. **forme'ren** [v. Lat. *formáre, formátum*] **1** vormen, vorm geven, samenstellen (bijv. een kabinet); **2** een gedaante geven aan, scheppen; (*mil.*) (zich) opstellen (gezegd v.e. leger). **formateur'** [Fr.] samensteller, spec. v.e. kabinet.
**forma'tie** [Lat. *formátio*] **1** schepping, vorming; **2** wijze waarop iets is gevormd; **3** (*mil.*) wijze waarop een legerafd. is samengesteld en opgesteld; bep. verband waarin oorlogsvliegtuigen vliegen; **4** getalsterkte (bijv. een legerafd. boven de gewone formatie); *ook*: de legerafd. zelf; *ook*: normale vastgest. personeelsbezetting v.e. bureau, postkantoor, dienst e.d.; **5** (*geol.*) aardlaag of groep aardlagen die in dezelfde tijdsperiode of onder gelijke omstandigheden zijn gevormd (*bijv.*: de carboon-formatie; sedimentaire formaties); **6** (*pop-, jazz- of amusementsmuziek*) groep musici.
**formiaat'** [v. modern Lat. *ácidum formícicum* = mierezuur, *zie* **formaldehyde**] zout of ester van mierezuur, HCOOH.
**for'mica I** *zn* naam voor een gladde, zuurvaste, harde kunststof, veelal in platen en dan dienend als tafelbladen (gemakkelijk te reinigen); **II** *bn* van formica.
**formida'bel** [Fr. *formidable*, v. Lat. *formidábilis*, v. *formído* = schrik] geducht, ontzaglijk, geweldig.
**formol'** *zie* **formaline**.
**formu'le** [via Fr. *formule* v. Lat. *fórmula*, verklw. v. *fórma*, z.a.] **1** (*religie*) een opeenvolging van heilige woorden die worden geacht een magische kracht te bezitten; **2** het geheel van woorden of zinnen i.e. vastgelegde vorm, die bij bep. (spec. ambtelijke) handelingen worden gebruikt of uitgesproken en voor bijzondere gevallen zijn voorgeschreven (bijv. bij het afleggen v.e. eed); **3** korte vorm v.e. beginsel, standpunt, een overeenkomst (*bijv.*: deze formule was voor beide partijen aanvaardbaar); **4** (*wisk.*) wisk. bewering uitgedrukt in wisk. symbolen; **5** (*natuurwetensch.*) een werkelijke of hypothetische wetmatigheid in bep. symbolen of tekenschrift uitgedrukt; **6** (*chem.*) combinatie van letters (chem. symbolen): elk element heeft zijn eigen symbool) en eventueel cijfers rechts beneden v.h. symbool, die de bruto samenstelling v.e. stof in haar elementen aangeeft, bijv. $H_2SO_4$ voor zwavelzuur. **formule'ren** [Fr. *formuler*] **1** uitdrukken i.e. formule of vorm; **2** onder woorden brengen, in woorden uitdrukken.
**formule'ring** het formuleren; de wijze van uitdrukken. **formulier'gebeden** gebeden in vastgelegde bewoordingen voor liturgisch gebruik, in sommige kerken verplicht, in andere niet, zoals i.d. kerken v.h. gereformeerd protestantisme, waar meer op het vrije gebed de nadruk wordt gelegd.
**fornica'tie** [Lat. *fornicátio* = hoererij, v. *fórnix, fórnicis* = boog, gewelf, spec. een onderaards gewelfd vertrek waar de hoeren zich ophielden, bordeel] overspel.
**1 fort** (met Ned. uitspr.) [v. Fr. *fort* = sterk, v. Lat. *fórtis*] gesloten vestingwerk dat naar alle kanten verdedigbaar is, maar niet als woonplaats dient.
**2 fort** (met Fr. uitspr.) [Fr.] sterke zijde (*bijv.*: wiskunde is mijn fort niet = daarin ben ik geen uitblinker). **for'te** [It., v. Lat. *fórtis* = sterk] (*muz.*) *bw* luid, krachtig (afkorting **f**).
**fortifice'ren** [Lat. *forticáre*, v. *fórtis* = sterk, en *fácere* = maken] voorzien van vestingswerken. **fortifica'tie 1** het fortificeren; **2** vestingswerk, versterking. **fortio'ri** [Lat. 6e naamval v. *fórtior* = vergrotende trap van *fórtis* = sterk]: *a* —, met te meer reden, des te meer.
**for'tis** *mv* **for'tes** (*taalk.*) klank uitgesproken met krachtige spiersamentrekking en dus met sterke beklemtonings-energie, niet-stemhebbende klank, zoals p, k, s, t.
**fortis'simo** [It., v. Lat. *fortíssimo*, overtr. trap van *fórtis* = sterk] (*muz.*) *bw* zeer luid, zeer

krachtig (afk. **ff**). **fortissis'simo**, *ook*: *fortissimo possibile* [It., gevormd naar analogie van *fortíssimo*] (*muz.*) *bw* zo luid mogelijk, zo krachtig mogelijk (afk. **fff**).
**for'titer in re, sua'viter in mo'do** [Lat.] krachtig wat de zaak zelf betreft, maar zacht i.d. wijze van uitvoering.
**fo'rum** [Lat. = oorspr. een langw. vierk. ruimte, spec. een vierkant stadsplein voor het dagelijks verkeer v. mensen met elkaar, voor handels- en geldzaken, maar ook voor gerechtszaken, of als vergaderplaats in het alg.] **1** marktplein, markt; **2** rechtbank, gerechtshof; *fórum cómpetens*, bevoegde rechtbank; *in fóro*, voor de rechtbank; (*fig.*) *iets voor het — brengen*, ter tafel, ter bespreking brengen; **3** groep deskundigen die i.h. openbaar een bep. onderwerp bespreekt en daarna met het publiek bediscussieert (*forumdiscussie*). (*Vgl.* **panel**.)
**for'ward** [Eng. = voorwaarts] voorhoedespeler bij bep. balspelen, bijv. voetbal (aanvaller of spits).
**forzan'do**, afk. **forz.**, *ook*: **sforzan'do** [It. v. *forzare* = dwingen, forceren] (*muz.*) *bw* versterkt (meestal van toongroep), aanzweltend.
**fosfaat'** [*zie* **Fosfor**] zout of ester van fosforzuur, $H_3PO_4$; *a zouten*: onder fosfaten in engere zin verstaat men de zouten van het *orthofosforzuur*, $H_3PO_4$. Daarnaast verstaat men onder fosfaten in bredere zin zouten van *metafosforzuur*, (HPO$_3$)$_n$, en zouten van *polyfosforzuren* H$_{n+2}$(P$_n$O$_{3+n}$). Veel fosfaten zijn waardevolle kunstmeststoffen (*zie ook* **superfosfaat**); *b esters*: men onderscheidt neutrale en zure fosforzure esters, naargelang alle of slechts een deel v.d. waterstofatomen is vervangen. Sommige fosforzure esters dienen als weekmakers, andere zijn werkzaam als *insecticide* of vormden vroeger de belangrijkste klasse van chem. strijdmiddelen (zenuwgiften). **fosfate'ren** (*techniek*) het doen ontstaan v.e. laagje fosfaat op metaal, voorn. op staal, maar ook o.a. op zink en aluminium. Dit geschiedt o.a. om het metaal tijdelijk tegen corrosie te beschermen en als hechtingsondergrond voor later verven of lakken; de fosfaatlaag voorkomt dan onderroest. **fosfati'den** *mv, ook*: **fosfolipoï'den** [*zie* **lipoiden**] *mv* tot de *lipoiden* (z.a.) behorende verbindingen die fosforzuur, hogere vetzuren, een meerwaardige alcohol en meestal een organische base bevatten. **fosfi'de** verbinding van fosfor m.e. metaal, bijv. calciumfosfide, Ca$_3$P$_2$. De fosfiden van lichte metalen kunnen worden afgeleid gedacht van PH$_3$, **fosfien** *z.a.* **fosfien'** korte naam voor *monofosfien*, de fosforwaterstof PH$_3$. **fosfiet'** zout of ester van fosforigzuur H$_3PO_3$ (H$_2$HPO$_3$), dus tweebasisch.
**fosfo-estera'sen** *mw* (esterasen zijn enzymen die esters hydrolisch splitsen) enzymen die de hydrolytische splitsing (*zie* **hydrolyse**) van fosforzure esters katalytisch versnellen (*zie* **katalyse**). **fosfolipoï'den** *zie* **fosfatiden**.
**Fos'for**, Ned. naam voor *Phosphorus* [v. Gr. *Phoosphoros* = lichtdrager, v. *phoos* = licht, en *pheroo* = dragen, wegens het lichten van witte fosfor in het donker] chem. element, niet-metaal, symbool P, ranggetal 15.
**fosfo'ren** *mv* [= lichtdragers, dezelfde woordafl. als *Fosfor*, z.a., waarmee ze overigens niets uitstaande hebben]; *ook* minder juist *luminifo'ren* [v. Lat. *lúmen, lúminis* = licht, en Gr. *pheroo* = dragen] organische of anorganische stoffen die ofwel *fluorescentie* (z.a.) ofwel *fosforescentie* (z.a.) vertonen als ze met licht, ultraviolette straling, elektronenstraling of röntgenstralen worden bestraald.
**fosforescen'tie** [genoemd n.h. lichten van witte fosfor i.h. donker, maar geen oxidatieverschijnsel zoals daar] het

verschijnsel dat sommige stoffen (*fosforen* of *luminiforen* genaamd) na bestraling met licht, ultraviolette stralen, elektronenstralen of röntgenstralen daarna nog enige tijd licht uitstralen, het zgn. *nalichten* in het donker; dit i.t.t. *fluorescentie* (*z.a.*) waar de geabsorbeerde energie vrijwel onmiddellijk (ca. $10^{-8}$ sec.) weer i.d. vorm van licht wordt uitgestraald. **fosforesce'ren** het verschijnsel van fosforescentie vertonen.
**fosforyl'** [v. Fosfor en -**yl**] de eenwaardige atoomgroep (radicaal) -$PO(OH)_2$.
**fosforyla'sen** *mv* enzymen die glucosylresten (suikerresten) van suikerfosfaten afsplitsen en meestal overdragen op polysacchariden zoals glycogeen (zgn. dierlijk zetmeel), amylopectien (hoofdbestanddeel v. zetmeel) of lagere dextrienen (bouwstenen van zetmeel). Polysacchariden (*z.a.*) zijn opgebouwd v.e. groot aantal resten v.d. suiker glucose. De fosforylasen zelf zijn fosforhoudende eiwitten (fosfoproteïnen, fosfoproteïden).
**fosgeen'** [v. Gr. *phoos* = licht en *genos* = het gewordene, (*vgl. gennaoo* = voortbrengen), dus *lett.*: het door licht gewordene] de chem. verbinding $COCl_2$, ontstaan door directe verbinding van $CO$ (koolmonoxide) aan $Cl_2$ (chloorgas) onder inwerking van licht; vandaar de naam fosgeen. Fosgeen is een zeer giftig gas, vroeger als strijdgas gebruikt.
**fossiel'** [v. Lat. *fossilis* = (op)gegraven, v. *fódere, fóssum* = graven] **I** *bn* **1** i.d. grond versteend of anderszins bewaard en als zodanig opgegraven (*bijv.*: fossiele dieren en planten); *fossiele brandstoffen*, brandstoffen best. uit delfstoffen die door lang geleden afgestorven organismen zijn gevormd, zoals turf, bruinkool, steenkool, petroleum (= aardolie), aardgas; **2** (*fig.*) totaal verouderd; **II** *zn* **1** (vroeger ook *petrefact* of *verstening* genaamd) overblijfsel van gestorven of uitgestorven plant of dier, dat van mineralogische samenst. is veranderd (zgn. 'versteend') en als zodanig herkenbaar is. Daarnaast worden ook t.d. fossielen in ruimere zin gerekend allerlei getuigen van vroeger leven die op andere wijze dan door verstening zijn bewaard gebleven, zoals afdrukken en opvullingen daarvan, sporen, vreetgangen, verharde uitwerpselen, en ten slotte fossiele hars (barnsteen), fossiele brandstoffen (*zie bij* I) en organische kalksteen. Resten van soorten die pas betrekkelijk kort geleden zijn uitgestorven, noemt men *subfossielen*; **2** (*fig.*) persoon die in levenswijze en opvattingen zeer ouderwets is, als het ware leeft in een voorbij tijdperk en daarin is 'versteend'. **fossilisa'tie** proces waardoor planten en dieren na hun afsterven geheel of gedeeltelijk bewaard blijven.
**foto-** [v. Gr. *phoos, phootos* = licht] licht-, op licht betr. hebbend, door licht veroorzaakt, van licht vergezeld gaand. **fo'tobacteriën** bacteriën die licht geven i.h. donker doordat chemische energie wordt omgezet in licht. **fo'tobiologie** of **fotobiologie** onderdeel v.d. biologie dat invloed van licht (niet-ioniserende straling) op levende wezens en levensverschijnselen bestudeert.
**foto-chemie'** onderdeel v.d. chemie dat de werking van licht op chemische reacties bestudeert, leer v.d. chemische werking van licht. **fotoche'misch** *bn & bw* betr. hebbend op chem. reacties o.i.v. licht of v.d. aard daarvan. **fotochromie'** het maken v. lichtbeelden i.d. natuurlijke kleuren. **fotochroma'tisch** werkend met gekleurd licht; -*e beelden*, gekleurde lichtbeelden. **fotochro'misch** donker worden i.h. zonlicht (omkeerbaar) (*bijv.*: bij speciale zonnebrillen die normaliter gewoon doorzichtig zijn, maar i.h. zonlicht donker worden.) **fo'to-effect** het verschijnsel dat bij bestraling met licht elektronen u.d. stof treden, omzetting van licht

in elektrische stroom in spec. apparaten (*zie verder* foto-elektriciteit).
**fo'to-elektriciteit** elektrische verschijnselen die zich voordoen a.g.v. bestraling van materie door licht. **foto-elek'trisch** *bn* **1** elektrische verschijnselen producerend o.i.v. licht; **2** werkend door foto-elektriciteit; *foto-elek'trische* cel, ook kortweg: *fo'tocel* apparaat dat licht omzet in elektrische energie.
**fotofobie'** ziekelijke vrees voor licht, lichtschuwheid. **fotofoon'** [v. Gr. *phoonè* = geluid, stem] lichttelefoon, apparaat dat geluidssignalen overbrengt m.b.v. licht.
**fotogeen'** [v. Gr. *gennaoo* = voortbrengen] *bn* lichtgevend. **fotogeniek'** *bn* [Eng. *photogenic*, Fr. *fotogénique* = *hier*: goede foto's opleverend] goed fotografeerbaar (*bijv.*: een -- gezicht); o.e. foto goed en voordelig uitkomend. **fotogeologie'** of **fo'togeologie** geol. onderzoekingen door interpretatie van luchtfoto's. **fotogeoloog'** persoon die geol. kaarten maakt a.d. hand van luchtfoto's. **fotogra'fica** het verzamelen van oude foto's, fototoestellen, toverlantaarns enz. kortom alles wat op fotografie betrekking heeft. **fotogram'** [v. Gr. *gramma* = het geschrevene] fotogr. opname voor techn. of wetensch. doeleinden. **fotogrammetrie'** een methode om uit fotogr. opnamen (enkelvoudige of stereoscopische: *fotogrammen*) de afmetingen, vorm en positie van voorwerpen te reconstrueren. Deze methode wordt toegepast voor het maken van landkaarten, ofwel door opnamen te maken m.e. fotothesdoliet (*zie* theodoliet) o.d. begane grond (*terrestrische fotogrammetrie*) of door luchtfoto's (*luchtfotogrammetrie*). **fotogravu're** reproduktiemethode waarbij een voorstelling langs fotografische weg wordt overgebracht o.e. koperen plaat en daarvan afgedrukt. **fotolithografie'** of **fo'tolithografie** reproduktiemethode waarbij een voorstelling langs fotografische weg wordt overgebracht op steen en daarvan afgedrukt (*vgl.* fotogravure). **fotoluminescen'tie** *zie onder* **luminescentie**. **fotoly'se** [v. Gr. *lusis* = losmaking, v. *luoo* = losmaken] chem. ontleding v.e. stof o.i.v. licht. **fotome'ter** lichtmeter, toestel om de intensiteit van licht (lichtsterkte) te meten. **fotometrie'** het meten v.d. intensiteit (lichtsterkte) van lichtbronnen ten opzichte van elkaar. **fo'tomontage** *zie* **montage**) **1** het rangschikken van foto's in chronologisch of ruimtelijk verband om een bep. effect te verkrijgen; **2** het geheel v.d. aldus gerangschikte foto's. **fo'ton** [de uitgang -*on* duidt i.d. atoomfysica een elementair deeltje aan] lichtquantum (*beter*: stralingsquantum) pakketje elektromagnetische straling dat (evenals andere deeltjes) niet alleen als golfbeweging maar ook als deeltje kan worden beschouwd. **fotonastie'** beweging van delen v.e. plant o.i.v. licht, waarbij de bewegingsrichting niet wordt bepaald door de richting v.h. invallende licht, zoals bij **fototropie** (*z.a.*), maar door de bouw v.h. bewegende plantedeel. **foto-oxidan'ten** *mv* ook kortweg: **oxidan'ten** zeer reactieve oxiderende chemische verbindingen, die i.d. atmosfeer ontstaan doordat daarin aanwezige andere chemische stoffen met elkaar reageren o.i.v. de ultraviolette straling v.d. zon. De bedoelde andere chemische stoffen zijn i.d. atmosfeer terechtgekomen als deel v.d. luchtverontreiniging. **fo'toperiodiciteit** het verschijnsel dat sommige levensverrichtingen v.e. plant worden beïnvloed door het aantal uren per etmaal dat ze licht ontvangen. **fotorecep'tor** [modern Lat. = ontvanger, v. Lat. *recipere, receptum* = ontvangen; *vgl.* **recept.** en **receptie**] orgaan of deel daarvan dat voor lichtprikkels gevoelig is. **fo'tosafari** trektocht in tropisch natuurgebied, niet om op groot wild te jagen zoals bij een gewone safari,

maar om het van nabij te fotograferen.
**fotosfeer'** (*astr.*) de laag v.d. atmosfeer v.e.
ster waarin de *Fraunhoferlijnen* (z.a.) worden
gevormd; bij onze zon zien wij de fotosfeer als
het lichtgevende oppervlak, waarin het oog
niet verder kan doordringen. De fotosfeer is de
gaslaag gelegen onder de corona en de
chromosfeer. **fotosynthe'se** proces in bep.
organismen waardoor kooldioxide ($CO_2$)
o.i.v. zonlicht (of licht i.h. algemeen) in
koolhydraten wordt omgezet. Tot de
organismen waarin dit proces zich afspeelt,
behoren alle groene planten, maar ook
micro-organismen als eencellige algen en een
aantal bacteriesoorten (bijv. de purperen en
groene zwavelbacteriën). **fotota'xis** het zich
verplaatsen (*locomotie*) v.e. eencellige plant
(alg), bacterie of dier o.i.v. licht.
**fototherapie'**, *ook*: **fo'totherapie** (*med.*)
lichttherapie, geneesmethode d.m.v. zonlicht
(dat ook infrarode en ultraviolette straling
bevat) of van kunstmatige stralingsbronnen
(hoogtezon, infraroodlamp). **fototropie'**
*ook*: **fototropis'me** asymmetrische
groeibeweging van plantedelen, waarbij de
richting v.d. beweging wordt bepaald door de
richting v.d. lichtprikkel (dit i.t.t. *fotonastie*,
(z.a., waar de richting v.d. lichtprikkel geen
invloed heeft). **fototypie'** 1 lichtdruk,
reprodu-ktiemethode waarbij men beelden
langs fotografische weg overbrengt op
chroomgelatineplaten; 2 afbeelding gemaakt
volgens deze methode. **fototypografie'**
(*typ.*) alle wijzen van zetten waarbij men
gebruik maakt van fotografische procédés.
**fotozinkografie'** fototypie m.b.v. zinkplaten.
**foudroyant'** [Fr. = o.dw van *foudroyer*
= bliksemen, v. *foudre*, Lat. *fúlgur* = bliksem]
*bn* bliksemend, als de bliksem treffend; (*med.*)
snel om zich heen grijpend en heftig verlopend
(*bijv.*: — *gangreen*, zich snel uitbreidend
koudvuur).
**fouette'ren** [Fr. *fouetter* = *eig.*: met de zweep
(*fouet*) slaan; *ook*: kloppen, klutsen] (*cul.*)
room, saus e.d. m.e. garde kloppen.
**fouille'ren** [Fr. *fouiller* = woelend
doorzoeken, v. Lat. *fodícare* = rondwoelen, v.
*fódere* = graven] a.d. lijve onderzoeken op
verboden waar.
**foulard'** [Fr., v. *fouler* = vollen, persen, v. VLat.
*fulláre* = vollen, v. Lat. *fúllo* = volder]
1 gekleurd weefsel uit ongetweende ruwe
zijde en fleuretzijde (z.a.) geweven; 2 halsdoek
daarvan.
**founda'tion** [Eng. = grondslag, v. Lat. *fundáre*
= grondvesten; *zie* **funderen**]
1 nauwsluitende damesonderkleding bedoeld
als ondersteuning; 2 foundation crème (*zie
volgende*). **foundation cream** [Eng.]
huidcrème bij *make-up* als ondergrond voor
gelaatspoeder.
**fourage'ren** enz. *zie* **foerageren**.
**fourneer'** [v. Fr. *fournir*, *zie volgende*] hout in
dunne bladen voor in- en oplegwerk i.d.
schrijnwerkerij (*zie ook* **fineer**). **fourne'ren**
[Fr. *fournir*, v. Germ. *frumjan*, OHDu. *frummen*
= vooruitdrijven; *vgl.* Eng. *to furnish*]
1 leveren, verschaffen, voorzien van; spec.
geld, kapitaal verschaffen, storten;
*volgefourneerde aandelen*, volgestorte
aandelen; 2 bijbetalen; (eertijds) *een lot i.d.
staatsloterij* —, b.e. klassikaal lot zoveel
bijbetalen dat het geldig werd voor de
volgende klasse; *doorgefourneerd lot*, lot dat
door bijbetaling voor alle klassen van de
staatsloterij geldig was; 3 (*jur.*) overleggen
(bewijsstukken, dossiers); 4 (*schrijnwerkerij*)
fineren. **fournissement'** [Fr.] 1 levering;
2 inleg van iedere deelnemer; aandeel;
storting; bijbetaling; aanzuivering.
**fournisseur'** [Fr.] leverancier, verschaffer.
**fournitu'ren** *mv* [Fr. *fournitures*], als
verzamelnaam *ook*: **fournituur'** kleine
benodigdheden voor de uitoefening v.e.
handwerk, spec. voor het afwerken van
kledingstukken (garens, knopen, band,

voering, opvulsels e.d.). **fourragères** [Fr.]
(*mil.*) schouderkwasten met koorden op
uniform, vangsnoeren.
**foyer'** [Fr. = haard, v. VLat. *focárium* = t.d.
*fócus* (haard) behorend; *zie* **focus**]
koffiekamer in schouwburg, concertgebouw
en dergelijke openbare gelegenheden.
**fra** [It. verkorting v. *frate* = Lat. *fráter*
= broeder] titel van ordebroeder (vóór de
kloosternaam, *bijv.*: Fra Angélico = broeder
Angélicus).
**frac'tie** [Lat. *fráctio, fractiónis* = breking, v.
*frángere, fráctum* = breken] 1 hoeveelheid
kleiner dan een geheel, breuk, spec. klein deel
v.e. geheel (*bijv.*: i.e. fractie v.e. seconde); 2 de
gezamenlijke aanhangers v.e. politieke partij
i.e. vertegenwoordigend lichaam
(Staten-Generaal, Provinciale Staten,
gemeenteraad) (*bijv.*: de PvdA-fractie); 3 deel
v.e. politieke partij dat zich heeft afgezonderd;
4 elk der afzonderlijk opgevangen delen met
verschillend kookpunt b.d. destillatie v.e.
vloeistofmengsel. **fractioneel'** *bn & bw* een
fractie uitmakend; een klein verschil vormend
(*bijv.*: de beurskoersen waren fractioneel
lager); alleen door een breuk weer te geven.
**fractione'ren** [Fr. *fractionner* = in fracties
verdelen] trapsgewijze destilleren v.e. mengsel
door de bestanddelen met verschillend
kookpunt afzonderlijk op te vangen
(*gefractioneerde destillatie*). **fractuur'** [Lat.
*fractúra*] 1 (*med.*) botbreuk, breuk v.e. der
beenderen; 2 (*typ.*) [Du. *Fraktur*] gotische
drukletter.
**fragiel'** [via Fr. *fragile*, v. Lat. *frágilis*, v. *frángere*
= breken] *bn & bw* breekbaar, bros, broos;
(*oneig.*) tenger; (*fig.*) vergankelijk.
**fragiliteit'** [Fr. *fragilité*] breekbaarheid,
brosheid; (*fig.*) vergankelijkheid. **fragment'**
[Lat. *fragméntum*] 1 afgebroken stuk,
brokstuk, spec. als overblijfsel; 2 u.e. geheel
gelicht stuk v.e. geestesprodukt, spec. losse
passage u.e. muziekstuk of letterkundig werk.
**fragmenta'risch of fragmentair'** [Fr.
*fragmentaire*] *bn & bw* uit losse brokstukken
bestaande, niet samenhangend, geen geheel
vormend; brokstuksgewijze, bij fragmenten
(*bijv.*: iets —behandelen). **fragmenta'tie**
versplintering, verdeling in kleine stukken; —
*bom*, splinterbom, spijkerbom, huls met
tientallen kleine bommen (gevuld o.a. met
spijkers).
**fragran'tie** [Lat. *fragrántia*, v. *fragráre*
= aangenaam rieken] welriekendheid,
geurigheid.
**fraîcheur'** [Fr., v. *fraîche* = koelte na hitte)
frisheid, ongereptheid.
**1 frai'se** [Fr. = *eig.*: geplooid vlies om
ingewanden, *vandaar*: geplooide kraag die
daaraan herinnert, v. VLat. *frássa*] 1 geplooide
halskraag, pijpkraag; 2 (*mil.*) onder een hoek
van 45° i.d. grond gestoken stormpaal, spec.
op talud v.e. helling, i.e. gracht, als verdediging
tegen vijandelijke stormaanval; 3 *zie* **frees**.
**2 frai'se** [Fr., v. Lat. *frágum* (voor *fra-grum*)
= iets geurigs; *vgl. frágrans* = welriekend,
geurig; *zie ook* **fragrantie**] I *zn* 1 (*cul.*)
aardbei; 2 aardbeikleur; II *bn* aardbeikleurig.
**frak** [v. Du. *Frack*, v. Fr. *frac*, v. Eng. *frack* of
*frock*, v. OFr. *froc* = (sinds 12e eeuw)
monnikskleed met losse mouwen, v. Frankisch
*‘krook*] 1 herenjas met lange achterpanden,
rokjas; 2 (Z.N.) jas van kostuum, *ook*: overjas.
**frambe'sia** [modern Lat.] (*med.*) officieel
*framboesia trópica* = tropische framboesia,
een besmettelijke huidziekte i.d. tropen.
**fra'me** [Eng., v. OEng. *framian* = behulpzaam
zijn, v. *fram* = voorwaarts; *zie verder*
**fourneren**] raamwerk, spec. v. fiets.
**franc** afk. F (in Fr. en Belg.) [Fr., misschn. naar
opschrift *Rex Francórum* (= koning der
Franken) o.d. eerste zo genoemde munt]
munteenheid in Frankrijk, verdeeld in 100
centimes; in Luxemburg (eveneens verdeeld in
100 centimes); in Belgie in het
Fransprekende deel (eveneens verdeeld in

100 centimes), in het Vlaamssprekende deel

**frank** (z.a.) (verdeeld in 100 centiemen; in Zwitserland (verdeeld in 100 rappen, in het Franstalige deel in 100 centimes).

**française** [Fr. = van Frankrijk; v. *Franc* = Frank, v. OHDu. *Franko*, missch. naar naam v.e. wapen (vgl. OEng. *franca* = werpspeer)] **1** vrouw of meisje uit Frankrijk; **2** bep. rondedans, meestal in ³/₄ of maat, verwant m.d. contradans. **franchise'le** [Fr. = vrijdom, v. *Franc* = Frank, maar ook = vrij (MLat. *fráncus*), daar alleen de echte Franken vrij waren] **1** rondborstigheid, frankheid, openhartigheid, vrijmoedigheid; **2** grens beneden welke een verzekeraar geen schade behoeft te vergoeden (een deel v.d. schade blijft voor eigen risico v.d. verzekerde); **3** vrijdom v. vracht of v. invoerrechten; **4** prijskorting naar het risico v. beschadiging of verlies; **5** deel v.h. salaris v.e. ambtenaar waarover deze geen pensioenpremie behoeft te betalen; **6** bedrijfsvorm waarbij een winkelier (c.q. exploitant) op bep. voorwaarden gebruik maakt van merken, diensten e.d. van de centrale ondernemer (de *franchisegever*), maar verder zelfst. voor eigen risico werkt, een spec. vorm van filiaalbedrijf (*provisiefiliaal*); vaak voortzetting v.e. door de franchisegever afgestoten bedrijf of winkel op *franchise-basis*, d.i. volgens de oude formule met alle voordelen van dien, maar voor rekening van de koper die als nieuwe zelfstandige ondernemer optreedt. **fran'chising** [Eng.] het systeem van provisiefilialen, het franchise-handelsstelsel (zie franchise 6).

**francijn'**, ook: **fransijn'1** bep. soort fijn perkament; **2** (Z.N.) patroon van perkament voor kantwerk.

**Francísca'nen** mv [v. MLat. *Francíscus*, It. *Francésco* = It.: de Franse, Fransman] i.h. alg. naam voor volgelingen van Franciscus van Assisi (1181 of 1182-1226); in speciale zin een v.d. drie richtingen i.d. Eerste Orde van Franciscus, officieel geheten *Ordo Frátrum Minórum* = Orde der Minderbroeders, en daarom ook wel aangeduid m.d. namen Minderbroeders of Minorieten.

**Franciscanes'sen** mv naam voor religieuze gemeenschappen van vrouwen, levend volgens de Franciscaanse Regel, maar gesticht in latere tijden (niet te verwarren m.d. Tweede Orde van Franciscus, de *Clarissen*).

**francise'ren** [Fr. *franciser*] verfransen, een Frans karakter geven, tot Fransman maken; een naam of woord u.e. vreemde taal een Franse vorm geven door het een Franse uitgang te geven (bijv. i.h. Ned. wordt het slijten tot slijtage; de Franse uitgang -age v. Lat. *ágere* = drijven, doen).

**Fran'cium** bep. chemisch element, symbool Fr, ranggetal 87. Het bestaat uitsluitend uit kortlevende radio-actieve isotopen, maar ontstaat steeds opnieuw door radio-actieve ontleding van actinium, dat zelf weer ontstaat u.d. isotoop uranium - 235. [Naar *Francia* = Frankrijk, daar in 1939 voor het eerst de Fr. onderzoekster Marguerite Perey een kleine hoeveelheid francium - 223 wist te isoleren.]

**franc-maçon'**, mv **francs-maçons'** [Fr.] vrijmetselaar. **franc-maçonnerie'** [Fr.] vrijmetselarij.

**fran'co** afk. **fr.** [It.] bw vrachtvrij (de vracht of portokosten zijn door de afzender betaald); vrij t.a. (— thuis, — wal enz.).

**francofiel'** zn & bw zie gallofiel.

**francofoon'** [v. Gr. *phoonè* = stem, geluid] **I** bn Franstalig, Fransprekend; **II** zn spec. i.d. Brusselse agglomeratie: persoon die uitsluitend Frans spreekt of wil spreken (ook al kent hij Vlaams).

**franc-tireur'**, mv **francs-tireurs'** [Fr. v. *tirer* = trekken, schieten] vrijschutter, lid van ongeregelde strijdmacht, lid van vrijwilligerskorps der guerrilla-oorlog voert, burger die gewapend tegen de vijand optreedt zonder

onder militair commando te staan, partizaan.

**franglais'** [Fr., samentr. van *français* = Frans, en *anglais* = Engels) moderne Fr. omgangs- en bedrijfstaal die is doorspekt met Engelse woorden of verbasteringen daarvan.

**frangipa'ne** [Fr., waarsch. naar de eigennaam *Frangipani*, de uitvinder] soort amandelspijs als vulling voor taart of gebak.

**frank** afk. **F**, ook: **BF** i.h. Vlaams sprekende deel van België de naam v.d. munteenheid, verdeeld in 100 centiemen (zie verder **franc**).

**franquist'** in Spanje aanhanger v. Franco (Francisco Franco y Bahamonde, 1893-1975, Sp. generaal, leidde opstand tegen het linkse regime, de Spaanse Burgeroorlog, 1936-1939. Hij riep zich in 1936 uit tot staatshoofd en regeerde tot zijn dood op dictatoriale wijze).

**fransijn'** zie **francijn**.

**franskiljon'** Fransgezinde Vlaming, voorstander v.d. overheersing v.d. Franse taal in België. **Fransoos'** [v. Fr. *français*] Fransman.

**frappe'ren** [Fr. *frapper* = slaan, treffen, van Germ. oorspr.] **1** treffen, opvallen, grote indruk maken (bijv.: dat frappeert me); **2** in ijs plaatsen (spec. wijn), sterk afkoelen. **frappant'** [o.dw van *frapper*] bn & bw treffend, opvallend, opmerkelijk sterk (bijv.: een frappante gelijkenis). **frap'pe** [Fr. = *lett.*: het slaan] wat frappeert; de — van het verhaal, het punt waar het op aankomt, pointe, clou. **frappé** [Fr. = het geslagene] **1** stof waarin het patroon is ingeperst; **2** drank (wijn) in ijs gekoeld. **frappez' toujours** [Fr. = sla altijd door] vestig er aldoor de aandacht op, blijf er op hameren.

**fra'se** [via VLat. v. Gr. *phrasis, phraseoos* = wijze van uitdrukking, v. *phrazoo* = te verstaan geven, duidelijk maken] uitdrukking, zin; (muz.) muzikale volzin: ook holle uitdrukking, zinledig gezegde. **fraseologie'** [Gr. *logos* = woord, spraak] woordenkeus en uitdrukkingen die een persoon gebruikt; verzameling gezegden, uitdrukkingen en spreekwoorden; ook: het gebruiken v. zinledige holle gezegden.

**frase'ren** [Fr. *phraser* = frasen maken (in ongunstige bet.)] zo spreken dat indeling en ritme duidelijk uitkomen; muzikale interpunctie toepassen.

**fraseur'** [Fr. *phraseur* = praatjesmaker] wie de mond vol heeft van woorden zonder zin en zonder innerlijke beleving, mooiprater; praatjesmaker.

**fra'ter**, afk. **Fr.** of **fr.** [Lat.] broeder, lid van leken-kloostergemeenschap, kloosterbroeder (*frater láicus* of *convérsus*) of nog niet tot priester gewijd monnik of kloosterling (*frater cléricus*). **fraternise'ren** [Fr. *fraterniser*] zich verbroederen. **fraterniteit'** [Lat. *fraternitas*] verbroedering, broederschap. **fra'tres mino'res** [Lat.] minderbroeders, franciscanen. **fratricel'li** [gesch.] dweepzieke sekte in 14e eeuw, ontstaan uit de zgn. spirituelen v.d. franciscanenorde.

**frau'de** [Fr., v. Lat. *fraus, fráudis* = bedrog; vgl. **frusteren**, Lat. *frustrare* = bedriegen, teleurstellen] bedrog in ambtsbetrekking; sluikhandel, smokkelarij. **fraude'ren** [Fr. *frauder*, Lat. *fraudáre*] bedrog plegen; smokkelen; ook: spieken op school of bij examen. **frauduleus'** [Fr. *frauduleux*], **fraudulent'** [Lat. *frauduléntus*] bedrieglijk, met of door fraude. **fraudeur'** [Fr.] wie fraude pleegt.

**Fraun'hofer lijnen** donkere lijnen i.h. spectrum v. zon en sterren (veroorzaakt door absorptie v. spectraallijnen door koelere gassen i.d. bovenste zonneatmosfeer resp. steratmosfeer) [naar J. von Fraunhofer, Beiers natuurkundige, 1787-1826).

**freak** [Am., v. Eng. = gril, rariteit; woordafl. onzeker] **1** persoon die min of meer tot de *underground* (z.a.) behoort, onconventioneel leeft en daardoor vaak botst met zijn

omgeving, hippie; iem. met afwijkend uiterlijk;
**2** (*als achtervoegsel*) *-freak*, fanatiek
liefhebber v.h. i.h. eerste lid genoemde, *bijv.*:
*vogelfreak, filmfreak* e.d., vaak i.d. betekenis
'maniak', *bijv.*: *speedfreak* = snelheidsmaniak.
**frea'tisch** *bn* [v. Gr. *phrear, phreatos*
= waterput]: — *vlak*, hor. vlak i.d. bodem waar
de spanning v.h. grondwater gelijk is a.d.
atmosferische druk. l.e. kuil of put stelt zich
een vrije grondwaterspiegel in dit vlak op. Alle
holten tussen de bodemdeeltjes beneden dit
vlak zijn geheel met water gevuld
(*grondwater*).
**free** [Eng.] vrij. **free at quay** (afk. **f.a.q.**)
(*hand.*) franco aan wal. **free alongsi'de ship**
(afk. **f.a.s.**) vrij langs boord (inlading echter
voor kosten v.d. koper). **free in'to bun'ker**
(afk. **f.i.b.**) vrij tot in bunker. **free on board**
(afk. **f.o.b.** of **fob**) vrij aan boord (kosten tot
en met inlading voor de verkoper). **free on
rail** (afk. **f.o.r.**) vrij a.d. spoorwagon (kosten
inlading voor de koper). **free on wag'gon**
(afk. **f.o.w.**) vrij i.d. spoorwagon (kosten
inlading voor de verkoper). **free oversi'de
ship** (afk. **f.o.s.**) vrij van boord (met inbegrip
van kosten overlading).
**free-kick'** [Eng.] (*voetbal*) vrije trap; *ook*:
overtreding van tegenpartij die daartoe
aanleiding geeft.
**free-lan'ce** [Eng.] *bn & bw* niet vast
aangesteld bij of verbonden aan, maar zelfst.
werkend voor verschillende opdrachtgevers
(kranten e.d.; *free lance-journalist, -fotograaf,
-tekenaar* e.d.). **free-lan'cer** iemand die
free-lance werkt.
**freemar'tin** [Eng., woordafl. onzeker]
interseks van zoogdier, *zie* **kween**.
**frees** [*zie* **1** *fraise*] **1** (*gesch.*) geplooide
halskraag; **2** (*mil.*) stormpaal;
**3** (*werktuigkunde*) wentelende
scherpgetande schijf voor metaal- of
houtbewerking.
**free tra'de** [Eng.] vrijhandel.
**free'wheel** [Eng., *lett.*: vrijwiel; *wheel* verwant
met Gr. *kuklos* = kring, wiel, en Lat. *cólus*
= spinnewiel] fietswiel dat ook vrij v.d.
trapinrichting kan lopen. **free'wheelen 1** de
fiets laten doorrijden zonder te trappen;
**2** (*overdrachtelijk*) het kalmpjes aandoen, wel
doorgaan waarmee men bezig is maar zonder
veel inspanning.
**free'zer** [Eng. = *lett.*: vriezer, v. *to freeze*
= vriezen] **1** koeler voor wijn; **2** koelkast (*vgl.*
**frigidaire**).
**frêle** [Fr., v. Lat. *frágilis; zie* **fragiel**] broos,
teer, fijn; etherisch.
**fren-** [v. Gr. *phrēn, phrenos* = *eig.*: middenrif,
*overdrachtelijk*: 'hart' als uitgangspunt v.
geestelijke opwellingen; *vandaar ook*: geest,
verstand] in moderne wetensch. woorden:
hersen-, zielen(s)-.
**frenesie'** [Fr. *frénésie*, v. Lat. *phrenésis*, v. Gr.
*phrenēsis* = waanzin] bep. soort waanzin,
razernij. **frenetiek'** *bn & bw* [v. laat-Gr.
*phrenétikos*, v. Gr. *phrenitikos*, v. *phrenitis*
= *lett.*: hersenontsteking, ijlkoorts, delirium]
waanzinnig, dol, verwoed. **frenologie'**
(*gesch.*) leer dat uit de vorm v.d. schedel
geestelijke eigenschappen zijn af te leiden; leer
v.d. bouw v.d. schedel, leer v.d. bouw der
hersenen. **fre'nometer** schedelmeter, toestel
om afmetingen en vorm v. schedel te bepalen.
**freo'nen** *mv* [naar merknaam Freon] reeks
koolwaterstoffen waarin de waterstofatomen
geheel of ten dele zijn vervangen door chloor-
of broomatomen, en door op zijn minst één
*fluoratoom*. Het aantal koolstofatomen
bedraagt 1 tot 4.
**frequent'** *bn & bw* [Lat. *fréquens, frequéntis*
= opeengehoopt (*vgl. farcire* = volstoppen);
talrijk, drukbezocht] veelvuldig, herhaaldelijk;
drukbezocht. **frequente'ren** [Lat.
*frequentáre, -átum*] veelvuldig bezoeken;
omgaan met (*een meisje*). **frequenta'tie**
[Lat. *frequentátio*] het frequenteren.
**frequentatief'** [Lat. *frequentatívum*] *ww* dat

het regelm. herhaaldelijk gebeuren v.d.
handeling uitdrukt (*bijv.*: trappelen is het
frequentatief v. trappen, snuffelen van snuiven
e.d.); (frequentatief = **iteratief**).
**frequen'tie**, afk. **f** [Lat. *frequéntia*] het
menigvuldig zijn; het aantal keren dat een
gebeurtenis binnen een bep. tijd voorkomt;
(*nat.*) aantal trillingen per seconde;
(*elektriciteitsleer*) aantal perioden v.
wisselstroom per seconde.
**frequen'tie-modula'tie** [*zie* **modulatie**]
(afk. **FM**) modulatie van trillingsgolven (spec.
radiogolven) door verandering v.d. frequentie
binnen bep. grenzen (de ontvangst wordt
daardoor zuiverder).
**frère** [Fr., v. Lat. *frater, z.a.*] broer, broeder.
**frère et compagnon'** *lett.*: broer en gezel,
gezworen kameraden (in ongunstige zin),
ongeveer: dief en diefjesmaat.
**fres'co** [It. = vers] **I** *zn* muurschildering op
natte (verse) kalklaag geschilderd; **II** *bn*
(*muz.*) fris, opgewekt, vrolijk.
**1 fret** [v. VLat. *furéctus*, v. Lat. *fur* = dief; *zie
verder* **furtief**] roofdiertje (*Putórius fúro*) u.d.
familie der Marterachtigen (*Mustelidae*).
**2 fret** [v. Lat. *foráre, forátum* = boren] of
**fret'boor** (*werktuigkunde*) (dunne)
kurketrekkerachtige schroefboor met scherpe
schroefdraden; *met ook*: het schroefvormige
uiteinde van bep. boorijzers. **fret'zaag** bep.
soort zaag voor het zagen van gaten.
**Freudiaans'** volgens de psycho-analytische
methode van Freud [Sigmund Freud,
Oostenrijks psychiater, 1856-1939].
**freu'le** [v. Du. *Fräulein* = *lett.*: vrouwtje]
ongehuwde dame v. adellijke stand.
**fre'zen 1** met frees **3** (*z.a.*) bewerken;
**2** (*landbouw*) grond losmaken en egaliseren
(bijv. ter ontsmetting met chemische
middelen). **fre'zer** persoon die freest.
**fricandeau'** [Fr.] bep. stuk mager vlees v. kalf
of varken (achterbout of schouder).
**fricasse'ren** [Fr. *fricasser*, verdere afl.
onzeker] fijn gesneden vlees stoven, fruiten;
*ook*: (*mil.*) i.d. pan hakken. **fricassee'** [Fr.
*fricassée = viande —*] fijn gesneden gestoofd
of gefruit vlees met toevoegsels (soort blanke
ragoût).
**fricatief'** [Fr. *fricatif*, v. Lat. *fricáre, frictum* of
*frictátum* = wrijven] medeklinker met
schurend wrijvend geluid (glijder), f, s, ch.
**fric'tie** [Lat. *frictio*] wrijving. **friction'** [Fr.,
v. Lat. *frictio*] wassing v. hoofdhaar en -huid
met haarwaters; het haarwater zelf.
**fries** [Fr. *frise*] (*bouwk.*) deel tussen architraaf
(dekbalk) en kroonlijst.
**frigidai're** [Fr., v. Lat. *frigidárium* = koelkamer,
v. *frigidus* = koud, v. *frigus* = koude]
koelmachine, koelkast (spec. elektrische),
ijskast. **frigi'de** [Fr., v. Lat. *frigidus*] zonder
seksuele gevoelens. **frigiditeit'** koelheid op
seksueel gebied.
**Frimai're** [Fr., v. *frimas* = zich als ijs afzettende
nevel, v. Germ. *hrim*, Ned. *rijm*] 3e maand v.d.
kalender der Fr. Republiek; (21 nov.-21 dec.;
in sommige jaren 22 nov.-22 dec., in 1803: 23
nov.-23 dec.).
**frise'ren** [Fr. *friser* = krullen] het haar krullen.
**friseur'** [Fr.] kapper. **frisuur'** [Fr. *frisure*]
kapsel.
**frisket'** [Fr. *frisquette*, verdere afl. onzeker]
raam van handdrukpers om wat wit moet
blijven schoon te houden.
**frivool'** [Fr. *frivole*, v. Lat. *frivolus*
= stukgewreven, waardeloos, onbeduidend,
flauw, v. *friare* = verbrokkelen, stukwrijven]
onbeduidend ijdel, lichtzinnig. **frivolité** [Fr.
= beuzelarij, nietigheid] **1** soort handwerkje
van kant; **2** (*cul.*) koud hartig hapje.
**frivoliteit'** [Fr. *frivolité*] beuzelarij;
lichtzinnigheid.
**frö'belschool** (eertijds) school voor zeer
jonge kinderen, met spelen en bezigheden die
het verstand moeten ontwikkelen [naar
Friedrich Fröbel, Du. pedagoog, 1782-1852].
**frö'belen** (*volkstaal*) bep. soort vlechtwerk

van papieren strookjes maken.
**froisse'ren** [Fr. *froisser* = kneuzen, *(fig.)*
krenken] licht krenken, o.d. tenen trappen.
**fron'de** [Fr. = oorspr. slinger (werptuig), v.
Lat. *fúnda* = Gr. *sphendoné*] oppositiepartij
[naar *Fronde* = partij in oppositie tegen
Mazarin en Court tijdens minderjarigheid v.
Louis XIV]
**frondeel'** [v. Lat. *frontále* = hoofdstel van
paard, v. *frons, fróntis* = voorhoofd]
voorhoofdsriem v.e. paard, frontstuk i.h.
hoofdstel.
**fronde'ren** [*zie* fronde] in oppositie zijn.
**frondeur'** lid v. oppositiepartij.
**frondeus'** [Lat. *frondósus*, v. *frons, fróndis*
= loof, gebladerte] bladerrijk, met veel loof.
**front** [v. Lat. *frons, fróntis* = voorhoofd; *ook*:
breedte] **1** voorkant van gebouw e.d., gevel;
**2** (*mil.*) eerste gelid v.e. opgestelde troep
soldaten; **3** (*mil.*) gevechtslinie v.e.
oorlogvoerend leger (bijv. hij werd n.h. front
gezonden); *ook*: dergelijke linies van twee
vijandelijke legers tegenover elkaar (*bijv.*: het
westelijke front); *(fig.)* gebied waarin
problemen worden uitgevochten (bijv. het
front v.d. loonpolitiek); **4** (*met.*) horizontale
grens tussen twee verschillende luchtsoorten,
spec. tussen een koude en een warme (bijv.
v.h. zuiden uit trok een onweersfront over het
land); **5** (*kynologie*) borst en voorbeen v.d.
hond. **frontaal'** I *bn* het voorhoofd of de
voorzijde of het front betreffend (*bijv.*: een
frontale aanval, d.w.z. recht vooruit); II *zn* [v.
MLat. *frontále*] voorstuk of voorhang v.e.
altaar. **front'balkon** [*zie* balkon] bep. rang
in theater of bioscoop, d.w.z. balkon recht
tegenover toneel of scherm. **front'pagina**
[Eng. *front page*] voorpagina, eerste bladzijde
v.e. krant.
**frontispi'ce** [Fr., v. MLat. *frontispícium*
= gelaatsuitdrukking, v. Lat. *frons, fróntis*
= voorhoofd, en *spécere* = kijken] versierd
driehoekig bovendeel v. gevel; versierd
titelblad of illustratie tegenover titelblad.
**fronton'** [Fr., v. Lat. *frons, fróntis*
= voorhoofd] driehoekige of spits
boogvormige versiering boven ramen en
deuren e.d.
**frotte'ren** [Fr. *frotter*] wrijven, inwrijven.
**frotté** bep. ruw weefsel, (bijv. v. handdoek).
**frou-frou'** [Fr., klanknabootsing] **1** geritsel
veroorzaakt door zijden dameskleren; **2** (*cul.*)
bep. soort biscuit, bestaande uit twee dunne
laagjes gebak met crème au beurre ertussen.
**Fructidor'** [Fr., v. Lat. *fructus* = vrucht, *zie*
*verder* frugaal, en Gr. *dooron* = gave] 12e
maand v.d. kalender der Fr. Republiek (18
aug.-17 sept., van 1800-1805: 19 aug.- 18
sept.). **fructifié'ren** [Fr., *fructifier*, v. Lat.
*fructificáre*, v. *fácere* = maken] vrucht
opleveren. **fructivoor'** [v. Lat. *voráre*
= verslinden] vruchtenetend. **fructo'se**
vruchtensuiker, $C_6H_{12}O_6$. **fructua'rius**
[Lat.] wie het vruchtgebruik v.e. zaak heeft.
**frugaal'** [Lat. *frugális*, v. *frux, frúgis* = vrucht,
v. *frúi* = genieten; *fructus sum* = ik heb
genoten; *frugális* = tot de vrucht behorend,
voordelig, economisch ingericht,
huishoudelijk, sober] sober. **frugaliteit'** [Lat.
*frugálitas*] soberheid. **frugivoor'** [v. Lat. *frux,
frugis* = vrucht; *zie verder* fructivoor]
vruchteneter.
**fruit sec** [Fr. = *lett.*: uitgedroogde vrucht]
gesjeesd student; mislukkeling.
**frustre'ren** [Lat. *frustráre, -átum* = bedriegen
i.d. verwachting; verwant met *fraus* = bedrog;
*zie* fraude] verijdelen; teleurstellen.
**frustra'tie** *zn* [Lat. *frustrátio*] **1** verijdeling;
**2** (*psych.*) innerlijke gesteldheid die optreedt
als iemand het bereiken v.e. nagestreefd doel
wordt verhinderd; de persoon voelt zich
teleurgesteld, gedwarsboomd, tekortgedaan,
verongelijkt. **frustra'tietoleran'tie** (*psych.*)
de mate waarin een persoon teleurstellingen of
belemmeringen voor het bereiken van zijn doel
aankan, kan verwerken.

**fry'gisch** [v. Lat. *Phrygia*, Gr. *Phrugía*
= landstreek in Klein-Azië]: —*e muts*, rode
muts v. bep. vorm als symbool der vrijheid
tijdens Fr. Revolutie.
**fti'sis** [Lat. en Gr. *phthisis*, v. Gr. *phthinoo*
= kwijnen, vergaan] tuberculose.
**fuchsi'ne**, *ook* **magen'ta** genaamd, een
intensief paarsrode synthetische kleurstof,
*triaminofenylcarboniumchloride*, gebruikt
voor papier, jute, stro e.d.
**fu'ga** [It., v. Lat. *fuga* = vlucht] muziekstuk
waarvan het thema door één stem wordt
ingezet en daarna volgens bep. regels door
andere stemmen wordt overgenomen.
**fuga'to** [It.] (*muz.*) op de wijze v.e. fuga.
**fugitief'** [Fr. *fugitif*, v. Lat. *fugitívus*, v. *fúgere,
fugitum* = weglopen] voortvluchtig; vluchtig,
vliedend. **fu'git irrepara'bile tem'pus**
[Lat.] de tijd vliedt onherroepelijk verder.
**fu'gue** [Fr.] bewustzijnsvernauwing waarbij
de patiënt gaat zwerven.
**fu'it** [Lat. = hij is geweest, v.t.t. bij *esse* = zijn
gevoegd, v. *fúere* = zijn, verwant met Gr.
*phuoo* = voortbrengen, wassen, groeien,
worden; *zie* fysica; v.d. stam *fu* = ook Eng. *to
be* = zijn] hij is (er) geweest, hij is dood.
**full** [Eng.] vol. **full'-dress** groot toilet,
galakleding. **full'prof** [afk. v.
*full-professional*] (*sp.*) beroepssportman die
volledig in dienst van zijn club is, zonder
bijbaan. **full'-speed** met volle snelheid, zeer
snel; met volle kracht. **full'-time** met volle
werktijd (bijv. full-time medewerker); *full-time
job*, volledige dagtaak. **full'-timer** persoon
met volledige dagtaak.
**fulmine'ren** [Lat. *fulmináre, -átum*
= bliksemen, v. *fulmen, fúlminis* = bliksem]
hevig uitvaren, razen. **fulmina'tie** [Lat.
*fulminátio* = het bliksemen] het heftig
uitvaren; pauselijke banbliksem. **fulminant'**
[Fr. = o.dw van *fulminer*, v. Lat. *fulmináre*]
hevig uitvarend. **fulminaat'** zout v. knalzuur,
CNOH (bijv. knalkwik Hg(ONC)$_2$, dat in
percussiedopjes wordt gebruikt om
explosieven tot ontploffing te brengen).
**fulp** [v. It. *felpa* = fluweel] bep. soort fluweel
met lange haren.
**fumaro'le** [It., v. Lat. *fumáre* = roken, v. *fúmus*
= rook] vulkanische dampbron. **fumisterie'**
[Fr.] grap, mystificatie.
**funambulist'** [Lat. *funámbulus*, v. *funis*
= touw, koord, en *ambuláre* = wandelen]
koorddanser.
**func'tie** [Lat. *fúnctio*, v. *fúngi*; *zie* fungeren]
verrichting, ambt, ambtsverrichting,
werkkring, taak; (*biol.*) werking v. orgaan;
(*wisk.*) afk. f voorschrift waardoor wetmatige
samenhang v. bep. grootheden tot uiting
komt; (*psychologie*) werking v.d. geest als
streving. **functioneel'** [Fr. *fonctionnel*] de
functie betreffend; (*med.*) functionele storing,
storing v.e. lichamelijke functie.
**functione'ren** [Fr. *fonctionner*] in werking
zijn, in dienst zijn. **functiona'ris** [Fr.
*fonctionnaire*] wie een ambt bekleedt.
**funde'ren** [Lat. *fundáre, -átum*, v. *fúndus*
= bodem] grondvesten; garantie stellen voor
(een lening). **funda'tie** [Lat. *fundátio*]
stichting, spec. uit een daartoe bij testament
vermaakt fonds. **fundament'** [Lat.
*fundaméntum*] grondslag, ondergronds
metselwerk v.e. gebouw. **fundamentalis'me**
zeer orthodoxe (rechtzinnige) richting i.e. bep.
godsdienst of kerkelijke richting, die streng
vasthoudt a.d. oorspronkelijke geest en van
geen liberalisering wil weten.
**fundamentalist'** voorstander v.h.
fundamentalisme (bijv. Chomeini).
**fundamenteel'** [Fr. *fondamental*] de
grondslagen betreffend; *fundamenteel
onderzoek*, onderzoek ter uitbreiding v.d.
wetensch. kennis o.e. bep. gebied, zonder dat
men onmiddellijk praktisch nut of praktische
toepassing nastreeft. **funda'tor** [Lat.]
grondlegger; stichter v.e. fundatie.
**funde'ring** het funderen; ondergronds

metselwerk v.e. gebouw (fundamenten).
**fun'dus** [Lat.] bodem; *ad fundum*, tot de
bodem (een glas ledigen).
**Fund'grube** [Du.] rijke bron.
**fund'-raising** [Eng. = *lett.*: het te voorschijn
brengen van fondsen] het (trachten te)
verkrijgen van geld, kapitaal, fondsen voor een
bep. doel.
**funèbre** [Fr., v. Lat. *fúnebris*, v. *fúnus, fúneris*
= lijkstaatsie] een begrafenis betreffend;
somber; *marche* —, treurmars. **funera'liën**
[MLat. *funerália*, onz. mv. v *funerális* = de
begrafenis betreffend] lijkstaties; dodenmaal.
**funest'** [Lat. *funéstus* = door een lijk
verontreinigd, rampvol, v *funus* = begrafenis;
*zie* **funèbre**] noodlottig.
**funge'ren** [v. Lat. *fungi* = verrichten, *functus
sum* = ik heb verricht] **1** ambt of betrekking
waarnemen, in functie zijn (bijv. de
fungerende minister); **2** — *als*, de dienst voor
een ander waarnemen, optreden als, iem.
vervangen (bijv. tijdelijk als voorzitter
fungeren). **fungi'bel** vervangbaar.
**fun'gus** [Lat., v. Gr. *sphoggos* of *spoggos*
= spons] paddestoel, schimmel. **fungici'de**
[v. Lat. *caedere* = doden] middel tegen
schimmels. **fungiologie'**
paddestoelenkennis.
**funiculai're** [Fr., v. Lat. *funículus* = dun touw,
verklw. v *funis* = touw] kabelspoorweg.
**funk** [Am. -Eng.] zwarte ritmische muziek,
gekenmerkt door gesyncopeerde staccato
partijen (drum-, bas-, gitaar- en toetspartijen),
vaak met blazers.
**fureur'** [Fr., v. Lat. *furor, z.a.*] razernij; heftige
begeerte. **fu'rie** [v. Lat. *furia*] **1** razernij;
**2** helleveeg, boosaardige vrouw (*zie*
volgende). **Fu'riën** [Lat. *Fúriae*] de
Wraakgodinnen, de Lat. naam (ook *Dirae* = De
Wrede, Schrikkelijke) voor de Gr. *Erinyen* of
*Erinnyen*.
**furieus'** [Fr. *furieux*, v. Lat. *furiósus* = vol
woede] razend, woedend. **furio'so** [It.]
(*muz.*) *bw* woedend, hartstochtelijk, heftig.
**fur'long** afk. fur. [Eng. = *lett.*: een vore lang]
*oorspr.*: lengte v. vore in normaal veld (een
vierkant v. 10 acres groot), bep. lengtemaat ⅛
mijl, 201,17 m.
**furo're** [It., v. Lat. *furórem* = 4e naamval v.
*furor* = razernij] — *maken*, opgang maken,
bijval oogsten. **fu'ror** [Lat., v. *fúrere* = razen,
woeden, tieren] woede; — *loquéndi*,
praatwoede; — *scribéndi*, schrijfwoede; —
*teutónicus*, Duitse dolzinnige razernij.
**furtief'** [Fr. *furtif*, v. Lat. *furtivus*, v. *fur* = dief,
*eig.*: de wegdrager = Gr. *phoor*, v. *pheroo*
= dragen] steels; diefachtig.
**furun'culus, furun'kel** [Lat. *furúnculus*
= *eig.*: verklw. v. *fur* = dief] steenpuist,
bloedzweer.
**fusain'** [Fr., v. wetensch. Lat. *fuságo, fuságinis*
= bep. plant, waarvan men tekenhoutskool
maakt] (tekening met) houtskool, zwart krijt.
**fuse'ren** [Fr. *fuser* = smelten, v. Lat. *fúndere,
fusum* = gieten, laten vloeien] samensmelten.
**fu'sie** [Lat. *fúsio* = het gieten, smelten]
samensmelting, spec. v. twee of meer
ondernemingen, partijen, afdelingen e.d.
**fusela'ge** [Fr., v. *fuseler* = in spoelvorm
snijden, v. *fuseau* = spoel, v. VLat. *fusellus*, v.
Lat. *fusus* = spoel v. spinrokken] framework
v.e. vliegtuig.
**fuselier'** [Fr. *fusilier* = soldaat gewapend met
*fusil* = geweer; *zie volgende*] gewoon soldaat,
infanterist. **fusille'ren** [Fr. *fusiller*, v. *fusil*
= geweer, v. VLat. *focile*, v. *focus* = haard,
vuur] doodschieten (als straf). **fusilla'de**
[Fr.] **1** geweervuur; **2** terechtstelling door
fusilleren.
**fusione'ren** [Fr. *fusionner*; *zie* **fusie** = Fr.
*fusion*] een fusie aangaan. **fusionist'** [Fr.
*fusionniste*] voorstander v. fusie v. partijen.
**fust** [OFr. = ton, v. Lat. *fustis* = knuppel, stok]
(groot) vat; baal, verpakking voor koopwaren.
**fusta'ge** v. verpakking; vaatwerk.
**fustein'** [OFr. *fustaigne*, v. MLat. *fustáneus*

*bn*, missch. naar Fostat, voorstad van Cairo]
bep. soort bombazijn.
**fus'ti** [*zie* **fust**] (*vero.*) (*hand.*) aftrek van
beschadigde goederen.
**futiel'** [*fútilis* = wat zich gemakkelijk laat
gieten (v. *fúndere, fúsum* = gieten), wat niets
bij zich houden kan, ijdel, nietig] nietig.
**futiliteit'** [Lat. *futílitas*] nietigheid,
beuzelarij.
**futu're** [Fr., *zie* **futurum**] aanstaande
(vrouw), verloofde. **futuris'me** [*zie*
**futurum**] richting i.d. kunst v. sterk
impressionistische inslag, die de indrukken en
de beleving daarvan weergeeft in bewegingen,
lijnen en kleuren en breekt met alle traditionele
kunstwetten. **futurist'** aanhanger v.h.
futurisme. **futuris'tisch** *bn & bw* **1** o.h.
futurisme betrekking hebbend, v.d. futuristen
of het futurisme; **2** gericht o.d. toekomst (*met
bijgedachte*: fantastisch, buitensporig, *bijv.*:
een — plan). **futurologie'** [onjuist gevormd
woord v. Lat. *futúrum* = toekomst, en Gr.
*-logia* = -kunde, tenzij men -logie als een
ingeburgerd achtervoegsel beschouwt]
toekomstkunde, d.w.z. verwachtingen v.
toekomstige toestanden en ontwikkelingen,
gebaseerd op wetenschappelijke gegevens
omtrent de loop v.h. verleden (bijv. evolutie,
geschiedenis) en vooral v.d. huidige
stromingen en technische ontwikkelingen.
**futuroloog'** beoefenaar v.d. futurologie.
**futurolo'gisch** *bn & bw* de futurologie
betreffend, t.d. futurologie behorend.
**futu'rum** afk. **fut.** [Lat. *futúrus* = toekomstig,
v. *fúere* = worden; *zie* **fuit**; later bij het ww
*esse* (= zijn) gevoegd als toek. dw]
toekomende tijd.
**fycologie'** [Gr. *phukos* = bep. zeegras] kennis
der wieren.
**fylacte'rium, fylacte'rion** [Lat.
*phylactérium*, Gr. *phulaktèrion*, v. *phulassoo*
= waken, bewaken] amulet,
voorbehoedmiddel.
**fyllofaag'** [v. Gr. *phullon* = blad, en *phag-*
= eten] dier dat alleen bladeren eet.
**fylloxe'ra** [v. Gr. *phullon* = blad, en *-xeros*
= droog] druifluis, wijnpest.
**fylogenie', fylogene'se** [v. Gr. *phulon*
= stam, geslacht; *vgl. phusis, zie* **fysica**; en
*gen-* = worden, *genesis* = wording, ontstaan]
ontwikkeling v. planten- of dierenstammen.
**fylogene'tisch** de fylogenie betreffend, op
fylogenese berustend.
**fysia'ter** [v. Gr. *phusis* = natuur; *zie* **fysica**; en
*iatèr* = geneesheer, v. *iaomai* = genezen,
helen] arts die natuurgeneeswijze toepast
(niet verwarren met psychiater). **fysiatrie'**
[Gr. *iatreia* = genezing] natuurgeneeswijze.
**fy'sica** [Gr. *phusikè (epistèmè)*
= (wetenschap) van de natuur, v. *phusis*
= natuur, v. *phuoo* = voortbrengen, ontstaan,
v. nature zijn] natuurkunde, leer over de
verschijnselen v.d. levenloze stof inzover deze
daarbij niet wezenlijk verandert.
**fy'sicochemisch** volgens de fysische
chemie. **fy'sicus** [Lat. *phy'sicus*, Gr. *physikos*
= natuurfilosoof] natuurkundige.
**fysiek'** [Gr. *phusikos* = t.d. natuur behorend]
**I** *bn & bw* **1** de natuur betreffend, v.d. natuur
(*bijv.*: —e oorzaken; dit is — onmogelijk);
**2** lichamelijk (*bijv.*: —e krachten); **3** (*jur.*)
*fysiek persoon* = natuurlijk persoon
(tegenover rechtspersoon); **II** *zn* lich. krachten
en eigenschappen, gestel, nat. gesteldheid v.h.
lichaam. **fysiocratie'** [Gr. *krateoo* = sterk
zijn] natuurkracht. **fysiocratis'me**
economisch stelsel dat de landbouw
(natuurgroeikracht) als bron v.d. welvaart
beschouwde. **fysiocraat'** aanhanger v.h.
fysiocratisme.
**fysiognomie'** [Gr. *phusiognoomonkoo*
= volgens het gelaat beoordelen, v. *gnoomè*
= kennis, inzicht, v. stam *gno-* = kennen, *vgl.
gignooskoo* = leren kennen] *eig.*:
gelaatkunde; gelaat (uitdrukking),
vóórkomen. **fysiognomist'** gelaatkundige.

**fysiognomonie'** [*zie onder* **fysiognomie**]
kunst om het karakter af te leiden u.h. gelaat.
**fysiologie'** [Lat. *physiologia*, Gr. *phusiologia*
= leer betreffende de natuur of de
hoedanigheid der lichamen, natuurleer] leer
der levensverrichtingen. **fysiolo'gisch** van of
betreffende de fysiologie. **fysioloog'**
beoefenaar der fysiologie. **fysionomie'** *zie*
**fysiognomie. fysiotherapie' of fysische
therapie** geneeskundige behandeling o.l.v.
een arts van lich. afwijking (in houding of
functie), waarbij zonder medicamenten
natuurlijke krachten worden gebruikt (lich.
oefeningen, masseren, water, licht, enz.).
**fysiotherapeut'(e)** beoefenaar(ster) v.d.
fysiotherapie o.l.v. een arts.
**fy'sisch** [Gr. *phusikos*] de natuurkunde
betreffend, met de natuur overeenkomend; —*e
chemie*, grenswetenschap tussen chemie en
natuurkunde, die chemische verschijnselen
bestudeert die tevens sterk de fysica raken.
**fytofaag'** [v. Gr. *phuton* = plant; *vgl. phusis*;
*zie* **fysica**; en *phag-* = eten] **I** *bn*
plantenetend; **II** *zn* planteneter. **fytogeen'**
[Gr. *gennaoo* = voortbrengen, doen worden]
door planten gevormd. **fytogeografie'** leer
v.d. verspreiding v.d. planten over het
aardoppervlak. **fytografie'** [Gr. *graphoo*
= schrijven] plantenbeschrijving. **fytologie'**
plantenkunde. **fytopaleontologie'** kennis
der fossiele planten. **fy'toplankton** [v. Gr.
*phuton* = plant, en Du. *Plankton* v. Gr.
*plagktos* = dwalend, zwevend] plantaardig
plankton. **fytopathologie'** kennis der
plantenziekten. **fytopatholoog'** beoefenaar
der fytopathologie. **fytosociologie'** leer v.d.
samenleving van planten. **fytotherapie'**
kruidengeneeskunde.

# G

**gabaar'** *zie* **gabare.**
**gabardi'ne** [v. OFr. *gauvardine*, missch. v. It.
*gabbione* = grote kooi, v. *gabbia* = kooi]
waterdichte stof v. kamgaren.
**gaba're, gabar'ra of gabaar'** [Fr. *gabare*, Sp.
*gabarra*, v. MLat. *gabbárus* = zeekreeft] **1** soort
schuit, modderschuit, praam, *ook*: plat
roeischeepje voor laden en lossen, lichter;
**2** klein slagnet voor de visserij.
**gab'ber** [v. Jidd. *chawwer*] (*Barg.*) kameraad.
**gad'get** [Eng.] vernuftig uitgedacht
toestelletje of ding.
**Gadoli'nium** bep. element, metaal, zeldzame
aarde, chem. symbool Gd, ranggetal 64 [naar
gadoliniet, een mineraal genoemd naar
Johann Gadolin, Fins schei- en
natuurkundige, 1760-1852].
**Gae'lic of Gae'lisch** [Eng. *Gaelic*, v. *Gael*
= Schotse of Ierse Kelt, v. Schots-Gaelisch
*Gaidheal*] Keltische taal in N.W.-Schotland en
Ierland.
**gaf'fe** [Fr. = gaffel; (*gemeenzaam*) blunder]
flater, bok, blunder, stommiteit.
**gaf'fel** [v. Fr. *gaffe* = bootshaak] vork met
twee tanden of daarop gelijkend voorwerp;
(*mar.*) rondhout tegen mast waaraan een zeil.
**gag** [Eng. = *eig.*: prop in mond, stoplap; afl.
onzeker, missch. nabootsing v. geluid v. iem.
met prop in mond] door toneelspeler zelf bij
zijn rol ingelaste geestigheid, ingelaste
komische of kluchtige episode of aardigheid in
film; *running gag*, zich herhalende grap.
**ga'ge** [Fr., v. Germ. *wadjo*; *vgl.* Ned. *wedde*]
*oorspr.*: jaargeld v. toneelspeler; **1** loon voor
dienst, soldij; *spec.* loon v. zeelieden;
**2** onderpand. **gagement'** bezoldiging;
pensioen.
**gaieté** [Fr., v. *gai* = vrolijk] vrolijkheid; —*du
cœur*, luchtigheid. **gaiement'** [Fr.] opgewekt,
vrolijk. **gaillard'** [Fr.] **1** vrolijke kwant, snaak;
**2** sterke kerel; **3** iets ongewoon groots; **4** *zie*
**galjard. gaillar'de** [Fr. = *eig.*: vrolijke vrouw,
v. It. *gagliarda*] **1** oude dans, *oorspr.*:
springdans uit Lombardije afkomstig, in ³/₄
maat; *later*: uitgelaten Fr. dans; **2** (*muz.*) deel
v.e. suite in dat tempo.
**gai'ne** [Fr. = *lett.*: schede, foedraal] elastieken
buikkorset, step-in.
**ga'la** [Fr., v. It.; *vgl. è gala* = het is mooi; *zie
verder* **galant**] groot (hof)feest (bijv. gala-
avond = feestelijke uitvoering); hofstatie,
feestkledij (in gala).
**galactiet** [Lat. *galactites*, Gr. *galaktitès* of
*-titis*, v. *gala, galaktos* = melk] melksteen,
melkjaspis (bep. edelsteen). **galac'tisch** [v.
Gr. *galaxias (kuklos)* = Melkweg, *vgl.* Fr.
*galaxie*, Eng. *galaxy*] (*astr.*) de Melkweg
betreffend, in de Melkweg gelegen.
**galactome'ter** [*zie* **meter**] toestel om het
gehalte van melk te bepalen. **galacto'se** een
enkelvoudige suiker, $C_6H_{12}O_6$., [*zie* **lactose**].
**galant'** [Fr., v. OFr. *galer, galler* = vrolijk
maken, zich vermaken, missch. v. OHDu.
*wallon* = wandelen, ronddwalen] **1** *bn*
hoffelijk, voorkomend voor dames, kleine
attenties bewijzend; **II** *zn* verloofde, vrijer.
**galantemen'te** [It.] (*muz.*) bevallig.
**galanterie'** [Fr.] **1** het galant zijn,

hoffelijkheid; **2** (*zie volgende*). **galanterie'ën** *mv* goederen voor opschik en als sieraad, spec. dienende als geschenken. **galanthom'me** [Fr. *homme* = Lat. *homo* = mens] beschaafd persoon, man v.d. wereld (*vgl.* Eng. **gentleman**), strikt eerlijk en edelmoedig man, rechtschapen man.

**galanti'ne** [Fr., oorspr. een vissaus] (*cul.*) **1** rolpastei met een vulling v. gemalen kalfs- of varkensvlees, wild, tam gevogelte of vis met spek, ossetong, truffels e.d.; **2** koud vlees in gelei.

**Galate'a** [Gr. myth. *Galatea*, zeenimf, dochter v. Nereus] zeer mooi meisje.

**galantis'me** oppervlakkige kunde, schijnwetenschap.

**galba'num** [Lat., v. Gr. *chalbanè*] gomhars, oorspr. uit Perzië, met geneeskrachtige werking (zgn. moederhars).

**galei'** [OFr. *galée*, It. *galéa* of *galéra*; *vgl.* Fr. *galère*, MLat. *galea*, afl. twijfelachtig] groot roeischip met rijen roeiers (meestal slaven of dwangarbeiders).

**Gale'nisch** van of naar Galenus (Galenus, Gr. *Galènos*, geneesheer te Pergamon in de 2e eeuw): —*e preparaten*, geneesmiddelen uit planten bereid (niet synthetisch gemaakt); —*e farmacie*, farmacie v.d. Galenische preparaten.

**galet'te** [Fr., verklw. v. *galet* = rolletje, wieltje] (*cul.*) ronde, platte koek; rond aardappelkoekje met wafelpatroon.

**galimatias'** (*spreek uit:* -tja) [Fr.] wartaal, onzin.

**galjard'** [Fr.] oude 8-punts drukletter, het midden houdend tussen garamond (*z.a.*) en brevier (7¹/₂ punts).

**galjas', galeas'** [Fr. *galéasse* of *galéace*, v. OFr. *galée* = galei] grote galei.

**galjoen'** [Fr. *galion*, v. OFr. *galée* = galei] (*gesch.*) soort galei, Sp. oorlogs- of koopvaardijschip. **galjoot'** [Fr. *galiote*, v. OFr. *galée* = galei] klein galjoen; (19e eeuw) soort kofschip.

**gallicanis'me** [Lat. *Gallicánus* = in of uit het wingewest Gallia] (*gesch.*) stroming onder Fr. katholieken om te komen tot onafhankelijkheid v. pauselijk gezag, Fr. nationaal katholicisme. **gallicaans'** volgens of van het gallicanisme. **gallicis'me** woord of uitdrukking ontleend aan het Fr. taaleigen (bijv. ik kom van te zeggen (*je viens de dire*) = ik heb zojuist gezegd).

**gallionis'me** onverschilligheid in godsdienstige zaken [naar Gállio, de proconsul van Achaja, die bij een rechtsgeding tussen de joden en Paulus verklaarde geen rechter te willen zijn in godsdienstzaken].

**gallise'ren** water en zetmeelsuiker voegen bij te zure most, om te voorkomen dat er een zure wijn zou ontstaan i.p.v. een goede [naar Gall, die deze door Chaptal uigevonden bewerking in 1828 invoerde].

**Gal'lium** bep. element, metaal, chem. symbool Ga, ranggetal 31 [naar Lat. *Gallus* = haan, vertaling v. Lecoq de Boisbaudran, de ontdekker 1875: Fr. *Lecoq* = de Haan].

**gallofiel'** [v. Lat. *Gállia* = het land der Galliërs; naam voor Frankrijk, en Gr. *philos* = vriend, v. *phileoo* = beminnen] vriend v. al wat Fr. is, francofiel. **gallofobie'** [*zie* **fobie**] overdreven vrees of afkeer voor al wat Fr. is. **gallomanie'** [*zie* **manie**] overdreven voorliefde voor al wat Fr. is. **gallomaan'** lijder aan gallomanie.

**gallon'** [v. ONFr. *galon*; *vgl.* Fr. *jale* = schaal, kom] inhoudsmaat, 4 quarts of 8 pints (ruim 4,54 liter).

**galmei'** [v. Arab. *kalimija* v. Gr. *Kadmeia*, Lat. *lapis calaminaris*] bep. zinkerts, zinkcarbonaat, $ZnCO_3$.

**galon'** [Fr., v. It. *galone* (*zie* **gala**) koordvormig boordsel oorspr. v. goud- of zilverdraad. **galonne'ren** [Fr. *galonner*] met galon beleggen.

**galop'** [Fr., missch. v. Germ. *Walop*] **1** een bep. snel-springende gang bij zoogdieren (bijv. paard) vóórkomend; **2** levendige rondedans met snel, springend karakter in ²/₄ maat. **galoppe'ren** [Fr. *galoper*] **1** in galop lopen of rijden; **2** de galop dansen. **galoppa'de** [Fr. *galopade*] **1** het galopperen, het lopen of rijden in galop; **2** huppeldans (v. Hongaarse oorsprong); *ook*: **galop 2**.

**galvanise'ren** [Fr. *galvaniser*, *zie* **galvanisme**] **1** elektrische (galvanische) stroom toevoeren als geneeskundige methode; **2** ijzer v. laag zink voorzien (om roesten te verhinderen): **3** (*fig.*) bezielen (door kunstmiddelen), als het ware geestelijk een elektrische schok geven. **galvanisa'tie** *zn*.

**galvanis'me** elektriciteit tengevolge v. werking v. twee ongelijksoortige stoffen op elkaar [naar Luigi Galvani, de ontdekker, It. natuurkundige en arts, 1737-1798].

**galva'nisch** betrekking hebbend op of verkregen door galvanisme; —*e cel*, elektrische batterij. **galva'no** cliché langs galvanische weg vervaardigd. **galvano-**: in samenstellingen = **galvanisch**.

**galvanocaustiek'** [*zie* **caustiek**] wegbranden met hitte door galvanische stroom verwekt. **galva'no-che'misch** [*zie* **chemie**] de chem. werking v. galvanische stroom betreffend. **galvanochromie'** [*zie* **chroom**] het kleuren langs galvanische weg. **galvanomagne'tisch** [*zie* **magnetisme**] elektromagnetisch, *z.a.* **galvanome'ter** [*zie* **meter**] toestel om zwakke elektrische stroom te meten. **galvanoplastiek'** [*zie* **plastiek**] het vervaardigen v. metalen afdrukken of vormen van voorwerpen langs galvanische weg. **galvanoscoop'** [v. Gr. *skopeoo* = (rond)kijken] toestel om zwakke galvanische stromen aan te tonen. **galvanostegie'** [v. Gr. *stegoo* = dekken] kunst om galvanisch te verzilveren enz., om voorwerp te bedekken met metaallaagje langs elektrolytische weg. **galvanotherapie'** [*zie* **therapie**] geneeswijze met galvanische stroom. **galvanotypie'** [*zie* **type**] druk met galvano's.

**gam'ba** [It. *viola da gamba* = viool v.d. voet, v. Lat. *gamba* = enkel; *vgl.* Fr. *jambe* = been] basviool (met de knieën vastgehouden).

**gambiet'** [via Sp. *gambito* v. Arab. *gambet* = zijwaarts] openingswijze v.e. schaakpartij waarbij men een pion opoffert om een goede aanval voor te bereiden; bij dammen: het offeren van een of meer schijven om later een betere stelling te krijgen.

**ga'me** [Eng., *vgl.* OHDu. *gaman* = vreugde] spel; (*tennis*) deel van partij.

**gameet'** [v. Gr. *gameoo* = huwen; *gametès* = echtgenoot] rijpe geslachtscel, in staat om na vereniging met soortgelijke cel een nieuwe kiem te vormen.

**gamel'** [Fr. *gamelle*, v. It. *gamella*] etensketeltje, etensblik.

**ga'melan** [inheemse naam] Javaans of Balinees orkest.

**gamin'** [Fr.] kwajongen, straatjongen.

**gam'ma** [Gr.; *vgl.* Hebr. *ghimel* = kameel; de vorm van de Griekse hoofdletter, nl. Γ, is ontleend aan een oud beeldschriftteken voor kamelekop] 3e letter v.h. Gr. alfabet overeenkomend met onze g; derde ster in helderheid in bep. sterrenbeeld; elke schaal v. opeenvolgende hoedanigheden (*bijv.*: kleurengamma); verder is gamma (γ) het symbool voor foton (*z.a.*) en in de metriek voor 0,001 mg (één miljoenste gram). **gam'mastralen** *mv* bep. elektromagnetische straling van zeer korte golflengte (en dus niet door magneet afgebogen) uitgezonden door bep. radioactieve stoffen.

**gam'mawetenschappen** wetenschappen die buiten de traditionele indeling in alfa- (bijv. taalkunde, geschiedenis) en bètawetenschappen (natuurwetenschappen) vallen, zoals sociologie, sociale psychologie e.d., maar vaak aspecten van beide vertonen.

**gam'mel** [v. Hebr.] (*Barg.*) ziek; bij uitbreiding ook v. zaken: gebrekkig, versleten, **vervallen**.

**gam'mer** [Hebr. *gammor*] (*Barg.*) ezelskop, stommerik.

**gang** [Eng., oorspr. betekenis als Ned.: wijze van gaan] troep, spec. misdadigersbende. **gang'ster** lid v. misdadigersbende.

**gang'lion** *mv* **gangliën** [v. Gr. *gagglion* = beenachtige uitwas] (*anat.*) zenuw- of peesknoop.

**gangreen'** [Gr. *gaggraine* = kankerachtige zweer] koudvuur, het afsterven v. weefsels in het lichaam. **gangreneus'** [Fr. *gangreneux*] met koudvuur.

**gan'nef** [v. Hebr. *ganob* = dief] (*Barg.*) dief, boef; (ook schertsend v. jongen) snaak, rakker.

**gante'ren** [Fr. *ganter*, v. *gante* = handschoen, v. OHDu. *want* = Ned. want] *zich*—, zijn handschoenen aandoen.

**ga'ramond**, *ook:* **ga'ramont** of **gar'mond** bep. soort 9 punts drukletter [naar Claude Garamond, Fr. lettersnijder, gest. 1561].

**gard** [*vgl.* MNed. *gaarde* = tak, *gaert* = roede] roede om te tuchtigen, bestaande uit bosje takken (thans nog als attribuut v. Zwarte Piet bij Sinterklaasfeest).

**1 gar'de** [*oorspr.*: bosje rijshout, *zie* **gard**] (*cul.*) keukengereedschap bestaande uit lusvormige metalen draden die samenkomen in een handvat, om te kloppen, mengen en roeren.

**2 gar'de** [Fr. v. Germ. *wardon; vgl.* Du. *Wärter* = wachter, oppasser; *Warte* = uitkijkpost, *warten* = uitkijken, oppassen] **1** wacht, bewaking door soldaten v.e. aanzienlijk persoon of v.e. staatslichaam; *– du corps*, lijfwacht; **2** *nationale garde*, burgerwacht; **3** (*fig.*) *oude garde*, de ouderen op enig gebied (bijv. politiek, kunst); **4** (*Z.N.*) bewaker, boswachter, veldwachter (*garde champêtre*).

**garde'ren** [Fr. *garder, zie* **2 garde**] bewaken, behoeden. **gardero'be** [Fr.; *zie* **robe**] **1** klerenbewaarplaats; **2** de voorraad kleren die men bezit. **garderobière** [Fr.] juffrouw die de overkleren in theater e.d. bewaart.

**gardez-vous'**! [Fr.] past op!, weest op uw hoede! **gardiaan'** [Fr. *gardien*] overste v. klooster bij franciscanen en capucijnen.

**gareel'** [v. MLat. *garéllus*] tuig v. trekdier; (*fig.*) juk; *in het — lopen*, zijn gewone werk regelmatig verrichten.

**gargan'tua** onverzadigbaar eter [naar Gargantua, hoofdfiguur v.de. boek van Rabelais (1534)]. **gargantuesk'** [Fr. *gargantuesque*] op de wijze v. Gargantua.

**gargarisa'tie** [Lat. *gargarizátio*, v. *gargarizáre*, *-átum*, v. Gr. *gargarízoo*] keelspoeling, het gorgelen.

**gargote'ren** [v. Fr. *gargote*, v. OFr. *gargate* = slokdarm] eten in een gaarkeuken.

**gargouil'le** [Fr., v. *garg* (klanknabootsing, *vgl.* **gargarisatie**) Ned. *gorgelen* en Lat. *gurges*; verder v. Fr. *goule* = Lat. *gula* = bek] waterspuwer aan dakgoten, vaak in vorm v. dierenkop.

**garibal'di** [*zie* **volgende**] bep. soort hoed. **Garibaldist'** aanhanger v. Garibaldi [Guiseppe Garibaldi, It. patriot, 1807-1882].

**garne'ren** [Fr. *garnir*, OFr. = versterken, waarsch. v. Germ. *warnian* = waarschuwen] voorzien van zoom of opgenaaide band en versiersels; stofferen (kamer); (*cul.*) versieren, omlijsten, beleggen, een gerecht opmaken om het aantrekkelijker te maken. **garne'ring** versiersel bij opgemaakte schotels en gerechten, niet bedoeld voor consumptie.

**garni'** [Fr.] **1** gemeubileerd (kamer); **2** opgemaakt (gerecht). **garnituur'** [Fr. *garniture*] **1** garneersel, belegsel, versiersel (v. kledingstuk); toebehoren; **2** stel bijeenbehorende artikelen voor bep. doel; **3** (*cul.*) toevoegsel(s) bij een gerecht die tegelijk met de hoofdschotel worden opgediend ter consumptie, belegging, vulling, toevoegsels bij soepen en sausen die daaraan het kenmerkend karakter verlenen; **4** sortiment, keuze; *tweede —*, tweede keus.

**garnizoen'** [Fr. *garnison*, v. OFr. *garison* (*garir*

= verdedigen), v. Germ. *vgl.* Ned. *weren; zie verder* **garneren**] (*mil.*) vaste standplaats v. legerafdeling, de vaste mil. legering in een stad.

**garruliteit'** [Lat. *garrúlitas*, v. *garríre* = snappen, babbelen] babbelziekte, praatzucht.

**gas'co** schoppen- en klaverenaas in één hand bij omber.

**gasco'gner** [Fr. *gascon*, v. *Gascogne* = bep. landstreek] opschepper. **gasconna'de** [Fr.] opschepperij (*zie ook* **cascenade**).

**gas'gangreen** [*zie* **gangreen**] vorm v. koudvuur in wonden die geïnfecteerd zijn door een bep. bacil die gasbellen in de wond veroorzaakt.

**gasjewij'ne** *zie* **asjewijne**.

**gasmanet'te** [v. Fr. *manette*, v. *main*, Lat. *mánus* = hand] handel om toevoer v. gas (benzinedamp met lucht) naar motorcilinder te regelen. **gasoli'ne** [Eng. *gasolene*] gasoline, gasether, vluchtige vloeistof door destillatie uit petroleum verkregen. **gasome'ter** *zie* **gazometer**.

**gas'ser** [Hebr. *gazzer* = varken] (*Barg.*) **1** varken (sspek); **2** zwerver.

**gastriloog** [v. Gr. *gastèr, gast(e)ros* = buik, en *logos* = woord] buikspreker (niet verwarren met **gastroloog**). **gas'trisch** de buik of de maag betreffend. **gastri'tis** [*zie* **-itis**] ontsteking aan de maag. **gastro-** [Gr. *gastèr, gast(e)ros* = buik, maag] buik-, maag-. **gastrofiel'** [v. Gr. *phileoo* = beminnen] *lett.:* buikminnaar; smulpaap. **gastrolatrie'** [Gr. *latreia* = (loon)dienst] *lett.:* buikverering; overdreven lekkerbekkerij. **gastrologie'** [Gr. *gastrología; zie* **-logie**] leer betreffende buik en maag. **gastroloog** beoefenaar v.d. gastrologie (niet verwarren met **gastriloog**). **gastronomie'** [Fr., v. Gr. *-nomia*, in betekenis: kunde, gevormd naar analogie v. **astronomie**, *z.a.*] fijne kookkunst, kunst en kunde v. lekker eten. **gastronoom'** [Fr. *gastronome* = *lett.:* beoordelaar v. kookkunst, gevormd uit **gastronomie**, *z.a.*] wie v. lekker eten houdt, lekkerbek, fijnproever.

**gas'trula** [Lat. = dikbuikig tonnetje, v. *gastrum*, v. Gr. *gastrè* = buik v.e. vat; v. *gastèr* = buik] bep. stadium in de ontwikkeling v.h. embryo v. hogere dieren (ontwikkeling der kiembladen, waardoor het embryo enigszins op een bekerlijkt).

**gatha's** [Sanskr. *gatha*] bep. godsdienstige hymnen in het oude Iran (bij de mazdeïsten).

**gau'che** [Fr.] links (ook *fig.*). **gaucherie'** [Fr.] linksheid, onbeholpenheid; onhandigheid. **gauchis'me** [v. Fr. *gauche* = links] (*Belg.*) intens streven naar links in de politiek. **gauchist'** aanhanger v.h. gauchisme.

**gau'cho** [Sp., waarsch. v. taal der Z.-Am. inheemsen] herder te paard in Argentijnse pampa, herder in Chili.

**gaudea'mus i'gitur** (ju'venes dum su'mus) [Lat.] laten we dus vrolijk pretmaken (zolang we nog jong zijn) (beginwoorden v.e. studentenlied).

**gaufre'ren** [Fr. *gaufrer; vgl.* Ned. *wafel*] figuren in stof drukken (door middel van hete ijzers of gegraveerde cilinders). **gaufré** blinddruk.

**gauge** [Eng. = standaardmaat, kaliber] (bij nylonkousen) aantal naalden per 38,1 mm.

**gaulois'** [Fr. = van Gallië] vrolijk maar ietwat lichtzinnig.

**gaullis'me** politieke stroming in Frankrijk die de hoofdideeën v.d. voormalige president Charles de Gaulle (1890-1970) tot grondslag heeft. **gaullist'** aanhanger v.h. gaullisme.

**gauss**, afk. **G** eenheid v. magnetische veldsterkte uitgedrukt in dynes [naar Karl Friedrich Gauss, Du. wis- en natuurkundige, 1777-1855].

**gavot'te** [Fr., v. Provençaals *gavoto*, v. *gavot* = inwoner van de streek Gap] Fr. volksdans uit de streek Gap (Dauphiné), ontstaan i.d. 16e eeuw, vrij snelle dans in $\frac{2}{4}$ of $\frac{4}{4}$ maat.

**gazet'** [Fr. *gazette*, v. It. *gazzetta*, oorspr. een muntstukje (= *lett.*: ekstertje, v. *gazza* = ekster)] munt waarvoor men in 1600 gedrukte nieuwsbladjes kon kopen; later is de naam overgegaan op het blaadje zelf; (*Z.N.*) blad, krant (*bijv.*: de Gazet van Antwerpen).

**gazeus'** [Fr. *gazeux* = gasvormig]: *gazeuse dranken*, alcoholvrije dranken zoals spuitwater en limonades, waarin onder verhoogde druk een overmaat kooldioxide ($CO_2$) is opgelost.

**gazome'ter** [Fr. *gazomètre*; *zie* **meter**] gasmeter; gashouder.

**ge-**; *voor de betekenis van aldus beginnende voltooide deelwoorden, zie men het hoofdwoord. Indien de daar gegeven omschrijving niet direct duidelijk is voor de betekenis van het voltooide deelwoord, of dit een of meer speciale betekenissen heeft, is het hier op zijn alfabetische plaats opgenomen.*

**geaccidenteerd'** *bn* [Fr. *accidenté*, *zie* **accident**] (van terrein) ongelijk, golvend, heuvelachtig.

**geacharneerd'** *bn zie* **acharné**.

**geacheveerd'** *bn* voltooid, geheel afgewerkt.

**geaffaireerd'** *bn & bw* [*zie* **affaire**] bedrijvig, druk in de weer zijnde, het druk hebbend.

**geaggregeerd'** *bn* [*zie* **aggregeren**] 1 toegevoegd (als beambte of ambtenaar, als gevolmachtigde zijn chef kunnende vervangen); 2 (*Z.N.*) onderwijsbevoegdheid hebbend voor middelbare school na examen, *idem* voor hoger onderwijs na een these [v. Fr. *agrégé*].

**geagiteerd'** *bn & bw* zenuwachtig, opgewonden, onrustig.

**geallieer'den** *mv* [*zie* **alliëren**] bondgenoten, spec. in beide wereldoorlogen de verbonden mogendheden die tegen Duitsland en zijn bondgenoten vochten (Geallieerden).

**gealtereerd'** *bn* [*zie* **altereren**] 1 ontsteld, ontroerd; 2 verminkt; 3 (*muz.*) veranderd, gewijzigd.

**geanimeerd'** *bn & bw* [*zie* **animeren**] levendig, opgewekt; *ook*: druk, vrolijk.

**geappelleer'de** *zn* [*zie* **appelleren**] (*jur.*) gedaagde in beroep.

**gearriveerd'** *bn* de positie en erkenning in de maatschappij waarnaar men streefde bereikt hebbend.

**geautoriseerd'** *bn* vergunning bezittend, gevolmachtigd; *-e vertaling*, vertaling met machtiging van de oorspr. auteur.

**geavanceerd'** *bn & bw* 1 bevorderd; gevorderd; het meest gevorderd op wetenschappelijk gebied; 2 (*mil.*) naar voren geschoven, vooruitgeplaatst; 3 vooruitstrevend, spec. in de politiek.

**gebastaardeerd'** *bn* door kruising ontstaan (dier of plant).

**geb'betje** [v. MNed. *gabben* = gekheid maken, voor de gek houden] (*volkstaal*) geintje, grapje, gekheid.

**gebeid'** *bn* [*bei* = bes] overgehaald (gedestilleerd) over jeneverbessen (*bijv.*: dubbel gebeide jenever).

**gebenedijd'** *bn & bw* [*zie* **benedictie**] gezegend.

**ge'ber** [v. Perzisch *gabr*; Arab. *kafir* = ongelovige, *zie* **kaffer**] (bij mohammedanen) aanhanger v. dwaalleer, ongelovige.

**geborneerd'** [v. Fr. *borner* = begrenzen] kortzichtig, bekrompen.

**gebrouilleerd'** [*zie* **brouilleren**] in onmin.

**gecanneleerd'** *bn* [*zie* **canneleren**, **cannelure**] 1 voorzien van cannelures (groeven in zuilen); 2 (*cul.*) geplooid, gekarteld.

**gecentreerd'** *bn* met de middelpunten v.d. onderdelen op één rechte lijn, spec. van optische systemen.

**gechargeerd'** *bn* [*zie* **chargeren**] overdreven.

**gecharmeerd'** *bn* verrukt van, betoverd door, bekoord door, verliefd op.

**gecoiffeerd'** *bn zie bij* **coifferen**.

**gecommitteer'de** *zn* gevolmachtigde, afgevaardigde, lasthebber; officieel gemachtigd toeziener bij examen.

**gecompliceerd'** *bn* ingewikkeld; (*med.*) *-e breuk*, botbreuk waarbij het gebroken bot door de huid naar buiten steekt.

**gecompromitteerd'** *bn* in opspraak gebracht.

**geconcentreerd'** *bn* 1 van sterk gehalte (bijv. zwavelzuur); 2 ingespannen (bijv. luisteren), verdiept in.

**geconditioneerd'** *bn* 1 zich in een bep. toestand bevindend; *goed —*, (van zaken) goed onderhouden, goed bewaard (bijv. verzameling), (van personen) goed op dreef, goed in vorm; 2 alleen optredend in bep. omstandigheden, afhankelijk van bep. condities (voorwaarden) (bijv. *—e reflex*); 3 voorbeschikt tot het hebben van bep. opvattingen door afkomst, milieu, opvoeding e.d.

**geconfedereer'den** *mv* [*zie* **confederatie**] bondgenoten, verbondenen, spec. de elf staten van het zuiden in de Am. burgeroorlog van 1861-1865 (Geconfedereerden).

**geconsolideerd'** *bn* vast, bevestigd; *—e schuld*, langlopende vaste (staats)schuld.

**geconsterneerd'** *bn* onthutst, ontsteld, uit het veld geslagen, hoogst verbaasd.

**geconsummeerd'** *bn* (niet **geconsumeerd'** [v. Lat. *consummáre*, *consummátum* = voleindigen, Fr. *consommer*; vgl. **consummátum** est; niet van **consumeren**, Lat. *consúmere*, *consúmptum* = verteren, Fr. *consumer*] voltrokken, voltooid.

**gecostumeerd'** *zie* **gekostumeerd**.

**gecultiveerd'** *bn* 1 aangekweekt, spec. met zorg aangekweekt; 2 beschaafd; 3 ontwikkeld.

**gedateerd'** *bn* [*zie* **datum**] 1 voorzien van dagtekening; 2 verouderd, uit de tijd.

**gedebaucheerd'** *bn* verliederlijkt, ontuchtig.

**gedecideerd'** I *bn* vastbesloten, vastberaden, met beslistheid; II *bw* beslist, zonder weifeling of twijfel.

**gedecolleteerd'** *bn* met laag uitgesneden halsopening.

**gedegenereerd'** [v. Fr. *dégénéré* = ontaard, achteruitgegaan] ontaard, door erfelijkheid met slechte eigenschappen belast.

**gedeist'** of **gedeisd'** *bn* [v. Port. *deixe* = stil] stil, koest.

**gedeplaceerd'** *bn* [*zie* **deplaceren**] 1 slecht aangebracht, misplaatst; 2 laag aangel wal geraakt.

**gedepraveerd'** *bn* [v. Lat. *depraváre*, *depravátum* = misvormen, bederven, v. *de-* en *právus* = verkeerd, slecht] zedelijk verdorven.

**gedeprimeerd'** [v. Fr. *déprimé*] lusteloos, terneergeslagen.

**gedeputeerd'** *bn* afgevaardigd; *Gedeputeerde Staten*, college belast met het dagelijks bestuur van een provincie, gekozen door en uit de Provinciale Staten, die, zelf rechtstreeks door het volk gekozen, een provincie in het algemeen besturen (in België 'Provinciale Raad'). **gedeputeer'de** *zn* afgevaardigde, spec. volksafgevaardigde, lid v.e. wetgevende vergadering; lid van de Gedeputeerde Staten (titel gedeputeerde); lid van een polder- of dijkbestuur.

**gederangeerd'** *bn & bw* 1 in de war, niet goed bij zijn hoofd; 2 in moeilijke financiële omstandigheden verkerend; 3 (*Z.N.*) lichtelijk onwel.

**gedesinteresseerd'** *bn & bw* [*zie* **des-**] belangeloos, geen belang bij de zaak hebbend.

**gedestilleerd'**, *ook*: **gedistilleerd** I *bn* gestookt, overgehaald; II *zn* sterk alcoholische drank waarvan de grote hoeveelheid alcohol is verkregen door destillatie van suikerhoudende gegiste vloeistoffen, vrijwel hetzelfde als 'sterke drank'; *ook*: verzamelnaam voor sterke dranken (*bijv.*: accijns op gedestilleerd).

**gedetermineerd'** *bn* 1 door beschikking bepaald, vastgelegd, niet vrij; 2 vastbesloten, vastberaden.

**gedetineer'de** [v. Lat. *de-tinére* = vasthouden] gevangene.

**gedifferentieerd'** *bn* [*zie* **differentie**] niet gelijk, met onderling verschil, waarin onderscheid is (d. gemaakt wordt), niet eenzijdig.

**gediftongeerd'** *bn* [*zie* **diftong**] tot een tweeklank geworden (*bijv.*: de ij is een gediftongeerde i, dus oorspr. ii).

**gedisponeerd'** *bn* [*zie* **disponeren, dispositie**] **1** in bep. stemming of luim, spec. de juiste stemming tot iets hebbend, in conditie; **2** aanleg hebbend tot een kwaal.

**gedistilleerd'** *zie* **gedestilleerd**.

**gedistingeerd'** [*zie* **distinctie**] zich onderscheidend door fijne vormen, voornáám.

**gedoteerd'** *bn* **1** begiftigd; **2** bep. vaste inkomsten trekkend.

**gedrogeerd'** *bn* [v. Fr. *drogue* = *eig.*: geneesmiddel; *zie ook* **drug**] behandeld met stimulerende middelen, spec. van sportlieden, renpaarden e.d.

**geëmbrouilleerd'** *bn* [v. Fr. *embrouiller* = verwarren, in de war brengen] verward, dooreengehaspeld.

**geëmotioneerd'** *bn* & *bw* met zichtbare gemoedsaandoening; *ook*: geprikkeld, nerveus.

**geëmployee'de** *zn* [*zie* **emplooi, employé**] beambte van lagere rang, bediende.

**geëmporteerd'** *bn* [v. Fr. *emporté* = driftig, opvliegend, heethoofdig, oplopend, v. *emporter* = *eig.*: wegdragen, wegslepen; *ook*: op hol slaan] gemakkelijk door drift meegesleept, oplopend, driftig.

**-geen** [Gr. *-genès* = geboren uit, de aard hebbend; *vgl. gi-gn-omai* = worden, geboren worden] **1** voortkomend uit, -groeiend (bijv. endogeen); **2** voortbrengend (in chem. namen ook *-genium*; het Gr. *-genès* heeft niet deze betekenis, *vgl.* echter *gennaoo* = voortbrengen).

**geëndosseer'de**, *ook*: **geïndosseerde** *zn zie bij* **endosseren**.

**geëngageerd'** *bn* **1** persoonlijk betrokken bij, verplichtingen hebbend ten aanzien van; **2** verloofd.

**geëquilibreerd'** *bn* [*zie* **equilibrist** en **aequo animo**] **1** in evenwicht zijnde; **2** geestelijk evenwichtig.

**geer** *zie bij* **geren**.

**geëvaporeerd'** *bn lett.*: uitgedampt; vol inbeelding en grillen; *ook*: wuft.

**geëxalteerd'** *bn* opgewonden, overspannen; overdreven.

**geëxaspereerd'** *bn* [*zie* **exasperatie**] gespannen tot het uiterste, verbitterd (*bijv.*: geëxaspereerde felheid).

**geëxecuteer'de** *zn* degene aan wie een vonnis ten uitvoer is (of wordt) gelegd (N.B. niet alleen doodvonnis).

**geëxpireerd'** *bn* verlopen, afgelopen (bijv. termijn).

**gefaasd'** *bn* [v. *faas* = dwarsbalk, via Fr. *fasce* v. Lat. *fáscia* = band] (her.) met horizontale stroken (fazen) op het wapenschild.

**gefarceerd'** *bn* opgevuld (gezegd van vlees of vis).

**gefigureerd'** *bn* [*zie* **figuratief**] versierd; *-glas*, glas met versieringen in reliëf.

**geflipt'** [v. *flippen*, v. Eng. *to flip over* = *to flick over* = snel omslaan v. bladzijden] (*gemeenzaam*) mislukt (*bijv.*: een geflipte figuur).

**gefortuneerd'** *bn* rijk, vermogend.

**gefrustreerd'** *bn* teleurgesteld, zich tekort gedaan voelend, onderhevig aan frustratie.

**gefundeerd'** *bn* **1** gevestigd, gesticht; **2** op een goede grondslag berustend (*bijv.*: een gefundeerd oordeel); **3** *gefundeerde schuld* of *lening*, door staatsinkomsten gegarandeerd wat betreft rente en aflossing.

**gefun'denes Fres'sen** [Du. = *lett.*: gevonden maaltijd] onverwacht meevaller, buitenkansje.

**gegageerd'** [*zie* **gage**] met pensioen ontslagen.

**gegalonneerd'** *bn* **1** met galon(s) belegd; **2** gekleed in uniform met galons.

**gegalvaniseerd'** *bn zie* **galvaniseren 2**.

**geganteerd'** *bn* handschoenen dragend, gehandschoend, met handschoenen aan.

**gegeerd'** *bn* (*her.*) met gelijke driehoekige vlakken met hun bases tegen de rand v.h. wapenschild, in schuine hoeken verdeeld.

**gegeneerd'** *bn* & *bw* gedwongen, belemmerd, zich onvrij voelend; *ook*: met zijn figuur verlegen.

**geglaceerd'** *bn* **1** bedekt met een laag glanzende suiker; **2** met gladgemaakt oppervlak (bijv. papier, karton); **3** verkookt tot gelei; **4** door afkoeling stijf gemaakt, bevroren (bijv. pudding).

**gegradueer'de** *zn* **1** persoon die een graad, spec. een academische, verkregen heeft; **2** (*mil.*) met een rang beklede.

**gegratineerd'** *bn* (*cul.*) met paneermeel en/of kaas bedekt en gebakken.

**gehar'nast** *bn* [*zie* **harnas**] **1** een harnas dragend; **2** (*fig.*) scherp aanvallend, fel, strijdbaar (*bijv*: criticus).

**Gehen'na** [Hebr. *gehinnom*] *oorspr.*: plaats in het Hinnom-dal bij Jeruzalem waar aan de afgod Moloch kinderoffers gebracht werden, vandaar plaats v. afschuw voor de rechtzinnige joden; plaats v. zonde en kwelling, hel.

**gei'gerteller** bep. telbuis om sterkte v. radioactieve alfa-stralingen te meten (door tikken te tellen, elke tik wordt veroorzaakt door één uiteenvallende radioactieve atoomkern) [naar Hans Geiger, Du. natuurkundige, 1882-1945].

**geil** [*vgl.* Gotisch *gailjan* = vrolijk maken, Litaus *gailùs* = scherp, driftig] wellustig; zeer vet (v. grond, vlees, vis enz.); te weelderig groeiend (v. gewas); goed, mooi.

**geïncrimineerd'** *bn* **1** als misdadig en dus strafbaar beschouwd; **2** (*oneig.*) aanleiding tot kritiek gevende, gewraakt (*bijv*.: artikel, passage, volzin, woord dat aangevallen wordt, waarop de beschuldiging van het ten laste gelegde berust).

**geïndigneerd'** *bn* [*zie* **indignatie**] verontwaardigd.

**geïndisponeerd'** *bn* [*zie* **indispositie**] **1** niet in de goede gemoedstoestand, ontstemd; **2** lichamelijk ongesteld.

**geïndosseer'de** *zie* **geëndosseerde**.

**geïnsinueer'de** *zn* [*zie bij* **insinueren**.

**geïntegreerd'** *bn* opgegaan in een geheel, tot een geheel gemaakt (*vgl.* **integrerend**).

**geïnteresseerd'** *bn* **1** belang hebbend in of bij, als belanghebbende betrokken bij; **2** niet belangeloos, zelfzuchtig; **3** belangstellend, vol belangstelling.

**geïntimeer'de** *zn* [*zie* **intimeren**] (*jur.*) gedaagde in beroep. (N.B. niet verwarren met *geïntimideerd* = vrees aangejaagd, bang gemaakt.)

**geïnverteerd'** *bn* omgekeerd, in onnatuurlijke richting gekeerd.

**geïnvetereerd'** *bn* verstokt, ingekankerd, ingeworteld, ingeroest (*bijv*.: gewoonte, kwaad).

**geïnvolveerd'** *bn* verwikkeld in, betrokken in, besloten in.

**gei'ser** [v. IJslands *geysir*, v. *geysa* = gutsen] warme intermitterende (= met regelmatige tussenpozen werkende) spuitbron in sommige vulkanische streken (spec. de bep. soort op IJsland); bep. toestel voor waterverwarming (in keuken, in badkamer e.d.).

**gei'sha** [Jap.] Japans meisje uit lagere kringen, speciaal opgevoed om in voorname huizen gasten te bedienen en aangenaam bezig te houden door geestige conversatie, dans, muziek e.d. (N.B. niet door seksuele intimiteiten zoals westerlingen vaak menen.)

**geistiek'** [v. Gr. *gè* = aarde] beschrijving en kennis van de vaste delen v.h. aardoppervlak.

**geklimatiseerd'** *bn* [*zie* **klimaat**] (*Z.N.*) voorzien van **air-conditioning** (z.a.) (v. Fr.

*climatisé*).
**gekostumeerd'**, *ook*: **gecostumeerd** *bn* in
ongewoon kostuum verkleed (*bijv.*:
gekostumeerd bal).
**gekwalificeerd'** *zie* **gequalificeerd.**
**gekwartierd'** *ook ook*: **gekwartileerd'** *bn*
(*her.*) in vier rechthoekige delen verdeeld
(gezegd van wapenschild).
**gel** (*uitspr.* zjel), *mv* **ge'len** (*uitspr.* geelen) [v.
**gelatine**, *z.a.*, het prototype] **1** geleiachtige
stof gevormd door uitvlokking of coagulatie
v.e. kolloidale oplossing, gelatine. Stoffen die
in waterige kolloidale oplossing kunnen
gelatineren zijn naast gelatine o.a. stijfsel,
agar-agar en pectine; **2** haarversteviger.
**gelati'ne** (*uitspr.* zje-) [Fr. *gélatine*, v. lt.
*gelatina*, v. *gelare* = doen bevriezen, bevriezen,
v. Lat. *gelátum* = doen bevriezen, v.
*gélu* = vorst] bep. geleiachtige eiwitstof,
smaakloos en reukloos, verkregen uit
collageen (eiwit in bindweefsel, been en
kraakbeen) van kalfsbeenderen of
schapevellen. Gelatine lost op in warm water
en stolt na afkoeling tot gelei (gelatineert, *zie*
**gelatineren**). **gelati'ren** het vast worden
van een kolloidale oplossing (genoemd naar
het prototype gelatine). **gelatineus'** [Fr.
*gélatineux*] geleiachtig. **gelei** (*uitspr.* zje-)
[Fr. *gelée* = eig.: bevriezing, vorst, van *geler*
= doen bevriezen, bevriezen, Lat. *geláre*, *zie*
**gelatine**] sap door koken ingedikt, dril,
gestold vleesnat; doorzichtige elastische stijve
massa, gemaakt door een vloeistof met
gelatine te vermengen, gebruikt voor velerlei
gerechten; *ook*: massa bereid uit
vruchtensappen met suiker (*vruchtengelei*) of
met glucosestroop en suiker (*huishoudgelei*)
ter vervanging van jam als broodbeleg.
**gele'ren** [Fr. *geler* = *lett.*: bevriezen]
overgaan in gelei, het stevig worden bij
afkoeling van een vloeistof die gelatine,
lijmstof, agar-agar of pectine bevat. (*Vgl.*
**gelatineren**.) **geligniet'** [v. **gelatine** en Lat.
*ignis* = vuur] bep. springstof.
**gelieerd'** *bn* verbonden met; verwant aan.
**gemaniëreerd'** *bn & bw* gemaakt, gekunsteld.
**gemarineerd'** *bn* (*cul.*) ingelegd (ingemaakt)
in gekruide azijn (of pekel) met uitjes.
**gemaskeerd'** *bn* **1** voor het oog verborgen,
bedekt, verdekt; **2** (*fig.*) verbloemd; **3** (*bilj.*)
niet bereikbaar door een ervoor liggende bal
(v. Fr. *masqué*). (N.B. niet verwarren met
*gemáskerd* = een masker ophebbend; met
maskers, bijv. bal.)
**gemêleerd'** *bn* [*zie* **mêleren**] gemengd.
**gemel'len** *mv* [v. Lat. *gemellus* = tegelijk
geboren, verklw. v. *géminus* = tweeling, v.
stam *gen*- = voortbrengen] tweelingen.
**gemine'ren** [Lat. *gemináre*, -*átum*, v.
*géminus*; *zie* **gemellen**] verdubbelen.
**gemina'tie** verdubbeling, spec. v.
medeklinkers.
**gem'ma**, *ook*: **gem'me** of **gem** [Lat. *gemma*
= oorspr. knop aan boom; edelsteen]
edelsteen waarin letters of figuren zijn
gesneden (gegraveerd of in reliëf).
**gemmologie** [*zie* -**logie**] edelsteen- en
siersteenkunde.
**gemodereerd'** *bn & bw* gematigd, kalm.
**gemodereerd** *bw* (*volkstaal*, verbastering
van **gemodereerd**) kalmweg, brutaalweg,
alsof het vanzelfsprekend is, doodleuk; *ook*:
**dood'gemodereerd.**
**gemotiveerd'** *bn* **1** gebaseerd op bep.
gronden, redelijk (bijv. aanmerking); met
redenen omkleed (bijv. besluit); **2** (van
personen) bewogen door betrokkenheid bij de
zaak, een bep. beweeggrond hebbend.
**gemouvementeerd'** *bn* sterk bewogen.
**gen** (*uitspr.*: geen), *mv* **ge'nen** [v. Gr. stam
*gen*- = voortbrengen, worden] deeltje in
celkern (als onderdeel van chromosoom, *z.a.*)
dat de stoffelijke drager van erfelijke
eigenschap(pen) is.
**gênant'** [Fr., *zie* **gêne**] hinderlijk, oorzaak
vormend dat men zich geneert, beschamend.

**gendar'me** [Fr., v. *gens d'armes* = mannen van
wapens] (*Z.N.*) politiesoldaat, militair belast
met bewaking v. openbare veiligheid,
marechaussee; (*fig.*) manwijf. **gendarmerie'**
[Fr.] de gezamenlijke gendarmen; kazerne v.
gendarmen.
**gê'ne** [Fr., samengetrokken uit *géhenne*; *zie*
**gehenna**] (*oorspr.*: bekentenis afgedwongen
door foltering, de foltering zelf, pijnlijke
situatie) verlegenheid, schaamte.
**genealogie'** [Gr. *généalogie*, v. MLat., v. Gr.
*genealogía* = geslachtsregister v. *genea*
= geslacht; *zie* -**logie**] geslachtsrekenkunde,
leer v.d. afstamming v. geslachten;
geslachtsstamboom. **genealo'gisch** [v. Gr.
*genealogikos*] de genealogie betreffend; in de
vorm v.e. stamboom (bijv. -e tabel).
**genealoog'** beoefenaar der genealogie.
**ge'nen** *mv van* **gen**, *z.a.*
**generaal'** [v. Lat. *generális* = tot het geslacht
(*genus*, *z.a.*) behorend, algemeen] **I** *bn*
algemeen; hoogste, opper-; *generale repetitie*,
laatste repetitie vóór de opvoering; *generale
staf*, groep officieren die de dienst betreffende
de opperleiding v.e. leger verzorgt; **II** *zn* **1**
(*mil.*) opperofficier (luitenant-generaal,
generaal-majoor), veldheer; **2** (*rk*) algemeen
overste v.e. kloosterorde. **generaal' pardon'**
algemene kwijtschelding v. straf opgelopen
door algemeen vergrijp. **genera'le bas** *zie*
**basso. generalise'ren** [Fr. *généraliser*]
veralgemenen, uit afzonderlijke gevallen tot
een algemene stelregel besluiten en zo alle
gevallen over één kam scheren.
**generalisa'tie** *zn*.
**generalis'simus** [verlatiniseerde vorm v. It.
*generalissimo*, v. *generale* = generaal; de uitg.
-*issimo*, Lat. -*issimus* is de overtreffende trap]
opperbevelhebber. **generaliteit'** [Lat.
*generálitas*] algemeenheid; *Generaliteit*,
Algemene Staten (tegenover de Provinciale
Staten); *Generaliteitslanden*, (*gesch.*) gebied
v.d. Republiek der zeven Provinciën dat niet
tot een van die zeven behoorde en direct
ressorteerde onder de Algemene Staten (de
Staten Generaal). **genera'liter** [Lat.] in het
algemeen.
**gene'ren** (*spreek uit*: zjeneeren) [Fr. *géner*; *zie*
**gêne**] lastig zijn, hinderen; verlegen maken;
*zich* —, zich schamen, uit verlegenheid of
schaamte iets nalaten te doen.
**genere'ren** [Lat. *generáre*, -*átum*, v. *genus*, =
geslacht], voortbrengen; (*radiotechniek*) een
radio-ontvanger zo terugkoppelen dat hij zelf
golven gaat uitzenden die in een ander toestel
door interferentie met de opgevangen
stationsgolf gillende fluitgeluiden kunnen
veroorzaken (zgn. Mexicaanse hond).
**genera'tio aequi'voca** *of* **sponta'nea** (niet
spontanéa) volgens bep. theorie het ontstaan
of ontstaan zijn v. primitief leven uit levenloze
stof louter door mechanische en chemische
krachten (*zie ook* **abiogénesis**). **genera'tor**
[Lat. = voortbrenger, vader; *ook*: fokker;
modern Lat.] machine voor het opwekken v.
elektriciteit.
**genereus'** [Fr. *généreux*, v. Lat. *generósus*
= edel v. geboorte, edelmoedig; -*osus* = *lett.*:
rijk aan] edelmoedig; milddadig.
**gene'risch, generiek'** [Fr. *générique*, v. Lat.
*genus*, *géneris*, *zie* **genus**] het geslacht of de
soort betreffend; *generieke maatregelen*,
algemene maatregelen.
**ge'neris** [Lat. = van geslacht]: — *commúnis*,
van gemeen geslacht, gemeenslachtelijk; —
*feminíni*, van het vrouwelijk geslacht; —
*másculíni*, van het mannelijk geslacht; —
*néutrius*, van het onzijdig geslacht.
**generositeit'** [Lat. *generósitas*]
edelmoedigheid; mildheid, vrijgevigheid.
**gene'se** [Fr. *genèse*, v. Gr. *genesis*, *z.a.*]
wording, ontstaan. **gene'siologie** [*zie*
-**logie**] leer over het ontstaan.
**ge'nesis**, [Gr., v. stam *gen*- = worden]
wording; *Genesis*, afk. *Gen.*, het eerste boek v.
Moses, tevens eerste bijbelboek, over

schepping der wereld en eerste geschiedenis
v. h. Israëlitische volk.
**genet'** [v. Fr. *genet*, via Sp. *jinete* v. Arab.
*zanāta* = een om zijn ruiterij bekende
Berberstam] klein vurig Sp. rijpaard.
**gene'tica** [Fr. *génétique*, v. Gr. *genesis, z.a.*]
erfelijkheidsleer, het onderdeel van de
biologische wetenschap dat de wetten en de
stoffelijke basis van overerving en variabiliteit
onderzoekt. **gene'tisch 1** de erfelijkheid
betreffend; **2** het ontstaan en de ontwikkeling
betreffend: *genetische methode*, methode die
het ontstaan van de zaak doet zien of
bestudeert. **gene'tic enginee'ring** [Eng.
= genetische techniek] techniek die bestaat in
het losmaken van eenheden uit het
DNA-molecule (*nucleotiden*) en deze
vervangen door vreemde (bij lagere
organismen als bacteriën), met de bedoeling
organismen met betere erfelijke
eigenschappen te verkrijgen.
**gene'ver** [v. Fr. *genièvre*] jenever.
**genie'** [Fr. *génie*, v. Lat. *génius, z.a.*] **1** iem. die
met buitengewoon grote geestesgaven
begiftigd is en daardoor nieuwe waarden en
vormen kan scheppen of grote ontdekkingen
op het gebied v. wetenschap kan doen;
**2** buitengewone geestesbegaafdheid; **3** (*mil.*)
militaire bouwkunde, tak v. dienst daarvoor.
**geniaal'** [Fr. *génial*] van een genie.
**genialiteit'** het geniaal zijn. **genist'** soldaat
v.d. genie (**3**).
**genita'liën** *mv* [Lat. *genitália* (*membra*) = tot
de voortbrenging behorende (ledematen), v.
stam *gen-* = voortbrengen] geslachtsdelen.
**ge'nitief** [Lat. (*casus*) *genitivus* afk. *gen.*, of
*genetivus* = de voortbrengende (naamval), de
teler, de bezitter] tweede naamval; vroeger ook
in het Ned. veel gebruikt, *bijv.*: des Hertogen
bosch, des Graven hage, gedenk mijner; ook
tegenwoordig nog in bijv. Perks sonnetten,
vaders jas; in schriftelijke stukken: in naam der
koningin; of in staande uitdrukkingen: eigener
beweging, heer des huizes.
**ge'nius** [Lat. = *lett.*: geboortegeest, de
beschermende geest die bij ieder mens over
geboorte en verder leven gesteld was en diens
lot bestuurde, v. stam *gen-* = worden]
beschermgeest, begeleidende geest; iem. die
veel invloed op een bep. persoon vermag uit
te oefenen (ten goede of ten kwade).
**genoci'de** [v. Lat. *génus* = geslacht,
volksstam, en *caedere*, in samenstellingen
-*cidere*, -*cisum* = slaan, houwen, doden]
rassenmoord, uitroeiing v. ras of volk.
**génoi'se** [Fr. = Genuees, v.d. stad Genua]
(*cul.*) soort biscuit uit génoisebeslag.
**genoi'sebeslag** [Fr. *pâte à genoise*] luchtig
beslag uit bloem, boter en eieren.
**ge'notype** [v. Gr. stam *gen-* = voortbrengen,
worden, en **gen**; *zie verder* **type**] **1** het geheel
v.d. genen v.e. organisme, dus het geheel v.d.
erfelijke eigenschappen van plant, dier of
mens, zowel die welke uiterlijk zichtbaar zijn
(*vgl.* **fenotype**) als die welke latent aanwezig
zijn; **2** (*psych.*) het totaal v.d. aangeboren
psychische aanleg.
**gen're** [Fr., v. Lat. *genus, géneris* = geslacht]
verzameling dingen met belangrijke en
blijvende onderlinge gelijkenissen; (*muz.*)
toongeslacht; (*alg.*) soort (muziek v.h. lichte
–); *genrestuk*, schilderij dat een tafereel uit het
gewone dagelijkse leven tot onderwerp heeft;
(*muz.*) muziekstuk v. verhalend of schilderend
karakter.
**gens** [Lat. *gens, géntis* = geslacht, *ook*: stam,
volk; woord verwant met stam *gen-*
= voortbrengen] bij de Romeinen groep v.
families met gemeenschappelijke naam,
geslacht.
**gentil'** [Fr., v. Lat. *gentílis* = van het zelfde
*gens* (*z.a.*), *ook*: uit gedistingeerd geslacht]
(*vero.*) nobel; liefelijk, vrolijk, aangenaam.
**genti'le** [It.] (*muz.*) liefelijk, bevallig.
**genti'les** [Lat., v. *gentílis* = tot het zelfde
**gens** behorend; *ook*: tot een vreemd volk

behorend, barbaars, uitlands, heidens] de
heidenen. **gentiles'se** [Fr., *zie* **gentil**]
liefelijkheid, aangenaamheid, bevalligheid.
**gentilhom'me, mv gentilshom'mes** Fr.
edelman (niet verwarren met **galanthomme**
= *homme galant* = hoffelijk heer).
**gen'tle hint** [Eng.; *zie* **volgende**] zachte wenk.
**gen'tleman mv gen'tlemen** [Eng.; *zie*
**gentil**] *oorspr.*: edelman; man van eer, 'heer'.
**gen'tlemanlike** [Eng.] als of van een
gentleman. **gen'tleman's agree'ment**
[Eng.; *zie* **agreement**] afspraak op erewoord,
mondelinge overeenkomst gebaseerd op eer
en vertrouwen, herenakkoord.
**genufle'xie** [v. Lat. *genu* = knie, en *fléctere*,
*flexum* = buigen] kniebuiging.
**genuïen'** [Lat. *genuínus* = aangeboren, v.
stam *gen-* = voortbrengen, baren] echt,
onvervalst, oorspronkelijk, zuiver. **genuïteit'**
echtheid, enz.
**ge'nus mv ge'nera** [Lat. *genus, géneris*
= geslacht, ras, v. stam *gen-* = voortbrengen;
*vgl.* **gens**] (*biol.*) geslacht (onderscheiden in
*spécies* = soorten); (*muz.*) toongeslacht.
**geo-** [v. Gr. *gé* = aarde] aard-. **geobiologie'**
[*zie* **biologie**] leer v.h. leven op aarde.
**geobotanie'** [*zie* **botanie**] leer v.h. leven der
planten in de natuur.
**geoccupeerd'** [*zie* **occuperen**] bezigheden
hebbend, het druk hebbend.
**geocen'trisch** [*zie* **geo**-] met de aarde als
middelpunt; (*astr.*) beschouwd als van uit het
middelpunt der aarde (bijv. de positie aan de
hemel v.e. planeet).
**geo'de** holte in een gesteente waarvan de
wanden bekleed zijn met kristallen. Sommige
geoden zijn geheel of gedeeltelijk gevuld met
(agaat)-kristallen en ander microscopisch
materiaal. **geodesie'** [Fr. *géodésie*, v. *geo*-,
*z.a.* en v. Gr. *daiomai* = verdelen] tak v.d.
wiskunde handelend over de vorm en grootte
v.h. aardoppervlak of grote delen daarvan,
aardmeetkunde, landmeetkunde.
**geode'tisch** volgens de geodesie: —*e lijn*, op
boloppervlak lijn langs grote cirkel, zijnde de
kortste verbinding tussen twee punten.
**geodeet'** beoefenaar v.d. geodesie.
**geodyna'mica** [*zie* **dynamica**] leer v.d.
natuurkundige eigenschappen der aarde.
**geofagie'** [v. Gr. stam *phag-* = eten] het eten
v. aarde (bij sommige Indianen of als ziekelijk
verschijnsel). **geofy'sica** [*zie* **fysica**]
= geodynamica. **geogonie'** [Gr. stam *gen-*
= worden] leer v.h. ontstaan en de
wordingsgeschiedenis der aarde. **geografie'**
[Lat. *geographia*, v. Gr. *geographia*, v.
*graphoo* = schrijven] aardbeschrijving,
aardrijkskunde. **geogra'fisch** volgens of van
de geografie: —*e mijl*, 7407,5 meter.
**geograaf'** aardrijkskundige. **geoï'de** [*zie*
-**ide**] wiskundig lichaam volgens de vorm v.d.
aardbol (ellipsoïde met bep.
onregelmatigheden). (Deze term is bedacht
om de vorm v.d. aarde aan te geven, die door
geen enkele regelmatige wiskundige figuur
wordt weergegeven.) **geologie'** [*zie* -**logie**]
aardkunde, leer v.d. aardlagen (niet te
verwarren met aardrijkskunde: beschrijving v.
oppervlakte). **geolo'gisch** *bn & bw*.
**geoloog'** beoefenaar v.d. geologie.
**geometrie'** [Lat. *geometria*, v.d. Gr.
*geoometria* = landmeetkunst, meetkunst; *zie*
**meter**] meetkunde, wetenschap v.d.
eigenschappen en betrekkingen v. lijnen,
vlakken en lichamen in de ruimte.
**geome'trisch** [Gr. *geoometrikos*] *bn & bw*.
**geomorfologie'** [*zie* **morfologie**]
wetenschap v. vorm v. terrein en landschap.
**geonomie'** [woord gevormd naar analogie
van **astronomie**, *z.a.*] wiskundige
aardrijkskunde. **geoplastiek'** [v. Gr. *plassoo*
= vormen; *zie verder* **plastiek**] wetenschap
over het reliëf v.d. aardbodem. **ge'opolitiek**
[*zie* **politiek**] wetenschap van de politiek in
verband met de bodem, van de
aardrijkskundige basis v.

politiek-maatschappelijke kwesties.
**geopposeer'de** *zn* [*zie* opponeren] (*jur.*) tegenpartij van de opposant (hij die in verzet komt), gedaagde in verzet.

**georget'te** *bep.* dunne zijden stof voor dameskleren [naar de naam v.e. kleermaker].

**geosta'tica** [*zie* geo- en statica] leer v.h. evenwicht van vaste lichamen.

**geostationair'** [*zie* stationair] *bn & bw* gezegd van een kunstsatelliet die in een zodanige baan om de aarde cirkelt (op ca. 36 000 km hoogte) dat haar baansnelheid even groot is als de rotatiesnelheid der aarde, zodat ze t.o.v. het aardoppervlak steeds op hetzelfde punt staat (belangrijk voor communicatiesatellieten). **geosynclina'le** [v. Gr. *sun-* = samen, en *klinoo* = doen overhellen, zich neerleggen, zakken, zinken] bodeminzinking die gevuld werd met afzettingen en bij persing en rijzing v.h. aardoppervlak een gebergte deed ontstaan.

**geotektoniek'** [v. Gr. *tektainomai* = timmeren, bouwen] leer v.d. bouw v.d. aarde. **geother'misch** [*zie* thermo-] betrekking hebbend op de aardwarmte; —*e gradiënt*, getal dat aangeeft na hoeveel meter diepte de temperatuur 1° hoger is. **ge'othermometer** toestel om de temperatuur op grote diepte in de aarde te meten. **geotropie'**, **geotropis'me** [v. Gr. *trepoo* = keren, wenden, *tropè* = wending] het zich richten v. plantedelen onder invloed v.d. zwaartekracht (wortel is positief geotropisch = met de zwaartekracht mee, stengel is negatief geotropisch = tegen de zwaartekracht in).

**geoutilleerd'** *bn* voorzien van de vereiste werktuigen en verdere benodigdheden.

**geparachuteerd'** *bn* [*zie* parachute] gezegd v. persoon van buitenaf die onverwacht op een hoge post benoemd wordt met voorbijgaan v.d. topmensen van de betrokken dienst.

**geparenteerd'** *bn* [*zie* parentage] vermaagschapt, verwant.

**gepassioneerd'** *bn* [*zie* passie] hartstochtelijk.

**gepikeerd'** *bn* [v. Fr. *piquer* = prikken, steken] geraakt, beledigd, op zijn tenen getrapt. **gepolariseerd'** *bn* **1** (*nat.*) (gezegd van atomen) met niet-samenvallende zwaartepunten van positieve en negatieve lading, dus twee polen van gelijke maar tegengestelde lading; **2** (*nat.*): *gepolariseerd licht*, licht waarvan de golftrillingen alle in hetzelfde door de structuur gaande vlak liggen; **3** *polair* (diametraal) tegenover elkaar opgesteld, met geaccentueerde tegenstellingen in plaats v. streving naar overeenstemming of samenwerking.

**geporteerd'** *bn* [v. Fr. *porter* = dragen, ook ondersteunen, v. Lat. *portàre* = dragen]: —*zijn voor*, voorstander zijn van (zaak), voor de belangen opkomen van (persoon) omdat men veel met hem op heeft.

**geposeerd'** *bn* [Fr. *posé* = serieus, v. *poser* = plaatsen, zetten] bedaard evenwichtig, bezadigd.

**gepredisponeerd'** *bn* voorbeschikt.

**gepremediteerd'** *bn* [v. Fr. *prémédité* = van tevoren overwegen en besluiten] met opzet, met voorbedachten rade.

**gepreoccupeerd'** *bn* [Fr. *préoccupé* = geheel verzonken in gedachten) in beslag genomen door zorgen of door vooroordelen (vooringenomen).

**geprescribeerd'** *bn* verstorven, verjaard.

**gepresseerd'** *bn* [Fr. *pressé*, v. *presser* = drukken, v. Lat. *prémere, pressum*] gehaast.

**gepronticeerd'** *bn* [Fr. *prononcé*, v. *prononcer* = uitspreken, v. Lat. *pronuntiáre; zie* **pronuntiatie**] sterk uitkomend, duidelijk sprekend; beslist.

**geproportioneerd'** *bn* geëvenredigd; *goed* —, *met de juiste lichaamsverhoudingen.*

**gequalificeerd'** *ook:* **gekwalificeerd'** *bn* **1** bevoegd, door bevoegde macht tot iets

gerechtigd of aangesteld; **2** *gekwalificeerde meerderheid*, meerderheid die nodig is voor zeer belangrijke beslissingen (*bijv.*: grondwetsherziening) en die groter is dan de helft plus een (meestal tweederde); **3** (*jur.*) *gekwalificeerde bekentenis*, bekentenis met voorbehoud of toevoeging; *gekwalificeerde diefstal*, diefstal onder verzwarende omstandigheden.

**geraffineerd'** *bn* **1** gelouterd, gezuiverd (bijv. suiker); **2** verfijnd; doortrapt.

**gerant'** [Fr. *gérant*, o.dw van *gérer* = administreren, beheren, v. Lat. *gérere* = dragen, voeren, uitvoeren] zaakleider, beheerder die de verantwoordelijkheid heeft (bijv. van hotel, tijdschrift).

**gereconstrueerd'** *bn* weer tot een geheel opgebouwd uit bewaard gebleven gegevens, fragmenten, stukken e.d.; *gereconstrueerde vorm*, woordvorm in een vroegere taal, die niet als zodanig is overgeleverd, maar door taalkundigen is gevormd uit stamverwante woorden en andere taalkundige gegevens. (N.B. in dit boek wordt een dergelijk woord aangegeven door er een sterretje (*) voor te plaatsen.)

**gereformeerd'** *bn* orthodox-protestant. **gereformeer'de** *zn* lid van een der protestantse kerkgenootschappen volgens streng-calvinistische beginselen (de zgn. gereformeerde kerken, afsplitsingen van de Hervormde Kerk in de 19e eeuw).

**gerekestreer'de**, *ook* **gerekwestreer'de** *zn* (*jur.*) persoon tegen wie een gerechtelijk bevel wordt gevraagd d.m.v. een verzoekschrift (*rekest*).

**ge'ren** (v. *geer* = schuin toelopend pand van een kledingstuk, uiteindelijk van OHDu. *gèro* = spies, speer (wegens wigvormig blad), v. Germ. *\*gaiza*] *ww* **1** (*on.w.*) schuin toelopen, een scheve richting hebben; **2** (*ov.w*) een geer (= schuin toelopende, driehoekige lap stof) of verscheidene geren inzetten in een kledingstuk om het ruimer te maken (bijv. in een rok).

**gerenommeerd'** *bn* [Fr. *renommé*, v. *renom* = reputatie] welbekend, met goede naam.

**gereputeerd'** *bn* [*zie* **reputatie**] met een goede reputatie, te goeder naam en faam bekend staand.

**gere'ren** [Lat. *gérere* = dragen, voeren, uitvoeren]: *zich* —, zich gedragen, zich doen voorkomen als.

**gereserveerd'** *bn* **1** (*van zaken*) van tevoren besproken, vooraf toegewezen, voorbehouden (bijv. plaats); **2** (*van personen*) niet toeschietelijk, afstandelijk.

**geresigneerd'** *bn* [Fr. *résigné*] gelaten, zich overgevend, berustend.

**geresolveerd'** *bn* vastberaden; doortastend.

**gerf'kamer** [*gerf-* v. MNed. *gerwen* = in orde brengen; kleden van de dienstdoende priester (*gerfsel* = misgewaad), v. MHDu. *gerwen* = o.a. bekleden, ODu. *garawan* = toebereiden, gereed maken, v. Germ. *\*garwa-, garwia-* = gereed) oorspr. vertrek waar de priester met zijn misgewaden bekleed werd; **1** (*rk*) sacristie, z.a.; **2** (*prot.*) consistoriekamer.

**ger'gel**, *ook*: **gir'gel** [v. Fr. *gargelle*, waarsch. uit het Fr. overgenomen uit een vorm *\*gargulum* = groef, mogelijk een Gallisch woord] inkeping in de duigen waarin men de bodem v.e. kuip vastmaakt.

**geriatrie'** [v. Gr. *gèras* = ouderdom; *zie* *-iatrie*] geneeskundige ouderdomszorg.

**germanise'ren** [Fr. *germaniser*] een Duits karakter geven, verduitsen. **germanis'me** woord of uitdrukking of zinsconstructie ontleend aan het Du. taaleigen en indruisend tegen het taaleigen van het land dat het ontleent (*bijv.*: *meerdere* (*mehrere*) voor: verscheidene, meer dan één; *inschatten* (*einschatzen*) voor: schatten, taxeren).

**germanist'** beoefenaar van de Germ. talen (spec. Duits), oudheden, literatuur en cultuurgeschiedenis. **germanistiek'** taalwetenschap der Germ. talen.

**germaniteit'** [Lat. *germánitas* = broederband, v. *germánus* = wettelijk, (broers en zusters) v. dezelfde ouder(s), v. *gérmen, gérminis* = kiem, spruit, nakomeling] broederlijke en zusterlijke verwantschap.

**Germa'nium** bep. element, metaal, scheik. symbool Ge, ranggetal 32 [naar Germania, vaderland v.d. ontdekker C.A. Winkler, 1885].

**germanofiel'** [Gr. *philos* = vriend] vriend v. al wat Duits is. **germanofobie'** [*zie fobie*] angst voor al wat Duits is. **germanomanie** [*zie manie*] ziekelijke zucht naar al wat Duits is.

**Germinal'** [Fr., v. Lat. *germináre; zie volgende*] 7e maand v.d. kalender der Fr. Republiek van 21 maart-20 april (1792-1798) of van 22 maart-21 april (1799-1804). **germine'ren** [Lat. *germináre, -átum*, v. *gérmen; zie onder germaniteit*] kiemen, ontkiemen, uitbotten. **germina'tie** [Lat. *germinátio*] zn kiemingstijdperk; ontspruiting.

**gerontis'me** [v. Gr. *geroon, gerontos* = oude man, grijsaard] ouderdomskindsheid, geesteszwakte ten gevolge v. ouderdom. **gerontofiel'** [v. Gr. *philos* = vriend] **I** zn persoon met seksuele voorkeur voor bejaarde mensen; **II** bn de gerontofilie betreffend. **gerontofilie'** seksuele geneigdheid tot bejaarden. **gerontologie'** wetenschap betreffende de ouderdom en ouderdomsverschijnselen. **gerontoloog'** beoefenaar v.d. gerontologie.

**gerun'dium** [Lat., waarsch. v. *gerúndum* = ding wat gedaan moet worden, v. *gérere* = dragen, voordoen] werkvorm onbepaalde wijs v. werkwoord als zelfstandig naamwoord gebruikt (bijv. *légere* = lezen, *legéndum* = van het lezen; *legéndum* = te lezen; *legéndo* = door te lezen). **gerun'divum** [v. VLat. *gerundívus, zie gerundium*] bijvoeglijk naamwoord v.d. gerundiumstam in de betekenis: gedaan moetende of kunnende worden, bijv. *epístula legénda* = een te lezen brief; *cubícula locánda* = kamers te huur.

**ges** (*muz.*) door molteken met halve toontrap verlaagde g (sol), g-mol.

**gesatineerd'** *bn* als satijn bewerkt, op satijn gelijkend (door de er aan gegeven satijnglans).

**geschuind'** *bn* (*her.*) verdeeld in twee helften door een schuine lijn van rechterbovenhoek naar linkerbenedenhoek.

**gesepareerd'** *bn* afzonderlijk, gescheiden; spec. van gehuwden: uit elkaar gegaan.

**geserreerd'** (v. Fr. *serrer* = (in elkaar) drukken, sluiten, v. VLat. *serráre*, v. Lat. *sera* = grendel, *vgl. sérere* = aaneenvoegen] gedrongen, bondig, kort en krachtig (bijv. stijl).

**gesitueerd'** *bn* gelegen; zich in zekere (spec. maatschappelijke) toestand bevindend, gesteld.

**gesjoch'ten** *bn* [v. Jidd. *geshogten* = gedood door slachten, v. *shegten* = slachten] (*Barg.*) verpauperd, doodarm, geruïneerd, zonder inkomsten; *ook*: er slecht aan toe (bijv.: dan ben ik gesjochten).

**gesofisticeerd'** *bn* [*vgl.* Eng. *sophisticated*] **1** intellectueel van instelling, spits van verstand, geestig; **2** (*Z.N.*) spitsvondig, gekunsteld, gezocht.

**gesoigneerd'** *bn* [v. Fr. *soigner*] keurig, uiterlijk goed verzorgd (van personen en zaken, *bijv.*: een gesoigneerde dis).

**gesorteerd'** *bn* **1** bijeengevoegd in soorten; **2** goed voorzien zodat men ruime keuze kan maken.

**gestal'tetheorie** [v. Du. *Gestalt*] leer die het organisme beschouwt als een geheel waarin elk deel de andere beïnvloedt en het geheel meer is dan de som der delen.

**ges'ta** *ev* **ges'tum** [v. Lat. *gérere, gestum* = dragen, doen] daden; *facta et —*, feiten en daden.

**Gesta'po** [Du. = *Geheime Staatspolizei*] geheime staatspolitie onder het nationaal-socialistisch bewind.

**gesta'tie** [Lat. *gestátio*, v. *gestáre, -átum* = dragen, drachtig zijn, v. *gérere, gestum*; *zie* **gesta**] tijd v. zwangerschap; dracht. **ges'te** [Fr., v. Lat. *gestus* = wijze v. houding, v. lichaamsbeweging, spec. v. beweging der handen, gebaren; *zie verder* **gesta**] gebaar.

**gesteriliseerd'** *bn* **1** vrijgemaakt van rottingsbacteriën of van ziekteverwekkende bacteriën en virussen, meestal door sterke verhitting (*bijv.*: —e melk, —e watten); **2** (*med.*) onvruchtbaar gemaakt, meestal door afbinding van de afvoerkanalen van de geslachtsklieren, zodat deze klieren hormonaal nog blijven functioneren.

**gesticule'ren** (*uitspr.*: gès-tiekuleeren) [Lat. *gesticulári* = pantomimische gebaren maken, druk gebaren; *zie verder* **geste**] gebaren maken. **gesticula'tie** [Lat. *gesticulátio*] het gebaren maken, gebarenspel.

**ges'tie** [v. Lat. *gestus, gestum*; *zie* **gesta**] uitoefening v. ambt, verrichting; beheer.

**gesubordineerd'** *bn* geplaatst onder (een hogere in rang), ondergeschikt.

**getalenteerd'** *bn* [*zie* **talent**] (met talent) begaafd, talent bezittend.

**getei'zem,** *ook*: **geteis'tem** [v. Jidd. *chatteisem* = schooiers] tuig, rapalje.

**getourmenteerd'** *bn* [v. Fr. *tourmenter* = folteren, kwellen] in geestelijk opzicht gekweld.

**getroebleerd'**, *ook*: **getroubleerd'** *bn* in de war; niet goed wijs.

**getruct'** *bn* vol trucjes, listig (*bijv.*: een getruct voetballer).

**get'to**, *ook*: **ghet'to** [It. *ghetto*, missch. afk. v. *borghetto*, verklw. v. *borgo* = stad] **1** jodenwijk in een stad; **2** (*fig.*) groep personen e.d. die in maatschappelijke afzondering verkeert.

**1 geus** [v. Fr. *gueux* = bedelaar, oorspr. oud Bargoens woord] **1** (*gesch.*) lid v.h. Verbond der Edelen in de Nederlanden (1566) (naar aanleiding v.d. aanbieding v.h. Smeekschrift); tegenstander v. Filips II in de Nederlanden, spec. lid v. ongeregelde troepen tegen de Spaanse overheersing (bos- en watergeuzen); iem. die de partij of leer der geuzen was toegedaan; (*alg.*) scheldnaam voor Protestant; **2** vlag vóór op de boegspriet v. schip (naar de geuzenvlag op de geuzenschepen).

**2 geus** [Fr. *gueuse*, v. Du. *Guss*, v. *giessen* = gieten] ruw gegoten blok ijzer in prismavorm, gieteling.

**geverseerd'** [Fr. *versé*, v. Lat. *versátus*, v. *versáre* = gedurig keren, zich ophouden, spec. zich in bep. vak bewegen, zich bezighouden, frequentatief v. *vértere* = keren, wenden] bedreven, ervaren.

**gevoileerd'** *bn* **1** gesluierd; **2** wazig, niet helder.

**gewijs'de** **1** zn (*jur.*) vonnis of beslissing, spec. een waartegen niet meer door aanwending v.e. rechtsmiddel kan worden opgekomen (bijv. hoger beroep); *een in kracht van gewijsde gegaan vonnis*: een dergelijk vonnis waartegen niet meer kan worden opgekomen doordat de daarvoor gestelde termijn verstreken is of omdat men er in berust heeft; **2** bn waarin vonnis is gewezen (*bijv.*: een gewijsde zaak).

**gey'ser** *zie* **geiser**.

**ghase'le, ghazeel'** [v. Arab. *ghazila* = verliefd spreken] gedicht in bep. tweeregelige strofen, v. Perzische oorsprong, waarbij de tweede versregel v. elke strofe steeds op hetzelfde rijm eindigt (inhoud meestal erotisch).

**ghet'to** *zie* **getto**.

**ghibel'lijn** [It. *ghibellino*, v. Du. *Waiblingen*, een slot der Hohenstaufen] (*gesch.*) aanhanger v.d. keizerlijke partij (Hohenstaufen) tegen de paus.

**ghiribiz'zi** [It.] grillen; (*muz.*) verrassende overgangen.

**ghost'-writer** [Eng., *lett.*: spook-schrijver] schaduwschrijver, persoon die anoniem een boek, een toespraak of een andere tekst schrijft voor een ander die daartoe niet in staat is.

**ghur'ka, gur'kha** [inlands woord] uit Nepal afkomstig soldaat in het leger v. India.

**gibbositeit'** [Fr. *gibbosité*, v. Lat. *gibbus* = bochel] bultigheid, bochel.

**gibelot'te** [Fr.] (*cul.*) fricassee (*z.a.*) van tam konijn, bereid met witte of rode wijn.

**giber'ne** [Fr., v. It. *giberna*] patroontas.

**gi'bus** [Fr. *gibus*'] klakhoed, klapcilinderhoed [naar de uitvinder].

**gi'deonsbende** kleine groep vastberaden mensen [naar Gideon, zie boek der Rechters of Richters, hoofdstuk 7.]

**gig** [Eng.] **1** bep. open tweewielig wagentje; **2** giek (roeiboot).

**giga-** [v. Gr. *gigas* = reus] voorvoegsel dat miljard maal (10⁹) de daarachter staande eenheid aangeeft (symbool G, bijv. GV = gigavolt).

**gigant'** [Lat. *gigas, gigántis*, v. Gr. *gigas, gigántos*] reus. **gigan'tisch, gigantesk'** [Fr. v. It. *gigantesco*] reusachtig.

**gigantis'me** [*ook wel*: *gigantosomie, macrosomie* of *hypersomie*] (*med.*) reuzengroei, het gedurende lange tijd abnormaal toenemen v.d. lichaamslengte van kind of mens, waarbij de normale lichaamsproporties behouden blijven.

**gigantomachie'** [Gr. *machè* = strijd] strijd der reuzen.

**gi'golo** [Fr. *gigolo*', mannelijke vorm gevormd naar vr. *gigole* = betaald dansmeisje] **1** betaald danser in dancing; **2** door vrouw betaalde minnaar; **3** fat, dandy; knappe man.

**gigot'** [Fr.] (*cul.*) schapebout. **gigot' de chevreuil'** reebout.

**gilet'** [v. Turks *yelek*] lakeienvest, (*Z.N.*) vest.

**gim'mick** [Eng.] = foefje, trucje] foefje dat men toepast om op te vallen, om de aandacht te trekken (spec. bij popartiesten e.d.).

**gingivi'tis** [v. Lat. *gingéva* = tandvlees; *zie verder* **-itis**] tandvleesontsteking.

**giocondamen'te, giocon'do** [It. v. *giocondare*, Lat. *jucundáre* = opvrolijken] *bw* (*muz.*) vrolijk, blij. **gioco'so, giocosamen'te** [It. v. *giocere* = spelen, v. Lat. *joculári* = schertsen, v. *jócus* = grap, scherts; *jóculus* = grapje, aardigheidje] *bw* (*muz.*) schertsend, jolig.

**gip'sy** [Eng., oorspr. *gipcyan*, v. *Egyptian* = Egyptisch (toen de zigeuners in de 16e eeuw in Engeland verschenen, meende men dat zij uit Egypte kwamen)] zigeuner.

**giran'de** [Fr., v. It. *giranda*, v. Lat. *gyráre* = draaien, v. *gyrus*, Gr. *guron* = kring (waarin men draait), v. *guros* = krom] springfontein met stralen in een kring; bundel v. vuurpijlen.

**girando'le** [Fr., v. It. *girandola*] **1** veelarmige kandelaar of luchter; **2** draaiend rad v. vuurwerk. **gire'ren** [v. Lat. *gyráre*] een wissel aan een ander overmaken (enz. dus in een kring laten lopen), geldbedrag via bep. dienst overschrijven. **giraal'**: — *geld*, geldswaarde in vorm v. wissels e.d. zonder wettig betaalmiddel te zijn; geld op giro of bank (tegenover *chartaal geld* = bankbiljetten, muntbiljetten, munten). **giraat'** aan wie wissel overgedragen wordt. **girant'** wie wissel overdraagt; wie gireert.

**gi'rokompas** *zie* **gyrokompas**.

**girouet'te** [Fr., v. Lat. *gyráre; zie* **girande**] windwijzer, weerhaan; (*fig.*) iem. die met alle winden meedraait.

**1 gis** (*muz.*) door kruis met halve toontrap verhoogde g (sol), g-kruis.

**2 gis** [v. Hebr. *chet*, de beginletter v. *chogom* = *goochem, z.a.*] (*Barg.*) slim; link.

**git** [Fr., v. *gagátes* (*lapis*) = steen v.d. Gagas (een rivier in Lycië)] zwart agaat (of namaak daarvan: zwart glas), ook 'zwart barnsteen' geheten, een glinsterend zwart, hard mineraal, een koolwaterstofgesteente dat onder bepaalde omstandigheden uit hout in een zuursto farme omgeving door verhitting onder druk wordt gevormd. Normaliter ontstaat steenkool, maar door de genoemde bep.

omstandigheden bevat deze verschillende bitumineuze stoffen. Git is dus een produkt tussen steenkool en bitumen in.

**gita'na** [vr. v. Sp. *gitano* = zigeuner; *zie ook* **gipsy**] *lett*.: 'de zigeunse', bep. Spaanse dans.

**glaça'de** [Fr.] (*cul.*) lichte gratin (*z.a.*) zonder paneermeel, geserveerd bij vis of wit vlees.

**glace** [Fr. = ijs, v. Lat. *glácies*] (*cul.*) *a* ijs; *b* vlees- of visextract; *—de viande*, zeer ver ingekookt vleesnat ter versterking v.d. smaak van bep. sausen en voor het glaceren (*z.a.*) van grote stukken vlees. **glacé** [Fr. = *lett*.: bevroren, v. *glacer* = doen bevriezen] **I** *bn* geglansd; **II** *zn* bep. soort geglansd leer.

**glace'ren** [v. Fr. *glacer*] (*cul.*) *a* een gerecht met een glanzende laag bedekken, glanzen, bestrijken met glace; *b* vruchten tot een gelei laten koken; *c* groenten in bouillon met boter en suiker gaar stoven; *d* doen verstijven of bevriezen (bijv. pudding). **glaciaal'** [v. Lat. *glaciális* = vol ijs] de ijstijd betreffend; *ook*: de ijstijd zelf. **glacia'tie** ijstijd. **glaciologie'** [*zie* **- logie**] **1** wetenschap over ijs in zijn verschillende toestanden (bijv. in ijsboorsels tot grote diepten in het Zuidpoolgebied); **2** gletsjerkunde, wetenschap over gletsjers, hun eigenschappen en hun bewegingen.

**glacis'** [Fr. = *oorspr*.: glibberige plek, v. OFr. *glacier* = uitglijden] **1** zacht glooiende buitenborstwering; **2** doorschijnende laag [v. *glace* = ijs].

**gla'dakker**, *ook*: **gla'dekker** [v. Mal. (*djaran) gladag* = (mager) lastpaard, vandaar: slecht uitziend oud paard] **1** kamponghond zonder eigenaar in Indonesië die zijn voedsel bij elkaar moet scharrelen; **2** (*fig.*) persoon die niet kieskeurig is in de middelen waarmee hij zijn kost verdient; **3** (volgens volksetymologie o.i.v. *glad*) gladjanus, uitgeslapen vent, slimmerik, leperd.

**gladia'tor** [Lat., v. *gládius* = zwaard; verwant met *clava* = knuppel] zwaardvechter. **gladiool'** [Lat. *gladíolus* = *eig.*: verkleinwoord v. *gladius*] zwaardlelie.

**glai'se** [Fr., v. Keltisch *glisa*] pottenbakkersaarde, gleis.

**gla'mour** [Eng., verbastering v. *grammar, zie* **grammatica**; OFr. *gramaire* = wetenschap, hier in de zin v. occulte wetenschap: betovering] betoverende bedrieglijke schoonheid, kunstmatig verhoogde aantrekkelijkheid (v. filmsterren e.d.); *vgl*. **glitter**.

**glandiform'** [v. Lat. *glans, glandis* = eikel, en *forma* = vorm] eikelvormig. **glanduleus'** [Fr. *glanduleux*, v. Lat. *glandulósus*, v. *glándula* = *eig.*: klein eikeltje = keelklier, klier] klierachtig.

**glasnost** [Russ.] openheid.

**glauco'ma, glaucoom'** [Gr. *glaukooma*, v. *glaukos* = schitterend, blauw] groene staar (oogziekte).

**glazenier'** [v. *glas*, met Romaanse uitgang *-ier* die beroep aanduidt] kunstenaar die gebrandschilderde ramen vervaardigt.

**glei'ergoed, glei'erwerk** [v. *gleis, z.a.*] geglazuurd en beschilderd wit aardewerk. **gleis** *zie* **glaise**. **glei'zen** glazuren.

**glen** [v. Gaelic *gleann*] kloof of dal zonder plantengroei in Schotland.

**glet'sjer** [v. VLat. *glaciárium* = *lett*.: verzameling ijs, v. Lat. *glácies* = ijs] langzaam voortstromende ijsmassa op bergflanken.

**glim'mer** [*vgl*. Du. *glimmern* = flikkeren, en Ned. *glimmen*] groep mineralen bestaande uit natrium-, kalium- en aluminium-silicaten, spec. mica.

**glissa'de** [Fr., v. *glisser*, v. OHDu. *glitan* = glijden] het uitglijden v. de voet; afglijding; bep. glijpas bij dansen; (*bergsport*) het staande van steile (ev. besneeuwde) helling afglijden. **glissan'do** [It.] (*muz.*) het met de nagel over de toetsen v.d. piano strijken, zodat een zeer snelle toonreeks ontstaat.

**glit** [verwant met *glad*] rood loodoxide, PbO, als mineraal.

**glit'ter** [Eng.] **1** iets glinsterends (bijv. een japon met glitters); **2** schittering, flikkering, glans (bijv. een wereld vol glitter en glamour).

**globaal'** [Fr. *global*, v. *globe*, Lat. *glóbus* = bol] *bn & bw* (*lett.*: als blok genomen), in grove trekken, over het geheel genomen, ruw geschat (*bijv.*: globaal zal dat op 700 gulden komen). **globalise'ren** globaal nemen, globaal beschouwen, globaal formuleren, generaliseren. **glo'be** 1 de wereldbol; **2** kunstmatige bol die de aarde, de maan of de sterrenhemel voorstelt. **glo'betrotter** [v. Eng. *to trot* = *eig.*: draven, v. OFr. *troter*] wereldreiziger, persoon die vaak verre reizen maakt. **glo'bi** het eiwitgedeelte van *hemoglobine* (het andere deel is *heem, z.a.*) in de rode bloedlichaampjes (*zie verder* **hemoglobine**). **globuleus'** [Fr. *globuleux*, v. Lat. *glóbulus* = kleine bol] bolvormig. **globuli'nen** *mv* eiwitten die niet of slecht in water oplosbaar zijn, wel in verdunde zoutoplossingen.

**glo'ria** [Lat. = roem, heerlijkheid, eer; *vgl. clúere* = genoemd worden] stralenkrans, nimbus. **glo'rie** [*zie* **gloria**] 1 roem, luister, heerlijkheid; **2** (*met.*) aureool (*z.a.*). **glorie'ren** [Lat. *gloriári* = zich beroemen] pralen, 'stralen'. **gloriet'te** [Fr. *gloriette*] tuinhuisje, prieel. **glorieus'** [Fr. *glorieux*, Lat. *gloriósus* = glorierijk] heerlijk, roemrijk. **glorifice'ren** [VLat. *glorificáre, -átum*, v. Lat. *glorificus* = roemrijk, v. *gloria*, en *fácere* = maken] verheerlijken. **glorifica'tie** *zn*. **glorio'sae memo'riae** afk. *g.m.* [Lat.] roemrijker gedachtenis. **glo'riole, gloriool** [Fr. *gloriole*, v. Lat. *gloriola* = verkleinwoord v. *gloria*] stralenkrans.

**glos** *zie* **glosse. glossa'rium** [Lat., v. Gr. *gloosarion*; *zie verder* **glosse**] woordenlijst v. glossen, oud-: verklarend woordenboek (spec. v. verouderde zegswijzen). **glos'se of glos** [v. MLat. *glosa*, v. Gr. *gloossa* = vreemde taal, vreemd of onduidelijk woord] kanttekening ter verklaring, ook: in de tekst ingeslopen kanttekening; aanmerking. **glosse'ren** [Fr. *gloser*] aanmerkingen maken. **glossolalie'** [v. Gr. *laloo* = spreken] het spreken v. 'talen' in de eerste christengemeenten, een extatische lofprijzing Gods.

**glot'tis** [Gr. *glóttis* = tong] stemspleet. **glot'tisslag** hard plofgeluid in de glottis, vooral bij initiale klinker.

**glückauf'** [Du. = *lett.*: goede omhoogvaart] (groet v.d. mijnwerkers).

**gluco'se** [v. Gr. *gleukos* = zoete wijn, most] druivesuiker, $C_6H_{12}O_6$ = afkomstig van] verbinding v. glucose met andere organische stof (bijv. alcohol) onder afscheiding v. water, $H_2O$.

**glu'ten** *ev* [Lat. *glúten, glútinis*, v. *\*glúere* = samentrekken] plantenlijm, kleefstoffen (*vgl. aleuron*, plantefibrine) uit graaneiwit, opzwellend in water. **gluti'ne** beenderlijm. **glutineus'** [Fr. *glutineux*, v. Lat. *glutinósus*] lijmerig, kleverig. **glu'ton** kleefpasta van bep. merk.

**glyceri'ne** [v. Gr. *glukeros* = zoet] (*chem.*) oude, beter in de chemie nog veel gebruikte naam voor **glycerol**, oliezoet, $CH_2OH.CHOH.CH_2OH$; *nitroglycerine*, ook maar onjuiste naam voor glyceroltrinitraat, de salpeterzure ester van glycerol, een bep. springstof. **glyci'ne 1** (*chem.*) *zie* **glycocol**; **2** (*fot.*) afkorting van parahydroxyfenylglycine, een fotografische ontwikkelaar, onder div. merknamen in de handel. **glycocol'** [v. Gr. *glukus* = zoet, en *kolla* = lijm] lijmzoet, amino-azijnzuur, $H_2N.CH_2.COOH$, ook wel *glycine* genoemd, het eenvoudigste aminozuur als bouwsteen van eiwitten (afk. Gly). **glycogeen'** [v. **glucose** (vroeger wel glycose gespeld) en Gr. stam *gen-*; *zie* **-geen**] dierlijk zetmeel, $(C_6H_{10}O_5)_n$, dat als reservekoolhydraat en als energiebron in dierlijke weefsels (en vooral in de lever en in de

spieren) ligt opgeslagen, en dat bij de stofwisseling, spec. bij spierarbeid wordt afgebroken tot glucose (bloedsuiker) $C_6H_{12}O_6$. Anderzijds kan uit glucose ook glycogeen opgebouwd worden. **glyco'len** *mv; ev* **glycol'**, tweewaardige alcoholen, alkaandiolen, afgeleid van alkanen, bijv. ethaan ($C_2H_6$), propaan ($C_3H_8$), butaan ($C_4H_{10}$) enz. **glycosurie'** [v. *glycose*, oude spelling van *glucose*; *zie* **urine**] (*med.*) het afscheiden van glucose in de urine.

**glyf** [ Gr. *gluphé* = graveerwerk, v. *gluphoo* = uithollen, in steen graveren] inkerving als ornament. **glyfiek', glyptiek'** kunst van stenen te graveren; *ook*: beeldhouwkunst. **glyp'ten** gesneden stenen. **glyptotheek'** [*zie* **-theek**] verzameling gesneden stenen; *ook*: museum v. beeldhouwwerken.

**G-men** Am. volkstaal = *gunmen* = geweermannen, maar officieel: *Governmentmen* = mannen v.h. gouvernement] leden v.d. Federale Criminele Recherche.

**gnathologie'** [v. Gr. *gnathos* = kaak; *zie* **-logie**] deel van de tandheelkundige wetenschap dat vooral de functie en de functiestoornissen van het kauwapparaat bestudeert.

**gneis** [Du. *Gneiss*, v. OHDu. *gneistan* = fonkelen; *vgl.* Ned. *genster*] bep. kristallijn gesteente, mengsel v. veldspaat, kwarts en glimmer.

**gnoc'chi** (*uitspr.* gnokki) [It. = meelballen, *mv* van *gnocco* = balletje] in stukjes gesneden baksel van soezenbeslag uit bloem, griesmeel of maisgries en andere ingrediënten, en geraspte parmezaanse of oude kaas.

**gno'me** [v. Gr. *gnoomé* = kennis, inzicht, *ook*: spreuk, v. *gignooskoo* = weten] zinvolle spreuk. **gno'misch** [Gr. *gnoomikos*] in spreuken.

**gno'mon** [Gr. *gnoomoon* = kenner, *ook*: (wijzer v.) zonnewijzer, v. *gignooskoo* = weten] (*astr.*) verticale paal of spitse zuil waarvan men de schaduw op een vlak laat vallen, om uit de lengte daarvan de hoogte v.d. zon te berekenen (de obelisken waren waarsch. in de eerste plaats gnomons).

**gnoom** [missch. voor *genomos*, v. Gr. *gè* = aarde, en *-nomos* = bewoner, v. *nemoo* = bezitten, bewonen] aardgeest, kabouter.

**gnoseologie'** [v. Gr. *gnoosis, gnooseoos* = kennis, v. *gignooskoo* = kennen; *zie* **-logie**] kennisleer. **gno'sis** [Gr. *gnoosis*] soort godsdienstfilosofie, diepere kennis en innerlijk inzicht in mens en wereld en godsdienst, mythische kennis v.d. christelijke leer, berustend op zgn. openbaringen; *ook* soort theosofie. **gnos'tisch** [Gr. *gnoostikos*] *bn*. **gnosticis'me**, *ook*: **gnostiek'** de leer der gnostici. **gnos'ticus** *mv* **gnos'tici** [Lat. vorm v. Gr. *gnoostikos*] bep. theosoof, spec. uit de eerste twee eeuwen. **gnostie'ken** v. Lat. vorm *gnostici*] aanhangers v. verscheidene gnostische christelijke sekten uit de eerste twee eeuwen.

**gno'thi seau'ton** [Gr.] ken u zelve.

**gobelin'** wandtapijt met ingeweefde voorstellingen of figuren [oorspr. vervaardigd in stadsatelier te Parijs dat naar de stichters *Gobelins* heette].

**god'father** [Eng.] peetvader, peetoom (*ook* fig.)

**God save the King** [Eng.] God behoede de koning; het Eng. volkslied. **Gods own coun'try** [Eng.-Am.] Gods eigen land: Amerika.

**gods'vrucht** [v. Du. *Gottesfurcht* = vreze Gods] vroomheid, godsdienstigheid.

**goelet'te** [Fr. *goélette*] *eig.* zeezwaluw, v. *goéland* = meeuw, v. plat-Bretons *gwélan*] kleine schoener (schip).

**goe'ling** [Mal.] rolkussen in Indonesië gebruikt bij het slapen.

**goer'ka** *zie* **ghurka**.

**goe'roe** [Sanskr. *guru* = ernstig, waardig]

soort godsdienstleraar, geestelijke leidsman, oorspr. bij Hindoes en mohammedanen, *ook:* kenner v.d. toverkunst.

**goes'ting** [v. Lat. *gustus* = smaak] (Z.N.) zin, trek, lust.

**goëtie'** [v. Gr. *goës* = eig. weeklager, tovenaar, v. *goaoo* = jammeren] toverij door geesten op te roepen.

**Gog en Magog** onbarmhartig verwoestende invallende volken [naar Ezekiël 38 : 2 e.v.: Gog is de koning v.h. gefingeerde volk Magog].

**goj** (*uitspr.:* gooj), *mv* **gojim** [Hebr. *goj* = volk, *mv gojjiem*] joodse naam voor elke niet-jood; ook wel in de bet.: niet-gelovige = heiden, (verwant met *gajes* en *Het Gooi*).

**gold tipped** [Eng. = met gouden uiteinde] met verguld mondstuk (v. sigaret).

**go'lem** [Hebr. = klomp, dom mens] joodse sagefiguur, mens van klei die tot leven gewekt kan worden.

**Gol'gotha** [v. Hebr. *gulgolet* = schedel] Schedelplaats (Lat. *Calvaria*), kleine heuvel buiten het toenmalige Jeruzalem waar Christus gekruisigd is.

**Gomarist'** Contraremonstrant, streng Calvinist, aanhanger v. Gomarus in de strijd over de predestinatie tegen Arminius, begin 17e eeuw (*vgl.* **Arminianen**). [Naar Franciscus Gomarus, oorspr. François Gomaer, Ned. gereformeerd theoloog, 1563-1641.]

**gona'de** [v. Gr. *gonè, gonos* = verwekking, geboorte, v. stam *gen-* = voortbrengen] (*biol.*) geslachtsklier, zowel de mannelijke als de vrouwelijke, resp. zaadcellen of eitjes vormend.

**gon'agra** [v. Gr. *gonu* = knie, en *agra* = vangst] (wat de knie gevangen houdt) kniejicht.

**gon'dola** [It. = gondel] open (hang)bak voor het etaleren van artikelen. **gondolie'ra** gondelierslied.

**Gondwa'naland** hypothetisch vasteland v. Carboon tot Juratijd op de plaats v.h. huidige Voor-Indië tot Afrika en Australië [naar Gondwana, landstreek in India].

**gonfalon'** [It. *gonfalone*, v. OHDu. *gund-fano* = krijgsvaan, v. Germ. *gunthjo* = oorlog, en *fano* = banier, vaan] kerkvaan. **gonfalonier'** [Fr.] drager v.e. kerkvaan. **gonfalonie're** [It.] banierdrager, vaandeldrager, ook: vorst v. enkele middeleeuwse republieken.

**go'nio** (*schooltaal*) afkorting van goniometrie, *z.a.* **goniome'ter** [v. Gr. *goonia* = hoek; *zie* **meter**] apparaat om hoeken tussen kristalvlakken te meten, hoekmeter. **goniometrie'** hoekmeetkunde, onderdeel v.d. wiskunde dat zich bezighoudt met de verhoudingen van hoeken en zijden van rechthoekige driehoeken en hun onderlinge betrekkingen. **goniome'trisch** *bn & bw* de goniometrie betreffend, hoekmeetkundig.

**gon'je** [v. Fr. *gonne* = bep. oud lang kleed] bep. soort jute.

**gonocyt'** (*zie* **gameet**, *en* **leukocyt**, **erythrocyt** e.d.] vrouwelijke geslachtscel, eitje.

**gonorroe'** (*uitspr.:* — reu'), of (de officieel med. term) **gonorrhe'a** (*uitspr.:* —reu'(j)aa) [v. Gr. *gonos* = zaad, en *rhoia* = vloed, v. *rheoo* = vloeien, dus eig. zaadvloed] in het Ned. *druiper*, een besmettelijke geslachtsziekte veroorzaakt door de gonokok *Neisseria gonorrhoeae*.

**good'will** [Eng. = eig.: goede gezindheid] goede naam, klandizie en relaties v.e. winkel of handelszaak (die bij verkoop een zekere waarde vertegenwoordigen); (*fig.*) welwillende gezindheid jegens iets.

**gordiaan'se knoop** zeer ingewikkeld onontwarbaar geval, dat schijnbaar niet op te lossen is tenzij door een enkele geforceerde beslissing [naar legende v. een onontwarbare knoop door Gordius in Frygië (Klein-Azië) gelegd: wie deze knoop zou losmaken zou de heerschappij over Azië ten deel vallen;

Alexander de Grote hakte hem door].

**Gorgo'nen** [Gr. myth. *Gorgoo* = oorspr. soort hellemonster, later drie dochters v. Phorcus; *gorgos* = vreeswekkend] drie monsterachtige wezens, vrouwen met slangen als haren; wie hen aanzag versteende v. schrik (de bekendste is Medusa).

**gorgo'nisch** ijselijk, ijzingwekkend, monsterachtig.

**gos'pelsong** of kortweg **gos'pel** [Eng. *gospel* = evangelie; *song* = lied] Am. geestelijk negerlied.

**gotiek'** [v. Lat. *góthicus* = v.d. Goten (een volksstam)] I *zn* bep. bouwstijl, gekenmerkt door spitsbogen (oorspr. betekenis: niet-klassiek, niet v.d. Romeinse cultuur, barbaars); II *bn* met de kenmerken v.d. gotiek.

**Go'tisch I** *bn* van de Gothen; *gotisch, gotiek;* —*e letter,* Duitse drukletter, Fraktur; II *zn* de Gothische taal.

**got'spe** [Jidd., v. Hebr. *choetspa* = aanmatiging] (*Barg.*) (onbeschaamde) brutaliteit; *ook:* lef.

**Göt'terdämmerung** [Du.] (*Germ. myth.*) godenschemering; ondergang v. goden en wereld.

**gouache'ren** [Fr. *gouacher*, v. *gouache*, v. It. *guazzo* = waterverf] schilderen met waterverf waardoorheen gom en honing gemengd is (ook gebruikt bij het bewerken v.d. achtergrond op foto's). **goua'che** [Fr., v. It. *guazzo* = poel, waterplas] bep. soort waterverf; daarmee gemaakte prent.

**goulard'water** [Fr. *eau de Goulard*] bep. verkoelend geneesmiddel voor uitwendige behandeling v. huidontstekingen, brandwonden e.d. (loodacetaat, het loodzout v. azijnzuur opgelost in alcohol en verdund met water) [naar Goulard, Fr. arts].

**gourmand'** [Fr.] smulpaap, gulzigaard. **gourmet'** [Fr.] fijnproever, lekkerbek; wijnkenner.

**gous'se** [Fr.] (*cul.*) peul, dop, schil of rok v. peulvruchten, prei, ui en knoflook; —*d'ail,* teentje knoflook.

**goût** [Fr., v. Lat. *gustus*, verwant met Gr. *cheuoo* = gieten] smaak. **goûter'** [Fr.], goûté kleine maaltijd vóór het avondeten, vesperbrood. **goûte'ren** [Fr. *goûter,* Lat. *gustáre*] proeven; smaken; goedkeuren; met iets of iem. ingenomen zijn, 'mogen'.

**gouverne'ren** [Fr. *gouverner,* v. Lat. *gubernáre,* Gr. *kubernaoo* = een schip sturen, besturen] besturen, regeren. **gouvernan'te** [Fr.] huisonderwijzeres; ook: landvoogdes. **gouvernement'** [Fr.] regering, bestuur; regeringsafdeling of gebied v. gouverneur. **gouvernementeel'** [Fr. *gouvernemental*] het gouvernement betreffend. **gouverner c'est prévoir'** [Fr.] regeren is vooruitzien. **gouverneur'** [Fr.] bestuurder, spec. v. bepaald gebied of (Z.N.) provincie; (*vero.*) stadhouder; huisonderwijzer. **gouverneur'-generaal'** afk. **G.G.** algemeen landvoogd (in vroeger Ned. Oost Indië).

**gover'no** (*ook:* gouverno) [v. It. *governo* = leiding] (*hand.*) bericht als richtsnoer bedoeld.

**-graaf** [Gr. *-graphos; zie* **-grafie**] -beschrijver, beoefenaar v.e. -grafie.

**graal** [OFr. *graal,* v. MLat. *gradalis* = beker of schaal, verdere afleiding onzeker, in alle geval niet v. *sangreal* = werkelijk bloed] beker, kelk; *de heilige Graal,* legendarische beker door Christus bij het heilig Avondmaal gebruikt. *Ook:* telkens terugkerend element in de Arthur-legende.

**gra'cie** [v. Lat. *grátia* = bevalligheid, v. *gratus* = aangenaam v. voorkomen] bevallige sierlijkheid. **gracieus'** [Fr. *gracieux,* v. Lat. *gratiósus* = vol *gratia*] met gracie.

**graciel'** [Fr. *gracile,* v. Lat. *gracilis*] teer, fijn, slank, dun. **graciliteit'** [Lat. *gracilitas*] slankheid.

**grade'ren** [v. *graad,* v. Lat. *gradus* = stap] tot een hogere, fijnere graad brengen, het gehalte verbeteren, louteren (bijv. goud). **grada'tie**

[Lat. *gradátio*] graadverdeling, trapsgewijze opklimming; (*schilderk.*) het ineenlopen v. kleuren. **grada'tim** [Lat.] trapsgewijze.
**gradiënt** [missch. gevormd uit *graad* naar analogie met *quotiënt*] bedrag v. geleidelijke natuurkundige verandering per lengte-eenheid in richting v. grootste verandering (bijv. *geothermische—*, bedrag v. stijging v. aardtemperatuur per meter loodrechte diepte).
**gradua'le** [v. MLat. *graduále* = trapzang, gezongen terwijl de diaken de trappen v.h. altaar bestijgt om zegen te vragen] (*rk*) **1** zang bestaande uit psalmverzen tussen epistel en evangelie tijdens de mis; **2** boek met de misgezangen. **gradue'ren** [Fr. *graduer*, v. MLat. *graduáre*] in graden indelen, v. graadverdeling voorzien; een graad (aan hogeschool) verlenen. **gradua'tie 1** verdeling in graden; **2** het verlenen v.e. academische graad. **gradueel'** [Fr. *graduel*, v. MLat. *graduális*] trapsgewijze opklimmend; — *verschil*, verschil in graad (sterkte e.d.), doch niet het wezen rakend.
**grae'ca** [modern Lat., v. *Graeci* = de Grieken, v. Gr. *Graikoi* = inwoners v. Dodona] Griekse geschriften. **grae'ca fi'des** [Lat.] (*lett.*: Griekse trouw) ontrouw. **graecise'ren** [Lat. *graecissáre*] vergrieksen, een Griekse vorm geven. **graecis'me** woord of zinswending aan het Gr. idioom ontleend of onder invloed daarvan gevormd. **graecomanie** [*zie manie*] ziekelijke voorliefde voor al wat Grieks is. **graecomaan'** lijder aan graecomanie. **grae'cus** [modern Lat.] wie onderlegd is in de Griekse taal en letteren.
**grafeem'** [v. Gr. *graphoo* = schrijven] de letter als aanduiding v.e. spraakklank.
**graffi'to** [It., v. *graffiare* = krabben] *ook*: **sgraffi'to** decoratieve muurschildering waarbij een zwarte of donkere ondergrond bedekt wordt met een witte mortellaag. Op de muur wordt in sjabloon een voorstelling aangebracht. Als de mortellaag nog nat is, wordt de voorstelling ingekrast; er ontstaan dan zwarte lijnen op een wit vlak. **graffi'ti** [v. It.] tekeningen en opschriften op gebouwen en muren.
**gra'fica** [Lat. *graphica*, v. Gr. *graphikos* = tot het schilderen of schrijven behorend, *hè graphikè (technè)* = de schilderkunst, v. *graphé* = schildering, schrift v. *graphoo* = krabben, griffen, schilderen, schrijven] schrijf-, teken- en prentkunst; *zie verder* **grafiek 1** en **2**. **gra'ficus** beoefenaar van de grafische kunsten, *z.a.* -**grafie** [Gr. *graphia*] -beschrijving (bijv.: *aardrijks-* = beschrijving van het aardoppervlak, aardrijkskunde, tegenover *geologie* = kennis der aarde, aardkunde). **grafiek' 1** schrijf- en tekenkunst; **2** prentkunst; **3** grafische voorstelling, overzichtelijke voorstelling van een waarde in verband met een of meer andere (een functie) door lijn(en) in een coördinatenstelsel, dus van het verband tussen groootheden; in de praktijk is grafiek ten onrechte ook de naam voor **diagram**. **grafiet'** [v. Du. *Graphit*, v. Gr. *graphoo*] een der allotrope vormen (modificaties) van het element koolstof, waarmee men kan schrijven. **gra'fisch** [Gr. *graphikos*] *bn & bw* **1** op de prentkunst (grafiek) betrekking hebbend; —*e kunsten*, prentkunst, houtsnijkunst, lithografie, koopergravures e.d. (*zie grafiek 2*); —*e vakken*, het drukken van boeken, het maken van clichés, van reprodukties; *ook zelfs*: boekbinderij; **2** in tekening; —*e voorstelling*, *zie grafiek 3*. **grafologie** [*zie* -**logie**] handschriftkunde, beter: schriftkunde, kunde om uit een handschrift de identiteit v.d. maker vast te stellen of althans diens karaktereigenschappen of aanleg. **grafoloog'** (hand)schriftkundige. **grafolo'gisch** *bn & bw*. **grafome'ter** [*zie* **meter**] hoekmeter, spec. van landmeters.
**graisse'ren** [Fr. *graisser*, v. *graisse* = vet, v.

VLat. *crássida*, v. Lat. *crassus* = dik, breed, vet] invetten.
**1 gram** afk. **g** [via VLat. v. Gr. *gramma* = letter, *ook*: klein gewicht ('/₂₄ drachme)] eenheid v. gewicht in c.g.s.-stelsel. **gram'atoom** [*zie* **atoom**] zoveel gram v.e. chem. element als het atoomgewicht groot is (*vgl.* **grammolecule**). **gram'calorie** afk. **gcal**. [*zie* **calorie**] hoeveelheid warmte die nodig is om 1 gram water te verhitten v. $15,5°$ C tot $16,5°$ C. **gram'molecule** [*zie* **molecule**] zoveel gram v.e. scheik. verbinding als het molecuulgewicht groot is (som v.d. atoomgewichten v. alle in het molecule aanwezige atomen) (afgekort tot **mol**).
**2 gram** *zie* **2 grande**.
**grammai're** [Fr.] *zie* **grammatica**.
**gramma'tica** [Lat. - (*ars*) = taalkundige (kunst)] v. Gr. *grammatikē*, v. *gramma* = letter, geschrift, v. *graphoo* = schrijven] spraakleer, -kunst; leerboek daarvan. **grammaticaal'** [Lat. *grammaticális*] de spraakkunst betreffend. **gramma'ticus** [Lat., v. Gr. *grammatikos*] beoefenaar v.d. grammatica, taalgeleerde. **gramma'tisch** *zie* **grammaticaal**. **grammatolatrie'** [v. Gr. *latreia* = dienst, verering] letterknechterij.
**gran** [Sp., v. Lat. *grandis* = volgroeid, groot] groot.
**granaat'** [v. Lat. *granátus* = met korrels, v. *granum* = korrel] **1** bep. soort vrucht met vele korrels (granaatappel); **2** bep. soort edelsteen in kleine korrels voorkomend; **3** projectiel met springlading gevuld; —*kartets*, granaat **3** mede met kleine kogels gevuld.
**1 gran'de** [Sp. *zie* **gran**] hoogadellijke edelman. **gran'de da'me** [Fr.] aanzienlijke dame. **grandez'za** [Sp., v. Lat. *grándítas* = grootheid (*fig.*)] **1** waardigheid van grande; **2** trotse hoogehartigheid; **3** voorname zwier. **grandeur'** [Fr.] grootheid, verhevenheid (*fig.*). **grand ga'la** [Fr.: *zie* **gala**] groot gala. **grand mon'de** [Fr.] de grote wereld, de wereld der aanzienlijken. **grand old man** [Eng.] hoogvereerde figuur in een partij, in de politiek, in een beweging, in een kunstrichting. **grand seigneur'**, *mv* **grands seigneurs'** [Fr.: *zie* **seigneur**] groot voornaam heer (die geacht wordt royaal en zwierig op te treden); *ook wel*: opschepper die de grote heer uithangt.
**2 gran'de**, *ook*: **2 gram** (*gewest.*) het deel dat iem. rechtens toekomt, legitieme portie; wat iem. rechtmatig te vorderen heeft; *zijn gram* (*grande*) *halen*, zijn wraak koelen (*lett.*: zijn toekomend deel halen).
**granula'tie** [Fr. *granulation*] korrelige structuur v. levend weefsel (spec. bij genezende wonden); structuur v.d. fotosfeer der zon zoals ze door ons bij vergroting gezien wordt ('rijstebrij'). **granule'ren** [Fr. *granuler*, v. VLat. *granulus* = kleine korrel, v. Lat. *granum* = korrel] korrelig of tot korrels maken. **granuleus'** [Fr. *granuleux*] korrelig, met korrels.
**grasse'ren** [Lat. *grasári* (intensitief v. *gradi* = stappen) = gaan, op los gaan, rondzwerven] alg. zich verbreiden en heersen, woeden (v. ziekte).
**gra'tia** [Lat. = bevalligheid, gunst; christelijk Lat. = genade Gods] genade. **gra'tias** [Lat. *grátias ágo* = ik breng dankbetuigingen] dank je.
**graticule'ren** [Fr. *graticuler*, v. It. *graticolare* = van tralies voorzien, v. *grata* = tralie, v. Lat. *cratis* = vlechtwerk] met een netwerk bedekken (bijv. tekening die op andere schaal nagetekend moet worden).
**gra'tie** [*zie* **gratia**] **1** genade, weldaad, gunst, kwijtschelding v. straf; **2** gracie. **Gra'tiën** [Lat. myth. *Gratiae*, Gr. *Charites*] de Bevalligheden, godinnen der bevalligheid. **gratië'ren** (*niet jur.*) gratie verlenen.
**gratifice'ren** [Lat. *gratificári* = ter wille zijn, v. *gratus* = aangenaam aandoend, welgevallig, dankenswaard, en *fácere* = doen, maken]

genade schenken; gratificatie toekennen.
**gratifica'tie** extra loon, gift boven normale
beloning.

**gratin'** [Fr.] (*cul.*) bruin korstje, aanzetsel.
**gratine'ren** [Fr. *gratiner*, v. *gratter* = krabben;
hier oorspr. het afkrabben v.h. bruine aanzetsel
bij braden] (*cul.*) een reeds gaar gerecht in
oven of grill een bruine korst geven met behulp
v. paneermeel, geraspte kaas; *au gratin*, aldus
bereid gerecht.

**gra'tis** [Lat. = voor niemendal, voor
dank-je-wel, *zie* **gratia**] zonder vergoeding,
kosteloos; — *admissie*, (*jur.*) toelating tot
kosteloze procedure. **gratuit'** [Fr., v. Lat.
*gratúitus* = zonder loon] zonder grond,
ongemotiveerd. **gratule'ren** [Lat. *gratulári*, v.
*gratus* = aangenaam enz.; *zie* **gratia**]
gelukwensen. **gratula'tie** [Lat. *gratulátio*) zn.

**grava'men** *mv* grava'mina [Lat., v. *graváre*
= bezwaren, v. *gravis* = zwaar; *vgl.* Gr. *barus*]
bezwaar. **gra've, gravemen'te** [It.] (*muz.*)
zwaar, ernstig, in zeer langzaam tempo.

**gra'vel** [Eng., v. OFr. *gravelle*, verklw. v. *grave*
= grind, VLat. *grava*, v. Keltisch] grondstof
voor het maken v. tennisbanen. **graveel'** [Fr.
*gravelle*; *zie* **gravel**] nier- of blaassteen
(ziekte).

**grave'ren** [v. OHDu. *graban* = graven, niet v.
Gr. *graphoo* = schrijven] met stift figuren in
metaalplaat, hout of steen griffen, etsen.
**graveur'** [Fr.] graveerkunstenaar, plaat- of
zegelsnijder.

**gra'vida** [Lat. = vr. van *gravidus* = zwanger,
v. *gravis* = zwaar; *zie* **gravamen**] zwangere
vrouw. **graviditeit'** [Lat. *graviditas*]
zwangerschap. **gravime'ter** [*zie* **meter**]
areometer (z.a.), toestel ter bepaling v.
soortelijk gewicht v. vloeistoffen.
**gravimetrie'** (*chem.*) bepaling v.
samenstelling v. mengsel door weging van
afgescheiden producten daaruit door bep.
bewerkingen verkregen. **gravime'trisch** *bn*
& *bw*. **gravite'ren** [modern Lat. *gravitáre*, v.
Lat. *gravis* = zwaar] door zwaartekracht
neigen naar centrum v. aantrekking (de aarde
graviteert rond de zon); (*fig.*) neiging hebben
om over te hellen in bep. richting. **gravita'tie**
zwaartekracht. **graviteit'** [Lat. *grávitas*]
zwaarwichtigheid, plechtigheid.

**gravu're** [Fr., *zie* **graveren**] gegraveerde
tekening of afdruk daarvan.

**grazio'so** [It.; *zie* **gracieus**] (*muz.*) zwierig
bevallig.

**grec** [Fr., *zie* **graeca**] Grieks; *i-grec*, de letter
y.

**grec-** *zie* **graec-**.

**green'back** [Eng.-Am. = *lett.*: groene rug]
bankbiljet in de Ver. Staten v. N.-Amerika.

**Green'wichtijd** zonnetijd v.h. sterrenkundig
observatorium te Greenwich bij Londen, dat
als basis v.d. geografische lengtemeridiaan is
gekozen. *Greenwich Mean Time* afk. *G.M.T.*
middelbare Greenwichtijd.

**greens** [Eng., v. *green* = groen] terrein voor
golfspel.

**gregoriaans'** volgens Gregorius; —*e*
*tijdrekening*, tijdrekening door paus Gregorius
XIII in 1582 ingevoerd; —*e zang*, (*rk*) kerkzang
volgens de voorschriften v. paus Gregorius I
(de Grote).

**grein** [v. Fr. *graine*, v. Lat. *granum* = korrel]
klein apothekersgewicht; *geen greintje* ...,
niets geen ... **greine'ren** het oppervlak
korrelig maken.

**gre'ling** dun ankertouw.

**gremia'le** [v. VLat. *gremiális*, v. Lat. *grémium*
= schoot] schootsvel, bep. liturgisch gewaad
v. bisschop bij bep. plechtigheden.

**grenadier'** [*zie* **granaat**] oorspr.:
granaatwerper; keursoldaat v. infanterie.

**1 grenadi'ne** [v. Fr. *grenade*, MLat. *granátum*
= granaatappel; *zie* **granaat**] soort rode
limonade (oorspr. bereid uit pitten v.d.
granaatappel), gemaakt uit limonadesiroop
met water.

**2 grenadi'ne** [Fr., missch. naar Sp. stad

*Granada*] bep. gaasachtige stof van zijde of
van zijde en wol; *ook*: bep. soort linnen,
gelijkend op damast.

**grenelle'ren** [Fr. *greneler*; *vgl.* Ned. *graan*] leer
korrelig maken.

**gre'nen** van hout v.d. green of grove den.

**gres** [Fr. *grès*, v. Du. *Griess* = grof zand, gruis]
**1** Belgische kiezelzandsteen (bestaande uit
kleine kwartskorrels); **2** soort weinig poreus
sterk aardewerk. **gres'buis** buis, spec.
rioolbuis, uit **gres 2**.

**gri'bus** (*Barg.*) achterbuurt; (*vero.*)
gevangenis.

**grief** [v. Fr. *grever* = zwaar beladen, v. Lat.
*graváre* = bezwaren, v. *gravis*; *zie* **gravamen**]
reden tot klagen, bezwaar; *ook*: leed of
belediging (*vgl.* iem. grieven).

**grietenij'** [v. *greta* = gerecht] bep. Fries
rechtsgebied.

**grif'fie** [v. Gr. *graphoo* = schrijven; *graphion*
= schrijfstift] kantoor v. griffier; *ter—
deponeren*, *ook*: op de lange baan schuiven.
**griffier'** secretaris v. gerechtshof, v. bep.
colleges e.d.

**griffioen'** [v. OFr. *grifoun*, v. Lat. *gryphus*, v.
Gr. *grups*; *zie* **gryp**] legendarische grijpvogel,
soort adelaar met onderlijf v.e. leeuw, gryp.
**griffonna'ge** [Fr., *zie* **griffie**] bijna
onleesbaar kriebelschrift.

**grimas'** [Fr. *grimace*, verdere afl. onzeker]
grijnzende vertrekking v.h. gelaat.

**gri'me** [Fr. = rol v. gerimpelde belachelijke
oude man, v. It. *grimo* = gerimpeld]
beschildering en verandering v. gelaat en
hoofd in type dat men op toneel moet
uitbeelden. **grime'ren** [Fr. *grimer*] door
kunstmiddelen en schmink het gelaat en hoofd
veranderen voor het vervullen v.e. toneelrol.
**grimeur'** wie grimeert.

**grin'go** [Mexicaans Sp.] in Centraal- en
Zuid-Amerika scheldnaam voor iedere
vreemdeling, spec. voor Noordamerikaan.

**griot'te** [Fr.] morel (z.a.).

**grip** [Eng.] houvast, greep.

**grisail'le** [Fr., v. *gris* = grijs] schilderwerk in
één kleur maar in diverse tinten, meestal grijs
op grijs.

**grisou'** [Waals] mijngas (methaan), $CH_4$.

**gris-per'le** [Fr.] parelgrijs.

**grobbeja'nus** [v. Du. *Grobian* = lomperd,
vlegel, v. MLat. *grobiánus* = onbeschoft type;
*vgl.* Du. *grob* = grof] oorspr. naam voor een
Westfaalse seizoengrasmaaier in Oost-Ned.
(hannekemaaier).

**groc** *zie* **grog**.

**grog, groc** [Eng. *grog*; missch. v. *grogam*,
bijnaam v. admiraal Vernon, de uitvinder van
grog, naar zijn jas v. *grogam*, bep. grove stof
(v. Fr. *gros graine* = grove korrel)] drank v.
wijn, rum, cognac, jenever, arak e.d.,
aangelengd met warm water en gesuikerd.
**grog'gy** [Eng. = dronken, onvast ter been]
halfbewusteloos (gezegd van boksers); *ook*
*alg.*: iem. — *slaan*, hem (half) bewusteloos
tegen de vlakte slaan.

**grognard'** [Fr., v. *grogner*, v. Lat. *grunnire*
= knorren] knorrepot; oudgediende.

**groom** [Eng., missch. v. OFr. *gromet*
= bediende] livreiknecht; bep. hotelbediende.

**groot'moefti** [v. Turks *müftu*] (vroeger)
opperrechter en geestelijk hoofd in het
Osmaanse rijk.

**Groot-Mo'gol** oorspr.: titel v. Tartaars heerser
van 16e t/m 18e eeuw; machtig heerschap.

**Groot Mo'kum** [v. Hebr. *Makoom* = stad]
(*volkst.*) Amsterdam.

**groot'vizier** [Turks *vezir*]
(vroeger) minister-president in
Mohammedaanse rijken.

**gros** [Fr. *grosse*; oorspr.: vr. van *gros* = dik, met
groot volume, v. VLat. *grossus*, verdere afl.
onzeker] **1** gedrukt dozijn, 144 stuks; *het* —, de
grote hoop; —*lijst*, voorlopige kandidatenlijst,
waaruit de definitieve kandidaten gekozen
moeten worden. **gros de Naples, gros de
Tours** [Fr.] bep. zijden stoffen.

**Gro'schen** [Du., v. VLat. *grossus* = dik, naar de dikte v.h. muntstuk i.t.t. tot sommige ME dunne munten] tienpfennigstuk.

**gros'se** [*zie* gros] eerste (authentieke) afschrift v. bep. officiële stukken, spec. v. notariële akte (oorspr. in grote letters).

**grosse'ren** een grosse maken.

**grossier'** [*oorspr.*: wie in grossen verkoopt, v. OFr. *grossier*, v. MLat. *grossárius*; *zie* gros] groothandelaar.

**gros'so mo'do afk. gr.m.** [Lat.] in grote trekken, ruw geschat, ongeveer; (*op recepten*) grof gestoten of gesneden.

**grotesk'** [Fr. *grotesque*, v. It. *grottesca* = antiek werk, v. fantastische vorm, ontdekt in onderaardse ruimte te Rome] zonderling fantastisch, dwaas bespottelijk. **grot'to** [It., v. *grotta* = grot] kunstmatige grot met muurschilderingen e.a. ornamenten.

**groupa'ge** [Fr. *groupe* = groep] het verzamelen v. vrachtgoederen, samenlading, het gezamenlijk verzenden v. verschillende vrachten; —*dienst*, dienst voor het verzenden v. vrachten ter groupage.

**grou'pie** [v. Eng. *group* = groep] meisje dat uit 'aanbidding' toenadering zoekt tot een popmusicus en daarom zijn groep op tournee achterna reist.

**gru'wel** [v. OFr. *gruel*, v. MLat. *grutéllum*, verkleinwoord v. *grutum*, v. Germ.; *vgl*. Ned. *grutten* = grof meel] *watergruwel*, bep. gerecht van gort.

**gryp** [v. VLat. *grups*, v. Perzisch *griftan* = grijpen] *zie* **griffioen.**

**Guel'fen** *zie* Welfen.

**gueridon'** [Fr. *guéridon*] rond siertafeltje met één poot [naar persoonsnaam].

**guer're à outran'ce** [Fr., *guerre* v. OHDu. *werra*] oorlog tot het uiterste. **guerril'la** (*spreek uit:* kerielja) [Sp. *guerrilla*, verklw. v. *guerra* = oorlog] ongeregelde oorlog door guerrillero's gevoerd in een gebied dat door de vijand beheerst wordt. **guerrille'ro** verzetsstrijder, guerrillastrijder.

**guette'ren** [Fr. *guetter*, v. OHDu. *wahton*] loeren uit hinderlaag, bespieden.

**guichet'** [Fr., v. Scandinavisch] raampje in deur, loket; — *lening*, staatslening die niet door banken wordt overgenomen al kan men er daar wel op inschrijven.

**gui'de** [Fr., v. *guider*, v. ODu. *vitan*; missch. verband met *weten*] gids. **guidon'** (*muz.*) custos, *z.a.*

**guillemets'** [Fr.] aanhalingstekens om aandacht op woord of zinsdeel te vestigen. **guilloche'ren** [Fr. *guillocher*, v. *guilloche* = burijn om te guillocheren, v. *guillaume* = soort schaaf] een oppervlak versieren met op bep. wijze dooreengestrengelde lijnen (bijv. de ondergrond v. bankbiljetten). **guilloché** [Fr.] versiering door guillocheren. **guilloché** verkregen.

**guilloti'ne** valbijl om te onthoofden [naar Guillotin, Fr. arts tijdens Fr. Revolutie]. **guillotine'ren** [Fr. *guillotiner*] met de guillotine terechtstellen.

**guim'pe** [Fr., missch. v. ODu. *wimpal*] halsbedekking v. tule door baleintjes rechtop gehouden; bep. soort haakwerk met vorkvormige naald.

**guin'je** [Eng. *guinea*, oorspr. munt geslagen voor handel op Afrika rond 1700 (Port. *Guiné* = kolonie op Westkust v. Afrika)] (*gesch.*) bep. Eng. muntstuk ter waarde v. 1 pond en 1 shilling (officiële waarde sinds 1717), thans nog als denkbeeldige rekenmunt.

**guipu're** [Fr., v. *guiper* = omwoelen] soort borduurwerk en reliëf.

**guirlan'de** [Fr., v. It. *ghirlanda*, v. Lat. *gyrus* = draaiing; *zie* **gyratie**] slinger v. bloemen en groen.

**gur'kha** *zie* **ghurka.**

**gusta'tie** [Lat. *gustátio*, v. *gustáre*, *-átum* = proeven; *zie* **goût**] het proeven, het smaken.

**gus'to** [Eng.] smaak, zin, animo.

**gut'ta ca'vat la'pidem (non vi, sed sae'pe caden'do)** [Lat.] de druppel holt de steen uit

(niet door geweld, maar door dikwijls te vallen). **gut'tae** [Lat. = druppels] afk. (op recepten) **gtt.**

**guttaper'cha** [Mal. *getah-pertjah*, v. *getah* = gom, en *pertjah* = bep. boom] melksap uit bep. tropische bomen dat een elastische stof oplevert, rubber of gummi genoemd.

**gut'tegom** [verbastering v. Lat. *gúmmi guttae*; *gutta* = druppel] geelhars, bep. soort gomhars.

**gutturaal-** [v. Lat. *gúttur*, *gútturis* = keel] **I** *bn* de keel betreffend; **II** *zn* keelletter, keelklank, ontstaan door articulatie v.d. tongrug tegen het zachte verhemelte (MLat. *vélum*, en daarom ook wel **velaar** genoemd). De gutturalen zijn: ch, g, k en ng.

**gymna'sium** *mv* **gymna'sia** [Lat., v. Gr. *gumnasion* = oefenplaats (v. sport), v. *gumnazoo* = oefenen (spec. lichaamsoefeningen doen), v. *gumnos* = o.a. naakt (de lichaamsoefeningen werden door de Grieken geheel ontkleed gedaan)] **1** oorspr. in het oude Griekenland: sportschool, die omgeven was door o.a. wandelgangen; **2** (thans) bep. schooltype voor voorbereidend hoger onderwijs op klassieke grondslag, verdeeld in twee afdelingen, nl. de afdeling A (alfa) voor a.s. hogeschoolstudenten in de theologie, letteren en rechten, en de afdeling B (bèta) voor a.s. studenten in de wiskunde, natuurwetenschappen en geneeskunde. Latijn en Grieks spelen een grote rol, niet alleen om die talen zelf, maar ook om de klassieke cultuur en vorming. **gymnasiaal** het gymnasium betreffend. **gymnasiast** leerling v.e. gymnasium. **gymnastiek'** [Gr. *gumnastikos* = lichamelijk geoefend; *hè gumnastikè* (*technè*) = de lichaamsoefening(skunde)] lichamelijke oefeningen; ook *overdrachtelijk*, bijv. hersengymnastiek. **gymnas'tisch** [Gr. *gumnastikos*] *bn* de gymnastiek betreffend of daartoe behorend. **gymnast'** [Gr. *gumnastès* = leermeester in de gymnastiek] wie gymnastiek doet. **gymnastise'ren** gymnastiek doen, gymen.

**Gymnosper'men** *mv* [v. Gr. *gumnos* = naakt, en *sperma* = zaad] (*plk.*) de Naaktzadigen, een plantengroep die gekenmerkt is door het tot zaden uitgroeiende zaadknoppen die *niet* in vruchtbeginsels zijn opgesloten.

**gynaecologie'** [v. Gr. *gunè*, *gunaikos* = vrouw; *zie* **-logie**] (*med.*) kennis van de vrouwelijke geslachtsorganen, hun afwijkingen en ziekten (vrouwenziekten). **gynaecoloog'** vrouwenarts.

**gynaecomaan'** [*zie* **manie**] vrouwengek.

**gynandrie'** [v. Gr. *gunè* = vrouw, en *andros* = man] het voorkomen van mannelijke secundaire geslachtskenmerken bij vrouwen.

**gyra'tie** [v. Lat. *gyráre*, *-átum* = ronddraaien in een *gyrus* = kring, v. Gr. *guros* = krom, gebogen] draaiing in een kring; draaiziekte. **gy'rokompas** [*zie* **kompas**] kompas met gyroscoop. **gyrome'ter** [*zie* **meter**] toestel om aantal omwentelingen te tellen. **gyroplaan'** molenschroefvliegtuig, helikopter. **gyroscoop'** [*zie* **-scoop**] toestel met sneldraaiend vliegwiel op as die op het noorden gericht is (indien vrij opgehangen blijft de as op het noorden wijzen en draait de aarde dus onder het toestel door). **gyrosco'pisch** volgens het beginsel v.e. gyroscoop. **gyrostaat'** [Lat. en Gr. stam *sta-* = staan] zwaar vliegwiel ter stabilisatie v. schepen in woelig water.

**habane′ra** [Sp.] bep. Sp. dans (oorspr. uit Havana).

**habe′mus Pa′pam** [Lat. = wij hebben een paus] formule waarmee na conclaaf openlijk de keuze v.e. nieuwe paus wordt aangekondigd.

**ha′bent su′a fa′ta libel′li** [Lat.] (ook) boeken hebben hun lotgevallen.

**habiel′** [Lat. *hábilis* = licht te houden, handzaam, (*overdrachtelijk*) bekwaam, v. *habére* = houden] handig, bekwaam, vaardig.

**habiliteit′** [v. Fr. *habilité*, v. Lat. *habilitas* = geschiktheid, v. *hábilis* = handig, v. *habére* = *lett.*: (in de hand) houden] **1** vaardigheid, bedrevenheid, bekwaamheid; **2** (*jur.*) handelingsbevoegdheid. **habilite′ren** [Fr. *habiliter*] bevoegd verklaren, spec. om aan hogeschool voorlezingen te houden. **habilita′tie** [Fr. *habilitation*] zn.

**habijt′** [Lat. *habitus* = houding, uiterlijk, uiterlijk v. kleding, kleding, v. *habére* = houden] bovenkleed v. kloosterling(e).

**habite′ren** [Lat. *habitáre, -átum* (intensief v. *habére, hábitum* = houden, hebben) = plegen te hebben, bewonen] bewonen. **ha′bitat** [Fr. *habitat*, v. Lat. *habitáre* = wonen] (*biol.*) plaats waar een plant of dier of levensgemeenschap van nature thuis is (bijv. de habitat v.d. ijsbeer is het Noordpoolgebied); *ook*: samenstel van milieufactoren inwerkend op organisme of levensgemeenschap. **habita′tie** [Lat. *habitátio*] het wonen, het recht om te wonen. **habita′bel** [Lat. *habitábilis*] bewoonbaar. **habitué** [Fr., v. *habitué*, Lat. *habitúdo* = gewone manier van zijn, gewoonte] stamgast, regelmatig bezoeker v. café e.d. **habitueel** [v. de habitus behorend, ingeboren; *ook*: Fr. *habituel*] gewoonte geworden zijnde, gewoon.

**ha′bitus** [*zie* **habijt**] uiterlijke gedaante, vóórkomen, houding; gedrag; aard v.h. lichaam.

**hacis′** [Fr.] (*cul.*) verfijnde hachee van zeer kleine stukjes vlees in pikante saus.

**ha′chelen** [Jidd. *achelen* = eten, v. Hebr. *achal* = eten, bikken, *achiela* = voedsel, spijs] :*je kunt me de bout* —, *lett.*: je kunt mijn achterste (of uitwerpselen) opeten (als uitdrukking v. onverschillige minachting).

**hach′je** [v. MNed. *hacht* = stuk, brok; *later ook*: stuk vlees, lichaam, leven] :*zijn* — *wagen*, zijn leven riskeren.

**hacién′da** [Sp., v. Lat. *faciénda* = dingen die gedaan moeten worden, v. *fácere* = doen] boerenhoeve tevens veefokkerij in Zuid-Amerika.

**hac i′tur ad as′tra** [Lat. = *lett.*: zo gaat men naar de sterren] zo komt men tot roem.

**hack′ney** [v. OFr. *haquenée*] telganger, hakkenei.

**had′dock** [Eng.] (*cul.*) licht gedroogde en gerookte wijting (soort schelvis), ontdaan van kop en opengesneden a.d. rug.

**Ha′des** [Gr. *Haidès*, v. *Awidès* = *ongev.*: de nietweter, de Vergetelheid; *vgl. a-* = niet, en *oida* = weten] de god v.h. dodenrijk; de onderwereld zelf.

**had′ji** [v. Arab. *haji*] Mekkaganger, titel v. mohammedaan die de pelgrimage naar Mekka gedaan heeft.

**haem** *zie* **heem.**

**haf** [Du. *Haff*, v. Zweeds *haf* = zee] zee-inham gelegen achter landtong.

**Haf′nium** bep. element, metaal, chem. symbool Hf, ranggetal 72 [te Kopenhagen ontdekt, genoemd naar oude naam der stad, afgel. v. *haf* = zee(boezem)].

**haf′ten** *mv* [eerst in Ned. zo genoemd omdat deze insekten zich na het uitkomen uit het larvestadium zich meteen aan een voorwerp hechten om nogmaals te vervellen, *vgl.* Du. *heften* = kleven, blijven zitten] eendagsvliegen (*Ephemeróptera*), een der oorspronkelijkste insektenorden, omvattende een aantal families met ca. 600 soorten (in Ned. ca. 40).

**hagiografie′** [v. Gr. *hagios* = heilig, en *graphoo* = schrijven] beschrijving v.h. leven v. heiligen. **hagiogra′fisch** de hagiografie betreffend. **hagiograaf′** schrijver v. heiligenleven(s). **hagiolatrie′** [Gr. *latreia* = loondienst, dienst, verering] heiligenverering. **hagiologie′** [v. Gr. -*logie* = kunde] leer der heiligen.

**Hahn′ium** kunstmatig radioactief chem. element, symbool Ha, ranggetal 105 [naar Otto Hahn, Du. fysicus en chemicus, 1879-1968].

**hai′duk,** *ook*: **hei′duk** [Hongaars *hajduk*] Hongaars infanterist; lijfknecht in Hongaars tenue.

**haie** [Fr., v. Germ. *hága*] haag; *en* —, in twee rijen met de gezichten naar elkaar.

**ha′ik** [Arab. *hayk*, v. *hak* = weven] lange Arabische sluier, opperkleed dat tevens het hoofd kan bedekken.

**hair′spray** [Eng., v. *hair* = haar; *spray* = stuifwolk, wolk parfum e.d.; *vgl.* Ned. *spreiden*] middel dat op het hoofdhaar met spuitbus gespoten wordt ter versteviging v.h. kapsel, haarlak. **hair′styler** [Eng.; *vgl. hairstylist* = kapper die passende of nieuwe coiffures bedenkt] toestel met verschillende onderdelen om thuis dameshaar droog te krullen, of om nat haar te drogen en in model te brengen; hairset.

**hak′kebord** (*muz.*) bep. snaarinstrument, cembalo, *z.a.*; *thans*: versleten piano.

**hakkenei′** [v. OFr. *haquenée*; *zie* **hackney**] telganger.

**half′cast** [Eng.] afstammeling v. blanke en Indische moeder. **half′time** [Eng.] rust halverwege een sportwedstrijd.

**halito′se** [v. Lat. *hálitus* = adem; *zie* **-ose**] (*med.*) slechte adem, stinkende adem.

**hall** [Eng.] vestibule; grote zaal; hal.

**halla′li** bep. jachtkreet; jachthoed.

**hal′lenkerk** gotische kerk waarvan zijbeuken even hoog zijn als middenschip.

**hal′lel** [Hebr. *hallelu Jah* = prijst Jahweh] joodse lofzang. **Hallelu′jah** *zn* (het — zingen).

**hallucine′ren** [v. Lat. *hallucinári* of *alucinári* = wartaal praten, dromen; *vgl.* Gr. *aluoo* = buiten zichzelf zijn] begoochelen; hallucinaties hebben. **hallucina′tie** [VLat. (h)allucinátio] zinsbegoocheling; vermeende geestverschijning of visioen, gewaarwording in toestand v. wakend dromen. **hallucinogeen′** [v. Gr. *genaoo* = verwekken] middel dat hallucinaties veroorzaakt (*vgl.* **psychedelicum**).

**halo** [v. Lat. *hálos*, Gr. *haloos* = dorsvloer; kring] **1** (*met.*) elk optisch verschijnsel a.d. hemel dat ontstaat door breking en terugkaatsing van licht in ijskristalletjes, die o.a. in hoge wolken, spec. in *cirrostratus*, voorkomen; **2** (*fot.*) lichtkring op een foto door overstraling v.d. sterk belichte plaatsen; **3** (*biol.*) gepigmenteerde kring rondom de tepel van een vrouwenborst; **4** (*astr.*), *ook*: **corona**, bij spiraalvormige sterrenstelsels een bolvormige ruimte die het vlak v.d.

spiraalarmen omvat.

**halo-** [v. Gr. *hals, halos* = zoutkorrel, zout]
zout-. **halochemie'** scheikunde v.d. zouten.

**ha'lo-effect** (*psych.*) term om aan te duiden
dat het toekennen v.e. eigenschap of kenmerk
van iemand beïnvloed wordt door de indruk
die deze persoon maakt o.d. beoordelende
waarnemer.

**halofiel'** [v. Gr. *phileoo* = beminnen] *lett.*:
zoutminnend; (organisme) ook in omgeving
met zoutgehalte boven bepaalde graad actief
kunnende leven (*vgl.* **halotolerant**).

**halofyt'** [v. Gr. *phuton* = plant] plant die op
sterk zouthoudende bodem groeit.

**haloge'nen** [Gr. stam *gen-* = voortbrengen]
*lett.*: de zoutvormers, de elementen v.d.
floriumgroep, t.w.: fluor, chloor, broom,
jodium en astaat. **halogeen'lamp** gloeilamp
met een ballon van kwarts en gevuld met een
halogeen, meestal jodiumdamp. **halome'ter**
[*zie* **meter**] toestel om zoutgehalte v.e.
vloeistof te meten.

**haloscoop'** [*zie* **halo 1** en **-scoop**] (*met.*)
apparaat om haloverschijnselen van zon of
maan e.d. waar te nemen.

**halotolerant'** [*zie* **halo-**, en **tolereren**]
(organisme) in omgeving met zoutgehalte
boven bep. graad in rusttoestand overgaand
(*vgl.* **halofiel**). **halotechniek'** [*zie*
**techniek**] **1** zoutbereidingskunst; **2**
toepassing v.d. werking v. zouten.

**hal'ter** [Gr. *haltèr* = gewicht, gebruikt bij het
springen voor evenwicht, halter, v. *haltoo* =
*hallomai* = springen] staaf met aan beide
uiteinden een gewicht voor gymnastische
oefeningen.

**halvari'ne** *zie* **margarine**.

**hamachromie'** [Gr. *hama* = tegelijkertijd; *zie
verder* chromium] procédé voor het
afdrukken v. verscheidene kleuren tegelijk.

**hamartologie'** [v. Gr. *hamartia* = zonde; *zie*
**-logie**] leer betreffende de zonden.

**han'dicap** [Eng., afl. onbekend] **1**
handicaprace; **2** belemmering, iets dat de
vlotte vooruitgang bezwaart. **han'dicaprace**
wedstrijd waarbij een der sterkere deelnemers
een belemmering in een of andere vorm op zich
neemt zodat de kansen gelijk worden.

**hang** [Du. *Hang*] neiging.

**hangar'** [Fr., afl. onzeker] vliegtuigloods.

**han'nekemaaier** [missch. verband met *Hans*,
bijnaam voor Duitser] maaier uit Duitsland of
althans uit het oostelijke grensgebied
afkomstig; *ook*: lomp iemand (*vgl.*
**grobbejanus**).

**Han'sa** [OHDu. = genootschap] middeleeuws
handelsverbond tussen Hamburg, Bremen en
Lübeck, waarbij later ook andere steden (de
Hanzesteden) zich aansloten.

**ha'pax lego'menon** [Gr. = eenmaal gezegd]
woord dat in de gehele oude literatuur slechts
eenmaal voorkomt.

**haplografie'** [v. Gr. *haploos* of *haplous* =
eenvoudig, enkel, en *graphoo* = schrijven] het
enkel schrijven = overslaan v. een van twee
gelijke letters of lettergrepen bij het schrijven
(bijv. filogie voor filologie en het totaal
ingeburgerde **idolatrie** (*z.a.*) i.p.v. het juiste
idololatrie). **haplologie'** [Gr. *logos* = woord,
spraak] het overslaan v. een van twee gelijke
letters of lettergrepen bij het spreken (*vgl.*
**haplografie**).

**hap'pening** [Eng. = *lett.*: gebeurtenis, v. *to
happen* = gebeuren, v. MEng. *hap* = kans,
geluk, lot] bijeenkomst waaraan men (terecht
of onterecht) een artistiek-emotionele waarde
toeschrijft; *ook*: zodanige manifestatie.

**hap'py end(ing)** [Eng.] gelukkig slot, spec. v.
roman als de twee gelieven 'elkaar krijgen'.

**hap'py few** [Eng. = *lett.*: de gelukkige
weinigen] de enkele bevoorrechten.

**hap'tisch** [v. Gr. *haploo* = aanvatten,
beroeren] de tastzin of het voelen betreffend.

**haptonomie'** [v. Gr. *haploo* = aanraken]
therapie gericht op het leren aanvoelen en
oplossen van spanning d.m.v. aanrakingen.

**haraki'ri, hariki'ri** [Am.-Jap., v. *hara* = buik,
en *kiri* = snijden] zelfmoord door zich de buik
open te snijden; (Jap. term is *seppuku*).

**haras'** [v. Arab. *faraz* = paard]
paardenstoeterij. **harasse'ren** [Fr. *harasser*]
afjakkeren; (*mil.*) afmatten.

**harcele'ren** [Fr. *harceler*, v. *herser* = eggen, v.
*herse* = Lat. *hirpex* of *irpex* = hark, egge]
tergen; (*mil.*) voortdurend kleine aanvallen
doen.

**harce'ren** *zie* arceren.

**hard'-board** [Eng. = *lett.*: hard-plank] **1** *zn*
hardgeperste houtvezelplaat; **2** *bn* van
hardboard. **hard'boiled** [Eng. = *lett.*:
hardgekookt] *bn* doorgewinterd, onverschillig
voor het lot. **hard'cover** [Eng.] editie van
boek in harde kaft. **hard cur'rency** [Eng.]
harde valuta. **hard'-drug** [Eng.; *zie* drug]
sterk verdovend middel (bijv. heroïne) dat leidt
tot verslaving (tegenover **soft-drug**, *z.a.*).

**hardies'se** [Fr., v. Gotisch *hardus* = hard, alg.
Germ. woord; *vgl.* Gr. *kratus* = sterk]
onverschrokkenheid; driestheid; brutaliteit.

**hardli'ner** [Eng.] iemand v.d. harde lijn, spec.
i.d. politiek. **hard mo'ney** [Eng. = *lett.*: hard
geld] geld in munten, specie (tegenover
papieren geld). **hard'ware** [Eng.] *zie bij*
**computer** (tegenover *software*).

**ha'rem** [v. Arab. *haram* = verboden, v. *harama*
= verbieden] vrouwenverblijf bij
mohammedanen; de vrouwen daarin.

**hariki'ri** *zie* harakiri.

**harmo'nica** [Gr. *hè harmonikè (technè)* =
toonkunsttheorie, v. *harmottoo* =
aaneenvoegen] welluidendheidsleer.

**harmo'nika** [v. Gr. *harmonikos* =
harmonisch] bep. muziekinstrument: ofwel
mondorgel, ofwel handorgel met blaasbalg.

**harmonie'** [Lat., Gr. *harmonia* = het
samenstemmen, akkoord] **1** het met elkaar in
overeenstemming zijn; **2** (*muz.*) verbinding v.
klanken tot akkoorden; **3** harmonie-orkest
(orkest met uitsluitend koperen en houten
blaasinstrumenten). **harmonie'model**
(*psych.*) wijze van oplossen van sociale
problemen en maatschappelijke
tegenstrijdigheden d.m.v. overleg en
compromis. Tegenstelling: *conflict'model*:
wijze van oplossen enz. via een conflict.
**harmonieus'** [Fr. *harmonieux*] in zijn delen
evenmatig overeenstemmend, harmonisch.
**harmo'nisch** [Lat. *harmónicus*, Gr.
*harmonikos*] welluidend klinkend;
overeenstemmend, met goede
verstandhouding. **harmonise'ren 1**
harmonisch maken, tot een goed
samenwerkend of goed samenklinkend geheel
maken; **2** (*minder juist*) harmoniëren, *z.a.*
**harmonisa'tie** het harmoniseren;
*huurharmonisatie* verhoging v. oude
huishuren om ze redelijk aan te passen a.d.
nieuwe. **harmo'nium** huisorgel.

**harnachement'** [Fr., v. *harnais* = harnas, *z.a.*]
tuig v.e. paard. **har'nas** [v. OFr. *harneis*, v. lt.
*arneso*] ijzeren wapenkleed, pantser.

**har'pagon** [Harpagon, hoofdfiguur v. *l'Avare*
van Molière, naam afgeleid v. Gr. *harpazoo* =
haastig grijpen; *harpax* = rover] vrek,
gierigaard.

**harpeg'gio** *zie* arpeggio.

**harpij'** [Lat. *Harpyia*, Gr. *Harpuia* = myth,
roofzuchtig monster, v. Gr. *harpax* =
roofzuchtig] helleveeg, heks, feeks.

**harpluis'** geklopt en opgekookt werk v. oude
geteerde touwen om schepen te breeuwen
(naden te dichten).

**harpoen'** [Eng. *harpoon*, Fr. *harpon*, v. *harper*
= vast in de handen klemmen; *harpe* = klamp,
v. Gr. *harpè* = sikkel; of v. Baskisch *arpoi*, v.
wortel met betekenis: levend vangen] van
weerhaken voorziene werpspeer voor
walvisvangst. **harpoene'ren** [Fr. *harponner*]
met harpoen werpen. **harpoenier'** wie op
walvisvaarder harpoen werpt.

**has'jiesj, has'chisch**, *ook*: **hasj** [v. Arab. *hashisch* = gedroogd kruid] bedwelmend middel (zgn. soft-drug) bereid u.d. Indische hennep (*Cánnabis sativa*). In de VS bekend als **marihuana** (*z.a.*). Niettemin is hasjiesj niet precies hetzelfde als marihuana. Strikt genomen is hasjiesj ingedikt sap v.d. bloeiende toppen v. vrouwelijke hennepplanten, terwijl marihuana uit gedroogde delen v.d. hennepplant bestaat.

**has'se bas'sie, has'sebasje** (*Barg.*) borrel.

**hâtelet'** [Fr.] (*cul.*) klein spit, sierspit of speetje.

**hat'trick** [Eng. = *eig.*: kunstje met hoed door goochelaar] (*sport*) het maken v. drie doelpunten door dezelfde speler (oorspr. achter elkaar; *ook*: het in één wedstrijd achter elkaar nemen v. drie wickets).

**haus'se** [Fr., v. *hausser* = *rendre plus haut* = hoger maken] stijging v. koers op de beurs; *à la —*, op koersstijging (speculeren). **haussier'** [Fr.] wie à la hausse speculeert.

**hautain'** [Fr., v. *haut* = hoog, v. Lat. *altus* = eig. volgroeid, hoog] hooghartig, uit de hoogte. **haut-dessus'** [Fr.] hoge sopraan. **hau'te** [Fr.] — *couture*, kleermakerij v. hoge stand (*zie* **couture**); — *finance*, de grote geldmannen; — *nouveauté*, nieuwste modesnufje; — *saison*, hoogseizoen, drukste tijd v.h. seizoen; — *taille*, hoge tenor; — *volée*, voorname kringen. **haut-reliëf'** [Fr.] voor meer dan de helft verheven beeldwerk (*vgl.* **bas-reliëf**).

**havan'a** bep. soort tabak [naar Havana].

**hav'elock** soort mantel met kraag [naar Havelock, Eng. generaal, 1795-1857].

**have-nots** *mv* [Eng. = *lett.*: niet-hebbers] bezitlozen (spec. voorheen v. staten zonder koloniën).

**haverij'** *zie* **averij.**

**ha'vezate** hofstede v. ridder, versterkte hoeve.

**hazard'** [Fr. *hasard*, v. Arab. *az-zahr* = de dobbelsteen] kans; vraagstuk; — *spel*, kansspel. **hazarde'ren** [Fr. *hasarder*] op het spel zetten.

**head'line** [Eng. = *lett.*: hoofd-lijn] vetgedrukte kop boven bericht in krant over een of meer kolommen.

**hea'ring** [v. Eng. *to hear* = horen] **1** hoorzitting, d.w.z. vergadering waarop een college v. bestuur zijn plannen uiteenzet voor belanghebbenden (bijv. buurtbewoners), die hun oordeel geven, evt. wijzigingen voorstellen of kritiek leveren; **2** zitting waar verklaringen worden afgelegd ten overstaan v.e. parlementscommissie.

**heat** [Eng. = *lett.*: hitte; *hier*: enkele poging] serie in wedstrijd (de winnaars v.d. series bekampen elkaar in de finale).

**heautognosie'** [v. Gr. *heautos* = zelf, en *gignooskoo* = kennen; *zie* **gnosis**] zelfkennis (*vgl.* **gnothi seauton**).

**hea'vy weight** [Eng. *heavy* = zwaar; vgl. Ned. *heffen* en Lat. *cápere* = vatten] (*sport*) zwaargewicht (bokser, jockey).

**hebdomadair'** [Fr., v. Lat. *hébdomas*, *hebdómadis*, Gr. *hebdomas*, *-ados* = zevental; *hè hebdomè* = de zevende dag, v. *hepta* = zeven] wekelijks (verschijnend).

**hebete'ren** [Lat. *hebetáre* = stomp maken, v. *hebes* = stomp] geestelijk afstompen.

**hebetu'de** [Fr., v. Lat. *hebetúdo*] afgestomptheid v. geest. stompzinnigheid.

**hebra'ica** [Lat. *Hebraicus*, Gr. *Hebraikos* = Hebreeuws; *zie* **Hebreeër**] Hebr. geschriften. **hebra'ïcus** kenner v.h. Hebreeuws en Hebr. cultuur. **hebraïs'me** [Gr. *hebraïsmos*] woord of zinswending ontleend aan of gevormd o.i.v. het Hebreeuws. **Hebreeër** *mv* **Hebreeën** [Aramees *'ebrai*, Hebr. *'ibri* = iem. van de overkant, v. *'abar* = oversteken] lid v.h. oude joodse volk, afstammeling v. Abraham, Israëliet.

**hecatom'be** [Lat., v. Gr. *hekatom-bè* = offer v. honderd dieren, v. *hekaton* = honderd, en *bous* = rund] grote slachting.

**hecta're** afk. **ha** [v. Gr. *hekaton* = 100] honderd aren, 10.000 m², bunder.

**hec'tisch** [Fr. v. VLat. *hécticus*, v. Gr. *hektikos* = eig.: gewoon, dóórgaand, v. *hexis* = lichaamshouding, v. *echoo* = houden, zijn] **1** hardnekkig, slopend, spec. teringachtig, kenmerkend voor tering (t.b.c.), uitterend; **2** onbeheerst, heftig, wild, woest (*bijv.*: er speelden zich hectische taferelen af).

**hecto-** afk. **h** [v. Gr. *hekaton* = 100] voorvoegsel dat 100-maal (10²) de daarachterstaande eenheid aangeeft; *-gram* 100 gram, ons; *-liter* 100 liter, mud.

**hectograaf'** [v. Gr. *hekaton* = 100, en *graphoo* = schrijven] bep. apparaat ter vermenigvuldiging v. geschreven stukken. **hectografe'ren** *ww.*

**hedonis'me** [v. Gr. *hèdonè* = genot] leer dat het rustig genieten v.h. leven het doel v.d. mens is. **hedonist** aanhanger v.h. hedonisme; genotzoeker.

**hedsj'ra** *zie* **hegira.**

**heem**, *ook*: **haem** [v. Gr. *haima* = bloed] de rode kleurstof i.d. rode bloedlichaampjes.

**hegeliaan'** aanhanger v.d. wijsgerige leer v. Hegel (Georg Wilhelm Friedrich Hegel, Du. filosoof, 1770-1831; hij identificeert 'zijn' en 'gedachte' in een enig beginsel: 'idee', die zich ontwikkelt in these, antithese en synthese).

**hegemonie'** [Gr. *hègemonia* = legeraanvoering, opperbevel, v. *hegeomai* = leiden] opperheerschappij. **hegemonis'me** streven naar hegemonie.

**hegi'ra, hedsj'ra** [MLat. *hegira*, v. Arab. *hijrah* = vertrek uit het vaderland, v. *hajara* = scheiden] vlucht van Mohammed uit Mekka op 15 juli 622 naar Medina, begindatum v.d. mohammedaanse tijdrekening.

**hei'duk** *zie* **haiduk.**

**hei'land** [o.dw van Germ. *heilan* = helen] de Genezer, de Verlosser, Jesus Christus.

**hei'ligmaker** *zie* **hijlikmaker.**

**Hei'mat** [Du. *vgl.* Ned. *heem*] vaderland, geboortestreek. **hei'matlos** [Du.] zonder vaderland (*zie ook* **apatride, displaced person**.) **Heim'wehr** [Du. = *lett.*: huisbescherming] (*gesch.*) burgerwacht (Oostenrijk).

**hei'tje**, *ook*: **hei'terik** [v. Hebr. *he* = 5e letter v.h. alfabet, getalwaarde 5; Barg. *heit*] (*oorspr. Barg.*) kwartje (vijfstuiverstuk).

**hek'sensabbat** [*zie* **sabbat**] *eig.*: nachtelijk heksenfeest; wilde wanordelijke bende met veel lawaai.

**helia'kisch** [v. Gr. *hèliakos* = de zon betreffend, v. *hèlios* = zon] *bn*; **heliakische opgang** of **opkomst:** (*astr.*) het weer zichtbaar worden v.e. ster in de ochtendschemering, nadat ze daarvóór wegens de nabijheid v.d. felle zon een tijdlang niet zichtbaar was geweest.

**helicoï'de** [Fr., v. Gr. *helix* = gedraaid, v. *helissoo* = wentelen, winden; *zie* **-ide;** *helikoeidès* = gedraaid] schroeflijn.

**He'licon** [Gr. *Helikoon* = berg in Boeotië aan Apollo en de Muzen gewijd] berg, verblijfplaats der Muzen. **he'licon** *zie* **helikon.**

**he'lihaven** *zie* **heliport.**

**he'likon** [v. Gr. *helix, helikos* = kronkeling] bep. groot koperen blaasinstrument dat om het lichaam en over de schouder gedragen wordt.

**helikop'ter** [Fr. *helicoptère*, Eng. *helicopter*, v. Gr. *helix, helikos* = draaiing, en *pteron* = vleugel] molenwiekvliegtuig, vleugelloos vliegtuig dat opwaartse beweging krijgt door grote horizontale schroef, wentelwiek.

**helio-** [Gr. *hèlios* = zon] *zon-.* **heliocen'trisch** de zon als middelpunt hebbend. **heliochromie'** = **fotochromie**, *z.a.* **heliograaf'** [v. Gr. *graphoo* = schrijven] **1** (*astr.*) toestel om foto's v.d. zon te nemen; **2** (*mil.*) toestel waarmee signalen met zonlicht kunnen gegeven worden. **heliografie'** **1** beschrijving v.d. zon; **2** lichtdruk (fototypie).

**heliogravu're** [*zie* **gravure**] afbeelding

verkregen door middel v. lichtdruk; het
procédé zelf. **heliolatrie'** [v. Gr. *latreia* =
loondienst, dienst, verering] verering v.d. zon.
**heliome'ter** [*zie meter*] instrument om
opmetingen aan het zonsbeeld te verrichten.
**helioscoop'** [*zie* -**scoop**] astronomische
kijker voor de waarneming v.d. zon.
**heliostaat'** [v. Gr. stam *sta-* = staan]
instrument om gedurende langere tijd een
bundel zonnestralen op te vangen (de draaiing
v.d. zon naar het westen wordt automatisch
gecompenseerd). **heliotherapie'** [*zie
therapie*] geneeswijze door zonnelicht.
**heliotropis'me, heliotropie'** [v. Gr. *trepoo*
= keren, wenden] het zich keren naar het
zonlicht v. plantedelen.
**he'liplat** [v. *helikopter*, z.a. en Ned. *plat*]
landingsplaats voor helikopters op het platte
dak v.e. groot gebouw. **he'liport** [Eng., v.
*port*, Lat. *pórtus* = haven] helihaven,
luchthaven voor helikopters.
**he'lisch** [*zie helix*] spiraalsgewijs.
**He'lium** bep. chem. element, edelgas, symbool
He, ranggetal 2.
**he'lix** [Gr. = *bn* gedraaid, *zn* kronkeling]
spiraallijn, schroeflijn.
**Hella'disch** [van *Hellas*] cultuurperiode op
het Griekse vasteland en de Cycladen, ca.
2000-1400 v.C. **Hel'las** [Gr.] naam v.h. Oude
Griekenland. **Helleen'** [Gr. *Hellèn, Hellènos*]
bewoner v. Hellas, Griek. **hellenis'me** [Gr.
*Hellènismos*] Griekse geest en cultuur (na
Alexander de Grote). **hellenist'** [Gr.
*hellènistès*] 1 kenner v.d. Helleense taal en
cultuur; 2 hellenisant. **hellenisant'** [v. Lat.
*hellenízare*, Gr. *hellènízoo* = de Grieken
navolgen] navolger v.d. Helleense (heidense)
cultuur, tevens Grieksgezinde op politiek
terrein onder de joden in de laatste eeuwen v.
Chr. (ook **hellenist**) **hellenis'tisch** *bn* op
het hellenisme betrekking hebbend, daartoe
behorend.
**Hel'lespont** [Lat. *Hellespontus*, Gr.
*Hellèspontos*, v. *Hellè* = myth. figuur, die daar
verdronk; *pontos* = zee] in Oudheid de naam
voor de zeeëngte der Dardanellen.
**Hell's an'gels** [Eng. = engelen v.d. hel] bep.
jeugdsubcultuur, waarvan de leden op motors
rijden, gekleed gaan in leer met metalen
versiersels, een ruw en gewelddadig leven
voorstaan en een fascistoïde inslag hebben.
**heloot'** *mv* **helo'ten** [Lat. *Helotes*, foutieve
lezing voor *Hilota*; v. Gr. *Heïlootès* of *Heïloos,
Heïlootos*] staatsslaaf of lijfeigene in het oude
Sparta.
**Helve'tië** [Lat. *Helvétia*, woongebied v.d.
*Helvétii*, een Keltische volksstam] Zwitserland.
**hemat-** [v. Gr. *haima, haimatos* = bloed]
bloed-. **hemataporie'** [*zie aporie*]
bloedarmoede. **hemate'mesis** [v. Gr. *emesis*
= braking, *emeoo* = uitbraken] bloedbraking.
**hematiet'** [Gr. *haimatitès*] bloedsteen, bep.
rode ijzersteen bestaande uit onzuiver
ijzeroxyde. **hematofobie'** [*zie fobie*] angst
voor het zien v. bloed. **hematogeen'** [Gr.
stam *gen-* = voortbrengen] de bloedvorming
bevorderend middel. **hematologie'** [*zie
-logie*] leer v.h. bloed. **hematoom'** [*zie
-oom*] bloedgezwel, zwelling door inwendige
bloeding waarbij het bloed niet kan
wegvloeien. **hematoscopie'** [v. Gr. *skopeoo*
= (rond)kijken] bloedonderzoek.
**hematotoxie'** [*zie toxisch*]
bloedvergiftiging. **hematozo'ën** *mv* [Gr.
*zooon* = dier, v. *zoooo* = leven] eencellige
dierlijke bloedparasieten (bijv. de
malariaverwekker). **hematurie'** [v. Gr. *ouron*
= water, urine] het lozen van urine met bloed.
**hemeralopie'** [v. Gr. *hèmera* = dag, en *alaos*
= blind] nachtblindheid, het normaal zien
overdag, maar praktisch niets in zwak licht.
(Door fout in afl., nl. v.d. stam *op* = zien i.p.v.
*alaos*, zijn de bet. van hemeralopie en
**nyctalopie**, z.a., verwisseld). **hemerotheek'**
[v. Gr. *hèmera* = dag; en *thèkè* =
bewaarplaats] bibliotheek v. dagbladen,

vlugschriften e.d.
**hemi-** [Gr. *hèmi-* = half; *vgl.* Lat. *semi-*] half-.
**hemianesthesie'** [*zie anesthesie*]
gevoelloosheid aan één zijde v.h. lichaam.
**hemicra'nia** [v. Gr. *kranion* = schedel]
schele hoofdpijn. **hemicy'clus** [Gr.
*hèmikuklion* = halve cirkel, v. *kuklos* = kring]
halve boog, halve cirkel. **hemiplegie'** [v. Gr.
*plègè* = slag] eenzijdige verlamming.
**hemisfeer'** [Gr. *hèmisphaira*, v. *sphairos* =
bol] halfrond (v. aardbol of hemelgewelf),
halve bol.
**hemo-** [v. Gr. *haima* = bloed] bloed-.
**hemofilie'** [v. Gr. *phileoo* = beminnen,
neiging hebben tot] bloederziekte, erfelijke
eigenschap tot moeilijk stelpbare bloeding bij
zelfs lichte verwonding. **hemoglobi'ne** [v.
*heem*, z.a., en *globine*, z.a.]
ijzer-eiwitverbinding in de rode
bloedlichaampjes, die zich met zuurstof
verbindt tot oxyhemoglobine, doch deze
zuurstof in de lichaamscellen weer afgeeft en
aldaar kooldioxide opneemt, hetwelk in de
longen weer afgegeven wordt, enz.
**hemoglobiëmie'** [gevormd naar *leukemie*,
z.a.] tekort aan hemoglobine. **hemoly'se** [v.
Gr. *lusis* = oplossing, v. *luoo* = losmaken] het
oplossen v.d. hemoglobine. **hemopathie'**
[Gr. *pathos* = aandoening] bloedziekte (niet
te verwarren met bloederziekte: hemofilie).
**hemorragie'** [Gr. *haimorrhagia*, v. *rhègnumi*
= breken, openbreken] (*med.*) bloeding
(zowel in- als uitwendig). **hemorroï'den**
[Lat. *haemorrhoïdae*, Gr. *haimorrhoïdes*
(*phlebes*) = bloedende (aders), v. *rheoo* =
vloeien] aambeien. **hemostyp'ticum** *mv* -**ca**
[v. Gr. *stuptèria* = aluin (een samentrekkend
middel)] bloedstelpend middel.
**hemotoxi'ne** gif v. adders en ratelslangen
(veroorzaakt samenklontering v. bloed of
oplossing v. rode bloedlichaampjes).
**hendiadys'** [MLat., v. Gr. *hen dia duoïn* = één
door twee] het aanduiden v.e. begrip door
twee zelfstandige naamwoorden verbonden
door 'en', i.p.v. zn met bn (bijv. de maan goot
licht en zilver, i.p.v. zilveren licht).
**hen'na** [Arab.] bep. kleurmiddel (bijv. voor
haren en nagels) uit oosterse plant.
**henotheïs'me** (v. Gr. *heïs, henos* = één, en
*theos* = god] geloof in één god zonder hem
te beschouwen als de enige; godsdienststelsel
dat één oppergod vereert, doch niet
uitsluitend, maar daarnaast nog andere goden
kent, die echter bij de hoofdgod ten achter
staan; overgang tussen monotheïsme en
polytheïsme.
**hen'ry** afk. H (*elektriciteitsleer*) eenheid v.
zelfinductie [naar J. Henry, Am.
natuurkundige, 1797-1878].
**hens** [verbastering v. Eng. *hands* = *lett.*:
handen, mannen] *alle — aan dek*, iedereen aan
dek.
**hepati'tis** [Lat. & Gr., v. *hèpar, hépatos* =
lever; *zie* -**itis**] (*med.*) leverontsteking.
Diverse vormen, w.o. -A en B. Hepatitis kan
worden veroorzaakt door verschillende
micro-organismen of virussen (*infectieuze
hepatitis* of geelzucht), maar ook door giftige
stoffen (*toxische hepatose*), voornamelijk
door geneesmiddelen als o.a. salvarsan en
largactil (*vgl.* verder **icterus**).
**hepta-** [Gr.; zeven-. **heptaan'** (*chem.*) bep.
verzadigde koolwaterstof, $C_7H_{16}$.
**heptachord'** (*zie* **chorda**] (*muz.*) de zeven
diatonische toonladders; zevensnarig
tokkelinstrument in de Oudheid.
**heptaë'meron** [Gr. = zevendagwerk, v.
*hèmera* = dag] het scheppingswerk in zeven
dagen (vgl. **hexaëmeron**). **heptagoon'** [v.
Gr. *goonia* = hoek] regelmatige zevenhoek.
**hepta'meter** [*zie meter*] zevenvoetige
versregel. **Heptateuch'** [*zie* **Pentateuch**] de
zeven eerste boeken v.d. bijbel, d.i. de
Pentateuch, met de boeken Jozua en
Richteren.
**heracliet'** iem. die het leven v.d. sombere kant

beziet [naar Heraclitus, Gr. *Hèrákleitos*, Gr. wijsgeer, 576-480 v. Chr.].

**heraldiek'** [*zie* **heraut**; *vgl.* Eng. *herald*] **I** *zn oorspr.*: de kennis v.d. heraut betreffende de geslachtswapens; geslachtswapenkunde; **II** *bn* geslachtswapenkundig. **heral'dicus** beoefenaar der heraldiek. **heral'disch** *zie* **heraldiek II**.

**heraut'** [OFr., v. VLat. *heraldus*, verm. v. Germ. oorsprong] in ME: wapenbode, controleur en aankondiger v.d. geslachtswapens bij toernooien.

**herba'rium** [VLat., v. Lat. *herba* = groen kruid; *-arium* duidt verzameling aan] wetenschappelijke verzameling gedroogde planten. **herbarise'ren** [v. Fr. *herboriser*; de *o* wegens verwarring met Lat. *arbor, arboris* = boom] planten of kruiden zoeken. **herbarist'** kruidenkenner. **herbici'de** [v. Lat. *caedere* = doden] middel om onkruid te doden.

**herbivoor'** [v. Lat. *vorare* = verslinden, vreten] **I** *bn* plantenetend; **II** *zn* planteneter (dier).

**hercu'lisch** zeer krachtig gespierd gebouwd, met grote lichaamssterkte; uiterst zwaar (taak) [naar Gr. *Hèráklès*, Lat. *Hércules*, god o.a. van de lichaamsoefeningen].

**hereditair'** [Fr. *héréditaire*, v. Lat. *hereditárius* = de erfenis betreffend, erfelijk, v. *heres, herédis* = erfgenaam, verwant met *hercio* = ik vat aan] erfelijk. **herediteit'** [Lat. *heréditas*] erfelijkheid; erfrecht.

**heremiet'** *zie* **eremiet**.

**heresie'** [OFr. *eresie*, v. Lat. *'heresia* voor *haeresis*, v. Gr. *haíresis* = keuze, het gekozene, school; *kerk.*: v.d. leer afwijkende sekte; v. *haireomai* = kiezen, v. *haireoo* = nemen] ketterij. **heresiarch'** aartsketter. **here'ticus** [Lat. *haereticus*, Gr. *hairétikos*] ketter.

**hermafrodiet'** [Lat. *hermaphroditus*, Gr. *hermaphroditos*] wezen dat zowel mannelijke als vrouwelijke kenmerken vertoont, tweeslachtig wezen (naar Gr. myth. *Hermaphroditos* = kind v. *Hermes* en *Aphrodíté*). **hermafroditis'me 1** (*vergelijkende anat.*) het verschijnsel dat bij vele diersoorten (vooral Ongewervelde) alle exemplaren normaliter én mannelijke én vrouwelijke geslachtsklieren bezitten. Dit komt voor bij bijv. Platwormen, Bloedzuigers en Wormen; **2** bij de mens het verschijnsel dat sommige individuen zowel zaadbalweefsel als eierstokweefsel hebben.

**herman'dad** [Sp., v. Lat. *germánitas* = broederband; v. *gérmánus* = uit dezelfde kiem (*germen*) voortkomend] broederschap; *de heilige—*, heilige broederschap v.d. inquisitie; *thans*: dienaar v.d. heilige Hermandad, politieagent.

**hermeneutiek'** [v. Gr. *hermèneutikè (technè)*, v. *hermèneuoo* = verklaren, vertolken] leer v.d. regels en hulpmiddelen gebruikt bij de uitlegkunde, dus de theorie der **exegese** (z.a.), spec. v.d. Bijbel. **hermeneu'ticus** beoefenaar der hermeneutiek. **hermeneu'tisch** *bn & bw* uitleggend, verklarend.

**herme'tisch** [MLat. *hermèticus*, naar *Hermes Trismegistus*] *oorspr.*: betreffende het grote geheim der alchemie, zeer geheim, verzegeld; luchtdicht afgesloten; potdicht; niet open te krijgen; *—e kunst*, alchemie. **hermetiek'** goudmakerskunst, alchemie.

**Hernhut'ters** *mv, ook*: Moravische Broeders, Evangelische Broedergemeenten, Unitas Fra'trum, christelijke sekte gesticht door Nikolaus Ludwig graaf von Zinzendorf, die in 1722 voor de vervolgde *Boheemse Broeders* de kolonie *Hernhut* in Saksen oprichtte.

**her'nia** [Lat.; *vgl. hírae* = ingewanden, en *háruspex* = waarzegger uit darklijke ingewanden] of **breuk** (*med.*) uitpuiling van een orgaan of weefsel dat binnen een besloten ruimte hoort te liggen, spec. in een tussenwervelschijf, waardoor druk op het ruggemerg of op de zenuwwortels i.h. wervelkanaal ontstaat.

**heroïek'** [Gr. *hèrooikos*] heldhaftig.

**heroï'ne** [v. Gr. *hèroos* = held, naar de 'heldhaftigheid' die sommige gebruikers van dit middel voelen] (*chem.*) *ook*: **diacetylmorfi'ne** of **diamorfi'ne**, $C_{21}H_{23}O_5N$, een bep. verdovingsmiddel met sterk verslavende werking (*harddrug*). Het wordt bereid uit morfine. I.t.t. dit laatste wordt het in de meeste landen (ook Ned. en België) niet medicinaal gebruikt, juist om de zeer sterke verdovende werking. Heroïne heeft een ca. 6× zo sterke pijnstillende werking als morfine. **hero'ïne** (*myth.*) vrouwelijke halfgod. **he'ros** *mv* **he'roën** [Gr. *hèroos*] Gr. myth. halfgod, van vaders- of moederszijde afstammend v.e. god of godin, lagere godheid v. bep. plaats of land, als godheid vereerde held. **hero'isch** *bn & bw* **1** als v.e. heros, heroïek, heldhaftig; **2** op de antieke helden (heroën) betrekking hebbend; *— vers*, naam voor de versvorm die in een bep. literatuur typerend is voor het heldendicht; *—e poëzie*, het heldendicht (epos) als genre.

**her'pes** [Gr. *herpès*, v. *herpoo* = kruipen] alg. naam voor een aantal virusziekten, gekenmerkt door acuut verlopende huidaandoeningen met blaasjesvorming in groepen. De bekendste zijn *hérpes simplex* of koortsuitslag, en *hérpes zóster* of gordelroos. *Hérpes genitális* is een geslachtsziekte. **herpetologie'** [Gr. *herpeton* = reptiel; *zie* **-logie**] deel van dierkunde (zoölogie) dat zich met de bestudering van Reptielen (en Amfibieën) bezighoudt.

**Her'renmoral** [Du.] wereldbeschouwing volgens welke alleen de machtigen de ware meesters zijn en leiding moeten geven (naar eigen inzicht). **Her'renvolk** [Du. = volk v. meesters] naam door sommige Duitsers openlijk a.h. Duitse volk gegeven.

**her'se** [Fr., v. Lat. *hirpex* = hark, egge] bovenlicht v. toneel.

**Hertz** (symbool Hz) eenheid v. frequentie (aantal trillingen per seconde). 1000 Hz = 1000 trillingen per seconde = 1 kHz (kilohertz) [naar Heinrich Rudolf Hertz, Duits fysicus en grondlegger v.d. draadloze telegrafie en radio, 1857-1894].

**hervor'ragend** [Du.] op de voorgrond tredend, uitstekend boven anderen, zeer belangrijk.

**hesita'tie** [Lat. *haesitátio*, v. *haesitáre, -átum* = weifelen, intensitief v. *haerére* = vast blijven zitten] weifeling, aarzeling.

**hetaï're, hetae're** [Gr. *hetaíra* = *eig.*: vriendin] publieke vrouw v. zekere beschaving.

**he'tero** afkorting van **heterofiel**, *z.a.*, of **heteroseksueel**, *z.a.* (*vgl.* **homo**).

**hetero-** [v. Gr. *heteros* = (de) een v.d. twee: de ander; een ander; v. andere aard, anders dan, verschillend van; *heteroos* = anders] anders. **heterocli'ta** [v. Gr. *klinoo* = doen overhellen] woorden met onregelmatige verbuiging. **heterocli'tisch** afwijkend v.d. regel, onregelmatig gevormd (woord). **heterocy'clische verbindingen** (*chem.*) verbindingen met gesloten atoomketen die naast koolstofatomen nog een of meer v. andere elementen bevat. **heterodox'** [v. Gr. *doxa* = mening, gevoelen] onrechtzinnig, ketters. **heterody'ne** [v. Gr. *dunamis* = kracht] (*radiotech.*) methode om een hoogfrequente golf om te zetten in een v. lagere frequentie (die hoorbaar kan worden gemaakt) door een andere hoogfrequente golf van bijna doch niet geheel dezelfde frequentie te superponeren, waardoor een nieuwe trilling ontstaat. **heterofiel'** [v. Gr. *phileoo* = beminnen; *philos* = vriend] *bn* seksueel gericht op het andere geslacht. **heterofilie'** seksuele gerichtheid op de andere kunne. **heterogeen'** [scholastiek Lat. *heterogéneus*, v. Gr. *genos* = soort, aard, v. stam *gen-* = worden] verschillend v. aard, ongelijksoortig, opgebouwd uit ongelijksoortige bestanddelen. **heterogeniteit'** ongelijksoortigheid, het opgebouwd zijn uit ongelijksoortige delen. **heteroloog'** [v. Gr. -logos = woord, systeem] van andere oorsprong. **heteromorf'** [v. Gr. morphè = vorm, gedaante] (stof) die in verschillende kristalvormen kan kristalliseren. **heteronoom'** [v. Gr. nomos = het toegedeelde, overgeleverde gewoonte, gebruik, wet, v. nemoo = verdelen] gesteld onder vreemde wetten. **heteronomie'** het heteronoom zijn. **heterorexie'** [v. Gr. orexis = verlangen, begeerte] ongewone trek in bep. voedsel bij zwangeren. **heteroseksualiteit'** [zie **seksualiteit**] seksualiteit die behoort bij de aantrekking tot het andere geslacht (tegenover **homoseksualiteit**, z.a.). **heteroseksueel'** gericht op of betrekking hebbend op de andere kunne (tegenover **homoseksueel**, z.a.). **heterosugges'tie** suggestie afkomstig v.e. ander. **heterotroof'** [v. Gr. trophè = voeding] bn wordt genoemd die vorm van stofwisseling waarbij het organisme organische stoffen uit zijn omgeving opneemt en deze gebruikt voor de opbouw v. bestanddelen v. zijn cellen en voor zijn energievoorziening. **heteroty'pisch** [zie **type**] afwijkend v.h. type. **heterozygoot'** [zie **zygote**] erfelijk niet-zuiver, gebastaardeerd, met erfelijkheidsfactoren v. verschillende herkomst.

**het'man** [v. Du. Hauptmann = hoofdman, aanvoerder; Oekraïns getman en otoman], ook **a'taman** [vgl. Hindi atama] in de ME in Polen en Litouwen (waartoe ook de huidige Oekraïne behoorde) alg. benaming voor bendeleider, later spec. titel voor kozakkenhoofdman.

**het'ze** [Du. Hetze = o.a. jacht, drijfjacht, v. hetzen = o.a. opjagen, achternazitten] hardnekkige vervolging, kwaadaardige stelselmatige actie of campagne tegen een persoon of een zaak, meestal met afkeurenswaardige middelen, lastercampagne.

**heure'ka** zie **eureka**. **heuristiek'** [v. Gr. heuriskoo = vinden] kunst v. uitvinden, leer v.h. methodisch vinden. **heuris'tisch** volgens de kunst v.h. methodisch vinden.

**hexa-** [v. Gr. hex = 6] zes-. **hexaan'** (chem.) verzadigde koolwaterstof met zes koolstofatomen, $C_6H_{14}$. **hexachloorcyclohexaan'** (afk. HCH) cyclohexaan, $C_6H_{12}$, waarin zes waterstofatomen vervangen zijn door zes chlooratomen, $C_6H_6Cl_6$. **hexachord'** [v. Gr. chordè = darm, snaar] (muz.) vroeger reeks v. zes diatonische tonen met een halve toon in het midden, in de ME veel gebruikt. **hexaë'der** [Gr. hedra = zetel, (zit)vlak] regelmatige zesvlakker = kubus. **hexaë'meron** [v. Gr. hèmera = dag] het zesdagenwerk der schepping. **hexagoon'** [Gr. hexagoonon, v. goonia = hoek] regelmatige zeshoek. **hexagonaal** zeshoekig; — stelsel, kristalstelsel met 3 even lange assen in plat vlak die hoeken v. 60° met elkaar vormen met loodrecht op dat vlak een vierde as v. afwijkende lengte. **hexagram'** [v. Gr. gramma = het geschrevene, v. graphoo = schrijven] bep. uit zes lijnen bestaande figuur, nl. uit twee gelijkzijdige driehoeken die elkaar kruisen, zespuntige ster, de zgn. Davidsster. **hexa'meter** [Gr. hexametros = zesvoetig; metron = maat; zie **meter**] versregel v. zes voeten. De eerste vier kunnen dactylen (–uu, lang kort kort) of spondeeën (––, lang lang) zijn, de vijfde is altijd een dactylus, en de zesde mag slechts uit twee lettergrepen (–u, lang kort) bestaan. **he'xapla** [Gr. = onz. mv van hexaploos = zes-voudig] zestalige bijbel v. Origenes. **hexa'stichon** [Gr. hexastichos = zesrijig] strofe v. zes regels. **Hexateuch'** [v. Gr. teuchos = tuig, v. teuchoo = vervaardigen; laat Gr. teuchos = boek; vgl. **Pentateuch**] de eerste zes boeken v.d. bijbel, de Pentateuch, met het boek Josue (Jozua). **hexo'de** [v. Gr. hodos = weg] radiobuis die zes elektroden bevat. **hexo'sen** mv [zie -ose 2] (chem.) enkelvoudige suikers (monosacchariden, zie **sacchariden**) met zes koolstofatomen (C), alle met de brutoformule $C_6H_{12}O_6$.

**hiaat'** [Lat. hiátus, v. hiáre, hiátum = wijd openstaan, gapen] gaping, open ruimte die er niet moest zijn en die samenhang verbreekt; wanklank door het samenstoten v. twee klinkers.

**hiber'ren** [Lat. hibernáre, -átum = overwinteren, v. hibérnus = winters, (hibérna cástra) = de winterkwartieren; ook: hiemáre, v. hiems = winter; vgl. Gr. cheimoon] overwinteren; winterslaap houden. **hiberna'tie 1** overwintering; winterslaap; **2** (med.) langdurige hypothermie, d.i. kunstmatige afkoeling v.h. lichaam onder de normale lichaamstemperatuur (bijv. tot 29°C), kunstmatige winterslaap (soms drie maanden lang); **3** (med.) behandeling van gezwellen door plaatselijke sterke afkoeling. **Hiber'nia** [Lat., v. Gr. Iouernia of Hiernè (vgl. **Erin** en **Eire**)] de Lat. naam voor Ierland.

**hic et nunc** [Lat.] hier en nu. **hic et ubi'que** [Lat.] hier en overal. **hic ja'cet** [Lat. = hier ligt] hier rust, hier ligt begraven.

**hidal'go** [Sp., v. hijo dalgo = Lat. filius de áliquo = zoon v.d. een of ander] oorspr.: dolend ridder; thans: Sp. edelman (v. lagere rang).

**hiërarch'** [MLat. hierárcha, v. Gr. hierarchès, v. hieros = gewijd, heilig, en archès = heerser] lid of aanhanger v. priesterheerschappij; (in Gr. kerk) aartspriester. **hiërarchie'** [Gr. hierarchia] oorspr.: priesterheerschappij; thans ook: heerschappij in afdalende rangorden verdeeld. **hiërar'chisch, hiërarchiek'** [Fr. hierarchique] met rangorden, volgens rangorden. **hiëra'tisch** [Gr. hieratikos, v. hiereus = priester] priesterlijk; — schrift, oud Egyptisch schrift v.d. priesters (geleerden). **hiërocratie'** [Gr. krateoo = machtig zijn] priesterheerschappij. **hiërodu'len** [Gr. hierodoulos = tempelslaaf] tempeldienaars en -dienaressen (deze vaak tevens dienend als prostituées ter verering v. bep. godinnen). **hiërogly'fen** mv [v. Gr. gluphè = inkerving] inscripties in oud-Egyptisch hiëratisch schrift; overdrachtelijk: onleesbaar schrift. **hiërogly'fisch** [Gr. hierogluphikos] hiëroglyfen betreffend; onontcijferbaar.

**hi-fi'** [afk. v. Eng. high fidelity = hoge getrouwheid] zuivere natuurgetrouwe geluidsweergave bij radiotoestellen, grammofoonplaten e.d.

**high** [Eng. = hoog] bn in een lichte, vrolijke, met geluksgevoel gepaard gaande toestand van bewustzijnsverruiming verkerend na het gebruik v. sommige drugs of anderszins. **high'brow** [Eng. = eig. persoon met hoog voorhoofd] naam voor een persoon die intellectueel en cultureel ontwikkeld is (meestal met bijgedachte aan pedanterie). **hij'likmaker** [hijlik = huwelijk] bep. koek op bruiloft (ook verbasterd tot **heiligmaker**). **hi'ke** [Eng. afl. onzeker] voetreis met volledige eigen verzorging. **hi'ker** wie een hike maakt, trekker.

**hilariteit'** [Lat. hiláritas, v. hiláris = vrolijk, Gr. hilaros] algemeen gelach, vrolijkheid.

**Hin'di** [v. Perzisch hind = het land van de rivier Indus, v. Sanskr. sindhu = rivier] verzamelnaam voor alle talen in Noord-India tussen Punjab en Bengalen, gesproken door meer dan 150 miljoen mensen. Men onderscheidt vier groepen Hindi, die talrijke dialecten kennen.

**hin'doe** (mv hin'does) thans gebruikelijke naam voor iedere inheemse in India die een hindoeïstische godsdienst belijdt. **hindoeïsme** globaal genomen de Indische cultuur v. ca. de laatste 2 000 jaren, afstammend v.d. vroegere vedisch-brahmanistische cultuur. Naast religieuze heeft het ook sociologische, economische e.a. aspecten. Naast fetisjisme, magie, mysticisme, ascetisme, geloof in boze geesten en dierenverering kent het diepzinnige monotheïsme met en abstract wijsgerige stelsels. Het hindoeïsme neemt uit beginsel alle vormen v. godsdienstigheid in zich op en past geen selectie toe. Het laat aan ieder individu zelf over hoe hij het goddelijke wil vereren.

**hinein'interpreteren** [Du. = *lett.*: erin interpreteren] een tekst zó uitleggen dat men daarin het bewijs vindt v.e. vooropgezette mening.

**hint** [Eng., afl. onzeker] wenk, tip; *gentle*—, zachte wenk.

**hip** [Am. *slang*] *eig.*: behorend tot de hippies (*zie* **hippie**) of kenmerkend voor hen; *ook*: volgens meestal uitzonderlijke nieuwe mode (bijv. *hippe kleding*). **hip'pie, hip'py** meestal jeugdig persoon, met name in de jaren '60 en het begin van de jaren '70, die in zijn gedrag uitermate niet-aangepast is a.d. geldende maatschappelijke ideeën, zich daarom o.a. extravagant kleedt. **hip'ster** vrouwelijke hippie.

**hippi'que** [Fr.], **hip'pisch** [v. Gr. *hippikos* = tot het paard behorend, v. *hippos* = paard] op paarden betrekking hebbend; *concours hippique*, *zie* **concours**.

**hippo-** [Gr. *hippos* = paard] paard(en)-.

**hippocra'tisch** volgens de leer v. Hippócrates, Gr. arts uit 5e eeuw v.C.; — *gezicht*, typisch maskerachtig gezicht v. stervende (door Hippócrates beschreven).

**hippodroom'** [Gr. *hippodromos*, v. *dromos* = loop, renbaan] paardenrenbaan. **hippologie'** [*zie* **-logie**] kennis v. paarden en wat daarmee verband houdt. **hippoloog'** paardenkenner. **hippopo'tamus** [Gr. *hippopotamos*, v. *potamos* = rivier] nijlpaard.

**Hispa'nia** [Lat.; Gr. *Ibèria*] Spanje. **hispanis'me** woord of zegswijze ontleend aan of gevormd o.i.v. het Spaans. **hispanoloog'** [*zie* **-loog**] beoefenaar v. Sp. taal en letterkunde.

**histami'ne** [v. Gr. *histos* = weefsel; *zie* **amine**] een vrij ingewikkeld gebouwde stikstofhoudende verbinding ($C_5H_9N_3$) die in alle dierlijke weefsels voorkomt, vooral in de huid, evenwel in gebonden, inactieve vorm. Het komt echter vrij o.a. door bepaalde geneesmiddelen en voedingsstoffen.

**histogene'se** [*zie* **genesis**] ontstaan en wording v. dierlijke of plantaardige weefsels en hun uiteenwijken in de diverse soorten weefsels. **histografie'** [v. Gr. *graphoo* = schrijven] beschrijving van weefsels v. planten of dieren.

**histoi're batail'le** [Fr.] geschiedschrijving met sterke aandacht voor oorlogen en wat daarmee samenhangt; *l'histoire se répète*, de geschiedenis herhaalt zich.

**histologie'** [v. Gr. *histos* = weefsel; *zie* **-logie**] weefselleer, leer van de dierlijke en plantaardige weefsels.

**histo'rie** [Lat. *historia*, Gr. *historia* = uitvraging, door navraag verkregen kennis, geschiedverhaal] geschiedenis; wat voorbij is (*dat is* -); verhaal v. gebeurtenis (*een oude*—); *natuurlijke*—, oude naam voor plant- en dierkunde. **histo'risch** [Gr. *historikos*] de geschiedenis betreffend; met geschiedkundige achtergrond (*een* —*e roman*); werkelijk gebeurd. **historiciteit'** historisch karakter, echtheid v. vermelde gebeurtenis. **histo'ricus** [Lat.] geschiedkundige. **historiografie'** [Gr. *historiographia*, v. *graphoo* = schrijven] geschiedschrijving. **historiograaf'** [Lat. *historiographus*, Gr. -*graphos*] geschiedschrijver. **historiologie'** [*zie* **-logie**] theoretische geschiedenis, filosofie v.d. geschiedenis. **historise'ren** een historisch tintje geven, aankleden of

voorstellen. **historis'me** bep. stroming die alle waarden in de geschiedenis als betrekkelijk beschouwt en dus geen objectieve zin in de geschiedenis ziet.

**hit** [Eng., v. *to hit* = slaan] iets dat 'inslaat', d.w.z. snel populair wordt, spec. gezegd v. amusementsliedjes (*vgl. Schlager*: eveneens betekenend: 'wat inslaat'), succesnummer. **hitpara'de** [Eng.] oorspr. programma van hits of tophits; genummerde ranglijst v.d. meest verkochte grammofoonplaten op het gebied v. populaire muziek in een bep. periode. **hi-tech'** [Eng., afk. van *high technology* = hoge techniek] **1** hoogwaardige technische produkten; **2** professionele artikelen gebruikt als huisraad.

**hoards** [Eng., v. Gotisch *huzd* = schat] reserve aan geld en muntmateriaal dat buiten circulatie blijft.

**hoc an'no** [Lat.] dit jaar. **hoc e'rat in vo'tis** [Lat. = *lett.*: dat was onder de wensen] dat had ik juist willen hebben. **hoc est** afk. **h.e.** [Lat.] dit is. **hoc ge'nus om'ne** *zie* **et hoc ... hoc tem'pore** afk. **h.t.** [Lat.] in deze tijd. **hoc lo'co** afk. **h.l.** [Lat.] te dezer plaatse. **hoc men'se** afk. **h.m.** [Lat.] in deze maand. **hoc tem'pore** [Lat.] op dit (of dat) tijdstip. **hod'egesis, hodegetiek'** [v. Gr. *hodos* = weg, en *hègeomai* = leiden] wegwijzing over methodische studie.

**ho'die mi'hi, cras ti'bi** [Lat. = *lett.*: heden aan mij, morgen voor jou] heden ik, morgen gij (bekend grafschrift).

**hodologie'** [v. Gr. *hodos* = weg, en -*logos* = woord, leer] studie v.d. wegen als trajecten; leer der zenuwverbindingen.

**hodome'ter** [Gr. *hodos* = weg; *zie* **meter**] apparaat om afgelegde afstand te meten, passenteller; *ook*: kilometerteller.

**hoi pol'loi** [Gr. = de velen] de meesten, de meerderheid; *ook*: het gemeen.

**hol'ding com'pany,** *kort*: **hol'ding** [Eng., v. *to hold* = houden] houdstermaatschappij, maatschappij die aandelen v. verschillende andere in dezelfde branche bezit en daardoor een bepaalde macht uitoefent.

**holis'me** [v. Gr. *holos* = geheel] neiging in de natuur tot vorming v. gehelen die meer zijn dan de som hunner delen door scheppende evolutie.

**hollandi'tis** [*zie* -**itis**] term vooral in het buitenland gebruikt ter aanduiding v.d. in Nederland luidruchtig verkondigde afwijzing van kernwapens; op eenzijdige ontwapening gerichte vredesbeweging.

**hol'lerith systeem** administratie m.b.v. kaarten met ponsgaten, waarbij elke plaats v.e. ponsgat een bep. geval voorstelt [naar de Amerikaan H. Hollerith, 1860-1929].

**Hol'mium** bep. element, zeldzame aarde, chem. symbool Ho, ranggetal 67.

**holo-** [Gr. *holos*] geheel-.

**holocaust'** [v. Lat. *holocaustum*, v. Gr. *holokauston* = geheel verbrand] brandoffer; algehele vernietiging v.e. volk, m.n. het joodse. **Holoceen'** [v. Gr. *kainos* = nieuw; dus 'het geheel nieuwe'] (*geol.*) het jongste geologische tijdperk (van ca. 1 miljoen jaar geleden tot heden). **holoë'drisch** [v. Gr. *hedra* = zetel, (zit)vlak] (kristalvorm) met volledige aantal in dat kristalstelsel mogelijke vlakken (in tegenstelling met hemiëdrisch). **holograaf'** [v. Gr. *graphoo* = schrijven] eigenhandig geschreven en getekend stuk. **holografie'** wijze waarop een voorwerp driedimensionaal optisch wordt gereconstrueerd d.m.v. zgn. coherente lichtstralen die een interferentiepatroon vormen. **hologra'fisch 1** eigenhandig geschreven en getekend (bijv. testament); **2** m.b.v. holografie gemaakt of daarop betrekking hebbend. **hologram'** [v. Gr. *gramma* = het geschrevene] beeld gemaakt met behulp van holografie. **ho'lokristallijn** (*petrografie*) *bn* geheel uit kristallen bestaand, gezegd v.e. volledig kristallijn gesteente (bijv.

graniet).

**hol'ster** [17e eeuws Ned. en Eng.; *vgl.* IJslands *hulstr* = doos] leren foedraal voor pistool.

**homard'** [Fr., *zie* hommer] (*cul.*) zeekreeft.

**hom'bre** [Sp. = man, v. Lat. *homo*, *hóminis*] omberspel, *z.a.*

**ho'me** [Eng.; *vgl.* Ned. *heem*] tehuis, thuis.

**ho'mecomputer** [Eng.] huiscomputer, microcomputer.

**homeo-, homoeo-** [Gr. *homoios* = gelijkend] gelijk- (in de zin v. gelijkvormig of -soortig doch niet v. hetzelfde wezen. **homeofonie', homoeofonie'** [v. Gr. *phoonè* = geluid] klankverwantschap (v. woorden). **homeofoon', homoeofoon'** klankverwant. **homeopathie', homoeopathie'** [v. Gr. *homoiopathès* = zich in gelijke toestand bevindend, v. *pathos* = het ondergaan, het lijden, *vgl.* allopathie] geneeswijze v. ziekte door voorzichtige aanwending v. middelen die in normale gevallen juist de ziekte veroorzaken, om zo de natuurlijke krachten v.h. lichaam te stimuleren; genezing met aan de ziekte gelijksoortige middelen [term eerst gebruikt door Samuel Hahnemann, Du. arts, 1755-1843]. **homeopa'thisch, homoeopa'tisch** volgens de homeopathie. **homeopaat', homoeopaat'** voorstander v.d. homeopathie. **homeotherapie', homoeotherapie'**, therapie (*z.a.*) volgens de homeopathie.

**ho'me-referee** [Eng. = *lett.*: thuis-scheidsrechter; *zie* referee] (*sport*) scheidsrechter die de thuisclub bevoordeelt (om publiek te behagen, uit vrees voor represailles of anderszins).

**home'risch** als bij Homerus beschreven [Homèros, Gr. dichter uit 9e eeuw v. Chr.]; — *gelach*, onbedaarlijk daverend gelach; —*e strijd*, geweldige strijd.

**Ho'me Rule** [Eng., *rule* v. Lat. *régula*; *zie* **reguleren**] streven naar zelfbestuur (in Ierland). **home-ru'ler** lid v. Ierse partij die zelfbestuur verlangde. **ho'mespun** [Eng. = thuis gesponnen] bep. langharige stof. **ho'me-team** [Eng.; *zie* team] (*voetbal*) thuisclub. **ho'metrainer** [Eng.] toestel om thuis de conditie op peil te houden.

**homilie'** [Gr. *homilia* = omgang, verkeer, geestelijk onderricht] kanselrede, preek in eerste christentijden vaak tevens verklaring v. bijbeltekst). **homiliétiek'** [Gr. *hè homilètikè (technè)*, v. *homilètikos*] (leer v.d.) kanselwelsprekendheid. **homile'tisch** [Gr. *homilètikos*] de homiletiek betreffend. **homileet'** [Gr. *homilètès*] prediker, kanselredenaar; leraar in de kanselwelsprekendheid.

**ho'mingproef** proef met vogels op trek, die men vangt en op een geheel andere plaats weer loslaat, om na te gaan of zij toch hun broedgebied bereiken.

**homini'den** *mv* [v. Lat. *hómo*, *hóminis* = mens; *zie* -**ide**] de Mensenfamilie (Hominidae), een familie uit de orde der Primaten of Opperdieren, waartoe behalve de huidige mens (*Hómo sápiens*) ook zijn fossiele verwanten worden gerekend (*bijv.*: *Hómo neanderthalénsis*).

**homma'ge** [Fr., v. *homme* = man, Lat. *homo*] eerbetuiging, hulde.

**hom'me** [Fr., v. Lat. *homo*, *hóminis*] man, mens; — *d'affaires*, zaakgelastigde; — *d'esprit*, geestrijk iem.; — *du monde*, man v.d. wereld, beschaafd man die zich weet te bewegen.

**hom'mer** [*vgl.* Lat. *cám(m)arus* of *gámmarus*, Gr. *kam(m)aros*] grote zeekreeft (*Hómarus vulgáris* of *H. gámmarus*) uit de familie der Langstaartkreeften (*Macrúra*) uit de orde der Tienpotigen (*Decápoda*).

**1** ho'mo *zn & bw*, afk. v. **homofiel** of **homoseksueel**, *z.a.* (*vgl.* hetero).

**2** ho'mo [Lat., verwant met *humus* = aarde] man, mens; — *hómini lúpus*, de ene mens is een wolf voor de andere; — *económicus*, de economische mens (v. moderne tijd tegenover vroeger); — *fáber*, de technische mens (als voorgaande); — *lúdens*, de spelende mens; — *mensúra*, de mens als maatstaf aller dingen; — *Neanderthalénsis*, prehistorisch mensenras waarvan resten het eerst in het Neanderthal gevonden zijn; — *Heidelbergénsis*, prehistorisch mensenras waarvan resten bij Heidelberg gevonden zijn; — *novus*, (*lett.*: een nieuw man) een pas opgekomen figuur; — *primigénius*, (*lett.*: de eerste mens) voorondersteld oeroud mensenras in Europa; — *récens*, de historische mens (biologisch gezien, derhalve met eigen kenmerken tegenover de prehistorische rassen); — *sápiens*, (*lett.*: de wetende mens) de met rede begaafde mens (tegenover dier); — *sum, humáni nil a me aliénum púto*, ik ben een mens, niets van het menselijke acht ik mij vreemd; — *uníus líbri*, (*lett.*: man van één boek) weinig belezen man doch die dat weinige uitstekend beheerst.

**homo-** [Gr. *homos* = zelf, dezelfde] gelijk, (in de zin van: de- of hetzelfde).

**homocen'trisch** gelijkmiddelpuntig.

**homoeo-** *zie* **homeo-. homofiel'** [v. Gr. *homos* = gelijk, dezelfde, en *philos* = beminnend] I *bn* geslachtelijke gerichtheid tot dezelfde sekse hebbend (*vgl.* **homoseksueel**; tegenst.: **heterofiel**); II *zn* persoon met die gerichtheid. **homofilie'** [v. Gr. *philia* = liefde, v. *phileoo* = beminnen] homoseksualiteit, seksuele gerichtheid en handelingen die plaatsvinden met een lid v.d. eigen sekse, of: het zich lichamelijk aangetrokken voelen tot iemand v.h. eigen geslacht. **homofoon'** [v. Gr. *phoonè* = geluid] gelijkklinkend; met slechts één melodiestem (*vgl.* **polyfoon**). **homogeen'** [v. Gr. *genos* = het gewordene, soort aard] van dezelfde aard, gesteltenis, of gezindheid in elk van zijn delen; — *mengsel*, mengsel waarin geen afzonderlijke bestanddelen te herkennen zijn (*vgl.* **heterogeen**). **homogeniteit'** het homogeen zijn.

**homologe'ren** [MLat. *homologáre*, v. Gr. *homologeoo* = hetzelfde zeggen, v. *logos* = woord] *eig.*: overeenstemmen; rechtsgeldig maken, bekrachtigen, erkennen.

**homologa'tie** *zn* **homoloog'** [MLat. *homólogus*, v. Gr. *homologos*] gelijkluidend, overeenkomend; *homologe reeks*, reeks chem. verbindingen die alleen in samenstelling verschillen door aantal $CH_2$-groepen meer of minder.

**homoniem'** [v. Gr. *homoonumon*, v. *homos* = gelijk, dezelfde, en *onoma* = naam] I *bn* gelijkluidend in klank maar duidelijk verschillend in betekenis; II *zn* een woord dat met een ander in klank gelijk is, maar in betekenis verschilt, bijv. *as* (spil) en *as* (verbrandingsrest) of *eis* (vordering) en *ijs* (bevroren water). **homonymie'** [*zie* **homoniem**] (*taalk.*) gelijkluidendheid van woorden met geheel verschillende betekenis en van verschillende herkomst.

**homoseksueel'** [onregelmatig gevormd uit Gr. *homo-*, en Lat. *sexualis*; *zie* **seksueel**] I *bn* geslachtelijke gerichtheid hebbend op dezelfde sekse; II *zn* homoseksueel persoon, thans verouderde term en vervangen door *homofiel*, omdat deze laatste de psychische aspecten (de liefde) tot uiting doet komen en niet alleen de zuiver lichamelijke kant, zoals 'homoseksueel' doet. **homoseksualiteit'** het verschijnsel v. geslachtelijke gerichtheid op dezelfde sekse. **homozygoot'** [*zie* **zygote**] I *bn* raszuiver, met dezelfde erffactoren; II *zn* plant of dier met raszuivere erffactoren.

**homun'culus** [Lat. = verklw. v. *homo* = mens] mensje; kunstmatige mens (als fictie).

**ho'neymoon** [Eng. = *lett.*: honingmaan'] wittebroodsweken.

**hon'gitocht** [Mal. v. *hongi* = bewapende vloot v. prauwen] (*gesch.*) vernielingstocht in Ned. Indië, oorspr. om een teveel aan

muskaatbomen te vernietigen.
**honnet'** [Fr. *honnête*, v. Lat. *honéstus*, v. *honos* = eer] eerlijk; gepast, betamelijk; fatsoenlijk, net. **honneur'** [Fr., v. Lat. *honos* of *honor, honóris*] eer, eerbewijs; *honneurs*, hoogste kaarten bij kaartspel; — *aux dames, de* eer aan de dames, de dames vóór; *de — s waarnemen*, de gepaste eer bewijzen aan de gasten. **honneur'dagen** *mv* respijtdagen.
**honora'bel** [Lat. *honorábilis*] eervol; *ook*: deftig. **honorair'** [Fr. *honoraire*, v. Lat. *honorárius*] eershalve (v. ambt, zonder bezoldiging); ere- (bijv. lid). **honora'rium** [Lat.] ereloon, betaling voor geestesarbeid (aan artsen, advocaten, schrijvers e.d.).
**honore'ren** [Lat. *honoráre*] een dienst of werk betalen; voldoen, betalen; erkennen als geldig (bijv. handtekening); *een wissel* —, een wissel accepteren en op tijd betalen. **hono'ris cau'sa** [Lat.] eershalve; *doctor* —, de doctorstitel verkregen hebbend wegens zijn verdiensten zonder de normale academische studie. **hon'ourable** afk. Hon. [Eng., v. Lat. *honorábilis*] eerbaar, eervol; bep. titel.
**honni' soit qui mal y pense** [Fr.] eerloos zij hij die hier kwaad van denkt (devies v.d. orde v.d. kouseband).
**honteus'** [Fr. *honteux*, v. *honte* = schaamte, v. Germ. *haunita*] schandelijk, schaamtewekkend, verlegen, beschaamd.
**hopletiek'** [v. Gr. *hoplon* = gereedschap, tuig, wapenen] wapenleer. **hoplotheek'** [v. Gr. *thèkè* = bewaarplaats] wapenkamer.
**hop'man** [v. Du. *Hauptmann* = hoofdman, aanvoerder] **1** (*gesch.*) bevelhebber v. vendel of compagnie; **2** rang bij de burgerwacht (kapitein); **3** leider v.e. padvindersgroep.
**ho'ra** [Lat. = tijd, uur] uur; — *est*, het is tijd; — *rúit*, de tijd verstrijkt (snel). **ho'ra loco'que consue'to** afk. **h.l.q.c.** [Lat.] op de gebruikelijke tijd en plaats.
**ho'recabedrijf** [v. *hotel*, *restaurant*, *café*] elke onderneming ter verstrekking tegen betaling van consumpties, maaltijden en evt. onderdak (dus ook pensions) en die aangesloten is bij de bedrijfsgroep van hotelhouders enz.
**Ho'ren** [Lat. *Hórae*, Gr. *Hoorai*] (*myth.*) godinnen v.d. regelmatig terugkerende seizoenen.
**ho'rizon(t)** [Gr. *horizoon, horizontos (kuklos)* = begrenzende (cirkel), o.dw van *horizoo* = begrenzen, v. *horos* = grens] (gezichts) -einder, kim; verschiet; (*fig.*) bevattingsvermogen, begripskring.
**horizontaal'** [Fr. *horizontal*] volgens het vlak v.d. horizon, waterpas.
**hor'lepijp** *zie* hornpipe.
**horlo'ge** [Fr., v. Lat. *horológium*, Gr. *hoorologion* = uurmelder, v. *hoora* = uur, en *legoo* = zeggen] uurwerk spec. een dat in de zak of aan het lichaam gedragen kan worden. **horloger'** [Fr.] horlogemaker en -verkoper. **horlogerie'** [Fr.] horlogemakerij; horlogewinkel.
**hormoon'** [Gr. *hormoon* = o.dw van *hormaoo* = aandrijven, opwekken] door klier inwendig afgescheiden stof die de functie v.e. orgaan aanzet of remt.
**horn'pipe** [Eng.] *lett.*: hoornpijp, verouderd blaasinstrument (muziek voor) bep. dans.
**horologie** v. Gr. *hoora* = tijd, en *legoo* = zeggen] tijdmeetkunst, spec. het vervaardigen v. uurwerken. **horoscoop'** [*zie* -scoop] astrologische tabel met uuraanwijzer of schema v.d. hemel op gegeven ogenblik; waarneming v. stand v. ecliptica en planeten op bep. moment, spec. op geboorte-uur v. persoon om daaruit zijn toekomst te voorspellen, sterrenwichelarij uit de planeten.
**horreur'** [Fr., v. Lat. *horror* = *lett.*: het ruw worden, trilling, huivering, ontzetting] **1** afschuw; **2** afschuwwekkend iets of iemand, gruwel. **horri'bel** [Fr. *horribile*, Lat. *horríbilis*] verschrikkelijk, afgrijselijk. **horri'bile dic'tu** [Lat.] verschrikkelijk om te zeggen.
**hor'ror** [Eng.] griezelroman, -film e.d. **hor'ror**

**va'cui** [Lat.] afkeer v.h. ledige (bijv. gezegd v.d. natuur).
**hors concours'** [Fr.; *zie* concours] buiten mededinging. **hors d'oeuvre** [Fr. = *lett.*: buiten het werk] **1** toegift; **2** (*cul.*) meestal koud voorgerecht dat buiten het eigenlijke menu valt en voorafgaat a.d. soep of ander gerecht waarmee de maaltijd begint.
**hor'se guard** [Eng., *horse* = paard, *vgl.* Ned. *ros* en Lat. *cúrrere* = rennen] bereden lijfwacht. **hor'se po'wer** [Eng.] paardekracht, P.K.
**horst** [*vgl.* MEng. *hurst* = heuvel; verdere afl. onzeker] hooggelegen nest v. roofvogel; (*geol.*) bodemverheffing.
**horta'tie** [Lat. *hortátio*] aansporing, vermaning.
**horticultuur'** [v. Lat. *hortus, horti* = tuin; *zie verder* cultuur] kunst v. tuinieren, tuinbouw.
**hortologie'** [*zie* -logie] tuin(bouw)kunde. **hortoloog'** tuin(bouw)kundige.
**hortula'nus** [Lat.] opzichter over een tuin, spec. een hortus botanicus. **hor'tus** [Lat. = omheinde plaats, tuin, Gr. *chortos*; *zie ook* cohort, cour] tuin; — *botánicus*, plantentuin voor wetenschappelijke doeleinden; — *siccus* (*lett.*: droge tuin) herbarium, *z.a.*
**hosan'na, hosian'na** [Hebr. = *lett.*: geef heil, bescherm toch] (godsdienstige kreet) *ongev.*: heil!
**hos'pes** *mv* **hos'pites** [Lat., verwant met *hostis* = vreemdeling, *later*: vijand] **1** gastheer (ook v. parasiet), kostbaas, waard. **hos'pita** [Lat. = *eig.*: de gastvrije (vrouw)] kostjuffrouw, kamerverhuurster. **hos'pitaal** [Lat. *hospitále* = logeerkamer] militair ziekenhuis. **hospitalise'ren** opnemen in ziekeninrichting. **hospitalisa'tie** *zn*. **hospitaliteit'** [Lat. *hospitálitas*] gastvrijheid. **hospite'ren** [Lat. *hospitáre* = als gast vertoeven] een voorlezing of enkele lessen bijwonen als niet-lid of niet-ingeschrevene; (van a.s. leraar) lessen bijwonen en eventueel zelf geven om ervaring op te doen.
**hospitant'(e)** [v. Lat. o.dw *hospitans, -ántis* = wie hospiteert. **hospi'tium** [Lat. = herberg] klooster spec. bestemd om doortrekkende reizigers als gasten op te nemen.
**hostellerie'** [v. OFr. *hostel*, Fr. *hôtel*; *zie* hotel] logement.
**hos'tess** [Eng. = gastvrouw] vrouw die bezoekers ontvangt en voorlichting geeft, bijv. op tentoonstelling; begeleidster v. vakantiereizen; stewardess in vliegtuig.
**hos'tie** [Lat. *hóstia* = offerdier, v. *hostire* = slaan; *vgl. hasta* = lans; *hostis* = vijand] dunne ronde schijf v. ongedesemde gebakken tarwe bestemd om tijdens de mis geconsacreerd te worden; *heilige* —, geconsacreerde hostie.
**hostiel'** [Lat. *hostílis*] vijandig. **hostiliteit'** [VLat. *hostílitas*] **1** vijandigheid; **2** vijandelijkheid.
**hot** [Eng. = *lett.*: heet] *bn* in diverse verbindingen; ook *zn* voor *hot jazz.* **hot dog** (Am.) opengesneden broodje met warm worstje. **hot jazz** [*zie* jazz] bep. soort jazzmuziek met sterk improvisatie-karakter en zo goed als uitsluitend ritmisch. **hot line** directe telefoonverbinding tussen staatshoofden om in kritieke situaties zonder tijdverlies persoonlijk overleg te plegen (zgn. rode telefoon). **hot pants** strak aansluitende korte damesbroek.
**hotel'** [v. Fr. *hôtel*, v. Lat. *hospitále* = logeerkamer] inrichting om reizenden of andere personen zonder eigen huis te herbergen.
**hotelier'** [Fr. *hôtelier*] hotelhouder.
**hotellerie'** [Fr. *hôtellerie*; *zie* hotel en hostellerie] hotelwezen.
**hou'ri**, *ook*: **hoe'ri** [Arab.] schone nimf met gazelle-ogen in het paradijs volgens Mohammed.
**houwit'ser** [v. Du. *Haubitze*, v. Boheems *houfnice* = katapult] kort kanon (*oorspr.*: uit Bohemen) om projectielen via sterk gekromde

baan achter vijandige dekking te werpen.
**ho'veren** [Eng. *to hover* = zweven] stil in de lucht hangen (van helikopter gezegd).
**ho'vercraft** [Eng. *craft* = voertuig] luchtkussenvoertuig, een transportmiddel dat zich op kleine afstand boven het dragend oppervlak bevindt, maar daarvan gescheiden is door een luchtlaag v. hogere druk dan de buitenlucht.
**hu'genoten** [Fr. *Huguenots*, v. Du. *Eidgenossen* = eedgenoten] (*gesch.*) 16e en 17e eeuwse protestanten in Frankrijk.
**huik** (*gesch.*) lange mouwloze mantel met kap; *de — naar de wind hangen*, eig.: de huik zo omhangen dat ze tegen de wind beschermt, (*fig.*) beginselloos de voordeligste houding innemen.
**huissier** [Fr. = *eig.*: portier, v. Lat. *ostiárius*, v. Fr. *huis* = Lat. *óstium* = deur, poort, verwant met *os* = mond] deurwaarder; deurwachter; bode bij bep. colleges.
**hu'jus** afk. **huj.** [Lat. = tweede naamval, v. *hic* (deze) of *hoc* (dit)] —*anni*, afk. *h.a.* van dit jaar; — *loci*, van deze plaats; —*mensis*, afk. *h.m.* van deze maand.
**hulk** [verm. v. Gr. *holkas* = vrachtschip, v. *helkoo* = trekken] (*gesch.*) bep. koopvaardijschip; *thans dichterlijk*: schip, *ook*: opgelegd schip gebruikt voor andere doeleinden.
**humaan'** [Lat. *humánus* = de mens (*homo*, *hóminis*) betreffend, menslievend, fijn beschaafd] menslievend, minzaam jegens ondergeschikten. **humanio'ra** [*lett.*: de wetenschappen die beschaafd maken] studie v.d. klassieke talen en letterkunde.
**humanise'ren** [Fr. *humaniser*] tot zedelijk mens maken, veredelen, fijn beschaven.
**humanis'me 1** wereldbeschouwing die menselijke waardigheid, vrijheid en persoonlijkheid bevordert zonder uit te gaan v.e. persoonlijke God; **2** (*gesch.*) geestesstroming in 14e-16e eeuw die de studie der klassieken als grondslag nam v.d. vorming tot mens en het klassieke voorbeeld als ideaal stelde. **humanist'** aanhanger van het humanisme; (*gesch.*) beoefenaar der klassieke talen, letterkunde en wijsbegeerte (der humaniora). **humanis'tisch 1** volgens of van het humanisme; **2** van de humaniora.
**humanitair'** [Fr. *humanitaire*] **1** *bn* menslievend; **II** *zn* wie zich bezighoudt met de belangen v.d. mensheid (niet v. individuen). **humanitaris'me** stelsel v.d. humanitairen.
**humaniteit'** [Lat. *humánitas*] menslievendheid, het minzaam zijn spec. jegens ondergeschikten. **hu'man rela'tions** [Eng.] intermenselijke betrekkingen, persoonlijke verhouding en omstandigheden als factor in het bedrijf. (*Vgl.* **public relations**.)
**hum'bug** [Eng., afl. onzeker] schijnvertoon, bluf, boerenbedrog; onzin.
**humecte'ren** [Lat. *humectáre*, v. *humére* = nat zijn] bevochtigen.
**humera'le** [Lat. = schouderkleed, v. *húmerus* = bovenarmbeen, schouder] (*rk*) liturgisch gewaad v. geestelijke, kleed over beide schouders geslagen.
**humeus'** [*zie* **humus**] humus bevattend.
**humiditeit'** [Lat. *humíditas*, v. *humére* = nat zijn] vochtigheid.
**humilië'ren** [Lat. *humiliáre*, -*átum*, v. *húmilis* = nederig; v. *humus* = aarde] vernederen.
**humilia'tie** [Lat. *humiliátio*] *zn*. **humiliant'** [Fr. = o.dw van *humilier*] vernederend.
**humiliteit'** [Lat. *humílitas* = nederigheid, geringheid] **1** vernedering; **2** nederige ootmoed.
**humoraal'** [Fr. *humoral*, v. Lat. *humor* = vocht] de lichaamsvochten betreffend. (vandaar ook *humeur* en ten slotte ook *humor*).
**humores'ke** kort humoristisch verhaal, muziekstuk e.d. **humorist'** [MLat. *humorista*] wie humoristisch schrijft of voordraagt.

**humoris'tisch** vol humor, met luimige grappen.
**hu'mus** [Lat.: *vgl.* Gr. *chamaí*] teelaarde.
**hu'nebed** prehistorisch graf uit grote zwerfstenen opgebouwd (in Nederland, Engeland, Denemarken enz.).
**hussie'ten** bep. ketterse sekte in 15e eeuw, gesticht door Johann Huss (1369-1415 in Bohemen).
**huurwaardeforfait** *zie bij* **forfait**.
**huzaar'** [v. Hongaars *huszar*] soldaat der lichte cavalerie; *ook*: manwijf, dragonder v.e. vrouw.
**hyalien'** [Lat. *hyalinus*, Gr. *hualinos*, v. *hualos* = glas] glasachtig. **hyalurgie'** [v. Gr. *ergon* = werk] kunst v. glasblazen en glaswerk maken.
**hy'bris** [Gr. *hubris*] verwaande trots, trotse teugelloosheid, buitensporigheid.
**hybri'de** [Lat. *hybrida* = van tweeërlei ras, *oorspr.*: jong v. tam varken en wild zwijn, ook kind v. Romeins vader en vreemdelinge of slavin] bastaard (plant of dier), wezen ontstaan uit ongelijke elementen. **hybri'disch** afkomstig v. ongelijke ouders.
**hydato'sis** [v. Gr. *hudatis* = waterachtige blaas, v. *hudoor, hudatos* = water; *zie* -**ose**] waterzucht. **hydatho'den** [Gr. *hodos* = weg] (*plk.*) waterporiën (waardoor water uittreedt).
**hy'dra** [Lat., v. Gr. *hudra*] **1** (Gr. *myth.*) waterslang, veelkoppige draak; **2** (*dierk.*) zoetwaterpoliep.
**hydr-** [v. Gr. *hudoor* = water] water-.
**hydraat'** (*chem.*) moleculaire verbinding v.e. stof met water. **hydrant'** [*oorspr.* Am. term] staande pijp, aangesloten op de waterleiding (eventueel onder het wegdek) op straten, emplacementen e.d., waar men bij brand brandslangen aan kan schroeven, brandkraan.
**Hydrargy'rum** [v. Gr. *arguron* = zilver] kwik, bep. chem. element, metaal, symbool Hg, ranggetal 80; vroeger *kwikzilver* genaamd.
**hydrata'tie** [*zie* **hydraat**] (*chem.*) het zich binden aan water v. ionen in waterige oplossing. **hydrau'lica** [Lat. = waterwerkkunde, v. Gr. *hudraulikos*, v. *aulos* = pijp] leer v. druk en beweging v. vloeistoffen (hydrostatica en hydrodynamica).
**hydrau'lisch** [Gr. *hudraulikos*] op vloeistofdrukking betrekking hebbend.
**hydremie'** (v. Gr. *haima* = bloed] te groot watergehalte v.h. bloed. **hydre'ren** (*chem.*) verbinden met waterstof (hydrogenium) zonder breking v.h. molecule. **hydra'tie** *zn*.
**hydria'de** *zie* **hydrya'de**. **hydriatrie'** [*zie* -*iatrie*] geneesmethode door middel v. water.
**hydri'de** (*chem.*) verbinding v. waterstof met één ander elektropositief element, bijv. calciumhydride CaH$_2$, de waterstof is hierin elektronegatief.
**hy'dro-** [v. Gr. *hudoor* = water] water-, met water in betrekking staand; (*med.*) met ophoping v. lichaamsvocht; (*chem.*) verbonden met waterstof of met water.
**hydrobiologie'** [*zie* **biologie**] leer v.d. in het water levende wezens. **hydrocardie'** [Gr. *kardia* = hart] hartwaterzucht. **hydroce'falus** [Gr. *kephalé* = hoofd] waterhoofd.
**hy'drocultuur** [*zie* **cultuur**] het kweken van planten zonder aarde, maar op bijv. kiezelstenen, uitsluitend met water waarin alle benodigde voedingsstoffen (die de plant normaliter uit de aarde haalt) zijn opgelost.
**hydrodyna'mica** [*zie* **dynamica**] leer v.d. eigenschappen v. bewegende vloeistoffen (*vgl.* **hydrostatica**). **hydrofiel'** [v. Gr. *phileoo* = beminnen] wateraantrekkend; —*gaas*, vocht absorberend verbandgaas.
**hy'drofoil** [Eng.] in het Ned. *draagvleugelboot* of *kortweg* vleugelboot, vaartuig waarbij de verticaal gerichte opdrijvende kracht bij normale snelheid wordt geleverd door onder de romp bevestigde vleugels. Ze wordt gebruikt voor passagiersvervoer over relatief korte afstanden. **hydrofoob'** [v. Gr. *phobos* = vlucht, vrees] waterafstotend. **hydrofobie'**

[Lat. *hydrophobia*, Gr. *hudrophobia*; *zie*
**fobie**] watervrees. **hydrofoon'** [v. Gr.
*phoonè* = geluid, stem] spreek- en
luisterapparaat onder de waterspiegel.
**hydrofytologie'** [v. Gr. *phuton* = plant; *zie*
**-logie**] leer v.d. waterplanten. **hydrogel'** [*zie*
**gel**] gel uit waterige kolloïdale oplossing.
**Hydroge'nium** [v. Gr. *gennaoo* =
voortbrengen] waterstof, bep. element,
niet-metaal, chem. symbool H, ranggetal 1.
**hydrogeologie'** [*zie* **geologie**]
aardrijkskunde betrekking hebbend op de
wateren v. de aardkorst. **hydrogra'fie** [v. Gr.
*graphoo* = schrijven] beschrijving v.d.
wateren op de aardoppervlakte (zeeën,
rivieren e.d.) (*vgl.* **geografie**). **hydrograaf'**
beoefenaar v.d. hydrografie. **hydrogra'fisch**
van of betreffende de hydrografie.
**hydrologie'** [*zie* **-logie**] leer betreffende het
ondergrondse water. **hydroly'se** [v. Gr. *lusis*
= losmaking, v. *luoo* = losmaken] splitsing v.e.
chem. verbinding in twee andere onder
opname v.d. elementen v. water (bijv.
bismuthnitraat splitst zich in waterige
oplossing in bismuthhydroxide en
salpeterzuur; zeep in vetzuur en loog; een ester
in alcohol en zuur). **hydroly'tisch** door
hydrolyse. **hydromel'** [Lat. *hydromeli*, Gr.
*hudrómeli*, v. *meli* = honig] bep. drank:
waterhonig of mede. **hy'drometer** [*zie*
**meter**] **1** toestel om watergehalte te bepalen,
vochtmeter; **2** toestel om stroomsnelheid v.
water te meten. **hydrometrie'**
watermeetkunde, spec. kunde om hoeveelheid
door rivier verplaatst water te meten.
**hydro'nium-ion** (naar analogie v.
ammonium-ion, NH$_4$+) verbinding van
waterstof-ion (H+) met molecule water
(H$_2$O), zodat een ion H$_3$O+ ontstaat.
**hydro'picus** [Lat., v. Gr. *hydroopikos*] lijder
aan waterzucht. **hydroplaan'** watervliegtuig.
**hydropsie'** [Lat. *hydrops*, Gr. *hudroops*]
waterzucht. **hydropisie'** [MLat. *hydropisia*]
of **hydropis'mus** [Lat.] = hydropsie.
**hydroscopie'** [v. Gr. *skopeoo* =
(rond) kijken] wateronderzoek. **hydrosfeer'**
[*zie* **sfeer**] sfeer v.d. aarde waarin water
voorkomt. **hydrosol'** [*zie* **sol**] sol (*z.a.*)
gemaakt met behulp v. water. **hydrosta'tica**
[*zie* **statica**] leer v. eigenschappen v.
stilstaande vloeistoffen (*vgl.*
**hydrodynamica**). **hydrosta'tisch** de
hydrostatica betreffend of daarop berustend;
—*e paradox*, schijnbare tegenstrijdigheid in
het feit dat in communicerende vaten
(waarvan één smal) een kleine hoeveelheid
vloeistof een grote in evenwicht houdt (in
werkelijkheid doet dit de luchtdruk).
**hydrotechniek'** [*zie* **techniek**]
waterbouwkunde. **hydrotherapie'** [*zie*
**therapie**] geneeskunde door middel v. water.
**hydrotho'rax** [Gr. *thoorax* = borstpantser]
vochtophoping in de borstholte. **hydro'tisch**
zweetdrijvend. **hydroxi'de** [*zie* **oxide**] base,
loog (bijv. natriumhydroxide, NaOH,
natronloog), verbinding v. water met
metaaloxide. **hydroxyl'** [*zie* **-yl**] eenwaardige
atoomgroep bestaande uit één
waterstofatoom en één zuurstofatoom, —OH,
welke door basen als negatief ion wordt
afgesplitst, komt in organische verbindingen
ook als niet elektrolytisch afsplitsbare groep
voor. **hydrozo'ën** *mv* [v. Gr. *zooon* = dier, v.
*zoooo* = leven] waterdieren.
**hydrya'de, hydria'de** waternimf.
**hy'fen** *mv* [v. Gr. *huphè* = web] (*plk.*)
zwamdraden.
**hygië'ne** [Fr. *hygiène*, v. Gr. *hugieinè (technè)*
= (kunst) van gezondheid, v. *hugieia* =
gezondheid] gezondheidsleer; al wat
gezondheid in stand houdt en bevordert.
**hygië'nisch** volgens de hygiëne. **hygiënist'**
[Fr. *hygiéniste*] beoefenaar der
gezondheidsleer.
**hygro-** [v. Gr. *hugros* = nat, vochtig, v. *hudoor*
= water] vocht-. **hygrobaroscoop'** [v. Gr.

*baros* = zwaar, en *skopeoo* = (rond)zien,
*skopos* = boodschapper] toestel dat luchtdruk
en vochtigheidsgraad v.d. atmosfeer aantoont
(en meet). **hygrograaf'** [v. Gr. *graphoo* =
schrijven] toestel dat de vochtigheidsgraad
der lucht automatisch registreert. **hygrologie'**
[*zie* **-logie**] luchtvochtigheidsleer.
**hy'grometer** [*zie* **meter**] toestel om
vochtigheidsgraad v.d. lucht te meten.
**hygroscoop'** [*zie* **hygrobaroscoop**] toestel
dat vochtigheidsgraad v.d. lucht aantoont
(*oorspr.*: niet meet); *thans ook*: hygrometer.
**hygrosco'pisch** vocht uit de lucht
aantrekkend.
**hylomorfis'me** [v. Gr. *hulè* = stof, en *morphè*
= vorm] leer v. Aristoteles en de scholastiek
dat alle stoffelijke substanties en hun
veranderingen terug te voeren zijn op twee
principes: de *materia* (Gr. *hulè*) als principe v.
passiviteit en de *forma* (Gr. *morphè*) als
principe der activiteit. **hylozoïs'me** [v. Gr.
*zoooo* = leven] leer dat de stoffelijke wereld
een levend organisme is, materialisme.
**hy'men** [Lat., v. Gr. *humèn* = vlies]
maagdenvlies. **hymenee'ën** *mv* [Lat.
*hymenàeus*, Gr. *humenaios*, v. *Hymen*, Gr.
*Humèn* = god v.h. huwelijk; Gr. *humenaiooo*
= **1** huwen; **2** bruiloftslied zingen]
bruiloftsliederen.
**hym'ne** [Lat. *hymnus*, Gr. *humnos* = lied,
lofzang ter ere v. godheid] lofzang, spec.
kerkelijke lofzang. **hymnologie'** [*zie* **-logie**]
hymnenkunde.
**hypal'lage** [Gr. *hupallagè*, verandering, v.
*hupo-*, en *allassoo* = verruilen] verwisseling v.
woorden zonder dat er misverstand kan
ontstaan (de brand in het hout steken i.p.v. het
hout in brand steken; een goed glas bier i.p.v.
een glas goed bier).
**hype, hyp'ing** [Eng., v. Gr. *huper* = overheen,
buitensporig] iets onbekends op overdreven
wijze aanprijzen.
**hyper-** [Gr. *huper* = over ... heen, boven]
boven-, over-. **hyperalgesie'** [v. Gr. *algeoo*
= pijn hebben; *algos* = pijn] overgevoeligheid
voor pijn. **hyperbool'** [Gr. *huperbolè* =
overklimming, overdrijving, v. *huper-balloo* =
overheen-werpen] **1** (*taalk.*) overdreven
voorstelling of uitdrukking (bijv. een
stortvloed v. vragen); **2** (*wisk.*) bep. kromme
lijn, kegelsnede ontstaan door vlak dat de
kegel snijdt onder een hoek met het grondvlak
*groter* dan de hoek die de kegelmantel met het
grondvlak maakt (tot 90° groot); *vgl.* ellips
(kleinere hoek) en parabool (even grote
hoek). (Een hyperbool heeft twee takken; de
kegel zet zich in de top voort in zijn
spiegelbeeld). **hyperboloï'de** (*wisk.*)
lichaam ontstaan door omwenteling v.
hyperbool om as. **hyperbo'lisch** (*taalk.*) in
overdreven uitdrukking, als in een hyperbool.
**hyperboree'ën** [Lat. *Hyperborei*, Gr.
*Huperboreoi* of *-reioi*, v. *boreas* =
noordenwind, het noorden] bij de Grieken en
Romeinen een fabelachtig volk in het uiterste
noorden v.d. wereld (zoals zij deze zich
voorstelden). **hyperbulie'** [v. Gr. *boulè* = wil]
te grote invloed v.d. wil op lichaam, ziekelijke
dadendrang. **hypercatalec'tisch** [*zie*
**catalectisch**] (v. versregel) met extra
lettergreep na laatste versvoet.
**hypercorrect'** [*zie* **correct**] **1** overdreven
correct (beleefd); **2** (*taalk.*) foutief gevormd
naar analogie v. bestaande vorm uit vrees voor
onjuistheid (*bijv.*: een kopje koffie, i.p.v. koffie,
uit vrees dat koffie een onjuiste vorm is, zoals
koppie voor kopje). **hy'percultuur** [*zie*
**cultuur**] overbeschaving. **hyperemie'** [v.
Gr. *haima* = bloed] te grote volbloedigheid.
**hyperesthesie'** [Gr. *aisthèsis* = gevoel, *zie*
**esthetica**] overgevoeligheid.
**hyperglycemie'** [v. Gr. *glukus* = zoet, en
*haima* = bloed] te hoog suikergehalte v.h.
bloed. **hypermarkt** [v. Fr. *hypermarché*
(België)] supermarkt. **hypermetropie'** [v. Gr.
*hupermetros* = bovenmatig, en *oops* = oog]

vèrziendheid. **hypermnesie'** [v. Gr. stam *mnè* = herinneren] abnormaal sterk geheugen. **hy'permodern** overdreven modern. **hy'peroxi'de** *zie* peroxide. **hyperpathie'** [Gr. *pathè* of *pathos* = ondervinding, lijden] overgevoeligheid voor lijden, kleinzerigheid. **hypersoon'** [v. Lat. *sonus* = geluid] *bn* **1** (gezegd van geluiden) met een frequentie van meer dan $10^9$ hertz (meer dan een miljard trillingen per seconde); **2** (*luchtv.*) de geluidssnelheid meer dan 2× te boven gaande (boven mach 3), (*vgl.* **supersoon**). **hyperten'sie** [v. Lat. *téndere, tènsum* = spannen] (*med.*) verhoogde bloeddruk. **hyperthermie'** [v. Gr. *thermè* = warmte, hitte] abnormaal hoge lichaamstemperatuur. **hyperthyreïdie'** [v. Gr. *thyreoeidès* = schildvormig (bij Galenus = schildklier), v. *thueros* = voor de uitgang als deur (*thura*) geplaatste langwerpige steen, langwerpig schild] te sterke werking v.d. schildklier. **hypertonie'** [v. Gr. *teinoo* = spannen; *vgl.* Lat. *téndere*] te sterke spanning, overspanning. **hypertrofie'** [v. Gr. *trephoo* = voeden] overvoeding, abnormale groei v.e. orgaan, sterke opzwelling. **hyperventila'tie** tijdelijk versnelde uitademing zonder dat er een lichamelijke noodzaak aanwezig is. Daardoor wordt ook te veel kooldioxide ($CO_2$) uitgeademd, hetgeen het evenwicht tussen zuurstof ($O_2$) en kooldioxide in het bloed verstoort. De gevolgen zijn duizelingen, tintelingen, angsten, zelfs coma (bewusteloosheid). **hypervitamino'se** [*zie* **vitamine**] ziekte door een teveel aan een bep. vitamine (*vgl.* **hypovitaminose**). **hy'phen** [Eng., v. Gr. *huphen* = te zamen, v. *hupo* = onder, en *hen* = één] koppelteken (-). **hypno-** [Gr. *hupnos* = slaap] slaap-. **hypnogeen'** [v. Gr. *gennaoo* = voortbrengen] slaapverwekkend. **hypno'se** [v. Gr. *hupnooo* = slapen, sluimeren] met psychische middelen kunstmatig opgewekte slaaptoestand. **hypnotherapeut'** [*zie* **therapie**] persoon die genezing teweegbrengt door hypnose (kunstmatige slaap). **hypno'ticum** *mv* **-ca** [Gr. *hupnootikon*] slaapmiddel. **hypno'tisch** [Gr. *hupnootikos* = slaapwekkend] hypnose verwekkend (bijv. blik) of daardoor teweeggebracht (bijv. slaap). **hypnotise'ren** [Fr. *hypnotiser*] door psychische middelen kunstmatig doen inslapen. **hypnotiseur'** [Fr.] wie hypnotiseert.

**hy'po** (afk. voor natriumhyposulfiet, verkeerde naam voor natriumthiosulfaat, $Na_2S_2O_3$) in fototechniek gebruikt fixeerzout.

**hypo-** [Gr. *hupo* = onder (uit)] onder-. **hypocaus'tum** [Lat., v. Gr. *kauston* = verbrand] (*Rom. oudheid*) ruimte in (bad)huis, verwarmd door hete (verbrandings)lucht van onder de vloer. **hypocen'trum** plaats van een aardbevingshaard diep onder het aardoppervlak (*vgl.* **epicentrum**). **hypochon'der** [*zie* volgende] **I** *bn* hypochondrisch; **II** *zn* hypochondrist. **hypochondrie'** [VLat. *hypochondria*, Gr. *ta hupochondria* = weke delen aan zijde v. lichaam onder het kraakbeen der ribben, v. *chondros* = *eig.*: korrel, kraakbeen] zwaarmoedigheid, zwartgalligheid, ziekelijke staat v. neerslachtigheid soms gepaard met ongemotiveerde vrees voor zijn gezondheid (ingebeelde kwalen) of voor andere tegenslagen. **hypochon'drisch** zwaarmoedig. **hypochondrist'** zwaarmoedig iem., lijder aan hypochondrie. **hypocriet'** [Lat. *hypócrita*, Gr. *hupokritès* = toneelspeler die de woorden v.e. andere speler met gebaren verduidelijkt, *overdrachtelijk*: huichelaar, v. *hupokrinomai* = bescheid geven, antwoorden, voordragen, toneelspelen, v. *krinoo* = scheiden, oordelen] **I** *zn* huichelaar, schijnheilig persoon; **II** *bn* huichelachtig, schijnheilig. **hypocrisie'** [v. kerk. Lat. *hypocrisia*, v. Gr. *hupokrisis* = *eig.*: het spelen v.e. rol] huichelarij, schijnheiligheid. **hypocri'tisch** *bn* & *bw*. **hypoderma'tisch** [v. Gr. *derma* = huid] onderhuids (bijv. inspuiting). **hypofy'se** [v. Gr. *phuoo* = doen groeien, *phusis* = het groeisel] bep. klier onder de hersenen, hersenaanhangsel. **hypoglycemie'** [*zie* **hyperglycemie**] te laag suikergehalte v.h. bloed.

**hypo ... iet'** (*chem.*) zout van onder ... igzuur (bijv. natriumhypochloriet, $NaClO$, zout van onderchlorigzuur $HClO$). **hyposta'se** [Lat. *hypostatis*, Gr. *hupostasis* = persoon, v. stam *sta-* = staan, *lett.*: wat er onder staat (onder de accidenten), de drager] (*fil.*) de zelfstandigheid als draagster v.d. accidenten; (*theol.*) de goddelijke persoon v.h. Woord als drager v.d. goddelijke en v.d. menselijke natuur in Christus. **hyposthenie'** [v. Gr. *sthenos* = sterkte, kracht] verzwakking, krachtenverval. **hypostyl'** [Gr. *hypostulos*, v. *stulos* = zuil] overdekte zuilengang, zaal gestut door zuilen. **hypotenu'sa** [via VLat. v. Gr. *hupoteinousa (grammè)* = onderspannende (lijn), v. *teinoo* = spannen] schuine zijde v.e. rechthoekige driehoek. **hypothecair'** [Fr. *hypothécaire*] betrekking hebbend op of met het karakter v.e. hypotheek, door onroerend goed als onderpand gewaarborgd (-e lening), met hypotheek bezwaard. **hypotheca'ris** houder v.e. hypotheek, hypothecaire schuldeiser. **hypotheek'** afk. **hyp.** [VLat. *hypothéca*, v. Gr. *hupothèkè* = pand, v. *hupotithèmi* = er onder plaatsen, als onderpand geven, v. *tithèmi* = zetten] wettelijk beschreven recht op onroerend goed als onderpand, geldlening met onroerend goed als onderpand. **hypotheke'ren** [Fr. *hypothéquer*] (vast goed) als onderpand stellen. **hypothermie'** [v. Gr. *thermè* = warmte, hitte] ondertemperatuur, de lage lichaamstemperatuur. **hypothe'se** [Gr. *hupothesis* = onderstelling, v. *tithèmi* = stellen, zetten] vooronderstelling, voorlopig aangenomen stelling. **hypothe'tisch** bij wijze v. veronderstelling aangenomen, doch niet werkelijk bestaand. **hypotypo'se** [Gr. *tupos; zie* **type**] zo schilderachtige beschrijving dat men het beschrevene voor ogen meent te zien. **hypovitamino'se** [*zie* **vitamine**] ziekte door tekort aan bep. vitamine.

**hyp'someter** [v. Gr. *hupsos* = hoogte; *zie verder* **meter**] hoogtemeter. **hysterectomie'** [v. Gr. *hustera* = baarmoeder, en *ektemnoo* = uitsnijden] het operatief verwijderen van uterus en cervix. **hysterotomie'** incisie v. d. uterus, meestal voor keizersnede. **hysterie'** [modern med. Lat. *hysteria*, v. Gr. *hustera* = baarmoeder, waarin men vroeger de oorzaak zocht] bep. zenuw- en geestesziekte zich uitend in prikkelbaarheid, hevige emotionele uitbarstingen, krampachtige toestanden, verlamming, sterke nervositeit e.d. **hyste'risch** aan hysterie lijdend of gelijkend op verschijnselen bij hysterie (een — schreeuwende menigte). **hyste'ricus, -ca** lijder(es) aan hysterie. **hys'teron-pro'teron** [Gr. *husteron-proteron* = het laatste-eerste] **1** (*stilistiek*) redekundige figuur waarbij vooropstaat wat het laatst moet komen, omkering v.d. natuurlijke volgorde der begrippen, soms opzettelijk toegepast; **2** (*fil.*) manier van het trachten bewijzen van een stelling door iets dat pas bewezen kan worden door de stelling zelf; ongerijmdheid.

**-ia'de** uitgang ter aanduiding v.e. reeks gebeurtenissen, *bijv.*: *Schubertiade*, muziekcyclus v. werken v. Schubert; *olympiade*, bep. serie sportgebeurtenissen.
**-ia'na** uitgang ter aanduiding v. alle zaken die op een bekende persoonlijkheid uit de gesch. betrekking hebben, *bijv.*: *Vondeliana*, *Erasmiana*, *Wagneriana* maar: *Goetheana*.
**-ia'se** of **-ia'sis** [*vgl. Gr. iaomai* = genezen; *iasis* = genezing] (*med.*) uitgang v.d. naam v. sommige ziekten welke niet het gevolg zijn v. ontsteking (in dat geval **-itis**, *z.a.*). *Zie verder* bij **-asis, -ase** en **-ose**.
**iatrie'** [Gr. *iatreia* = genezing, geneesmiddel] geneeskunde. **iatrochemie'** [*zie chemie*] geneeskundige scheikunde. **iatrofobie'** [*zie fobie*] ziekelijke angst voor dokters. **iatrogene'se** [v. Gr. *genesis* = wording, ontstaan] het ontstaan v.e. ziekte veroorzaakt door de dokter zelf als gevolg v.e. verkeerde medische behandeling.
**ib'bel** [Jidd. v. Du. *übel* = naar, misselijk], *ook*: **ib'bel en wei** [v. Du. *weh* = pijnlijk, smartelijk] misselijk, naar; *ook*: tureluurs.
**-ibel** [Fr. *-ible*, Lat. *-ibilis*] duidt aan dat het door het grondwoord uitgedrukte mogelijk, uitvoerbaar is, Ned. -baar (*vgl. -abel*).
**Ibe'rië** [Gr. *Ibéria* = Noord-Spanje (bij de Ebro), later geheel Spanje] het schiereiland dat Spanje en Portugal bevat. **Ibe'risch** *bn*.
**i'bidem**, *ook*: **ibi'dem**, afk. **ib.** of **ibid.** [Lat., v. *ibi* = daar, en *-dem*, dat versterking aangeeft (*vgl. Gr. -de*): juist daar] ter zelfder plaatse.
**-ica** [v. Gr. *-iké* (*technè*)] uitgang van namen v. wetenschappen die een groter, vaak meer technisch gericht geheel omvatten, *bijv.*: dynamica, statica, mechanica, hydraulica e.d.
**i'chor** [Gr. *ichoor*] (*med.*) waterachtige vloeistof in wonden, bloedwater.
**ich'thus** [Gr. = vis] vis met broodkorf op rug als symbool v. Christus in de eerste christentijden (naar de beginletters v. Jesus Christus Gods Zoon Verlosser, in het Gr. Ièsous CHristos THeou hUios Sotèr).
**ichthyo-** [v. Gr. *ichthus*, *ichtuos* = vis] vis-. **ichthyofaag'** [v. Gr. stam *phag-* = eten] **I** *bn* visetend; **II** *zn* viseter. **ichthyografie'** [Gr. *graphoo* = schrijven] vissenbeschrijving. **ichthyol'** olieachtige geneeskrachtige stof uit overblijfselen v. prehistorische vissen. **ichthyologie'** [*zie -logie*] kennis betreffende de vissen. **ichthyoloog'** vissenkenner. **ichthyosau'rus** [Gr. *sauros* = hagedis] prehistorische vishagedis.
**i'con** *zie* **icoon**.
**icono-** [v. Gr. *eikoon* = afbeelding, beeltenis, v. *eikoo* = gelijken] beelden-. **iconoclast'** [via VLat. v. *eikonoklastès*, v. *klaoo* = breken] beeldenstormer. **iconofiel'** [v. Gr. *philos* = vriend, v. *phileoo* = beminnen] beeldenvriend. **iconografie'** [v. Gr. *graphoo* = schrijven] beeldbeschrijving, wetenschap v.d. afbeeldingen v. personen of zaken en de beschrijving v. deze voorstellingen. **iconograaf'** beoefenaar der iconografie. **iconolatrie'** [Gr. *latreia* = loondienst, dienst, godsdienst, verering] beeldenverering. **iconologie'** [*zie -logie*] leer v.d. symboliek

i.d. beeldende kunst, verklaring v. zinnebeeldige kunstvoorstellingen.
**iconoscoop'** [v. Gr. *skopeoo* = (rond)kijken; *skopos* = melder] toestel voor opnamen bij de televisie. **iconosta'se** [v. Gr. stam *sta-* = staan] met ikonen beschilderde houten wand die in Griekse kerken het priesterkoor afsluit v.d. overige kerkruimte. **icoon'**, *ook*: **i'con** [*mv* **ico'nen**] naam voor een religieuze voorstelling v. Christus en de heiligen i.d. Grieks-orthodoxe Kerk (e.a. Oosterse Kerken), waarbij de kunstenaar onderworpen was aan strenge regels (*bijv.*: vlakke, gestileerde afbeelding). In het byzantijnse rijk werden ook profane iconen geschilderd, spec. portretten v.d. keizer.
**icosaë'der** [v. Gr. *eikosaëdron*, v. *eikosi* = 20, en *hedra* = zetel, (zit)vlak] een veelvlak met twintig zijvlakken (zijden), spec. echter het regelmatig twintigvlak.
**ic'terus** [Lat., v. Gr. *ikteros*] de wetenschappelijke naam voor *geelzucht*. D.i. een toestand waarbij het wit v.d. ogen en de huid geel zijn a.g.v. te veel galkleurstof (*bilirubine*) in de bloedwei.
**ic'tus** [Lat. = slag, v. *icere* = slaan] metrische of ritmische nadruk of heffing i.e. vers of i.d. gregoriaanse zang.
**-ide 1** afstamming van [Gr. *-idès* = zoon van]; **2** gelijkend op [Gr. *eidès* = gelijkend op] (*bijv.* asteroïde = kleine planeet zich voordoend als ster); **3** (*anorganische chem.*) willekeurig gevormde uitgang ter aanduiding v. zout afgeleid v. zuur zonder zuurstofatomen (*bijv.* chloride van chloorwaterstofzuur, HCl), of meer alg.: van verbinding v. twee elementen, waarbij de uitgang *-ide* gevoegd wordt bij naam v.h. meest elektronegatieve element, het eerst gebruikt in oxide (= oxyde) = verbinding v. zuurstof met ander element; **4** (*astr.*) (achter naam v. sterrenbeeld) meteoor v. zwerm waarvan het uitstralingspunt (radiant) gelegen is in het genoemde sterrenbeeld, *bijv.* Draconiden (in de Draak), Leoniden (in Leo, de Leeuw) (*-ide* in betekenis 1. *zie echter ook* cefeïde, asteroïde, planetoïde, met *-ide* in betekenis 2).
**ideaal'** [Fr. *idéal*, v. VLat. *ideális, zie* **idee**] **I** *zn* volmaakt beeld dat men v. iets vormt, droombeeld, nagestreefd doel; **II** *bn* beantwoordend aan een ideaal, volmaakt.
**idealise'ren** [Fr. *idéaliser*] als ideaal voorstellen, in voorstelling tot iets volkomens verheffen. **idealis'me** [*zie* **ideaal**] het hebben v. idealen of het idealist **1** zijn; geloof aan een zedelijk ideaal. **idealis'me** [*zie* **idee**] **1** kunstrichting die streeft naar uitbeelding en belichaming v. ideeën; **2** wijsgerig stelsel lerend dat de bestaande dingen slechts een schijnbestaan bezitten en afbeeldingen zijn van 'ideeën', de ware zijnden die bestaan in de goddelijke Rede (*bijv.* Plato); wijsgerig stelsel dat houdt dat de waarneming niet beantwoordt aan het voorwerp maar aan de immanente denkvorm, dat het waargenomene uit ideeën bestaat en het voorwerp dus geen zelfstandig individueel bestaan heeft (Kant) (*vgl.* **realisme**). **idealist' 1** wie zich laat leiden door idealen, soms in ongunstige zin: dromer die onbereikbare idealen heeft en weinig rekening houdt met de nuchtere realiteit; **2** aanhanger v.h. idealisme. **idealis'tisch** van of als een idealist; volgens het idealisme. **idee'** [Lat. *idéa* = voorstelling, ideaal; Gr. *idea* = uiterlijke verschijningsvorm, voorkomen, gesteldheid, hoedanigheid, v. stam (*w*)*id-* = zien] gedachte, denkbeeld, voorstelling, begrip (ik heb er geen - van); inval, plan (dat is een goed—); zin, lust (ik heb er geen — in); inbeelding (dat is maar een van hem); *een –tje, ook*: een beetje. **ideëel'** [Fr. *idéal*, v. Lat. *ideális* = alleen in verbeelding bestaand] alleen in de gedachte bestaand; bovenzinnelijke. **idee-fi'xe** [Fr.] allesoverheersende gedachte, dwangvoorstelling, hardnekkige

(waan)-gedachte.
**i'dem**, afk. id. [Lat., v. *is* = deze, en -*dem*, versterking; *zie* **ibidem**] de- of hetzelfde; — *per* —, hetzelfde door hetzelfde, dezelfde gedachte uitgedrukt in gelijke bewoordingen, bewijs v.h. vooronderstelde door dat vooronderstelde zelf.

**identiek'**, **iden'tisch** [scholastiek Lat. *idénticus*, v. Lat. *idem*, z.a.: *vgl.* **identiteit**] geheel gelijk, een en dezelfde, gelijkwaardig, van dezelfde vorm en inhoud. **identifice'ren** [VLat. *identificáre*, v. Lat. *fácere* = maken] **1** de identiteit, de persoonlijkheid vaststellen (een slachtoffer –); *zich* —, zijn identiteit bewijzen; **2** als identiek voorstellen, vereenzelvigen (men mag deze twee zaken niet –). **identifica'tie** *zn*; *(psychiatrie)* psychische binding a.e. ander.

**identiteit'** [VLat. *idéntitas*, onregelmatig v. Lat. *idem*, z.a.] het identiek zijn; de persoonlijkheid die men is, *(Z.N.)* **eenzelvigheid**; *identiteitsbewijs*, bewijs waaruit blijkt dat men de persoon is die men zegt te zijn, dat er identiteit bestaat tussen voorgegeven en echte persoon, *(Z.N.)* eenzelvigheidsbewijs.

**ideo-** [*vgl.* **idee**] van of door idee of voorstelling. **ideografie'** [v. Gr. *graphoo* = schrijven] schrift bestaande uit tekens voor de begrippen (bijv. hiëroglyfen, Chinese tekens, getallen) in tegenstelling met het gewone schrift waarin de tekens klanken voorstellen. **ideogra'fisch** volgens de ideografie (niet te verwarren met idiografisch); *ideografisch schrift*, beeldschrift (slecht geïmiteerd in rebussen). **ideogram'** [v. Gr. *gramma* = het geschrevene] begripteken (zoals i.h. Chinese schrift). De begriptekens noemt men *pictogrammen*. **ideologie'** [*zie* -**logie**] wetenschap der ideeën; de beginselen, de 'ideeën', eigen aan een stelsel (bijv. de nationaal-socialistische –). **ideolo'gisch** volgens of v.e. ideologie. **ideoloog'** beoefenaar, kenner v.e. ideologie *(bijv.:* de – v.h. communisme). **ideomoto'risch** [*zie* **motorisch**] (beweging) veroorzaakt door een onbewust werkend idee of door kracht v. gedachte op onwillekeurige spieren. **ideoplas'tisch** [v. Gr. *plassoo* = vormen] vormgevend door de gedachte.

**id est**, afk. **i.e.** [Lat.] dit is, dit betekent. **id ge'nus om'ne** *zie* **et hoc ge'nus ...**

**idio-** [Gr. *idios* = eigen] eigen-, zelf-. **idiogra'fisch** [Lat. *idiographus*, v. Gr. *idiographos*, v. *graphoo* = schrijven] eigenhandig geschreven (niet te verwarren met ideografisch). **idiolatrie'** [v. Gr. *latreia* = loondienst, (gods)dienst, verering] zelfverheerlijking, zelfvergoding. **idiolect'** [v. Lat. *lect-* = lezing, v. *légere*, *lectum*, v. *legoo* = lezen] persoonlijk taalgebruik binnen landstaal. **idioom'** [Gr. *idiooma*, v. *idioomai* = zich eigen maken ] taaleigen v. volk of streek, de bijzonderheden eigen aan een bep. taal (bijv. uitdrukkingen); *ook wel*: gewestelijk taaleigen, dialect of tongval. **idioma'tisch** [Gr. *idioomatikos*] het idioom betreffend. **idiomatologie'** [*zie* -**logie**] leer betreffende de idiomen. **idioot'** [Lat. *idióta*, Gr. *idiootès* = iem. die onbedreven is in een kunst of wetenschap, leek, sukkel, stumper, stompzinnige, v. *idios* = eigen, privaat] **I** *bn* dwaas; stompzinnig; **II** *zn* in ernstige mate geesteszwakke, stompzinnig persoon; domdwaas iem. **idiotie'** [Fr.] geesteszwakte, stompzinnigheid; dwaze domme streek (dit laatste in volkstaal: idioterie). **idiotis'me** [Fr.] **1** het verschijnsel v. idiotie; domme streek; **2** woord of uitdrukking v. dialect (*zie na* **idioticon**). **idiopathie'** [Gr. *idiopatheia*, v. *pathè* = het lijden] ziekte niet voortkomend uit of samenhangend met een andere. **idiopa'tisch** onafhankelijk (v. ziekte). **idiosyncrasie'** [Gr. *idiosugkrasia*, v. *sun* = samen, en *krasis* = menging, v. *kerannumi* = mengen; eigen vermenging v. lichaamssappen waarvan volgens de Ouden de typische lichaamsconstitutie afhankelijk was] *(med.)* constitutie eigen aan persoon; (over)gevoeligheid voor bep. voedsel of bep. medicijnen. **idio'ticon** [*zie* **idioom**] woordenboek v. dialect. **idiotis'me 1** zie onder **idioot**; **2** gewestelijke uitdrukking; woord eigen aan een bep. dialect [Lat. *idiotismos*, v. Gr. *idiootismos* = gewone, eigen spreekwijze].

**I'do** [verkorting v. *Esperantido* = afstamming van *Esperanto*, z.a.; *zie* -**ide 1**] een in 1907 ontworpen wereldtaal; oorspr. een veranderde vorm v. Esperanto, later nog verder gewijzigd. **idool'** [Lat. *idóla*, v. Gr. *eidoolon* = beeld, schim, spook, v. *eidos* = voorkomen, gestalte, v. stam *(w)id-* = zien] afgod (ook *fig.*). **idola'ter** [OFr. *idolatre*, verkorting v. kerkelijk Lat. *idololatres*, v. Gr. *eidoololatrès*; Fr. ook *idolâtre* door verwarring met uitgang -*âtre* = *aster*, z.a.] afgodendienaar. **idolaat'** [Fr. *idolâtre*; *vgl. être idolâtre* = idolaat zijn (eig.: afgodendienaar zijn)] afgodisch, afgodisch vererend beminnend. **idolatrie'** (beter: **idolatrie'**) [Kerk. Lat. *idololatría*, v. Gr. *idoololatreia*, v. *latreia* = (loon)dienst, godsdienst, verering] afgodenverering. **idyl'le** [Lat. *idyllium*, Gr. *eidullion*, v. *eidos* = gestalte] korte beschrijving v. schilderachtig tafereel, herdersdicht; liefelijk (landelijk) tafereel. **idyl'lisch** als in een idylle.

**-ie 1** *(med.)* uitgang v.d. naam v.e. aantal ziekten of ziekteverschijnselen, welke naam is afgeleid v.e. Griekse term uitgaande op -*ia*, zoals: *pneumonie* (pneumonia) = longontsteking; *hemorragie* (haimorrhagia) = ziekelijke bloeding; **2** uitgang v. namen v. sommige wetenschappen, bijv. *astronomie*. **-ief** [Fr. -*if*, v. Lat. -*ivus*] uitgang v. bijvoeglijke naamwoorden, met bet.: strevend naar; de aard hebbend v., op de wijze v. (bijv. facultatief). **-iek** [vaak via Fr. -*ique* v. Lat. -*icus*, Gr. -*ikos*] **1** vervanging v. Ned. -*isch*, zoals: energiek = energisch, identiek = identisch; **2** [v. Gr. -*ikè (technè)*] uitgang die kunde of kunst aanduidt, *bijv.*: muziek, epiek, mathematiek; **3** uitgang om het geheel v. verschijnselen op een bepaald gebied aan te duiden, zoals: erotiek, motoriek, dynamiek e.d. (Zie *ook* -**ica**.) **-iel** [v. Lat. -*ilus*] meestal -baar of -achtig, *bijv.*: fragiel = breekbaar.

**iem'ker** *zie* **imker**.

**1** -**ien** uitgang voor namen v. chemische verbindingen die geen stikstof bevatten, bijv. dioxien (tetrachloordibenzodioxien).

**2** -**ien** [Fr.; uitspraak -ie-èn] a uitgang voor namen van prehistorische culturen, genoemd naar de eerste vindplaats v. resten daarvan, zoals: *Magdélien* [naar de grot 'La Madeleine' bij Tursac, Dordogne, in Frankrijk]; *b* uitgang v. namen v. sommige geologische lagen en v.d. tijd waarin ze gevormd werden, eveneens genoemd naar de vindplaats, vaak de naam v.e. rivier, zoals *Saalien* (naar de Saale).

**-iet** [Fr. -*ite*, v. Lat. -*ita*, v. Gr. -*itès*] **1** uitgang met bet.: behorend bij of verbonden met, in persoonsnamen vaak: inwoner van, afkomstig van, aanhanger van (bijv. Israëliet, preraphaëliet); **2** in namen v. bep. fossielen, mineralen, suikers, explosieve, handelsartikelen (resp. bijv. ammoniet, antraciet, dulciet, dynamiet, eboniet); **3** *(anorganische chem.)* zout v. zuur met minder dan normaal aantal zuurstofatomen (-igzuur) (bijv. natriumsulfiet, zout v. zwaveligzuur; *vgl.* -**aat**).

**ig'lo** [Eskimowoord *igloo* = huis] hut gebouwd v. sneeuwblokken.
**igno'bel** [Lat. *ignóbilis* = *in(g)nóbilis* = niet-edel; *zie* **nobel**] onedel, gemeen, laag. **ignominie'** [Fr., v. Lat. *ignominia* = v. *in* = niet, en *nomen*, *nóminis* = naam] smaad; beschimping. **ignominieus'** [Fr. *ignomineus*] smadelijk, oneervol.
**ignore'ren** [Lat. *ignoráre*, -*átum* = niet kennen, v. *ignárus* = *in-gnarus* = on-ervaren,

onkundig, v. stam *gna-*, Gr. *gnoo-* = kennen,
weten] onwetend zijn; opzettelijk negéren,
geen notitie nemen van. **ignoran'tie** [Lat.
*ignorántia*] onwetendheid, onkunde.
**ignorant'** [Fr. = o.dw van *ignorer*] onwetend,
onkundig.
**i-grec'** [Fr. = de Griekse *j*] de letter y, een
transcriptie van de klassiek-Griekse letter u
(*upsilon*), die later als i werd uitgesproken.
**ikeba'na** [Jap. *ike(ru)* = schikken, *hana* =
bloemen] Japanse bloemsierkunst, kunst v.h.
schikken v. bloemen.
**ik'ker** [verbastering v. *nikker, z.a.*] zwarte
duivel.
**ikoon'** en **i'kon** veel gebruikte spelling (maar
geen voorkeurspelling) v. **icoon** en **icon**.
**il-** [Lat.] = **in-** voor de letter **l**.
**i'leum** [*zie volgende*] (*med.*) dunne darm.
**i'leus** [Lat. *ileus* of *ileos*, Gr. *eileos; vgl. eileoo*
= dringen, in het nauw brengen, insluiten]
kronkel in de darm en daardoor afsluiting.
**i'lico** [Lat., v. *in loco* = ter plaatse] *bw* op
staande voet.
**illa'tie** [Lat. *illátio*, v. *in-ferre*, *il-látum* =
inbrengen] **1** inbrenging; **2** gevolgtrekking.
**illegitiem'** [Lat. *illegítimus*] onwettig v.
geboorte, onecht, buitenechtelijk.
**illegimiteit'** onwettigheid; onechtheid.
**illegi'timus** vr. **-ma** [Lat.] onwettig kind.
**illici'te** [Fr., v. Lat. *illícitus*, v *licitus* =
geoorloofd, v. *licére, lícitum* = geoorloofd zijn]
ongeoorloofd.
**illude'ren** [Lat. *illúdere, illúsum* = schertsen,
misleiden, v. *in* = er in, en *ludere* = spelen]
misleiden, voor de gek houden, bespotten.
**illumine'ren** [Lat. *il-luminäre* = ver-lichten, v.
*in* = er in, en *lümen, lúminis* = licht] (straten
en gebouwen aan buitenkant) verlichten met
extraverlichting bij feestelijke gelegenheid.
**illumina'tie** [Lat. *illuminátio*] feestelijke
verlichting. **illumina'ten** *mv* [christelijk Lat.
*illumináti* = de gedoopten] de 'verlichten',
naam v. diverse sekten, spec. die v. Weishaupt
(1776).
**illu'sie** [Lat. *illúsio* = spot, v. *illúdere; zie
illuderen*] zinsbegoocheling, hersenschim,
ijdel gebleken verwachting. **illusionist'** [Fr.
*illusionniste*] goochelaar. **illusoir'** [Fr.
*illusoire*] het karakter v.e. illusie hebbend,
bedrieglijk; denkbeeldig, alleen als
hersenschim bestaand (een - gevaar).
**illus'ter** [Lat. *illústris* = eig.: schitterend, v. *in*,
en *lustrare; zie volgende*] hoogvermaard,
beroemd, doorluchtig. **illustre'ren** [Lat.
*illustráre, illustrátum* = ver-lichten,
ver-helderen, versieren] verduidelijken,
verhelderen; opluisteren met tekeningen,
platen, foto's e.d. die de tekst toelichten
verluchten. **illustra'tie** [Lat. *illustrátio*]
verduidelijking; verluchting. **illustratief'**
verduidelijkend, verhelderend. **illustra'tor**
[modern Lat.] wie de illustraties v.e. boek
verzorgt. **illustris'simus** [Lat.] zeer
doorluchtige.
**im-** [Lat.] = **in-** vóór **b**, **m** of **p**.
**im'age** [Eng. = beeld] of **ima'go** [Lat. =
beeld] het beeld dat anderen van iem. (of iets)
hebben of krijgen; ongeveer hetzelfde als
*reputatie*. **ima'gebuilding** [v. Eng. *to build* =
bouwen] het opbouwen v.e. image.
**imagina'tie** [Lat. *imaginátio*]
inbeelding (svermogen). **imaginair'** [Lat.
*imaginaire*] denkbeeldig, enkel in verbeelding
bestaand; (*wisk.*) — *getal*, afk. *i*, getal met als
factor de tweedemachtswortel uit een negatief
getal; (*meetk.*) —*e cirkel e.d.*, cirkel e.d. met
negatieve straal. **imagine'ren** [Lat. *imagináre*
= zich in gedachte voorstellen, v. *imágo,
imáginis* = beeld] zich verbeelden, *imitári* =
nabootsen] inbeelden. **ima'go** [Lat. = beeld]
volwassen insekt (na larvale toestand en
eventueel verpopping).
**imam'** [Arab., v. *amma* = voorgaan] **1**
geestelijke en wereldlijk leider i.h. theocratische
stelsel der mohammedanen; **2** voorganger i.h.
officiële gebed, hoofd v.e. moskee; **3** hoofd

v.e. islamitische rechtsschool.
**imbeciel'** [Lat. *imbecillus* = zwak,
krachteloos; missch. v. *in* = op, en *báculus* =
stok] onnozel, zwakzinnig. **imbeciliteit'**
[Lat. *imbecíllitas*] een der ernstigere vormen v.
zwakzinnigheid (de andere is *idiotie, z.a.*)
**imbibe'ren** [Lat. *im-bíbere* = in-drinken]
inzuigen; doordrenken. **imbibi'tie** [Fr.
*imbibition*] zn.
**imbrog'lio** [It., v. *broglio* = kuiperij; *vgl.
brouilleren*] verwikkeling, moeilijkheid.
**imi'de** (*chem.*) verbinding met de groep —NH
(stikstof-waterstof) (*vgl.* amide: —NH$_2$).
**imite'ren** [Lat. *imitári*; verwant met *imágo* =
beeld] nabootsen, nadoen of namaken.
**imita'tie** [Lat. *imitátio*] nabootsing,
navolging. **imita'bel** [Lat. *imitábilis*] na te
bootsen, navolgbaar. **imita'tor** [Lat.]
navolger; iem. die anderen in houding, gebaar
en stembuiging nabootst of die dierengeluiden
nabootst.
**im'ker, iem'ker** [v. Fries *ima* = bij; *vgl.* Ned.
*imme*] bijenhouder.
**immanent'** [VLat. *immanens, -éntis* = o.dw v.
*im-manére* = in-blijven, in-wonen]
inwonend, innerlijk en blijvend (tegenover
**transcendent**). **immanen'tie** inwoning,
ook opgevat als: inwoning v.d. goddelijke
geest in de natuur.
**immatricule'ren** [Fr. *immatriculer*, v. *in* = in,
en *matricule* = register v. ingeschrevenen in
bep. instelling, v. VLat. *matrícula*, verklw v. Lat.
*matrix; zie matrijs*] inlijven, inschrijven in de
lijst als studerende aan hogeschool of als lid.
**immatricula'tie** zn.
**immatuur'** [Lat. *immatúres, v. matúrus* = rijp]
onrijp, ontijdig (*vgl.* **prematuur**).
**immaturiteit'** [Lat. *immatúritas*] onrijpheid,
ontijdigheid.
**immediaat'** [MLat. *immediátus; zie medium*]
onmiddellijk. **immediatise'ren**
onafhankelijke souvereiniteit geven.
**immemoriaal'** [MLat. *immemoriális*]
onheuglijk.
**immens'** [Lat. *imménsus*, v. *metiri* = meten;
*mensus sum* = ik heb gemeten] ongemeten,
onmetelijk; zeer groot. **immensiteit'** [Lat.
*imménsitas*] onmetelijkheid. **immensura'bel**
[Fr. *immensurable*] onmeetbaar.
**immer'sie** [Lat. *immérsio*, v. *im-mérgere,
-mérsum* = indompelen] in- of
onderdompeling.
**immigre'ren** [Lat. *im-migráre, -migrátum* =
zijn intrek nemen; *zie migreren*] een land
binnengaan om zich er te vestigen (*vgl.
emigreren*). **immigra'tie** zn. **immigrant'**
[Fr. = o.dw van *immigrer*] wie immigreert.
**imminent'** [Lat. *imminens, -éntis*, o.dw v.
*imminére* = boven iets hangen, (dreigend)
nabij zijn, v. *minére* = uitsteken; *zie eminent*]
onmiddellijk dreigend, boven het hoofd
hangend.
**immis'sie** [Lat. *immíssio*, v. *im-míttere,
-míssum* = in-zenden] toevoering,
inbrenging; toewijzing v. rechtswege.
**immobiel'** [Lat. *immóbilis*] onbeweeglijk.
**immobilair'**, **immobi'liën** [Lat. *immobília*]
onroerende goederen. **immobilise'ren** [Fr.
*immobiliser*] onbeweeglijk maken.
**immobilisa'tie** het onbeweeglijk maken of
zijn; — *reflex*, verlammingsreflex bij hevige
schrik. **immobiliteit'** [Lat. *immobílitas*]
onbeweeglijkheid. **immobilis'me 1**
immobiliteit; **2** het onwrikbaar vastzitten in een
bep. constellatie (*bijv.:* politiek -).
**immola'tie** [Lat. *immolátio*, v. *im-molare,
-molátum* = het offerdier met *mola* (offermeel)
bestrooien] offering (v.e. offer).
**immoraliteit'** [Fr. *immoralité*, v. **moraal**]
onzedelijkheid, daad tegen de zedenwet.
**immoreel'** [Fr. *immoral*] niet volgens de
zedenwet, onzedelijk.
**immortaliteit'** [Lat. *immortálitas*, v. *mors,
mórtis* = dood] onsterfelijkheid. **immortel'le**
[Fr. = *lett.*: de onsterfelijke] strobloem, bep.
bloem met niet verwelkende

bloembekleedsels.
**immunise'ren** [Fr. *immuniser*, v. Lat. *immúnis* = vrijgesteld van, v. *munus* = verplichting, dienst] immuun maken. **immunisa'tie** onvatbaarmaking tegen ziektekiemen.
**immuniteit'** [Lat. *immúnitas* = het vrij zijn (van dienst e.d.)] **1** onvatbaarheid voor schadelijke invloeden, spec. voor ziektekiemen; **2** *a* onschendbaarheid, het niet onderworpen zijn aan bep. burgerlijke wetten, vrijdom v. belastingen; *b* gebied waar deze onschendbaarheid en vrijdom geldt.
**immunogeen'** [*zie* -geen 2] het immuniteit **1** veroorzakend. **immunologie'** [*zie* -logie] (*med.*) leer der immuniteit **1**. **immuun'** [Lat. *immúnis*; *zie* **immuniseren**] **1** niet vatbaar voor besmettelijke ziekte (tot zekere besmettingsgraad) wegens afweerstoffen in het bloed (door het lichaam zelf vervaardigd of ingespoten); **2** (*fig.*) onvatbaar voor bep. geestelijke invloeden op de gemoedsgesteldheid; **3** onschendbaar, niet onderworpen aan bep. burgerlijke verplichtingen.
**impact'** [Eng. = het slaan tegen, v. Lat. *impíngere*, *impáctum* = tegen iets aanslaan, v. *in* = naar ... toe; en *pángere* = inslaan] werking, inwerking, ergens van uitgaande invloed of kracht.
**impas'se** [Fr., v. *passer*] doodlopend slop; (*fig.*) moeilijke situatie waaruit geen uitkomst is tenzij door radicale terugkeer tot beginpunt.
**impassi'bel** [Lat. *impassíbilis*, v. *pati* = lijden, *passus sum* = ik heb geleden] ongevoelig, niet vatbaar voor aandoeningen. **impassibiliteit'** onaandoenlijkheid. **impati'bel** [Lat. *impatíbilis*, v. *pati* = lijden] onlijdelijk, niet verdraaglijk.
**impedan'tie** [*lett.*: hindering; *zie* **impediëren**] (*elektriciteitsleer*) bij wisselstroom een grootheid die het verband aangeeft tussen de stroomsterkte i.e. bep. keten en de spanning waarop deze keten is aangesloten, en v.d. frequentie v.d. spanning afhankelijk is. **impediëren** [Lat. *impedíre*, -*ítum* voetboeien aanleggen, beletten, storen; *vgl. pes, pedis* = voet] hinderen, belemmeren. **impediment'** [Lat. *impediméntum* = hindernis, bagage] belemmering; (*kerk. recht*) beletsel (voor huwelijk of wijding, onderscheiden in ongeldig makend of ongeoorloofd makend). **impedimen'ta** *mv* [Lat.] legertrein, bagage, legertros of -trein.
**impe'gno** [It.; *vgl.* Lat. *pignus* = onderpand] borgstelling.
**impen'sen** *mv* [Lat. *impensa*, v. *impéndere*, -*pénsum* = te koste leggen, v. *péndere* = laten neerhangen, spec. v. weegschaal, afwegen (goud)] onkosten, uitgaven.
**imperatief'** [v. Lat. *imperáre*, -*átum* = bevelen, v. *in*, en *paráre* = gereed maken; VLat. *imperativus*] **I** *bn & bw* gebiedend, dwingend; **II** *m* **peratief** *zn* gebiedende wijs; *categorische* —, *zie* **categorisch**.
**impera'tor** [Lat. = bevelhebber, aanvoerder; na Julius Caesar titel v.d. keizer] gebieder, keizer.
**imperfect'** [Lat. *imperféctus*] onvolmaakt, niet af, met gebreken. **imperfec'tie** [Lat. *imperféctio*] onvolmaaktheid, gebrek. **imperfec'tum** [Lat.] onvoltooid verleden tijd.
**imperiaal'** [Lat. *imperiális*; *zie* **imperator**] **I** *bn* keizerlijk; v.e. imperium; **II** *zn* **1** [Fr. *impériale*] dak v. reiskoets, bus of ander openbaar vervoermiddel voorzien v. zitplaatsen; *ook*: kofferbergplaats daarop; **2** bep. papierformaat; **3** bep. drukletter.
**imperialis'me** onbeperkte keizerheerschappij; streven n.e. wereldrijk of tot grote gebiedsuitbreiding. **imperialist'** aanhanger v. keizerschap of v. streving naar wereldrijk. **imperialis'tisch** *bn & bw*. **imperieus'** [Fr. *impérieux*, Lat. *imperiósus*] gebiedend. **impe'rium** [Lat.] opperheerschappij; wereldrijk.

**impermea'bel** [v. Fr. *imperméable* v. Lat. *im-* = niet, en *permeabilis* = doordringbaar, v. *per* = door en *meare* = passeren] **I** *bn* ondoordringbaar, waterdicht; **II** *zn* regenjas.
**impersona'le**, *mv* -*a'lia* [VLat., onz. v. *impersonális*; *zie* **persoon**] onpersoonlijk werkwoord (bijv. regenen). **impersoneel'** [Fr. *impersonnel*, v. VLat. *impersonális*] onpersoonlijk.
**impertinent'** [Lat. *impértinens*, -*éntis*, v. *pertinére* = zich strekken, tot iets dienen, behoren, v. *tenére* = vasthouden, verwant met *téndere* = spannen] *eig.*: niet passend; onbeschaamd, brutaal. **impertinen'tie** onbeschaamdheid, brutaliteit.
**imperturba'bel** [Lat. *imperturbábilis* = ongestoord] *bn & bw* onverstoorbaar, steeds gelijkmoedig.
**impeti'go** [Lat. = schurft; v. *impétere* = er op los gaan; *impetus* (*z.a.*) = o.a. snelle loop, onstuimigheid; naam wegens het snelle ontstaan] naam voor een aantal besmettelijke huidziekten veroorzaakt door strepto- en stafylokokken, en gepaard gaande met etterige korstvorming.
**impetre'ren** [Lat. *impetráre* = verwerven, v. *in*, en *patráre* = volbrengen] met aandrang afsmeken, door afbidden verkrijgen.
**impetrant'** [Fr. *impétrant*, v. Lat. o.dw *impetrans*, -*ántis*] (*jur.*) eiser.
**impetueus'** [Fr. *impetueux*, Lat. *impetuósus*; *zie* **impetus**] stormachtig, onstuimig.
**impetuositeit'** onstuimigheid. **impetuo'so** [It.] (*muz.*) onstuimig. **im'petus** [Lat., v. *in*, en *pétere* = doelen, gaan naar, aanvallen] onstuimige plotselinge neiging; stormaanval, overval.
**impiëteit'** [Lat. *impíetas*] goddeloosheid.
**impitoya'bel** [Fr. *impitoyable*; *zie* **pitoyabel**] meedogenloos, onbarmhartig.
**implaca'bel** [Lat. *implacábilis*, v. *placáre* = glad maken, verzoenen; *vgl. placére* = behagen] onverzoenlijk.
**implanta'tie** [Fr. *implantation*] inplanting v. weefsel.
**implemente'ren** [gevormd naar Lat. *implére*, *implétum* = vol maken, vervullen] **1** een verdrag, overeenkomst of plan ten uitvoer brengen, vervullen; **2** een nieuw systeem i.e. dataverwerkende organisatie invoeren.
**implementa'tie** *zn*.
**implice'ren** [Lat. *im-plicáre*, -*átum* = in-vouwen] **1** in zich sluiten, met zich mee brengen; **2** in een zaak verwikkelen.
**implica'tie** [Lat. *implicátio*] verwikkeling in een zaak (*vgl.* **complicatie**). **impliciet'** [Lat. *implicite*, v. *implicítare*, intensief v. *implicáre*] impliciete, v.d. zaak zelf, medebegrepen, mede betrokken in, stilzwijgend er in begrepen.
**implore'ren** [Lat. *im-ploráre* = af-smeken] smeken, verzoeken.
**implo'sie** [naar analogie v. **explosie** *z.a.* (*ex* = uit, *in* = in)] (*nat.*) ineenploffing v.e. hol voorwerp als de druk daarin lager is of wordt dan de luchtdruk buiten het voorwerp en het materiaal de overdruk niet meer kan weerstaan. Het wordt dan m.e. knal ineen gedrukt.
**imponderabi'lia** *mv* [*vgl.* Lat. *pondus*, *pónderis* = gewicht, v. *péndere* = laten hangen, wegen] factoren die een zekere rol spelen doch die men niet kan afwegen of berekenen (bijv. emotionele factoren).
**impone'ren** [Lat. *im-pónere* = in-plaatsen] indruk maken, ontzag inboezemen.
**impopulair'** [*im* = *in* = niet; *zie* **populair**] *bn* **1** niet geacht, niet bemind bij het volk of het publiek; **2** verafschuwd, tegenzin verwekkend.
**important'** [Fr., v. MLat. *importáre* = gevolg hebben, van belang zijn, v. Lat. *importáre* = inbrengen, veroorzaken] belangrijk.
**importan'tie** [MLat. *importántia*] belang, belangrijkheid.
**importe'ren** [Lat. *im-portáre* = in-dragen] (goederen) invoeren. **importa'tie** invoer (v. goederen). **im'port** invoer. **importeur'** [Fr. *importateur*] wie goederen invoert.

**importuun'** [Lat. *importúnus* = eig.: onbevaarbaar (v. *in* = niet, en *portus* = haven), ongenaakbaar, ongunstig] ongelegen, op een ongeschikt moment, ook: **inopportuun**. **importuniteit'** [Lat. *importúnitas*] ongelegenheid, overlast.

**imposant'** [Fr., v. *imposer*, v. Lat. *impónere*, *impósitum*; *zie* **imponeren**] indrukwekkend, ontzag inboezemend.

**impost'** [Fr. *impót*, v. Lat. *impósitum*; *zie* **imposant**] (wat opgelegd is), accijns, belasting op verbruiksgoederen.

**impotent'** [Lat. *impotens*, *-éntis*, v. *pótens* = machtig zijnd; *vgl. posse* = kunnen] zwak, krachteloos, niet in staat zijnd tot geslachtsgemeenschap. **impoten'tie** [Lat. *impoténtia*] onmacht; onvermogen v.d. man tot geslachtelijk verkeer.

**impregne'ren** [Fr. *imprégner*, v. VLat. *impraegnare* = bevruchten, zwanger maken; *zie* **pregnant**] doortrekken met bep. stof. **impregna'tie** doordrenking.

**impreca'tie** [Lat. *imprecári* = toewensen, v. *prex*, *precis* = gebed; *imprecátus sum* = ik heb toegewenst] verwensing, vervloeking.

**impresariaat'** [v. It. *impresa* = onderneming] bedrijf dat optreedt als impresario; kantoor v. impresario. **impresa'rio** [It., v. *impresa* = onderneming, v. Lat. *prehéndere* = grijpen, nemen] ondernemer v. concerten e.a. publieke vermakelijkheden.

**impres'sie** [Lat. *impréssio*, v. *imprímere*, *impréssum* = in-drukken] indruk; het opdrukken of opgedrukte. **impressief'** indruk makend. **impressiona'bel** [Fr. *impressionable*] ontvankelijk voor indrukken. **impressionis'me** richting in de kunst die de onmiddellijke indruk wil weergeven (*vgl.* **expressionisme**). **impressionist'** [Fr. *impressioniste*] aanhanger v.h. impressionisme. **impressionis'tisch** *bn & bw.* **imprima'tur** [Lat., v. *imprímere*] I het worde gedrukt; II *zn* kerkelijk verlof tot drukken. **imprime'ren** [Fr. *imprimer*, v. Lat. *imprímere*] bedrukken: in de geest drukken. **imprimé** [v. Fr.] bedrukte stof. **imprin'ting** [Eng. = inprenting, het indrukken] (*dierpsych.*) in het Ned. **stempeling** genaamd, snel leerproces bij jonge dieren, waarbij ze in korte tijd bep. kenmerken v. hun soortgenoten e.a. kenmerken uit hun omgeving in zich opnemen.

**improba'bel** [Lat. *improbábilis* = eig.: verwerpelijk] onwaarschijnlijk. **improba'tie** [Lat. *improbátio*, v. *improbáre*, *-átum*, v. *improbus* = niet goed; *zie* **approbatie**] afkeuring. **improbiteit'** [Lat. *impróbitas*] slechtheid, slechte daad; oneerlijkheid.

**impromptu'** [Fr., v. Lat. *imprómptus* = niet bij de hand] onvoorbereid voorgedragen lied, muziekstuk, of voordracht.

**improviden'tie** [Lat. *improvidéntia*] gebrek aan voorzorg. **improvise'ren** [Fr. *improviser*, v. Lat. *im-provisus* = on-voorzien, v. *pro-vidére*, *-vísum* = voor-zien] zonder voorbereiding zingen, musiceren of voordragen. **improvisa'tie** [Fr. *improvisation*] onvoorbereid voorgedragen lied, muziekstuk of voordracht. **improvisa'tor** wie improviseert. **improvis'te** [Fr.]: *à l'—*, voor de vuist.

**imprudent'** [Lat. *imprudens*, *-éntis* = in-providens = on-voorzichtig] onvoorzichtig. **impruden'tie** [Lat. *imprudéntia*] onvoorzichtigheid.

**impudent'** [Lat. *impudens*, *-éntis*, v. *pudére* = zich schamen] onbeschaamd. **impuden'tie** [Lat. *impudéntia*] onbeschaamdheid; schaamteloosheid.

**impuls'** [Lat. *impúlsus*, v. *im-péllere*, *-púlsum* = tegen-slaan, voort-stoten, v. *péllere* = slaan, stoten] **1** aandrift, prikkel, eerste stoot; **2** (*nat.*) hoeveelheid v. beweging. **impul'sie** *zie* **impuls 1**. **impulsief'** [MLat. *impulsívus*] in onberedeneerde opwelling, uit plotselinge

aandrang. **impulsiviteit'** aanleg tot impulsief handelen.

**impuniteit'** [Lat. *impúnitas*, v. *impúnis*, v. *in* = niet, en *poena* = voldoening, straf] straffeloosheid, ongestraftheid.

**impute'ren** [Lat. *im-putáre*, *-putátum* = aanrekenen] toerekenen, ten laste leggen, aantijgen. **imputa'tie** [Lat. *imputátio*] *zn*. **imputa'bel** [Fr. *imputable*] toerekenbaar.

**in-** [Lat.] **1** als voorvoegsel vóór werkwoorden en daarvan afgeleide woorden: er in, er bij, er op (bijv. *includeren*, *inclusie*, *inclusief*); **2** vóór zelfstandige naamwoorden en bijvoeglijke naamwoorden: on-, niet- (bijv. *indigestie*, *indirect*, *inacceptabel*) (n wordt m vóór b, p en m; wordt l vóór l; wordt r voor r).

**in abstrac'to** [Lat.] in het afgetrokkene, in zich beschouwd, afgezien v. feitelijke omstandigheden (*vgl.* **in concreto**).

**inactief'** [Fr. *inactif*] niet-handelend, niet-werkend, nietsdoend, ledig; buiten dienst. **inactiviteit'** het inactief zijn. **in ac'tu** [Lat.] in werkelijke toestand, in werking (*vgl.* **in potentie**).

**inadequaat'** [Fr. *inadéquat*] ongelijk, niet volgens zelfde beginsel doorgevoerd (bijv. verdeling).

**inadverten'tie** [Fr. *inadvertance*] onachtzaamheid, vergissing uit onoplettendheid.

**in aeter'num** [Lat.] tot in eeuwigheid, voor altijd.

**in ambi'guo** [Lat.] onopgelost (v. kwestie).

**inaniteit'** [Lat. *inánitas*, v. *inánis* = leeg] ijdelheid, nietigheid.

**in a nut'shell** [Eng. = *lett.*: in een notedop] zeer i.h. kort, i.e. paar woorden.

**in arti'culo mor'tis** [Lat.] op het ogenblik van sterven.

**inaugure'ren** [Lat. *inaugurάre*, *-átum* = de vogelvlucht raadplegen (*zie* **augur**), met rituele plechtigheden inwijden of installeren] plechtig bevestigen of inhuldigen in ambt of waardigheid. **inaugura'tie** [Lat. *inaugurátio* = aanvang] *zn*. **inauguraal'**, **inaugureel'** [Fr. *inaugural*] bij een inauguratie behorend (bijv. inaugurale rede = rede bij aanvaarding v. hoogleraarsambt).

**in bo'nam par'tem** [Lat. = *lett.*: i.d. richting v.h. goede deel] in gunstige zin, o.a. gezegd v. betekenisontwikkeling v.e. woord (tegenst.: **in malam partem**, *z.a.*).

**in bo'nis** [Lat. = *lett.*: in goederen] in goede doen, welgesteld.

**in bre'vi** [Lat.] binnenkort.

**in'calculeren** [v. Lat. *in* = erbij, en *calculáre* = berekenen] i.d. berekening opnemen; rekening houden met.

**incandescen'tie** [v. Lat. *in-candéscere* = wit worden, gloeiend worden, gloeien] het gloeiend worden.

**incante'ren** [Lat. *in-cantáre* = *lett.*: in-zingen, toverformulier opzeggen] onder betovering brengen, bezweren. **incanta'tie** [Lat. *incantátio*] *zn*.

**incarne'ren** [Lat. *incarnáre*, v. *caro*, *carnis* = vlees] belichamen. **incarna'tie** [Lat. *incarnátio*] vleeswording. **incarnaat'** [Fr. *incarnat*, v. It. *incarnato*] vleeskleurig (tussen kersrood en rose in); hoogrood.

**incasse'ren** [It. *incassare*] (geld) innen; in ontvangst nemen, te verwerken krijgen (bijv. slagen). **incassa'tie** *zn*. **incas'so** [It.] inning v. geld; loon daarvoor.

**in ca'su**, afk. **i.c.** [Lat.] = i.h. geval waarvan sprake is], in kwestie, waarover het gaat (de persoon -); — *necessitátis*, in geval van nood. **in cau'da vene'num** [Lat.] het gif zit in de staart, de grootste moeilijkheid komt op het einde.

**incen'tive** [Eng., v. Lat. *incínere* = inblazen, v. *in* = in, en *cánere* = zingen; *vgl.* Eng. *incantation* = toverformule, bezwering] prikkel, prikkeling, aansporing, stimulans, drijfveer, motief; *ook*: provocatie.

**incest'** [Lat. *incéstum*, v. *in-* = niet, en *cástus*

= rein; *zie* castigeren] bloedschande (geslachtsgemeenschap tussen nauwe bloedverwanten, bijv. vader en dochter, moeder en zoon, broer en zus). **incestueus'** [Fr. *incestueux*] bloedschennig.

**inch** [Eng., v. Lat. *úncia* = twaalfde deel; *vgl.* ook *ons*] bep. Eng. lengtemaat, ¹/₁₂ deel v.d. foot, 2,54 cm.

**in'choatief** [Lat. *inchoatívus*, v. *inchoáre*, *-átum* = beginnen, aanvangen] *zn* werkwoord dat *a* het beginnen v.e. handeling, of *b* het overgaan i.e. andere toestand uitdrukt (*bijv.*: ontbranden ontstaan, *resp.* verrotten, bevriezen). **inchoatief'** *bn* de functie hebbend v.e. inchoatief (*bijv.*: een inchoatief werkwoord).

**incident'** [Fr., v. Lat. *incidens*, *-éntis*, o.dw van *in-cídere* = *in-cádere* = in-vallen] tussenkomende zaak, voorval, gebeurtenis die het normale verloop stoort. **inciden'tie** het er tussen voorvallen. **incidenteel'** bij wijze v. tussenkomend voorval; toevallig; bijkomstig, terloops; nu en dan.

**incipient'** [Lat. *incípiens*, *-iéntis*, o.dw van *incípere* = beginnen, v. *in-*, en *cápere* = vatten] beginner. **in'cipit...** [Lat.] hier begint ... (het boek, de lezing e.d.).

**inci'sie** [Lat. *incísio*, v. Lat. *incídere*, *-císum* = *in-cáedere* = in-snijden] insnijding, snede.

**incite'ren** [Lat. *incitáre* = in snelle beweging brengen] aandrijven, prikkelen.

**inciviek'** [Fr. *incivique* = een staatsburger onwaardig] politiek onbetrouwbaar (persoon); (*Z.N.*) collaborateur.

**incline'ren** [Lat. *in-clináre*, *-clinátum* = ergenshen neigen; *vgl.* Gr. *klinoo* = neigen] hellen, neigen naar. **inclina'tie** [Lat. *inclinátio*] helling; neiging.

**include'ren** [Lat. *in-clúdere*, *-clúsum* = *in-cláudere* = in-sluiten] insluiten, in zich besloten houden. **inclusi'** [Lat. *inclúsus*] inbesloten, meegerekend. **inclu'sie** [Lat. *inclúsio*] insluiting. **inclusief'**, afk. **incl.** [MLat. *inclusívus*] insluitend, mede inbegrepen.

**incog'nito** [It. = onbekend, v. Lat. *incógnitus*, v. *cognóscere* = leren kennen] **I** *bw* onder andere naam; **II** *zn* het verbergen v. rang of naam.

**incoherent'** [v. Lat. *in-* = niet-, on-; *zie* coherent] *bn* & *bw* onsamenhangend, niet aaneensluitend; *ook*: verward. **incoheren'tie** [Fr. *incohérence*] gebrek aan samenhang, onsamenhangendheid; *ook*: onsamenhangende, verwarde uiting.

**incommensura'bel** [Lat. *incommensurabel*, z.a., niet met gemeenschappelijke maat te meten (*bijv.*: incommensurabele groottheden).

**incommode'ren** [Lat. *incommodáre*; *zie* accommoderen] lastig vallen of lastig zijn. **incommoditeit'** [Lat. *incommóditas*] ongemak, hinder, last, ongelegenheid. **in commu'ni** [Lat.] in gemeenschappelijkheid.

**incompara'bel** [Lat. *incomparábilis*] onvergelijkbaar. **incomparabi'lia** *mv* bijvoeglijke naamwoorden zonder vergrotende en overtreffende trap (bijv. rechts, enig).

**incompati'bel** [v. Lat. *in-* = on, niet-; *zie* compatibel] *bn* niet te verenigen met, onverenigbaar, onbestaanbaar samen met (o.a. gezegd v. ambten, functies). **incompatibiliteit'** [Fr. *incompatibilité*] onverenigbaarheid.

**incompetent'** [v. Lat. *in-* = on-, niet-; *zie* competent] *bn* onbevoegd (*bijv.*: de rechter verklaarde zich incompetent in deze zaak); onbekwaam (*bijv.*: hij is een incompetent timmerman); ongeschikt. **incompeten'tie** [Fr. *incompétence*] *zn* onbevoegdheid; onbekwaamheid.

**incompleet'** [Lat. *incomplétus*] onvoltallig, niet volledig.

**inconceva'bel** [Fr. *inconcevable*, v. *concevoir* = Lat. *concipere* = ontvangen]

onvoorstelbaar.

**in concre'to** [Lat.] in feitelijke toestand beschouwd, in bepaald geval (*vgl.* **in abstracto**).

**in confes'so** [Lat. = in het erkende] toegegeven, erkend.

**incongruent'** [Lat. *incóngruens*, *-éntis* = ongepast, ongerijmd] niet gelijk en gelijkvormig; niet in overeenstemming; onbehoorlijk. **incongruïteit'** [Fr. *incongruité*, v. Lat. *incóngruus* = niet overeenstemmend, ongepast] ongepastheid; fout tegen taalregel.

**inconsistent'** [v. Lat. *in-* = niet-, on-] tot tegenspraak voerend (*bijv.*: deze theorie is inconsistent, d.w.z. bevat elementen die met elkaar in tegenspraak zijn). **inconsisten'tie** [Fr. *inconsistance*] het inconsistent zijn, gebrek aan verband, gebrek aan samenhang; onvastheid.

**in consue'ta for'ma** [Lat.] in de gebruikelijke vorm. **in contra'rio** [Lat.] integendeel. **in contuma'ciam** [Lat.] bij verstek.

**incontesta'bel** [v. Lat. *in-* = on-; *zie* contesteren] onbetwistbaar, onweersprekelijk.

**incontinen'tie** [Lat. *incontinéntia*] het zich niet onthouden; (*med.*) onvermogen de urine op te houden.

**inconveniënt** [v. Lat. *inconvéniens*, *-iéntis* = niet overeenkomend, ongeschikt] ongelegenheid, ongerief, bezwaarlijke omstandigheid. **inconveniën'tie** [v. Lat. *inconveniéntia*] het ongelegen komen: inconveniënt. **inconvenië'ren** ongelegen komen.

**incorpore'ren** [VLat. *incorporáre*, v. Lat. *corpus*, *córporis* = lichaam] inlijven, spec. in een genootschap. **incorpora'tie** [VLat. *incorporátio*] *zn*. **in cor'pore** [Lat.] gezamenlijk (*vgl.* Fr. *en corps*). **incorporeel'** [Fr. *incorporel*, Lat. *incorporális*] onlichamelijk.

**incredi'bile dic'tu** [Lat. = *lett.*: ongelofelijk om te zeggen] het klinkt ongelofelijk.

**increduliteit'** [Lat. *incredúlitas*, v. *crédere* = geloven (v. *cor dáre* = hart geven)] ongeloof, twijfelzucht.

**increment'** [Lat. *increméntum*, v. *in-créscere* = aangroeien] aanwas, aangroeisel; toename.

**incrimine'ren** [MLat. *incrimináre*, *-átum*, v. Lat. *crimen*, *críminis* = misdaad] van misdaad betichten; als strafbaar vervolgen; wreken; *de geïncrimineerde volzin*, de zin waarover men gevallen is, de gewraakte zin. **incrimina'tie** *zn*.

**in'crowd** [Eng.; *crowd* = menigte] geheel v. personen behorende tot een uitgelezen kring waar zij een rol spelen en iedereen iedereen kent.

**incroya'ble** [Fr., v. *croire* = Lat. *crédere*; *zie* **increduliteit**] ongelofelijk; *—s*, opzichtig geklede royalisten na Fr. Revolutie; fatten, dandy's.

**incruste'ren** [Lat. *in-crustáre*, *-átum*, v. *crusta* = korst; *vgl. crudus* = ruw] met steenachtige korst bedekken, met steen e.d. inleggen. **incrusta'tie** [VLat. *incrustátio* = het bestrijken met kalk] omkorsting; het incrusteren; met steen e.d. ingelegd werk; ketelsteen.

**incuba'tie** [Lat. *incubátio*, v. *in-cubáre*, *-átum* = ergens op liggen] broedtijd, het geïnfecteerd zijn zonder dat de ziekte nog uitgebroken is; *—tijd*, tijd tussen besmetting en het uitbreken v.d. ziekte. **incuba'tor** [modern Lat.] broedmachine.

**inculca'tie** [Lat. *in-culcáre*, *-átum* = vast trappen, instampen, v. *calcáre* = trappen, v. *calx*, *calcis* = hiel] het inscherpen, het inprenten.

**inculpe'ren** [Lat. *inculpáre*, v. *culpa* = schuld] ten laste leggen. **inculpa'tie** tenlastelegging, aanklacht. **inculpá'bilis** = onberispelijk] onbeschuldigbaar.

**incumbe'ren** [Lat. *in-cúmbere* = ergens op

gaan liggen, steunen] rusten op, zich
toeleggen op. **incumben'tie** verplichting die
op iem. rust.

**incuna'bel** [Lat. *incunábula* = windsels v.
pasgeborene, wieg, v. *cunae* = wieg]
eersteling v. boekdrukkunst, wiegedruk.

**indan'threen** [v. **indigo**, en Gr. *anthrax* =
kool] licht-echte verfstof voor weefsels (uit
amino-anthrachinon).

**indecent'** [Lat. *indecens, -éntis*]
onwelvoeglijk, oneerbaar. **indecen'tie** [Lat.
*indecéntia*] onwelvoeglijkheid,
onbetamelijkheid.

**indeclina'bel** [Lat. *indeclinábilis*]
(*spraakkunst*) onverbuigbaar.

**indeli'bel** [Lat. *indelíbilis*, v. *delére* =
vernietigen, uitvegen, uitwissen]
onuitwisbaar.

**indemnise'ren** [Fr. *indemniser*, v. Lat.
*indémnis* = schadeloos, v. *in-* = niet-, en
*damnum* = schade] schadeloos stellen.
**indemnisa'tie** zn. **indemniteit'** [Lat.
*indémnitas*] schadevergoeding,
schadeloosstelling.

**independent'** [Fr. *independant*]
onafhankelijk; —*en*, Eng. prot. sekte die geen
episcopaal gezag erkent. **independen'tie**
onafhankelijkheid.

**in depo'sito** [*zie* **deposito**] in bewaring.

**indetermina'bel** [Lat. *indeterminábilis*; *zie*
**determineren**] niet te bepalen.
**indeterminis'me** leer dat de wil v.d. mens
niet gedetermineerd wordt door oorzaken of
motieven, dus onbeperkt vrij is.
**indeterminist'** aanhanger v.h.
indeterminisme.

**in'dex**, afk. **Ind.** [Lat., v. *indicáre, -átum* =
aanwijzen, intensief v. *indicere, -dictum* =
aankondigen, bepalen; *dícere* = zeggen]
wijsvinger; bladwijzer, register v. boek;
aanwijzer v. verhouding (bijv. schedelindex:
verhouding tussen lengte en breedte); (*rk*) =
*librórum prohibitórum*, lijst van verboden
boeken (in deze vorm thans afgeschaft).

**in'dexcijfer** cijfer dat de momentele prijs v.e.
bep. verbruiksartikel aangeeft vergeleken met
de prijs in een bep. jaar (basisjaar), welke op
100 gesteld wordt. **indexe'ren 1** een index
(register) maken op; **2** i.d. index of een index
opnemen (*bijv.*: niet-geïndexeerde woorden);
**3** aan een index (*zie* **indexcijfer**) koppelen
(bijv. lonen). **indexe'ring** *zn* het indexeren.

**in'dexfossiel** *zie* **fossiel II. indice'ren** [Lat.
*indicáre, -átum*: *zie onder* **index**] wijzen op.
**indica'tie** [Lat. *indicátio*] **1** aanwijzing; **2**
(*jur.*) grond v. verdenking; **3** (*med.*)
aanwijzing v.e. bep. geneesmiddel voor of
behandelwijze v.e. geconstateerde ziekte;
*contra-indicatie*, aanwijzing of omstandigheid
die bij ziekte tegen het nemen v.e. bep.
behandelingsmaatregel of het voorschrijven
v.e. bep. geneesmiddel pleit. **in'dicatief** [Lat.
(*modus*) *indicatívus*] (*spraakkunst*)
aantonende wijs. **indica'tor** [VLat.]
aanwijzer; (*chem.*) stof die bij een bep.
zuurgraad (pH) van kleur verandert (bij
titreren gebruikt). **in'dicans** [Lat. = o.dw. v.
*indicáre* = aanwijzen] aanduiding, kenteken.
**indi'cium** [Lat.] aanwijzing, kenteken; grond
om vermoeden op te baseren.

**indic'tie** [Lat. *indíctio*, v. *indícere, indíctum*;
*zie onder* **index**] aankondiging; bep. 15-jarige
tijdsperiode in gebr. in kerkelijk gebruik; oorspr.
als fiscale periode ingesteld door Constantijn
1 sept. 312).

**indien'ne** [Fr.] bep. soort bedrukt katoen.

**indifferent'** [Lat. *indífferens, -éntis* = zonder
onderscheid, onverschillig] onverschillig,
lauw; niet werkzaam (v. stof), *vandaar*:
onschadelijk. **indifferen'tie** [Lat.
*indifferéntia*] het indifferent zijn.
**indifferentis'me** onverschillige lauwheid in
zake godsdienst.

**indigent'** [Lat. *indigens, -éntis*, v. *indigére* =
missen, v. OLat. *indu* = in, en *egére* = gebrek
lijden] behoeftig. **indigen'tie** [Lat.

*indigéntia*] behoeftigheid, nooddruft.

**indiges'tie** [Lat. *indigéstio*, v. *Lat. indigéstus*
= onverteerd, v. *in-* = niet-, en *digérere*,
*-géstum* = *dis-gérere* = uiteenvoeren,
afvoeren, verteren] slechte spijsvertering
wegens ogenblikkelijke stoornis.

**indigna'tie** [Lat. *indignátio*, v. *in-dignus* =
onwaardig] verontwaardiging. **indigniteit'**
[Lat. *indígnitas*] onwaardigheid.

**in'digo** [via Lat. v. Gr. *indikon* = de Indische
verfstof] bep. donkerblauwe verfstof voor
weefsels, voorkomend i.d. indigoplant,
waaronder men verschillende soorten verstaat
v.h. geslacht *Indigofera*.

**indiscreet'** [Fr. *indiscret*, Lat. *indiscrétus* =
onbescheiden] onbescheiden; openbaar
makend wat geheim moest gehouden worden.
**indiscre'tie** [VLat. *indiscrétio*]
onbescheidenheid; loslippigheid.

**indispensa'bel** [MLat. *indispensábilis*] niet te
missen, onontkoombaar, noodzakelijk.

**indisposi'tie** [v. Lat. *in-* = on-, *zie*
**dispositie**] ongesteldheid; tijdelijke
ongeschiktheid of minder goede gesteldheid
(de zanger had last v.e. kleine -); het ontstemd
zijn, kwade bui.

**In'dium** bep. element, metaal, chem. symbool
In, ranggetal 49.

**In'do** (verwant met Indië) (vroeger Ned.
Oost-Indië) halfbloed v. Europese vader en
Indische moeder.

**indoctrina'tie** [Eng. *indoctrination*, v. Lat. *in-*
= in-, *doctrína* = leer] het opdringen van bep.
(pol.) ideeën en opvattingen door een persoon
voortdurend onder druk te zetten en het vele door
hem zolang bep. zaken eenzijdig en bij
herhaling in te prenten, tot hij ze zelf gelooft;
ook in oneigenlijke zin: iem. bep. ideeën
opdringen. **indoctrine'ren** ww.

**Indo-Germaans'** [v. *Indië* en *Germanië*]:
*Indogermaanse talen*, bep. talenfamilie,
waartoe naast Sanskriet, Grieks en Latijn ook
vele moderne Europese talen behoren.
**indogermanistiek'** studie v.d.
Indogermaanse talen.

**indolent'** [VLat. *indolens, -éntis*, v. *in-* = niet-
en Lat. *dolére* = smarten, v. *dolor* = smart] *eig.*:
ongevoelig; traag, lusteloos, vadsig lui,
onverschillig. **indolen'tie** [Lat. *indoléntia* =
gevoelloosheid] geestelijke traagheid.

**indologie'** [v. *Indië*, en *-logie*] kennis v. wat
op Indië betrekking heeft. **indoloog'**
beoefenaar v.d. indologie.

**in'doorsport** [Eng. = *lett.*: sport binnenshuis]
elke sport die i.e. overdekte ruimte wordt
gespeeld. **in'doortraining** [*zie* **training**]
voorbereidende training voor veldsport in
overdekte ruimte.

**in dor'so** [Lat.: *lett.*: op de rug] op de
achterzijde (bijv. van wissel).

**indosse'ren** enz. *zie* **endosse'ren** enz.

**in du'bio** [Lat.] in twijfel.

**induce'ren** [Lat. *in-dúcere, -dúctum* =
invoeren, -leiden] **1** iem. tot iets brengen; **2**
afleiden uit het bijzondere; **3** (*elektrotech.*)
door inductie opwekken. **induc'tie** [Lat.
*indúctio*] **1** (*logica*) besluit tot een algemene
stelling uit een aantal bijzondere gevallen; **2**
(*nat.*) opwekking v.e. elektrische stroom of
lading of magnetische kracht door een
(andere) elektrische stroom of lading of
magnetische kracht. **inductief'** [Lat.
*inductívus*] langs de weg der inductie.
**induc'tor** [modern Lat.] apparaat voor het
opwekken v. inductie-elektriciteit.

**indulgent'** [Lat. *indulgens, -éntis*, o.dw van
*indulgére*, v. *in*, en *dulcis* =zoet, aangenaam]
toegevend, door de vingers ziende.
**indulgen'tie** [Lat. *indulgéntia*]
toegevendheid; kwijtschelding v. straf.

**indult'** [Lat. *indúltus*, v. *indulgére, indúltum*;
*zie* **indulgent**] inwilliging; respijt v. betaling;
kerkelijke vergunning tot bep. handeling.

**in duode'cimo** [Lat.] in bep. formaat (zo dat
vel in twaalf bladen is gevouwen). **in du'plo**
[Lat.] in tweevoud.

**industrie'** [Lat. *indústria* = nijverheid, v. OLat. *indu* = in, en *strúere* = opstapelen, bouwen] nijverheid, fabrieksbedrijf. **industrialise'ren** [Fr. *industrialiser*] omvormen tot industrie, industrieën vestigen. **industrialisa'tie** zn. **indus'trials** [Eng.] aandelen in industrieondernemingen. **industrieel'** [Fr. *industrieel*] **I** bn de industrie betreffend; **II** zn fabrikant.

**1 -ine** [v. Lat. *inus* = behorend tot, v.d. aard van] (*dierk.*) uitgang ter aanduiding v.e. lid v.e. onderfamilie; bijv. de zgn. Echte Honden (*Caninae*) vormen een onderfamilie v.d. familie der Hondachtigen (*Canidae*).
**2 -ine** (*chem.*) uitgang v. naam v. organische verbindingen die stikstofatomen (N) bevatten, *bijv.*: aniline, $C_6H_5NH_2$.
**3 -ine** [Fr., v. Lat. *-ina* = v. vorm v. *-inus*, en verkleiningsuitgang] bij meisjesnamen een verkleiningsuitg. v. namen, zoals Caroline van Carola, Bernardine van Bernarda enz.
**inefficiënt'** [v. Lat. *in-* = niet-, on-; *zie* **efficiënt**] ondoelmatig, niet doeltreffend.
**in effi'gie** *zie* **effigies**.
**inept'** [Lat. *inéptus*, v. *in* = niet, en *aptus* = geschikt; *zie* **adapteren**] ongerijmd. **inep'tie** Lat. *inéptia* = ongerijmdheid, dwaasheid.
**inert'** [Lat. *iners, -értis* (v. *in* = niet, en *ars, artis* = kunde) = onbedreven, werkeloos, loom] zonder beweging of werkzaamheid (bijv. de edele gassen zijn chemisch -); traag. **iner'tie** [Lat. *inértia*] traagheid, futloosheid.
**in essentia'li** [Lat.] in het wezenlijke.
**in exces'su** [Lat.] in overmaat.
**in exten'so** [Lat.] in zijn geheel; uitvoerig, in den brede. **in extre'mis (moméntis)** [Lat.] in de uiterste (ogenblikken), stervend.
**infaam'** [Fr. *infâme*, v. Lat. *infámis* = berucht] schandelijk, eerloos. **infamie'** [Fr., v. Lat. *infámia*] eerloosheid; lage daad.
**in fac'to** [Lat.] in feite, inderdaad.
**infailli'bel** [Fr. *infaillible*], **infalli'bel** [MLat. *infallíbilis*] onfeilbaar. **infaillibiliteit'** [Fr. *infaillibilité*], **infallibiliteit'** [MLat. *infallíbilitas*] onfeilbaarheid.
**infamie'** *zie onder* **infaam**.
**infan'te** [Sp. & Port., v. Lat. *ínfans, infántis* = kind (dat nog niet kan praten), v. *in-* = niet-, en *fari* = spreken, o.dw *fans*] (*gesch.*) titel v. prins in Spanje en Portugal (oorspr. de tweede zoon, niet de troonopvolger). **infan'ta** [Sp. & Port.] (*gesch.*) prinses niet-troonopvolgster in Spanje en Portugal. **infanterie'** afk. **inf.** [Fr., v. It. *infanteria*, v. *infante* = jongeling, voetsoldaat] (*mil.*) voetvolk. **infanterist'** soldaat v.d. infanterie. **infantici'dium** [Lat., v. *cáedere* = houwen, slaan, doodslaan] kindermoord. **infantiel'** [VLat. *infantílis* = een kind betreffend] kinderlijk; volwassen in jaren maar met kinderlijke kenmerken (lichamelijk en/of geestelijk). **infantilis'me** kinderlijke kenmerken bij volwassenen. **infantiliteit'** infantilisme of kenmerk daarvan; *ook*: kinderachtigheid.
**infarct'** [v. Lat. *infárctus* = volgestopt, v. *in-* = er in, en *farcíre, fárctum* = volstoppen, opvullen] afsterven van weefsel (necrose) als gevolg v.e. stoornis in de bloedcirculatie.
**infatiga'bel** [Fr. *infatigable*, v. Lat. *infatigábilis*] onvermoeibaar.
**infaust'** [Lat. *in-faustus* = geen zegen brengend, v. *faustus* = *favóstus* = geluk voorspellend, v. *favére* = gunstig gezind zijn] ongunstig; zonder hoop op genezing. **infavora'bel** [Lat. *infavorábilis*] ongunstig. **in favo'rem** [Lat.] ten gunste van.
**infect'** [v. Lat. *inficere, inféctum* = *in-fácere* = met iets aanmaken, doortrékken met kleurstof (= verven) of met iets schadelijks = vergiftigen, verpesten] geïnfecteerd, verpest. **infecte'ren** [v. *infecter*] besmetten, aansteken met ziekte; (geestelijk) verderven. **infec'tie** besmetting. **infectieus'** [Fr. *infectieux*] besmettelijk.
**inferieur'** [Fr., v. Lat. *inférior* = vergrotende trap v. *infer(us)* = wat beneden is, v. stam *in*

= in; *vgl.* **infernaal**] **I** bn laag staand, minderwaardig (bijv. kwaliteit); **II** zn: *—en*, ondergeschikten. **inferioriteit'** het ondergeschikt zijn; minderwaardigheid.
**infernaal'** [Lat. *infernális* = onderaards, tot de onderwereld (*infernum*) behorend; christelijk Lat. *infernum* = hel; *zie verder* **inferieur**] hels, als v.d. duivel. **infer'no** [It.] hel (spec. in Dante's *Divina Comedia*), plaats van afschuw, van helse verschrikking (bijv. slagveld).
**infeste'ren** [Lat. *infestáre* = aanvallen, v. *inféstus* = vijandig, voor *infensitus*, v. *in* = binnen, en *\*féndere* = stoten] als vijand binnenvallen en onveilig maken.
**infideliteit'** [Lat. *infidélitas*] ontrouw (aan huwelijksband of geloof). **in fi'dem** [Lat.] ter waarmerking.
**infiltre'ren** [*zie* **filtreren**] (doen) binnendringen in, (doen) insijpelen. **infiltrant'** persoon die tersluiks binnendringt. **infiltra'tie** zn.
**in fi'ne**, afk. **i.f.** [Lat.] op het einde. **in fi'nem** [Lat.] ten einde, met het doel. **infiniteit'** [Lat. *infínitas*, v. *in* = niet, en *finis* = einde] oneindigheid; onbegrensdheid.
**infinitesimaal'** [gevormd naar analogie v. **centesimaal**, v. Lat. uitgang *-alis*] veranderlijke grootheid naderend tot limiet nul (= oneindig klein); *—rekening*, differentiaal- en integraalrekening als één geheel beschouwd. **in'finitief**, afk. **inf.** [Lat. *infinitivus*] onbepaalde wijs. **infini'tum** [Lat.] *ad—, in—*, tot in het oneindige.
**infirmatief'** [Fr. *infirmatif*, v. Lat. *infirmáre* = zwak maken, ongeldig maken, v. *in-firmus* = niet-stevig, zwak] ongeldig makend.
**infirmerie'** [Fr., v. Lat. *infirmus* = zwak, ziek] ziekenzaal (voor militairen of kloosterlingen e.d.). **infirmiteit'** [Lat. *infírmitas*] krachteloosheid.
**in flagran'ti delic'to** [Lat.] op heterdaad.
**inflamme'ren** [Lat. *inflammáre, -átum* = in vlam zetten] ontvlammen; ontsteken. **inflamma'tie** [Lat. *inflammátio*] ontvlamming; ontsteking.
**infla'tie** [Lat. *inflátio* = opgeblazenheid, v. *fláre, flátum* = blazen] (*med.*) opzetting v. buik door gasvorming; (*econ.*) geldontwaarding, te grote circulatie v. ongedekt papieren geld waardoor de koopkracht sterk daalt en de prijzen in getalwaarde hoog worden (*vgl.* **deflatie**). **inflatoir'** met neiging tot inflatie.
**inflexi'bel** [Lat. *inflexíbilis*] onbuigzaam, hardnekkig; (*spraakk.*) onverbuigbaar. **infle'xie** [Lat. *infléxio*, v. *fléctere, fléxum* = buigen] buiging (v. lichtbundel, v. stem).
**inflic'tie** [Lat. *inflíctio*, v. *in-flígere, -flíctum* = tegenaan staan, aandoen, opleggen] het opleggen v. straf.
**influence'ren** [v. VLat. *influéntia* = invloed, v. Lat. *in-flúere, -flúxum* = in-vloeien] beïnvloeden. **influe'ren** [v. Lat. *inflúere*] invloed uitoefenen. **influen'tie** [VLat. *influéntia*] invloed; werking v.e. voorwerp op een ander. **influen'za** [It.] bep. besmettelijke aandoening v. luchtwegen, griep (wegens eertijds aangenomen invloed v. sterren). **influx'** [VLat. *inflúxus*] instroming (v. personen of dingen in een bep. plaats, spec. v. water in een rivier).
**in'fo** verkorting v. informatie, *z.a.* (*bijv.*: infoverstrekking) voor informatiekunde. **infologie'** neologisme voor informatiekunde.
**in fo'lio** *zie* **folio**.
**inform'** [Lat. *infórmis*, v. *in* = niet, en *forma* = vorm] vormeloos; gedrochtelijk, wanstaltig. **informiteit'** [Lat. *infórmitas*] vormeloosheid, wanstaltigheid. **in for'ma** [Lat.] in de (vereiste) vorm. **in for'ma consue'ta** *zie* in consueta forma. **informaliteit'** [*zie* **formaliteit**] handelwijze tegen de vorm. **informeel'** [*zie* **formeel**] zonder de officiële vorm in acht te nemen; voorlopig (nog niet in de vereiste vorm). **informant'(e)** man of vrouw die inlichtingen geeft. **informateur'** [Fr. v. Lat. *in-formare* = in vorm brengen]

persoon die informeert; politicus die onderzoekt of kabinetsformateur beter slaagt als deze in een bep. richting zou werken.
**informa'tie** [Lat. *informátio*] onderricht; inlichting; onderzoek; *ook:* verzameling van gegevens; *informatien*, *(jur.)* vóóronderzoek, deskundige voorlichting v.d. rechter.
**informa'tietheorie** leer over de hoeveelheid informatie die door de verschillende communicatiemiddelen overgebracht kan worden. **informa'tica**, (België)
**informatiek'** [v. Fr. *informatique*] wetenschap die zich bezighoudt met het verwerken van gegevens en de techniek daarvan, spec. van automatische gegevens, *ook:* computerkunde en onderwijs daarin.
**informatise'ring** het bereikbaar maken voor informatie, bijv. de samenleving door ontwikkeling v. informatietechnieken *(zie bij* **informatica**). **informatri'ce** meisje dat in een informatiebureau inlichtingen geeft.
**in fo'ro** [Lat.] voor het gerecht; —— *consciéntiae*, voor het geweten.
**in'fra**, afk. **infr.** [Lat. = *infera (parte)* = beneden (deel); *zie* **inferieur**] beneden; — *dignitátem*, beneden de waardigheid; *ut* —, zoals beneden (beschreven).
**infrac'tie** [Lat. *infráctio*, v. *in-fríngere*, *-fráctum* = in-breken, ver-breken] inbreuk, schending (v. overeenkomst).
**inframundaan'** [v. Lat. *mundánus* = tot de wereld *(mundus)* behorend] onderwerelds.
**infrarood'** elektromagnetische straling v. groter golflengte (kleiner trillingsgetal) dan rood licht (onzichtbare warmtestralen).
**infrasoon', infraso'nisch** [v. Lat. *sonus* = geluid] geluid met te laag trillingsgetal om nog hoorbaar te zijn. **in'frastructuur** [*zie* **structuur**] onderbouw, d.w.z. organisatorische en econ. basis voor een hoog ontwikkeld bedrijfsleven in een bep. gebied, het geheel v.d. voorzieningen daarvoor: wegen, waterwegen, spoorwegen, kanalen, bruggen, installaties voor energievoorziening e.d.
**in frau'dem** [Lat.] ten nadele van, ter misleiding.
**infructueus'** [Fr. *infructueux*, v. Lat. *in-fructuósus*, v. *fructus* = vrucht] zonder vrucht (zowel onvruchtbaar als vruchteloos).
**infu'sie** [Lat. *infúsio*, v. *in-fúndere*, *-fúsum* = in-gieten] het opgieten; — *diertjes*, infusoriën.
**infuso'riën** *mv* [wetenschappelijk Lat. *infusória*] aftrekseldiertjes, bep. klasse ééncellige dieren voorkomend in afgietsels v. gedroogd geweest zijnde kruiden.
**in futu'rum** [Lat.] voortaan, in het vervolg.
**in ge'nere** [Lat.] in het algemeen *(vgl.* **in specie**).
**ingenieur'** [Fr., v. Lat. *ingénium* = aangeboren aard (v. stam *gen*- = voortbrengen), scherpzinnigheid, genie] iem. met einddiploma v. Technische Hogeschool of Hogere Technische School (resp. ir. en ing).
**ingenieus'** [Fr. *ingénieux*, Lat. *ingeniósus*] vernuftig, vindingrijk.
**inge'nium** [Lat., *zie onder* **ingenieur**] natuurlijke aanleg, aangeboren talent.
**ingénu** [Fr., v. Lat. *ingénuus* = in het land geboren, uit vrije ouders geboren, fatsoenlijk, oprecht, openhartig; v. stam *gen* = voortbrengen] open, onbevangen, natuurlijk, ongekunsteld, naïef. **ingénue** [Fr.] argeloos onschuldig naïef meisje (spec. als toneelrol).
**ingenuïteit'** [Lat. *ingenúitas* = het *ingenuus* zijn] natuurlijke onbevangenheid, ongekunsteldheid.
**in glo'bo** [Lat.] globaal, en masse, in het geheel genomen. **in gra'tiam** [Lat.] ten gunste van.
**ingrediënt'** [Fr., v. Lat. *ingrédiens*, *-éntis* = o.dw van *ingrédi* = *in-gradi* = in-stappen] bestanddeel v. mengsel.
**ingrosse'ren** [*zie* gros] in hypotheekregister inschrijven. **ingrosse'tie** *zn.*
**in gros'so** [It.] in het groot.

**inhabiliteit'** [Lat. *in-hábilis* = on-geschikt] onontvankelijkheid (v. getuigen).
**inhabite'ren** [Lat. *in-habitáre* = be-wonen] bewonen, wonen in. **inhabita'tie** *zn.*
**inhabita'bel** [Lat. *inhabitábilis*] onbewoonbaar.
**inhale'ren** [Lat. *in-haláre*, *-halátum* = in-blazen, in-ademen] (diep) inademen, bijv. van tabaksrook. **inhala'tie** *zn.*
**inhere'ren** [Lat. *in-haerére* = aan-kleven] aankleven, verbonden zijn met. **inherent'** [Lat. *inháerens*, *-éntis* = o.dw] aanklevend, onafscheidelijk verbonden met. **inheren'tie** het inherent zijn.
**inhibe'ren** [Lat. *inhibére*, *-híbitum* = in-háber* = in-houden, tegenhouden, verhinderen] beletten, verbieden. **inhibi'tie** [Lat. *inhibítio*] beletting, verbod; innerlijke rem, het zich inhouden. **inhi'bitor** [modern Lat.] stof die een remming of vertraging v.e. bep. chem. reactie bewerkt, o.a. een stof die een metaaloppervlak beschermt tegen corrosie (aantasting); *(biol.)* stof in het organisme die een bep. chem. werking v.e. andere stof tegenhoudt.
**in hoc ca'su** [Lat.] in dit geval. **in hono'rem** [Lat.] ter ere van.
**inhospitaliteit'** [Lat. *inhospitálitas*; zie **hospes**] ongastvrijheid. **inhospitabiliteit'** onherbergzaamheid (v. kust, streek e.d.)
**in humanio'ribus** [Lat.] in de humaniora, *z.a.*
**inhume'ren** [Lat. *inhumáre* = met aarde bedekken; *humus* = aarde, grond] ter aarde bestellen, begraven. **inhuma'tie** *zn.*
**in hypothe'si** [Lat.] in de vooronderstelling; in het onderhavige geval.
**in infini'tum** [Lat.] tot in het oneindige.
**in instan'tie** [v. Lat. *instántia* = onmiddellijke tegenwoordigheid] op het ogenblik.
**in in'tegrum** [Lat.] in zijn geheel, in de vroegere staat; *restitútio* —, teruggave of herstel in ongeschonden staat.
**iniquiteit'** [Lat. *iníquitas* = *in-aequitas* = ongelijkheid, onbillijkheid] onrechtvaardigheid, onbillijkheid.
**initiaal** [Lat. *initiális* = het *initium* (begin) betreffend] **I** *bn* het begin, de aanvang betreffend; **II** *zn* (grote) beginletter; *initialen*, voorletters, afkortingen v. vóórnamen en familienaam. **initiatief** [Fr. *initiative*] het de eerste stap zetten of de eerste stoot geven tot handeling, plan, voorstel; handelingsdrang, ondernemende geest. **initiëren** [Lat. *initiáre*, *-átum* = beginnen, inwijden] inwijden, spec. bij natuurvolkeren opnemen van pubers in stamverband. **initia'tie** [Lat. *initiátio*] inwijding door bep. riten. **ini'tium** *mv* **ini'tia** [Lat., v. *in-ire*, *in-itum* = in-gaan] begin, aanvang. **initia'tor** [Lat. = beginner, grondlegger, inwijder] persoon die iets begint, het initiatief tot iets neemt, aanstichter.
**injec'tie** [Lat. *injéctio*, v. *in-jícere*, *-jéctum* = *in-jácere* = inwerpen] inspuiting. **injec'tor** [modern Lat.] apparaat om in te spuiten. **injicië'ren** [Lat. *injícere*] inbrengen, inspuiten.
**injunc'tie** [Lat. *injúnctio*, v. *in-júngere*, *-júnctum* = in-voegen, opleggen] uitdrukkelijke lastgeving, gerechtelijk bevel.
**in ju're** [Lat.] in rechte.
**injurië'ren** [Lat. *injuriáre* = onrecht aandoen, v. *jus, juris* = recht] beledigen, beschimpen. **inju'rie** [Lat. *injúria* = onrecht, nadeel] belediging, beschimping; eerroof; onrecht; schade. **injurieus'** [Fr., *injurieux*, Lat. *injuriósus*] lasterlijk, de eer rovend.
**in li'mine** [Lat.] op de drempel, aan het begin.
**in lo'co**, afk. **i.l.** [Lat.] ter plaatse, op de plaats zelf *(vgl.* **ilico**).
**in ma'lam par'tem** [Lat. = *lett.*: naar het slechte deel] in ongunstige zin, bijv. gezegd v.d. betekenisontwikkeling v.e. woord.
**in ma'nu** [Lat.] bij de hand (hebben). **in ma'nus** [Lat.] in handen van. **in mar'gine** [Lat.; *zie* **marge**] in de rand (v. beschreven of bedrukt papier). **in me'dias res** [Lat.] midden

in de zaak, midden in het onderwerp. **in me'dio (stat) vir'tus** [Lat.] de deugd (ligt) in het midden. **in memo'riam** [Lat.] ter nagedachtenis; **II** zn een artikel ter nagedachtenis. **in mo'ra**, afk. **I.M.** [Lat.] in gebreke; *periculum in mora, zie* **periculum**.
**in natu'ra** [Lat. = *lett.*: in de natuur] in natuurprodukten. **in natura'libus** [Lat.] in de natuurstaat, d.w.z. spiernaakt.
**innerve'ren** [v. Fr. *innerver*, v. Lat. *nervus* = zenuw] door middel v. zenuw invloed uitoefenen (het zenuwstelsel innerveert de spieren). **innerva'tie** zn.
**in ne'xu** [Lat.] in verband.
**in'ning** [Eng.] (*sport*) het aan slag zijn.
**innomina'bel** [Lat. *innominábilis*, v. *nomen, nóminis* = naam] onnoembaar. **in no'mine** [Lat.] in de naam.
**in no time** [Eng. = *lett.*: in geen tijd] in een oogwenk.
**innove'ren** [Lat. *innováre, -átum* = vernieuwen, v. *novus* = nieuw] nieuwigheden invoeren, iets veranderen zo dat het als het ware nieuw wordt. **innova'tie** [Lat. *innovátio*] nieuwigheid; verandering, vernieuwing, bijv. in industrie door invoering v. nieuwe betere technieken; *ook*: ontwikkeling v. nieuwe produkten of nieuwe toepassingen v. bestaande.
**in nu'bibus** [Lat. = *lett.*: in de wolken] in het rijk der fantasie, niet met de benen op de grond. **in nu'ce** [Lat. = *lett.*: in een noot] kort samengevat, beknopt; (*vgl.* **in a nutshell**).
**innumera'bel** [Lat. *innumerábilis*] ontelbaar.
**in octa'vo** [Lat.] in bep. formaat (vel in achten gevouwen).
**inocule'ren** [Lat. *inoculáre, -átum*, v. *óculus* = oog; *vgl.* Gr. *oops*] inenten. **inocula'tie** [Lat. *inocula'tio*] zn.
**inoffensief** [Fr. *inoffensif*, v. Lat. *offéndere, -fénsum* = aanstoot geven] geen aanstoot gevend; onschadelijk.
**inopera'bel** [*zie* **operatie**] (*med.*) niet geopereerd kunnende worden.
**inopportuun** [*zie* **importuun**.
**in op'tima for'ma** [Lat. = *lett.*: in de beste vorm] in de puntjes; precies zoals het of hij is (dat is Jan -); in de zuiverste vorm (dat is lafheid -). **in origina'li** [Lat.] in het oorspronkelijke (niet in afschrift).
**in pa'ce** [Lat.] in vrede. **in paren'thesi** [Lat.] tussen haakjes. **in perpe'tuam (re'i) memo'riam** [Lat.] ter eeuwige nagedachtenis (der zaak). **in perpe'tuum** [Lat.] voor immer.
**in pet'to** [It. = *lett.*: in de borst; Lat. *pectus, pectoris*) — *houden of* **behinden**, nog iets (als verrassing) zolang achterhouden of verzwijgen.
**in pla'no** [Lat.] in afgedrukte maar nog ongevouwen vellen. **in ple'no** [Lat.] in volle vergadering. **in poli'ticis** [modern Lat.] in de politiek. **in pontifica'libus** [kerk. Lat.] in bisschoppelijk vol ornaat; in ambts- of feestgewaad. **in poten'tie** [Lat. *in poténtia*] in aanleg (vgl. **in actu**). **in praesen'tia** [Lat.] in tegenwoordigheid van. **in pra'xi** [modern Lat.] in de praktijk.
**in pri'ma** [Lat.] in eerste aanleg; — *instántia*, bij het hoogste gezagsorgaan. **in promp'tu** [Lat.] in gereedheid. **in pro'pria perso'na** [Lat.] in eigen persoon.
**in pu'ris natura'libus** [Lat.] in zuiver natuurlijke staat, d.w.z. moedernaakt; andere vorm v. **in naturalibus**, *z.a.*
**in'put** [Eng., v. *to put* = plaatsen, zetten] **1** wat in een computer aan gegevens wordt ingevoerd (*vgl.* **output**); **2** wat wordt ingebracht aan geldmiddelen.
**in qua'druplo** [Lat.] in viervoud. **in quan'tum** [Lat.] voor zoverre. **in quar'to** [Lat.] bep. formaat (vel in vieren gevouwen). **in quaes'tie** waarvan sprake is (de persoon -, de zaak -); (de zaak) in geding.
**inquiete'ren** [Lat. *inquietáre*, v. *quies, quiétis* = rust] verontrusten.

**inquire'ren** [Lat. *inquírere, inquísitum*, v. *quáerere* = zoeken] onderzoeken; (*jur.*) verhoren. **inquisi'tie** [Lat. *inquisítio*] (*gesch.*) onderzoek naar rechtgelovigheid; gerechtshof in zake rechtgelovigheid en ketterij. **inquisiteur** [Fr., v. Lat. *inquisítor*] lid v.d. inquisitie. **inquisitoriaal** [Fr. *inquisitorial*, v. MLat. *inquisitórius*] op de wijze v.d. inquisitie.
**in re** [Lat.] in zake. **in re'rum natu'ra** [Lat.] in de aard der dingen; in de realiteit. **in resi'duo** [Lat.] als overblijfsel, voor de rest.
**in sa'cris** [Lat.] in heilige zaken.
**in sal'do** [*zie* **saldo**] nog schuldig.
**in sal'vo** [Lat.] in zekerheid.
**ins and outs** [Eng.] *mv: de ins and outs van iemand*, de kleinste bijzonderheden aangaande hem, zijn komen en gaan; finesses.
**ins Blaue hinein** [Du.] in het nevelige verschiet, in de ruimte (praten), vaag, algemeen.
**inscribe'ren** [Lat. *in-scríbere, -scríptum* = in-schrijven] inschrijven (in boek). **inscrip'tie** [Lat. *inscríptio*] inschrift, opschrift.
**..insculp'sit** [Lat. = 3e pers. volt. teg. tijd v. *inscúlpere* = ingraveren] ... heeft gegraveerd.
**insecta'rium** [*zie* **-arium**] insektenhuis.
**insectici'de** [Eng., v. Lat. *caédere* (in samenstelling *-cídere*) = houwen, slaan, doden] insektendodend middel. **insectivoor'** [v. Lat. *voráre* = verslinden] insekteneter.
**insec'tie** [Lat. *in-secáre, -séctum* = in-snijden] insnijding.
**in sede'simo** [Lat.] bep. formaat (vel in zestienen gevouwen).
**insemina'tie** [v. Lat. *inseminàre, -átum* (v. *sémen, séminis* = zaad] *eig.*: inplanten, inzaaien; bevruchten, d.w.z. het inbrengen v. zaad in de vagina v.e. vrouw of een vrouwelijk zoogdier; *kunstmatige inseminatie* (afk. *K.I.*), kunstmatige bevruchting v.d. vrouw met zaad v.e. andere man dan de vaste partner. **insemine'ren** kunstmatig bevruchten.
**insensi'bel** [Lat. *insensíbilis*] onmerkbaar; ongevoelig. **insensibiliteit** ongevoeligheid.
**insepara'bel** [Lat. *inseparábilis*] onscheidbaar, onafscheidelijk.
**insere'ren** [Lat. *in-sérere, -sértum* = in-voegen] inlassen, tussenvoegen, opnemen (in krant). **inser'tie** [Lat. *insértio*] zn. **inseraat** het ingevoegde; advertentie of bekendmaking opgenomen in krant; *ook*: bijlage.
**in'side informa'tion** [Eng. = *lett.*: inlichting v.d. binnenkant] inlichting v. iem. die in de zaak zelf betrokken is of goed op de hoogte is; inlichting uit zeer betrouwbare bron. **in'sider** [Eng. v. *inside* = binnenzijde] ingewijde, persoon die in de zaak zelf betrokken is of zeer goed op de hoogte is; persoon die in bep. milieu thuis is (*vgl.* **outsider** = buitenstaander).
**insidieus** [Fr. *insidieux*, Lat. *insidiósus*, v. *insídiae* = hinderlaag, v. *in-sedére* = in-zitten] verraderlijk belagend.
**insig'ne** [Fr., v. Lat. *insigne* = onzijdig zn v. *insignis* = in het oog vallend, v. *signum* = teken] onderscheidingsteken, herkenningsteken, teken v. rang of ereteken, teken dat men lid is v. bep. vereniging.
**in si'mili** [Lat.] op gelijke wijze.
**insinue'ren** [Lat. *in-sinuáre, -átum* = in de boezem (*sinus*) steken, inprenten] een insinuatie maken; (*jur.*) aanzeggen, kennisgeven, betekenen (vonnis); *geinsinueerde*, persoon aan wie exploot wordt of is betekend. **insinua'tie** [Lat. *insinuátio* = bekendmaking] bedekte toespeling of beschuldiging; (*jur.*) aanzegging, kennisgeving, betekening.
**insiste'ren** [Lat. *in-sístere* = ergens op gaan staan, blijven volharden, v. *sístere* = gaan staan, v. *stáre* = staan] aandringen op, blijven staan op.
**in si'tu** [Lat.] in de oorspronkelijke toestand;

ter plaatse.
**insola'tie** [Lat. *insolátio*, v. *sol, solis* = zon] de instraling v.d. zon; blootstelling daaraan.
**insolent** [Lat. *insolens*, *-éntis* = tegen de gewoonte, ongewoon v. gedrag, onbeschaamd, v. *solére* = gewoon zijn] lomp, onbeschoft, zonder schaamte. **insolen'tie** zn.
**in so'lidum** [Lat.] **1** in hoofdzaak; **2** als één geheel (elk afzonderlijk voor het geheel en het geheel voor elk afzonderlijk).
**insolva'bel** [Fr. *insolvable*] zie **insolvent.**
**insolvabiliteit'** [Fr. *insolvabilité*] zie **insolventie. insolvent** [v. Lat. *in-* = niet, en *sólvere* = losmaken] niet in staat te betalen. **insolven'tie** onvermogen te betalen.
**insomnie'** [Fr. v. Lat. *in-* = zonder, en *somnis* v. *somnus* = slaap] slapeloosheid.
**in spe** [Lat. = *lett.*: in de hoop] in de verwachting, toekomstig.
**in spe'cie** (*spreek uit:* speetsjie-e) [Lat.] in het bijzonder (*vgl.* **in genere**). **in spe'cie** (*spreek uit:* speesie) [*zie* **specie 2** ] in muntstukken.
**inspicië'ren** [Lat. *inspícere* = *inspécere* = op iets (toe)zien] inspecteren. **inspiciënt'** [Lat. *inspiciens*, *-iéntis* = o.dw] persoon die bij toneeluitvoering voor de voorwerpen die in het stuk op het toneel nodig zijn en verdere benodigdheden zorgt.
**in spiritua'libus** [Lat.] in geestelijke zaken.
**in'stant-** [v. Eng., voor woordafl. *zie* volgende] eerste lid v.e. samenstelling, dat aangeeft dat de zaak die in het tweede lid genoemd wordt (meestal een consumptie-artikel), onmiddellijk voor het gebruik gereed gemaakt kan worden of onmiddellijk plaats kan vinden, *bijv.*: instantkoffie (Eng. *instant coffee*), instantpudding. **instantané** [Fr., v. *instant* = ogenblik, v. Lat. *instántia* = onmiddellijke tegenwoordigheid; *zie* **instantelijk**] (*fot.*) momentopname. **instan'telijk** [v. Lat. *instans*, bw *instánter* = dringend, v. *in-stare* = erop staan, op de voet volgen] dringend; zonder verwijl. **instantemen'te** [It.] (*muz.*) dringend smekend. **instan'ter** [Lat.] dringend. **instan'tie** [v. Lat. *instántia* = het aandringen, Fr. *instance* = *ook*: reeks v. procedures om tot gerechtelijke beslissing te komen, gerecht] bevoegd machtsorgaan (een hogere -); aanleg (in eerste -); aandrang (met grote -; op - van); *in laatste -*, tenslotte.
**in sta'tu nascen'di** [Lat. = *lett.*: in staat van geboren worden] in staat v. wording; (*chem.*) in atomaire toestand, nog niet tot moleculen verenigd. **in sta'tu quo** [Lat.] in de staat tot dusverre. **in sta'tu quo an'te** [Lat.] in de staat zoals die vroeger was.
**instaura'tie** [Lat. *instaurátio*, v. *instauráre*, *-átum*] heroprichting.
**instige'ren** [Lat. *in-stigare*, *-átum* = *lett.*: in-prikken; *vgl.* **distingu**eren, **sti**muleren, **insti**nct] opstoken, aanzetten. **instiga'tie** [Lat. *instigátio*] aanzetting, ophitsing.
**instille'ren** [Lat. *instillàre*, *-átum* = v. *stilla* = druppel] indruppelen. **instilla'tie** [Lat. *instillátio*] zn.
**instinct** [Lat. *instinctus* = aandrift, v. *instinguere*, *-stinctum* = aanhitsen; *zie* **insti**geren] aangeboren neiging en vaardigheid, die het dier tot handelen brengt wanneer een invloed v. buiten of in eigen lichaam deze innerlijke drift activeert. **instinctief'** [Fr. *instinctif*] uit instinct; (bij mensen *ook*:) onwillekeurig, zonder nadenken.
**in stir'pes** [Lat.] volgens de staken (bij erfenis).
**institue'ren** [Lat. *in-stitúere*, *-stitútum* = *in-státuere* = instellen] stichten, instellen, oprichten; *ook*: onderrichten. **instituteur'** [Fr., v. Lat. *institútor*] oprichter, insteller. **institu'tie** [Lat. *institútio*] instelling; onderrichting. **institutionalise'ren** kort woord voor: tot e. gevestigd instituut worden of maken; iets bestaands formeel vastleggen c.q. regelen. **institutioneel'**: institutionele

**belegging**, belegging van gelden van publiek door spaarkassen, fondsen e.d. **instituut'** [Lat. *institútum* = regeling, inrichting] instelling, genootschap; gesticht, kostschool.
**instrue'ren** [Lat. *in-strúere*, *-strúctum* = ineenvoegen, onderwijzen, v. *strúere* = in rijen leggen, opstapelen, bouwen; *vgl.* **ster**nere = spreiden] onderwijzen; voorschrift voor gedragswijze geven; vooronderzoek doen. **instructeur'** [Fr., v. Lat. *instrúctor* = inrichter] oefenmeester. **instruc'tie** [Lat. *instrúctio*] onderrichting; voorschrift voor gedragswijze; (*mil.*) dienstorder; (*jur.*) vooronderzoek door daartoe aangewezen rechter (rechter van -). **instructief'** [Fr. *instructif*] leerzaam.
**instrument'** [Lat. *instruméntum*, v. *instrúere*; *zie* **instru**eren] werktuig, gereedschap; (*muz.*) speeltuig. **instrumentaal** [MLat. *instrumentális*] instrument betreffend; van of door muziekinstrumenten. **instrumenta'lis** [MLat.] naamval die aangeeft dat een handeling geschiedt d.m.v. of met de zaak door het zelfstandig naamwoord uitgedrukt (bijv. *acu píngere* = met de naald schilderen (borduren)). **instrumenta'rium** [*zie -arium*] de verzameling instrumenten voor een bep. doel. **instrumente'ren** [Fr. *instrumenter*] (een muziekstuk) zetten voor bep. instrumenten of voor orkest. **instrumenta'tie** zn.
**insubordina'tie** [*zie* **subordin**eren] weerspannigheid, verzet tegen overheid, spec. mil. dienstweigering.
**in substan'tie** [*zie* **substantie**] in hoofdzaak.
**insufficiën'tie** [v. Lat. *insufficiens*, *-iéntis* = ongenoegzaam] ontoereikendheid, het onvoldoende zijn. **insuffisant'** [Fr.] ontoereikend.
**insulair'** [Fr. *insulaire*, v. Lat. *insuláris*, v. *insula* = eiland] een eiland (of eilanden) betreffend.
**Insuline** [v. het Oostindische eilandenrijk.
**insuli'ne** hormoon gevormd door kliertjes die als eilandjes i.d. alvleesklier liggen (eilandjes v. Langerhals). (Gebrek aan dit hormoon heeft suikerziekte ten gevolge).
**insulte'ren** [Lat. *insultáre*, *-átum* = *in-saltáre* = tegenop springen, honen; intensitief v. *insalíre* = in-springen] beledigen. **insult'** belediging; plotselinge aanval.
**in sum'ma** [Lat.] in het geheel, in totaal, alles bijeengenomen. **in sum'mo gra'du** [Lat.] in de hoogste graad.
**insurge'ren** [Lat. *insúrgere*, *-surréctum*, v. *súrgere* = opstaan] opstaan tegen. **insurgent'** [Lat. *insurgens*, *-éntis* = o.dw] opstandeling. **insurrec'tie** [Lat. *insurréctio*] opstand.
**in suspen'so** [Lat.] hangend blijvend, onbeslist.
**in'swinger** [Eng., v. *to swing* = draaien, zwenken] (*voetbal*) bal die van de zijkant n.h. doel geschoten wordt (*bijv.*: een hoekschop), maar met een boog toch i.d. doelmond komt of dreigt te komen.
**intact** [Lat. *in-táctus* = on-aangeraakt, v. *tángere, tac'tum* = aanraken] ongerept, ongeschonden, volledig.
**intag'lio** [It., v. *in-tagliare* = in-snijden, v. VLat. *taleare*, v. *talea* = twijg] verdiept beeldhouw- of smeedwerk, *alg.*: graveerwerk in hard materiaal, steen e.d.
**in'take** [Eng.] (*psych.*) opname i.e. psychotherapeutische instelling e.d.; *intakegesprek*, oriënterend gesprek alvorens tot de behandeling v.d. cliënt wordt overgegaan.
**in tan'tum** [Lat.] voor zover het reikt.
**intar'sia of intarsiatu'ra** [It.] inlegwerk in hout met veelkleurige stukjes hout of paarlemoer e.d., houtmozaiek.
**inte'ger** [Fr. *intègre*, Lat. *integer* = eig.: *intager* = onaangetast, v. stam *tag-* = tasten; *vgl.* *tángere* = aanraken] rechtschapen, onkreukbaar. **integraal** [VLat. *integrális*] **I** bn geheel, volledig; het geheel betreffend, rekening houdend met alles; **II** zn **1** (*wisk.*)

som v. alle differentialen in bep. gebied; **2** bep. Ned. staatsschuldbrief. **integre'ren** [Lat. *integráre, átum* = heel maken] volledig maken; (*wisk.*) de integraal berekenen; *integrerend*, wezenlijk tot het geheel behorend (een bestanddeel). **integra'tie** [Lat. *integrátio* = hernieuwing] het tot een geheel maken der delen. **integriteit** [Lat. *intégritas* = ongeschondenheid, onbaatzuchtigheid] rechtschapenheid, onkreukbaarheid. **integument'** [Lat. *integuméntum* v. *in-tégere* = be-dekken] bekleedsel, omhulsel. **intellect'** [Lat. *intelléctus*, v. *intelligere*, *intelléctum* = *interlégere* = ertussen-lezen = waarnemen, begrijpen, verstaan v. *légere* = uit pikken uitlezen, lezen] begrijpend en redenerend vermogen, verstand. **intellectueel** [Lat. *intellectuális* = alleen met het verstand vatbaar] **I** bn verstandelijk; **II** zn persoon met verstandelijke (geestelijke) ontwikkeling, onderlegd in een of meer wetenschappen. **intellectualis'me** wereldbeschouwing die streeft naar een met het verstand begrijpen der realiteit onder eenzijdige waardering v. verstandelijke vermogens. **intellectualis'tisch** bn & bw. **intellectualist'** aanhanger v.h. intellectualisme. **intelligent'** [Lat. *intélligens, -éntis* = o.dw van *intélligere; zie* **intellect**] met goed verstand, schrander, vlug v. begrip (ook wel v. dieren gezegd). **intelligen'tie** [Lat. *intelligéntia* = schranderheid, verstandelijk vermogen; — *quotiënt*, getal dat de verhouding aangeeft v. iemands intelligentie ten opzichte v.h. normale; — *test*, onderzoek naar schranderheid door bep. opgaven te verstrekken (aangepast aan leeftijd). **intelligen'tsia** [Russisch *intelligentsiya*] intellectuelenstand. **intelligi'bel** [Lat. *intelligíbilis*] begrijpelijk, verstaanbaar.
**intemperan'tie** [*zie* **temperantie**] onmatigheid.
**intempestief'** [*zie* **tempestief**] bn ontijdig, niet te rechter tijd, niet passend.
**in tempora'libus** [Lat.] in tijdelijke (wereldse) zaken.
**intendan'ce** [Fr. = functie v. intendant] beheer en administratie v.e. (vorstelijk) goed, rentmeesterschap; (*mil.*) verzorging en administratie v.d. troepen. **intendant'**, afk. **int.** [Fr., v. Lat. *inténdens, -éntis* = wie toezicht houdt, o.dw van *in-téndere, -téntum* = uit-rekken, uitstrekken, zich op iets richten, bedoelen, toezien] rentmeester, hoofdopziener; (*mil.*) officier v.d. intendance. **intende'ren** [Lat. *inténdere; zie* vorige] bedoelen, als oogmerk hebben.
**intens'** [Lat. *inténtus* = uitgerekt = groot of gespannen] in hevige mate, zeer; gespannen. **intensief'** [Fr. *intensif*] bn krachtig, sterk, levendig, druk (verkeer); met grote produktiviteit; vol, diep (kleur), geconcentreerd, op een punt gericht (bombardement). **in'tensief** [Lat. (*verbum*) *intensívum*] werkwoord dat uitdrukt dat de handeling in sterke mate geschiedt (*bijv.: bukken* = diep *buigen*). **intensiteit'** [Fr. *intensité*] sterkte (bijv. van licht, geluid), afk. **I**, hevigheid; mate v. sterkte of hevigheid. **intensive'ren** meer intensief maken; ook: **intensifiëren** [Fr. *intensifier*, v. Lat. *-fícere* = *fácere* = maken]. **inten'sive ca're** [Eng. = intensieve zorg] (*ziekenhuiswezen*) methode v. voortdurende bewaking v. ernstige patiënten waarbij hun toestand d.m.v. apparatuur doorlopend gecontroleerd wordt. **inten'tie** [Lat. *inténtio; zie onder* **intendant**] bedoeling, toeleg, oogmerk. **intentione'ren** [naar Fr. *intentionné* = intentie hebbend] bedoelen, beogen. **intentionalis'me** leer dat de bedoeling de middelen heiligt. **intentioneel** [Fr. *intentionnel*] met bep. bedoeling, met opzet.
**inter-** [Lat.] **I** vz tussen -, te midden van -; **II** (*als eerste lid v. samenstellingen*) tussen -;

onderling.
**interac'tie** wisselwerking, wederzijdse actie op elkaar, wederzijdse beïnvloeding v. stromingen of personen op elkaar; (*psych.*) wederzijds contact.
**in'ter a'lia** [Lat.] onder andere. **in'ter ami'cos** [Lat.] onder vrienden.
**interbancair'** tussen banken onderling (bijv. geldverkeer).
**interbel'lum** [v. Lat. *bellum* = oorlog] tijdperk tussen twee oorlogen, spec. tussen beide wereldoorlogen. **interbellair'** bn.
**intercale'ren** [v. Lat. *intercaláre, -átum* = eig.: uitroepen (bekendmaken) dat er een dag of maand i.d. kalender werd tussengeschoven (bij de Romeinen soms nodig om de tijdrekening in de pas te houden met de zonsbeweging), v. *caláre* = uitroepen] tussenvoegen, inlassen. **intercala'tie** zn. **intercalair** bn tussengevoegd, ingelast.
**intercede'ren** [Lat. *inter-cédere, -céssum* = tussen-stappen] tussenbeide komen, bemiddelen. **intercedent'** [Lat. *intercédens, -éntis* = o.dw] bemiddelaar; ook: voorspreker. **intercenden'te** bemiddelaarster (als beroep), spec. bij het uitzenden van werkkrachten.
**intercellulair'** (*biol.*) tussen de cellen in (*bijv.: intercellulaire holten).
**intercepte'ren** [v. Lat. *inter-cípere, -céptum*, v. *cápere* = vatten] onderscheppen, opvangen. **intercep'tie** [Lat. *intercéptio*] zn. **intercep'tor** [Lat. = onderschepper] persoon of zaak die iets onderschept, spec. jachtvliegtuig dat vijandelijke bommenwerpers moet onderscheppen; ook: radarinstallatie die naderende vliegtuigen al op grote afstand kan waarnemen.
**interces'sie** [Lat. *intercéssio*, v. *intercédere, -céssum, zie* **intercederen**] tussenkomst; ook: bemiddeling, voorspraak. **interces'sor** [Lat. = o.a. bemiddelaar] voorspreker, bemiddelaar.
**intercipiё'ren** hetzelfde als **intercepteren**, z.a.
**interci'ty** [onjuist gevormd woord v. Lat. *inter-* en Eng. *city* = stad (v. Lat. *cívitas, civitátis; vgl. cívus* = burger); ook het ev *city* is hier misplaatst] sneltrein die de verbinding onderhoudt tussen de voornaamste steden en op geen of slechts enkele tussenstations stopt.
**in'tercom** [*zie* **communicatie**] handelsnaam voor een omroepsysteem binnen een bedrijf, ziekenhuis e.d. best. uit een lokale telefooninstallatie die werkt d.m.v. luidsprekers. **intercommunaal'** tussen gemeenten onderling, niet plaatselijk (bijv. telefoongesprek). **intercommu'nie** [*zie* **communiceren 3**] gemeenschappelijke Avondmaalviering door leden v. verschillende kerkgenootschappen; gemeenschap tussen verschillende kerken.
**interconfessionalis'me** het streven naar opheffing v. tegenstellingen tussen verschillende kerkgenootschappen.
**interconfessioneel'** tussen de geloofsbelijdenissen onderling.
**intercontinentaal'** tussen de continenten onderling (bijv. verkeer).
**intercorrela'tie** wederkerige afhankelijkheid, wederzijdse beïnvloeding.
**intercultureel'** t.m.v. verschillende culturen (*bijv.: — onderwijs*, onderwijs aan kinderen uit verschillende culturen).
**intercurrent'** [v. Lat. *cúrrens, curréntis* = lopend, o.dw v. *cúrrere* = lopen] bn **1** doorlopend tussen iets anders; onderwijl plaatsvindend; **2** (*med.*) onregelmatig verlopend (bijv. koorts).
**interdentaal'** [*zie* **dentaal**] **I** bn tussen de tanden gevormd of gelegen; **II** zn tussen de tanden gevormde klank (*bijv.: de Engelse th*).
**interdepartementaal'** bn tussen de departementen (ministeries) onderling (bijv. overleg).
**interdependen'tie** [*zie* **dependentie**]

onderlinge afhankelijkheid; *ook*: onderlinge samenhang. **interdependent'** *bn* wederzijds afhankelijk.

**interdice'ren** [Lat. *inter-dícere, -díctum* = ont-zeggen, v. *dícere* = zeggen] (*jur.*) verbieden, spec. het beheer over eigen vermogen; onbevoegd verklaren. **interdict'** [Lat. *interdíctum*] **1** (*jur.*) verbod; **2** (*rk kerkelijk recht*) verbod voor personen en (als straf) om sacramenten te ontvangen en liturgische functies uit te oefenen.

**interdic'tie** [Lat. *interdíctio* = verbod, ontzegging, uitsluiting; *vgl. interdíctio áquae et ígnis* = ontzegging van water en vuur = verbanning] **1** verbod; **2** (*België*) curatele (*z.a.*).

**interdiocesaan'** tussen bisdommen (diocesen) onderling.

**interdisciplinair'** tussen (enkele) wetenschapsgebieden onderling; betrekking hebbend op activiteiten v. (enkele) wetenschappen gezamenlijk.

**in'terfaculteit** [*zie* **faculteit 2**] afgeleide (secondaire) studierichting gevormd uit wetenschappen v. verschillende zelfstandige faculteiten v. hogeschool.

**interfere'ren** [v. OFr. *s'entreférir* = elkaar slaan] **1** tussenbeide komen, zich mengen in; **2** samentreffen en op elkaar inwerken. **interferen'tie 1** (*alg.*) tussenkomst, inmenging; **2** (*nat.*) wederkerige inwerking op elkaar v. gelijktijdig optredende bewegingen, spec. v. trillingen of golven, die elkaar versterken of verzwakken; **3** (*taalk.*) een invloed v.d. ene taal op de andere die fouten veroorzaakt (*bijv.*: de invloed v.h. Duits op het Ned. heeft germanismen ten gevolge); **4** (*virologie*) het verschijnsel dat het ene virus een andere virusstam verdringt of voorkomt dat deze infectie veroorzaakt. **interferon'** een door met een virus geinfecteerde cellen geproduceerd eiwitstof die in staat is infectie met een ander virus te voorkomen. Dit middel speelt misschien ook een rol tegen sommige vormen v. kanker.

**interflu'vium** [v. Lat. *flúvius* = rivier, stroom, v. *flúere* = vloeien, stromen] het gebied gelegen tussen de stroomgebieden van twee rivieren.

**interfoliё'ren** [Fr. *entrefolier*, v. Lat. *fólium* = blad] boek met blanco bladen doorschieten.

**intergalac'tisch** betrekking hebbend op toestanden die heersen of processen die zich afspelen tussen de sterrenstelsels.

**intergentiel'** [v. Lat. *gentílis* = stamverwant, v. *gens, géntis* = volksstam; volk]: —*recht*, het recht dat toegepast wordt tussen verschillende bevolkingsgroepen (of personen daaruit) met ieder hun eigen recht, die in één staat leven (bijv. in Afrika, in het Nabije of Verre Oosten).

**interglaciaal' I** *bn* tussen twee ijstijdperken in liggend; **II** *zn* tussenijstijd, gematigde of warme periode tussen twee glacialen (ijstijden).

**in ter'go** [Lat. = *lett.*: in de rug] op de achterkant, op de rugzijde.

**intergouvernementeel'** *bn & bw* tussen diverse regeringen (gouvernementen) onderling.

**interieur'** [Fr., v. Lat. *intérior* = meer naar binnen gelegen, vergrotende trap v. niet gebruikt *ínterus* = naar binnen gelegen, v. *in* = in, binnen] het inwendige (v. gebouw) wat betreft aankleding en meublering; afbeelding daarvan, binnenhuisje (*vgl.* **exterieur**).

**in'terim** [Lat. = ondertussen, onderwijl] tussentijds; *ad* —, afk. *ad int.* of *a.i.*, voorlopig, waarnemend, voor de tussentijd waarin een ambt onbezet is. **interimaat'** bestuur ad interim. **interimair'** [Fr. *intérimaire*] voorlopig, tijdelijk, waarnemend.

**in'terim-** (*België*) eerste lid v.e. samenstelling, dat aanduidt dat het tweede lid op een uitzendbureau betrekking heeft (*bijv.*: interimkantoor, interimarbeid). **interima'ris** persoon die in dienst is v.e. uitzendbureau.

**in'terimdividend** tussentijds aandeel i.d. de winst, door het bedrijf aan de aandeelhouders uitgekeerd geruime tijd voor het jaarlijkse slotdividend, als hoge winsten daartoe aanleiding geven.

**interinsulair'** tussen eilanden onderling (bijv. scheepvaart).

**interiorise'ren** [Fr. *intérioriser* = verinwendigen; *vgl.* **interieur**] tot iets innerlijks, inwendigs maken.

**interjacent'** [Lat. *interjácent, -éntis* = o.dw van *interjacére* = ertussen liggen] tussengelegen.

**interjec'tie**, afk. **interj.** [Lat. *interjéctio*, v. *inter-jécere* = ertussen werpen, v. *jácere, jáctum* = werpen (niet verwarren met *jacére* = liggen)] (*taalk.*) tussenwerpsel, uitroep die gevoelens (verwondering, vreugde, medelijden e.d.) v.d. spreker weergeven, *bijv.*: o, ach, foei, sjonge.

**Interlin'gua** [v. Lat. *língua* = o.a. taal] een der vele voorgestelde wereldhulptalen.

**interlinguïstiek'** tak v.d. taalwetenschap die de structuur en de wezenlijke elementen v. alle talen bestudeert, mede met het doel een norm te vinden voor zgn. *interlanguages* (Eng.), wereldhulptalen.

**interliniё'ren** [waarsch. v. MLat. *interlineáre*, v. Lat. *línea* = lijn] interlinies aanbrengen. **interlineair'** [Fr. *interlinéaire*, v. MLat. *interlineáris*] tussen de regels. **interli'nie** [Fr. *interligne*] (*drukkunst*) metalen strookje tussen twee regels om deze op hun plaats te houden; ruimte tussen twee regels.

**in'terlock** [Eng. *to interlock* = overlappend verbinden] bep. gebreide stof voor onderkleding.

**interlocu'tie** [Lat. *interlocútio* = eig. tussenspraak, v. *loqui* = spreken, *locútus sum* = ik heb gesproken] tussenvonnis (betreffende bijzaak). **interlocutoir'**, **interlocutoor'** [Fr. *interlocutoire*] een interlocutie betreffend.

**interlokaal'** tussen gemeenten onderling.

**interlu'dium** [v. Lat. *lúdere* = spelen] tussenspel.

**interme'dium 1** wie of wat verbinding tussen andere personen of zaken bewerkstelligt; **2** (*hand.*) tijd tussen twee termijnen of vervaldagen. **intermediair' I** *bn a* tussenliggend, op een overgangsstadium of tussentijd betrekking hebbend, tussen -, midden -; *b* (*hand.*): —*recht*, plaatselijke of regionale recht; —*e goederen*, goederen bestemd voor gebruik i.h. produktieproces (en niet voor direct gebruik); **II** *zn a* bemiddeling, tussenkomst; *b* datgene wat of hij die dient tot bemiddeling, overdracht of verbinding, bemiddelaar, intermedium **1**. **intermez'zo**, *mv* **intermez'zi** [It., volkstaal voor *intermédio*] **1** tussenbedrijf, tussenspel, ballet of zangspel tussen twee bedrijven v.e. toneelstuk (ook wel als zelfstandig stuk gespeeld); *ook*: klein muziekstuk als tussenspel i.e. groot muziekstuk; **2** (*fig.*) gezegde of voorval(letje) dat het normale verloop v.e. zaak onderbreekt; incident.

**intermina'bel** [Lat. *interminábilis*, van *in-* = niet-, on-, en *termináre* = begrenzen, eindigen; *términus* = grens; slot, einde] *bn lett.*: waar geen einde aan gemaakt kan worden; geen einde nemend, grenzeloos, eindeloos, oneindig, onbegrensd. **in ter'minis** [Lat.] in laatste instantie. **in ter'mino** op de bepaalde termijn of dag.

**intermitte'ren** [Lat. *inter-míttere, -míssum* = ertussen-zenden, ertussen laten komen, afbreken, nalaten, tussenpozen] met tussenpozen verschijnen of werken (koorts, spuitbron).

**intermis'sie** [Lat. *intermíssio* = a het nalaten, staking, *b* tussentijd, afbreking] uitblijving, het nalaten; tussentijd.

**intermusculair'** [naar Fr. *musculaire*, v. *muscle* = spier, v. Lat. *músculus* = verkleinwoord v. *mus* = muis] tussen de

spieren (bijv. injectie) (*vgl.* **intramusculair**).
**intern'** [Lat. *intérnus* = inwendig; *zie*
**interieur**) I *bn* 1 inwendig, binnen een staat;
**2** binnen het lichaam gelegen of geschiedend,
inwendige organen betreffend; **3** inwonend
(van leerlingen in school, doktoren in
ziekenhuis e.d.); II *zn* inwonend leerling,
dokter enz. **internaat'** [Fr. *internat*] inrichting
met inwonende werkers, spec. leerlingen,
studenten = kostschool.
**internationaal'** *bn & bw* 1 tussen
verschillende naties of staten; **2** waaraan
wordt deelgenomen door of bestaande uit
personen of particuliere organisaties uit
verschillende naties (*bijv.*: internationale
wedstrijd). **interna'tional** [Eng.] **1** aandeel
in naamloze vennootschappen m. kapitaal uit
div. landen; **2** (*sport*) speler die in
internationale wedstrijd (en) speelt of
gespeeld heeft (*oud-international*).
**internationalise'ren** [Fr. *internationaliser*]
internationaal maken. **internationalisa'tie**
*zn.* **internationalis'me** streven naar
internationale samenwerking en opheffing v.d.
tegenstellingen tussen de volkeren.
**internationaliteit'** het internationaal zijn;
internationale oriëntatie.
**interne'ren** [Fr. *interner*; *zie* **intern**) **1** een
bep. verblijfplaats aanwijzen die niet verlaten
mag worden; **2** (*med.*) plaatsen in een
gesloten psychiatrische inrichting v. patiënten
die om een of andere reden niet vrij kunnen
zijn.
**internist'** [*zie* **intern**] arts die zich
gespecialiseerd heeft op ziekten v. inwendige
organen en storingen v. hun functies.
**interno'dium** [v. Lat. *nodus* = knoop] (*plk.*)
stengellid tussen twee stengelknopen.
**in'ter nos** [Lat.] onder ons.
**internun'tius** [Lat. = bode-onderhandelaar]
afgezant v.d. paus bij regering v. kleine
mogendheid (bij grote mogendheid:
**nuntius**). **internuntiatuur'** ambt of
ambtswoning v.e. internuntius.
**interparlementair'** tussen de parlementen
onderling.
**interpelle'ren** [Lat. *inter-péllere, -átum* = in
de rede vallen, v. *°pelláre* = intensitief v. *péllere*
= drijven] in de rede vallen, om opheldering
vragen; een interpellatie richten tot.
**interpella'tie** [Lat. *interpellátio*] vraag van
kamerlid, buiten de orde om, strekkende ter
opheldering in zaak v. algemeen belang, aan
regering of minister. **interpellant'** [v. Lat.
*interpéllans, -ántis* - o.dw] kamerlid dat een
interpellatie houdt.
**interpenetra'tie** wederzijdse doordringing.
**interplanetair'** [naar Fr. *planétaire*; *zie*
**planeet**] tussen de planeten in (bijv.
interplanetaire ruimte, materie).
**interpole'ren** [Lat. *interpoláre, -átum* =
oppoetsen, vervalsen, inlassen, v. *políre* =
polijsten) (woorden of zinnen) inlassen in
bestaande tekst; (term) invoegen in bestaande
reeks getallen; (*nat.*) niet waargenomen
waarden berekenen die liggen tussen
waargenomen waarden in een geleidelijk
verlopende reeks. **interpola'tie** *zn.*
**interprete'ren** [Lat. *interpretári*, v. *interpres,
intérpretis* = tussenprater, tolk, v. stam *prat-* =
praten] vertolken, uitleggen. **interpreta'tie**
[Lat. *interpretátio*] *zn.* **interpreta'tor** [Lat. =
verklaarder, uitlegger] vertolker; uitlegger,
verklaarder. **interpreet'** [Lat. *interpres,
interpretis* = uitlegger, verklaarder; tolk]
persoon die interpreteert, vertolker.
**interprovinciaal'** *bn* tussen verschillende
provincies onderling; door verschillende
provincies gebruikt (bijv. proefveld).
**interpunge'ren** [Lat. *inter-púngere,
-púnctum* = lett.: ertussen steken] leestekens
tussen plaatsen. **interpunc'tie** [Lat.
*interpúnctio*] plaatsing v. leestekens.
**interreg'num** [Lat., v. *regnum* = regering, rijk]
tussenregering.
**interrela'tie**, *ook*: **in'terrelatie**

wisselwerking, onderling verband.
**interroge'ren** [Lat. *inter-rogáre* =
onder-vragen] ondervragen, uitvragen.
**interroga'tie** [Lat. *interrogátio*]
ondervraging; vraag. **interrogatief'** [Lat.
*interrogatívus*] I *bn* ondervragend; vragend,
vraagsgewijs; II *zn* (*taalk.*) a vragend
voornaamwoord, *zoals*: wie, wat, welke (Lat.
*pronómen interrogatívum*); *b* vragend
bijwoord, *zoals*: waar, waarom, wanneer, hoe
(Lat. *advérbium interrogatívum*).
**interrumpe'ren** [Lat. *inter-rúmpere,
-rúmptum* = onder-breken] onderbreken.
**interrup'tie** [Lat. *interrúptio*] onderbreking.
**interrup'tor** [modern Lat.] (*elektrotech.*)
stroomonderbreker.
**interscolair'** [v. Lat. *scholáris* of *scoláris* = tot
de school behorend] tussen verschillende
middelbare scholen onderling.
**intersec'tie** [Lat. *interséctio*, v. *inter-secáre,
-séctum* = uitelkaarsnijden, door-snijden]
kruising, snijpunt, doorsnede.
**interseksualiteit'** [*zie* **sekse**] **1** bij dieren het
optreden v. tweeslachtigheid (het hebben van
zowel mannelijke als vrouwelijke
geslachtsorganen) in zoverre dit van de norm
afwijkt; **2** bij de mens diverse afwijkingen
waarbij in de geslachtelijke sfeer lichamelijke
eigenschappen v.h. andere geslacht aanwezig
zijn (is geslachtsklierweefsel van beide seksen
aanwezig, dan spreekt men ook hier van
*hermafroditisme*). **interseksueel'** **1**
interseksualiteit vertonend; **2** tussen de
geslachten onderling (bijv. interseksuele
relatie).
**in'ter spem et me'tum** [Lat.] tussen hoop en
vrees.
**interstadiaal'**, *ook*: **intersta'dium**
betrekkelijk korte periode (400 tot misschien
40 000 jaar) met gematigd klimaat als
onderbreking v. een der IJstijden i.h.
Pleistoceen.
**interstellair'** [Fr. *stellaire* = de sterren
betreffend, v. Lat. *stelláris* = tot de sterren
behorend, v. *stélla* = ster] betrekking hebbend
op processen die zich afspelen of toestanden
die heersen tussen de sterren v. ons
Melkwegstelsel, bijv.: interstellaire
lichtabsorptie, lichtuitdoving, ruimte,
gaswolken, materie, meteoren, moleculen;
interstellair gas, stof, magneetveld, (*vgl.*
**intergalactisch**).
**intersubjectiviteit'** de relaties tussen
verschillende subjecten en het besef daarvan.
**intertri'go** [Lat. = doorgereden enz. plek v.
huid, v. *térere* = wrijven, schuren] het
'smetten' v.d. huid, roodheid of eczeem in
huidplooien.
**interuniversitair'** *bn & bw* tussen
universiteiten onderling.
**in'terval**, *ook*: **interval** [Lat. *intervállum* =
*eig.*: ruimte tussen twee verschansingen, v.
*vallum* = palissade, v. *vallus* = paal]
tussenruimte of tussentijd tussen twee
bijeenhorende delen; *ook*: gaping; (*muz.*)
afstand tussen twee tonen.
**interval'lum lu'cidum** [Lat.] helder ogenblik.
**interval'la lu'cida** [Lat.] *mv* heldere
ogenblikken bij een krankzinnige.
**interveni'ëren** [Lat. *inter-veníre, -véntum* =
*lett.*: ertussen komen; tussenbeide komen,
bemiddelen) tussenbeide komen; zich voegen
i.e. geding; (*hand.*) optreden als interventient
3. **interveniënt'** [van *intervéniens,
-veniéntis*, o.dw. van *intervenîre*) **1** persoon
die intervenieert; **2** tussenkomende partij; **3**
(*hand.*) persoon die voor de trekker of een
endossant een geweigerde wissel accepteert.
**interven'tie** [Lat. *intervéntio*] **1** (*alg.*)
tussenkomst; **2** (*jur.*) voeging i.e. burgerlijk
geding; **3** inmenging, meestal in
gewelddadige zin, v.e. staat of v. staten in de
aangelegenheden v.e. andere staat of staten.
**interven'tieprijs** prijs waarvoor
landbouwprodukten door de regering worden
gekocht wanneer de marktprijs daalt tot

beneden een van tevoren vastgesteld minimum, dus als garantie voor de minimumprijs. **interventionis'me 1** het streven om politieke doeleinden te bereiken door interventie; **2** econ. stelsel dat de vrijheid v. handelen v.d. bezitters der produktiemiddelen wil beperken door het opleggen v. regels door de overheid (met behoud v.h. privaatbezit).

**in'terview** [Eng., v. Fr. *entrevue* = afgesproken ontmoeting, v. *entre* = Lat. *inter*, en *voir* = Lat. *vidére* = zien] vraaggesprek (tussen journalist en bekend persoon, met bedoeling de inhoud te publiceren). **intervie'wen** een interview houden.

**in'ter vi'vos** [Lat.] onder levenden; *donátio — —*, schenking met de warme hand.

**interzonaal'** *bn* tussen verschillende zones plaatshebbend (*bijv.*: toernooi).

**intestaat'** [Lat. *in-testátus*, v. *in* = niet; *zie verder* **testament**] wie zonder testament na te laten overleden is; *— erfgenaam*, wie erft zonder testament v.d. erflater.

**intestinaal'** [v. Lat. *intestina* = de buikingewanden, de darmen] *bn* (*med.*) de buikingewanden, de darmen betreffend.

**intime'ren** [Lat. *intimáre, -átum* = indoen, inprenten, v. *íntimus* (*jur.*) aanzeggen. **intima'tie** [Lat. *intimátio*] *zn*.

**intimide'ren** [MLat. *intimidáre*, v. Lat. *timidus*; *zie* **timide**] vrees aanjagen, bang maken. **intimida'tie** *zn*.

**in'timus** *mv* **in'timi** [v. Lat. *bw intime* = vertrouwelijk] vertrouwde vriend, boezemvriend.

**intolera'bel** [Lat. *intolerábilis*] niet te verdragen, onuitstaanbaar. **intolerant'** [Lat. *intolerans, -ántis* = o.dw = onverdraagzaam *en* onverdraaglijk] onverdraagzaam spec. tegenover andersdenkenden. **intoleran'tie** [Lat. *intolerántia* = onverdraagzaamheid *en* onuitstaanbaarheid] onverdraagzaamheid.

**intone'ren** [v. Lat. *tonus* = toon] (*muz.*) de toon aangeven, inzetten, aanheffen. **intona'tie** toonaangeving, inzet; stembuiging.

**in tot'idem ver'bis** [Lat.] in zoveel woorden.

**in to'to** [modern Lat.] geheel. **in to'tum** [modern Lat.] als een geheel, in het geheel.

**intoxica'tie** [MLat. *intoxicáre* = met vergif insmeren; *zie* **toxisch**] vergiftiging; (*fig.*) bedwelming v.d. zinnen.

**in'tra** [Lat. voor *íntera (parte)* = in het naar binnen gelegen (deel), v. *ínterus* = niet gebruikte stellende trap bij **interior** en **intimus**, *z.a.*] binnen(in), inwendig (niet te verwarren met **inter** = tussen).

**intracellulair'** binnen de cel gelegen.

**intramoleculair** binnen in het molecule.

**intramuraal'** [v. Lat. *murus* = muur] *bn & bw lett.*: binnen de muren; binnen de (genoemde) inrichting of het instituut e.d. plaatshebbend (bijv. zorg). **intra mu'ros** [Lat.] binnen de muren, in eigen kring. **intramusculair'** [Fr. *intramusculaire*; *zie bij* **intermusculair**] in de spier (bijv. injectie).

**intransigent'** [Fr. *intransigeant*, v. Sp. *los intransigentos* (radicale republikeinen), v. Lat. *in* = niet, v. *trans* = naar de overzijde (*zie* **trans**), en *ágere = ágere* = voeren] onverzoenlijk, niet van schikkingen met of tegemoetkomingen aan de tegenpartij willende weten. **intransigen'tie** [Fr. *intransigeance*] onverzoenlijkheid, ontegemoetkomendheid.

**intransitief'**, afk. **i** [Lat. *intransitívus*, v. *trans-ire* = over-gaan] **l** *bn* onovergankelijk; **II** *zn* onovergankelijk werkwoord (geen lijdend voorwerp kunnende hebben). **in trans'itu** [Lat.] in het voorbijgaan.

**intraveneus'** [Fr. *intraveineux*, v. Lat. *vena* = ader] in de ader (bijv. injectie).

**intricaat'** [v. Lat. *intricáre, -átum* = in verwikkelingen brengen, v. *in* = in, en *tricae* = malligheden, moeilijkheden, naar stad Trica] ingewikkeld, verward.

**intri'ge** [Fr. *intrigue*, v. Lat. *intricáre*; *zie* vorige] verwikkeling (v. verhaal); kuiperij. **intrige'ren** [Fr. *intriguer*] met listige achterbakse middelen en kuiperijen zijn doel trachten te bereiken; de onderzoekingslust opwekken om te zien hoe het in elkaar zit (dit geval intrigeert me). **intrigant'** [Fr.] **l** *bn* intrigerend, konkelend; **II** *zn* wie intrigeert.

**intrinsiek'** [Lat. *intrínsecus* = inwendig, v. **intra**, *z.a.*] tot het wezen behorend; *—e waarde*, werkelijke waarde voortspruitend uit het innerlijk wezen.

**in tri'plo** [Lat.] in drievoud.

**intro-** [Lat., voor *íntero (loco)* = op de naar binnen gelegen plaats; *zie* **intra**] naar binnen-.

**in'tro** verkorting v. **introductie** in de betekenis: opening, inleiding.

**introduce'ren** [Lat. *intro-dúcere, -dúctum* = binnen-voeren] binnenleiden in gezelschap of besloten kring bij bep. eenmalige gelegenheid, voorstellen aan en inleiden bij het publiek; in omloop brengen. **introduc'tie** [Lat. *introdúctio*] inleiding, binnenleiding, bemiddeling met doel iem. toegang te verschaffen tot persoon of besloten kring; middel tot die toegangverschaffing (een - meegeven). **introducé** [Fr.] wie geïntroduceerd is (of wordt).

**intro'itus** [Lat. = intrede, v. *intro-ire* = binnen-gaan] bep. deel v.d. Latijnse mis, oorspr. zang bij intrede v.d. priester in de kerk.

**intronise'ren** [Fr. *introniser*, v. Gr. *en-thronizoo* = op de troon plaatsen] (een vorst) plechtig inhuldigen. **intronisa'tie** *zn*.

**introspec'tie** [Lat. *introspícere, -spéctum* = *intro-spécere* = naar-binnen-kijken] zelfbeschouwing. **introspectief'** zelfbeschouwend.

**introvert'** [Lat. *introvérsus*, v. *vértere, vérsum* = keren, wenden] naar binnen gekeerd (*vgl.* **extravert**). **introver'sie** naarbinnengekeerdheid (vgl. **extraversie**).

**intrude'ren** [Lat. *in-trúdere, -trúsum* = erinstoten; *se intrudere* = zich opdringen] inschuiven; *zich —*, zich indringen. **intru'sie** binnendringing, insluiping.

**intui'tie** [Lat. *intúitis* = aanblik, v. *in-tuéri* = naar iets zien; *intúitis sum* = ik heb beschouwd] innerlijke onmiddellijke aanschouwing v.e. zaak of waarheid zonder redenerend denken doch als bij ingeving. **intuïtief'** [MLat. *intuïtívus*] bij intuïtie. **intuitionalis'me** stelsel dat leert dat de waarheid door intuïtie gekend wordt, niet door redenering. **intuïtionis'me** stelsel dat leert dat de objecten v.d. buitenwereld bij de waarneming onmiddellijk worden gekend zonder omzetting in afbeeldingen.

**intumescen'tie** [Lat. *in-tuméscere* = opzwellen; *zie* **tumor**] opzwelling.

**in'tunen** [v. Eng. *to tune in* = afstemmen v. radiotoestel (een persoon) inspelen, instrueren

**intussuscep'tie** [Lat. *intus* = (naar) binnen, inwendig, en *susceptio* = opneming, v. *suscipere, -céptum = sus-cápere* = in zich vatten] het innerlijk in eigen zelfstandigheid opnemen (zoals bijv. het lichaam het voedsel doet); (*med.*) invaginatie (*z.a.*).

**inunde'ren** [Lat. *in-undáre* = over-stromen, v. *unda* = golf] overstromen, onder water zetten. **inunda'tie** [Lat. *inundátio*] *zn*.

**in u'su** [Lat.] in gebruik van; gebruikelijk. **in u'sum** [Lat.] ten gebruike van.

**inutiel'** [Lat. *inútilis* = on-bruikbaar] nutteloos, vruchteloos (bijv. poging).

**in utram'que par'tem** [Lat.] naar beide kanten, in beiderlei opzicht. **in utro'que ju're** [Lat.] in beide rechten (nl. wereldlijk en kerkelijk). **in va'cuo** [Lat.] in het luchtledige.

**invagina'tie** [Lat. v. *vagína* = schede], ook **intussusceptie** (*z.a.*) genaamd, instulping van de darm, waarbij een stuk darm zich instulpt en opschuift binnen de holte v.h. daarop volgende gedeelte v.d. darm, meestal voorkomend in de dunne darm. Darmafsluiting is het gevolg.

**invali'de** [Lat. *in-válidus* = niet-welzijnd] **I** *bn* ongeschikt voor zijn werkzaamheden of mil. dienst wegens ziekte of gebrek; **II** *zn* invalide persoon. **invalide'ren** [Fr. *invalider*] in rechte ongeldig maken. **invaliditeit'** [*zie* **invalide**] het invalide zijn, lichamelijke ongeschiktheid voor werk of dienst.

**invar'** [afk. voor **invariabel**] bep. staalnikkel-legéring die bij niet al te hoge verhitting (tot ca. 300° C) praktisch geen uitzetting vertoont. **invaria'bel** [Fr. *invariable*] onveranderlijk. **invariant'** [Fr.] (*wisk.*) niet veranderende kwantiteit (bijv. bij overgang op ander coördinaten-stelsel).

**inva'sie** [Lat. *invásio*, v. *in-vádere*, -*vásum* = binnen-trekken] inval in vijandelijk gebied of in neutraal gebied met vijandige bedoeling; *ook overdrachtelijk*: grote toestroming v. mensen of v. dieren.

**invectief'** [VLat. *invectívus* = scheldend, v. *invéhere*, -*véctum* = binnen-dragen, binnendringen, aanvallen] scheldwoord. **...inve'nit** [Lat. = 3e pers. volt.teg.tijd v. *inveníre*] .. heeft uitgevonden.

**inventa'ris** [Lat. *inventárium*, v. *in-veníre*, -*véntum* = aantreffen; *veníre* = komen] lijst van voorhanden zijnde bezittingen of goederen; *ook*: de bezittingen zelf; boedelbeschrijving, boedel zelf; lijst v. aanwezige stukken. **inventarisa'ren** een inventarislijst opstellen, de boedel beschrijven. **inventarisa'tie** *zn*. **invente'ren** [v. Fr. *inventer*, v. Lat. *inveníre*, -*véntum* = vinden, uitvinden] uitvinden; verzinnen, verdichten. **inven'tie** [Lat. *invéntio*] uitvinding; verzinsel; het verzamelen v.d. stof voor een redevoering. **inventief'** [Fr. *inventif*] vindingrijk.

**inver'sie** [Lat. *invérsio*, v. *in-vértere*, -*vérsum* = om-draaien] omkering, spec. die v.d. volgorde v. onderwerp en gezegde (bijv. *mij zul je niet zien*, *i.p.v.: je zult mij niet zien*); (*med.*) kering v.d. uterus; (*chem.*) omzetting v. rechtsdraaiende vorm (*zie* **polarisatie**) in linksdraaiende of omgekeerd, spec. bij rietsuiker wanneer deze door water gehydroliseerd is en dan van rechts-linksdraaiend is geworden; (*met.*) laag in de onderste atmosfeer waarin de temperatuur met toenemende hoogte *toe*-neemt, i.p.v. *afneemt*, hetgeen de normale toestand in de troposfeer (*z.a.*) is. **invert'** [Lat. *invérsus*] omgekeerd. **inverta'se** [*zie* -**ase**] enzym dat inversie helpt omzetten bij spijsvertering. **inverte'ren** omkeren; (*chem.*) inversie ondergaan.

**inver'so or'dine** [Lat.] in omgekeerde volgorde.

**invertebra'ten** [wetenschappelijk Lat. *invertebrata*; *zie* **vertebraten**] ongewervelde dieren.

**investituur'** [MLat. *investitúra*] bevestiging in ambt door bekleding met waardigheidstekenen.

**investiga'tie** [Lat. *investigátio*; v. *vestígium* = voetspoor] onderzoek, nasporing.

**invest'ment-trust** [Eng., *zie* **trust**] maatschappij die door uitgifte v. obligaties verkregen kapitaal weer investeert in andere maatschappijen.

**invetere'ren** [Lat. *inveteráre*; v. *vetus*, *véteris* = oud] verouderen; inroesten, inwortelen (kwaad, ziekte).

**inviet'** *zie* **invite**.

**invidieus'** [Fr. *invidieux*, v. Lat. *indiviósus*, v. *invidére* = aan-zien (met het boze oog om ongeluk te berokkenen, met schele ogen) benijden] naijverig, afgunstig.

**invinci'bel** [Lat. *invincíbilis*; *zie* **victorie**] onoverwinnelijk.

**in vi'no ve'ritas** [Lat. = *lett.*: in de wijn is waarheid] dronken mensen zeggen de waarheid.

**inviola'bel** [Lat. *inviolábilis*] *bn* onschendbaar. **inviolabiliteit'** *zn* onschendbaarheid.

**invisi'bel** [Lat. *invisibilis*] *bn* **1** onzichtbaar; **2** zich niet kunnende of willende vertonen.

**invite'ren** [Lat. *invitáre*, -*átum*] uitnodigen. **invita'tie** [Lat. *invitátio*]. **invi'te** [Fr., v. *inviter*, *zie* **inviteren**] kaart uitgespeeld om partner later een bep. kleur te laten spelen. **invité**, **invitée** [Fr.] genodigde, resp. *m* en *v*.

**in vi'tro** [Lat.] in het glas (d.i. in reageerbuis, buiten het organisme).

**in vi'vo** [Lat.] in het levende organisme.

**invoca'tie** [Lat. *invocátio*, v. *in-vocáre* = inroepen] aanroeping, smeekbede.

**in vo'ce...** [Lat.] onder het woord (gebruikelijk bij verwijzingen naar encyclopedieën; betekenis: zoek onder het steekwoord...).

**involve'ren** [Lat. *invólvere*, -*volútum* = in-rollen] inwikkelen; met zich meebrengen, in zich sluiten. **involu'tie** [Lat. *involútio* = omwinding] het in zich sluiten; verwikkeling.

**in vo'tis** [Lat.] gewenst, waarnaar verlangd wordt (*zie* **hoc erat in votis**).

**i'o** [Lat., v. Gr. *ioo*, *iou*] hoezee; — *vivat*, hoezee hij leve.

**ion'** (*spreek uit*: ie-on, niet jon) [Gr. *ioon* = gaande, o.dw v. *eimi* = gaan] atoom of atoomgroep met elektrische lading (+ of −) dat of die naar tegenovergesteld geladen elektrode gaat bij elektrolyse. **ionise'ren** [Fr. *ioniser*] ionen doen ontstaan (waardoor de middenstof elektrisch geleidend wordt). **ionisa'tie** *zn*.

**Io'nische zuil** zuil volgens een der drie oudgriekse bouwstijlen (met krullen aan kapiteel) (*vgl*. **Dorisch** en **Corinthisch**).

**ionosfeer'** [*zie* **ion** en **sfeer**] bep. laag in hoge atmosfeer die bestaat uit geïoniseerd gas (boven stratosfeer).

**ipecacuan'ha** [Port., v. inheems woord *ipekaaguene*] Zuidamerikaanse braakwortel, purgeerwortel.

**ip'pes**, **ips** *zie* bij **emmes**.

**ip'se di'xit** [Lat.] hijzelf (nl. de meester) heeft het gezegd. (Bij dogmatische bewering enkel steunend op gezag.) (*Vgl*. Gr. *autos epha*.) **ip'sis ver'bis** [Lat.] met dezelfde woorden; met evenzoveel woorden, d.w.z. uitdrukkelijk. **ipsis'simis ver'bis** [Lat.] met precies dezelfde woorden. **ip'so fac'to** [Lat.] door de daad zelve (bijv. een banvloek oplopen); (in spraakgebruik *ook*:) vanzelf, onontkoombaar. **ip'so ju're** [Lat. = *lett.*: door het recht zelf] door de wetsbepaling zelf (zonder uitdrukkelijke uitspraak v.d. rechter).

**ira'de** [Turks, v. Arab. *iradah* = wil] (*gesch.*) geschreven decreet v.d. sultan van Turkije.

**irasci'bel** [Lat. *irascíbilis*, v. *irásci* = toornig worden; *ira* = toorn] spoedig vertoornd, lichtgeraakt. **irascibiliteit'** lichtgeraaktheid.

**ire'nisch** [Gr. *eirènikos*, v. *eirènè* = vrede] vredestichtend, verzoenend, bemiddelend. **irenologie'** [*zie* -**logie**] leer van de vrede.

**Iri'dium** [v. **iris** *z.a.*] bep. element, metaal, scheik. symbool Ir, ranggetal 77 (naam wegens grote kleurenrijkdom der verbindingen).

**i'ris** [Gr. myth. *Iris* = godin v.d. regenboog] regenboog; (*anat.*) regenboogvlies v.h. oog. **irise'ren** [Fr. *iriser*] wisselende kleuren (weerschijnkleuren) vertonen. **iris(s)copie'** [v. -*scopie* = -bekijking, v. *skopeoo* = kijken] methode om ziekten e.d. af te lezen aan afwijkingen op de iris.

**ironie'** [Lat. *ironía*, v. Gr. *eirooneía* = ontveinzing, ironie] spottend het tegengestelde zeggen van wat men bedoelt, doch zo dat geen misvatting ontstaat (bijv. een mooi heerschap voor een boef, die noch mooi v. levenswandel noch heer is). **iro'nisch** afk. **ir.** of **iron.** [Gr. *eiroonikoos* *bw*] spottend het tegenovergestelde zeggend van wat bedoeld wordt.

**ir-** [Lat.] = **in-** vóór **r**.

**irradia'tie** [v. Lat. *ir-radiáre* = be-stralen] overstraling (waardoor helder voorwerp tegen donkere achtergrond groter lijkt dan het is).

**irrationalis'me** stelsel dat het verstand voor

ontoereikend houdt om tot waarheid en juist handelen te komen. **irrationeel'** [v. Lat. *ir-* = in = niet, en *rationális* = tot de rede *of* tot de rekening behorend] strijdig met de rede; — *getal*, getal niet in decimalen v. tiendelige breuk uit te drukken, een zgn. onmeetbaar getal, bijv. *pi*.

**irreë'el** [Fr. *irréel*] onwerkelijk; onwezenlijk.

**irregulier', irreguliér'** [Fr. *irrégulier*, v. MLat. *irreguláris*] onregelmatig.

**irrelevant'** [*zie* **releveren**] niet ter zake dienend, onbelangrijk, onbeduidend.

**irresisti'bel** [VLat. *irresistibilis*; *zie* **resistentie**] onweerstaanbaar.

**irreverent'** [Lat. *irreverens, -éntis*] oneerbiedig. **irreveren'tie** [Lat. *irreveréntia*] oneerbiedigheid.

**irreversi'bel** [Fr. *irréversible*] (*nat., chem.*) niet omkeerbaar (proces).

**irrevoca'bel** [Lat. *irrevocábilis*; *zie* **revocatie**] onherroepelijk.

**irrige'ren** [Lat. *irrigáre, -átum* = *in-rigáre* = be-vochtigen] (land) bevloeien, (*med.*) uitspuiten. **irriga'tie** [Lat. *irrigátio*] *zn.* **irriga'tor** [modern Lat.] sproei-apparaat; (*med.*) apparaat om uit te spuiten.

**irrite'ren** [Lat. *irritáre, -átum*, v. *in*, en *iritare*; *ira* = toorn] prikkelen, op de zenuwen werken, kregelig maken. **irrita'tie** [Lat. *irritátio*] **1** het irriteren; **2** geprikkeldheid, korzelige stemming. **irritant'** [Fr., v. Lat. *irritans, -ántis* = o.dw] irriterend. **irritabiliteit'** [Lat. *irritabílitas*] prikkelbaarheid, lichtgeraaktheid.

**isabel'** *zie* **izabel'**.

**isago'ge** (*ook*: **isagogie'** of **-giek'**) [Gr. *eisagoogè* = in-leiding, v. *agoo* = voeren] inleiding in wetenschap, spec. in bijbelverklaring. **isago'gisch** [Gr. *eisagoogikos*] inleidend.

**ischemie'** (*uitspr.*: isch-emie) [v. Gr. *ischoo* = vasthouden, tegenhouden, en *haima* = bloed] te geringe aanvoer v. bloed, zodat het desbetreffende gebied te weinig zuurstof krijgt en de cellen niet meer goed kunnen functioneren. Bij ernstige ischemie gaan ze zelfs dood (*zie bij* **infarct**). **ische'misch** *bn.*

**is'chias** [Gr. = pijn in de *ischion* (heup)] zenuwontsteking in de heup.

**-iseren** (*beter*: **-izeren**) [v. Fr. *-iser*, v. Lat. *-izare*, v. Gr. *-izoo*] uitgang v. werkwoorden, met bet.: **1** handelen als (judaiseren); **2** behandelen op de wijze van (catechiseren); **3** bep. gevoelens hebben (sympatiseren); **4** in bep. staat brengen (ioniseren).

**Islam** (*spreek uit*: Islaam) [Arab. = overgave; *aslama* = hij gaf zich over, v. *salama* = hij werd gered] de door Mohammed (Mahommed) gestichte godsdienst. **islamiet'** aanhanger v.d. Islam. **islami'tisch** van of volgens de Islam, mohammedaans.

**-is'me** [Fr., v. Lat. *-ismus*, Gr. *-ismos* of *-isma*] uitgang die aanduidt: **1** typische gedrag: bijv. egoisme; **2** bep. leer of levensbeschouwing of beweging: bijv. protestantisme; **3** ziekelijke toestand veroorzaakt door verslaving: alcoholisme, morfinisme e.d.; **4** naam voor bewerktuigd levend wezen: organisme.

**iso-** [Gr. *isos* = gelijk] gelijk-.

**isoba'ren** *mv* [Gr. *isobarès* = even zwaar, v. *barus* = zwaar] lijnen op landkaart die punten v. gelijke barometerstand verbinden; *ook*: kernsoorten (nucliden) die even zwaar zijn (gelijk atoomgewicht hebben). **isoba'then** *mv* [v. Gr. *bathus* = diep] lijnen op zeekaart die punten v. gelijke diepte verbinden. **isochroon'** [v. Gr. *chronos* = tijd] van even lange tijdsduur (vgl. **synchroon** = tegelijkertijd). **isocli'nen** *mv* [v. Gr. *klinoo* = neigen] lijnen op kaart die punten verbinden waar de inclinatie v.d. magneetnaald gelijke waarde heeft. **isodyna'men** *mv* [v. Gr. *dunamis* = kracht] lijnen die punten verbinden waar de kracht even groot is. **isoglos'se** [v. Gr. *gloossa* = tong, taal] lijn o.e. taalkaart die grens van bep. verschijnsel in de taal aangeeft. **isogoon', isogo'nisch, isogonaal'** [v. Gr.

*goonia* = hoek] gelijkhoekig.

**isole'ren** [Fr. *isoler*, v. It. *isoláre* = tot een eiland (*isola*) maken, afzonderen; vgl. Eng. *to insulate*; v. Lat. *insula* = afzonderen, afsluiten v. invloeden; (*elektrotech.*) met niet-geleidende stof scheiden v. andere geleider (of v. buitenlucht). **isola'tie** *zn.* **isola'tor** [modern Lat.] (*elektrotech.*) stof die isoleert. **isolationis'me** streven om zich af te sluiten (v.d. wereldpolitiek). **isolement'** [Fr.] afzondering, afsluiting v.d. buitenwereld.

**isomeer'** [*zie* **iso-**, en Gr. *meros* = deel] (*chem.*) van gelijke samenstelling maar met andere rangschikking der atomen. **isomerie'** [Fr. *isomérie*] het isomeer zijn. **isomorf'** [v. Gr. *morphè* = vorm] (*kristallografie*) van gelijke kristalvorm. **isomorfie'** het isomeer zijn. **isosce'lisch** [via VLat. v. Gr. *isokelès*, v. *skelos* = been] gelijkbenig (driehoek).

**isother'men** *mv* [v. Gr. *thermè* = warmte] lijnen op landkaart die punten v. gelijke thermometerstand verbinden. **isoto'nisch** [v. Gr. *tonos* = toon] (*muz.*) van gelijke toon. **isoto'pen** *mv* [v. Gr. *topos* = plaats] vormen v.e. element die op dezelfde plaats in het periodieke systeem der elementen staan (wegens gelijke chem. eigenschappen) maar die verschillend atoomgewicht hebben (isotopen hebben hetzelfde aantal protonen maar een verschillend aantal neutronen). **isotroop'** [v. Gr. *trepoo* = wenden] (*kristallografie*) het licht langs de diverse kristallografische assen gelijk brekend, niet dubbelbrekend (*vgl.* **anisotroop**).

**is'sue** [Eng. = probleem, geschilpunt] kwestie, onderwerp, punt v. behandeling (*vgl.* **item**).

**-ist** [Fr. *-iste*, Lat. *-ista*, Gr. *-istès*] uitgang v. persoonsnamen (of v. verpersoonlijkingen) v.: **1** bewerker: antagonist, ebenist e.d.; **2** aanhanger van een **-isme** als leer enz. (maar niet altijd *-ist*): darwinist, calvinist, atheist, feminist; beoefenaar van een taalwetenschap: Germanist, Anglist; spec. bespeler v.e. muziekinstrument: pianist, violist, harpist, organist e.d.; **3** wie zich beroepshalve of als amateur m.e. bepaalde zaak bezighoudt: bloemist, filatelist; **4** *-ist* komt ook onsystematisch voor in bep. namen: trappist, bovist (naam v.e. paddestoelsoort), of als aanduiding v.e. vorm v. bestaan: ubiquist (overal voorkomende plant of dier).

**ist'mus** [Lat. *isthmus*, Gr. *isthmos*] landengte. **italianise'ren** [Fr. *italianiser*] veritaliaansen, (woord) een Italiaanse vorm of uitgang geven; (aan bijen) een koningin v.d. Italiaanse bij geven.

**italiek'** [Fr. *italique*, v. Lat. *itálicus*, Gr. *italikos* = Italiaans] schuine, cursieve of lopende letter [naar land v. oorsprong: ingevoerd door Aldus Manutius van Venetië (ca. 1500)].

**-iteit** [Lat. *-itas*] uitgang die aanduidt; **1** aard (bijv. immoraliteit); **2** handeling v. die aard (brutaliteit, *ook*: flauwiteit); **3** passieve eigenschap van een stof, bijv. permeabiliteit (doorlatendheid).

**i'tem**, afk. it. [Lat., v. *is* = deze, en uitgang *-tem*] *bw* evenzo, op dezelfde wijze (niet te verwarren met **idem**, z.a.); **i'tem** [Eng., *uitspr.* aaitem v.h. Lat. *item*] **I** *bw* evenzo, op dezelfde wijze; **II** *zn* (niet in Lat.) punt, kwestie, onderwerp; onderwerp in krant of nieuwsuitzending; punt op agenda, post op rekening of begroting (*vgl.* **issue**).

**itere'ren** [Lat. *interáre, -átum*, v. *iterum* = nog eens] herhalen. **itera'tie** [Lat. *iterátio*] *zn.* **iteratief'** [Fr. *itératif*] **I** *bn* herhalend; **II** *zn* werkwoord dat een herhaling uitdrukt (Lat. *vérbum iterativum*), bijv.: *krabbelen* = herhaaldelijk *krabben*; hetzelfde als **frequentatief**, z.a.

**itinera'rium** [VLat. *itinerárius* = tot de reis behorend, v. Lat. *iter, itíneris* = reis, verwant met *ire* = gaan (Gr. *eimi*)] **1** reisgids; **2** reisgebed (vóór de reis te bidden).

**-itis** [Gr. = *vr.* v. *-ítès*, (*nosos*) = (ziekte) betreffende (het genoemde orgaan)] uitgang

die spec. ontstekingsziekten aanduidt (bijv. bronchitis, conjunctivitis, appendicitis).
**ius** *zie* **jus 2.**
**iu'ris utrius'que doc'tor** afk. **I.U.D.** *zie*
juris ...
**Ivriet'**, *ook*: **Ivriet'** of **Evriet'** het moderne Hebreeuws zoals het in Israël wordt gesproken.
**izabel'**, **isabel'** grauwgele of bruinachtig gele kleur (als koffie met melk) (naar een vrouwennaam, afl. onbekend).
**i'zegrim**, *ook*: **ie'zegrim** [oorspr. persoonsnaam, met de betekenis 'man m.d. ijzeren helm', v. OHDu. *iesan* = ijzer, en Gothisch *griema* = masker; later een naam voor de wolf i.e. dierenepos (MNed. *Isengrijm* of *Isengrijn*)] knorrepot, brompot.

**jabot'** [Fr., afl. onzeker] (*gesch.*) geplooid borststuk v. overhemd, bef; *thans nog*: geplooide (kanten) borststrook v. japon.
**jacent'** [Lat. *jacens*, *-èntis*, o.dw van *jacère* = liggen] liggend; onbeheerd.
**jack'et** [Eng. = *lett.*: jasje; v. Fr. *jaquet*, verklw. v. *jaque* = mouwloze soldatentuniek] **1** papieren omslag v.e. gebonden boek, stofomslag; **2** (*tandheelkunde*) porseleinen kroon op stomp v. tand of kies (afk. v. *jacketkroon*).
**jack'pot** [Eng.] het totaal v. het geld dat door de spelers bij een gokapparaat is ingeworpen; *de — winnen*, de gehele inzet (pot) winnen.
**jacobijn'** [naar Parijzer dominicanenklooster bij de kerk v.d. H. Jacobus] *oorspr.*: dominicaan; (*gesch.*) lid v. heftig revolutionaire partij tijdens Fr. Revolutie van 1789 (naar de vergaderplaats: een voormalig dominicanenklooster); extreem radicalist. **jacobinis'me** heftige en dolle vrijheidsgezindheid.
**jacobs-** *zie* **jakobs-.**
**jaconnet'** bep. soort Indische mousseline [naar stad Jagannathi].
**jac'ta est a'lea** [Lat. = de teerling is geworpen] *zie echter* **alea jacta esto**; hier in bet.: de beslissende stap is gedaan (wij kunnen niet meer terug). **jactan'tie** [Lat. *jactantia*, v. *jáctans*, *-éntis* = pralend, o.dw v. *jactáre* = dikwijls werpen, pochen, intensitief v. *jácere* = werpen] snoeverij, grootspraak.
**ja'de** [Fr. *le jade* = de jade, voor *l'ejade*, v. Sp. (*piedra de) ijada* = (steen van de) buikkramp, koliek (daar jade als geneesmiddel daartegen gold), v. Lat. *Ilia* = onderbuik, ingewanden] naam voor twee grijsgroene edelgesteenten, nl. *jadeiet* (Chinese jade) en *nefriet* (niersteen).
**j'adoube** [Fr. = ik zet recht] waarschuwing v. schaakspeler aan partner dat hij een stuk dat scheef staat gaat rechtzetten, doch niet van plan is met dat stuk te spelen (zonder deze waarschuwing geldt dat een aangeraakt stuk ook gespeeld moet worden). (*Vgl.* Fr. *touché joué* = aangeraakt is gespeeld.)
**jae'ger** bep. soort hygiënische onderkleding [naar G. Jaeger, Du. zoöloog, 1832-1916].
**Jahweh'**, *ook*: **Jahwe'** het van klinkers voorziene tetragram [Gr. *tetragrammaton* = vier letters] JHWH, de exclusieve naam v.d. Bondsgod der Hebreeën of Israëlieten.
**jaïnis'me** wijsgerige sekte uit Voor-Indië, verwant met boeddhisme.
**ja'jem** [v. Hebr. *jajin* = wijn] (*volkstaal*) jenever. **ja'jemen** veel jenever drinken, veel borrelen, 'hijsen'.
**jak** [v. Fr. *jaque*] *oorspr.*: middeleeuws kledingstuk, mouwloze soldatentuniek; *thans*: eenvoudig lijfje als dameskleding.
**ja'kobsladder** dubbele ladder; ketting zonder eind met emmers of bakken om graan te scheppen en in silo te storten [naar de hemelladder met afdalende en opklimmende engelen die Jakob in zijn droom zag, *zie* Genesis 28:12]. **ja'kobsstaf** instrument bestaande uit staaf met daarop verschuifbare dwarslat, vroeger gebruikt voor hoekmeting.

**jaloers'** [Fr. *jaloux*, v. OFr. *gelos*, v. Lat. *zelósus*, v. *zelus*, Gr. *zèlos* = ijverzucht] afgunstig, naijverig. **jaloezie'** [Fr. *jalousie*, v. OFr. *gelosi*; *zie* **jaloers**] 1 afgunst, naijver; 2 *eig.*: tralievenster v. Oosters gebouw om inkijken uit afgunst te beletten; zonneblind; verstelbaar en optrekbaar latwerk voor ramen om zon te weren.

**jalon'** [Fr.] bakenpaal (bijv. van landmeters); richtvlag.

**jalousie' de métier** [Fr.] broodnijd, naijver op vakgenoot.

**jam'be** [Lat. *jambus*, Gr. *iambos*] versvoet gevormd door een korte en een lange lettergreep (◡—). **jam'bisch** *bn & bw*.

**jamboree'** [Am., Indiaans woord] internationale bijeenkomst v. padvinders (in Amerika *ook*: vrolijk-luidruchtige bijeenkomst).

**jam'session** [Am.] bijeenkomst v. musici om vnl. improviserend te musiceren.

**ja'nitor** [Lat., v. *janua* = deur; verwant met **Janus**, god v. ingang en uitgang] deurwachter.

**janitsaar'** [Turks *yeni* = nieuw, en *tsheri* = militie] (*gesch.*) Turks soldaat v. bep. korps gevormd uit gevangen en tot mohammedanisme overgegane jonge christenen (opgericht 1329, lange tijd de keurtroepen v.h. Turkse leger).

**jansenis'me** bep. katholieke sekte, spoedig door de katholieke Kerk veroordeeld en geheel afgescheiden, die de menselijke natuur voor geheel bedorven hield en de ongeschiktheid tot het goede v.d. natuurlijke wil leerde [naar Cornelius Jansénius = Jansen, bisschop v. Ieper, 1585-1638]. **jansenist'** aanhanger v.h. jansenisme. **jansenis'tisch** *bn & bw*.

**janua'ri**, afk. **jan.** [Lat. (*mensis*) *januárius* = aan Janus behorende (maand)] eerste maand v.h. jaar (in oud-Romeinse kalender de 11e, toegewijd aan de god **Janus**).

**Ja'nus** [Lat.] (*Rom. myth.*) oud-Italische god, v. Gr. *Zan* = *Zeus*, met dubbel aangezicht, god v. ingang en uitgang. **ja'nuskop** kop met twee gezichten.

**japon'** [uit Fr. *jupon*, verklw. v. *jupe* = jak, buis, v. Arab. *ǧubba* = onderkleed van katoen] 1 *vroeger*: gemakkelijk gewaad voor in huis voor mannen (kamerjapon); 2 bovenkleed voor vrouwen, jurk.

**japonoloog'** [*zie* **-loog**] kenner v.d. Japanse taal en cultuur.

**jardinière** [Fr., v. *jardin* = tuin] bloemenmand; breedgerande dameshoed (tuinhoed).

**jargon'** [OFr., afl. onzeker] dieventaal, koeterwaals, spreektaal met speciale woordenschat v. bep. groep (vaktaal) of stand.

**jarretel'le** [Fr.] elastieken band met clip om kous op te houden; *ook*: sokophouder.

**jas'pis** [Lat., v. Gr. *iaspis*, v. Hebr. *jãšpeh*, v. Assyrisch *ašpú*] een minder kostbare edelsteen, een ondoorzichtig aggregaat v. kwartskristalletjes; a.g.v. bijmengsels (spec. v. ijzeroxide) komt jaspis in allerlei kleuren voor: rood, roodbruin, geel, groen en bruin.

**jat** [v. Hebr. *jad*, de zgn. *status constructus*, z.a., van *jod* = hand] (*volkstaal*) hand.

**ja'tagan**, *ook*: **ya'tagan** [Turks] kort Turks kromzwaard.

**jat'moos**, *ook*: **jat'mous** [Jidd., v. Hebr. *jad* (*zie* **jat**), en *mo'aut* = geld] (*volkstaal*) handgeld; *ook*: eerste ontvangen geld v.d. dag.

**jatscho're** [v. Hebr. *sechora* = koopwaar] (*Barg.*) gestolen waar. **jat'ten** *ww* stelen, kapen, gappen.

**javelijn'** [v. Fr. *javeline*, missch. v. Kelt. oorsprong] (*gesch.*) lichte speer, korte lans; *ook*: werppijl, werpschicht.

**jazz** [Am., verdere woordafl. onbekend] muziekstijl (sinds ca. 1920) die zich oorspr. ontwikkeld heeft uit Am. negermuziek. Jazz wordt vooral gekenmerkt door *syncope*, z.a., en vermenging v.h. ritme, verder door overheersing der blaasinstrumenten (meestal) en door improvisatie. **jazz'band** [Am.] orkest dat jazzmuziek speelt. **jazzofiel'** [v. Gr. *philos* = vriend] liefhebber v. jazz.

**jean** [Eng., waarsch. v. MLat. *Janua* = Genua] soort molton.

**jeans** [Am.] nauwsluitende stevige blauwe pantalon (*blue jeans*) v. katoen of linnen, meestal met metaalbeslag en opstiksels (*spijkerbroek*).

**jeep** [Am., *uitspraak*: dziep; v. G.P. [dzie pie], de beginletters v. *General Purpose (Car)* = (wagen) voor diverse doeleinden] kleine open legerauto (woord 't eerst in 1944).

**Jeho'vah** verkeerde uitspraak v. Jahweh.

**jeju'num** [v. Lat. *jejúnus* = nuchter] nuchtere darm (zo genoemd omdat hij meestal leeg is).

**je maintiendrai'** [Fr.] ik zal handhaven (inschrift v. Ned. wapen).

**je'minee, je'menie, je'minie, je'mie** *tw* [verm. v. *Jésu Dómine* = Heer Jezus!] bastaardvloek.

**jen** [*zie* **jennen**] (*volkstaal*) oorspr.: bedriegerij, leugen. **jen'nen** [v. MNed. Barg. *ionen* = bedriegen; missch. v. Jidd. *jowen* = Griek (de Grieken waren berucht als valsspelers bij het kaarten)] 1 op straat jagen, plagen, treiteren, sarren; 2 kaartspelen; 3 optreden als **jenner 3** (z.a.). **jen'ner 1** iem. die plaagt; 2 valse speelkaart; 3 (*Barg.*) handlanger v. reclamemaker (*bijv.*: voor een kermistent); deze helper mengt zich onder het publiek als quasiklant om de animo te stimuleren.

**je ne sais quoi'** [Fr. = ik weet niet wat] iets onbepaalds en onverklaarbaars, iets niet onder woorden te brengen.

**Jen'seits** [Du. = de overzijde] het hiernamaals.

**jeremië'ren** jammerend klagen [naar Jeremiah of Jeremias, een der grote profeten, bekend om zijn vermaningen en profetieën over Jerusalems val in 586 v. Chr. en zijn klaagliederen (*Lamentatiónes*) daarover]. **jeremia'de** jammerklacht, klaaglied.

**jer'rycan** [Eng. v. *Jerry* = Du. (soldaat) en *can* = kan, *ook*: blik, bus] bus v. staal of plastic met hermetische sluiting om benzine of water in te vervoeren, oorspr. door Duitse soldaten gebruikt.

**jer'sey** bep. tricot-weefsel; nauwsluitende trui daarvan [naar het Eng. Kanaal-eiland Jersey].

**jet** [Eng. = straal water e.d., v. Fr. *jeter* = werpen, v. VLat. *jectáre*, v. Lat. *jactáre*, frequentatief v. *jácere* = werpen] straalvliegtuig; **jet'lag** [Eng., v. *lag* = het achterblijven] ziekelijke toestand veroorzaakt door grote reizen in snelle straalvliegtuigen, vooral van West naar Oost (tegen de zon in) door verstoring v.h. chronobiologisch ritme (de biologische klok) v.h. lichaam. **jet'-set** [Eng., v. *set* = groep, stel; *zie* **set**] groep v. prominente rijke personen die opvallen door hun veelvuldige reizen (veelal met straalvliegtuigen, vandaar de naam) om elkaar te bezoeken. **jet'stream** [Eng., v. *stream* = stroom] (*aérologie*) straalstroom, een smalle gordel (meestal niet meer dan enkele honderden kilometers breed) met zeer krachtige winden, gewoonlijk uit westelijke richting, juist onder de stratosfeer op hoogten variërend van 5 tot 15 km.

**jet'je** [v. Hebr. *jad* = zgn. *status constructus*, z.a., van *jod* = hand (*zie bij* **jat**)]: van — geven, er van langs geven; *ook*: flink aanpakken (werk); van — krijgen, een pak slaag krijgen.

**jeu** [Fr. = spel, v. Lat. *jocus* = scherts, spel] aardigheid; fleur; aantrekkelijkheid (*bijv.*: de — is er af, er is geen aardigheid meer aan, de lol is er af); — *de mots*, woordspeling; — *d'esprit*, geestig gezegde; soort intelligentiespel. **jeu'ig** met jeu, fleurig.

**jeu'ne premier'** [Fr.] toneelspeler die rol v. jonge minnaar speelt. **jeunes'se dorée** [Fr. = *lett.*: vergulde jeugd] *oorspr.*: de incroyabelen, z.a.; *thans*: rijke jonge lieden.

**Je'zabel** zedeloze vrouw [naar echtgenote v. Achab, een koning v.h. Israëlitische

Noordrijk].
**Jezuïe'ten** *mv* [modern Lat. *Jesuïtae*, v. Jezus] leden v. de *Societas Jesu* (afgekort SJ], het Gezelschap van Jezus, een kloosterorde gesticht door Ignatius v. Loyola en goedgekeurd in 1540 door paus Paulus III. De Jezuïeten hebben niet één bep. taak zoals vele andere orden en congregaties. Onder de vele apostolaatsvormen (o.a. missie) heeft het onderwijs, spec. het hoger onderwijs, steeds een belangrijke plaats ingenomen. De Jezuïeten hebben ook vele beroemde beoefenaars geteld op vele wetenschapsgebieden. **jezuïtis'me 1** geest v.d. Jezuïeten; **2** schijnheiligheid (wegens de door hun vijanden aan hen ten onrechte toegeschreven stelregel, dat het doel de middelen heiligt).
**Jid'disch** v. Du. *jüdisch* = joods] jodenduits, bep. mengtaal v. Hebreeuws en Duits met Poolse e.a. elementen.
**jig** [Eng., afl. onzeker] bep. opgewekte dans(muziek).
**jig'-saw-puzzle** [Eng., puzzel gemaakt met *jigsaw* = bep. soort zaag] legpuzzel.
**jing'le** [Eng. = *lett.*: herhaling v. dezelfde of gelijkende geluiden om de aandacht te trekken] herkenningsmelodie of -geluid, veelal bij populaire radioprogramma's.
**jin'go** [Eng., naar uitdrukking *by Jingo* in populair lied v. aanhangers in 1878 v. Lord Baconsfields politiek tegen Rusland] *oorspr.:* Eng. aanhanger v. oorlogszuchtige politiek, Eng. chauvinist.
**jinn**, *ook:* **djinn** [Arab. *mv* v. *jinnee*; ook vaak *ev*] soort kwaadaardige geesten in Arab. mythologie.
**jinrik'sja** [Japans *jinrikisha*, v. *jin* = man, *riki* = kracht, en *sha* = voertuig] licht tweewielig rijtuigje door man (nen) getrokken.
**jioe-jit'soe** *zie* jiu-jitsu.
**jit'terbug** [Am. slang: *to jitter* = zenuwachtig handelen, *bug* = kever, luis; *jitterbug* = zenuwachtig iem., persoon verslaafd aan 'hot' dansmuziek] bep. Am. woeste dans.
**jiu-jit'su** [Japans *jujitsu*] Japanse vechtsport, beoefend voor het aanleren v.e. goede zelfverdedigingsmethode in noodgevallen. l.t.t. 'de zachte weg', het **judo**, *z.a.*, is jiu-jitsu een harde sport. Het maakt niet alleen gebruik v.d. methoden v.h. judo, maar ook v. allerlei grepen met hefboomeffect, daarnaast v. vele gevaarlijke en pijnlijke stoten en slagen.
**job** [Eng., afl. onzeker] baan; karwei.
**jobs'tijding** slechte tijding [*zie* boek Job 1: 13-19]. **jobs'geduld** zeer groot geduld (in lijden).
**joc'key** [v. Schots *Jock* = Jack, eigennaam] beroeps-paardrijder bij paardenrennen; — *club*, club ter bevordering en organisatie v. paardenrennen.
**jocris'se** [Fr., *oorspr.*: bep. toneeltype] onnozele hals, uilskuiken.
**Jo'dium** [v. Gr. *ioodês* = viooltjesachtig, v. *ioon* = viooltje, wegens de donkerviolette kleur v.h. element) in het Ned. **Jood**, bep. chemisch element, vast, niet-metaal, chem. symbool I (internationaal symbool), ranggetal 53. **jo'diumtinctuur** [*zie* tinctuur] oplossing v. 1 deel jodium op 9 delen alcohol, vroeger veel gebruikt ter ontsmetting v. kleine wonden. **jodaat'** zout v. joodzuur, HIO₃. **jodi'de** verbinding v. jood met één ander element, *bijv.*: waterstofjodide, HI, een zuur, en spec. een zout daarvan, bijv. KI, kaliumjodide, en Nal, natriumjodide. **jodoform'** [*zie* formaldehyde] verbinding afgeleid van methaan door 3 waterstofatomen daarvan te vervangen door jodium, trijoodmethaan CHJ₃ (*vgl.* mierezuur = *acidum formicicum* = CHOOH) (*vgl.* chloroform). **jodometrie'** [*zie* meter] bepaling v. hoeveelheid jodium in oplossing door titratie. **jodothyri'ne** [*zie* thyroïed] bep. jodiumhoudend hormoon gevormd door de schildklier.

**joel'feest** oudgerm. midwinterfeest, gedeeltelijk gekerstend en dan samenvallend met kerstfeest.
**joet'je**, *ook:* **juut'je** [v. Hebr. *jod* = de tiende letter v.h. Hebr. alfabet, de letter j, als getalwaarde 10] (*Barg.*) tientje, bankbiljet v. 10 gulden. **joe'ter** 10 stuivers.
**jog'gen** [v. Eng. *to jog* = sjokken; Am. = hollen (om te trimmen)] op een bep. wijze hardlopen om in conditie te blijven (niet om een sportieve prestatie te leveren). **jog'ging** het joggen.
**johannie'ter** [v. Lat. *Johannes*, v. Hebr. naam met bet.: Jahweh geheiligd] ridder v. bep. hospitaalorde gesticht in 1099, nog als protestantse ridderorde voortlevend.
**John Bull** [Eng. = *lett.*: Jan Stier] verpersoonlijking v.h. Britse Rijk.
**joie de vi'vre** [Fr.] levenslust, levensvreugde.
**joint** [Eng. = *lett.*: verbinding; Am. *slang* = marihuana-, hasjisjsigaret] grote sigaret van tabak vermengd met hasjisj of marihuana om gezamenlijk te roken.
**joint ven'ture** [Eng. = *lett.*: verbonden risico] gemeenschappelijke onderneming, vorm v. samenwerking v. ondernemingen voor een bep. object, i.e. daartoe opgerichte afzonderlijke vereniging.
**jo'ke** [Eng.; *zie bij* joker] grap; *practical joke*, grap bestaande uit handelingen (niet uit woorden) om iemand in de maling te nemen; *sick joke*, wrange grap.
**jo'ker** [Eng. = *lett.*: grappenmaker, v. *to joke*, v. 17e eeuw, waarsch. v. Lat. *jocus* = scherts, grap] 53e kaart in spel kaarten, in sommige spelen kaart met allerhoogste waarde.
**jol** lichte roei- of zeilboot.
**jolijt'** [v. OFr. *joli* = vrolijk, aardig; verdere afl. onzeker] pret, vrolijke vreugde.
**jo'nassen** bep. kinderspel waarbij een kind door anderen horizontaal op en neer geslingerd wordt (waarbij meestal gezongen wordt: Toen Jonas in de wallevis zat ...; *zie* boek Jonas).
**Jo'nathan** *broeder* —, Am. burger; verpersoonlijking v.d. Verenigde Staten v. Noord-Amerika [missch. naar J. Trumbull, een gouverneur v. Connecticut].
**jongle'ren** [v. OFr. *jogler*, v. VLat. *joculáre*, Lat. *joculari* = schertsen] bep. behendigheidsspel vele voorwerpen achtereenvolgens recht omhoog werpen, stuk voor stuk opvangen en onmiddellijk weer opwerpen, vaak tevens in positie van labiel evenwicht en met het tegelijkertijd in evenwicht houden v. andere voorwerpen op hoofd, neus, kin e.d.; (ook *fig.*:) met een voorwerp op acrobatische wijze manipuleren. **jongleur'** [Fr.] wie jongleert.
**jonk** [Fr. *jonque*, Sp. *junco*, v. Javaans *djong* = groot vaartuig] in de tijd der zeilschepen een bep. groot Chinees koopvaardijschip (ook als oorlogsschip).
**jonquil'le** [Fr., v. Sp. *jainquillo*, v. verklw. v. Lat. *juncus* = bies] **I** *zn* bep. gele narcis; **II** *bn* geel met groenachtige tint.
**Jood** *zie* Jodium.
**jool** [v. *jolen* = gekheid maken, *vgl.* MHDu. *jôlen* = luid zingen, en MNed. *jôlen* = jubelen] luidruchtig feest, uitgelaten pret.
**joon** [herkomst onbekend] drijvend tonnetje met stok in vaarwater als baken.
**jop'per** water- en winddicht jack v. geruwde stof met hoge kraag bij het zeilen gedragen, ook *pijjekker* genaamd; *ook:* waterdichte sportjas (halflang).
**Jo'safat** [v. Hebr. *Jah sjafet* = Jahweh oordeelt] *dal van* —, dal des oordeels, waar volgens de profetie van Joël het gericht over de heidenvolkeren voltrokken zal worden.
**jo'sef** kuis jongeling [naar Jozef in Egypte, die zich niet door zijn meesteres liet verleiden, *zie* Genesis 39: 7-13]. **josefinis'me**, **jozefis'me** streven dat kerk tot een instelling v.d. staat wil maken [naar Jozef II van Oostenrijk].
**jo'ta** [Gr. = de letter i, Gr. vorm v. Hebr. *jod*-deze werd oorspr. weergegeven door een figuur die een hand (*jod*) voorstelde] kleinste

**letter** v. Gr. alfabet, vandaar *fig.*: kleinigheid, niets (ik snap er geen - van). **jotacis'me** neiging om ook andere klinkers als i uit te spreken (zeer sterk in modern Gr.).

**jouisse'ren** [v. Fr. *jouir*, v. Lat. *gaudére* = zich verheugen] genieten. **jouissan'ce** [Fr.] genot; vruchtgebruik.

**jou'le** (*uitspr.*: dzjoel) eenheid v. arbeid of energie in giorgistelsel, symbool J; 1 J = $10^7$ erg [naar James Prescott Joule, Eng. natuurkundige, 1818-1889].

**jour** [Fr., v. Lat. *diúrnus* = tot de dag (*dies*) behorend] dag; ontvangdag; *zijn — niet hebben,* niet goed gedisponeerd zijn, zijn draai niet kunnen vinden; *à —,* opengewerkt; *—s de grace,* respijtdagen. **journaal'** [Fr., v. Lat. *diurnális*] bep. koopmansboek, rekening-courant-boek; dagboek (bijv. reisjournaal); *ook:* dagblad of tijdschrift; filmnieuws, radio- en TV-nieuws. **journail'le** [v. Fr. *journal* = krant, w. waarsch. *canaille* = janhagel] journalistengespuis, lastige persmensen. **journalise'ren** [*vgl.* Eng. *to journalize*] in het journaal inschrijven. **journalist'** [Fr. *journaliste*] dagbladschrijver. **journalistiek'** I *zn* het dagbladschrijver zijn als vak; wetenschap v. dagblad- en periodiekenpers en andere nieuwsmedia; II *bn* van een journalist (bijv. loopbaan) of v.d. journalistiek.

**joviaal'** [Fr. *jovial,* v. Lat. *joviális* = tot Jupiter behorend] gulhartig, gul, blij van geest, met opgeruimd gemoed. **jovialiteit'** [Fr. *jovialité*] het joviaal zijn.

**joyeu'se entrée** [Fr.] blijde inkomst; (*gesch.*) regeringsaanvaarding v.e. vorst, vaak gepaard gaande met verplichte bezwering v. privileges.

**joy'-riding** [Eng.] het pleziertocht maken in een auto van een ander zonder diens voorkennis. **joy'stick** [Eng. = stuurknuppel] hendel waarmee computerspel bediend wordt; (*fig.*) mnl. geslachtsdeel.

**ju'bel** [v. MNed. *jubel* = grote vreugde, zielsverukking, v. MLat. *jubilus* = gejubel (bij kerkgezang), v. Lat. *júbilum* = geschreeuw, gejuich] vreugdegejuich; feestvreugde. **ju'belen** [Lat. *jubiláre* = schreeuwen, tieren, juichen] juichen v. vreugde.

**ju'beljaar,** *eig.*: **jo'beljaar** [*zie* jubilee] 1 elk 50e jaar waarin volgens de wet v. Moses onroerende goederen weer tot de vorige eigenaar moesten terugkeren; 2 (*rk*) jaar met bijzondere geestelijke gunsten, om de 25 jaar voorkomend, maar ook binnen deze periode ingelast bij bijzondere gelegenheden.

**jubilee',** **jubile'um** [Fr. *jubilé,* v. VLat. *jubilaeus (annus)* = jubeljaar, v. Gr. *ioobélaios,* v. *ioobélos,* v. Hebr. *yobel* = ramshoorn (waarmee het jubeljaar werd aangekondigd) ] feest ter herdenking dat bep. feit een bep. aantal jaren geleden is. **jubile'ren** een jubileum vieren; *ook:* (onjuist): jubelen, juichen. **jubila'ris** hoofdpersoon v. jubileumfeest. **jubilares'se** vr. jubilaris.

**jucht, jucht'leer** [v. Russisch *juft,* via Tataars *jufty* v. Perzisch *jucht* = tweetal (daar de huiden paarsgewijze gelooid werden)] bep. soort rood Russisch leer, met typische sterke geur omdat het met berketeer wordt ingewreven.

**juda'ica** [v. Gr. *Ioudaios,* Lat. *Judaeus* = Jood] zaken, spec. geschriften, die het jodendom betreffen. **judaïzan'ten** *mv* [v. VLat. *judaizare,* v. Gr. *ioudaizoo* = zich gedragen als een *Ioudaios* (jood)] christenen in de eerste tijden v.h. christendom die leerden dat ook de bepalingen v.d. joodse wet moesten onderhouden worden.

**ju'das** verrader, valse vriend; plaaggeest, kwelgeest; *—haar,* rood haar; *—kus,* verraderskus; *—loon,* verradersloon [naar Judas Iskariot, de leerling die Jesus verried]. **ju'dassen** plagen, sarren, treiteren.

**judeofobie'** [v. Lat. *Judaeus,* Gr. *Ioudaios* = jood; *zie verder* fobie] ziekelijke vrees voor al wat joods is.

**judice'ren** [Lat. *judicáre, -átum* = *jus dícere* = recht spreken] vonnis vellen; beslissen. **judica'tie** [Lat. *judicátio*] beoordeling; beslissing. **judicatuur'** [MLat. *judicatúra,* v. Lat. *judicatúrus* = zullende (moetende) oordelen] het rechtersambt. **judiciee!** [Lat. *judiciális*] rechterlijk, in rechten. **judicieus'** [Fr. *judicieux*] met oordeel, met overleg. **judi'cium** [Lat. = oordeel] vonnis, oordeel v.d. faculteit over een universitair examen.

**ju'do** v. Japans *ju* = zacht, en *do* = weg (ook in figuurlijke zin v. methode)] een vechtsport die zich heeft ontwikkeld uit het *jiu-jitsu* (z.a.). Het doel v. judo is op technisch juiste wijze de tegenstander ten val te brengen en ham daarna op de grond te houden. **judo'ka** beoefenaar v. judo, maar ook de beoefenaar v. jiu-jitsu.

**Ju'gendstil** [Du.] stijlvernieuwing in Europa tussen ca. 1890 en 1910, speciaal i.d. decoratieve kunst (maar ook bijv. i.d. architectuur), die gepropageerd werd door het tijdschrift *Die Jugend* (De Jeugd), dat v. 1896 af te München verscheen en waarvan de eerste jaargangen geïllustreerd waren met karakteristieke randversieringen en vignetten (door Otto Eckmann). In Frankrijk sprak men v. *Art Nouveau* (Nieuwe Kunst), in Engeland eveneens v. *Art Nouveau, Liberty Style* of *Modern Style,* in Italië v. *Stile Floreale.*

**juju'be** [Fr., v. MLat. *jujuba,* v. Gr. *zizuphon*] bep. hoestbonbon.

**ju'ke-box** apparaat waarmee men na inworp van een bep. munt een vooraf gekozen grammofoonplaat laat spelen.

**Ju'li** [v. Lat. *Julius,* naar C. Julius Caesar], ook *Hooimaand,* genoemd, de 7e maand van onze kalender, bij de Romeinen de 5e (het jaar begon op 1 maart) en daarom oorspr. *Quintilis* = de Vijfde (v. Lat. *quinque* = vijf) genoemd.

**juliaanse tijdrekening** tijdrekening volgens de door C. Julius Caesar verbeterde Rom. kalender (tot aan hernieuwde hervorming door paus Gregorius XIII).

**julien'ne** [Fr.] in dunne reepjes gesneden groenten of vlees, gevogelte, vis e.d., vooral voor soep, saus of andere gerechten.

**jum'bo** [naar naam v.e. destijds populaire olifant in de Londense dierentuin] 1 olifant; 2 zware locomotief. **jum'bo-** in samenstellingen: zeer groot exemplaar v.h. genoemde, bijv. jumbojet [Eng.] naam voor een bep. reusachtig en breed (*widebody*) straalvliegtuig; tegenwoordig ook gebruikt voor niet-materiele zaken, zoals jumboraad.

**jumela'ge** [Fr. = *lett.*: het in paren zetten, v. *jumeau* = tweeling, v. Lat. *géminus,* v. *gemináre* = verdubbelen, twee dingen verenigen; *zie ook volgende*] zusterstadverband, het samengaan van twee steden in verschillende landen d.m.v. culturele banden. **jumel'les** [Fr. vr. *mv* van *jumeau,* v. Lat. *geméllus,* verklw. v. *géminus* = tegelijk geboren, tweeling, v. stam *gen-* = voortbrengen] dubbele kijker, toneelkijker, binocle.

**jum'per** [Eng., verm. v. verouderd Eng. *jump* = korte jas, misschn. v. Fr. *jupe,* z.a.] bep. damestrui zonder knopen die over het hoofd aangetrokken wordt.

**jump'suit** [Eng.] nauwsluitend broekpak uit één stuk met ritssluiting.

**junc'tie** [Lat. *júnctio,* v. *júngere, júnctum* = verbinden] verbinding, samenvoeging. **junc'to** [v. Lat. *júnctus* = verbonden] in verband met (artikel 7 juncto 3). **junc'tuur** [Lat. *junctúra*] verbinding; gewricht.

**jun'gle** [Eng., v. Hindi *jangal* = bos, wildernis] dichtbegroeide wildernis in de tropen.

**ju'ni** [v. Lat. *Június (mensis)* = maand] v. *Juno,* een Romeinse godin], ook *Zomermaand* genoemd, volgens onze kalender de 6e maand, bij de Romeinen de 4e (het jaar begon op 1 maart).

**ju'nior,** afk. **jr.** [Lat., uit: *juvénior,* vergrotende trap v. *júvenis* = jong] de jongere van twee met dezelfde naam (meestal de zoon); *junióren,* de

jonge leden v.e. (sport)vereniging.
**junk** [Eng. *slang*] **1** heroïne; **2** verslaafde aan
harddrugs, spec. heroïne. **jun'kie = junk 2.**
**Jun'ker** [Du.] landjonker: naam v. groep Du.
vliegtuigen uit de Tweede Wereldoorlog.
**jun'ta** (*uitspr.*: choenta) [Sp., v. Lat. *juncta*, vr.
van *junctus* = verbonden; *zie* **junctie**] **1**
*vroeger*: vergadering, comité v. prominente
figuren (ter bespreking v. mil. en politieke
zaken); **2** *thans*: in Spaanstalige landen, spec.
in Zuid-Amerika, revolutionair comité,
regering v. hoge militairen die, veelal na een
staatsgreep, de politieke macht hebben
overgenomen.
**ju'pe** [Fr.] rok (als dameskledingstuk).
**jupe-culot'te** [Fr.] broekrok. **jupon'** [Fr.]
halve onderjurk, bep. onderrok.
**Ju'ra** [naar het Juragebergte in Frankrijk en
Zwitserland] (*geol.*) **1** het middelste tijdperk
van het *Mesozoicum*, (z.a.), na het *Trias* (z.a.)
en vóór het *Krijt* (z.a.). De Jura duurde van 180
tot 135 miljoen jaren geleden; **2** aardlagen in
dat tijdperk gevormd.
**juramen'tum** [Lat., v. *jurāre* = zweren, v. *jus,
juris, z.a.*] eed; — *assertórium*,
bevestigingseed; — *purgatórium*,
zuiveringseed. **jurato'rium** [modern Lat., v.
VLat. *juratórius* = bij ede] belofte in plaats v.
eed (door hen die principieële bezwaren tegen
het zweren hebben).
**ju're** [Lat., 6e naamval v. *jus*] met recht; *de*—,
rechtens (bijv. erkennen, tegenover *de facto*);
— *divino*, volgens goddelijk recht; — *humáno*,
volgens menselijk recht; — *público*, volgens
publiek recht; — *priváto*, volgens privaatrecht.
**juré** [Fr.] gezworene. **juri'disch** [Fr. *juridique*,
v. Lat. *juridicus*] rechtskundig (bijv. bijstand);
rechterlijk, volgens het recht.
**jure'ren** [*zie* **jury**] beoordelen als lid v.e. jury;
aan het oordeel v.e. jury onderwerpen.
**jure'ring** beoordeling door een jury.
**jurisconsul'tus** [Lat. *juris* = van het recht, *zie*
**jus** en **consult**] rechtsgeleerde. **jurisdic'tie**
[Lat. *jurisdíctio*, v. *dícere, dictum* = spreken]
rechtspraak; rechtsmacht; gebied waarover de
rechtsmacht zich uitstrekt; *ook*: zeggenschap
(dat wat niet onder mijn - ). **jurispruden'tie**
[Lat. *jurisprudéntia*; *zie* **prudentie**]
rechtsgeleerdheid; de praktijk v.d. toepassing
v.d. wet (spec. door hogere rechtbanken
aangaande punten waar de uitlegging v.d. wet
of de toepassing der regels op meer dan één
wijze kan geschieden). **jurist'** [Fr. *juriste*]
rechtsgeleerde. **juristerij'** spitsvondige
haarkloverij bij uitleg der wetsbepalingen en
hun toepassingen. **ju'ris utrius'que
doc'tor**, *ook*: **iuris** --- doctor in de beide
rechten (nl. kerkelijk en wereldlijk recht).
**ju'ry** [v. OFr. *jurée* = eed, onderzoek, v. MLat.
*jurata*, v. Lat. *jurāre* = zweren] **1** commissie
van gezworenen, die over schuld of onschuld
v. beklaagde haar oordeel moet geven aan de
rechter; **2** commissie v. beoordeling bij
wedstrijden.
**1 jus** (*spreek uit*: zjuu) [Fr., v. Lat. *jus* = saus,
soep] **1** vleesnat, braadnat; **2** vruchtesap, *bijv.*:
— d'orange.
**2 jus**, ook gespeld **ius** (*uitspr.*: joes of jus) [Lat.
= oorspr.: *jússum* = het bevolene, bevel,
voorschrift, verordening, v. *jubére, jussum* =
bevelen] het recht; — *angáriae*, recht v. beslag
op schepen (door de staat); — *canónicum*,
kanoniek (= kerkelijk) recht; — *civíle*,
burgerlijk recht; — *constituéndum*, toekomstig
recht; — *criminále*, strafrecht; — *divínum*,
goddelijk recht; — *géntium*, volkerenrecht; —
*humánum*, menselijk recht; — *in persónam*,
recht op een persoon; — *in re*, recht op een
zaak; — *natúrae*, natuurrecht; — *privátum*,
privaatrecht; — *promovéndi*, recht om tot
doctor te kunnen promoveren; — *públicum*,
publiekrecht; — *suffrágii*, stemrecht; —
*taliónis*, recht van vergelding; — *uténdi*,
gebruiksrecht.
**juste'ren** [v. MLat. *juxtare*; *zie* **adjusteren**]
zuiver stellen; richten; ijken; het goede gewicht

geven (aan muntstukken).
**justifice'ren** [VLat. *justificáre, -átum*, v. Lat.
*justus* = rechtvaardig, v. *jus* = recht, en *fácere*
= maken] rechtvaardigen; *ook*:
verontschuldigen, verdedigen. **justifica'tie**
*zn.* **justificatoir'** tot bewijs dienend.
**justi'tia** [Lat.] rechtvaardigheid,
gerechtigheid.
**justitia'belen** *mv* [Fr. *justiciable*, v. *justicier* =
voor gerecht brengen = MLat. *justitiáre*] tot
het machtsgebied v.d. rechtbank behorenden,
wie verantwoording schuldig zijn aan bep.
gerechtshof.
**justi'tie** [v. Lat. *justítia* = rechtvaardigheid]
rechtspraak, rechterlijke macht, rechtswezen;
*officier van* —, openbaar aanklager bij
rechtbank (ambtenaar belast met Openbaar
Ministerie); *paleis van* —, gerechtsgebouw.
**justitieel'** gerechtelijk.
**ju'te** [Fr., v. Bengaals *jhoto*, v. Sanskr. *juta* of
*jata* = haarvlecht] textielvezel uit bast. v. bep.
Indische planten; weefsel daarvan.
**jut'ten** stranddieverij plegen, zich
aangespoelde goederen toeëigenen. **jut'ter**
stranddief.
**juvenaat'** [Fr. *juvenat*, v. Lat. *júvenis* =
jongeling] (*rk*) onderwijsinrichting in de
humaniora voor leerlingen die neiging voelen
later in klooster te treden. **juveniel'** [Lat.
*juvenilis*] jeugdig, karakteristiek voor de jeugd.
**juxtaposi'tie** [v. Lat. *juxta* = naast elkaar, *vgl.*
*júngere* = verbinden; *zie verder* **positie**]
naast-elkaar-plaatsing.

**Wat men niet onder K vindt, zoeke men onder C**

**Ka'äba** [Arab. *ka'bah*] als heilig vereerde zwarte steen (waarsch. meteoorsteen) i.h. mohammedaans heiligdom te Mekka.
**kab'bala** (of **kabbal'a**) [MLat. *caballa*, v. Hebr. *qabbahah* = overlevering] mondeling overgeleverde joodse mystieke leer alleen voor ingewijden bestemd. **kabbalis'tisch** de kabbala betreffend; (*fig.*) onbegrijpelijk (bijv. geschrift).
**kabinet'** [Fr. *cabinet*, v. *cabane*, laat-Lat. *capanna* = hutje; *vgl.* **cabine**] **1** zijvertrekje; vroeger als schrijf- of studeerkamertje gebruikt; **2** (*Z.N.*) WC, privaat, bestekamer; **3** werkvertrek en secretarie v.e. staatshoofd (*bijv.*: het kabinet der Koningin); ook ambtsvertrek van minister, burgemeester v.e. stad of hoge ambtenaar; **4** de gezamenlijke ministers; **5** ouderwetse hoge en brede kast met deuren en laden; **6** verzameling van schilderijen, penningen, zeldzaamheden enz., ook het vertrek daarvoor (bijv. kabinet van schilderijen, prenten, penningen e.d., rariteitenkabinet).
**kache** (*cul.*) Russische boekweitgort.
**kadas'ter** [Fr. *cadastre*, v. Lat. *capitástrum* = register, v. *capita*, mv van *caput* (*lett.*: hoofd) = eenheid voor grondbelasting (*capitátio terréna*)] openb. register v. onroerende goederen. **kadastraal** [Fr. *cadastral*] het kadaster betreffend. **kadastre'ren** [Fr. *cadastrer*] i.h. kadaster inschrijven.
**kada'ver** [Lat. *cadáver* = lijk, missch. v. *cádere* = vallen] dood dierlijk lichaam.
**kada'verdiscipline** [v. Lat. *cadáver* = lijk, en *disciplina* = leer] tucht waarbij blinde gehoorzaamheid wordt geëist.
**kadee'** [v. Fr. *cadet* = tweede kind; (*gesch.*) jonge edelman als vrijwilliger in het leger; *vgl.* **cadet**] (*Z.N.*) flinke kerel, piet (i.h. goede zowel als i.h. kwade); iem. die in zijn soort groot is; *ook*: kwant (bijv. een vieze -), een eigenaardige kerel.
**ka'der** [Fr. *cadre*, v. It. *quadro* = vierkant, lijst, v. Lat. *quadrum* = vierkant; *vgl.* **quat(t)uor** = vier] omraming, lijst; (*mil.*) allen m.e. rang in mil. korps; (*alg.*) de kern v. geoefend en leidinggevend personeel; personen die i.e. organisatie bestuursfuncties bekleden, staf.
**ka'di** [Arab.] mohammedaanse rechter.
**kaduuk'** [Fr. *caduc*, v. Lat. *caducus* = gevallen, *ook*: vergankelijk, v. *cadére* = vallen] bouwvallig, wankel, stuk, kapot.
**Kaenozo'icum** of **Cenozo'icum** [v. Gr. *kainos* = nieuw, en *zoöon* = levend wezen], *ook* **Neozo'icum** (zie **neo-**) (*geol.*) het huidige hoofdtijdperk v.d. aardgeschiedenis, volgend o.h. *Mesozoicum, z.a.* Het Kaenozoicum begon 70 miljoen jaar geleden en duurt tot heden voort.
**kaf'fer** [Arab. *kafir* = ongelovige] bep. Zuidafrikaanse inboorling; (*fig.*) stommeling, pummel.
**kaf'tan** [Turks *qaftan*] lang wijd oosters opperkleed.
**ka'jak** [Eskimo-woord] Eskimo-kano uit robbehuid.

**kajapoet'-olie** [Fr. *cajeput*, v. Mal. oorspr. bet.: witte boom] bep. geneeskrachtige olie u.d. kajapoetiboom.
**kakemo'no** [v. Japans *kake* = hangen, en *mono* = ding] Japanse oprolbare schildering om aan muur te hangen.
**ka'ki** (v. Hindoes *kak* = stoffig, v. *khak* = stof; *vgl.* Ned. *kak*) bep. grauwgele kleur; weefsel in die kleur.
**kakofonie'** [v. Gr. *kakos* = slecht, en *phoonè* = geluid] wanluidend lawaai.
**kalamijn'** [MLat. *calamina*, Lat. *cadma*, zie **Cadmium**] galmei, zinkspaat, $ZnCO_3$.
**kalamink', kalmink'** [v. Fr. *calmande*, verdere woordafl. onzeker] bep. soort Vlaamse 18e-eeuwse wollen stof a.e. zijde geglansd.
**1 kalan'der**, *ook*: **klander** [Fr. *calandre*] naam voor een groep (vraatzuchtige) snuitkevers.
**2 kalan'der** [Fr. *calandre*] machine bestaande uit gladde cilinders om weefsels of papier te glanzen. **kalan'deren** (*niet* kalande'ren) [Fr. *calandrer*] glanzend maken met de kalander.
**kalebas'** [Fr. *calebasse*, v. Sp. *calabaza*, missch. v. Perzisch *kharbuz* = meloen] soort pompoen.
**kalefa'teren**, *ook*: **kalefa'ten** of **kalfa'ten** [Arab. *kalafa* = dichtstoppen] herstellen v. schip (oorspr. scheepsnaden dichtmaken).
**kaleidoscoop'** *zie* **caleidoscoop.**
**Kalen'dae**, *afk.* **Kal.** [OLat., in klassiek Lat. **Calen'dae**, v. *caláre* = uitroepen] de eerste dag v.d. maand, die openlijk werd uitgeroepen en waarbij ook werd afgekondigd hoeveel dagen er zouden verlopen t.d. nieuwe maan t.d. dag v.h. eerste kwartier (de *nonae*); tevens betaaldag v.d. maandelijkse rente.
**kalen'der** [v. Lat. *calendárium* = schuldregister, wegens renteverrekening o.d. 1e dag v.d. maand, de **Kalendae**, *z.a.*] **1** lijst m.d. verdeling v.h. jaar in maanden, weken en dagen; oorspr. lijst van feesten (bijv. heiligenkalender); **2** stelsel van tijdrekening (*bijv.*: de oud-Egyptische kalender, de Juliaanse k., de Gregoriaanse k.).
**kales'** *zie* **calèche.**
**kali'ber** [Fr. *calibre*, v. It. *calibro*, missch. v. Arab. *qalib* = vormen] bep. maat, spec. v. middellijn v. geschut en projectiel; (*alg.*) gehalte; gleuf. **kalibre'ren** [Fr. *calibrer*] bep. maatverdeling aanbrengen (bijv. op buis); op maat persen; (aard. of fruit sorteren; wals van profilering voorzien.
**ka'lief** [MLat. *calipha*, v. Arab. *khalifah* = opvolger] de sultan als opvolger en stadhouder v. Mohammed. **kalifaat'** [Fr. *califat*] waardigheid of gebied v.d. kalief.
**Ka'lium** [v. Arab. *qali*; *zie* **alkali**] bep. chem. element, metaal, symbool K, ranggetal 19.
**kalligrafe'ren** [v. Gr. *kallos* = schoonheid; *kalli* = schoon-, en *graphoo* = schrijven] schoonschrijven. **kalligrafie'** schoonschrijfkunst. **kalligra'fisch** bn **kalligraaf'** schoonschrijfkunstenaar.
**kal'moes** [v. Gr. *kalamos* = elk riet-achtig gewas] **1** de waterplant *A'corus cálamus* u.d. Aronskelkfamilie (*Aráceae*), waarvan de vlezige wortelstok geneeskrachtige werking heeft; **2** deze wortelstok zelf.
**kalomel'** andere spelling voor **calomel**, *z.a.*
**kameleon'** [naar bep. hagedisachtig subtropisch dier dat vrij snel v. kleur verandert als de omstandigheden dat eisen] (*fig.*) persoon die vaak en gemakkelijk van mening verandert. **kameleon'tisch** bn telkens veranderend n.d. omstandigheden; *vandaar*: onstandvastig, onbetrouwbaar.
**kamelot'** [Fr. *camelot*, v. *chameau*, vgl. *chamelle* = kameel] **1** oorspr.: fijne stof van kemelshaar; *later*: allerlei imitaties daarvan; **2** [Z.N., v. Fr. *camelote* = prulwerk; slechte waar, rommel] slechte stof, slechte waar.
**kamenier'**, *ook*: **kamenier'ster** [MNed. *cameniere*, gevormd uit *cameriere*, v. MLat. *camerária* = kamermeisje, v. Lat. *cámera* = kamer] vrouwelijke lijfbediende bij aanzienlijke dame.

**kam'ferspiritus** oplossing van 10% kamfer in sterke alcohol (ethanol, geen spiritus), gebruikt om 'doorliggen' van langdurig bedlegerige patiënten te voorkomen of te bestrijden.

**kamika'ze** [Japans = wind der goden; *kami* = godheid] tijdens de Tweede Wereldoorlog naam voor Japanse 'zelfmoordvliegtuigen', waarmee de piloot vijandelijke vliegtuigen of schepen ramde.

**kamizool'** [v. Fr. *camisole* = lett.: hemdje, verklw. v. Sp. *camisa*, Lat. *camísia* = hemd] oorspr. i.d. 17e eeuw een mannenvest met mouwen van katoen, later v. bombazijn; einde 19e eeuw een nauwsluitend damesonderlijfje v. katoen, wol of flanel.

**kamoes'** [*zie* chamois] zwart geverfd gemzeleer.

**kampan'je** [v. Fr. *campagne* = getimmerte, bep. scheepshut] bovenachterdek v. schip.

**kampement'** [Fr. *campement*, v. *camper* = legeren, kamperen, v. Lat. *cámpus* = veld] legerplaats.

**kam'pong** [Mal.] oosters dorp, gehucht of wijk (meestal omheind).

**kanalise'ren** [Fr. *canaliser* (Lat. *canális* = waterleiding)] een rivier door graven reguleren zodat ze (doorlopend) bevaarbaar wordt; van kanalen en buisleidingen voorzien; (*fig.*) in goede banen leiden. **kanalisa'tie** *zn*.

**Ka'naän** [v. Oud-Egyptisch *Kínahhi* = purperrood, naar de verfindustrie uit purperslakken langs de Fenicische kust] in het Oude Testament de meest gebruikelijke naam voor de helft van Palestina die ten westen v.d. Jordaan gelegen is, een naam die reeds in Egyptische inscripties voorkomt.

**kanas'ter**, *ook*: **knas'ter** [v. Sp. *canastra*, v. Gr. *kanastron* = mand] rieten mand voor verzending v. tabak; tabak v. goede kwaliteit; ook kist bekleed met stanniol voor verpakking v. Chinese thee.

**kandeel'** [v. OFr. *chaudel*, v. MLat. *caldéllum*, v. Lat. *cálidus* = warm] oudhollandse drank bereid uit warme wijn (of uit melk of uit bier), eierdooiers, suiker en een aftreksel van pijpkaneel, citroenschillen en kruidnagelen (spec. voor kraamvrouwen en kraamvisite).

**kandela'ber** [Lat. *candelábrum*, v. *candéla* = kaars, v. *candére* = schitteren, gloeien] kandelaar, luchter.

**kandidaat'** [Lat. *candidátus* = lett.: de i.h. wit geklede, v. *cándidus* = helder wit, v. *candére* = schitteren; b.d. Romeinen moest een persoon die naar een openbaar ambt dong in witte toga gekleed gaan] iem. die naar ambt, betrekking of post dingt; iem. die een examen ondergaat; aanduiding dat bep. examen is afgelegd; kandidaat-notaris. **kandidatuur'** [Fr. *candidature*] het kandidaat zijn; kandidaatstelling.

**kandij', kandij'suiker** [v. Fr. (*sucre*) *candi*, v. Arab.-Perzisch *qand* = gekristalliseerd sap v. suikerriet, v. Sanskr. *khanda* = stuk] gekristalliseerde suiker ontstaan door gekookte suikeroplossing langzaam te laten verdampen (grote kristallen, i.d. handel als witte of bruine klonten).

**kanefoor'** [Gr. *kanèphoros* = mandedrager, v. *kaneon* = mand, korf, en *phereo* = dragen] gebeeldhouwde figuur (jongeling of meisje) met korf o.h. hoofd als pilaar.

**ka'nis** [uiteindelijk v. Lat. *cannícius* = van riet gemaakt, v. *canna* = riet] 1 vismand, met deksel gesloten en o.d. rug gedragen; 2 (*volkstaal*; *ook* **kanes**) kop, hoofd; lijf; achterste; *hou je kanis*, hou je kop, zwijg; *op zijn kanes krijgen*, op zijn ziel krijgen.

**kanis'ter** [Lat. *canistrum*, Gr. *kanastron* = mand, v. *kanna* = riet] hengselbus v. blik.

**kan'jer**, *ook* (*in spreektaal*): **kan'jerd** [v. 17e-eeuws Ned. *Kanjaert* of *Kanjerit* (= het heertje), naam die gegeven werd a.e. persoon die iets betekende of dat althans meende; misschn. v. Fr. *cagnard* = onverschillig lui iemand) (*gemeenzaam*) 1 groot en fors iemand; *vandaar ook*: iets dat in zijn soort groot is (*bijv.*: een kanjer v.e. vis); 2 onmakelijk iemand, spec. een grote brutale vrouw.

**kan'ker** [v. Lat. *cáncer* = lett.: kreeft, v. Gr. *karkínos* = tralieachtig dier = kreeft, krab, v. Gr. *karkínos* = kreeft; n.d. vorm van vele kankergezwellen met uitlopers i.h. omringende weefsel] 1 verzamelnaam voor alle maligne (kwaadaardige) gezwellen. Dit zijn gezwellen die zich kunnen uitzaaien (metastaseren). Door een onbekende oorzaak kan een lichaamscel, i.p.v. zich normaal te delen, wildgroei gaan vertonen en zich ongeremd blijven delen. Door deze woekering ontstaat het gezwel (tumor); 2 naam voor diverse ziekten van bomen e.a. planten; 3 (*fig.*) kwaad dat voortwoekert en steeds verder om zich heen grijpt.

**kannibaal'** [v. 16e-eeuws Sp. *Cannibales*, afgel.v.e. Cubaans woord *Canniba* voor bewoners v.h. Caribisch gebied, die als menseneters een zekere reputatie hadden] 1 menseneter (antropofaag); 2 (*fig.*) persoon zonder beschaving en met wreedaardige manieren; wild en bloeddorstig iemand.

**kannibalis'me** 1 anthropofagie, het gebruik om mensenvlees te eten of delen (bijv. hersenen) v.h. menselijk lichaam te nuttigen; 2 (*bij dieren*) het eten van levende soortgenoten, eieren en larven incluis.

**kanon'**, *mv* **kanon'nen**, b.d. marine **kanons'** [v. It. *cannone*, vergr. vorm van *canna* = geweerloop, v. Gr. *kanoon* = richtlat, v. *kanna* = riet] 1 *zn* i.h. alg. de naam voor een stuk geschut; II *bn*: *zich kanon drinken*; zich smoordronken drinken; hij is kanon, hij is smoordronken. **kanona'de** langdurige zware beschieting met kanonnen; *scheldkanonnade*, lange reeks scheldwoorden of beschimpingen tot iemand gericht.

**kanonneer'boot** klein artillerieschip, zeer uiteenlopend in grootte en bewapening, n.g.v. de taak die moet worden verricht: politiedienst, rivierbewaking of kustverdediging.

**kan'sel** [VLat *cancéllus* = priesterkoor, v. Lat. *cancélli* = hekspijlen] oorspr.: met hekwerk afgesloten priesterkoor; preekgestoelte (in kerk). **kanselarij'** [OFr. *chancelerie*] griffie v.e. kanselier; bep. bureau (v. gezantschap e.d.). **kanselier'** [OFr. *chancelier*, v. Lat. *cancellárius* = deurwachter, gerechtsdienaar, kanselarijhoofd, v. *cancélli* = hekwerk] bep. hoge ambtenaar, die uitvaardiging v. openbare stukken verzorgt; in sommige landen: rijkskanselier = eerste minister.

**kantaloep'**, *ook*: **cantaloup'** [Fr. *cantaloup*, It. *cantalupo*] knobbelige soort meloen, vroeger wratmeloen of karbonkel genaamd [naar het kasteel Cantalupo bij Ancona in Italië, alwaar het eerst gekweekt].

**kanteel'** [oorspr.: karteel; *vgl.* Ned. *kártelen*] metselwerk met tandingen (als schietgaten) op muur, door zulk een muur omgeven omgang v. kasteeltoren.

**kantianis'me** het wijsgerige stelsel van Kant (Immanuel Kant, Du. filosoof, 1724-1804). **kantiaan'** volgeling v. Kant, wijsgeer i.d. geest v.h. kantianisme.

**kantiek'** [Lat. *cánticum*, v. *cantáre*, frequentatief v. *cánere* = zingen] kerkelijke of geestelijke lofzang.

**kanton'** [Fr. *canton*, v. OFr. = hoek] 1 onderdeel v.e. administratief gebied, spec. v.e. arrondissement; 2 bondsstaat in Zwitserland; 3 elk v.d. vakken waarin een weg voor het dagelijks onderhoud is verdeeld.

**kanton'gerecht** zelfstandige lagere rechtbank in elke afdeling v.e. arrondissement; de rechter daarvan heet *kantonrechter*.

**kantonnaal'** [Fr. *cantonal*] een kanton betreffend; b.e. kantonrechter. **kantonne'ren** [Fr. *cantonner*] (*mil.*) soldaten legeren (in bewoond gebied) of inkwartieren (meestal over grote uitgebreidheid). **kantonnement'** [Fr. *cantonnement*] (*mil.*) het kantonneren; plaats v. legering of inkwartiering v. soldaten.

**kantonnier'** [Fr. *cantonnier* = wegopzichter]
**1** (*mil.*) kwartiermeester; **2** wegwerker.
**kanun'nik** [*zie* **canonicus**] geestelijke die tot
een kapittel behoort, koorheer; lid v.
kathedraalkapittel.
**kaolien'** [v. Chinees *kao-ling* = hoge heuvel,
van *kao* = hoog, en *ling* = heuvel, naam v.e.
heuvel bij Jauchau Foe, een vindplaats]
Chinese klei of porseleinaarde, een
verweringsprodukt van aluminiumsilicaten.
**1 kapel** [v. Lat. *papilio*] dagvlinder.
**2 kapel** [VLat. *cappélla* (verklw. v. *cappa* =
kapmantel) *oorspr.*: heiligdom waar de mantel
v.d. H. Martinus werd bewaard door
*cappellani*] **1** kleine kerk of bedehuis niet als
parochiekerk dienende; **2** enigszins
afgescheiden gedeelte v. kerk met eigen altaar;
**3** muziekkorps; **4** uitgebouwd dakvenster.
**kapelaan'** [v. VLat. *cappellánus*] priester die
een kapel bedient; priester die de pastoor
bijstaat in de parochiële bediening.
**kapelanie'** woning v.e. kapelaan.
**kapitaal'**, afk. **kap.** [Lat. *capitalis* = het *caput*
(hoofd) betreffend] **I** *bn* hoofdzakelijk, groot,
voornaam, voortreffelijk; **II** *zn* **1** hoofdsom,
som gelds, vermogen; **2** versierde hoofdletter
in oude manuscripten, *thans nog*: hoofdletter.
**kapitaliser'en**, [Fr. *capitaliser*] kapitaal
vormen, tot kapitaal herleiden. **kapitalisa'tie**
*zn.* **kapitalis'me** stelsel waarbij de
produktiemiddelen e.d. door particulieren of
particuliere instellingen worden beheerd;
oppermacht v.h. geld. **kapitalist'** [Fr.
*capitaliste*] wie veel kapitaal bezit.
**kapitalis'tisch** i.d. geest v.h. kapitalisme.
**kapiteel'** [Lat. *capitéllum*, verklw. v. *caput*,
*capitis* = hoofd] bovendeel v.e. zuil.
**kapitein'**, afk. **kapt.** [OFr. *capitain*, v. VLat.
*capitáneus*, v. Lat. *caput*, *capitis* = hoofd]
(*mil.*) bevelhebber v.e. compagnie;
gezagvoerder o.e. schip; ——*luitenant*, overste
bij de marine; —— *ter zee*, kolonel bij de marine.
**Kapitool'** [Lat. *Capitólium*, v. *caput* = hoofd]
bep. versterking i.h. oude Rome; *thans*: naam
v. d. zetel v.h. Huis van Afgevaardigden
(*Congress*) en de Senaat te Washington
(*Capitol*).
**kapit'tel** [Lat. *capítulum*, verklw. v. *caput*,
*capitis* = hoofd] **1** hoofdstuk; **2** de
gezamenlijke kanunniken; **3** vergadering v.
kloosterlingen; **4** gespreksonderwerp.
**kapit'telen** de les lezen, berispen.
**kapoen'** [v. Lat. *cápo*, *capónis*] jonge
gecastreerde en vetgemeste haan.
**kapoe'res** [v. Hebr. *kapporeth* = dier dat als
zoenoffer werd gedood] (*plat*) dood; stuk;
kwijt.
**kapoets'** [via Du. *Kapuze* = mantelkap, v. It.
*capuccio* = *eig.*: monnikskap, v. MLat.
*capútium*; *zie* **capuche**] bep. muts of kap.
**kapok'** [v. Mal. *kapoq* = katoen] zaadvezel v.d.
kapokboom *Ceiba pentandra* u.d. familie
Bombacáceae, die in verschillende variëteiten
oorspronkelijk in Zuid-Amerika en tropisch
Afrika voorkomt. De vezel kan moeilijk worden
gesponnen; hij wordt vrijwel alleen gebruikt
voor vulling v. kussens, matrassen en
zwemvesten.
**kapot'jas** [Fr. *capot*, verklw. v. *cape*, It. *cappa*
= mouwloze mantel; *zie* **cappa**]
soldatenoverjas. **kapotje** [Fr. *capote*, verklw.
v. *cape*; *zie* vorige en **cappa**] (*vero.*) bep.
dameshoedje met linten onder de kin
vastgestrikt; (*thans*) condoom.
**kap'pa** [Gr.; vgl. Hebr. *kaph*] de 10e letter v.h.
Gr. alfabet, overeenkomend met onze k.
**kaproen'** [*zie* **chaperon**] monnikskleed; bep.
vrouwenmuts.
**kap'seizen** [Eng. *to capsize*, missch. v. Sp.
*capuzar* = m.h. hoofd naar beneden zinken, v.
*cabo* = hoofd, Lat. *caput*] omslaan,
omkantelen (v. schip).
**kap'sel** [*zie* **capsule**] (*biol.*) beursvormig
omhulsel.
**kap'sies** [v. Lat. *cáptio* = *lett.*: het vangen, v.
*cápere*, *cáptum* = vangen, nemen; *cáptio* fig.

*ook*: drogredenen; missch. ook verband met
**kapsones**, *z.a.*; *zie verder ook* **captie**]:
—— *maken*, moeilijkheden maken, aanmerkingen
maken; tegenstribbelen, 'dwars' zijn.
**kapso'nes** [v. Jidd. *gawsones*, v. Hebr.
*ga-awtanoet* = hoogmoed] (*volkstaal*)
praatjes, pretenties, ophef, kouwe drukte; ——
*hebben*, kabaal maken om niets, veel noten op
zijn zang hebben; *ook*: tegenstribbelen.
**Kapucij'nen** *mv* (leden van) de orde der
minderbroeders-kapucijnen [kerk. Lat. *Ordo
Frátrum Minórum Capucinórum*, afkorting
*O.F.M.Cap.*], de derde en jongste tak v.d. orde
der franciscanen.
**karaat'**, afk. **kar.** [v. Arab. *qirat*, missch. v. Gr.
*keration* = vrucht v. Johannesbroodboom, v.
*keras* = hoorn] gehalte v. goud, gemeten in
24e delen v. zuiver goud (18 karaats goud
bestaat voor 18/24 deel uit zuiver goud);
gewicht voor edelstenen en parels (1 karaat =
ca. 0,2 g, het gewicht v.d. vruchtjes v.d.
Johannesbroodboom; in 1907 werd het zgn.
metriek-karaat vastgesteld op precies 0,2 g.
**karabijn'** [Fr. *carabine*, v. *carabin* = (vroegere)
soldaat, missch. v. MLat. *chadabula* = soort
oorlogswerptuig, v. Gr. *kata-balloo* =
overgooien] bep. geweer met korte loop.
**karaf'** [Fr. *carafe*, v. It. *caraffa*, v. Arab. *garafa*
= putten] fles of schenkkan voor gebruik aan
tafel.
**karakol'**, *ook*: **caraco'le** (*Waals*) [v. Sp.
*caracol* = schelpslak; *vgl.* Fr. *caracole* =
spiraalwending] (*Z.N.*) een grote eetbare
huisjesslak, de wijngaardslak, in Zuid-Limburg
en in de Belgische Kalkstreek algemeen. Zij
wordt gekweekt ter consumptie.
**karak'ter** [Lat. *charácter*, v. Gr. *charaktèr* =
merkteken, v. *charattoo* = ingriffen]
letterteken; eigen kenmerk v. zaak of persoon,
inborst, geaardheid; persoon v. sterke zedelijke
aard; figuur in roman e.d. **karakterise'ren**
[Fr. *caractériser*] kenschetsen, het
eigenaardige typerende aangeven.
**karakteristiek'** [Fr. *caractéristique*] **I** *bn*
kenmerkend; **II** *zn* beschrijving die het
kenmerkende aangeeft. **karakteris'ticum**,
*mv* **-is'tica** kenmerkende eigenschap.
**karamel'** [v. Fr. *caramel*, v. modern Lat.
*caramellis*] gebrande suiker, d.w.z. suiker
droog gesmolten en dan door gedeeltelijke
verkoling (hetgeen bittere smaak veroorzaakt)
gebrand t.e. bep. kleurgraad, afhankelijk v.d.
temperatuur. **karamellise'ren** suiker droog
verhitten tot ca. 140 °C.
**kara'te** [Japans = lege = (ongewapende)
hand] een vechtsport afkomstig uit China, een
systeem van zelfverdediging en
aanvalstechnieken waarbij uitsluitend
lichaamsdelen als wapen worden gebruikt,
dus zonder kunstmatige wapens. **kara'teka**
beoefenaar(ster) v. karate.
**karavaan'** [v. Perzisch *karwan*] oosterse stoet
reizigers die gezamenlijk reizen om wille v.d.
veiligheid; stoet beladen kamelen met drijvers
en reizigers; (*alg.*) grote troep. **karavan'serai**
[Perzisch *karwansarai*, v. *sara* = huis] oosterse
vierkante herberg met grote binnenplaats als
(nacht)verblijf voor karavanen (ook
**karavansera**).
**karbeel'** *zie* **korbeel.**
**karbies'** [Fr. *cabas*, v. Lat. *capax* = wat
inhouden kan] bep. handtas v. stro of biezen
gevlochten of v. doek, met twee hengsels.
**karbon'kel** [v. Lat. *carbúnculur*, verklw. van
*cárbo* = (gloeiende) kool] **1** helrode *robijn*; **2**
bep. soort steenpuist, de zgn. negenoog; **3**
kantaloep (*z.a.*).
**kardemon'**, **kardamom'** [v. Lat.
*cardamómum*, v. Gr. *kardamoonon* =
'paradijskorrel' (een specerij), afgeleid v.
*kardamon* = tuinkers] bep. specerij, de zaden
van div. plantesoorten, speciaal v.d.
kardamomplant *Elettaria cardamomum*.
**kardinaal'** [Lat. *cardinális* = t.d. *cardo*
(deurhengsel) behorend] **I** *bn* (waar het om
draait); de hoofdzaak betreffend,

voornaamste; *kardinale punt*, het belangrijkste v.e. zaak; *kardinale deugd*, hoofddeugd; **II** *zn* *(rk)* een der hoogste kerkelijke hoogwaardigheidsbekleders (de kardinalen zijn meestal belast met speciale bestuurstaken onder supervisie v.d. paus, na diens dood komen allen te zamen om een nieuwe paus te kiezen). **kardinalaat'** [Fr. *cardinalat*, v. kerk. Lat. *cardinalátus*] de waardigheid v. kardinaal.

**kardoes'** [Fr. *cartouche*, v. It. *cartoccia* = grote *carta* = kaart; *vgl.* Eng. *cartridge*] **1** papieren huls of zakje met lading kruit, vroeger gebruikt om geweer te laden; *(Z.N.) ook*: patroon; **2** *(Z.N.)* rol geldstukken in papier gewikkeld.

**1 karet'** [Fr. *caret*, v. Mal. *karah*] fijnste soort schildpadleer, afkomstig v.d. *karetschildpad*.
**2 karet'** Indische rubber.

**karenz'dagen** *zie* **carensdagen.**

**kariati'de**, *ook*: **cariatide** of **caryatide** [via Lat. v. Gr. *karuatis*, *karuatidos* = priesteres te Karuai (in Lakonië)] steunpilaar i.d. vorm v.e. vrouwenfiguur.

**karikatuur'** [Fr. *caricature*, v. It. *caricatura*, v. *caricare* = laden] prent die of beeld dat karakteriserende trek v.e. persoon overdreven voorstelt, meestal ter bespotting, *(alg.)* spotprent; ook *fig.*: wat een zaak in scheve verhouding voorstelt. **karikaturaal'** *bn & bw* o.d. wijze v.e. karikatuur, als i.e. karikatuur. **karikaturise'ren** een spotprent tekenen. **karikaturist'** [Fr. *caricaturist*] vervaardiger v. spotprent of -beeld.

**karkas'** [ged. v. MLat. *carcosium* en ged. v. 16e-eeuws Fr. *carcasse*, v. It. *carcassa*] **1** geraamte, rif, de samenhangende maar ontvleesde beenderen v.e. dierlijk of menselijk lichaam; **2** lichaam; **3** gebrekkig en vervallen gestel, ook van levenloze zaken gezegd *(bijv.*: een karkas v.e. auto); **4** geraamte of gestel van dun ijzer- of koperdraad.

**kar'ma**, *ook*: **kar'man** [Sanskr. = werking, daad] een belangrijk begrip i.h. brahmanisme, boeddhisme en jaïnisme. Karma is dan de som van alle goede en slechte daden en gedachten die een mens gedurende zijn leven heeft verricht.

**Karmelie'ten** *mv* een religieuze mannenorde, off.: *Ordo Frátrum Beátae Maríae Vírginis de Mónte Carmélo* (afk. *O. Carm.*) = Orde der Broeders van de Heilige Maagd Maria van de Berg Karmel. Zij is ontstaan uit een groep kluizenaars die zich tijdens de kruistochten had gevestigd op de berg Karmel in Palestina; is één v.d. vier bedelorden naast augustijnen, franciscanen en dominicanen. **Karmelites'sen** *mv* vrouwelijke religieuzen verbonden m.d. orde der Karmelieten.

**karmijn'** [Fr. *carmin*, v. MLat. *carminus*, voor *carmesimus*, v. Arab. *qirmazi* = v.d. **kermes**, *z.a.*] bep. wijnkleurig rode verfstof.

**karmozijn'** [*zie* **karmijn**] purperrode verfstof of kleur (uit cochenilleluis).

**Karolin'ger** [woord gevormd naar analogie v. Merovinger] *(gesch.)* stichter v.d. dynastie gesticht door Karel de Grote [Lat. *Cárolus Magnus*]. **Karolin'gisch** de Karolingers betreffend.

**karon'je** *ook* **carog'ne** [v. Fr. *carogne* of *charogne* = in ontbinding verkerend kadaver v. dier, kreng, v. Lat. *cáro* = vlees, of v. *cáries* = vermolming, bederf] *(scheldwoord)* kwaad wijf, feeks, kreng, canaille.

**karos'** [Fr. *carosse*, v. Lat. *carroccio*= grote oorlogswagen m.d. banier; *vgl. car(r)úca* = reiswagen] staatsierijtuig.

**karot'** [v. Fr. *carotte* = *eig.*: wortel, v. Lat. *caróta* = peen, wortel] gesponnen rol snuiftabak.

**karpet'** [via OFr. of It. v. Lat. *cárpere* = plukken; wegens de bereidingswijze] vloerkleed.

**karsaai'** [Eng. *kersey*, vermoedelijk naar stad Kersey in Suffolk, Eng.] bep. soort geribde wollen stof.

**karst'verschijnselen** *mv* verschijnselen die ontstaan door oplossing v. gesteente door water, ook buiten de eigenlijke Karst (kalkplateau in Joegoslavië). Een karstlandschap is een landschap m.e. speciaal reliëf zoals o.h. Karst Plateau. Oplosbare gesteenten zijn kalksteen, dolomiet, steenzout, sylvien, en gips. De oplossing ontstaat door inwerking van regen-, smelt-, bodem- en rivierwater. Daardoor ontstaan spleten, holen, grotten en trechtervormige uithollingen (zgn. *dolinen*.) De rivieren zijn voor een groot deel ondergronds. Er zijn weinig dalen.

**kartel'** [Fr. *cartel*, v. It. *cartello*, verklw. v. *carta* = kaart] **1** *(oorspr.)* briefje ter uitdaging tot duel; **2** vereniging van producerende handelaren om door gezamenlijk optreden de concurrentie het hoofd te bieden en ten slotte uit te sluiten en zo de markt te beheersen (de leden blijven echter, behalve op sommige punten, volledig vrij; i.t.t. de *trust*, *z.a.*; kartel wordt ook wel bedrijfsregeling genoemd; **3** *(Z.N.)* tijdelijk samengaan van politieke groeperingen (bijv. bij verkiezingen).

**karte'ren** [*zie* **charta**] in kaart brengen.

**kartets'** [v. It. *cartaccia* = grof papier, v. *carta*, Lat. *charta* = papier] *oorspr.*: kartonnen huls met kogels en stukjes ijzer gevuld; met kogels gevulde granaat.

**kar'ting**, **car'ting** [v. Eng. *car* = wagen] het rijden met *skelters* (*z.a.*).

**karton'** [v. It. *cartone* = dikke *carta* = kaart, dik groot stuk papier, v. Lat. **charta** (*z.a.*)] **1** dik (uit enige lagen bestaand) papier, bordpapier; **2** (*Barg.*) speelkaarten. **kartonne'ren** [Fr. *cartonner*] in bordpapier inbinden. **kartonna'ge†** het kartonneren; **2** het vervaardigen van karton. **kartotheek'** [v. kaart, en Gr. *théke* = bewaarplaats] verzameling kaarten, kaartsysteem.

**kartouw'** [It. *cartuna*, v. MLat. *quartána* v. Lat. *quartánus* = t.d vierde behorend, v. *quat(t)uor* = vier] *(gesch.)* soort laatmiddeleeuws kanon.

**Kartui'zers** *mv* [christelijk Lat. *Cartusiáni*, naar *Chatrousse* of *Chartreuse*, de plaats der stichting] leden v.e. in 1084 in Frankrijk opgekomen contemplatieve kloosterorde, die zich inspireerde o.d. levenswijze v.d. heilige Bruno van Keulen en zijn gezellen, die i.d. wildernis van La Grande Chartreuse, 30 km ten noorden van Grenoble, het eerste kartuizerklooster (kartuis) stichtte. De Kartuizers leven een zeer streng kluizenaarsbestaan onder vrijwel voortdurend stilzwijgen.

**karveel'** [Fr. *caravelle*, v. It. *caravella*; *vgl.* Gr. *karabos* = soort kever of zeekrab] Spaans snelzeilend schip (15e-17e eeuw); Turks klein oorlogsschip.

**karwats'** [v. Turks *kyrbatsch*] leren zweep.

**karwij'** [via Fr. of MLat. *carví* v. Arab. *karawija'*, mogelijk zelf weer v. Gr. *karon*, Lat. *careum* = wilde komijn, karwij] de plant *Cárum cárvi* u.d. schermbloemenfamilie. Het zaad wordt als specerij gebruikt en dient ook ter bereiding van *kummel*, *z.a.*

**karyokine'se** [v. Gr. *karuon* = walnoot, en *kinésis* = beweging] kerndeling der cel, voorafgaande a.d. eigenlijke celdeling (wegens nootachtige figuur v. kern die zich begint in te snoeren).

**kasbah'** [Arab.] Moorse citadel; *thans*: **kas'ba**, binnenstad als woonwijk van Moorse bevolking.

**kasj'mier** [nsre zachte wol van haren v. geit uit Kasjmir (*ook*: **cachemir**).

**kasserol'** *zie* **kastrol.**

**kas'sian** [v. Mal. *kasihan* = *ongeveer*: och arm!, uitroep van medelijden] **1** in ABN is de Indonesische bet. ook verbonden met persoonsnamen, *bijv.*: *kassian Piet*, die arme Piet; **2** (*volkstaal*) langzaam aan! (wegens onjuiste opvatting v.h. Maleise woord).

**kassier'** [v. Fr. *caissier*] **1** kashouder; **2** kantoor of bank dat of die voor een opdrachtgever gelden betaalt of int. **kassiè're** [onjuist voor Fr. *caissière*] kassajuffrouw.

**kas'te** [Sp. & Port. *casta* = afstamming,

missch. v. Lat. *casta* = vr. van *castus* = zuiver, rein] erfelijke gesloten stand (spec. in India); —*geest*, zucht om slechts i.d. beslotenheid v. eigen stand te verkeren (met bep. minachting voor lagere standen).

**kastij'den** [Lat. *castigāre* v. *castum ágere* = lett. rein drijven] tuchtigen, geselen.

**kastoor'** [Lat. *castor*, Gr. *kástoor* = bever] vilt v. beverhaar.

**kastrol'**, *ook*: **kasserol'** [Fr. *casserolle*, v. *casse*, v. It. *cassa* = doos met vakjes; *zie* **capsa**] 1 grote braad- of stoofpan, meestal van koper; 2 (*Z.N.*) kookpan i.h. algemeen.

**kasua'rissen** *mv*; *ev* **kasua'ris** [v. Mal. *kasoewari*] de vogelfamilie Casuariidae waartoe ook de emoes behoren. Kasuarissen zijn grote en krachtig gebouwde vogels uit de tropische regenwouden van Noord-Australië, Nieuw-Guinea en naburige eilanden.

**kat** (*Barg.*) [*zie* **bekattering**] standje, afstraffing; snauw; bekeuring.

**kata-** (Gr.) [naar beneden, overheen, m.b.t. (*zie ook* **cata-**).

**katabolis'me**, *ook*: **katabolie'** het afbrekende deel v.d. stofwisseling, het **metabolisme**, *z.a.*; b.h. katabolisme worden voedingsstoffen ontleed in eenvoudiger stoffen.

**katachre'se** *zie* **catachrese**.

**katafalk'** [v. Fr. *catafalque* v. It. *catafalco*, afl. onzeker, misschien verband met **schavot**] stellage om een lijkkist op te plaatsen; *ook*: zo een stellage zonder lijkkist maar deze nabootsend.

**kataly'se** [Gr. *katalusis* = oplossing, v. *katalúoo* = losmaken] versnelling (positieve -) of vertraging (negatieve -) v.e. chem. reactie door een stof die zelf uiteindelijk onveranderd blijft. **katalysa'tor** [modern Lat.] stof die katalyse bewerkt. **kataly'tisch** door een katalysator, als een katalysator.

**katapult'** [Lat. *catapulta*, v. Gr. *katapeltès*, missch. v. *kata*-, en *palloo* = zwaaien] (*gesch.*) bep. oorlogswerptuig om stenen weg te slingeren; *thans nog*: bep. schiettuig als kinderspeelgoed of inrichting om vliegtuigen bij start in korte tijd grote snelheid te geven.

**katern'** boekje of deel v. boek best. u.e. aantal gevouwen in elkaar geschoven vellen papier.

**katha'ren** [v. Gr. *katharoi* = de reinen, de gezuiverden; *zie* **ketter**] sekte in 11e-12e eeuw met sterk manicheïstische inslag, in Fr. de Albigenzen.

**kathar'sis** [Gr. *katharos* = rein] zuivering.

**kathe'der** [Gr. *kathedra*, v. *hedra* = zetel, v. *kath-ēmai* = zich neergezet hebben] *oorspr.*: bisschopszetel in kerk; spreekgestoelte, leerstoel (v. hoogleraar). **kathedraal'** [MLat. *cathedrális*, v. *cáthedra*; *zie vorige*] hoofdkerk v.e. bisdom, bisschopskerk.

**kathe'te** [Gr. *kathetos*, v. *kat-hièmi* = neerzenden] *oorspr.*: loodlijn; rechthoekzijde v. rechthoekige driehoek.

**katho'de** [Gr. *kata*-, en *hodos* = weg; *kathodos* = weg naar beneden] negatieve elektrische pool (-elektrode); —*stralen*, elektronenstralen uitgezonden door negatieve pool in vacuümbuis.

**katholicis'me** [v. Gr. *katholikos* (v. *kata* en *holos*) = het geheel (*holos*) betreffend; (*christelijk*): *hè katholikè* = de algemene universele kerk, bestemd voor alle mensen over de gehele aarde] de godsdienst der katholieke Kerk. **katholiek'** I *zn* wie de katholieke godsdienst belijdt; II *bn* volgens de katholieke godsdienst; —*Kerk*, Kerk door Christus gesticht die de paus als zichtbare plaatsvervanger v. Christus erkent; —*e brieven*, (*Bijbel*) de rondzendbrieven (katholiek = voor allen bestemd) van Jacobus, Petrus, Judas en Johannes.

**kat'ion** [*zie* **kata**, en **ion**] positief geladen ion (dat bij elektrolyse naar de kathode (negatieve pool) gaat).

**kat'jang** [*Mal.*] 1 peulvrucht, noot; spec. pinda; 2 (*scheldnaam*) ondeugende Indonesische (of Indo-europese) jongen.

**kattebel'letje** [v. ouder Ned. *cartabelle* = klein geschrift, traktaatje, brochure, v. It. *scartabello* via monnikenlatijn v. Lat. **charta** *z.a.*] kort briefje, weinig verzorgd briefje, stukje papier waarop iets wordt gekrabbeld.

**Kat'zenjammer** [Du.] haarpijn, kater, katterigheid.

**kaus'tika** [v. Gr. *kaustikos*, v. *kaustos* = verbrand, v. *kaioo* = branden] kunst v. etsen of werken met bijtende middelen; deze middelen zelf; leer der kaustiek. **kaustiek' 1** (leer v.d.) brandlijnen; **2** bijtend of etsend middel.

**kaval'je** v. Lat. *caballus* = paard, v. *cabo* = paard] elk oud vervallen voorwerp, spec. paard, huis of schip.

**ka'vel** [v. MNed. *cavel* of *cávele* = lot; *ook*: door lot toegekend aandeel, v. MNDu. *kávele* = stokje om te loten (reeds vroeg diende een met *runen*, besneden stokje om het lot te werpen, ook b.h. toewijzen van stukken land)] 1 stuk land, perceel waarin nieuw drooggelegd land wordt verdeeld voor de verkoop; **2 elk** deel waarin een partij goederen wordt gesplitst voor de verkoop, spec. o.e. veiling (*verkaveling*).

**kazak'** [Fr. *casaque*, v. It. *casacca*] lang vrouwenjak; (reis)mantel.

**kazemat'** [Fr. *casemate*, v. It. *casamatta*, v. *casa* = huis, en missch. v. *matta*, vr. v. *matto* = gek, in bet.: pseudo-) bomvrij gewelf onder vesting; bunker.

**kazer'ne** [Fr. *caserne*, v. Sp. *caserna*, v. *casa* = huis] gebouw ter huisvesting v. soldaten, groot gebouw in veel (kleine) woningen verdeeld (huurkazerne). **kazerne'ren** [Fr. *caserner*] in kazerne huisvesten.

**kazui'fel** [MLat. *casabula* verklw. v. *casa* = hut] mouwloos opperkleed dat de priester b.h. opdragen v.h. misoffer draagt.

**kebab'** [*Turks*] aan pennen geroosterde stukjes schapevlees.

**ked**, *ook* **ket** of **kid** [zeer waarsch. hetzelfde woord als Eng. *kid*, v. ONoors *kidh* = jong geitje (wellicht als roepnaam)] soort klein paard (v.d. grootte tussen paard en hit in).

**kedin'** [v. Hebr. *kadīen* = volgens orde, volgens recht] (*Barg.*, *volkstaal*) goed, in orde, veilig; *ook*: tof.

**kedi've** [Fr. *khédive*, v. Turks] (*gesch.*) onderkoning v. Egypte (titel door Turkse regering in 1867 verleend aan Ismaïl Pasha).

**keel** [v. Fr. *gueule* = muil] (*herald.*) rood.

**kefali'nen** *mv* (v. Gr. *kephalè*, = hoofd; *egkephalon* = hersenen] vetachtige stoffen die tot *fosfatiden* of *fosfolipiden* behoren. Ze zijn o.a. van belang b.d. vetstofwisseling, maar vooral b.d. werking van zenuwweefsel.

**ke'fir** [*Kaukasisch*] een soort mousserende zure wijn uit paardemelk (oorspr. in de Kaukasus voor zieken gebruikt).

**ke'lim** [v. Turks *kilim* = tapijt] eenvoudig met de hand platgeweven tapijt met azuureffect, versierd met rechtlijnige kleurpatronen en/of tekeningen. (Oorspr. volkskunst, thans vrijwel verloren gegaan.)

**kelp** [MEng. *culp*, verdere afl. onzeker] bep. op rotskusten groeiende of aangespoelde grote soorten zeewieren, spec. soorten Bruinwieren, die geoogst worden a.d. kusten v. Schotland en Bretagne en a.d. Noordam. westkust.

**Kel'ten** *mv*, *ev* **Kelt** [Lat. *Celtae*, Gr. *Keltai* of *Keltoi*] een zeer oude volksgroepering uit het einde v.d. Steentijd en het begin v.d. Bronstijd (ongeveer meer dan 1000 jaar v. Chr.), oorspr. stammend uit het gebied v.d. boven-Rijn en boven-Donau. **Kel'tische talen** een aantal uitgestorven of nog levende talen, samen de meest westelijke taalgroep v.d. Indo-Germaanse taalfamilie. Het zgn. *Insulaire Keltisch* is deels nog levend. Het wordt verdeeld in twee takken, nl. *Brits* en *Gaelisch* (Goidelisch). In het Brits onderscheidt men drie talen: *a* het *Welsh* in Wales; *b* het *Cornisch* in Cornwall (sinds ca. 1800 uitgestorven); *c* het *Bretons* in het Franse Bretagne. De tweede tak, het Gaelisch, wordt wederom onderverdeeld in drie talen: *a* het *Iers* in Ierland; *b* het *Schots-Gaelisch* i.d. Schotse Hooglanden en op de Hebriden; *c* het *Manx* op het eiland Man, dat onlangs is uitgestorven. **keltistiek'** kennis v.d. Kelten, de Keltische cultuur en talen. **keltist'** beoefenaar v.d. keltistiek.

**Kel'vin** [naar de Britse wis- en natuurkundige Lord Kelvin, 1824-1907] een temperatuurschaal waarmee in de fysica de absolute temperatuur (T) wordt aangegeven. Het nulpunt is het absolute nulpunt, nl. -273,15°C. De Kelvinschaal heeft geen eigen graadverdeling, maar volgt die van Celsius. Vier graden Celsius boven het absolute nulpunt heet dus 4 Kelvin (4K, niet 4 graden Kelvin: 4°K).

**ke'mel** (*vero., dicht.*) kameel.
**kemena'de** [uiteindelijk v. MLat. *cámera, camináta* = van kachel voorzien vertrek, v. Lat. *camínus*, Gr. *kaminos* = haard ter verwarming] (*gesch.*) verwarmbaar woonvertrek, vrouwenvertrek, spec. in kasteel.
**ke'nau** manwijf [naar Kenau Hasselaar, Haarlemse burgeres, die moedig optrad bij beleg v. Haarlem in 1572-73].
**ken'nel** [verm. v. VLat. *canile*, v. Lat. *canis* = hond] hondenhuis; -hok; -fokkerij; *ook:* stel honden.
**ke'per** [waarsch. v. Lat. *caper* = bok] zolderrib; (*her.*) twee platte banden in de vorm van een winkelhaak; diagonaal weefsel.
**ke'pie** [Fr. *képi*, v. Zwitsers-Du. *käppi* = verklw. Du. *Kappe* = muts] bep. soldatenhoofddeksel.
**keramiek'**, *ook:* **ceramiek'** [Gr. *keramikos*, v. *keramos* = pottenbakkersaarde, pot] kunst v. aardewerk maken, pottenbakkerskunst [Gr. *kerameia*]. **kera'misch** de keramiek betreffend; =*industrie*, aardewerkindustrie.
**kerati'ne** [v. Gr. *keras* = hoorn] hoornstof (waaruit bijv. nagels, haren e.d. bestaan).
**ker'ker** [Lat. *cárcer*, v. Sicilisch-Gr. *karkaron*, *vgl.* Lat. *arcére* = o.a. in bedwang houden, insluiten] (*dicht.* en *vero.*) gevangenis (met de bijgedachte aan donkere hokken in onderaardse gewelven).
**kermes'** [Arab. & Perzisch *qirmiz*] oorspr.: volwassen wijfje v. bep. plantenluis, voor bes aangezien; bep. rode verfstof uit cochenille- of scharlakenluizen (*zie* **karmijn**).
**kermes d'été** [Fr. = lett. zomerkermis; *zie* **kermis**: *été* v. Lat. *aestus* = hitte] tuinfeest met kermisattracties. **ker'mis** [verbastering v. *kerk-mis* = mis bij gelegenheid v.d. verjaardag v. kerkwijding, gevolgd door jaarmarkt] bep. jaarlijks volksfeest met diverse vermakelijkheden.
**kern'reactor** [*zie* **reactor**] een vat waarin een onafgebroken kettingreactie voor het opwekken v. kernenergie wordt onderhouden. Een speciaal type is de *kweekreactor*, die, al energie leverend, meer splijtstof maakt dan verbruikt.
**kerosi'ne** [onregelmatig gevormd uit Gr. *kéros*, Lat. *céra* = was, en uitgang -*ine*, *z.a.*] mengsel van alifatische en cyclische koolwaterstoffen, dat in de volksmond *petróleum* wordt genoemd. Kerosine wordt toegepast in straalmotoren van vliegtuigen, landbouwtractoren e.d.
**ker'spel** [MNed. ook *kercspel*; het tweede lid 'spel' is afgeleid v. Germ. *spella* = boodschap, bericht (*vgl.* bijv. Ned. voor*spellen* en Eng. *gospel* = OEng. *godspel* = goed bericht, blijde boodschap, evangelie)] oorspr. gebied waar een priester mocht preken en zijn ambt uitoefenen; kerkgemeente, parochie.
**ker'stenen** [v. *christenen* = christen maken, met omzetting v. *Christ* (uitspr. Krist) in *Kerst*, *vgl.* 'Kerstmis' → *christen* 1] **1** tot christendom bekeren; **2** een christelijk karakter geven (*bijv.*: oude heidense gebruiken, zoals het oud-Germ. Joelfeest is gekersted tot Kerstfeest).

**keskedie'** of **kes'kedie** [*vgl. kaskenade* v. Fr. *gasconade*, naar Gascogne, een streek m. pochende bewoners] **1** kaskedie, opschepper; **2** (*gewest.*) rare kwibus; **3** (*volkstaal*) achterwerk, achterste.
**kesou'sies, kesou'se man'gelen** *mv* [verbastering van Curaçaose amandelen] (*Barg.*) pinda's, apenootjes.
**ket** *zie* **ked**.
**ket'chup** [Eng., verm. v. Chinees *kôe-chiap* = gezouten of gepekelde vis] dikke pikante saus, gemaakt van extract van paddestoelen e.d. Het bekendst is de *tomatenketchup* uit tomaten, azijn, mosterdpoeder, kruiden en specerijen.
**ket'jap** [Mal.] Indonesische soja, saus bij rijsttafel.
**keto'nen** *mv, ev* **keton'** [v. Du. *Keton*, andere vorm v. aceton] (*chem.*) organische verbindingen die de atoomgroep =C=O (carbonylgroep) bevatten, verbonden met twee koolstofatomen (*ook:* **alkanonen**).
**ket'ter** [v. Gr. *katharos* = zuiver, naar de naam **Katharen**, *z.a.*] iem. die v.d. rechtzinnige leer afwijkt (spec. in rk. spraakgebruik).
**keu** [Fr. *queue*, v. Lat. *coda* i.p.v. *cauda* = staart] stok om te biljarten.
**keurs(lijf)** [v. Fr. *corps*, Lat. *corpus* = lichaam] om het bovenlichaam sluitend vrouwenkledingstuk; korset; (ook vaak *fig.*).
**ke'vie** [Lat. *cávea* = eig. hol, v. *cavus bn* = hol, kooi voor dieren] vogelkooi.
**key'board** [Eng.] (meestal elektronisch) klavierinstrument.
**1 khan, chan** [Turks, missch. hetzelfde als *khaqan* = koning] vorstelijke titel i.d. loop der eeuwen door div. Turkse en Mongoolse vorsten gevoerd. In Turkije was het de titel v.d. regerende sultan; in Perzië was het een eretitel door de sjah verleend aan hoge functionarissen. De Mongolen maakten onderscheid tussen de *kakhan* (= groot-khan) v.h. gehele rijk en de khans v.d. delen ervan (die vrijwel zelfstandig waren). **khanaat'**, **chanaat'** naam v.e. aantal vorstendommen geregeerd door een khan, resten v.h. Mongoolse wereldrijk.
**2 khan, chan** [Perzisch = gebouw, huis] in Perzische en Turkse landen een gebouwencomplex rondom een binnenplaats, waar reizende kooplieden onderdak konden vinden en hun dieren in warme bergen. Hetzelfde als *karavanserai*, *z.a.*
**Khmer** oud cultuurvolk in Cambodja (Kampucha).
**kibboets'**, *mv* **kibboetsiem** [Hebr. = groep, gemeenschap] bedrijfshuishouding in Israël op gemeenschappelijke grond, d.w.z. vereniging van personen die gemeenschappelijk land bebouwen of bedrijf exploiteren en daartoe een collectieve nederzetting bewonen. Er bestaat in beginsel geen particulier eigendom: ieder werkt naar vermogen en ontvangt naar behoefte.
**kick** [Eng. = *lett.*: schop, trap] **1** opmontering, aansporing, stimulans; aangename emotie door een bep. belevenis of ervaring, spec. roeservaring door het gebruik van drugs; **2** (*voetbal*) trap; *free kick* = vrije trap wegens bep. overtreding v.d. tegenpartij; *kick and rush*, het onbeheerst trappen. **kick'en** [v. Eng. *to kick*; *zie* **kick 1**] drugs gebruiken; *afkicken* (*z.a.*), zich het gebruik van drugs ontwennen. **kick'en op** enthousiast worden van, heel leuk vinden.
**kid** *zie* **ked**.
**kid'nappen** [Eng. *to kidnap*, v. *kid* = eig.: jonge geit; (*slang*) kind, en vero. *to nap* = pakken] kinderroof om losgeld te kunnen eisen; *thans ook:* ontvoering van volwassenen om losgeld. **kid'napper** kinderrover; ontvoerder.
**kien** *bn & bw* [v. Eng. *keen* = lett.: scherp] bijdehand, pienter, slim; *ergens kien op zijn*, er op gespitst zijn.
**kie'nen** [Fr. *quine* = vijftal nummers op horizontale rij bij lottospel, v. Lat. *quini* = ieder

vijf, v. *quinque* = 5] bep. spel met stenen.

**kiet** [Fr. *quitte* = los van plicht of schuld, v. Lat. *quiëtus* = rustig, v. *quies* = rust] afgerekend, gelijk, elkaar niets schuldig.

**kie′zelgoer** [v. Du. *Kieselguhr* = *lett.*: grintbezinksel] bep. poreuze zandsteen (gebruikt om glyceroltrinitraat te doen opzuigen (= dynamiet) om explosiegevaar te verminderen).

**1 kif** (*uitsp.* kief) bep. soort drug bestaande uit gedroogde Noordafrikaanse hennep.

**2 kif of kift** [*vgl. kijven* = met woorden twisten] (*volkstaal*) **1** ruzie, herrie; **2** jaloezie, afgunst; *dat is de kif*, dat (nl. smalend spreken) komt voort uit afgunst. **kif′ten** kijven, twisten met schelle stem; ruziën.

**kil′ler** [v. Eng. *to kill* = doden] (*voetbal*) speler die eigenschap heeft het 'dodelijke' schot op het vijandelijke doel te lossen; (*alg.*) gevaarlijk persoon.

**ki′lo** afkorting voor **kilogram**, *z.a.*

**kilo-** [Gr. *chilioi* = 1000] voorvoegsel dat 1000 maal ($10^3$) de daaraanterstaande eenheid aangeeft (afk. **k**-); —*cycle* afk. *kc.*, 1000 trillingen per seconde; —*gram*, 1000 gram; —*grammeter* arbeid verricht als 1 kg 1 m opgeheven wordt; —*liter*, 1000 liter; —*meter* (afk. *km*) 1000 meter; *vierkante* —*meter* (afk. $km^2$), 1000[2] m[2] (miljoen m[2]); —*stère*, 1000 m[3]; —*watt* afk. *kW* 1000 watt; —*wattuur* afk. *kWh*, 1 kilowatt gedurende 1 uur; —*gramkracht* (afk. *kgf*: kilogramforce), ruim 9,8 *newton* (*z.a.*), of 0,987 atmosfeer (*z.a.*).

**kilt** [Schots, waarsch. v. Scandinavische oorsprong] rokje door Schotse bergbewoners, gedragen.

**kimo′no** [Japans] bep. Japans lang gewaad (zowel voor mannen als vrouwen), i.h. Westen als ochtengewaad gebruikt.

**ki′na** [Sp. *quiena*, v. Peruviaans *kina* = bast] bast v. bep. boom (*zie verder* **kinine**).

**kinema′tica** [v. Gr. *kinèma* = beweging, v. *kineoo* = bewegen] onderdeel v.d. fysica (natuurkunde) dat de bewegingen van stoffelijke punten (eventueel stelsels) op zichzelf bestudeert (*vgl. kinetica*).

**kinescoop′** [v. Gr. *kinèsis* = beweging, v. *kineoo* = bewegen; *zie* -**scoop**] apparaat om beeld (en geluid) voor latere weergave vast te leggen; thans **ampex** (*z.a.*) genaamd (*zie ook* **stroboscoop**). **kinesiologie′** [*zie* -**logie**] fysiologische bewegingsleer.

**kinesithérapie′** [*zie* **therapie**], in België: **kinesie′** geneesmethode (*revalidatie*, *z.a.*) door de patiënt speciale bewegingen te laten maken. **kinesthesie′** [v. Gr. *aisthèsis* = zintuiglijke waarneming; *vgl.* **esthetica**] het vermogen zich bewegingen bewust te maken, bewegingszin. **kine′tica, kinetiek′** [v. Gr. *kinètikos* = de beweging betreffend] leer v.d. bewegingen welke door krachten worden veroorzaakt, bewegingsleer. **kine′tisch** [Gr. *kinètikos*] *bn* betrekking hebbend op de beweging; —*e energie*, energie die een lichaam heeft krachtens zijn beweging; —*e kunst*, kunst(werken) waarin de beweging wordt opgevat als het wezenlijke.

**king′-size** [Eng. = grote maat] *bn* (van) zeer groot formaat, reuzen- (*vaak ook*: van iets groter formaat dan normaal, *bijv.*: king-size sigaret).

**kini′ne** [*zie* **kina**], *ook*: **chini′ne** alkaloïd uit de bast van kinabomen. Kinine heeft vroeger vooral toepassing gevonden als middel tegen een acute malaria-aanval.

**kinnesin′ne** [v. Hebr. *kin′a sin′a* = haat en nijd] (*Barg.*) jaloersheid, afgunst, nijd, kif.

**kiosk′** [Turks *kiushk* = licht open paviljoen] licht gebouw op plein of straat ter verkoop v. kranten, tijdschriften, bloemen enz. of ter uitvoering v. muziek.

**Kirsch′wasser** [Du. = *lett.*: kerswater] brandewijn gestookt over pitten v. wilde kers.

**kiss′proof** [Eng. = *lett.*: beproefd (bestand) tegen kussen] niet afgevend bij kussen (v. lippenstift).

**kit** [v. Du. *Kitt* = kit, stopverf] bindmiddel om diverse voorwerpen aaneen te lijmen of gaten te vullen (het hardworden is geen gevolg van 'drogen' zoals bij lijmen).

**kitchenet′te** [bastaardvorming uit Eng. *kitchen* = keuken, en Fr. verkleiningsuitgang -*ette*] een keukentje in kleine woon- of werkruimte, dat doelmatig is ingericht.

**kits** [v. Jidd. *alles gietes*, v. Du. *alles Gute* = alle goeds] (*volkstaal*) oorspr. in de uitdrukking: *alles*—, alles in orde; *ook*: fijn, gezond.

**kitsch** [Du. *Kitsch*] humbug, schijnkunst. **kitskedin′** [*zie* **kits** en **kedin**] (*Barg.*) veilig, goed, in orde; *ook*: tof.

**klabak′** [Nederd. *klabakken* = doelloos rondlopen; volgens anderen v. Hebr. *Kaleb* = hond] (*volkstaal*) politie-agent.

**klabaka′rium** [*zie* - **arium**] (*vroegere studententaal*) politiebureau (*scherts.*: verzameling politie-agenten).

**klam′boe** [Mal.] muskietengaas om bed.

**klan′der** *zie* **kalander 1**.

**klap′per** [verbastering v.d. inheemse naam *kelapa* voor de kokospalm en de kokosnoot in Indonesië en Maleisië] kokosnoot.

**klassiek′** [Lat. *clássicus* = (burger) v.d. eerste klasse, v.d. eerste rang] (*kunst*) volgens bep. eisen naar vorm en inhoud (en daarom normgevend geacht), spec. volgens de normen v.d. Oudheid; eenvoudig harmonieus, geproportioneerd en gepolijst; *ook*: schools; *de klassieken*, de schrijvers en kunstenaars der Oudheid; *ook*: schrijvers en kunstenaars v. erkende uitstekendheid; (*muz.*) componisten v.e. bep. periode (klassieke muziek); *een*—*voorbeeld*, een geijkt voorbeeld. **klassie′ker 1** (*wielrennen*) traditionele eendaagse wielerwedstrijd op de weg (zoals reeds in vroegere tijden v.d. wielrensport); **2** klassiek muziekstuk, lied, boek e.d. (klassiek *hier in bet.*: van vroeger, maar nog vaak gespeeld, gezongen of gelezen).

**klassikaal′** voor een groep bijeenbehorende leerlingen (klas) (- onderricht); een klasse v.d. loterij betreffend.

**klavarskri′bo** [v. **klavier**, en Lat. *scríbere* = schrijven] bep. notenschrift waarbij uitgegaan wordt v.h. toetsenbeeld v.e. piano.

**klavecim′bel** [Lat. *clavis* = sleutel; *zie verder* **cimbaal**] bep. muziekinstrument met toetsen en snaren, voorloper v.d. piano.

**klavier′** [v. Lat. *clavis* = sleutel; *zie verder* **klavecimbel**] (*vero*) piano; toetsenbord v.e. piano of v. orgel; (*plat*) hand.

**kleptomanie′** [v. Gr. *kleptès* = dief; *zie* -**manie**] ziekelijke zucht tot stelen. **kleptomaan′** persoon die aan kleptomanie lijdt.

**kle′re**, *ook*: **kele′re** [verbastering van **cholera**, *z.a.*] als platte verwensing: (*krijg*) *de klerel*; **kle′relijer** (plat scheldwoord) ellendeling, persoon waarmee men niets te maken wil hebben.

**klerikaal′** [Kerkelijk Lat. *clericális*, *zie* **clerus**] **I** *bn* wat de geestelijkheid betreft, priesterlijk, kerksgezind; **II** *zn* iem. die geestelijkheids- of kerksgezind is.

**klerk** [v. VLat. *cléricus*; *zie* **clericaal**] oorspr.: geestelijke-schrijver; *later ook*: leek in dienst v. kerk met verschillende taken; bediende belast met schrijfwerk.

**kle′wang** bep. kort Indisch zwaard (spec. bij Atjehers in gebruik).

**kliek** [Fr. *clique*, *vgl.* **claqueur**] gesloten groepje v. lieden die elkaar steunen (meestal ongunstig gebruikt). (N.B. Het woord 'kliek' in de betekenis van 'restje eten' is geen vreemd maar een Ned. woord, v. eertijds *klik* = klodder, klompje.)

**klimaat′** [Fr. *climat*, v. Gr. *klima* = helling v.d. aarde naar de hemelpolen, hemelstreek, klimaat, v. *klinoo* = neigen, doen overhellen] de normale gemiddelde weersgesteldheid v.e. bep. streek; (*fig.*) morele sfeer. **klimatologie′** [*zie* -**logie**] klimaatkunde. **klimatotherapie′**

[*zie* **therapie**] geneeswijze door verblijf in bep. klimaat.

**kliniek'** [Fr. *clinique*, v. Gr. *klinikè* (*technè*) = *lett.*: kunst het bed betreffend, v. *klinè* = bed, v. *klinoo* = zich neerleggen] inrichting tot onderzoek en behandeling v. zieken, vaak tevens gepaard met onderricht aan medische studenten; dit onderricht zelf; *zie ook* **polikliniek. kli'nisch** [Gr. *klinikos*] met geneeskundige betrekking op bedlegerige zieken.

**klinket'** *zie* **rinket.**

**klip'per** of **clip'per** [Eng., o.a. naam voor iets dat snel beweegt] snelzeilend handelsschip van Noordamerikaanse oorsprong.

**klisteer'** [Gr. *klustèr* = klisteerspuit, v. *kluzoo* wegspoelen] lavement, inspuiting v. spoeling in endeldarm.

**klof'fie** [v. Jidd. *keliphas* = omhulsel, schaal] (*Barg.*, ook *volkstaal*) kleding, kostuum, pak.

**kloon** of **cloon** [Gr. *kloon* of *klados* = loot, tak, NTGr. = nakomelingschap] **1** groep in samenhang bijeenlevende lagere wezens die door celdeling ongeslachtelijk uit één enkele cel ontstaan zijn; **2** plant of dier ontstaan door i.e. onbevruchte eicel de kern te vervangen door de kern van een lichaamscel; als de eicel zich dan gedraagt als een bevruchte eicel en zich door deling gaat ontwikkelen, wordt ze ingeplant i.e. 'gastmoeder'. **klo'nen** genetisch materiaal splitsen om door ongeslachtelijke vermenigvuldiging individuen te doen ontstaan die erfelijk identiek zijn met het individu waarvan het genetisch materiaal afkomstig is.

**klo'nisch** *zie onder* **clonus.**

**kloot** [v. MNed. *cloot* = bol, kogel; *vgl. aardkloot* = wereldbol] (*thans*) **1** zaadbal; **2** (*plat scheldwoord*) beroerling (*ook: klootzak* e.d.); *naar de kloten*, stuk, naar de knoppen *klootjesvolk*, minderwaardig volk. **klo'te** *bn & bw* (*plat*) beroerd, ellendig, waardeloos. **klo'ten** *ww* (*plat*) zaniken, zeuren; prutsen.

**klovenier'** [v. Fr. *couleuvre* v. Lat. *colubra* = adder = soort veldgeschut] schutter.

**kluis** [v. MLat. *clusa* of *clausus*, v. Lat. *cláudere*, *clausum* = sluiten] **1** verblijf v.e. eremiet, kluizenaar; **2** braak- en brandvrij vertrek of taut(je) ter bewaring van waardepapieren, kostbaarheden e.d. **kluis'ter** [v. MNed. *cluuster* = (hang)slot, v. Lat. *clostrum* = *claustrum* = afsluiting] boei.

**klö'nen** [Fries] het met schaatsen lopen op begane grond om plaatselijk gebrekkig ijs te vermijden.

**klys'ma**, *ook:* **clys'ma** [Gr. *klusma* = spoelvocht] darmspoeling, lavement.

**knaak** [waarsch. naar e. vroegere Du. muntsoort *Knack*; *vgl.* Vl. *knak* = vijf, *ook*: vijf frankstuk] (*Barg.*) rijksdaalder, *f* 2,50.

**knäc'kebröd** [Zweeds] bep. Zweeds baksel, een hardgebakken vierkante platte koek, bros en droog, uit tarwe en/of rogge.

**knap'zak** [Du. *Knapsack*, missch. v. *knappen* = bijten] tas voor mondbehoeften e.d. op reis, ransel.

**knas'ter** *zie* **kanaster.**

**Kneipp'kuur** koudwaterkuur volgens Sebastian Kneipp [Du. pastoor, 1821-1897].

**Knes'set** [Hebr. = vergadering] de naam v.h. Israélische parlement.

**knick'erbocker** (*spreek uit:* nikker-) [Am., v. *—s* = kniebroek] afstammeling v. Hollanders in Amerika; New Yorker.

**kno'belen** [Du. *knobeln*, v. *Knobel* = kneukel, dobbelsteen; *vgl.* Ned. *knobbel*] dobbelen, gokken; moeizaam trachten op te lossen door denken en piekeren.

**knock-down'** (*spreek uit:* nok-) [Eng., v. *to knock* = slaan, en *down* = neer] **1** (*boksen*) slag die de tegenstander wel velt, maar waarna deze binnen 10 sec. weer opstaat; **2** (*fig.*) verrassende tijding (waardoor men a.h.w. even uit het veld geslagen is). **knock'out** *afk.* **k.o.** [Eng.; *out* = uit] *I bn* (*boksen*) neergeslagen en wel zó, dat de bokser niet binnen 10 sec. overeind kan komen; hij wordt door de scheidsrechter 'uitgeteld'; **2** (*fig.*) totaal verslagen; **II** *zn* neervellende beslissende slag.

**knoe'del** [Du. *Knödel* = meelbal, v. MNDu. *knoode* = knoop, knop] bal gemaakt v. aardappelen, brood, griesmeel e.d.

**knoet** [Russisch *knut*] Russische zweep van riemen, karwats; *onder de knoet zitten*, onder de plak zitten, niets te vertellen hebben.

**know-how'** (*spreek uit:* noow-) [Eng. = *lett.*: weten hoe] **1** gespecialiseerde kennis op een bep. gebied, spec. op technisch gebied; **2** het verkopen van die kennis a.e. ander die het vak wel kent maar niet de fijne kneepjes ervan.

**knurf** [*eig.*: knobbel in stengel, gezwel, bonk] div. betekenissen, o.a. scheldwoord voor provinciaal of daarmee gelijkgesteld persoon.

**Kobalt'** *zie* **Cobaltum.**

**ko'bold** [Germ. myth.] kabouter, berggeest, aardmannetje.

**kod'debeier** [v. *kodde* = knots, knuppel; en missch. v. dialect *beien* = slaan] jachtopziener; *ook:* veldwachter.

**Köchels-verzeichnis** lijst v. alle werken v. Wolfgang A. Mozart (door L. von Köchel) (afgekort KV).

**koeione'ren** *ww* [v. Fr. *coïonner* = gemeen foppen, gemeen schertsen, v. *coïon* = lafaard, via It. v. VLat. *coleóne* = ontrande, gecastreerde, v. Lat. *cóleus* = balzak, teelbal = *eig.: cúlleus* = (leren) zak] *lett.*: ontmannen; plagen, sarren, kwellen, treiteren; *ook*: voortdurend bevelen geven.

**koe'lak** [Russisch = *lett.*: iem. met dichte (= harde) vuisten] Russische hereboer u.d. tsarentijd.

**koe'lie** [Hindi *qulī*] inlandse dagloner of sjouwer in Indonesië, (*fig.*) loonslaaf.

**koem'poelan** [Mal. = samenkomst] jaarlijkse bijeenkomst v. padvindersleiders en -leidsters.

**koer** [v. Fr. *cour* = hof] (*Z.N.*) binnenplaats met WC.

**koerier'** [Fr. *courier*, v. Lat. *cúrrere* = lopen, rennen] ijlbode. **koers** [Fr. *course*, v. Lat. *cúrsus* = loop, v. *cúrrere* = lopen, rennen] loop, omloop, geldomloop, beursprijs v. geld en geldswaardige papieren; richting v. loop of vaart.

**koes'-koes**, *ook*: **cous'cous** **1** gerecht v. zwarte gierst, nationaal gerecht in Algerije en Marokko; **2** onappetijtelijke spijs; *ook:* mengsel van diverse spijzen. **koes'koezen** *ww* spijzen door elkaar stampen.

**koeterwaals'** [v. Du. *Kauderwelsch*; het woord *welsch* [Ned. *waals*] = vreemd, spec. vreemde taal; *vgl.* ook Du. *Rotwelsch* = Barg.; de Germ. naam voor Kelt was *Walah*, later ook gebruikt voor geromaniseerde Kelten en voor Romanen zelf] **1** *eig.*: taal v.e. koeterwaal, d.w.z. een vreemdeling, spec. een Waal, die onverstaanbare taal of gebroken Ned. spreekt; **2** onverstaanbare taal, geradbraakt Ned., kromtaal.

**kohier'** [v. Fr. *cahier*, *z.a.*] belastingregister v. aangeslagenen en aanslagen.

**koi'nè** [Gr. *koinos* = gemeenschappelijk; *hè koinè dialéktos* = de Hellense taal] bep. vorm v. Grieks als algemene wereldomgangstaal vanaf Alexander de Grote tot eeuwen daarna.

**Kokan'je**, *ook* **Cocag'ne** [Fr. *cocagne* = overvloed, v. Napolitaans *cuccagna*] *land van* —, Luilekkerland.

**kokar'de**, *ook:* **cocar'de** [Fr. *cocarde*, v. OFr. *coquart* = ijdel] **1** versiersel op soldatenmuts; **2** roos v. linten op hoed als kenteken van bep. partij e.d.

**koket'** [Fr. *coquat*, v. *coq* = haan] *bn & bw* **1** behaagzucht tonend, behaagziek; **2** geschikt of bedoeld om te behagen. **koket'te** [Fr. *coquette*] behaagzieke vrouw. **kokette'ren** [Fr. *coqueter*] behaagziek zijn, spec. het andere geslacht trachten te bekoren; *met iets* —, met iets pronken, er mee te koop lopen. **koketterie'** [Fr. *coquetterie*] **1** behaagzucht; **2** uiting van behaagzucht, spec. t.o.v.h. andere

geslacht.
**kok'ken** *zie bij* **coccus.**
**kol'bak** [v. Turks *kalpak* = hoge muts v. lams-of geitevel] beremuts, hoge muts v. pels, spec. bij de huzaren.
**kol'choz**, ook **kol'chozen** [afk.v. Russisch *Kollektivnoje choz'jajstvo*] groot collectief landbouwbedrijf i.d. Sovjet-Unie. De bewoners hebben enige persoonlijke eigendommen (huis, enig vee, moestuin), maar voor de rest zijn de grond, gebouwen en het vee staatseigendom. Een vastgesteld percentage v.d. produktie moet jaarlijks tegen vastgestelde prijzen a.d. staat worden verkocht; de rest wordt gebruikt voor gemeenschapsdoelen en deels onder de leden verdeeld naar prestatie.
**kol'der** [v. Fr. *colère* = woede, v. Lat. & Gr. *cholera* = gal; *zie* **cholerisch**] hersenziekte bij paarden en vee; *(fig.)* dwaasheid, toestand waarin men dolzinnigheden doet.
**koliek'** [v. Fr. *colique*, v. Lat. *colicus* = aan koliek lijdend, v. Gr. *kolikos* = de kolon (kronkeldarm) betreffend] 1 *(bij de mens)* aanvalsgewijze optredende hevige pijn in de buik, veroorzaakt door plotselinge sterke samentrekking van een hol orgaan (darm, galwegen, galblaas, urinewegen e.d.); 2 *(bij paarden en runderen)* naam voor een ziektebeeld waarbij de dieren heftige pijn lijden, meestal door afwijkingen v. buikholte-organen.
**kolloï'den** *mv* (de officiële en om onduidelijke redenen als enige toegestane spelling is **colloïden**; veel chemici gebruiken echter de spelling met een k) [v. Gr. *kolla* = lijm, en *-ide* = gelijkend op, -achtig; men meende vroeger dat alle kolloidale oplossingen lijmachtig waren, maar d.i. onjuist; het is eerder uitzondering dan regel] moleculen of deeltjes met afmetingen tussen enkele nanometer (= $10^{-9}$ mm) en enkele duizendsten mm.
**kolloïdaal', colloïdaal'** *bn* v.d. aard v.e. kolloid, zich in de toestand v.e. kolloid bevindend (bijv. kolloidale oplossing).
**kolloïd'chemie** [*zie* **chemie**] een tak v.d. fysische chemie die de kolloiden en de kolloidale verschijnselen bestudeert.
**kolom'** [Lat. *colúmna*, v. *cólumen* = hoogte, top, spits, zuil; v. stam *col-* of *cel-*, *vgl.* **excel**leren, en *col*lis = heuvel] zuil; verticale rij cijfers of letters; verticale helft v. bladzijde.
**kolombijn'tje** bep. zacht cakeje van beschuitbeslag.
**kolonel'** afk. kol. [Fr. *colonel*, v. It. *colonnello*, v. *colonna* = zuil *(mil.)* hoofdofficier, bevelhebber v. brigade of regiment.
**kolo'nie** [Lat. *colónia* = land bebouwd door *colónus* = boer, v. *cólere* = bebouwen] hoeve, nieuw bebouwd land, nieuwe volksplanting; volksplanting in overzees gebiedsdeel, dat gebiedsdeel zelf; gezamenlijke personen v. dezelfde landaard in vreemde stad; werkinrichting en verblijfplaats voor zwervers e.d.; vakantieoord voor zwakke kinderen; groep gemeenschappelijk levende dieren (bijv. mieren). **koloniaal'** [Fr. *colonial*] **l** *bn* de koloniën betreffend; **ll** *zn* Europees soldaat in de koloniën (spec. in vroeger Ned.-Indië). **kolonialis'me** het kolonistenstelsel. **kolonise'ren** [Fr. *coloniser*] een kolonie stichten. **kolonisa'tie** [Fr. *colonisation*] *zn*. **kolonist'** [Eng. *colonist*] bewoner v.e. kolonie.
**koloriet', ook: coloriet'** [Fr. *coloris*, v. Lat. *color*, *colóris* = eig.: dekverf (*vgl. celáre* = verbergen), verf, kleur] kleurschakering, harmonie der kleuren. **kolorist'** [Fr. *coloriste*] schilder die uitmunt door koloriet.
**kolos'** [Lat. *colóssus*, Gr. *kolossós* = reusachtig standbeeld (zoals bijv. dat te Rhodos)] 1 groot mensenbeeld, veel groter dan een mens in werkelijkheid is; 2 iem. v. reuzengestalte; 3 zaak met zeer grote afmetingen. **kolossaal'** [Fr. *colossal*] *bn & bw* als een kolos, reusachtig groot, geweldig;

*(uitroep)* kolossaal!, geweldig! heel goed!
**koma'liewant** *zie* **komma'liewant**.
**kombuis'** [v. MNed. *cabuse* = voorraadkamer, *ook*: scheepskeuken, waarsch. v. MNDu. *kabuse* = kamertje, hutje op schip; het Fr. heeft *cambuse*, het Eng. *caboose*, *canboose* of *camboose*, het Russisch *kámbúz* of *kámbús*; de herkomst van het woord is zeer onzeker] keuken of fornuis aan boord van een schip.
**kome'die** [Fr. *comédie*, v. Lat. *comóedia*, v. Gr. *koomooidia*, v. *koomos* = feestelijke optocht, feest, drinkgelag, en *aoidos* = zanger] 1 blijspel; 2 schouwburg; 3 veinzerij, schijnvertoning, aanstellerij. **komediant'** [It. *commediante*] *oorspr*.: toneelspeler; iem. die veinst of zich aanstelt.
**komeet'** [v. Lat. *cométes*, Gr. *komètès* = langharig, als *zn*: *komètès* (*astèr*) = de lang haar hebbende (ster), v. *komè* = hoofdhaar], vroeger wel onjuist *staartster* genoemd (het is geen ster en er ontwikkelt zich niet altijd een staart) een hemellichaam m.e. wazig uiterlijk, dat veelal i.e. langgerekte elliptische baan om de zon loopt. Bij dichte nadering tot de zon wordt de ontwikkeling v. kleine stofdeeltjes en v. gassen sterk. De zonnewind drijft die deeltjes v.d. zon af; vaak zijn deze zichtbaar en vormen zo de lichtende *staart* v.d. komeet, steeds ongev. v.d. zon af gericht.
**komenij'** (v. MNed. *coman*, v. *coopman* = koopman) kruiderij; **komenijs'winkel** (*vero.*) winkel van kruiderijen, kruideniersswaren, zuivelprodukten e.d.
**komfoor'** [v. Fr. *chauffer* = verwarmen, Lat. *calefácere*] toestel om spijzen warm te maken of te houden.
**komfoort'** *zie* **confrefort 2**
**komiek'** [Lat. *cómicus*, Gr. *koomikos* = tot het blijspel behorend; *zie* **komedie**] **l** *bn* de lachlust opwekkend, grappig, koddig; **ll** *zn* toneelspeler voor grappige rol; grappenmaker.
**Kominform'** [internationale afk. v.h. Russische equivalent voor *Communistisch Informatiebureau*] bureau in 1947 opgericht op een vergadering van div. communistische partijen. Doel: de contacten tussen de partijen verbeteren en hun activiteiten coördineren.
**Komintern'** [internationale afk. v.h. Russische equivalent voor *Communistische Internationale*] de Derde Internationale (arbeidersbond 1919-1943, te Moskou gesticht). Doel: de verbreiding v.d. revolutie in andere landen. De Komintern werd in 1943 ontbonden omdat de politiek ervan gedurende de Tweede Wereldoorlog ongewenst werd.
**ko'misch** *zie* **komiek l**.
**komiteit'** (Z.N.) = **comité**.
**kom'ma** [Lat. *comma*, Gr. *komma* = snede in volzin of vers, v. *koptoo* = houwen, snijden] bep. leesteken (,); *(muz.)* bep. klein interval tussen twee tonen.
**kommies'** *zie* **commies**.
**komma'liewant** of **koma'liewant** [v. Fr. *gamelle*, It. *gamella* = etensblik; *want* = stof, kleding (*vgl. winden* = inwikkelen), uitrusting, tuig] eetgerei aan boord v. schip.
**kompaan'** = **compagnon**, *z.a.*
**kompas'** [v. MLat. *compassus* = passer (om cirkel te trekken), missch. v. Lat. *com.* = mede, en *passus* = stap, pas; betekenisontwikkeling niet duidelijk] toestel ter bepaling v. windstreken door magnetische naald die magn. noordpool aanwijst.
**kom'pel** [v. Du. *Kumpel*] mijnwerker.
**komplot'** [Fr. *complot*] samenzwering, samenspanning tot het plegen v.e. daad; (ook om iem. prettig te verrassen). **komplotte'ren** [Fr. *comploter*] een complot smeden.
**ko'nak** [Turks] paleis of groot gebouw, spec. als zetel v. provinciaal bestuur of v.e. gouverneur.
**konfij'ten, ook: confij'ten** *ww* [*zie* **confituren**] fruit ongekookt in suiker inmaken.
**kong'si** of **kong'sie** [Chinees = vennootschap, firma] oorspr. Chinese

vennootschap in Indonesië, bestuurders of gebouw daarvan; (*in oneigenlijke zin*) kliek, belangengenvereniging ter behaling van voordeel, meestal in ongunstige zin, (obscure) firma.
**konkelfoe'zen** *ww* [v. *konkelen* = intrigeren (v. oude betekenis van *conkelen* = in elkaar draaien), en missch. v. *fazelen* = fluisteren] heimelijk met elkaar bespreken.
**konsta'bel** [verbastering v. VLat. *cómes stábuli* = stalmeester] **1** *vroeger*: officier of onderofficier belast m.d. zorg voor het geschut; *thans*: onderofficier-artillerist bij de marine; **2** (*bij grote rederijen*) hoofd v.d. bewakingsdienst.
**konterfei'ten** *ww* [v. Fr. *contrefaire* = nabootsen, v. *contre* = tegen, en *fair* = Lat. *fácere* = maken] *lett.*: een tegenbeeld maken; afbeelden, uitschilderen. **konterfei'sel**, *ook*: **conterfeit'sel** [Fr. *contrefait* = nagemaakt] afbeelding, portret.
**konterfoor'** of **konterfoort'** *zie* contrefort 2.
**kontrei'** of **contrei**, *ook*: **kontrei'e** of **contrei'e**, *mv* **kontrei'en** [v. MLat. *contráta* (*térra*) = het tegenoverliggende (land); *vgl.* Eng. *country* en Fr. *contrée*] land(streek).
**Konversations'-Le'xicon** [Du. *zie* lexicon] verklarend woordenboek v. alle zaken die in de samenleving (Lat. *conversátio* = omgang, verkeer) v. enig belang zijn, soort *encyclopedie* (z.a.) met korte artikelen en geen grote samenvattende; vroeger in Duitsland zeer geliefd, thans aldaar een woord voor encyclopedie i.h. algemeen.
**konvooi'** [v. Fr. *convoi*, v. *con* = mede-, en *voie*, Lat. *via* = weg] **1** beschermend gewapend geleide; begeleid vervoer van goederen; **2** een met wapenen begeleid aantal vrachtvervoermiddelen of vrachtschepen; *ook*: een aantal vrachtwagens die gezamenlijk rijden zonder gewapende begeleiding; **3** (*spoorwegen*) aantal aaneengekoppelde wagons die naar een station gereden worden; (*Z.N.*) spoortrein. **konvooie'ren** [Fr. *convoyer*] *ww* schepen gewapend begeleiden ter bescherming.
**kooks** *zie* cokes.
**koolhydra'ten** [v. Gr. *hudoor* = water; *zie* **hydraat**] verbinding van koolstof met zuurstof en waterstof, welke beide laatste in dezelfde verhouding als in water aanwezig zijn, zodat a.h.w. de koolstof met water verbonden lijkt, hetgeen beslist niet het geval is. Zetmeel, cellulose en suiker ($C_{12}H_{22}O_{11}$) zijn koolhydraten.
**koor** [Lat. *chorus*, Gr. *choros* = zang met dans, reidans] *reidans*; veelstemmig zangstuk; gezamenlijke zangers; plaats v. zangers in kerk; afgescheiden ruimte rond altaar (priesterkoor).
**koord** [Lat. *chorda*, Gr. *chordè* = darm, snaar] touw. **koor'de** (*de wisk.*) rechte lijn tussen twee punten v.e. cirkelomtrek.
**koos'jer** *zie* kosjer.
**ko'pal** [Sp. *copal*, v. Mexicaans *copalli* = wierook] fossiele harssoort; vernis daaruit bereid.
**kope'ke** [Russ. *kopeika*, verklw. v. *kopyé* = lans] Russische koperen munt, 1/100 roebel.
**Köpenickia'de** gedurfde oplichting of schurkenstreek [naar een geruchtmakend bravourestuk in het Du. stadje Köpenick, 1906].
**kopie'** [v. MLat. *copiáre* = afschrijven = *dare copiam legéndi* = gelegenheid om te lezen geven, v. Lat. *copia* = overvloed; *zie* **copieus**] afschrift; niet-origineel kunstwerk naar bestaand vervaardigd; *ook*: schets, ontwerp. **kopië'ren** afschrift maken; (*alg.*) namaken.
**kopij'** [als **kopie**] handschrift bestemd om gezet en gedrukt te worden; — *recht*, auteursrecht (Eng. *copyright*).
**kop'permaandag** [missch. MNed. *kopperen* = smullen, drinken, feestvieren] maandag na Driekoningen (6 jan.), vroeger feestdag v.d. ambachtslieden.

**ko'pra**, *ook*: **co'pra** [Portugees *copra*, waarsch. v. Malabarwoord *koppara* = kokosnoot] gedroogd vruchtvlees v.d. kokosnoot.
**koprofagie'** [v. Gr. *kopros* = mest, en *phag-* = eten] het eten v. uitwerpselen.
**koprolagnie'** [v. Gr. *lagneia* = wellust] lustgevoelens die in verband staan met uitwerpselen. **koprolalie'** [v. Gr. *laléoo* = praten] ziekelijke neiging tot het gebruiken v. vieze woorden. **koproscopie'** [*zie* **-scopie**] (*med.*) onderzoek v. uitwerpselen.
**Kop'ten** bewoners v. Zuid-Egypte en Ethiopië die een soort christelijke godsdienst belijden. **Kop'tisch** *I bn* v.d. Kopten (bijv. -e Kerk); **II** *zn* bep. dode Egyptische taal.
**1 koraal'** [Fr. *choral*, v. kerk. Lat. *cántus chorális* = koorzang; *zie* **koor**] kerkelijke koorzang.
**2 koraal'** [v. Lat. *corállium*, v. Gr. *korallion*] het kalkskelet van *koraaldieren*, z.a.
**3 koraal'** *zie* kraal (1).
**koraal'dieren** of **kora'len** *mv* verzamelnaam voor organismen m.e. kalkskelet welke behoren tot de stam v.d. *Neteldieren*.
**koralijn'** of **koralij'nen** [v. It. *corallino*, verklw. v. *corallo* = koraal] *bn* van koraal 2; *ook*: rood als bloedkoraal.
**Ko'ran**, *ook* (beter); **Koran'** (*uitspr.* Koraan) [Arab. *qur'an* = wat gereciteerd, voorgedragen wordt of moet worden] het heilige boek v.d. *Islam*, z.a. Het bevat de openbaringen die Mohammed v.d. engel Gabriël ontvangen zou hebben. De Koran is verdeeld in 114 *soera's* (hoofdstukken), die elk weer verdeeld zijn in *aja's* (verzen). De inhoud geldt bij de islamieten als ongeschapen en eeuwig, de definitieve openbaring (na het Oude Testament en het Evangelie, die echter volgens de mohammedanen door de joden en christenen zijn vervalst).
**korbeel'** *ook*: **karbeel'** [v. OFr. *corbel*, v. VLat. *corvéllus* = raafje, verklw. van *córvus* = raaf] **1** uit muur uitstekende steen als stut voor een balk; **2** schoorbalk.
**kordaat'** [Lat. *cordátus*, v. *cor*, *cordis* = hart (als zetel v. moed e.d.)] kloek.
**kordon'**, *ook*: **cordon'** [Fr. *cordon*, verklw. van *corde* = touw; *zie* **koord**] **1** draagband; geweerriem; **2** keten v. mil. troepen of posten langs of rondom een gebied ter vorming v.e. afweerlinie, ook tegen uitbreiding v. besmettelijke ziekten, smokkelarij, om ontsnapping v. misdadigers te voorkomen e.d.; **3** kordonlijst. **kordon'lijst** of **kordon'band** uitspringende sierlijst a.e. gebouw tussen twee verdiepingen, die om het gehele gebouw heen loopt.
**korian'der** [naar de wetenschappelijke naam *Coriándrum*, afgeleid v.d. Gr. naam *koriannon* voor de plant, en deze weer v. *koris* = wants (de plant riekt naar wantsen)] de plant *Coriándrum sativum* uit de Schermbloemenfamilie, oorspr. afkomstig u.h. oostelijk Middellandse Zeegebied en West-Azië, i.h. Westen gekweekt om het sterk geurend zaad dat gebruikt wordt als specerij.
**korist'** [Fr. *choriste*; *zie* **koor**] **1** koorzanger, lid v.e. kerk- of zangkoor; **2** lid v.e. koor in opera, operette of revue.
**korjaal'** [v. Negerengels *kroejara*, v. Caraïbisch *koeliala*] *oorspr.* uitgeholde boomstam als primitief vaartuig van Bosnegers en Indianen in Suriname; *thans ook* uit gezaagde of gebogen spanten gebouwd voor de kanosport.
**kornak'** [v. Singalees *kurawanayaka* = stalmeester] geleider v.e. olifant.
**1 kornet'** of **cornet'** [v. Fr. *cornette* = hoorntje, verklw. v. *corne*, Lat. *córnu* = hoorn] *oorspr.*: standaard bij de cavalerie; *later*: drager v. deze standaard; *thans*: onderofficiersrang bij de bereden wapens, gelijkgesteld m.d. rang v. adjudant-onderofficier en vaandrig.
**2 kornet'**, *eig.*: **cornet à pistons** (Fr., *cornet* verklw. v. *corne*, Lat. *córnu* = hoorn) op

trompet gelijkend gekromd koperen
blaasinstrument, een belangrijk
muziekinstrument in fanfare- en
harmonie-orkesten. **kornettist'** [Fr.
*cornettiste*] kornetspeler.
**kornis'** [Fr. *corniche*, v. lt. *cornice*] kroonlijst,
lijstkrans aan bovenkant v.e. bouwwerk.
**kornuit'** [v. MNDu. *kornût(e)* of *karnût(e)* =
gezel, genoot, makker; men leidt dit wel af v.
Lat. *cornûtus* = gehoornd, wegens het oude
gebruik dat nieuwelingen in een of ander
handwerksgilde horentjes moest dragen]
kameraad, makker, vaak met ongunstige
bijbetekenis.
**korpendu'** *zie* **court-pendu.**
**korporaal'** afk. **korp.** [Fr. *corporal*, andere
vorm v. **caporal**, v. lt. *caporale*, waarsch. v. Lat.
*corporális* = tot het *corpus* (lichaam)
behorend, doch verward met lt. *capo*, Lat.
*caput* = hoofd] militair met laagste rang boven
soldaat.
**korps** [Fr. *corps*, v. Lat. *corpus* = lichaam]
vereniging v. personen; afdeling v.e. leger;
grootte v. drukletter. (*Zie ook* **corps**.) **kor'pus**
[Lat. *corpus*] lichaam.
**korset'** [Fr. verklw. v. OFr. *cors* = Lat. *corpus*
= lichaam] inrijgbaar keurslijf.
**kortelas'** [v. lt. *coltelláccio* = *eig.*: hakmes, v.
*coltella* = groot mes, v. Lat. *cúlter* = *lett.*: de
schoonmaker (*vgl. cólere* = verbouwen, *zie*
**cultuur**) *dus*: mes, snoeimes, ploegschaar
e.d.; *vgl.* ook Fr. *coutelas* v. hetzelfde lt.
woord] kort tweesnijdend zwaard; *ook*: grote
dolk.
**korvet'** [Fr. *corvette*, v. Sp. *corbeta*, v. Lat.
*corbita* (*navis*) = vrachtschip, v. *corbis* = korf]
snelvarend oorlogsschip, spec. als beschermer
v. konvooien.
**kos'jer** of **ko'sjer**, *ook*: **koos'jer, kaus'jer** of
**kous'jer** [v. Hebr. *kosheir* = rein, volgens de
wet, door de rabbi's goedgekeurd] *bn & bw*
**1** (bij Joden) (voedsel) volgens de rituele
voorschriften bereid (dus geoorloofd te
nuttigen, *bijv.*: kosjer vlees); rein, zuiver; *een
koosjere slager*, slager die ritueel slacht; **2** (*in
oneigenlijke zin*): *het is niet kausjer*, het is niet
in orde, niet zuiver, niet pluis, het is verdacht.
**kosme'tica, cosme'tica** [v. Gr. *hè kosmêtikê
technê* = de kunst van opschikken, v. *kosmeoo*
= ordenen, rangschikken; *ook*: tooien; *vgl.
kosmos* = *ook*: sieraad] *mv* middelen om de
schoonheid v. huid, haar, ogen etc. te
behouden, of om kleine (huid)afwijkingen te
verdoezelen, of om de huid of het lichaam i.h.
alg. te verzorgen.
**kosmetiek'**, *ook*: **cosmetiek'** [Fr. *cosmétique*
= de schoonheid bevorderend; *zn*
schoonheidsmiddel] **1** kunst om de
schoonheid v.h. lichaam te bevorderen resp. te
behouden; **2** kosmetica, *z.a.* **kosme'tisch,
cosme'tisch** *bn* tot de kosmetiek I behorend,
daarop betrekking hebbend.
**kos'misch** [Gr. *kosmikos*; *zie* **kosmos**] de
kosmos betreffend. **kos'mos** [Gr. *kosmos* =
indeling (*kosmeoo* = regelen), orde, sieraad,
wereldorde, planeten- en sterrenhemel
(volgens de Grieken concentrisch geordend in
7 hemelen)] heelal, universum, wereldruim
met alle materie en straling die daarin
aanwezig is. **kosmogonie'** [Gr. *kosmogonia*,
v. stam *gen-* = worden; *gonos* = geboorte] **1**
(*myth.*) leer v. schepping v. heelal; **2** (*astr.*)
ontstaan en ontwikkeling v. heelal en
sterrensystemen. **kosmografie'** [v. Gr.
*graphoo* = schrijven] beschrijving v.
verschijnselen die wij aan de hemel
waarnemen; beschrijving v. algemene trekken
v.h. heelal. **kosmologie'** [*zie* **-logie**] leer v.d.
bouw v.h. heelal. **kosmonaut'** [Gr. *nautês* =
schipper] ruimtevaarder (N.B. het woord
*kosmonaut* = 'vaarder in de ruimte' wordt door
de Russen gebruikt; het is beter dan *astronaut*
waaraan de Amerikanen hardnekkig
vasthouden, want dit betekent 'vaarder naar de
sterren', en daarvan is in het geheel geen
sprake.) **kosmopoliet'** [Gr. *kosmopolites*, v.

*politès* = burger, v. *polis* = stad] wie zich
overal ter wereld thuis voelt, wereldburger
zonder nationale vooroordelen; (*biol.*) plant of
dier dat niet tot bepaalde streek beperkt is maar
op vele plaatsen ter wereld voorkomt.
**kosmopolitis'me** streven of geschiktheid om
zich als wereldburger bij andere volkeren aan
te passen.
**kos'ter** [v. MLat. *cústor* (*ecclésiae*) =
bewaarder van de kerk, v. Lat. *cústos* =
bewaker, hoeder, wachter, beschermer, v.
*custodíre* = bewaken, bewaren, beschermen,
hoeden] kerkbewaarder, kerkelijk bediende
die niet alleen met de dagelijkse zorg voor het
kerkgebouw belast is, maar ook moet zorgen
voor alles wat voor de eredienst nodig is.
**kostuum'** of **costuum'** [Fr. *costume*, v. lt.
*costume* = gewoonte; *ook*: klederdracht zoals
die gebruikelijk is, v. Lat. *consuetúdo* =
gewoonte; *vgl.* Fr. *coutume*; *zie ook*
**costumen**] **1** herenkleding best. uit colbert
(jasje), pantalon (broek) en vest uit dezelfde
stof en v. dezelfde kleur (i.h. Fr. heet dit
*complet*); **2** klederdracht eigen a.e. bep. streek,
tijd of stand; **3** toneelkleding voor een bep. rol.
**kostume'ren** [v. Fr. *costumer* = kleden, *ook*:
verkleden] **1** kleden i.d. klederdracht v.e. bep.
streek, tijdperk, stand of beroep; **2** i.e. spec.
kostuum kleden; *zie ook* **gekostumeerd**
(gecostumeerd).
**ko'ter** [v. Jidd. *koton*, v. Hebr. *katan* = klein]
(*Barg., volkstaal*) klein kind.
**kot'ter** [Eng. *cutter* = *lett.*: snijder] bep.
snelvarend zeilschip.
**kou'ter** [Lat. *culter* = mes, snoeimes,
ploegschaar, v. *cólere* = verzorgen, bewerken]
ploegijzer; (*Z.N.*) *ook*: akker.
**ko'vel** [MLat. *cubella*: verklw. v. Lat. *cupa* =
kuip] kap v. monnik.
**kozak'ken** [Turks *quzzak* = avonturier] Turkse
volksstam in Rusland, bekend als uitstekende
ruiters.
**1 kraal** [v. *koraal, z.a.*] doorboord bolletje
(oorspr. v. koraal) dat met andere aan draad
geregen of op kledingstuk genaaid kan
worden als sieraad.
**2 kraal** [v. Port. *corral*] neger- of
Hottentottendorp; open door palen ingesloten
ruimte voor vee.
**krach** [Du. *Krach* = *lett.*: kraak, groot bankroet]
zware beurs- of zakencrisis, plotselinge
ineenstorting van bank of handelsfirma, die
andere meesleept.
**krakeel'** [woordafl. zeer omstreden; missch. v.
Fr. *querelle* = twist] ruzie, gekibbel.
**krambam'boeli** [Du. *Krambámbuli*] *oorspr.*:
kersenbrandewijn uit Danzig; *thans*: soort
punch bereid uit warme gekruide rode of witte
wijn, sterke thee, suiker en vruchten; *ook*
andere dranken worden zo genoemd.
**krankjo'rem, krankjo'rum, krankio'rem**
[v. Du. *krank* = ziek, met quasi-Lat. uitgang]
(*volkstaal*) gek, dwaas (*eig.*: krankzinnig).
**kra'tes** mismaakt persoon, kleine buitenaar
[n. Kratès v. Thebe, Gr. filosoof, 330 v. Chr.].
**kra'ton** [Javaans] paleis v. sultan of vorst in
Indonesië.
**kreati'ne** [v. Gr. *kreas, kreatos* = vlees; *zie* **-ine**
(*chem.*)] een biologisch belangrijke
organische verbinding, die verbonden met één
molecule fosforzuur *kreatinefosforzuur* of
*fosfokreatine* vormt. Deze laatste stof is een
hoofdbestanddeel v.d. spieren bij Gewervelde
dieren.
**krediet'** [*zie* **credit**] vertrouwen of goede
naam in zakelijke relaties; verleend uitstel voor
betaling; geleend geld.
**kree** Indonesisch oprolbaar zonnescherm (van
bamboelatjes).
**Kreits** [Du.; *vgl. Kreis* = kring] kring;
landsdistrict (oorspr. district v. Duitse Rijk).
**kreit'sen** (*dicht.*) cirkelen.
**krek** [verbastering van Fr. *correct* =
nauwkeurig, juist; *zie verder* **correct**]
(*volkstaal*) juist, precies (*bijv.*: wij hebben
thuis krek zo'n tafel; krek als je zegt); net, even

(*bijv.*: ik heb krek gegeten = ik heb zonet,
zoëven gegeten).
**Krem'lin** [v. Russisch *kreml* = citadel] voorm.
tsarenpaleis te Moskou, thans zetel der
Sovjetregering; die regering zelf.
**kreng** [v. Fr. c(*h*)*arogne*; *zie* **karonje**] dood
dier in staat v. ontbinding; scheldnaam voor
boosaardig iem., ook voor gebruiksvoorwerp
dat niet goed meer voldoet.
**kresol'** [*vgl.* creosoot; *zie verder* -ol] mengsel
v.d. drie hydroxytoluenen zoals dat voorkomt
in steenkool- en beukehoutteer.
Hydroxytolueen is benzeen ($C_6H_6$), waarin 1
waterstofatoom vervangen is door 1
methylgroep ( -$CH_3$) en 1 ander door 1
hydroxylgroep ( -$OH$). De formule wordt dus
$H_3C$-$C_6H_4$-$OH$.
**kretologie'** ironisch gevormde term (op basis
van -logie, *z.a.*) voor redenering(en) die
berusten op ondoordachte kreten; het gebruik
v. kreten, ongefundeerde leuzen en wensen
i.p.v. verstandige argumenten.
**kreton'** *zie* **cretonne**.
**Kreu'zer** oorspr. een sedert 1271 in Tirol
geslagen oorspr. zilveren, later koperen munt,
zo genoemd naar het kruis (Du. *Kreuz*) dat er
op voorkwam.
**kriek** [volgens sommigen v. Lat. *prúnum
gráecum* = Griekse pruim] bep. soort late,
zoete, zwartrode kers.
**Krijt** (*geol.*) 1 geologisch tijdperk, dat duurde
v. 135 tot 70 miljoen jaar geleden, volgend op
de Jura en voorafgaand a.h. hoofdtijdperk v.h.
*Tertiair* (*z.a.*) en dus het laatste tijdperk v.h.
*Mesozoïcum*; 2 in dit tijdperk gevormde
gesteenten.
**krill** [Noors = visje] verzamelnaam voor het
voedsel van Baardwalvissen en vissen, dat
massaal (vooral in bep. jaargetijden) voorkomt
i.d. 10 m dikke bovenlaag v.d. poolzeeën. Krill
wordt vnl. gevormd door soorten kreeftjes.
**kris** [v. Javaans *kéris*] tweesnijdende spits
toelopende Javaanse dolk, vaak gegolfd.
**kris'sen** met een kris doorsteken, doden.
**kri'sis** *zie* **crisis**.
**kristal'** [Lat. *crystállum*, v. Gr. *krustallos* = ijs,
kristal, v. *kruos* = koude, vorst] 1 door
regelmatige vlakken begrensd lichaam v. min
of meer zuivere stof, in natuur als mineraal
voorkomend of kunstmatig gevormd uit
oplossing; 2 bep. soort glas met sterke glans.
**kristal'fosforen** of kortweg fosfo'ren, ook:
**luminio'ren** [onjuist gevormd woord uit Lat.
*lúmen, lúminis* = licht, en Gr. *phoros* = drager]
*mv* kristallijne verbindingen, meestal van
anorganische aard, die een sterke
*luminescentie* vertonen. Behalve de
toepassing i.h. beeldscherm v.
elektronenstraalbuizen en beeldomvormers,
worden kristalfosforen ook gebruikt om
röntgenstraling om te zetten in zichtbaar licht.
Ook een belangrijke toepassing is die in
fluorescentielampen (beter bekend als
TL-buizen). **kristallise'ren** [Fr. *cristalliser*]
zich tot kristal vormen. **kristallisa'tie** *zn*.
**kristallografie'** [v. Gr. *graphoo* = schrijven]
beschrijving en leer der kristallen.
**kristallomantie'** [*zie* -mantie] waarzeggerij
uit kristallen bol. **kristallijn'** [Lat.
*crystallinus*] van of als kristal (bijv. structuur).
**kritiek'** [v. Gr. *kritikos* = tot het oordelen
behorend; *kritès* = rechter; *zie* **crisis**] I *bn* een
crisis of keerpunt betreffend, hachelijk; II *zn*
beoordeling, spec. v. kunstwerk; het aantonen
v. gebreken of fouten, vaak in betekenis: vitten.
**kritikas'ter** *zie* criticaster. **kritise'ren**
beoordelen, kritiek uitoefenen, vitten.
**kri'tisch** [*zie* **kritiek**] streng beoordelend,
onderzoekend op fouten of gebreken; de
kritiek betreffend; strevend naar ingrijpende
veranderingen op het werkterrein v.d.
betrokken personen op basis v. hun kritiek op
de bestaande toestand (*bijv.*: kritische leraren,
studenten, kerkelijke groeperingen e.d.); (*fil.*)
berustend op de waarde der oordelen (—*e*
*wijsbegeerte*); (*nat.*) behorend bij overgang

v.d. ene aggregatietoestand in de andere;
(*psych.*) behorend tot overgang v.d. ene
levensperiode in de andere; *kritische uitgave*,
uitgave v. oude tekst met verbeteringen,
vermoedelijke herstellingen, opmerkingen e.d.
**krocht** [v. Gr. *kruptos* = verborgen; *zie*
**crypte**] onderaards hol, spelonk.
**kroep,** *ook* croup [v. Eng. *croup*, v. vroeger
*ww* to *croup* = kwaken, krassen] oude naam
voor difterie; *thans*: aanval v. benauwdheid,
hoestbui bij verkoudheid e.d.
**kroe'poek** [Indonesisch *krupuk*] een
Indonesisch bijgerecht bij de rijsttafel, bij ons
ook gebruikt bij de borrel.
**kroniek'** [OFr. *cronique*, v. MLat. *crónica*, v.
Gr. *chronika* = onz. mv. van *chronikos* = de
*chronos* (tijd) betreffend] jaarboek, verhaal v.
belangrijke gebeurtenissen in tijdsvolgorde,
geschiedverhaal.
**kron'tjong** [Mal.] bep. soort Indonesische
gitaar; *krontjongmuziek*, muziek met
vermenging v. Indonesische en Westerse
elementen, gespeeld door een
krontjongorkest.
**kroon** [v. Lat. *coróna* = krans, v. Gr. *koroonè*
= ring; *vgl. koroonos* = krom] (*muntwezen*)
oorspr. een Fr. gouden munt met gekroond
wapen, geslagen tussen 1385 en 1475, elders
veelvuldig nagevolgd. Tegenwoordig is de
kroon nog munteenheid (uiteraard met
verschillende koerswaarde) in Zweden,
Noorwegen, Denemarken, IJsland en
Tsjechoslowakije.
**kroon'kolonie** [*zie* kolonie] kolonie zonder
zelfbestuur die rechtstreeks onder
(Britse) kroon staat.
**kroot** [via Fr. *carotte* v. Lat. *caróta*, Gr.
*karooton* = peen, wortel] beetwortel, biet,
spec. de rode biet die gekookt gegeten wordt.
**krypto-** zie crypto-.
**Krypton** [v. Gr. *kruptos* = verborgen] bep.
chemisch element, symbool Kr, edel gas,
ranggetal 36.
**ksi** [Gr.] 14e letter v.h. Gr. alfabet,
overeenkomend met x.
**kube** *zie* kubus, kube'ren [Fr. *cuber*] inhoud
berekenen; tot de derde macht verheffen.
**kubiek, ku'bisch** *afk.* kub. [Fr. *cubique*, v.
Gr. *kubikos* = de kubus betreffend; *zie* kubus]
I *bn* in de vorm v.e. kubus; in de derde macht;
II *zn* derde macht; —*meter*, $m^3$; —*wortel*,
derdemachtswortel. **kubis'me** [Fr. *cubisme*]
richting in de beeldende kunst die de
natuurlijke vormen in meetkundige gedaante
(hoekig en rechtlijnig) synthetiserend
uitbeeldt. **kubist'** [Fr. *cubiste*] beoefenaar
v.h. kubisme. **kubis'tisch** *bn & bw*, **ku'bus**
[v. Lat. *cubus*, Gr. *kubos* = dobbelsteen,
vierkant lichaam] meetkundige figuur
begrensd door 6 evengrote vierkanten;
lichaam even lang als breed als hoog. Een
kubus heeft 8 hoekpunten en 12 ribben.
**kuch** [geringschattend voor *keg* =
(wigvormige) homp brood] (*soldatenwoord*)
commiesbrood.
**Ku-Klux-Klan** afk. K.K.K. [Am.; willekeurig
gekozen naam] geheim genootschap in
Amerika, oorspr. tegen de vrijgelaten
negerslaven gericht, tegenwoordig veelal
tegen joden, katholieken, vreemdelingen enz.
**Kultur'kampf** [Du., *zie* cultuur; *Kampf* =
strijd] strijd tussen Kerk en Staat in Duitsland
v. 1872-1880.
**kum'mel** [Du. *Kümmel*] bep. likeur met
komijn- of karwijzaad gekruid.
**kür** [Du. *Kür* = *lett.*: vrije keuze] (*sport*) vrij
gekozen oefeningen of figuren, spec. bij
kunstschaatsrijden (tegenover de verplichte
figuren).
**kuras'** [Fr. *cuirasse*, v. *cuir* = Lat. *córium* =
huid, leer, v. Gr. *chorion* = vlies] borstpantser.
**kurassier'** [Fr. *cuirassier*] ruitersoldaat met
kuras.
**Kur'haus** [Du. *zie* kuur] hoofdgebouw v.
badplaats, tevens ontspanningsgelegenheid.
**kur'kuma,** *ook*: cur'cuma [v. Arab. *kurkum*;

vgl. *krokus*] de saffraanwortel of geelwortel
*Cúrcuma doméstica*, een plant uit de
Gemberfamilie, afkomstig uit Indonesië en
China, gebruikt voor de bereiding van verfstof
en als specerij.

**kus'sa** bep. vrucht als groente gegeten, soort
mergkalebas, een variëteit v.d. kalebas
*Cucúrbita pépo* uit de Komkommerfamilie.

**kut** [afl. onzeker, missch. v. Gotisch *qithus* =
moederlijf, OHDu. *quiti* = schede, waarvan
ook door nasalering (invoeging v.d. klank n)
waarsch. ons woord *kont* (MNed. *conte*, Eng.
*cunt* = vrouwelijk schaamdeel) is afgeleid]
(*schuttingwoord, taboe*) 1 vrouwelijk
schaamdeel; (*platte uitdrukking*) *dat slaat als
kut op dirk*, dat slaat nergens op; 2 (*als eerste
lid v. samenstellingen*) slecht, waardeloos, ver
onder de maat (*bijv.*: een kutboek, een
kutsmoes; *vgl.* luismoes); 3 ook aanduiding
v.e. vrouwspersoon, zoals in *gratenkut* = zeer
magere vrouw of meisje.

**kuur** [*zie* cureren] geheel v. voorschriften ter
genezing, v. kwaal, het opvolgen v. die
voorschriften door de patiënt.

**kwadraat'**, *ook*: **quadraat** [Lat. *quadrátus*, v.
*quadráre, -átum = quadrus* (vierkantig)
maken; *vgl. quat*(*t*)*uor* = vier] vierkant; getal
in 2e macht (d.w.z. met zichzelf
vermenigvuldigd); *in het* —, in het vierkant, in
de 2e macht; (*fig.*) in hoge mate. **kwadrant'**,
*ook*: **quadrant** [Lat. *quádrans, quadrántis* =
vierde deel] 1 : 1/4 deel v.e. cirkeloppervlak; 2
werktuig (in landmeetkunde en astr.) om in
alle vlakken hoeken te meten, hoekmeter resp.
hoogtemeter; 3 (*wisk.*) in een rechthoekig
(Cartesiaans) coördinatenstelsel elk der vier
delen waarin een vlak door de x- en y-as
verdeeld wordt. **kwadrate'ren**, *ook*:
**quadrate'ren** *ww* [*zie* kwadraat] in het
vierkant brengen, d.w.z. tot de 2e macht
verheffen. **kwadratuur'**, *ook*: **quadratuur'**
[Lat. *quadratúra*] verandering v. willekeurige
meetkundige figuur in een vierkant v. gelijke
oppervlakte (ter oppervlakteberekening); —
*van de cirkel*, het veranderen v.e. cirkel in een
vierkant v. gelijke oppervlakte, een met liniaal
en passer onoplosbaar vraagstuk; (*fig.*) iets
totaal onmogelijks. **kwadre'ren** [Lat.
*quadráre*] hetzelfde als **kwadrateren**.
**kwadruple'ren** *zie* quadrupleren.

**Kwa'kers** [Eng. *Quakers*, v. *to quake* = beven]
bep. Eng. christelijke sekte (Society of Friends,
gesticht 1648-1650 door George Fox), naam
door buitenstaanders in 1650 gegeven naar
het gezegde: *quaking at the Word of the Lord*
= bevend voor 's Heren Woord.

**kwalifice'ren**, *ook*: **qualifice'ren** [MLat.
*qualificáre, - ficátum*, v. Lat. *quális* = bep.
hoedanigheid bezittend, en *fácere* = maken]
1 bevoegd of bekwaam maken; 2 kenschetsen,
betitelen (bep. hoedanigheid toeschrijven).
**kwalifica'tie**, *ook*: **qualifica'tie** [MLat.
*qualificátio*] *zn*. **kwalificatief'**, *ook*:
**qualificatief'** [Fr. *qualificatif*] *bn* nader
bepalend, nader omschrijvend. **kwalitatief'**,
*ook*: **qualitatief'** *bn & bw* (Vlat. *qualitatívus*]
de kwaliteit betreffend. **kwaliteit'** [Lat.
*quálitas* = hoedanigheid] 1 hoedanigheid,
spec. van waren en stoffen met betrekking tot
het gebruik ervan, deugdelijkheid (*bijv.*: koffie
van goede —, katoen van slechte —); 2
eigenschap v.e. persoon, spec. goede
eigenschap (*bijv.*: zij heeft vele kwaliteiten); 3
functie, waardigheid (*bijv.*: in zijn kwaliteit van
burgemeester; *vgl.* **qualitate qua**); 4
(*schaken*) verschil in waarde tussen een toren
en een paard of loper (*bijv.*: de kwaliteit
offeren).

**kwansuis'** [v. Lat. *quam si* = zo alsof ...] *bw*
voor de schijn, doende alsof.

**kwant** (*nat.*) *zie* quant.

**kwantifice'ren**, *ook*: **quantifice'ren** [v. Lat.
*quántus* = groot, en *fácere* = maken]
uitdrukken of beschouwen als een *kwantiteit*,
*z.a.*, of in kwantiteiten; behandelen als
meetbare grootheid. **kwantitatief'**, *ook*:

**quantitatief'** [MLat. *quantitatívus*, zie
*volgende*] de hoeveelheid betreffend.
**kwantiteit'**, *ook*: **quantiteit'**, [Lat.
*quantitas, quantitátis*, v. *quántus* = hoe groot]
hoeveelheid; *ook*: tijdsduur v.e. lettergreep.
**kwan'tum** *zie* **quantum**.

**kwark** [v. Du. *Quark*] wrongel (melkspijs, een
soort ongerijpte kaas, in België *plattekaas*
genaamd), bep. zachtzuur melkprodukt,
eigenlijk ongerijpte kaas, gemaakt uit
gepasteuriseerde melk met zuursel, waarna de
massa in zakken wordt gedaan en het vocht
voor het merendeel wordt uitgeperst (daarom
ook *hangop* genoemd).

**kwart** [Lat. *quartus*, uit *quatru-tus* = de vierde,
v. *quat*(*t*)*uor* = 4] 1/4 deel; interval v. vier
toontrappen, 4e toon v. grondtoon af.
**kwartaal'** vierde deel v.e. jaar. **Kwartair'** en
**kwartair'** *zie* Quartair en quartair.
**kwarte'ren 1** verdelen in vier gelijke delen; 2
goud zuiveren door één deel goud met drie
delen zilver samen te smelten en dan het
samensmeltsel te behandelen met
salpeterzuur; het zilver met de onreinheden
lost op, het goud niet. **kwartero'ne** *zie*
**quarterone**. **kwartet'** [Fr. *quartette*, v. It.
*quartetto*, v. Lat. *quartus* = vierde] 1
muziekstuk voor vier stemmen of
instrumenten; *ook*: de uitvoerenden v.e.
dergelijk muziekstuk; 2 vier bijeenbehorende
personen of zaken; 3 serie van vier kaarten in
bep. kaartspel; *ook*: dat spel zelf (*kwartetspel*).
**kwartier'** [v. Fr. *quartier*, v. Lat. *quártus* =
vierde] 1 : 1/4 uur; 2 (*her.*) wapenveld, deel
v.e. wapenschild; 3 (*astr.*) bep. schijngestalte
(fase) van de maan; 4 tijdelijke legering van
soldaten, nachtverblijf (*vgl.* inkwartieren); 5
stadsgedeelte (*bijv.*: Quartier Latin, oorspr.
studentenwijk te Parijs); *ook*: deel v.e. gewest
(*bijv.*: Westerkwartier in provincie
Groningen). **kwartijn'** boek in kwartoformaat
(quartoformaat) (niet verwarren met kwatrijn,
*z.a.*). **kwar'to** *zie* **quarto**.

**kwarts** [Du. *Quarz*, verdere afl. onzeker] een
mineraal bestaande uit siliciumdioxide, $SiO_2$,
in zuivere toestand kleurloos, maar dat door
natuurlijke bijmengsels velerlei kleuren kan
hebben; gebruikt als siersteen en i.d. optische
en elektronische industrie. **kwarts'glas** glas
bereid door het smelten van kiezeldioxide,
$SiO_2$ (zuiverheidsgraad hoger dan 99,5%).
Hierbij verandert de structuur, waardoor de
uitzetting bij verhitting zeer gering is en de
temperatuur waarbij het glas week wordt zeer
hoog is (1400°C). **kwarts'klok** zeer
nauwkeurig lopende klok waarbij gebruik
gemaakt wordt v.e. eigenschap v.h.
kwartskristal, nl. dat bij druk elektrische
verschijnselen ontstaan (*piëzo-elektriciteit*,
*z.a.*).

**kwashiorkor** [Ghanees = rode jongen; naar
de huidverkleuring] een gebrekziekte v.
kleuters, die veelal i.d. ontwikkelingslanden
voorkomt, als gevolg van langdurige overmaat
van koolhydraten in de voeding, gepaard aan
een groot tekort aan eiwitten en vitaminen.
**kwa'si** *zie* quasi.

**kwas'sie 1** in Suriname de naam voor de boom
*Quassia amara*; 2 hout en bast daarvan, die
zeer bitter smaken en daarom ook *bitterhout*
genoemd worden, maar die een
koortswerende werking hebben (volgens het
verhaal genoemd naar de neger Kwasi, die in
1761 de geneeskracht ontdekt zou hebben).

**kwast** [Eng. *lemon-squash*, v. *to squash* =
platdrukken, tot moes persen, v. VLat.
*exquasáre*, v. Lat. *quassáre*, frequentatief v.
*quátere* = schudden] bep. drank van met water
aangelengd citroensap of sinaasappelsap, met
suiker.

**kwastelo'rum** [imitatie v. Lat. *lett.*: van de
kwasten] kwibus, rare, gek (meestal in
verbinding *kwibus kwastelorum* = *ongev.*:
kwibus der kwasten, grote kwast).

**kwatrijn'** [Fr. *quatrain*, v. *quatre* = vier, Lat.
*quart*(*t*)*uor*] gedicht of strofe v. vier regels.

**kwats** [Du. *Quatsch*, v. *quatschen* = kletsen, bazelen] onzin, klets.

**kweek'reactor** *zie bij* **kernreactor**.

**kween** *of* **kwee** [missch. v. Eng. *queen* = *oorspr.*: vrouw], *ook*: **freemartin** [woordafl. onbekend] onvruchtbaar, genetisch vrouwelijk dier, dat een pseudo-interseks is [*zie* **interseksualiteit**]. In engere zin een rund dat behoort tot een tweeling v. verschillend geslacht. Het stierkalf groeit op tot een normale stier, het vaarskalf tot een kween.

**kwes'tie** [Lat. *quáestio*, v. *quáerere*, *quaesítum* = zoeken, vorderen, gerechtelijk onderzoeken] **1** vraag, vraagpunt, strijdvraag; probleem; geschil, rechtszaak; zaak die besproken wordt; ook v. personen (*bijv.: de persoon in —*, de persoon waarover het gaat, die in het geding is; **2** (*spreektaal*) oneinigheid (*bijv.*: kwestie hebben). **kwestieus'**, *ook*: **quaestieus'** [Fr. *questieux*] **1** waarvan kwestie is (*bijv.*: de kwestieuze persoon of zaak); **2** twijfelachtig, onzeker, betwistbaar, onopgelost.

**kwets** [Du. *Quetsche*, verbastering v. *Zwetsche*, een leenwoord v. Zuidoost-Fr. *davascena*, een bijvorm v. MLat. *damascéna* = pruim v. Damascus, waar deze vrucht inheems was] andere naam voor pruim.

**kwetsuur'** [v. OFr. *quassure* = verwonding, later geassocieerd met Ned. *kwetsen*] wond, lichamelijk letsel.

**kwi'bus** [v. Lat. *quíbus*, 6e naamval meervoud van *qui* = wie] (als volkswoord overgenomen van het woord *quibus* in officiële Lat. documenten en in kerklatijn, welk onbegrepen woord het volk 'gek' in de oren klonk) mal of dwaas persoon, kwast.

**kwi'dam** [Lat. *quidam* = een zeker iem.] niet nader genoemd persoon; kwast, rare vent.

**kwiek** [Eng. *quick*; *vgl.* Ned. *kwik*; Du. *keck* = koen, vermetel, brutaal; Lat. *vívus* = levend; Gr. *bios* = leven] levendig, vlug.

**kwik'zilver** [*lett.*: levendig (= vloeibaar) zilver] oude naam voor kwik.

**kwint**, *ook*: **quint** [v. Lat. *quíntus* = de vijfde, v. *quínque* = 5] interval v. vijf toontrappen; 5e toon v.d. grondtoon af; E-snaar op viool.

**kwintaal'** *ook*: **quintaal'** [OFr. *quintal*, v. Arab. *qintar*] centenaar (= 100 kilo; in Groot-Brittannië en de VS 50 kg).

**kwint'essens**, *ook*: **quint'essens** [MLat. *quinta esséntia* = het vijfde bestanddeel (naast de 4 elementen) in alle dingen aanwezig, alchimisten-term voor geest = het fijne afgedestilleerde] het fijnste, de kern v.d. zaak.

**kwintet'** [Fr. *quintette*, v. It. *quintetto*] muziekstuk voor vijf zangers of instrumenten; de uitvoerenden daarvan.

**kwis** *zie* **quiz**.

**kwispedoor'** [via Portugees *cuspidor* v. Lat. *consputórium*, v. *con-*, *z.a.*, en *spúere*, *spútum* = spuwen; -*orium* duidt een verzamelplaats aan] spuwbakje, vroeger ook in Nederland in gebruik.

**kwite'ren** [v. Fr. *quitte* = afgerekend, vrij, los, v. Lat. *quietus* = rustig, v. *quies* = rust] kwijting verlenen, d.w.z. als voldaan tekenen. **kwitan'tie** [Fr. *quittance*] kwijtbrief, bewijs v. betaling.

**Kwomintang'** [Chinees *Kuo-min-tang* = nationale partij v.h. volk] bep. Chinese nationale partij.

**kyanise'ren** hout verduurzamen met kwikchloride (sublimaat), $HgCl_2$ [naar uitvinder J.H. Kyan].

**kyberne'tica** *zie* **cybernetica**.

**kyfo'se** [modern Lat. v. Gr. *kuphósis* v. *kuphos* = gebogen] buitenwaartse kromming van de ruggegraat, bochel.

**Kym'risch** *zie bij* **Welsh**.

**kynologie'** [Gr. *kuoon*, *kunos* = hond; *zie* -**logie**] kennis v. honden en hun rassen. **kynoloog'** hondenkenner.

**kyrie'le** [*zie volgende*] boek met de vaste Gregoriaanse gezangen v.d. Latijnse mis (Kyrie eleison, Gloria, Sanctus, Agnus Dei, Ite missa est) in 18 verschillende melodieën; meestal in één zangboek verenigd met het **graduale**, *z.a.* dat de wisselende Gregoriaanse gezangen voor de verschillende feesten bevat (Introïtus, Graduale, Offertorium, Communio). **Ky'rie elei'son** [Gr. *Kurie*, *eleéson* = Heer, ontferm U] (*rk*) driedubbele aanroeping v.d. Personen der H. Drieëenheid tijdens de Latijnse mis.

**kys'te** *zie* **cyste**.

**KZ-syndroom** (*uitspr.*: ka-zet'-syndroom) [KZ is afk. van Du. *Konzentrationslager* = concentratiekamp; *zie verder* **syndroom**] complex v. psychische stoornissen (nawerkingen) bij personen die tijdens de oorlog i.e. concentratiekamp gevangen zijn geweest.

**la** (*muz.*) 6de toon in de grote tertstoonladder (*zie* **aretijnse**), in het Romaanse taalgebied naam voor de a.

**lab** afk. van **laboratorium**, *z.a.*

**la'bel** [Eng., v. OFr. = lint] **1** adreskaartje dat aan het te verzenden stuk of een reiskoffer is gebonden; **2** etiket; **3** merk op een grammofoonplaat.

**labeur'** [Fr., v. Lat. *lábor* = arbeid] (*Z.N.*) zware arbeid.

**la'bia** [*zie volgende*] (*med.*) (grote en kleine) schaamlippen.

**labiaal'** [v. MLat. *labiális* = de lip betreffend, v. Lat. *lábium* = lip; verwant met *lámbere* = likken] **I** *bn* met de lippen gevormd; **II** *zn* **1** lipklank, d.w.z. medeklinker die geheel of voornamelijk met de lippen wordt gevormd. De Ned. medeklinkers b, p en m worden met beide lippen gevormd en heten *bilabialen*, i.t.t. de medeklinkers f, v en w die *labiodentalen* heten omdat de tand met de onderlip en boventanden worden gevormd; **2** orgelpijp met lipwerk. **Labia'ten** *mv, ev* **labiaat'** [v. wetenschappelijk Lat. *Labiátae*] de leden v.d. Lipbloemenfamilie.

**labiel'** [Lat. *labilis*, v. *labi* = wegglijden] onvast, wankelbaar, onstandvastig; — *evenwicht*, evenwicht waarbij het lichaam bij geringe verplaatsing v.h. zwaartepunt niet meer in vroegere evenwichtstoestand terugkeert maar er zich juist steeds verder uit verwijdert (bijv. kegel op zijn punt).

**laborant'** [v. Lat. *laborans, -ántis* = o.dw van *laboráre, -atum* = arbeiden] wie in laboratorium wetenschappelijke werkzaamheden verricht. **laborato'rium** [MLat.] werkplaats voor onderzoekingen op experimenteel-wetenschappelijk of technisch gebied. **labore'ren** [Lat. *laboráre*] arbeiden; lijden (bijv. aan kwaal). **laborieus'** [Fr. *laborieux*, Lat. *laboriósus* = 2] **1** arbeidzaam; **2** bewerkelijk, veel arbeid kostend, moeitevol. **La'bour** [Eng.] arbeid; afkorting van Labourpartij = sociaal democratische partij in het Verenigd Koninkrijk.

**labyrint'** [Lat. *labyrinthus*, Gr. *labúrinthos*, geen oorspr. Gr. woord] doolhof; (*fig.*) verwarde duistere kwestie; bep. deel v. inwendig oor.

**lacere'ren** [Lat. *laceráre, -átum*] verscheuren, openscheuren. **lacera'tie** [Lat. *lacerátio*] *zn.*

**lacet'** [Fr., v. *lacs* = fijne draad, v. Lat. *láqueus* = strik, strop] rijgveter.

**lache'ren** [Fr. *lâcher*, v. Lat. *laxáre* = verwijden, v. *laxus* = wijd] vieren; (*fig.*) toegeven. **lâchez-tout** [Fr. = *lett.*: laat alles los] eindcommando bij opstijgen v. ballon; (*fig.*) het volkomen in de steek laten.

**lacis** [Fr., v. *lacer* = rijgen; *zie* lacet] net v. aderen.

**laconiek'** [v. Gr. *lakoníkos* = Lacedaemonisch = Spartaans; *Lakoon* = Sparta] **1** kort pittig, bondig; **2** onverstoorbaar kalm.

**lacriman'do, lacrimo'so** [It., v. Lat. *lácrimáre* = schreien, *lacrimósus* = wenend, v. *lácrima* = traan] (*muz.*) klagend. **la'crimae Chris'ti** [Lat. = *lett.*: tranen v. Christus] bep.

Zuiditaliaanse wijn. **lacrimogeen'** [v. stam *gen-* = voortbrengen] tranenverwekkend.

**lacta'tie** [v. Lat. *lactáre, lactátum* = zogen, v. *lac, láctis* = melk] **1** het zogen; **2** melkafscheiding uit de borstklieren.

**lacto'se** [*zie* -**ose**] melksuiker, een disaccharide [*zie* **sacchariden**] opgebouwd uit één molecule *glucose* (*z.a.*) en één molecule *galactose* (*z.a.*). Men onderscheidt $\alpha$-lactose en $\beta$-lactose. Alfa-lactose wordt vnl. in de melkklieren v. zoogdieren en dus ook v.d. mens gevormd en is een bestanddeel v. melk. Bèta-lactose is veel zoeter en beter oplosbaar dan alfa-lactose en dient daarom vnl. ter bereiding v. dieet-voedsel.

**lac'to-vegeta'riër** [*zie* **vegetarisme**] persoon die geen dierlijk voedsel (vlees) gebruikt, maar wel van dieren afkomstige voedingsmiddelen, zoals melkprodukten en/of eieren (*vgl.* **veganist**).

**lacu'ne** [Lat. *lacúna* = gat, kuil; verwant met *lacer* = opengescheurd; *zie* **lacereren**] gaping, leemte, het ontbreken v. wat er behoorde te zijn, weglating. **lacuneus'** [Fr. *lacuneux*, Lat. *lacunósus* = vol gaten] met lacunes, onvolledig.

**la'dy** [Eng., v. OEng. *hláefdige* = broodkneedster, v. *hláf* = Eng. *loaf*, en *dig* = kneden, *vgl.* Eng. *dough* = deeg] voorname vrouw, beschaafde vrouw, 'dame'; —*crooner*, vr. crooner;—*killer*, man met grote aantrekkingskracht op dames;—*like*, als een beschaafde dame.

**laede'ren** [Lat. *láedere, laesum*] kwetsen, schaden; benadelen. **lae'sa majes'tas** [Lat.] majesteitsschennis. **lae'sie** [Lat. *láesio*] letsel; beschadiging; beledigging. **lae'sus** [Lat.] benadeelde.

**lae'va ma'nu** [Lat.] met de linkerhand.

**La'ger** [Du.] magazijn, depot; concentratie- of interneringskamp; *lager*, kogellager; *lagerbier*, bep. licht bier (uit *Lager* = depot).

**lagu'ne** [Fr., v. It. & Sp. *laguna*, v. Lat. *lacúna* (*zie* **lacune**) = gat, kuil, vijver; poel, plas; *vgl. lacus* = meer] strandmeer, strandmoeras.

**la'icus** [kerk. Lat. *laicus*, Gr. *laikos* = gewone man, v. *laos* = volk] leek, niet-geestelijke (tegenover *clericus*); laicus kan ook kloosterling (broeder) zijn). **laicise'ren** onttrekken aan het beheer der geestelijken.

**laisser'-aller'** [Fr. = *lett.*: het laten gaan] natuurlijke losheid en ongedwongenheid. **laisser' fai're** [Fr.] de zaken op hun eigen beloop laten. **laissez fai're, lais'ser pas'ser** [Fr.] adagium v. 18e-eeuwse economisten, inhoudende dat de Staat niet diende in te grijpen i.h. econ. handelen v. zijn onderdanen, doch hen vrij moest laten concurreren.

**lakei'** [Fr. *laquais*, Sp. *lacayo*] voetbediende (meestal in livrei); (*fig.*) hielenlikker.

**lakh** [Hindi, v. Sanskr. *laksha*] denkbeeldige rekenmunt v. 100.000 roepie's.

**lak'moes** [v. MNed. *leecmoes* = druipmoes] bep. verfstof uit korstmos bereid (dat men tot moes stampte en na gisting liet uitlekken of uitdruipen). Lakmoes wordt o.a. in het chem. laboratorium gebruikt bij titraties waarbij een neutrale oplossing moet worden bereikt; het is nl. rood in zure omgeving en blauw in basische. *Lakmoespapier* (ongelijmd papier gedrenkt in een oplossing v. lakmoes in water) wordt gebruikt om snel vast te stellen of een vloeistof zuur dan wel basisch is.

**la'ma** [Tibetaans *bla-ma* = overste] boeddhistisch priester in Tibet; *Dalai-Lama, z.a.* **lamaïs'me** boeddhisme in Tibet.

**lamantijn'** [v. Fr. *lamatin*] of *mana'ti* een geslacht v. plantenetende zeezoogdieren, de zeekoeien. Deze dieren leven in ondiepe kustwateren v.d. tropische gedeelten v.d. Atlantische Oceaan.

**lamb'da** [Gr.; *vgl.* Hebr. *lamed*] de Gr. letter $\lambda$, de 11e van het Gr. alfabet, overeenkomend met onze l; in de nat. gebruikt als symbool voor golflengte. **lambdacis'me** een spraakgebrek waarbij de r wordt uitgesproken als l.

**lambel'** [her.) barensteel, *zie* **palesteel.**
**lambiek'** [Fr. *lambic(k)*] zwaar Brussels bier.
**lambrekijn'** [Fr. *lambrequin*, misschn. v. Vlaams *lamperkijn*, verkleinwoord v. *lamper* = crèpe] oorspr. lap over helm; draperie boven troon, bed, vensters of deuren.
**lambrize'ring** [Fr. *labris* = muurversiering, v. Lat. *labrúsca (vitis)* = wilde wijnstok, wilde wingerd; Fr. *lambrisser* = ww] houten bekleding v. benedendeel v. wand.
**lame** [Fr.; *zie* **lamel**] (cul.) schijfje truffel, champignon e.d.
**lamé** [Fr. *zie* **lamel**] bep. stof waarin metalen draadjes geweven zijn.
**lamel'** of **lamelle** [Lat. *lamélla*, verkleinwoord v. *lámina* = dun blad metaal, hout of ivoor] dun blaadje, spec. v. metaal. **lamellair'** in de vorm van lamellen (bijv. structuur).
**lamenta'bel** [Lat. *lamentábilis*, v. *lamentári* = weeklagen, jammeren] beklagenswaard, erbarmelijk. **lamenta'bile**, **lamento'so** [It.] (muz.) weeklagend. **lamente'ren** [Lat. *lamentári*] weeklagen, jammeren.
**lamenta'tie** [Lat. *lamentátio*] gejammer, klaaglied.
**lamet'** = **lamel.**
**lam'fer** [misschn. v. **lambrekijn,** z.a.] neerhangende rouwsluier.
**lamine'ren** ww [Fr. *laminer*, v. Lat. *lámina*, *zie* **lamel**] walsen, pletten. **laminair'** bn in lagen vóórkomend, uit lagen bestaand. **laminaat'** halffabrikaat in de vorm v.e. vel of plaat opgebouwd uit gelijke (of ongelijksoortige) lagen.
**lamoen'** [Fr. *limon*, verdere herkomst onbekend] disselraam, dissel met twee armen waartussen het paard wordt gespannen.
**lam'pas** [Mal.] bep. zwaar damastweefsel met figuren, vnl. als bekleedstof (oorspr. afkomstig uit China of India).
**lampet'** [v. Fr. *lampette* = lampje, *vgl.* vroegere Ned. betekenis: 'mand voor het verbranden van pek'; anderen denken aan OEng. *lempit* = schotel] waterkan bij waskom.
**lampion'** [Fr., v. It. *lampione*, v. *lampa* = lamp (v. Gr. *lampas*, v. *lampoo* = schijnen)] lantaren v. gekleurd papier als feestverlichting.
**lampisterij'** [Fr. *lampisterie*] lampenhok.
**1 lamprei'** [v. MNed. *lampreel*, v. OFr. *laparel*] (jagerstaal) jong wild konijn.
**2 lamprei'** [MLat. *lampetra*] primitief gewerveld dier, soort kaakloze vis, prik.
**lancas'ter** gepapte dikke stof voor rolgordijnen [naar Eng. stad Lancaster].
**lancé** [Fr.] weefsel versierd met draden v.e. andere kleur.
**lance'ren** [Fr. *lancer*, v. *lance* = lans, Lat. *láncea*] afschieten, wegslingeren; in mode brengen; in omloop brengen (bericht); uitvaardigen; te berde brengen (plan, voorstel). **lanceer'buis** buis voor het afschieten v. torpedo's. **lancet'** [Fr. *lancette*, verkleinwoord v. *lance* = lans] tweesnijdend vlijmscherp mes v. operateur. **lancier'** *zie* **lansier. lanciers'** bep. dans voor vier paren.
**lan'dauer** rijtuig met vier wielen en voorzien van twee neerslaande kappen [naar Du. stad Landau]. **landaulet'** [Fr.] kleine landauer.
**land'drost** [v. MNed. *drossate* = drossaard baljuw; bestuurder v.e. gebied dat nog niet bij een gemeente of provincie is ingedeeld.
**Landru'** [naar Fr. misdadiger 1869-1922] vrouwenmoordenaar, vrouwenbeul.
**lange Leitung** [Du. = *lett.*: lange geleiding]: *een — — hebben*, traag van begrip zijn.
**Lang'lauf** [Du. = *lett.*: lange loop] (skiën) skivorm over lange afstand op vlak terrein.
**langoest'** [Fr. *langouste*] of **hoornkreeft** (*Palinurus vulgaris*). Het achterlijf wordt als delicatesse gegeten. **langoesti'ne** [Fr. *langoustine*] of **Noorse kreeft** (*Nephrops norvegicus*), ook 'nieroogkreeft' of 'kleine kreeft genaamd.
**langoureus'** [Fr. *langoureux*, v. Lat. *lánguor*, *-óris* = matheid, verlangen, v. *languére* = mat, slap zijn; *vgl. laxus*, *zie* **laxans**] smachtend,

kwijnend.
**lan'gue** [Fr., v. Lat. *língua* = *lett.*: de likker, *vandaar:* tong, *ook:* taal]: *langue d'oc*, Zuidfrans, Provençaals, tegenover *langue d'oïl* = ME Noordfrans (scheidslijn de Loire).
**lan'gue de porc** [Fr.] (cul.) varkenstong.
**languen'te** [It.] (muz.) kwijnend, mat.
**languissant'** [Fr., *zie* **langoureus**] smachtend.
**lanital'** [v. Lat. *lana* = wol] melkwol. **lanoli'ne** [v. *lana*; *zie* **olie**] zalf uit vet v. schapewol.
**lansier'** [Fr. *lancier*; *zie* **lanceren**] lansruiter.
**lanskenet'** [Fr. *lansquenet* = 15e-eeuwse Du. huursoldaat, v. Du. *Landsknecht*] bep. oud kansspel.
**Lantha'nium**, Ned. naam **Lanthaan'** [v. Gr. *lanthanos* = verborgen, door de ontdekker Mosander in 1839 zo genoemd omdat hij veel moeite moest doen om het te isoleren] bep. chem. element, symbolic van Lanthaan La, rangetal 57, het eerste der zgn. zeldzame aarden.
**lanthani'den** *mv* [*zie* **-ide 2**] de elementen cerium (58) tot en met lutetium (71), in het Periodiek Systeem der Elementen volgend op lanthaan, waarmee ze veel overeenkomsten hebben doordat de buitenschil v.d. elektronen bij alle veertien dezelfde bouw vertoont.
**laodicee'ër** [v. Laodicea in Klein-Azië] onverschillige in het geloof (naar Openbaring 3:15-16).
**laparoscopie'** [v. Gr. *laparè* = buikholte, en *skopeoo* = kijken] operatieve ingreep waarbij via een dun telescoopachtig buisje de organen i.d. buik- en bekkenholte bekeken kunnen worden (bijv. bij sterilisatie).
**laparotomie'** [v. Gr. *laparè* = buikholte, en *temnoo* = snijden] (med.) operatieve openmaking v.d. buikholte, strikt genomen het begin v. elke buikoperatie, maar ook om de diagnose te stellen.
**lapel'** [Eng., v. *lap* = lap] teruggeslagen rand vóór boven aan jas of mantel.
**lapereau'** [Fr.; *vgl.* Lat. *lapis*, *lápidis* = steen] lett.: in steen gehouwen (zoals bijv. op grafzerken; kort maar krachtig (zoals bijv. inscripties), bijv. lapidaire volzin, *—e stijl*, stijl met korte kernachtige volzinnen. **lapidarist'** [v. Lat. *lapidárius* = steenhouwer] iemand die van ruwe stenen sieraden maakt. **lapida'rium** [modern Lat., v. *-arium*, z.a.] boek over edelstenen. **lapida'tie** [Lat. *lapidátio*] steniging.
**lapin'** [Fr.] (cul.) konijn.
**la'pis** [Lat.] steen; *— infernális*, helse steen, zilvernitraat, AgNO₃ (vroeger gebruikt voor het wegbranden van wratten); *— lázuli*, lazuursteen (*zie bij* **lazuur**).
**lap'sus** [Lat. v. *labi* = wegglijden; *lapsus sum* = ik ben gevallen] fout, misslag; *— cálami*, verschrijving; *— linguae*, het zich verspreken.
**lap'swans** [v. Du. *läppsch* = onbeholpen, *Schwanz* = *lett.*: staart; mnl. lid, penis (scheldwoord) waardeloze kerel.
**lard** [Fr., v. Lat. *lardum* of *láridum* = gezouten spek] (cul.) spek. **larde'ren** [Fr. *larder*] 1 (cul.) mager vlees, vis, gevogelte of wild met reepjes spek (of tong e.d.) doorrijgen om het meer smaak te geven; 2 (fig.) doorspekken, spekken (bijv. een gesprek — met geestige opmerkingen); *een gelardeerde beurs*, een goed gespekte (gevulde) portemonnee.
**lardon'** [Fr.] (cul.) a lang reepje spek of tong om te larderen; b reepjes vlees, tong, ansjovis e.d. voor het opmaken van bijv. salades.
**larghet'to** [It.] (muz.) enigszins largo, tempo tussen largo en andante. **lar'go** [It. = breed, v. Lat. *largus* = rijkelijk] (muz.) langzaam, statig; stuk in dit tempo; *— assai*, zeer langzaam; *— di mólto*, zeer langzaam; *— ma non tróppo*, langzaam maar niet te zeer.
**larmoyant'** [Fr. v. *larme*, Lat. *lácrima* = traan] huilerig.
**lar've** [Lat. *larva*, OLat. *lárua* = spook, masker] nog niet volkomen dier v. andere vorm (als het ware gemaskerd) dan het volwassen dier

(anders spreekt men v. jong), spec. bij insekten,doch ook bij kikkers e.d. **larvaal'** [Lat. *larválís* = spookachtig, als met masker] de larve betreffend.

**la'rynx** [Gr. *larugx*] strottehoofd. **laryngaal' I** *bn* het strottehoofd betreffend; **II** *zn* medeklinker in strottehoofd gevormd, (bijv. de h). **laryngi'tis** [*zie* -**itis**] strottehoofd- of keelontsteking. **laryngoloog'** [*zie* -**loog**] keelspecialist. **laryngoscopie'** [v. Gr. *skopeoo* = (rond) zien, spieden] onderzoek v.d. keel. **laryngoscoop'** keelspiegel. **laryngotomie'** [v. Gr. *temnoo* = snijden] keelinsnijding van buiten af om adembuis aan te brengen.

**lascia'te o'gni speran'za** [It.] laat alle hoop varen (*voi ch'entráte*, gij die hier binnentreedt) (uit Dante's *Hel*).

**lascief'** [Fr. *lascif* = wulps, wellustig, v. Lat. *lascivus* = *eig*.: dartel, uitgelaten, brooddronken; *ook*: teugelloos, wellustig, wellustig, wulps. **lasciviteit'** [Fr. *lasciveté*, v. Lat. *lascivitas* = dartelheid, uitgelatenheid, moedwil] wellustigheid, wulpsheid.

**la'ser** [Eng. afk. van *light amplification by stimulated emission of radiation* = lichtversterking door gestimuleerde uitzending van straling; *vgl*. **maser**] apparaat voor opwekking van zeer sterke bundel monochromatisch licht in fase.

**laskaar'** [v. Hindi *lashkar* = leger] **1** (*gesch*.) matroos uit Engels-Indië (thans India) in dienst v.d. Engelse Indische Compagnie; **2** (*Z.N.*) kerel.

**las'so** [v. Sp. *lazo*, v. Lat. *láqueus* = strik, strop] riem v. leer of touw, 10 tot 30 m lang, aan één einde met een strik of lus, door veehoeders (spec. in Amerika) gebruikt om half wild vee te vangen.

**las'tex** merknaam voor bep. weefsel met ingeweven rubberdraden.

**last but not least** [Eng.] het laatst maar niet het minst.

**latei'** draagbalk boven raam of deur.

**La Tène-tijdperk** tweede tijdperk v.d. prehistorische IJzertijd, dat ca. 500-450 v. Chr. begon. De cultuur v. deze periode ontstond i.h. zuidelijk Rijngebied en i.h. gebied v. de Marne, maar verspreidde zich snel over een groot deel v. Europa [naar La Tène, in Zwitserland, een der vindplaatsen].

**latent'** [Lat. *látents, -éntis*, v. *latére* = verborgen zijn] verborgen, niet tot uiting komend; gebonden; —*e warmte*, (*vero*.) warmte opgenomen bij smelten of verdampen maar niet gebruikt tot temperatuursverhoging v.d. vloeistof of v.d. damp.

**lateraal'** [Lat. *laterális*, v. *látus*, *láteris* = zijde] **I** *bn* zijdelings, van de zijkant, in de zijlinie; —*kanaal*, kanaal evenwijdig aan een rivier waar deze onbevaarbaar is; *laterale verwanten*, verwanten in de zijlinie; **II** *zn* klank gevormd doordat de lucht aan weerszijde v.d. tong stroomt (de l-klank).

**Lateraan'** [Lat. *Lateránum*, naar de oud-Romeinse familie der *Lateráni*] bep. deel v. Rome; *Sint Jan v. Lateranen*, kerk aldaar.

**la'tex** [Lat. = vloeistof, vocht] melksap v. plant, spec. v. rubberboom.

**latifun'dium** [Lat. v. *latus* = breed, en *fundus* = grond, bodem] grootgrondbezit.

**Latijn'** [Lat. (*lingua*) *Latina*] *oorspr.*: taal in *Latium* gesproken, taal der Romeinen; *oud* —, Latijn vóór 75 v. Chr.; *klassiek* —, Latijn uit de periode v. ± 75 v. Chr.-± 175 n. Chr.; *volks- of vulgair* —, Latijn uit de periode v. 175-600; *christelijk* —, Latijn met woorden en constructies eigen aan de eerste christenen; *kerkelijk* —, Latijn als vroeger der Westerse katholieke Kerk; *middeleeuws* —, Latijn v. 600-1500; *modern* —, Latijn na 1500; *latijn*, onbegrijpelijke woorden (*potjeslatijn*, naar het quasilatijn op apothekerspotten); *dat is* — *voor me*, dat versta ik niet; *aan het eind van zijn* — zijn, niet meer weten nog iets meer te zeggen of hoe te handelen; *latijn ook*: sterk

overdreven verhalen (*jagers-, vissersslatijn*); geheimtaal (*dievenlatijn*); latijn vol fouten (*keukenlatijn*). **Latijns** *bn* in het Latijn (bijv. een geschrift), v.h. Latijn. **latinis'me** uitdrukking of zinsconstructie aan het Latijn ontleend of naar het Latijn gevormd. **latinist'** [Fr. *latiniste*] kenner v.h. Latijn. **latinise'ren** [Lat. *latinizáre*, Fr. *latiniser*] verlatijnsen, een latijnse vorm of uitgang geven aan woord uit andere taal (zoals bijv. de humanisten in de 16e-17e eeuw met hun naam deden). **latiniteit'** [Lat. *latinitas*] taalzuiverheidsgraad v. Latijn.

**latitu'de** [Lat. *latitúdo*, v. *latus* = breed] breedte; poolshoogte. **latitudinaris'me** [v. Fr. *latitudinaire*] bep. zedenleer met ruime opvattingen; ruimheid v. geweten. **latitu'do** [Lat., v. *látus* = breed] (*astr*.) breedte v.e. punt a.d. hemel; (*aardr*.) breedte v.e. punt op de aardbol (*vgl*. **longitudo**).

**latoen'** [v. OFr. *laton*, Fr. *laiton*, herkomst onbekend] (*vero*.) geelkoper (legering v. koper en zink), ook *tombak* of *messing* genaamd.

**la'to sen'su** [Lat.] in wijde zin.

**latri'ne** [Fr., v. Lat. *latrina*, voor *lavatrina* = bad, privaat, v. *laváre* = wassen] privaat in open lucht, W.C. te velde.

**lau** *zie* **lou**.

**lauda'bel** [Lat. *laudábilis*, v. *laudáre* = prijzen, v. *laus, laudis* = lof] prijzenswaard. **lauda'tor tem'poris ac'ti** [Lat.] wie het verleden prijst. **lau'de** [6e naamval v. Lat. *laus* = lof] *cum* —, met lof. **Lau'den** [kerk. Lat. *ad Laudes* = (gebed) bij de (morgen) lofprijzingen] het tweede der kerk. getijden (gebeden bij het opgaan der zon) (de 5e en laatste psalm begint steeds met de woorden *Láuda* of *Laudáte* = Loof(t)).

**lau'danum** [missch. v. Lat. *ladanum* = hars, v. *leda* of *ledon* (Gr. *lédos* of *lédoon*) = bep. struik, soort wilde roos] bep. slaapmiddel met opiumextract in alcohol.

**launch** [v. Sp. *lancha*, missch. v. Mal. *lanchar* = vlug, vlot] barkas.

**laureaat'** [Lat. *laureátus*, v. *láureus* = laurier] bekroonde (oorspr. met laurierkrans), gelauwerde, spec. gezegd v. kunstenaar; winnaar v.e. concours.

**laus De'o**, afk. **L.D.** [Lat.] lof aan God.

**la'va** [It. v. *laváre* = wassen] vulkanische stof in taaivloeibare gloeiende toestand uitgeworpen en daarna hard geworden.

**lava'bo** [Lat. = *lett*.: ik zal wassen] wasbekken (naar beginwoord *Lavábo* van psalmgedeelte bij de (symbolische) handenwassing v.d. priester tijdens de Latijnse mis).

**lavei'** (*jagerstaal*) het plantaardige voedsel dat het haarwild eet in veld en bos. **lavei'en** *ww* het voedsel zoeken en eten door het wild.

**lavement'** [Fr., v. *laver*, Lat. *lavâre* = wassen] darmspoeling (*vgl*. **klysma**).

**1 lave'ren** [v. *loef* = windzijde v. schip, woord v. Scand. herkomst; *vgl*. Fr. *lof* en *louvoyer*] zigzag zeilen bij tegenwind; onvast lopen, zwalken (v. dronkeman); (*fig*.) schipperen.

**2 lave'ren** [Lat. *lavâre*] wassen (een tekening).

**lavet'** [genoemd naar Fr. *laver*, Lat. *lavâre* = wassen, maar niet afgeleid v. Fr. *lavette*, dat 'vaatkwast' betekent] bep. fabrikaat was- en badgelegenheid met douche en zitbad; *ook*: vertrek waarin dit aanwezig is (soort uitgebreide doucheel).

**la vie en rose** [Fr.] het leven of de zonnige kant bekeken.

**lavis'** [Fr., *zie* **2 laveren**] gewassen tekening (gekleurd met verdunde inkten).

**lawn'-tennis** [Eng. *lawn* = grasperk] bep. slagbalspel, oorspr. op grasperk; nu: tennis.

**Lawren'cium** kunstmatig chemisch element (gesynthetiseerd in 1961), symbool Lr (vroeger Lw), ranggetal 103, dus een der *transuranen, z.a.* [naar E.O. Lawrence, Am. fysicus, 1901-1958].

**la'xans** *mv* **laxan'tia** [Lat. = o.dw van *laxáre* = verwijden, los maken, v. *laxus* = wijd, slap] middel om ontlasting te bevorderen. **laxe'ren** de ontlasting bevorderen. **laxis'me** opvatting v.d. zedenleer die de minst strenge uitleg voorstaat (*vgl.* **rigorisme**). **laxist'** aanhanger van het laxisme. **laxiteit'** [Lat. *láxitas*] slapheid; losheid van zeden; nalatigheid.

**lay-out'** [Eng. = *lett.*: het uit-leggen] plan, spec. vormgeving v. zetwerk.

**lazaret'** [Fr. *lazarette*, v. It. *lazaretto*, v. *lazarro* = melaatse, naar Lazarus, de met zweren bedekte bedelaar uit Lucas 16 : 20] *oorspr.*: ziekenhuis, spec. voor pestlijders; veldhospitaal.

**lazuur'** [*zie* **azuur**] hemelsblauw; —**steen**, bep. mineraal (*lapis lazuli*), een natriumaluminiumsilicaat met natriumpolysulfide.

**lea'der** [Eng., v. *to lead* = leiden] leider, spec. v. politieke partij; *ook*: hoofdartikel.

**lead'zanger** [v. Eng. *lead* = leiden] voornaamste zanger in een groep.

**1 league** [Eng., v. laat-Lat. *leuga*, missch. v.e. Gallisch woord] Eng. lengtemaat, meestal ongeveer 3 *miles*; *sealeague* = 5556 m (= 3 zeemijlen).

**2 league** [Eng., v. Fr. *ligue*, v. It. *lega*, Sp. *liga*, v. Lat. *ligáre* = binden] (ver)bond; *League of Nations*, (*gesch.*) Volkenbond (1920-1946).

**lea'sing** [v. Eng. *to lease* = lenen, v. Fr. *laisser* = laten, v. Lat. *laxáre* = los maken] *eig.*: het (ver)huren, het (ver)pachten; huur op lange termijn, spec. huur van produktiemiddel voor lange gebruiksduur, al dan niet met optie op de koop ervan na afloop v.d. huurtermijn.

**lea'therboy** [Eng.] in leer geklede homo die hiermee zijn seksuele (vaak sado-masochistische) voorkeur aangeeft.

**lecithi'nen** *mv* [v. Gr. *lekithos* = eidooier] (*chem.*) verzamelnaam voor fosfatidylcholinen uit de groep der *fosfolipiden*. Het zijn esters v. *glycerol*, twee v.d. zuurcomponenten zijn vetzuren, de derde is fosforzuur, dat zelf weer veresterd is met choline, $H_2COH-CH_2N(CH_3)_3OH$; lecithinen komen voor in eidooier, sperma, zaden en vooral in hersen- en zenuwweefsel en zijn belangrijk als fosfor-overdragers bij de stofwisseling.

**lec'tie** [Lat. *lectio*, v. *légere*, *léctum* = lezen] voorlezing; les, leertaak. **lec'tor** [Lat.] voorlezer; bep. docent niet-hoogleraar aan hogeschool; (*rk*) graad in kerkelijke wetenschap; (in de eucharistieviering in de landstaal) persoon die het epistel en de voorbeden voorleest. **lectoraat'** [MLat. *lectorátus*] ambt v. lector aan een hogeschool; (*rk*) lectorsgraad. **lec'tor bene'vole!** afk. **L.B.** [Lat.] welwillende lezer. **lecto'ri salu'tem!** [Lat.] den lezer heil! [afgekort **L.S.**, als briefaanhef]. **lectri'ce** [Fr., v. Lat. *léctrix*, *lextricis*] voorlezeres, vrouwelijke lector. **lectuur'** [Lat. *lectura*] **1** het lezen; **2** stof om te lezen (boeken, tijdschriften, kranten enz.).

**le droit divin** [Fr.] het goddelijk recht.

**leep** [Lat. *lépidus* = aardig, geestig; *vgl.* Gr. *lampoo* = lichten] sluw, goochem.

**leep'ogen** [v. Lat. *lippus*] druipogen.

**lef** [v. Jidd. *leiw*, v. Hebr. *leeb* = hart; *ook*: moed] (*volkstaal*) durf, moed, spec.: branieachtige durf. **lef'goser** branieachtige durfal; *ook*: opschepperige druktemaker, braniesschopper. **lef'trappen** *ww* opscheppen. **lef'water** jenever (*vgl. jenevermoed*).

**le'ga** *zie* **liga**.

**legaal'** [Lat. *legális* = de wet betreffend, v. *lex*, *legis* = wet, verwant met *légere* = bijeenlezen] wettig, wettelijk toegestaan.

**legaat'** [Lat. *legátum*, v. *legáre*, *-átum* = als gezant zenden; in testament bepalen; *legátus* = afgezant] **1** schenking bij testament; **2** afgezant v.d. paus (*zie* **legatus**). **legate'ren** vermaken, schenken bij testament. **legata'ris** [Lat. *legatárius*] wie hier een legaat begiftigd is. **lega'tor** [Lat.] schenker bij testament. **legalise'ren** [Fr. *légaliser*, v. Lat. *lex*; *zie*

**legaal**] wettigen, officieel bekrachtigen, geldig maken, ambtelijk waarmerken, voor echt verklaren. **legalisa'tie** *zn.* **legaliteit'** [Fr. *legalité*] wettigheid.

**lega'tie** [Lat. *legátio*; *zie* **legaat**] gezantschap; gezantschapsgebouw. **lega'tus** [Lat.] afgezant v.d. paus; — *a látere*, [Lat. = *lett.*: uit de zijde d.w.z. als het ware een zoon] afgezant die de persoon v.d. paus vertegenwoordigt bij bijzondere gelegenheden.

**lega'to**, afk. **leg.** [It., v. Lat. *ligáre*, *-átum* = binden] (*muz.*) gebonden. **legatuur'** [It. *legatura*] (*muz.*) verbindingsboog.

**lega'tur**, afk. leg. [Lat. = *lett.*: worde gelezen, v. *légere*] men leze. **le'ge** [Lat.] lees. **le'ge ar'tis**, afk. **l.a.** [Lat. = volgens de regels der kunst] (afk. op recepten).

**legen'de** [Fr. *légende*, v. MLat. *legénda* = wat gelezen wordt, v. Lat. *légere* = lezen] **1** verdicht verhaal met historische grondslag; **2** randschrift v. munt of medaille; **3** verklaring v. tekens bij een kaart. **legenda'risch** legendarisch. **legendair'** [Fr. *légendaire*] v.e. legende; fabelachtig.

**1 lege'ren** [Lat. *legáre*] = **legateren**.

**2 lege'ren** [v. Lat *ligáre* = binden] metalen vermengen door samensmelting. **lege'ring** mengsel v. metalen, alliage.

**le'ges** [Lat. = *lett.*: de wetten] verschuldigde rechten wegens schrijfkosten.

**leg'horn** [Eng. *Leghorn* = Livorno] bep. soort kip (oorspr. uit Livorno in Italië).

**le'gio** [Lat. = *legioen*, *z.a.*] grote schare, zeer vele (*bijv.*: de voorbeelden zijn legio).

**legioen'** [Lat. *légio*, *legiónis*, v. *légere* = bijeenlezen] **1** afdeling van het Romeinse leger (4260-6000 man); **2** legerafdeling met bep. bestemming; troep vrijwilligers (*bijv.*: het Vreemdelingenlegioen); **3** (*overdrachtelijk*) zeer grote schare, spec. van troep(t)aansupporters. **legionair'** [Fr. *légionnaire*] soldaat v.e. legioen, spec. het Fr. Vreemdelingenlegioen.

**legisla'tie** [VLat. *legislátio*, v. Lat. *lex*, *legis* = wet, en *ferre*, *latum* = brengen, uitvaardigen] wetgeving. **legislatief'** [Fr. *législatif*] wetgevend. **legisla'tor** [VLat.] wetgever. **legislatuur'** [Fr. *législature*] wetgevende macht. **legist'** [Fr. *légiste*] wetkundige, leraar in de wetten. **legitiem'** [Lat. *legítimus*] wettelijk, wettig, rechtmatig; —*e portie*, deel v. erfenis dat iem. toekomt volgens de wet. **legitime'ren** [MLat. *legitimáre*] wettigen, voor echt verklaren; *zich* —, met schriftelijke bewijzen aantonen dat men de persoon is die men voorgeeft te zijn. **legitima'tie** *zn*; —*bewijs*, bep. bewijs om zich te legitimeren. **legitima'ris** wie recht heeft op wettig erfdeel. **legitimist'** [Fr. *légitimiste*] aanhanger v.d. theorie dat de koninklijke waardigheid krachtens erfrecht en niet krachtens volkswil verleend is; in Fr. aanhanger v.d. tak v. Bourbons. **legitimité'** [Fr. *légitimité*] wettigheid. **legi'timus (-ma)** [Lat. *fílius legítimus (filia legítima)*] wettige zoon (dochter).

**1 leguaan'** [v. Sp. *iguana*] kamhagedis of groene leguaan; leeft in tropisch Amerika en is de bekendste van de ca. 700 soorten tellende familie der leguanen.

**2 leguaan'** (*scheepvaart*) *oorspr.*: stootkussen, bekleed met smarting of jak, op zeilschepen; *thans*: stootkussen v. touwwerk of kunstvezel op lichte vaartuigen.

**Legumino'sen (Leguminósae)** [v. Lat. *legúmen*, *lgúminis* = peul, en *-osus* = vol van ...; rijk aan ...] in het Ned. ook *peuldragers* genoemd, een groep v. drie plantenfamilies (volgens sommigen één familie), gekenmerkt doordat de vrucht, althans in beginsel, een peul is.

**leis** [v. Fr. *laisse*] koppelriem voor (jacht)hond.

**Leit'motiv, leid'motief** [Du.; *zie* **motief**] (*muz.*) wederkerend karakteriserend motief, grondthema; (*alg.*) gedachte die de ontwikkeling v.e. zaak bepaalt, leidende gedachte.

**le'liaard** [lelie v. Lat. *lilium*, v. Gr. *leirion*] Fransgezinde Vlaming (naar lelie als Fr. symbool).

**lem'ma** [Lat. = het ter beschouwing genomene (inhoud, opschrift), v. Gr. *lèmma* = het ontvangene, v. *lambanoo* = nemen] **1** trefwoord in woordenboek, encyclopedie e.d.; **2** hulpstelling die voorlopig (tot nader bewijs) als waar wordt aangenomen; **3** zinspreuk, leuze, devies.

**lem'met** *of* **lem'mer** snijdend deel v. mes (tegenover heft), kling v. zwaard.

**lem'metje** v. Zuidafrikaans *lèmmetjie* (de *Citrus*-soort *Citrus aurantiifolia*, een vrucht v. ca. 4 cm doorsnee, waaruit vnl. citroenzuur wordt gewonnen.

**Leninis'me** politiek en economische leer v. Lenin [aangenomen naam van Vladimir Oelianov, sovjetleider, 1870-1924].

**le'nis** [Lat. = zacht] zachte met weinig klemtoon uitgesproken medeklinker. **lenitief'** [MLat. *lenitivus*] **I** *bn* verzachtend; **II** *zn* verzachtend middel.

**lentamen'te** [It., v. Lat. *lentus* = langzaam] *(muz.)* langzaam. **len'to** [It.] *(muz.)* **I** *bn* langzaam; **II** *zn* langzaam stuk; *—di mólto*, zeer langzaam.

**lenticel'** [v. Fr. *lenticelle* = lensje, verklw. v. *lentille* = lensje] **1** *(plk.)* geen cel, maar een lensvormige porie of doorliggende plek in het kurkweefsel van planten; **2** *(med.)* oogwratje.

**lenticulair'** [Fr. *lenticulaire*, v. Lat. *lenticuláris* = linzevormig, VLat. = lensvormig, v. *lenticula*, verklw. v. *lens*, *lentis* = linze] lensvormig. **lentil'les** *mv* [Fr.] *(cul.)* linzen.

**lepori'de** [v. Lat. *lepus*, *leporis* = haas; *zie -ide*] bastaard v. haas en konijn.

**le'pra** [Lat. = schurft, melaatsheid, v. Gr. *lepra*, v. *lepros* = schilfering] melaatsheid. **leproos'** [christelijk Lat. *leprósua*] **I** *bn* melaats; **II** *zn* melaatse. **leproserie'** [Fr. *léproserie*] melaatsenkolonie.

**leptogra'fisch** [v. Gr. *leptos* = *eig.* geschild; dun, teer, fijn, klein, en *graphoo* = schrijven] klein geschreven. **leptosoom'** [v. Gr. *sooma* = lichaam] **I** *bn* met lang dun lichaam; **II** *zn* leptosoom persoon.

**les absents' ont (tou'jours) tort** [Fr.] de afwezige hebben (altijd) ongelijk, d.w.z. door weg te blijven mist men iets en doet zo zichzelf te kort.

**les'bisch** [v. Gr. *Lesbos* = eiland in de Egeische Zee] *bn* **1** van het eiland Lesbos; **2** homofiele (*z.a.*) tussen vrouwen (naar gebruik onder vrouwen v. Lesbos in de Oudheid). **lesbien'ne** [Fr.] *of* **les'bische** vrouw of meisje met seksuele voorkeur voor het eigen geslacht (*zie ook* **tribade**).

**lesta'ge** [Fr., v. *lester*, v. *lest* = ballast, v. Du. *Last*] het ballast stuwen in een schip.

**lestamen'te**, **les'to** [It.] *(muz.)* los en vlug.

**letaal'** [Lat. *let(h)ális*, v. *letum* = dood; verwant met *delére*, *delétum* = vernietigen] dodelijk (bijv. ziekte, dosis). **letaliteit'** dodelijkheid.

**lethargie'** [Lat. *lethárgia*, v. Gr. *lèthargia* = slaapziekte, v. *lèthè* = het vergeten, v. *lanthanoo* = verborgen zijn, vergeten] slaapzucht, diepe gevoelloze slaap; doffe ongevoeligheid en onverschilligheid. **lethar'gisch** slaapzuchtig; diep (bijv. slaap); dof ongevoelig.

**leukemie'** [v. Gr. *leukos* = wit, en *haima* = bloed; wetenschappelijke naam *leucaemia* (*uitspr.*: luikemíe), in het Ned. **bloedkanker**, naam voor een aantal ziekten, veroorzaakt door kwaadaardige woekering (kanker) v.d. leukocyten (witte bloedlichaampjes) in aanleg in beenmerg en/of lymfeklieren. **leukocyt'** [v. Gr. *kutos* = holte, vat, urn; in de biol. = cel] wit bloedlichaampje (er zijn diverse soorten). **leukopenie'** [v. Fr. *penia* = armoede] tekort aan witte bloedlichaampjes. **leukoplas'ten** *mv* [v. Gr. *plassoo* = vormen] kleurloze lichaampjes in protoplasma, die zetmeel vormen. **leukotomie'** [v. Gr. *-tomos* = snede]

*zie* **lobotomie.**

**Leukoplast'** [v. Gr. *em-plassoo* = in-drukken, inwikkelen, bedekken] bep. fabrikaat hechtpleister.

**Levant'** [Fr. = o.dw van *lever* = oprijzen; *ongev.*: waar de zon opkomt, v. Lat. *levâre* = opheffen, v. *levis* = licht] oostelijk deel der Middellandse Zee met eilanden en aangrenzende landen. **levanti'ne** [Fr. = *lett.*: de Levantijnse] bep. effen oosterse zijden weefsel. **levantijn'** [Fr. *levantin*] bewoner v.d. Levant; schip varende op de Levant. **levantijns** v.d. Levant, oosters. **levée** [Fr.] lichting, heffing; *—en masse*, algemene volksbewapening ten strijde. **lever** [Fr.] morgenopwachting bij vorstelijk persoon; *— de rideau*, kort vóórtoneelstuk.

**levia'than** [Lat. v. Hebr. *livyathan*] zeemonster in oud-oosterse mythologie, spec. in Bijbel (boek Job).

**levier'** [Fr. = hefboom, v. *lever*; *zie* **Levant**] stuurknuppel v. vliegtuig.

**leviet'** [christelijk Lat. *levita*, v. Hebr. *Levi*] bij oude Hebreeën leden v.d. stam Levi, aan wie de dienst in het heiligdom als helpers v.d. priesters was opgedragen; *thans:* (jong) priester. **Levi'ticus** [Kerk. Lat.] het derde boek v.d. Bijbel (dat o.a. voorschriften voor de levieten bevat).

**leviraat'** [v. Lat. *levir* = zwager] zwagerhuwelijk, verplichting bij de joden dat een kinderloze weduwe gehuwd moest worden door de naaste in aanmerking komende bloedverwant v.d. overleden man, in eerste aanleg de broer (de zwager der weduwe).

**levita'tie** [woord gevormd v. Lat. *levis* = licht, naar analogie van gravitatie, *z.a.*] het zweven v. zaken of personen zonder zichtbare oorzaak bij spiritistische séances.

**le'xicon** [Gr. *lexicon*, onz. v. *lexikos* = het woord (*lexis*) betreffend, v. *legoo* = spreken] woordenboek, spec. een wetenschappelijke encyclopedie. **lexicaal'** op de wijze v.e. lexicon. **lexicograaf'** [v. Gr. *-graphos* = schrijver, v. *graphoo* = schrijven] schrijver v.e. woordenboek. **lexicografie'** [v. Gr. *-graphis* = -beschrijving] het schrijven v.e. woordenboek. **lexicogra'fisch** [v. Gr. *-graphikos* = tot het schrijven behorend] op de lexicografie betrekking hebbend; *spec.*: alfabetisch gerangschikt in een woordenboek. **lexicologie'** [*zie* **-logie**] leer v. woordbetekenis en -afleiding. **lexicolo'gisch** *bn & bw*.

**liaison'** [Fr. v. *lier*, Lat. *ligâre* = binden] **1** verbintenis; **2** ongeoorloofde liefdesverbintenis; **3** (*cul.*) bindmiddel.

**lia'nen** *mv*, *ev* **liaan** naam voor planten die, hoewel een houtige stam hebbend, zich niet zelfstandig rechtop kunnen houden. Ze slingeren hun buigzame stam en stengels om andere planten. Lianen komen vooral in vochtige tropische oerbossen voor.

**Li'as** *of* **Zwarte Ju'ra** de oudste serie v.d. *Jura* (*z.a.*). De Jura duurde van 180-135 miljoen jaren geleden; de Lias duurde van 180-170 miljoen jaren geleden, opgevolgd door de Jura-series Dogger en Malm [naar de Eng. steenhouwersterm *layers* = plaatkalken; *of* van Fr. *liais* = bep. soort kalksteen].

**lias'** [v. Fr. *liasse*, v. *lier*, Lat. *ligâre* = binden] **1** brievensnoer, snoer of veter om papieren aaneen te rijgen; **2** bundel aldus bijeengehouden papieren. **liasse'ren** *ww* papieren aan snoer of veter of op pen rijgen, bundelen.

**1 libel** (*dierk.*) lid v.d. insektenfamilie Libellulidae uit de orde der Waternimfen (*Odonata*).

**2 libel** [v. Lat. *libéllula* = verklw. v. *libélla* = waterpas of schietlood, zelf verklw. v. *libra* = *eig.*: weegschaal; *ook:* waterpas, schietlood] waterpas met luchtbel.

**3 libel** [v. Lat. *libéllus*, verklw. v. *liber* = boek (oorspr. boombast, waarop men schreef)]

smaadschrift, schotschrift. **libellist'** [Fr.
*libelliste*] schrijver v. schotschrift(en).
**liberaal'** [Lat. *liberális* = de vrije stand
betreffend, vrijgevig, v. *liber* = vrij; verwant
met *libido*, *z.a.*] **I** *bn* vrijdenkend, vrijzinnig;
vrijgevig; vrijheid in economische leven
voorstaand; **II** *zn* vrijzinnige; aanhanger v.
liberalisme; lid v. bep. politieke partij.
**liberalise'ren** van economische
belemmeringen vrijmaken. **liberalisa'tie** *zn*.
**liberalis'me** vrijzinnigheid in godsdienst;
stelsel dat volledige economische vrijheid
voorstaat (grondlegger Adam Smith,
1723-1790). **liberalis'tisch** vrijzinnig;
liberaal gezind, volgens het liberalisme.
**liberaliteit'** [Lat. *liberálitas*] vrijzinnigheid,
handel en denkwijze met ruime opvattingen;
vrijgevigheid. **liberamen'te** [It.] *(muz.)*
ongedwongen. **libere'ren** [Lat. *liberáre*,
*-átum*] bevrijden, ontlasten. **libera'tie** *zn*.
**libera'tor** [Lat. = bevrijder] medicament dat
voedingsmiddel dat *histamine* (*z.a.*),
normaliter i.h. lichaam aanwezig in gebonden
inactieve vorm, vrijmaakt en daardoor o.a.
allergische reacties veroorzaakt. **li'bero**
[modern woord, gevormd naar Lat. *liber* = vrij]
(*voetbal*) vrije verdediger, laatste verdediger
vóór de doelman, vroeger ook wel *Auspützer*
(Du.) genoemd. **liberté, égalité, fraternité**
[Fr.] vrijheid, gelijkheid, broederschap (leuze
der Fr. Revolutie). **liberteit'** [Lat. *libértas*]
vrijheid. **li'berty** [Eng.] vrijheid; —*schip*, bep.
type oorlogsvrachtschip, bij de bevrijding v.
Europa gebruikt. **libertijn'** [Lat. *libertínus* =
vrijgelatene] vrijgeest; *ook*: losbol. **li'berum
arbi'trium** [Lat.] vrije wil.
**libi'do** [hans meestal de onjuiste uitspr.
**li'bido**) [Lat. *libido* = lust, begeerte; *vgl. libet*
= het lust, en *liber* = vrij] **1** (wel)lust,
(zinnelijke) begeerte; **2** (*psych.*) het geheel
van erotische of seksuele driften,
geslachtsdrift. **libidineus'** [Fr. *libidineus*, v.
Lat. *libidinósus*] *bn* op de (wel)lust betrekking
hebbend, wellustig.
**li'bra**, afk. **lb** [Eng., v. Lat.] Eng. pond
(gewicht), afk. £ pond sterling (munt).
**libra'tie** [v. Lat. *libráre*, *librátum* = wegen; *ook*:
slingeren] schommeling om as, spec. v.d.
maan: *optisch* = schijnbaar; *fysisch* = reëel.
**li'bre** [Fr., v. Lat. *liber* vrij] **I** *bn* vrij; **II** *zn*
(biljarten) spel dat vrij is v.d. beperkingen die
bij het kaderspel gelden.
**libret'to** [It. verkleinwoord v. *libro* = boek, Lat.
*liber*] operatekst; boekje daarvan. **librettist'**
[Fr. *librettiste*] operatekstschrijver.
**librij'e** [v. Lat. *liber* = boek] boekerij,
bibliotheek v. klooster of stad.
**libro'rum cen'sor** [Kerk. Lat. =
boekenkeurder] (*rk*) persoon die uit te geven
werken op het gebied v. theologie, Bijbel,
moraal e.d. keurt op leerstellig en zedelijk
gehalte.
**licentiaat'**, afk. **lic.** [v. MLat. *licentiáre* =
verlof geven, v. Lat. *licéntia*, v. *licére* =
geoorloofd zijn] academische graad die bep.
onderwijsbevoegdheid verleent; persoon met
zulk een bevoegdheid. **licen'tie** [Lat. *licéntia*]
**1** verlof, vergunning; volmacht; verlof om
gebruik te maken v.e. patent; (*sp.*)
startvergunning. **2** uitspatting, bandeloosheid.
**licentie'ren** [MLat. *licentiáre*] vergunning
geven; bevoegdheid verlenen; *ook*: ontslaan
uit dienst.
**li'chen** [Lat. = boommos; *ook* overdrachtelijk:
huiduitslag, v. Gr. *leichên* = korstmos] **1** (*plk.*)
korstmos; **2** (*med.*) naam voor bep.
huidaandoeningen (dermatosen). **Liche'nes**
*mv* [Lat., *ook* moderne wetensch. naam]
**korstmossen** groep plantaardige
organismen, gevormd door symbiose = *hier*
samenleven v.e. schimmel en een wier (alge).
**lich'tekooi** v. Z.N. *koye* = achterste, en
*lichten* = optillen] prostituée.
**lic'tor** [Lat. = dienaar v. Romeinse
magistraten, die de *fasces* (*z.a.*) droeg en de
vonnissen voltrok, v. *ligáre* = binden]

gerechtsdienaar, beul.
**li'do** [It. = strand, v. Lat. *lit(t)us, lit(t)oris*]
strand v. zee, meer of plas als badplaats met
toebehoren, natuurbad.
**lie'baard** [v. VLat. *leobárdus*, v. Lat. *leopárdus*,
Gr. *leopardalos* = luipaard, d.w.z. Afrikaanse
panter; *pardalis* = panter] (*her.*) leeuw
(wegens onbekendheid met uitheemse dieren
verwarde men luipaard en leeuw, te meer daar
*leo* in het Lat. 'leeuw' betekent).
**lié(e)** [Fr., v. *lier*, Lat. *ligáre* = binden] (*cul.*)
gebonden met eierdooiers, melk, room e.d. **lier**
[Fr.] (*cul.*) binden. **lië'ren** verbinden,
verenigen.
**lieu'e** [Fr.; *zie* **1 league**] Fr. mijl, 4444 m.
**liè'vre** [Fr., v. Lat. *lépus, léporis*] (*cul.*) haas.
**li'ga**, *ook*: **le'ga** (Sp. *liga*, It. *lega*, v. Lat. *ligáre*
= binden; *vgl.* **2 league**) verbond. **ligament'**
[Lat. *ligaméntum* = 1] **1** verband, zwachtel; **2**
(*typografie*) twee of drie letters
aaneengegoten (bijv. ff, fi, ffl), koppelletter; **3**
(*dierk.*) slotband v. schelpdieren. **liga'to** [It.]
(*muz.*) gebonden. **ligatuur'** [Lat. *ligatúra*] **1**
verbinding v. noten van twee opeenvolgende
maten; **2** (*typografie*) ligament; **3** (*med.*)
onderbinding v. ader, afbinding v. gezwel.
**lige'ren** = **liëren**.
**ligniet'** [v. Lat. *lignum* = hout] fossiel hout dat
reeds een verkolingsproces begint te
ondergaan tot bruinkool. **ligni'ne** houtstof, de
stof die verhoute plantencellen hun vastheid
verleent (hout bestaat uit 67 % cellulose, tot
30 % lignine en nog enkele andere stoffen).
**ligno'se 1** lignine; **2** nitroglycerine
(glyceroltrinitraat) met houtmeel vermengd.
**ligroï'ne** petroleumether, vluchtig
destillatieprodukt uit petroleum (dat overgaat
bij 120-150 °C).
**li'gue** [Fr.; *zie* **2 league**] verbond.
**lijk** [v. Lat. *ligáre* = binden] (*scheepvaart*)
zoomtouw, d.w.z. touw dat in de rand v.e. zeil
is genaaid om inscheuren te voorkomen; *uit de
lijken geslagen*, uit de rand gescheurd (van
zeil), (*fig.* v. *persoon*) de kluts kwijt, helemaal
in de war.
**lij'zijde** [Germ., *vgl.* OFries *hlî* = beschutting]
van de windrichting afgekeerde zijde van een
schip.
**li'la** [Fr. *lilas*, v. Perzisch *lilak*, andere vorm v.
*nilak*, v. *nil* = blauw] (*eig.*: sering) lichtpaars.
**lilliput'ter** dwerg, klein mens [naar Lilliput,
het dwergenland in *Gullivers Reizen* van
Swift].
**li'man** [Russisch, v. Gr. *limèn* = baai]
riviermond met een door een strandwal
afgesloten zeebocht.
**lim'bisch systeem** [v. Lat. *limbus* = zoom]
deel v.d. hersenen waar uitwisseling van
uitwendige en inwendige prikkels plaatsvindt,
zetel v. emotie en korte geheugen.
**lim'bus** [Lat. = streep, band, zoom] (*nat.*) in
graden verdeelde rand v. hoekmeetinstrument;
(*rk*) voorgeborchte, plaats waar sommige
zielen een natuurlijk geluk genieten.
**li'merick** [Eng.] geestig grappig vijfregelig
vers v. bep. bouw met rijmschema aabba
(meestal is het eerste rijmwoord een
plaatsnaam of eigennaam).
**limiet'** [Fr. *limite*, v. Lat. *limes, limitis* = greppel
of pad tussen twee akkers, scheidslijn, grens]
grens; (*wisk.*) afk. **lim.** grenswaarde waartoe
een veranderlijke grootheid nadert zonder ze
ooit geheel te bereiken; (*hand.*) hoogste koop-
of laagste verkoopsprijs. **limite'ren** [Lat.
*limitáre, -átum*] beperken, een limiet
vaststellen. **limita'tie** *zn*. **limitatief'** [Fr.
*limitatif*] beperkend.
**li'mit** [Eng., *eig.*: uiterste grens] toppunt.
**lim'ited** [Eng.] beperkt, afkorting v. —
*liability*, beperkte aansprakelijkheid van
aandeelhouders v.e. naamloze vennootschap
(— *liability company*); afk. **Ltd.**
**limitroof'** [Lat. *limitrophus*, v. *limes* = grens,
en Gr. *trephoo* = voeden] *oorspr.*: (land)
bestemd voor voeding v. grenstroepen; aan de
grens liggend, grenzend aan (v. streek

gezegd).
**limnologie'** [v. Gr. *limnè* = meer; *zie* **-logie**] biologie v.h. zoete water, spec. v. meren.
**limousi'ne** [Fr., *bn* = van Limoges, stad in het gebied Limousin in zuidelijk Midden-Frankrijk] auto met glazen wand tussen chauffeur en inzittenden.
**lim'pido** [It., v. Lat. *limpidus* = helder, klaar] zuiver (van winst gezegd).
**linament'** [Lat. *linaméntum*, v. *linum* = vlas] pluksel.
**li'nea** [Lat. verwant met *linum* = vlas, draad] lijn; — *récta*, (*lett.*: volgens rechte lijn) rechtstreeks. **lineair'** [Fr. *linéaire*, v. Lat. *lineáris*] lijnvormig; —*e uitzetting*, uitzetting in de lengte gemeten; —*e vergelijking*, vergelijking met onbekenden in de eerste graad (in grafische voorstelling een rechte lijn vormend). **lineamen'ten** *mv* [v. Lat. *lineaménta*] lijnen in handen of in gelaat.
**lines'man** [Eng.] (*sport*) grensrechter bij balspelen die de scheidsrechter moet mededelen of de bal een lijn al dan niet gepasseerd is.
**lingerie'** [Fr., v. *linge* = linnen, linnengoed, v. Lat. *linum* = vlas, draad] **1** *oorspr.*: linnengoed, *thans alleen*: (luxe) damesondergoed; **2** *oorspr.*: linnenwinkel, linnenzaak, *thans*: winkel (of afdeling v. grote winkel) waar damesondergoed te koop is.
**linguaal'** [v. MLat. *linguális*, v. Lat. *lingua* = tong (*lett.*: likker), *ook*: taal] **I** *bn* de tong betreffend; **II** *zn* tongletter, d.w.z. medeklinker gevormd met de tong (l, n, r). **linguafoon'** [v. Gr. *phoonè* = stem, geluid] grammofoon met platen waarop een taalcursus staat. **lin'gua fran'ca** [It. = *lett.*: vrije taal] *oorspr.*: een mengtaal met elementen uit Romaanse talen (spec. Italiaans, Arabisch, Turks en Grieks) zoals die door It. kooplieden in de Levant (*z.a.*) werd gesproken; *later*: mengtaal als omgangstaal gebruikt tussen personen die een verschillende moedertaal hebben, bijv. Neger-Engels in Suriname. **linguist'** [Fr. *linguiste*] taalkundige. **linguistiek'** [Fr. *linguistique*] historische en vergelijkende taalstudie, taalkunde. **linguïs'tisch** taalkundig.
**liniaal'** [v. Lat. *lineális* of *liniális* = lijnen betreffend; *zie* **linea**] voorwerp om er rechte lijnen langs te trekken (meestal tevens met lengtemaatverdeling). **liniatuur'** **1** manier waarop gelinieerd wordt; **2** samenstel van lijnen (*bijv.*: horizontaal en verticaal). **li'nie** [Lat. *linea*] evenaar; rij, gevechtsopstelling in rij v. troepen of schepen, rij verdedigingswerken; afstammelingsreeks; —*schip*, slagschip. **linië'ren** [Lat. *lineáre* = strepen] rechte lijnen trekken op.
**liniment'** [Lat. *liniméntum*, v. *linire* = opsmeren, bijvorm v. *linere* = smeren] smeersel.
**1 link** [v. *links*, bij oriëntatie op het oosten ligt het noorden (d.i. het dodenrijk) a.d. linkerkant] (*Barg.*, *volkstaal*) onbetrouwbaar, gevaarlijk, *ook*: slinks, leep, slim, glad, handig. **link'miegel** [Du. eigennaam *Michel* = *ook*: kinkel] (*Barg.*) gevaarlijke kerel, slimme vent; *ook*: grapjas.
**2 link** [Eng.] schakel, verbindingsstuk, band, keten; *een link leggen*, een verband leggen; *missing link*, ontbrekende schakel.
**links** [Eng.; oorspr. Schots = vlak of golvend land bij zeekust; OEng. *klinc*, missch. verband met Lat. *inclináre*, Gr. *klinoo* = buigen, hellen] terrein over golfspel.
**Link'-trainer** [Eng.: *zie* **trainen**] toestel voor vliegonderricht op de grond, een nagebootste cockpit waarin de piloot in opleiding zuiver op instrumenten moet 'vliegen'. Hoe hij werkelijk gevlogen zou hebben is later op een opgenomen band te zien; ook **simula'tor** genoemd. [Naar de Am. uitvinder E. Link.]
**lino'leum** (niet linole'um) [v. Lat. *línum* = vlas, en *óleum* = olie) vloerbedekking van dus fabrikaat, gemaakt uit gemalen kurk, houtmeel

en verfpigmenten, welke gebonden zijn door harsen en geoxideerde lijnolie; de aldus ontstane laag wordt bevestigd op jute (bij goedkopere soorten op gebitumineerd vilt: zwarte onderkant).
**li'notype** [Eng.; *zie* **linea**, en **type**] zetmachine die geen losse letters maar gehele regels zet.
**lion'** [Fr. = *lett.*: leeuw, v. Lat. *léo, leónis*] gevierde man in de grote wereld, salonheld. **lion'ne** vrouwelijke lion.
**lipi'den** *mv* vetstoffen. **lipoïden** *mv* [*zie* **-ide** **2** = gelijkend op] vetachtige stoffen. Onder de verzamelnaam *lipiden* of *lipoiden* verstaat men een zeer heterogene groep van chemische verbindingen, die voornamelijk gemeen hebben dat ze zeer slecht in water oplosbaar zijn, maar goed in organische oplosmiddelen als bijv. ether en benzeen. Tot deze heterogene groep behoren de *fosfolipen*, de *sfingolipiden*, verder de *carotenoiden* en de *steroiden*.
**lipomato'se** [*zie* **-ose 1**] (*med.*) vetzucht.
**lipoom'** [*zie* **-oom**] (*med.*) vetgezwel.
**lipsanotheek'** [v. Gr. *leipoo* = nalaten, *thèkè* = bewaarplaats] verzameling nagelaten relikwieën en schatten; bewaarplaats of museum daarvan. **lipsanografie'** [v. Gr. *graphoo* = schrijven] beschrijving v. nagelaten schatten.
**liquefac'tie** [v. Lat. *liquefácere, -fáctum* = vloeibaar maken, v. *liquere* = vloeibaar zijn, en *fácere* = maken] smelting, het vloeibaar maken. **li'quefied petro'leum gas afk. LPG** [Eng.] gassen, vnl. propaan en butaan, onder druk vloeibaar gemaakt als goedkope brandstof voor auto's. **liquescen'tie** [v. Lat. *liquéscere*, inchoatief v. *liquere*] het vloeibaar worden. **li'quet** [Lat. *liquere* = *ook*: helder zijn] het blijkt duidelijk. **li'quida** [Lat. *liquidus* = vloeibaar, vloeiend] *mv* **li'quidae** vloeiklank, vloeiende medeklinker (de l en de r). **liquide'ren** [VLat. *liquidáre* = vloeibaar maken] afwikkelen, afrekenen, vereffenen, beëindigen; van kant maken (persoon). **liquida'tie** *zn, spec.*: ontbinding v. zaak of bedrijf met vereffening der schulden en te gelde making v. aanwezige goederen. **liquidabiliteit'** het liquide zijn. **liquidateur'** [Fr.] vereffenaar, wie liquidatie regelt. **liqui'de** [Fr.] **1** vereffenbaar, onmiddellijk beschikbaar (-e geldmiddelen); **2** vloeibaar; **3** helder, klaar. **liquiditeit'** [Fr. *liquidité*] **1** onmiddellijk vereffenbaarheid, het hebben v. gereed geld (*vgl.* **solvabiliteit**); **2** vloeibaarheid; **3** klaarheid. **liquiditeits'quote** [*zie* **quote**] de in een land aanwezige geldhoeveelheid als percentage v.h. nationaal inkomen.
**lis'se** [Fr.] (*cul.*) glad.
**litanie'** [MLat. *litania*, v. Gr. *litaneia* = gebed, v. *litaneuoo* = bidden, smeken, *litanos* = smekend, *litai* = gebed] gebedenreeks v. korte aanroepingen ingezet door voorbidder en voltooid door gemeente; lange reeks (bijv. van jammerklachten).
**li'te penden'te** [Lat.] hangende de rechtszaak.
**li'ter** [Fr. *litre*, term vastgesteld in 1793, verm. v. Gr. *litra* = pond] eenheid v. inhoudsmaat, 1 dm$^3$ of 1000 cm$^3$.
**literaal'** [Lat. *literális*, v. *lit(t)era* = letter, v. *linere* = smeren, het op een wasblaadje geschreven weer uitsmeren] letterlijk. **literaat'** [Lat. *literátus*] geletterde. **literair'**, afk. lit. [Fr. *littéraire*] letterkundig. **li'tera scrip'ta ma'net** [Lat.] het geschreven blijft (tegenover het gesproken dat in vergetelheid kan geraken). **litera'tor** [Lat.] letterkundige of student in letterkunde. **literatuur'**, afk. **lit.** [Lat. *literatúra* = het geschrevene] gezamenlijke letterkundige produkten v.e. volk (bijv. de Griekse -); wat over een bep. onderwerp geschreven is. **littératu're engagée** [Fr.] literatuur gebonden aan levenshouding welke uit de problemen v.d. eigen tijd geboren is (tegenover tijdloze

literatuur).
**Li'thium** [v. Gr. *litheios* = steenachtig, v. *lithos* = steen] chem. element, symbool Li, ranggetal 3, het eerste v.d. hoofdgroep i.h. Periodiek Systeem der Elementen v.d. alkalimetalen (Li, Na, K, Rb, Cs, Fr), het lichtste metaal (relatieve dichtheid 0,53). **li'tho** afk. v. **lithografie,** *z.a.*
**litho-, steen-. lithochromie'** [*zie* **chromium**] kleurensteendruk. **litholgief', litholglyf'** [v. Gr. *gluphé* = snijwerk, *gluphoo* = uithollen, graveren] gesneden (edel)steen. **litholglyfiek'** steensnijkunst. **lithograaf'** [v. Gr. *graphoo* = schrijven, tekenen] tekenaar op steen voor steendruk; steendrukker.
**lithografe'ren** op steen tekenen voor steendruk; steendrukken. **lithografie'** steendrukkenkunst; steendrukkunst; steendrukplaat of afdruk daarvan. (afk. *litho*). **lithografisch** *bn & bw*. **lithosfeer'** [Gr. *sphaira*; *zie* **atmosfeer** en **sfeer**] buitenste aardkorst.
**lithopoon'** witte verfstof bestaande uit zinksulfide, ZnS, en bariumsulfaat, $BaSO_4$.
**litige'ren** [Lat. *litigáre* = twisten, strijden = *litem ágere* = een *lis* (twist) voeren] een rechtsgeding voeren. **litigant'** [v. Lat. *litigans, -ántis* = o.dw] procesvoerder.
**litigieus'** [Fr. *litigieux*, Lat. *litigiósus*] betwistbaar; waarover rechtsgeding gevoerd wordt; betwist.
**litispenden'tie** [v. Lat. *lis, litis,* en *pendére* = hangen, *vgl. péndere* = laten hangen] tijd gedurende welke een rechtsgeding loopt, aanhangige rechtszaak.
**litoraal** [Lat. *litorális,* v. *lit(t)us, lit(t)oris* = strand] de kust betreffend; *zn* kustland; zone tussen lijnen v. hoog en laag water; *litorale fauna,* dierenrijk v. zee tot ± 400 m diepte.
**li'totes** [Gr. *litotés,* v. *litos* = glad, eenvoudig] stijlfiguur waarbij een zaak verkleind wordt om juist de aandacht erop te vestigen (*bijv.*: een niet geringe som gelds = een grote som gelds).
**lits-jumeaux'** [Fr. = tweelingbed] stel bijeen behorende eenpersoonsbedden.
**littera-** *zie* **litera-**.
**liturgie** [v. Gr. *leitourgia* = dienstverrichting voor de staat, dienst; NTGr. dienstverrichting der priesters, e.d.; verm. v. *leoos (laos)* = volk, en *-ergos* = werkend] geheel v. gebruiken en voorschriften betreffende de eredienst, plechtige eredienst. **liturg'** voorganger in eredienst, officiant. **liturgiek'** wetenschap v.d. liturgie. **litur'gisch** [NTGr. *leitourgikos* = dienstbaar] volgens de liturgie, de liturgie betreffend. **liturgist'** [Fr. *liturgiste*] kenner v.d. liturgie.
**li've** [Eng. = levend] (gezegd v. uitzendingen) rechtstreeks. ook gezegd i.v.m. grammofoonplaten waarop een 'live'-optreden v.d. artiest staat.
**li'vre,** afk. Liv. [Fr., v. Lat. *libra* = weegschaal, het gewogene, Romeins pond] **1** Fr. rekenmunt: franc; **2** Eng. rekenmunt: pond sterling.
**li'vre de chevet'** [Fr., v. Lat. *liber* = boek; Fr. *chevet* = hoofdeinde van bed, peluw] lievelingsboek (dat men naar bed gaat).
**livrei'** [Fr. *livrée,* v. *livrer* = in bezit stellen, leveren, overleveren, v. Lat. *liberáre* = vrij maken; *livrée* = *oorspr.*: levering, verschaffing v. kledij aan ondergeschikten] speciale kleding voor mannelijke bedienden.
**lla'no** (*spreek uit:* ljaano) [Sp., v. Lat *planus* = vlak] Zuidamerikaanse boomloze grassteppe. **llane'ro** (*ook:* ljaneero) [Sp.] veehoeder in de llano's.
**loa'fer** [Eng., v. *to loaf* = hier: rondslenteren] bep. lage herenschoen zonder veters, instapschoen, slipper.
**lob** [Eng., v. vero. *lob* = afrastering; *oorspr.*: bal over de afrastering geslagen] **1** (*tennis*) bal hoog over de tegenstander geslagen zonder dat de bal uit gaat; **2** (*voetbal*) bal met een boog over de uitgelopen keeper i.h. doel gewipt.

**lob'by** [Eng., v. MLat. *lobia* = klein (portiers)huisje, v. Germ. *laubja, zie ook* **loge,** *vgl.* Du. *Laube* = prieel; *vgl.* Ned. *loof*] *eig.*: ingangshal, gang; 1 in het Eng. parlement een hal toegankelijk voor het publiek, spec. gebruikt voor gesprekken v. burgers met parlementsleden; **2** in de VS: pol. groep die op de besluiten v.h. Congres en de Senaat invloed probeert uit te oefenen, o.a. door druk op leden daarvan; **3** (*alg.*) poging om de vorming v. belangrijke politieke besluiten te beinvloeden door besprekingen vooraf; *ook:* groep die dergelijke besprekingen voert. **lob'byen** *ww* deelhebben aan een lobby **(2)** of **(3)**; op de vorming van politieke besluiten druk uitoefenen. **lobbyist'** persoon die in een lobby **(2)** of **(3)** volksvertegenwoordigers tracht te bewerken.
**lobotomie'** [v. Gr. *lobos* = (hersen)kwab, en *-tomos* = snede] leukotomie, chirurgische ingreep in voorste hersenkwab om een geestelijke storing te verlichten.
**loca'tie** [Lat. *locatio* = plaatsing; verpachting, v. *locáre, locátum* = plaatsen; verhuren, v. *locus* = plaats] afbakening, afgebakend gebied; plaats, waar filmscènes buiten de studio worden opgenomen. **lo'catief** [Lat. *locatívus*] (Lat. *spraakkunst*) naamval die plaats aangeeft (functie later overgenomen door de *ablativus, z.a.*).
**loch** [Gaelic-woord] smalle zeearm of meer in Schotland.
**lock-out'** [Eng.] uitsluiting v. arbeiders door de werkgever (soms als tegenmaatregel bij staking gebruikt).
**lo'co** [Lat. = *lett.*: op de plaats; van *locus* = plaats] **1** (*muz.*) op de gewone plaats (in plaats v.e. octaaf hoger zoals daarvóór); **2** (*hand.*) ter plaatse aanwezig, of zoals het ter plaatse ligt, d.w.z. bedingt dat de kosten van vervoer voor rekening v.d. koper zijn; *lóco-affaire,* transactie betreffende aanwezige voorraden; *lócoprijs,* prijs bij directe levering; *lócokoop,* plaatskoop, verkoop waarbij de koper de koopwaar tegen betaling ter plaatse onmiddellijk v.d. verkoper in ontvangst neemt en verder zelf voor vervoer moet zorgen; **3** (*med. en apotheek*) *lócopreparaat,* kortweg **lo'co,** geneesmiddel v. nagenoeg dezelfde samenstelling als een merkartikel en daaraan vrijwel gelijkwaardig, maar niet verpakt onder de beschermde merknaam en ook in een andere vorm dan deze; **4** *lóco citáto, lóco allegáto* of *lóco laudáto* (afk. resp. *l.c., l.a., l.l.*) ter aangehaalde plaatse (bij citaten); **5** *lóco sigíllí* afk. *L.S.* op de plaats v. of in plaats v.h. zegel (onder documenten).
**loco-** (*als voorvoegsel*) plaatsvervangend-, waarnemend-, bijv. loco-burgemeester, d.i. eerste wethouder als vervanger v.d. burgemeester bij afwezigheid van deze.
**locomobiel'** [Fr. *locomobile, zie* **mobiel**] stoommachine op wielen die zich kan verplaatsen. **locomo'tie** [v. Lat. *movére, mótum* = bewegen] beweging v.d. ene plaats naar de andere, voortbeweging. **locomotief'** [Fr. *locomotive*] spoorwegvoertuig dat zich over rails kan voortbewegen en bestemd is om andere wagens voort te trekken. **locomo'tor** [*zie* **motor**] gemotoriseerde rangeerlocomotief. **lo'cum te'nens** [Lat.] plaatsvervanger. **lo'cus** [Lat.] plaats; — *clássicus,* klassieke (bewijs)plaats; — *commúnis,* gemeenplaats, afgezaagde uitdrukking.
**loderein'** [verbastering v. Fr. *l'eau de la reine* = het koninginnewater] (*vero.*) spec. soort reukwater.
**loef'zijde** [MNed. *loef* = dol, roeipen; kant waar de riemen zitten] kant van de boot waar de wind op staat. **loe'ven** [afk. v. *loef*] tegen de wind op zeilen; te hoog branden van een lamp.
**loep,** *ook:* **loupe** [Fr. *loupe*] kleiner of groter handvergrootglas in montuur; *een zaak onder de loep nemen,* een zaak nauwkeurig

onderzoeken; *loepzuiver*, (spec. gezegd v. diamant) waarin zelfs met een loep geen onzuiverheden of gebreken te zien zijn.
**loe'ven** *zie bij* **loefzijde.**

**1 log** [*vgl.* Eng. *log* = ruw blok hout, of v. Arab. *lauh*] (*scheepvaart*) apparaat om snelheid v. schip te meten; *logboek*, boek voor aantekeningen v.d. door de log gemeten snelheid; *thans*: verplicht journaal met gegevens over vaart en weer en voorvallen aan boord v. schip of vliegtuig.
**2 log** afk. v. **logaritme.**
**logarit'me** [v. Gr. *logos* = het berekenen, verhouding, en *arithmos* = getal] macht waartoe bep. grondtal verheven moet worden om ander getal te krijgen. Als het grondtal 10 is, zoals bij de gewone of *Briggse logaritmen*, dan is log 100 = 2 (100 = 10²), log 1000 = 3, enz. Voor getallen die geen eenvoudige machten van 10 zijn, is de logaritme een decimale breuk, bijv. log 7 = 0,84510, log 17 = 1,23045. Het cijfer vóór de komma heet de *wijzer* of *index*, de cijfers achter de komma noemt men de *mantisse*. Als grondtal kan men elk willekeurig getal nemen; zo in de hogere wiskunde e = 2,71828. Een dergelijke *Napierse* of *Neperiaanse logaritme* noemt men de *natuurlijke logaritme* (*logarithmus naturalis*, afk. ln).
**lo'ge** [Fr. = *eig*.: kleine hut, v. Germ. *laubja*, MLat. *lobia*; *zie* **lobby**] 1 afgescheiden zitgelegenheid voor enkele personen in theater; 2 vergaderlokaal of afdeling v. vrijmetselaars; 3 kamertje bij de ingang v.e. groot gebouw waar de portier zijn werkzaamheden kan verrichten (portiersloge).
**logea'bel** [Fr. *logeable*] pn geschikt tot bewoning, bewoonbaar. **loge'ren** [Fr. *loger*, v. *loge*] als gast vertoeven; als gast huisvesten. **logé(e)** [Fr.] wie in particulier huis als gast vertoeft. **logement'** [Fr.] eenvoudig en goedkoop hotel. **logies'** [Fr. *logis*] 1 nachtverblijf, gelegenheid om te logeren; onderdak; 2 verblijf voor de bemanning op schip.
**log'ger** [Eng. *lugger*] bep. vissersschip.
**log'gia** (*spreek uit:* loddzjia) [It.] gesloten balkon aan voorgevel of overdekte galerij rond bovenverdieping.
**lo'gica** [MLat., v. Gr. *hè logikè* (*technè*) = (de kunst) v. redenering, v. *logos* = rede] leer omtrent het opstellen v. begripsoordelen en het trekken v. gevolgtrekkingen uit twee bijeenbehorende oordelen, denkleer, leer v.h. juist redeneren.
**-logie** [Lat. *-logia*, v. Gr. *-logia* = -leer, -kunde, v. *logos* = woord, rede, leer, verhandeling, stelsel, v. *legoo* = spreken] achtervoegsel dat betekent: -kunde, -wetenschap, -leer van het in het eerste lid genoemde (*bijv.*: biologie = wetenschappelijke leer v.h. leven; Gr. *bios*). -logie, dat oorspr. alleen achter Gr. woorden werd gevoegd, wordt tegenwoordig als beschouwd als modern achtervoegsel en dan gehaakt aan niet alleen Lat. woorden (bijv. futurologie) maar ook aan moderne woorden zoals ufologie, of spottend: kretologie. De uitgang *-logie* kan soms ook een andere bet. hebben, *bijv.*: *necrologie* = lijst v. overledenen of levensbeschrijving v.e. onlangs overleden persoon; *paralogie* = valse redenering waarmee men zichzelf bedriegt; *aeschrologie*, het uiten v. 'vieze' of ontuchtige woorden; enz. Van de andere kant wordt niet elke wetenschap door de uitgang *-logie* aangeduid, ook bijv. *-nomie* (astronomie) en *-ica* (-*iek*) (mathematica, fonetiek) doen dit.
**logies'** *zie bij* **loge.**
**lo'gisch** [Gr. *logikos* = de *logos* (rede) betreffend] volgens de logica; (*volkstaal*) natuurlijk (*dat is* —, dat spreekt vanzelf).
**logistiek'** v. Gr. *logikè* = redenering, v. *logos* = woord] 1 symbolische logica; 2 (*mil.*) alle voorbereidingen om de troepen zo doeltreffend mogelijk v. materiële behoeften te voorzien.
**1 lo'go** of **lo'gon** [v. Gr. *logos* = woord] woordmerk, kenmerkend vignet op een gebruiksgoed.
**2 lo'go** [v. Gr. *logos* = woord] bep. gebruikersvriendelijke programmeertaal voor de computer, (m.n. voor basisonderwijs).
**logogram'** [v. Gr. *logos* = woord, en *gramma* = het geschrevene, v. *graphoo* = schrijven] bep. teken dat een geheel woord voorstelt (veel gebruikt in kortschrift of stenografie) of een voorstelling die een begrip aanduidt (*vgl.* **pictogram**). **logogrief'** [via Fr. *logogriphe* v. Gr. *griphos* = raadsel] letterraadsel, woordraadsel. **lo'gon** *zie* **logo. logopedie'** [Gr. *paideia* = opvoeding, v. *pais*, *paidos* = kind] onderricht in goed stemgebruik en spreken. **logopedist'** spraakleraar.
**lom'bardrente** [v. It. *lombardo*, MNed. *lombard* = bankier, geldwisselaar, pandjeshuishouder, woekeraar; *zie* **lommerd**] rentetarief waartegen banken geld kunnen opnemen bij de centrale bank.
**lom'bok** [Mal.] Spaanse peper.
**lom'merd** [v. MNed. *lombard* (= *eig*.: inwoner v. Lombardië) naam gegeven aan bankiers, wisselaars en woekeraars, v. It. *Lombardo*; Lombardië naar VLat. *Longobárdi* of *Langobárdi* = bep. volk uit Germanië (met lange hellebaarden?)] bank v. lening, pandhuis.
**lo'ner** [Eng. v. *lone(ly)* = eenzaam] persoon die de eenzaamheid verkiest.
**longaniem'** [VLat. *longánimus*, v. Lat. *longus* = lang, en *animus* = gemoed] lankmoedig. **longanimiteit'** [Vlat. *longanimitas*] lankmoedigheid.
**long'-drink** [Eng. = *lett*.: lange borrel] alcoholische drank met sodawater, tonic (of een up-drank) en blokjes ijs. Een long-drink wordt uit een hoog glas gedronken.
**lon'ge** [Fr.] lange lijn waaraan paarden in een cirkel leren lopen. **longe'ren** het africhten van paarden aan de lijn.
**longitu'de, longitu'do** [Lat.] lengte op aardbol of aan hemel, afstand in graden v. willekeurig aangenomen nulmeridiaan. **longitudinaal'** [Fr. *longitudinal*] in de lengterichting. **long' passing** [Eng.] (*voetbal*) aanval op vijandelijk doel met doorgeven v.d. bal over grote afstanden (*vgl.* **short passing**).
**long'room** [geen Eng. woord; verbastering v. *lounge-room* = longue-kamer, *zie* **lounge**] gemeenschappelijk dagverblijf voor officieren aan boord v. Ned. oorlogsschepen.
**long'stop** [Eng.] (*cricket*) veldman recht achter wicketkeeper, tweede wicketkeeper die ballen moet stoppen die de wicketkeeper mist.
**loog** [*vgl.* ONoors *laug* = badwater, en *laudhr* = zeep; verwant met Lat. *lavare* = wassen, en Gr. *louoo* = wassen] *zie* **base.**
**-loog** [v. Lat. *-logus*, Gr. *-logos*; *zie* **-logie**] beoefenaar v.e. -logie.
**loo'ping** [Eng. *loop* = lus] kunststuk met voertuig (*spec*.: met vliegtuig) waarbij een verticale cirkelbaan doorlopen wordt.
**loquaciteit'** [Lat. *loquácitas*, v. *lóqui* = spreken] praatzucht, babbelzucht.
**lord** [Eng. = meester, heer, v. OEng. *hláford* = *oorspr*.: brood-bewaarder, *vgl.* Eng. *loaf* en *ward*; *zie* **lady**] titel v. bep. Eng. edelman; *lord-mayor*, titel v. burgemeester v. enkele Eng. steden, spec. v. Londen.
**Lo'relei** [v. Germ. stam *lur-* = lokken, *vgl.* Eng. *to lure* = lokken, en Du. *Luder* = lokvogel, lokaas] hoge rots langs de Rijnoever, waarop volgens de sage een vr. watergeest (**nixe**) huist, die door haar gezang de aandacht der schippers trekt zodat de stroom het schip tegen de rots te pletter slaat.
**lorgnet'** [Fr. *lorgnette*, verklw. v. *lorgnon*, v. OFr. *lorgne* = scheel, loens] knijpbril.
**lorgnon'** [Fr.; *zie vorige*] monocle.
**lo'rogeld** [v. It. *loro* = pers.vnw: zij (3e persoon mv) ook in 3e en 4e nv, zowel m als

v: hun, haar; hen, haar; bez.vnw: hun, haar) geld in vreemde valuta dat door cliënt op een bankrekening is geplaatst.

**lor'rie** [Eng. *lorry*] **1** werkwagentje op spoorbaan, voortbewogen door duwen of door voet- of handbewegingen of hefbomen die met de assen verbonden zijn; **2** kipkar.

**lo'rum** [v. MNed. *doliórum*, verbastering v. Lat. **delirium**, *z.a.*]: *in de lorum zijn, eig.*: in feestroes zijn; (*gemeenzaam*) dronken zijn; *ook*: opgewonden zijn, in de war zijn, suf zijn.

**losan'ge** [Fr. = ruit] **1** (*her.*) ruit; **2** (*bouwk.*) ruitvormige plaat als dakbedekking.

**löss** [Du. *Löss*] een vruchtbare fijnkorrelige, geelachtige tot vuilbruine afzetting, die in de grote delen v.d. wereld voorkomt (Europa, delen v.d. VS, China). In Ned. komt löss voor in Zuid-Limburg, in België in daaraan grenzende gebieden. Deze löss is in het algemeen kalkhoudend (tot 15%) afgezet, maar thans in de bovenlaag ontkalkt.

**lou of lau** [v. Hebr. *lo* = niet] (*Barg., volkstaal*), niets, geen. **lou loe'ne** [Hebr. *lou loene* = niet aan ons, wij niets] niets, geen resultaat, mis!

**lotion'** [v. Lat. *lótio, lotiónis* = wassing, v. *lavàre, lautum* of *lotum* = wassen] wassing, *spec.*: haarwassing; reukwater voor waswater.

**lou'che** [Fr., v. Lat. *luscus* = eenogig] loens, scheel; verdacht, onguur (bijv. type).

**loud'speaker** [Eng.] luidspreker.

**louis d'or** [Fr.] bep. Fr. goudmunt (20 franc) van Lodewijk XIII tot XVI.

**loun'ge** [Eng.; *to lounge* = luieren] **1** hal in hotel; **2** ligsofa.

**lou'pe** *zie* **loep**.

**love** (*sport*) niet gescoord, nul punten, spec. bij tennis (missch. verband met *play for love* = spelen voor het genoegen, niet om gewin).

**Low Church** [Eng.] calvinistisch getinte partij in de Anglikaanse Kerk (tegenover de *High Church*), die uiterlijk dichter bij de Katholieke Kerk staat).

**loxodroom'** [v. Gr. *loxos* =schuin, en *dromos* = loop, koers) lijn op het aardoppervlak die de meridianen onder gelijke hoeken snijdt.

**loyaal'** [Fr. *loyal*, v. Lat. *legális*; zie **legaal**] eerlijk, trouw. **loyaliteit** getrouwheid t.o.v. vorst, wet of aangegane verbintenissen.

**lu'bricans** [Lat.] (*med.*) glijmiddel. **lubricant'** [Lat. *lubricans, -ántis* = o.dw van *lubricáre* = glibberig maken] **I** *zn* machinesmeersel; **II** *bn* 'smerig' (v. lectuur), pornografisch. **lubrica'tor** automatische smeerinrichting. **lubriciteit'** [Lat. *lubricitas*] geilheid. **lubriek'** [Fr. *lubrique*] geil, wulps, grof wellustig.

**lu'ce cla'rius** [Lat. = helderder dan het licht (de dag)] zonneklaar.

**lucer'nam o'let** [Lat. = het riekt naar de lamp] het geeft blijk v. moeizame (nachtelijke) studie en mist frisheid.

**luci'de** [Fr., v. Lat. *lúcidus*, v. *lux, lucis* = licht] helder. **luciditeit'** [Fr. *lucidité*] helderheid (spec. v. geest).

**Lu'cifer** [v. Lat. *lux, lúcis* = licht, en *férre* = dragen, brengen; lichtdrager, lichtbrenger, vertaling v. Gr. *phoosphoros* = lichtdrager; *vgl.* **fosfor**] **1** in de Oudheid de naam v.d. morgenster (de planeet Venus); **2** een v.d. namen die in de christelijke traditie voorkomen voor de vorst der duivelen, oorspr. de aanvoerder der opstandige engelen die met zijn volgelingen uit de hemel gestoten werd. (Ons woord *lucifer* heeft dezelfde woordafl., al is deze lucifer niet zozeer een 'lichtdrager', dan wel een 'vuurdrager'.)

**lucratief'** [Lat. *lucrativus*, v. *lucrum* = winst] winstgevend, voordelig. **lu'crum** [Lat.] gewin; *lúcri cáusa*, uit winstbejag.

**luc'tor et emer'go** [Lat. = ik worstel en duik op] ik ontworstel mij aan de golven (devies v. Zeeland).

**lucubre'ren** [Lat. *lucubráre*, v. *lux, lucis* = licht] 's nachts (bij de lamp) studeren of wetenschappelijk schrijven, nachtbraken. **lucubra'tie** [Lat. *lucubrátio*] nachtstudie,

werk daardoor ontstaan.

**lucul'lisch** overdadig weelderig (bijv. van maaltijd) [naar Lucullus, rijk Romeins veldheer, ± 109 — ± 57 v. Chr.].

**ludiek'** [Fr. *ludique*, v. Lat. **Lúdus** = spel] spel betreffend, speels, het karakter v.e. spel hebbend, lichtvoetig.

**lu'es** [Lat. = *eig.*: zich verbreidende vuile vloeistof, besmettelijke ziekte, v. *lúere* = bespoelen] bep. besmettelijke venerische ziekte, syfilis (*z.a.*).

**lugu'ber** [Lat. *lúgubris* = tot de rouw behorend, onheilspellend, v. *lugére* = rouwen, treuren] somber, akelig, naargeestig.

**lui'tenant,** afk. **Lt.** [Fr. *lieutenant*, v. *lieu* = Lat. *locus* = plaats, en *tenír* = Lat. *tenére* = houden] (*mil.*) plaatsvervangend officier (bijv. -kolonel), rang onder kapitein of onder de in tweede deel van samengestelde titels genoemde rang.

**lukratief'** [v. *lucratief*, *z.a.*, misverstaan als 'lukraak'] (*Barg.*) willekeurig.

**lul** [*oorspr.*: buis, pijp] **1** (*plat*) mannelijk lid in rusttand (slap); **2** (*scheldwoord*) onwaardig manspersoon; *de lul zijn*, het slachtoffer zijn; *ook*: er 'bij' zijn (betrapt zijn). **lul'len** [missch. verband met *lallen*]; i.d. volksmond opgevat i.v.m. *lul*] kletsen, zwammen, onzin praten.

**lumbaal'** [v. Lat. *lumbus* = lende] *bn* de lendenen betreffend. **lumbaal'punctie** [*zie* **punctie**] prik tussen twee lendewervels met holle naald om ruggemergsvocht ter onderzoeking op te zuigen. **lumba'go** [Lat. = lendenlamheid] spierpijn in de lendenen, spit.

**lu'men,** *mv* **lu'mina,** afk. **lm** [Lat. *lúmen* = lichtstraling, uit *luc-min, = lux* = licht; *ook*: opening, gat (waar licht door komt)] **1** licht; **2** eenheid v. lichtstroom, nl. de hoeveelheid licht die per tijdseenheid wordt uitgezonden of opgevangen; **3** wijdte v.e. opening v.e. kanaal (inwendige diameter); **4** (*anat.*) holte in een orgaan, spec. de opening (inwendige diameter) v.e. buisvormig orgaan of afvoerkanaal; *lúmen múndi* [Lat. = licht der wereld], eretitel voor sommige grote geleerden. **luminescen'tie** [v. Fr. *luminiscence* = Lat. *lúmen, lúminis* = lichtstraling] lichtuitstraling door voorwerp of stof, die niet uitsluitend het gevolg is v.d. temperatuur daarvan, maar die tot stand komt door toevoer v. energie a.d. elektronen v. de stof of het voorwerp. *Zie ook* **fluorescentie** en **fosforescentie. luminueus'** [Fr. *lumineux*, v. Lat. *luminósus* = vol licht, v. *lúmen, lúminis* = licht, en uitgang *-osus* = vol van, rijk aan] *bn* lichtend, schitterend, helder; *een lumineuze idee*, een prachtig idee; (*iron.*) dwaas idee.

**lump sum** [Eng. v. *lump* = brok, massa] de som ineens, ronde som, het totale bedrag.

**lunair'** [Fr. *lunaire*, v. Lat. *lunáris*, v. *Luna* = maan, uit *lucna*, v. *lux, lucis* = licht] de maan betreffend. **lunambulis'me** [*zie* **ambulant**] het slaapwandelen. **lunambulist'** slaapwandelaar. **luna'rium** inrichting om de beweging der maan rond de aarde aanschouwelijk voor te stellen. **luna'ticus** [Lat.] maanzieke. **luna'tie** tijdsverloop tussen twee opeenvolgende nieuwe manen.

**lunch** [Eng.] tweede ontbijt, broodmaaltijd omstreeks het middaguur, koffiemaal; soms ook uitgebreid met andere koude gerechten. Sommige mensen slaan het ontbijt over en gebruiken later een uitgebreide lunch, die *brunch* wordt genoemd [Eng.; samentrekking v. *breakfast* = ontbijt, en *lunch*]. **lunch'room** [Eng. *room* = kamer], openbare gelegenheid voor het gebruiken v. lunches, broodjes, koffie, thee, gebak e.d. **lun'chen** *ww* [Eng. *to lunch*] de lunch gebruiken, koffiemaaltijd houden.

**lunet'** [Fr. *lunette* v. *lune* = Lat. *luna* = maan, wegens vorm] **1** oogglas; oogklep; **2** (*mil.*) losstaand halvemaanvorming bastion-achtig verdedigingswerk (van achteren open); **3**

(*bouwk.*) halfronde vorm. **luniform'** [v. Lat. *forma* = vorm] maansikkel-vormig.

**Lusita'nia** [Lat. = het Land der Lusitáni] st. naam voor Portugal. **lusitanist'** kenner v.d. Portugese taal- en letterkunde en v.d. Port. cultuur.

**lus'ter** [Fr. *lustre*, v. Lat. *lustráre* = zoenoffer brengen, reinigen, helder maken, verlichten; *vgl.* Ned. *luister*; v. stam *lu-* = wassen (Gr. *louoo*, Lat. *lúere* en *laváre*) niet v. *lux*, = licht] luchter in vorm v. hangende kroon. **lus'tre** bep. dunne glanzende stof met weerschijn (bijv. voor zomerjassen).

**lus'trum** [Lat. = zoenoffer na de vijfjaarlijkse census] (viering van) vijfjarig tijdperk in het bestaan v. bijv. universiteit of bedrijf.

**Lute'tium** chem. element, symbool Lu, zeldzame aarde, ranggetal 71, het laatste der *lanthaniden, z.a.*

**lutheraan'** aanhanger v.d. leer v. Luther [Martin Luther, Du. godsdiensthervormer, 1483-1546]. **lu'thers** volgens de leer v. Luther.

**lux,** afk. **Ix** [Lat.] (*nat.*) eenheid v. verlichting (1 lumen per m²); — *múndi,* licht der wereld; — *perpétua,* het eeuwige licht.

**lu'xe, lu'xus** [Lat. *luxus* = dartelheid, weelde] weelde. **luxueus'** [Fr. *luxueux*] weelderig.

**luxe'ren** [Lat. *luxáre, -átum* = verzwikken, v. *luxus* = verrekt, v. Gr. *loxos* = zijwaarts gebogen; *zie* **loxodroom**] verstuiken, ontwrichten (v. lichaamsgewricht).

**luxu'ria** [Lat.] wulpsheid, ontucht. **luxurieus'** [Fr. *luxurieux*, Lat. *luxuriósus*] wulps, ontuchtig.

**lyce'um** [Lat., v. Gr. *Lukeion,* tuin waar Aristoteles doceerde, nabij de tempel v. Apollo Lukeios] middelbare school met gymnasium, atheneum en HAVO; (*Belg.*) soort middelbare meisjesschool. **lyceïst'(e)** leerling(e) van een lyceum.

**lyddiet'** een krachtig ontploffingsmiddel, best. uit pikrinezuur of 2.4.6 - trinitrofenol $C_6H_2(OH)\,(NO_2)_3$ [naar de plaats Lydd in Kent, Engeland].

**lym'fe** [Lat. *lympha* of *limpha* = helder water, missch. verwant met *límpidus; zie* **limpide**] vocht tussen alle dierlijke weefsels, gedeeltelijk door speciale kanalen stromend, drager v. voedingsstoffen. **lymfa'tisch** de lymfe betreffend; — *temperament,* lichaamsconditie met gering weerstandsvermogen. **lymfocyt'** [v. Gr. *kuton* = holte, vat, urn] lymfecel, lichaampje voorkomend in lymfe (en bloed).

**lyn'chen** [Eng.-Am. *to lynch*; *oorspr.*: Lynch's *law* = lynchwet, in verband gebracht (ten onrechte) met Charles Lynch, vrederechter in Virginia, 1782 veroordeeld wegens onwettig straffen] terechtstellen of lijfelijk straffen door volk zonder gerechtelijk onderzoek.

**lyriek'** [Lat. *lýricus,* Gr. *lurikos* = tot de lier (*lura*) behorend] (leer v.d.) lyrische taalkunst, al of niet dichterlijke uiting v.h. gevoel. **ly'risch** [als vorige] met uitdrukking v.h. gevoel in taal (*vgl.* **episch**).

**-ly'se** [v. Gr. *lusis* = losmaking, v. *luoo* = losbinden] uitgang die aangeeft dat er een ontbinding of oplossing plaats heeft, *bijv.*: *hemolyse,* abnormale afbraak van rode bloedcellen; *vgl. verder analyse, dialyse.*

**lyserg(ine) zuurdiëthylami'de,** *ook* **lysergi'de** of **delysi'de** genoemd, afk. LSD-25, een chem. verbinding bestaande uit lysergzuur (lyserginezuur), een alkaloïde v. moederkoren, waaraan langs synthetische weg een diëthylamidegroep is gekoppeld. De stof heeft een sterk hallucinogene werking.

**lysol'** [v. Gr. *lusis* = losmaking, v. *luoo* = losbinden] een vloeibaar ontsmettingsmiddel dat ontstaat door kresolen te emulgeren in een zeepoplossing van kaliumlinolaat (het kaliumzout van lijnoliezuur = linolzuur). Lysol bevat 50% kresolen. Met water verdund ontstaat *lysolwater,* een sterk desinfecterend middel.

**maar** [Du. *Maar*] kratermeer.

**maar'schalk** [Fr. *maréchal,* v. OFr. *mareschal,* v. Frankisch *mariscalcus,* v. OHDu. *marahscalh,* v. OGerm. *marhoz* = paard (*vgl.* Ned. *merrie*) en *skalkoz* = knecht] (*oorspr.*: knecht v. paardenstal); **1** hoogste opziener v. hofhouding; **2** (*mil.*) bep. rang bij de opperofficieren.

**maart** [v. Lat. *Mártius* (*ménsis*) = (maand) van Mars, de oorlogsgod] 3e maand van h. jaar; bij de Romeinen 1e.

**maca'ber** [Fr. *macabre,* missch. verbastering v. OFr. *Macabé = Macchabée,* missch. naam v.e. schilder] griezelig; *danse macabre,* voorstelling v. dodendans op kerkhofmuren.

**macadam'weg** weg die verhard is door een of meer lagen steenslag, vermengd met leemzand of asfalt, en meestal voorzien v. laagje fijnere steenslag als afdekking, of v.e. slijtlaag v. asfaltbeton [naar de uitvinder John Loudon Mac Adam, Schots ingenieur, 1756-1836]. **macadamise'ren** een weg o.d wijze van Mac Adam verharden.

**macaron'** [Fr.] *zie* **makaron**.

**macedoi'ne** [Fr. *macédoine* = Macedonisch, naar de vele verschillende volkeren in Macedonië] **1** (*cul.*) gemengde groenten in saus warm opgediend; *of*: gemengde vruchten in dobbelsteentjes gesneden en koud opgediend; **2** (*lit.*) letterkundig mengelwerk.

**macere'ren** [Fr. *macérer,* Lat. *maceráre* = in de week zetten, weken] (*cul.*) drenken, trekken, marineren.

**mache'te** [Sp.] lang, enigszins gekromd mes in Zuid-Amerika gebruikt als kapmes en tevens als wapen.

**machiavellis'me 1** stelsel dat een krachtig bestuur v.d. vorst met onbeperkte macht voorstaat, met gebruikmaking v. alle middelen die voor het staatsbelang nodig zijn; **2** politiek handelen dat door zuiver eigenbelang is ingegeven en door gewetenloos opportunisme wordt gekenmerkt, waarbij het doel de middelen heiligt [naar Niccolò Machiavelli, It. historicus en staatsman, 1469-1527]. **machiavellis'tisch** *bn* & *bw* **1** volgens de leer v. Machiavelli; **2** gewetenloos, sluw en arglistig in de politiek.

**machi'ne** [Fr., v. Lat. *máchina,* v. Gr. *mèchanè,* v. *méchos* = werktuigkundig toestel] samengesteld werktuig of toestel om bep. zaak voort te brengen of om bep. handeling te doen verrichten (bijv. naaimachine) of om beweging voort te brengen (stoommachine e.d.). **machinaal** [Lat. *machinális* = de werktuigen betreffend] door of met machine; werktuigelijk, zonder erbij na te denken uit gewoonte verricht. **machinerie** [Fr.] **1** machine; **2** groep bijeenbehorende machines. **machinist'** [Fr. *machiniste*] wie een machine bedient (uitgezonderd bep. kleinere machines, als bijv. naaimachine). **machine'ren** [Lat. *machinári*] boos sluw plan bedenken en op touw zetten, kuiperijen bedrijven. **machina'tie** netwerk v. sluw bedachte boze plannen, kuiperij.

**ma'cho** [Sp.] **I** *zn* man die zich overdreven mannelijk, stoer en heerszuchtig gedraagt; **II**

*bn* een dergelijk gedrag vertonend.
**machis'mo** [Sp.] overdreven mannelijk gedrag met sterk zelfbewustzijn v. superioriteit boven de vrouw.
**machoch'** of **macho'chel** (*Z.N.*) vette dikke vrouw (*vgl. ook* **pieremachochel**). **machol'** in haar vet schuddende dikke vrouw.
**macis'** [Fr.] (*cul.*) foelie.
**mackin'tosh** [Eng.] bep. waterdicht weefsel; regenmantel v. deze stof [naar patenthouder C. Macintosh, 1766-1843].
**maçon'** [Fr. = metselaar, v. VLat. *macio*, -*iónis*) vrijmetselaar (ook **francmaçon**).
**maçonnerie'** [Fr., voor *francmaçonnerie*) vrijmetselarij. **maçonniek'** [Fr. *maçonnique*) de vrijmetselarij betreffend.
**macramé** [Fr., waarsch. v. Turks *magrama* = handdoek] *oorspr.*: geknoopt kantwerk; *tegenwoordig*: geknoopt handwerk met gebruik v. diverse garens.
**macro-** [v. Gr. *makros* = groot, lang] als eerste lid v. samenstellingen aangevend dat de in het tweede lid genoemde zaak in groot verband wordt beschouwd (tegenover **micro-**).
**macrobiotiek'** [v. Gr. *bios* = leven] kunst om lang te leven [naar titel v.e. boek uit 1796 v.d. Duitse arts C.W. Hufeland, 1762-1836]; thans bep. levens- en voedingsleer gebaseerd op ascese, opgesteld door de Japanner G. Ohsawa. **macrobio'tisch** op de macrobiotiek betrekking hebbend. **macrocefalie'** [v. Gr. *kephalè* = hoofd] abnormale vergroting v.d. schedel. **ma'cro-economie** economie (*z.a.*) die betrekking heeft op grote groepen produktiemiddelen en goederen.
**macrokos'mos** (*ook*: -**cosmos**) [*zie* **kosmos**] **1** de wereld v.h. grote (in de natuurkunde: groter dan atoom); **2** de wereld in het groot (beschouwd als een soort organisme). **macrosco'pisch** [v. Gr. *skopeoo* = rondzien, bekijken] waarneembaar m.h. ongewapende oog (tegenover **microscopisch**).
**ma'cula** [Lat.] vlek, smet; — *coerúlea*, typisch vlekje t.g.v. vlooiebeet. **maculatuur'** [Fr. *maculature*) gevlekt vel gedrukt papier of misdruk (als drukwerk onbruikbaar, meestal gebruikt als pakpapier).
**madam'** [Fr. *madame* = *lett.*: mijn *dame*, v. Lat. *dómina* = meesteres) (*Z.N.*) mevrouw; (*ironisch*) mevrouw (een hele —, een kale —).
**Madon'na** [It. = *lett.*: mijn vrouwe, *donna* v. Lat. *dómina* = meesteres) de Moeder Gods; *madonna*, Mariabeeld.
**madras'** bep. soort weefsel uit zijde en katoen [naar stad Madras in India].
**madrigaal'** [It. *madrigale*, verder afleiding onzeker] klein lyrisch en zinrijk minnedicht; herdersminnedicht; bep. meerstemmig lied.
**maesto'so** [It.; *zie* **majestueus**] (*muz.*) plechtstatig.
**mae'stro** (*uitspr.* maëstro) [It. = meester, v. Lat. *mágister*, *z.a.*] meester in de kunst; vaak in de zin v. leermeester; componist; kapelmeester.
**ma'fia, maf'fia** [Siciliaans] een netwerk van geheime organisaties, dat op Sicilië het economische, sociale en politieke gemeenschapsleven controleert. Vaak gaat dit gepaard met de georganiseerde misdaad: drugshandel, diefstal, moord en smokkel. **mafioos'** op de mafia betrekking hebbend. **mafio'si** mv leden v.e. mafia.
**ma foi** [F. = *lett.*: mijn geloof, mijn trouw) op mijn woord v. eer, waarachtig.
**magazi'ne** [Eng. *oorspr.*: pakhuis, *later* overdrachtelijk: pakhuis v. literatuur] populair tijdschrift, met lichte, onderhoudende lectuur.
**magen'ta** donkerkarmozijne kleurstof.
**magie'** [Fr., v. Lat. *magía* v. Gr. *mageia*, v. *magos*] kunst om geheime natuurkrachten (of geesten) te zijnen nutte aan te wenden, toverkunst. **ma'gisch** [v. Lat. *mágicus*, Gr. *magikos*] op de magie betrekking hebbend; op de wijze v.e. tovenaar; betoverend. **ma'giër** [Lat. *magus*, Gr. *magos*] tovenaar.

**magi'rusladder** mechanisch uitschuifbare ladder [v.h. fabrikaat Magirus]; (*alg.*) uitschuifbare en draaibare brandweerladder, gemonteerd op een wagen.
**magis'ter** [Lat., verwant met *magis* = groter, en *magnus* = groot] (leer)meester; bep. titel (spec. in rk theologische faculteit) voor docent; vroegere academische titel (bijv. *Magister Artium* ook *Artium Magister* afk. *A.M.* = v.d. Vrije Kunsten, *vgl.* Eng. *Master of Arts*, afk. *M.A.*); leider v. kloosternovicen of v. nog niet tot priester gewijde kloosterlingen (fraters). **magistraal'** [Lat. *magistrális* = tot de leermeester behorend] meesterlijk.
**magistraat'** [Lat. *magistrátus*) overheid, *spec.*: stadsbestuur; overheidsambt; overheidspersoon; rechter, **magistratuur'** [Fr. *magistrature*) de gezamenlijke overheidspersonen; overheidsambt; rechterlijke macht.
**mag'ma** [Lat. & Gr. = zalfbezinksel, v. *massoo* = kneden] door hoge temperatuur en hoge druk taai, vloeibaar gesteente onder de buitenste aardkorst.
**magnaat'** [VLat. *magnas*, *magnátis* = groot man, v. Lat. *magnus* = groot; *vgl.* Gr. *megas*] rijksgrote: machtig persoon op industrieel of financieel gebied (bijv. oliemagnaat, geldmagnaat). **magnaniem'** [Lat. *magnánimus*, v. *magnus*, en *ánimus* (*z.a.*) = geest, gemoed] met zielegrootheid, grootmoedig.
**magna'lium** lichte, harde en gemakkelijk te bewerken legering v. aluminium met 12-30% magnesium [naar *magnesium* en *aluminium*].
**magneet'** [v. Lat. (*lápis*) *mágnes*, *magnétis*, v. Gr. *magnès*, *magnetos* (*lithos*) of hè *Magnétis lithos* = de steen v. Magnesia, zeilsteen] **1** oorspr. een bep. ijzererts, *magnetiet* (*z.a.*) **1**, $FeFe_2O_4$, magneetijzersteen (natuurlijke magneet); **2** kunstmatig magnetisch (*z.a.*) gemaakt stuk staal of ijzer (rechte of hoefijzervormige staaf), dat ijzerhoudende lichamen aantrekt; **3** in een verbrandingsmotor een generator die door magneto-elektriciteit de vonk doet ontstaan die het gasmengsel v. lucht en versproeide brandstof tot explosie brengt; vroeger *magneto* genoemd; **4** (*fig.*) een persoon die anderen aantrekt of een zaak die vele personen trekt. **magneet'band** metalen band (*tape of wire*) in een geluidsopname-apparaat (*recorder*), waarop het geluid via magnetische variaties wordt vastgelegd. **magneet'ijzer** magnetisch gemaakt ijzer. **magneet'naald** langwerpig ruitvormige, permanent magnetisch gemaakte stalen naald die vrij kan draaien en die naar de magnetische noord- en zuidpool wijst.
**Magne'sium** [MLat., v. Gr. *magnêsia* = (aarde) v. Magnesia, in de Oudheid het zuidoostelijk deel v. Thessalië] chem. element, zilverwit glanzend metaal, zeer licht (relatieve dichtheid 1,74), symbool Mg, ranggetal 12.
**magnetise'ren** ww [*zie* **magneet**] **1** kunstmatig magnetisch maken (*zie ook* **magneet 2**); **2** de praktijk van *magnetiseur*, *z.a.*, uitoefenen; **3** (*fig.*) een sterke aantrekkingskracht uitoefenen; **4** bezielend werken op. **magne'tisch** *bn* **1** magneetkracht hebbend; **2** v.d. aard v.h. magnetisme, op magnetisme betrekking hebbend; **3** dierlijk magnetisme bezittend of daardoor veroorzaakt; **4** (*fig.*) sterk aantrekkend.
**magnetiseur'** persoon die beweert 'dierlijk magnetisme' te bezitten, d.w.z. dat hij in staat is door handbewegingen en wrijven geheime krachten in het lichaam v.d. patiënt op te wekken en zo zijn kwaal te genezen.
**magnetis'me** verzameling voor de fysische verschijnselen die in verband staan met de invloed die magnetische velden hebben op daarin geplaatste materie. Er *kan* dan magnetisatie optreden, d.w.z. de moleculen v.d. materie krijgen een magnetische dipool.
**magne'to** [Fr. *magnéto*) verouderde term voor **magneet 3**. **magneto-** (in

*samenstellingen)* betrekking hebbend op magnetisme of daardoor veroorzaakt.
**magne'tochemie** [*zie* chemie] studie v.h. magnetisch gedrag v. chemische verbindingen. **magne'to-elektriciteit** elektriciteit opgewekt door een draaiende magneet. **magnetome'ter** [*zie* meter] apparaat voor het meten v.d. sterkte en de richting v. magneetvelden, spec. v.h. magnetisch veld v.d. aarde. **magnetosfeer'** [v. Gr. *sphaira* = bol; *vgl.* atmosfeer] de ruimte rond een hemellichaam dat een magneetveld bezit, waarin dat magnetisch veld voor de eigenschappen v.e. geïoniseerd gas bepalend is.

**magnetron'** elektronenbuis waarin de stroom elektronen door een elektrisch magneetveld loodrecht daarop zodanig beïnvloed wordt, dat er elektrische trillingen (oscillaties) in het gebied v.d. microgolven ontstaan in speciale trilholten. Onder bep. omstandigheden nemen elektronen energie op uit het elektrisch veld, die zij weer afgeven aan de wisselende trilholten, waardoor de oscillatie (trilling) blijft bestaan. **magnetron'oven** oven waarin d.m.v. een magnetron spijzen in zeer korte tijd gaar worden gemaakt.
**magnifiek'** [Lat. *magnificus* = groots, pralend, v. *magnus* = groot] prachtig, luisterrijk. **magnitu'de** afk. m [Lat. *magnitudo* = grootheid] (*astr.*) grootte, d.i. lichtsterkte v.e. hemellichaam.
**mag'num** [Lat.; onzijdig v. *magnus* = groot] dubbelgrote fles voor alcoholische dranken, fles met 2× de inhoud v.e. gewone fles. **mag'num o'pus** zeer groot werk (*zie* opus).
**maharad'ja** [Sanskr. *maha* = groot, en *radja* = vorst] Indisch grootvorst.
**mahat'ma** [Sanskr. *maha* = groot, en *atma* = geest] 1 grote geest; 2 titel in India voor gestudeerde (bijv. mahatma Gandhi).
**Mah'di** [Arab. = hij die goed geleid wordt, v. *hada* = leiden] door de moslims verwachte profeet die het werk v. Mohammed zal voltooien.
**mah'jong** [Chinees = mussen] bep. Chinees gezelschapsspel voor 4 personen.
**maho'nie** [evenals Du. *mahagoni*, Eng. *mahogany* en Fr. *mahagoni*, overgenomen uit een Indianentaal] verzamelnaam voor hout v. div. tropische boomsoorten v. verschillende geslachten v.d. familie Meliaceae.
**mai'den** [Eng. = ongehuwd, maagdelijk, v. OEng. *maegden* = verkleinwoord beantwoordend aan OEng. *maegedh* = maagd] : —*speech*, eerste redevoering, spec. die v. lid v. parlement; —*trip*, eerste reis v. zeeschip; — *Queen* = de maagdelijke koningin), Elisabeth I v. Engeland (1558-1603).
**mail** [Eng., v. OFr. *male* = zak; *vgl.* Fr. *malle* = koffer; v. OHDu. *mahala*] *oorspr.*: valies, brievenzak; *thans*: 1 overzeese postdienst; 2 over zee vervoerde poststukken; *ook*: post in het algemeen (indien per vliegtuig vervoerd; *airmail* = luchtpost); 3 mailboot; *direct mail*, reclame die pers. geadresseerd is. **mai'ling** [Eng.] per post verzonden reclamestukken, (leden)werving per post; *mailing address*, tijdelijk postadres.
**maillot'** [Fr. = tricotkostuum, trui] 1 kostuum v. tricot dat nauw om het lichaam sluit en alle ledematen bedekt; 2 kledingstuk bestaande uit een nauw broekje met lange pijpen die de voeten bedekken (dikke panty).
**maintenee'** [*geen* Fr. woord; *wel* afgeleid v. Fr. *maintenir* = handhaven] concubine (bijzit) door een man op een eigen kamer elders geplaatst en door hem onderhouden.
**mai're** [Fr., v. Lat. *major* = groter; vergrotende trap v. *magnus* = groot] burgemeester in Fr.
**maison'** [Fr. = huis, v. Lat. *mansio*, -*ionis*, v. *manère* = (ver)blijven] huis; ten onzent vaak in namen v. winkels (spec. v. modeartikelen). **maisonnet'te** [Fr. = *lett.*: huisje] woning in flatgebouw waarin de appartementen niet op

dezelfde verdieping liggen, maar over twee verdiepingen zijn verdeeld.
**maître** [Fr., v. Lat. *magister*, *z.a.*] meester, gebieder, baas; — *d'hôtel*, hofmeester, opperkok. **maîtres'se** [Fr.] 1 meesteres; vrouw des huizes; 2 bijzit, minnares.
**ma'jem** [Jidd. = regenwater, v. Hebr. *majim* = water] (*Barg.*) 1 water; *ook*: waterloop; 2 regen. **ma'jemen** 1 regenen; 2 wateren.
**ma'jesteit** [Lat. *majéstas*, v. *majus* = groot, verwant met *magnus* = groot; *zie* maire] statige heerlijkheid, hoogheid; titel v. gekroonde vorsten. **majestueus'** [Fr. *majestueux*] statig verheven, koninklijk, groots (bijv. gebaar).
**majeur'** afk. **maj.** [Fr. = groter, v. Lat. *major*, *zie* maire] (*muz.*) grote-tertstoonsoort (*vgl.* mineur).
**majoor'** afk. **maj.** [v. Lat. *major* = groter; *zie* maire] laagste rang v.d. hoofdofficieren.
**ma'jor** [Lat.] de premisse v.e. syllogisme die de meest algemene stelling bevat (bijv. in het syllogisme: ieder mens is sterfelijk; ik ben een mens; dus ik ben sterfelijk, is het eerste de major, het tweede de minor, het derde de conclusie). **majoraat'** [Fr. *majorat*] uitsluitend erfrecht v. oudste zoon, het aldus toekomende onverdeelde erfdeel.
**majordo'mus, majordo'mo** [v. Lat. *domus* = huis] opperhofmeester, eerste hofbeambte aan wie de regeling der hofhouding (aan pauselijk hof = der audiënties) is opgedragen.
**majore'ren** [Fr. *majorer* = verhogen] (*beursterm*) bij een emissie inschrijven op meer stukken dan men wenst te ontvangen, in de hoop dat bij eventuele overtekening v.d. emissie en toewijzing naar evenredigheid v.d. inschrijving, men toch voldoende stukken verkrijgt. **majoret'te** [quasi-Fr. Am. = *lett.*: majoortje] meisje dat bij muzikale optochten in spec. namaakuniform vooroploopt, met een soort tamboer-majoorstok jongleert, en ook verschillende draaipassen maakt.
**majorise'ren** onderdrukken v.e. minderheid door een meerderheid. **majoriteit'** [Fr. *majorité*] 1 stemmenmeerderheid; 2 meerderjarigheid (dit laatste ook en beter: majorenniteit, v. Lat. *annus* = jaar, *vgl.* minorenniteit). **majus'kel** [Fr. *majuscule*, v. Lat. *majúscula líttera*; *majúsculus* (verklw. v. *majus*) = wat groter] hoofdletter.
**makaron'** of **makron'**, *ook*: **macaron'** [Fr. *macaron*, v. Venetiaans *macarone*] 1 koekje v. meel, eiwit, amandelen en suiker, op een dunne ouwel gebakken; *ook*: bitterkoekje; kokoskoekje; 2 platte haarwrong op de oren.
**ma'ke-up** [Eng. = opmaak] of **maquilla'ge** [Fr.] deel v. gelaatsverzorging dat de verfraaiing v.h. gelaat tot doel heeft, en wel met behulp v. bep. *kosmetica* (*z.a.*).
**mak'ke** [v. Hebr. *makka* = slag, klap, (daardoor veroorzaakt) gebrek] (*Barg.*) slag, klap, gebrek, kwaal, plaag; *éne makke!* (ik mag een kwaal krijgen) als ik dat geloof e.d.!; *geen cent de* (of *te*) *makke* 1 geen cent om uit te geven, straatarm; 2 geen centje pijn, niets a.d. hand.
**Makkabee'ën** *mv* (Gr. *Makkabaíoi*, Lat. *Macchabáei*, waarsch. v. Hebr. *makkaba* = hamer] Joodse vrijheidshelden, later voorsten, die Judea bevrijdden v.d. tirannie v. Antiochus Epiphanes omstreeks 166 v. Chr. e.v. (naar bijnaam v.e. der eersten, Judas, wegens zijn optreden tegen de Syrische overheersing).
**makron'** *zie* makaron.
**malacologie'** [v. Gr. *malakos* = week; *zie* -logie] weekdierkunde.
**ma'la fi'de** [Lat.] te kwader trouw.
**malai'se** [Fr., v. *mal*, en Lat. *male bw* = slecht, en Fr. *aise* = aangename toestand] 1 slapheid v. lichaamstoestand; 2 (*econ.*) toestand van lage conjunctuur.
**mal-à-propos'** [Fr.] I *bw* op ongeschikt moment, te onpas; II *zn* misverstand.
**mala'ria** [It., samengetrokken uit *mala aria* = *lett.*: slechte lucht, v. Lat. *málus* = slecht; *zie* verder air] en infectieziekte (thans vnl. in de tropen), die wordt veroorzaakt door eencellige

bloedparasieten v.h. geslacht *Plasmodium* en overgebracht door de malariamug. De ziekte wordt gekenmerkt door hevige koortsaanvallen.

**mal à son'se** [Fr.] slecht op zijn gemak.

**malaxeur'** [Fr., v. *malaxer* = kneden; mengen] **1** (*techn.*) kneedmachine; **2** (*techn.*) mengmachine; mengmolen voor cement; **3** (*suikerindustrie*) koeltrog om het suikerkooksel af te koelen voordat het wordt gecentrifugeerd.

**malcontent'** [Fr. *mal*, Lat. *male bw* = slecht] ontevreden.

**maledic'tie** [Lat. *maledictio*, v. *maledícere*, *-dictum* = kwaad-spreken, schelden] vervloeking, verwensing; *ook*: kwaadsprekerij.

**malefi'cia** [Lat. *mv* v. *maleficium*, v. *malefácere* = kwaad doen) (volgens oud volksgeloof) boze betovering ( ziekte, misoogst e.d.).

**malen'ger** *zie* **malinger**.

**malentendu'** [Fr. = *lett.*: verkeerd begrepen, v. *mal* = Lat. *male bw* = slecht] misverstand.

**malheur'** [Fr. = tegengestelde v. **bonheur**, *z.a.*] ongeluk, pech; gebrek.

**malicieus'** [Fr. *malicieux*, v. Lat. *malitiósus* = schelms, arglistig, v. *malítia* = slechtheid, arglist] kwaadaardig; ondeugend.

**ma'lie** (*gesch.*) kolfhamer, houten kolf bij kolfspel; —*baan*, veld voor kolfspel.

**ma'liënkolder** (*gesch.*) harnas v. weefsel met ingevlochten ijzeren ringen (maliën).

**malig'ne** [Fr., v. Lat. *malignus*, v. *malus* = slecht, en *génere*, oude vorm v. *gígnere* = voortbrengen] kwaadaardig (bijv. ziekte, gezwel).

**malin'ger** *ook* **malen'ger**, [v. Fr. *malingre* = zwak, sukkelend] simulant (iem. die zich ziek houdt); *ook*: lijntrekker.

**mal'leus** [Lat. = hamer] kwade droes (veeziekte).

**malloot'** [v. Fr. dialect *mâlot* of *mâlaud* = jongensachtig wild meisje, v. Fr. *mâle*, Lat. *másculus* = mannelijk; volgens anderen v. Fr. dialect *malot* = wesp, hommel, wild gonzend insekt] malle vent, kwast.

**Malm** [Eng. *malm* = bep. zachte kalksteen], *ook* **Witte Jura** (*geol.*) **1** de jongste serie v.d. Jura (*z.a.*), na Dogger en Lias. Het Malm duurde v. ca. 150 tot 135 milj. jaren geleden; **2** afzettingen in die tijd gevormd.

**malo'cchio** (*uitspr.*: malókkio) [It.] het boze oog (volgens het volksgeloof eigenschap v. sommige personen om door hun blik onheil te berokkenen).

**Malte'zer I** *bn* van Malta; **II** *zn* inwoner v. Malta; —*ridder*, ridder v.d. katholieke tak der Johannieters.

**malthusianis'me** leer dat het bevolkingsaantal sneller zou toenemen dan de produktie, zodat het aantal geboorten beperkt dient te worden [naar Thomas Robert Malthus, Eng. economist. 1766-1834].

**malto'se** [Fr., v. *malt* = mout; zie **-ose 2**] moutsuiker, een disaccharide opgebouwd uit twee aan elkaar gekoppelde glucosemoleculen.

**maltraite'ren** [Fr. *maltraiter*, v. *mal*, Lat. *male bw* = slecht, en *traiter*, Lat. *tractáre* = slepen, beroeren, behandelen, frequentatief v. *tráhere*, *tráctum* = trekken) slecht behandelen, mishandelen.

**malverse'ren** [Fr. *malverser*, v. Lat. *versári* = heen en weer gedraaid worden, zich ophouden, zich gedragen, frequentatief v. *vértere*, *vérsum* = wenden] malversatie plegen. **malversa'tie** [Fr. *malversation*] oneerlijkheid in zijn functie.

**mal've** [zie **mauve**] lichtpaars.

**mam'bo** [v. Sp.] bep. dans in 2/4 of 4/4 maat, afkomstig v. Cuba.

**mam'ma**, *mv* **mam'mae** [Lat.] **1** (*anat.*) melkklier; **2** (*med.*) vrouwenborst.

**mam'macarcinoom** [zie **carcinoom**] borstkanker. **Mamma'lia** *mv* [v. Lat. *mammális* = tot de borsten behorend) de klasse der Zoogdieren. **mammalogie'** [zie

-**logie**; onjuist gevormd uit Lat. *mamma* en Gr. *-logia* = kennis; beter **thereologie'**, v. Gr. *thér* = wild dier) zoogdierkunde. **mammaloog'** beoefenaar v.d. mammalogie.

**mammeluk'** [v. Arab. *mamluk* = slaaf, v. *malaka* = bezitten] mohammedaans opgevoede slaaf uit christenouders; *overdrachtelijk*: geloofsverzaker.

**mammografie'** [v. Lat. *mamma*, *z.a.*, en Gr. *graphoo* = schrijven) röntgenonderzoek v.d. vrouwenborst.

**mam'mon** (Aramees) de god v.h. geld; aards bezit, rijkdommen (*zie* Matt. 6 : 24 en Luc. 16 : 9-13)

**mam'sel** [v. Fr. *mademoiselle*] (*Z.N.*) juffer.

**ma'na** [Melanesisch woord] speciale buitenmenselijk geachte toverkracht.

**ma'nager** [Eng., v. It. *maneggiare* = hanteren, v. VLat. *manidiare*, v. Lat. *manus* = hand] zakelijk leider, directeur, chef, bestuurder; *ook*: administrateur; *ook*: zakelijk leider die voor een uitvoerend kunstenaar contracten, toernees e.d. regelt. **ma'nagersziekte** [Eng. *managers' disease*] bep. ziekteverschijnselen, spec. v. kransslagaderen en hart, die vooral zouden voorkomen bij managers v. grote bedrijven t.g.v. de grote spanningen waaronder zij werken. **ma'nagement** [Eng.] **1** het bestuur v.e. organisatie of onderneming, spec. v.e. grote; **2** het besturen, het leiding geven en de leer daarvan.

**mana'ti** *zie* **lamantijn**.

**man'che** [Fr. = mouw, v. VLat. *mánica*, v. Lat. *manus* = hand] deel-partij bij bep. spelen of wedstrijden; (*bridge*) halve robber.

**man'chester** bep. soort katoenfluweel met ribbels [naar de stad Manchester].

**manchet'** [Fr. *manchette*, v. *manche z.a.*] **1** verlengstuk v.e. blouse- of hemdsmouw; **2** smalle strook bedrukt papier om de stofomslag of de band van een boek; **3** verbindingsstuk tussen pijpen, meestal v. rubber, voor lucht- of waterdichte afsluiting; **4** omhulsel v. papier of v.e. andere stof voor de onderkant v. bloemboeketten; **5** schuimkraag op bier.

**manchon'** [Fr.] (*cul.*) papieren manchet voor het vasthouden v. vogelpoten e.d.

**man'co** [It.; *zie* **mankeren**] tekort (ook in hoeveelheid), gebrek.

**mandaat'** [Lat. *mandátum*, v. *mandáre*, *-átum* = overdragen, toevertrouwen, bevelen, v. *manus* = hand, en *dáre* = geven) bevel, volmacht; bevel tot uitbetaling; toezicht op bep. gebied aan bep. mogendheid opgedragen door Volkenbond. **mandant'** [Lat. *mándans*, *-ántis* = o.dw] lastgever. **mandata'ris** [Lat. *mandatárius*] wie een mandaat heeft, gevolmachtigde.

**mandarijn'** [v. Port. *mandarin* = bep. hoge ambtenaar in het vroegere Voor-Indië, v. Tamil *mandiri*, v. Sanskr. *mantri* = raadsman] (*gesch.*) bep. hoge staatsdienaar in het keizerlijk China. Deze mandarijnen vormden een invloedrijke elitegroep, die ook in tijden dat China door vreemde dynastieën werd geregeerd, zorgden voor de voortzetting van de Chinese traditie. Later vervielen zij tot bureaucratie, waardoor in het Westen de term mandarijn synoniem werd met 'in traditie verstarde intellectueel', 'bureaucraat'.

**mandement'** [Fr.] instructie-schrijven v.d. bisschop(pen) spec. met betrekking tot sociaal-politieke vraagstukken in zoverre deze met de religie samenhangen.

**mandi'bel** [VLat. *mandíbula* = kinnebak; *vgl. mándere* = kauwen) kaak, spec. onderkaak (bij zoogdieren en vissen), bep. monddeel v. insekten.

**man'diën** [Ind.] douchen door bakken water over zich heen te scheppen.

**mandor'la** [It. = amandel] amandelvormige nimbus om gehele afbeelding van Christus of Maria.

**mane'ge** [Fr. *manège*; *zie* **manager**] rijschoolbaan voor paardrijden.

**maneu'ver, maneuvre'ren** *zie* **manoeuvre**.

**manoeuvreren**.
**Manga'nium**, in het Ned. **Mangaan'** [*oorspr. manganésium*, Fr. *manganèse*, verbastering v. magnesia. Daar de naam Manganesium groot gevaar voor verwarring met Magnesium opleverde, heeft men hem veranderd in Manganium] chem. element, metaal, symbool Mn, ranggetal 25.

**1 man'gel** [v. VLat. *mango, mangonis* = oorlogstuig om stenen te slingeren, v. Gr. *magganon*] toestel met twee of meer draaiende cilinders waartussen wasgoed wordt uitgeperst en glad gestreken. **man'gelen** *ww*.

**2 man'gel** [Du. *Mangel*] gebrek (*bijv.*: mangel aan geld hebben). **man'gelen** [Du. *mangeln*] gebrek aan iets hebben (*bijv.*: het mangelt hem aan gezond verstand).

**mangro've** [v. Mal. *manggi-manggi* = wortelboom, en Eng. *grove* = bos] of *vloedbos*, bostype aan tropische en subtropische kusten op beschutte slibrijke plaatsen in de getijdenzone.

**mani'a** [Gr. = razernij, waanzin] waanzin betreffende één bep. punt. **maniak'** [VLat. *maniacus*] persoon die aan een *manie* (*z.a.*) lijdt; ook verzwakt tot: dol liefhebber. **maniakaal'** op de wijze v.e. maniak.

**manicheïs'me** leer v. bep. christelijk-ketterse sekte (3e-5e eeuw) v. Perzische oorsprong, die de duivel als mede-eeuwig kwaad Beginsel en Schepper naast God als Goed Beginsel stelde [naar stichter Manes, naam in VLat. *Manichaeus*, Gr. *Manichaios*]. **manichee'ër 1** aanhanger v.h. manicheïsme; **2** (*spottend*) manend schuldeiser (woordspeling met *manen*).

**manicu're** [Fr., v. Lat. *manus* = hand, en *cura* = zorg] persoon die handen en nagels verzorgt; gereedschap daartoe; deze verzorging zelf. **manicu'ren** *ww*.

**manie'** (*niet* ma'nie) [*zie* mania] overdreven, ziekelijke zucht tot iets (*bijv.*: kleptomanie = ziekelijke zucht tot stelen; pyromanie = ziekelijke zucht tot brandstichten; megalomanie = grootheidswaan, enz.; *ook*: grote voorliefde tot iets (zonder ziekelijke neiging). **ma'nisch** *bn* van de aard v.e. manie; aan een manie lijdend; overdreven (ziekelijk) opgewekt; *manisch-depressief*, geestesziekte waarbij afwisselend zeer opgewekte en zeer neerslachtige buien optreden.

**manier'** [Fr. *manière*, v. Lat. *manus* = hand] wijze v. doen of handelen; gebruik, gewoonte; manieren, wijze v. zich te gedragen. **maniëris'me** [Fr. *maniérisme*] gekunsteldheid, spec. in kunststijl, bep. kunstrichting.

**manifest'** [Fr. *maniféstus* = eig.: met de hand aangestoten, handtastelijk, v. *manus* = hand, en *féndere* = stoten] **I** *bn* duidelijk, voor het grijpen liggend; **II** *zn* **1** bekendmaking, spec. een v. overheid betreffende staatszaak; **2** door douane gemerkte vrachtlijst. **manifeste'ren** [Lat. *manifestáre, -átum*] openbaren, uiten; een betoging houden. **manifesta'tie** [Lat. *manifestátio*] bekendmaking, spec. v. een gevoelen of plan; betoging in het openbaar. **manifestant'** [Lat. *maniféstans, -ántis* = o.dw] wie aan een betoging deelneemt.

**1 mani'pel** [Lat. *manipulus* = *lett*.: handvol, v. *mánus* = hand, en *plére* = vullen) (*gesch.*) bep. infanterie legerafdeling (nominaal 200 man) bij de Romeinen, bestaande uit 2 *centuriae* (100 man).

**2 mani'pel** [Lat. *manipulus* = *ook*: handdoekje, (*rk*) dubbelgevouwen strook stof die gedurende de mis om de linkeronderarm bevestigd gedragen wordt door de priester.

**manipule'ren** [Fr. *manipuler*] behandelen; handelen met (een voorwerp); manipulatie (*z.a.*) toepassen; door kunstgrepen in een bep. richting drijven; bedrieglijke kunstgrepen aanwenden. **manipula'tie** [Fr. *manipulation*] kunstmatige behandeling; wijze v. handelen; (toepassing v.) handgreep, kunstgreep, vaak

in ongunstige zin: slinkse kunstgreep waarmee men iemand of iets naar zijn hand zet, spec. listige handelingen betreffende geldzaken. **ma'nisch** *zie* bij **manie**.

**manis'me** [v. Lat. *manes* (v. OLat. *manus* goed) = zielen der afgestorvenen, als godheden vereerd] verering v. voorouders (bij primitieve volken).

**manke'ren** [Fr. *manquer*, v. It. *mancare*, v. Lat. *mancus* = verminkt, mank, gebrekkig] ontbreken, in gebreke blijven; missen, schelen (wat mankeert je?). **mankement'** [Fr. *manquement*] gebrek, fout.

**man'na** [VLat., volgens de etymologie v.d Bijbel v. Hebr. *man-hoe?* = wat is dat? Waarschijnlijker is de woordafleiding v. Arab. *mann*, een suikerachtig sap v.e. bep. struik] **1** de spijs die door God aan de Israëlieten gedurende hun 40-jarige woestijntocht dagelijks gegeven werd; **2** (*fig.*) Avondmaal, Eucharistie, het ware Brood uit de Hemel, dat Jezus zelf is; **3** manna is ook de naam van het ingedroogde zoete sap van de *manna*-es of *pluim-es* (*Fraximus ornis*).

**mannequin'** [Fr., v. Ned. *manneke*, verklw. v. *man*] ledepop, juffrouw in dienst v. modehuis belast met het tonen v. modellen aan haar eigen lichaam.

**ma'no de'stra** [It., v. Lat. *mánus déxtera* = rechterhand] (*muz.*) met de rechterhand. **ma'no sini'stra** [It., v. Lat. *sinister* = links] (*muz.*) met de linkerhand.

**manoir'** [Fr., v. Lat. *manére* = verblijven; *vgl.* Eng. *manor*] huis v.e. landjonker, een landhuis v. enige omvang met bijbehorende grond en agrarische gebouwen.

**manoeuvre**, *ook*: **maneu'ver** [Fr. *manoeuvre*, v. *manoeuvrer*, v. VLat. *manoperáre* = Lat. *mánu operári* = met de hand werken, v. *mánus* = hand, en *ópus, óperis* = werk] **1** handgreep, handeling, spec. bij het besturen v. voer- en vaartuigen e.d. (*bijv.*: inhaalmanoeuvre); wending daarbij (*bijv.*: een onverwachte manoeuvre); **2** (*mil.*) oefening te velde in het groot; **3** slinkse handelwijze, listige streek. **manoeuvre'ren** *ww* [Fr. *manoeuvrer*], *ook*: **maneuvre'ren 1** hand- of kunstgrepen uitvoeren, besturingshandelingen v.e. voer- of vaartuig uitvoeren (bijv. een auto door het verkeer—); *ook fig.*: zich in een gunstige positie—; **2** (*mil.*) gevechtsoefeningen op grote schaal houden; **3** bewegingen maken met een voorwerp (*bijv.*: gevaarlijk met een mes—); **4** (*fig.*) bewerkstelligen door draaierijen.

**ma'nometer** [v. Gr. *manos* = dun; in de moderne fysica betekent *mano*- 'druk'; *zie* **meter**] toestel om de druk v.e. gas te meten.

**man'-power** [Eng.] mankracht, arbeidskracht; sterkte v.e. leger wat betreft de valide strijdkrachten.

**mansar'dedak** gebroken dak, d.i. dak met een enigszins steil bovendeel en steil benedenstuk [naar François Mansard, Fr. architect, 1598-1666]. **mansar'de** zolderkamer(tje), spec. onder mansardedak.

**man'ser** [waarsch. v. Jidd. *mono* = aandeel, v. Hebr. *maneh* = munt; *vgl.* Du. *Mansch machen* = fooien ophalen) (*Barg.*) helper v. straatmuzikant of liereman (orgeldraaier) die met een geldbakje de fooien (de *mans*) ophaalt.

**-mantie'** (v. Gr. *manteia*) als tweede lid v. samenstellingen: waarzeggerij uit het in het eerste lid genoemde, *bijv.*: chiromantie, waarzeggerij uit de lijnen v.d. binnenkant v.d. hand. **mantiek'** waarzeggerij.

**mantil'le** [Fr., v. Sp. *mantilla*, verklw. v. *manta* = mantel, v. VLat. *mantéllum* = dekmantel] mouwloos manteltje van kostbare stof.

**mantis'se** [Lat. *mantissa* = toegiftje] het decimale deel v.e. logaritme.

**ma'nu** [Lat. = 6e nv van *mánus* = hand] met de hand, door de hand. **manuaal'** [Lat. *manuállis* = *eig.*: wat met de hand (*manus*) gevat kan worden] **1** handbeweging; **2**

handgreep; **3** dagregister, dagboek; **4** toetsenbord van orgel. **ma'nu ami'ci** door vriendenhand bezorgd (bijv. een brief). **ma'nu bre'vi** [Lat. = *lett.*: met korte hand] zonder omhaal, kortweg. **manueel'** [v. Fr. *manuelle* = hand-, v. Lat. *manus* = hand] met de hand. **manue'le therapie'** bep. vorm van massage. **ma'nu pro'pria**, afk. **M.P.** [Lat. = met eigen hand] eigenhandig.

**manufactu'ren** *mv* [v. Fr. *manufacture* = fabriek, v. Lat. *manu* = met de hand, en *fácere*, *factum* = maken; *factúra* = de vervaardiging] textielgoederen, spec. stoffen v. linnen, katoen, zijde of wol. **manufacturier'** [Fr. = fabrikant] wie manufacturen verhandelt. **manumis'sie** [Lat. *manumissio*, v. *manu* = met de hand, en *míttere*, *missum* = zenden] vrijlating (v. slaaf). **manuscript'**, afk. **MS** of **ms**, MMS = manuscripten [v. Lat. *scríbere*, *scriptum* = schrijven] handschrift (van te drukken boek).

**maoïs'me** communistische leer v.d. voormalige Chinese partijleider Mao Zedong. **maquet'te** [Fr., v. It. *macchietta* = 1 vlekje, 2 schets; verkleinwoord v. *macchia* = 1 vlek, 2 schets, 3 kreupelhout; v. Lat. *mácula* = vlek] plastisch model op kleine schaal v. (nog uit te voeren) beeldhouwwerken, gebouwen e.d. **maquilla'ge** [Fr. = *eig.*: vermomming, v. *maquiller*, oorspr. een argotwoord] (*zie* **make-up**).

**maquis** [Fr., v. It. *macchia* = vlek, kreupelhout; *zie* **maquette**] verzetsbeweging in Frankrijk in de Tweede Wereldoorlog. **maraboet'** [v. Arab. *murabit*] mohammedaans kluizenaar of monnik, spec. in Noord-Afrika. **maras'mus** [v. Gr. *marainoo* = doen wegkwijnen] een ernstige voedingsziekte (vooral bij kinderen, maar niet uitsluitend) veroorzaakt door tekort aan eiwitten (zoals bij *kwashiorkor*, *z.a.*) en bovendien een tekort aan calorieën (bijv. v. koolhydraten). Meestal komen beide ziekten in een of andere gemengde vorm samen voor. **ma'rathon**, juister *marathonloop*, hardloop over een afstand 42,195 km. De marathonloop dankt zijn naam aan het verhaal, dat na de slag v. Marathon in sept. 490 v. Chr. tussen de Atheners en de Perzen die door de Atheners werd gewonnen, de bode Philippides in ijltempo naar Athene liep om de zege te melden. (Noch de juiste afstand noch het parcours dat deze bode gelopen zou hebben staat vast.) **ma'rathon**- als eerste lid v. samenstellingen betekent dat het in het tweede lid genoemde zeer langdurig en afmattend is, bijv. *marathonvergadering*. **-ma'rathon** als tweede lid v. samenstellingen dient om een langdurige activiteit aan te geven, bijv.: *t.v.-marathon*, langdurige televisie-uitzending v.e. bep. gebeurtenis. **maraudeur'** [Fr., v. OFr. *maraud* = slecht sujet] 1 plunderaar; **2** stroper. **marc** [Fr. = droesem] alcoholische drank verkregen door schillen en pitten die na het druivenpersen zijn overgebleven met water te mengen en te laten gisten, en het aldus ontstane vocht te distilleren (ca. 45% alcohol). **marcassin'** [Fr.] (*cul.*) wild zwijn. **marca'to** [It.] (*muz.*) met bijzondere nadruk, gemarkeerd. **marchande'ren** [Fr. *marchander*, v. *marchand* = koopman, v. VLat. *mercatans*, o.de VLat. *mercatári*, v. Lat. *mercári*, v. *merx*, *mercis* = koopwaar] oorspr.: handel drijven; schipperen, loven en bieden. **marche'ren** [v. Fr. *marcher* = *eig.*: lopen] 1 in een bep. pas lopen, spec. v. groep personen, met name soldaten; **2** te voet gaan; **3** (*fig.*) vorderen, vooruitgaan (bijv. v.e. zaak); **4** (*cul.*) in bereiding nemen. **mar'che triompha'le** [Fr.] (*muz.*) triomfmars. **marconist'** radiotelegrafist [naar G. Marconi, It. uitvinder v.d. draadloze telegrafie,

1874-1937]. **marcotte'ren** [Fr. *marcotter*] planten afleggen. **ma're**; *mv* **ma'ria** (niet mari'a) [Lat.] **1** zee; **2** vlakte op de maan (vroeger voor zee gehouden); *máre liberum*, de vrije zee. **marechausee'** [Fr. *maréchaussée* = *oorspr.*: rechtsgebied der maarschalken in Fr., politiecorps daarin; vroeger bereden openbare veiligheidsdienst] militaire rijkspolitie; lid daarvan. **marem'me** [It. *maremma*, v. Lat. *marítima* = vr. v. *marítimus* = zich aan de zeekust bevindend, v. *mare* = zee] moeras bij de zeekust. **naren'ne** [Fr.] (*cul.*) bep. soort oester (afwijkend v.d. gewone oester). **ma'retak** [v. *maar* of *mare* (Z.N.) = nachtelijke kwelgeest; *vgl.* nachtmerrie, Fr. *cauchemar*) ook: *mistletoe*, *z.a.*, *mistel* of *vogellijm* geheten] de plant *Viscum álbum* van de Vogellijmfamilie (Loranthàceae). Volgens het volksgeloof weert de maretak de boze geesten die 's nachts het vee kwellen. In Engeland bestaat het gebruik dat een jongen - met Kerstmis althans - een meisje onder de mistletoe mag zoenen.

**margari'ne** [naam afgeleid v. margarinezuur, dat in parelmoerglanzende blaadjes kristalliseert; de oorspr. margarine was eveneens parelmoerglanzend; v. Gr. *margaron* = parel] een boterachtig kunstmatig produkt, waarvan het vet niet afkomstig is v. melk (of op zijn hoogst voor een klein deel). De vetten waaruit margarine bestaat (80-82%), kunnen alle eetbare gezuiverde plantaardige en/of dierlijke vetten en oliën bevatten; in principe is margarine een mengsel v. harde vaste vetten, zachte vetten en vloeibare oliën. Naast de normale margarinesoorten kent men in Ned. sinds 1968 ook *halvarine*. Dit is een margarine-achtig produkt met een vetgehalte van ca. 40%.

**mar'ge** [Lat. *márgo*, *márginis* = rand] onbeschreven of onbedrukte rand v. blad papier; speelruimte; *winstmarge*, verschil tussen kostprijs en verkoopprijs. **marginaal'** [Fr. *marginal*] op de rand; *marginale winst*, zeer kleine winst; *marginaal bedrijf*, bedrijf dat zich juist staande weet te houden. **margina'liën** [modern Lat. *marginália*, onz. mv v. *marginális*] kanttekeningen. **mar'gine** [Lat. = 6e naamval v. *margo*] *in—*, op de marge v.e. blad papier. **margine'ren 1** van een witte rand voorzien; **2** in de marge aantekenen.

**maria'ge** [Fr., v. *marier* = huwen, v. Lat. *maritáre* = uithuwelijken, v. *marítus* = echtgenoot, v. *mas*, *máris* = mannelijk] huwelijk; *mariage à trois*, driehoeksverhouding, huwelijk met drie partners (man, vrouw en minnares of minnaar), (*fig.*) drie samenwerkenden aan bep. project; *mariage d'amour*, huwelijk uit liefde; *mariage de raison*, verstandshuwelijk, huwelijk uit rationele overwegingen. **Marian'ne** [uit *Marie* en *Anne*] verpersoonlijking van de Fr. Republiek. **marien'** [v. Lat. *marínus* = tot de zee behorend, v. *máre*, *máris* = zee] de betrekking hebbend op de zee, in of bij de zee, zee-; *-sedimenten*, afzettingen in zee gevormd; *- transgressie*, uitbreiding van de zee over land. **marifoon'** [v. Lat. *máre*, *máris* = zee, en Gr. *phooné* = stem, geluid] een radiotelefonie-installatie, werkend op korte afstand (max. 40 km) en met korte golflengten, als verbinding van schip tot schip of van schip tot wal in binnenvaart en havens. **marihua'na** [Am., v. Sp.] gedroogde delen v.e. variëteit v.d. hennepplant *Cánnabis satíva* uit de Hennepfamilie (Cannabáceae), als roesverwekkend middel gebruikt, spec. in sigaretten. Marihuana wordt gerekend tot de *soft-drugs* (*zie* **drug**, *vgl.* **hasjiesj**). **marim'ba** [inheems Afrikaans woord] op xylofoon (*z.a.*) gelijkend slaginstrument, bestaande uit een aantal houten platen van verschillende grootte en verschillend afgestemd, en aangeslagen met twee stokken.

**marina'de** [Fr.; *zie* **marineren**; eig. pekel of kruidenazijn] (*cul.*) **1** aromatisch vloeistofmengsel van water, wijn, azijn, olie, zout en allerlei kruiden en specerijen; **2** in marinade gedrenkt vlees (*gemarineerd vlees*).

**mari'ne** [v. Lat. *marínus* = tot de zee behorend, v. *máre*, *máris* = zee] **1** krijgswezen ter zee; **2** oorlogsvloot en bijbehorende vliegtuigen, zeemacht (tegenover landmacht en luchtmacht); **3** (*schilderk.*) zeegezicht, zeestuk; **4** afkorting van marineblauw.

**mari'neblauw I** *bn* donkerblauw; **II** *zn* de bedoelde donkerblauwe kleur.

**marine'ren** *ww* [v. Fr. *mariner* = lett.: vlees of vis inleggen in zout water, v. Lat. *marínus* = de zee (zout water) betreffend, v. *máre*, *máris* = zee] **1** vlees of vis gedurende enige tijd drenken in of doordringen met marinade (*zie* **marinade** 1); **2** vis, groente e.d. inleggen in gekruide azijn of wijn.

**marinier'** [v. MLat. *marinárius*; *zie* **marine**] zeesoldaat, oorspr. alleen voor dienst aan boord v. oorlogsschepen, later ook ingezet bij strijd aan de wal, thans ook belast met velerlei taken (o.a. bewakings- en politiediensten).

**marionet'** [Fr. *marionette*, v. *Marion*, verklw. van *Marie* = Maria] **1** pop in poppenkastspel met ledematen die door middel van draden beweegbaar zijn; **2** (*fig.*) willoos werktuig in andermans handen.

**Maris'ten** *mv* [Kerk. Lat. *Societas Mariae* = Sociëteit van Maria, afk. SM] (*rk*) een congregatie van priesters, gesticht in 1816 door Jean Claude Colin. Doel: beoefening v. alle takken v. apostolaat. Sedert 1836 werkten de Maristen ook als missionarissen.

**marita'al** [v. Lat. *maritális* = tot het huwelijk behorend, huwelijks-, v. *marítus* = echtgenoot (*vgl.* **mariage**); *marítus* = eig.: een getrouwde jonge vrouw hebbend, v. *mari* = mannin, jonge vrouw, v. *mas*, *máris* = mannelijk] de echtgenoot betreffend.

**maritiem'** [v. Lat. *marítimus* = zich op zee bevindend, v. *máre*, *máris* = zee] betrekking hebbend op de zee of op de zeevaart.

**mark** [Du. *Mark*, ODu. *marka*, OFr. *marche*, uiteindelijk v. Lat. *márgo* = rand, *vgl.* **marge**] landsdeel aan grens v.e. rijk.

**markant'** [Fr. *marquant*, o.dw van *marquer* = een merk plaatsen, v. OHDu. *merkjan*] sterk sprekend, opvallend, tekenend. **marke'ren** [Fr. *marquer*] merken, aanduiden; *de pas* —, de beweging v. lopen maken zonder werkelijk zijn plaats te verlaten.

**marketen'ter** [v. It. *mercatante* = koopman; *zie* **marchanderen**] handelaar in versnaperingen behorende bij bep. legergroep. **marketen'ster** vr. marketenter.

**mar'keting** [Eng., v. *market* = markt, v. Lat. *mercátus*] het geheel v. activiteiten gericht op het verkopen v. produkten of diensten, omvattende marktonderzoek, prijsbeleid, reclame, planning e.d.; *ook*: het op basis hiervan produceren en verkopen v. produkten of diensten.

**1 markies'** [Fr. *marquis*, OFr. *marchis*, It. *marchese*; *zie* **mark**] oorspr.: heer aan het hoofd v.e. (grens)mark gesteld; *thans*: bep. adellijke rang tussen graaf en hertog. **markiezaat'** gebied van een markies.

**2 markies'** [Fr. *marquise*] bep. zonnescherm.

**marmiet'** [Fr. *marmite*] (*Z.N.*) ketel, bep. soepketel, soeppan.

**maro'de** [v. Fr. *maraude* = het plunderen, plundertocht] **1**: *op marode gaan*, (*Z.N.*) uit stelen gaan; (*Noordned.*) gaan pierewaaien; **2** (*Barg.*) armoede (*zie* **merode**). **marode'ren** plunderen. **marodeur'** [*zie* **marauteur**] plunderend soldaat.

**marokijn'** [Fr. *maroquin*, v. *Maroc* = Marokko] bep. geiteleer.

**Marol'lenfrans** (*Z.N.*) eig.: Frans zoals in de Marollen, een volksbuurt in Brussel, wordt gesproken; slecht Frans, Frans vol fouten.

**Maronie'ten** [naar de 5e eeuwse St. Maron] Christelijke sekte v. Syrische oorsprong, vnl. in Libanon gevestigd.

**marot'** [Fr. *marotte*, verklw. v. *Marie*] narreklep of zotskolf; (*fig.*) stokpaardje, gril.

**marquiset'te** bep. weefsel, spec. voor gordijnen gebruikt.

**1 marron'** [Fr., v. It. *marrone*] **I** *zn* tamme kastanje; **II** *bn* kastanjebruin. **marron' glacé** [Fr.] (*cul.*) tamme kastanje geglaceerd in suikersiroop.

**2 marron'** [Fr., missch. v. Sp. *cimarron* = wilde; *cima* = bergtop] weggelopen negerslaaf (van deze marronen stammen de Surinaamse bosnegers af).

**1 mars** [v. Lat. *merx*, *mércis* = koopwaar] rugkorf, draagbare kraam met koopwaar waarmee vroeger de marskramers langs boerderijen en dorpshuizen leurden; *veel in zijn mars hebben*, veel weten.

**2 mars** [v. Fr. *marche*, *marcher* = marcheren] **I** *zn* a militaire voettocht; b bep. muziekstuk, oorspr. bedoeld ter begeleiding van militaire mars; **II** *tussenwerpsel* vooruit!, weg!

**martiaal'** [v. Lat. *martiális* = aan Mars behorend] krijgshaftig.

**marxis'me** socialisme volgens de leer v. Marx [Karl Marx, Du. sociaalfilosoof, 1818-1883]. **marxist'** aanhanger v.h. marxisme. **marxis'tisch** *bn* & *bw*.

**mas'cara** [Sp. = masker; sommigen brengen dit i.v.m. Arab. *mashara* = bespotting] donkere kleurstof voor het verven van oogharen e.d.

**mascaron'** [Fr., v. It. *mascherone* = groot masker; *zie* **masker**] grotesk gebeeldhouwde kop (bijv. aan fontein).

**mascot'te** [Fr., v. Provençaals *masco* = tovenares] persoon, dier of voorwerp dat geacht wordt geluk te brengen, gelukspoppetje.

**mascu'li'num** afk. masc. [v. Lat. *masculínus* = v.h. mannelijk geslacht, v. *másculus*, verkleinwoord v. *mas* = mannelijk] naamwoord v. mannelijk geslacht.

**masculinisa'tie** ontwikkeling v. mannelijke kenmerken, spec. aan de uitwendige geslachtsdelen, bij vrouwen.

**ma'ser** [Eng., letterwoord gevormd uit de beginletters v. *Microwave Amplification by Stimulated Emission of Radiation* = kortegolfversterking door gestimuleerde uitzending v. straling] apparaat dat werkt volgens hetzelfde beginsel als de *laser*, maar in het gebied van de zgn. korte golven i.p.v. lichtgolven.

**maseur'** [Fr. *ma sœur* = zuster!] (*Z.N.*) kloosterzuster, non.

**mas'ker** [Fr. *masque*, v. Sp. *máscara* of v. MLat. *mascus*, verder afl. onzeker] mom dat het gelaat bedekt; (*fig.*) schijn, voorkomen, mom; bescherming v. gelaat (bijv. bij schermen); afdruk v. gelaat (bijv. van overledene); **maskera'de** [Sp. *mascarada*] optocht v. gemaskerde of gekostumeerde personen, gemaskerd bal. **maske'ren** [Fr. *masquer*] **1** vermommen, verbergen, verbloemen; **2** (*cul.*) bedekken of beleggen met saus, deeg of iets dergelijks.

**masochis'me** een bep. vorm van seksueel gedrag, waarbij het ondergaan van een pijnlijke behandeling en vernedering noodzakelijk is voor seksueel genot. De term wordt ook wel in algemene bet. gebruikt wanneer iemand wat al te lijdzaam bepaalde vernederingen ondergaat. Term is ontleend aan de Oostenrijkse auteur Leopold von Sacher-Masoch (1836-1895).

**Maso'ra** [Hebr. = traditie, overlevering] het geheel van de aantekeningen bij de tekst van de Hebr. Bijbel door joodse geleerden. **masore'ten** *mv*. naam voor de joodse geleerden in Palestina en in Babylon die in de 7e-10e eeuw n. Chr. de Masora samenstelden. **masore'tisch** *bn* volgens de Masora; afkomstig v.d. masoreten; -*e tekens*, klinkeren andere tekens door de masoreten bij de Hebreeuwse medeklinkers gevoegd.

**mas'sa** [Lat. = deeg, klomp, kluit, waarsch. v. Gr. *maza* = deeg v. gerstemeel in vorm gedroogd, v. *massoo* = kneden] samenhangend geheel v. materie v. onbepaalde vorm, dichte opeenhoping v. voorwerpen, groot aantal, de meerderheid; (*nat.*) hoeveelheid materie die een lichaam bevat; *massa-*, voor of met of in grote massa (bijv. massa-vergadering, massa-graf, massa-vervoer). **massaal'** [Lat. *massális* = tot de massa behorend] een samenhangend geheel vormend; een zeer groot geheel vormend, geweldig groot; in massa.

**massa'cre**, [v. OFr. *maçacre*, verder afleiding onzeker] slachting op grote schaal, bloedbad. **massacre'ren** [Fr. *massacrer*] op grote schaal vermoorden, neerhouwen.

**1 masse'ren** [Fr. *masser*, v. *masse*, v. VLat. *mattea* = soort hamer] (*biljarten*) stoten de keu in verticale stand.

**2 masse'ren** [Fr. *masser*, missch. v. Arab. *mass* = behandelen, aanraken] spieren op bep. wijze kneden. **massa'ge** [Fr.] het masseren. **masseur'** [Fr.] wie spieren masseert. **masseu'se** [Fr.] vr. masseur.

**massief'** [Fr. *massif*; *zie* **massa**] **I** *bn* van binnen niet hol; stevig, hecht, sterk; **II** *zn* (*geol.*) lang geleden geplooid gebied (eventueel later weer geëffend), berghoogten die een compact geheel vormen.

**massifica'tie** [v. *massa*, *z.a.*; *-ficatie* v. Lat. *fácere* = maken] *lett.*: het tot een massa maken; massavorming, het opgaan in en het ondergeschikt maken aan de massa v.e. persoon. **massifice'ren** tot een massa maken.

**masteluin'** of **mastelein'** [via OFr. v. Lat. *mixtúra* = mengsel] mengsel van tarwe en rogge; brood van dit mengsel.

**mas'ter** [Eng.] jongeheer; *Master of Science*, afk. *M.Sc.* drs. in de natuurwetenschappen, *Master of Arts*, afk. *M.A.* drs. in de Kunsten. **mas'ter-mind** [Eng.] superieure geest, zeer groot intellect.

**mastica'tie** [v. Lat. *masticátio*, v. *masticáre*, *masticátum* = kauwen] het kauwproces, het kauwen.

**mastiek'** [v. Lat. *mástix*, v. Gr. *mastiché* = hars van de mastikstruik] **1** (ook **mas'tix**) natuurhars; **2** [Fr. *mastique*, naam afgeleid v. vorige, hoewel de stof daarmee niets uitstaande heeft] mengsel v. asfaltbitumen, steengruis en vulstof, dat in warme toestand met een troffel uitgestreken kan worden, vnl. gebruikt voor dakbedekking; *mastiek maken* (*hotelwezen*), lichte onderhouds- en huishoudelijke werkzaamheden verrichten, het 's morgens in orde brengen v.h. restaurant door de kelners.

**masti'tis** [v. Gr. *mastos* = vrouwenborst, tepel; *zie* **-itis**] **1** (*med.*) ontsteking van de vrouwenborst; **2** (*diergeneeskunde*) uierontsteking bij rundvee.

**mastodont'**, *mv* **mastodon'ten** [v. Gr. *mastos* = tepel, en *odous, odontos* = tand] **1** geslacht van prehistorische olifanten (met tepelvormige knobbels o.d. kiezen); **2** (*fig.*) enorm gevaarte. **mastoïdi'tis** [v. Gr. *mastos* = tepel, *-eidès* = gelijkend op, *zie* **-ide 2**; *zie* **-itis**] ontsteking v.h. *tepelbeen* of *mastoïd*, een tepelvormig aanhangsel v.h. rotsbeen waarin het inwendige gehoororgaan is gelegen.

**masturba'tie** [v. Lat. *masturbári* = zichzelf seksueel bevredigen] zelfbevrediging, het opwekken van en bevrediging v. seksuele behoeften door de geslachtsdelen te prikkelen en zodanig te manipuleren tot orgasme optreedt. Daarnaast kent men ook de wederkerige of mutuele masturbatie.

**mat** (*schaken*) [afk. v. *schaakmat* (v. OFr. *éschec et mat*, v. Arab. *šah māt* = de koning is dood] positie in het schaakspel waarin de koning geen enkele zet meer kan doen zonder geslagen te worden.

**matador'** [Sp. v. Lat. *mactatórem*, 4e naamv. v. *mactátor*, v. *mactáre*, *-átum* = doden] stieredoder bij stieregevecht; eerste, kopstuk, flinke kerel, kraan.

**match** [Eng.; verwant aan *to make* = maken] wedstrijd.

**ma'té** [v. Sp. *mate*, v. inheems woord *mati*] **1** Zuidamerikaanse volksdrank, groene thee, paraguaythee, aftreksel v.d. bladeren v.d. heesterachtige boom *Ilex paraguayensis*; **2** deze heester zelf.

**matelassé** [Fr., v. *matelasser* = van matrassen voorzien, v. *matelas* = matras] textielstof met patroon v. gewelfde 'kussentjes' als dameskleding, spec. als peignoir.

**matelot'** [Fr. = matroos] ronde matrozenhoed van stro, ook als dameshoed.

**ma'ter** [Lat. = moeder] moeder-overste v. zusterklooster. **Ma'ter doloro'sa** [Lat. = smartenrijke moeder] de Moeder v. Smarten, bep. voorstelling van Maria, de moeder van Jezus, wenend om haar gekruisigde zoon.

**materiaal'** [VLat. *materiális* = stoffelijk; *zie* **materie**] grondstof, stof om iets te bouwen; gereedschap. **materialise'ren** [Fr. *matérialiser*] in stoffelijke vorm aannemen. **materialisatie** *zn*. **materialis'me** [Fr. *matérialisme*] leer dat er alleen materie bestaat en de geest daarvan slechts een verschijningsvorm is; vergoding v.d. stof; gerichtheid op de stof en stoffelijke genoegens. **materialist'** [Fr. *matérialiste*] aanhanger v.h. materialisme; persoon met gerichtheid op het stoffelijke. **materia'liter** [MLat.] *bn* materieel **I. mate'rie** [Lat. *matéria*; verwant met *moeder* = *mater*] stof, grondstof, onderwerp v. geschrift, onderwijs e.d. **materieel'** [Fr. *matériel*, v. Lat. *materiális*; *zie* **materiaal**] **I** *bn* stoffelijk; tegenstelde van formeel; **II** *zn* wat nodig is voor uitoefening v. bedrijf.

**mathe'sis** [v. Gr. *mathèsis* of *mathèma* = het leren, leer, het geleerde, kennis, wetenschap, v. *manthanoo* = leren], *ook*: **mathema'tica** [v. Gr. *hè mathèmatikè*] wiskunde. **mathema'ticus** [Lat., v. Gr. *mathèmatikos* = wiskundig], *ook*: **mathemaat'** wiskundige. **mathema'tisch** [v. Gr. *mathèmatikos*] *bn* & *bw* wiskundig.

**matinee** [Fr. = tijd die de voormiddag omvat, v. *matin* = voormiddag, v. Lat. *matutínus* (*tempus*) = de morgen, ochtend] voorstelling of uitvoering in de (voor-of) namiddag. **matineus'** [Fr. *matineux*] vroeg opgestaan.

**matras'** [OFr. *materas*, waarsch. v. Arab. *almatrah* = kussen, v. *taraha* = werpen] zak gevuld met stro, haren e.d. of voorzien v. spiraalveren als bed of onderbed.

**matriarchaal'** *bn* in betrekking hebbend op het matriarchaat; op het matriarchaat berustend. **matriarchaat'** [v. Lat. *mater* = moeder, naar valse analogie van **patriarch**, *z.a.*] rechtstelsel bij sommige natuurvolken, waarbij de vrouwelijke linie overheersend is.

**matrijs'** [v. Lat. *matrix* = moederschoot, moederdier, (*fig.*) oorsprong] koperen vorm met uithollingen voor wat verhevenheden in de afgietsels moeten worden, gietvorm v. zetwerk, grammofoonplaten e.d.

**matrimo'nium** [Lat. = huwelijk, v. *mater* = moeder] **1** huwelijk; **2** moederlijk erfdeel. **matrimoniaal'** [Lat. *matrimoniális*] het huwelijk betreffend, echtelijk. **ma'trix**, *mv* **matri'ces** [*zie* **matrijs**] (*wisk.*) geordend stelsel v. waarden, waarop rekenkundige regels (bijv. optelling, vermenigvuldiging) kunnen worden toegepast; tabel met twee ingangen. **matro'ne** [Lat. *matróna*] gehuwde dame v. deftige stand.

**mat'se** [v. Jidd. *maçoh* = ongezuurd brood, v. Hebr. *matsa*] ongedesemde witte koek uit tarwemeel en water (in de Joodse paasweek door Joden gegeten i.p.v. brood en andere meelspijzen).

**mat'sen** [woordafl. onbekend] **1** (*Barg.*) bedriegen, knoeien; *ook* in meer gunstige zin:

schikken buiten gewone gang v. zaken bij verkoop, vandaar, **2** (*spreektaal*) voor elkaar boksen, in orde maken.
**matte′ren** [v. Fr. *matir*] mat maken, dof maken; de glans temperen (v. kunststoffen); het dekblad v. sigaren dof maken door het te bepoederen.
**matura′tie** [v. Lat. *maturáre, maturátum*, = rijpen, v. *matúrus* = rijp] rijp wording, rijping. **maturiteit′** [Fr. *maturité*] rijpheid; rijpe leeftijd.
**mausole′um** [Lat., v. Gr. *Mausooleion* = praalgraf dat Maussoollos of Mausoolos, landvoogd v. Carië, in 360 v. Chr. voor zijn vrouw oprichtte] praalgraf.
**mau′ve** [Fr., v. Lat. *malva* = malve, maluwe] lichtpaars.
**ma′xi** [*zie* maximum] tot op de voeten reikende dameskleding.
**ma′xi-** eerste lid v. samenstellingen met de bet.: tot de voeten reikend lang, *bijv.*: *maxi-rok,* —*jurk,* —*jas*. Echter: **ma′xi-single** [Eng.] 45-toeren grammofoonplaat met verlengde speelduur.
**maxil′len** *mv* [Lat. *maxilla* = kinnebak, verklw. v. *mala* = kaak] (boven)kaken, bep. monddelen v. insekten. **maxillair′** [Fr. *maxillaire*, v. Lat. *maxilláris*] tot de kaak behorend.
**maximaal** [*zie* maximum] I *bn* een maximum vormend, hoogste, grootste (*bijv.*: maximaal gewicht); II *bw* ten hoogste (*bijv.*: een slagzin v. maximaal 20 woorden).
**maximalise′ren** iets groter of belangrijker voorstellen dan het is (tegenover **minimaliseren**). **maximalist′** persoon die zijn politieke eisen alle of althans maximaal ingewilligd wil zien (zoals bij de Russische Revolutie in 1917 de *bolsheviki*).
**maximalis′tisch** *bn & bw*. **maxi′me** [Fr., v. Lat. *máxima* = vr. van *máximus* = de grootste] grondstelling, algemene stelling in de vorm v.e. gebod, leefregel; *ook*: spreuk met lerende inhoud. **ma′ximum** *mv* **ma′xima** afk. **max**. [Lat. = het grootste, v. *máximus* = overtreffende trap v. *magnus* = groot] het hoogst bereikbare, of bereikt mogende worden (bijv. prijs) of bereikte (bijv. temperatuur). **ma′xi-single** *zie bij* maxi-.
**mazdeïs′me** [naar *Mazda*, het Goede Beginsel in de oud-Iraanse theologie] leer v. Zarathustra, oud-Iraanse godsdienst.
**mazur′ka**, *mv* **mazur′ka′s** door Fryderyk Franciszek Chopin (Pools componist, 1810-1849) in de kunstmuziek ingevoerde versmelting v.e. drietal Poolse volksdansen, nl. de mazur, de kujawiak en de oberek.
**maz′zel** [v. Hebr. *mazal* = (goed) gesternte, *vandaar*: succes, geluk] (*Barg.*) geluk, geldelijk voordeel, buitenkans. **maz′zelen** geldelijk voordeel hebben, goede zaken doen, geluk hebben. **maz′zeltje** voordeeltje.
**me′a cul′pa** [Lat.] door mijn schuld; het is mijn schuld.
**mean′der** [Gr. *Maiandros* = sterk kronkelende rivier in Frygië] kronkelende lijn.
**mean′drisch** kronkelend.
**mecani′cien** [Fr. *mécanicien*, v. Gr. *mèchanikos*, v. *mèchanè*; *zie* mechanica en **machine**] werktuigbouwkundige.
**mecca′no** bouwdoos met onderdelen tot het maken v. constructies als spel.
**mece′nas** beschermer v. kunst en wetenschap [naar C. Cilnius Maecenas, Romeins ridder, beschermer v. Virgilius e.a.]
**mecha′nica** [v. Lat. *mechánicus* v. Gr. *mèchanikos* = op werktuigkunde betrekking hebbend; *mèchanè* = toestel, machine, v. *mèchanaoo* = kunstig vervaardigen; *zie* **machine**] (*nat.*) 1 bewegingsleer; 2 werktuigkunde. **mechaniek′** [Fr. *mécanique*] machinesamenstel tot voortbrenging v. beweging. **mechanise′ren** [Fr. *mécaniser*] machinale kracht in de plaats stellen v. menselijke kracht en kunde. **mechanisa′tie** *zn*. **mecha′nisch** [Gr. *mèchanikos*] op

machines betrekking hebben, werktuigkundig; werktuiglijk, zonder nadenken.
**mechanis′me** [Fr. *mécanisme*] (samenstelling v.) mechaniek.
**meco′nium** [Lat., v. Gr. *mèkoonion* = eig.: heulsap, sap v. maankop (*Papaver somniferum*), Gr. *mèkoon*] kinds-pek, de darminhoud waarmee een kind geboren wordt en dat bij de eerste ontlasting als een donkergroene of zwarte taaie massa te voorschijn komt. Het bestaat uit bestanddelen van het vruchtwater.
**medail′le** [Fr. *médaille*, v. It. *medaglia*, v. VLat. *metállea*] penning ter herdenking v. gebeurtenis of als ereteken of met godsdienstige afbeelding.
**1 medaillon′** [Fr. *médaillon*, v. It. *medaglione*] klein sierdoosje aan ketting om hals gedragen, meestal een aandenken bevattend.
**2 medaillon′** [Fr.] (*cul.*) mooi rond stukje vis of vlees.
**me′de**, *ook*: **mee** [vgl. Gr. *methu* = oorspr. honingdrank, *later*: wijn] alcoholische drank verkregen door gisting van gekruide honing.
**me′dia** *mv* van **medium** 2, z.a.
**mediaal** [v. VLat. *mediális*, v. Lat. *médius* = in het midden] in het midden gelegen.
**mediaan** [v. Lat. *mediánus* = wat in het midden is, middelstel (*wisk.*) 1 zwaartelijn, d.i. lijn v.e. hoekpunt naar het midden v.d. overstaande zijde; **2** bep. papierformaat; **3** bep. middelgrote drukletter (v. 11 punten).
**me′diae** (*vr. mv* van Lat. *médius*] stemhebbende plofklanken (b, d, g).
**mediaeval′** [*lett.*: middeleeuws; v. Lat. *aevum* = eeuw, tijd; *vgl.* Fr. *médiéval*] bep. drukletter.
**mediaevist′** [*vgl.* Fr. *médiéviste*] kenner v.d. geschiedenis en cultuur der middeleeuwen.
**mediair′** I *bn* in het midden zijnde; II *zn* hulpmiddel. **mediamiek′** [v. Lat. *media* = in ′t midden, v. -*icus* = -isch] geschiedend door een medium. **mediant′** [Lat. *médians, -ántis*, v. *mediáre* = halveren] terts, middentoon tussen grondtoon en quint. **mediatheek′** [v. vr. *mv* v. Lat. *médium* = (communicatie)middel, en v. Gr. *thèkè* = bewaarplaats] documentatiecentrum.
**mediatief′** bemiddelend.
**medicament** [Lat. *medicaméntum*, v. *medicári*, v. *medére* = genezen, helen] artsenij, geneesmiddel. **medicas′ter** [*zie* medicus, en -*aster*] slechte dokter, kwakzalver.
**medica′tie** het voorschrijven v. geneesmiddelen aan een patiënt. **me′dice, cu′ra te ip′sum** [Lat.] geneesheer, genees u zelf. **medicinaal′** [Lat. *medicinális* = tot de heelkunst behorend] geneeskrachtig; in geneeskunde gebruikt. **me′dicus** [Lat.] geneesheer; student in de medicijnen.
**medicijn′** [Lat. *medicína* (res) = tot de heelkunst behorende (zaak)] geneesmiddel, spec. in vloeibare vorm, drankje. **me′disch** op de geneeskunde betrekking hebbend; studerend in de medicijnen.
**me′dio** [Lat., 6e nv v. *médium* = het midden] in het midden (bijv. — *april*, half april).
**medio′cre** [Fr. *médiocre*, v. Lat. *mediocris*, v. *médius* = in het midden gelegen] middelmatig. **mediocriteit′** [Lat. *mediócritas*] middelmatigheid.
**medite′ren** [Lat. *meditári*] 1 peinzen, zich in gedachten verdiepen; overdenken; **2** (*rk*) zich overgeven aan **meditatie** *z.a.*; **3** (o.i.v. Oosterse godsdiensten) bep. geestelijke activiteiten beoefenen om eenwording met de godheid te bereiken of eenvoudig om zich geestelijk te ontspannen en los te komen v.h. materiële. **medita′tie** [Lat. *meditátio* = overweging, het nadenken] **1** het mediteren, godsdienstige bespiegeling of overdenking; **3** (*rk*) een stelselmatig, methodisch en geconcentreerd nadenken over een gegeven v.h. geloof, dat gericht is op het nemen van praktische besluiten en het eigen zieleleven; **4** (*prot.*) een op schrift gestelde korte overweging v.e. bijbeltekst; dergelijke

meditaties worden in *meditatiebundels* uitgegeven. **meditatief'** *bn* & *bw* bespiegelend; peinzend, nadenkend.
**mediterraan'** *bn* [v. Lat. *mediterráneus*, v. *médius* = in het midden gelegen, en *térra* = land] tussen land gelegen (nl. zee); middellands; spec. de Middellandse Zee betreffend.
**me'dium** [Lat. = *eig.*: het midden] **1** (*nat.*) *a* ruimte met materie gevuld (*evt.*: vacuüm) als drager van bep. fysische verschijnselen; *b* middenstof (bijv. een gasvormig medium, een geleidend medium); **2** afk. v. *communicatiemedium* of *publiciteitsmedium* (*mv* media): middel voor de overdracht v. informatie enz. (*bijv.*: televisie, radio, krant e.d.); **3** (*taalk.*) een categorie van werkwoordsvervoeging die het midden houdt tussen actief en passief. Dit medium wordt gebruikt als het onderwerp dat de handeling verricht tevens belanghebbend voorwerp is. In het Grieks: wassen (*louoo*), actief, en gewassen worden, passief; daartussen het medium: *lou(o)mai*, zichzelf wassen. Evenzo: dragen (*pheroo*), actief, naast gedragen worden, passief; daartussen *pheromai* = voor zichzelf dragen; **4** (*spiritisme*) persoon die (onder hypnose) in staat is parapsychologische manifestaties te verrichten, en geacht wordt tussenpersoon tussen geesten en mensen te zijn.
**Medu'sahoofd** afbeelding 'en face' van het hoofd van Medusa, een der drie Gorgonen, een afzichtelijk vrouwengelaat met opengesperde mond waarin vervaarlijke slagtanden, met uitgestoken tong en met slangen als hoofdharen. De alg. naam is *gorgoneion*, een afbeelding v.e. Gorgo. Aan een dergelijke afbeelding werd een afwerende kracht tegen vijanden toegeschreven.
**meet'ing** [Eng.; v. *to meet* = ontmoeten] grote bijeenkomst, spec. in open lucht.
**mefis'to** duivel (naar Mephistopheles, de duivel aan wie Faust volgens legende zijn ziel verkocht).
**mega-** [v. Gr. *megas* = groot] (*metrologie*) voorvoegsel dat het miljoenvoud (10⁶) van de erachter staande eenheid aanduidt, afk. **M-** (*vgl.* bijv. *megaton*). **megafoon'** [v. Gr. *megas* = groot, en *phoonè* = geluid, stem] bep. geluidsversterker, o.a. gebruikt bij het toespreken van een menigte in de open lucht (bijv. bij demonstraties). **megaliet'** [v. Gr. *lithos* = steen] grote steen der voorhistorische volkeren als gedenkteken. **megalomanie'** [Gr. *megalo-* = grootheids-; v. *megalè* = vr. van *megas* = groot; *zie* **manie**] grootheidswaanzin. **megalomaan'** lijder aan megalomanie. **megascoop'** [*zie* **-scoop**] apparaat om het gezichtsveld te vergroten.
**me'gaton** kernexplosiekracht gelijkstaande aan 1 miljoen ton TNT (trinitrotolueen).
**mege'ra** [naar Lat. *Megaera*, Gr. *Megaira* = zij die toornt, een van de drie Furiën (wraakgodinnen)] boosaardig wijf, helleveeg, feeks.
**meha'ri** [Fr.*méhari*] dromedaris als rijdier. **meharist'** [Fr. *méhariste*] soldaat op mehari.
**mei** [v. Lat. (*mensis*) *Majus*; verwant met *magnus, major* = groot, groter, en *magis* = meer; de groeimaand] 5e maand v.h. jaar, bij de Romeinen de 3e.
**1 mei'er** [v. Lat. *májor* = meerdere, vergrotende trap van *mágnus* = groot] (*gesch.*) in de Frankische tijd een agent, door de koning of een grootgrondbezitter aangesteld, die met het beheer van het domein belast was. Hij jnde de belastingen en oefende de rechtspraak uit. In het Barg. en de volkstaal heeft *meier* thans de betekenis: vent, kerel.
**2 mei'er** [v. Hebr. *meï* (= 100] (*Barg.*, *volkstaal*) (briefje van) 100 gulden.
**mei'eren** *ww* [mogelijk omdat boerderijmeiers hun personeel bekritiseerden] zaniken, zeuren, vervelend kletsen (*vgl.* **kletsmeier**).
**mei'ler** houthoop die door langzame

verbranding tot houtskool wordt gebrand.
**meineed** [v. MNed. *mein* = vals] valse eed.
**meio'sis** of **meio'se** [v. Gr. *meioosis* = vermindering, het verkleinen] (*biol.*) reductiedeling, kerndeling v. toekomstige geslachtscel waarbij het aantal chromosomen gehalveerd wordt (*vgl.* **mitose**, de kerndeling v. andere lichaamscellen).
**melaats'** [v. Fr. *malade* = ziek, v. Lat. *mále hábitus* = slechte toestand] aangetast door melaatsheid, thans *lepra* genoemd, een infectieziekte veroorzaakt door de leprabacterie (*Mycobacterium leprae*).
**melancholie'** [OFr., via Lat. v. Gr. *melagcholia*, v. *melas* = zwart, en *cholè* = gal] droefgeestigheid, zwaarmoedigheid.
**melancholiek', mancho'lisch** [Lat. *melancholicus*, Gr. *melagcholikos*] droefgeestig, zwaarmoedig. **mancho'licus** [Lat.] lijder aan melancholie.
**melan'ge** [Fr.] mengsel.
**melani'ne** het donkere pigment v. haren, huid en ogen (in zover niet rood) v. mens en dier. **melani'nen** *mv* verzamelnaam voor diverse pigmenten i.h. dieren- en plantenrijk. Het bovengenoemde melanine is er één van. **melanis'me** opeenhoping v. donkerbruin pigment in de haren, o.a. bij zoogdieren.
**melas'se** [Fr. *mélasse*, v. Sp. *melaza*] suikerstroop, dikvloeibare massa die na suikerbereiding overblijft.
**mêle'ren** [Fr.*mêler*, v. VLat. *misculáre*, v. Lat. *miscére* = mengen] door elkaar mengen. **mêlée** [Fr.] strijdgewoel, lijf-aan-lijf gevecht tussen velen. **mêler'** [Fr.] (*cul.*) mengen.
**meliore'ren** [VLat. *melioráre*, v. *mélior* = vergelijkende trap v. *bonus* = goed] verbeteren. **meliora'tie** [VLat. *melliorátio*] *zn*.
**me'lis** [*vgl.* Lat. *mel*, Gr. *meli* = honig] broodsuiker.
**melis'me** [Gr. *melisma* = lied, gezang] reeks noten op één lettergreep.
**melodie'** [OFr., via VLat. v. Gr. *melooidia*, v. *melooidos* = muzikaal, v. *melos* = lied, en *aeidoo* = zingen] reeks v. bijeenbehorende gerangschikte tonen; zangwijs; welluidendheid. **melodiek'** melodieleer. **melodieus', melo'disch** [Fr. *mélodieux*] welluidend. **melodra'ma** [*zie* **drama**] *oorspr.*: drama met bij sommige passages muziekbegeleiding; *thans*: drama met weinig kunstwaarde waarbij sterk op gemoed gewerkt wordt, draak. **melodrama'tisch** drakerig.
**melomanie'** [v. Gr. *melos* = lied; *zie* **manie**] overdreven liefde tot muziek. **meloman** overdreven muziekliefhebber.
**melon'** [Fr.] (*cul.*) meloen.
**melopee'** [Fr. *mélopée*, v. Gr. *melopoieoo* = vervaardigen van liederen, v. *melos* = gezang, lied, en *poieoo* = maken (*vgl.* **poëet**] zangspraak, ritmisch gezang ter begeleiding van declamatie.
**membraan'** [Lat. *membrána* = dunne huid, v. *membrum* = (dierlijk) lid] dun vlies van dun metalen plaatje.
**memen'to** [Lat. = gebiedende wijs v. *meminisse* = herinneren, gedenken] herinneringsteken; (*rk*) persoonlijk gebed v.d. priester tijdens de mis. **memen'to mo'ri** [Lat.] gedenk dat ge eens zult sterven. **me'mo** [afk. van **memorandum**] korte nota, briefje op klein formaat papier. **memoi'res** [Fr. *mémoires*, v. Lat. *memória* = herinnering, verhaal, gedenkschrift, v. *memor* = gedachtig; *vgl. mora* = oponthoud, het vertoeven] gedenkschriften (van belangrijke persoonlijkheden). **memora'bel** [Lat. *memorábilis* v. *memoráre* = in herinnering brengen] gedenkwaardig. **memorabi'lia** [Lat. *onz.* *mv* v. *memorábilis*] gedenkwaardige, vermeldenswaardige zaken. **memoran'dum** [Lat. *onz.* *ev* v. gerundivum v. *memoráre*] gedenkstuk; zakboekje; bep. diplomatieke nota; rekening. **memore'ren** [Lat. *memoráre*] in herinnering brengen, ter herinnering optekenen. **memoriaal'** [Lat.

*memoriális* (*libéllus*) = dagboek] bep.
handelsdagboek, optekenboek waaruit het
journaal wordt opgemaakt. **memo'rie** [Lat.
*memória*] geheugen; schriftelijke
verhandeling over de gronden v.e.
wetsvoorstel; verzoekschrift (met redenen
omkleed). **memorise'ren** [in het geheugen
prenten, van buiten leren.
**mena'ge** [Fr. *ménage*, v. OFr. *manaige*, Lat.
*mánsio* = verblijf, woning, v. *manére* = blijven]
huishouding; soldatenvoeding. **menagerie'**
[Fr. *ménagerie*] verzameling wilde dieren.
**Mendelé'vium** bep. kunstmatig verkregen
element, chem. symbool Md, ranggetal 101
[naar Dimitri Ivanovitch Mendelejev, Russisch
scheikundige, 1834-1907].
**mendelis'me** leer v. Mendel over de
erfelijkheid der eigenschappen [Johann
Gregor Mendel, Oostenrijks
augustijnermonnik en botanicus,
1822-1888].
**mendican'ten** *mv* [Lat. *méndicans, -ántis*
= o.dw van *mendicáre* = bedelen, v. *méndicus*
= *bn* doodarm, *zn* bedelaar; *vgl. mendum* =
gebrek, fout] bedelbroeders, de leden der zgn.
bedelorden.
**me'ne, te'kel, upar'sin** [Chaldeeuws] geteld,
gewogen, afgescheurd (Daniël 5 : 25-28);
*(fig.) een mene tekel*, een teken aan de wand,
een dreigende waarschuwing.
**men'hir** [Bretons *men hir* = lange steen]
rechtopstaande stenen zuil door
voorhistorische bewoners opgericht.
**me'nie** [Lat. *mínium*] bep. rode verfstof, een
loodoxide, $Pb_3O_4$.
**meningi'tis** [v. Gr. *ménigx* = hersenvlies; *zie*
*-itis*] hersenvliesontsteking.
**menis'cus** [Gr. *méniskos* = maansikkel, v.
*méne* = maan] 1 holle of bolle vloeistofspiegel
in nauwe buizen; 2 (*anat.*) kraakbeenschijfje
in het kniegewricht.
**menist', mennoniet'** doopsgezinde [naar
Menno Simonsz, stichter, 1492-1559].
**menopau'ze** [v. Gr. *mèn* = maand, en *pauoo*
= ophouden] het definitief ophouden v.d.
maandstonden.
**mens sa'na in cor'pore sa'no** [Lat.] een
gezonde geest in een gezond lichaam.
**men'sa** [Lat. = tafel] inrichting tot het
verstrekken v. goedkope maaltijden, spec. aan
studenten.
**men'ses** [Lat. = *lett.*: maanden, *mv* v. *mensis*]
maandstonden.
**mensjewis'me** [v. Russisch *menshevik* =
minderheidspartij] (*gesch.*) Russisch
communisme v.d. gematigde partij (*vgl.*
*bolsjewisme*). **mensjewiek'** aanhanger v.h.
mensjewisme.
**menstrue'ren** [Lat. *menstruáre*, v. *ménstruus*
= maandelijks, v. *mensis* = maand]
menstruatie hebben. **menstrua'tie**
maandstonden, ongesteldheid.
**mensura'bel** [VLat. *mensurábilis*, v.
*mensuráre* = meten] meetbaar. **mensuur'**
[Lat. *mensúra*, v. *metíri* = meten; *mensum sum*
= ik heb gemeten] maat; maatverhouding (v.
orgelpijpen: verhouding wijdte en lengte);
afgemeten afstand tussen twee duellerenden
of schermers.
**mentaal'** [VLat. *mentális*, v. Lat. *mens, mentis*
= geest] de geest betreffend, in de gedachte
aanwezig. **mentaliteit'** geestesgesteldheid,
wijze v. denken en voelen.
**menthol'** [v. Lat. *mentha* of *menta* = munt
(plant), Gr. *míntha* of *minthè*, en Lat. *óleum*
= olie] pepermuntolie.
**men'tie** [Lat. *méntio* = vermelding]
melding; — *maken*, gewag maken; (*Z.N.*)
aanstalten maken.
**men'tor** [v. Gr. *Mentoor*, raadgever van
Telemachus, de zoon van Odysseus bij de
afwezigheid van deze laatste; Gr. stam *men-*
= denken; 'mentor' is geen Lat. woord] oudere
raadgever en leidsman, studiebegeleider.
**men'trix** [ten onrechte gezien als vr. v.
verondersteld Lat. *mentor*] vr. mentor.

**menu'** [Fr., als *bn* = klein (v. Lat. *minútus*; *zie*
**minuut**), als *zn* = gedetailleerde lijst (van
spijzen)] **1** het totaal v.d. gerechten die de
maaltijd vormen; **2** lijst van deze gerechten, d.i.
spijskaart; *ook*: kaart in een eetgelegenheid
(met prijs); **3** (*fig.*) wat men voorgeschoteld
zal krijgen, *dus:* program. **menuet'** [Fr. v.
*menu*] bep. langzame dans; muziek daarbij;
gedeelte v. de sonate of symfonie meestal in ³/₄
maat, volgend op het adagio of andante.
**mer à boire** [Fr. = *lett.*: een zee om uit te
drinken] onbegonnen werk.
**mercantiel'** [Fr. & It. *mercantile*, v. VLat.
*mercatáre*, frequentatief v. Lat. *mercári* =
handel drijven, v. *merx, mercis* = koopwaar;
*vgl. merére* = verdienen] de koophandel
betreffend. **mercantilis'me** 17e- en
18e-eeuws economisch stelsel dat zich vooral
baseert op uitvoerhandel en industrie als
bronnen v. welvaart. **mercantilist'**
aanhanger v.h. mercantilisme.
**mercerise'ren** stoffen glanzend maken zodat
ze een zijdeachtig voorkomen krijgen [naar
uitvinder J. Mercer].
**merchandi'sing** [Eng., v. *merchandise* =
handelswaar; Am. *to merchandise* = verkopen,
*merchandising* = verkooppromotie; *zie*
**marchanderen**] alle activiteiten waardoor
een produkt in de handel wordt gebracht op
de gunstigst mogelijke manier.
**mer'chandiser** [Eng.] employé die de
merchandising verzorgt.
**mercurochroom'** [v. Lat. *Mercurius* =
(*chem.*) oude naam v. kwikzilver, en v. Gr.
*chrooma* = (huids)kleur] ontsmettende
kwikverbinding, kinderjodium.
**mère** [Fr. = moeder, v. Lat. *mater, z.a.*]
moederoverste v. zuster-klooster.
**meridiaan'** [Lat. *meridiánus* = de middag
betreffend, v. *meridies* = middag, voor
*medidies*, v. *médius* = midden, en *dies* = dag]
middagcirkel, d.i. grote cirkel door polen
loodrecht op equator. **meridionaal'** [VLat.
*meridionális*, onregelmatige vorm v. Lat.
*meridiánus*] zuidelijk.
**mérin'gue** [Fr.] (*cul.*) schuim- (suiker)massa,
zacht gedroogd en niet gekleurd;
schuimgebak.
**meri'nos** [Sp. *merino*, waarsch. v. Lat.
*majorínus* = v. groter soort, v. *major* = groter;
*zie* **mayer**] bep. soort schaap; wol daarvan;
stof v. die wol.
**meristeem'** [v. Gr. *merizoo* = delen, NTGr.
*meristès* = verdeler) (*plk.*) weefsel waarvan de
cellen door deling nieuw weefsel doen
ontstaan.
**meri'te** [Fr. *mérite*, v. Lat. *méritum*, v. *merére*
= verdienen] verdienste; —*s*, verdiensten,
goede hoedanigheden.
**me'rit-ra'ting** [Eng. v. *merit* = verdienste, v.
Lat. *méritum*; en *to rate* = waarde schatten van,
v. Lat. *rátus*, v. dw v. *réri* = oordelen) stelsel
van beoordeling niet uitsluitend op grond van
de hoeveelheid arbeid die een werknemer
verricht, maar tevens op grond van diens
eigenschappen die zijn werk ten goede komen;
*ook*: het loonstelsel dat op een dergelijk
beoordelingsstelsel is gebaseerd.
**merlan'** [Fr.] (*cul.*) wijting.
**mero'de, ook: maro'de** [v. Fr. *maraude* =
plundering door soldaten, strooptocht]
(*volkstaal*) armoede; *in de — zitten*, in
armoede zitten.
**merovin'gisch** [v. MLat. *Merovíngi*, v. Germ.
oorsprong] v.d. Merovingiërs (Frankische
dynastie ± 500-750, gegrondvest door
Clovis).
**merveil'le** [Fr., v. Lat. *mirabília* = wonderbare
dingen, v. *mirábilis* = wonderbaar, v. *mirári* =
zich verwonderen, v. *mirus* = wonderbaar]
wonder(werk). **merveilleus'** [Fr.
*merveilleux*] wonderbaarlijk (mooi).
**merveilleu'se** damesmode uit de tijd v.h. Fr.
Directoire.
**mesallian'ce** [Fr. *mésalliance*, v. *mé(s)* =
ontkennend of pejoratief voorvoegsel, v. Lat.

*minus* = minder; *zie verder* **alliantie**] huwelijk met partner beneden de stand. **mesallië'ren (zich)** [Fr. *mésallier*] een mesalliance aangaan.

**mescali'ne** [naar de Indianenstam der Mescalero-apachen, die de stof voor religieuze doeleinden gebruikten] een alkaloïde uit de cactus *peyotl*, die groeit in Mexico en het Zuidwesten van de VS. De stof veroorzaakt hallucinaties en lijkt in haar werking op LSD.

**mesenchym'** [v. Gr. *mesos* = midden, *enchuma* = het ingegotene] embryonaal bindweefsel.

**mesente'rium** [Gr. *mesenterion*, v. *meso-*, en *enteron* = ingewand] darmscheil, dubbelblad v.h. buikvlies waaraan de darm is opgehangen.

**mesjog'ge**, *ook*: **mesjok'ke** *of* **besjok'ke** [v. Hebr. *meshugo* = krankzinnig] (*Barg., volkstaal*) niet goed wijs, gek, dwaas, zot.

**mesmeris'me** [neer v.h. zgn. dierlijk magnetisme, toepassing daarvan [naar Franz Anton Mesmer, Oostenrijkse arts, 1734-1815].

**meso-** [Gr. *mesos* = midden] midden-.

**mesoderm'** [Gr. *derma* = huid] middelste der drie cellagen waaruit de zeer jonge dierlijke vrucht bestaat. **mesofyl'** [v. Gr. *phullon* = blad] (*plk.*) bladmoes. **Mesoli'thicum** [v. Gr. *lithos* = steen] de middenperiode v.d. Steentijd.

**me'sosfeer** *of* **mesosfeer** [v. Gr. *spharia* = bol; *zie* **sfeer**] de laag v.d aardatmosfeer die boven de *stratopauze* ligt. De hoogte is gemiddeld 52-79 km; de temperatuur daalt nog verder dan -55°C (de temp. v.d. stratosfeer). De bovenste begrenzing heet de *mesopauze* (79-90 km); de temperatuur bereikt hier een minimum van ca. -90°C. **mesotho'rax** [v. Gr. *thorax* = borstpantser middelste v.d. drie segmenten die bij de insekten de *thorax* (borststuk) vormen. **Mezozo'icum** [v. Gr. *zoooo* = leven] het tweede geologische hoofdtijdperk waarin levende wezens voorkwamen. Het Mesozoïcum duurde van 225-70 miljoen jaren geleden en omvat Trias, Jura en Krijt.

**mess** [Eng. *mess-room*, v. OFr. *mes*, v. VLat. *missum*, v. Lat. *mittere, missum* = zenden] gemeenschappelijke eetgelegenheid, spec. v. officieren. **Mes'se** [Du.; *vgl.* kermis] jaarbeurs.

**Messi'as** [Lat. en Gr.; v. Hebr. *mashiah* = gezalfde, v. *mashah* = zalven] de verwachte Verlosser bij de joden, (*rk*) Christus (= de Gezalfde). **messianis'me** verwachting v.d. Messias. **messianis'tisch** met betrekking tot de Messias.

**Messidor'** [Fr., v. Lat. *messis* = oogst, en Gr. *dooron* = gave, gift] 10e maand v.d. Fr. Republikeinse kalender (20 juni-19 juli).

**mes'sing** [woordaf. onzeker], *ook* **tom'bak** *of* **latoen** genoemd; geel koper, een legering met ca. 30% zink (is het zinkpercentage slechts 10 à 15% dan spreekt men van *roodmessing*).

**mess'-room** *zie* **mess**.

**mesties'** [Sp. *mestizo*, v. VLat. *mixtícius*, v. Lat. *miscére, mixtum* = mengen] kleurling met blank en Indiaans bloed.

**1 me'ta** [afk. v. *metaldehyde, z.a.*] zgn. vaste spiritus, veiligheidsbrandstof in de vorm van blokjes.

**2 metà** [It.] helft.

**3 meta-** [Gr.] mede-, na-, achter- (soms met bet.: veranderend in), om-.

**metable'tica** [v. Gr. *metabolè* = verandering, en *ëthos* = gewoonte, *ook*: aard] leer v.d. veranderingen in menselijke opvattingen. **meta'bola** [v. Gr. *meta-balloo* = om-werpen, omwenden, veranderen] insekten met gedaanteverwisseling. **metabolis'me**, in het Ned. *stofwisseling*, samenvattende naam voor de verschillende stofwisselingsprocessen in levende organismen. **metacen'trum** zwaaipunt v.e. schip. **metachronis'me** [*zie* **chronisch**] fout in tijdrekening waarbij men een gebeurtenis te laat plaatst (*vgl.* **anachronisme**). **metafa'se** [*zie* **fase**] (*biol.*) 2e stadium v.d. kerndeling. **metafoor'** [Lat. & Gr. *metaphora* = over-draging, v. Gr. *pheroo* = dragen] beeldspraak in gelijkenis, (bijv. het schip der woestijn *voor*: kameel), gebruik v. woord in overdrachtelijke betekenis. **metafo'risch** overdrachtelijk. **metafra'se** [Gr. *metaphrasis*, v. *metaphrazoo* = overzetten (in andere woorden), v. *phrazoo* = duidelijk maken] overzetting in andere woorden ter verklaring. **metafy'sica** [MLat. *metaphysica*, MGr. *metaphusika*, v. Gr. *ta meta ta phusika* = (de boeken v. Aristoteles geplaatst) na de *Physica* (eveneens werk v. Aristoteles)] deel der wijsbegeerte die het wezen der dingen bestudeert. **metafy'sisch** de metafysica betreffend, bovenzinnelijk. **metage'nesis** [*zie* **genesis**] generatiewisseling, afwisseling v. geslachtelijke en ongeslachtelijke voortplanting.

**metaldehy'de** [v. Gr. *meta, z.a.*, en *aldehyde, z.a.*] (*chem.*) meta-ethanal, een polymerisatieprodukt van aceetaldehyde CH₃CHO.

**metalliek'** [Fr. *métallique*, v. Lat. *metállicus*, Gr. *metallikos* = van metaal, v. Lat. *metállum* = delfstof, groeve, v. Gr. *metallon* = mijn, missch. v. *metallaoo* = navorsen, onderzoeken] metaalachtig. **metallise'ren** [Fr. *métalliser*] een metaalglans geven; met dun laagje metaal bedekken; verduurzamen (bijv. hout). **metal'lisch** metalliek. **metallochemie'** [*zie* **chemie**] chemie der metalen als zodanig. **metallochromie'** [*zie* **chromium**] kunst om metalen te kleuren. **metallografie'** [Gr. *metallographia*, v. *graphoo* = schrijven] **1** beschrijvende wetenschap v.d. inwendige bouw v. metalen; **2** gravure op metaal.

**metalloï'de** [*zie* -**ide**; *lett.*: op metaal gelijkend] (*chem*; oude, thans verboden naam) niet-metaal. **metallurgie'** [v. Gr. *metallourgos* = metaalwerker, v. *-ergos* = werker, v. *ergon* = werk] leer en kunde der metaalbereiding. **metallur'gisch** metaalertsen en metaalbereiding betreffend. **metameer'** [*zie* **meta-**; v. Gr. *meros* = deel] **I** *zn* (*dierk.*) elk der gelijkvormige delen (segmenten) waaruit bep. dieren zijn opgebouwd; **II** *bn* **1** (*dierk.*) gesegmenteerd; **2** (*chem.*) v. dezelfde samenstelling maar met andere eigenschappen (wegens isomerie) (bijv. ethanol H₃C-CH₂-OH en dimethylether H₃C-O-CH₃). **metamerie'** (*chem.*) bep. vorm v. isomerie. **metamorf'** [v. Gr. *morphè* = vorm] *bn*,-:-**e** *gesteenten*, gesteenten die door rekristallisatie onder hoge druk en bij hoge temperatuur uit oudere gesteenten zijn ontstaan. **metamorfose** [Gr. *metamorphoosis*, v. *meta-morphooo* = van gedaante veranderen, v. *morphè* = vorm] gedaanteverwisseling, gedaanteverandering. **metamorfose'ren** [Fr. *métamorphoser*] een nieuwe gedaante geven of krijgen, herscheppen. **metasta'se** [v. Gr. *metastasis* = het verplaatsen] uitzaaiing v.e. ziekteverwekkende stof naar een ander lichaamsdeel, spec. gezegd v. kankercellen. **meta'thesis** [VLat., v. Gr. = omzetting. v. *metatithèmi* = om-zetten] letter of klankverwisseling; klankverspringing binnen een woord, bijv. *wesp* wordt *weps*. **meta-verbinding** (*chem.*) cyclische verbinding met twee gelijke substituenten aan koolstofatomen die gescheiden zijn door één atoom zonder substituent.

**metempsycho'se** [VLat. *metempsychosis*, v. Gr., v. *meta-, z.a.*, en = in, *psuche* = ziel] zielsverhuizing.

**meteoor'** [v. Gr. *meteooros* = opgeheven, in de lucht zwevend, v. *meta-, z.a.*, en *aeiroo* = opheffen; *ta meteoora* = verschijnselen in de dampkring] verschijnsel dat optreedt wanneer **meteoroïden** uit de interplanetaire ruimte in de aardatmosfeer binnendringen. Door

wrijving met luchtdeeltjes in de dampkring worden deze meteoroiden zeer sterk verhit. Meestal treedt hierbij een lichtverschijnsel op, dat veelal slechts een fractie v.e. seconde duurt. In de volksmond heet zo'n meteoor 'vallende ster'. **meteorie'ten** *mv* [zie **meteoor**] lichamen (meteoroïden) die van uit de interplanetaire ruimte op aarde neervallen; dit i.t.t. *meteoren,* die geheel of althans grotendeels in de atmosfeer verdampen. **meteoriet'de** *zie bij* **meteoor**.
**meteoriet'kraters** *mv* kraters in de aardkorst die ontstaan zijn door inslag van grote meteorieten.
**meteorologie'** [v. Gr. *ta meteoora* = verschijnselen in de lucht; *zie* **-logie**] de wetenschap die zich toelegt op de bestudering v.d. fysische en tegenwoordig ook v.d. chemische eigenschappen v.d. aardse atmosfeer en v.d. bewegingen en andere verschijnselen daarin, spec. weerkunde. **meteorolo'gisch** *bn* & *bw* de meteorologie betreffend, weerkundig. **meteoroloog'** wetenschappelijk beoefenaar v.d. meteorologie, weerkundige. **meteorograaf'** [v. Gr. *graphoo* = schrijven] toestel dat meteorologische gegevens registreert. **meteoroliet'** [v. Gr. *lithos* = steen] meteoorsteen.
**1 me'ter** afk. **m** [v. Gr. *metron* = maat, v. *metreoo* = meten, afmeten] aangenomen

eenheid v. lengtemaat (ca. ¹/₄₀ miljoenste deel v. aardomtrek); m² vierkante meter; m³ kubieke meter; m/sec meter per seconde; in samenstellingen: *-meter,* toestel dat iets meet.
**2 me'ter** [v. kerk. Lat. *matrina,* v. Lat. *máter* = moeder] doopmoeder.
**methaan'** [v. *methyl, z.a.*] bep. gas, de eenvoudigste koolwaterstof, CH₄.
**methadon'** synthetische stof die onder diverse merknamen in de handel is. De stof heeft een morfine-achtig effect en behoort tot de synthetische vervangingsmiddelen voor morfine. Voor het geleidelijk ontwennen aan heroïne en morfine wordt methadon momenteel op grote schaal gebruikt.
**metho'de** [Lat. *méthodus,* Gr. *methodos,* v. *meta-, z.a.,* en *hodos* = weg] werkwijze, manier v. handelen, spec. in een of andere tak v. geestelijke activiteit. **methodiek'** [Du. *Methodik*] methodologie; geleidelijke ontwikkeling v.d. leerwijze. **metho'disch** volgens een methode. **methodist'** aanhanger v.e. evangelische beweging, levend volgens strenge godsdienstige methoden (oorspr. spotnaam; diverse gemeenschappen, thans verenigd; stichters Charles en John Wesley en George Whitefield). **methodis'me** leer der methodisten. **methodologie'** [*zie* **-logie**] methodenleer.
**methyl'-** [v. Gr. *methu* = wijn, en *hulè* = hout (ook stof in het algemeen)] (*chem.*) de eenwaardige atoomgroep —CH₃; —*alcohol,* houtgeest, CH₃OH. **methyleen'** (*chem.*) de tweewaardige atoomgroep = CH₂.
**meticuleus'** [Fr. *méticuleux,* Lat. *meticulósus* = vol vrees, v. *metus* = vrees, bezorgdheid] angstvallig nauwgezet.
**métier'** [Fr., v. Lat. *ministérium* = dienst, ambt, v. *minister* = dienaar; *vgl. minor* = de mindere] handwerk, stiel, beroep, vak.
**metonomasie'** [Fr. *métonomasie,* v. Gr. *meta-,* en *onoma* = naam] vertaling v.d. eigennaam, meestal in Lat. of Gr., thans ook wel in Eng. (bijv. Kremer in Mercator, Schwarzerde in Melanchton, Gerritsen in Erasmus, Mulder in Miller).
**metony'mia** [via VLat. v. Gr. *metoonumia* = verandering v. naam; *zie vorige*] het in de plaats v.d. bedoelde zaak noemen v.e. zaak die met de eerste in zekere betrekking staat (bijv. kroon, *voor:* koning; de hele stad weet het, *voor:* de inwoners v.d. hele stad).
**metony'misch** overdrachtelijk.
**meto'pe** [Lat. *metopa,* Gr. *metopè,* v. *meta-,*

en *opè* = gat (voor paal), luik] vierkante ruimte tussen triglyfen in Dorische fries.
**metrie'** [Gr. *-metria, vgl. -metrès* = -meter; *zie* **meter**] het meten van —. **metriek'** [Fr. *métrique,* Gr. *hè metrikè; zie volgende*] **I** *zn* leer v.d versmaten, leer v.d. lengtematen; leer der muziekmaatsoorten; **II** *bn* de maten betreffend; —*stelsel,* decimaal stelsel met meter, liter en gram als eenheden v. lengte, inhoud en gewicht. **me'trisch** [Gr. *metríkos,* v. *metron* = maat, *metreoo* = meten] de versmaat of de metriek betreffend; volgens het metriek stelsel.
**me'tro** [v. Fr. *métro* (*uitspr.* meetro'), afk. v. *métropolitain chemin de fer* = hoofdstedelijke spoorweg] ondergrondse spoorweg, oorspr. te Parijs, later ook in andere steden (geheel of ten dele ondergronds). De naam metro is overgenomen, ook in niet-hoofdsteden; in het Eng. heet zo'n ondergrondse echter *underground,* in Am. *subway* (*lett.:* onder-weg) i.h. Du. *U-Bahn* (= *Untergrundbahn*).
**metrologie'** [v. Gr. *metron* = maat; *zie* **-logie**] kennis v. maten, gewichten en eenheden.
**metrome'ter** metronoom.
**metroniem'** [v. Gr. *mètèr, mètros* = moeder, en *onoma* = naam] familienaam gevormd naar de voornaam v.d. moeder (*vgl.* **patroniem**).
**metronoom'** [v. Gr. *metron* = maat, en *nemoo* = verdelen] (*muz.*) toestel dat de maat aangeeft, maatmeter, metrometer.
**metrony'misch** [*zie* **metroniem**] naar de moeder genoemd (*vgl.* **patronymisch**).
**metropool'** [Lat. *metrópolis,* Gr. *mètrópolis* = moederstad, hoofdstad, v. *polis* = stad] hoofdstad; wereldstad; zetel v. aartsbisschop, d.i. hoofdstad v. kerkprovincie. **metropoliet'** [VLat. *metropolita,* Gr. *mètropolitès*] oorspr.: bisschop v.d. hoofdstad; aartsbisschop als hoofd v. kerkprovincie (in Gr. kerk meer dan aartsbisschop, doch minder dan patriarch).
**metropolitaan'** [VLat. *metropolitánus* = de (bisschoppelijke) hoofdstad betreffend] aartsbisschoppelijk (bijv. kapittel).
**metroscoop'** [v. Gr. *mèter, mètros* = moeder; *zie* **-scoop**] baarmoederspiegel.
**metrotomie'** [v. Gr. *temnoo* = snijden] baarmoederoperatie.
**me'trum** [Lat., v. Gr. *metron* = maat] (vers)maat.
**met'ten** [v. kerk. Lat. *ad matutínam horam* = op het vroege uur, v. Lat. *matutínus* = in de vroegte geschiedend] eerste der zeven kerkelijke getijden, in de nacht te bidden; *korte —maken,* weinig omslag maken.
**mez'za vo'ce** afk. **mv** [It.; v. Lat. *médius* = in 't midden, en *vox, vocis* = stem] (*muz.*) met halve stem (bijv. zingen). **mez'zo,** afk. **mez.** **mez'zo for'te** afk. **mf** [It.] (*muz.*) half luid, tussen *piano* en *forte* in. **mez'zosopraan** [It. *mezzo soprano*] halfsopraan (tussen sopraan en alt in).
**mi** (*muz.*) 3e toon in de grote tertstoonladder (*zie* **aretijnse**), in het Romaanse taalgebied naam voor de **e**.
**mias'ma** [Gr. = bezoedeling, v. *miainoo* = bevlekken, verontreinigen] moeraslucht waaraan men vroeger ziekteverwekkende eigenschappen toeschreef (malaria).
**mi'ca** [Lat. = kruimel] bep. soort glimmer, dat gemakkelijk in dunne plaatjes kan worden gespleten.
**mi-carême** [Fr., v. *mi* = half-, v. Lat. *médius* = in het midden, en v. *carême,* v. kerk. Lat. *quadragésima* = *lett.:* veertigste, de 40-daagse vastentijd, thans 40-dagen-tijd] halfvasten, ca. halverwege tussen Aswoensdag en Pasen.
**micel'len** [Fr. *micelles,* v. Lat. *mica* = kruimel] bep. substructuren in het protoplasma.
**micro-** [v. Gr. *mikros* = klein] **1** (*metrologie;* afk. **μ**-) voorvoegsel dat een miljoenste ($10^{-6}$) van de daarachter staande eenheid aanduidt, bijv. *micrometer* (μm) = 0,000 001 m; **2** (als eerste lid v. samenstellingen) zeer klein-, hetzelfde als **mini-,** *z.a., bijv.: microtheater, ook:* 'beschouwd in klein verband', *bijv.:*

*micro-economie*, i.t.t. **macro-**, *z.a.*
**mi'crobalans** chem. onderzoek v. zeer
kleine hoeveelheden stof. **mi'crobalans**
weegtoestel voor het wegen v. zeer geringe
hoeveelheden (1 milligram en minder) voor
wetenschappelijke doeleinden. **micro'be** [v.
Gr. *bios* = leven] levende organismen die
slechts m.b.v. een microscoop zijn waar te
nemen, een verouderde benaming voor
*micro-organismen*. **mi'crobiologie** tak v.d.
biologie die zeer kleine organismen
bestudeert. **mi'crochemie** chemische
werkzaamheden met zeer kleine hoeveelheden
stof; *ook*: chemische analyse m.b.v. een
microscoop. **mi'crocomputer** [*zie*
**computer**] kleine computer op basis v.
microprocessor. **mi'crocosmos** [*zie*
**kosmos**] in de biologie de wereld van de
micro-organismen en microscopische
structuren, in de fysica de wereld der atomen;
*(fig.)* in overdreven zin: de mens.
**mi'cro-economie** deel v.d. economie dat
het economische gedrag v. afzonderlijke
subjecten en de daaruit voortkomende
prijsvorming bestudeert.
**mi'cro-elektro'nica** (*zie* **elektronica**) tak
v.d. elektronica die zich bezighoudt met het
ontwerpen, vervaardigen en vervolgens
toepassen v. elektronische schakelingen met
zeer kleine afmetingen. **mi'crofauna** de
wereld v.d. microscopisch kleine dierlijke
organismen. **mi'crofilm** sterk verkleinde
fotografische reproducties op een filmstrook.
**mi'croflora** de wereld van de microscopisch
kleine plantaardige organismen.
**mi'crofysica** molecuul- en atoomfysica.
**mi'crogolven** *mv* elektromagnetische golven
met golflengten van 0,1 tot 1 cm.
**mi'crokopie** sterk verkleinde fotokopie, spec.
v. een gedrukte of geschreven tekst.
**mi'crokristallijn** bestaande uit
microscopisch kleine kristallen (dus niet met
het blote oog waarneembaar). **mi'crometer**
1 (*metrologie*, afk. μm) het miljoenste deel v.e.
meter (= 0,001 mm); **2** apparaat om zeer kleine
afstanden of zeer geringe dikten te meten (bijv.
van papier); **3** (*astr.*) inrichting in kijker om
kleine afstanden aan de hemel te meten.
**mi'cron** kleine lengte-eenheid, één
duizendste (0,001) millimeter; thans
afgeschafte term en vervangen door
*micrometer*, *z.a.* **mi'cro-organismen**
levende organismen (o.a. bacteriën) die alleen
onder de microscoop zijn waar te nemen.
**mi'croprocessor** [v. Lat. *pro-cédere*,
*-cessum* = voort-gaan] minieme computer die
bep. eenvoudige bewerkingen of handelingen
kan uitvoeren, bijv. een huiscomputer, of in
'zelfdenkende' wasmachines e.d.
**microscoop'** [*zie*-**scoop**] instrument om
zeer kleine voorwerpen, bijv. cellen, sterk
vergroot waar te nemen en/of te fotograferen.
**microscopie'** het microscoperen.
**microsco'pisch** *bn* & *bw* **1** geschiedend met
een lichtmicroscoop of daarop betrekking
hebbend (*bijv.*: microscopisch onderzoek); **2**
alleen waarneembaar onder een
lichtmicroscoop; (*bij wijze van overdrijving*)
zeer gering, zeer klein. **microscope'ren** *ww*
werken met een microscoop, microscopische
waarnemingen verrichten. **mi'crostructuur**
structuur die alleen m.b.v. een microscoop is
waar te nemen. **microtoom'** [v. Gr. *temnoo*
= snijden] apparaatje om uiterst dunne plakjes
te snijden van een (meestal anatomisch)
preparaat voor microscopisch onderzoek.
**mic'tie** [Lat. *míctio*] (*med.*) lozing van urine.
**Mi'drasj** [Hebr.] verklaring van de
Hebreeuwse Bijbel door de rabbijnen met het
doel eigentijdse vragen en ideeën met de oude
teksten in overeenstemming te brengen.
**1 mie** [Chinees] soort Chinese spaghetti uit
tapioca- en tarwemeel.
**2 mie**, *ook*: **miet** of **mie'tje** [v. **sodemieter**,
geassocieerd met *Marie*] homoseksuele man
met duidelijk vrouwelijk gedrag.

**mies** [*Barg.*, via Jidd. v. Hebr. *mioes* =
minderwaardig] ongunstig, lelijk, — *weer*,
druilerig weer. **mies'gasser** [*gasser* v. Jidd.
*chazzer* = varken] (*Barg.*) ongunstige lelijke
kerel, vuilak, viezerik.
**miet** *zie* **2 mie**.
**mie'ter** [verkorting v. **sodemieter**, *z.a.*]
(meestal ongunstig) kerel, vent; (*ook*
neutraal): *een hoge* —, een hoge piet, een
vooraanstaand persoon.
**mignon'** [Fr. = *eig.*: klein en teer, *vroeger*:
*mignot*, v. *minet* = kleine kat] lieveling.
**mignon'ne** [Fr.] **1** lieveling; **2** bep. kleine
drukletter.
**mignonnet'te** [Fr.] (*cul.*) fijngestoten witte
peperkorrels.
**migrai'ne** [Fr., v. Lat. *hemicránia*, Gr.
*hēmikrania*, v. *hēmi* = half-, en *kranion* =
schedel] schele hoofdpijn.
**migre'ren** [Lat. *migráre*, *-átum*] verhuizen, (v.
dieren) trekken. **migrant'** [v. Lat. *migrans*,
*migrantis* o.dw v. *migráre* = verhuizen]
persoon die naar ander land verhuist.
**migra'tie** [Lat. *migrátio*] zn.
**mijote'ren** [Fr. *mijoter* = zacht stoven] (*cul.*)
zachtjes gaar sudderen, gaar smoren, op een
klein vuur.
**mij'ter** [Lat. & Gr. *mítra* = hoofdband, tulband,
mijter] tweepuntig liturgische hoofdtooi bij
kerkelijke plechtigheden gedragen door
bisschoppen.
**mi'kado** [v. Japans *mi* = verheven, en *kado* =
deur, poort] titel door niet-Japanners gegeven
aan de Japanse keizer; de Japanners zelf
spreken van *tenno*.
**miliair'** [Fr. *miliaire*, v. Lat. *miliárius* = tot de
gierst behorend, v. *milium* = gierst] (*med.*) de
vorm van een gerstekorrel hebbend.
**milicien'** [Fr., v. *milice* = Lat. *militia*; *zie*
**militie**] soldaat.
**milieu'** [Fr., v. *mi-* = half, (v. Lat. *médius* = in
het midden) en *lieu* = Lat. *lócus* = plaats] **1**
midden, omgeving; kring waarin men leeft,
sociale omgeving waarin men is opgegroeid;
**2** de uitwendige factoren die het welzijn v.d.
bevolking in een streek of van de gehele aarde
in lichamelijk of geestelijk opzicht
beïnvloeden; **3** (*biol.*) het samenstel van
uitwendige factoren die van invloed zijn op het
dier of de plant.
**militair'**, afk. **mil.** [Fr. *militáire*, v. Lat. *militáris*
= de soldaten betreffend, v. *miles*, *mílitis* =
soldaat] **I** *bn* het krijgswezen betreffend,
soldaten betreffend; **II** *zn* soldaat. **militant'**
[Fr. = o.dw van *militer* = strijden, v. Lat.
*militáre* = soldaat zijn] strijdlustig.
**militarise'ren** [Fr. *militariser*] op militaire
wijze inrichten. **militaris'me** (streving naar)
overheersing v.h. krijgswezen of militaire
stand. **militarist'** [Fr. *militariste*] aanhanger
v.h. militarisme.
**mi'litary** [Eng.] (*paardensport*) een concours
samengesteld uit dressuurproef, terreinrit en
springwedstrijd.
**mili'tie** [Lat. *militia* = krijgsdienst; *zie ook*
**militair**] **1** de krijgsmacht die door de
dienstplicht uit de bevolking is gelicht, in
tegenst. met het beroepsleger; **2** in bep. landen
naam voor militaire (of paramilitaire)
organisaties op politieke basis (*ook*: *militia*).
**miljard'** [Fr. *milliard*, v. *mille* = duizend]
duizend miljoen. **miljardair'** [Fr. *milliardaire*]
wie minstens een miljard bezit. **miljoen'** [Fr.
*million*, v. It. *millióne* = *lett.*: groot duizend]
duizend maal duizend. **miljonair'** [Fr.
*millionnaire*] wie minstens een miljoen bezit.
**milk'shake** [Eng., v. *milk* = melk, en *to shake*
= schudden] bep. Am. drank uit gekoelde
melk of yoghurt met div. ingrediënten, bereid
in een mixbeker.
**mil'le** afk. **M** [Fr., v. Lat.] duizend.
**millen'nium** [v. Lat. *annus* = jaar; *vgl.*
**biennium**] tijdperk v. 1000 jaren.
**millenaris'me** [v. Lat. *millenárius* = een
duizendtal bevattend] bep. stroming onder
christenen die op het einde der tijden een

1000-jarig rijk v. vrede en geluk verwacht.
**milli-**, afk. **m-** [v. Lat. *mille* = 1000]
(*metrologie*) voorvoegsel dat een duizendste
deel (10⁻³) van de daarachterstaande eenheid
aanduidt, (*bijv.*: **millimeter** of mm =
eenduizendste meter).

**mil'libar** [*zie* milli-] eenheid v. luchtdruk,
0,001 bar. **millime'teren** (het haar) zeer kort
knippen.

**mil'reis** [Port. *mil* = duizend; *reis* mv van *real*;
*zie* **reaal**] bep. vroegere Portugese gouden
munt.

**mi'me** [v. Lat. *mimus*, Gr. *mimos* =
toneelspeler] gebarenspel. **mi'micus** [Lat. v.
Gr. *mimikos* = nabootsend, mimisch, v.
*mimeomai* = nabootsen] artiest in het
gebarenspel. **mi'micry** [Eng., verkorte vorm
v. *mimic*-ery (*vgl.* Ned. *-erij*, Fr. *-erie*) =
naboots-erij, v. Gr. *mimikos* = nabootsend; *zie*
**mimicus**] het verschijnsel dat sommige
dieren die goed eetbaar zijn voor roofvijanden,
sterk in vorm, kleur of geluid lijken op
gevaarlijke of onsmakelijke dieren in dezelfde
omgeving, zodat ze met rust worden gelaten:
*mimicry* v. *Bates*. Het is wat anders dan
*camouflage* (vermomming door de gelijkenis
met bladeren, takken, achtergrond e.d.).

**mimiek'** [Fr. *mimique*] kunst om door gebaren
en gelaatsuitdrukkingen innerlijke gevoelens
mee te delen. **mi'misch** [Gr. *mimikos*] de
mimiek betreffende.

**mi'niksel** v.e. stel bijzettafeltjes die in elkaar
geschoven kunnen worden.

**mi'na** [Gr. *mna*] of **mna** oud-Gr. gewichts- en
rekenmunteenheid. Als gewichtseenheid was
de mna 437 g, als rekeneenheid was de mna
100 drachmen en vormde ¹⁄₆₀ deel van een
talent.

**minaret'** [v. Arab. *manarat*, v. *manar* =
vuurtoren; *nar* = vuur] slanke toren bij moskee,
vanwaar de moëddzin oproept tot het gebed.

**minaude'ren** [Fr. *minauder*, v. *mine* =
gelaatsuitdrukking, v. Keltische oorsprong]
zich nuffig aanstellen.

**mineraal** [v. MLat. *minerális* = tot de *minera*
(= mijn) behorend] **I** *zn* delfstof; **II** *bn* uit de
bodem komend en delfstoffen bevattend.
**mineralogie'** [*zie* -logie] leer der
delfstoffen. **mineraloog'** beoefenaar der
mineralogie. **mine'ren** *ww* **1** ondermijnen;
onderaardse gangen met explosieven
aanleggen; **2** (*biol.*) gangen uitvreten in
plantenweefsels door insekten of hun larven.
**miner'val**, *mv* **minerva'lia** [v. Lat. *Minerva*,
godin v. kunsten en wetenschappen] **1** in het
oude Rome het leergeld, het schoolgeld, het
jaarloon dat de leraren op het Minervafeest
(19-23 maart) ontvingen; **2** (*in België*, daar
ook **minerval**) schoolgeld op Latijnse
scholen, collegegeld op universiteiten.

**mine'stra** [It.] bep. soort brijachtige
groentesoep, bereid uit velerlei ingrediënten,
naast groenten ook meelspijzen en
vleeswaren, opgediend met geraspte kaas.
**minestro'ne** [It. = *lett.*] grote *minestra*] dikke
groentesoep, evenals minestra bestaande uit
div. groenten, bouillon, aardappelblokjes en
rijst.

**1 mineur'** [Fr., v. *mine* = mijn] **1** mijnwerker;
**2** geniesoldaat, spec. opgeleid ten behoeve
v.d. mijnoorlog (het graven v. onderaardse
gangen bij de oorlogvoering).

**2 mineur'** afk. **min.** [Fr., v. Lat. *minor* =
vergrotende trap v. *párvus* = klein; *minúere* =
klein maken; *zie verder* **miniem** e.v.] (*muz.*)
kleine terts toonaard (*vgl.* **majeur**); *in —*, in
een mineurtoonaard (*fig.*) in neerslachtige
stemming, gedeprimeerd.

**mi'ni** (*zie volgende*) damesmode in de jaren
'60 met korte rokken, soms tot ver boven de
knie.

**mini-** [v. Lat. *minimus* = kleinste, overtreffende
trap van *párvus* = klein] modern voorvoegsel
om een kleine maat aan te duiden, bijv.
*minibus* = kleine autobus.

**miniaturise'ring** [v. **mini-**, *z.a.*; niet v.

**miniatuur**, *zie volgende*; het woord is dus
onjuist gevormd] technisch streven om
apparatuur zo klein (en dus zo licht) mogelijk
uit te voeren, spec. op het gebied van
elektronische toestellen.

**miniatuur'** [v. MLat. *miniatúra*, v. Lat. *miniáre*,
*-átum* = rood verven, v. *mínium* = menie,
vermiljoen, cinnaber] zeer klein schilderstuk,
spec. binnen aanvangsletters in oude
handschriften (oorspronkelijk met rode
verfstof geschilderd) ; (*alg.*) zeer klein
werkstuk; *in —*, in het klein.

**miniem'** [Fr. *minime*, v. Lat. *mínimus* =
overtreffende trap v. *parvus* = klein] zeer
gering, zeer klein. **mi'nima** *zie bij* minimum.
**minimaal'** een minimum zijnde, zo klein
mogelijk; zeer klein; ten minste. **mi'nimal art**
[Am.] stroming in de Am. beeldhouwkunst die
eenvoudige, geometrische vormen gebruikt.
**minimalise'ren** *ww* [*zie* **miniem**] zo gering
mogelijk doen voorkomen, als van weinig
belang voorstellen (*vgl.* **maximaliseren**).
**minimalist'** aanhanger van een politiek
program van minimum-eisen (*vgl.*
**maximalist**). **mi'nimal mu'sic** [Am.]
stroming in de Am. muziek, ontstaan in de
jaren zestig, die gebruik maakt van vrij
eenvoudige zich steeds herhalende motieven
en waarbij alleen kleine verschuivingen
voorkomen.

**mi'nimum**, *mv* **mi'nima** [*zie* **miniem**;
*mínimum* is het onzijdig v. *mínimus*] kleinste
waarde die een veranderlijke grootheid kan
bereiken of bereikt heeft; kleinste, geringste
hoeveelheid; laagste (*bijv.*: prijs, bedrag, loon
e.d.). **mi'nima** *mv* (*eig.*: sociale minima)
personen die een loon of uitkering ontvangen
waarmee zij slechts in hun noodzakelijkste
levensbehoeften kunnen voorzien.
**mi'nimumloon** bedrag van loon of salaris
(evt. uitkering), door de overheid vastgesteld,
dat op zijn minst moet worden betaald.
**minise'ren** *ww* [*zie* **miniem**] verminderen,
beperken, spec. het geconsumeerde voedsel
om af te slanken.

**minis'ter** [Lat. = dienaar; verwant met *minor*
= de mindere] eerste landsdienaar, meestal
hoofd v.e. departement. **ministe'rie**[Lat.
*ministérium* = dienst, bediening] **1** ambtelijke
hulp; **2** functie of ambtsvervulling v. minister,
afdeling v. staatsbestuur onder een minister,
gebouw daarvoor, de gezamenlijke ministers;
**3** kerkelijke bediening, de gezamenlijke
kerkdienaren v.e. plaats. **ministerieel'** [Fr.
*ministériel*, v. *ministeriális*; VLat. *ministeriáles*
= keizerlijke beambten) een minister of een
ministerie betreffend. **ministra'bel** (ook wel
minder juist **ministeriabel**) [Fr. *ministrable*,
v. Lat. *-áblis* = -baar] in aanmerking komend
en bereid voor ambt v. minister.

**mink** donkerbruin bont van de mink, de soort
*Lutreola vison* of *Mustela vison* uit de familie
Marterachtigen; Am. nerts.

**mi'nor** [Lat. = de kleinere; *zie* **mineur 2**] deel
v. sluitrede dat de meer bijzondere uitspraak
bevat (bijv. in het syllogisme: ieder mens is
sterfelijk, ik ben een mens, dus ben ik sterfelijk,
is 'ik ben een mens' de minor; *zie ook* **major**).
**minoraat'** bevoorrechte erfopvolging v.
jongere zoon (*vgl.* **majoraat**).
**minorenniteit'** [v. Lat. *annus* = jaar]
minderjarigheid.

**Minorie'ten** *mv zie onder* **Conventuelen**.
**minoriteit'** [MLat. *minóritas*] **1** minderheid; **2**
minderjarigheid.

**min'streel** [v. OFr. *menestral*, v. Lat.
*ministeriális*; *zie* **ministerieel**] middeleeuws
speelman die de zangen der troubadours op
instrument begeleidde; *ook*: troubadour.

**mi'nus** [Lat. onz. v. *minor*, vergrotende trap v.
*parvus* = klein] (*rekenkunde*) minteken, min,
tegenovergestelde v. plus.

**minuscuul'** [Fr. *minuscule*, v. Lat. *minúsculus*
= nogal klein, verkleinwoord v. *minor*; *zie*
**mineur**] zeer klein. **minus'kel** [als vorige]
kleine letter (tegenover hoofdletter).

**minu'te** [Fr. = *eig.*: klein schrift; v. Lat. *minúere*, *minútum* = klein maken] het origineel v. openbare akte (bijv. van notarisakte); concept-brief. **minutieus'** [Fr. *minutieux*] zeer nauwkeurig, op kleinigheden lettend (bijv. onderzoek). **minuut'** [Lat.

*minúta* = de minuten ($^1/_{60}$ deel v.e. uur] = onz.

mv van *minútus* = v.dw van *minúere*, *minútum* = klein maken] **1** (afk. m) $^1/_{60}$ deel v. uur of v. booggraad; **2** minute.

**Mioceen'** [onregelmatig gevormd v. Gr. *meioon* = minder, en *kainos* = nieuw] bep. geologisch tijdperk, onderdeel v.h. Tertiair (*z.a.*) (het Mioceen duurde van 25-12 miljoen jaren geleden); aardlaag in dat tijdperk gevormd.

**mirabel'** [Fr. *mirabelle*] kerspruim (*Prúnus cerasífera*) uit de Rozenfamilie (Rosáceae), soort kleine (2-3 cm doorsnede) rode pruim.

**mira'bile dic'tu** [Lat.] wonderlijk om te zeggen, het is wonderlijk genoeg.

**miraculeus'** [Fr. *miraculeux*, v. MLat. *miraculósus*, v. Lat. *miráculum* = wondering, iets waarover men verwonderd staat; *mirári* = zich verwonderen; *mirus* = verwonderlijk] wonderbaar; wonderdoend. **mira'kel** [Lat. *miráculum*] **1** wonder; **2** akelig mens (lelijk —). **mira'kels** zeer.

**mira'ge** [Fr., v. (*se*) *mirer* = zich in spiegel bekijken, weerspiegeld worden, v. Lat. *mirári* = bewonderen] luchtspiegeling.

**mirepoix'** [Fr.] (*cul.*) mengsel v. blokjes ui, wortel, rasp e.d. met peperkorrels, laurierblad, peterseliestelen en tijm, al dan niet gefruit of gebakken met boter, en gebruikt voor het maken van een fonds voor saus.

**mir'liton** [Fr. *mirliton*] bep. rieten dwarsfluit, aan beide einden voorzien v. vlies; bontgekleurd kinderfluitje.

**miroton'** [Fr.] (*cul.*) ragoût van vlees in saus met uien, bestrooid met kappers.

**mir're** [Lat. *myrrha*, v. Gr. *murrha*] bep. welriekend hars, bitter v. smaak.

**misandrie'** [v. Gr. *miseoo* = haten, en *anèr*, *andros* = man] mannenhaat. **misantropie'** [Gr. *misanthrooopia*; v. *anthroopos* = mens] mensenhaat. **misantroop'** [Gr. *misanthroopos*] mensenhater. **misantro'pisch** mensenhatend, mensenschuw, mensen afstotend.

**miscea'tur** [Lat., v. *miscére* = vermengen] het worde gemengd. **miscella'nea** [Lat. = ratjetoe, mengelingen, v. *miscelláneus* = gemengd. v. *miscéllus* = gemengd] mengelwerk.

**mi'se** [Fr. = *eig.*: het werpen, v. *mettre* Lat. *míttere*, *missum* = zenden] inzet (bij spel e.d.). **mi'se-en-pla'ce** [Fr. = *lett.*: het op zijn plaats zetten] (*cul.*) het tevoren gereed maken en klaar zetten van (alle) zaken die bij de bereiding van een bep. gerecht of in de loop van de dag nodig (kunnen) zijn. **mi'se-en-scène** [Fr.; *zie* **scene**] toneelschikking, aankleding en inrichting v. toneel.

**misera'bel** [Lat. *miserábilis* = beklagenswaard, v. *míser* = ellendig, ongelukkig] ellendig. **misère** [Lat. *miséria* = ellende, nood] ellende, grote armoede; (*kaartsp*) bod waarbij men geen enkele slag mag halen.

**Misj'na** [v. nabijhels Hebr. *mishna* = herhaling, instructie, v. *shanah* = herhalen] verzameling geboden die de basis v.d. Talmoed vormen.

**misogamie'** [v. Gr. *miseoo* = haten, en *gamos* = huwelijk] afkeer v.h. huwelijk. **misogaam'** wie afkeer v.h. huwelijk heeft. **misogyn'** [Gr. *misogunos*, v. *guné* = vrouw] vrouwenhater. **misogynie'** afkeer v. vrouwen.

**missaal'** [kerk. Lat. *missále*, v. *missa* = mis] boek met Latijnse misgebeden (in groot formaat ten gebruike v.d. priester of in klein formaat ten gebruike v.d gelovigen).

**mis'sie** [Lat. *míssio* = zending, v. *míttere*,

*missum* = zenden] last, zending; zending tot verkondiging v.h. geloof onder niet-gelovigen; gebied waar aldus gepredikt wordt. **missiologie'** [*zie* -**logie**] leer omtrent de geloofszending. **missiona'ris** wie het geloof verkondigt onder niet-gelovigen, zendeling.

**mis'sing link** [Eng.] ontbrekende schakel (spec. de eertijds gezochte biol. schakel tussen aap en mens).

**missi've** [Fr., v. MLat. *missívus*, v. Lat. *míttere*, *missum* = zenden] dienstbrief, zendbrief.

**mis'tel** *zie* **maretak**.

**mis'tletoe** [Lat. *mistiltán*, v. *mistel*, en *tán* = twijg] maretak, bep. parasitaire plant (bijv. op appelbomen), ook vogellijm genaamd, met bep. folkloristische betekenis (*zie bij* **maretak**).

**mistral'** [Fr., v. Provençaals *maestral* = de meester-wind, v. Lat. *magistrális* = de *magister* betreffend; *zie* **magister**] koude N.W.wind in het Rhônedal.

**mitai'ne** [Fr., verdere afl. onzeker] handschoen die de halve vingers onbedekt laat.

**mitel'la** [Lat., verkleinwoord v. *mitra; zie* **mijter**] draagdoek voor gewonde arm.

**mitige'ren** [Lat. *mitigáre*, -*átum* = *mitem ágere* = zacht maken; *mitis* = zacht] verzachten, lenigen, milderen. **mitiga'tie** [Lat. *mitigátio*] zn.

**mitonner'** [Fr. = langzaam laten koken] (*cul.*) brood in soep (lang) laten koken.

**mito'se, mito'sis** [v. Gr. *mítos* = draad] (*biol.*) kerndeling (karyokinese) waarbij een spoelvormige bundel draden ontstaat die in twee polen uitloopt.

**mitrailleur'** [Fr. *mitrailleuse*, v. *mitraille* = schroot, v. OFr. *mite* = klein geld, v. OVlaamse *mite* = bep. kleine koperen munt; *vgl*. Du. *Meite* = klein ding; Ned. *mijt*] machinegeweer. **mitraille'ren** [Fr. *mitrailler*] met mitrailleur(s) beschieten.

**mix**, *ook* **mixage** [*zie* **mixen**] **1** geluiden mixen op één band (*zie* **mixen** 2); **2** band waarop verschillende geluiden zijn overgebracht. **mi'xen** [Eng. *to mix* = mengen, v. Lat. *miscére*, *míxtum* = mengen] **1** div. ingrediënten voor (alcoholische) drank of voor bep. gerecht mengen; **2** geluiden die op verschillende geluidsbanden zijn opgenomen op één band (onder bep. voorwaarden van onderlinge afstemming) weer opnemen. **mixtuur'** [Lat. *mixtura* = mengsel] **1** (artsenij) mengsel; **2** bep. orgelregister met mengklank.

**mna** *zie* **mina**.

**Mnemo'syne** [Gr. *mnèmosunè* = herinnering, v. *mnèmoneuoo* = *mimnéiskomai*, v. stam *mnè* = herinneren] godin v.h. herinneren, moeder der Muzen. **mnemotechniek'** [v. Gr. *mnémè* = herinnering, en *techné* = kunst, kunde] kunst of methode v.h. onthouden en van buiten leren.

**mobiel'** [Lat. *móbilis*, voor *movíbilis*, v. *movére* = bewegen] beweeglijk; (*mil.*) gereed voor ten velde trekken.

**Mobie'le Eenheid (ME)** spec. getrained en uitgerust politiekorps dat direct ingezet kan worden, spec. bij het bedwingen van ordeverstoringen, rellen e.d. **mobilair'** *bn* [v. vroeger Fr. *mobiliaire*, thans *mobilier* = meubilair, inboedel] op roerend goed betrekking hebbend. **mobi'lia** *mv* roerende goederen. **mobilise'ren** [Fr. *mobiliser*] **1** (*mil.*) troepen en toebehoren mobiel maken, in geheel voor een oorlog toegeruste toestand brengen; **2** (*med.*) een langdurig geïmmobiliseerd geweest zijnde patiënt geleidelijk in beweging brengen (loopoefeningen e.d.) zodra dat weer mogelijk is, ook gezegd van lange tijd niet gebruikte ledematen. **mobilisa'tie** *zn*. **mobilisa'bel** *bn* (*mil.*) in staat gemobiliseerd te worden (gezegd van legeronderdelen). **mobiliseerbaar** voor militaire actie. **mobilifoon'** [v. Gr. *phoonè* = stem; *vgl*. **telefoon**] toestel

voor draadloze telefonie, waarmee
telefoongesprekken uit rijdende voertuigen
(bijv. taxi's) mogelijk zijn.

**mo'cassin** [Indiaans *mocasin*] Indiaanse
schoen v. soepel leer; dergelijke pantoffel.

**mod 1** subcultuur v. jongeren, halverwege de
jaren '60, die zich i.t.t. ander subculturen
*zeer modieus* kleedden; **2** aanhanger van deze
subcultuur.

**modaal'** [MLat. *modális*, v. Lat. *modus* = maat,
aard en wijze] een modus uitdrukkend (bijv.
modale bijwoorden, bijwoorden v. wijze);
*modale werknemer*, gehuwde werknemer met
twee kinderen en een inkomen dat juist
beneden de premiegrens van de sociale
verzekering is gelegen (gemeenzaam *Jan
Modaal* genaamd). **modaliteit'** [Fr.
*modalité*] wijze v. zijn, v. gesteldheid, v.
voorstelling; toonaard.

**mo'dem** [samentrekking v.
*modulator-demodulator; zie* **moduleren**]
apparaat bij data-transmissie toegepast, dat
signalen moduleert en demoduleert als het
geplaatst is tussen het transmissiekanaal
(zoals bijv. een telefoonverbinding) en de
apparatuur die de gegevens verwerkt (zoals
bijv. een computer).

**moderaat'** [Lat. *moderátus*, v. *moderáre*,
*-átum* = matigen, v. *modus* = maat] gematigd.
**modere'ren** [Lat. *moderáre*] matigen,
beperken, temperen. **modera'tie** [Lat.
*moderátio*] zn. **modera'men** [Lat. =
tempering, v. *moderári* = beteugelen,
beheersen] leiding, bestuur; (*Prot.*) bestuur
v.e. classis. **moderateur** [Fr. *modérateur*,
Lat. *moderátus* (persoon) bestuurder, leider;
(voorwerp) regulateur aan machine.
**modera'to** afk. mod. [It.] (*muz.*) gematigd.
**modera'tor** [Lat.] bestuurder, leider
(geestelijk) adviseur v.e. vereniging of leider
v.e. debatingclub; (*bij kernreacties*) stof die
snelle neutronen afremt (bijv. grafiet).

**modern'** [v. VLat. *modérnus*, v. Lat. *módo* =
*eig.*: met mate, v. *modus* = maat; het bw *modo*
(met vele betekenissen) beperkt o.a. de maat
v.e. begrip, ook v.d tijd; in dit laatste geval
betekent *módo*: zojuist, daarnet, ook: onlangs.
Van Lat. *modus* = ook: manier, wijze, zijn via
VLat. en Fr. ook afgeleid *mode* en *model*] *bn*
**1** tot de nieuwere tijd behorend (*bijv.*: de
moderne talen, de talen in westerse landen
gesproken, spec. Engels, Frans en Duits, i.t.t.
de klassieke talen, spec. Latijn en Grieks); **2**
hedendaags, nieuwerwets (i.t.t. ouderwets),
*ook*: afkerig van wat gedateerd is of daarvoor
gehouden wordt (moderne ideeën bijv. over
opvoeding en onderwijs); **3** vrijzinnig in
religieuze zaken. **Moder'ne Devo'tie** (=
Nieuwe Devotie) Ned. beweging in de 14e en
15e eeuw tot verdieping en vernieuwing v.h.
geloofsleven, gepropageerd door Geert
Groote en de Broeders des Gemenen Levens.
**modernise'ren** [Fr. *moderniser*] naar
hedendaagse opvattingen inrichten, modern
maken. **modernis'me** moderne geest, uiting
daarvan; stroming die in godsdienstzaken
vrijzinnige ideeën propageert; lit. stroming in
de jaren 1890-1930. **modernist'** aanhanger
van het modernisme.

**modest'** [Lat. *modéstus* = zich matigend in
begeerten, v. *módus* = maat] **1** bescheiden; **2**
zedig, eerbaar. **modestie'** [Fr.] **1**
bescheidenheid; **2** zedigheid, ingetogenheid.

**modieus'** volgens de mode. **modis'te** [Fr.]
vervaardigster of verkoopster v.
dames-modeartikelen, spec. v. hoeden.
**modinet'te** (geen Fr. woord; o.i.v. het woord
*mode* verbastering uit het Fr. *midinette*)
meisje op naaiatelier.

**modifice'ren** [Lat. *modificare* = afmeten, een
maat stellen, v. *módus* = maat, en *fácere* =
maken, doen] wijzigen, een andere vorm
geven. **modifica'tie** zn [v. Lat. *modificátio* =
af-meting] **1** wijziging; **2** (*biol.*) niet-erfelijke
wijziging v.e. eigenschap in ander milieu; **3**
(*chem.*) andere vorm van een dezelfde kristal-stof,

bijv. o.a. door andere rangschikking van de
atomen in het molecule.

**module'ren** *ww* [v. Lat. *modulári* = in de maat
zingen of spelen, v. *módulus* = verkleinwoord
v. *módus* = maat] **1** de stem buigen, spec. met
gepaste stembuiging voordragen; **2** (*muz.*)
naar een andere toonsoort overgaan; **3** (*tech.*)
de amplitude, frequentie of fase v.d.
radiodraaggolf beïnvloeden zodat een
eenduidig signaal met een bep. boodschap
wordt overgebracht. **modula'tie** [Lat.
*modulátio*] zn **1** stembuiging; **2** (*muz.*)
overgang v.d. ene toonsoort in de andere; **3**
(*communicatietechniek*) het moduleren, het
proces waardoor een boodschap, bijv. een
bep. geluid wordt omgezet in een signaal dat
een bep. informatie bevat. **modula'tor**
[modern Lat.] toestel om te moduleren.

**modulair'** *bn* op of op een **modulus**, *z.a.*,
betrekking hebbend.

**mo'dulus**, *ook*: **mo'dul** of **moduul'** [Lat.
*módulus* is verklw. v. *módus* = maat] **1**
(*bouwkunst*) verhoudingsmaat, maat die als
grondslag dient of heeft gediend voor de
coördinatie v.d. afmetingen. Deze afmetingen
van de onderdelen hebben dus steeds dezelfde
verhoudingen; **2** (*wisk.*) een term met
verschillende betekenissen, o.a. *a* het
betrekkingsgetal tussen logaritmen met
verschillend grondtal, d.i. grootheid waarmee
vermenigvuldigd moet worden om logaritmen
v.h. ene stelsel i.h. andere over te voeren; *b* ten
aanzien v. reële en complexe getallen is
modulus hetzelfde als *absolute waarde*; **3**
(*nat.*) betrekkingsgetal; *elasticiteitsmodulus*,
de verhouding tussen de spanning en de rek
die daarbij optreedt.

**mo'dus** *mv* **mo'di** [Lat. = maat] **1** (*alg.*)
manier, wijze; *méo módo* = op mijn eigen
manier; **2** (*taalk.*) wijze, wijs, vorm v.h.
werkwoord dienende om de verhouding v.d.
handeling tot de realiteit tot uitdrukking te
brengen, zoals: de aantonende wijs
(*indicativus, bijv.*: het is zo), de aanvoegende
wijs (*conjunctivus, bijv.*: het zij zo), de
gebiedende wijs (*modus imperativus, bijv.*:
wees[t]), de onbepaalde wijs (*bijv.*: zijn);
*módus acquiéndi*, wijze van verkrijging;
*módus operándi* = handelwijze, werkwijze;
*módus procedéndi* = wijze van voortgaan;
*módus quo* = de manier waarop; *módus
vivéndi* wijze van (naast elkaar) leven.

**moëddzin'** [Arab. *mu'adhdhin*] = oproeper, v.
*adhana* = uitroepen] beambte bij een grote
moskee, die met een bep. formule vanaf de
minaret de gelovigen vijfmaal per dag oproept
tot het verplichte gebed.

**moef'ti** [Arab. dw van *afta* = een punt v.d. wet
beslissen] geestelijk wetgeleerde bij de
mohammedanen.

**moelle** [Fr.] (*cul.*) merg.

**moes'son** [Fr. *mousson*, v. Port. *mouçao*, v.
Arab. *mausim*] jaargetijdewind in tropen die
gedurende een bep. jaargetijde uit constante
richting waait, maar met jaargetijden periodiek
wisselt.

**moe'zjiek** (ook wel **moejik**) [Russisch]
Russische kleine boer.

**mofet'te** [Fr.] plaats in de aardkost waar
koolzuur (*juister*: kooldioxide, $CO_2$) ontwikt.
Daar dit zwaarder is dan lucht, blijft het in een
hol e.d. hangen.

**mof'fel** [Fr. *moufle*] bep. soort oven of vat om
stoffen te verhitten zonder dat de vlam er bij
kan komen. **mof'felen** *ww*. **mof'felen:**
*weg—*, iets handig (in zijn moffel = mof)
wegstoppen.

**mo'gol** [v. Perzisch *mugul*] (*gesch.*) Europese
naam voor Mongools heerser v.
Timoerdynastie in Hindoestan; (*fig.*) machtig
en invloedrijk persoon.

**mohair'** [v. Arab. *mukhayyar* = *lett.*:
uitgelezen, v. *khayyara* = kiezen] haar v.
Angora-geit; weefsel daarvan.

**Mo'hammed** (*ook*: **Mahommed**) [Arab.
*Muhammad*] stichter v.d. Islam (± 570-632).

**mohammedaan'** (*gesch.*) volgeling v.
Mohammed. **mohammedaans'** de
mohammedanen betreffend.
**mohammedanis'me** leer v. Mohammed.

**mohika'nen** uitgestorven stam v. Indianen; *de
laatste der—*, de laatste v.e. bep. groep (naar
de roman v. F. Cooper).

**moiré** [Fr., v. Eng. *mohair*, v. Lat. Mohammed.
gewaterd; **II** *zn* gevlamde zijde. **moire'ren** [Fr.
*moirer*] een gevlamd patroon geven.

**1 mol** [ v.Lat. *mollis* = zacht, week] (*muz.*)
teken dat de noot een halve noot verlaagd
moet worden.

**2 mol.** afkorting voor grammolecule (*z.a.*)

**molecu'le** [Fr. *molécule*, verklw. v. Lat. *moles*
= last, zwaarte, massa] kleinste deeltje waarin
een stof gesplitst kan worden zonder de chem.
samenstelling aan te tasten. **moleculair'** [Fr.
*moléculaire*] van of betreffende een molecule
of de moleculen.

**molest'** [Lat. *moléstia*, v. *moles*; zie
**molecule**] overlast; schade door oorlog e.d.
**moleste'ren** [Lat. *molestáre* = bezwaren]
overlast aandoen (op gewelddadige wijze,
bijv. door handtastelijkheden). **molesta'tie**
*zn.*

**moliè'res** *mv* [Fr.] lage herenschoenen met
rijgveters.

**Mollus'ken** [wetenschappelijk Lat. *Mollúsca*,
v. Lat. *mollúscus* = week, v. *móllis* = zacht,
week] de stam der Weekdieren (slakken,
mossels, inktvissen e.d.).

**mo'loch** [Hebr. *Molek*] iets waaraan alles
opgeofferd wordt (naar afgod der
Ammonieten en Moabieten waaraan
kinderoffers gebracht werden).

**mo'lotov-cocktail** fles of bus gevuld met
benzine of petroleum (kerosine), gebruikt om
als primitieve granaat of bom geworpen te
worden (genoemd naar Molotov ( = de
Hamer), bijnaam v.d. Rus. revolutionair en
later staatsman V.M. Skrjabin, geb. 1890].

**mol'to** [It., v. Lat. *multus* = veel] zeer.

**mol'ton** [v. Fr. *mol*, Lat. *mollis* = zacht] dik
zacht weefsel v. wol, aan beide zijden geruwd.

**Molybde'nium**, Ned. naam **Molybdeen'** [v.
Gr. *molubdaina* = loden kogel, v. *molubdos* =
lood] chem. element, metaal, symbool Mo,
ranggetal 42.

**mom** [v. OFr. *mómer* = zich onkenbaar maken
door masker e.d.] masker (*fig.*)

**moment'** [Lat. *moméntum* uit *movimentum*, v.
*movére* = bewegen] 1 beweging, duur der
beweging, tijdsafdeling, ogenblik, *ook*:
beweegkracht, beslissende kracht, invloed,
gewicht, betekenis; 2 ogenblik; hoofdpunt; 3
(*nat.*) maat v.h. vermogen v.e kracht om
draaiing om een punt te veroorzaken.
**momentaan'** momenteel. **momenteel** het
ogenblik betreffend, voor dit ogenblik.
**moment' suprême** [Fr. = *lett.*: opperste
ogenblik] ogenblik wanneer het er op aankomt
iets te doen.

**Mo'mus** [Lat. *Momus*, Gr. *Moomos* = god v.
bespotting] spotter. **mo'misch** spottend.

**mon-** korte vorm van mono-, vóór klinkers.

**monachaal'** [Kerk. Lat. *monachális*, v.
*monachus*, Gr. *monachos* = monnik, v. Gr.
*monos* = eenzaam] een monnik of
kloosterzuster betreffend. **monachis'me**
monnikenwezen. **mona'de** [Lat. *monas*, Gr.
*hè monas*, *-ados* = de eenheid] ondeelbare
grondeenheid (spec. in filosofie v. Leibnitz).

**monandrie'** [v. Gr. *anèr*, *andros* = man] zede
van slechts een echtgenoot tegelijk te hebben;
(*plk.*) het hebben v. slechts één meeldraad
(*vgl.* **polyandrie**). **monarch'** [Gr.
*monarchos*, v. *archoo* = heersen, aan het
hoofd zijn; *archè* = begin] alleenheerser.
**monarchaal'** een monarch betreffend.
**monarchie'** [Lat. & Gr. *monarchía*] erfelijke
alleenheerschappij. **monarchist'** [Fr.
*monarchiste*] voorstander v. monarchie.

**monauraal'** [v. mono-, *z.a.*, en Lat. *auris* =
oor] *bn* & *bw* 1 met of voor één oor (*bijv.*:
monauraal luisteren met stethoscoop met één

gehoorbuis); 2 niet-stereofonisch (*zie*
**stereofonisch**).

**monastiek'** [MLat. *monásticus*, v. laat- Gr.
*monastikos*, v. *monazoo* = alleen (*monos*)
leven] het kloosterleven betreffend.

**mon cher** [Fr., v. Lat. *carus* = duur, dierbaar]
mijn waarde.

**mondain'** [Fr., v. Lat. *mundánus* = tot de
wereld (*mundus*) behorend] werelds.

**mon'de** [Fr., v. Lat. *mundus* = *eig.*: sieraad; het
geordende, heelal, wereld; *vgl.* Gr. *kosmos*; v.
Lat. *mundus* = zuiver, net, sierlijk] de
uitgaande wereld.

**mondiaal'** [Fr. *mondial* = van de wereld] de
wereld in haar geheel betreffend; in
wereldwijd verband (*bijv.*: de mondiale
aanpak van het energieprobleem).

**monetair'** [Fr. *monétaire*, v. Lat. *monéta* =
munt, v. *Moneta* = Gr. *Mnèmosunè z.a.*, ook
bijnaam v. Juno, in wier tempel te Rome de
muntplaats was] het muntstelsel of het geld
betreffend.

**mongolis'me** (*syndroom van Down*) bep.
vorm van zwakzinnigheid, variërend van zware
idiotie (*mongoloïde idiotie*) tot lichte
debiliteit. De kinderen die aan mongolisme
lijden worden *mongooltjes* genoemd omdat ze
uiterlijk wat trekjes v.h. Mongolide ras hebben.

**monis'me** [v. Gr. *monos* = alleen] stelsel dat
alles uit één beginsel verklaart. **monist'** [Fr.
*moniste*] aanhanger v.h. monisme.

**mo'nitor** [modern Lat., v. Lat. *mónitor* =
herinneraar, vermaner, opzichter, v. *monére*,
*mónitum* = indachtig doen zijn, vermanen,
waarschuwen] 1 raadgever, spec. oudere
student of afgestudeerde die jongere student
bij diens studie helpt met raad en daad (*in
België*: *vterair'*); 2 (*gesch.*) bep. laag op
het water liggend gepantserd oorlogsschip
voor de kustverdediging (naar het
pantserschip *Monitor* in de Am.
burgeroorlog; 3 (*radio en TV*) speciaal
ontvangtoestel waarmee tijdens de uitzending
de kwaliteit van het uitgezondene in de studio
wordt gecontroleerd; 4 (*med.*) apparaat
waarmee bij hartbewaking (*intensive care*) de
hartwerking voortdurend wordt
gecontroleerd; 5 (*alg.*) beeldscherm waarop
het verloop van een proces zichtbaar wordt
gemaakt; 6 apparaat voor het aantonen van
radioactieve straling. **monito'ring** het
bewaken d.m.v. een monitor.

**1 mono-** [voor woordafleiding *zie* mono- 2],
het tegengestelde van stereo-, *z.a.* (bij
geluidsweergave).

**2 mono-** [v. Gr. *monos* = alleen] modern
voorvoegsel met de betekenis: één-, enig-,
alleen,-.

**monocausaal'** [v. Lat. *cáusa* = oorzaak]
slechts één oorzaak als verklaring zoekend
voor een bep. verschijnsel. **monochroom'**
[*zie* **Chromium**] (*beeldende kunsten*)
aanduiding v.e. schilderij of beschilderde
sculptuur in één kleur, al dan niet in diverse
kleurschakeringen. **monoc'le** [Fr., v. Gr.
mono- 2, en Lat. *óculus* = oog] 1 brilleglas
voor één oog, dat geen montuur heeft maar in
de hoek van de oogkas werd vastgeknepen.
**monoclonaal'** [*zie* **clonus** of **kloon**] *bn*
bestaande uit één kloon. **monocratie'** [v. Gr.
*krateoo* = machtig zijn, heersen]
alleenheerschappij. **monocraat'**
alleenheerser. **monoculair'** [*zie* **oculair**] *bn*
& *bw* 1 voor één oog; 2 met één oog.

**mo'nocultuur** [*zie* **cultuur**] 1 (*landbouw*)
de teeltwijze waarbij op grote aaneengesloten
oppervlakten gedurende lange tijd slechts één
gewas wordt verbouwd, zoals bijv. de
maïscultuur in de VS; 2 (*econ.*) het
verschijnsel dat de export v.e. land vrijwel
geheel of althans in zeer sterke mate
afhankelijk is van één produkt, bijv. aardolie.

**monodie'** [Gr. *monooidia* of *monooidè* =
solozang, v. *aeidoo* = zingen] oorspr. bij de
oude Grieken de zang v.e. solist tegenover
koorzang. Tegenwoordig verstaat men onder

monodie echter eenstemmig gezang, zowel door een solist als door een koor.
**monodra'ma** drama, eventueel muziekdrama, waarin slechts één persoon handelend optreedt. Vroeger werd de term monodrama ook wel gebruikt als synoniem van **melodrama** (z.a.), ook als er meer personen handelend in optraden. **monofaag'** zn [v. Gr. stam phag- = eten] organisme dat zich uitsluitend voedt met één soort voedsel (bijv. parasiterende insekten die slechts één spec. plantesoort aanvreten). **monofobie'** [zie **fobie**] ziekelijke angst voor het alleen zijn. **monoftong'** zn [v. Gr. phtoggos = klank] (taalk.) één enkele klinker (tegenover tweeklank, zie **diftong**). **monoftonge'ren** ww een tweeklank maken tot een enkelvoudige klank. **monogamie'** [v. Gr. gameoo = huwen] huwelijk (eventueel langdurige liefdesrelatie) met slechts één partner. **monogaam'** bn gebaseerd op monogamie; van de aard v. monogamie. **monografie'** [v. Gr. graphoo = schrijven] wetenschappelijke verhandeling over één enkel onderdeel of onderwerp uit een wetenschap, of over een bep. figuur of over een bep. feit. **monogram'** [v. VLat. monogramma, v. laat-Gr. monogrammon, v. Gr. gramma = het geschrevene, geschrift, letter, v. graphoo = schrijven] naamteken, gevormd uit twee of meer letters die tot één teken zijn verbonden. **monoliet'** [v. Gr. lithos = steen] **1** (bouwkunde) monument of deel v.e. bouwwerk dat uit één stuk steen gehouwen is (bijv. obelisk of zware dekbalk van een stenen poort); **2** (computerkunde) eenheid met samengestelde schakeling. **monoli'tisch** bn **1** de aard v.e. monoliet hebbend; **2** (fig.) een onsplitsbaar geheel vormend. **monoloog'** [v. Gr. logos = woord, rede] **1** alleenspraak, met name in toneelstukken. Sinds het begin v.d. 20e eeuw is er in romans en novellen de zogeheten 'innerlijke monoloog' (vertaling van Fr. monologue intérieur), waarin de romanfiguur in de directe rede spreekt, en een directe weergave wordt gegeven van gedachten en gevoelens. **monolo'gisch** bn de aard van een monoloog hebbend. **monomanie'** [zie **manie**] een vorm van manie waarbij men vasthoudt aan één enkel waandenkbeeld. Monomanie kan gemakkelijk ontaarden in een soort waanzin. **monomaan' I** zn lijder aan monomanie; **II** bn lijdend aan monomanie. **monomeer'** [v. Gr. meros = deel] (chem.) **I** bn bestaande uit afzonderlijke moleculen, die niet chemisch met elkaar verbonden zijn; **II** bn een stof met dergelijke eigenschap (zie verder bij **polymeer**). **monometallis'me** [zie **metallisch**] geldstelsel dat slechts één metaal (goud of zilver) als muntstandaard kent. **mo'nomoleculair** [zie **molecule**]: monomoleculaire laag, kortweg **mo'nolaag**, laag v.e. stof ter dikte van één molecule, bijv. de monolaag van vetzuren op het oppervlak van water. **monomorf'** [v. Gr. morphè = vorm] bn eenvormig. **monopo'lie** [VLat. monopôlium v. Gr. monopoolion, v. pooleoo = verkopen] **1** (eig.): alleenhandel, marktvorm waarbij het aanbod van een bep. artikel in één hand is; **2** daarvan afgeleid: recht om met uitsluiting van anderen iets te vervaardigen of te verrichten. **monopolise'ren** [Fr. monopoliser] **1** tot een monopolie maken; alleenhandel drijven; **2** (fig.) voor zich alleen opeisen. **monopolist'** bezitter v.e. monopolie. **monopolis'tisch** bn & bw **1** van de aard v.e. monopolie; **2** op de wijze v.e. monopolie. **monopsonie'** [v. Gr. opsooneoo = op de markt kopen (vlees, vis e.d.)] toestand waarbij voor een bep. artikel slechts één koper op de markt is, die dus binnen zekere grenzen zijn biedprijs kan bepalen (de tegengestelde van **monopolie**, z.a.). **monopsonis'tisch** bn & bw **1** als bij monopsonie; **2** van de aard van monopsonie. **mo'norail** [zie **rail**] vervoer

waarbij voertuigen hangen aan een balk of liggen op een balk boven straatniveau, waarlangs of waarover ze zich kunnen voortbewegen. **mo'nosacchariden**, ook: **mo'nosacchariden** mv enkelvoudige suikers, zie verder bij **sacchariden**. **monosylla'be** [zie **syllabe**] éénlettergrepig woord. **monosylla'bisch** bn **1** éénlettergrepig; **2** bestaande uit monosyllaben. **monotheïs'me** [v. Gr. theos = god] vorm van godsdienst die slechts één God erkent, die uitsluitend gediend en vereerd wordt. Dit tegenover het veelgodendom, het polytheïsme. **monotheïst'** aanhanger van het monotheïsme. **monotheïs'tisch** bn het monotheïsme betreffende. **monotoon'** [zie -**toon**] bn & bw (alg.) eentonig. **monotonie'** het monotoon zijn; eentonigheid; eenvormigheid. **1 monoty'pe** (uitspr.: monotiep) [Fr., v. Gr. tupos = slag, indruk] (prentkunst) prent gedrukt v.e. metalen of glazen plaat met drukinkt en waarvan in principe slechts één afdruk te maken is. Het procédé heet **monotypie**. **2 monoty'pe** (uitspr.: monotaip) [Eng.; woordaf. als vorige] (typ.) zetmachine die losse letters giet, i.t.t. de linotype, die vaste regels giet. **monovalent'** bn (chem.) eenwaardig. **monozygoot'**, ook: **monozygo'tisch** bn [zie **zygote**] (biol.) voortgekomen uit één bevruchte eicel, eeneiig (gezegd van identieke tweelingen).

**monseigneur'** [Fr., v. mon = mijn, en seigneur = heer, v. Lat. sénior] (afk. **Mgr.**) titel van bisschoppen en prelaten. **monsieur'** [Fr., v. mon = mijn, en sieur, v. Lat. sénior = de oudere] mijnheer.

**1 mon'ster** [Lat. monstrum = tegennatuurlijke verschijning, als teken v.d. goden (monère = waarschuwen), gedrocht] afzichtelijk ding, gedrocht, wanstaltig dier of persoon; zeer wreed dier of persoon; in samenstellingen: monster-, zeer groot (bijv. monsterproces, monstervergadering) of: tegennatuurlijk (bijv. monsterverbond). **2 mon'ster** [v. Lat. monstrâre = OLat. mostrare = aantonen, v. monére = indachtig doen zijn; vgl. **demonstratie**] voorbeeld dat getoond wordt. **mon'steren** eig.: tonen; inspecteren (zeelieden of troepen); zich verbinden tot scheepsdienst voor één reis; monsterrol, lijst v. bemanning v. schip.

**monstrans** [Fr. monstrance, v. Lat. mónstrans = o.dw van monstráre = tonen] (rk) bep. vaatwerk van edelmetaal, meestal in de vorm v.e. op een voetstuk gemonteerde zon, met middenin een ronde opening waarachter een geconsacreerde hostie kan worden tentoongesteld ter aanbidding. **mon'strum** [Lat.; zie **monster 1**] monster, wangedrocht, wat in zijn soort tegennatuurlijk is (bijv. kalf met 5 poten). **monstruositeit'** [Fr. monstruosité] wanstaltigheid, misvorming, tegennatuurlijke afwijking; iets wanstaltigs. **monstrueus'** [Fr. monstrueux, v. Lat. monstruósus] monsterachtig, gedrochtelijk; ook: tegennatuurlijk. **monte'ren** [Fr. monter, v. VLat. *montáre = eig.: klimmen, v. Lat. mons, montis = berg] ineenzetten; vatten (edelstenen in metaal); de scènes v.e. film in juiste orde aan elkaar zetten; aankleden v.e. toneelstuk; soldaten uitrusten met nodige dienstkleding; (cul.) z afmaken v.e. gerecht of een schotel, z opkloppen, roeren met boter, eieren en/of room. **monta'ge** [Fr.] het monteren. **monte'ring** het monteren; mil. uitrusting. **monteur'** [Fr.] wie (machine) monteert. **montesso'risteleel** bep. onderwijssysteem dat grote plaats aan zelfwerkzaamheid der leerlingen toekent [naar Maria Montessori, It. arts en pedagoge, 1870-1952]. **montuur'** [Fr. monture; zie **monteren**] wat dient tot invatting v.e. edelsteen of v. brilleglazen.

**monument'** [Lat. monuméntum, v. monére =

doen herinneren] gedenkteken; zaak of gebouw v. bijzondere culturele waarde. **monumentaal** [VLat. *monumentalis*] monument(en) betreffend; groot en indrukwekkend v. afmetingen, indrukwekkend groots (bijv. een — boekwerk).

**moos** [v. Hebr. *mo'aut* = geld] (*Barg.*) (klein) geld; *jatmoos* [v. Hebr. *jad* = hand], handgeld; *ook:* eerste verdiende geld v.d. dag.

**moquet'te** [Fr., verdere afl. onzeker] bep. soort trijp, op fluweel lijkend.

**mo'ra** [Lat. = het talmen] uitstel, vertraging; *in — zijn,* achterstallig met betaling zijn, nalatig, in gebreke zijn; *periculum in —,* uitstel is gevaarlijk.

**moraal'** [Lat. *morális* = de zeden betreffend, v. *mos, moris* = zede, *mv mores*] zedenleer; zedekundige strekking (de — v.e. verhaal).

**morali'ren** [Fr. *moraliser, zie* **moraal**] zedekundige bespiegeling houden, een zedepreek afsteken. **moralisa'tie** *zn.*

**moralist'** [Fr. *moraliste*] kenner v.d. zedenleer, schrijver daarover. **moraliteit'** [Lat. *morálitas*] **1** zedelijkheid; **2** soort middeleeuws toneelspel, een zedelijk aanschouwelijk voorstellende, zgn. zinnespel. **mora'liter** [Lat.] zedelijkerwijze.

**morato'rium** [onz. v. VLat. *moratórius,* v. Lat. *morári* = talmen; *zie* **mora**] wettelijk verleend uitstel v. betaling.

**morbeus'** [*zie* **morbide**] ziekelijk. **morbi'de** [Lat. *mórbidus,* v. *morbus* = ziekte; v. dezelfde stam als *mors* = dood] ziekelijk.

**morcele'ren** [Fr. *morceler,* v. *morceau* = brokstuk, v. Lat. *morsus* = gebeten, v. *mordére, morsum* = bijten] tot brokstukken maken, verbrokkelen.

**mordant** [Fr. = o.dw van *morder,* Lat. *mordére* = bijten] **I** *bn* bijtend, schamper; **II** *zn* bijtend middel. **mor'dicus** [Lat. = bijtend, met de tanden (bijv. vasthouden), met hand en tand] hardnekkig, onverzettelijk (bijv. ergens — tegen zijn).

**mo're** [Lat. = 6e nv v. *mos* = gebruik, zede, wijze] op de wijze ...; — *consuéto,* op de gebruikelijke wijze; — *majórum,* op de wijze der voorvaderen; — *sólito,* op de gewone wijze; — *suo,* op die manier.

**moreel'** [v. Fr. *moral; zie* **moraal**] **I** *bn* zedelijk; **II** *zn* gevoel v. zelfvertrouwen, vertrouwen op zijn kracht en waarde.

**moreen'** [Eng.] bep. kamgaren weefsel.

**morel'** [via MNed. *amarelle* v. It. *amarella,* v. Lat. *amárus* = bitter] bep. soort bittere kers.

**more'ne** [Fr. *moraine,* v. Savoyisch *moréna*] wal van steenblokken en gruis langs de randen v.e. gletsjer (*zijmorene*) en aan het einde daarvan (*eindmorene*).

**mo'res** [Lat. *mv van mos, moris* = zede] zeden, gebruiken; *iem. — leren,* iem. zo onder handen nemen dat hij zijn verkeerde gewoonte afleert, iem. iets 'afleren'.

**morfeem'** [v. Gr. *morphè* = vorm] kleinste eenheid v. vorm en betekenis in de taal.

**Mor'feus** [Lat. & Gr. myth. god v.d. dromen] god v.d. slaap. **morfi'ne** [Du. *Morphin*] bep. pijnstillend en slaapverwekkend middel uit opium, een alkaloid. **morfinis'me** ziekte veroorzaakt door overmatig morfinegebruik; verslaafdheid aan morfine. **morfinist'** aan morfine verslaafde.

**morfologie'** [v. *-logie*] vormleer (zowel in biologie als in filologie) **morfo'logisch** de vorm betreffend; volgens de morfologie.

**morga'tisch huwelijk** [v. MLat. *matrimónium ad morganáticam,* waarsch. v. OHDu. *morgangeba* = morgengave, d.i. de gift die de echtgenoot aan zijn vrouw schonk de morgen na het huwelijk, het enige waarop zij bij morganatisch huwelijk recht had] huwelijk v. vorstelijke persoon met iem. v. niet-vorstelijke bloede, waarbij bep. rechten niet op de kinderen overerfelijk zijn.

**mor'gue** [Fr.] (*gesch.*) lijkenhuis (spec. te Parijs) waar onbekende overleden personen

ter identificatie werden neergelegd.

**moriaan'** [v. *Maurus* mv *Mauri* = Noordafrikaans volk] zwarte, moor, Arabier.

**moril'le** [Fr.; *vgl.* Du. *Morchel;* verdere afl. onzeker], *ook:* **moriel'je** het paddenstoelengeslacht *Mochella,* waarvan in Ned. en België vier soorten voorkomen. De *gewone morielje* (*Morchella esculenta*) is na koken eetbaar.

**Mormo'nen** [Mormon = gefingeerde auteur v.d. Mormonenbijbel] bep. godsdienstige sekte in Noord-Amerika, gesticht in 1830 door Joseph Smith naar aanleiding v. openbaringen; polygamist (naar vroegere praktijk der Mormonen).

**mor'ning-af'ter pill** [Eng., *lett.:* pil 's morgens erna] voorbehoedmiddel dat 's morgens na de geslachtsgemeenschap en enkele volgende dagen wordt ingenomen. Een mogelijk bevruchte eicel wordt daardoor verhinderd zich in de baarmoederwand in te nestelen.

**moroos'** [Lat. *morósus* = vol eigenzinnigheid, niet licht te voldoen, knorrig, luimig, v. *mos, móris* = zede, gebruik, en uitgang *-osus* = rijk aan, vol van] *bn* & *bw* somber, triest, knorrig, luimig. **morositeit'** [Lat. *morósitas*] knorrigheid, boze luim, onaangename stemming, gemelijkheid.

**mors** *zn* [Lat.] de dood. **mors'dood** [v. 17e eeuws Ned. *mursdoot,* v. *murs* of *mors* = plotseling; *ook:* geheel en al; mogelijk ook ontleend aan Lat. *mors*] plotseling dood; *ook:* helemaal dood.

**mor'seschrift** tekenschrift bestaande uit punten en strepen [naar uitvinder Samuel Morse, Am. natuurkundige, 1791-1872].

**mortaliteit'** [Lat. *mortálitas* = sterfelijkheid, v. *mortális* = sterfelijk, v. *mors, mortis* = dood] sterfte(cijfer).

**mor'tel** [v. OFr. *morcel,* Fr. *morceau* = brokstuk; *zie* **morcelleren**] metselspecie (kalk, water, zand en tras).

**mor'tibus,** *ook:* **mor'tje** [v. Lat. *mors, mórtis* = de dood] *bw* dood (*bijv.:* hij is mortibus).

**mortier'** [Fr., v. Lat. *mortárium*] **1** vijzel; **2** (*mil.*) kanon met korte loop, dat de projectielen bovenop of achter de vijandelijke dekking kan schieten.

**mortifice'ren** [Lat. *mortificáre, -átum,* v. *mors, mortis* = dood, en *fácere* = maken] te niet doen; kastijden; tuchtigen; krenken; murw maken. **mortificatie** *zn.*

**mortifier'** [Fr.] (*cul.*) vlees laten besterven.

**mortua'rium** [modern Lat., v. Lat. *mors, mórtis* = dood, en de uitgang *-arium* die een verzameling aanduidt] lijkenhuis, lijkenkamer in een ziekenhuis e.d.; rouwcentrum.

**mor'tuus** [Lat. *mori* = sterven; *mortuus est* = hij is gestorven] dood.

**morue** [Fr.] (*cul.*) kabeljauw. **morue sèche** [Fr. *sèche* v. Lat. *siccus* = droog] stokvis.

**mos,** *mv* **mo'res** [Lat.] zede, gebruik.

**moskee'** [Fr. *mosquée,* v. It. *moschea,* v. Arab. *masgid,* v. *sagada* = vereren] bedehuis der mohammedanen.

**mos'lim, mos'lem** [Arab. *muslim,* dw van *aslama; zie* **Islam**] volgeling v.d. Islam.

**mosqui'to** [Eng; *zie* **muskiet**] **1** steekmug; **2** naam v. bep. lichte bommenwerper in 2e WO.

**mos'so** [It; v. Lat. *movére* = bewegen] (*muz.*) levendig, beweeglijk.

**most** [v. Lat. (*vinum*) *mústum* = jonge (wijn), v. *mústus* = nieuw, vers, jong] onvergist (v. alcoholvrij) sap van vruchten (druiven, appels, peren, bessen); *ook:* vruchtesap in een vroeg gistingsstadium (dus met laag alcoholgehalte), spec. jonge wijn.

**mos'terdzuur** (*cul.*) tafelzuur bereid uit één soort groente (anders piccalilly genaamd), azijn, mosterd en diverse specerijen.

**mot** (*uitspr.:* moo) [Fr., v. VLat. *mottum* = Lat. *múttum,* v. *muttire* = mompelen, prevelen] woord; *mot à mot,* woord voor woord.

**motel** [kunstwoord, samentrekking v. Eng. *motorist* (= autorijder) en *hotel,* of v. Du.

*Motorfahrerhotel'* logeergelegenheid (hotel-restaurant) langs grote verkeersweg voor automobilisten e.d. voor één nacht.
**motet'** [Fr., verklw. van *mot, z.a.*] meerstemmig kerk. zangstuk, zowel in het Latijn als in de volkstaal. (*Vgl.* lt. *mot(t)etto*, verkleinwoord v. *motto* = woord.)
**mo'tie** [Fr. *motion*, v. Lat. *mótio, motiónis* = beweging, v. *movére, mótum* = bewegen] voorstel in vergadering waarin een wens vervat is of waarin afkeuring wordt uitgesproken t.a.v. bestuursbeleid. **motief'** [Fr. *motif*, v. MLat. *motívus*] beweegreden, idee dat in de uitwerking steeds een rol blijft spelen; deel v.e. melodie dat in uitgewerkte vorm telkens terugkeert. **motive'ren** [Fr. *motiver*] de beweegredenen aangeven, met redenen omkleden; *ook*: een beweegreden geven (*bijv.*: *een speler —*, hem met redenen aansporen tot goede prestaties). **motiva'tie** [Fr. *motivation*] het gemotiveerd zijn; het motiveren; door motieven bepaald zijn v.h. gedrag; (*psych.*) het geheel v.d. factoren die het gedrag bepalen.
**mo'tor** [modern Lat., v. Lat. *mótor* = de beweger, v. *movére, mótum* = bewegen] **1** machine die een of andere vorm v. energie (verbrandingsenergie, elektrische energie, kernenergie e.d.) omzet in bewegingsenergie om voertuigen, bep. gereedschappen e.d. aan te drijven; **2** (*fig.*) stuwende, drijvende kracht (*bijv.*: hij is de motor v.d. zaak); **3** verkorting van motorrijwiel, motorfiets. **motoriek'** [Du. *Motórik*] **1** bewegingen in hun samenhang; **2** structuur v.d. bewegingsfuncties van het lichaam; **3** mate v. beweeglijkheid.
**moto'risch 1** in beweging brengend (*bijv.*: motorische zenuwen die door hun prikkels spieren doen bewegen); **2** de motoriek betreffend. **motorise'ren** [Fr. *motoriser*] ww met voertuigen toerusten.
**mot'to** [It. = woord, gezegde; *vgl.* motet] kernspreuk (spec. als opschrift), leus; (*oneigenlijk*) leus die iets ongeoorloofds dekt (*bijv.*: onder het motto van 'zaken zijn zaken' worden vele oneerlijkheden bedreven).
**mo'tu pro'prio** [Lat. = *lett.*: uit eigen beweging] bep. pauselijk schrijven zonder de normale kanselarijvormen.
**mouille'ren** [Fr. *mouiller*, v. Lat. *mollíre* = week maken, v. *mollis* = week, zacht] **1** (*taalk.*) week uitspreken met bijklank j, spec. ll en ng als l-j en n-j (*bijv.*: Fr. taille – tail-je; carogne – caron-je); *gemouilleerd*, met bijklank j uitgesproken; **2** (*cul.*) de benodigde vloeistof bijgieten; saus verdunnen, soep aanzetten; vlees begieten. **mouillement'** [Fr.] (*cul.*) vloeistof ter verdunning (*bijv.*: water, melk, bouillon, wijn); het aanzetten of begieten v. soepen, sausen of vlees.
**1 moule** [Fr.] *m* (*cul.*) (giet)vorm; — *à gateau*, cake- of taartvorm.
**2 moule** [Fr.] *vr.* (*cul.*) mossel.
**moule'ren** [Fr. *mouler* = vormen; *ook*: gieten; *zie* **1 moule**] *a* in een vorm doen; *b* brood, taart e.d. uit de hand vormen; *c* vocht toevoegen aan braadsel.
**mous'se** [Fr. = schuim; *ook*: slagroom] (*cul.*) zacht, luchtig gerecht uit vis of vlees, wild of gevogelte met geklopte room en/of eiwit of uit chocolade e.d. en slagroom.
**mousseli'ne** [Fr., v. lt. *mussolina*] bep. soort dun en fijn neteldoek, ook cul. gebruikt om te zeven (zgn. *passeren*) [naar Mussolo of Mossoel, stad in Mesopotamië].
**mousse'ren** ww [Fr. *mousser*, v. *mousse* = schuim, woord v. Germ. oorsprong] opbruisen (van drank); *mousserende wijn*, wijn die schuimt bij het ontkurken v.d. fles.
**mousseron'** [Fr.] (*cul.*) bep. geurige kleine soort paddestoel.
**mousseux'** [Fr., *zie* mousse] (*cul.*) schuimend.
**Mousterién'** laatste cultuurperiode v.h. Paleolithicum (Oude Steentijd) of zo men wil cultuurperiode v.h. Mesolithicum

(Midden-Steentijd) met kenmerkende vuursteenwerktuigen [naar de eerste vindplaats de grot Le Moustier, i.d. Dordogne].
**mouton'** [Fr.] (*cul.*) schaap.
**mouvement'** [Fr. v. *mouvoir*, v. Lat. *movére* = bewegen] **1** beweging; **2** gangwerk van uurwerk. **move'ren** ww [v. Lat. *movére* = bewegen] **1** beweging (tot iets); in beweging zetten; **2** ter sprake brengen, in het geding brengen, (voorstel) ter tafel brengen, opwerpen. **movimen'to** [lt.] (*muz.*) beweging, tijdmaat.
**moyen'ne** [Fr.] gemiddelde; gemiddeld aantal.
**mozaïek'** [Fr. *mosaïque*, v. MLat. *mosaicus*, v. vermeend doch niet bestaand Gr. *mousaïkos* = v.d. Muzen, v. *Mousa* = Muze] inlegwerk, spec. v. verschillend gekleurde stukjes steen; bont mengelmoes. **mozaïst'** [Fr. *mosaïste*] mozaïekmaker.
**Mozaï'sme** joodse godsdienst en levensleer volgens de wetgeving v. Mozes. **Mozaï'isch** volgens Mozes.
**mozara'ben** *mv* [Sp. *Mozárabes*, verbastering van Arab. *musta'rib* = schijn-Arabier) (*gesch.*) christenen die in Spanje in de Moorse tijd onder Arab. heerschappij leefden. Zij bleven christenen maar namen bep. karakteristieken van de Arabische cultuur over. **mozara'bisch** *bn* van de Mozaraben (*bijv.*: liturgie, stijl).
**mu** [Gr.; *vgl.* Hebr. *mem* = water; in oorspr. beeldschrift /\/\/] de 12e letter v.h. Gr. alfabet, onze m.
**mud** [v. Lat. *módius* = maat] **1** bep. inhoudsmaat voor droge waren (granen, zaden, aardappelen, aardappelen etc.) [onzeker?] overeenkomend met 1 hectoliter (hl = 100 liter); **2** (*Barg.*) 100 gulden.
**mui'zenis** [v. Eng. *to muse* = peinzen] tobberij waar men het hoofd van vol heeft.
**mulat'** [v. Sp. *mulato* = jonge muilezel, onregelmatig v. *mulo* = muilezel] afstammeling v. neger(in) en blanke. **mulattin'** vr. mulat.
**mul'ta** [Lat. = onz. mv van *multus* = veel, vergrotende trap v. *plus*]: — *sed non multum*, velerlei (vele dingen, vele woorden) maar niet veel zaaks.
**multi-** [v. Lat. *múltus* = veel; *zie* multa] modern voorvoegsel met de betekenis: veel-, veelvoudig. **multicultureel'** met vele culturen naast elkaar. **mul'tidisciplinair** *bn* & *bw* [*zie* discipline] waarbij vele disciplines (takken van wetenschap) betrokken zijn (*bijv.*: multidisciplinair onderzoek). **multiform'** *bn* veelvormig. **multifunctioneel'** *bn* optredend in vele verschillende functies, voor vele functies dienend of geschikt (*bijv.*: gebouw, meubelen). **mul'tilateraal** *bn* veelzijdig, d.w.z. met overeenkomsten tussen vele landen (verdrag, betalingsverkeer, handelsstelsel e.d.). **multimediaal'** *bn* [*zie* medium, media] kan velerlei hulpmiddelen gebruik makend (bijv. onderwijs). **mul'timiljonair** *zn* persoon die vele miljoenen bezit. **mul'tinationaal** *bn* uit vele nationaliteiten bestaande (bijv. leger, vredesmacht). **multina'tional** *zn* [Eng.] concern dat over vele landen verspreid is, ofwel door daar werkzaam te zijn, ofwel daar dochterondernemingen bezit. **1 mul'tipel** *bn* [Fr. en Eng. *multiple*, v. Lat. *multiplus*, v. Lat. *multiplus*, z.a.] veelvoudig, op vele plaatsen voorkomend; *multiple sclerose* (*med.*) aandoening waarbij op vele plaatsen in het centrale zenuwstelsel verhardingen ontstaan die tot verlammingen leiden. **2 multi'pel** *zn* [Eng. *multiple*] (driedimensionaal) kunstwerk waarvan een aantal industrieel wordt vervaardigd (om het goedkoper te maken). **mul'tiple choice** [Eng.] meerkeuzevraag of -toets, vraag waarbij enkele (drie of vier) antwoorden voorgesteld worden, waaruit men de juiste keuze moet maken. **mul'tiplex** [Lat. *múltiplex* = veelvoudig, v. *plicáre* = vouwen;

verwant met *pléctere*, *pléxum* = vechten]
houtplaat vervaardigd door vele lagen (meer
dan drie), om en om met tegengestelde
vezelrichting, op elkaar te lijmen.
**multiplice'ren** ww [Lat. *multiplicáre*]
vermenigvuldigen. **multiplica'tie** [Lat.
*multiplicátio*] vermenigvuldiging.
**multiplica'tor** [modern Lat.] **1**
*(rekenkunde)* vermenigvuldiger; **2** toestel om
schrijfwerk te vermenigvuldigen; **3** toestel om
elektrische stroom te versterken.
**multipliciteit'** [Lat. *multiplícitas*]
menigvuldigheid, veelvuldigheid.
**multiraciaal'** *bn* uit verscheidene rassen
bestaande (bijv. samenleving), door
verscheidene rassen bevolkt (bijv. land).
**multiser'vice** veelvuldige dienstverlening.
**mul'tum** [Lat., onz. van *múltus* = veel] veel;
*múltum in párvo* = veel in kort bestek; *múltum,
non múlta*, veel (wat betreft gehalte of
inhoud), maar niet velerlei (vgl. het tegendeel
**multa sed non multum**).
**mum** [v. Lat. *mínimum* = het kleinste; *zie*
**miniem**] *(volkstaal)*: *in een — van tijd*, zeer
snel, binnen de kortste keren.
**mum'mie** [Fr. *momie*, v. MLat. *mumia*, v. Arab.
*mumíya*, v. *mum.* = was] gebalsemd en
ingedroogd lijk (spec. v. oude Egyptenaren);
*(fig.)* uitgedroogde persoon.
**mummifice'ren** [Fr. *momifier*, v. Lat. *fácere*
= maken] tot een mummie maken.
**mummifica'tie** *zn.*
**mundaan'** [v. Lat. *mundánus* = tot de wereld
behorend, v. *múndus* = wereld] *bn* **1** de wereld
als geheel betreffend; **2** wereldlijk, werelds
*(vgl.* **mondain**). **mundiaal'** [christelijk Lat.
*mundiális* = werelds] *bn* op de gehele wereld
betrekking hebbend, de gehele wereld
omvattend *(vgl.* **mondiaal**).
**mun'dus vult de'cipi** [Lat. ] de wereld wil
bedrogen zijn (soms aangevuld met:
*decipiátur ergo* = dus worde zij bedrogen).
**municipaal'** [Lat. *municipális*, v. *múniceps* =
burger v.e. *municipium* = stad met eigen
wetten en bestuur, v. *múnia* = ambtsplichten
*(munus* = ambt), en *cápere* = vatten, houden]
de gemeente of stad betreffend.
**municipaliteit'** [Fr. *municipalité*] bestuur
der gemeente; haar rechtsgebied; stadhuis.
**munificen'tie** [Lat. *munificéntia*, v. *minifícus*
= dienstdoend, belastingplichtig, milddadig,
v. *munus* = ambt, en *fácere* = doen]
milddadigheid.
**muni'tie** [Fr. *munition*, v. Lat. *munítio, -iónis*
= versterking, v. *munire, munítium* =
opmetselen, met muren beschermen, OLat.
*moenia* = stadsmuren] stof om te schieten
(patronen, granaten e.d.), voorraad daarvan.
*(Vgl.* ook **ammunitie**.)
**mun'ster** [v. kerk. Lat. *monastérium* =
klooster] **1** kloosterkerk; **2** domkerk.
**murmure'ren** [Lat. *murmuráre*] mompelen,
mopperen, morren, klagen.
**musculair'** [Fr. *musculaire*, v. Lat. *músculus* =
muisje, van d. hand, spier, v. *mus* = muis;
Gr. *mus* = muis, spier] de spier(en) betreffend.
**musculatuur'** [Fr. *musculature*] spierstelsel.
**muset'te** [Fr. = *oorspr.*: ransel voor officieren;
*later*: doedelzak; *thans*: trekharmonica] dans
op de harmonica.
**muse'um,** *mv* **muse'a** [Lat., v. Gr. *mouseion*
= zetel der Muzen, v. *Mousa* = Muze] gebouw
ter bewaring en tentoonstelling van
voorwerpen die artistieke, culturele,
wetenschappelijke of historische waarde
bezitten. **museaal'** *bn* betrekking op museum
of musea hebbend.
**mu'sical** [Eng., verkorting van het *oorspr.*
*musical play* of *musical comedy* = muziekspel
of muziektoneelstuk] mengvorm van operette,
komedie en ballet. **musicasset'te** [*zie*
**cassette**] cassette met muziekopnamen.
**musicien'ne** [Fr. ] vrouwelijke musicus.
**musicologie'** [*zie* **-logie**]
muziekwetenschap, kennis v.d. toonkunst en
de geschiedenis daarvan. **musicoloog'**

beoefenaar v.d. musicologie. **mu'sicus,** *mv*
**mu'sici** [Lat., v. Gr. *mousikos* = de kunsten
der Muzen (*Mousai*) betreffend; Lat. *músicus*
= o.a. toonkunstenaar] beoefenaar v.d
toonkunst, wie kunstmuziek componeert of
uitvoert.
**musief'werk** [woordafl. *musief* als van
**mozaïek**] mozaïekwerk. **musief'goud**
tinsulfide, SnS$_2$, in de vorm van
goudglanzende blaadjes, gebruikt voor
vergulden. **musief'zilver** wit tin met bismut
en kwik gelegeerd, vals zilver. **musi'visch:** —
*zien*, een beeld waarnemen dat als een
mozaïek is opgebouwd uit kleine beeldjes,
zoals bijv. door de facetogen (samengestelde
ogen) van insekten.
**Mu'sis sa'crum** [Lat.] gewijd aan de Muzen
(naam en opschrift v. concertzalen e.d.).
**mu'sisch,** *ook:* **mu'zisch** *bn* op de Muzen
betrekking hebbend; op de kunst en spec. het
gevoel daarvoor betrekking hebbend;
kunstgevoelig.
**muskaat'** [v. Fr. *vin muscat*, v. It. *moscato* =
met muskusgeur; *zie* **muskus**] wijn uit
muskadellen. **muskadel'** muskaatdruif.
**musket'** [Fr. *mousquet*, v. It. *moschetto* = *eig.*:
mussensperwer] *(gesch.)* vuurroer (bep.
geweer). **musketier'** [Fr. *mousquetaire*, v. It.
*moschettiere*] soldaat met musket.
**muskie'ten** *mv*, *ev* **muskiet'** [v. Sp. *mosquito*,
verklw. van *mosca* = Lat. *músca* = vlieg]
andere naam voor de familie der
Steekmuggen.
**mus'kus** [VLat. *muscus*, v. laat- Gr.
*mosk(h)os*, missch. v. Sanskr. *muska* =
scrotum, balzak] een sterk ruikende stof
afgescheiden door een klier bij de mannelijke
geslachtsorganen van enkele dieren, zoals het
muskushert of muskusdier. Men wint hiervan
muskus voor de parfum-industrie.
**müs'li** [Zwitsers-Du.] Zwitserse rauwkost
(spec. voor ontbijt) van havermout en verse of
gedroogde stukjes vruchten zoals appelen,
noten, rozijnen of tarwekiemen.
**must** [Eng., *lett.*: 'een moet'] iets dat men
beslist gelezen, gehoord, gezien, gedaan enz.
moet hebben; *bijv.*: dat boek is een must voor
schakers.
**mus'tang** [v. Sp. *mestengo*, missch. v. *mesta*
= gezelschap veehoeders] wild of verwilderd
paard in Mexico en Californië.
**mus'tie** dochter van mulattin en blanke man of
blanke vrouw en mulat (*z.a.*). **mus'tio** zoon
van een mulat en blanke vrouw of van mulattin
en blanke man.
**mute'ren** [Lat. *mutáre, -átum*, uit *movitáre*,
*movére* = bewegen] veranderen, wijzigen.
**muta'tie** [Lat. *mutátio*] verandering;
overplaatsing (v. ambtenaar); stemwisseling;
*(biol.)* het plotseling optreden v.e. nieuw
erfelijk kenmerk. **muta'bel** [Lat. *mutábilis*]
veranderlijk. **mutabiliteit'** [Lat. *mutabílitas*]
veranderlijkheid.
**mutageen'** *zn* [*zie* **-geen 2**] chemische stof
die een verandering in erfelijke eigenschappen
veroorzaakt. **mutagene'se** [*zie* **genese**]
verandering v. erfelijkheidsmateriaal door bep.
chemische stoffen. **mutant'** [v. Lat. *mútans,
mutántis* o.dw van *mutáre* = veranderen]
individu dat door biologische mutatie erfelijk
veranderd is. **muta'tor** [Lat. = veranderaar,
verwisselaar] stroomwisselaar. **muta'tis
mutan'dis,** afk. **m.m.** [Lat. = *lett.*: na
veranderd te hebben wat veranderd moest
worden] met de nodige wijzigingen (v.
details).
**mu'tae** [v. Lat. *mutus* = stom] stemloze
medeklinkers (b, d, k, p, t). **mutis'me** [Fr.]
volhardend zwijgen, vrijwillige stomheid.
**mutile'ren** [Lat. *mutiláre, -átum*, v. *mútilus* =
verminkt] verminken. **mutila'tie** *zn.*
**mut'ton-chops** *mv* [Eng.] **1** *(cul.)* schaaps-
of lamskoteletten van de rug gesneden; **2**
*(overdrachtelijk)* bakkebaardjes.
**mu'tua fi'des** [Lat., v. *mútuus* = *eig.*: op ruil
gegeven, v. *mutáre* = verwisselen]

wederzijdse trouw. **mutualis'me** het
wederzijds economisch steunen; (*biol.*)
samenleving tot wederzijds voordeel.
**mutualiteit'** [Fr. *mutualité*] wederkerigheid.
**mutueel'** [Fr. *mutueel*] wederzijds.
**Mu'ze** [Lat. *Músa*, Gr. *Mousa*] elk der negen
godinnen als beschermsters van
wetenschappen en schone kunsten. In de Gr.
mythologie waren zij dochters van Uranus
(Hemel) en Gaea (Aarde), of van Zeus (de
oppergod) en Mnemosyne, de moeder der
Muzen. Ze heetten (in alfabetische volgorde):
*Calliope, Clio, Erato, Euterpe, Melpomene,
Polyhymnia, Terpsichore, Thalia* en *Urania*. De
'rolverdeling' der Muzen stamt pas uit de
Romeinse tijd en is bij verschillende schrijvers
anders.
**mu'zisch** *zie* **musisch**.
**mu'zelman** [*zie* **moslim**] mohammedaan.
**myal'gie** [v. Gr. *mus* = spier, en *algos* = pijn]
(reumatische) spierpijn.
**myce'lium** [v. Gr. *mukès* = paddestoel; de
uitgang is Latijns] weefsel (meestal
onderaards) waaruit zich de zwammen
ontwikkelen, zwamvlok. **mycologie'** [*zie
-logie*] kennis v. zwammen en paddestoelen.
**mycoloog'** paddestoelenkenner. **myco'se**
[*zie -ose* **1**] ziekte veroorzaakt door
schimmels.
**Myce'nisch** [v. Gr. *Mukènaios*, v. *Mukènai* =
Mycene, oud-Griekse stad] v.d. Achaeische
cultuur (waarvan resten te Mycene).
**mydria'tisch** [v. Gr. *mudriasis*] de oogpupil
verwijdend (zoals bijv. atropine doet).
**myeli'tis** [v. Gr. *muelos* = merg; *zie -itis*]
ruggemergontsteking.
**myologie'** [Gr. *mus* = spier (*zie musculair*); *zie
-logie*] leer der spieren.
**myoop'** [via VLat. v. Gr. *muoops*, v. *muoo* =
sluiten, en *oops* = oog] bijziend. **myopie'**
bijziendheid. **myo'sis** samentrekking v. pupil.
**myria-** [v. Gr. *murioi* = 10 000, v. *murios* =
ontelbaar veel] niet-genormaliseerd
voorvoegsel dat $10^4$ = 10 000 × de daarachter
staande eenheid aanduidt. **myria'de** [Gr.
*murias, muriados*] **1** tienduizendtal; **2** zeer
grote menigte.
**myrmicologie'** [v. Gr. *murmèx, murmèkos* =
mier; *zie -logie*] wetenschappelijke kennis der
mieren. **myrmicoloog'** beoefenaar van de
myrmicologie.
**mystagogie'** [Lat. *mystagogia*, Gr.
*mustagoogia*; *zie* **mysterie**, en *agoo* =
voeren, leiden] inwijding in de mysteriën.
**mystago'gisch** inwijdend in de mysteriën.
**myste'rie** [Lat. *mystérium*, Gr. *mustérion*, v.
*mustès* = ingewijde, v. *muoo* = sluiten (ogen
of lippen)] geheim, geheimenis; (*rk*)
geloofswaarheid die niet met het natuurlijke
verstand doorgrond kan worden; iets
onbegrijpelijks of raadselachtigs; geheime leer
en eredienst in oudheid; —*spel*, middeleeuws
toneelspel met betrekking op een episode uit
het leven v. Christus. **mysterieus'** [Fr.
*mystérieux*] raadselachtig, geheimzinnig.
**mystiek'** [OFr. *mystique*, v. Lat. *mýsticus*, Gr.
*mustikos*] **I** *bn* tot de mystiek behorend;
geheimzinnig, duister, verborgen; **II** *zn*
(wetenschap v.d.) vereniging der ziel met
God. **mysticis'me** [Fr.] neiging tot geheime
geloofskennis of wondergeloof. **mys'ticus**
[Lat.] beoefenaar v.d. mystiek.
**mystifice'ren** *ww* [Fr. *mystifier*, v. Lat. *fácere*
= maken] misleiden, handig bedriegen.
**mystifica'tie** *zn* [Fr. *mystification*]
misleiding, bedriegerij, spec. een als
authentiek uitgegeven geschrift,
toegeschreven aan een vroegere bekende
auteur, dat in feite dan vervalsing is.
**my'the** [Gr. *muthos* = woord, verhaal, spec.
fabel] verhaal over goden of halfgoden; *ook*:
sage, ongegrond verhaal of praatje.
**my'thisch** [Gr. *muthikos*] verdicht.
**mythologie'** [Gr. *muthologia*; *zie -logie*]
leer der mythen, godenleer, fabelleer.
**mytholo'gisch** [Gr. *muthologikos*] de

mythologie betreffend. **mythomanie'** [*zie*
**manie**] ziekelijke leugenzucht.
**mytyl'school** Ned. instelling voor bijzonder
onderwijs aan lichamelijk gebrekkige kinderen
[naar Mytyl, het meisje uit Maeterlincks
sprookje *De Blauwe vogel*, dat haar duif aan
een gebrekkig kind gaf].
**myxoedeem'** [v. Gr. *muxa* = slijm; *zie verder*
**oedeem**] stofwisselingsziekte veroorzaakt
door slecht functioneren v.d. schildklieren,
met opzwelling v. onderhuids weefsel en
verlies v. lichamelijke en geestelijke energie.
**myxomato'sis**, *ook*: **myxomato'se**,
slijmgezwelziekte, een virusziekte van
konijnen en hazen die snel dodelijk verloopt.
**myxo'ma**, *ook*: **myxoom'** [*zie -oma* en
*-oom*] (*med.*) slijmgezwel, ontstaan in de
bindweefselcellen die slijm afscheiden.

**Na'bal** hard, nors man [naar de bijbelse persoon Nabal, *zie* 1 Sam. 25 : 3].

**na'bob** [Hindi *nawwab*, v. Arab. *na'ib* = afgevaardigde] *oorspr.*: bep. mohammedaans bewindhebber onder Mongolenbewind; zeer rijk iemand.

**nacaraat'** [Fr. *nacarat*, missch. v. Sp. & Port. *nacarado* = paarlemoer] helder oranje-rood.
**nacré** [Fr., v. *nacre* = Sp. & Port. *nacar* = paarlemoer] paarlemoerachtig.

**na'dir** [v. Arab. *nadzir* (*as-samt*) = tegenover (het zenit)] voetpunt, punt aan de hemel diametraal tegenover het zenit.

**naf'ta** [Lat. & Gr. *naphta* = bep. soort aardolie]
**1** verzamelnaam voor laagkokende, zeer brandbare mengsels v. koolwaterstoffen, verkregen door destillatie v. petroleum, door droge destillatie v. steenkool, bruinkool e.d.;
**2** de meestal gebruikte naam voor de petroleumfractie die bij destillatie tussen 40-170°C overgaat, bestaande uit hexanen ($C_6H_{14}$), heptanen ($C_7H_{16}$) en octanen ($C_8H_{18}$). **nafte'nen** *mv* groep van *alicyclische verbindingen*, cyclo-alkanen, alifatische koolwaterstoffen in ringvorm (spec. 5- en 6-ringen) die in sommige petroleumsoorten voorkomen.

**naïef'** [Fr. *naïf*, v. Lat. *nativus* = aangeboren, natuurlijk; *zie* **nataal**] kinderlijk argeloos, eenvoudig en ongekunsteld; onnozel. **naïe'veling** naïef iemand. **naïveteit'** [Fr. *naïveté*] het naïef zijn, naïef gezegde of naïeve daad.

**naja'de** [Lat. *nájas, nájadis*, Gr. *naias* of *nèias*, *-ados*] (*myth*.) bron- of waternimf (*vgl. nereïde*).

**nang'ka** [Mal.], voluit *nangka belanda*, ook wel *zuurzak*, een door inheemsen gegeten vrucht van de op Java algemeen voorkomende boom *Artocarpus integrifolia*.

**nanis'me** [Fr., v. Lat. *nanus*, Gr. *nan*[*n*]*os* = dwerg] dwerggroei v.h. lichaam. **nano-** voorvoegsel dat een miljardste ($10^{-9}$) deel van de er achterstaande eenheid aanduidt; afk. **n-**.

**nan'king** geel katoenen stof [naar Nanking, China]. **nankinet'** soort fijnere nanking.

**Nan'senpas** pas voor staatlozen, die bep. rechten gaf [naar Fridtjof Nansen, Noors ontdekkingsreiziger, 1861-1930, die in comité voor staatlozen zitting had].

**na'palm** [v. *naft*eenzuren en *palm*itinezuur] verzamelnaam voor benzine, petroleum, dieselolie e.d. die in geleivorm zijn gebracht door een mengsel van aluminiumzouten, nafteenzuren en palmitinezuur als verdikkingsmiddel; toegepast in brandbommen e.d.

**napoléon d'or** [Fr.] Fr. goudmunt (20 franc) met beeldenaar v. Napoleon (Napoleone Buonaparte, veldheer, later Fr. Keizer, 1769-1821). **napoleon'tisch** van Napoleon, als Napoleon.

**nap'pa** bep. leer, spec. voor handschoenen.
**nappe'ren** *ww* [Fr. *napper* = *eig.*: met een

tafellaken (*nappe*) bedekken] (*cul.*) bedekken, bestrijken met gelei, saus of stroop.

**narcis'me** [v. Gr. myth. *Narkissos*, schone jongeling die verliefd werd op zijn spiegelbeeld in een bron] **1** overdreven zinnelijke liefde voor het eigen lichaam; **2** liefde voor het eigen ik, het overdreven met zichzelf bezig zijn. **narcis'tisch** *bn* van de aard van narcisme.

**narco'se** [Gr. *narkoosis*, v. *narko-oo* = lam worden] kunstmatig opgewekt verlies v. bewustzijn en v. gevoeligheid voor reacties op prikkels met het doel medische ingrepen toe te passen die anders wegens pijn v.d. patiënt niet mogelijk zouden zijn (*vgl.* **anesthesie**). **narcologie'** [*zie* **-logie**] de leer v.d. narcose en de daarbij gebruikte middelen. **narcoloog'** narcose-deskundige. **narco'ticum**, *mv* **narco'tica** [v. Gr. *narkootikos* = verdovend] **1** *vroeger*: medisch bedwelmings- of verdovingsmiddel (nu *anestheticum* genoemd); **2** *thans* (alleen in *mv* narcotica): drugs, verdovende middelen die beschreven zijn in de Opiumwet. **narco'ticabrigade** afdeling van de politie die de handel in verboden drugs bestrijdt. **narco'tisch** *bn* de aard van narcose hebbend; narcose veroorzakend. **narcotise'ren** *ww* onder narcose brengen. **narcotiseur'** medisch specialist die bij operaties narcose geeft en de werking daarvan doorlopend controleert (tegenwoordig *anesthesist* genoemd).

**nar'dus** [Lat., v. Gr. *nardos*] bep. geurige balsem.

**nargileh'** [Perzisch, v. *nargil* = kokosnoot] Turkse pijp, waarbij de rook door water gevoerd wordt, Turkse waterpijp.

**nar'row esca'pe** [Eng.] ontsnapping op het nippertje, het ternauwernood ontkomen.

**nasaal'** [MLat. *nasális* = de neus betreffend, v. Lat. *nasus* = neus] **I** *bn* door de neus uitgesproken (bijv. nasaal geluid); **II** *zn* neusklank, spraakklank waarbij tijdens het spreken de toegang tot de neusholte is afgesloten door de huig, waardoor de lucht in de neus meeresoneert. In het Ned. komen alleen nasale medeklinkers voor, nl. **m**, **n**, **ng** en *nj*. **nasale'ren** *ww* door de neus doen klinken of spreken. **nasale'ring** *zn*.

**na'si**, *ook*: **nas'si** (*uitspr.* in beide gevallen nassie) [Mal.] gekookte rijst; *nasi góreng*, gekookte en in (kokos)olie gebakken rijst met fijgehakt vlees, uien, specerijen en omelet; *nasi rames*, gekookte rijst met div. bijgerechten.

**nasonorise'ren** [*zie* **sonoor**] de geluidsstrook op opgenomen film aanbrengen. **nasynchronise'ren** [*zie* **synchroon**] een bestaande film v. in een andere taal gesproken geluid voorzien.

**nastie'** [v. Gr. *nastos* = vastgeperst, v. *nassoo* = samendrukken] beweging v.e. plantedeel o.i.v. een uitwendige prikkel, waarvan de richting niet bepaald wordt door de richting van de prikkel (zoals bij *tropie*, *z.a.*, het geval is), maar door de bouw van het bewegende orgaan. Naar gelang v.d. aard v.d. prikkel onderscheidt men: *fotonastie*, door belichting veroorzaakt; *thermonastie*, het openen en sluiten v. bloemen bij verhoging of verlaging v. temperatuur; *seismonastie*, het plotseling slap gaan hangen v. bladeren bij heftige aanraking of verwonding, of het snel dichtklappen van het blad langs de middennerf; *thigmonastie*, beweging na het aanraken door de plant van een vast voorwerp; *epinastie*, het uitrollen van vnl. bladen, zoals duidelijk waarneembaar is bij ontluikende varens.

**nataal'** [Lat. *natális*, v. *natus* = geboren, v. *nasci* = geboren worden, *natus sum* = ik ben geboren, v. OLat. *gnasci*, verwant met Gr. *gignomai* = worden, stam *gen-* = ontstaan] de geboorte betreffend. **nataliteit'** [Fr. *natalité*], *ook*: **nativiteit'** [Lat. *nativitas* = geboorte] geboortecijfer, d.w.z. het aantal levend geborenen per jaar per duizend leden v.d.

gemiddelde bevolking.

**na'tie** [Lat. *nátio* = geslacht, volksstam, v. *nasci; zie* **nataal**] volk, groep personen die oorsprong, taal en historische ontwikkeling gemeen hebben. **natief'** [Lat. *nativus*] aangeboren. **nationaal'** [Fr. *national*] *bn* & *bw* de eigen natie betreffend, eigenlands.

**nationaal'-socialis'me** [*zie* **socialisme**] politieke stroming, verwant aan het *fascisme* (z.a.), die in Duitsland na de Eerste Wereldoorlog tot ontwikkeling is gekomen onder Adolf Hitler. De nadruk lag op het nationale: verheffing van het verslagen Duitsland. In wezen was het een niet-kapitalistische beweging en van meet af aan sterk antisemitisch, racistisch en imperialistisch.

**nationalise'ren** *ww* [Fr. *nationaliser*] nationaal maken, tot bezit van het gehele volk maken; onteigenen en tot staatseigendom maken. **nationalisa'tie** *zn* [Fr. *nationalisation*] **1** het nationaliseren; **2** het genationaliseerd worden. **nationalis'me** [Fr.] exclusieve voorliefde voor de eigen natie; streven om in de verscheidene staten levende delen v.e. natie te verenigen. **nationalist'** [Fr. *nationaliste*] iem. met exclusieve voorliefde voor de eigen natie. **nationalis'tisch** *bn* & *bw*. **nationaliteit'** [Fr. *nationalité*] **1** het tot een bepaald volk behoren (*bijv.*: ik bezit de Ned. nationaliteit); **2** typisch nationaal karakter, volkskarakter; **3** speciale volksgroep binnen een staat (*bijv.*: dat land telt vele nationaliteiten).

**nativiteit'** *zie* **nataliteit**.

**Na'trium** [v. Arab. *natrun*, v. Gr. *nitron* = salpeter (natriumnitraat, NaNO₃; *zie* **Nitrogenium**] chem. element, metaal, symbool Na, ranggetal 11; (in Eng. sprekende landen: *Sodium*; Fr.: *Soude*); — *lamp*, lamp gevuld met natriumdamp, die met geel licht groot oppervlak gelijkmatig verlicht. **na'tron(loog)** natriumhydroxide, NaOH (bijtende soda).

**natu'ra** [Lat., v. *násci; zie* **nataal**] natuur; *in natúra*: **1** in goederen (niet in geld); **2** in natuurtoestand (= naakt), *ook: in (púris) naturálibus* (= in (zuivere) natuurtoestand = moedernaakt); *natúra ártis magístra*, de natuur is de leermeesteres der kunst (opschrift boven de ingang v.d. dierentuin te Amsterdam, vandaar de volksnaam 'Artis'). **natura'liën** *mv* natuurprodukten, spec. zeldzame of uitzonderlijke (*rariteiten*). **naturalise'ren** *ww* [Fr. *naturaliser*] **1** een vreemdeling in staatsverband opnemen als burger, hem de nationaliteit v.h. land verlenen; **2** vreemde woorden in de eigen taal opnemen. **naturalisa'tie** [Fr. *naturalisation*] *zn*. **naturalis'me** **1** filosofische richting die alleen als bestaande erkent wat van nature gegeven is of zich op natuurlijke wijze laat verklaren. Ze sluit niet uit, dat er naast de materie ook geestelijke zaken kunnen bestaan, maar wil deze volgens natuurwetenschappelijke methoden verklaren; **2** (*kunsten*) naam voor de stromingen in literatuur, beeldende kunst en muziek op het einde v.d. 19e eeuw, die tot doel hadden de natuur zo werkelijkheidsgetrouw mogelijk weer te geven zonder haar te idealiseren. Het naturalisme wordt ook *realisme* genoemd. **naturalist'** [Fr. *naturaliste*] aanhanger v.h. naturalisme (**1** en **2**). **naturalis'tisch** *bn* & *bw* volgens de leer van het naturalisme; van het naturalisme. **na'tural selec'tion** [Eng.] natuurlijke teeltkeus (volgens het darwinisme). **naturel'** [Fr. = natuurlijk] **1** *bn* **1** de natuurlijke kleur of samenstelling bezittend; **2** (*muz.*) zonder kruis of mol, hersteld; **II** *zn* **1** *m* (vero. Zuid-Afrikaans) inboorling, nl. Bantoe; **2** *vr.* (*muz.*) herstellingsteken; **3** *zn.* karakter, ingeboren aard; **4** bep. wit katoenen weefsel, zacht geappreteerd. **naturis'me** [Fr.] **1** richting in de Fr. dichtkunst omstreeks 1895 als reactie op het *symbolisme* (z.a.);

**2** stroming die streeft naar 'heringratie van de natuur en de natuurlijkheid in het menselijk leven'; **3** lichaamscultuur door zich geheel ontkleed bloot te stellen aan lucht en zon, vroeger *nudisme* (z.a.) genoemd, ofwel individueel ofwel georganiseerd als lid van een naturistenvereniging. **naturist'** [Fr. *naturiste*] **1** aanhanger van het naturisme; **2** beoefenaar v. naaktrecreatie (*vroeger*: **nudist**).

**nau'sea** [Lat., v. Gr. *nausia* = *eig.*: zeeziekte, v. Gr. *naus* = schip] misselijkheid, spec. zeeziekte.

**nautiek'** [v. Gr. *nautikos* = tot het schip of de scheepvaart behorend, v. *naus* = schip] scheepswezen; scheepvaartkunde, zeevaartkunde. **nau'tisch** *bn* **1** de nautiek betreffend; **2** (*thans ook*) de watersport betreffend.

**navaal'** [Lat. *navális* = tot schip of zeevaart behorend, v. *navis* = schip] de scheepvaart betreffend. **navige'ren** [Lat. *navigáre* = varen] de koers berekenen. **naviga'tie** [Lat. *navigátio*] scheepvaart; kunst v.e. schip of vliegtuig in koers te houden. **naviga'bel** [Lat. *navigábilis*] bevaarbaar; zeewaardig. **naviga'tor** [Lat. = schipper] wie de koers berekent v. schip of spec. v. vliegtuig.

**navenant'** [v. Fr. *à l'avenant* = naar verhouding] *zie* **advenant**.

**navrant'** [Fr., v. *navrer* = oorspr. verwonden, v. OHDu. *nawre* = litteken] schrijnend, hartverscheurend, hartbrekend.

**na'zi** [Du. afk. v. *Nationalsozialist*] aanhanger v.h. Du. nationaal-socialisme. **nazis'me** v.h. Du. nationaal-socialisme.

**nazire'ër** [Lat. *Nazaráeus*, v. Hebr. *nazir*, v. *nazar* = zich afscheiden] jood die de gelofte had afgelegd zich tijdelijk of levenslang v. bep. zaken te onthouden (bijv. van alcoholische drank). **nazireaat'** het nazireeërzijn.

**Nean'derthaler** [wetenschappelijk Lat. *Homo neanderthalensis* of *Homo mousteriensis* of *Homo primigenius*] fossiel mensenras dat gedurende het Riss-Würm-interglaciaal en de Würmijstijd in West- en Zuidoost-Europa, Rusland en Afrika leefde. Resten zijn gevonden o.a. in het Neanderdal bij Düsseldorf.

**neb'bisj** *of* **acheneb'bisj** *of* **aggeneb'bisj**, *ook*: **aggene'bisch** [via Jidd.; afl. onzeker] (*uitroep van medelijden*) ocharm!

**ne bis in i'dem** [Lat. = niet tweemaal tegen het zelfde] rechtsbeginsel dat in een strafzaak waarin vonnis gewezen is en van kracht geworden is, niet nogmaals voor hetzelfde feit een proces mogelijk is.

**nebuleus'** [Fr. *nébuleux*, v. Lat. *nebulósus*] nevelig, mistig; (*fig.*) duister, verward, moeilijk te begrijpen, 'wollig' (v. taal).

**necessair'e** [Fr., *bn* = noodzakelijk, v. Lat. *necessárius*] doosje of etui met benodigdheden (bijv. voor handwerken, voor toilet maken, spec. op reis). **necessite'ren** [MLat. *necessitáre*] noodzaken. **necessiteit'** [Lat. *necéssitas*] noodzakelijkheid.

**nec plus ul'tra** [Lat. = *lett.*: en niet verder] het hoogst of best bereikbare.

**necro-** [Gr. *nekros* = lijk] doden of lijken betreffend. **necrologie'** [v. Gr. *logos* = woord, rede] **1** levensgeschiedenis v.e. persoon geschreven bij zijn recente overlijden; **2** dodenboek, lijst v. overledenen. **necroloog'** schrijver v.e. necrologie. **necromantie'** [Gr. *nekromanteia; manteia* = voorspelling] dodenbezwering, waarzeggerij d.m.v. het oproepen v. overledenen. **necro'polis** [Gr. v. Gr. *polis* = stad] begraafplaats, dodenstad. **necro'se** [*zie -ose*] het afsterven v. weefsels in het levende lichaam.

**nec'tar** [Gr. myth. *nektar*] godendrank; (*biol.*) door bep. planten afgescheiden honigvocht. **necta'riën** *mv* plantenorganen die bep. zoet vocht afscheiden.

**nectari'ne** kruising tussen pruim en perzik.

**neerlan'dicus** beoefenaar v. Ned. taal- en

letterkunde. **neerlandistiek'** wetenschappelijke kennis v.d. Ned. taal, letterkunde, cultuur enz.

**nefralgie'** [v. Gr. *nephros* = nier, en *algos* = pijn] nierpijn. **nefriet'** niersteen, soort jade.

**ne'gaton** *zie* **elektron**.

**nege'ren** [Lat. *negáre, -átum* = neen zeggen, weigeren, loochenen] loochenen, ontkennen; met opzet over het hoofd zien, geen aandacht schenken aan iets of iem. alsof het of hij niet aanwezig was. **nega'tie** [Lat. *negátio*] ontkenning; tegenstelling wegens ontbreken van iets (bijv. duisternis is de — v. licht). **negatief'**, *ook:* **ne'gatief** [Lat. *negatívus*] **I** *bn* ontkennend (bijv. antwoord); tegengesteld wegens het ontbreken (bijv. resultaat); voortgebracht door bestaande uit elektronen (bijv. elektriciteit,lading); met omgekeerde waarden v.h. licht (bijv. beeld). (*wisk.*) kleiner dan 0 (bijv. getal); **II** *zn* negatief fotografisch beeld. **negativis'me** neiging tot ontkenning of tot het negatieve. **nega'tur** [Lat.] het wordt ontkend.

**ne'geren** slecht behandelen (persoon); plagen, sarren.

**negligе'ren** [Lat. *negligere, negléctum*, v. *neg* of *nec* = niet, en *légere* = uitlezen, uitkiezen] verwaarlozen. **negligent'** [Lat. *négligens, -éntis* = o.dw] zorgeloos, nalatig, slordig, veronachtzamend. **negligen'tie** [Lat. *negligéntia*] zorgeloosheid enz. **négligé** [Fr., v. *négliger*] nachtgewaad, ochtendkledij; en —, in nachtgewaad of de ochtendkledij.

**negorij'** [Mal. *negari* = stad, v. Sanskr.] gat, klein dorp in afgelegen streek (oorspr. spec. in Indonesië)

**nego'tie** [Lat. *negótium* = bezigheid v. *neg* = niet, en *ótium* = ledige tijd, het vrij zijn v. bezigheden] koophandel; kleine koopwaar, venterswaar. **negotiе'ren** [Lat. *negotiári*] handeldrijven, verhandelen; onderhandelen. **negotia'tie** [Lat. *negotiátio*] zn. **negotia'bel** [Fr. *négociable*] verhandelbaar. **negotiant'** koopman, handelaar.

**negri'de hoofdras** [v. Lat. *níger* = zwart] een der drie hoofdrassen v.d. mensheid (de andere zijn het europide of blanke ras en het mongolide of gele ras), omvattende de meeste of zwarte rassen. **negri'to** [Sp. = kleine neger, verklw. v. *negro* = neger] naam die de Spanjaarden gaven aan de Filippijnse pygmeeën; samenvattende naam voor de dwergvolken in Zuidoost-Azië en Oceanië. Hiertoe behoren o.a. de pygmeeën v.d. Filippijnen en de dwergpapoea's van de binnenlanden van Nieuw-Guinea. **negroï'de** [v. Gr. *oeidés* = gelijkend] met de kenmerken v. negers.

**ne'gro-spiri'tuals** *mv* [Eng.] liederen van Am. negers met godsdienstige inslag.

**ne'gus** [v. Amhaarse taal] titel van de voormalige (onder)koningen van Abessinië (Ethiopie); de keizer heette *negusa nagast* = koning der koningen.

**Neh'rung** [Du.] smalle landtong tussen haf en zee.

**nek'ton** [v. Gr. *nēktós* = zwemmend, v. *nēchoo* = *neoo* = zwemmen] naam voor de organismen die actief in het water zwemmen en dus niet totaal afhankelijk zijn v.d. zeestromingen, i.t.t. het *plankton*.

**nematoci'de** [v. Lat. *cáedere* = slaan, doden] bestrijdingsmiddel tegen aaltjes (die behoren tot de Nematoden of Draadwormen)

**Ne'mesis** [Gr. myth. = godin der wrekende gerechtigheid, v. *nemesis* = vergelding, v. *nemoo* = verdelen, geven wat verschuldigd is] godin v.d. wrekende gerechtigheid; straf die een misdaad met zich brengt.

**nemoro'sen** *mv* [Lat. *nemorósus* = bosachtig, v. *nemus, némoris* = bos (met weiden), v. Gr. *nemos* = weide, *ook:* bos] bosplanten.

**n'en déplaise à ...** [Fr.] in weerwil van ... (een persoon); ook al vindt genoemde persoon het niet goed.

**neo-** [v. Gr. *neos* = nieuw] nieuw-; modern

voorvoegsel gebezigd in de bet.: hernieuwd-, nieuw-. Het wordt vooral gebruikt in namen van geestelijke stromingen of bewegingen, van theorieën, leerstellingen, kunstrichtingen e.d. die de draad v.e. vroegere stroming, beweging, theorie weer opnemen, maar thans aangepast aan moderne gegevens en opvattingen, bijv. neocalvinisme, neoclassicisme, neodarwinisme, neofascisme. **Neody'mium** chem. element, zeldzame aarde, symbool Nd, ranggetal 60. **neofiel** [v. Gr. *philos* = vriend] persoon die steeds uit is op iets nieuws, nieuwtjesjager. **Neogeen** [v. Gr. *genos* = het gewordende] samenvattende benaming voor de twee jongste afdelingen van het Tertiair, nl. *Mioceen* en *Plioceen*. **Neoli'thicum** [v. Gr. *lithos* = steen] de Nieuwe Steentijd, de laatste periode van het Stenen Tijdperk waarin de mens stenen werktuigen gebruikte. **neoli'thisch** *bn* van het Neolithicum, daartoe behorend. **neologis'me** [v. Gr. *logos* = woord] nieuw gevormd woord of bestaand woord in nieuwe bet. gebruikt.

**neomalthusianis'me** het streven naar geboortebeperking als geschikt middel om overbevolking en de daarmee gepaarde sociale en economische wantoestanden tegen te gaan, waarbij gepleit wordt voor het gebruik van voorbehoedmiddelen. [Naar de Britse econoom Malthus (1766-1834).]

**Ne'on** [v. Gr. = het nieuwe] chemisch element, edelgas, symbool Ne, rangetal 10.

**Neozo'icum** *zie* Kaenozoicum.

**nepotis'me** [It. *nepotismo*, v. *nepote* = neef, v. Lat. *nepos, nepótis* = kleinzoon, afstamming] het voortrekken v. verwanten en vrienden door machthebber.

**Neptu'nium** kunstmatig radioactief chem. element, metaal, symbool Np, rangetal 93, het eerste van de zgn. *transuranen*, z.a. [genoemd naar de planeet Neptunus].

**ne quid ni'mis** [Lat.; *vgl.* Gr. *méden agan*] van niets te veel, alles met mate.

**nerei'de** [*vgl.* **-ide 1**] **1** (*myth.*) *Nereide*: dochter van Nereus (Griekse goedaardige zeegod); **2** *nereide*: zeenimf (i.t.t. *najade* = riviernimf).

**Ne'ro** wrede tiran [naar de beruchte Romeinse keizer, 37-68 n.Chr].

**ne'ro anti'co** [It. = antiek zwart] bep. zwart marmer uit Romeinse ruines en thans weer opnieuw gebruikt.

**nerts** [Du. *Nerz*, wellicht verband met Oud-Slavisch *norici* = duiker, wegens het feit dat het dier de leefwijze v.e. otter heeft] **1** de ook wel onjuist *kleine visotter* genoemde diersoort *Lutreola lutreola* of *Mustela lutreola* van de familie Marterachtigen; **2** het zeer kostbare bont van nerts (*zie ook* mink).

**nervatuur'** [v. Lat. *nervus*, Gr. *neuron* = pees, zenuw] verloop v. aderen (bijv. op bladeren, op insektenvleugels). **nerveus'** [Fr. *nerveux*, v. Lat. *nervósus* = vol zenuwen, zenuwachtig] de zenuwen betreffend (bijv. nerveuze storing); zenuwachtig. **nervositeit'** [Lat. *nervósitas* = sterkte v.e. draad)] zenuwachtigheid. **ner'vus** [Lat.] zenuw; — *rérum*, de zenuw aller zaken, het geld.

**ne'scio** [Lat.] ik weet niet; — *quid*, ik weet niet wat; — *quis*, ik weet niet wie; *nomen* — (afgekort *N.N.*), ik weet de naam niet, een onbekende.

**nes'tor** oudste (en meest ervarene) v.e. bep. groep [naar Nestor, wijze eerbiedwaardige grijsaard in de Ilias v. Homerus].

**net'to**, afk. **no** of **nto** [It. = rein, net, netto, v. Lat. *nítidus* = glanzend, schitterend] zuiver, na aftrek van wat van de opbrengst moet worden afgetrokken.

**neur-, neuro-** [v. Gr. *neuron* = pees, spier; *ook:* zenuw (de moderne betekenis)] de zenuwen betreffend, zenuw-. **neural'gie** [v. Gr. *algos* = pijn] zenuwpijn, pijn die optreedt in het gebied van een gevoelszenuw, niet te verwarren met zenuwontsteking (*neuritis*,

*z.a.*) waarbij de zenuw zelf aangedaan is.
**neurasthenie'** [v. Gr. *a-steneia* = zwakheid, v. *a-* = niet, en *stenos* = sterkte] (*psychiatrie*) zenuwzwakte met ziekelijke overgevoeligheid, een neurotische aandoening die gekenmerkt is door chronische vermoeidheid, hoofdpijn, slapeloosheid en allerlei vage lichamelijke klachten. **neurasthe'nicus** lijder aan neurasthenie. **neurasthe'nisch** *bn* & *bw*.
**neuriet'** of a'**xon** uitloper van de zenuwcel die de prikkel van de cel af geleidt, tegenover *dendriet*, z.a., uitloper die een prikkel naar de zenuwcel toe geleidt. **neuri'tis** [*zie* -*itis*] zenuwaandoening die berust op een ontsteking of ontstekingsreactie van een zenuw en/of een plaatselijke ontaarding of kneuzing van zenuwvezels, zich uitend in drukpijn of pijn van de zenuw. **neurologie'** [*zie* -**logie**] wetenschap die de structuur (neuro-anatomie) - functie (neurofysiologie) en ziekten van het zenuwstelsel bestudeert. Ze is een tak van de medische wetenschap, die bij benadering gedefinieerd kan worden als de bestudering v. organische afwijkingen v.h. centrale en het perifere zenuwstelsel en v.d. hersen- en ruggemergsvliezen; kortom de bestudering v. hersen-, ruggemergs- en zenuwaandoeningen. Dit is dus een ander gebied dan de *psychiatrie*, z.a. **neuroloog'** medisch specialist betreffende het zenuwstelsel. **neurolo'gisch** *bn* de neurologie betreffend. **neu'ron** zenuwcel met haar beide uitlopers: neuriet of axon en dendriet. **neuroot'** [verbastering van neuroticus] (*volkstaal*) persoon lijdend aan een neurose, zenuwlijder; als scheldwoord: 'zenuwlijer'. **neuropaat'** [v. Gr. *pathè* = hetgeen iem. treft, lijden] zenuwlijder. **neuropathologie'** [*zie* **pathologie**] leer der zenuwziekten. **neuro'se** [*zie* -**ose**] verworven psychische stoornis van emotionele aard, zich uitend in afwijkend gedrag, dat de patiënt belemmert te functioneren. **neuro'ticus** lijder aan een neurose. **neuro'tisch** *bn* & *bw* **1** van de aard van een neurose; **2** als bij een neuroticus; **3** lijdend aan een neurose.
**neurotransmit'ter** [v. Lat. *transmittere* = over-zenden] chemische stof die de impulsoverdracht van de ene zenuwcel naar de andere bewerkstelligt.
**neus'ton** (*uitspr.*: nuiston) [v. Gr. *neustos* = zwemmend, drijvend] verzamelnaam voor organismen die drijven of zwemmen in oppervlaktewater, of het oppervlaktelaagje bewonen.
**neutraal'** [Lat. *neutrális* = van onzijdig geslacht, v. *neuter* = geen v. beide, v. *ne* = niet, en *uter* = elk v. beide] onzijdig; (*chem.*) noch zuur noch basisch. **neutralise'ren** [MLat. *neutralisáre*] onzijdig maken; de uitwerking v. iets te niet doen. **neutralisa'tie** *zn*. **neutraliteit'** [Fr. *neutralité*] onzijdigheid. **neutri'no** [It. = *lett.*: het kleine neutron] bep. kerndeeltje zonder lading en zonder rustmassa. **neutri'us ge'neris** [Lat.] van onzijdig geslacht. **neu'tron** [woord gevormd naar analogie v. **elektron**] elementair materiedeeltje zonder elektrische lading met ongeveer dezelfde massa als proton. **neutro'nenbom** bep. kleine waterstofbom (H-bom), die bij ontploffing grote hoeveelheden neutronen produceert, die alle leven doden, maar weinig materiële schade veroorzaken. **neutro'nenster** zeer compacte ster met een massa in de orde van die v.d. zon en een zeer kleine diameter (20 à 30 km). De dichtheid is dan ook enorm hoog. Een neutronenster is waarschijnlijk het resultaat van een zware ster die ineengestort is en niet meer bestaat uit atomen, maar uit dicht opeengepakte neutronen. **neu'trum** [Lat.] onzijdig geslacht (v. zelfstandige naamwoorden); onzijdig woord.
**ne varie'tur** [Lat.] dat niets veranderd worde (aan handtekening).

**ne'ver mind** [Eng.] hindert niets.
**New Deal** [Am. = *ongev.*: Nieuwe Koers] slagzin v.d. economische en sociale hervormingspolitiek v. president Roosevelt.
**new'ton** eenheid v. kracht, nl. die welke aan 1 kg in 1 seconde een versnelling van 1 meter per seconde geeft (symbool N) [naar sir Isaac Newton, Eng. natuurkundige, 1642-1707].
**ne'xus** [Lat. = het samenknopen, verband, v. *néctere*, *nexum* = aaneenknopen, binden] verband met het andere, samenhang.
**Nic'colum**, Ned. **Nik'kel**, chem. element, metaal, symbool Ni, ranggetal 28.
**niche** [Fr. = nis] (*ecologie*) constellatie v. factoren die voor een bep. plante- of diersoort de noodzakelijke milieuvoorwaarden bevat die voor (voort)bestaan en voortplanting nodig zijn.
**ni'col** bep. geprepareerd kristal v. kalkspaat (IJslands kristal) dat licht in één vlak polariseert (*zie* **polariseren**) [naar William Nicol, Eng. natuurkundige, 1768-1851].
**nicoti'ne** bep. alkaloïde in de tabaksplant (kleurloos, de bruine stof die bij het roken ontstaat is een teerachtig produkt met div. ingrediënten) [naar Jean Nicot, Fr. diplomaat, ± 1530-1600, die de tabak in Frankrijk invoerde].
**nida'tie** [v. Lat. *nídus* = nest] innesteling in organisch weefsel, spec. v.d. bevruchte eicel in de baarmoederwand. **nida'tieremmers** *mv* stoffen die de innesteling v.d. bevruchte eicel verhinderen, zoals de *morning-after-pil*, z.a.)
**niël'lo** [It. *niello* v. Lat. *nigellus*, onz. verkleinwoord v. *niger* = zwart] bep. zwartsel om groeven in metaalgravures zwart te kleuren. **nièlle'ren** metaal graveren en de groeven met niëllo opvullen.
**nie'se** [v. Hebr. *iesja* = vrouw; de *n* is ontstaan uit mijn *iese*] (*Barg.*) dame; meisje, meid, liefje.
**ni fal'lor** [Lat.] als ik me niet vergis.
**nigromantie'** [MLat. *nigromantía*, verbastering v. Gr. *nekromanteía* door associatie met Lat. *niger* = zwart; *zie* **necromantie**] zwarte kunst, tovenarij d.m.v. boze geesten.
**ni'hil** (*uitspr.*: nie'hiel of nie'kiel, *niet* nihil') [Lat. = niets, *ook*: samengetrokken tot **nil**, z.a.] niets; *nihil humáni* (of: *humáni nil*) a me *aliénum púto*, niets menselijks acht ik mij vreemd; *nihil óbstat, lett.*: er staat niets in de weg; er zijn geen bezwaren. **nihilis'me** radicaal revolutionaire leer, die geheel de maatschappelijke orde wil vernietigen om een nieuwe van de grond af aan op te bouwen. **nihilist'** aanhanger v.h. nihilisme.
**nik'ker** [Du. *Nix*; misschh. verwant met Gr. *nizoo* = wassen] **1** (*myth.*) boze watergeest, duivel; (*zie ook* **nixe**); **2** neger, zwarte [verbastering v. Eng. *nigger*; v. Lat. *niger* = zwart].
**nil** [Lat., kortere vorm v. **nihil**]: — *desperándum*, (er valt) niets te wanhopen, wanhoop nooit; — *mirári*, (er valt) niets te verwonderen, verwonder u nergens over; — *nóvi sub sóle*, er is niets nieuws onder de zon; — *voléntibus árduum*, niets is moeilijk voor hen die willen.
**nim'bus** [Lat. = wolk; *vgl. núbes* = wolk; *vgl. núbere* = omhullen] **1** stralenkrans om hoofd v. heilige; **2** luister, glans die een persoonlijkheid van grote persoonlijkheid omgeeft; **3** (*meteorol.*) vroeger de naam voor bep. neerslaggevende wolken; thans uitsluitend in de samenstellingen *cumulonimbus*, z.a., en **nimbostra'tus** [Lat. *nr. strátus* = uitgespreid, v. *stérnere*, *strátum* = uitspreiden] grijs, vaak laaghangend en donker die wolkende met onscherp uiterlijk, waaruit vrijwel onafgebroken regen (of sneeuw) valt.
**nimf** [Lat. *nympha*, v. Gr. *numphè*] **1** (*Gr. myth.*) natuurgodin van lagere orde. De nimfen golden als dochters van Zeus en bezielden de natuur in al haar uitingen: *dryade* (boomnimf), *hamadryade* (boomnimf die tegelijk met haar boom stierf), *oreade* (bergnimf), *najade*

(bron- of riviernimf), *nereïde* ( zeenimf);
**2** (jong) mooi meisje; **3** larve bij insekten met
onvolkomen gedaanteverwisseling (dan ook
nymfe genoemd). **nimfomanie'** *zie*
**nymfomanie.**

**ni'mium no'cet** [Lat.] overdaad schaadt.

**n'impor'te** [Fr.] 't doet er niet toe.

**Nim'rod** groot jager [naar Genesis 10 : 8,9].

**Nio'bium,** in het Ned. ook **Niob'**, chem.
element, metaal, symbool Nb, ranggetal 41.

**Nip'pon** [*eig.: Dai Nippon,* Japans = Groot
land v.d. Rijzende Zon] Japan.

**nipt** [*vgl. Eng.: to nip* = nijpen, knijpen,
klemmen, beknellen] *bn & bw* op het kantje,
krap; *een nipte overwinning,* een kleine zege
die met moeite bereikt wordt.

**nirwa'na, nirva'na** [Sanskr., v. *nirva,* v. *nir*
= uit, en *va* = blazen] (*boeddhisme*) ongeveer:
de uiteindelijke gelukzaligheid waarin de ziel
wegzinkt in het niets v.d. oneindigheid en
opgaat in de kosmische oppergeest.

**Nitroge'nium** [v. Lat. *nitrum,* Gr. *nitron*
= loogzout, soda of salpeter (kaliumnitraat),
en Gr. stam *gen-* = voortbrengen (*zie* **-geen
2**), *lett.:* wat salpeter voortbrengt] in het Ned.
**stikstof,** chem. element, niet-metaal, symbool
N, ranggetal 7. **nitraat'** zout of ester van
salpeterzuur, HNO₃. **nitriet'** zout of ester van
salpeterigzuur, HNO₂. **nitri'de** verbinding
van stikstof met één ander element, *bijv.:*
boornitride (BN), siliciumnitride (Si₃N₄) of
fosfornitride (P₃N₅). **nitre'ren** *ww* (*chem.*)
behandelen met sterk salpeterzuur (HNO₃) of
mengsels daarvan (bijv. nitreerzuur, *nitrose,*
*z.a.*) om in een stof de gr. nitrogroep (-NO₂)
in te voeren. **nitrifica'tie** [v. Lat. *fácere*
= maken] salpetervorming.

**nitrocellulo'se** [*zie* **cellulose**] (onjuiste
naam voor cellulosenitraat) met nitreerzuur
behandeld cellulose, waardoor een explosieve
verbinding ontstaat (*schietkatoen*).

**nitroglyceri'ne** (*chem.*) oude naam voor
*trinitroglycerol* of beter: *glyceroltrinitraat,* een
springstof. **nitro'se** [v. Lat. *-osus* = rijk aan]
mengsel v. sterk zwavelzuur, H₂SO₄, en
salpeterzuur, HNO₃ (eig. een oplossing v.
stikstofoxiden in geconcentreerd zwavelzuur),
gebruikt voor het nitreren v. cellulose.

**niveau'** [Fr., v. Lat. *libélla* = waterpas,
verkleinwoord van *libra* = weegschaal]
**1** horizontaal vlak; **2** peil; hoogte waarop een
vloeistof staat, bijv. waterpeil, waterspiegel;
**3** (*fig.*) peil v. kennis, v. zedelijkheid, hoogte
v. rang, bevoegdheid e.d.; **4** waterpas; **5** (*nat.*)
bep. energietoestand van elektron in
atoomschil. **nivelle'ren** [Fr. *niveler*] *ww*
**1** vlak maken, gelijk maken; **2** op hetzelfde peil
brengen, eenvormig maken; **3** met de waterpas
meten, waterpas maken.

**nit'wit** [Eng. *slang*] leeghoofd, zeer dom
iemand, stommeling, idioot.

**Nivôse** [Fr., v. Lat. *nivôsus* = vol sneeuw, v.
*nix, nivis* = sneeuw] 4e maand v.d. Fr.
Republikeinse kalender (21 dec. -19 jan.).

**ni'xe** [Du.; *zie* **nikker**] vr. nikker (boze
watergeest).

**njet** [Russ.] neen, niet.

**njon'ja** [v. Mal.] mevrouw (in Indonesië:
echtgenote van Europeaan of Chinees).

**no'bel** [Lat. *nóbilis* = bekend, beroemd,
adellijk, v. (*g*)*nóscere* = kennen, weten]
edel(moedig). **nobiliteit'** [Lat. *nobilitas*]
edelheid; adel, adeldom. **nobles'se** [Fr.]
adeldom; — *oblige,* adeldom (ook in fig. zin:
stand, naam, talent) legt verplichtingen op.

**Nobel'prijs** jaarlijkse toegekende prijs aan
persoon die belangrijk werk verricht heeft op
gebied v. chemie, natuurkunde, medicijnen,
letterkunde, economie of bevordering v.d.
vrede [naar Alfred Nobel, Zweeds chemicus en
industrieel, 1833-1896, uit wiens
nalatenschap de geldprijzen afkomstig zijn].

**Nobe'lium** kunstmatig, radioactief chem.
element, symbool No, ranggetal 102; het
behoort dus tot de *transuranen, z.a.* [naar
Alfred Nobel].

**nocief'** [Lat. *nocivus,* v. *nocére* = schaden] *bn
& bw* schadelijk.

**noctambulis'me** [Fr., v. Lat. *nox, nóctis*
= nacht, en *ambulâre* = wandelen; *zie*
**ambulant**, *ook:* **noctambula'tie,** het
slaapwandelen. **noctambu'le** [Fr.] *zn, m* en
*v* slaapwandelaar(-ster). **noctua'rium**
[modern Lat.; *zie* **-arium**] nachtdierenhuis in
een dierentuin. **noctur'ne** v. Lat.
*noctúrnus* = nachtelijk, v. *nóctu,* bijvorm van
*nócte* = *bw* 's nachts] **1** (*muz.*) nachtserenade,
nachtmuziek (meestal enigszins dromerig en
weemoedig); **2** (*rk*) [*eig.:* nachtwake] elk der
drie hoofddelen van de *metten, z.a.*

**no cu're no pay** [Eng.] geen betaling als er
geen resultaat bereikt wordt.

**noe'dels** *mv* [Du. *Nudeln*] reepjes meelspijs uit
deeg met eieren.

**noen** [Kerk. Lat. *hora nona* = het 9e uur = 3 uur
n.m.] middag; —*maal,* middagmaal.

**no'ga** [v. Fr. *nougat* = *lett.:* notenkoekje, v.
Provençaals *noga* = noot, v. Lat. *nux, nûcis;*
*vgl.* Fr. *gâteau* = koek] bep. snoepgoed.

**no-i'ron** [Eng.; *lett.:* niet (behoeven met)
strijkijzer] aanduiding dat een bepaald
kledingstuk bij wassen niet kreukt en dus niet
gestreken behoeft te worden.

**noiset'te** [Fr., verklw. v. *noix* = noot; *zie
volgende*] (*cul.*) **1** hazelnoot; **2** rond
kernstukje v. kotelet; **3** maag van vogeltje.

**noix** [Fr., v. Lat. *nux*] (*cul.*) noot.

**nok'ken** *ww* ophouden (met werk); 'kappen'
(met een relatie).

**no'lens vo'lens** [Lat.: *lett.:* niet-willend
willend] of men wil of niet, goed- of
kwaadschiks, tegen wil en dank.

**nom** [Fr., v. Lat. *nómen*] naam; *nom de guerre*
(*lett.:* oorlogsnaam) aangenomen naam (om
eigen naam te verbergen zoals in de oorlog);
*nom de plume,* schuilnaam van een schrijver,
pseudoniem (*lett.:* pen-naam).

**noma'den** *mv* [Lat. *nomades,* v. Gr. *nomas,*
*nomados* = op de weide ronddwalend, v.
*nemoo* = verdelen, bezitten, *ook:* weiden]
zwervend(e) herdersvolk(en). **noma'disch**
rondzwervend (tegenover *sessiel, z.a.*).
**nomadise'ren** als nomaden leven.

**no'men** [Lat.; *vgl.* Gr. *onoma*] **1** naam; *nómen
próprium,* eigennaam; *nómen est ómen* ( de
naam is een voorteken), of: *nómen et ómen*
(naam en voorteken), de naam zegt het al, de
naam geeft een kenmerk van de drager;
**2** (*taalk.*) naamwoord, spec. zelfst.
naamwoord; *nómen actiónis,* zelfst.
naamwoord dat een handeling noemt; *nómen
agéntis,* zelfst. naamwoord dat de persoon
noemt die de handeling verricht.

**nomencla'tor** [Lat. = naamroeper, v. *caláre*
= uitroepen] lijst of woordenboek v. termen en
namen op een spec. wetenschappelijk gebied
met verklaring en eventueel vertaling.

**nomenclatuur'** [Lat. *nomenclatúra, zie
vorige*] **1** het geheel v. regels die gevolgd
moeten worden bij de naamgeving op een bep.
wetenschappelijk gebied (bijv. de biologische
nomenclatuur, de nomenclatuur v.d. chemie);
**2** deze namen zelf; **3** naamregister, naamlijst.

**nominaal'**, *afk.* **nom.** [Fr. *nominal,* v. Lat.
*nominális* = tot de naam behorend] **1** (*taalk.*)
het naamwoord (*nomen*) betreffend,
naamwoordelijk; *nominale zin,* zin zonder
werkwoord; **2** de naam betreffende, naar de
naam; *appèl nominaal,* het aflezen van de
namen v.d. leden op een vergadering i.v.m.
aanwezigheid; **3** in naam (maar niet in
werkelijkheid); *nominale waarde,* waarde van
effecten of andere geldswaardige papieren,
zoals die bij de uitgifte bepaald is, ongeacht
de koers v.h. ogenblik; *nominaal inkomen,*
inkomen zoals het in geld luidt, tegenover reëel
inkomen dat de koopkracht aangeeft (i.v.m. de
inflatie). **nominalis'me** wijsgerig stelsel dat
aan algemene of abstracte begrippen geen
werkelijkheidswaarde toekent, doch slechts
als namen beschouwt (tegenover *realisme*).
**nominalist'** aanhanger v.h. nominalisme.

**no'mina sunt odio'sa** [Lat. = *lett.*: namen zijn hatelijk] men moet geen namen noemen (in verband met misstanden).

**nomina'tie** [Lat. *nominátio*] **1** benoeming op bep. post; *ook*: recht van benoeming, benoemingsrecht (*bijv.*: hij heeft de nominatie); **2** voordracht of lijst v. personen om er een uit te kiezen voor een bep. post.

**no'minatief**, afk. n [Lat. *cásus nominatívus* = de noemende naamval] *zn* eerste nv (die het onderwerp van de zin noemt). **nominatief'** [Fr. *nominatif*] bn luidende op naam (*bijv.*: nominatief aandeel). **nomina'tim** [Lat.] met name, uitdrukkelijk (— vermeld). **nomine'ren** [Lat. *nomináre*] benoemen. **no'mine su'o** [Lat.] op of in eigen naam. **nomologie'** [v. Gr. *nomos* = het toegedeelde, gebruik, wet; *zie* **-logie**] leer der wetten.

**non-** [Fr. & Lat. *non* v. OLat. *noemum* = *ne únum* = niet een] niet- (als eerste lid v. samenstellingen).

**no'na** naam voor de Afrikaanse slaapziekte (trypanosomiasis), een infectieziekte veroorzaakt door eencellige diertjes.

**non-accepta'bel** *bn* **1** onaanvaardbaar; **2** (*hand.*) (*aantekening op wissel*) voor acceptatie wordt niet ingestaan.

**non-accepta'tie** niet-aanneming, weigering van een wissel. **non-actief'**, afk. **n.a.** *bn* buiten dienst, niet in werkelijke dienst. **non-activiteit'** toestand van niet in werkelijke dienst zijn. **non-agres'siepact** niet-aanvalsverdrag. **non-belligerent' I** *bn* (gezegd van een staat) niet-oorlogvoerend, niet deelnemend aan een oorlog, hoewel niet strikt neutraal; **II** *zn* staat die niet aan een oorlog deelneemt, maar niet neutraal is. **non-belligeren'tie** *zn* het non-belligerent zijn.

**nonchalant'** [Fr., o. dw van *nonchaloir*, v. *non* = niet, en Lat. *calére* = warm zijn] onverschillig, onachtzaam, nalatig, slordig. **nonchalan'ce** [Fr.] onverschilligheid, nalatigheid, onachtzaamheid.

**non-combattant'** alle personen die ten tijde v. oorlog niet (of niet rechtstreeks) bij de krijgsverrichtingen zijn betrokken. Het onderscheid tussen combattanten en non-combattanten, een der grondprincipes v.h. volkenrecht, berust op de verouderde veronderstelling dat een oorlog alleen de strijdkrachten aangaat en dat de burgers er buiten kunnen blijven. **non-compari'tie** [*zie* **2 compareren**] het niet-verschijnen (*bijv.*: voor de rechter). **non-conformis'me 1** (*gesch.*) stroming in de Anglicaanse Kerk in Engeland die weigerde de ceremoniën van de Kerk te aanvaarden, en te voldoen aan de verplichting het *Book of Common Prayer* te ondertekenen (*nonconformists*); **2** (*thans*) het openlijk negeren van de binnen een gemeenschap geldende normen, waarden en gewoonten; het niet kritiekloos aanvaarden daarvan; het zich niet aansluiten bij wat algemeen geldt of erkend wordt; het zich niet aansluiten bij welke politieke of godsdienstige groepering dan ook; (*in bredere zin*) afwijkend gedrag. **non-conformist'** persoon die zich non-conformistisch gedraagt. **non-conformis'tisch** *bn* & *bw*.

**non con'stat** [Lat.] het blijkt niet vast, dat blijkt niet.

**non-coöpera'tie** [Eng. *non-cooperation*] het niet samenwerken, het niet meedoen; lijdelijk verzet, spec. tegen het bestaande gezag.

**non de'cet** [Lat.] het is niet passend.

**nondescript'** [Eng.] *bn* onbeschreven; onbeschrijfbaar; niet bepaalbaar.

**no'ne** [v. Lat. *nónus* = negende] **1** (*muz.*) negende toontrap; interval van 9 toontrappen v.d grondtoon af; **2** (*rk*) een der zgn. kleine getijden, *zie* **noon**.

**non'-ens** *lett.*: niet-zijnde; **1** iets dat niet bestaat en ook niet kan bestaan, maar alleen in ons verstand als begrip zonder dat wij daar een voorstelling van kunnen maken (*bijv.*: een

vierkante cirkel, een bolvormige piramide e.d.); **2** (*studententaal*) knul, mispunt.

**non-executabiliteit'** [*zie* **executeren**] (*jur.*) niet-uitvoerbaarheid. **non-existen'tie** het niet-bestaan.

**non ex'pedit** [Lat.] het is niet dienstig.

**non-fer'ro-metaal** [*zie* **Ferrum**] metaal dat niet behoort tot de ijzergroep (ijzer, nikkel, kobalt) en ook geen ijzer als legeringsbestanddeel bevat (*vgl.* **ferro-legeringen**). **non-fic'tion** [Eng.; *fiction* = o.a.: verzonnen verhaal] lectuur die niet op fantasie berust (zoals bijv. roman, novelle), maar op exacte informatie (wetenschappelijke en populair-wetenschappelijke lectuur).

**non-figuratief'** (*schilderkunst*) geen bestaande zaken, dus geen figuren, uitbeeldend, maar zuiver abstract.

**non-interven'tie** het niet tussenbeide komen in geschillen tussen groeperingen of staten, het in daden onzijdig blijven.

**no'nius** hulpschaalverdeling verschuifbaar langs hoofdschaal ter lengte v. 9 strepen der hoofdschaal maar in 10 delen verdeeld (als de wijzer op de hoofdschaal een punt tussen 2 strepen aanwijst zet men het nulpunt v.d. nonius daarmee gelijk en gaat na welke streep v.d. nonius samenvalt met een streep der hoofdschaal, is dit bijv. de 3e streep, dan moet men bij de aflezing v.d. hoofdschaal nog 0.3 eenheid toevoegen) [naar Nuñez, verlatiniseerd tot Nonius, de Port. uitvinder ervan].

**non'kel** [v. Fr. *mon oncle* = mijn oom] (*Z.N.*) oom.

**non li'cet**, afk. **n.l.** [Lat.] het is niet geoorloofd. **non li'quet**, afk. **nl.** [Lat.] het blijkt niet, het is niet duidelijk. **non mul'ta sed mul'tum** [Lat. = niet velerlei maar wel veel] niet veel in aantal, maar wel in kwaliteit; vaak gebruikt in betekenis: veel in kort bestek. **non mul'tum sed mul'ta** [Lat. = niet veel maar wel vele] niet veel zaaks, maar wel veel woorden (het omgekeerde v.h. voorafgaande). **non o'let** (**pecu'nia**) [Lat.] geld stinkt niet. **non om'nia pos'sumus om'nes** [Lat. = *lett.*: wij kunnen niet allen alles] een ieder kan niet alles, ieder heeft zijn eigen aanleg.

**no-non'sense** [Eng.; *zie* **nonsens**] geen onzin. In (o.a.) de politiek aanduiding voor een beleid gebaseerd op gezond verstand.

**non pla'cet** [Lat. = het behaagt niet] (bij rk kerkelijke stemming) tegen.

**non plus ul'tra** *zie* **nec plus ultra**.

**non-pro'fit-sector** [v. Eng.; *zie* **profijt**] de zgn. quartaire sector waarin de werkers geen winstoogmerk hebben (*bijv.*: hulpverleners e.d.). **non-prolifera'tie** [v. Eng. *to proliferate* = zich vermenigvuldigen, zich verspreiden, v. MLat. *prólifer* = nakomelingschap voortbrengend, v. Lat. *próles* = nakomeling, en *férre* = brengen] niet-verspreiding, spec. niet-uitbreiding van het aantal landen die kernwapens kan vervaardigen; — *verdrag*, kernstopverdrag, verdrag tussen meer dan 40 landen (waaronder de VS en de Sovjet-Unie), sinds 1970 in werking getreden, dat tot doel heeft verdere verspreiding van kernwapens tegen te gaan.

**non scho'lae sed vi'tae dis'cimus** [Lat.] niet voor de school maar voor het leven leren wij. **non'sens** *ev* [Fr. *non-sens*, v. *non* = niet, en *sens* = zin] onzin. **non-sensicaal'** *bn* onzinnig.

**non se'quitur** [Lat.] dat volgt niet (daaruit). **non-stop** [Eng. *to stop* = doorgang belemmeren, ophouden, stoppen] zonder onderbreking. **non ta'li auxi'lio** [Lat.] niet met zulk een hulp. **non trop'po** [It.] (*muz.*) niet te zeer. **non u'sus** [Lat. *usus* = gebruik] niet gebruik (v.e. recht). **non-valeur'** [Fr.; v. Lat. *valor* = waarde] iets zonder waarde; waardeloos papier of oninbare schuld; persoon die niet (meer) geschikt is voor zijn werk; 'nul'. **non-variant'** *bn* onveranderlijk.

geen variabele factoren bevattend.
**noon**, *ook*: **no'ne** [v. kerk. Lat. *ad hóram nónam* = bij het negende uur = 3 uur na de middag] getijde voor het 9e uur, het laatste der zgn. kleine uren (*prime, terts, sext* en *noon*).
**nor-** (*chem.*) voorvoegsel bij bekende stof, dat aangeeft dat het een andere stof betreft die chemisch sterk gelijkt op bedoelde bekende stof, maar daarvan verschilt doordat een -CH₃-groep is vervangen door een H-atoom.
**Norbertij'nen** *mv* orde v. reguliere kanunniken (koorheren), gesticht door de H. Norbertus van Xanten in 1120, ook genaamd witheren of *premonstratensen*, z.a.
**Norbertines'sen** *mv* leden v.d. vrouwelijke tak v.d. Norbertijnen, die evenals dezen een contemplatief (beschouwend) leven leiden en zich spec. toeleggen op het koorgebed.
**nor'dische ras** [v. Du. *Nord* = noord] bep. mensenras, onderdeel van het *europide* hoofdras, met lange schedel, blond haar en veelal blauwgrijze ogen, vnl. voorkomend in Noord-Europa.
**no'ria** [Sp. = *lett.*: waterrad] (*tech.*) werktuig voor het opvoeren v. water, bestaande uit een lusvormige ketting (ketting zonder einde) waaraan bakken of emmers zitten die beneden water opscheppen en het boven uitstorten; daarom ook emmerladder genoemd.
**noriet** [v. Du. merknaam *Nórit*] een preparaat v. actief koolpoeder dat een groot absorberend vermogen bezit. Het wordt gebruikt ter ontkleuring, maar spec. als maagzuiverend middel.
**norm** [v. Lat. *nórma* = winkelhaak, richtsnoer] maatstaf, richtsnoer, regel; toestand waarnaar men zich moet richten, gedragsregel. **normaal** [Lat. *normális* = naar de winkelhaak gemaakt, recht] **I** *bn* & *bw* **1** volgens de norm, volgens de standaard; **2** dat wat in de regel voorkomt, wat dat ideaal is; **3** in overeenstemming met de geldende opvattingen over wat behoorlijk is; **4** in negatieve zin: *hij is niet normaal*, hij is niet goed bij zijn hoofd; *ook*: hij is dronken; **5** (*chem.*) *normale oplossing*, afk. n., oplossing in 1 liter oplosmiddel v. zoveel gram v.e. stof als overeenkomst met de som v.d. atoomgewichten v.d. samenstellende delen (grammolecule) gedeeld door de waardigheid, m.a.w. oplossing van 1 gramequivalent opgeloste stof in 1 liter oplosmiddel; **6** (*org. chem.*) aanduiding voor een onvertakte keten v. koolstofatomen, symbool *n*-, bijv. *n*-hexaan is
$H_3C\text{-}CH_2\text{-}CH_2\text{-}CH_2\text{-}CH_2\text{-}CH_3$; **7** (*nat.*) *normale temperatuur*: 15 °C (dit is de temperatuur waarbij vroeger in laboratoria gewerkt werd); **II** *zn* **1** (*wisk.*) loodlijn; **2** gemiddelde waarde. **normaal'film** filmstrook met een breedte van 35 mm (tegenover *smalfilm* van 16 mm breedte).
**normaal'formaat** gestandaardiseerd papierformaat. **normaal'profiel** (afk. **NP**) **1** het profiel dat de normale vorm van een ophoging of van een ingraving van een weg, kanaal e.d. aangeeft; **2** (*tech.*) genormaliseerd profielstaal. **normaal'school 1** (*Ned.*) vroegere naam voor kweekschool voor onderwijzers bij het gewone lager onderwijs; **2** (*België*) kweekschool voor onderwijzers en leraren lager middelbaar onderwijs.
**normaal'spoor** spoor met een wijdte tussen de rails van 1,435 m (tegenover *smalspoor*).
**normalise'ren** [Fr. *normaliser*] **1** regelen naar bep. model; **2** de loop en stroming v.e. rivier regelmatiger maken; **3** standaarden voor soorten en maten v. handels- en gebruiksartikelen e.d. opstellen.
**normalisa'tie** *zn* **1** het normaliseren; **2** het vaststellen v. algemeen aanvaarde en te gebruiken normen. **normalis'me** [v. Fr., v. Lat. *normalis* = naar de maatstaf gemaakt] het stellen van normen. **normaliteit'** [Fr. *normalité*] het normaal zijn, de normale toestand. **norma'liter** (niet normali'ter)

[Lat.] naar de norm, volgens de regel; in de regel, als regel, gewoonlijk (bijv. normaliter neem ik de trein v. 7 uur, maar vandaag ben ik wat later). **normatief'** [Fr. *normatif*] *bn* **1** een norm vormend, een maatstaf bevattend; een norm stellend; **2** (*jur.*) rechtscheppend en dus bindend. **norme'ren** *ww* als norm vaststellen; de norm voor iets vastleggen.
**Nor'ne**, *mv* **Nor'nen** [Oudnoors] (*Noorse myth.*) schikgodin, godin v.h. menselot, aanwezig bij de geboorte v.e. mens en diens verdere lot bepalend. Hoewel ieder mens zijn eigen norne had, werden er toch drie met name genoemd: Urd, Verdandi en Skuld. Urd vertegenwoordigde het noodlot. *Vgl.* de Gr. **Moirai** en de Romeinse **Parcen** of **Fata**.
**nor'tonput** welput gemaakt door ijzeren buis met geperforeerde top in de grond te slaan tot het grondwater is bereikt, dat met nortonpomp wordt opgezogen [naar Norton, de uitvinder].
**nos'ce teip'sum** (*spreek uit*: nosje teeiepsoem) [Lat.] ken u zelve.
**nos jun'git amici'tia** [Lat.] ons bindt de vriendschap tesaam.
**nosofobie'** [v. Gr. *nosos* = ziekte; *zie* **-fobie**] ziekelijke vrees dat men ziek wordt.
**nosografie'** [v. Gr. *graphoo* = schrijven] ziektebeschrijving. **nosologie'** [*zie* **-logie**] ziektenleer.
**nostalgie'** [v. Gr. *nostos* = terugkeer, huisvaart, en *algos* = smart, pijn] heimwee, verlangen naar eigen land of huis; spec. verlangen naar een vroegere levenswijze, naar een (meestal geïdealiseerde) vroegere tijd (de 'goede oude tijd'). **nostal'gisch** *bn* heimwee betreffend; uit heimwee voortkomend (*bijv.*: nostalgische mijmering over vroeger geluk).
**nos'tro con'to** afk. n.c. [It.] onze rekening. **nos'tro-geld** toevertrouwd aan een bank waarover zij vrij kan beschikken (*vgl. loro-geld*).
**no'ta** [Lat. = teken] **1** rekening; **2** schriftelijke uiteenzetting (spec. tussen regeringen onderling); — *van iets nemen*, (de nodige) aandacht schenken aan iets, meestal positief gebruikt: *goede — nemen van*; *vgl.* notitie van iets nemen. **nota'bel** [Lat. *notábilis* = in het oog vallend, uitstekend] aanzienlijk, voornaam. **nota'belen** *mv* de voorname burgers v.e. plaats. **no'ta be'ne** afk. **N.B.** [Lat.; *nota* = gebiedende wijs van *notare* = merken, opmerken] let wel; in *volkstaal* ook ongeveer: nog wel (*bijv.*: ik heb je nota bene gewaarschuwd; dat heb je nota bene zelf gezegd).
**nota'ris** [Lat. *notárius* = (snel) schrijver, secretaris, v. *nota* = (stenografisch) schriftteken] bep. openbaar ambtenaar voor het opmaken en bewaren v. bep. akten en het openbaar veilen v. goederen. **notariaat'** [Fr. *notariat*] notarisambt, -standplaats of -praktijk. **notarieel'** [Fr. *notarial*] het notariaat betreffend, voor een notaris verleden (notariële akte).
**note'ren** [Lat. *notáre*, -*átum* = merken, (op)schrijven] optekenen; (*beursterm*) doen (bijv. dit aandeel noteert 153¾, punt).
**nota'tie** [Lat. *notátio*] het aantekenen; systeem v. voorstellen door schrifttekens; het opschrijven v. melodie in noten. **note'ring** optekening; door beursbestuur geregistreerde koers tegen welke een fonds verhandeld is, koers- of prijsvermelding, lijst v. prijzen en koersen.
**no'tie** [Lat. *nótio* = het leren kennen, begrip; *vgl.* (*g*)*nóscere* = kennen, weten] begrip, voorstelling, idee (bijv. ik heb er geen — van).
**notifice'ren** [Lat. *notificáre*, v. *notus* = bekend (*nóscere, notum* = kennen), en *fácere* = maken] bekend maken, kennis geven.
**notifica'tie** *zn* **noti'tie** [Lat. *notítia* = het bekend zijn (*notus* = bekend), voorstelling, bericht] aantekening; — *van iets nemen*, (vluchtige) aandacht aan iets schenken (meestal negatief gebruikt: *geen — nemen van*).

**notoir'** *ook* **notoor** [Fr. *notoire*, v. MLat. *notárius*, v. *notáre*; *zie* **noteren**] openlijk bekend (een — dronkaard); klaarblijkelijk (een —e stommeling). **notoriëteit'** [Fr. *notoriété*] het openlijk bekend zijn. **noto'risch** = **notoir**.

**notu'len** *mv* [Fr. *notule* = korte aantekening, v. Lat. *nótula* = klein teken, verkleinwoord v. **nota**, *z.a.*] aantekeningen, verslag v.e. vergadering. **notule'ren** *ww* **1** kort verslag v.e. vergadering maken; **2** opnemen in de notulen v.e. vergadering. **notulist** persoon die de notulen v.e. vergadering maakt.

**nouil'ler** *mv* [Fr.] (*cul.*) noedels; soort dunne platte spaghetti.

**nourri'dans le sérail** [Fr. opgevoed (als ik ben) in het serail (ken ik er alle wegen)] ergens door en door mee bekend.

**nouveautés** *mv* [Fr., v. Lat. *nóvitas* = nieuwheid, v. *novus* = nieuw] nieuwigheden, modesnufjes. **nouveau' ri'che** [Fr. = nieuwe rijke] parvenu.

**no'va** [Lat. (*stella*) *nova* = nieuwe (ster)] **1** ster die plotseling tijdelijk zeer snel en sterk (bijv. 1000 ×) in lichtkracht toeneemt (aanvankelijk voor een nieuwe ster gehouden omdat ze voorheen niet zichtbaar was) (*vgl.* **supernova**); **2** *mv van* **novum** *z.a.* **novaal'** [Lat. *novális*, v. *novus* = nieuw] nieuw ontgonnen; *novale tienden*, tienden op nieuw ontgonnen terrein.

**novantiek'** [v. Lat. *novus* = nieuw; en antiek] quasi-antiek, nagebootst antiek.

**novel'le** [Fr., v. It. *novella*, v. Lat. *novéllus*, verklw. v. *nóvus* = nieuw] **1** kort prozaverhaal in romanstijl dat een episode beschrijft; **2** nieuwe wet tot wijziging v.e. bestaande. **novellist** schrijver van novelle(n).

**novem'ber** *afk.* **nov.** [Lat., v. *novem* = 9] 11e maand (bij Romeinen vóór de eerste kalenderhervorming de 9e). **nove'ne** *ook* **noveen** [Lat. *novénus* = bij negenen, een negental betreffend] negendaagse godsdienstige oefening.

**nove'ren** [Lat. *nováre, -átum*, v. *novus* = nieuw] vernieuwen (spec. schuld). **nova'tie** vernieuwing v. schuld. **novi'ce** [Lat. *novícius* = nieuw, jong] *m/v* aspirant-kloosterling(e) die spec. proeftijd doormaakt alvorens hij of zij aangenomen wordt. **novici'aat** [Fr. *noviciat*, v. kerk. Lat. *noviciátus*] proeftijd voor novicen; klooster of deel daarvan waar zij verblijven. **noviet'** (*studententaal*) groen, pas aangekomen student. **novitiaat'** (*studententaal*) groentijd. **novi'tius** **1** novice; **2** noviet. **noviteit'** [Lat. *novitas*] nieuwigheid. **no'vum**, *mv* **no'va** [Lat.] iets nieuws, nieuwe wending, nieuwigheid, nieuwtje. **no'vus ho'mo** [Lat. = nieuw man] persoon in opkomst of pas naam gemaakt hebbend; *ook*: parvenu.

**nu** [Gr.; *vgl.* Hebr. *noen* = slang; in oorspr. beeldschrift~~~] 13e letter v.h. Gr. alfabet overeenkomend met **n**.

**nuan'ce** [Fr., v. *nuer* = schaduwen, v. Lat. *núbere* = omhullen, *nubes* = wolk] schakering. **nuance'ren** [Fr. *nuancer*] schakeren.

**nubiliteit'** [v. Lat. *núbilis* = huwbaar, v. *núbere* = omsluieren (v. bruid om haar aan bruidegom te geven), huwen] huwbaarheid.

**nu'cleus**, *mv* **nu'clei** [Lat. = kern, voor *nucúleus*, verklw. v. *nux, núcis* = noot] **1** (*alg.*) kern; *in núcleo*, in aanleg, in de dop; **2** (*biol.*) kern van de cel, celkern; **3** (*atoomfysica*) kern van het atoom, atoomkern; **4** (*astr.*) kern v.e. komeet. **nucleair'** *bn* de kernsplijting van atomen betreffend; *nucleaire wapens*, kernwapens. **nuclei'nezuren** chem. verbindingen die in de celkern voorkomen (*bijv.*: desoxyribonucleïnezuur; internationale afk. DNA). Nucleïnezuren hebben voor het voortbestaan v. het levende organisme essentiële functies: ze slaan genetische informatie op, dragen deze over, en 'vertalen' deze informatie in de synthese v. eiwitten die

voor de cel specifiek zijn en daardoor v. alle bestanddelen v.d. cel. **nu'cleon** (*atoomfysica*) kerndeeltje. **nucli'de** genormaliseerde naam voor een atoomsoort, gekenmerkt door de samenstelling v.d. kern, d.w.z. het aantal protonen en neutronen dat hij bevat, en door het energieniveau.

**nudis'me** [v. Lat. *núdus* = bloot, naakt] naaktcultuur, beweging die het 'functionele naakt' propageert, een facet van het *naturisme*, dat meer omvat. **nudist'** aanhanger v.h. nudisme. **nuditeit'** [Lat. *núditas* = naaktheid] naaktfiguur, naakte figuren; *ook*: gewaagde beschrijvingen. **nu'dum praecep'tum**, *mv* **nu'da praecep'ta** [Lat. = bloot bevel, louter voorschrift] formeel bevel dat men oogluikend laat overtreden.

**nug'get** [Eng.] klompje gedegen goud in de natuur gevonden.

**nul** [Lat. *nullus* = niemand, niets, v. *ne* = niet, en *ullus* = iemand, iets] het cijfer of getal 0 (= oneindig klein); niets; uitgangspunt op schaalverdeling, punt of onbeduidend persoon. **nul'la ratio'ne** [Lat.] op generlei wijze. **nul'la re'gula si'ne exceptio'ne** [Lat.] geen regel zonder uitzondering. **nul'li ce'do** [Lat.] ik wijk voor niemand. **nul'li secun'dus** [Lat. = *lett.*: voor niemand de tweede] voor niemand onderdoend. **nulliteit'** [MLat. *núllitas* = ongeldigheid] nietigheid; onbeduidend persoon. **nul'meridiaan** [*zie* **meridiaan**] lengtecirkel waarbij men begint te tellen bij bepalen v. geogr. lengte. **nul'optie** [v. Lat. *optio* = keuze] voorstel om geen nieuwe NAVO-kernwapens te plaatsen in ruil voor vermindering v. Russ. atoomwapens.

**nu'men** [Lat. = OLat. *nuimen*, van \**núere* = nijgen, knikken, *numen* = wenk door hoofdknik, bevel, gebod, inzonderheid: wil v. godheid, vandaar *ook*: de godheid zelf] godheid.

**numerair'** [Fr. *numéraire*, v. VLat. *numerárius* = bep. financiënbeambte, v. Lat. *númerus* = getal; *vgl.* Gr. *nemoo* = verdelen] **I** *bw* naar het getal; **II** *zn* baar geld in omloop.

**numera'lia** (*onz. mv van* Lat. *numerális* = telwoorden, (*ev* **numera'le**) Lat. *numeráre, -átum*] nummeren, tellen. **Nu'meri** [Lat. = Getallen] vierde boek v.d. bijbel. **numeriek'** [Fr. *numérique*] in aantal (— in de meerderheid); —*e waarde*, waarde in getal(len) uitgedrukt of uitdrukbaar.

**nu'mero**, *afk.* **No.** [Fr. *numéro*] nummer; *mv* **nu'mero's**, *afk.* **Nos.** numero're'ren [Fr. *numéroter*] van opeenvolgende nummers voorzien, nummeren. **numeroteur'** [Fr. *numéroteur*] toestel om te numeroteren. **nu'merus clau'sus** [Lat. = gesloten aantal] beperking tot een bep. vastgesteld aantal, spec. het aantal personen dat tot een bep. (universitaire) studie wordt toegelaten, de zgn. *studentenstop*; thans gebruikt men bij voorkeur de term **nu'merus fi'xus** [Lat. = vastgelegd aantal] tevoren vastgesteld aantal personen dat wordt toegelaten tot een groep of instelling, spec. tot een universiteit.

**numerologie** [*zie* -logie] leer v.d. magische betekenis der getallen.

**numismatiek'** [Fr. *numismatique*, v. Lat. *numisma*, Gr. *nomisma*, *-atos* = gebruik, gebruikt geld, munt, v. *nomizoo* = gewoon zijn, v. *nomos* = het toegedeelde, gebruik, v. *nemoo* = delen] munt- en penningkunde. **numisma'ticus** beoefenaar der numismatiek.

**nunc est biben'dum** [Lat. = nu moet gedronken worden, vertaling v. Gr. *nun chrè methusthai* = *lett.*: nu is zich bedrinken nodig] daar moet op gedronken worden.

**nuncia'tie** [Lat. *nunciátio* of *nuntiátio*, v. *nuntiáre, -átum* = boodschappen, v. *núntius* = boodschapper; *vgl. novus* = nieuw] aanzegging. **nun'tius** [It. *nuncio*, v. Lat. *núncius* of *núntius* = boodschapper, bode] gezant v.d. paus bij grote mogendheid (*vgl.* **internuntius**). **nuntia'tuur** ambt of

waardigheid of residentie v.e. nuntius.
**nur'se** [Eng. = *eig.*: voedster, min, v. VLat. *nutrícia, vr.* v. *nutricius* = voedend, zogend] kindermeisje.
**nutri'tie** [v. Lat. *nutrire, nutrítum* = voeden; *vgl.* **nurse**] voeding. **nutritief'** [MLat. *nutritívus*] voedend, voedzaam. **nutriënt'** [v. Lat. *nútriens, nutriéntis* = voedend, o.dw van *nutríre*] voedingsmiddel, voedingsstof.
**nut'shell** [Eng.]: *in a —*, in een notedop.
**nyctalopie'** [VLat. *nyctalopia*, v. Gr. *nuktaloops* = nachtblind, v. *nux, nuktos* = nacht, en *alaos* = blind] dagblindheid (de oorspr. bet. is nachtblindheid; voor de verklaring van deze vergissing: *zie bij* **hemeralopie**).
**nyctinastie'** [v. Gr. *nux, nuktos* = nacht; *zie* **nastie**] slaapbeweging van vele bladeren met gewrichten als reactie op de afwisseling van dag en nacht.
**ny'lon** [herkomst v.h. woord onbekend] **1** vrijgegeven merknaam voor polyamide-kunstvezels; **2** weefsel daarvan (ook in samenstellingen als nylonkous e.d.).
**nymfomanie'** [v. Gr. *numphē* = meisje, jonge vrouw, en *mania* = razernij] *ook*: **nimfomanie'** ziekelijke geslachtsdrift bij de vrouw. De oorzaken kunnen van psychische aard zijn, of gelegen zijn o.a. in afwijkingen of prikkelingen van bep. hersendelen. **nymfomaan'** lijdend aan nymfomanie; 'manziek'.
**nystag'mus** [Gr. *nustagmos* = het knikken, v. *nustazoo* = knikken] oogsidderen, kleine onwillekeurige periodieke bewegingen van de oogbol als gevolg van bep. oogaandoeningen. Vroeger kwam nystagmus voor als beroepsziekte bij mijnwerkers, misschien veroorzaakt door vergiftigingsverschijnselen in de hersenstam. In de oogheelkunde is het opwekken van nystagmus een methode om de functie van het evenwichtsorgaan te onderzoeken (*nystagmografie*).

**oa'se** [Lat. & Gr. *oásis*, waarsch. v. Egyptische oorsprong] min of meer vruchtbare plaats met water in de woestijn; (*fig.*) verkwikking of rust gevende plaats temidden van dorheid of van lawaaierige omgeving (*bijv.*: een oase v. rust).
**ob**– [Lat.] tegen(over)-, naar toe-, overheen-, om wille van -.
**obduce'ren** [v. Lat. *ob-dúcere, -ductum* = overheen-trékken, verhullen; *obdúctus* = verholen] lijk openen en onderzoeken op verholen gebreken. **obduc'tie** gerechtelijke lijkschouwing bij vermoeden van niet-natuurlijke dood.
**obdura'tie** [v. Lat. *obduráre, -átum* = verharden, v. *durus* = hard] verstoktheid.
**obediën'tie** [Lat. *oboediéntia*, v. *oboedíre* = *adaudíre* = ernaar-horen] gehoorzaamheid.
**obelisk'** [Lat. *obelíscus* = spitszuil, Gr. *obeliskos* = braadspit, verklw. v. *obelos* = spit] spitse zuil uit één stuk gehouwen.
**O'beron** [Fr. *Auberon*, Du. *Alberich*] (*sagefiguur*) de koning der elfen, een zeer slimme dwerg die zich onmiddellijk overal heen kon verplaatsen.
**obesiteit'** [Lat. *obésitas*] zwaarlijvigheid.
**o'bi** [Japans] gekleurde brede gordel met een strik op de rug, zowel door mannen als vrouwen gedragen over de kimono.
**ob'iit**, afk. **ob.** [Lat. = 3e persoon volt. tegenw. tijd v. *ob-íre* = toe-gaan, ondergaan, sterven] ... is overleden.
**o'biter dic'tum** [Lat. = in het voorbijgaan gezegd] terloopse opmerking.
**o'bitus ju'rium** [Lat.; *zie* **obiit**] verlies v. rechten door verjaring.
**object'** [MLat. *objéctum* = het voorgelegde, v. Lat. *ob-jícere, -jéctum* = *ob-jácere* = tegenwerpen, vóór-werpen] voorwerp, voorwerp v. studie e.d.; doel; (*kunst*) kunstvoorwerp in drie dimensies, spec. een voorwerp door de kunstenaar 'gevonden' (Fr. *objet trouvé*) en door hem tot kunstwerk verheven. **objecte'ren, objicië'ren** [Lat. *objectáre*, intensief v. *objícere*] tegenwerpen. **objec'tie** [Lat. *objéctio*] tegenwerping.
**objectief'** [MLat. *objectívis*] **I** *bn* de waargenomen zaak betreffend, zakelijk, zonder vooroordelen; **II** *zn* voorwerpglas, lens v. kijker het dichtst bij het voorwerp (*vgl.* **oculair**). **objective'ren** [Fr. *objectiver*] naar buiten verwezenlijken wat tot dan toe alleen als innerlijke idee aanwezig was.
**objectiviteit'** [Fr. *objectivité*] het objectief (I) zijn. **objectivis'me** neiging om nadruk op het object te leggen; leer dat de kennis v. wat niet het ik is, voorafgaand en superieur is aan de kennis v. het eigen ik. **objicië'ren** *zie* **objecteren**.
**oblaat'** [Lat. *oblátus* = opgedragen, v. *offérre* = *ob-férre, ob-látum*] (*rk*) inwoner bij religieuze gemeenschap die geen gelofte maar slechts oblatie (= toewijding) doet. **obla'tie** [Lat. *oblátio*] offergave, het zich als offergave toewijden; offerande v. brood en wijn tijdens de eucharistieviering.
**oblie'** [Fr., v. kerk. Lat. (*hóstia*) *obláta* = de bij de offerande opgedragen (maar nog niet geconsacreerde) hostie, die de vorm v.e. rond

wafeltje heeft; *vgl.* **ouwel**] soort opgerolde dunne wafel.

**obligaat'** [v. Lat. *obligátus* = verbonden, verplicht, v. *ob-ligáre, -átum* = aan-binden] **I** *bn* 1 verplicht; 2 afk. oblig. (*muz.*) met begeleiding v. andere instrumenten; **II** *zn* 1 solo v. instrument met begeleiding; 2 obligaatspeler. **obliga'tie** [Lat. *obligátio*] verplichting; bep. schuldbrief met vastgestelde rente. **obligatist'** solist in obligaat. **obliga'to** [It. *obbligato*] (*muz.*) (v. deel of begeleiding) verplicht, niet mogende weggelaten worden (tegenover **ad libitum**). **obligato'risch**, **obligatoir'** [Fr. *obligatoire*] verplicht of verplichting scheppend (verplichtend). **obligeant'** [Fr.] aan zich verplichtend, dienstwillig, bereidvaardig. **oblige'ren** [Lat. *obligáre*] aan zich verplichten, verplichten, noodzaken. **o'bligo** [It.] (geldelijke) verplichting, verbintenis.

**oblitere'ren** [Lat. *ob-literáre, -átum*, v. *ob-línere* = be-smeren] uitwissen; doorstrepen (letters). **oblitera'tie** [Lat. *obliterátio*] 1 uitwissing; doorstreping v. letters; 2 (*med.*) atresie, afsluiting v.e. lichaamskanaal die niet aangeboren is, maar pas na de geboorte ontstaat.

**oblong'** [Fr., v. Lat. *oblóngus* = langwerpig, v. *longus* = lang] langwerpig vierkant.

**o'boe**, afk. **ob.** [It., v. Fr. *hautbois*, v. *haut* = hoog, en *bois* = hout] hobo; — *d'amóre*, hobo die een terts lager reikt dan gewone hobo; — *da cáccia*, jachthobo, die vijf tonen lager reikt dan de gewone.

**obool'** [Gr. *obolos*] munt in het oude Griekenland, 1/6 van een drachme.

**ob'ovaal** [*zie* **ovaal**] omgekeerd eivormig.

**obrep'tie** [Lat. *obréptio* = insluiping, v. *obrépere, -réptum* = naar iets toe kruipen] verwerving door list of misleiding.

**obsceen'** [Lat. *obsc(a)énus* = lelijk, ontuchtig] ontuchtig; oneerbaar, onzedig, schunnig in voorstelling (door woord, gebaar, tekening e.d.). **obsceniteit'** [Lat. *obsc(a)énitas*] ontucht; onzedigheid, schunnigheid van voorstelling.

**obscurant'** [Lat. *obscúrans, -ántis*, v. *obscuráre* = verduisteren, verbergen, v. *obscúrus* = donker; *vgl.* *scutum* = schild, en Gr. *skeuè* = wapenrusting] duisterling, wie de massa onwetend dom wil houden, tegenstander v. verlichting. **obscurantis'me** streven de massa onwetend dom te houden. **obscurist'** = **obscurant. obscuriteit'** [Lat. *obscúritas*] duisterheid; het in vergetelheid verborgen zijn; persoon zonder roem, naam of aanzien. **obscuur'** [Lat. *obscúrus*] duister; onbekend en vergetelheid; zonder naam of aanzien.

**obsede'ren** [Fr. *obséder*, v. Lat. *ob-sídére, -séssum* = in plaats bezetten, innemen] de geest niet met rust laten (bijv. een obsederende gedachte).

**obsequieus'** [Fr. *obséquieux*, Lat. *obsequiósus* = gedienstig, v. *óbsequi* = ter wille zijn, zich overgeven, v. *séqui* = volgen] kruiperig gedienstig, al te hoffelijk.

**observa'bel** [Lat. *observábilis* = merkbaar, v. *ob-serváre, -átum* = waarnemen, in acht nemen, als regel volgen] waarneembaar; naleefbaar (voorschrift). **observan'ten** *mv* [Lat. *obsérvans, -ántis* = o.dw = in acht nemend] tak v. bep. kloosterorde (spec. Franciscanen) die de oude regel streng naleeft. **observan'tie** [Lat. *observántia*] het naleven v.d. kloosterregel. **observa'tie** [Lat. *observátio*] waarneming; naleving v. regel. **observa'tor** [Lat.] waarnemer, spec. sterrenkundig waarnemer. **observato'rium** station voor het waarnemen v. natuurverschijnselen, spec. v. hemellichamen, sterrenwacht. **observe'ren** [Lat.] waarnemen, aandachtig gadeslaan; naleven (voorschrift). **obses'sie** [Lat. *obséssio*; *zie* **obsederen**] oorspr.: bezetenheid door een boze geest;

*thans*: gedachte die men niet kwijt kan, dwangvoorstelling.

**obsidiaan'** [Lat. *obsidiánus*, foutief voor *Obsiánus* = v. Obsius, de ontdekker] zwarte of zwartbruine of grijze glasachtige lava, glasagaat, ontstaan door snelle stolling v.e. vulkanische smelt, waarbij geen uitkristallisatie v. mineralen kon plaatsvinden.

**obsigna'tie** [Lat. *obsignátio*, v. *ob-signáre, -átum* = be-, ver-zegelen] verzegeling.

**obsoleet'** [Lat. *obsolétus*, v. *obs-oléscere* = uitgroeien, oud worden of uit de tijd geraken] in onbruik, verouderd.

**obsta'kel** [Lat. *obstáculum*, v. *obstáre* = in de weg staan] hindernis, belemmering, iets wat in de weg staat.

**obste'tricus** [v. Lat. *obstétrix, -icis* = vroedvrouw, v. *ob-sístere* = zich ergens voor plaatsen] verloskundige. **obstetrie'** verloskunde. **obste'trisch** verloskundig.

**obstinaat'** [Lat. *obstinátus*, v. *ob-stináre, -átum* = ergens op staan (*stare* = staan)] stijfkoppig, halsstarrig, hardnekkig; met taaie volharding. **obstina'tie** [Lat. *obstinátio*] koppigheid enz., volhardendheid.

**obstipa'tie** [v. Lat. *ob*, en *stipátio* = het volstoppen, v. *stipáre, -átum* = samenpersen] hardlijvigheid, (hetzelfde als *constipátie, z.a.*).

**obstrue'ren** [Lat. *ob-struére, -strúctum* = voor iets bouwen, versperren] belemmeren. **obstruc'tie** [Lat. *obstrúctio* = versperring] systematische dwarsdrijverij, spec. v. politieke minderheid; opstopping; hardlijvigheid. **obstructionis'me** streven om door het voeren v. obstructie een zaak te verhinderen.

**obtuus'** [Lat. *obtúsus*, v. *ob-túndere, -túsum* = ergens op slaan, stomp maken] bot, stomp.

**oc-** = **ob-** *vóór* c.

**ocari'na** [It. = *lett*.: gansje, verkleinwoord van *oca* = gans] blaasinstrument vervaardigd van pijpaarde of porselein.

**occa'sie** [Lat. *occásio*, v. *occidere, occásum* = *ob-cádere* = neer-vallen; gebeuren] geschikte gelegenheid. **occasion'** [Fr.], of **occa'sion** [Eng.] gelegenheidskoopje. **occasioneel'** [Fr. *occasionnel*] bij gelegenheid, nu en dan, niet als regel.

**Occident'** [Lat. *Occidens, -éntis*, v. *occidere* = *ob-cádere* = ondergaan (v. zon)] het Avondland, het Westen. **occidentaal'** [Lat. *occidentális*] westers. **Occidental'** bep. wereldkunsttaal. **occidentalist'** beoefenaar v.h. Occidental.

**oc'ciput** [Lat. = *ob-caput*] achterhoofd.

**Occitaans'** [v. Fr. *occitan*, v. *langue d'oc* = taal waarin het woord voor 'ja' *oc* is] taal vroeger gesproken in Zuid-Frankrijk, tegenover *langue d'oïl* (*oïl* = *oui* = ja), het Frans van het Noorden.

**occlude'ren** [Lat. *occlúdere, -clúsum* = *obcláudere*] afsluiten. **occlu'sie** afsluiting, spec. v. warme lucht door koude luchtstroom die haar optilt. **occlusief'** [Fr. *occlusif*] **I** *bn* afsluitend; **II** *zn* plofgeluid, zie **explosieven 2**.

**occult'** [Lat. *occúltus* = verborgen, v. *oc-cúlere, -cúltum* = verbergen; *vgl. celáre* = verbergen] geheim, buitennatuurlijk. **occulta'tie** (*astr.*) bedekking v.e. (schijnbaar) klein hemellichaam door een groot (bijv. ster door maan). **occultis'me** het zich bezighouden met geheime buitennatuurlijke krachten.

**occupe'ren** [Lat. *occupáre, -átum* = *ob-cápere* = in-nemen] bezetten (gebied); bezighouden; (als procureur) optreden; *geoccupeerd*, druk bezet door bezigheden. **occupa'tie** [Lat. *occupátio*] bezetting (v. gebied); bezigheid.

**oceaan'** [Lat. *océanus*, Gr. *ookeanos* = stroom die cirkelt rond de (platte) aardschijf; Atlantische Oceaan] wereldzee. **ocea'nisch** met betrekking tot de oceaan; Oceanië betreffend. **oceani'de** [Gr. myth. *Ookeanis, -idos* = dochter v.d. god *Ookeanos*] bep. zeenimf. **Ocea'nië** eilandengroep in de Stille Oceaan: Melanesië, Micronesië en Polynesië.

**oceanografie'** [v. Gr. *graphoo* = schrijven] oceaanbeschrijving (ook diepzee-onderzoek omvattend).

**ocel'len** [v. Lat. *océllus*, verklw. van *óculus* = oog] enkelvoudige ogen bij de meeste insekten en andere geleedpotige dieren (tussen de samengestelde ogen).

**ocelot'** [Fr., zo genoemd naar de oogvormige vlekken (Fr. *ocelles*) op de huid] 1 pardelkat, het dier *Leopardus pardalis* uit de familie der Katachtigen (Felidae), levend in Centraal-Amerika; 2 bont daarvan.

**ochlocratie'** [Gr. *achlokratia*, v. *ochlos* = hoop, menigte, gepeupel, en *krateoo* = machtig zijn, heersen] heerschappij v.h. lagere volk. **ochlocraat'** volksmenner.

**octaan'** (*chem.*) algemene naam voor de verzadigde koolwaterstoffen (*alkanen*) met de formule $C_8H_{18}$.

**octaan'getal** maat voor de klopvastheid van benzine, niet het percentage octanen dat deze bevat, maar het percentage 2.2.4-trimethylpentaan (iso-octaan) met een kookpunt van 99,2 °C in een mengsel met niet-vertakt heptaan (*n*-heptaan). Er zijn echter twee methoden om het octaangetal te bepalen, die iets verschillende uitkomsten geven, zodat altijd vermeld moet worden welke methode men heeft gebruikt. **octaë'der** [v. Gr. *hedra* = zetel, (zit)vlak] regelmatig veelvlak (*polyéder*), dat begrensd is door acht gelijkzijdige driehoeken. **octant'** [VLat. *octans*, *-ántis*] achtste deel v. cirkel; sterrenkundig hoekmeetinstrument (met gradenboog v. $\frac{1}{8}$ cirkel).

**octa'vo**, afk. **8°**. (v. Lat. *in octavo* = in achtste bep. boekformaat (vel in 8 bladen gevouwen). **octet'** [woord gevormd naar analogie van *duet*] muziekstuk voor acht partijen.

**octo-** [Lat. *octo* of Gr. *oktoo* = 8] acht-. **octaaf'** [Lat. *octávus* = de achtste] 1 afk. **oct.** (muz.) 8e toon v.d. grondtoon af, omvang v. 8 tonen; 2 (*rk*) achtdaagse naviering v. groot feest; de 8e en laatste dag v. zulk een periode; 3 de twee kwatrijnen v.e. sonnet.

**octode'cimo** [Lat. *in octodécimo* = in achttiende] bep. boekformaat (vel in 18 bladen gevouwen). **octogoon'** [Gr. *goonia* = hoek] achthoek. **octogonaal'** achthoekig. **oc'topus** v. Gr. *pous* = voet] achtarmige inktvis.

**octrooi'** [Fr. *octroi*, v. *octroyer* = garanderen, v. Lat. *auctorizáre; zie* **autoriteit**] gegarandeerd uitsluitend recht op bep. vinding, het vervaardigen v. produkten daarnaar of het verhandelen v. bep. goed. **octrooie'ren** [Fr. *octroyer*] octrooi verlenen.

**oculair'** [Lat. *oculáris*, v. *óculus* = oog] I *bn* het oog betreffend; II *zn* lens v. kijker het dichtst bij het oog (*vgl.* **objectief**). **ocule'ren** v. bep. manier enten (v. plantenknop v. oog). **ocula'tie** *zn.* **oculist'** [Fr. *oculiste*] oogspecialist, oogarts. **o'culus** [Lat.] 1 oog; 2 plantenknop; 3 (*bouwk.*) roosvenster.

**odalisk'** [Turks *odalïq*, v. *odah* = kamer, *-lïq* geeft functie aan] *lett.*: kamermeisje, oosterse slavin of concubine spec. in harem v. Turkse sultan; Turkse danseres.

**o'de** [Fr., v. VLat. *oda*, v. Gr. *oidè*, samengetrokken uit *aoidè*, v. *aeidoo* = zingen] lofzang, lofdicht. **ode'on** [Gr. *oodeion*] *oorspr.*: muziektempel in de oudheid; *tegenwoordig*: concertgebouw.

**o'derint, dum me'tuant** [Lat.] ze mogen (me) haten, als ze maar ontzag (voor me) hebben (stelregel v. nietsontziende heersers).

**odeur'** [Fr., v. Lat. *odor*; *vgl. olére* = rieken] 1 reuk; 2 reukwater.

**odieus'** [Fr. *odieux*, Lat. *odiósus*, v. *odium*, *z.a.*] hatelijk, stuitend. **odio'sa** [Lat.] stuitende zaken. **o'di profa'num vul'gus (et ar'ceo)** [Lat. = *lett.*: ik haat het ongeheiligde gemene volk (en houd het verre)] ik moet niets van mensen beneden mijn stand of buiten mijn klasse hebben.

**o'dium** [Lat., v. OLat. *odíre* = haat opvatten; *odi* = ik heb haat opgevat = ik haat] 1 haat; 2 wat kwalijk genomen wordt.

**odome'ter** *zie* hodometer.

**odont-** [Gr. *odons, odontos* = tand] tand-. **odontalgie'** [Gr. *algos* = pijn] tand- of kiespijn. **odontiatrie'** [*zie* **-iatrie**] tandheelkunde. **odontologie'** [*zie* **-logie**] leer omtrent de tanden en ziekten daarvan.

**odorant'** [Fr., v. Lat. *odor, odóris* = reuk, geur] welriekend.

**Odyssee'** [Lat. *Odysséa*, Gr. *Odusseía*] Gr. epos van Homerus over de omzwervingen v. Odysseus (door de Romeinen Ulysses genoemd). **odyssee'** lange zwerftocht.

**oecologie'** *zie* ecologie.

**oecume'ne** (*uitspr.*: eukuu-) [v. Gr. *hè oikoumenè* = de bewoonde wereld, v. *oikeoo* = bewonen; *oikos* = woning, huis] *eig.*: de éne algemene Kerk voor de gehele wereld; kerkelijke eenheid van alle christenen, nagestreefd als ideaal, waartoe de eerste aanzetten reeds verwerkelijkt beginnen te worden; *ook*: eenheid v.d. totale mensheid als organisch geheel. **oecume'nisch** [v. Gr. *oikumenikos*] *bn* de gehele wereld betreffend; — *concilie*, (*rk*) algemene kerkvergadering van alle kardinalen en zoveel mogelijk bisschoppen v.d. gehele aarde; — *beweging*, streven tot toenadering tussen de verschillende christelijke kerken.

**oedeem'** (*uitspr.*: eu-) [v. Gr. *oidèma* = gezwel, v. *oideoo* = zwellen] (*med.*) openhoping van vocht in een lichaamsweefsel, waterzucht.

**Oe'dipus** (*uitspr.*: oidiepoes) [Gr. *myth.*: *Oidipus* = *lett.*: gezwollen voet, daar hij te vondeling was gelegd en zijn voetjes waren vastgebonden en daardoor opgezwollen] Gr. held die zonder het te weten zijn vader Laius doodde en zijn moeder locaste huwde. **oe'dipuscomplex** [*zie* **complex**] (*psychoanalyse*) versterkte en ook erotisch gerichte affecties en verlangens die een jongetje in de zgn. *oedipale fase* (2⅟₂ à 3 tot 5 à 6 jaar) koestert jegens zijn moeder, met rivaliteit, jaloezie, negatieve wensen jegens de vader. Voor meisjes geldt iets dergelijks (grote affectie voor de vader enz.), men spreekt dan echter liever van *Electracomplex*. **oedipaal'** *bn*: oedipale fase, *zie* **oedipuscomplex**.

**oeka'ze** [Russisch *oekaz'*] *oorspr.*: bevel v.d. Tsaar; *thans*: hoog bevel, bevel v. hogerhand.

**oelama'** of **oela'ma**, *ook*: **oelema'** [v. Arab.] mohammedaans schriftgeleerde.

**oenologie'** (*uitspr.*: enoo-) [v. Gr. *oinos* = wijn; *zie* **-logie**] *ook*: **enologie'** leer van de wijnteelt en de verschillende wijnsoorten. **oenoloog'** *ook*: **enoloog'** wijnkenner.

**oer'sted** (*uitspr.*: eur-) (*nat.*) eenheid v. magnetische veldsterkte in het elektromagnetische centimeter-gram-secondestelsel (cgs-stelsel), symbool Oe [naar de Deense fysicus Hans Christian Ørsted, 1777-1851].

**oeso'fagus** (*uitspr.*: eusoo-) [Gr. *oisophagos*; stam *phag-* = eten] slokdarm. **oesofagoscopie'** [*zie* **-scopie**] inwendige bezichtiging v.d. slokdarm met een **oesofagoscoop'**, instrument daarvoor.

**oes'ter** (v. VLat. *ostria*, v. Lat. *óstrea* of *óstreum*, v. Gr. *ostreon* (= *eig.*: schaaldier)] 1 de diersoort *Ostrea edulis* uit de familie der Oesters (Ostreidae); 2 lapje vlees, gesneden v. fricandeau of haas v. kalf, lam of varken.

**oestrogeen'** (*uitspr.*: eustro- of oistro-), *ook*: **estrogeen'** (deze spelling is o.a. door de Wereldgezondheidsorganisatie officieel aanvaard) v. modern Lat. *oestrus* = bronst, v. Gr. *oistros* = (steek van) paardehorzel; *ook*: (liefdes)razernij, en *gennaoo* = voortbrengen, verwekken] *bn* de geslachtsdrift opwekkend. **oestroge'ne (estroge'ne) hormonen** *mv* [*zie* **hormoon**] (vroeger follikelhormonen genaamd) hormonen die bij vr. zoogdieren *oestrus* (bronst, paardrift) kunnen opwekken.

Bij de vrouw bevorderen ze de ontwikkeling
v.d. uitwendige geslachtsorganen en van de
secundaire geslachtskenmerken..

**oeuf** [Fr., v. Lat. *ovum*] (*cul.*) ei; — *poché*,
gepocheerd ei.

**oeu've** [Fr., v. Lat. *ópera*, *mv* van *opus*
= werk] werk, de gezamenlijke werken v.e.
kunstenaar; —*s complètes*, volledige werken.

**off'-day** [Eng.] dag waarop men zijn gewone
vorm mist (spec. gezegd van speler).

**offende'ren** [Lat. *offéndere*, *offénsum*, v. *ob-*,
en *féndere* = stoten] beledigen, aanstoot
geven. **offen'sie** [Lat. *offénsio*] belediging.
**offensief'** [MLat. *offensívus*] *I bn*
aanvallend; *II zn* aanval.

**offeran'de** [v. Lat. *offérre* = *ob-férre*
= opdragen, aanbieden] het offeren, offer, (*rk*)
aanbieding aan God v.d. offergaven tijdens de
mis, gebed daarbij. **offer'te** aanbieding (v.
handelsgoederen). **offerto'rium** [kerk. Lat.]
(*rk*) offerande (gebed).

**offi'ce** [Fr.; Eng. *óffice*; v. Lat. *officium*
= *opíficium*, v. *ops*, *opis* = macht, vermogen,
hulpbron, en *fácere* = doen; *officium*
= dienstverrichting] kantoor, bureau.

**officiaal** [Lat. *officiális* = overheidsdienaar]
president v. bisschoppelijk gerechtshof.

**offi'cial** [Eng.] (*sport*) officieel persoon, bijv.
bestuurslid van sportbond.

**officiant'** [MLat. *officians*, *-ántis*, v. *officiáre*
= dienst verrichten, spec. in kerkelijke zin]
dienstdoend ambtenaar; priester die officiant.

**offi'cie** [Lat. *officium*] dienst, ambt, post; (*rk*)
koorgebed, breviergebed (*officium divinum*
= *lett.*: het dienstwerk voor God). **officier'**
[MLat. *officinárius*] eig.: ambtenaar; **1** *Officier
van Justitie*, openbare aanklager bij bep.
rechtbanken (Openbaar Ministerie); **2** (*mil.*)
rang v. luitenant en hoger; **3** (*scheepvaart*) titel
van stuurlieden en hoofdmachinist; **4** bep.
rang bij ridderorden. **officie'ren** [MLat.
*officiáre*] **1** dienst doen als officiant
(dienstdoend ambtenaar); **2** (*rk*) krachtens
priesterambt openbare godsdienstige
handeling verrichten, spec. de mis opdragen.

**officinee'**, **officinaal** [MLat. *officinális*, v.
Lat. *officína* = *opificína* = werkplaats; *ópifex*,
*opíficis* = werkman; *vgl. officium* = *opi-ficium*;
*zie office*] in de apotheek als geneesmiddel
voorhanden, geneeskrachtig. **offi'cio** [Lat.
= 6e nv v. *officium* = ambt]; *ex —* afk. *e.o.*
ambtshalve. **offi'cium** [Lat.] ambt;
verplichting; de kerkelijke getijden v.e. dag.

**offre'ren** [Fr. *offrer*, v. Lat. *offérre*; *zie
offerande* en **offer'te**] aanbieden.

**off'set(druk)** [Eng. = *lett.*: afzet]
drukmethode waarbij het negatief op zinken
plaat in positief op gummi- of rubbercilinder
wordt overgebracht, waarmede dan de
afdrukken gemaakt worden.

**off-sho're-industrie** [Eng. *off-shore*
= buiten de kust] opsporing en winning van
olie en aardgas (evt. andere mineralen) vóór
de kust, buitengaats, op zee.

**offsi'de** [Eng.] (*voetbal*) bep. ongeoorloofde
positie v. speler dichter bij doel der tegenpartij
dan de bal, buitenspel.

**ofiet'** [Gr. *ophítēs* = marmer met
slangestrepen, v. *ophis* = slang] slangesteen,
serpentijn.

**ofthalmologie'** [v. Gr. *ophthalmos* = oog; *zie
-logie*] oogheelkunde. **ofthalmoscopie'** [v.
Gr. *skopeoo* = (rond)kijken, bespieden]
oogonderzoek (met oogspiegel).

**oggeneb'bisj** *zie* **nebbisj**.

**o'gham** het oudste ierse letterschrift,
bestaande uit streepjes.

**ogief'** [Fr. *ogive*] **1** spits- of kruisboog; **2** lijst
met dwarsdoorsnede die half hol-half bol is;
(*ook ojief*). **ogivaal'** [Fr. *ogival*] als of v.e.
spitsboog.

**ohm** eenheid v. elektrische weerstand, symbool
Ω [naar Georg Simon Ohm, Du. fysicus,
1787-1854].

**oir** (*uitspr.*: oor) [via Fr. *hoir* v. Lat. *héres*
= erfgenaam] nageslacht, d.w.z.

afstammelingen in de rechte linie.

**ojief'** *zie* **ogief 2**.

**o'ker** [v. Lat. *ochra*, v. *oochra* = gele aardverf,
v. Gr. *oochros* = bleekgeel] gele, geelbruine of
roodbruine aardverf; het kleurend bestanddeel
is het ijzeroxide $Fe_2O_3$.

**oksaal** [*zie* **doxaal**] *oorspr.*: priesterkoor,
*later*: zangerskoor in kerk.

**okshoofd** [Eng. *hogshead*] vat voor wijn met
232 liter inhoud.

**-ol** [v. *alcohol*, *z.a.*] (*chem.*) uitgang die
aangeeft dat een organische verbinding een of
meer OH-groepen bevat, dus een
alcoholfunctie heeft, bijv. glycerol.

**oldfi'nish** [quasi-Eng.] (*meubelhandel*) *bn*
bewerkt in namaak-antieke stijl met 'rijke'
versieringen.

**old'timer** [Eng. = *lett.*: van de oude tijd]
**1** oudgediende, spec. vroegere bekende
sportman; **2** auto uit vroeger tijd.

**oleaat'** [v. Lat. *óleum* = olie, Gr. *eilaion*]
**1** (*mil.*) tekening v. troepenopstelling op
doorschijnend papier (om op terreinkaart te
leggen); **2** (*chem.*) zout v. oliezuur
(heptadekeencarbonzuur, $C_{17}H_{33}COOH$).

**olei'ne**, *juister*: **oleïen'** vetstof v. olie.

**oleografie'** [v. Gr. *graphoo* = schrijven,
tekenen] reproduktie v. schilderij met olieverf
op linnen gedrukt.

**o'leum** (*chem.*) rokend zwavelzuur, verkregen
door zwaveltrioxide ($SO_3$) in zwavelzuur
($H_2SO_4$) op te lossen.

**oligarchie'** [Gr. *oligarchía*, v. *oligoi* = de
weinigen, en *archoo* = de eerste zijn, heersen;
*archē* = begin] regering waarbij slechts enkele
personen alle macht in handen hebben.

**Oligoceen'** [v. Gr. *oligos* = weinig, en *kainos*
= nieuw; wegens het feit dat uit dit tijdvak nog
slechts weinige vormen leven] (*geol.*) **1** het
derde tijdvak van het *Tertiair*, *z.a.*, volgend op
het Eoceen en voorafgaand aan Mioceen. Het
Oligoceen duurde van 40-25 miljoen jaren
geleden; **2** aardlaag in deze periode gevormd.

**oligofrenie'** [v. Gr. *oligos* = weinig, gering, en
*phrēn* = *lett.*: middenrif, in de Oudheid de zetel
van gemoed, geest en verstand] in strikte zin
alle vormen en graden van zwakzinnigheid,
d.w.z. alle gevallen waarin het I.Q. beneden
het gemiddelde (90-110) ligt. In het algemene
spraakgebruik gebruikt men deze term alleen
als verzamelnaam voor duidelijke debiliteit,
imbeciliteit en idiotie (I.Q. kleiner dan 70).

**oligotroof'** [v. Gr. *oligos* = weinig en *trophē*
= voedsel] voedselarm levensmilieu.

**o'lim** [Lat.] eens, vroeger, eertijds, voorheen;
*in de dagen van —*, indertijd.

**ol'la podri'da** [Sp. = *lett.*: verrotte hutspot, v.
Lat. *olla* = pot, en *pútridus* = rot] gerecht v.
fijngehakte en gekruide vlezen; (*fig.*)
allegaartje.

**olympia'de** [Gr. *olumpias*, *-ados*] (in de
Oudheid) tijdperk v. 4 jaren en vierjaarlijkse
sportfeesten; *thans*: vierjaarlijkse
internationale wedstrijden op gebied v. sport;
*ook*: grote wedkamp (bijv. schaakolympiade)
[naar Olumpia, plaats op de Peloponnesos met
tempel v. *Zeus Olumpios* = de Zeus v.d.
Olympus, waar de 4-jaarlijkse sportfeesten
plaats vonden, olympische spelen].

**Olym'pus** [Gr. *Olumpos*] bep. berg in
Thessalië, volgens Gr. myth. verblijfplaats der
goden.

**-oma** (*med.*) *zie* **-oom**.

**1 om'ber** [Fr. *ombre* = *terre d'Ombrie*
= Umbrische aarde] donkerbruine oker.

**2 om'ber** [v. Sp. *l'hombre* = de man, v. Lat.
*homo*, *hóminis*] bep. kaartspel.

**om'budsman** [v. Zweeds] functionaris, naar
Zweeds voorbeeld, die de burger helpt
wanneer deze in conflict komt met
overheidsinstanties wegens een of andere
onbillijkheid die uit algemene
overheidsmaatregelen voortkomt, en normale
rechtsprocedures niet (of voorlopig niet) het
gewenste resultaat hebben. Hoewel hij
volkomen onafhankelijk werkt, speelt hij toch

slechts een raadgevende rol.

**o'mega** Ω [Gr. = de grote o, overeenkomend met Ned. oo] de 24e en laatste letter v.h. Gr. alfabet; einde.

**o'men**, *mv* **o'mina** [Lat.] voorteken. **ominous** [Lat. *ominósus*] *lett.*: een (slecht) *omen* bevattend; onheilspellend.

**omis'sie** [Lat. *omíssio* = weglating, v. *omíttere, omíssum* = *ob-míttere* = laten varen, v. *míttere* = zenden] achterwegelating, verzuim. **omitte'ren** [Lat. *omíttere*] er uit weglaten, overslaan.

**om'nia** [Lat. *onz. mv* van *omnis* = ieder, elk] alles. **om'nibus** [Lat. = *lett.*: voor allen] openbaar voertuig, op vaste tijden en trajecten rijdend, met tamelijk laag tarief (zodat ieder er gebruik van kan maken). **omnipotent'** [Lat. *omnipotens, -éntis, potens* = o.dw v. *posse* = *pot-esse* = bij machte zijn, kunnen] almachtig. **omnipoten'tie** [Lat. *omnipoténtia*] almacht. **omnipresent'** alomtegenwoordig. **om'nis ho'mo men'dax** [Lat.] ieder mens is leugenachtig (stel uw betrouwen niet op de mens, maar op God). **om'nium** (*wielersport*) wielerwedstrijd waarbij deelnemers elkaar in diverse takken van de wielersport bestrijden. **om'nium consen'su** [Lat. = *lett.*: met instemming v. allen] volgens algemeen gevoelen. **omnivoor'** [v. Lat. *voráre* = verslinden] alleseten (dier) (d.w.z. zowel plantaardige als dierlijke kost).

**om'turnen** *ww* [onjuist uit Ned. *om-* en Eng. *to turn* = draaien, keren] *lett.*: ómstemmen; iem. van oordeel, plan, zienswijze, manier van leven enz. doen veranderen.

**-on** in de chem. nomenclatuur uitgang die aangeeft dat een organische verbinding één of meer ketogroepen (carbonylgroep = C=O, maar dan tussen twee andere koolstofatomen) bevat, dus een ket*on* is, bijvoorbeeld: propan*on* (aceton), $H_3C-CO-CH_2-CH_3$.

**ona'ger** [Lat., v. Gr. *onagros*] naam voor enkele ondersoorten van de *Halfezels* of *Paardezels* (*Equus hemionus*) uit de familie der Paardachtigen (*Equidae*), levend in Azië.

**onanie'** [naar de bijbelse figuur Onan (Gen. 38:9) die bij de gemeenschap zijn zaad telkens op de grond verloren liet gaan om zijn kinderen te verwekken] **1** strikt genomen: *coïtus interruptus, z.a.;* **2** meestal, maar onjuist: zelfbevrediging door een mnl. persoon (*zie masturbatie*) **onanist'** wie onanie pleegt.

**on call** [Eng., v. *to call* = roepen] (*hand.*) met de dag opzegbaar; in daggeld.

**oncolo'gie** [v. Gr. *ogkos* (*uitspr.*: onkos) = *eig.*: opgeblazenheid; gezwel, *vgl. ogkoódès* = opgezwollen, dik; *zie* -logie] (*med.*) leer v.d. gezwellen, spec. van de kwaadaardige (kanker in al zijn vormen). **oncoloog'** beoefenaar v.d. oncologie. **on'co-gen** [*zie gen*] gen in de chromosomen dat inactief is, maar bij kankergezwellen een rol schijnt te spelen.

**ondi'ne** of **undi'ne** [v. Fr. *onde*, Lat. *únda* = golf] (*Germ. myth.*) vrouwelijke watergeest.

**on dit** [Fr. = *lett.*: men zegt] gerucht, praatje.

**ondule'ren** [Fr. *onduler*, v. VLat. *unduláre*, *-átum*, v. Lat. *úndula* = verkleinwoord v. *unda* = golf] golven, doen golven, spec. hoofdhaar. **ondula'tie** [Fr. *ondulation*] golving; het onduleren, haargolf.

**oneiromantie'** [v. Gr. *oneiros* = droom; en *manteia* = zienersgave, voorspelling] voorzegging uit dromen, droomverklaring.

**one man'-show** [Eng. = eenmansvertoning] cabaret of dergelijke opgevoerd door één kleinkunstenaar als dominerende persoon.

**o'nera** [Lat. *mv* van *onus, z.a.*] lasten, bezwaren. **onereus** [Fr. *onéreux*, Lat. *onerósus* = v. *onus, z.a.*] bezwarend, drukkend als een last.

**on'-line** [Eng.] rechtstreeks met de computer verbonden.

**onomas'ticon** [v. Gr. *onomastos* = te noemen, v. *onoma* = naam] **1** lijst v. persoonsnamen, namenwoordenboek; **2** naamvers, gedicht op de naamdag v.e. persoon. **onomastiek'** [Fr. *onomastique*] naamkunde. **onomas'tisch** *bn & bw* de onomastiek betreffend, naamkundig.

**onomasiologie'** [v. Gr. *onomasía* = benaming; *zie* -logie] leer van het benoemen (de naamgeving, het aanduiden) der dingen in de taal, betekenisleer. **onomasiolo'gisch** *bn* de onomasiologie betreffend. **onomatologie'** [*zie* -logie] leer van de vorming en de betekenis der namen.

**onomatopee** [Lat. *onomatopoeia, onomatopoiïa,* v. *poïeoo* = maken; *vgl.* **poëzie**] klanknabootsend woord, bijv.: *pingpong* (van geluid v. balletje bij tafeltennis).

**ontie'gelijk** [v. dialectisch *ontig* of *ontieg* = smerig, vuil, schandalig, v. *ont* = vuil (ook fig.)] verschrikkelijk, enorm, uitermate.

**ontmythologise'ring** [*zie* **mythologie**] **1** (*theologie*) het ontdoen v.d. mythische inkleding van de geloofsverkondiging (term v.d. Du. prot. theoloog Rudolf Bultmann, volgens wie het Nieuwtestamentische wereldbeeld voor de moderne mens door vertaling — *Entmythologisierung* — verstaanbaar wil maken); **2** het ontnemen van het mythische of mythologische karakter van bijv. bep. personen of zaken.

**ontogene'se** (vero. **ontogenie'**) [v. Gr. *on, ontos* = zijnde, o. dw van *eimi* = zijn, en stam *-gen* = worden, ontstaan] leer v.h. ontstaan en de ontwikkelingsgeschiedenis v.e. levend wezen (van bevruchte eicel tot volwassen individu).

**ontologie'** [*zie* -logie] zijnsleer, leer van het zijn als zodanig en v.d. alg. eigenschappen van het zijnde (*to on*), een onderdeel van de metafysica. **ontolo'gisch** *bn* de ontologie betreffend, volgens de ontologie. **ontoloog'** beoefenaar van de ontologie.

**ontramponeerd', ontramponeerd'** [*vgl.* Fr. *ramponneau* = slag, stoot] deerlijk beschadigd.

**o'nus** [Lat. = last, lading, *fig.*: moeite, bezwaar] last; — *probándi*, bewijslast.

**oölogie'** [v. Gr. *ooion* = ei; *zie* -logie] vogeleierenkunde.

**-oom** [wetenschappelijk -*oma*] (*med.*) uitgang die een afwijking aangeeft, meestal ontstaan door abnormale weefselwoekering, zoals *sarcoom* (vleeswoekering).

**oor'lam** [via ouder *orlam* v. Mal. *orang lama* (*datang*) = mens die lang geleden gekomen is] **1** bevaren matroos; **2** marine-matroos (aldus genoemd door matrozen v.d. koopvaardij); **3** rantsoen jenever dat marine-matrozen op gezette tijden kregen; vandaar *ook*: borrel.

**-oos** [v. Lat. -*ósus* = rijk aan] geeft het in volle mate aanwezig zijn aan (bijv. *grandioos*), meestal -**eus** [Fr. -*eux*].

**opaak'** [Fr. *opaque*, v. Lat. *opácus* = beschaduwd, donker] ondoorschijnend; (*fig.*) donker. **opaciteit'** [Lat. *opácitas* = schaduw, duisternis] ondoorschijnend; (*fig.*) donkerheid.

**op-'art** [Eng., afk. v. *optical art* = optische kunst] kunst gebaseerd op optische effecten. Ze geeft een illusie v. kleur- en vormveranderingen en van beweging en berust dus in laatste instantie op onvolkomenheden v.h. menselijk oog.

**o'pera** [It., v. Lat. *ópera* = werk; *zie ook* **opus**] toneelzangspel, muziekdrama; de uitvoerenden daarvan; gebouw waarin zangspelen opgevoerd worden; — *buffa*, kluchtig zangspel, komische opera [It. *buffo* = grappig; *buffáre* = blazen] **operet'te** [Fr. *opérette*, verklw. v. *opera*] kleine komische opera.

**opere'ren** [Lat. *operári* = werken, v. *opus, operis* = werk] **1** te werk gaan; **2** (*med.*) heelkundig behandelen door wegsnijding of

kunstbewerking in het lichaam verrichten met behulp van opensnijding; **3** (*mil.*) oorlogshandelingen verrichten. **opera'tie** [Lat. *operátio*] onderneming, handelwijze; heelkundige ingreep door snijden; krijgsverrichting. **operatief** [VLat. *operatívus* = werkend, uitwerking hebbend] door of met betrekking tot een operatie. **operationeel** [Eng. *operational*] gereed om praktisch te functioneren; (*bijv.: de troepen zijn operationeel*, de troepen zijn gereed om militaire operaties uit te voeren). **operateur** [Fr. *opérateur*] **1** (*med.*) chirurg die een operatie verricht; **2** filmopnemer; *ook*: wie film afdraait of dia's vertoont; **3** iem. die een ingewikkeld apparaat of toestel, spec. een computer, bedient (in deze betekenis ook *opera'tor, z.a.*). (*Zie verder bij* **opus**).
**opera'tions research** [Eng.] wetenschappelijke bestudering van beste methode om bep. militaire operatie uit te voeren, *ook*: om bep. produktieproces of andere onderneming uit te voeren.
**opera'tor** [modern Lat.; *zie* **opereren**] **1** *zie* **operateur 3**; *ook*: iem. die in chem. fabr. als vakman machines bedient; **2** (*wisk. en logica*) symbool dat aanduidt dat een bep. wiskundige of logische operatie moet worden uitgevoerd.
**operment', orpiment'** [verbastering v. *auripigment*, v. Lat. *aurum* = goud; *zie* **pigment**] geel arsenicumsulfide, As$_2$S$_3$.
**opiaat'** [MLat. *opiátus*] opium bevattend pijnstillend middel of slaapmiddel.
**opi'nie** [Lat. *opínio*, v. *opinári* = vermoeden, menen] mening. **opinië'ren** een bep. opinie ten beste geven bij het vermelden of becommentariëren v. nieuws en zo de publieke opinie beïnvloeden of vormen; *opiniërende bladen*, opiniebladen, d.w.z. bladen die een bep. opinie (meestal politieke) vertolken en propageren. **opinië'ring** opinievorming.
**opistografisch** [v. Gr. *opistógraphos* = op de achterzijde beschreven, v. *opísthen* = aan de achterkant, en *graphoo* = schrijven] *bn* aan beide zijden beschreven of bedrukt.
**o'pium** [Lat., v. Gr. *opíon* = sap v.d. slaapbol, v. *opos* = plantesap] heulsap, het gedroogde sap van de onrijpe vrucht van de slaapbol, *Papáver somníferum*, uit de Papaverfamilie (Papaveráceae). Opium werd vroeger in de geneeskunde toegepast, o.a. als pijnstillend middel. Opium heeft een sterk verslavende werking, die reeds aan de oude Griekse artsen bekend was.
**op'peppen** [v. Am. slang *pep* = kracht, 'spirit'; afk. v. *pepper* = peper] stimuleren, kracht geven, aanzetten (veelal kunstmatig door een *pepmiddel*).
**oppone'ren** [Lat. *oppónere, -pósitum* = *ob-pónere* = tegenover-stellen] tegenstrijden met woorden, tegenwerping maken. **opponent'** [Lat. *opponens, -éntis* = o.dw] tegenstander in debat.
**opportuun'** [Lat. *opportúnus* (v. *ob* = *ad*, en *portus* = haven) = goed gelegen] bruikbaar, op het geschikte ogenblik komend, van pas. **opportunis'me** handelwijze die zich laat leiden door de ogenblikkelijke omstandigheden. **opportunist'** [Fr. *opportuniste*] wie zich in zijn handelen laat leiden door de omstandigheden v.h. ogenblik. **opportunis'tisch** *bn & bw*. **opportuniteit'** [Lat. *opportúnitas*] geschikte gelegenheid, het opportuun zijn.
**opposant'** [Fr., v. Lat. *oppónere, -pósitum*; *zie* **opponeren**] tegenstander, wie in verzet komt (bijv. tegen maatregel). **opposi'tie** [Lat. *oppósitio* = tegenstelling] tegenstand; (*jur.*) verzet (*politiek*) partij die tegen de regeringspolitiek is; (*astr.*) stand v. twee hemellichamen tegenover elkaar aan de hemel (180° verschil in lengte). **oppositief'** tegenovergesteld.
**oppres'sie** [Lat. *oppréssio*, v. *opprímere, -préssum* = neder-drukking, v. *ob*, en *prémere* = drukken] verdrukking, onderdrukking.

**opte'ren** *ww* [Lat. *optáre, optátum* = *a* uitzoeken, kiezen; *b* wensen, verlangen] kiezen, verkiezen; een keuze maken, iets verkiezen boven iets anders. **optant'** [Lat. *óptans, optántis* = o.dw van *optáre*] **1** (*alg.*) wie opteert; **2** (*hand.*) hij die de optie (*z.a.*) betaalt; hij die het recht bezit nog te leveren of te vorderen; **3** persoon die bij overdracht v. zijn woongebied aan een andere staat gebruik maakt v.h. recht om voor zijn oude of voor de nieuwe nationaliteit te kiezen; *spijtoptant*, persoon die bij het ondertekenen had geopteerd voor de Indonesische nationaliteit en daar later spijt van kreeg. **optatief** *bn* wensend, een wens uitdrukkend of bevattend. **op'tatief** *zn* [Lat. *módus optatívus*] (*taalk.*) wensende wijze (in het Ned. nog in oude uitdrukkingen zoals: het zij mij vergund; moge het spoedig vrede zijn). **op'tie** [Lat. *óptio* = *eig.*: de vrije wil; de vrije keus] **1** vrije keus, voorkeur, spec. het recht om de beslissing om iets te kopen of te huren voor een bepaalde tijd uit te stellen, terwijl in deze vastgestelde tijd het goed niet aan derden verkocht of verhuurd mag worden; **2** (*scheepv.*) vrije keus van de haven van bestemming; **3** claim, aanspraak; **4** bewijs dat men een bep. aandeel tegen een van tevoren overeengekomen koers kan kopen; *optiebeurs*, beurs waar men in opties **(4)** handelt; **5** (*thans ook in afgeleide betekenissen*) keuzebeslissing; *ook*: wens, voorstel; *ook*: standpunt, overtuiging (*bijv.: dat is mijn optie*).
**op'tica** (v. Gr. *optikos*, v. *optos* = gezien, v. *op-* = zien] leer v.d. natuur v.h. licht (fysische -) en de breking v. lichtstralen (geometrische -) (bijv. in lenzen, ook in oog). **opticien'** [Fr.] vervaardiger v. brillen en optische instrumenten. **optiek'** [Fr. *optique*] **1** optica; **2** optische instrumenten; *ook*: optische onderdelen (lenzen e.d.) van een optisch instrument (bijv.: *een microscoop met een goede optiek*); **3** (*thans ook*) gezichtspunt, visie, zienswijze (bijv.: in zijn optiek is dit onjuist). **op'tisch** [Gr. *optíkos*] het zien betreffend; — *illusie*, gezichtsbedrog.
**optimaal'** [v. Lat. *óptimus* = de beste, overtreffende trap van *bónus* = goed] *bn* hoogst; zo gunstig mogelijk, zo goed of zo hoog mogelijk. **optimalise'ren** optimaal maken, tot de beste werking brengen, tot zijn hoogste effect brengen. **op'tima zie in optima forma**.
**optima'ten** *mv* [Lat. *optimátes*, v. *óptimus* = de beste; *vgl. optáre* = kiezen] aanzienlijken, voornaamsten. **op'timum** [Lat.] het beste; (*biol.*) temperatuur waarbij een bep. wezen het beste gedijt.
**opulent'** [Lat. *opulens, -éntis* of *opuléntus*; *vgl. ops, opis* = vermogen, rijkdom] zeer rijk, vermogend. **opulen'tie** [Lat. *opuléntia*] groot vermogen, aanzienlijke rijkdom.
**o'pus**, *mv* o'pera afk. **op.**, [Lat. = werk] **1** werk van de geest, werk op het gebied v. wetenschap, literatuur, muziek, beeldende kunst e.d., vnl. doch niet uitsluitend uit de Oudheid of de ME; *ópus mágnum* [Lat. = groot werk] hoofdwerk; *ópus póstumum*, nagelaten werk; *ópera ómnia*, alle werken (de verzamelde werken); *ópera quae súpersunt*, alle werken v.e. vroegere schrijver die bewaard zijn gebleven; *ópere citáto* (afk.: **o.c.** of **op-cit**.) in het aangehaalde werk; **2** muurwerk of mozaïek met betrekking tot de constructie, uit Oudheid, Byzantium of Renaissance bijv. *opus alexandrínum*, mozaïekwerk samengesteld uit niet meer dan twee kleuren op effen ondergrond; *ópus imbricátum* [Lat. *ímbrex* = holle dakpan] metselwerk dat er uitziet alsof het bestaat uit rijen over elkaar liggende schubben; *ópus muslvum*, mozaïekwerk uit kleine stukjes gekleurd glas; *ópus quadrátum*, Rom. bouwtechniek met muren uit grote rechthoekige steenblokken, alle even groot en meestal zonder bindmiddel

op elkaar geplaatst; *ópus séctile*, mozaïekwerk uit steentjes marmer van verschillende kleuren in geometrische vormen gelegd; *ópus spicátum*, Romeins metselwerk uit lange smalle bakstenen, zodanig gelegd dat ze een nabootsing vormen v.d. plaatsing v. graankorrels in de aar [Lat. *spica*], thans 'visgraat' genaamd; **3** naam voor diverse andere 'werken', zoals: *ópus aráneum* [Lat. *aránea* = spin] fijn ajour wit op wit bewerkt kantwerk; *opus dúctile*, drijfwerk; *ópus púnctile*, hoogdrukprocédé v. metalen bewerkte platen, deels met een punthamer; *ópus testudíneum*, inlegwerk met schildpad [Lat. *testúdo*]; *ópus téxtile*, weefwerk.

**opus'culum** [Lat., verklw. van *ópus* = werk] werkje, klein geschrift.

**-or**, moderne uitgang, die toestel aanduidt bijv. transformator, transistor, tractor, projector (ontleend aan Lat. waar *-or* de persoon aanduidt die iets verricht, in het Fr. *-eur*).

**oraal'** [v. Lat. *os*, *óris* = mond] **1** de mond betreffend; **2** door de mond (*bijv.*: toediening v. medicijn; inneming v. anticonceptiemiddel: *orale anticonceptie*; **3** in de mond (*bijv.*: opneming van lichaamstemperatuur); **4** mondeling.

**o'ra et labo'ra** [Lat.] bid en werk.

**ora'kel** [Lat. *oráculum*, v. *oráre* = *ook*: spreken v. *os*, *óris* = mond] **1** godsspraak, in de Oudheid een middel of instituut om het oordeel v.e. godheid of bovenmenselijke macht te weten te komen; ook het antwoord dat men kreeg heet orakel; *orakeltaal*, raadselachtige, voor meer dan één uitleg vatbare taal; **2** persoon met zodanig gezag dat zijn uitspraken op een bep. gebied of in het algemeen als richtsnoer dienen, vraagbaak; **3** iets dat als onweerlegbare waarheid geldt. **ora'kelen** *ww* met grote gewichtigheid en schijn v. gezag uitspraken doen op stellige toon, zonder tegenspraak te verwachten.

**orangea'de** (Fr., v. *orange* = sinaasappel, v. Arab. *narandj*] bep. sinaasappeldrank uit geraspte sinaasappel- en citroenschillen en gezoet sinaasappel- of citroensap.

**Orangis'ten** *mv* [naar Fr. *Orange*, stad aan de Rhône, v. Lat. *Arausio*] **1** aanhangers v.h. Huis van Oranje (Orange) in de Nederlanden; **2** aanhangers v.e. Belgische beweging (*orangisme*) van 1830-1841 om het Verenigd Koninkrijk van Ned. en België te handhaven of althans het Huis van Oranje in België te handhaven; **3** [Eng. *Orangist* of *Orangemen*] leden v.e. Engelstalige internationale organisatie ter verdediging v.h. protestantisme tegen de katholieken.

**oranjerie'** [Fr. *orangerie*] **1** *oorspr.*: serre voor oranje- en citroenbomen; **2** (*thans alg.*) broeikas voor uitheemse (tropische) gewassen.

**orant'**, *vr.* **oran'te** (niet orans) [Fr., v. Lat. *órans*, *orántis*, o.dw van *oráre* = spreken, bidden, v. *os*, *óris* = mond] (*vroeg-christelijke kunst*) biddende mannen- resp. vrouwenfiguur, rechtopstaand in een lang geplooid gewaad, de armen symmetrisch uitgestrekt met de handpalmen naar voren gekeerd. **o'ra pro no'bis** [Lat.] bid voor ons.

**ora'tie** [Lat. *orátio* = redevoering; kerk. Lat. = gebed] gebed; redevoering, spec. inaugurele rede. **ora'tio pro do'mo** [Lat.] pleidooi voor eigen zaak. **ora'tio rec'ta** [Lat.] (*spraakk.*) directe rede, letterlijke weergave van iemands woorden. **ora'tio obli'qua** [Lat.] (*spraakk.*) indirecte rede. **ora'tor** [Lat.] redenaar. **orato'risch** [Lat. *oratórius*] —*e vraag*, vraag in rede gesteld waarop men geen antwoord verwacht omdat het voor de hand ligt. **orato'rium** [VLat. = bedehuis] bidvertrek, bedehuis alleen voor bep. oefeningen; bep. rk geestelijke vereniging (Oratorianen); zangcompositie met instrumentale begeleiding met geestelijke inhoud (meestal bijbels). **Oratoria'nen** (*rk*)

leden v. geestelijke vereniging v. priesters zonder geloften met doel: prediking en volksgodsdienstoefeningen, gesticht 1564 door H. Filippus Neri.

**orbiculair'** [Fr. *orbiculaire*, v. Lat. *orbiculáris*, v. *orbis* = kring, cirkel] in de vorm v.e. kring. **or'bis pic'tus** [Lat.] de wereld in beeld. **orbitaal'** [v. Lat. *orbis* = cirkel en *-alis*] betrekking hebbend op omloop v. satelliet of ruimteschip.

**Or'cus** (bij de Romeinen) **1** de naam voor het Dodenrijk, de Onderwereld (*vgl.* Gr. *Hades*, *z.a.*); **2** de god v.d. onderwereld, nl. Pluto.

**orda'le**, *mv* orda'liën (later ook verlatijnst tot **orda'lium**, *mv* orda'lia) [*vgl.* Ned. *oordeel*, Du. *Urteil*, v. OHDu. *artallan* = verdelen, uitdelen] (*gesch.*) godsoordeel, godsgericht, het oudste bewijsmiddel in een strafproces wanneer het bewijs v.d. schuld v.d. verdachte niet geleverd was door betrapping op heterdaad en hij geen bekentenis aflegde. Daarom nam men, om tot een beslissing van schuld of onschuld te komen, zijn toevlucht tot het oordeel van God, bijv. d.m.v. het *baarrecht*. Wanneer iemand vermoord was en de dader bleef onvindbaar, dan werd het lijk op een baar gelegd en moesten alle verdachten het lijk aanraken en zweren onschuldig te zijn. Deed de ware moordenaar dit, dan ging (naar men aannam) het lijk bloeden. Voorts hield men de *tweekamp*: won de verdachte, dan werd hij onschuldig geacht, of deed men de *waterproef* (ketelvang): de verdachte moest zijn hand in kokend water steken. Was de hand na drie dagen genezen, dan werd hij onschuldig geacht. Bij de *vuurproef* moest de verdachte zijn hand in het vuur steken, een gloeiend ijzer dragen, of door een vuur lopen. Bleef hij ongedeerd, dan was hij onschuldig.

**or'der** [via OFr. *ordre* v. Lat. *órdo*, *órdinis* = o.a. regelmaat; *vgl.* Eng. *order* = o.a. mandaat, bevel] **1** bevel, lastgeving; **2** (*hand.*) opdracht om te leveren, bestelling; **3** (*hand.*) gemachtigde om te ontvangen in plaats van een ander; *aan de heer A. of order*, aan genoemde heer of zijn gemachtigde.

**ordine'ren** [v. Lat. *ordináre*, *-átum* = regelen, ordenen, behoorlijk inrichten, v. *ordo*, *órdinis* = rij, rang; behoorlijke inrichting, orde; kerk. Lat. *ook*: wijding] **1** ordenen; **2** (*rk*) wijding (spec. priesterwijding) toedienen. **ordina'tie** [Lat. *ordinátio*] ordening; voorschrift, spec. medisch; (priester)wijding. **ordinaat'** [Lat. (*línea*) *ordináta* (*applicáta*) = geordend [= evenwijdig) getrokken lijn] (*analytische meetk.*) lijn evenwijdig aan de y-as v.h. cartesiaanse coördinatenstelsel; afstand v.e. punt tot de x-as (*vgl.* **abscis**); *schuine ordinaat*. [Fr. *ordinaire*, v. Lat. *ordinárius* = naar orde, gewoon] gewoon, v. geringe kwaliteit, onbeschaafd, plat.

**ordina'le**, *mv* **ordina'lia** [onzijdig v. VLat. *ordinális*] (*spraakk.*) rangtelwoord (eerste, tweede enz.).

**ordina'ris** [v. Lat. *ordinárius*] gewoon, eenvoudig. **ordina'rius** [Lat.] **1** gewoon hoogleraar, d.w.z. hoogleraar voor een vak v.h. gewone hoogscholprogramma (*vgl. extraordinarius*); **2** (*rk*) de bisschop van het diocees.

**ord'ner** [Du. *Ordner*, v. *ordnen* = ordenen] kartonnen map met metalen kleminrichting voor het systematisch opbergen van (geperforeerde) brieven of andere papieren.

**or'do**, *mv* or'dines [Lat. = o.a.: klasse, stand] **1** (*rk*) wijding; (vroeger) *órdines minóres*, de lagere wijdingen; *órdines majóres*, de hogere wijdingen; **2** (*rk*) monnikenorde, *bijv.*: *Ordo Sancti Augustíni* = Orde v.d. Heilige Augustinus (Augustijnen), *Ordo Sancti Benedícti* = Orde van de Heilige Benedictus (Benedictijnen) enz.; **3** (*dierk.*) in de systematiek een categorie (ordo) tussen familie en klasse; *bijv.*: de verschillende families v.d. vlinders en de motten vormen samen de orde der Schubvleugeligen

(Lepidoptera), die weer samen met andere orden zoals kevers en vlooien de klasse (*classis*) der Insekten vormt.

**ordonnans'** [Fr. *ordonnance; zie* **ordonneren**] (*mil.*) **1** militair bestemd voor het overbrengen v. bevelen, orders en berichten; **2** (*Z.N.*) oppasser van officier.

**ordonne'ren** *ww* [Fr. *ordonner*, v. Lat. *ordināre, zie* **ordineren**] **1** bevelen, gelasten; beschikken; **2** ordenen, schikken.

**ordonnan'tie** [v. Fr. *ordonnance*] **1** regelmatige rangschikking, spec. wat betreft de schikking en verhoudingen v.e. gebouw, de aanleg v.e. tuin e.d.; **2** de manier waarop iets geregeld is, inrichting, ordening; **3** beschikking, voorschrift; **4** bevelschrift; aanwijzing tot betaling (*bijv.*: op gemeente-ontvanger).

**Ordovi'cium** (*geol.*) **1** tweede periode v.h. *Paleozoïcum* (1) of *Primair*, volgend op het *Cambrium* en voorafgaand aan het *Siluur*. Het Ordovicium duurde v. 500-440 miljoen jaren geleden; **2** aardlaag in deze periode gevormd.

**o're,** *mv* **ö're** (*uitspr.* eure) [Deens, Noors, Zweeds; *vgl.* Lat. *aes, aeris* = brons] Scandinavische bronzen pasmunt, 1/100 v.e. kroon.

**orea'de** [Lat. *oréas, oréadis*, v. Gr. *oreias, oreiados,* v. *oros* = berg] (*myth.*) bergnimf.

**oreï'de** [v. Fr. *or* = goud (v. Lat. *aurum*), en *-ide* = gelijkend op; *zie* **-ide 2**] kunstgoud, legering van 90% koper en 10% zink (*vgl. semïlor, similor*).

**ore'mus** [kerk. Lat.] laten wij bidden, laat ons bidden; *het is daar oremus,* het is daar jammerlijk gesteld, niet pluis.

**ore'ren** *ww* [v. Lat. *oráre* = o.a. spreken, v. *os, óris* = mond] **1** een redevoering houden, spec. een inaugurele rede houden; **2** druk en met nadruk (en lang) praten.

**orfis'me,** *ook* **orfiek'** moderne naam voor een godsdienstige leer in Griekenland in de 7e-6e eeuw voor Chr. Volgens deze sekte heeft de mens een zondig karakter. De ziel zit in dat zondige lichaam opgesloten en kan zich daaruit alleen bevrijden door een kringloop v. wedergeboorten door te maken. Is de mens op deze wijze uiteindelijk gelouterd, dan wordt hij opgenomen in het *Elysium*, (*z.a.*). **or'fisch** *bn* op het orfisme betrekking hebbend.

**orgaan',** *mv* **orga'nen** [Lat. *órganum,* Gr. *organon* = gereedschap, werktuig] **1** (*mens- en dierkunde*) deel v.e. levend wezen met een bep. functie, zoals hersenen, hart, maag, lever, nier enz.; **2** (*overdrachtelijk*) onstoffelijk werktuig, zoals de organen v.d. rechtsbedeling, van de Staat; **3** stem v. zanger of toneelspeler wat betreft klank en toon; **4** persoon of de meningen v. een bep. groep of v.e. bep. lichaam vertolkt, spreekbuis, tolk; **5** krant e.d. die de meningen van een bep. partij openbaar maakt en verspreidt, partijblad.

**organel',** *mv* **organel'len** [modern verklw. van orgaan, dus *lett.*: 'orgaantje'] elk structuurelement dat in een levende cel kan worden waargenomen en waaraan een specifieke functie kan worden toegekend.

**organdie'** [Fr. *organdi*] bep. soort doorschijnende mousseline.

**organiek'** [Fr. *organique; zie* **orgaan**] volgens de geldende regels voorgeschreven (*bijv.*: een organieke vergadering; *–e wetten,* wetten voortvloeiend uit de grondwet.

**organigram'** [v. MLat. *organizare,* en v. Gr. *gramma* = geschrift] schematische voorstelling v.e. organisatie.

**organise'ren** [Fr. *organiser,* v. MLat. *organizare*] van organen voorzien; inrichten met samenwerking der delen, regelen; *ook* uit openbare voorraad wegkapen; *ook* zich (legaal) verschaffen (*bijv.*: een borrel gaan –), 'versieren'. **organisa'tie** [MLat. *organizátio*] het organiseren; het georganiseerde, bewerktuigd lichaam. **organisa'tor** wie organiseert, wie in het alg. goed kan organiseren. **organisato'risch** de organisatie of organisator betreffend. **orga'nisch** [Lat. *orgánicus,* Gr. *organikos*] bewerktuigd, met organen voorzien, levend, betrekking hebbend op organismen; *–e chemie,* chemie der koolstofverbindingen (enkele eenvoudige uitgezonderd). **organis'me** [Fr.] systematisch samenstel met samenwerkende delen; bewerktuigde bouw of bouwsel, spec. levend wezen.

**organ'za** [*zie volgende*] tamelijk stugge doorzichtige zijde. **organsin', ook: organzin'** [Fr., v. It. *organzino*] kettingzijde, d.i. getwijnde of getweernde zijde, die dient als schering van de meeste zijden weefsels.

**orgas'me** [v. Gr. *orgasmos* = zwelling, v. *orgaoo* = zwellen, gloeien van ijver, driftig begeren] het hoogtepunt van seksuele drift, het klaarkomen. Bij de man treedt tijdens het orgasme steeds zaadlozing (*ejaculatie*) op, gevolgd door plotselinge bevrediging en ontspanning. Bij de vrouw gaan de samentrekkingen v.d. spieren v.d. bekkenbodem geleidelijker over in ontspanning. **orgas'tisch** *bn* op het orgasme betrekking hebbend.

**orgea'de** [Fr.] (*cul.*) amandelmelk.

**orgias'me** [v. Lat. *orgia* = geheimen; Bacchusfeest] geheime cultushandeling; bandeloos godsdienstig feest. **orgiast'** ingewijde die aan orgiasme meedoet. **orgias'tisch** opgewonden, extatisch.

**orgie'** *of* **or'gie,** *mv* **orgie'ën** *of* **or'giën** [Lat. en Gr. *orgia* = feestelijk offer, spec. ter ere van Bacchus] geheime dienst, mysteriëncultus, waarbij het vaak bandeloos toeging; overdadige drinkpartij.

**Oriënt'** [Lat. *óriens, oriéntis* = de rijzende (zon), het oosten, v. *orīre* = zich verheffen] het Oosten, het Morgenland (tegenover *Occident*). **oriëntaal'** [Lat. *orientális*] *bn* oosters; **II** *zn* bep. soort katoen. **oriëntalist'** [Fr. *orientaliste*] kenner v. oosterse talen. **oriënte'ren** [Fr. *orienter*] naar het oosten richten; inlichtingen geven zodat de ontvanger in bep. zaak thuis geraakt; *zich —, lett.*: bepalen waar het oosten is, zijn plaats (en eventueel de windrichtingen) bepalen. **oriënta'tie** het oriënteren of georiënteerd zijn.

**oriflam'me** [Fr., v. Lat. *aurum* = goud, en *flamma* = vlam] (*gesch.*) Fr. rijksvaan (in de Middeleeuwen).

**origa'mi** [Jap. *ori* = vouwen, *kami* = papier] Jap. kunst, waarbij ingewikkelde vormen uit papier gevouwen worden, spec. vogels e.d.

**origi'ne** [Fr., v. Lat. *origo, originis,* v. *orīri; zie* **oriënt**] oorsprong, afkomst, herkomst. **origineel'**, afk. **orig.** [Lat. *originális*] **I** *bn* oorspronkelijk; met zonderlinge of oorspronkelijke invallen; **II** *zn* oorspronkelijk stuk; oorspronkelijk of zonderling persoon. **originaliteit'** [Fr. *originalité*] oorspronkelijkheid. **originair'** [Fr. *originaire*] oorspronkelijk, herkomstig. **ori'go ma'li** [Lat.] de wortel (oorsprong) v.h. kwaad.

**orimentair'** [v. Lat. *orīri; zie* **oriënt**] sterk ontwikkeld (tegenst.: **rudimentair,** *z.a.*).

**-o'rium** [modern Lat.] uitgang die een plaats aangeeft waar iets verricht wordt, *bijv.*: oratorium, crematorium, conservatorium (*vgl. -arium*).

**orkaan'** [v. Sp. *huracán,* v.e. Caribisch woord] **1** zeer krachtige storm, met windkracht 12 volgens de schaal v. Beaufort, overeenkomend met een windsnelheid van meer dan 32 m per seconde (dan met 115 km per uur); **2** tropische cycloon.

**orkest'** [Lat. *orchéstra* = voornaamste plaats vóór in de schouwburg, v. Gr. *orchéstra* = dansplaats voor het koor tussen toneel en toeschouwers, v. *orchesmai* = reidans uitvoeren, dansen] de gezamenlijke musici die benodigd zijn ter uitvoering van een instrumentaal muziekwerk en die een bep. aantal instrumenten in een bep. opstelling bespelen. **orkestre'ren** [Fr. *orchestrer*] een

muziekstuk voor orkest bewerken.
**orkestra'tie** [Fr. *orchestration*] de manier waarop de partijen v.e. orkestmuziekstuk verdeeld zijn over de diverse instrumenten.
**orkes'trion** [Eng. *orchestrion*] bep. orgelachtig muziekinstrument dat een orkest nabootst.
**orleaan'** bep. roodgele verfstof [naar boom waaruit bereid: *Bixa orellana*].
**ornaat'** [Lat. *ornátus* = uitrusting, kostuum, *ornáre*, *-átum* = uitrusten, in gereedheid brengen, opsieren] ambtsgewaad; plechtige kledij. **ornament** [Lat. *ornaméntum* = uitrusting, sieraad] versiersel.
**ornamente'ren** [Fr. *ornementer*] van ornamenten voorzien.
**ornamentiek'** kunst van versieren.
**orne'ren** [Lat. *ornáre*] tooien, versieren.
**ornithologie'** [v. Gr. *ornis*, *ornithos* = vogel; *zie* -logie] beoefenaar der vogelkunde. **ornitholoog'** [*zie* -loog] beoefenaar der vogelkunde.
**ornitho'se** *of* **ornitho'sis** [*zie* -ose] een besmettelijke ziekte op of de mens overgebracht door vogels. Indien de ziekte zich voordoet bij of is veroorzaakt door een papegaaiesoort (*Psittacos*) of een daaraan verwante soort (parkieten), dan spreekt men van *psittacosis of papegaaieziekte*; als de smetstof afkomstig is v. andere vogels (duif, eend, fazant enz.) dan spreekt men v. *ornithosis*.
**oro-** [Gr. *oros* = berg] berg-, gebergte-.
**-oroge'ne'se** [v. Gr. *gen-* = worden, ontstaan; *zie* **genesis**] gebergtevorming. **orognosie'** [v. Gr. *gnosis* = kennis; *zie* **gnosis**] gebergtekunde. **orografie'** [v. Gr. *graphoo* = schrijven] beschrijving v. gebergten.
**orograaf'** beoefenaar der orografie.
**orogra'fisch** *bn & bw*. **orologie'** [*zie* -logie] leer der gebergten.
**orpiment'** *zie* **operment**.
**orseil'le** [Fr.] rode tot violette kleurstof verkregen uit verschillende soorten korstmossen (Lichenes). Hieruit kan ook de blauwachtige-purperen *orseillelak* worden verkregen.
**ortho-**, afk. o- [Gr. *orthos* = opgericht, recht] recht-, wel-. **orthobiotiek'** [v. Gr. *bios* = levens] kunst om goed te leven.
**orthochroma'tisch** [*zie* **chromium**] in één kleur. **orthodontie'** [v. Gr. *odous, odontos* = tand] tandregulatie (rechtzetting).
**orthodox'**, afk. orth. [Gr. *orthodoxos*, v. *doxa* = mening, gevoelen] streng gelovig in godsdienstleer, streng gelovig. **orthodoxie'** [Gr. *orthodoxia*] rechtzinnigheid. **orthoëpie'** [v. Gr. *epos* = woord, uitdrukking; *zie* **epos**] leer der goede uitspraak. **orthogene'se** [*zie* **genese**] door sommigen aangenomen gerichte ontwikkeling in de evolutie der organismen. **orthogonaal** [als *diagonaal*, Gr. *orthogonios*] rechthoekig. **orthografie'** [Gr. *orthographia*, v. *graphoo* = schrijven] kunst om goed te spellen; spelling. **orthogra'fisch** [v. Gr. *-graphicos*] de spelling betreffend.
**orthopedagogie'** [*zie* **pedagogie**] 1 opvoeding v. geestelijk onvolwaardige of in groei achtergebleven kinderen; 2 theoretische leer daarover. **orthopedagoog'** beoefenaar v.d. orthopedagogie. **orthopedie'** [v. Gr. *paideia* = opvoeding, opvoedkunde, v. *pais, paidos* = kind] (*med.*) chirurgisch subspecialisme voor het heelkundig behandelen v. aangeboren en verworven afwijkingen aan beenderen, gewrichten en spieren bij kinderen en ouderen.
**orthope'disch** *bn* de orthopedie betreffend of daartoe dienend. **orthopedist'** [Fr. *orthopédiste*] persoon bedreven in de orthopedie, orthopedisch chirurg, spec. voetspecialist. **orthoptist'**, *vr.* **orthoptis'te** [v. Gr. stam *op-* = zien; *zie* **optica**] gespecialiseerde medewerker resp. medewerkster v.e. oogarts voor het verrichten v. technische handelingen en voor de behandeling v. spec. categorieën patiënten

met stoornissen bij het zien met twee ogen, o.a. scheelzienden, die zij of hij oefent.
**ortho-verbinding** (*chem.*) cyclische verbinding met substituenten aan naast elkaar gelegen koolstofatomen (*vgl.* **meta-** en **para-**).
**os** [Lat.] mond; *per os*, door de mond (innemen).
**oscille'ren** [Lat. *oscilláre* = schommelen, v. *oscillum* = klein masker of poppetje (verklw. v. *os* = mond) aan boom gehangen, waar het schommelend heen en weer bewoog] slingeren, trillen. **oscilla'tie** [Lat. *oscillátio*] *zn.* **oscillograaf'** [v. Gr. *graphoo* = schrijven] toestel om trillingen in schommelingen v. lichtvlek om te zetten en zo te registreren. **oscillogram'** [v. Gr. *gramma* = geschreft] grafiek die door oscillograaf is opgetekend.
**oscula'tie** [Lat. *osculátio*] het kussen, v. *ósculum* = lett.: mondje (*os* = mond), kus] (*wisk.*) het raken v. een gebogen lijn of vlak aan andere lijn of ander vlak.
**1 -ose** (*med.*) achtervoegsel v.d. naam van bep. ziekten, *bijv.*: trombose, tuberculose, trichinose; ook van psychische afwijkingen, *bijv.*: neurose, psychose.
**2 -ose** (*chem.*) achtervoegsel dat aanduidt dat de verbinding verwant is met *glucose*, *z.a.*, dus een suiker is of uit suikers is opgebouwd.
**Osmaans'** [Turks *osmanli*; *zie* verder **ottomane**] Turks.
**osmiri'dium** natuurlijke legering v. osmium en iridium.
**Os'mium** [v. Gr. *osmè* = reuk, geur] chem. element, edel metaal, chem. symbool Os, ranggetal 76 (wegens eigenaardige geur v. osmium-tetroxide, $OsO_4$).
**osmo'se** [onregelmatig v. Gr. *oosmos* = duw, v. *ootheoo* = duwen] het verschijnsel dat wanneer twee oplossingen v. verschillende concentratie door een semipermeabel (half-doorlatend) membraan zijn gescheiden, het oplosmiddel diffundeert v.d. zwakkere oplossing naar de sterkere, totdat de concentraties gelijk zijn. Deze diffusie kan men voorkomen door op de sterkere oplossing druk uit te oefenen. Hieruit volgt, dat er van uit de zwakkere oplossing een druk wordt uitgeoefend (de *osmotische druk*), die dezelfde eigenschappen bezit als een gasdruk. Er geldt: de osmotische druk v.e. oplossing heeft dezelfde waarde als de druk welke de opgeloste stof zou uitoefenen als ze in gasvorm aanwezig zou zijn (in het volume v.d. oplossing bij dezelfde temperatuur). De osmotische druk, die zeer hoge waarden kan bereiken, speelt een overheersende rol in levende organismen; zonder osmose zou er geen leven mogelijk zijn. **osmo'tisch** de osmose betreffend.
**ossaal'** [v. Lat. *os, ossis* = been] de beenderen betreffend. **ossifica'tie** [v. Lat. *fácere* = maken] verbening. **ossua'rium** [Lat.] knekelhuis.
**ostenso'rium** [MLat. *zie* verder **ostenteren**] (*rk*) monstrans. **ostensief** met pralend vertoon. **ostente'ren** [Lat. *ostentáre*, intensitief v. *osténdere, -tensum* = *obs-téndere* = uitstrekken, voor ogen stellen] ten toon stellen. **ostenta'tie** [Lat. *ostentátio*] uiterlijk vertoon, pralerij. **ostentatief'** met uitdrukkelijk vertoon, op opzettelijk in het oog lopende wijze.
**ostensi'bel** [*zie* **-ibel**] 1 vertoond kunnende worden, toonbaar; 2 duidelijk zichtbaar, openlijk, klaarblijkelijk; 3 vertoonwekkend.
**osteo-** [v. Gr. *osteon* = bot, been] been-.
**os'teo-arthro'se** *zie* **arthrosis deformans**.
**osteoblas'ten** *mv* [v. Gr. *blastanoo* = ontkiemen; *blastè* = kiem] (*dierk.*) beenvormende cellen. **osteogangreen** [*zie* **gangreen**] koudvuur of versterf in een der beenderen. **osteologie'** [*zie* -logie] leer der beenderen.
**ostina'to** [It. = hardnekkig; *zie* **obstinaat**] (*muz.*) voortdurend herhalend; voortdurende

herhaling v.e. motief of ritmische figuur; *basso ostinato*, voortdurend herhaald motief of herhaalde melodie in de bas.
**osti'tis** [v. Gr. *osteon* = been; *zie* -**itis**] beenweefselontsteking.
**ostracis'me** [Gr. *ostrakismos*, v. *ostrakon* = potscherf] (in het oude Athene) schervengericht, verbanning voor bep. tijd v. burger door zijn naam op scherf te schrijven. **ostracise'ren** [Gr. *ostrakizoo*] uitsluiten uit gemeenschap.
**ostreïcultuur'** [v. Lat. *ostrea* of *ostreum*, Gr. *ostreon* = oester; *zie* **cultuur**] oesterteelt.
**otalgie'** [v. Gr. *ous*, *otos* = oor, en *algos* = pijn] oorpijn.
**o tem'pora, o mo'res** [Lat.] o tijden, o zeden!
**otiatrie'** [*zie* **otalgie**, en -**iatrie**] oorheelkunde. **oti'tis** [*zie* -**itis**] oorontsteking.
**o'tium** [Lat.] ledige tijd; — *cum dignitáte*, welverdiende rust (na ambtstermijn).
**otofoon'** [*zie* **otalgie**, en Gr. *phooné* = stem, geluid] gehoorbuis voor slechthorenden.
**otologie'** [*zie* -**logie**] leer v.h. oor en zijn ziekten. **otoscoop'** [*zie* -**scoop**] oorspiegel. **otoscopie'** onderzoek met oorspiegel.
**otta'va** [It.] octaaf.
**ottoma'ne** [Fr., v. *Ottoman* = Turk, v. Arab. naam *Othman* (Othman l, stichter v. Turkse dynastie)] Turkse sofa, divan.
**oublie'**, *ook*: **oblie'** [Fr. *oublie*, v. Lat. (*hóstia*) *obláta* = geofferde gave] bep. soort koek (traditioneel oudhollands), een bros opgerold wafeltje.
**oun'ce**, afk. *oz.* [Eng., v. Lat. *úncia* = $\frac{1}{12}$ deel] gewicht, $\frac{1}{12}$ van een *lb* (= *pound*) troy of $\frac{1}{16}$ van een *lb* avoirdupois; *ounce troy* = 31,1035 gram (*fine ounce of apothecaries' weight*); *ounce avoirdupois* = 28,3495 gram.
**ou'taar, ou'ter** altaar.
**out'cast** [Eng. *to cast* = werpen] uit de gemeenschap gestotene, verworpeling, paria.
**out'crowd** [Eng.; *crowd* = menigte] de grote massa buitenstaanders (tegenst.: *incrowd*, *z.a.*).
**out-door'** - [Eng. = *lett.*: buiten de deur] *in samenst.*: buitenshuis-, *bijv.*: *out-door-sport*, openluchtsport.
**ou'ter** *zie* **outaar**
**out'fit** [Eng. = *lett.*: uitrusting] uitmonstering; het geheel v. kleding, schoeisel, sieraden e.d. dat men draagt, spec. gezegd van jongeren.
**outgo'ing**, *ook*: **outreach'ing** [Eng.] (*psych.*) naar buiten toe.
**outilla'ge** [Fr., v. *outiller* = van *outils* (werktuigen) voorzien; *outil* v. Lat. *utensile* = bruikbaar ding, v. *uti* = gebruiken] mechanische uitrusting. **outille'ren** [Fr. *outiller*] mechanisch uitrusten.
**out'law** [Eng.; *law* = wet; oorspr. neergelegd iets, *vgl. to lay* = leggen) buiten de wet gestelde, vogelvrijverklaarde.
**out'put** [Eng. = *lett.*: produktie] de informatie die uit een computer komt, nadat deze het ingevoerde programma verwerkt heeft, 'uitvoer' tegenover 'invoer', *zie* **input**.
**outra'ge** [Fr., v. OFr. *ultrage*, v. Lat. *últra* = naar gene zijde, verder; *zie* **ultra**] zware smaad, grove belediging. **outrageant'** [Fr. = o.dw van *outrager* = smaden, beledigen] of **outrageus'** [Fr. *outrageux*] *bn* smadelijk, grof beledigend.
**outreach'ing** (*psych.*) *zie* **outgoing**.
**out'sider** [Eng.; *side* = kant] buitenstaander, niet ingewijde in bep. zaak; persoon die niet in aanmerking komt bij het dingen naar een post; deelnemer aan wedloop (ook paard) die men niet als kanshebbend beschouwt (*vgl. ook* **insider**).
**ouvertu're** [Fr. = *eig.*: opening, v. *ouvert* = open, *ouvrir* = openen, v. Lat. *aperíre* = bloot leggen, openen) openingsstuk v. opera of operette, voorspel. **ouvreu'se** [Fr.] *oorspr.*: openmaakster der loges in schouwburg, *thans*: plaatsaanwijster in bioscoop.
**ou'wel** [MNed. ook *ûwel*, daarnaast ook

*nûwele* = oblie, kaneelwafeltje; in de bet. 'ongeconsacreerde hostie' v. Lat. (*hóstia*) *obláta* = de opgedragen (hostie), v. *offérre*, *oblátum* = aanbieden, daar de hostie vóór de consecratie aan God wordt geofferd] **1** dun baksel v. ongedesemde tarwebloem en water in de vorm v.e. blad, medisch wel gebruikt als omhulsel (*capsule*) van slecht smakende poeders; **2** (*rk*) ongeconsacreerde hostie; bij niet-katholieken hostie in het algemeen, ongeconsacreerd of geconsacreerd, daar zij het verschil niet aanvaarden; **3** sluitzegel voor brieven.
**ovaal'** [v. Lat. *óvum* = ei] **I** *bn* eirond, langwerpig rond; **II** *zn* (*wisk.*) min of meer langwerpige gesloten vlakke kromme die steeds convex verloopt (dus geen instulpingen of uitstulpingen heeft) en op zijn minst één symmetrie-as heeft, spec. een zodanige waarvan de ene zijde stomper is dan de andere (*vgl.* **ellips**).
**ova'rium**, *mv* **ova'ria** [*zie* -**arium**] eierstok.
**ova'tie** [Lat. *ovátio* = kleine zegetocht v. veldheer, v. *ováre* = juichen] huldebetoging, toejuiching.
**o'vercompleet** [*zie* **compleet**] overtollig.
**o'verdrive** [Eng.] inrichting die de uitgaande as v.e. versnellingsbak een groter aantal omwentelingen laat maken dan de motor geeft. **overhead'** [Eng.; *head* = hoofd] *bw* boven het hoofd, spec. gezegd v.e. tennisslag. **overhead'door** [Eng.] deur die om een horizontale as draait in plaats van om een verticale, spec. toegepast bij een autobox of garage. **overhead'kosten** *mv* (*econ.*) algemene bedrijfskosten die bovenop de produktiekosten komen.
**overhead'projector** [Eng.; *zie* **projector**] projector waarmee afbeeldingen via horizontaal neergelegde transparante vellen op de muur worden geprojecteerd. **o'verkill** [Eng.; *to kill* = doden] mogelijkheid om de vijand meer dan éénmaal te vernietigen door middel v.h. aantal kernwapens dat een land bezit.
**ovici'de** [v. Lat. *óvum*, *óvi* = ei, en *cáedere* = slaan, doden] (*land- en tuinbouw*) bestrijdingsmiddel dat eieren van schadelijke parasieten doodt.
**ovula'tie** [v. Fr. *ovulation* v. Lat. *ovum* = ei] uitstoting v.e. eicel door de eierstok, eisprong. **ovula'tieremmer** (anticonceptie)middel dat ovulatie afremt of stopt.
**oxaal'**, **oksaal'** doxaal, doksaal, *z.a.*
**oxaal'zuur** [wetenschappelijk Lat. *ácidum oxálicum*, v. Lat. & Gr. *oxális* = soort zuring] (*chem.*) zuringzuur, COOH.COOH. **oxalaat'** (*chem.*) zout v. oxaalzuur.
**oxi'de** [uit *oxygenium*, *z.a.*, en de uitgang -*ide*, *zie* -**ide 3**] in het alg. taalgebruik gespeld **oxy'de**, vroeger ook door chemici; in de regels voor de chem. nomenclatuur wordt deze spelling echter niet meer toegelaten; in chem. vaktaal schrijft men dus *oxide*. **oxi'den** *mv*, *ev* **oxi'de** [v. *oxygenium* (zuurstof) en de uitgang -*ide*] oxygenium v. zuurstof met metalen, niet-metalen, of organische radicalen, of moleculen, waarbij zuurstof de elektronegatieve component v.d. verbinding is. **oxide'ren** [Fr. *oxyder*] **1** met zuurstof verbinden of zich verbinden; verbranden; roesten; **2** met een laagje oxide bedekken; **3** (*chem.*) *zie* **oxidatie**. **oxida'tie** (*chem.*) *oorspr.*: het zich verbinden met zuurstof, het vormen van een oxide; *thans*: reactie waarbij elektronen worden onttrokken, dus verhoging van positieve lading. **oxidan'ten** *zie* **foto-oxidanten**.
**Oxyge'nium** [v. Gr. *oxus* = scherp, wrang, zuur, en *gennaoo* = voortbrengen] zuurstof, chem. element, niet-metaal, gas bij normale temperatuur, symbool O, rangetal 8, atoomgewicht van lucht (ca. 21%).
**oxyhemoglobi'ne** [*zie* **hemoglobine**] hemoglobine dat in de longen zich met zuurstof heeft verbonden, deze naar de

lichaamscellen voert en daar afgeeft. Het aldus ontstane hemoglobine neemt in de cellen kooldioxide ($CO_2$) op en geeft dit in de longen weer af.

**oxymo'ron** [Gr. *oxumooron*, v. *oxus* = scherp, en *mooros* = dwaas] *lett.*: scherpe dwaasheid, scherpzinnige onzin; *bep.* stijlfiguur bestaande uit een geestige nauwe verbinding v. twee tegenstrijdige begrippen, *bijv.*: een levend lijk; het donkere licht.

**o'xystaal** [v. *Oxygenium z.a.*] algemene naam voor staal dat bereid is volgens een der nieuwe zuurstofblaasprocessen (sedert 1955).

**oxy'tonon** [v. Gr. *oxutonos* = scherp klinkend, v. *oxus* = scherp, en *tonos* = spanning; *ook*: klank; *vgl.* **toon** en **tonus**] (*taalk.*) woord met het accent (de klemtoon) op de laatste lettergreep; *paroxytonon*, woord met klemtoon op de voorlaatste lettergreep; *proparoxytonon*, woord met klemtoon op de voor-voorlaatste lettergreep.

**ozalid'-procédé** [merknaam voor *diazotypie*] diazoniumfotografie, een fotografische kopieermethode waarbij gebruik gemaakt wordt van lichtgele diazokleurstoffen. Deze ontleden bij bestraling met ultraviolette stralen; de onbestraalde kleurstoffen verbinden zich in alkalisch milieu (een alkalische ontwikkelaar of ammoniakdamp) met een azokleurstof tot een donkere kleurstof, waardoor een positieve afbeelding ontstaat.

**ozokeriet'** [Du. *Ozokerit*, onregelmatig gevormd uit Gr. *ozoo* = rieken, en *kèros* = was] aardwas, een mineraal was, een bruin tot groen of zwart mengsel v. vaste koolwaterstoffen uit de methaanreeks, nl. hogere koolwaterstoffen of octodecaan tot hoger; daarnaast bevat het nog aromatische koolwaterstoffen en harsachtige stoffen. Ozokeriet is het vaste bestanddeel v. vele aardoliesoorten.

**o'zon** of **ozon'** [Gr. = de riekende, v. *ozoo* = rieken] modificatie v. zuurstof, die in het molecule drie zuurstofatomen bevat ($O_3$). Ozon is i.p.v. twee in gewone zuurstof ($O_2$). Ozon is bij kamertemperatuur een blauw gas met kenmerkende (zgn. 'frisse') geur: in sterk verdunde toestand onschadelijk, maar in grotere concentraties of bij langdurige inademing van kleine hoeveelheden wel degelijk schadelijk voor de gezondheid. In de atmosfeer komt ozon vooral voor in de *ozonosfeer, z.a.*, maar ook dicht bij het aardoppervlak, ten dele als een produkt van luchtverontreiniging; het is een der *foto-oxidanten, z.a.* Ozon kan ook bereid worden m.b.v. een *ozonisator, z.a.* Het vindt toepassing als oxidatiemiddel, spec. voor het bleken van organische stoffen, als desinfectans (*zie* **ozoniseren**) en voor luchtverbetering in afgesloten ruimten.

**ozonisa'tor** glazen toestel waarin d.m.v. donkere elektrische ontladingen uit zuivere zuurstof ($O_2$) een mengsel van zuurstof en ozon ($O_3$; tot 15% toe), wordt bereid.

**ozonise'ren** *ww* micro-organismen doden d.m.v. ozon, *spec.*: drinkwater steriliseren met ozon. **ozonome'ter** apparaat om het ozongehalte van lucht te meten. **ozonosfeer'** laag in de atmosfeer op ca. 15-35 km hoogte, daar gevormd uit zuurstof door kortgolvige ultraviolette stralen van de zon. Deze ver-ultraviolette straling kan dus de aarde niet bereiken. Deed ze dat wel dan zou *alle* leven op aarde onmogelijk zijn.

**paca'tor** [Lat., v. *pacáre, -átum* = tot vrede brengen, v. *pax, pacis* = vrede; *vgl. pascísci* = een verdrag sluiten; *zie* **pact**] vredestichter.

**pa'ce** [Eng. = *eig.*: pas, stap; snelheid; v. OFr. *pas*, v. Lat. *passus* = schrede, v. *pándere, passum* = uitstrekken] vaart, snelheid. **pa'ce-ma'ker** [Eng. = gangmaker] elektronisch instrument, bij de patiënt ingeplant, om de hartslag op gang te houden en te regelen, hartstimulator.

**pachome'ter** [v. Gr. *pachus* = dik; *zie* **meter**] diktemeter (voor het meten v.d. dikte van dunne plaatjes of laagjes). **pachyder'men** [v. Gr. *pachudermos*, v. *derma* = huid] *mv*, verouderde naam voor een zoogdierorde, de zgn. Dikhuidigen (waartoe bijv. de olifant behoorde). **pachyderm'** (*fig.*) 'dikhuidig', ongevoelig, lomp persoon.

**Paci'fic** [v. Lat. *pacíficus* = vreedzaam; *zie volgende*] de Stille Oceaan. **pacifice'ren** [Lat. *pacificári*, v. *pax, pacis* = vrede, en *fácere* = maken; *vgl.* **pact**] tot vrede brengen, vrede sluiten; bevredigen. **pacifica'tie** [Lat. *pacificátio*] *zn.* **pacifica'tor** [Lat.] vredestichter. **pacifis'me** [gebruikelijke vorm voor *pacificisme*, naar Fr. *pacifisme*, v. *pacifier*] streven naar (duurzame) wereld-vrede. **pacifist'** [Fr. *pacifiste*] aanhanger v.h. pacifisme. **pacifis'tisch** *bn & bw*.

**pack'age-deal** [Eng.] transactie met zowel negatieve als positieve effecten.

**pact** [Lat. *pactum*, v. *pascísci* = verdrag sluiten, *pactus sum* = ik heb verdrag gesloten; *vgl. pángere, pactum* (v. oorspr. *págere*) = inslaan, bevestigen, sluiten) verdrag, verbond, overeenkomst. **pacte'ren** bij verdrag bepalen.

**padd'ock** [Eng., waarsch. andere vorm v. *parrock*; *vgl.* Ned. *perk, park*] omheind stuk grasland, tevens oefenplaats voor paarden; plaats bij renbaan voor de paarden.

**pael'la** (*uitspr.*: paäel'jaa) [Sp.] Spaans gerecht van rijst met groente, vis, vlees en mosselen en schaaldieren (kreeft).

**pagaai'** v. Mal. *pengajoek*] scheproeiriem (zonder steun op boord van boot).

**pagadet'** 1 bep. soort roodogige sierduif; **2** (*overdrachtelijk*) praalzieke vrouw.

**paganis'me** [v. Lat. *pagánus* = dorpsbewoner, v. *pagus* = dorp, gehucht, v. *pángere* = samenvoegen; *zie* **pact**] heidendom. **paganist'** heiden. **paganis'tisch** heidens.

**pa'ge** [OFr., verdere afl. onzeker) **1** edelknaap; **2** bep. soort vlinder.

**pago'de** [Port., v. Indische oorsprong] oosterse afgodstempel; Chinees afgodsbeeldje met kop die kan knikken.

**paillet'ten** *mv* [Fr. *paillettes*, v. *paille* = stro, Lat. *pálea*] blinkende lovertjes. **paillet'te** bep. soort zijde.

**pair et impair'** [Fr.] (*hazardspel*) even of oneven.

**pais** [v. Fr. *paix* = vrede, v. Lat. *pax*]: *in — en vree*, in vrede en vriendschap.

**paket'boot** [Eng. *packet-boat*; *zie* **pakket**] boot voor vervoer v. personen, post en goederen tussen havenplaatsen onderling.

**pakket'** [Fr. *paquet*, v. Eng. *packet* = klein pak, bundeltje ingepakte zaken] **1** pakje; **2** (*fig.*)

min of meer samenhangend geheel van onstoffelijke zaken (*bijv.*: een pakket voorschriften).

**paladijn'** [Fr. *paladin*, v. Lat. *palatínus*, v. *palátium* = paleis, oorspr. bep. heuvel te Rome, waar Augustus en zijn opvolgers woonden] hofridder (oorspr. elk v.d. twaalf hofridders van het hof v. Karel de Grote); voorvechter.

**palaeo-** *zie* **paleo-.**

**palataal'** [Fr. *palatal*, v. Lat. *palatum* = verhemelte] **I** *bn* tegen het harde verhemelte gevormd; **II** *zn* klank aldus gevormd (l,n).

**palatijn'** [v. Lat. *palatínus*; *zie* **paladijn**] paltsgraaf.

**paleantropologie'** [v. Gr. *palaios* = oud; *anthroopos* = mens; *zie* **-logie**] menskunde (antropologie) v.d. prehistorische mensen.

**palei'** [v. Fr. *poulie* = katrol, schijf, via MGr. *polidion* v. Gr. *polos* = draaipunt; *zie* **pool**] **1** onderdeel van een weefgetouw; **2** (*gesch.*) folterwerktuig om verdachten uit te rekken.

**paleo-,** *ook*: **palaeo-** [v. Gr. *palaios* = oud] oudheid-; de oude tijdperken betreffend.

**paleobiologie'** [*zie* **biologie**] levensleer v.d. voorwereldlijke dieren en planten.

**paleobotanie'** [*zie* **botanie**] leer v.d. voorwereldlijke planten. **Paleoceen'** (afk. van Paleo-eoceen = oud-Eoceen, oorspr.: ouder-Eoceen, *zie* **Eoceen**) [v. Gr. *kainos* = nieuw] **1** volgens bep. indeling oudste afdeling v.h. Eoceen, het vroegste tijdvak v.h. Tertiair, *z.a.*, direct volgend op het Krijt. Het Paleoceen duurde van 70-60 miljoen jaren geleden; **2** aardlaag in deze periode gevormd.

**paleografie'** [v. Gr. *graphoo* = schrijven] kennis v. oude schriftvormen en handgeschreven boeken en bokerollen. **Paleoli'thicum** [v. Gr. *lithos* = steen] Oude Steentijd, oudste afdeling v.h. Stenen Tijdperk. **paleologie'** [*zie* **-logie**] oudheidkunde, kennis v. geschiedenis, culturen enz. v.d. Oudheid. **paleontologie'** [v. Gr. *to on, ontos* = het zijnde; *zie* **-logie**] kennis v.d. menselijke, dierlijke en plantaardige fossielen. **paleontoloog'** beoefenaar v.d. paleontologie. **Paleozo'ïcum** [v. Gr. *zoo-os* = zoo-ios = levend v. *zoo-oo* = leven, daar in dit hoofdtijdperk de eerste echte fossielen voorkomen (al zijn in het daaraan voorgaande tijdperk sporen van leven gevonden)] (*geol.*) het eerste hoofdtijdperk (*het Primair*) van het thans nog voortdurende *Phanerozoicum* (de andere hoofdtijdperken zijn het Mezozoicum en het Kaenozoicum of Neozoicum - Tertiair en Quartair -). Het Paleozoicum volgde op het Proterozoicum (Eozoicum of Algonkium) en duurde van 600-225 miljoen jaren geleden. Het omvat Cambrium, Ordovicium, Siluur, Devoon, Carboon en Perm. **paleozoölogie'** [*zie* **zoölogie**] kennis der voorwereldlijke dieren.

**palet'** [v. Fr. *palette*, verklw. van *pale* = spade, v. Lat. *pála*] **1** plankje met duimgat voor kunstschilders (om verven op te mengen); **2** *pallet*, *z.a.* **palet'te** [Fr.] (*cul.*) plat breed steekmes; pannekoekmes.

**paletot'** [Fr.] korte overjas of mantel.

**palfrenier'** [Fr. *palefrenier*, v. *palefroi* = ME paradepaard v. vorstelijke personen, v. VLat. *palafrédus* of *paraverédus*, v. Gr. *para* = erbij, extra, en Lat. *verédus* = licht paard, post- of jachtpaard, uit *vehoredus* (v. *véhere* = bewegen, voeren, dragen, *vehi* = zich laten dragen, rijden); *vgl.* Du. *Pferd*, Ned. *paard*] bediende in livrei op koets.

**palimpsest'** [Lat. *palimpséstos*, Gr. *palimpsèstos*, v. *palin* = opnieuw, en *psaoo* = glad wrijven] perkament waarop het eerste schrift is verwijderd en dat daarna opnieuw beschreven is (soms is het eerste schrift door bep. kunstgrepen weer leesbaar te maken).

**palindroom'** [v. Gr. *palindromos* = weer terug lopend, v. *drom-* = lopen] woord of zin dat of die ook v. achter naar voor gelezen kan worden (met dezelfde betekenis, bijv. negen,

parterretrap, of met andere bet., bijv. neger-regen, enerverend-moord. **palingene'se** of **palinge'nesis** [*zie* **genesis**] (*godsd.*) wedergeboorte.

**palissa'den** *mv* [v. Fr. *palissade*, v. Lat. *palus* = paal, voor *paglus*, v. *pángere* = inslaan] schanspalen, omheining v. palen. **palissade'ren** [Fr. *palissader*] met palissaden beschermen.

**palissan'der** [Fr. *palissandre*, v. inheems woord in Guyana] hout van enkele *Dalbergia*-soorten uit de Vlinderbloemenfamilie (Papilionáceae).

**paljas'** [v. Fr. *paillasse* = strozak, v. *paille* = stro, v. Lat. *pálea*] *oorspr.*: strozak; *vandaar*: met stro opgevulde hansworst-pop; *ook*: levende hansworst, potsenmaker.

**palla'dium** [Lat., v. Gr. *palladion*] **1** in de klassieke oudheid een primitief godenbeeldje, voorstellende de godin Pallas Athene in wapenrusting, dat geacht werd bescherming te bieden; **2** (*fig.*) iets dat de veiligheid waarborgt, waarborg. **Palla'dium**, chem. element, edel metaal, symbool Pd, rangetal 46.

**pal'let** [Eng.; afl. als **palet**], *ook* **palet'**, in het Ned. *laadbord* of *stapelbord*; platform waarop men goederen stapelt om deze als één last (intern) te vervoeren.

**palliëren** [Fr. *pallier*, v. Lat. *palliáre* = met *pallium* (mantel) bedekken] bemantelen, verzachten, bewimpelen. **pallia'tie** *zn.* **palliatief'** [Fr. *palliatif*] middel dat pijn (tijdelijk) verzacht; tijdelijke hulp, lapmiddel, uitvlucht.

**palmarès'** *ev* [Fr., v. Lat. *pálma* = vlakke hand, handpalm, Gr. *palamè*, *overdrachtelijk*: palmtak] (*Z.N.*) lijst van prijswinnaars (op school), lijst van bekroonden.

**palmitien'** bep. bestanddeel van palmolie en vele vetten. **palmitaat'** zout van palmitienzuur, pentadecaancarbonzuur, $C_{15}H_{31}COOH$ (*zie ook* **napalm**).

**palpe'ren** [Fr. *palper*, v. Lat. *palpáre*, *-átum* = zacht met vlakke hand strelen] betasten, bevoelen. **palpa'tie** [Lat. *palpátio* = het strelen] betasting (voor onderzoek).

**palpite'ren** [Lat. *palpitáre*, *-átum* = schuddend bewegen] versneld kloppen of slaan v. hart en pols (bijv. door angst). **palpita'tie** [Lat. *palpitátio*] aderslag, hartklopping.

**palti'ne** *zie* **plat** à **sauter.**

**palts** [Du. *Pfalz*, v. ODu. *pfalenza* = paleis; *vgl. palatium*; *zie* **paladijn**] *oorspr.*: paleis of burcht der oude Du. keizers; voormalig Du. vorstendom.

**palynologie'** [v. Gr. *palunoo* = strooien; *-logia* = wetenschap v. *logos* = o.a.: verhandeling] bestudering van stuifmeelkorrels en sporen van lagere planten in oude aardlagen.

**pamflet'** [waarsch. v. *Pamphilet*, volksnaam voor 12e-eeuws Lat. minnedicht *Pamphilus seu de Amore*, v. Gr. *Pamphilos*, v. *pan*= alles, en *phileoo* = beminnen] vlugschrift (vaak van heftig aanvallende spottende aard = schotschrift). **pamflettist'** pamfletschrijver.

**pam'pa** [Sp., v. Peruaans *bamba* = steppe, vlakte] Zuidamerikaanse grasvlakte zonder bomen.

**Pan** [Lat. & Gr. myth.] veld- en herdersgod.

**pan-** [Gr. = onz. v. *pas* = ieder, geheel] alles-, al-, geheel-.

**panacee'** [Lat. *panacea*, Gr. *panakeia*, v. *pan*- en *akès* = genezend, v. *akos* = geneesmiddel] algemeen wondermiddel voor alle ziekten.

**pana'che** [Fr., v. It. *pennachio*, v. Lat. *penna* = veer, OLat. *pesna*, v. stam *pet*-; *vgl.* Gr. *pteron* = vleugel] **1** verdoos (op helm); **2** (*overdrachtelijk*) bravoure, zwier.

**pana'de** [Fr., v. Lat. *panis* = brood] (*cul.*) broodpap, broodsoep.

**pa'nama** slappe strohoed uit panamastro vervaardigd (naar plaatsnaam Panama).

**panchroma'tisch** [*zie* **chromium**] voor alle

kleuren gevoelig (-e fotografische plaat).
**pancratesie'** [v. Gr. *krateoo* = machtig zijn, heersen] alleenheerschappij.
**pancra'tium** [Lat., v. Gr. *pagkration*, v. *kratos* = sterkte] lichaamsoefening of wedstrijd bestaande uit worstelen en vuistvechten.
**pan'creas** [v. Gr. *pagkreas*, v. *kreas* = vlees] alvlees- of buikspeekselklier.
**pandec'ten** *mv* [v. Lat. *pandectes* of *pandecta*, Gr. *pandektes*, v. *pan-*, en *dechomai* = in zich opnemen] samenvatting v.h. Romeinse recht (vervaardigd in de 6e eeuw).
**pandemie'** [v. Gr. *pandèmios* = van het gehele volk, v. *dèmos* = volk] alg. besmettelijke ziekte, die een groot deel v.h. volk aantast, grote epidemie.
**pandemo'nium** [modern Lat. (woord afkomstig v. Milton) v. Gr. *daimon*, zie **demon**] demonenverblijf; hels lawaai, verwarring met groot rumoer.
**pan'dit** [Hindi *pandit*] bep. titel in India (persoon die studie gemaakt heeft v. Sanskriet, filosofie, godsdienst en recht).
**pandoer'** [v. Servo-Kroatisch *pàndur*, v. MLat. *bandérus* = wie een *banier* volgt] **1** (*gesch.*) soldaat v. e. korps grenstroepen in Oostenrijk-Hongarije o.l.v. baron Trenck, 1741 e.v.; (*fig.*) wildeman, wildebras; **2** bep. kaartspel waarbij degene die alle slagen denkt te halen *pandoer* roept; *opgelegd pandoer*, afgesproken zaak, doorgestoken kaart.
**Pando'ra** [Gr. myth. *Pandoora* (= *lett.*: de alles gevende) die v. Zeus een doos ontving bevattende alle kwalen en begeerten]: *doos van –*, doos waaruit bij opening alle kwalen en rampen ontsnapten toe waarin alleen de Hoop achterbleef.
**panegyriek'** [Fr. *panégyrique*, v. Lat. *panegy'ricus*, v. Gr. *panègurikos* = tot de volksvergadering behorend, v. *pan*, *z.a.*, en *agora* = volksvergadering] hooggestemde lofrede, lofdicht.
**pa'nel** [Eng. = o.a. stuk perkament, *vandaar*: lijst van juryleden, de jury zelf] groep deskundige personen bij een discussievergadering of een quiz e.d., die vragen beantwoorden.
**pan'ne** [Fr. = *eig.*: lomp, vod, v. Lat. *pannus* = doek, lap] het blijven steken met voertuig (spec. auto, fiets) wegens defect, oponthoud tijdens tocht door machinepech.
**panop'ticum** [v. *pan-*, *z.a.*, en Gr. *-op* = zien] wassenbeeldenverzameling.
**panora'ma** [v. Gr. *horama* = aanblik, schouwspel, v. *horaoo* = zien] schilderstuk in de breedte rondlopend met echte voorgrond; breed vergezicht, overzicht over een landschap.
**pantagruelis'me** buitenissige ruwe humor [naar Pantagruel, een figuur in het werk v. Rabelais].
**pantalon'** [Fr., v. It. *pantalone* = bep. Venetiaans type in It. komedie, missch. genoemd naar de H. Pantaleon, die in Venetië bijzonder vereerd wordt] lange broek.
**pan'ta rhei** [Gr.] alles stroomt, d.i. alles is aan voortdurende verandering onderhevig (grondstelling v.d. Gr. wijsgeer Heraclitus, 576-480 v. Chr.).
**pantheïs'me** [v. *pan-*, *z.a.*, en v. Gr. *theos* = god] stelsel dat leert dat het Al God is.
**pantheïst'** aanhanger v.h. pantheïsme.
**pan'theon** (in de Oudheid) tempel gewijd aan alle goden; *thans*: eretempel ter nagedachtenis v. grote mannen.
**panto-** [v. Gr. *pas*, *pantos* = ieder, onz. *pan*, *pantos* = alles] al-, geheel-.
**pantofaag'** [v. Gr. stam *phag-* = eten] alleseter.
**pantograaf'** [v. Gr. *graphoo* = schrijven] **1** toestel tot het vergroot of verkleind natrekken v. tekeningen, tekenaap; **2** stroomafnemer bij elektrische trein.
**pantomi'misch** [Lat. *pantomímicus*, Gr. *pantomimikos*, v. *mimos* = toneelspeler] door louter gebaren uitgebeeld. **pantomi'me**

toneelstuk alleen met gebaren gespeeld, gebarenspel. **pantomimist'** speler in pantomime.
**pan'try** [Eng., v. OFr. *paneterie*, v. MLat. *panetária* = broodwinkel, v. Lat. *panis* = brood] provisie- of aanrechtkamer.
**pant'ser** [v. MLat. *pancerea* = buikbedekker, v. Lat. *pantex* = buik; *vgl.* **Ned.** *pens*] harnas, stalen bedekking v. oorlogsschip, trein, gevechtswagen e.d.; (*dierk.*) harde laag door huid gevormd ter bescherming.
**papaal'** [kerk. Lat. *papális*, v. *papa*] pauselijk.
**papa'bili** [Kerk. Lat. v. Lat. *-bilis* = ongeveer: -baar] personen die als serieuze kandidaat voor het pausschap beschouwd worden.
**paperas'sen** *mv* [Fr. *paperasses*, zie **papyrus**] papieren, brieven, stukken e.d.; *oorspr.*: waardeloze papieren, *vandaar ook*: papierrommel. **pa'perback** [Eng. = *lett.*: papieren rug] gebrocheerd boek (*zie* **brocheren**), maar groter dan pocketboek.
**pa'pershop** [Eng. = papierwinkel] winkel waar men papieren en kartonnen waren verkoopt. **papeterie'** [Fr. = o.a. schrijfnecessaire, schrijfmap; *ook*: papierwinkel] **1** schrijfpapier en enveloppen; *meer alg.*: wat van papier (of karton) is; **2** papierwinkel, winkel voor postpapier, enveloppen e.a. papieren of kartonnen waren.
**Papiamen'to(e)** [missch. v. OPort. *papear* = praten] de moedertaal van de Antillianen op de Ned. Benedenwindse Antillen Aruba, Curaçao en Bonaire, gesproken door ca. driekwart v.d. totale bevolking. Het Papiamentos is een mengtaal v. Portugees, negertalen en Nederlands, met Spaanse en Engelse elementen.
**papier'-maché** [Fr. *maché* = *lett.*: gekauwd papier; *zie* **papyrus**] **1** zn papierdeeg, deeg v. papierafval en papiergrondstoffen en toevoegsels, ter vervaardiging v. modellen e.d.; **II** *bn* van papier-maché.
**papil'**, *mv* **papil'len** [v. Lat. *papílla* = tepel] (*anat.*) tepelvormige kleine ronde verhevenheid, zoals o.a. de smaakpapillen op het tongslijmvlies. **papillair'** [v. Fr. *papilaire* = met papillen] **1** op papil(len) betrekking hebbend; **2** op een papil gelijkend.
**papilloom'** [*zie* -**oom**] wratgezwel.
**papillot'** [Fr. *papilote*; *vgl.* **papillon**, Lat. *papilio* = vlinder] papiertje gewonden om haarlok om deze te doen krullen. **papillo'te** [Fr.] (*cul.*) omhulsel van papier of aluminiumfolie om kippenboutjes, koteletten e.d. aan te vatten zonder dat de vingers vet worden.
**papis'me** [v. kerk. Lat. *papa* = paus, v. laat-Gr. *papas* = Gr. *pappas* = vader] pausgezindheid; (*scheldnaam*) katholicisme. **papist'** aanhanger v.d. paus; katholiek. **papis'tisch** pausgezind.
**Papoe'a'o of Pa'poea** autochtone bewoner van Nieuw-Guinea (Irian Barat en Australisch Nieuw-Guinea).
**pap'penheimer** [*eig.*: soldaat v.d. veldheer Pappenheim in de 30-jarige oorlog]: *zijn –s kennen*, zijn volgelingen, zijn volkje kennen.
**papy'rus** [Lat., v. Gr. *papuros*, waarsch. ontleend aan een oud-Egyptisch woord] de plantesoort *Cyperus papyrus* uit de Cypergrassenfamilie (Cyperáceae). Hiervan is ons woord *papier* afgeleid. **papy'rusrol** schrijfmateriaal vervaardigd v. papyrusstengels, reeds in de tijd v.d. piramidenbouw in Egypte bekend.
**papyrologie'** [*zie* -**logie**] wetenschap die zich bezighoudt met het ontcijferen en bestuderen van geschreven teksten op papyrusrollen uit de Oudheid.
**pa'ra**, afk. van (*mil.*) **parachutist**, *z.a.*
**1 para-** [Gr. *para*] ernaast-, langs-, erbij-; verkeerd-.
**2 para-** [v. It. *para* = geb. wijs v. *paráre* = beschutten] beschermend tegen-.
**3 para-** afk. *p* (*chem.*) bep. stand van twee substituenten aan benzeenkern e.d.

**paraaf'** [Fr. *paraphe* of *parafe*; v. Gr. *paragrapha*] persoonlijk schriftelijk merk, verkorte handtekening.

**para'bel** [v. Lat. *parabole*, v. Gr. *parabolè* = *lett.*: wat er (ter vergelijking) naast geworpen wordt, v. **1 para-**, en *bolè* = worp, v. *balloo* = werpen] verzonnen verhaal om een zedelijke waarheid te typeren.
(N.B. het Lat. *pára béllum* betekent: 'Bereid u voor op oorlog'.)

**parabel'lum** bep. soort automatisch pistool.

**parabo'lisch** [via VLat. v. laat Gr. *parabolikos*] in de vorm v.e. parabel; (*wisk.*) in de vorm v.e. paraboloí.

**paraboloï'de** (*wisk.*) lichaam ontstaan door wenteling v. parabool om zijn as.

**parabool'** [als **parabel**] (*wisk.*) kegelsnede evenwijdig (= langs, *zie* **1 para-**) met raakvlak aan de kegelmantel, d.w.z. kegelsnede die met het grondvlak een even grote hoek maakt als de zijde (*vgl.* **hyperbool** en **ellips**).

**paracen'trisch** [v. **1 para-**] ongelijkmiddelpuntig.

**parachronis'me** [v. **1 para-**, en Gr. *chronos* = tijd] vergissing in tijdrekening (waarbij een gebeurtenis te laat geplaatst wordt in een tijd dat zij niet kon plaats hebben) (*vgl.* **anachronisme**).

**parachu'te** [Fr.; *zie* **2 para-** en Fr. *chute* = val, v. OFr. *chu*, vr. *chute* = v.dw van *choir* = vallen, v. Lat. *cádere*] valscherm.

**parachutist'** [Fr. *parachutiste*] valschermspringer. **parachute'ren** [Fr. *parachuter*] **1** met een valscherm neerlaten, afwerpen, 'droppen'; **2** een buitenstaander benoemen in een prominente ambtelijke positie, met voorbijgaan van hoge ambtenaren. **parachutis'me** [Fr. *parachutisme*] **1** het parachutespringen als sport; **2** het verschijnsel beschreven in **parachuteren 2**.

**Paracleet'** [Gr. *paráklètos* = de erbij geroepene, pleitbezorger, NTGr. = vertrooster, helper, v. *kaleoo* = roepen] de Vertrooster, de Heilige Geest.

**paradig'ma** [Gr.] voorbeeld (spec. voorbeeldwoord in spraakkunst).

**paradijs'** [Lat. *paradisus*, Gr. *paradeisos*, v. Oudperzisch *pairidaeza* = park, v. *pairi* = rondom, en *diz* = losse aarde] lusthof; verblijf der zaligen; heerlijk oord.

**paradox'** [Lat. en Gr. *paradoxos* = tegen verwachting] schijnbare tegenstrijdigheid (i.e. gezegde). **paradoxaal'** [Fr. *paradoxal*] schijnbaar tegenstrijdig. **paradoxie'** het paradox-zijn.

**parafe'ren** [Fr. *parapher* of *parafer*] van een paraaf (*z.a.*) voorzien.

**paraferna'liën** [Lat. *paraphernalia*, v. Gr. *parapherna*, v. **1 para-**, en *phernè* = het meegebrachte, uitzet, v. *pheroo* = dragen] *oorspr.*: persoonlijke bezittingen v.d. vrouw die zij volgens de wet in eigendom mocht behouden; persoonlijke eigendommen; mechanische bijkomende dingen.

**paraffi'nen** *mv* [v. Lat. *parum* = weinig, en *affinis* = verwant; de paraffinen hebben weinig affiniteit, z.a. tot andere stoffen] in de chem. nomenclatuur **paraffie'nen, 1** (*chem.*) andere naam voor *alkanen*, d.w.z. verzadigde koolwaterstoffen van de methaanreeks, een homologe reeks met de alg. formule $C_nH_{2n+2}$; **2** in de handel noemt men *paraffine* (*ev*) een wasachtig mengsel v. vloeibare en vaste alkanen, vast of dik vloeibaar, dat gebruikt wordt voor het isoleren v. elektrische leidingen, het waterdicht maken van weefsels en papier, en als smeermiddel (lubricant). **paraffine'ren** *ww* met paraffine bedekken of doortrekken.

**parafra'se** [Fr. *paraphrase*, v. Gr. *paraphrasis*, v. **1 para-**, en *phrazoo* = duidelijk maken; *phrasis* = uitdrukkingswijze] omschrijving die verduidelijkt; (*muz.*) uit- en bewerking v.e. thema. **parafrase'ren** [Fr. *paraphraser*] omschrijvend verduidelijken; (*muz.*) (thema)

uit- en bewerken. **parafrast'** [Gr. *paraphrastès*] wie omschrijvend verduidelijkt.

**paragnosie'** [*zie* **1 para-**, en **gnosis**] helderziendheid, telepathie. **paragnost'** [Gr. *gnoostès* = kenner] helderziende, telepaat.

**parago'ge** [v. Gr. *paragoogè*, v. **1 para-**, en *agoogè* = het voeren v. *agoo* = voeren] (*taalk.*) achtervoeging v.e. klank aan een woord, verlenging v.e. woord met een klank, *bijv.*: het vroegere *aren* werd *arend*, *burg* werd *burcht*, *schoe* (*mv schoen*) werd *schoen* (*ev*) enz. **parago'gisch** *bn* achtergevoegd, aangehecht (van klank), *bijv.*: de *t* in *fazant* is paragogisch.

**paragon'** [OFr. *paragon*, v. It. *paragone* = vergelijking] *eig.*: model ter vergelijking; **1** bep. drukletter v. 18 punten; **2** diamant v. 100 of meer karaat.

**paragraaf'** afk. par. [Fr. *paragraphe*, via VLat. v. Gr. *paragraphos* = kleine streep als scheidingsteken in zin, v. **1 para-**, en *graphoo* = schrijven] afdeling in een geschrift, wet e.d. **paragrafe'ren** in paragrafen indelen.

**paraïsse'ren** [v. Fr. *paraître*, v. Lat. *párere*] verschijnen (*bijv.* voor rechter).

**paraleip'sis** of **paralip'sis** [v. Gr. *paraleipoo* = opzettelijk weglaten, stilzwijgend voorbijgaan] redekundige figuur waarbij de aandacht wordt gevestigd op iets door het schijnbaar weg te laten; *bijv.* 'nog daargelaten', 'om niet te spreken van', 'ik wil niet zeggen dat...', e.d. **Paralipo'menon** [Gr. = datgene wat is overgeslagen (nl. verschillende bijzonderheden uit de geschiedenis v.h. Oude Testament, die niet door andere bijbelboeken worden vermeld), v. *paraleipoo* = hier: over het hoofd zien] (*bijb.*) in de oude Gr. vertaling en in de Vulgaat de naam voor de boeken 1 en 2 Kronieken, in de Hebreeuwse tekst 'Annalen' genoemd.

**parallax'** [v. Gr. *parallaxis* = verandering, afwijking, v. *parallassoo* = naast elkaar laten afwisselen, verplaatsen, v. **1 para-**, en *allassoo* = verruilen] in het Ned *verschilzicht*; **1** (*alg.*) *a* de hoek tussen twee op hetzelfde voorwerp gerichte lijnen van uit twee waarnemingspunten; *b* de schijnbare onderlinge verplaatsing van voorwerpen als ze van uit verschillende punten worden waargenomen; **2** (*astr.*): *jaarlijkse parallax*, een der drie parallaxen die de astronomie kent. Een niet al te ver verwijderde ster beschrijft tegen de achtergrond van zeer ver weg staande sterren (die als 'vast' wordt beschouwd) jaarlijks een ellipse, de afspiegeling van de elliptische baan v.d. aarde om de zon. De hoek waaronder de halve lange as van dit ellipse wordt gezien, is de jaarlijkse parallax. **parallac'tisch** *bn* tot de parallax behorend.

**parallel'** [Lat. *parallelus*, Gr. *parállèlos* = naast elkander, v. **1 para-** en *allèlous* = elkaar] **I** *bn* & *bw* evenwijdig; overeenkomend; **II** *zn* lijn of vlak evenwijdig aan andere lijn of ander vlak; breedtecirkel; overeenkomstige of vergelijkbare zaak. **parallellie'** het parallel-zijn. **parallellis'me** [v. Gr. *parállèlismos* v. *parállelizoo* = naast elkaar plaatsen] evenwijdig lopen; verhouding waarin vergelijkbare gevallen tot elkaar staan. **parallellepi'pedum** [v. Gr. *parallèlepipedon* v. *epipedon* = grondvlak, v. *epi* = erop, en *pedon* = bodem] prisma dat parallellogram tot grondvlak heeft. **parallellogram'** [v. Gr. *parallèlogrammon*, v. *grammè* = lijn, v. *graphoo* = schrijven] niet-rechthoekige vierhoek m. twee paren evenwijdige zijden.

**paralogie'** of **paralogis'me** [v. Gr. *para-logos* = *lett.*: tegen de rede, v. **1 para-**, en *logos* = woord, rede; valse redenering waarmee men zichzelf bedriegt (*vgl. sofisme* = een drogreden waarmee men een ander tracht te misleiden).

**paralym'pics** *mv* [Eng., v. Gr. *para* = ernaast-, *zie* **1 para-**, en *olympics* = olympische spelen] Olympische Spelen voor gehandicapten.

**paralyse'ren** [Fr. *paralyser; zie volgende*]

verlammen. **paralysie'** [Lat. *paralysis*, v. Gr. *paralusis* = verlamming, v. *para-luoo = eig.*: ter zijde losmaken, verlammen, v. **1 para-**, en *luoo* = losmaken] verlamming; apoplexie.

**paraly'tisch** [Lat. *paraly'ticus*, NTGr. *paralutikos* = (aan één zijde) lam] verlamd; door apoplexie getroffen.

**paramagne'tisch** [*zie* **1 para-**, en **magnetisch**]: —*e metalen*, metalen die in staafvorm vrij opgehangen zich met de lengterichting evenwijdig aan magnetische krachtlijnen opstellen (d.w.z. door magneet aangetrokken worden, i.t.t. de diamagnetische stoffen waarin (als ze i.e. magneetveld worden geplaatst) een tegengesteld magnetisch veld geïnduceerd wordt, zodat ze uit het magneetveld worden gestoten).

**parame'disch** [v. **1 para-**, en **medisch**] *bn* verband houdend met de geneeskunde, maar er niet toe behorend. Als paramedische beroepen worden beschouwd: fysiotherapeut, arbeidstherapeut, radiologisch laborant, diëtist, mondhygiënist, orthopedist, chiropodist, logopedist e.d.

**paramen'ten** *mv* [v. Lat. *paráre* = gereed maken, toerusten, optooien] (*rk*) liturgische gewaden en kleden. **paramentiek'** paramentenkennis.

**para'meter** [v. **1 para-**, en Gr. *metron* = maat] **1** (*wisk.*) in het algemeen: hulpveranderlijke of willekeurige constante; speciaal bij kegelsneden: lengte v.d. halve koorde door een brandpunt loodrecht op de hoofdas; **2** (*thermodynamica*) elke grootheid waarmee een systeem (stof of mengsel van stoffen) beschreven kan worden; **3** (*muz.*) in de seriële muziek: aspect van een afzonderlijke toon, zoals toonhoogte, toonduur, klankkleur en intensiteit.

**par ami'** [Fr.] d.m.v. een vriend, door vriendenhand (bijv. op brief, afk. **p.a.**). **par amie'** door middel v.e. vriendin.

**paramilitair'** [v. **1 para-**, en **militair**] *bn* met een aard die op militaire organisatie gelijkt, op militaire leest geschoeid.

**paramnesie'** [v. **1 para-**, en Gr. *mnèsis* = herinnering] verschijnsel waarbij men de indruk heeft dat gene wat men voor het eerst waarneemt reeds vroeger eens waargenomen te hebben; ook *fausse reconnaissance* [Fr. = valse herkenning] of *déjà vu* [Fr. = reeds eerder gezien] geheten.

**paranimf'** [v. **1 para-**, en Gr. *numphios* = bruidegom] **1** bruidsjonker; **2** ceremoniemeester bij bruiloftsfeest; **3** persoon die een arena bij bep. plechtigheden terzijde staat, spec. een promovendus bij de verdediging van zijn proefschrift.

**paranoi'a** [Gr. = waanzin, v. **1 para-** en *noos* = geest] geestesziekte die het verstand niet aantast, maar met waandenkbeelden gepaard gaat; ziekelijk achterdochtig. **parano'icus** lijder aan paranoia. **paranoi'de** *ook*: **paranoïed'** lijdend aan paranoia; v.d. aard v. paranoia.

**paranormaal'** [v. **1 para-**, en **normaal**] naast de normale verschijnselen voorkomend (bijv. helderziendheid, telepathie, bep. zgn. spiritistische verschijnselen).

**parapet'** [v. **2 para-**, en It. *petto*, Lat. *pectoris* = borst] borstwering.

**paraplegie'** [v. Gr. *paraplèx* = opzij getroffen, v. *para* = ernaast, aan de kant, en *plessoo* = slaan] tweezijdige verlamming, maar alleen óf aan het bovenlichaam (beide armen) óf aan het onderlichaam (beide benen).

**paraplu'** [Fr. *parapluie*, v. **2 para-**, en *pluie*, Lat. *plúvia* (*aqua*) = regen(water)] regenscherm.

**parapsychologie'** [v. **1 para-**, en **psychologie**] wetenschap der paranormale begaafdheden en verschijnselen. **parapsycholoog'** beoefenaar der parapsychologie.

**parasiet'** [Lat. *parasitus*, Gr. *parasitos* = *lett.*: meeëter, gast, tafelschuimer, v. **1 para-**, en Gr. *sitos* = voedsel] plant of dier dat in of op een ander te diens koste leeft; (v. mens) klaploper. **parasi'ten** leven ten koste v.e. ander wezen. **parasi'tisch** [Lat. *parasíticus*] als een parasiet. **parasitair'** [Fr. *parasitaire*] **1** parasitisch; **2** door parasieten veroorzaakt. **parasitis'me** [Fr.] het leven ten koste v.e. ander wezen. **parasitologie'** [*zie* -**logie**] parasietenkennis.

**parasol'** [Fr., v. It. *parasole*, v. **2 para-**, en *sole* = zon] zonnescherm.

**parata'xis** [v. Gr. *para* = naast elkaar, *taxis* = ordening] (*spraakk.*) woordschikking waarbij woorden van dezelfde betekenis of van tegengestelde betekenis naast elkaar geplaatst zijn (zonder voegwoord).

**parathion'** [samengetrokken uit de chem. naam diethyl-*p*-nitrofenyl-monothiofosfaat, waarin *p* betekent *para*, en *thio* slaat op het feit dat het molecule zwavel bevat (*zie* **thio-**)] een zeer giftig (nu verboden) insektenbestrijdingsmiddel (insecticide).

**pa'ratroepen** *mv* [Eng. *paratroops*] parachutetroepen.

**pa'ratyfus** [v. **1 para-**, en **tyfus**] een op tyfus gelijkende ziekte, verwekt door een bacterie behorende tot het geslacht *Salmonella*; ook de verwekker van echte tyfus behoort tot dit geslacht.

**paravaan', parava'ne** [Eng. *paravane*, v. **2 para-**, en *vane* = windhaan, molenwiek, schroefblad, *alg.*: plat blad] toestel onder water vóór boeg v. schip, dat door zijn bladen op constante diepte blijft en verankerde zeemijnen lossnijdt.

**par avan'ce** [Fr.] bij voorbaat.

**paravent'** [Fr., v. It. *paravento*, v. **2 para-**, en *vento* = Lat. *ventus* = wind] windscherm.

**para-verbinding** (*chem.*) derivaat v. benzeen $C_6H_6$, waarbij de gesubstitueerde atomen verbonden zijn met 2 koolstofatomen die diametraal tegenover elkaar in de benzeenring gelegen zijn (*vgl.* **ortho**, en **meta**).

**par avion'** [Fr. = *lett.*: per vliegtuig] luchtpost, air mail.

**parbleu'** [Fr., verbastering v. *par Dieu* = bij God] *tw* drommels! sakkerloot!, *ook*: bastaardvloek die vaak een krachtige verzekering aangeeft, *bijv.*: –, wat ik zeg is waar.

**Par'cen** [Lat. myth. *Párcae*, in verband staande met *párere* = baren, daar zij geacht werden bij de geboorte aanwezig te zijn om het lot van de mens in handen te nemen] schikgodinnen, ook *Fata* genaamd; *vgl.* Gr. *Moirai* en Germ. *Nornen*.

**parcimonie'** [Lat. *parcimónia* of *parsimónia*, v. *párcere* = sparen; *parcus* = spaarzaam] zuinigheid, karigheid, gierigheid.

**par ci, par là** [Fr.] hier en daar.

**parcours'** [Fr., v. *par-courir* = door-lópen, v. *par* = Lat. *per*, en Lat. *cúrrere* = lopen] de door deelnemers aan een wegwedstrijd eens of meermalen af te leggen weg.

**par couvert'** afk. *p.c.* [Fr.] onder omslag.

**pardessus'** [Fr., v. *par-dessus* = boven over] lichte herenoverjas.

**pardon'** [Fr. v. *par-donner* = ver-geven, v. VLat. *par-donáre*, v. Lat. *donáre* = geven] I *zn* vergiffenis, genade, kwijtschelding; II *tw* neem het me niet kwalijk. **pardonne'ren** [Fr. *pardonner*] vergiffenis schenken, vergeven. **pardonna'bel** [Fr. *pardonnable*] te vergeven, vergeeflijk.

**parement'** [Fr., v. *parer* = Lat. *paráre* = gereedmaken, toerusten, optooien] **1** parament; **2** opschik, tooi; **3** (*bouwk.*) buitenkant v. muur, stenen buitenbekleding.

**paremiologie', paroemiologie'** [v. Gr. *paroimia* = spreekwoord, spreuk; en -*logia* = wetenschap, v. *logos* = woord, verhandeling] spreekwoordkunde.

**parenchym'** [v. Gr. *paragchuma* = het erin gegotene, v. **1 para-**, en *eg-cheoo* = in-gieten] (*anat.*) klier- of orgaanweefsel; (*plk.*) meest sponsachtig weefsel bestaande

uit naast elkaar gelegen kubusvormige cellen.
**parenta'ge** [Fr., v. *parents* = ouders, v. Lat. *parens, paréntis* (o.dw van *párere* = te voorschijn brengen, baren)] verwantschap, afstamming.

**parenthe'se, paren'thesis** [MLat., v. Gr. *parenthesis*, v. *parentithèmi* = er tussen in plaatsen, v. **1 para-**, en Gr. *en* = in, en *tithèmi* = zetten] **1** tussengeschoven zin, tussenzin; **2** teksthaakje; *in parénthesi*, tussen haakjes; in het voorbijgaan gezegd.

**pare'ren** [Fr. *parer*, v. Lat. *paráre* = maken dat iets te voorschijn komt, toebereiden, toerusten] versieren, tooien; *ook:* (slag) afweren of ontwijken; (*cul.*) vlees, vis e.d. gelijksnijden; *ook:* ontvellen van vis of ontvliezen van vlees.

**paresthesie'** [v. **1 para-**, en Gr. *aisthèsis* = zintuiglijke waarneming, gevoel, v. *aisthanomai* = waarnemen] (*med.*) valse gevoelswaarneming, bijv. jeuk of kriebeling voelen zonder dat er uitwendige oorzaak is.

**par excellen'ce** [Fr.] bij uitstek, bij uitnemendheid. **par exem'ple**, afk. p.e. [Fr.] bij voorbeeld. **par expres'se**, afk. p. expr. [Fr.] door speciaal gezonden bode. **par for'ce** [Fr.] met geweld. **parfor'cejacht** grote drijfjacht. **par hasard'** [Fr.] toevallig, bij toeval.

**parhe'lium** [v. **1 para-**, en Gr. *helios* = zon] bijzon, d.w.z. heldere vlek aan de hemel op dezelfde hoogte als de zon, doch daarnaast.

**1 pa'ri** [It. *al pari*, v. *pari* = gelijk, Lat. *par*] **I** *bw* gelijk aan waarde; *a pari*, tegen een koers van 100% (tegen de nominale waarde); **II** *zn* gelijke waarde, pariteit.

**2 pari'** [Fr.] weddenschap.

**pa'ria** [v. Tamil-woord *paraiyan* = trommelslager, v. *paral* = trommel] lid v. lage kaste in Zuid-Indië; (*fig.*) sociaal uitgestotene.

**pari' mutuel'** [Fr. = wederkerige inzet] weddenschap waarbij de winnaars de inzetten v.d. verliezers onder elkaar verdelen.

**pa'ri pas'su** [Lat.] met gelijke tred.

**paritair'** [Fr. *paritaire*; zie **pariteit**] *bn & bw* in gelijke mate, in gelijke verhouding, op voet van gelijkheid, evenredig (bijv. vertegenwoordiging); **paritair comité**, (*Z.N.*) comité dat bestaat uit een gelijk aantal vertegenwoordigers v. werkgevers- en werknemersorganisaties voor het bijleggen v. sociale geschillen, het sluiten van cao's e.d.

**1 pariteit'** [Lat. *páritas* = gelijkheid, v. *par* = gelijk] **1** (*alg.*) gelijkheid, spec. gelijkgerechtigheid, rechtsgelijkheid; **2** (*sociaal recht*) gelijke vertegenwoordiging wat aantal betreft van werkgevers en werknemers in commissies op sociaal-econ. gebied; **3** (*effectenhandel*) gelijkheid v. reële en nominale waarde (*vgl.* **1 pari**); waardeverhouding van munten van verschillend metaal; gelijkwaardigheid v.d. koersen van een zelfde effect op verschillende beurzen in verschillende landen, daarbij rekening houdend met wisselkoersen, coupures, kosten e.d.; **4** (*wisk.*) de eigenschap v. hele getallen even of oneven te zijn; **5** (*kernfysica*) quantumgetal dat de waarden +1 of −1 kan hebben, en dat het gedrag beschrijft van een golffunctie bij spiegeling ten opzichte v.d. oorsprong (*ruimte-inversie*), waarbij alle plaatscoördinaten door hun tegengestelde waarde vervangen worden.

**2 pariteit'** [v. Lat. *párere* = baren] (*med.*) het aantal kinderen dat een vrouw heeft gebaard.

**par'ka** zie **anorak**.

**parket'** [Fr. *parquet*, lett.: klein park (*parc*) = kleine omheinde ruimte, *ook:* vloer; verklw. van *parc*] **1** *oorspr.:* afgesloten, afgeperkte ruimte; thans nog in het gezegde: *in een lastig parket zitten;* **2** afgezonderde ruimte in rechtszaal voor de vertegenwoordiger v.h. openbaar gezag; thans bureau v.h. Openbaar Ministerie; **3** dit Openbaar Ministerie zelf; **4** bep. zitplaatsen in schouwburg; **5** houten vloerbedekking bestaande uit op een onder-

vloer gelijmde of vernagelde stroken massief hardhout van tenminste 6 mm dikte.

**parlan'do** [It., v. *parlare* = spreken; *vgl.* Fr. *parler*, v. VLat. *paraulàre*, voor *parabolàre; zie* **parabool**] (*muz.*) meer sprekend dan zingend; passage in die trant. **parlement'** [OFr. = het spreken]
volksvertegenwoordiging; (*Z.N.*) druk gepraat. **parlementair'** [Fr. *parlementaire*] **I** *zn* onderhandelaar met vijand; **II** *bn & bw* **1** bij een parlementair behorend (bijv. de parlementaire witte vlag); **2** op een parlement betrekking hebbend, behorend tot de volksvertegenwoordiging; **3** (*fig.*) de vormen in acht nemend zoals die in een parlement gebruikelijk zijn; omzichtig, beleefd (*bijv.:* parlementaire taal gebruiken).

**parlementa'riër** **1** aanhanger v.h. parlementaire stelsel (*parlementarisme*); **2** lid van een parlement. **parlementaris'me** regeringsstelsel met parlement.

**parlemente'ren** [Fr. *parlementer*] onderhandelen, lang heen en weer praten.

**parlesan'ten** [v. Sp. *por los santos* = bij de heiligen] *oorspr.:* vloeken; *thans:* redetwisten, kletsen.

**parlevin'ken** [v. *parlevink* = heen en weer vliegende vink bij vinkenbaan] **1** als kleinhandelaar (marskramer) rondtrekken; *thans* spec. met een bootje langs schepen op stroom varen om de schippers allerlei zaken te verkopen; **2** (*gemeenzaam*) redeneren, praten, koeterwaalsen.

**parmant'**, *ook:* **parman'tig** [v. Fr. *parement* = tooi, v. Lat. *paráre* = aan de dag brengen, toebereiden, optooien] *bn & bw* zelfbewust; fier; flink, met durf.

**parmezaan'** bep. kaassoort [naar It. stad Parma].

**paro'chie** [VLat. *paróchia*, verbastering van *pardécia*, v. Gr. *paroikia* = gebied rond (gods)huis, v. **1 para-**, en Gr. *oikos* = huis, v. *oikeoo* = wonen, huizen] (*rk*) kerkelijke gemeente. **parochiaal'** [VLat. *parochiàlis*, de parochie betreffende. **parochiaan'** [Kerk. Lat. *parochiánus*] lid v.e. parochie. **parochieel'** [als **parochiaal**] van de parochie, de parochie betreffend; in parochies (bijv. indeling).

**parodie'** [Gr. *parooidia*, v. **1 para-**, en *ooidè* = gezang) spottende nabootsing v. iets ernstigs. **parodië'ren** [Fr. *parodier*] spottend nabootsen.

**parô'le** [Fr., v. VLat. *parabola; zie* **parlando**] woord; —*d'honneur*, erewoord.

**paroniem'** [Fr. *paronyme*, v. **1 para-**, en Gr. *onoma* = *onoma* = naam] **I** *bn* stamverwant; **II** *zn* stamverwant woord; term voor woordparen die *bijna* gelijkluidend zijn en stamverwant zijn, zoals steg-steeg, heg-haag; soms geheel gelijkluidend, zoals slot (op deur) en slot (kasteel). *Vgl.* **homoniem;synoniem**.

**paronomasie'** [Lat. & Gr. *paronomasie* = woordspeling, v. **1 para-**, en Gr. *onomazoo* = noemen] **1** gebruik v. gelijkluidende woorden met verschillende betekenis (homoniemen) of van sterk op elkaar gelijkende woorden als stijlmiddel (*bijv.:* hij drinkt een dronk van deze drank); **2** woordspel (*bijv.:* een nietmachine is geen machine die het niet doet).

**parool'** [Fr. *parôle, z.a.*] (*mil.*) erewoord v. gevangene dat hij niet zal vluchten; wachtwoord; leus.

**parousie'** [Gr. *parousia* = het erbij zijn, aankomst, v. **1 para-**, en *ousia* = het zijn, wezen] de wederkomst v. Christus op het einde der tijden.

**paroxis'me** [v. Gr. *paroxusmos*, v. *paroxunoo* = prikkelen, toornig maken, v. **1 para-**, en *oxunoo* = scherpen, v. *oxus* = scherp] hevige (koorts)aanval, hoogste graad v. gemoedsaandoening (bijv. woede), heftige gemoedsuitbarsting. **paroxy'tonon** [Gr. *paroxutonon*, v. **1 para-**, *oxus* = scherp, *tonon* zie **toon**] woord met klemtoon op voorlaatste lettergreep.

**parsec'** [samentrekking van **parallax**, *z.a.*, en **seconde**, *z.a.*] (*astr.*) (symbool pc) afstandsmaat voor afstanden in het heelal buiten ons zonnestelsel. De parsec is de afstand tussen de aarde en een ster die een parallax van 1 boogseconde (1") zou vertonen. Dit komt overeen met 3,2633 lichtjaar.

**pars pro to'to** [Lat. = het deel voor het geheel] redekundige figuur waarbij een deel wordt genoemd doch het geheel wordt bedoeld (bijv. 3 zeilen = 3 schepen; 10 koppen = 10 man).

**parter're** [Fr., v. *par terre* = op de grond, v. Lat. **terra**, *z.a.*] gelijkvloerse verdieping; bep. rang in theater.

**parthenogene'se** [v. Gr. *párthenos* = maagd; *zie* **genesis**] (*biol.*) maagdelijke voortplanting (zonder bevruchting).

**partialiteit'** [Fr. *partialité*; v. *partial* = partijdig, v. *parti* = partij, v. *partir* = verdelen, v. Lat. *partíre*, v. *pars*, *partis* = deel] partijdigheid.

**participe'ren** [Lat. *participáre*, v. *párticeps* = deelachtig, v. *cápere* = vatten] deelhebben, deelnemen. **participa'tie** [Lat. *participátio*] zn deelneming, deelachtigheid. **participant'** [Fr. = o.dw van *participer*] deelhebber, aandeelhouder. **partici'pia** [Lat.] (*taalk.*) deelwoord; *participium praeséntis*, tegenwoordig (onvoltooid) deelwoord; *participium perfécti*, verleden (voltooid) deelwoord.

**particularis'me** (v. Lat. *particuláris* = een gedeelte betreffend, particulier, v. *partícula*, verkleinwoord v. *pars*, *partis* = deel] het bijzonder belang boven het algemeen stellen, streven om zelfstandig te blijven zonder aan algemeen belang mede te werken.

**particularist'** [Fr. *particulariste*] aanhanger v.h. particularisme. **particulariteï'ten** (Fr. v. *particularité*) bijzonderheden, nadere omstandigheden. **particulier'**, afk. **part.** [Fr., v. Lat. *particuláris*] **I** *bn* bijzonder, persoonlijk, apart, privaat, van persoon tot persoon; niet-ambteloos burger, niet-handelaar. **partieel'** [Fr. *partiel*] gedeeltelijk. **parti'kel** [Lat. *partícula*, verklw. v. *pars*, *partis* = deel] **1** klein materiedeeltje; **2** (*taalk.*) redeel, kort woord, zoals bijwoorden, voegwoorden, voorzetsels.

**par'tim** [Lat.] gedeeltelijk, deels. **parti-pris'** [Fr. = *lett.*: partij genomen (gekozen)] vooroordeel, v. vooropgestelde mening, vooringenomenheid. **parti'tie** [Lat. *partítio*, v. *partíri* = verdelen] verdeling, partituur.

**partituur'** [Fr. MLat. *partitúra* = *eig.*: strijd v. even sterke partijen, v. Lat. *partítus* = goed verdeeld] (*muz.*) alle partijen v.e. muziekwerk bij elkaar. **partizaan'** [Fr. *partisan*, v. lt. *partigiano*] gewapend burger als lid v. een ongeregelde militaire groep, verzetsstrijder, guerrillastrijder. **part'ner** [Eng., waarsch. andere vorm v. *parcener* = mede-erfgenaam, v. MLat. (*parti(ti)onárius*, v. Lat. *partítio*, *zie* **partitie**] deelgenoot, maat; (*alg.*) degene met wie men handelt (*handelspartner*), een gesprek voert (*gesprekspartner*), speelt, danst, gehuwd is (*huwelijkspartner*) of samenleeft. **part'nerschap** [Eng. *partnership*] deelgenootschap, het deelhebben, spec. van werknemers in de winst van het bedrijf, participatie. **part-ti'me** [Eng. = gedeeltelijke tijd] *bn & bw* voor slechts een deel van de volledige werktijd (tegenover *full-time*). **part-ti'mer** persoon die slechts een gedeeltelijke dagtaak of werktaak heeft. **part-ti'me-werk** [Eng. *part-time work*] deeltijdwerk.

**par'tus** [Lat., v. *párere*, *partum* = te voorschijn brengen, baren] bevalling.

**partuur'** [OFr. *parture*, v. Lat. *par* = gelijk, gelijk in sterkte; paar, tegenpartij, v. MLat. *partitúra*; *zie* **partituur**] (persoon die met een ander een paar kan vormen) gelijke, evenknie, gelijkwaardig tegenstander.

**paru're** [Fr., v. *parer* = versieren, Lat. *paráre* = te voorschijn laten komen, bereiden,

toerusten, goed inrichten] **1** tooi, opschik; **2** (*cul.*) afsnijdsel van vis of vlees.

**parvenu'** [Fr., v. *parvenir* = Lat. *per-veníre* = aan-komen] opkomeling, wie naar een hogere maatschappelijke klasse is opgeklommen maar zich niet daarnaar weet te gedragen.

**pa'sar** [Mal.] markt; overdekte marktplaats in Indonesia. **pa'sar ma'lam** kermis; feestelijke samenkomst, m.n.v. Ind. mensen in Nederland.

**pascal'** (symbool Pa) eenheid van druk en mechanische spanning in het SI-eenhedenstelsel (SI = Fr.: *Système International*). 1 Pa = 1 newton per vierkante meter [naar Blaise Pascal, Fr. wiskundige, fysicus en wijsgeer, 1623-1662]. (N.B. 1 Pa = 0,00001 bar = 0,01 millibar. In de meteorologie gebruikt men ook *hectopascal* (100 Pa) i.p.v. millibar.)

**pas-de-deux'** [Fr. = *lett.*: dubbelstap] bep. dans in 2/4 maat (*vgl.* **pas-de-doble**).

**Pa'sen** [via kerk. Lat./Gr. *Pascha*, v. Hebr. *pesach* = voorbijgang] christelijk feest waarbij het lijden, de dood en de verrijzenis van Christus worden herdacht.

**pasigrafie'** [v. Gr. *pas* = ieder; *pan, pasis* = geheel, *graphoo* = schrijven] *eig.*: het schrift voor iedereen; algemeenschrift, wereldschrift; tekenschrift om bep. ideeën uit te drukken zonder van een bep. taal gebruik te maken. Bijv. de internationale verkeerstekens, de Arabische cijfers, het notenschrift enz.

**pa'sja** [Turks *pasha*, vermoedelijk v. Perzisch *padisjah* (*vgl.* **sjah** = koning)] **1** *oorspr.*: titel sinds de 14e eeuw in het Osmaanse Rijk van de hoogste burgerlijke en militaire waardigheidsbekleders. In het Turkse Rijk was de titel later voorbehouden aan de sultan. De titel is thans overal afgeschaft; **2** (*fig.*) man die de baas speelt over een aantal vrouwen; **3** (*biol.*) naam voor de leider van sommige troepen dieren (*bijv.*: herten; bep. apen).

**paskwil'** [v. lt. *Pasquillo*, verklw. van *Pasquino*, een beeld te Rome, waarop men spotdichten aanplakte] **1** *trans*: schotschrift, anoniem lasterschrift, pamflet; **2** iets belachelijks, dwaze vertoning; **3** bespottelijk of zonderling persoon.

**pa'so-do'ble** [Sp. = *lett.*: dubbel-stap] bep. Sp. dans in 2/4 maat (*vgl.* **pas-de-deux**).

**passaat'** [woord gevormd naar Fr. *passade* = overtocht, het overtrekken] naam voor de constante wind, tussen de subtropische hogedrukgebieden en de stiltegordel rond de evenaar (*doldrums*).

**passa'bel** [Fr. *passable*; *vgl.* *-abel*] *bn & bw* ermee doorkunnend, vrij goed, draaglijk.

**passaca'glia** [It., v. Sp. *pasacalle*, v. *pasar* = lopen, en *calle* = straat] is het Fr. **passacail'le**, **1** *oorspr.* 'straatlied', een Sp. gitaarlied in 3/4 maat; **2** oude statige dans in 3/4 maat, met vele variaties in diverse landen; **3** muziek daarbij.

**passa'ge** [Fr., v. *passer*] doortocht, overvaart; voorbijtrekkend verkeer; overdekte winkelstraat; gedeelte uit geschrift, dichtwerk of muziekstuk. **passagier'** [Fr. *passager*] reiziger in publiek vervoermiddel.

**passagie'ren** (door zeelieden) tijd aan wal doorbrengen met ontspanning. **passant'** [Fr. = o.dw van *passer*] wie op doorreis is, voorbijganger; lus om iets (bijv. riem) onderdoor te steken. **passa'to**: *de 10e —*, de 10e van vorige maand. **passé** [Fr., v. *passer*] verouderd, uit de tijd.

**passement'** [Fr.] belegsel, tressen of garnering v. goud- of zilverdraad.

**pas'se-partout'** [Fr. = *lett.*: past overal] loper, sleutel waarmee men vele sloten kan openen; lijst v. karton binnen (of: als) schilderijlijst; doorlopende kaart voor diverse uitvoeringen en voorstellingen (perskaart); *ook*: algemene term in plaats van bijzondere.

**passerel'le** [Fr., v. *passer*] smalle loopbrug voor voetgangers.

**pas'sie** [Lat. *pássio*, v. *páti* = lijden, *pássus sum*

= ik heb geleden] **1** het lijden, spec. het laatste lijden van Jezus; voorstelling daarvan; oratorium daarover (*bijv.: Matthäus Passion* van J.S. Bach); **2** hartstocht, hartstochtelijke liefde; **3** hartstochtelijke liefhebberij, zucht die tot hartstocht geworden is. **passief'** l *bn & bw* **1** lijdend; **2** lijdelijk, zich niet uitend in daden (*bijv.*: passief toezien); **3** (*chem.*) niet actief reagerend (*bijv.*: passief ijzer reageert niet met sommige zuren, wordt er niet door aangetast door vorming v.e. beschermend laagje); **4** (*hand.*) meer schulden dan bezittingen hebbend; *passieve handelsbalans*, handelsbalans van een land waarbij de invoer groter is dan de uitvoer. **pas'sief**, *mv* **passi'va** ll *zn* **1** wat men schuldig is, de lasten, de schulden die betaald moeten worden; **2** (*spraakk.*) [Lat. *passivum*] de lijdende vorm van het werkwoord.

**pas'sim** [Lat. = *lett.*: uitgespreid, wijd en zijd] *bw* op vele plaatsen, verspreid (gebruikt bij aanhalingen, *bijv.*: hij is aangehaalde werk passim).

**passiona'to** [It., v. MLat. *passionátus, zie passie*] (*muz.*) hartstochtelijk. **passione'ren** *ww*: *zich passioneren* [Fr. *se passionner*] in hartstocht op drift geraken, in vuur geraken, zich geheel laten meeslepen; *gepassioneerd*, hartstochtelijk, door een sterke hartstocht meegesleept.

**passi'va** [Lat. = onz. *mv* van *passivus* = lijdend] de negatieve bestanddelen van een vermogen, m.a.w. de schulden (tegenover *activa*). **passiviteit'** [Fr. *passivité*] **1** (*alg.*) lijdelijke toestand; lijdelijkheid; **2** (*chem.*) de eigenschap van bep. onedele metalen (ijzer, aluminium, nikkel e.a.) zich onder bep. omstandigheden veel minder reactief te zijn dan met hun plaats in de elektrochemische spanningsreeks overeen zou komen.
**passive'ren** *ww* (*tech.*) een procédé om metaaloppervlakken tegen corrosie te beschermen. Zo wordt staal gepassiveerd door het met verdund fosforzuur te behandelen. **passi'vum**, afk. **pass.** [Lat.] de lijdende vorm van een werkwoord.

**pas'sus** [v. Lat. *pássus* = schrede, stap, pas] korte samenhangende passage, aaneengesloten deel v.e. tekst in een boek of geschrift; zinsnede.

**pas'ta** [v. OFr. *paste*, It. *pasta* = deeg] **1** (*alg.*) dikke zalfachtige massa, een heterogeen mengsel v.e. vloeistof en een (meestal fijnverdeelde) vaste stof, met een zodanige consistentie dat het nauwelijks vloeit (een grote viscositeit heeft). Een bekend voorbeeld is tandpasta; **2** (*tech.*) een zeer visceuze suspensie van een polymeer in een vloeistof, o.a. voor het coaten van papier en weefsels, voor centrifugaal gieten en voor dompelen. **pastei'** [v. OFr. *pastée*, v. VLat. *pastáta* = gekneed deeg; *zie* **pasta**] **1** hol baksel van deeg met deksel, gevuld met fijn gehakt vlees e.a. ingrediënten en daarna in oven gaar gemaakt; **2** (*typ.*) uit elkaar gevallen zetsel; in vaktaal: 'het zetsel is in de pastei gevallen'. **pastel'** [Fr., v. It. *pastello* = uit deeg of pasta vervaardigd] **1** kleurstift, geperst uit een waterhoudende kleipasta, gemengd met een pigment (kleurstof) en gom; **2** tekening gemaakt m.b.v. een dergelijke kleurstift. **pastel'kleuren** of **pastel'tinten**, zachte, weinig geconcentreerde kleuren of tinten.
**pasteurise'ren** *ww* een consumptieartikel zo verhitten dat het in gunstige eigenschappen behoudt, maar schadelijke micro-organismen worden gedood; het artikel is op deze wijze langer houdbaar. Bij pasteuriseren worden niet alle micro-organismen gedood (zoals bij *steriliseren, z.a.*). Pasteurisatie wordt in de zuivelindustrie algemeen toegepast. Naar gelang van de bestemming v.d. melk wordt deze gedurende 15 sec. op 72° C verhit (*laagpasteurisatie*), of gedurende enkele sec. op 85° C (*hoogpasteurisatie*). [Naar Louis Pasteur, Fr. chemicus en bacterioloog,

1822-1895.] **pasteurisa'tie** *zn.*
**pasti'che** [Fr., v. It. *pasticcio* = pastei, v. *pasta, z.a.*] bedrieglijke namaak (v. kunstwerk) (eig. muzikale potpourri).
**pastil'le** [Fr., v. Lat. *pastíllus* = kogeltje, balletje] tablet, samengeperst geneesmiddel (*eig.*: deegballetje met suiker en vruchtesap, vaak om de smaak van het erin verwerkte geneesmiddel te camoufleren)
**pastinaak'**, *ook*: **pinksterna'kel** [v. Lat. *pastináca* = *eig.*: wortel; *ook*: keukengroente] de plantesoort *Pastináca sativa* uit de Schermbloemenfamilie (Umbelliferae). Deze plant nam vroeger de plaats van de aardappel in. Thans vnl. als veevoeder gebruikt.
**pastoor'** (*rk*) hoofdpriester v.e. parochie of v.e. bep. groep (bijv. studentenpastoor), thans in vele streken **pastor** genoemd. **pas'tor** (*mv* **pasto'res**) [v. Lat. *pástor* = herder, v. *páscere, pástum* = (laten) weiden, voederen] **1** (*rk*) geestelijk herder, zielzorger, rk priester (ook een die geen hoofdpriester is, bijv. een kapelaan) of een voor de zielzorg opgeleid persoon die geen priester is, maar bep. functies mag uitoefenen; **2** (*prot.*) predikant, dominee.
**pastoraal'** [v. Lat. *pastorális* = tot de herders behorend] *bn* **1** herderlijk, landelijk; **2** betrekking hebbend op een zieleherder of op de zielzorg. **pastora'le** [It.] herdersdicht, herdersspel; *de Pastorale*, naam voor de 6e symfonie van Ludwig van Beethoven (daar deze het leven op het land vertolkt). **pastorie'** [v. Lat. *pastória*, vr. v. *pastórius* = tot de herder behorend] ambtswoning van pastoor of predikant.
**pat** [v. It. *patto* = gelijk, quitte, v. Lat. *páctum*; *zie* **pact**] (*schaken*) situatie waarbij de koning weliswaar niet schaak staat, maar de speler die aan zet is geen enkele zet kan doen zonder zijn koning schaak te zetten. De partij is dan remise.
**patch'work** [Eng.] (*handwerk*) lapjeswerk.
**pâ'te** [Fr.; *zie* **pastei**] **1** verflaag van een schilderij; **2** deegachtig mengsel; **3** (*cul.*) deeg, beslag. **pâté** [Fr.] (*cul.*) pastei, vrij vaste maar smeerbare massa van gemalen vlees, lever e.d.
**pateel'** [v. OFr.] (*Z.N.*) platte schotel.
**pateen'** [Lat. *paténa*, v. Gr. *patané* = schotel] (*rk*) schaaltje van goud of verguld zilver om tijdens de eucharistieviering de hostie op te leggen.
**patent'** [Lat. *pátens, -éntis* = open; o.dw van *patére* = open zijn, zichtbaar zijn] l *bn* uitstekend; ll *zn* [Fr. *lettre patente* = Lat. *lítera patens* = open brief] vergunningsakte; brief waarin uitvinder bep. rechten worden verleend (octrooi). **patente'ren** [Fr. *patenter*] patent verlenen.
**pa'ter**, *mv* **pa'tres** [Lat. = vader] **1** (*rk*) titel en aanspreektitel van een priester die behoort tot een orde of congregatie (Ned. *mv* paters); **2** (in enkele nog gebruikelijke uitdrukkingen): *páter famílias* of *familiae*, huisvader, de vader als gezinshoofd; *páter pátriae*, vader des vaderlands. **paternalis'me** [v. Lat. *patérnus* = voogd] bevoogding. **paternalis'tisch** *bn* op de wijze van het paternalisme.
**paternos'ter** [v. kerk. Lat. *Páter nóster* = Onze Vader] **1** het onzevader (gebed); **2** (*rk*) rozenkrans, bep. lusvormig gebedssnoer; **3** ketting zonder einde (met schepbakken e.d.); **4** bep. soort open lift (paternosterlift); **5** (*slang*): paternosters, handboeien.
**pathé'tique** [Fr., via VLat. v. Gr. *pathétikos; zie* **pathos**; v. *paschoo* = ondervinden, beleven] (*muz.*) pathetisch. **pathe'tisch** [Gr. *pathétikos*] gevoelvol, hartroerend; hartstochtelijk; hoogdravend.
**-pathie** [v. Gr. *-patheia* = -aangedaan zijn, -lijden; *zie* **pathos**; v. *paschoo* = ondervinden, lijden] -ziekte, -aandoening, -lijden.
**patho-** [v. Gr. *pathos* = ondervinden, lijdend, het lijden, ziekte] ziekte-. **pathogeen'** [v. Gr. stam *gen-* = voortbrengen] ziekteverwekkend. **pathogenie'** leer v.h. ontstaan der ziekte. **pathologie'** [*zie* **-logie**] ziekteleer.

**patholo'gisch 1** de ziektenleer betreffend; **2** ziekelijk [bijv. —e neiging). **patholoog'** [*zie -loog*] beoefenaar der pathologie. **patholoog'-anatoom'** [*zie* **anatomie**] medisch specialist die secties op lijken verricht om de doodsoorzaak vast te stellen (spec. in gevallen van misdrijf) óf ziek weefsel onderzoekt dat bij operaties verwijderd is.

**pa'thos** [Gr. = wat men ondergaat, aandoening, stemming, hartstocht, v. *paschoo* = ondergaan (zowel lot, leed, ziekte, smart als gemoedsaandoening e.d.)] hartstochtelijkheid, hoogdravendheid, gezwollenheid.

**patien'ce** [Fr. = *lett.*: geduld, v. Lat. *patiéntia* = duldzaamheid, v. *patiens*, *-iéntis* = duldend, lijdend, v. *pati* = dulden, lijden] kaartspel voor één persoon. **patiënt'(e)** [Fr., v. Lat. *patiens*, *-iéntis*; *zie vorige*] persoon onder geneeskundige behandeling, zieke; persoon die iets onaangenaams moet ondergaan. **patiën'tie** [Lat. *patiéntia*] geduld.

**pa'tina** [It., *vgl.* Fr. *patine*, verdere afl. onzeker] laag door inwerking v. zuurstof, water en ev. koolzuur ontstaan op oud brons, koper, tin e.d. **patine'ren** [Fr. *patiner*] patina krijgen; kunstmatig v. patina voorzien.

**pa'tio** [Sp.] binnenhof.

**patisserie'** [Fr. *pâtisserie*, v. *pâte* = **pastei**, *z.a.*] banketgebak; banketbakkerij. **patissier'** [Fr. *pâtissier*] banketbakker.

**pat'jakker** [mogelijk een verbastering v. Javaans en Mal. *badjag* = zeerover] liederlijke vent, gemene kerel, smeerlap, schurk, slampamper; *ook*: deugniet.

**patois'** [Fr.] platte taal v. h. land.

**pa'tres** [Lat.] *mv van* **pater**, *z.a.* **pa'tria** [Lat. *pátria* (*térra*) = (land) van de vader] vaderland. **patriarch'** [Lat. *patriárcha*, Gr. *patriarchès*, v. Gr. *patria* = familie (v. *patèr* = vader), en *archès* = bestuurder, hoofd, v. *archoo* = de eerste zijn; *archè* = begin] **1** aartsvader; **2** hoofd van een patriarchaat. **patriarchaal'** **1** aartsvaderlijk; **2** patriarchaat betreffend. **patriarchaat'** [MLat. *patriarchátus*] (*rk*) **1** kerkelijk gebied dat verscheidene aartsbisdommen omvat; **2** waardigheid van patriarch; **3** ordening in familieleven waarbij de mannelijke linie een overheersende plaats inneemt. **patri'ciër** [Lat. *patricius* = van de oudste geslachten v. afstamming, v. *páter* = vader, *mv pátres* = edelen, de senatoren] **1** in het oude Rome: adellijk burger; **2** lid van een oude aanzienlijke familie, aanzienlijke. **patri'cisch** aanzienlijk, voornáám, van of als een patriciër.

**patrimo'nium** [Lat.] vaderlijk erfdeel; erfgoed der vaderen. **patrimoniaal'** [Lat. *patrimoniális*] tot het patrimonium behorend.

**patriot'** [Fr. *patriote*, Lat. *patriota*, v. Gr. *patriootès*, v. *patrios* = v.d. vader(en) geërfd, v. *patèr*, *patros* = vader] vurig vaderlander. **patriottis'me** vurige liefde voor het vaderland.

**patristiek'** [Fr. *patristique*, v. Gr. *patèr*, *patros* = vader] kennis v. geschriften en leer der kerkvaders (ook: **patrologie**). **patronaat'** [v. VLat. *patronátus*; *zie* **1 patroon**] **1** beschermheerschap; **2** (*rk*) vooral vroeger bep. jeugdvereniging, meestal o.l.v. een priester; **3** gebouw daarvoor. **patrona'ge** [Fr.] beschermheerschap. **patrones'** [Fr. *patronesse*; *zie* **1 patroon**] beschermvrouwe; vr. beschermheilige.

**patroniem'** [Lat. *patronýmicum* (*nómen*), v. Gr. *patroonúmikon*, v. *patèr*, *patros*, en *onuma* = *onoma* = naam] familienaam afgeleid van de eigennaam of de (voor)vader (bijv.: Jansen, Pieterse).

**1 patroon'** [Lat. *patrónus* = beschermheer, verdediger, v. *páter*, *pátris* = vader] **1** beschermheer; **2** (*rk*) beschermheilige (v. parochie, v. vakvereniging, v. groep, tegen bep. ziekten e.d.); **3** (woordontwikkeling uit 'beschermheer'): superieur, meester; *ook*: werkgever, baas.

**2 patroon'** [v. hetzelfde Lat. *patrónus*, die niet alleen beschermer van maar ook voorbeeld voor zijn zoon moet zijn] **1** model, voorbeeld, spec. een model voor het knippen van stof ter vervaardiging van kledingstuk (knippatroon); **2** versierende tekening op weefsel, op behang, bij metselwerk enz.; **3** (*bij uitbreiding*) naar aantal geordende gegevens die in een situatie inzicht geven (*bijv.*: het verbruikspatroon van een artikel).

**3 patroon'** [betekenisontwikkeling uit **2 patroon**] *oorspr.*: bep. hoeveelheid kruit die de daartoe dienende papieren huls kon bevatten. Ook toen de geweerkogels met hun huls en slaghoedje de huidige gedaante hadden, bleef de naam 'patroon' bestaan.

**patrouil'le** [Fr., v. *patrouiller* = *oorspr.*: in modder ronddwalen, v. vroeger Fr. *patrouiller*; *vgl.* OFr. *patoueil* = poel] *zn* **1** het patrouilleren; **2** loopwacht, wachtronde; **3** kleine groep soldaten in oorlog uitgezonden om posities v.d. vijand op te sporen en te verkennen; idem in vredestijd om wanordelijkheden te voorkomen; **4** eenheid bij padvinders (verkenners), bestaande uit 6 tot 10 jongens of meisjes. **patrouille'ren** *ww* [Fr. *patrouiller*] de wachtronde doen; op patrouille gaan of zijn; (van oorlogsvaartuigen): in een beperkt gebied rondkruisen ter verkenning en bewaking.

**pat'stelling** [*zie* **pat**] (term ontleend aan het schaakspel) toestand in een conflictsituatie waarin de onderhandelingen zijn vastgelopen; ook in oorlog: situatie aan het front waarbij geen der partijen een verantwoorde manoeuvre kan uitvoeren.

**pau'ca sed bo'na** [Lat.] weinig maar goed. **pau'cis ver'bis** [Lat.] met weinig woorden.

**pauk** [Du. *Pauke*] keteltrom. **paukenist'** wie de pauk slaat.

**pau'per** [Lat.; *vgl. paucus* = weinig] arme, wie tot de laagste maatschappelijke klasse behoort. **pauperise'ren** verarmen, tot de rang v. pauper afdalen. **pauperis'me** staat v. zware armoede.

**paupiet'te** [Fr. = 'blinde vink'] (*cul.*) rolletje vlees, rolletje vis (bijv. van haringfilets).

**pava'ne** [Sp. *pavana*; It. *padovana* of *paduana* = van Padua] Fr. dans uit de 16e eeuw, óf van Sp. óf van It. oorsprong, een langzame dans in tweedelige maat, meestal besloten met een snellere nadans in $^2/_4$ maat, de gaillarde of de saltarello.

**pavoise'ren** [Fr. *pavoiser*, v. *pavois* (It. *pavese*) = groot schild; *vgl.* op het schild verheffen = bekleden met souvereine macht, *vandaar*: bekleden met versierselen] met vlaggen en vlaggetjes versieren.

**pa'vor noctur'nus** [modern Lat.] *lett.*: nachtelijke angst; (*med.*) een spec. bij jonge kinderen voorkomende angsttoestand in de nacht bij dromen van een nachtmerrieachtig karakter.

**paya'bel** [Fr. *payable*] *bn* betaalbaar.

**pay'-cable** [Eng.] spec. kabeltelevisienet waarbij de kijker tegen extrabetaling bep. programma's kan kiezen.

**pay'ing guest** [Eng.] betalend logé, als gast inwonend persoon die voor kost en inwoning betaalt.

**paysan'ne** [v. Fr. *à la paysanne* = op zijn boers] rond of halvemaanvormig schijfje van aardappel, raapje, selderieknol of wortel.

**peau-de-pêche** [Fr. = *lett.*: perzikhuid; *peau* v. Lat. *pellis* = vel, pels; *pêche* = perzik] bep. weefsel als imitatie v. peau-de-Suède.

**peau-de-Suède** [Fr. = *lett.*: leer v. Zweden] leer v. kalfsvel, dat aan vleeszijde fluweelachtig is gemaakt.

**peccadil'le** [Fr., v. Sp. *peccadillo*, verklw. v. *pecado*, Lat. *peccátum* = zonde] *lett.*: kleine zonde; vergeeflijke fout. **pecca'vi** [Lat.] ik heb gezondigd.

**pecti'nen** *mv* [v. Gr. *pèktos* = gestold, v. *pègnumi* = vast maken, stijf worden] een groep plantaardige stoffen met een hoog

molecuulgewicht, verwant met
polysacchariden. Het zijn derivaten van
koolhydraten. Ze komen voor in de wand van
plantecellen. (Zie **gel**.) Naar vormen ze
gemakkelijk gelen (*zie* **gel**).
**pectoraal'** [Lat. *pectorális*, v. *pectus, péctoris*
= borst] de borst betreffend.
**pecu'nia** [Lat., v. *pecus* = vee (de oude vorm
v. bezit en rijkdom)] geld; — *non olet*, geld
stinkt niet. **pecuniair'** [Fr. *pécuniaire*, v. Lat.
*pecuniáris*] geld betreffend. **pecunieel'** [Lat.
*pecuniális*] geldelijk.
**pedaal'** [It. *pedale*, v. Lat. *pedális* = tot de voet
(*pes, pedis*) behorend] hefboom die met de
voet bewogen wordt; voetregister (v. orgel),
voetklavier (v. piano); trapper (v. fiets);
gastoevoer of voetrem van auto. **pedale'ren**
[Fr. *pédaler*] trappen, fietsen, wielrennen;
peddelen. **pedaleur'** [Fr. *pédaleur*] fietser,
wielrenner.
**pedagogie(k)'** [Fr. *pédagogie*, v. Gr.
*paidagogia* v. *pais, paidos* = kind, en *agoo*
= leiden] opvoedkunde. **pedago'gisch** [Gr.
*paidagooigikos*] opvoedkundig; opvoedend.
**pedagoog'** [Gr. *paidagoogos*]
opvoedkundige; onderwijzer.
**pedel'** [Du. *Pedel*, v. OGerm. *bidula*, VLat.
*bidéllus* = gerechtsbode; *vgl.* Ned. *beul*]
universiteitsbode; administratief ambtenaar
aan een universiteit die aangelegenheden
betreffende studenten regelt; *ook*: bode v.e.
studentencorps.
**pederastie'** [Gr. *paiderastia*, v. *pais, paidos*
= kind; *hier*: knaap, en *erastès* = minnaar; *zie*
**erotiek**] knapenschennis; het zich openlijk
aanbieden door jonge knapen (in het oude
Griekenland) voor homofiele seksuele
contacten tegen een geldelijke vergoeding (de
zgn. schandknapen).
**pedestal** *zie* **piëdestal**.
**pediatrie'** [v. Gr. *pais, paidos* = kind; *zie*
**-iatrie**] kindergeneeskunde. **pedia'ter**
kinderarts.
**pedicu're** [Fr. *pédicure*, v. Lat. *pes, pedis*
= voet] voetverzorging; voetverzorger of -ster.
**pedigree'** [Eng., vroeger *pedegru*, waarsch. v.
Fr. *pied de gru* = voet v. kraanvogel (v. Lat.
*pes, pedis* = voet, en *grus* = kraanvogel)
= teken v. opvolging in stamboom]
stamboom, genealogische tabel.
**pedofilie'** [v. Gr. *pais, paidos* = kind, en
*phileoo* = beminnen] overheersende voorkeur
voor seksueel contact met kinderen. **pedofiel'**
I *bn* de instelling van pedofilie hebbend; II *zn*
persoon met sterke gerichtheid op (seksuele)
relaties met kinderen.
1 **pedologie'** [v. Gr. *pais, paidos* = kind; *zie*
**-logie**] wetenschap omtrent kinderen.
**pedolo'gisch** de pedologie betreffend.
**pedoloog'** [*zie* **-loog**] beoefenaar v.d.
kinderstudie.
2 **pedologie'** [v. Gr. *pedon* = bodem]
bodemkunde.
**pedome'ter** [Fr. *pédomètre*, v. Lat. *pes, pedis*
= voet; *zie* **meter**] voetmeter, afstandsmeter
voor wandelaars.
**peep'show** [v. Eng. *to peep* = gluren]
gelegenheid met cabines die tegen betaling
uitzicht bieden op naakte meisjes.
**peer** [Eng., v. Lat. *par* = gelijk] lid v.e. der
rangen v.d. Eng. adel.
**pe'gel** [v. MNed. *peghel* = knopje boven in een
maatvat om aan te geven hoever dit gevuld
moest worden voor de juiste maat]
1 merkteken voor vloeistof- of waterstand;
2 (*oorspr. studententaal, ook: pegulant'*, thans
*gemeenzaam*) gulden, geld.
**peignoir'** [Fr., v. *peigner* = v. Lat. *pectináre*, v.
*péctere* = kammen] *eig.*: kapmantel;
ochtendjapon.
**peintu're** [Fr., v. Lat. *pictúra* = het schilderen,
v. *píngere, pictum* = schilderen] manier v.
schilderen.
**pejoratief'** [Fr. *péjoratif*, v. Lat. *pejoráre*
= slechter maken, erger worden, v. *pejor*
= vergrotende trap v. *malus* = slecht] I *bn* met

ongunstige betekenis; II *zn* woord dat
ongunstige betekenis gekregen heeft; *bijv.*:
slecht, vroeger: eenvoudig, *thans*: niet goed.
**pelagianis'me** leer v. Pelágius (5e eeuw) die
de erfzonde loochende en inhield dat de mens
uit eigen kracht het heil kon verwerven.
**pela'gisch** [Lat. *pelágius*, v. *pélagus*, Gr.
*pelagos* = zee] in de zee gevormd of in de
diepzee levend.
**pêle-mêle** [Fr. *mêle* waarsch. v. *mêler*
= mengen, v. VLat. *misculáre*, v. Lat. *miscére*]
I *bw* dooreengemengd, hudje-mudje; II *zn*
mengelmoes.
**peleri'ne** [Fr. *pèlerine*, vr. van *pèlerin*
= pelgrim, z.a.] schoudermantel. **pel'grim**
v. Lat. *peregrínus* = vreemdeling, v. *péregre*
= naar of uit de vreemde, v. *péreger* = over land
weggereisd, v. *per* = door, en *ager* = akker,
veld] bedevaartganger. **pelgrima'ge** (*vgl.* Fr.
*pèlerinage*) bedevaart.
**pella'gra** [missch. v. It. *pelle agra* = ruwe huid;
of v. Gr. *pella* = huid, en *-agra* naar analogie
v. **podagra** e.d.] ziekte veroorzaakt door
gebrek aan bep. voedingsstoffen en
gekenmerkt door huidverval.
**peloton'** [Fr. = *eig.*: kluwentje, v. *pelote*, v. Lat.
*pillula* = balletje (*vgl.* Ned. *pil*), v. *pila* = bal]
1 (*mil.*) kleine afdeling soldaten (onder
aanvoering v. luitenant); 2 (*sport*) hoofdgroep
v. wielrenners bij wedstrijd.
**pe'luw** [Lat., *pulvinus*] langwerpig kussen ter
verhoging v. matras.
**pem'mican** [v. N-Am. Indiaans *pimecan*, v.
*pime* = vet] gedroogd vlees tot poeder
gemalen en met vet tot koeken geperst.
**pemfi'gus** [v. Gr. *pemphix, -igos*
= ademtocht, waterbel] bep. huiduitslag met
vochtblaasjes.
**penaal'**, *ook*: **poenaal'** [v. Lat. *poenális* = tot
de straf (*poena*) behorend; *vgl.* Lat. *poina*
= boete] *bn* betrekking hebbend op het
strafrecht, staande onder strafsanctie; *penale
wetten*, strafwetten. **penaliteit'** [MLat.
*poenálitas*, Fr. *pénalité*] straf, strafbepaling.
**pen'alty** [Eng.] (*sport*) straf voor bep.
inbreuk op de spelregels, spec. *penalty-kick*
= strafschop.
**penant'** [OFr. = pijler] 1 steunpijler in het
fundament v.e. bouwwerk; 2 brede muurstijl,
tussenmuurvlak tussen vensters of tussen
venster en deur.
**penant'kast** smalle kast geplaatst tegen een
penant 2. **penant'spiegel** smalle spiegel
tegen een penant 2. **penant'tafeltje** tafeltje
geplaatst tussen twee vensters.
**pena'rie** [*zie* **penurie**] nood, verlegenheid,
spec. geldzorgen.
**pena'ten** [Lat. *penátes*; *vgl. penus* = binnenste
(v. huis)] (*myth.*) beschermgoden v. huis.
**pencee'** amandeling, soort amandelgebak
(niet te verwarren met *pensee, z.a.*).
**pendant'** [Fr. = o.dw van *pendre* = hangen, v.
Lat. *pendére*] 1 tegenhanger, tegenstuk;
2 (*verouderd*) hanger, oorhanger. **pen'del**
[Du. *Pendel* = slinger, v. Lat. *péndulus*
= hanger, v. Lat. *pendére* = hangen]
1 eenvoudige elektrische hanglamp; 2 (*Z.N.*)
wichelroede; 3 regelmatige heen- en
weerdienst over korte afstand. **pen'delen** *ww*
1 heen- en weer reizen van werkenden tussen
woon- en werkplaats; 2 een pendeldienst
onderhouden. **pen'delaar** 1 werknemer die
dagelijks tussen woon- en werkplaats en
neer reist; 2 (*Z.N.*) wichelroedeloper.
**pen'deldienst** regelmatige heen- en
weerdienst over korte afstand van een
vervoersonderneming. **pendelo'que** [Fr. v.
*pendre* = v. Lat. *pendére* = hangen]
1 (*oor*)hanger van edelsteen; 2 kristallen
hanger aan een kroonluchter. **pendu'le** [Fr.,
v. Lat. *péndulus*, *zie* **pendel**] staand
slingeruurwerk, staande (schoorsteen)klok.
**penden'te li'te** [Lat.] hangende de
rechtszaak.
**pe'neplain** [Eng., v. Lat. *paene* = bijna, en
*planus* = vlak] schiervlakte, d.i. een vrijwel

vlak landschap van vrij grote uitgestrektheid, dat oorspronkelijk geaccidenteerd was, maar door erosie thans nagenoeg vlak is.
**penetre'ren** [Lat. *penetráre; vgl. penus* = binnenste, *penítus* = inwendig] dóórdringen, binnendringen. **penetra'tie** [Lat. *penetrátio*] *zn.* penetra'bel [Lat. *penetrábilis*] doordringbaar. **penetrant'** [Fr. *pénétrant*, v. Lat. *pénetrans, -ántis* = o.dw] doordringend.
**peni'bel** [Fr. *pénible*, v. *peine* = straf, moeite, lijden, v. Lat. *poena; zie penaal*] pijnlijk, hachelijk (bijv. situatie).
**penicilli'ne** v. VLat. *penicillium* = schimmel, v. Lat. *penicillus* = **penseel**, *z.a.*] bep. antibioticum, *z.a.*, bereid uit penseelschimmel.
**penin'sula** [Lat., v. *paene* = bijna, en *insula* = eiland; *zie insulair*] schiereiland.
**pe'nis** [Lat. = *oorspr.*: staart; *vgl.* Gr. *peos*] mannelijk geslachtsdeel, roede.
**penitent'** [Lat. *pöenitens, -éntis* = o.dw van *poenitére* = berouw hebben, v. *poena* = genoegdoening] boeteling; biechteling.
**peniten'tie** [Lat. *poeniténtia*] boetedoening, bij biecht opgelegde boetedoening.
**penitentiair'** *bn* de bestraffing betreffend.
**penologie'** of **poenologie'** [v. Lat. *poena* = straf; *zie* -**logie**] leer der straffen, de strafoplegging en de strafmiddelen.
**penolo'gisch** *bn* de penologie betreffend.
**peno'se** of **pino'se**, *ook:* **perno'se** [v. Hebr. *parnosoh* = kostwinning, beroep] (*Jidd., Barg.*) de wereld v.d. misdaad (misdadigers, prostituées en helpers), de onderwereld (*bijv.*: de jongens van de penose); —*prijs*, de door een heler ver beneden de waarde betaalde prijs.
**pen'pal** [Eng.; *pal* = kameraad] correspondentievriend.
**pensee'** [Fr. *pensée*] **1** bep. driekleurig viooltje; **2** als kleur: paarsblauw.
**penseel'** [v. Lat. *penicillum*, verklw. v. *peniculus* = kwast, verklw. v. *penis* = staart] klein (verf)kwastje.
**pensief'** [Fr. *pensif*, v. *penser* = denken, v. Lat. *pensáre* = afwegen, intensitief v. *péndere* = laten hangen (spec. weegschaal), wegen] peinzend, zwaarmoedig mijmerend.
**pensioen'** [Fr. *pension*, v. Lat. *pénsio, -iónis* = het wegen, gewicht, betaling, v. *péndere* = laten neerhangen, wegen] jaargeld na beëindigde diensttijd. **pension'** [Fr., als vorige] kosthuis; kostgeld; kost en inwoning.
**pensionaat'** [Fr. *pensionnat*] kostschool.
**pensiona're** [Fr. *pensionnaire*] leerling v. pensionaat. **pensiona'ris** [MLat. *pensionárius*] (*gesch.*) raadgevend advocaat v. regering tijdens de Republiek der Verenigde Nederlanden. **pensione'ren** [Fr. *pensionner*] ontslaan uit dienstbetrekking met pensioen.
**penta-** [Gr. *pente* = vijf] vijf-. **pentaan'** (*chem.*) bep. verzadigde koolwaterstof, $C_5H_{12}$. **pentagoon'** [Lat. *pentagonum*, Gr. *pentagoonon*, v. *goonia* = hoek] regelmatige vijfhoek. **pentagonaal'** vijfhoekig.
**pentagram'** [Gr. *pentagrammon*, v. *grammé* = lijn, v. *graphoo* = griffen, schrijven] bep. vijfhoekige figuur in één trek getekend (kenteken der middeleeuwse bouwmeesters).
**penta'meter** [Lat. v. Gr. *pentametros; zie* **meter**] vers bestaande uit vijf dactylische voeten (— ∪) (*vgl.* **hexameter**).
**Pentateuch'** [christelijk Lat. *pentateuchus*, v. Gr. *pentateuchos*; laat Gr. *teuchos* = boek] de vijf boeken van Mozes, de eerste vijf van de Bijbel, nl. Genesis, Exodus, Numeri, Leviticus en Deuteronomium. **pentanol'** de eenwaardige alifatische verzadigde alcohol van de formule $C_5H_{11}OH$, een bestanddeel van *foezelolie*. Er bestaan 8 structuurisomeren (*zie* **amylalcohol**). **pentath'lon** [Gr. v. *athlos* = wedstrijd] **1** vijfkamp bij de oude Olympische Spelen (hardlopen, springen, worstelen, discuswerpen, vuistvechten); **2** *thans*: moderne Olympische vijfkamp (zwemmen, paardrijden, veldloop, schermen

en pistoolschieten). **pentho'de** [onregelmatig gevormd van Gr. *hodos* = weg] radio lamp' met vijf elektroden (*vgl.* triode).
**penul'tima (syllaba)**, v. *paenúltima* = bijna, en *últimus* = laatste] voorlaatste lettergreep. **penum'bra** [v. Lat. *umbra* = schaduw] halfschaduw.
**penu'rie** [Lat. *penúria*] nijpend gebrek, grote verlegenheid.
**peon'** [Sp.] boerenknecht, veeknecht, spec. in Zuid-Amerika.
**pep** [Am., v. *pepper* = peper] opwekking; pit, energie. **pep'pil** opwekkend middel, wekamine, spec. amfetamine. **pep'talk** [Eng.] aansporende opmerkingen die opwekken en stimuleren tot meer activiteit, opwekkende speech.
**pepsi'ne**, oude naam voor **pepsa'se** [v. Gr. *pepsis* = vertering, v. stam *pep-* = koken; *zie* -**ase**] enzym dat in de maag gevormd wordt uit het eiwit *pepsinogeen*. Vorming van pepsine heeft plaats o.i.v. zenuwprikkels, door de aanwezigheid van voedsel in de maag en mogelijk ook door het hormoon *gastrine*, dat in de maagwand gevormd wordt.
**per**, afk. p [Lat.] **I** als Lat. *voorvoegsel*: door, doorheen; door en door; *ook*: onder de schijn van; **II** als Lat. *voorzetsel*: door middel van; gedurende; **III** als Ned. *voorzetsel*: **1** door, door middel van, bij, met; *per stuk*, elk stuk afzonderlijk gerekend; **2** (bij tijdbepaling): *per 1 jan.*, met ingang van 1 jan.
**per abu'sum** [Lat.] bij vergissing. **per ac'cidens** [Lat.] bij toeval. **per an'num** [Lat.] gedurende een jaar. **per as'pera ad as'tra** [Lat. = *lett.*: door moeilijke zaken naar de sterren] door lijden tot glorie. **per cas'sa** [It.] contant, in gereed geld.
**perceel'** [Fr. *parcelle*, v. Lat. *particélla* = *particula*, verkleinwoord v. *pars, partis* = deel] stuk land; huis, pand.
**percent'**, afk. pct. [It., v. Lat. *centum* = honderd] ten honderd. *Zie ook* **procent**. **percenta'ge** [Fr.] verhouding ten honderd; deel v.h. geheel uitgedrukt in honderdsten.
**percepti'bel** [VLat. *perceptíbilis*, v. *percípere* = *per-cápere* = in-nemen, in zich opnemen] waarneembaar. **percep'tie** [Lat. *percéptio*] ontvangst, inning (v. geld); bewuste waarneming, bewust waarnemingsbeeld. **percipie'ren** [Lat. *percípere*] innen, in ontvangst nemen; waarnemen.
**percole'ren** [v. Lat. *percoláre, percolátum* = doorsijpelen] (*tech.*) proces waarbij men een grondstof die geëxtraheerd (*zie* **extraheren**) moet worden, enkele malen uittrekt met een extractiemiddel. De stof wordt gebracht in een vat (*percolator*), dat veelal aan de onderzijde nauw toeloopt. Daarna wordt ze overgegoten met de uittrekvloeistof op zodanige wijze dat deze langzaam doorsijpelt.
**per consequen'tiam** [Lat.] bijgevolg. **per couvert'** [Fr.] onder omslag.
**percus'sie** [Lat. *percússio*, v. *per-cútere, -cússum* = heftig slaan, v. *quátere* = schudden] (*med.*) beklopping; schok, botsing; *percussiegolf*, slaghoedje; (*muz.*) slagwerk. **percute'ren** [Lat. *percútere*] (*med.*) bekloppen.
**peremptoir'** [Fr. *péremptoire*, v. *péremption* = vernietiging v. vonnis, v. Lat. *perémptio* = vernietiging, v. *per-ímere, -émptum* = geheel wegnemen, v. *émere* = nemen] afdoend, beslissend (bijv. argument).
**perequa'tie** [v. Lat. *per-aequáre, -átum* = geheel gelijkmaken] het gelijkmaken, vereffening.
**perfect'** [Lat. *perféctus*, v. *perficere, -féctum* = *per-fácere* = door en door maken, voltooien] volmaakt, volkomen, in orde.
**perfecti'bel** [Fr. *perfectíble*] vervolmaakbaar. **perfec'tie** [Lat. *perféctio*] volmaaktheid, volkomenheid. **per'fectief** werkwoord dat de handeling uitdrukt met betrekking tot de voltooiing.
**perfectione'ren** [Fr. *perfectionner*]

vervolmaken, volkomener maken.
**perfectionis'me** overdreven streven om iets
zo goed en volmaakt mogelijk te doen of te
zijn. **perfectionist'** persoon die streeft naar
volkomenheid en nooit tevreden is met een
bestaande toestand of met een resultaat van
zichzelf of van anderen. **perfectionis'tisch**
*bn & bw* van de aard van een perfectionist,
steeds naar iets beters strevend. **perfec'tum**,
afk. **perf.** [Lat. = het voltooide] grammaticale
vorm die aangeeft dat de door het ww
uitgedrukte werking in het verleden heeft
plaatsgehad en op het ogenblik waarop men
spreekt (of schrijft) voltooid is. In het Ned.:
voltooid tegenwoordige tijd.
**perfi'de** [Fr., v. Lat. *pérfidus*, v. *fides* = trouw]
trouweloos; — *Albion*, het trouweloze
Engeland (gezegde v. Napoleon Bonaparte).
**perfidie'** [Fr., v. Lat. *perfidia*] trouweloosheid.
**perfore'ren** *ww* [Lat. *perforáre*, *-átum*
= doorboren] **1** doorboren; gaatjes maken in
papier; **2** dóórbreken (*bijv.*: een abces).
**perfora'tie 1** het perforeren, doorboring;
**2** plaats die geperforeerd is. **perforateur'**
[Fr.] of **perfora'tor** [modern. Lat.]
perforeermachine, toestel om gaatjes in papier
te maken.
**perform'ance** [Eng.] verrichting; vertoning;
prestatie.
**per'gola** [It., v. Lat. *pergula* = vooruitstekend
dak, v. *pérgere* = voortgaan in één richting, v.
*per-* en *régere* = richten] prieelachtige
wandelgang; *ook*: gang in tuin overdekt met
klimplanten die langs palen, stokken, e.d.
geleid zijn.
**pe'ri** [Perzisch] (*myth.*) lieflijke vliegende fee,
beschermgeest.
**peri-** [Gr.] rondom-.
**pericardi'tis** [v. *pericardium* = hartzakje, v. Gr.
*kardia* = hart; *zie* **-itis**] ontsteking v.h.
pericardium (hartzakje).
**perico'pe, perikoop'** [VLat. *pericope*, v. Gr.
*perikopê* = besnoeiing, v. *peri-koptoo*
= rondom afhakken] korte passage, spec. v. H.
Schrift in publieke eredienst voorgelezen
(epistel en evangelie).
**peri'culum** [Lat. = *eig.*: proef, gevaar; *vgl.*
*experíri* = beproeven] gevaar; — *in mora*,
uitstel is gevaarlijk, er is haast bij de zaak.
**periculeus'** [Lat. *periculósus*] *bn & bw*
gevaarlijk, hachelijk.
**periferie'** [OFr., via VLat. v. Gr. *periphereia*
= omtrek, v. **peri-**, en *pheroo* = dragen]
buitenzijde, rand; cirkelomtrek. **perifeer'** zich
aan de periferie bevindend, *perifere*
*zenuwstelsel*, zenuwen (tegenover hersenen
en ruggemerg = centrale zenuwstelsel).
**perifra'se** [Lat. & Gr. *periphrasis*, v. *phrazoo*
= duidelijk maken, tonen] omschrijving.
**perifras'tisch** [v. Gr. *-phrastos*, verbaal
adjectief v. vorige] omschrijvend.
**perige'um** [via VLat. v. laat Gr. *perígeion*, v.
Gr. *gê* = aarde] punt v.d. maanbaan het dichtst
bij de aarde gelegen.
**perihe'lium** [v. Gr. *hélios* = zon] punt v.e.
planeet- of kometenbaan het dichtst bij de zon.
**peri'kel** [Lat. *peri'culum*, *z.a.*] gevaar,
moeilijkheid, avontuur.
**perikoop'** *zie* **pericope, peri'meter** [Lat. &
Gr. *perimetros*, v. Gr. *peri-*, en *metron* = maat;
*zie* **meter**] omtrek (v.e. meetkundige figuur).
**perio'de** [Lat. *periodus*, Gr. *periodos*, v. *hodos*
= weg] tijdvak; terugkerende groep cijfers in
repeterende breuk; (grotere) volzin.
**periodiciteit'** [Fr. *périodicité*] geregelde
terugkeer na bep. tussentijd. **periodiek'** [Fr.
*périodique*, Lat. *periodicus*, Gr. *periodikos*]
**I** *bn* geregeld terugkerend na bep.
tussentijden; — *systeem*, (*chem.*) de
elementen in zodanige volgorde geplaatst dat
diverse eigenschappen periodiek in deze reeks
terugkeren; **II** *zn* tijdschrift.
**peripate'ticus** [Lat., v. Gr. *peripatètikos*, v.
*peri-pateoo* = rond-wandelen] volgeling v.
Aristoteles (naar gewoonte v. Aristoteles om
al wandelende te onderwijzen).

**peripetie'** [Gr. *peripeteia*] plotselinge
ommekeer, beslissende wending in drama.
**periscoop'** [*zie* **-scoop**] kijktoestel om rond
te zien over oppervlak waar men zich zelf
beneden bevindt.
**peristal'tisch** [v. Gr. *peristalsis*, v. *peri-stelloo*
= *lett.*: er rond zenden] afwisselend
samentrekkend en uitrekkend (bijv. beweging
v. darmen).
**peristy'le** [Lat. *peristy'lium*, Gr. *peristulion*, v.
*persítulos* = met zuilen omgeven, v. *stulos*
= zuil] zuilengang, hof met zuilen omgeven.
**per jo'cum** [Lat.] voor de grap.
**perjura'tie** [v. Lat. *per-juráre*, *-átum*
= valszweren, v. *jus, juris* = recht] het
meinedig zweren.
**perkament'** [v. Lat. *pergaména* (*charta*)
= papier v. Pergamum (stad in Klein-Azië)] op
bep. wijze bereide dunne dierehuid om op te
schrijven; stuk daarop geschreven.
**Perm** (*geol.*) **1** het zesde en laatste tijdperk v.d.
eerste geologische hoofdperiode, het
Paleozoicum (Primair). Het Perm volgde op
het Carboon en ging vooraf aan het eerste
tijdperk van het Mesozoicum, de Trias. Het
Perm (onderverdeeld in Rotliegendes en
Zechstein) duurde van 270-225 miljoen jaar
geleden; **2** aardlagen in deze periode gevormd.
**per'mafrost** [Eng., samentrekking van
*permanent* = aanhoudend, blijvend, en *frost*
= vorst] bodemlaag die gedurende het gehele
jaar, ook in de zomer, bevroren is.
**permanent'** [Lat. *pérmanens*, *-éntis* = o.dw
van *per-manère* = voortdurend blijven] **I** *bn*
blijvend, voortdurend; **II** *zn* permanent wave.
**per'manent wa've** [Eng.; *wave* = golf]
(enige tijd) blijvende kunstmatige haargolf.
**permanen'ten** het haar kunstmatig 'blijvend'
golven, krullen.
**permanganaat'** [*zie* **manganium**] zout v.
overmangaanzuur, $HMnO_4$.
**permea'bel** [Lat. *permeábilis*, v. *per-meáre*
= door-gaan, door-dringen] doordringbaar.
**permeta'tie** [verbastering v. Fr. *parentage*,
*z.a.*] verwantschap, familiebetrekking.
**per mil'le** [v. Lat. *mille* = 1000] ten duizende.
**permitte'ren** [Lat. *per-míttere*, *-míssum*
= laten gaan (*míttere* = zenden)] veroorloven,
toestaan. **permis'sie** [Lat. *permíssio*]
vergunning, verlof.
**permuta'tie** [Lat. *permutátio*, v. *per-mutáre*,
*-átum* = om-keren, geheel verwisselen]
omwisseling, omzetting, verplaatsing.
**pernicieus'** [Fr. *pernicieux*, v. Lat. *perniciósus*,
v. *pernícies* = verderf, v. *per-*, en *nex, necis*
= moord, verderf] verderfelijk, kwaardaardig.
**per occa'sie** [*zie* **occasie**] bij gelegenheid.
**perore'ren** [Lat. *per-oráre* = mondeling
voordragen (*vgl. os, oris* = mond), een rede
besluiten] lang en hoogdravend oreren.
**perora'tie** [Lat. *peroratio*] slotstuk v.e. rede.
**per'oxiden** *mv* [*zie* **oxiden**] **1** (*anorganische
chem.*) oxiden die meer zuurstof bevatten dan
met de normale valentie overeenkomt bijv.
waterstofperoxide $H_2O_2$; **2** (*organische
chem.*) hier komen peroxiden voor van het
type R-O-O-R (R = radicaal), bijv.
dibenzoylperoxide
$(C_6H_5CO)$-O-O-$(OCC_6H_5)$.
**per pe'des apostolo'rum** [Lat. = *lett.*: met de
voeten der apostelen] te voet (zoals de eerste
geloofsverkondigers).
**perpendiculair'** [Fr. *perpendiculaire*, v. Lat.
*perpendiculáris*, v. *perpendiculum* = paslood,
v. *per-péndere* = nauwkeurig afwegen, v.
*péndere* = laten hangen, wegen] **I** *bn*
loodrecht; **II** *zn* loodlijn.
**perpetueel'** [Fr. *perpétuel*, v. Lat. *perpétuus*
= onafgebroken, voortdurend, missch. v. *per-*,
en *pétere* = streven] eeuwig durend,
bestendig. **perpe'tuum mo'bile** [Lat. = het
eeuwig beweeglijke] **1** een mechanisme dat,
eenmaal in beweging gezet, voortdurend
nuttige arbeid zou blijven verrichten zonder
toevoer van nieuwe energie; **2** (*fig.*) het
onmogelijke, het onoplosbare;

**3** (*overdrachtelijk*) zeer beweeglijk persoon;
**4** (*muz.*) muziekwerk van sterk motorische
aard en met een snel tempo, zodat de suggestie
wordt gewekt van een eindeloos voortgaande
beweging.

**perplex'** [Lat. *perpléxus* = dooreengeslingerd,
dooreengeweven, verward, v. *per-pléctere*, v.
*pléctere, plexum* = vlechten; *vgl. plicáre*
= vouwen] onthutst, versteld, verslagen.

**perquisi'tie** [Lat. *perquisítio*, v. *perquírere*,
*-quisítum* = *per-quaérere* = nauwkeurig
onderzoeken] gerechtelijk onderzoek,
huiszoeking.

**per sal'do** [It.] als overschot v. vorige
rekening, ter vereffening; ten slotte.

**per se'** [Lat.] uit zichzelf, uiteraard; (*in
volksgebruik*) beslist, met alle geweld.

**persecute'ren** [Fr. *persécuter*, v. Lat.
*pér-sequi* = ver-volgen; *persecútus sum* = ik
heb vervolgd] vervolgen, achtervolgen.

**persecu'tie** [Lat. *persecútio*] vervolging,
achtervolging.

**perseve'ren** [Lat. *perseveráre, -átum*, v.
*persevérus* = zeer streng] volharden.

**persevera'tie** [v. Lat. *perseveráre*] het
blijven volhouden; **2** (*med.*) een
geestesstoornis waarbij de patiënt reeds
gesproken woorden of woorddelen of reeds
gemaakte bewegingen blijft herhalen; **3** (als
niet-ziekelijk verschijnsel) het in gedachten
blijven hangen zodat men er niet los van kan
komen van bep. woorden, een melodie e.d.
**perseveran'tie** [Lat. *perseverántia*]
volharding.

**persien'nes** [Fr. = *lett.*: de Perzische, v. *Perse*
= het oude Perzië] jaloezieën voor ramen [naar
herkomst].

**persifle'ren** [Fr. *persifler*, v. *siffler* = fluiten,
Lat. *sibiláre*] op geestige wijze belachelijk
maken. **persifla'ge** [Fr.] het persifleren.

**persiste'ren** [Lat. *per-sístere*, v. *sístere* = gaan
staan; *vgl. stare* = staan] blijven aandringen,
volharden, op iets blijven staan. **persistent'**
blijvend, volhardend.

**persoon'** [Lat. *persóna* = Gr. *prosoopon*
= masker v. toneelspeler, karakter, rol,
individu] zelfstandig handelend menselijk
wezen. **persona'ge** [Fr. *personnage*]
persoon, spec. aanzienlijk of vreemdsoortig
persoon; rol in toneelstuk. **perso'na gra'ta**
[Lat. v. *gratus* = aangenaam, welgevallig]
gewild persoon, gezien iemand. **per'sonal
compu'ter** [Eng.] micro-computer, kleine
computer voor privé- en bedrijfsgebruik.
**persona'lia** [Lat. *onz. mv* van *personális*
= persoonlijk] **1** (*taalk.*) persoonlijke
voornaamwoorden; **2** bijzonderheden over
een persoon, zoals geboortedatum,
geboorteplaats, opleiding, huwelijkse staat
e.d.; **3** kranterubriek met berichten over
belangrijke personen (benoeming, aftreden,
pensionering e.d.). **personalis'me**
persoonlijkheidswaardering als systeem.
**personalist'** aanhanger v.h. personalisme.
**personalis'tisch 1** *bn & bw*; **2** op de
persoonlijkheid betrekking hebbend.
**personaliteit'** [Fr. *personnalité*, v. MLat.
*personálitas*] **1** persoonlijkheid; **2** spec. *mv:*
persoonlijke beledigingen. **perso'na non
gra'ta** [Lat.] ongewenst persoon, niet
acceptabel persoon in een bep. diplomatieke
functie. **personeel'** [Fr. *personnel*, v. Lat.
*personális*] **I** *bn* persoonlijk. **II** *zn* personen in
loondienst, bedienden, beambten.
**personifië'ren** [Fr. *personnifier*, v. Lat. *fácere*
= maken] verpersoonlijken, niet-persoon als
persoon voorstellen. **personifica'tie**
persoonsverbeelding.

**perspectief'** [MLat. *perspectiva (ars)*
= doorzichtleer, v. *perspicere* = *per-spécere*,
*-spéctum* = in-zien, met blik doordringen]
doorzicht, verschiet, vergezicht; uitzicht; leer
v.h. doorzicht (in tekenkunst, als onderdeel van
de beschrijvende meetkunde). **perspecti'visch**
volgens de doorzichtkunde, van of met
perspectief.

**pertine'ren** [Lat. *pertinére* = zich uitstrekken,
reiken tot, betreffen, v. *per-*, en *tenére*
= houden] op iets betrekking hebben,
betreffen. **pertinent'** [Lat. *pértinens, -éntis*
= o.dw] stellig, nadrukkelijk, beslist;
onbeschaamd.

**perturba'tie** [Lat. *perturbátio*, v. *per-turbáre*,
*-átum* = geheel in verwarring brengen]
storing, ontsteltenis, beroering, verwarring.

**pervers'** [Lat. *pervérsus* = verdraaid, v.
*pervértere, -vérsum* = om-draaien, bederven]
tegennatuurlijk, middelen ten goede juist ten
kwade gebruikend, ontaard, verdorven,
inslecht. **perver'sie** [Lat. *pervérsio*
= omkering] het pervers zijn. **perversiteit'**
[Lat. *pervérsitas* = verkeerdheid v. gedrag]
ontaarding, verdorvenheid; perverse daad.
**perverte'ren** [Lat. *pervértere*] ontaarden, ten
kwade veranderen.

**pesan'te** [It., v. Lat. *pensáre* = wegen,
intensitief v. *péndere* = [aten hangen, wegen]
(*muz.*) slepend, zwaar; zwaardrukkend.

**pessa'rium** [MLat., v. Gr. *pessos* = ovale steen
bij bep. spel gebruikt] **1** (*oorspr.*) apparaat in
de vagina (schede) om de baarmoeder op haar
plaats te houden; **2** (*thans*) ring, met
rubbervlies gesloten, aangebracht tegen de
baarmoedermond om zwangerschap te
voorkomen.

**pessimis'me** [v. Lat. *péssimus* = het of de
slechtste, overtreffende trap v. *malus* = slecht]
neiging alles v.d. slechtste kant te bezien,
zwartgalligheid. **pessimist'** [Fr. *pessimiste*]
wie alles v.d. slechtste kant beziet, zwartgallig
persoon. **pessimistisch** *bn & bw.*

**pesti'cide** [v. Lat. *péstis* = plaag,
(besmettelijke) ziekte; *caédere* = slaan,
doden] elk chem. bestrijdingsmiddel tegen
organismen die schadelijk zijn voor spec. land-
en tuinbouwprodukten (*vgl.* **bactericiden**,
**herbiciden** e.d.), maar ook tegen die welke
mens, dier of voorwerpen kunnen besmetten.

**pestilent'** [Lat. *péstilens, -éntis*, v. *péstis*
= elke besmettelijke ziekte] verpestend,
verderfelijk, zeer onaangenaam (bijv. geur).
**pestilen'tie** [Lat. *pestiléntia*] pest; verderf.

**Peta–**, afk. P (*metrologie*) voorvoegsel dat het
duizendbiljoenvoud (10$^{15}$) van de daarachter
staande eenheid aangeeft.

**pétan'que** [Fr.] jeu de boules.

**pe'ter**, *ook:* **peet** [v. kerk. Lat. *patrínus*, v. Lat.
*páter* = vader] doopvader.

**petit'-four** [Fr. = bep. koekje] (*cul.*) klein
gebakje in papieren bakje, met glazuur, crème
au beurre, geconfijte vruchten e.d. **petit'-gris**
bep. grijs bont van Siberisch eekhoorntje (*vgl.*
Du. *Fah*). **peti'te histoi're** plaatselijke
geschiedenis van kleine voorvallen.

**peti'tie** [Lat. *petítio* = het reiken naar iets, het
verzoeken, v. *pétere, petítum*] verzoekschrift.
**petitione'ren** [Fr. *pétitionner*] een
petitionnement indienen. **petitiona'ris** [Fr.
*pétitionnaire*] wie een petitie indient.
**petitionnement'** [Fr. *pétitionnement*] door
velen ondertekend verzoekschrift. **peti'tio
princi'pii** [Lat.] (*logica*) bewijs door middel
v.d. stelling die men juist moet bewijzen.

**petrefact'** [v. Lat. *petra* = steen, en *fácere*,
*factum* = maken] versteend organisch
voorwerp. **petrific'eren** *ww* versteenen.

**1 petrochemie'** [v. Gr. *petra* = steenrots, en
**chemie** *z.a.*] tak v.d. chemie die zich
bezighoudt met samenstelling v. gesteenten.
**2 petrochemie'** [v. *petroleum* = *hier*: ruwe
aardolie] chem. technologie v. aardolie- en
aardgasprodukten. **petrografie'** [v. Gr.
*graphoo* = schrijven] gesteentenbeschrijving.
**petro'leum** [v. Lat. *óleum*, v.Gr. *elaion*
= olie; *lett.*: steenolie] minerale olie;
destillatieprodukt v. ruwe aardolie voor
verwarming en verlichting, kerosine.
**petrologie'** [*zie* -**logie**] leer v.h. ontstaan der
gesteenten.

**pet'ticoat** [Eng.] wijd uitstaande onderrok.

**peyotl'** [Mexicaans], *ook:* **peyo'te** de
Mexicaanse cactus *Lophophora williamsii*, die

de roesverwekkende stof *mescaline* bevat.

**phal'lus** *zie* **fallus**.

**Phanerozo'icum** [v. Gr. *phaneros* = zichtbaar, openbaar, en *zoo-on* = levend wezen] (*geol.*) in de aardgeschiedenis de derde 'eon', waarin het leven duidelijk aan de dag trad. Het begon 600 miljoen jaar geleden en duurt tot heden voort. Het Phanerozoicum wordt verdeeld in 3 hoofdtijdperken, elk weer onderverdeeld in tijdperken: het Paleozoicum, het Mesozoicum en het Kaenozoicum.

**pharyngi'tis** *zie* **faryngitis**.

**phi** [Gr. *φ*] (*uitspr.*: fie) 21e letter van het Gr. alfabet, overeenkomend met onze ph (thans f, behalve in wetensch. namen, waar de ph gehandhaafd blijft).

**pi** [Gr. *π*; *vgl*. Hebr. *peh* = mond] (*uitspr.*: pie) **1** 16e letter van het Gr. alfabet, overeenkomend met onze p; **2** (*wisk.*) verhoudingsgetal (*π*) tussen de omtrek van een cirkel en de middellijn: *π* is 3,141 592 ... tot in het oneindige.

**pi'a** [Lat. = *vr.* van *pius* = vroom, liefdadig, of *onz. mv*] **1** pia *cáusa*, liefdadig doel; *pia desidéria*, vrome wensen; *piae memóriae* (afk. *p.m.*) zaliger gedachtenis, *pia fraus* (*lett.*: vroom bedrog), leugentje om bestwil; *pia vóta*, vrome wensen; **2** zacht; *pia máter* (*lett.*: zachte moeder) (*anat.*) het zachte hersenvlies.

**1 pia'no** [It. = zacht, v. Lat. *plánus* = vlak, VLat. = zacht] *bw* (*muz.*) zacht (te spelen) (*afk.*: **p**); *più* piano [It.] (*muz.*) zeer zacht [*afk.*: **pp**]; *pianissimo* [It.] (*muz.*) zo zacht mogelijk (*afk.*: **ppp**).

**2 pia'no** (*afk.* van It. *pianoforte*, v. *piano* = zacht, en *forte* = luid; oorspr. een snaarinstrument waarop men zowel zacht als luid kon spelen) snaarinstrument waarbij de snaren in trilling worden gebracht door hamertjes met vilten koppen. **pianis'simo** *zie bij* **1 piano**. **pianistiek'** pianospeelkunde.

**piano'la** [oorspr. een handelsnaam] op het einde van de 19e eeuw uitgevonden mechanisch muziekinstrument, een piano die mechanisch bespeeld wordt, doordat geperforeerde rollen papier de toetsen aangeven die aangeslagen moeten worden.

**pias'** [voor woordafl. *zie* **paljas**] paljas, rare kerel, potsenmaker, hanswurst.

**pias'ter** [v. It. *piastra* = eig.: plaat, v. VLat. *plastrum*, v. Gr. *emplastron* = *emplaston* = pleister, v. *emplassoo*, overdekken, v. *plassoo* vormen] oude Sp. munt, thans nog in gebruik in o.a. Egypte (1 piaster = 1/100 pond) en Turkije (1 piaster = 1/100 Turkse lira).

**piau'ter**, *ook*: **peau'ter**; in Engelstalige landen **pew'ter** [v. OFr. *piautre*, v. VLat. *piltrum*] **1** oorspr.: legering van lood en zink; **2** tinwerk vroeger vervaardigd van legeringen van tin met koper, lood of antimonium (stibium).

**piaz'za** [It., v. Lat. *platéa*, v. Gr. *plateia* (*hodos*) = brede (weg)] plein, marktplaats.

**picador'** [Sp. v. *pica* = lans] stierevechter te paard die met lansen werkt.

**picaresk'** [Fr. *picaresque*, v. Sp. *picaro* = schelm] *bn* als van schelmen; *picareske romans*, schelmenromans.

**piccalil'ly** [herkomst onbekend] bep. tafelzuur uit azijn en mosterdsaus met stukjes augurk, bloemkool, uitjes e.d.

**pic'colo** [It. = klein] **1** jonge bediende in uniform; **2** (*muz.*) bep. kleine fluit.

**pick'les** [Eng., verm. v. Ned. *pekel*] gekruide spijzen in azijn.

**pick'nick** [Eng. *picnic*, v. Fr. *piquenique*] maaltijd in open lucht bij uitstapje.

**pick-up'** [Eng. = *lett.*: op-pikker] apparaatje dat over de groeven v.e. draaiende grammofoonplaat loopt om het daardoor vastgelegde geluid direct of via elektrische trillingen om te zetten in geluid.

**pico-**, *afk.* p (*metrologie*) voorvoegsel dat het biljoenste deel ($10^{-12}$) van de daarachter staande eenheid aanduidt.

**picobel'lo** [quasi-It.] *bn* piekfijn (schertsend veritaliaanst; It. *bello* = mooi).

**pictogram'** [uit Lat. *píctus* = geschilderd, v. *píngere*, *pictum* = schilderen, en Gr. *gramma* = het geschrevene] beeldschrift, d.w.z. een schematische eenvoudige afbeelding, die een inlichting, een verbod of iets dergelijks geeft, *bijv.*: op stations mes en vork ter aanduiding v. de restauratie. **pictu'raal** [Fr. *pictural*, v. Lat. *pictúra* = het schilderen] schilderachtig.

**pic'ture** [Eng.]: *in de picture* (Eng. = o.a.: belangrijk), *in de —* komen, staan, zijn, in de belangstelling komen, staan, zijn; *zich in de —* spelen (*voetbal*), zo spelen dat men de belangstelling trekt van deskundigen; *uit de —* geraken, er niet meer bijhoren, niet meer meetellen.

**pid'gin-engels** [verbastering v. Eng. *business English* = handels-, zaken-engels] taal met woorden (slechts 700) vnl. v. Eng. herkomst, maar met een zinsbouw die ten dele aan het Chinees ontleend is, gesproken in o.a. Chinese havens. **pid'gin-talen** taal zoals het pidgin-engels ontstaan bij contact tussen volkeren die elkaars taal niet verstaan maar toch elkaar in handelsrelaties moeten kunnen begrijpen.

**pie** [Eng.] (*cul.*) bep. Eng. pasteischotel, een gerecht bestaande uit een of ander hartig (of zoet) mengsel, meestal gebakken in een omhulsel van deeg.

**pièce de résistan'ce** [Fr. = *lett.*: stuk van weerstand; massaal stuk] **1** hoofdschotel (*lett.* en fig.); **2** voornaamste zaak.

**pied-à-ter're** [Fr. = *lett.*: voet aan de grond] **1** buitenhuisje, optrekje; **2** verblijfplaats voor korte tijd buiten zijn woonplaats in een plaats waar men regelmatig komt.

**piëdestal'** [Fr. *piédestal*, v. It. *piedestallo* = voet v. stalling, v. *piè* = *piede* = voet (Lat. *pes*, *pedis*), *di* = van, en *stallo* = stalling] voetstuk, hoog tafeltje dat als voetstuk voor beeld dient.

**pieremacho'chel** *of* **pieremogog'gel** [v. *pieren* = plezier maken, spelen en v. MNed. *machache*(*l*) = log vrouwmens] **1** lelijke (logge) vrouw; **2** (gammel) roeibootje.

**pie'ren** [missch. van zigeunertaal *pérjas* = scherts, vrolijkheid] **1** muziek maken; **2** dobbelen, gokken. **pierement'** [v. *pieren* = muziek maken, met quasi-geleerd achtervoegsel *-ment*] groot draaiorgel, straatorgel.

**pie'rewaaien** [v. Rus. *pirovát* = fuiven] aan de zwier zijn; *ook*: liederlijk leven; (*Z.N.*) ergens doelloos verblijven. **pie'rewaaier** iem. die aan de zwier is; *ook*: losbol.

**pierrot'** [Fr. = verkleinwoord v. *Pierre* = Piet] in bep. wit kostuum geklede onnozel type v. Fr. toneel, hanswurst.

**pietà'** [It. *pietà*, v. Lat. *pietas*; *zie volgende*] afbeelding v. Maria met dode lichaam v. Jezus op haar schoot. **piëteit'** [Lat. *pietas*, v. *pius* = handelend volgens plicht en liefde, zorgzaam (voor kinderen), eerbiedig (t.o.v. ouders), vroom, braaf] kinderlijke liefde; vroomheid; verering; eerbied spec. voor overledenen, oude instellingen e.d. **piëtis'me** [Du. *Pietismus*] bep. stroming in het protestantisme die daadwerkelijke vroomheid nastreeft tegenover formele rechtgelovigheid; (*alg.*) vroomheid. **piëtist'** aanhanger v.h. piëtisme. **piëtis'tisch** *bn* & *bw*. **pieus'** [Fr. *pieux*] vroom.

**piëzo-elektriciteit'** [v. Gr. *piezoo* = drukken] elektriciteit ontstaan door druk op bep. kristallen (bijv. kwarts). **piëzome'ter** [*zie* **meter**] apparaat om samendrukbaarheid v. vloeistoffen te bepalen.

**pigment'** [Lat. *pigméntum*, van stam *pig-* als in *píngere* = schilderen] **1** kleurstof in de vorm van korreltjes in bep. weefsels v. planten, dieren en mensen die daaraan een kenmerkende kleur geven (huid, haar, veren, regenboogvlies e.d.); **2** verf of kleurstof in poedervorm. **pigmenta'tie** het door pigment gekleurd zijn.

**pignon'** [Fr.] rondsel, kegelvormig tandwiel (in het overbrengingsmechanisme van een auto).

**pig'skin** [Eng. = varkenshuid] bep. fijn varkensleer voor handschoenen.

**pike'ren** ww [Fr. *piquer* = prikken, pikken] **1** met kleine steken vastzetten, doornaaien, stikken; **2** prikkelen, steken, krenken; *gepikeerd*, gekrenkt, geraakt in zijn trots; **3** (*biljarten*) de stootbal met keu in bijna verticale stand zo aan de bovenzijde raken dat hij na carambole gemaakt te hebben ongeveer naar een bep. punt terugloopt; **4** (*cul.*) *a* korte reepjes lardeerspek in de oppervlakte van mager vlees steken met een spec. naald; *b* kruidnagels in een citroen steken; *c* een deeglaag tijdens het bakken inprikken. **piket'** [Fr. *piquet* = oorspr.: puntige paal in grond (als palissade of om paard vast te zetten)] legerwacht, veldwacht, brandwacht; bep. kaartspel. **pikeur'** [Fr. *piqueur*] africhter van paarden, rijleraar.

**pi'kol** [oorspr.: bep. Javaanse maat, nl. zoveel als een man aan elk einde v.e. schouderjuk kan dragen, v. *pikoel* = dragen] bep. handelsgewicht (ruim 61 kg).

**pilas'ter** [MLat. *pilástrum*, v. Lat. *pila*] gedeeltelijk in wand ingebouwde pilaar.

**pi'lau**, *ook*: **pi'laf** rijstmoes, rijst in olie gebakken en vervolgens gekookt in vleesnat, boter, vet e.d., met toevoeging van verschillende ingrediënten.

**pil'chard** [Eng.] in het Ned. *pelser*, een zoutwater-consumptievis, de volwassen sardien (*Sardina* of *Alosa pilchardus*).

**pi'lo** [v. Eng. *pillow* = peluw, z.a., kussen] bep. grove gekeperde stof.

**piment'** [Fr.] specerij, ook *jamaicapeper* geheten, die bestaat uit de gedroogde en gemalen onrijpe vruchten v.d. *pimentboom* (*Piménta officinális*) uit Cuba en Jamaica.

**pinacotheek'** [v. Gr. *pinax* = plank, tafeltje, schilderij; *zie* -**theek**] verzameling schilderijen, kunstkabinet.

**pina'kel** [VLat. *pinnáculum*, v. Lat. *pinna*, andere vorm v. *penna* = slagveer, vleugel; *vgl.* Ned. (*slag*)*pen*] siertorentje.

**pinas'** [Fr. *pinasse*, v. MLat. *pinácea* = pijnhouten (schip), v. Lat. *pinus* = pijnboom] **1** bep. soort klein smal oorlogsschip uit de 16e eeuw; **2** *thans*: sloep aan boord v.e. oorlogsschip.

**pince-nez'** [Fr. = *lett.*: neusknijper] lorgnet, bril die op de neus vastgeklemd wordt. **pince'ren** [v. Fr. *pincer* = knijpen] (*cul.*) *a* vastknijpen (van deeg); *b* zich vastzetten (van jus); *c* aanbakken of aanfruiten van wat bloem bestrooide groenten, vlees of soepbeenderen. **pincet'** [Fr. *pincette*, v. *pincer* = iets tussen de vingers knijpen] verend tangetje om kleine voorwerpen te pakken en vast te houden. **pinch'-hitter** [Eng. = *ongev.*: 'nood-treffer'] **1** (*voetbal*) verse invaller die bij benarde stand v.d. club moet trachten alsnog te scoren; **2** (*honkbal*) slagman die in bep. situatie om tactische redenen wordt ingezet.

**pine'tum** [v. Lat. *pinus* = pijnboom] bomentuin waarin uitsluitend coniferen (naaldbomen e.d.) worden aangeplant en gekweekt.

**pineut'** [mogelijk v. Mal.]: *de pineut zijn*, de dupe zijn.

**Pink'ster(en)** [uiteindelijk v. Gr. *pentèkostè* (*hèmera*) = de vijftigste (dag), nl. na Pasen] **1** bij de Israëlieten: het eerstelingenfeest; **2** (*christelijk*) feest waarop de nederdaling van de H. Geest over de apostelen herdacht wordt.

**pins'bek**, *ook*: **spins'bek** goudkleurige legéring van 3 delen koper en 1 deel zink, gebruikt als namaakgoud in goedkope sieraden (naar de uitvinder, de Eng. horlogemaker Chr. Pinchbeck, gest. 1732). **pins'bekken** bn gemaakt van pinsbek. **pint** [Eng., v. Fr. *pinte* = maat van een liter] **1** oude vochtmaat, verschillend van inhoud naar de streek (0,5 l, 0,6 l, ook wel 1 l); **2** (*Z.N.*)

glas: *een pint bier*, een glas bier. (In Engeland is *een pint* 1/8 gallon = 0,568 l.)

**pin-up'-girl** [Eng. = *lett.*: opprikmeisje] vrouwen- en manne- meisjesfoto, met veel bloot, die als zinnenprikkelend middel aan de wand geprikt wordt, spec. in mannengemeenschappen (kazerne e.d.).

**pion'**, *mv* **pion'nen** [Fr., v. Lat. *pédo*, *pedónis* = voetsoldaat, v. *pes*, *pédis* = voet] **1** bep. stuk in schaakspel (laagste waarde); **2** (*fig.*) persoon als willoos werktuig. **pionier'** [Fr. *pionnier*] **1** (*mil.*) geniesoldaat, schansgraver; **2** persoon die onbekend terrein binnentrekt of koloniseert; **3** (*fig.*) baanbreker op een of ander gebied van menselijke activiteit; **4** padvinder (verkenner boven de 17 jaar). **pionie'ren** ww pionier zijn; pionierswerk doen (ook fig., bijv. op een of ander wetenschappelijk gebied).

**piot'** (*Z.N.*) soldaat (infanterist).

**pip** [v. Lat. *pituita* = slijm, snot, pip; verwant met *spuére* = spuwen] bep. pluimveeziekte. **pips** (*lett.*: de pip hebbend) ziekelijk, bleek, mat uitziende.

**pipet'** [Fr. *pipette*, verkleinwoord v. *pipe* = pijp, v. Lat. *pipáre* of *pipíre* = piepen, sjirpen, pijpen] steekhevel, buisje waarin bep. hoeveelheid vloeistof opgezogen kan worden.

**pi'que** [Fr.] **1** piek, spies; **2** heimelijke haat, wrok, bedekte nijd.

**pirouet'te** [Fr. = *eig.*: tol, *vgl.* It. *piruolo* = tol, v. *pirone* = ijzeren pin] snelle draai om eigen as bij dansen, kunstschaatsen, paardrijden en vliegen. **pirouette'ren** ww [Fr. *pirouetter*] een of meer pirouettes maken.

**pis-aller'** [Fr., v. *pis* = erger, slechter, en *aller* = gaan] iets dat men neemt bij gebrek aan beter, lapmiddel; het ergste geval; noodsprong.

**pi'sang** [Mal.] **1** banaan; **2** (*fig.*) rare kerel, snijboon.

**piscicultuur'** [v. Lat. *píscis* = vis; *zie* **cultuur**] kunstmatige visteelt (*vgl.* aquicultuur). **pisci'ne** [Fr., v. Lat. *piscína* = visvijver; *ook*: zwembassin, v. *píscis* = vis] **1** oorspr.: waterbassin in Romeinse tuinen en thermen; **2** in de vroegchristelijke tijden: doopbassin; **3** in de ME: bekken naast het altaar waarin de priester o.a. zijn handenwassing verrichtte; **4** thans: vijver voor kunstmatige visteelt; *ook*: **5** waterbekken; **6** zwembassin.

**pissoir'** [Fr., v. *pisser* = urineren] waterplaats voor mannen, urinoir.

**pista'che** [Sp. *pistacho*, It. *pistacchio*, v. Lat. *pistácium*, Gr. *pistakion*] **1** groene amandelnoot; **2** bep. lichtgroene kleur.

**pis'te** [Fr., v. Lat. *pistáre* = stampen, frequentatief v. *pínsere*, *pístum* = stukstampen (*eig.*: vastgestampte baan)] **1** spoor van wild of van paarden; **2** renbaan voor paarden; **3** middenruimte v.e. circus als speelruimte; **4** renbaan voor wielrenners; **5** parcours bij een skiwedstrijd; **6** weg die slechts een spoor is, zoals in de woestijn.

**pistolet'** (*Z.N.*, *uitspr.*: pistolee; woordafl. onbekend) soort langwerpig kadetje.

**piston'** [Fr., v. It. *pistone*, andere vorm v. *pestone*, v. Lat. *pistíllum* = stamper, v. *pínsere*, *pístum* = stampen] **1** zuiger van pomp; **2** (*muz.*) ventiel of klep van een blaasinstrument; **3** (*muz.*) bep. blaasinstrument (*cornet à pistons*); **4** (*Z.N.*) klappertje. **pistonist'** pistonblazer.

**pit** [Eng. = *lett.*: put] spec. stopplaats bij auto- en motorrennen, waar de renner kan bijtanken en waar mecaniciens zeer snel kleine reparaties kunnen verrichten.

**pit'cher** [Eng., v. *to pitch* = o.a.: werpen, gooien] bij baseball en honkbal de speler die de bal werpt.

**pitoya'ble** [Fr., v. *pitié* = medelijden, Lat. *piétas*; *zie* **piëteit**] jammerlijk, meelijwekkend. **pittoresk'** [Fr. *pittoresque*, v. It. *pittoresco*, v. *pittore* = schilder, Lat. *pictor*, v. *píngere*, *pictum* = schilderen] schilderachtig.

**pi'um vo'tum** *ev* v. **pia vota**, z.a.

**pivote'ren** *ww* [Fr. *pivoter*, v. *pivot* = spil] om een spil draaien; op één voet draaien.

**pix'is** *zie* **pyxis**.

**pizzica'to**, afk. *pizz.* [It., v. *pizzicare* = o.a.: pikken] (*muz.*) **I** *bw* de snaren van een snaarinstrument met de vingers tokkelend; **II** *zn* muziekstuk of passage op dergelijke wijze door het 'plukken' aan de snaren gespeeld.

**place'bo** [Lat. = *lett.*: ik zal behagen] onwerkzaam preparaat, dat op bekend medicament lijkt, dat men soms aan patiënten geeft die het echte medicament niet mogen innemen, maar denken het toch te krijgen (de werking is dus zuiver psychologisch).

**pla'ce-mat** [Eng.] dekservet (kleedje) voor het tafeldeken (*tafellaken*), waarop het bord en bestek voor één persoon geplaatst worden.

**placement'** [Fr., v. *placer* = plaatsen] plaatsing van personen aan tafel bij een groot diner naar gelang van hun status; tafelschikking.

**placen'ta** [Lat. v. Gr. *plako-eis*, *plako-entos* = platte koek] moederkoek, (later) nageboorte; (*plk.*) zaadkoek. **Placenta'lia** zoogdieren waarbij placenta voorkomt.

**pla'cer** [Eng.] sedimentlaag met een betrekkelijk hoog gehalte aan waardevolle delfstof, *bijv.*: goud, platina, tinerts, chromiet.

**place'ren** *ww* [Fr. *placer*] **1** plaatsen; geld uitzetten, geld beleggen; **2** aan het publiek plaatsen aanwijzen in circus e.d.

**pla'cet** [Lat. = het behaagt] (bij kerkelijke stemmingen) vóór.

**pla'cet jux'ta mo'dum** [Lat. = het behaagt op bepaalde wijze] (bij kerk. stemmingen) vóór, mits de nodige veranderingen worden aangebracht.

**placi'de** [Fr., v. Lat. *plácidus*, v. *placére* = behagen] *bn & bw* vreedzaam, kalm, rustig, stil. **placi'do** [It.] (*muz.*) *bw* rustig.

**plafon(d)'** [Fr. *plafond*, voor: *plat fond* = vlakke achtergrond] **1** ondervlak v.e. zoldering of bekleding daarvan; **2** vlak dat iets aan de bovenkant begrenst; (*luchtvaart*) grootste hoogte die een vliegtuig onder de gegeven omstandigheden kan bereiken; **3** (*fig.*) hoogste peil van prijzen of salaris. **plafonne'ren** *ww* [Fr. *plafonner*] een zoldering maken, voorzien v.e. plafond. **plafonnier** [Fr.]; *ook*: **plafonnière** (quasi-Fr.) plafondlamp, plafondlicht, d.i. lamp direct aan de zoldering aangebracht (zonder snoer).

**plagiaat'** [v. Lat. *plágium* = mensenroof] het kopiëren of nabootsen v.e. geestesprodukt met het doel het vervaardigde te laten doorgaan voor eigen oorspronkelijk werk. **plagia'ris** of **plagia'tor** [beide modern Lat.; het klassiek Lat. heeft *plagiárius* = mensenrover; *overdrachtelijk*: letterdief] wie plagiaat bedrijft; letterdief.

**plaid** [Eng., v. Schots *plad*; herkomst onzeker] *oorspr.*: omslagdoek (met Schotse ruit); reisdeken.

**plaisant'** [Fr., v. *plaire* = behagen, v. Lat. *placére*; *vgl. placáre* = glad maken, bedaren] aardig, grappig, schertsend. **plaisanterie'** [Fr.] scherts; — *à part*, alle gekheid op een stokje.

**plamu'ren** *ww* [missch. ontstaan door contaminatie v. MNed. *prumuren* of *purmuren* = gladmaken met puimsteen, en *plamen* of *planen* = gladwissen, v. Fr. *planer*, v. Lat. *planáre* = vlak maken] met plamuur insmeren. **plamuur** gekookte lijnolie vermengd met pijpaarde en loodwit of zinkwit om oppervlakten die geschilderd moeten worden glad te maken.

**planconcaaf'** [v. Lat. *planus* = vlak; *zie* **concaaf**] vlakhol (bijv. lens). **planconvex'** [*zie* **convex**] vlakbol (bijv. lens).

**plan de campagne** [Fr. = *lett.*: plan voor de veldtocht] vooraf opgesteld plan hoe men het doel zal bereiken.

**planeet'** [via VLat. v. Gr. *planétès (astèr)*

= dwalende (ster), v. *planaomai* = ronddwalen, zwerven] niet-zelflichtend hemellichaam van vrij groot formaat dat zelfstandig rond de zon wentelt. De planeten van ons zonnestelsel zijn (in volgorde v.d. toenemende afstand tot de zon): Mercurius, Venus, Aarde, Mars, Jupiter, Saturnus, Uranus, Neptunus, Pluto.

**plane'ren** [Fr. *planer*, v. Lat. *planus* = vlak] **1** effenen, glad maken, pletten; *planeerhamer*, plet- of slechthamer; **2** (v. *vliegtuig*) glijvlucht met afgezette motor maken.

**planeta'risch, planetair'** [VLat. *planetárius*, Fr. *planétaire*] een planeet of de planeten betreffend. **planeta'rium** [onz. v. VLat. *planetárius*] inrichting die de beweging v.d. planeten en de maan aanschouwelijk voorstelt. **planetoï'den** [v. Gr. *-eidés* = gelijkend op; *zie* **-ide**] enkele duizendtallen kleine planeetachtige hemellichamen met banen voornamelijk tussen Mars en Jupiter.

**planime'ter** [v. Lat. *planus* = vlak; *zie* **meter**] apparaat om oppervlak v. figuren te meten door een stift langs de omtrek te bewegen. **planimetrie'** vlakke meetkunde. **planisfeer'** [*zie* **sfeer**] afbeelding v.e. aard- of hemelhalfrond op plat vlak.

**plankier'** [OFr. *planchier*] houten vloer als aanlegplaats e.d.

**plank'ton** [v. Gr. *plagktos* = dwalend, v. *planaoo* = ronddwalen] plantaardige en dierlijke organismen die passief door de stromingen van het water worden meegevoerd.

**plan'ning** [Eng., v. *to plan* = plan tekenen, opmaken, v. Lat. *planus* = vlak] het opmaken v.e. plan voor de te volgen handelwijze.

**pla'no** [Lat. = 6e naamval v. *planus* = vlak] **1** *in plano*, in niet-gevouwen eenzijdig bedrukte vellen; **2** drukwerk in plano.

**planologie'** [v. Eng. *to plan*, en **-logie**] leer van de ruimtelijke ordening. **planolo'gisch** *bn* betrekking hebbend op de planologie, volgens de planologie. **planoloog'** beoefenaar v.d. planologie.

**planparallel'** [v. Lat. *planus* = vlak; *zie* **parallel**] *bn* vlak en evenwijdig (bijv. platen).

**planta'ge** [Fr., v. *planter* = planten, v. Lat. *planta* = plant] aanplanting v. een of ander cultuurgewas in tropische streken op daartoe ontgonnen terrein. **plantlo're** [*vgl. folklore*] kennis v. de plaats die planten in folklore innemen. **planton'** [Fr. = *oorspr.*: jonge spruit, v. *plante* = plant] (*mil.*) wachtpost, ordonnans. **plantsoen'** [v. Fr. *plançon* = stek] openbare tuin- of parkachtige beplanting.

**pla'que** [Fr.] **1** plak, plaat; **2** (*med.*) vlek; **3** tandaanslag. **plaquet'te** [Fr., verklw. van *plaque*] **1** (metalen) gedenkplaat; **2** voorwerp in de vorm v.e. penning met een afbeelding en reliëf; **3** fraai uitgevoerd dun boekje.

**plas'ma** [VLat., v. Gr. = gevormde zaak, v. *plassoo* = vormen] **1** het vloeibare, vrijwel kleurloze bestanddeel van bloed (*bloedvel*, *serum*), melk (*wei, hui*) en sperma; **2** (*biol.*) elke niet vormvaste substantie (*vgl. protoplasma, cytoplasma* e.d.); **3** boetseerwerk; **4** een mengsel van ionen en elektronen en eventueel neutrale gasmoleculen. **plas'mafysica** [*zie fysica*] de leer van de geheel of gedeeltelijk geïoniseerde gassen (*plasma's*). **plasmoly'se** [v. Gr. *lusis* = losmaking, v. *luoo* = losmaken] het loslaten v.h. protoplasma v.d. wand v.d. cel.

**plas'tic** *ook*: (Z.N.) **plastiek** [v. Eng. *plastics mv*, v. Gr. *plastikos* = het boetseren betreffende, v. *plassoo* = vormen] **I** *zn* kunststof die gemakkelijk in een gewenste vorm gebracht kan worden en daardoor voor velerlei doeleinden bruikbaar is; **II** *bn* gemaakt van plastic (*bijv.*: een plastic doosje).

**plastice'ren** *ww* of **plastifice'ren** [v. Lat. *fácere* = maken] **1** week maken door toevoeging van weekmakers (*plastificanten*); **2** een voorwerp bedekken met een laagje kunststof om het te beschermen tegen beschadiging. **plasticiteit'** 1 de eigenschap v. vaste stoffen om boven de elasticiteitsgrens te vloeien als gevolg v.e. spanning of de eigen massa; 2 vormbaarheid, kneedbaarheid; 3 beeldende kracht, aanschouwelijke, als het ware tastbare voorstellingswijze. **plastiek'** [v. Gr. *plastikos* = het boetseren betreffend, v. *plassoo* = vormen] 1 de kunst v.h. kneden of vormen v. weke materialen (was, klei, gips) tot figuren of beelden; 2 *zie* **plastische chirurgie**; 3 beeldende kracht, aanschouwelijkheid of literaire stijl; 4 (*toneel*) het geheel v.d. gebaren en hun veranderingen die het gesprokene begeleiden; 5 voorwerp v. beeldhouwkunst; *plastiekje*, klein beeldhouwwerk; 6 (*Z.N.*) plastic; 7 mengsel van lak en teerslagstoffen om plafonds en muren te kleuren. **plastifice'ren** *ww zie* **plasticeren**. **plas'tisch** *bn & bw* 1 eigenschap van een vaste stof of plasma om door een zeer kleine kracht in een andere vorm gebracht te kunnen worden en deze vorm te behouden als de kracht niet meer werkt (i.t.t. elastisch); 2 boetserend, gedaantegevend, vormend, scheppend; 3 gemodelleerd, in zijn volle vormen uitkomend; 4 aanschouwelijk, beeldend (*v. een dialect bevat veel plastische uitdrukkingen*). **plas'tische chirurgie'** of **plastiek'**, het corrigeren of herstellen van bep. organen die beschadigd of verloren zijn gegaan door ongeval of ziekte, door middel van verplaatsing v. weefsel (*plastiek*).

**plastron'** [Fr., v. It. *plastrone*, v. *plastra* = borstplaat] 1 beschuttend borststuk v. schermers; 2 stijf gesteven front v.e. herenoverhemd; 3 breed gestrikte herendas die de gehele ruimte tussen boord en vest opvult; 4 voorstuk in de keurs v.e. damesjapon; 5 bovenstuk van een bikini.

**plat à sauter'** [Fr.; *zie* **sauteren**] (*cul.*) platte braadpan met lage opstaande rand (ook *paltine* genaamd). **plat du jour** [Fr.] schotel van de dag (in restaurant e.d.).

**plateau'** [Fr., v. OFr. *platel*, verklw. v. *plat* = schotel, v. *bn plat* = vlak, plat, v. VLat. *plattus*, missch. v. Gr. *platus* = breed] 1 hoogvlakte; 2 verheven draagvlak; 3 dienblad, serveerblad. **pla'ted** [Eng., v. *to plate* = met platen bedekken] met dun laagje edeler metaal bedekt; *zie verder* **pleet**.

**plateel'** [v. OFr. *platel* = vlakke schaal] 1 platte schaal of schotel; 2 bep. soort aardewerk. **plate'ren**, ook: **platte'ren** met dunne laag edeler metaal bedekken.

**pla'te-ser'vice** [Eng. = bord-bediening] methode v. bediening in restaurants, waarbij niet in afzonderlijke schalen wordt opgediend, maar het geheel op een groot bord wordt geserveerd. **plat'form** [Eng., v. *Fr. plate-forme* = *lett.* vlakke vorm] 1 verhoging opgebouwd uit opgeworpen aarde of planken e.d.; 2 balkon v.e. trein- of tramwagon; 3 (*Z.N.*) plat (zinken) dak; 4 [Eng.] program v.e. politieke partij; standpunt.

**Pla'tina** [Sp. = verklw. v. *plata* = zilver] chem. element, zilverwit edelmetaal, met zeer grote relatieve dichtheid (21,45), symbool Pt, ranggetal 78.

**platitu'de** [Fr., v. *plat* = vlak, plat; *zie* **plateau**] platte uitdrukking, afgezaagd platvloers gezegde.

**plato'nisch** volgens de leer v. Plato; *—e liefde*, zuiver geestelijke liefde zonder zinnelijke elementen. **platonise'ren** [Fr. *platoniser*] 1 in de geest v. Plato denken; 2 zuiver geestelijk beminnen.

**platte'ren** *zie* **plateren**.

**platycefalie'** [v. Gr. *platus* = breed, plat, en *kephalè* = hoofd] afwijking waarbij de schedel te plat is.

**plausi'bel** [Lat. *plausibilis*, v. *pláudere*, *plausum* = (goedkeurend) klappen, toejuichen] aannemelijk, geloofwaardig. **plavei'en** [v. Lat. *pavire* = slaan, trappen,

vaststampen; *de pl* misschien onder invloed van *plat*] v. stenen grondbedekking voorzien, bestraten, verharden (weg). **plavei'sel** stenen, grondbedekking, bestrating.

**play-back'** [Eng. = *lett.*: terug-spel] het optreden van een artiest waarbij een geluidsopname gedraaid wordt van studio-opnamen, en waarbij hij (mond)bewegingen maakt die bij het geluid passen. **play'boy** [Eng. = *lett.*: speeljongen] jonge, rijke en elegante man, die veelal in het society-leven zijn tijd slijt met uitgaan.

**play-offs'** *mv* [Am.] soort nacompetitie v. topclubs bij bep. balspelen voor het kampioenschap v.d. hoogste afdeling.

**plebaan'** [kerk. Lat. *plebánus* v. Lat. *plebs*, *plebis* = volk] pastoor v.e. bisschopskerk.

**plebe'jer** [Lat. *plebéjus* = niet-patricisch, gemeen, laag] onbeschaafd man uit het volk.

**plebe'jisch** aan plebejers eigen, grof, ruw, gemeen. **plebisciet'** [Lat. *plebiscitum*, v. *plebs*, *plebis* = gewone volk, en *scitum* = besluit, verordening, v. *sciscere* = een verordening maken, daarvoor stemmen; *vgl. scindere* = (onder)scheiden] volksstemming.

**plebs** [Lat. = de niet-patriciërs, het gewone volk; gepeupel] volk, gepeupel.

**plec'trum** [Lat., v. Gr. *pléktron* = citer-pen, v. *plèssoo* = slaan] staafje of plaatje om de snaren v.e. gitaar (bijv.) in beweging te brengen.

**plee'boy** [schertsende vervorming van **playboy**] standaard op de W.C. (plee) voor reserve-closetrollen.

**pleet** [v. Eng. *plated* = met dunne laag (*plate*) bedekt] koper bedekt met een dun laagje zilver, zgn. **Engels zilver**.

**pleidooi'** [Fr. *plaidoyer*] pleitrede, verdedigingsrede.

**plein-pouvoir'** [Fr., v. *plein* = Lat. *plénus* = vol, en *pouvoir* = Lat. *potéstas* = macht] (onbeperkte) volmacht.

**Pleistoceen'**, *ook*: **Plistoceen'** [v. Gr. *pleistos* = meest, en *kainos* = nieuw] 1 geologisch tijdvak, het eerste v.h. Quartair, direct volgend op het laatste tijdvak van het Tertiair, nl. het Plioceen z.a. Het Pleistoceen begon ca. 2 miljoen jaar geleden en duurde tot ca. 10 000 jaar geleden, (vroeger Diluvium genaamd).

**plei'te** [Barg., v. Hebr. *peleitok* = ontvluchting] I *bw* weg, verdwenen, er van door; *pleite gaan*, a weglopen; b failliet gaan; II *bn* platzak, rut.

**plenair'** [Fr. *plenair* v. VLat. *plenárius*, v. Lat. *plénus* = vol; *vgl. -plére* = -vullen] voltallig; *—e vergadering*, vergadering van alle groepen v. leden. **plenipotentia'ris** [MLat. *plenipotentiárius*, v. VLat. *plenipotens*, v. Lat. *plenus*, en *potens* = machtig] gevolmachtigde. **plen'ty** [Eng., v. OFr. *plentet*, v. Lat. *plénitas*, *-átis* = volheid] in overvloed, volop. **ple'num** [Lat. = onz. v. *plenus*] voltallige vergadering, commissie, college e.d.

**pleonas'me** [Gr. *pleonasmos*, v. *pleonazoo* = overvloed hebben, v. *pleon* = meer] het bijeengeplaatst zijn v. twee woorden of uitdrukkingen die hetzelfde betekenen of aanduiden, zodat er letterlijk genomen iets overbodigs wordt gezegd. Een zin die wemelt v. pleonasmen is bijv.: Vroeger placht hij gewoonlijk altijd steeds op tijd te komen.

**ple'ten** *bn* van pleet (*z.a.*) gemaakt.

**pleu'ris** volksnaam voor **pleuritis** *z.a.*

**pleuri'tis** [v. Gr. *pleura* = zijde; rib; in moderne med. terminologie: borstvlies; *zie* **-itis**] borstvliesontsteking.

**ple'xiglas** (merknaam) glas gemaakt uit een doorzichtige kunststof (polymethylacrylaat), zgn. 'onbreekbaar glas' (breekt niet in scherven, maar versplintert in vrij ongevaarlijke stukjes).

**plim'soll-merk (-lijn)** merk v. waterlijn op schip (cirkel met horizontale streep erdoor), aangevend hoe zwaar het schip maximaal geladen mag worden [naar S. Plimsoll, 1824-1898, bevorderaar v. handelsscheepvaart].

**Plioceen'** [v. Gr. *pleioon* = meer, en *kainos* = nieuw] **1** laatste tijdvak v.h. Tertiair, volgend op het Mioceen en voorafgaand aan het Pleistoceen. Het Plioceen duurde van ca. 12 tot 2 miljoen jaren geleden; **2** aardlagen in dit tijdvak gevormd.

**plisse'ren** [Fr. *plisser*, v. *pli* = vouw, v. *plier*, Lat. *plicáre* = vouwen] van fijne plooien voorzien (bijv. rok). **plissé** [Fr.] geplooide stof, strook of belegsel.

**plom'be** [v. Fr. *plomb*, Lat. *Plumbum, z.a.*] zegellood; tandvulling. **plombeer'sel** waarmede geplombeerd wordt of is. **plombe'ren** [Fr. *plomber*] met lood zegelen; holte in tand of kies vullen (met zilver-kwik-amalgaam).

**plonge'ren** [v. Fr. *plonger* = indompelen] (*cul.*) vis, vlees enz. in frituur dompelen.

**plot** [Eng.] intrige van verhaal.

**plot'ten** [Eng. *to plot*] met behulp v. radar of radiotelefonie de plaats bepalen (bijv. van vliegtuig) (en deze op kaart aangeven door een of ander voorwerp). **plot'ter** hij die plot. **plot'ster** zij die plot.

**plu'che** [v. Fr. *peluche*, v. It. *peluzzo*, v. Lat. *pilósus* = behaard, v. *pilus* = haar] **1** (*textiel*) fluweelachtige stof met lange pool, oorspr. van wol, thans meestal v. katoen of kunstzijde; **2** (*cul.*) pluksel v. kervel en peterselie.

**plug'gen** *ww* [v. Eng. *to plug* = erin stampen als een plug] **1** grammofoonplaten e.d. door voortdurende reclame aan de man trachten te brengen; **2** met een plug vastmaken. **plug'ger** [Eng.] vertegenwoordiger v.e. grammofoonplatenmaatschappij.

**pluima'ge** [Fr. *plumage*, v. *plume* = vogelveer (vroeger ook pen v. ganzeveer, thans nog: pen), v. Lat. *plúma* = pluim, pluis, veertje] verentooi, gevederte; *vogels van diverse pluimage*, mensen van allerlei slag.

**Plum'bum** [Lat.] wetenschappelijke naam van het chem. element Lood, metaal, symbool Pb, ranggetal 82.

**plumeau'** [Fr., *zie* **pluimage**] soort of stoffer gemaakt uit veren.

**plun'je** [waarsch. verklw. van MNed. *plunder* = inboedel, boeltje] (*volkstaal*) kleren. **plun'jezak** (*soldatentaal*) zak voor kleren e.d. **plun'jer** [v. Eng. *plunger* = dompelaar, zuiger] zuiger (ronde as), passend i.e. cilinder of buis.

**plura'le tan'tum** [Lat.; *mv* **plura'lia tan'tum** (niet *tanta; tantum* is een onverbuigbaar bw, dat 'slechts' betekent)] woord dat slechts in het meervoud voorkomt. Een bekend voorbeeld is *hersenen*. Een ander voorbeeld is *annalen*; (*vgl* **singulare tantum**). **plura'lis**, afk. **pl.** [Lat., v. *plus, plúris* = meer] meervoud; — *majestátis*, meervoudsvorm gebruikt door vorstelijke personen (bijv.: 'Wij ... koningin der Nederlanden'); — *modéstiae*, meervoud gebruikt uit bescheidenheid, vooral in geschriften (bijv.: 'wij menen', i.p.v. 'ik meen'). **pluraliteit'** [VLat. *plurálitas*] meervoudigheid, veelvoud; meerderheid. **pluralis'me** het verschijnsel dat binnen een bep. groepering of samenleving verschillende opvattingen naast elkaar bestaan. **pluralis'tisch** *bn & bw* op het pluralisme betrekking hebbend of daaruit voortvloeiend. **pluriformiteit'** [v. Lat. *forma* = vorm] veelvormigheid, spec. het verschijnsel dat in één en dezelfde groepering (bijv. in de Kerk) verschillende opvattingen naast elkaar bestaan, resp. het beginsel dat zulks mogelijk moet zijn.

**plus** [Lat. = meer; *vgl* Gr. *polus* = veel] **I** *voorzetsel* en, geteld bij, vermeerderd met, *bijv.*: 3 plus 4 is 7; **II** *bw* als positief te beschouwen, *bijv.*: plus 6 (+6); **III** *zn* a het teken +; *b* hoger bedrag, overschot; iets dat ten goede gerekend wordt. **plusmi'nus** min of meer, ongeveer, omtrent, circa; aangeduid met het teken ±. (N.B. in de wiskunde betekent ±

niet: ongeveer, maar: plus of min.)

**plusquamperfec'tum** [Lat. = *lett.*: meer dan voltooide tijd; *zie* **perfectum**] voltooid verleden tijd.

**plutocratie'** [Gr. *ploutokratia*, v. *ploutos* = rijkdom, en *kratos* = sterkte, macht, heerschappij] geldheerschappij, oppermacht v.d. geldmagnaten. **plutocraat'** kapitalist. **plutocra'tisch** van of met de kapitalisten. **Pluto'nium** bep. kunstmatig uit Neptunium vervaardigd element, chem. symbool Pu, ranggetal 94. **pluto'nisch** [naar Pluto, god v.d. onderwereld] uit het inwendige v.d. aarde komend. **plutonis'me** theorie die de vorming v.d. aardkorst in de huidige gedaante overwegend aan uitbarstingen toeschrijft (*vgl*. **neptunisme**). **plutonist'** aanhanger v.h. plutonisme.

**pluvia'le** [MLat., v. Lat. *pluviális* = tot de *plúvia* (regen) behorend; v. *plúere* = regenen] bep. liturgische mantel (*oorspr.*: regenmantel).

**pluviome'ter** [v. Lat. *plúvius* = regen-] regenmeter. **Pluviôse** [Fr., v. Lat. *pluviósus* = regenachtig] de 5e maand v.d. Fr. Republikeinse kalender (20, 21 of 22 jan. — 19, 20 of 21 febr.).

**pneu** [afk. v. Fr. (afgekorte) *pneumatique*] **1** (*Z.N.*) luchtband van fiets, motor of auto; **2** (*med.*) afkorting van *pneumothorax, z.a.* **pneu'ma** [Gr.] wind; adem; geest. **pneumaat'** rijdende elevator, zuiger voor het lossen van graan e.d. uit schepen. **pneumatiek'** [v. Gr. *pneumatikos*, v. *pneoo* = ademen, blazen] **1** leer v.d. druk en beweging van lucht (*vero.; thans:* **aërodynamica** en **aërostatica,** *z.a.*); **2** (*muz.*) windkracht in het orgel. **pneuma'tisch** [Lat. *pneumaticus*, Gr. *pneumatikos*; christelijk = door de Heilige Geest aangegrepen] *bn & bw* **1** d.m.v. (samengeperste) lucht of door luchtzuiging werkend; *pneumatische post*, buizenpost; *pneumatische kunst*, kunst die werkt met opgeblazen of opblaasbare objecten; **2** geestelijk, op de geest betrekking hebbend. **pneumo-** [Gr. *pneumoon, pneumonos* = long] long-.

**pneumonie'** [Gr. *pneumonia*] longontsteking. **pneumonologie'** [*zie* **-logie**] leer betreffende de longen. **pneumotho'rax** [*zie* **thorax**] (*med.*) lucht- of gasophoping in borstholte buiten de longen.

**poche'ren** *ww* [Fr. *pocher*] een gerecht, spec. gepelde eieren, gaar laten worden zonder te koken in een kleine hoeveelheid vloeistof (*pocheernat*) die even beneden haar kookpunt wordt gehouden, of *au bain-marie* (*z.a.*). **pochet'** [Fr. *pochette*, v. *poche* = zak, v. OHDu. *pokka*] sierdoekje in borstzak, 'lefdoekje'.

**po'co** [It., v. Lat. *paucus*] weinig. **po'co fo'rte,** afk. **p.f.** [It.] (*muz.*) enigszins sterk, een weinig luid.

**po'dagra** [Lat. & v. Gr. *pous, podos* = voet, en *agra* = het gevangen nemen, vangst] voetjicht (*volkstaal*: pootje). **podagreus'** aan voetjicht lijdend. **podagrist'** lijder aan voetjicht. **podiatrie'** [*zie* **-iatrie**] geneeskunde der voeten. **po'dium** [Lat., v. Gr. *podion*, v. *pous, podos* = voet] houten verhevenheid, verhoog; toneel vóór het gordijn. **podotherapie'** [*zie* **therapie**] verzorging van 'moeilijke' voeten. **podotherapeut'** voetverzorger.

**pod'sol of pod'zol** [v. Russisch] grijs fijn zand onder heidevenen.

**poëem'** [Fr. *poème*, v. Lat. *poéma*, v. Gr. *poiema*, v. *poieoo* = maken] dichtstuk, gedicht (meestal verachtelijk). **poëet'** [Lat. *poéta*, v. Gr. *poiëtês* = maker, dichter] dichter.

**poelepetaat'** [Fr. *poule pintade* = *lett.*: geschilderd hoen; *poule* v. Lat. *pulla* = vr. van *pullus* = jong dier] parelhoen. **poelet'** [v. Fr. *poulet* = eig.: kip of kuiken als gerecht] *oorspr.*: stukjes vlees van kalfsborst ter bereiding van soep; *alg.*: soepvlees.

**poêle'ren** ww [v. Fr. *poêler*, v. *poêle* = braadpan, koekepan] gerecht gaarmaken in een braadpan onder voortdurend bedruipen met boter of vet.

**poen-** *zie* **pen-**. **poe'ne** (*uitspr.*: pene) [v. Lat. *poena* = straf]: *op poene van*, of straffe van.

**Poe'rim, Pu'rim** (Hebr. = *mv* van *poer* = *missch.*: lot] bep. joods feest (feest der loten, ingesteld ter herdenking v.d. ondergang v.d. jodenvijand Hamar, *zie* boek Ester 9); drukte, ophef.

**poesjenel'** [Fr. *polichinelle*, z.a.] hanswort.

**poes'ta** [Hongaars *poeszta*] steppe in Hongarije.

**poëtas'ter** [*zie* **poëet**, en **-aster**] pruldichter, rijmelaar. **poëtasterij'** rijmelarij. **poëtica**, **poëtiek'** [Lat. *poética*, Gr. *hè poiètikè*; *zie* **poëem**] leer v.h. verzenmaken, leer der dichtkunst. **poë'tisch** [Lat. *poéticus*, Gr. *poiètikos*] dichterlijk; in verzen. **poëtise'ren** [Fr. *poétiser*] dichterlijk voorstellen. **poëzie'** [Fr. *poésie*, v. Gr. *poièsis* = het maken, dichtkunst of -werk] dichtkunst; dichterlijkheid; dichtwerk.

**pogrom'** [Russisch = georganiseerde slachting v. bep. groep of klasse] heftige jodenvervolging.

**poignant'** [Fr.] *bn a* grievend; *b* ontroerend, aangrijpend.

**point** [Fr., v. Lat. *púnctum*; *zie verder* **pointe**] punt; *point d'appui*, steunpunt; *point d'honneur*, punt van eer, eergevoel (in Ned. verbasterd tot *ponteneur*); *point de vue*, gezichtspunt, opvatting; doelwit; *point d'orgue*, orgelpunt, dóórklinkende toon waartegen verschillende akkoorden hoorbaar zijn; *point de repos*, rustpunt. **poin'te** [Fr., v. Lat. *púncta* = prik, steek, v. *púngere*, *púnctum* = prikken, steken] 1 het fijne, punt waarin een geestigheid is gelegen; geestige zet; strekking v. iets; 2 (*cul.*) hoeveelheid ter grootte van een mespunt.

**poin'ter** [Eng. = *lett.*: aanwijzer] bep. jachthond, patrijshond.

**pointe'ren** ww [Fr. *pointer*] 1 besprenkelen, stippelen; 2 geschut richten; mikken; 3 alles op één kaart zetten (bij hazardspel), wagen; 4 de betaaldag vaststellen; 5 overeenkomstige posten bij vergelijking van koopmansboeken aanstippen. **pointeur'** [Fr.] richter van geschut. **pointille'ren** ww [Fr. *pointiller*, v. *pointille*, v. It. *puntiglio* = kleingeestigheid] 1 met puntjes schilderen, in stippels schilderen; 2 zich met kleinigheden bezighouden; beuzelen; haarkloven. **pointillé** [Fr.] 1 schildertechniek door pointilleren; 2 een aldus geschilderd schilderij; 3 in bep. binding geweven stippeljesstof. **pointilleus'** [Fr. *pointilleux* = o.a. vitterig, ook: peuterig] *bn* 1 spitsvondig; 2 lichtgeraakt. **pointillis'me** [Fr.] schilderwijze in stippels. **pointillist'** [Fr. *pointilliste*] schilder die kleuren in stippels met tube op doek drukt.

**point' of no return'** [Eng. = punt van niet-terugkeer] 1 punt op de route v.e. transoceanisch vliegtuig waarop het bij een defect niet meer moet terugkeren, maar doorvliegen; 2 (*fig.*) punt waarop geen terugkeer meer mogelijk is.

**poi'vre** [Fr.] (*cul.*) peper; — *long* [Fr. = *lett.*: lange peper] Spaanse peper.

**po'kerface** [Eng. = pokergezicht] volkomen strak gelaat dat geen enkele emotie verraadt (zoals bij pokerspelers gebruikelijk).

**polair'** [Fr. *polaire*, v. MLat. *poláris*, v. Lat. *pólus* = pool, v. Gr. *polos* = draaipunt] *bn* 1 polen (*zie* 1 **pool** 2) bezittend; 2 gericht naar tegenovergestelde kanten; 3 bij een pool (*zie* 1 **pool**) aanwezig of vandaar afkomstig (*bijv. polaire lucht*, lucht die een poolgebied als bron heeft); 4 d.m.v. elektrische polen (*bijv.*: polaire binding); 5 op een pool of polen betrekking hebbend.

**polak'** [Pools] 1 inwoner van Polen; 2 jood uit Polen afkomstig.

**polarise'ren** ww [Fr. *polariser*] 1 (*chem.*) zich vasthechten van een gas dat bij elektrolyse vrijkomt op een der polen; 2 (*nat.*) de trillingen v. lichtstralen (die normaal in alle mogelijke vlakken loodrecht o.d. voortplantingsrichting plaatsvinden) slechts in één vlak, het *polarisatievlak*, doen plaatshebben; 3 (*fig.*) polarisatie (2) ondergaan of doen ondergaan. **polarisa'tie** 1 *zn* bij polariseren (1 en 2); 2 toespitsing of toeneming van tegenstellingen in een groep die tot dan toe min of meer bedekt waren gebleven; het steeds verder uiteenlopen van standpunten binnen een groep. **polarime'ter** toestel ter meting v.d. draaiing v.h. polarisatievlak. **polarisa'tor** gepolariseerd licht dat door een bep. oplossing valt om zo aard en gehalte der oplossing te bepalen (spec. voor suikeroplossingen). **polariteit'** [Fr. *polarité*] het polair zijn, neiging v. vrij opgehangen magneet naar de magnetische aardpool.

**pole'micus** [Gr. *polemikos* = de oorlog (*polemos*) betreffend] persoon bedreven in polemiseren. **pole'misch** [Gr. *polemikos*] twistend. **polemise'ren** [Fr. *polémiser*] pennestrijd voeren. **polemist'** [Fr. *polémiste*] polemicus. **polemologie'** [*zie* **-logie**] wetenschap betreffende de oorlog, d.w.z. zijn oorzaken, de voorwaarden om tot vrede te komen. **polemoloog'** beoefenaar v.d. polemologie.

**pole'ren** [Fr. *polir*, Lat. *políri*] polijsten, glanzend maken; (geweerloop) glad uitboren.

**polichinel'** [Fr. *polichinelle*, v. It. *pulcinella* = *lett.*: kuikentje, een type in de It. 'commedia dell'arte'] listige, Napolitaans dialect sprekende grappenmaker, gekleed in het wit, met punthoed en zwart halfmasker, met haakneus), *ook Z.N.*: **poesjenel'**, hanswort, janklaassen in poppenspel, spec. in België met houten poppen naar figuren uit bekende toneelstukken en opera's. In plaatselijk dialect vrij aangepast aan de toestanden in de samenleving en de politiek.

**poliep'** [Fr. *polype*, v. *polupous* = veelvoetig, v. *polus* = veel, en *pous* = voet] 1 (*med.*) elk gesteeld gezwel dat vooral op slijmvliezen voorkomt en meestal goedaardig is; 2 de orde Hydroidea uit de klasse der kwalpoliepen; 3 het gesteelde stadium in de ontwikkeling v.d. kwalpoliepen.

**poliet** *zie bij* **politesse**.

**polikliniek'** [v. Gr. *polis* = stad] inrichting waar niet-bedlegerige patiënten zich kunnen vervoegen ter verkrijging v. geneeskundige hulp.

**poliomyeli'tis** [v. Gr. *polios* = grauw, en *muelos* = merg; *zie* **-itis**] kinderverlamming (als gevolg v. aantasting v.h. grijze ruggemerg), meestal **polio** genoemd.

**po'lis** [Fr. *police*, waarsch. v. MLat. *apodissa*, v. Gr. *apodeixis* = aantoning, bewijs, v. *apodeiknumi* = aan-tonen] akte v. assurantie.

**polit'bureau** machtsorgaan v. diverse communistische partijen, spec. het presidium v.h. centraal bestuur v.d. communistische partij in de Sovjet-Unie.

**polites'se** [Fr. = *lett.*: gepolijstheid, *zie* **poleren**; v. It. *politezza*] beleefdheid, welgemanierdheid. **poliet'** [Fr. *poli*] *bn* beleefd, welgemanierd, wellevend, beschaafd, heus.

**politicologie'** [*zie* **politiek** en **-logie**] wetenschappelijke bestudering v.d. politiek en haar verschijnselen (o.a. hoe het openbaar bestuur handelt in verband met de politiek der partijen). **politicoloog'** beoefenaar van de politicologie. **poli'tica** vrouwelijke politicus. **politicas'ter** [*zie* **-aster**] politieke beunhaas. **poli'ticus**, *mv* **poli'tici** [Lat. *politicus* = staatkundig] 1 staatsman; 2 persoon die aan politiek doet; 3 geslepen iemand.

**poli'tie** [MLat. *politia*, v. Gr. *politeia* = burgerrecht, bestuur v.e. *polis* (stadsstaat)] publieke orde- en veiligheidsdienst; de ambtenaren v. die dienst; een dier ambtenaren, agent. **politieel'** op de politie betrekking hebbend, vanwege de politie (bijv. verordening).

**politiek'** [Gr. *hè politikè* (*tèchne*) = staatkunde, v. *politikos* = de burger (*politès*) of stadsstaat (*polis*) betreffend] **I** *zn* **1** leer v. staatsbeleid, staatkunde, kennis v. parlementair beleid (ook gezegd v. kleinere of grotere gemeenschappen: dorpspolitiek, wereldpolitiek); **2** geslepen tactiek ter bereiking v. zijn doel; **3** burgerkleding; **II** *bn* **1** staatkundig; **2** geslepen, sluw, handig, slim. **politise'ren** *ww* **1** iets in de politiek betrekken dat daar niet thuishoort (*bijv.*: sportgebeurtenis); **2** iem. politiek bewust maken.

**politoer'** [v. Lat. *politúra* = het polijsten, v. *políre*] **1** glansmiddel, smeermiddel om te politoeren; **2** glans, gladheid; **3** (*fig.*) vernisje v. beschaving. **politoe'ren** *ww* **1** glanzend maken met politoer; **2** (*fig.*) oppoetsen.

**pol'ka** [Du. & Fr.; herkomst onzeker] bep. dans in 2/4 maat, v. Boheemse oorsprong.

**pollu'tie** [Lat. *pollútio* = bezoedeling, v. *pollúere*, uit *pro*, z.a., en *lúere* = wassen] **1** (*alg.*) verontreiniging (*vgl.* Eng. *pollution*), zoals luchtverontreiniging, waterverontreiniging enz.; **2** (*spec.*) onwillekeurige zaadlozing tijdens de slaap bij mannen tijdens een erotische ('natte') droom; onwillekeurige vochtafscheiding in de schede bij de vrouw (*pollútio féminae*), ofwel door seksuele opwinding in wakende toestand ofwel tijdens de slaap bij erotische dromen.

**Polo'nium** [naar MLat. *Polonia* = Polen, het vaderland v.d. ontdekster, madame Curie] chem. element, radioactief metaal, symbool Po, ranggetal 84.

**poly-** [Gr. *polus* = veel] veel-. **polyandrie'** [v. Gr. *anèr, andros* = man] veelmannerij, het met meer dan één man gelijktijdig gehuwd zijn. **polyarchie'** [v. Gr. *archoo* = de eerste zijn, heersen; *archè* = begin] regering door velen. **polychloorbi'fenylen (PCB's)** giftige koolstofverbindingen, toegepast als koelstof en als weekmakers v. plastic en verf. **polychroom'** [Gr. *poluchroomos*; *zie* **chromium**] veelkleurig. **polychrome'ren** veelkleurig beschilderen. **polychromie'** [Fr.] veelkleurigheid. **polye'der** [v. Gr. *hedra* = zetel, (zit)vlak] veelvlak, lichaam begrensd door vele vlakken. **polyes'ters** polymeren v. alcoholgroepen en carbonzuurgroepen, toegepast bij kunstvezels. **polyfaag'** [v. Gr. *phag-* = eten] (*dierk.*) dier dat zich met verscheidene stoffen voedt. **polyfagie'** vraatzucht; (*med.*) eetziekte. **polyfoon'** [v. Gr. *phoonè* = geluid, stem] meerstemmig. **polyfonie'** [Fr. *polyphonie*] meerstemmigheid. **polygamie'** [v. laat Gr. *polugamos*, v. Gr. *gamos* = huwelijk] het met meer dan één echtgenoot of -genote tegelijk gehuwd zijn, spec. *polygynie*. **polygaam'** [als vorige] met meer dan één vrouw tegelijk gehuwd. **polygamist'** polygaam man. **polyglot'** [Gr. *polugloottos*, v. *glootta* = tong, taal] iem. die vele talen kent. **polyglot'(te)** [Fr. *polyglotte*] boek met tekst in verscheidene talen naast elkaar. **polygoon'** [Lat. *polygonus*, Gr. *polugoonon*, v. *goonia* = hoek] veelhoek. **polygynie'** [v. Gr. *gunè* = vrouw] veelwijverij. **polyhis'tor** [Gr. *poluistor*, v. *histoor*; *zie* **historie**] veelweter. **polymelie'** [v. Gr. *melos* = lid] het hebben v. overtollige ledematen (bijv. 6 vingers aan een hand). **polymerie'** [v. Gr. *meros* = deel] (*chem.*) het verbonden zijn tot één molecule v. verscheidene moleculen v. bep. stoffen. **polymeer'** verbinding gevormd uit diverse moleculen v.e. bep. stof. **polymerise'ren** polymeren vormen. **polymerisa'tie** *zn*. **polymorf'** [v. Gr. *morphè* = vorm] veelvormig. **Polyne'sië** [v. Gr. *nèsos* = eiland] eilandengroep deel uitmakend v.

Oceanië. **polypto'ton** [v. Gr. *ptoosis* = geval, v. *piptoo* = vallen] herhaling v. hetzelfde woord in een zin. **polysyn'deton** [v. Gr. *sun-detos* = samengebonden, v. *sun-deoo* = samen-binden] verbinding met meer dan het normale aantal voegwoorden, herhaling v. voegwoorden (bijv. en dat eet maar en dat drinkt maar). **polytech'nisch** (*zie* **technisch**) vele technische kundigheden omvattend. **polytheïs'me** [v. Gr. *theos* = god] veelgodendom (*vgl.* **monotheïsme**). **polytheïst'** vereerder v. vele goden. **polyvinyl'chloride (PVC)** plastic op basis v. vinylchloride, kan natuurrubber vervangen.

**pomerans'** [v. It. *pomerancia* (*poma d'arancia*) = sinaasappel; *arancia* = sinaasappel] **1** goudappel, goudgele vrucht van de bittere variëteit v.d. oranjeboom *Citrus aurantium amara*; **2** pomeransbitter, glaasje bitter met pomeranselixir; **3** leren of vilten dopje op het stooteinde v.e. biljartkeu (om ketsen te voorkomen regelmatig met krijt ingesmeerd; **4** dopje op de punt v.e. schermdegen (om de tegenstander niet bij ongeluk te verwonden).

**pomma'de** [Fr., v. It. *pomáta*, v. *poma* = appel, v. Lat. *pómum* = boomvrucht] **1** zalfachtig smeersel om haren glanzend en soepel te maken (*haarzalf*); **2** zalf om gesprongen huid te genezen of om het springen te voorkomen. **pomma'deren** *ww* [Fr. *pommader*] met pommade insmeren.

**pomologie'** [onjuist gevormd v. Lat. *pómum* = boomvrucht, en Gr. *-logia, zie* -**logie**] leer der boomvruchten, ooftkunde, leer van het fruit. **pomolo'gisch** *bn* de ooftkunde betreffend; ooftkundig. **pomoloog'** ooftkenner.

**pompadoer'** [Fr. *pompadour*] bep. gebloemde japonstof (naar de marquise de Pompadour, maîtresse van Lodewijk XV).

**pom'pelmoes** [naar Tamilwoord *bambolas*] Ned. naam voor *grapefruit* (maar ten onrechte, daar grapefruit de vrucht is van *Citrus paradisi*, en pompelmoes die van *Citrus grandis*).

**pom'pernikkel** [Du. *Pumpernickel*, afgeleid v. *pumpern* = winden laten; *nickel* = Nikolaas; spottend gezegd omdat iemand van dit brood winden laat] soort zwart roggebrood uit Westfalen.

**pompeus'** [Fr. *pompeux*, v. VLat. *pompósus*, v. Lat. *pompa*, Gr. *pompè* = feestelijke optocht, v. *pempoo* = zenden] pralerig, pronkerig; met veel zwier, statig, deftig; hoogdravend.

**pompier'** [Fr., v. *pompe* = pomp] spuitgast.

**ponce'ren** [Fr. *poncer*, v. *ponce* = puimsteen, Lat. *pumex*] met puimsteen glad maken.

**pon'cho** [inheems] bep. Z.-Am. mantel.

**pondera'bel** [VLat. *ponderábilis*, v. Lat. *ponderáre* = wegen, v. *pondus, pónderis* = gewicht] weegbaar.

**pone'ren** [Lat. *pónere*, uit *posúere*, uit *posínere*; *sínere* = oorspr. zetten; *vgl. situs* = ligging) stellen; een *stelling* —, een stelling voordragen.

**pon'jaard** [Fr. *poignard*, v. *poigne* = vuist, Lat. *pugnus*] bep. kort rapier, bep. dolk.

**pons asino'rum** [Lat.] ezelsbruggetje.

**pon'sen** [v. Fr. *poinçon* = prik, v. Lat. *púnctio* = doorboring, v. *púngere, punctum* = steken, prikken] gaten slaan in (met pons: bep. stalen cilindervormig werktuig).

**pont** [v. Lat. *ponto* = platboomd Gallisch vaartuig, ponton] platboomd vaartuig om personen, dieren of de voertuigen over een rivier te zetten.

**ponteneur'** (*volkstaal*) point d'honneur, *z.a.*

**pon'tifex** [v. Lat. *pons, pontis* = baan, pad, brug, of v. Oscisch-Umbrisch *puntis* = offer, en v. Lat. *fácere* = maken] (*lett.*: wegbereider tot de goden, of: offeraar) hogepriester; (*rk*) bisschop; — *máximus*, (in oude Rome) opperpriester; (*rk*) paus. **pontificaal** [Lat. *pontificális*] **I** *bn* hogepriesterlijk, bisschoppelijk; *pontificale mis*, mis door bisschop plechtig gecelebreerd; **II** *zn* (hogepriesterlijk) plechtgewaad; (*gemeenzaam*) beste pak. **pontificaat'** [Lat. *pontificátus*] pauselijke of bisschoppelijke waardigheid, ambtsvervulling of ambtsduur.

**ponton'** [Fr.; *zie* **pont**] ijzeren schuit voor het leggen v. e. schipbrug; ijzeren drijvende bak als onderdeel v. aanlegsteiger. **pontonnier'** [Fr., v. MLat. *pontonárius*] (*mil.*) schipbruglegger.

**po'ny** [v. Schots *powney*, waarsch. v. OFr. *poulinet*, verkleinwoord v. *poulain* = veulen, v. VLat. *pullánus*, v. Lat. *pullus* = jong dier, veulen] klein paard, hit; —*haar*, haar over voorhoofd gekamd en recht afgeknipt.

**1 pool** [v. Lat. *pólus*, Gr. *polos* = draaipunt, as] **1** aspunt, spec. v.d. aardbol, van andere hemellichamen of v.d. hemelsfeer; **2** elk van twee plaatsen of punten als zetel van tegenovergestelde eigenschappen van krachten, zoals bij een elektrische batterij (in- of uittreding van stroom) of bij een magneet; **3** punt v. grootste hevigheid (*bijv.*: koudepool); **4** (*fig.*) elk van twee tegengestelde beginselen of stromingen.

**2 pool** [v. Fr. *poil* = haargroei, v. Lat. *pilus* = haar] opstaande haren v. e. weefsel (vloerkleed, fluweel e.d.).

**3 pool** [Eng., waarsch. v. Fr. *poule* = kip, in de bet. van 'buit', v. Lat. *púlla*, vr. van *púllus* = jong dier] **1** deelgenootschap tot gemeenschappelijke handel, om de prijzen beter te kunnen beheersen; **2** wedsysteem betreffende de uitslag van bep. sportwedstrijden, waarbij de inleggelden v. alle deelnemers toekomen aan de winnaar, resp. winnaars; **3** (*alg.*) gemeenschappelijke pot, prijzenpot; **4** verzameling organismen met dezelfde erfelijke eigenschappen (*genenpool*); **5** gemeenschappelijk gebruik van iets (*bijv.*: *carpool*).

**pop'-art** [Eng., samentrekking van *popular art* = *ongev.*: volkskunst] stroming in de beeldende kunst die haar inspiratie zoekt in de commerciële massacultuur: kranten, tijdschriften, televisie, auto's, foto's e.d.

**po'pe** [v. laat-Gr. *papas*, Gr. *pappas* = vader, papa] priester in de Grieks-orthodoxe kerk.

**popeli'ne** [v. Fr. *papeline*, v. It. *papalina* = pauselijke, naar de pauselijke stad (*ville papeline*) Avignon, residentie der pausen 1334–1392] bep. glanzend halfzijden weefsel.

**pop'-music** [v. Eng. *popular* = populair), ook kortweg **pop**, *lett.*: elke vorm van muziek die enige populariteit (bij bep. groepen) geniet; thans in de betekenis: rock-'n-roll en latere daarmee stilistisch verwante genres.

**populair'** [Fr. *populaire*, v. Lat. *populáris* = tot het volk behorend, v. *pópulus* = volk; *vgl. plebs* en Gr. *polis* = stad] bij het volk bemind; algemeen (ook voor niet-vaklieden) begrijpelijk. **popularise'ren** [Fr. *populariser*] ook voor niet-vaklieden begrijpelijk maken. **popularisa'tor** vie popularuseert.

**populariteit'** [Fr. *popularité*] het bij het volk geliefd zijn. **popula'tie** [VLat. *populátio*, v. *populáre* = bevolken] **1** (*alg.*) bevolking, **2** (*plk.*) mengsel van op zichzelf erfelijk zuivere linies; **3** (*statistiek*) verzameling v. zaken, personen e.d. waarnaar men een statistisch onderzoek verricht; **4** (*astr.*) sterrenbevolking, groep sterren van ongeveer dezelfde ouderdom en chemische samenstelling.

**populis'me** [v. Lat. *pópulus* = volk] **1** literaire richting in Frankrijk omstreeks 1930, die het schrijven v. romans over en voor het volk beoefende; **2** (*schilderkunst*) stroming die er naar streeft het verhalende element in de beeldende kunst te herstellen en die een zo groot mogelijke popularisering nastreeft; **3** (*politiek*) ideologie in bep. landen, spec. in de Derde Wereld, volgens welke de politici zich opwerpen als leiders van het gehele volk en niet als behartigers v.d. belangen v. e. bep. stam, stand of klasse. **populist'** aanhanger van het populisme. **populis'tisch** *bn* betrekking hebbend op het populisme of de

populisten, v.h. populisme.

**poreus'** [Fr. *poreux*; *zie* **porie**] met poriën.

**porfier'** [v. Gr. *porphúreos* = purper; *eig.*: vaal donkerkleurig v. onstuimige zee, v. *porphúroo* = herhaaldelijk dooreenmengen] bep. roodbruin uitgeweldt bazalt.

**po'rie** [v. Gr. *poros* = doorgang; *vgl. peraoo* = doordringen] kleine opening, spec. opening in opperhuid v. plant of dier voor het uitlaten v. vocht.

**pork** [Eng., v. Lat. *pórcus* = varken, *pórca* = zeug] spek, varkensvlees.

**por'no**, afk. v. **pornografie'** [v. Gr. *pornos* = ontuchtige, en *graphoo* = schrijven] geschriften waarin seksuele handelingen uitvoerig worden beschreven met het doel de lezer erotisch te prikkelen. Ook dergelijke beelden, schilderingen, tekeningen, foto's, films e.d. **pornogra'fisch** *bn* van de aard van porno, ontuchtig. **pornograaf'** pornografie-schrijver, vuilschrijver.

**porositeit'** [Fr. *porosité*] het poreus zijn, poreusheid.

**porselein'** [Fr. *porcelaine* = van Venusschelp, (Venusschelp heet in MLat. *porcéllus* = *lett.*: varkentje, biggetje, wegens gelijkenis v. Venusschelp met achterdeel v. varkentje, v. Lat. *porcus* = varken; *vgl.* It. *porcellana*, v. *porcella* = biggetje)] bep. fijn, wit, halfdoorschijnend aardewerk.

**portaal'** [v. MLat. *portále*, onz. v. *portális* = tot de poort behorend, v. Lat. *pórta* = poort, deur; *vgl.* Gr. *poros* = doorgang; *peraoo* = dóórdringen] **1** ingebouwde of uitgebouwde afgesloten ruimte die de hoofdingang v. e. groot gebouw of kerk (*kerkportaal*) vormt; **2** ruimte in een huis achter de deur en vóór de gang, voorhuis, vestibule, halletje; *ook*: overloop; **3** ruimte op elke etage v. e. flatgebouw waar de trap en eventueel de lift op uitkomen, meestal hal genaamd.

**porta'bel** [Lat. *portábilis*, v. *portáre* = dragen] kunnende gedragen worden. **por'table** [Eng.] klein model schrijfmachine in platte koffer.

**portamen'to** [It.] (*muz.*), voluit: *portamento di voce*, het glijden van de ene toon naar de andere bij zingen, zonder opnieuw aan te zetten.

**portebrisée** [Fr. = *lett.*: gebroken deur] openslaande of openschuifbare dubbele deur tussen twee kamers.

**portee'** [Fr. *portée* = dracht, v. *porter*, Lat. *portáre* = dragen] **1** draagwijdte, spec. dracht van een vuurwapen; **2** strekking van een gezegde, betekenisomvang. **portefeuil'le** [Fr. = *lett.*: drager van blad, v. Lat. *fólium* = blad] **1** map voor het opbergen van archiefstukken, prenten e.d.; **2** tasje (meestal van leer) voor het opbergen van bankpapier, persoonlijke documenten; **3** (*geldhandel*) voorraad effecten; **4** tas voor het opbergen van staatsstukken; *vandaar*: ambt van minister (*bijv.*: zijn portefeuille ter beschikking stellen = aftreden als minister); *in*—, nog niet gepubliceerd. **porte-manteau'** [Fr. *portemanteau* = *lett.*: manteldrager] staande kapstok.

**por'ticus** [Lat., v. *porta*; *zie* **portaal**] zuilengang, galerij. **por'tico** [It.] porticus.

**por'to** [It. = draaggeld, vrachtloon, v. Lat. *portáre* = dragen] vervoerloon, spec. voor brieven. **portofoon'** [v. Lat. *portáre* = dragen; Gr. *phooné* = geluid] draagbare draadloze zend- en ontvangstinstallatie, hetzelfde als *walkie-talkie* (*z.a.*).

**por-to-fran'co** [It., v. Lat. *portus* = haven, evenals *porta* (deur) verwant met Gr. *peraoo* = doordringen; *zie* **portaal**; voor *franco*, *z.a.*] vrijhaven.

**portuur'** [*zie* **partuur**] gelijkwaardige tegenpartij.

**po'se** [Fr., v. *poser* = neerzetten, plaatsen, v. Lat. *pausáre* = voor een poos ophouden) houding, *spec.*: aanstellerige houding.

**pose'ren** [Fr. *poser*] **1** zitten om zijn portret te

laten maken; **2** een gemaakte houding aannemen. **poseur'** [Fr.] wie een aanstellerige houding aanneemt, gewichtigdoener.

**posi'tie** [Lat. *positio*, v. *pónere, pósitum* = zetten, plaatsen] ligging, stand, houding; stelling; gesteldheid, toestand; plaatsing (bijv. v. voet bij dansen, v. vingers bij bespeling v. strijkinstrument); maatschappelijke stand, rang of plaats; betrekking, ambt; *in* —, zwanger, in verwachting. **positief'** [Lat. *positivus* = geplaatst, gesteld] **I** *bn* stellig, vaststaand, zeker; tegengestelde v. negatief, groter dan nul; **II** *zn* afdruk v. fotonegatief. **po'sitief** (*taalk.*) stellende trap. **positie'ven** bewustzijn, geestvermogens. **positivis'me** [Fr.] bep. wijsgerig stelsel, dat alleen aanvaardt wat zintuiglijk waargenomen en vastgesteld kan worden (grondlegger Auguste Comte, Fr. wiskundige en wijsgeer, 1798-1857; zijn systeem is beschreven in zijn *Cours de philosophie positive*). **positivist'** [Fr. *positiviste*] aanhanger v.h. positivisme. **positivis'tisch** volgens het positivisme. **positi'vus** [Lat. *positivus gradus*; *zie* **po'sitief**] stellende trap. **po'sitron** (uit *posi[tief elek]tron*) elementair materiedeeltje met positieve lading en gewicht v. elektron, (ook **positon**).

**pos'se** [Du. *Posse* = klucht, grap] derderangs kluchtig toneelstuk.

**posse'de'ren** [Fr. *posséder*, v. Lat. *possidére*, v. *pos = pro, z.a.*, en *sedére* = zitten] in eigendom bezitten. **posses'sie** [Lat. *posséssio*] eigendom, bezit, bezitting. **possessief'** [Lat. *possessívus*] *bn* het bezit betreffend; bezitting aanwijzend. **pos'sessief** [v. Lat. *pronomen possessívum*] bezittelijk voornaamwoord. **possessi'vum**, *mv* **possessi'va** [*onz.* v. *possessívus*] bezittelijk voornaamwoord.

**post** [Fr. *poste*, v. VLat. *posta* = Lat. *pósita* = *vr.* van *pósitus* = gesteld, v. *pónere, pósitum* = zetten, plaatsen] wacht, schildwacht; ambt; dienst voor vervoer v. brieven e.d., bode die brieven bezorgt, binnenkomende of te verzenden brieven; stijl v. deur; afzonderlijke notering v. rekening, begroting of boekhouding. **postaal'** [Fr. *postal*] de post betreffend.

**post'box** [Eng.; v. **box**] persoonlijke brievenbus in postkantoor. **post'cheque** cheque uitgeschreven door houder v. rekening bij de postdienst.

**post-** [Lat.] na-, achter-.

**postdate'ren** een latere dagtekening invullen. **pos'ten** [*zie* **post**] in de postbus doen (een brief); op wacht staan, spec. bij werkstaking. **pos'ter** [Eng., v. *post* = *ook*: plaats, spec. = aanplakbiljet op publieke plaats, affiche] **1** affiche of reproduktie daarvan als wandversiering; ook plaat zonder reclame zo groot als een affiche als wandversiering; **2** wie post bij een werkstaking. **poste'ren** [Fr. *poster*] opstellen; *zich* —, gaan staan, zich opstellen. **pos'te-restan'te** [Fr.] op het postkantoor te blijven (om daar afgehaald te worden) (afk. **P.R.**).

**posterieur'** [Fr. *postérieur*, v. Lat. *postérior*, vergrotende trap v. *pósterus* = achternakomend, v. *post* = achter, na] later, volgend, jonger. **posterio'res** [Lat. *partes-* = achterdelen] achterwerk. **posterioriteit'** [Fr. *postériorité*] **1** het later komen, het jonger zijn; **2** zaak van minder belang (tegenover *prioriteit, z.a.*).

**post fac'tum** [Lat. = *lett.*: na het feit] achteraf.

**post hoc, er'go prop'ter hoc** [Lat.] na dit, dus wegens dit (valse sluitrede, die uit het feit van later-zijn ook het gevolg-zijn afleidt).

**posti'che** [Fr., v. It. *posticcio*] vals, nagemaakt. **posticheur'** maker v. valse haarvlechten e.d.

**postiljon'** [Fr. *postillon*, v. It. *postiglione*] postrijder; *postillon d'amour*, overbrenger v. liefdesbriefjes.

**postil'le** [Fr., v. MLat. *postilla*, verdere afl. onzeker] **1** kanttekening, korte verklaring v. bijbeltekst; **2** boek met dergelijke uitleggingen.

**postincuna'bel** [v. *post-*, en *incunabel, z.a.*] nawiegedruk, d.i. boek gedrukt tussen 1501 en 1540.

**postlu'dium**, *mv* **postlu'dia** [v. Lat. *post* = na, en *lúdere* = spelen] **1** naspel; **2** (*muz.*) verlengde cadans op het einde van een muziekstuk; **3** orgelspel na beëindiging v.d. kerkdienst.

**post meri'diem** (*uitspr.*: ... mèriedie-èm) [Lat.] na de middag (afk.: **p.m.**). **post mor'tem** [Lat.] na de dood. **postnataal'** [v. Lat. *post* = na; *zie* **nataal**] *bn* plaatshebbend na de geboorte (*vgl. prenataal*). **post'natale depres'sie** [*zie* **depressie**] PND, (vaak hormonale) inzinking na de bevalling.

**postnumere'ren** *ww* [v. Lat. *post* = na, en *numeráre* = tellen, ook: neertellen, betalen, v. *númerus* = aantal, getal] nabetalen, achteraf betalen. **postscrip'tum**, *mv* **postscrip'ta**, afk. **P.S.** [Lat. *post-scríbere, -scríptum* = er na schrijven] naschrift, spec. onder brief om iets mee te delen dat men in de brief zelf vergeten is.

**postule'ren** *ww* [Lat. *postuláre, postulátum* = verlangen, eisen, v. *póscere* = verlangen, vorderen] **1** vorderen, als voorwaarde stellen, vooropstellen; **2** dingen naar een betrekking; **3** om iets vragen; **4** opname in een kloosterorde aanvragen (*zie* **postulaat 2**). **postulaat'** [Lat. *postulátum* = vordering] **1** vooronderstelling zonder bewijs (voorlopig) als juist aanvaard, grondstelling zonder nader bewijs (dat onmogelijk is) te aanvaarden, *axioma*; **2** vooropgestelde voorwaarde; **3** (*rk*) proeftijd voor aspirant-kloosterbroeder of -kloosterzuster. **postulant'** [v. Lat. *póstulans, postulántis* = o.dw van *postuláre*] **1** dinger naar een betrekking; **2** aspirant-kloosterbroeder of kloosterzuster (*postulante*) in de postulaat-tijd.

**postuum'**, *ook*: **posthuum'** [Lat. *póstumus* of *pósthumus* = na de dood van de laatst geboren] na de dood van de vader geboren; *thans vooral*: (boek) na de dood van de schrijver uitgegeven.

**postuur'** [Fr. *posture*, v. Lat. *positúra* = plaatsing, stand, v. *pónere, pósitum* = plaatsen, zetten] lichaamsbouw, gestalte; lichaamshouding.

**pota'ge** [Fr.] (*cul.*) groentesoep; in het alg.: gebonden soep.

**pot-au-feu'** [Fr. = *lett.*: pot op het vuur, soepketel] (*cul.*) Franse dikke soep, bestaande uit rundvlees met bouillon, met prei, wortelen e.d.; zgn. 'vleespot'.

**potas'sium** [v. Ned. *pot-as* = kaliumcarbonaat, daar dit vroeger bereid werd door verbranding van bep. planten in een pot] vooral in Angelsaksische landen de naam voor het chem. element *kalium, z.a.*

**pot-de-cham'bre** [Fr. = kamerpot] po, nachtspiegel.

**potée** [Fr.] (*cul.*) *a* elke spijs die bereid is in een pot v. aardewerk; *b* bep. soep v. varkensvlees, groenten, kool en aardappelen.

**potent'** [v. Lat. *pótens, poténtis* = *eig.*: o.dw van *pósse = pótis ésse* = bij machte zijn, kunnen] machtig, vermogend; spec. van man: in staat zijnde de geslachtsdaad te verrichten. **potentaat'** [v. Lat. *potentátus* = macht, heerschappij] **1** machthebber, spec. gekroond heerser, vorst; **2** (*fig.*) heerszuchtig persoon, iem. die zich dominerend laat gelden, autoritair persoon, 'baas'. **potentiaal'** [v. Lat. *potentiális*, v. *poténtia* = vermogen, kracht] grootheid die de spanning in elk punt v e. elektrisch veld aangeeft. Ook te definiëren als de arbeid die nodig is om de eenheid van elektrische lading vanuit het oneindige naar dat punt te brengen; *potentiaalverschil*, spanningsverschil in volts tussen de potentialen v. twee punten. **poten'tie** [Lat. *poténtia*] **1** vermogen, macht; **2** seksueel vermogen v.d. man, vermogen de geslachtsdaad te verrichten (*vgl.* **impotentie**); **3** verdunningsgraad van homeopatische geneesmiddelen. **potentieel'** [Fr. *potentiel; zie* **potentiaal**] **I** *bn* slechts in aanleg aanwezig, maar nog niet *actueel*, d.i. nog niet in werking, maar verwerkelijkt kunnende worden; *potentiële energie*, arbeidsvermogen van plaats; **II** *zn* vermogen dat beschikbaar is. **potentiome'ter** [v. **potentiaal**, en **meter**] **1** toestel om de elektrische potentiaal en dus ook spanningsverschillen (nauwkeurig) te meten; **2** spanningsdeler.

**pot'lach** Indiaans feest waarbij de gever overdreven waardevolle geschenken uitdeelt.

**potpourri'** [Fr. = *lett.*: verrotte pot; *vgl.* Sp. **olla podrida**, *z.a.*; *vgl.* Lat. *puter* = verrot; *zie* **pus**] spijzenmengsel, hutspot; allegaartje, mengelmoes; muziekstuk samengesteld uit brokstukken v. groter werk of v. diverse andere werken.

**potterie'** [Fr.] pottenbakkerij.

**pou'dre de riz** [Fr. = *lett.*: rijstpoeder] (*kosmetiek*) geparfumeerd fijn talkpoeder als gelaatspoeder.

**poular'de** [Fr., v. *poule* = kip, v. Lat. *pullus* = jong dier] jong, gecastreerd en vetgemest hoen; *ook:* braadkip van 1 kilo of meer; vetgemeste kip van bep. zware hoenderrassen met blank vlees, 4-6 maanden oud. **poule** [Fr.] **1** (*cul.*) kip; **2** (*sport*) groep v. spelers of teams die door loting (en met het oog op krachtsverhoudingen) tegen elkaar om kampioenschap moeten spelen in verband met een groter sportgebeuren met vele teams; **3** (*Z.N.*) inzet bij spel, spec. bij duivenwedstrijd. **poulet'** [v. Fr. *poulette* = kuiken] (*cul.*) *a* kip, kuiken; *b* klein gesneden soepvlees (*zie* **poelet**).

**pound** [Eng., v. Lat. *pondo* = pond, oorspr. 6e *nv* v. *pondus, pónderis* = gewicht; *pondo valére* = aan gewicht waard zijn] pond.

**pour** [Fr., v. Lat. *pro*] — *acquit*, afk. **p.a.** (*hand.*) voor voldaan. **pour besoin' de la cau'se** [Fr.] uitgedacht voor het onderhavige geval. **pour cau'se** [Fr., v. Lat. *causa* = oorzaak] met reden. **pour condoléance** [Fr.; *zie* **condoleren**] om rouwbeklag te doen. **pour connaissance**, afk. **P.C.** [Fr.; op telegram] kennisgeving ontvangst. **pour faire visite** [Fr.] om bezoek te brengen. **pour féliciter**, afk. **p.f.** [Fr.; *zie* **feliciteren**] om geluk te wensen. **pourparlers'** [Fr., v. *parler* = praten] heen- en weergepraat, onderhandelingen. **pour pren'dre congé**, afk. **p.p.c.** [Fr.] om afscheid te nemen. **pour remercier**, afk. **p.r.** [Fr.] om te bedanken. **pour rendre visite**, afk. **p.r.v.** [Fr.] om tegenbezoek te te leggen.

**pousse'ren** *ww* [Fr. *pousser* = duwen, v. Lat. *pulsáre* = stoten, duwen, intensitief v. *péllere* = drijven] **1** voorthelpen, bevorderen (de aanstelling van iemand); **2** (een artikel) ingang doen vinden, op de markt brengen; **3** *een kaartje —*, een visitekaartje afgeven; **4** *zich —*, zichzelf op de voorgrond plaatsen.

**po'wer lift** [Eng.] demonstratie v. uitzonderlijke kracht (*bijv.*: buigen v. ijzeren stangen, doorscheuren van dikke telefoonboeken e.d.).

**practica'bel** [Fr. *praticable*, v. *pratiquer* = in praktijk brengen; *zie* **praktijk**] *bn* uitvoerbaar, doenlijk. **prac'tical joke** [Eng.] *zie bij* **joke**.

**practicant'** persoon die aan een practicum deelneemt. **prac'ticum 1** praktische oefening voor studenten in een wetenschappelijk vak; **2** lokaal daarvoor; **3** handleiding daarvoor. **prac'ticus** persoon die kundig is in de uitoefening van zijn wetenschap of vak door grote ervaring.

**1 prae** [Lat. = vooraan, voorop], *ook*: **pré** [Fr.] voorkeur, voorrang.

**2 prae-** [Lat.] *zie* **pre-**.

**prae'ses** [Lat. = beschermer, leider, voorzitter, v. *prae-sidére* = vooraan-zitten] voorzitter.

**praesidiaal'** [Lat. *praesidiális*] van de voorzitter. **praesi'dium** [Lat. = bescherming, bezetting v. post] voorzitterschap.

**pragmatiek'** [Fr. *pragmatique*, Lat. *pragmáticus*, Gr. *pragmatikos*, v. *pragma*, *pragmatos* = daad, v. *prassoo* = doen] feitelijk, op de praktijk of algemeen nut gericht, leerzaam met oog op toepassing in de praktijk. **—e geschiedschrijving**, geschiedschrijving die de feiten vooral uit oogpunt v. algemeen belang beschouwt. **pragmatis'me** stelsel dat de praktische bruikbaarheid en de zakelijke beoordeling v. feiten, en niet de ideologie, als norm stelt.

**Prairial'** [Fr., v. **prairie**] de 9e maand v.d. Fr. Republikeinse kalender (20 mei-18 juni).

**prai'rie** [Fr., v. VLat. *pratária*, v. Lat. *pratum* = weide, beemd] boomloze grasvlakte in sommige delen v. Noord-Amerika.

**praktijk'** [Fr. *pratique*, v. vroeger *practique* = Gr. *praktikos*, v. *prassoo* of *prattoo* = doen] toepassing v.d. theorie in de werkelijkheid; uitoefening v. vak; gezamenlijke cliënten v. advocaat of patiënten v. arts; *praktijkan*, slinkse streken. **prak'tisch** [Gr. *praktikos* = geschikt om iets te doen, bedreven, praktisch] op de praktijk gebaseerd, doelmatig, bruikbaar, baat gevend (een resultaat). **praktize'ren** [OFr. *practiser*, v. MLat. *practicáre*] praktijk uitoefenen, spec. v. advocaat of arts; zijn kerkelijke plichten waarnemen. **praktizijn'** [v. vroeger Fr. *practicien*] zaakwaarnemer.

**prali'nes** *mv* [Fr.] (*Zuid-N.*) bonbons in het algemeen [naar eigennaam Du Plessis Praslin, 17e eeuw; *praliner'* [Fr.] = in suiker bakken] (*cul.*) met gezeefde poedersuiker bestrooien en daarna glaceren.

**Praseody'mium** [v. Gr. *prasios* = groen als look; *prasia* = groentenbed; wegens de groene kleur v.h. oxide] chem. element, symbool Pr, ranggetal 59.

**pra'xis** [Gr. = het doen; *zie* **praktijk**] uitoefening v. kunde of kunst, praktijk; *in praxi*, in de praktijk.

**pre-** [Lat. *prae-*] voor-, vooruit-, vooraan-, van tevoren-.

**pré** *zie* **prae**.

**pre'advies** advies v. deskundige over aan de orde komende kwestie. **preadvise'ren** een preadvies geven. **preadviseur'** wie preadvies geeft.

**preala'bel** [Fr. *préalable*, v. *pré* = Lat. *prae*, en *aller* = gaan] vóór de hoofdzaak te behandelen.

**preambu'le** [v. MLat. *praeámbulum*, v. Lat. *praeambuláre* = vooruit-wandelen] uitvoerige inleiding. **preambule'ren** [Lat. *praeambuláre*] uitvoerig inleiden of voorbereiden.

**preben'de** [OFr., v. MLat. *praebénda* = onz. *mv* van gerundium v. Lat. *praebére* = verschaffen, uit *praehibére* = *prae-habére* = toehouden, toe-reiken] inkomen uit kerkelijke bediening, stichting of kerkelijk goed.

**precair'** [Fr. *précaire*, v. Lat. *precárius* = door bidden afgesmeekt, voorlopig uit gunst verleend, *vandaar*: van de goedheid v. e. ander afhankelijk, onzeker, twijfelachtig, v. *precári* = vragen, bidden, v. *prex*, *precis* = gebed] **1** hachelijk, bedenkelijk; **2** tot wederopzegging.

**Precam'brium**, *ook* **Praecam'brium 1** de geologische 'eon' (super-tijdperk) die de geschiedenis der aarde omvat vanaf haar ontstaan als planeet (iets meer dan 4,5 miljard jaren geleden) tot het begin van het *Phanerozoïcum*, *z.a.*, 600 miljoen jaren geleden; **2** gesteenten in het Precambrium gevormd.

**preca'rio** [Lat. = *lett.*: ter bede] recht verschuldigd wegens gebruik v. gemeentegrond.

**precau'tie** [Lat. *praecautio*, v. *prae-cavére*,

**-cáutum** = zich van tevoren hoeden, maatregelen nemen] voorzorg.

**prece'ren** [Lat. *prae-cédere, -céssum* = vooraf-gaan] de voorrang hebben.

**precedent'** [Fr. *précédent*, v. Lat. *precédens, -éntis* = o.dw] besluit in vroeger soortgelijk geval waarop men zich thans beroept.

**preceden'tie** voorrang.

**preces'sie** [VLat. *praecéssio*] (*astr.*) het zich verplaatsen v.d. nachteveningspunten (snijpunten v. hemelequator en ecliptica) langs de ecliptica in westelijke richting (ten gevolge v. langzame richtingsverandering v. aardas). De precessie der equinoxen bedraagt 50,26" (boogseconden) per jaar; de volledige omloop v.d. equinoxen langs de gehele ecliptica duurt ca. 25 700 jaren (*platonisch jaar*). Ook de hemelpool beschrijft daardoor in die tijd een cirkel tussen de vaste sterren.

**precies'** [Fr. *précis*, v. Lat. *praecísus* = van tevoren afgesneden, rond afgeslagen, v. *praecídere, -císum = prae-cáedere* = vooruit afhouwen, rond afslaan] juist, stipt, nauwkeurig. **precise'ren** [Fr. *préciser*] nader omschrijven, nauwkeuriger uitdrukken. **preci'sie** [Fr. *précision*] nauwkeurigheid, stiptheid.

**precieus'** [Fr. *précieux*, v. Lat. *pretiósus* = van grote waarde, v. *prétium* = prijs, waarde] gekunsteld. **precio'sa** [Lat. onz. mv *pretiósa*] kostbaarheden.

**precipite'ren** [Lat. *praecipitáre* = neerstorten, v. *praeceps* = met 't hoofd vooruit, hals over kop, naar beneden, v. *prae* = vooruit, en *caput* = hoofd] (*chem.*) neerslaan, bezinken. **precipita'tie** [Lat. *praecipitátio*] zn. **precipitaat'** [Lat. *praecipitátum* = wat neergestort is] (*chem.*) neerslag, bezinksel.

**preclude'ren** [Lat. *praeclúdere, -clúsum = praeclúdere* = dichtsluiten] uitsluiten, voorkómen. **preclu'sie** [Lat. *praeclúsio* = sluiting] uitsluiting. **preclusief'** uitsluitend.

**precociteit'** [v. Lat. *praecox, -cócis* = vroegrijp, v. *prae*, z.a. en *cóquere* = koken] vroegrijpheid.

**precogni'tie** [Lat. *praecognítio*, v. *prae-cognóscere* = van tevoren weten] vóórkennis.

**preconise'ren** [MLat. *praeconizáre*, v. Lat. *praeco, -cónis* = uitroeper, heraut, *uit: prae-vocon; vocáre* = roepen] aanprijzen, ophemelen. **preconisa'tie** zn.

**predestine'ren** [Lat. *prae-destináre, -átum* = vooraf beschikken, voorbestemmen] voorbeschikken. **predestina'tie** [Lat. *praedestinátio*] voorbeschikking; spec. in theol. zin: de goddelijke voorbeschikking van de mensen tot eeuwig heil of tot verdoemenis. De vraag wat deze 'voorbeschikking' precies inhoudt, wordt in de christelijke theologie verschillend beantwoord.

**predetermine'ren** [VLat. *prae-determináre*; *zie* **determineren**] op voorhand beslissen.

**predice'ren** [Lat. *prae-dicáre, -átum* = openlijk afkondigen, uitzeggen] (*logica*) iets als waar bevestigen, iets zeggen omtrent het onderwerp. **predicaat'**, afk. **pred.** [Lat. *praedicátum*] 1 (*logica*) datgene wat v.e. zaak als eigenschap wordt gezegd; 2 (*spraakk.*) gezegde (bijv. in: 'hij is een groot man', is 'een groot man' het predicaat in betekenis 1, en 'is een groot man' in betekenis 2). **predicatief'** als gezegde fungerend.

**predic'tie** [Lat. *praedíctio*, v. *prae-dícere, -dictum* = van tevoren zeggen] voorzégging, voorspelling.

**pre'diken** [v. Lat. *praedicáre, -átum* = openlijk verkondigen] het woord Gods verkondigen; een bep. leer of leefregel openlijk verkondigen, ergens toe aanzetten. **predika'tie** [Fr. *prédication*] verkondiging v. Gods woord, kerkelijke rede, preek. **predikant'**, afk. **pred.** [Lat. *praedicans, -ántis* = o.dw] (*prot.*) dominee; wie belast is met bediening v.h. Evangelie en leiding v.e. gemeente; (*rk*) wie predikatie(s) houdt.

**predilec'tie** [Fr. *prédilection*, v. MLat. *praediligere*; *zie* **diligent**] voorliefde, vooringenomenheid. **predispone'ren** [*zie* **pre-**, en **disponeren**] vooraf beschikken, voorbereiden, van tevoren ontvankelijk maken. **predisposi'tie** voorbeschiktheid, ontvankelijkheid, aanleg (voor ziekte).

**predomine'ren** overheersen, overwicht bezitten. **predomina'tie** zn. **preëminen'tie** [v. Lat. *prae-eminéntia*] voortreffelijkheid, uitstékendheid, voorrang. **preëxisten'tie** het vooraf bestaan (v. ziel vóór lichaam) (door sommigen aangenomen). **prefabrice'ren** grote bouwsels van tevoren in fabriek in onderdelen gereed maken (om ze daarna op de bouwplaats te monteren). **prefabrica'ted** [Eng.] geprefabriceerd, afgekort tot **prefab**.

**prefa'tie** [Lat. *praefátio*, v. *prae-fari* = voorafspreken; *-fatus sum* = ik heb ...] voorrede; (*rk*) inleidend deel v.h. eucharistische gebed. **prefect'** [Lat. *praeféctus* = opziener, v. *praeficere, -féctum = prae-facére* = vooraanmaken, als hoofd aanstellen] hoofd v. departement; (op internaat) hoofd toezichthouder op leerlingen buiten de lesuren. **prefectuur'** [Lat. *praefactúra*] ambt of ambtsgebouw v. prefect.

**prefere'ren** [Fr. *préférer*, v. Lat. *prae-férre* = vooruit-dragen, de voorrang geven] de voorkeur geven, verkiezen boven.

**prefera'bel** [Fr. *préférable*] te verkiezen boven. **preferent'**, afk. **pref.** [v. Lat. *praeferens, -éntis* = o.dw] de voorrang hebbend. **preferen'tie** [MLat. *praeferéntia*] voorrang, voorkeur. **prefix**, afk. **pref.** [VLat. *prae-fígere, -fíxum* = vooraan vasthechten] voorvoegsel. **preforme'ren** [Lat. *prae-formáre, -átum* = van tevoren vormen] vooruit vormen. **preforma'tie** zn.

**pregnant'** [Lat. *práegnans, -éntis* = zwanger, vóór het baren zijnde, v. *prae*, en *génere* = baren] rijk aan betekenis, zinvol.

**prehisto'rie** voorhistorie, geschiedenis waarvan geen geschreven bronnen bestaan; voorwereldlijke geschiedenis. **prehisto'risch** vóórhistorisch; voorwereldlijk.

**prejudice'ren** *zie* **prejudiciëren**, **prejudi'cie**, **prejudi'ce** [Fr. *préjudice*, Lat. *praejudícium*] vooroordeel; nadeel, schade; afstand v. recht. **prejudicieel'** [Fr. *préjudiciel*, Lat. *praejudiciális*] (zaak) van tevoren op te lossen in procesvoering (vóór de hoofdzaak) en zo reeds beslissing meebrengend voor kwestie die volgt. **prejudicie'ren** [Fr. *préjudicier*, Lat. *prae-judicáre* = vooraf beslissen, daardoor nadelig zijn] vooruitlopen op een oordeel; schaden, nadeel toebrengen. **préjugé** [Fr. = *lett.*: vooraf geoordeeld] vooroordeel. **prejuge'ren** [Fr. *préjuger*] vooruitlopen op.

**prelaat'** [Lat. *praelátus*, v. *prae-férre, -látum* = vooruit-dragen] geestelijke v. hoge rang, kerkvorst.

**preliminair'** [Fr. *préliminaire*, v. *pré* = Lat. *prae*, en Lat. *limen, liminis* = drempel] voorafgaand, inleidend. **prelimina'ren** inleidende handelingen, voorlopige stappen of beschikkingen. **prelu'de** [Fr. *prélude*] *zie* **preludium**, **prelude'ren** [Lat. *prae-lúdere* = een vóór-spel houden, v. *lúdere* = spelen] voorspel spelen, voorbereiden; — *op*, van tevoren inleidend aanroeren. **prelu'dium** [VLat. *praelúdium*] vóórspel. **premaritaal'** [v. Lat. *marítus* = echtgenoot] vóór het huwelijk. **prematuur'** [Fr. *prae-matúrus* = van tevoren rijp] I *bn* voortijdig rijp, voorbarig, te vroeg; II *zn* te vroeg geboren kind. **premedite'ren** [Lat. *prae-meditári* = vooraf bedenken, beramen. **premedita'tie** [Lat. *praemeditátio*] voorafgaand overleg, beraming; *met -*, met voorbedachten rade.

**pre'mie** [Lat. *práemium* = het voorafgenomene, voorrecht, ereprijs, v. *prae-émere* = voorafnemen, v. *émere* = nemen, kopen] buitengewoon loon, toelage; verzekeringsgeld door verzekerde periodiek te betalen; bijprijs in wedstrijd of loterij.

**premier'** [Fr., v. Lat. *primárius*; *zie* **primair**] **I** *bn* eerste; **II** *zn* minister-president. **première** [Fr. = vr. van *premier*] eerste uitvoering of vertoning (v. toneelstuk, film, muziekwerk).

**premië'ren** *ww* een premie toekennen tot steun of aanmoediging. **premis'se** [Fr. *prémisse*, v. pré = Lat. *prae*, en Lat. *míttere*, *missum* = zenden; MLat. *praemíssae propositiónes* = vooruitgezonden stellingen) vooropgeplaatste stelling v.e. sluitrede (syllogisme) (uit twee premissen wordt conclusie getrokken).

**Premonstraten'zers** [MLat. *Praemonstraténsis* = van Praemonstrátus = Prémontré) (*rk*) bep. kloosterorde, reguliere kanunniken gesticht in 1119 door de H. Norbertus te Prémontré (*ook*: Witheren of **Norbertijnen**, *zie ook aldaar*).

**premortaal'** [v. Lat. *prae-*, en *mors, mortis* = dood] voorafgaande aan de dood. **prenataal'** [Fr. *prénatal*] voorafgaande aan de geboorte. **prenumera'tie** [v. Lat. *prae-*, en *numeráre*, *-átum* = tellen, neertellen, betalen; v. *númerus* = getal] vooruitbetaling. **preoccupa'tie** [Lat. *praeoccupátio*, v. *prae-occupáre* = vooraf bezetten] vooringenomenheid; het vervuld zijn v. zorgelijke gedachten, bezorgdheid; *gepreoccupeerd*, vooringenomen; in beslag genomen door zorgen. **prepare'ren** [Lat. *prae-paráre*, *-átum* = vooraf bereiden] voorbereiden; (*cul.*) *ook*: toebereiden; dierenlichamen opzetten; een preparaat maken. **preparaat'** [Lat. *praeparátum*] toebereide zaak, klaargemaakt middel; klaargemaakt deel voor nader onderzoek (bijv. microscopisch-, bereide stof (bijv. chemisch —). **preparateur'** [Fr. *préparateur* = voorbereider] wie dieren opzet. **prepara'tie** [Lat. *praeparátio*] voorbereiding, voorbereidende maatregel. **preparatief'** [Fr. *préparatif*, in Fr. alleen in *mv*] voorbereidende handeling. **preponderant'** [Fr. *prépondérant*, v. Lat. *praeponderans*, *-ántis* = o.dw van *prae-ponderáre* = zwaarder wegen, overwicht hebben, v. *pondus*, *pónderis* = gewicht] overwegend, v. overwegende invloed, doorslaggevend. **preponderan'tie** [Fr. *prépondérance*] overwicht. **preposi'tie** [Lat. *praepositio*, v. *prae-pónere*, *-pósitum* = voorop-stellen] vooropplaatsing; voorzetsel. **prepuberteit'** periode onmiddellijk voorafgaande aan de puberteit. **prerafaëlie'ten** *mv* aanhangers v.d. opvatting dat de schilderkunst v. vóór Raphaël (v. vóór 1500) als model en ideaal genomen moet worden (Raphaël Santi of Sanzio, It. schilder, beeldhouwer en bouwkundige, 1483-1520). **prerogatief'** [Fr. *prérogative*, v. Lat. *praerogatívus* = vóór anderen naar mening gevraagd, v. *prae-*, en *rogáre* = vragen] voorrecht. **pré salé** [Fr.] (*cul.*) ziltig smakend vlees van lammeren en/of schapen.

**presbyopie'** [v. Gr. *presbus* = oude man, en *oops, oopos* = oog] vèrziendheid (voorn. als ouderdomsverschijnsel). **presbyoop'** vèrziend. **pres'byter** [v. Gr. *presbuteros* = ouder, v. *presbus* = oud] oudste (der kerk), ouderling v.d. gemeente; priester. **presbyteria'nen** Eng. protestanten, die geen bisschoppelijk bestuur aanvaarden, doch slechts een door ouderlingen (presbyters). **presbyte'rium** [VLat., v. Gr. *presbuterion*] kerkeraad, raad v. ouderlingen; (*rk*) priesterkoor.

**prescribe'ren** [Lat. *prae-scríbere*, *-scriptum* = voor-schrijven, als voorwendsel nemen, tegenwerpen, *zie verder volgende*] voorschrijven; als verjaard aannemen. **prescrip'tie** [Lat. *praescriptio* = voorschrift, voorwendsel, tegenwerping, in VLat. spec.: tegenwerping v. verjaring, die verjaring zelf] voorschrift; verjaring v.e. recht.

**pre'sens**, afk. **praes.** [Lat. *práesens, praeséntis* = tegenwoordig, o.dw van *prae-esse* = aan het hoofd zijn, vooraan zijn] (*spraakk.*) onvoltooid tegenwoordige tijd (*bijv.*: ik loop). **1 present'** [*zie* **presens**] *bn* **1** aanwezig, tegenwoordig waar men behoort te zijn; **2** helder v. geest, bij zinnen; *ook*: hersteld na ziekte (*bijv.*: hij is weer present). **2 present'** [Fr. *présent*, v. Lat. *praesentáre* = tegenwoordig maken, vertonen; Fr. *présenter* = aanbieden] *zn* geschenk, gift, gave, cadeau. **presente'ren** *ww* [Fr. *présenter*; *zie* **2 present**] **1** aanbieden ten gebruike (*bijv.*: een sigaar presenteren); **2** aanbieden ter betaling (een rekening); *ook fig.*; **3** ter kennismaking voorstellen; *zich presenteren*, zich voordoen; **4** *het geweer presenteren*, een geweer in een bep. positie vóórhouden als eerbewijs; **5** een voorstelling, programma, radio- of TV-uitzending aankondigen en evt. inleiden en begeleiden. **presenta'tie** [VLat. *praesentátio*] *zn*. **presenta'bel** [Fr. *présentable*] toonbaar, vertoonbaar, er behoorlijk uitziend. **presenta'tor** [modern Lat.] persoon die radio- of TV-programma aankondigt en inleidt, evt. begeleidt (bij radio ook disc-jockey). **presentatri'ce** [v. modern Lat. *presentátrix, praesentátricis*] vrouwelijke presentator. **presen'tie** [Lat. *praesentia*] het aanwezig zijn, tegenwoordigheid, bijzijn; **presentiegeld**, geldelijke beloning voor het bijwonen v.e. vergadering v.e. bestuursorgaan, vacatiegeld.

**preserve'ren** [VLat. *praeserváre* = voorbehoeden, v. Lat. *prae-*, en *serváre* = behoeden] beveiligen tegen, behoeden voor. **preservatief'** [MLat. *praeservatívus*] **I** *bn* voorbehoedend; **II** *zn* voorbehoedmiddel. **preside'ren** [Lat. *prae-sídére* = voor-zitten] voorzitten. **president'** afk. **Pres.** [Lat. *praesidens, -éntis* = o.dw] voorzitter; hoofd v.e. republiek. **presidentieel'** [Fr. *présidentiel*] de president betreffend. **presi'dium** *zie* **praesidium**. **pressant'** Fr., v. *presser* = drukken, persen, v. Lat. *pressáre*, intensitief v. *prémere, pressum* = drukken] spoedeisend, dringend. **pres'sen** [Fr. *presser*] **1** dwingen, met geweld tot iets brengen; **2** met list of geweld aanwerven (bijv. matrozen) [v. VLat. *prestare* = lenen, v. Lat. *praestare* = staan voor, stemmen voor, verschaffen; *zie* **presteren**]. **pres'se-papier** [Fr. = *lett.*: papier-drukker; *zie* **pressant**] voorwerp op papieren gelegd om ze vast te houden. **presse'ren** [Fr. *presser*; *zie* **pressant**] haasten, dringen, haast hebben; *gepresseerd*, gehaast. **press'gang** [Eng.] ronseling. **pres'sie** [Lat. *préssio*] **1** aandrang, druk, dwang; **2** afk. **p** (*nat.*) druk, spanning. **pres'sure cooker** [Eng.] drukpan, snelkookpan. **pres'sure-group** [Eng.] groep die op de regering druk uitoefent.

**prestant'** [Lat. *praestans, -ántis* = o.dw van *praestáre*, *zie volgende*] voorn. register v. orgel. **preste'ren** [Lat. *prae-stare*, *-átum* = vooraanstaan, voorstaan, verrichten, doen, betalen] tot stand brengen, verrichten, uitvoeren; vervullen; *ook*: doen (*bijv.*: wat heb je nou weer gepresteerd?); leveren (een prestatie). **presta'tie** [VLat. *praestátio* = levering, voldoening] verrichting, verricht werk, het tot stand gebrachte; vervulling, afdoening, betaling v. schuld.

**prestidigitateur'** [Fr.; *zie* **presto**, en v. Lat. *dígitus* = vinger; dus 'vingervlugge'] goochelaar. **presti'ge** [Fr. = *eig.*: zinsbegoocheling, bedrieglijke schijn, v. Lat. *praestigia* = goochelspel, ogenverblinding, missch. v. *prae-stríngere* = vooraan-binden = blinddoeken, de ogen bedriegen] aanzien, moreel overwicht, invloed. **prestigieus'** [Fr. *prestigieux* = o.a.: machtig, indrukwekkend] *bn* gepaard gaande met prestige (bijv. functie).

**pres'to** [It., v. Lat. *praesto* = bij de hand] (*muz.*) snel. **prestis'simo** [It.] zeer snel.
**presume'ren** [Lat. *prae-súmere*, *-súmptum* = vooraf-nemen] vooronderstellen, vermoeden. **presum'tie, presump'tie** [Lat. *praesúmptio*] vermoeden, verdenking, argwaan. **presumtief', presumptief'** [VLat. *praesumptívus*] vermoedelijk. **pretende'ren** [Lat. *prae-téndere*, *-téntum* = vooruit-strekken, voorwenden, voorgeven] voorgeven, beweren; aanspraak maken op. **pretendent'** [Lat. *praeténdens*, *-éntis* = o. dw] wie aanspraak maakt (bijv. op kroon); wie dingt naar hand v. meisje. **preten'tie** [verm. v. MLat. *praeténsio*] aanspraak, vordering; aanmatiging. **pretentieus'** [Fr. *prétentieux*] aanmatigend, vol inbeelding, met pretenties. **prete'ritum**, afk. **praet.** [v. Lat. *praetéritus*, v.dw van *praeter-ire*, *-itum* = voorbij-gaan] verleden tijd. **pretext'** [v. Lat. *prae-téxere*, *-téxtum* = vooraanweven, voorwenden] voorwendsel. **prevale'ren** [Lat. *prae-valére* = boven anderen vermogen, v. *valére* = krachtig zijn] overwicht hebben, meer gelden, voorrang hebben. **prevalent'** [Lat. *praevalens*, *-éntis* = o. dw] overwicht of voorrang hebbend. **prevalen'tie** [Lat. *praevaléntia*] overhand, overwicht.
**prevelement'** [v. *prevelen* en 'geleerde' uitgang *-ment*, naar analogie v. ambtelijke taal: document, testament e.d.] (*Barg., volkstaal*) **1** praatje, gesprek; **2** pleidooi voor rechtbank.
**prevenie'ren** [Lat. *prae-veníre*, *-véntum* = voorkomen] voorkómen, verhoeden; verwittigen, waarschuwen. **preven'tie** voorkoming; verwittiging, waarschuwing. **preventief'** [Fr. *préventif*] ter voorkoming (bijv. geneeskunde); (*jur.*) voorlopig (bijv. hechtenis).
**priapis'me** [v. Gr. *Priapos* = god v.d. vruchtbaarheid, en *zie -isme*] losbandigheid; (*med.*) aanhoudende erectie.
**prieel'** [v. OFr. *praiel* of *preiel*, v. Lat. *pratéllum*, v. *pratum* = beemd, weide] tuinhuisje met lover begroeid.
**priem'getal** [v. Lat. *primus* = eerste] getal dat alleen door één en door zichzelf deelbaar is.
**pri'ma** [It., v. Lat. = *vr.* van *primus* = eerste, overtreffende trap v. niet bestaand *pris, vgl.* OLat. *pri* = tevoren; *zie ook prior*] **I** *bn & bw* eerste, beste, voornaamste; uitstekend; **II** *zn* eerste exemplaar v. wissel. **primaat'** [v. Lat. *primas, primátis = primárius* = bij de eerste behorend, v. *primus* = eerste] (*rk*) hoofd v. kerkprovincie, aartsbisschop; oppergezag, spec. dat v.d. paus. **primaat'** [Lat. *primátus* = de eerste rang] **I** het innemen v.d. eerste plaats (bijv. het — v.d. rede); **II** dier behorende tot de orde der Primaten (*z.a.*). **pri'ma balleri'na** [It.] eerste balletdanseres. **pri'ma-don'na** [It.; *donna* = Lat. *dómina* = meesteres; *zie* **dominus**] eerste actrice of zangeres v.e. opera. **pri'ma fa'cie** [Lat.] op het eerste gezicht. **primair'** [Fr. *primaire*, v. Lat. *primárius* = de eersten behorend] het eerst aanwezig, oudst; onherleidbaar, oergrond vormend, ondeelbaar (getal); voornaamste, v.d. eerste rang (bijv. weg); in de eerste plaats (*jur.*, i.t.t. **subsidiair**); *primair onderwijs, basisonderwijs; primaire sector*, visserij, landbouw, delfstofwinning (extractieve bedrijven). **Primair'** (*geol.*) *zie* **Paleozoïcum**. **Prima'ten** [wetensch. Lat. *Primátes*] of **Opperdieren**, een orde der zoogdieren, omvattende de halfapen, apen, de uitgestorven mensachtigen en de mensen. **pri'ma vis'ta** [It.] op eerste zicht, op vertoon (te betalen); *a —*, op het eerste gezicht, van het blad (spelen). **pri'ma vol'ta** [It.] (*muz.*) de eerste maal. **pri'me** [Fr.] eerste of grondtoon v. toonladder; interval tussen toon en verhoging of verlaging daarvan. **pri'me** [v. kerk. Lat. *ad prímam hóram* = op het eerste uur] het derde der kerkelijke getijden (na metten en lauden), te bidden op het eerste uur

(6-7 v.m.); vroeger ook een deel v.h. breviergebed. **prime'ren** *ww* [Fr. *primer*] **1** de eerste zijn, vooraangaan; **2** bekronen (*eig.*: een premie = prijs toekennen). **pri'me ra'te** [Am.] (laagste) rente die banken hun beste (= kredietwaardigste) klanten berekenen. **primeur'** [Fr.] het eerste, eersteling; eerste bericht. **primeurs'** *mv* [Fr.] (*cul.*) de eerstelingen van het seizoen. **primitief'** [Fr. *primitif*, v. Lat. *primitívus* = de eerste in zijn soort] in eerste ontwikkelingsstadium v. beschaving verkerend of daartoe behorend, oorspronkelijk; eenvoudig v. samenstelling of aard (verlichting), hoogst eenvoudig; gebrekkig of met gebrekkige middelen gemaakt; (*schilderk.*) voorafgaand aan It. Renaissance. **primitie'ven** schilders v. vóór de Renaissance. **primitiviteit'** het primitief zijn. **pri'mo**, afk. **p°** [Lat. = 6e naamval v. *primus* = eerste] ten eerste; (*hand.*) op de eerste v.d. maand. **pri'mo occupan'ti** [Lat.] (een onbeheerde zaak is) voor wie het eerst in bezit neemt. **primordiaal'** [VLat. *primordiális*, v. Lat. *primórdium*, v. *ordíre* = een weefsel opzetten, beginnen] de oorsprong betreffend, oorspronkelijk; bij een stadium v. wording behorend; *ook*: fundamenteel, grondig. **pri'mus** [Lat.] de eerste (bijv. van een klas leerlingen); bep. kooktoestel; *— inter pares*, de eerste onder zijns gelijken. **principaal'** [Lat. *principális* = eerste, voornaamste, v. *princeps* = de voorste, v. *primus* = eerste, en *cápere* = vatten] **I** *bn* voornaamst, belangrijkst, hoofdzakelijk; *ten principale*, (*jur.*) wat de hoofdzaak betreft; **II** *zn* superieur, baas, patroon; last- of opdrachtgever. **principa'liter** [Lat.] voornamelijk, hoofdzakelijk. **princi'pe** [Fr., v. Lat. *princípium*] (grond)beginsel, grondstelling, stelregel. **principieel'** het principe betreffend, in principe, volgens de overtuiging, beginselvast (een principiële kerel). **princi'piis ob'sta** [Lat.] weersta in den beginne.
**prinsemarij'** [v. Rotwelsch *Prinzerei* = gezagsinstantie; *-marij* waarsch. v. Fr. *mairie* = stadhuis] (*Barg.*) **1** politie, spec. bereden politie; **2** justitie.
**Prinzipienrei'ter** [Du.] iem. die op zijn principes of ideeën doordraaft.
**pri'or** [Lat. = de eerdere, vergrootende trap v. niet bestaand *pris; zie primus*] hoofd v. mannenklooster bij verscheidene kloosterorden de eerste in waardigheid en functie na abt in abdij. **prioraat'** [Fr. *priorat*] ambt, waardigheid of ambtsperiode v. prior(es). **priores', priorin'** overste v. vrouwenklooster. **prio'ri** *zie* **a priori**. **prioriteit'** [Fr. *priorité*] het ouder zijn, het voorafgaan in tijd; voorrang; zaak die voorrang heeft (tegenover *posterioriteit, z.a.*). **prioriteits'aandeel** preferent aandeel. **prioriteits'lening** lening die voorrang heeft boven andere en bijzondere voordelen biedt. **pri'se** [Fr. = het nemen, v. *prendre* = nemen, v. Lat. *prehéndere* = aangrijpen, nemen] **1** snuifje (Fr. voluit: *prise de tabac*); **2**: *prise d'eau*, waterwinningsgebied, voedingsgebied voor waterleiding; **3** (*cul.*) *lett.*: 'het pakken'; het dik worden of stollen v.e. vloeistof (door verhitting of afkoeling).
**pris'ma** [VLat., v. Gr. *prisma, prismatos* = gezaagd ding, v. *prízoo* = zagen] (*wisk.*) lichaam met twee gelijke en evenwijdige grondvlakken en zoveel zijvlakken als de grondvlakken zijden hebben; *spec.*: driezijdige kantzuil v. geslepen glas. **prisma'tisch** in de vorm v.e. prisma; door prisma gevormd (bijv. kleur). **prismoï'de** [*zie -ide*] bep. prisma-achtig lichaam.
**privaat'** [Lat. *privátus* = de bijzondere persoon betreffend (tegenover de staat), v. *priváre*, *-átum* = afzonderen, v. *privus* = afzonderlijk] **I** *bn* particulier, persoonlijk, niet openbaar, zonder ambt (persoon); een particulier betreffend (bijv. bezit); bijzonder, aan één

persoon verleend (bijv. audiëntie); **II** *zn* WC.
**privaat'docent** onbezoldigd docent aan hogeschool voor het geven v. colleges in een speciaal vak. **privaat persoon** particulier. **privaat recht** recht ter regeling v. betrekkingen tussen particuliere personen en zaken onderling (*vgl.* publiek recht). **pri'vacy** [Eng.] vrijheid, ongestoordheid i.h. private leven, in huiselijke kring e.d.; bescherming tegen onbevoegde inmenging in zijn persoonlijke zaken. **priva'tie** [Lat. *privátio*] **1** beroving, onttrekking; **2** ontbering; **3** verlies van een eigenschap. **privatief'** [Lat. *privatívus*] anderen uitsluitend v. eigendom; (*spraakk.*) een beroving of ontdoen van uitdrukkend (bijv. - werkwoord, zoals ontluisteren, ontmantelen e.d.). **priva'tim** [Lat. = als particulier persoon] afzonderlijk, in het geheim. **privatise'ring** overheveling van overheidstaken naar private sector (naar particuliere instanties, naar het particuliere bedrijfsleven). **privatis'simum** [modern Lat.] college over speciaal onderwerp door hoogleraar thuis aan beperkt aantal studenten gegeven. **privé** [Fr.] particulier, persoonlijk (bijv. bezit); voor de geadresseerde persoonlijk bestemd, vertrouwelijk. **privile'ge** [Fr. *privilège*, v. Lat. *privilégium*, v. *privus* = afzonderlijk, en *lex, legis* = wet] voorrecht. **privilegië'ren** [Fr. *privilégier*] bevoorrechten.
**prix d'honneur'** [Fr., v. Lat. *prétium* = prijs, en *honor* = eer] ereprijs.
**pro-** [Lat. en Gr.] voor-, voort-.
**pro** I *vz* [Lat. = voor] positief (staan) tegenover, gunstig (gestemd zijn) ten opzichte van; **II** *zn* beroaos die 'voor' is (tegenover *anti*).
**probaat** [Lat. *probátus*, v. *probáre*, *-átum* = beproeven] beproefd. **proba'bel** [Lat. *probábilis* = aannemelijk, waarschijnlijk, v. *probáre* = beproeven, de deugdelijkheid aantonen] aannemelijk, waarschijnlijk. **probabiliteit'** [Lat. *probabílitas*] waarschijnlijkheid. **proba'tie** [Lat. *probátio*] **1** bewijs; **2** proefneming; *ook:* beproeving. **probiteit'** [Lat. *próbitas*, v. *probus* = proef houdend, deugdelijk, braaf] rechtschapenheid.
**probleem'** [Lat. *probléma*, Gr. *próblèma, -matos*, v. *pro-balloo* = voor-werpen] voorgelegd vraagstuk, moeilijkheid die opgelost moet worden. **problematiek'** [Fr. *problématique*, v. Gr. *problèmatikos*] **I** *zn* het stellen v.e. probleem, wijze v. probleemstelling; het geheel v.d. problemen o.e. bep. gebied; **II** *bn* problematisch. **problema'tisch** [Gr. *problèmatikos*] twijfelachtig.
**procédé** [Fr., v. Lat. *pro-cédere, -céssum* = voort-schrijden] wijze v. werken, v. handelen of v. bereiden. **procede'ren** [Fr. *procéder*] een proces voeren. **procedu're** [Fr. *procédure*] **1** procédé; **2** rechtsgeding.
**procent'** [*zie* percent] ten honderd; honderdste deel. **procentueel'** procentsgewijze, in procenten uitgedrukt.
**proces'** [Fr. *procès*, v. Lat. *procéssus* = voortgang; *zie* procédé] **1** wijze van gebeuren, werking in haar vooruitgang beschouwd, ontwikkelingsgang, (bijv. een chemisch proces); **2** rechtsgeding. **proces'industrie** industrie waarvan de produkten tot stand komen door grootschalige toepassing van chemische, biologische of andere processen, *spec.*: chemische en petrochemische industrie. **proces'techniek** techniek v.d. procesindustrie. **pro'cessing** [Eng.] besturing v. technische processen, of v.d. volgorde van produktiehandelingen. **proces'sie** [Lat. *procéssio* = o.a. godsdienstige omgang] plechtige kerkelijke optocht; (*fig.*) lange voorbijtrekkende rij. **proces'-verbaal** [*zie* verbaal] schriftelijk (dus in woorden) ambtelijk verslag v.e. gebeurtenis, *spec.*: door politie-agent opgemaakt verslag v.e. overtreding, de

zogenoemde 'bekeuring'.
**proclame'ren** [Lat. *pro-clamáre* = hevig roepen] uitroepen (bijv. tot aanvoerder); afkondigen. **proclama'tie** [Lat. *proclamátio*] openlijke bekendmaking v. overheidswege.
**procli'sis** [*zie* enclisis] toonloze aansluiting v.e. eenlettergrepig woord aan het volgende beklemtoonde, bijv. 't is = het is. **procli'tisch** *bn & bw*.
**procrastina'tie** [Lat. *procrastinátio*, v. *pro*, en *crástinus* = wat morgen zal zijn, v. *cras* = morgen, volgende dag] verdaging, uitstel.
**procrea'tie** [Lat. *procreátio*, v. *procreáre, -átum* = voortbrengen] voortteling.
**procrus'tesbed** [Gr. myth. *Prokroustès* (= *lett.*: Strekker), rover die reizigers overviel, op een bed legde en op maat rekte of sneed naargelang zij te klein of te groot waren] *op het — leggen*, ruw inpassen in een standaardmaat.
**pro'cul du'bio** [Lat.] buiten twijfel.
**procure'ren** [Lat. *pro-curáre* = be-zorgen; zaak waarnemer zijn] verschaffen, voorzien van. **procura'tie** [Lat. *procurátio* = verzorging, zaakwaarneming] volmacht om in naam of v.e. ander te handelen. **par procuration'**, afk. **p.p** [Fr., v. Lat. *per procurationem*] bij volmacht. **procura'tiehouder** gevolmachtigde. **procureur'**, afk. **Proc.** [Fr.] zaakvoerder, vertegenwoordiger v. partij in rechtsgeding. **procureur'-generaal'**, afk. **P.G.** [*zie* generaal] officier v. justitie, hoofd v. parket bij gerechtshof en Hoge Raad.
**procureur'spek** schouderkarbonade v.h. varken, uitgebeend, gepekeld, opgerold en vervolgens gerookt (dus geen spek in eigenlijke zin).
**pro De'o**, afk. **P.D.** [Lat. = *lett.*: voor God, om Godswil] kosteloos, gratis. **prodeaan'** wie kosteloos een proces voert.
**prodi'ge** [Fr., v. Lat. *prodígium* = wonderteken] wonder; *enfant —*, wonderkind. **prodigieus'** [Fr. *prodigieux*, Lat. *prodigiósus*] wonderbaar(lijk).
**prodi'gue** [Fr., v. Lat. *pródigus*, v. *prodígere* = *pro-ágere* = uitdrijven, verdoen] verkwistend; *enfant prodigue*, verloren zoon.
**pro do'mo** *zie* oratio.
**prodroom'** [Gr. *pro-dromos* = vooruit-lopend] inleiding; (*med.*) vóórstadium.
**produce'ren** [Lat. *pro-dúcere, -dúctum* = voor de dag voeren] voortbrengen, vervaardigen. **producent'** [Lat. *prodúcens, -éntis* = o. dw] voortbrenger. **produ'cer** [Eng.] producent; (*film*) persoon die in 't algemeen verantwoordelijk is voor de produktie v.d. film, afgezien v. spelleiding; ook voor de produktie v.e. toneelstuk of v. grammofoonplaat. **produkt'** [Lat. *prodúctum* = het voortgebrachte] voortbrengsel; resultaat v.e. vermenigvuldiging (het — van 2 maal 3 is 6). **produk'tie** [Lat. *prodúctio*] voortbrenging, vervaardiging. **produktief'** [MLat. *prodúctivus*] veel voortbrengend, vruchtbaar, winstgevend. **produktiviteit'** [Fr. *productivité*] voortbrengend vermogen, vruchtbaarheid, het produktief zijn.
**pro Eccle'sia et Ponti'fice** (kerk. Lat. = voor Kerk en Paus] (*rk*) bep. hoge kerkelijke onderscheiding, een soort ridderorde (*vgl.* bene merenti).
**proë'mium** [OFr. *proeme*, v. Gr. *pro-*, en *oimè* = zang] voorrede, inleiding.
**pro et con'tra** [Lat.] voor en tegen.
**profaan'** [Lat. *pro-fánus* = voor het heiligdom liggend, niet-geheiligd, onheilig, v. *pro-*, en *fanum* = heilige plaats] niet-gewijd, wereds. **profane'ren** [Lat. *profanáre, -átum*] ontwijden, spotten met wat heilig is. **profana'tie** [Lat. *profanátio*] *zn*.
**profeet'** [Lat. *prophéta*, Gr. *prophètès* = tolk der goden, zegsman, v. *phēmi* = spreken] *oorspr.*: ziener, overbrenger v. goddelijke openbaringen (die niet noodzakelijk op de

toekomst behoefden te slaan); *thans*: toekomstvoorspeller. **profete'ren** [Lat. *prophetáre*] voorzéggen, voorspellen. **profetes'** [Lat. *prophetíssa*] vr. profeet. **profetie'** [Lat. *prophetía*, Gr. *prophèteía*] *oorspr.*: verkondiging v. goddelijke openbaring; voorzegging, voorspelling. **profe'tisch** [Lat. *proféticus*, Gr. *prophètikos*] voorspellend, als of van een profeet. **profes'sie** [Lat. *proféssio*, v. *pro-fitéri* = *pro-fatéri* = openlijk verklaren; *proféssus sum* = ik heb ...] openlijke belijdenis; het afleggen v. kloostergeloften; roeping; beroep, vak. **profes'sional**, afk. **prof.** [Eng.] beroepssportman. **professionalise'ren** *ww* tot en beroep maken. **professionalise'ring** het professioneel-maken, het professioneel-worden. **professionalis'me** **1** het optreden van beroepswege, het iets beroepshalve verrichten; *spec.* het beoefenen van sport als beroep; **2** beroepsbekwaamheid. **professioneel'** [Fr. *professionnel*] beroepsmatig. **profes'so** [6e naamval v. Lat. *proféssus* = openbaar] *ex* —, afk. *e.p.* openlijk, in 't openbaar; *ook*: met kennis v. zaken (een onderwerp — behandelen); met opzet. **profes'sor**, afk. **Prof.** [Lat. = openbaar leraar] hoogleraar. **professoraal'** [Fr. *professoral*] een hoogleraar betreffend, als een professor. **professoraat'** [Fr. *professorat*] ambt, ambtsvervulling, ambtsduur v.e. professor. **profi'ciat!** [Lat. = wensende vorm v. *proficere* = *pro-fácere* = voortmaken, vooruitkomen, vorderen] gelukgewenst!, wel bekome het u! **profijt'** [Fr. *profit*, v. Lat. *proféctus*, v. *proficere*, *-féctum*; *zie* vorige] voordeel, nut. **profijt'beginsel** beginsel dat iemand die profiteert (profijt trekt) van overheidsdiensten of -maatregelen, daarvoor (mede) betalen moet. **profij'telijk** voordelig. **profite'ren** [Fr. *profiter*] voordeel trekken uit, gebruik ten nutte maken van. **profiteur'** [Fr.] wie op ontoelaatbare wijze v. iets profijt trekt. **profiel'** [It. *profilo*, v. *in profiel* tekenen, v. Lat. *pro-*, en *filare* = spinnen, v. *filum* = draad] **1** afbeelding van terzijde, zij-aangezicht, *spec.* v. menselijk gelaat (Fr. *de profil* tegenover *en face* = recht van voren); **2** tekening in verticale doorsnede (*bijv.*: van aardlagen) op een bep. schaal; **3** platte of vierkante of anderszins niet-ronde doorsnede v. staven; **4** gewenste combinatie van bekwaamheden, eigenschappen en (politieke) opvattingen met het oog op het vervullen v.e. toekomstige publieke functie (*bijv.*: het profiel schetsen v.e. nieuw te benoemen burgemeester in een bep. gemeente). **profiel'schets** korte karakterschets en beschrijving v.d. eigenschappen en bekwaamheden van een kandidaat voor een bep. functie dient te bezitten. **profile'ren** *ww* [It. *profilare*] **1** een profiel aanbrengen; **2** het beloop v.e. dijk, de doorsnede v.e. gebouw e.d. in tekening aangeven of door latten markeren; **3** randversieringen aanbrengen; **4** kenschetsen, karakteriseren. **pro for'ma** [Lat.] voor de vorm. **profylac'tisch** [Gr. *prophulaktikos*, v. *prophulassoo* = voor-behoeden] voorbehoedend. **profyla'xe, profyla'xis** [v. Gr. *pro-*, en *phulaxis* = bewaking, bescherming, behoedmiddel] voorbehoeding, het voorkómen v. ziekte. **prognathis'me, prognathie'** [v. Gr. *pro-*, en *gnathos* = kaak] het vooruitsteken v.d. benedenheft v.h. gelaat. **progno'se** [v. Gr. *pro-*, en *gnoosis*; *zie* **gnosis**] (het vooruit weten); voorzegging v.h. verloop, *spec.* v.h. verloop v.e. ziekte. **prognos'tica** voorspellingen van toekomstige ontwikkelingen op wetenschappelijke basis (een betere term voor het onjuist gevormde woord *futurologie*). **prognostice'ren** *ww* het verloop of optreden v.e. verschijnsel

voorspellen; als prognose stellen, aankondigen. **prognostiek'** [MLat. *prognostica*, Gr. *hè prognoostikè*, v. *progignooskoo* = vooruit erkennen] kunst het verloop te voorzeggen. **program'ma**, *ook kortweg*: **program'** [Lat. *prográmma* = schriftelijke afkondiging, bekendmaking, v. Gr. *pro-gramma* = het openlijk geschrevene, v. *pro-graphoo* = voor aller ogen schrijven] lijst v. te behandelen zaken, uit te voeren gebeurtenissen (bijv. bij feest, muziek- of toneeluitvoering, radio-uitzending e.d.); beginselverklaring v. bond, partij e.d.; (*computerkunde*) gecodeerde instructie waarnaar een computer de hem toegevoerde informatie verwerkt om zo een bep. probleem op te lossen. **program'college** college van wethouders gevormd op basis v.d. gezamenlijke aanvaarding v.e. politiek program en niet op basis v.d. samenstelling v.d. gemeenteraad (dit zou een *afspiegelingscollege* zijn). **programma'tisch** volgens het programma; *programmatische muziek*, muziek die naar vorm en inhoud bepaald wordt door invloeden van buiten (bijv. muziek die een natuurgebeuren schildert, zoals de Pastorale of 6e symfonie van Beethoven; derhalve geen 'muziek volgens het programma' zoals men zou kunnen denken). **programme'ren** *ww* **1** een computer v.e. programma voorzien; **2** gegevens voor een of ander onderwerp verwerken in een programma. **programmeur'** iem. die programmeert, *spec.* computer. **programmeur'taal** een der speciale 'talen', d.w.z. code van cijfers en/of letters, die dient om een computer te programmeren. **programmatuur'** = *software*, z.a. **progres'sie** [Lat. *progréssio*, v. *pró-gredi* = *pro-gradi* = voort-schrijden; *progréssus sum* = ik ben ...] voortgang; opklimming. **progressief'** [Fr. *progressif*] voortgaand; opklimmend, trapsgewijze toenemend; vooruitstrevend. **progressie'ven** politiek vooruitstrevenden. **prohibe'ren** [Lat. *prohibère*, *-hibitum* = *prohabère* = af-houden] verbieden; beletten. **prohibi'tie** [Lat. *prohibítio*] verbod, *spec.* verbod van verkoop v. alcoholische dranken (Ver. Staten 1919-1933). **prohibitief'** [Fr. *prohibitif*] verbiedend. **prohibitionist'** [Fr. *prohibitionniste*] voorstander v. prohibitie. **project'** [v. Lat. *projícere, projéctum* = *pro-jácere* = voor-werpen] **1** ontwerp, *spec.* voor bouwwerk, een onderneming, een tekst e.d., min of meer uitgewerkt plan; **2** (*onderwijs*) onderwerp dat door een groep studenten of leerlingen gezamenlijk bestudeerd wordt en waarover verslag wordt uitgebracht; **3** (*alg.*) zaak die men in een instelling, werkgroep, bedrijf e.d. wil uitvoeren of bestuderen. **projecte'ren** [*vgl.* Fr. *projeter*] ontwerpen, plan maken; in projectie brengen (bijv. lijn, figuur); een lichtbeeld op scherm werpen. **projec'tie** [v. Lat. *projéctio*] neerslag v. figuur in plat vlak of v. lijn of punt loodrecht op andere lijn, *spec.*: wijze waarop aardglobe op plat vlak wordt voorgesteld; het projecteren. **projectiel'** [Fr. *projectile* (*lett.*: het vooruitgeworpene)] weggeslingerd of weggeschoten voorwerp. **projec'tor** [modern Lat., v. Lat. *projícere* = vooruitwerpen] lichtbeeld-werper. **project'ontwikkelaar** onderneming die grootscheepse en veelomvattende bouwplannen opstelt en uitvoert. **project'ontwikkeling** uitvoering v. grootschalige bouwprojecten en exploitatie v. geschikte bouwgronden. **pro juventu'te** [Lat.] voor de jeugd. **proleet'** [*zie* proletariër] onbeschaafd en min persoon; (*studentenraal*) niet-student. **prolego'mena** [Gr. *mv* van *prolegomenon* = onz. lijdend dw van *pro-legoo*

= vooruitzeggen] inleidende opmerkingen.
**prolep'sis** [Gr. *prolepsis*, v. *pro-lambanoo* = vooraf nemen] het logisch te vroeg plaatsen v. woord of zinsdeel (bijv.: die vriend van me, die heb ik nooit meer gezien, i.p.v. ik heb mijn vriend nooit meer gezien). **prolep'tisch** bij wijze v. prolepsis.

**proleta'riër** [Lat. *proletárius* = burger v.d. laagste klasse die de staat niet door zijn vermogen maar slechts door zijn kroost (*proles*) dient; *próles* = wat voortgegroeid is, spruit, kroost, v. *pro-*, en *aléscere* = opgroeien; *vgl. alere* = voeden, grootbrengen] iem. zonder bezit, die uitsluitend door zijn arbeid in zijn levensonderhoud voorziet. **proleta'risch** als of van een proletariër of van het proletariaat. **proletariaat** [Fr. *prolétariat*] de gezamenlijke proletariërs.

**prolifera'tie** [proliferation, Fr. *prolifération* = (snelle) vermenigvuldiging, *fig*.: uitbreiding, v. MLat. *prolifer* = nageslacht voortbrengend] **1** voortplanting, **2** verspreiding, spec. van kernwapens naar landen die deze niet bezitten; **3** (*med*.) woekering.

**prolix'** [Lat. *prolixus* = uitgebreid, v. *pro-*, en *laxus* = wijd, ruim; of v. *lixus*, v. *liquére* = vloeibaar zijn] uitvoerig, breedsprakig.

**prolonge'ren** [VLat. *prolongáre*, v. Lat. *pro-*, en *longus* = lang] verlengen (bijv. de betalingstermijn, de looptijd v.e. film e.d.). **prolonga'tie**, afk. **prol.** verlenging, spec. v. betalingstermijn; geldlening tegen rente op korte termijn op onderpand.

**proloog'** [Lat. *prologus*, Gr. *pro-logos*, v. *pro-*, en *logos* = woord, rede, v. *legoo* = spreken] voorrede, rede ter inleiding.

**prolurk'** [samentrekking v. *proleet* (z.a.) en *schurk*] (*studententaal*) minderwaardig onaangenaam persoon.

**pro memo'rie**, afk. **p.m.** [*zie* **memorie**] **1** ter herinnering, om het niet te vergeten; **2** voorlopig, in principe aanvaard.

**promena'de** [Fr., v. *promener* = *eig*.: voortleiden voor een wandeling, v. VLat. *prominare* = vee voortdrijven, v. Lat. *mináre* = dreigen; (*vroeger*) wandeling; (*thans*) **1** wandelplaats; **2** winkelstraat uitsluitend voor voetgangers.

**promes'se** [Fr., v. Lat. *promissa*, v. *pro-míttere*, *-missum* = voorwaarts laten gaan, laten hopen, beloven] (*verhandelbare*) schuldbekentenis met belofte v. betaling op bep. tijd.

**Prome'thium** kunstmatig radioactief chem. element, tot de lanthanenreeks behorend, symbool Pm, ranggetal 61 [naar de Gr. mythologische figuur Prometheus, die het vuur uit de hemel stal en het op aarde bracht].

**pro mil'le**, afk. **p.m.** [*zie* **mille**] ten duizend, in duizendsten, 0,1 procent (symbool $\%_0$).

**promil'lage** hoeveelheid of bedrag in pro milles.

**prominent'** [Lat. *próminens*, *-éntis* = o. dw van *pro-minére* = vooruitsteken, uitspringen] vooraanstaand.

**promis'cue** [Fr., v. Lat. *promiscuus*, v. *promiscére* = dooreen-mengen] gemengd, door elkaar. **promiscuïteit** [Fr. *promiscuité*] ordeloze vermenging, spec.: ongeregelde vermenging der seksen.

**promis'sie** [Lat. *promíssio*; *zie* **promesse**] belofte. **promittent** [Lat. *promittens*, *-éntis* = o. dw van *promíttere*] toezegger.

**promo'tie** [Lat. *promótio*, v. *pro-movére*, *-mótum* = voorwaarts bewegen] bevordering tot hogere klasse of rang; verwerving v. doctorsgraad; bevordering v. verkoop in het algemeen (dus meer dan alleen reclame) (*ook*: **promo'tion** [Eng.]); — *wedstrijd*, wedstrijd tussen hoogstgeplaatsten v. gelijkwaardige afdelingen om uit te maken wie naar hogere klasse zal overgaan. **promo'ten** [Eng. *to promote*] verkoop bevorderen in het algemeen; *een land* —, bekendheid geven aan een land in het buitenland om toeristen te

trekken; (*van personen*) naar voren schuiven, onder de aandacht brengen om betere positie of succes te verwerven. **promo'tor** [Lat.] bevorderaar; voorbereider v. oprichting v.e. bedrijf; hoogleraar die leiding geeft in verband met de promotie tot doctor; (*chem*.) stof die werking v. katalysator versterkt.

**promove'ren** [Lat. *promovére*] bevorderen; de graad v. doctor verlenen, deze graad verwerven. **promoven'dus** [Lat. = *lett*.: moetende gepromoveerd worden] wie doctorsgraad gaat verwerven. **promoven'da** vr. promovendus.

**promulge'ren** [Lat. *pro-mulgáre*, *-átum* = onder de menigte brengen; *vgl. multitúdo* = menigte, *multus* = veel] openlijk afkondigen (bijv. wet). **promulga'tie** [Lat. *promulgátio*] zn.

**prona'tie** [v. VLat. *pronáre*, v. Lat. *pronus* = voorovergebogen] het met de palm naar beneden gericht zijn v.d. hand.

**pro ni'hilo** [Lat.] voor niets.

**pro'nikgetal** som v. kwadraat v.e. getal en het getal zelf (bijv. $9 + 3 = 12$); daar $n^2 + n = n(n + 1)$, kan men ook zeggen: produkt van twee getallen die 1 verschillen, bijv. $3 \times 4 = 12$; evenzo is $20 = 16 + 4$ of $4 \times 5$.

**prono'men**, afk. **pron.** [Lat., v. *pro-*, en *nomen*, *-nóminis* = naam, naamwoord] voornaamwoord. **pronominaal** [VLat. *pronominális*] voornaamwoordelijk.

**prononce'ren** [Fr. *prononcer*] v. Lat. *pro-nuntiáre*; *zie* **nuntius**] uitspreken; sterk doen uitkomen; **geprononceerd**, duidelijk uitkomend, sprekend; ontwijfelbaar.

**prontosi'len** geneesmiddelen voor ziekten veroorzaakt door streptococcen en colibacteriën (door Domagk in 1935 bereid).

**pronunciamien'to** [Sp. = *eig*.: afkondiging] oproep tot opstand tegen regering.

**prooëmium** *zie* proëmium.

**-proof** [Eng.; *vgl.* Ned. *proef*; v. Lat. *probáre*] bestand tegen (bijv. water—, kiss—).

**proost** [v. Lat. *praepósitus* = vooraan-geplaatst, v. *prae-pónere*, *-pósitum*] kapittelvoorzitter. **proosdij'** ambt of woning v. proost.

**propaan'** [v. Gr. *propion* = vet] een gasvormige koolwaterstof, formule $C_3H_8$. **propyl-**, chemisch radicaal, formule $C_3H_7$-.

**propaedeu'se** [v. Gr. *pro-paideuoo* = vooraf onderrichten, v. *pais*, *paídos* = knaap, kind] algemeen inleidend onderwijs voor bep. vak, spec. aan universiteit. **propaedeu'tisch** **I** *bn* de propaedeuse betreffend; **II** *zn* propaedeutisch examen.

**propagan'da** [Lat. *pro-pagáre*, *-átum* = verder slaan, (grenspaal) verder zetten, uitbreiden; *pag- vgl. pángere* = vastslaan] poging tot het winnen v. aanhang of het ingang doen vinden v. ideeën. **propagande'ren** propageren. **propagandist'** [Fr. *propagandiste*] wie tracht aanhangers te werven of ideeën ingang te doen vinden. **propagandis'tisch** met betrekking tot propaganda. **propage'ren** [Lat. *propagáre*] uitbreiden, verspreiden, door aanprijzing ingang trachten te doen vinden (mening, idee). **propaga'tie** [Lat. *propagátio*] uitbreiding, verspreiding, voortplanting.

**pro pa'tria** [Lat.] voor het vaderland.

**propel'ler** [Eng., v. *to propel*, v. Lat. *pro-péllere* = voorwaarts drijven] schroef v. schip of vliegtuig.

**propen'sie** [Lat. *propénsio*, v. *pro-pendére* = voorwaarts hangen] neiging.

**prop'jes** (*studententaal*) propaedeutisch examen.

**propone'ren** [Lat. *pro-pónere* = voor-stellen] een voorstel of voordracht doen. **proponent'** [Lat. *proponens*, *-éntis* = o. dw] **1** voorsteller; **2** afk. **prop.** (*prot*.) bevoegd maar nog niet geplaatst kandidaat-predikant.

**propor'tie** [Lat. *pro-pórtio*] verhouding, spec. der afmetingen v.d. samenstellende delen,

evenredigheid; afmeting (ook *fig.*).
**proportioneel'** [Fr. *proportionnel*, v. Lat. *proportionális*] evenredig, naar verhouding.
**proportione'ren** [Fr. *proportionner*] naar verhouding inrichten, evenredig maken.
**proposi'tie** [Lat. *propositio*, v. *propónere*, *-pósitum* = voor-stellen] voorstel, aanbod; hoofdstelling v.e. rede.
**pro praesen'ti** [Lat.] voor het tegenwoordige.
**pro'pria ma'nu** [Lat.] met eigen hand.
**propriëteit'** [Lat. *próprietas*, v. *próprius* = eigen, in eigendom behorend; *vgl. prope* = nabij] eigendom, eigenschap.
**pro ra'ta** (niet pro rato) [Lat.] naar verhouding, naar evenredigheid. **pro ra'ta par'te** [Lat.] voor een evenredig deel. **pro ra'to tem'poris** [Lat.] naar gelang van de tijd.
**proroge'ren** [Lat. *pro-rogáre*, *-átum* = lett.: vooruit-vragen, verlengen] verdagen, uitstellen. **proroga'tie** [Lat. *prorogátio*] zn.
**prorogatief'** [v. Lat. *prorogatívus*] verdagend, uitstellend.
**proscribe'ren** [Lat. *pro-scríbere*, *-scríptum* = openlijk schrijven, bekendmaken, in de ban doen] verbannen, vogelvrij verklaren. **proscrip'tie** [Lat. *proscríptio*] zn.
**prosec'tie** [v. Lat. *pro-secáre*, *-séctum* = van voren afsnijden] (*anat.*) opensnijding, ontleding. **prosec'tor** [Lat. = voorsnijder] ontleder, assistent in de ontleedkunde (anatomie).
**prosecu'tie** [VLat. *prosecútio*, v. Lat. *pro-séqui* = begeleiden (*séqui* = volgen), *prosecútus sum* = ik heb …) (*jur.*) vervolging.
**proseliet'** [v. NTGr. *pros-élutos* = tot jodendom toegetreden heiden, v. Gr. stam *eluth-* = komen] (*lett.*: de over-gekomene), nieuwbekeerde. **proselie'tenmaker** wie nieuwe aanhangers zoekt te winnen, zieltjesjager. **proselitis'me** zucht om bekeerlingen te werven.
**pro'sit** [Lat. = wensende vorm v. *pród-esse* = voordelig zijn] wel bekome het!, gezondheid, proost.
**prosodie'** [Lat. *prosódia*, Gr. *prosooidía*; v. *pros* = erbij, en *ooidè* = *aoidè* = gezang (*zie* **ode**); *vgl. accent*, v. Lat. *ad* = erbij, en *cantus* = gezang] (*muz.*) leer v. tijdsduur, maat en ritme; (*dichtkunst*) leer v. tijdsduur, maat en accent. **proso'disch** de p. betreffend.
**prospect'** [Lat. *prospectus*, *z.a.*] uitzicht, verschiet. **prospec'tor** [Lat. = *lett.*: de vooruitziener, de uitkijker] wie terrein voor mijnbouwkundige ontginning onderzoekt. **prospec'tus**, afk. **pros(p)** [Lat. = uitzicht, v. *pro-spícere*, *-spéctum* = *pro-spécere* = in de verte zien, uitkijken] voorlopige aankondiging met gegevens, overzicht v. gegevens.
**prosperiteit'** [Lat. *prospéritas*, v. *prosper* = *pro-sper* = overeenkomstig de hoop; *vgl. speráre* = hopen] voorspoed, welstand, bloei.
**prostaat'** [MLat. *prostáta*, v. Gr. *prostatès*, v. *pro-*, en *sta-* = staan] de voorstanderklier, bijkomstige klier v. mannelijke voortplantingsorgaan bij zoogdieren.
**prostitue'ren** [Fr. *prostituer*, v. Lat. *pro-stitúere* = *pro-statúere* = vooraanstellen, prijs geven aan ontucht] **1** aan publieke ontucht prijs geven, veil maken; **2** *zich prostitueren*, zich aan prostitutie overgeven, zich veil geven. **prostituant'** hij die prostitueert (**1**). **prostitué** [Fr.] man die zich prostitueert. **prostituée** [Fr.] publieke vrouw, hoer. **prostitu'tie** [Lat. *prostitútio*] betaalde ontucht, het zich tegen betaling beschikbaar stellen voor geslachtsverkeer, hoererij.
**Protacti'nium** [v. Gr. *prootos* = eerste, en *Actinium* (*z.a.*), naam gegeven door Otto Hahn en Liese Meitner, die in 1918 de isotoop met de langste halveringstijd (34300 jaren) isoleerden, nl. Pa-231] chem. element, metaal, symbool Pa, ranggetal 91.
**protagonist'** [Gr. *prootagoonistès*, v. *prootos* = eerste, en *agoonistès* = acteur, v. *agoon* = verzameling, spec. v. toeschouwers bij spel

en kampstrijd] voorvechter; speler v. hoofd- of titelrol.
**prota'sis** [VLat., v. Gr. *pro-tasis* = het voorgelegde, v. *pro-*, en *teinoo* = strekken] vóórzin.
**protec'tie** [Lat. *protéctio*, v. *pro-tégere*, *-téctum* = van voren bedekken] bescherming, begunstiging. **protectionis'me** [Fr. *protectionnisme*] bescherming v. handel, industrie en landbouw v. eigen land (door invoerrechten op buitenlands produkt e.d.). **protectionist'** [Fr. *protectionniste*] voorstander v.h. protectionisme. **protectionis'tisch** *bn* & *bw*. **protec'tor** [Lat.] beschermer, patroon. **protectoraat'** [Fr. *protectorat*] beschermheerschap; gebied onder beschermheerschap v. ander land.
**protege'ren** [Lat. *protégére*] begunstigen, trachten vooruit te helpen (spec. door aan goede post te helpen). **protégé** [Fr., v. *protéger*] beschermeling.
**protei'nen** [v. Gr. *prooteios* = het eerste betreffend, v. *prootos* = eerste] eiwitstoffen [naam door G.J. Mulder in 1839 ingevoerd, in de mening dat alle eiwitstoffen v. één grondtype waren afgeleid].
**pro tem'pore**, afk. **p.t.** [Lat. = *lett.*: voor de tijd] voor het tegenwoordige, voorlopig. **pro tem'pore et pro re** [Lat. = *lett.*: voor de tijd en voor de zaak] naar tijd en omstandigheden.
**Proterozo'icum** [v. Gr. *proteros* = eerste, ouder, vroeger, en *zoöe* = leven] *ook*: **Eozo''icum of Algon'kium**, het tweede tijdperk v.h. *Precambrium*, waarin de eerste sporen van primitief leven voorkomen.
**protest'** [v. Lat. *pro-testári* = openlijk getuigen, v. *testis* = getuige] tegenspraak; aantekening v. verzet; schriftelijke verklaring v.h. niet aannemen v.e. wissel. **protest'meeting** protestvergadering, bijeenkomst om te protesteren. **pro'testsong** [Eng.] lied waarvan de tekst een hekeling is van bep. politieke of maatschappelijke toestanden. **protestan'ten** *mv oorspr.*: lutheranen (wegens protest op de Rijksdag v. Spiers in 1529), *later*: alle hervormden. **protestantis'me** geloof en leer der protestanten. **protestants'** hervormd. **proteste'ren** [Fr. *protester*, v. Lat. *protestári*] verzet aantekenen; verklaring opstellen dat wissel geweigerd wordt.
**prothe'se** [Gr. *pros-thesis* = erbij-plaatsing, v. *pros* = erbij, en *tithêmi* = plaatsen] het zetten v.e. kunstlid (arm, been, gebit, e.d.); dit kunstlid zelf. **prothe'sis** [als vorige] het voegen v.e. letter(greep) vóór een woord. **prothe'tisch** *1* op prothese betrekking hebbend; **2** vóórgevoegd.
**proto-** [v. Gr. *prootos* = eerste, voorste] eerste-, oer-.
**protocol'** [MLat. *protocollum*, v. Gr. *protokollon* = los blad als eerste aan boek (papyrusrol) geplakt, v. *prootos* = eerste, en *kolla* = lijm] gerechtelijke akte; ambtelijk verslag; verslag v. congres; register v. notariële akten; toevoegsel bij verdrag; geheel v. voorgeschreven ceremonies bij diplomatieke ontmoeting of vorstelijk bezoek. **protocollair'** [Fr. *protocolaire*] het protocol betreffend. **protocol'len** bep. gezelschapsspel spelen (een zin maken v. opgegeven woord). **pro'tohistorie** [*zie* **historie**] periode in de geschiedenis v.e. volk waarover wel contemporaine documenten v. andere volkeren bestaan, maar geen geschreven documenten v.h. betrokken volk zelf, daar dit nog geen schrift kende. De protohistorie v.e. volk is dus het tijdvak tussen zijn prehistorie (geen geschreven documenten) en zijn echte geschiedenis (eigen geschreven documenten). **pro'ton** [v. Gr. *prootos* = eerste, naar analogie v. **elektron**] elementair materiedeeltje met 1 positieve lading, waterstofkern; afk. **p**.
**protoplas'ma** [v. Gr. *plasma* = het gevormde] oorspr. de naam v.d. substantie v.d.

cel behalve de kern. Thans noemt men deze substantie *cytoplasma* en verstaat men onder protoplasma de gehele levende celsubstantie, dus cytoplasma plus kern. **protoplast'** het levende gedeelte v.e. cel, d.w.z. het georganiseerde cytoplasma plus kern plus het levende plasmamembraan (niet de levenloze celwand bij planten). **protoplas'ten** *mv* verouderde naam voor de eerste mensen; de protoplast bij uitstek was Adam. **pro'totype** [*zie* type] **1** voorafbeelding (*prefiguratie*); **2** oermodel, eerste beeld; spec. in de kunstgeschiedenis de eerste uitbeelding v.e. kunstwerk in een bepaalde stijl; **3** (*tech.*) met de hand vervaardigd exemplaar dat bestemd is voor voorbereidende werkzaamheden, maar niet voor de verkoop. **protozo'a,** *ev* **protozo'ön** [v. Gr. *zooïon* = dier], in het Ned. **protozo'ën,** *ev* **protozo'ö** eencellige dieren.
**protrahe'ren** [v. Lat. *pro-tráhere, pro-tractum* = *eig.*: voort-slepen; *ook*: verlengen, rekken] vertragen, uitstellen, op de lange baan schuiven. **protrac'tie** [Lat. *protráctio* = verlenging] verlenging, verdaging, uitstel.
**protuberans'** [Lat. = o. dw van *pro-tuberáre* = uitgroeien, uitwassen; *tuber* = gezwel, buil] (*astr.*) uitstekende fel lichtende gaswolk aan zonsrand. **protuberan'tie** [*zie* vorige] (*med.*) uitwas, gezwel.
**prouve'ren** [Fr. *prouver,* v. Lat. *probáre*] bewijzen; pleiten voor.
**pro've** [MLat. *provenda; zie* **prebende**) *vgl.* Eng. *provender* = voer] levenslang onderhoud door liefdadige inrichting. **provenier'** wie een prove geniet. **proveniers'huis** gesticht voor proveniers.
**provenu'** [v. Fr. *provenier* = opleveren, v. Lat. *pro-veníre* = voor de dag komen, uitvallen, gedijen] winst, opbrengst.
**prover'bium** [Lat., v. *pro-,* en *verbum* = woord] spreekwoord. **Prover'bia** [Bijbel, *Vulgaat*] het boek Spreuken (afk. **Prov.**). **proverbiaal'** [Lat. *proverbiális*] spreekwoordelijk.
**proviand'** [Du. *Proviant,* v. It. *provianda,* uiteindelijk v. Lat. als *prebende z.a.*] leeftocht, mondvoorraad. **provi'anderen** van proviand voorzien.
**provident'** [Lat. *providens, -éntis* = o. dw van *pro-vidére* = vooruitzien] met voorzorg. **providen'tie** [Lat. *providéntia*] voorzorg, voorzienigheid. **providentieel'** [Fr. *providentiel*] vooruitziend; door de Voorzienigheid beschikt.
**provin'cie** [Lat. *província* (v. *pro-,* en wortel *vic-, vgl.* **vice**] = *eig.*: opgedragen werk (in plaats v. ander), taak, werkkring, post, bestuur v. wingewest, wingewest] onderdeel v. rijk, (*rk*) kerkelijke indeling die verscheidene bisdommen of kloosters omvat; (*prot.*) kerkelijke indeling die verscheidene classes omvat; het land buiten de hoofdstad. **provinciaal'** [Lat. *provinciális*] **I** *bn* de provincie betreffend of daaruit afkomstig, gewestelijk; **II** *zn* persoon uit de provincie (tegenover iem. uit grote stad); (*rk*) afk. **Prov.** overste v.e. kloosterprovincie bij verscheidene ordes. **provincialaat'** waardigheid, ambt, ambtsperiode of residentie v. provinciaal v. kloosterorde. **provincialis'me** [Fr.] **1** kleinsteedse bekrompenheid; **2** (te grote) gehechtheid aan eigen provincie; **3** woord of uitdrukking kenmerkend voor bep. gewest.
**pro vi'ribus** [Lat.] naar vermogen. **provi'sie** [v. Lat. *provísio* = het vooruitzien, voorzorg; *zie* **provident**] (mond)voorraad; bep. percentage v. opbrengst als vergoeding voor gedane moeite; loon voor makelaars, commissionairs e.d. **provisioneel'** [Fr. *provisionnel*] bij voorbaat, voorshands, voorlopig. **provisoir', provisoor'** [Fr. *provisoire*] voorlopig, ter tijdelijke voorziening. **provi'sor** [Lat. = verzorger] beheerder; bevoegd beheerder v. apotheek. **proviso'risch** *zie* **provisoir**.
**pro'vitamine** [*zie* pro, en **vitamine**]

vóórvitamine dat in het lichaam omgezet wordt in vitamine.
**provoce'ren** [Lat. *pro-vocáre, -átum* = te voorschijn roepen, uit-dagen] uitlokken, uittarten; *ook*: gerechtelijke uitspraak verlangen. **pro'vo** persoon die bestaande orde wil verbeteren en daartoe o.a. het bestaande gezag provoceert. **provotariaat'** het provodom; de gezamenlijke provo's. **provoca'tie** [Lat. *provocatio*] *zn*; *ook*: appèl op hoger gerechtshof. **provocateur'** [Fr., v. Lat. *provocátor* = uitdager] uitlokker tot strafbare daden.
**provoost'** (*mil.*) **1** officier belast met handhaving v. orde en tucht; **2** straflokaal.
**prox'imo** [Lat. *próximo mense,* van *próximus* = overtreffende trap v. *prope* = nabij] in de eerstvolgende maand (bijv. de 5e —).
**pro'za** [Fr. *prose,* v. Lat. *prosa orátio* = rechttoe rechtaan lopende rede, v. *prosus* = (oud: *prorsus* = *provórsus* (*provérsus*) = voor zich heen gekeerd, v. *pro-* = voorwaarts, en *vértere, vérsum* = keren] ongebonden taal of stijl (niet aan regels v. ritme en rijm gebonden, in tegenstelling met poëzie); het gewone alledaagse. **proza'isch** [MLat. *prosáicus*] in proza-vorm; alledaags, gewoon, plat; nuchter, niet-verheven. **prozaïst'** prozaschrijver.
**prudent'** [Fr. = behoedzaam, voorzichtig, v. Lat. *prúdens, prudéntis,* v. *pro-vídens* = voor-zichtig, v. *pro* = voor, *vidére* = zien] wijs, getuigend v. goed beleid of van veel inzicht. **pruden'tie** [Lat. *prudéntia*] voorzichtigheid, wijs oordeel. **pruderie'** [Fr.] preutsheid
**pru'ne** [Fr. = *eig.*: pruim] **I** *bn* roodpaars, pruimkleurig; **II** *zn* roodpaarse kleur.
**psaligrafie'** [v. Gr. *psalis* = schaar, en *graphoo* = schrijven, tekenen] kunst om met schaar uit papier fijne figuren te knippen.
**psalm** [Lat. *psalmus,* Gr. *psalmos* = loflied, v. *psalloo* = *eig.*: plukken, trekken; de snaren tokkelen, bij citer zingen] bep. Bijbels lied. **psalmist'** [Lat. *psalmísta,* Gr. *psalmistès*] psalmdichter. **psalmodie'** [VLat. *psalmodía,* v. Gr. *psalmooidía* = het bij de harp zingen, v. *ooidè* = gezang; *zie* **ode**] psalmgezang. **psalmodie'ren** [Fr. *psalmodier*] psalmen zingen; *ook*: op eentonige wijs opdreunen. **psal'ter,** *mv* psal'ters, *ook* psalte'rium, *mv* psalte'ria [Lat. v. Gr. *psaltèrion*] **1** zeer oud snareninstrument, gelijkend op een harp; **2** psalmboek; **3** *Psalterium,* (*Bijb.*) het Boek der Psalmen (afk. **Ps.**).
**pseudo-** [Gr., v. *pseudos* = bedrog, leugen] vals-, onecht-, schijn-. **pseudografie'** [v. Gr. *graphoo* = schrijven] schriftvervalsing. **pseudoniem'** [v. Gr. *onuma* = *onoma* = naam] schuilnaam.
**1 psi** [Gr.] de 23e letter van het Gr. alfabet, overeenkomend met onze ps.
**2 psi** *zie* psi-verschijnselen.
**psittaco'se** of psittaco'sis [v. Lat. *psittacus,* Gr. *psittakos* = papegaai; *zie* -ose] papegaaieziekte.
**psi-verschijnselen** [naar de Gr. letter psi, de eerste letter van *psuchè* = geest] (*parapsychologie*) term ingevoerd, en vooral in de Angelsaksische landen gebruikt, ter vervanging v.d. termen helderziendheid en telepathie. Psi-verschijnselen zijn paragnostische verschijnselen, ook wel *buitenzintuiglijke waarneming.* v. Eng. *extra sensory perception,* afk. *ESP*] genoemd.
**psori'asis** [v. Gr. *psoora* = schurft], zilverschub, een huidziekte die vooral bij het blanke ras voorkomt en wordt gekenmerkt door rode plekken op de huid die bedekt zijn met parelmoerachtig glanzende schilfers, die ontstaan zijn door overmatige vorming v. keratine (hoornstof).
**psy'che** [Gr. *psuchè* = adem, levensbeginsel, leven, ziel, geest, gemoed] geest, wijze v. voelen, gemoedsaard.
**psyché** [Fr.] grote toiletspiegel.
**psychede'lica** *mv, ev* **psychede'licum** [v.

Gr. *deleasma* = prikkel]
bewustzijnsverruimende drugs,
hallucinogenen (o.a. LSD). **psychede'lisch**
*bn & bw* hallucinaties (of daarop lijkende
geestestoestand) veroorzakend. **psychia'ter**
[*zie* -**iater**] arts voor neurotische
aandoeningen, zenuwarts. **psychiatrie'** [*zie*
-**iatrie**] geestesgeneeskunde.
**psychia'trisch** op de psychiatrie betrekking
hebbend; v.e. psychiater. **psy'chical
research'** [Eng.] wetenschappelijk
onderzoek v. paranormale verschijnselen,
parapsychologie. **psy'chisch** [Gr. *psuchikos*]
de psyche betreffend. **psycho-** [v. Gr. *psuché*;
*zie* **psyche**] geestes-. **psychoanaly'se** [*zie*
**analyse**]. psychotherapie die tot doel heeft
nerveuze stoornissen te genezen, door
conflicten uit het onbewuste tot het
bewustzijn te laten komen.
**psychoanaly'tisch** volgens de
psychoanalyse. **psychoanaly'ticus** iemand
die psychoanalyse uitvoert. **psychofar'maca**
*mv. ev* **psychofar'macon** [v. Gr. *pharmakon*
= geneesmiddel] medicamenten tegen
psychische stoornissen. **psychogeen'** uit de
psyche voortkomend (bijv. ziekte).
**psychogram'** [v. Gr. *gramma* = het
geschrevene, v. *graphoo* = schrijven]
psychologische karakterschets.
**psychokine'se** het bewegen van voorwerpen
door psychische krachten. **psy'cholinguïstiek** [*zie* **linguïstiek**]
taalpsychologie, psychische taalstudie.
**psychologie'** [*zie* -**logie**] leer v.d.
(menselijke) geest. **psycholo'gisch** volgens
de psychologie. **psycholoog'** [*zie* -**loog**]
beoefenaar der psychologie.
**psychologis'me** poging
niet-psychologische problemen
psychologisch op te lossen. **psychometrie'**
[*zie* -**meter**] kunst psychische verschijnselen
volgens bep. maatstaven te meten;
helderziendheid omtrent personen; of omtrent
voorwerpen door aanraking of nabijheid.
**psychometrist'** beoefenaar v. psychometrie.
**psychoneuro'se** [*zie* **neurose**]
zenuwstoornis tengevolge v. geestesziekte.
**psychopaat'** geestelijk gestoorde (met
weinig beheersing). **psychopathie'** gestoord
geestesleven; geestesziekte. **psychopa'tisch**
geestesziek. **psychopathologie'** [*zie*
**pathologie**] leer der psychopathische
verschijnselen. **psychoprofyla'xe** [*zie*
**profylaxe**] voorkoming v. geestesziekte.
**psycho'se** [*zie* -**ose**] psychische stoornis,
waarbij gehele persoonlijkheid betrokken is.
**psychosoma'tisch** [*zie* **somatisch**]
lichaam en ziel als geheel beschouwend;
*psychosomatische ziekte* is een lichamelijke
aandoening die door psychische problemen is
veroorzaakt (bijv. astma). **psychotechniek'**
[*zie* **techniek**] onderzoek v. psychische
eigenschappen (toegepaste psychologie).
**psychotech'nisch** van, volgens de
psychotechniek. **psychotherapie'** [*zie*
**therapie**] geneesmethode v. geestesziekten.
**psychotherapeut'** [*zie* **therapeut**] iemand
die geestelijke stoornissen geneest met
psychische middelen (o.a. hypnose).
**psychrome'ter** [v. Gr. *psuchros* = koud, koel;
*zie* **meter**] toestel om de vochtigheid v.d.
lucht of v.e. gas te meten.
**Ptoleme'ïsch** *bn* volgens Ptolemeus
[Claudius Ptolemaeus, Gr. astronoom,
wiskundige en geograaf te Alexandrië, 87-150
n. Chr.]; — *stelsel*, het geocentrische
planetenstelsel met de aarde als middelpunt.
**pub** [Eng.; afk. v. *public house* = openbare
gelegenheid] Eng. herberg, kroeg.
**pu'ber** [Lat. = bijvorm v. *pubes* = als *zn*: de
tekenen van de manbaarheid, nl. de
baardharen] jongen of meisje in de leeftijd v.d.
*puberteit, z.a.,* tussen kind en adolescent.
**puberaal'** *bn & bw* puberachtig, tot de
puberteit behorend, bij pubers vóórkomend,
kenmerkend voor de puberteit. **puberteit'**

[Lat. *pubértas, pubertátis* = manbaarheid, het
teken daarvan, nl. de baardharen; *ook*:
mannelijkheid] de ontwikkelingsfase tussen
kind-zijn en adolescentie, gevolgd door
volwassenheid. Voor de jongen is deze fase
meestal de periode v. ca. 13 tot 16 à 17 jaar,
voor het meisje 11 à 12 tot 16 jaar.
**pubescen'tie** [v. Lat. *pubéscere* = manbaar
worden, baard krijgen] haargroei, spec. in de
schaamstreek, als kenmerk van geslachtsrijp
worden. **pu'bis** [Lat. = schaamdelen]
schaamheuvel.
**publice'ren** [Lat. *publicáre, -átum,* v. *públicus*
(OLat. *poblicus* of *poplicus,* v. *poplus, zie
pópulus* = volk) = de staat of het volk
betreffend] openbaar maken, afkondigen;
verspreiden (bericht); in het licht geven,
uitgeven (boek). **publica'tie** v. Lat.
*publicátio* = het tot staatseigendom maken,
verbeurdverklaren] het publiceren; het
gepubliceerde. **publicist'** [Fr. *publiciste*]
(*oorspr.*: kenner v.h. staatsrecht); schrijver
over actuele, al dan niet politieke,
vraagstukken, dagbladschrijver, journalist.
**publicistiek'** 1 leer van de algemene
communicatiemiddelen, perswetenschap;
2 de gezamenlijke publiciteitsorganen.
**publicis'tisch** *bn & bw* op de publicistiek of
op publiciteitsorganen betrekking hebbend.
**publicitair'** [Fr.] *bn & bw* de publicistiek of
de publiciteit betreffend. **publiciteit'** [Fr.
*publicité*] 1 openbaarheid, algemene
bekendheid; 2 openbaarmaking; 3 alle
organen van openbaarheid, zoals kranten,
tijdschriften, TV, radio e.d.; het maken van
reclame. **pu'blic rela'tions,** afk. **p.r.** [Eng.]
*mv* het leggen van goede betrekkingen en het
onderhouden daarvan door een instelling of
onderneming met bep. personen of
groeperingen in de buitenwereld; *public
relations officer* [Eng.] employé v.e. bedrijf die
belast is met public relations. **publiek'** [Lat.
*públicus; zie bij* **publiceren**] 1 *bn* openbaar,
niet voor enkelen maar voor allen toegankelijk,
openlijk; ruchtbaar; van overheid uitgaande
(bijv. —e werken); 1 1 *zn* de mensen, de
bezoekers of toehoorders v. openbare
vertoning.
**pucel'le** [Fr., v. VLat. *pulicélla*] maagdelijk
meisje; *La Pucelle,* de Maagd v. Orleans,
Jeanne d'Arc.
**puck** [Eng.; herkomst onbekend] schijf van
hard rubber waarmee gespeeld wordt bij
ijshockey.
**pue'blo** [Sp.] Sp.-Am. gemeente, plaats, dorp,
*spec.*: Indiaanse nederzetting.
**pueriel'** [Lat. *puerílis,* v. *puer* = kind, *spec.*:
knaap] woord verwant met *pubes, zie* **puber**]
1 kinderlijk; 2 kinderachtig. **puerïliteit'** [Lat.
*puerílitas*] 1 kinderlijk gedrag of uiting
daarvan; 2 kinderachtigheid. **puerilis'me**
kinderlijk gedrag bij volwassenen.
**pugilist'** [Fr. *pugiliste,* v. Lat. *pugil*
= vuistvechter; *vgl. pugnus* = vuist]
vuistvechter, bokser.
**puïssant'** [Fr., v. Lat. *potens* = machtig, *eig.*:
o. dw van *posse* = *pot-esse* = bij machte zijn,
kunnen] machtig, geweldig (—rijk).
**pulmonaal'** [v. Lat. *pulmo, pulmónis* = long;
*vgl. Gr. pneoo* = blazen, ademen] de longen
betreffend.
**pulse'ren** [Lat. *pulsáre,* intensitief v. *péllere,
pulsum* = drijven; *vgl.* Ned. *pols*] kloppen,
slaan; op en neer gaan; (*astr.*) periodiek
uitzetten en inkrimpen. **pul'sar** [Eng.,
samentrekking van *pulsating radio source*]
(*astr.*) snel pulserende ster, d.w.z. ster die sterk
in straling varieert en haar straling, spec.
radiostraling, in pulsen (stoten) uitzendt. Een
pulsar bestaat uit neutronen (neutronenster),
het resultaat v.e. zware ster die onder haar
eigen zwaartekracht grotendeels is
ineengestort. **pulsa'tie** [Lat. *pulsátio*] *zn.*
**pulsatief'** [Fr. *pulsatif*] kloppend.
**pul'ver** [v. Lat. *pulvis, púlveris* = stof] poeder,
fijn stof. **pulverise'ren** [VLat. *pulverizáre*]

verpoederen. **pulverisa'tie** verpoedering; *ook*: verstuiving v. vloeistof. **pulverisateur** [Fr. *pulvérisateur*]. **pulverisa'tor** [modern Lat.] verstuiver, versproeier, stuifsproeier.

**pump** [Eng., herkomst onbekend] lage damesschoen met hoge hak zonder riem of andere sluiting over de voet.

**punai'se** [Fr. = wants, v. *punais* = stinkend uit de neus, v. Lat. *putére* = rot zijn, stinken (*vgl.* **pus**), en *nasus* = neus] bep. hechtspijkertje met brede platte kop (verband met wants wegens platheid).

**punch** [Eng., missch. v. Hindi *panch* = vijf, naar de vijf bestanddelen, of afkorting v. *puncheon* = bep. groot vat voor vloeistoffen] **1** bep. alcoholische drank, oorspr. bestaande uit wijn, arak, vruchtesap, specerijen en suiker, zowel warm als koud gedronken; **2** bep. warme alcoholische drank, traditioneel op Kerstmis en Oudejaarsavond opgediend in grote kom (*puncheon*). Meestal op basis van rode wijn waarin sinaasappelschijfjes, kaneel en kruidnagelen zijn afgetrokken en met wat sterke drank.

**puncte'ren** [v. Lat. *púngere, punctum* = steken, prikken] de punten vaststellen (bijv. overeenkomst); (*med.*) punctie verrichten.

**punc'tie** [Lat. *púnctio*] (*med.*) steek of prik met holle naald om lichaamsvocht af te tappen.

**punctua'tie** [v. MLat. *punctuátio*] het plaatsen v. leestekens. **punctueel** [MLat. *punctuális*] stipt, nauwkeurig. **punctualiteit** het punctueel zijn. **punc'tum** [Lat.] **I** *zn* punt, stip; **II** *tussenwerpsel* klaar!, afgelopen!, uit!, basta! **punctuur** [Lat. *punctúra*] **1** (*med.*) punctie; **2** gaatje (in fietsband).

**pun'dit** [Sanskr.] Hindoes wet- en godsdienstgeleerde.

**Pu'nisch** [Lat. *Púnicus* of *Póenicus*, v. *Poeni* = de Carthagers, de Puniërs] de Carthagers betreffend; —*e trouw*, trouweloosheid.

**punk** [Eng.] **1** jeugd-subcultuur die met een agressieve levenshouding vele maatschappelijke normen verwerpt. Deze houding wordt geuit door het dragen van rechtopstaand piekerig haar (soms in div. kleuren), het dragen van (vaak gescheurde) spijkerpakken of leren kleding en van speciale ornamenten. De politieke houding is nihilistisch, soms neigend naar fascisme. **punk'ker** aanhanger of aanhangster v. de punk.

**punt** (*typografie*) eenheid waarin de hoogte v. drukletters en interlinies en de breedte v. spaties tussen de woorden wordt uitgedrukt, nl. $^3/_8$ mm (*bijv.*: een 6-puntsletter; een lettertype v. 6 punten hoog e.d.).

**punte'ren** [v. *punt*, v. Lat. *punctum, z.a.*] **1** van stippels voorzien; **2** de voorlopige voorwaarden opstellen.

**pup** [Eng., afk. v. *puppy* = jonge hond, waarsch. hetzelfde woord als Fr. *poupée* = pop, v. Lat. *pupa* = poppetje (meisje), speelpop, v. *pupus* = kind, knaap; *vgl. puer* in **puber**] jonge hond in of pas uit het nest.

**pupil'** [Lat. *pupillus* = onmondige wees, verkleinwoord v. *pupus* = knaap] **1** pleegkind, verklelning (t.o.v. leraar), kostleerling; **2** oogappel, lieveling; **3** opening in het regenboogvlies v.h. oog die de binnentredende hoeveelheid licht kan regelen.

**purge'ren** [Lat. *purgáre, -átum* = *purum ágere* = zuiver voeren (maken), v. *purus* = rein] zuiveren; laxeren. **purga'tie** [Lat. *purgátio*] *zn* laxeermiddel. **pur'gans** *mv* -*an'tia* [Lat. = o. dw] laxeermiddel. **purgatief'** [Lat. *purgatívus*] **I** *bn* zuiverend; laxerend; **II** *zn* laxeermiddel. **purifice'ren** [Lat. *purificáre, -átum*, v. *purus* en *fácere* = maken] zuiveren, reinigen. **purifica'tie** [Lat. *purificátio*] *zn*. **purifié'ren** [Fr. *purifier*] purificeren.

**puris'me** [Fr.] streven naar taalzuiverheid; vreemd woord opzettelijk en natuurlijk vaak door nieuwvormd woord. **purist'** [Fr. *puriste*] taalzuiveraar. **puriteïn** aanhanger v. bep. prot. Eng. sekte, die tot zuiverheid der oude

Kerk wil terugkeren; streng protestant zuiver in leer en levenswandel, *ook*: preuts iem. **puriteïns** streng godsdienstig; preuts.

**Pu'rim** *zie* **Poerim**.

**pur'per** [v. Lat. *purpura* = purperkleur, v. Gr. *porphúra* = purperslak en de daaruit bereide kleurstof] paarsrood (niet te verwarren met *violet* = blauw-paars).

**pur-sang'** [Fr., v. Lat. *purus* = zuiver, en *sánguis* = bloed] volbloed.

**pur'ser** [Eng., v. *purse* = beurs] administrateur aan boord v. schip.

**pus** [Lat., *vgl. putére* = rottig zijn, stinken] etter.

**push'ball** [Eng. = *lett.*: duwbal; *vgl.* Fr. *pousser*, v. Lat. *pulsáre*; *zie* **pulseren**] bep. balspel te paard. **push'en** [Eng. *to push* = duwen] met opdringerige reclame 'er in duwen', spec. van grammofoonplaten (*vgl.* **pluggen**), echter ook van drugs. **push'er** iem. die pusht.

**pusillaniem'** [Lat. *pusillánimis*, v. *pusillus* = zeer klein, verkleinwoord v. *pusus* = knaap, en *ánimus* = geest] kleinmoedig.

**putatief'** [VLat. *putatívus*, v. Lat. *putáre* = rekenen, achten] (*jur.*) vermeend, te goeder trouw ondersteld.

**putrefice'ren** [Lat. *putrefácere*, v. *puter* = verrot (*vgl.* **pus**), en *fácere* = maken] rotten, ontbinden.

**putsch** [Du. *Putsch*] staatsgreep, oproer, aanslag.

**put'tee** [Eng. v. Hindi *patti* = verband] beenwindsel.

**pygmee'** [Lat. *Pygmáei*, Gr. *Pugmaioi* = dwergvolk in Afrika, v. Gr. *pugmè* = vuist] lid v. dwergvolk; klein persoon, dwerg.

**pyk'nicus** [v. Gr. *puknos* = dicht, dik] pers. v. bep. constitutietype, kort, rond, volbloedig en krachtig, meestal levenslustig en goedmoedig v. aard. **pyk'nisch** kort en rond v. lichaamsbouw. **pyknome'ter** [*zie* **meter**] (*lett.*: dichtheidsmeter), glazen vat met capillairen waarop schaalverdeling is aangebracht (om relatieve dichtheid = soortelijk gewicht v.e. vloeistof nauwkeurig te bepalen; inhoud en gewicht kunnen zeer precies gemeten worden).

**pyre'tica** [v. Gr. *puretos* = gloed, koortshitte, koorts] koortswerende middelen.

**1 pyro-** [Gr. *pur, puros* = vuur] vuur-.

**2 pyro-** (*chem.* en *nat.*) door verhitting gevormd (bijv. *pyrofosforzuur*, $H_4P_2O_7$, door verhitting v. secundair fosfaat; *pyro-elektriciteit*, elektriciteit door verhitting v. bep. stoffen opgewekt). **pyrofaag'** [v. Gr. *phag-* = eten] vuurvreter. **pyrofobie'** [*zie* **fobie**] ziekelijke angst voor vuur. **pyrofoor'** [v. Gr. *phoros* = -drager, v. *pheroo* = dragen] gemakkelijk spontaan ontbrandend (bijv. fijn verdeeld lood, ijzer e.d.). **pyrogeen** [v. Gr. *gen-* = verwekken, *ook*: worden, ontstaan] **1** (*med.*) koortsverwekkend; **2** (*geol.*) door stolling ontstaan (bijv. gesteente). **pyromanie** [*zie* **manie**] ziekelijke zucht tot het stichten v. brand. **pyromaan'** wie aan pyromanie lijdt. **pyrome'ter** [*zie* **meter**] apparaat om hoge temperaturen (boven 500°C) te meten. **pyrotechniek'** [*zie* **techniek**] vuurwerkmakerskunst.

**Pyr'rusoverwinning** [naar *Pyrrhus*, Gr. *Purrhos* II, ca. 318-272 v. Chr., koning v. Epirus, die in 279 v. Chr. met hevige verliezen de Romeinen overwon] overwinning die de overwinnaar totaal uitput, schijnoverwinning.

**Py'thia** [Gr. *Puthía* (*hiéreia*) = Pythische (priesteres), v. *Puthoo* = streek rond Delphi (*gesch.*) priesteres v.h. orakel te Delphi; waarzegster. **py'thon** [Gr. myth. *Puthoon* = reuzedraak door Apollo bij Delphi gedood] tijgerslang.

**pyx'is** of **pix'is** [Lat. v. Gr. *puxis* = palmhouten doosje, v. *puxos* = palmhoutboom] doos of vat voor het bewaren v. geconsacreerde hostie(s).

**qua** ... [Lat. = *eig.*: 6e nv v. *qui* = die, wie] **1** in de hoedanigheid van ..., als ... (*bijv.*: qua schrijver is hij niet geslaagd); **2** wat betreft ... (*bijv.*: qua inrichting is dit huis hypermodern).
**quadr-, quadri-, quadru-** [Lat. v. *quát(t)uor* = vier] vier- (*zie ook* **kwadr-**).
**quadrafonie** *zie* **quadrofonie**.
**quadrage'na** [kerk. Lat., v. Lat. *quadragéni* = bij veertigen, veertig, v. *quadragínta* = 40] (*rk*) oudtijds boetedoening v. 40 dagen; aflaat beantwoordend aan kwijtschelding v. dergelijke straf. **Quadrage'sima** [kerk. Lat. — (*dies*) = de 40e dag, v. Lat. *quadragésimus* = 40e] (*rk*) eerste zondag v.d. vasten.
**quadrangulair'** [Fr. *quadrangulaire*, v. Lat. *quadrángulus* of *quadriángulus*, v. *ángulus* = hoek] vierhoekig. **quadriljoen'** [woord gevormd naar analogie v. **miljoen**, **biljoen**] miljoen in de 4e macht (1 met 24 nullen).
**1 quadril'le** [Fr., v. Sp. *cuadrilla*, v. *cuadro* = vierkant] bep. spel v. vier paren in een vierkant tegenover elkaar opgesteld.
**2 quadril'le** [Fr., missch. v. Sp. *cuartillo*] 18e-eeuws kaartspel met 40 kaarten voor vier personen. **quadrille'ren 1** in een quadrille opstellen; **2** quadrille spelen. **quadri'vium** [Lat. = *lett.*: de viersprong, de vier wegen, v. *via* = weg] de vier hogere v.d. zeven vrije kunsten (*zie* **artes liberales**), nl. getallenleer, muziek, meetkunde en sterrenkunde.
**quadrofonie** (*ook*: **quadrafonie**) [*zie* **quadr-**, en Gr. *phoonè* = geluid] het weergeven van vier min of meer onafhankelijk van elkaar opgenomen geluidsopnamen door twee luidsprekers vóór de toehoorder en twee achter hem (totaal dus vier). **quadrofo'nisch** (*ook*: **quadrafo'nisch**) *bn & bw*. **quadroon'** of **quadro'ne** [Eng. *quadroon*, v. Sp. *cuarteron*, v. *cuarto* = vierde] *zie* **quarterone**.
**quadruplica'tie** [Lat. *quadruplicátio*, v. *quadruplicáre*, -*átum* = verviervoudigen; *vgl.* *plicáre* = vouwen] verviervoudiging.
**quaes'tor** [Lat. (uit *quáesitor*, v. *quáerere*, *quaesítum* = zoeken, onderzoeken) = oorspr. ambtenaar belast met onderzoek naar moord, later beheerder der publieke gelden] penningmeester. **quaestuur'** [Lat. *quaestúra*] ambt v. quaestor.
**quag'ga** [Zuidafrikaans] of *steppezebra*, de diersoort *Equus quagga* uit de familie Equidae (Paardachtige).
**Quakers** *zie* **Kwakers**.
**qualifice'ren**, *ook*: **kwalifice'ren** *ww* [v. MLat. *qualificáre*, -*átum*, v. Lat. *quális* = een bep. hoedanigheid bezittend, en *fácere* = maken] **1** een bep. eigenschap toekennen; kenschetsen, betitelen, noemen, benoemen; **2** bevoegd, bekwaam, geschikt, gerechtigd maken (tot iets); *zich qualificeren*; zich ergens toe bekwamen, zich ergens toe geschikt en bevoegd maken. **qualifica'tie**, *ook*: **kwalifica'tie** [v. MLat. *qualificátio*] *zn*. **qualificatief'** [Fr. *qualificatif*] *bn* nader omschrijvend, nader bepalend. **qualifié'ren** [Fr. *qualifier*] qualificeren. **qualitatief'** *bn & bw* volgens de hoedanigheid, volgens het gehalte; *qualitatieve analyse* (*chem.*) bepaling van de aard der stoffen in een mengsel (i.t.t.

de *quantitatieve analyse*, die ook de hoeveelheden bepaalt). **qualiteit'** niet meer gebruikelijke spelling van **kwaliteit**, *z.a.*
**qualita'te qua** afk. **q.q.** [Lat.] in zijn hoedanigheid van, ambtshalve.
**quand-même** [Fr.] in weerwil daarvan, zelfs dan nog.
**quant**, *mv* **quan'ten**, *ook*: **kwant** resp. **kwan'ten**, *ook*: **quan'tum**, *mv* **quan'ta** [v. Lat. *quántum* = hoeveelheid, zoveel (als); onz. v. *quántus* = hoe groot, zo groot als] (*nat.*) de kleinste en natuurlijke karakteristieke eenheid v.e. fysische grootheid, de kleinste hoeveelheid waarin bep. grootheden in een fysisch systeem kunnen voorkomen.
**quan'tentheorie** officiële spelling voor **kwantentheorie**; *zie* **quantummtheorie**.
**quant à moi** [Fr.] wat mij betreft.
**quantifice'ren** *ww*, *ook*: **kwantifice'ren** uitdrukken of beschouwen als een quantiteit of in quantiteiten; behandelen als meetbare grootheid. **quantitatief'**, *ook*: **kwantitatief'** [v. MLat. *quantitatívus*] *bn & bw* de grootte of de hoeveelheid betreffende. **quantiteit'** thans ongebruikelijke spelling voor **kwantiteit**, *z.a.*
**quantité négligea'ble** [Fr.] **1** een te verwaarlozen hoeveelheid, grootheid of zaak waarmee geen rekening behoeft te worden gehouden; **2** een dergelijk persoon.
**1 quan'tum** [Lat.] (*telw. & bw*) hoeveel, hoezeer; *quántum líbet* of *quántum plácet*, zoveel als men belieft; *quántum vis*, zoveel als je wilt.
**2 quan'tum** [*zie* **quant**], *ook*: **kwan'tum**, hoeveelheid, spec. wat betreft handelsgoederen en stoffen; dosis.
**3 quan'tum**, *mv* **quan'ta**, *zie* **quant**.
**quan'tumchemie** [*zie* **chemie**] het toepassen v.d. quantumtheorie op chem. problemen.
**quan'tummechanica** [*zie* **mechanica**] (*nat.*) theorie die de mechanische wetten van kleine bewegende deeltjes (bijv. elektronen) behandelt.
**quan'tumtheorie** [*zie* **theorie**] theorie uit 1900, opgesteld door M. Planck, Du. natuurkundige, die een verklaring zoekt voor elektromagnetische stralingsverschijnselen m.b.v. quanten i.p.v. atoom-elektronen.
**quarantai'ne** [Fr. = *lett.*: veertigtal, v. Lat. *quadragínta* = 40] **1** gedwongen verblijf (oorspr. 40 dagen) van schepen in de haven of van reizigers in een daartoe ingericht verblijf, die komen uit plaatsen waar bep. besmettelijke ziekten heersen of die daarvan verdacht worden; **2** het voor quarantaine ingericht verblijf of de opslagplaats zelf.
**quark** [naam ontleend aan de roman *Finnigan's wake* van James Joyce (1939)] (*kernfysica*) aangenomen hypothetische sub-elementaire bouwsteen (voorlopig de meest fundamentele) van elementaire deeltjes, ter verklaring van het classificatieschema der elementaire deeltjes.
**quartair'** [v. Fr. *quatr* = vierde, v. Lat. *quártus*, uit *quátru-tus*, v. *quá(t)uor* = 4] *ook*: **kwartair'** *bn* vierde; *quartaire sector*, of *kwartaire sector*, hulpverlenende sector v.d. maatschappij, de niet-commerciële dienstverlening door overheid en instellingen op het gebied van o.a. onderwijs, gezondheidszorg, welzijn, culturele voorzieningen, openbaar vervoer e.d.
**Quartair** [*zie* **quartair**], *ook*: **Kwartair'**, het vierde geologische tijdperk, volgend op het *Tertiair*, *z.a.*; eigenlijk een onderdeel van het hoofdtijdperk *Neozoïcum* of *Kaenozoïcum*. Het Quartair begon 2 miljoen jaren geleden en duurt tot heden voort.
**quar'ter** [Eng.] **1** als gewicht 12,7 kg (= 28 pound); **2** als inhoudsmaat 290,78 liter (= 8 bushel).
**quartero'ne** [Sp. *cuarteron*, v. *cuarto* = vierde] kind v.e. blanke en een *tercerone*, *z.a.* (van blanke man en terceroonse vrouw, resp.

van terceroonse man en blanke vrouw).

**quar'to**, afk. **qto** [Lat.] **I** *bw* ten vierde, op de vierde plaats; **II** *zn zie* **kwarto**.

**qua'sar** [Eng., verkorting v. *quasi stellar radio source*] voorwerp in het heelal dat eruit ziet als een gewone ster, maar waarvan gebleken is, dat het behalve licht ook radiostraling uitzendt.

**qua'si** [Lat. *qua-si* = alsof, evenals of], *ook*: **kwa'si**, *bw* **1** naar men voorgeeft, zogenaamd; **2** schijnbaar, in schijn (*bijv.*: een quasi-ernstig gezicht); **3** (*Z.N.*) als het ware; *ook*: vrijwel.

**qua ta'lis** [Lat.] als zodanig.

**quaternair'** [Fr. *quaternaire*, v. Lat. *quaternárius* = vier bevattend, v. *quatérni* = telkens 4, v. *quát(t)uor* = 4] (*chem.*): — koolstofatoom, koolstofatoom aan vier zijden met andere koolstofatomen verbonden.

**quatertem'per** [v. Lat. *quátuor témpora* = de vier (jaar)getijden] (*rk*) vasten- en onthoudingsdag op woensdag, vrijdag en zaterdag bij het begin v. elk der vier jaargetijden, (thans afgeschaft).

**quat're-épices** [Fr.] (*cul.*) specerijen.

**quatre-mains'** [Fr.] pianostuk voor 2 personen (4 handen); met 4 handen (te spelen).

**quatsch** [Du. *Quatsch*] boerenbedrog; onzin, bluf.

**quattrocen'to** [It. = *lett.*: vierhonderd, met weglating v. *mil* (duizend) = veertienhonderd] de 15e eeuw.

**quenel'les** [Fr.] (*cul.*) vlees- of visfarce met ei gebonden.

**querelle'ren** [Fr. *quereller*, v. *querelle* = twist, v. Lat. *queréla* = klacht, gerechtelijke aanklacht, v. *quéri* = klagen] twisten, kibbelen. **querulant'** [v. Lat. *querúlus* = klagend, zich beklagend] iem. die zich steeds verongelijkt acht en altijd klaagt over vermeend onrecht hem aangedaan.
**querule'ren** proces voeren wegens vermeend onrecht.

**questieus'** *zie* **kwestieus**.

**question' brûlan'te** [Fr.] brandende kwestie.

**queue** [Fr. = staart, v. Lat. *cáuda*] **1** op staart gelijkend deel v. vrouwenrok; **2** rij wachtende personen.

**1 qui** [Lat.] (*uitspr.*: kwie) *betrekkelijk voornaamwoord* wie; *qui hábet áures audiéndi, áudiat*, wie oren heeft om te horen, hij hore.
**2 qui** [Fr.] (*uitspr.*: kie) *betrekkelijk voornaamwoord* wie; *qui vivra, verra* (*lett.*: wie zal leven, zal zien), wie dan leeft, dan zorgt; *ook*: de tijd zal het leren.

**qui'bus** *zie* **kwibus**.

**qui'che** [Fr.] bep. gebak gevuld met stukjes spek, kaas en eieren.

**quid?** [Lat.] (*uitspr.*: kwied) *vragend voornaamwoord* wat?; *quid faciéndum?*, wat nu gedaan? **qui'dam** [Lat. = een zeker iemand], *ook*: **kwi'dam** een zekere, een zeker individu; *ook*: een of andere rare vent, een snuiter, een kwast. **quidproquo'** [v. Lat. *quid* = iets, *pro* = voor, *quo* = iets] (*uitspr.*: kwiedprookwoo) misverstand ontstaan door verwisseling van zaken, doordat men de ene zaak voor de andere houdt (*vgl.* **quiproquo**).

**quiëtis'me** [v. Lat. *quies, quiétis* = rust] bep. mystieke stroming in 17e eeuw met enigszins dweepziek karakter, die een volkomen passieve overgave v.d. ziel aan God en een passief opgaan in God predikte. **quiëtist'** aanhanger van het quiëtisme. **quiëtis'tisch** *bn* v.d. aard van het quiëtisme.

**Quinquage'sima** [Lat. *quinquagésima dies* = 50e dag] (*rk*) laatste zondag vóór de vasten (ongeveer 50 dagen vóór Pasen) (*vgl.* **Quadragesima**).

**quint** *zie* **kwint. quintaal** *zie* **kwintaal**.
**quin'tessence**, of **quin'tessens** [MLat. *quínta esséntia* = de vijfde substantie], *ook* **kwin'tessens**, oorspr. vijfde element naast de vier traditionele (vuur, lucht, water, aarde) dat in alle dingen latent aanwezig werd geacht; het fijne v.d. zaak; de kern v.d. zaak.

**quintet'** *zie* **kwintet. quin'to** [Lat., 6e nv van *quíntus* = vijfde] ten vijfde, op de vijfde plaats.

**quintu'pel** [Fr. *quintuple*, v. Lat. *quíntuplex*, v. *plicáre* = vouwen] *bn* vijfvoudig. **quintuplice'ren of quintuple'ren** [Fr. *quintupler*] *ww* vervijfvoudigen.

**quiproquo'** [v. Lat. *qui* = wie, *pro* = voor, *quo* = wie] misverstand door verwisseling van personen, doordat men de ene persoon voor de andere houdt (*vgl.* **quidproquo**).

**qui s'excuse, s'accuse** [Fr.] wie zich verontschuldigt, beschuldigt zich (wie zich te zeer uitput in onschuldbetuigingen, verwekt juist verdenking).

**quis'ling** politiek leider collaborerend met vijandelijke bezetting [naar Vidkun Quisling, Noors politiek leider samenwerkend met Duitsers in Tweede Wereldoorlog].

**quisqui'liën** *mv* [Lat. *quisquílliae* = afval, afspoelsel, uitspoelsel, uitvaagsel, lorren, vuilnis, kaf, v. Gr. *koskulmatia*, v. *skulloo* = de huid afstropen] prullen, vodden; *ook*: beuzelarijen.

**quit'te** [Fr. = niets schuldig, v. Lat. *quiétus* = rustig, v. *quies, quiétis* = rust], *ook*: **kiet**, *bn* vereffenend; *quitte zijn*, elkaar niets meer verschuldigd zijn; *quitte spelen*, zoveel te winnen of te verliezen.

**qui-vi've** [Fr. = *lett.*: wie leeft] **I** *tussenwerpsel* wie is daar? (roep van schildwacht); **II** *zn: op zijn qui-vive zijn*, op zijn hoede zijn, zeer oplettend oppassen dat men geen gevaar loopt.

**quiz** [Am. = ondervraging; oorsprong niet zeker, waarsch. een maakwoord] spel voornamelijk bij radio- of TV-uitzending, waarbij aan de deelnemers vragen worden gesteld. Aan een quiz, in vele variaties, zijn prijzen verbonden. **quiz'master** [Eng.] wedstrijdleider bij een quiz.

**quod** [Lat. = onz. van *quis* = wie] wat. **quod attes'tor** afk. **Q.A.** [Lat.], hetgeen ik betuig. **quod De'us aver'tat** [Lat.] wat God verhoede. **quod De'us be'ne ver'tat** afk. **Q.D.B.V.** [Lat.] wat God ten goede kere. **quod e'rat demonstran'dum**, afk. **q.e.d.** [Lat.] hetgeen bewezen moest worden. **quod'libet**, afk. **q.l.** [Lat. *quod libet*= wat bevalt, wat men wil] **1** mengelmoes, allegaartje, van alles wat; **2** flauwe, dubbelzinnige of platte woordspeling. **quod tes'tor**, afk. **Q.T.** [Lat.] wat ik getuig. **quod vi'de**, afk. **q.v.** [Lat.] wat men zie (opzoeke) (verwijzing in een boek naar een bep. plaats of woord).

**quo ju're?** [Lat.] met welk recht?

**quo'rum** [Lat. = 2e nv *mv* v. *quis* = wie] vereist minimum aantal kiesgerechtigde leden op een vergadering om wettig besluit te nemen.

**quos e'go!** [Lat.] ik zál ze!

**1 quo'ta** [v. Lat.. *quóta pars* = hoeveelste deel, v. *quótus* = hoeveelste, v. *quot* = hoeveel], *ook*: **quo'te**, *mv* **quo'ta's** resp. **quo'ten** (*uitspr.*: kw, en zo vervolgens) evenredig aandeel in lasten of kosten of in de winst; evenredig aandeel dat elk lidland van een landengemeenschap (bijv. de EEG) in het gemeenschappelijk fonds moet storten; de voor elk land v.e. dergelijke gemeenschap naar evenredigheid vastgestelde hoeveelheden die van een bep. produkt geproduceerd mogen worden.
**2 quo'ta** *mv* van **quotum**, *z.a.*

**1 quota'tie** [v. MLat. *quotatio*] aanhaling v.e. passage uit een ander geschrift, aangeduid door aanhalingstekens, citaat.
**2 quota'tie** *zie* **quotisatie**.

**quot ca'pita, tot senten'tiae** [Lat.] zoveel hoofden, zoveel zinnen.

**quo'te** *zie bij* **quota**.

**quote'ren** [Fr. *quoter*] **1** evenredig verdelen; **2** merken met volgnummers, nummeren.

**quotise'ren** verdelen naar evenredigheid, ieders deel bepalen. **quotisa'tie of quota'tie** het berekenen van ieders aandeel. **quotiënt'** [Fr.] (*uitspr.*: kotiënt, wegens Fr. uitspraak;

volgens de regels v.h. Latijn zou men *kwotiënt* verwachten) [v. Lat. *quóties* of *quótiens* = hoe dikwijls, v. *quot* = hoeveel] uitkomst van een deling.

**quo'tum**, *mv* **quo'ta** of **quo'tums** [Lat., onz. v. *quótus* = hoeveelste] evenredig aandeel; toegewezen aandeel in produktie of afzet, internationaal in landengemeenschap jaarlijks vastgestelde hoeveelheid die elk aangesloten land mag produceren (kweken, vangen).

**quous'que tan'dem?** [Lat.] hoe lang nog?

**quo va'dis?** [Lat.] waarheen gaat ge?

# R

**rabat'**, afk. **rab.** of **rbt.** [OFr., v. *rabattre* = terugslaan, v. *re* = terug, en *abattre; zie* **bat**]**1** bep. korting op prijs [Fr. *rabais*]; **2** omgeslagen zoom, overslag; bef of kraag v. bep. geestelijken en v. rechters; **3** sponning; **4** smal bloem- of plantenbed. **rabatte'ren** korten.

**rab'bi** [Hebr. *rabhi* = mijn meester, v. *rabh* = meester] joods wetgeleerde, spec. een die tevens priesterlijke functie heeft. **rabbinaal'** v.e. rabbi. **rabbinaat'** waardigheid v.e. rabbi; de gezamenlijke rabbijnen. **rabbijn'** [Fr. *rabbin*, v. **rabbi**; de n waarsch. ontstaan als veronderstelde meervoudsvorm] joods leraar, rabbi. **rabbijns' I** *bn* v.d. rabbijnen; **II** *zn* Nieuw hebreeuws.

**rabdologie'** [v. Gr. *rabdos* = stok] rekenkunst met stokjes. **rabdomant'** wichelroedeloper. **rabdomantie'** het wichelroedelopen.

**rabiaat'** doldriftig. **ra'bies** [Lat., v. *rábere* = dol zijn, razen] razernij; hondsdolheid (*rábies canína*).

**race'misch** [v. Lat. *racemus* = druiventros, i.v.m. druivezuur] (*chem.*) bestaande uit gelijke hoeveelheden links- en rechtsdraaiende vorm v.e. stof.

**rachi'tis** [Gr., v. *rachis* = ruggegraat; *zie* **-itis**] zgn. Engelse ziekte (als gevolg v. vitamine D-gebrek) met verweking en verkromming v. skelet, slapheid v. spieren enz. **rachi'tisch** rachitiskenmerken vertonend.

**racis'me** [Fr. v. *race* = ras, v. It. *razza*, verdere afl. onzeker] **1** rassentheorie, leer dat het ene ras superieur is aan het andere; rassenwaan; **2** alle uitingen die voortkomen uit de opvatting dat een ander ras minderwaardig is, resulterend in discriminatie, rassenhaat, vervolging e.d. **racist'** [Fr. *raciste*] aanhanger v.h. racisme. **racis'tisch** *bn* **1** het racisme betreffend; **2** uit het racisme voortvloeiend. **raciaal'** [Fr. *racial*] **1** het ras of de rassen betreffend; **2** de rassenkwestie betreffend.

**1 rack'et** [Eng., v. Fr. *raquette* = bal v. hand of voet; *ook*: brede houten zool om over sneeuw te lopen; echter It. *rachetta* = balnet, v. Arab. *ráha* = handpalm, vlakke hand], *ook*: **raket'**, kaatsnet, slagnet aan handvat bij bep. balspelen, spec. bij tennis.

**2 rack'et** [Eng. = kabaal, herrie, drukte, leven; waarsch. klanknabootsing; *slang*: afpersingstruc, zwendel, georganiseerde afpersing] afpersingsorganisatie. **racketeer'** [Eng.] geldafperser, persoon die zakenlieden geld afperst onder bedreiging anders hun bedrijf lastig te zullen vallen.

**rack'et-ball** [Eng.] soort *squash* (*z.a.*) in afgesloten glazen ruimte waarin alleen de spelers aanwezig zijn.

**rad** [v. Eng., beginletters v. *radiation absorbed dose*] eenheid v. opgenomen straling in levend weefsel, (1 rad = 100 ergs per gram).

**ra'dar** [Eng., beginletters v. *radio detection and ranging*] = radio-opsporing en plaatsbepaling] systeem voor lokalisatie v. voorwerpen door uitgezonden radiogolven na terugkaatsing op te vangen.

**ra'darastronomie** tak v. sterrenkunde waarbij door radarstraling afstanden tussen

hemellichamen bepaald worden.
**ra'darcontrole** controle v. snelheid v.
motorvoertuigen d.m.v. radar. **ra'darscherm**
vlak waarop het beeld v. door radargolven
gevonden voorwerpen verschijnt.
**radeer'gummi** stuk gomelastiek om met inkt
geschreven schrift uit te wissen.
**Ra'den** of **Ra'dhen** Javaanse adellijke titel;
**Raden ajoe,** titel v.d. echtgenote v.e. Javaans
regent.
**ra'dencommunisme** staatsvorm waarbij die
macht bij arbeiders- en soldatenraden ligt.
**rade'ren** [Lat. *rádere* = schaven, krabben]
wegkrabben; etsen.
**radiaal** [v. Lat. *radiális* = de straal (*rádius*)
betreffend; *zie verder* **radio**] **l** *bn* **1** (*alg.*)
straalsgewijs; geplaatst of verlopend volgens
een straal; **2** (*nat.*) gericht volgens een straal
(tegenstelling: *tangentieel, z.a.*); (*astr.*):
*radiale* of *radiële snelheid,* de snelheid
waarmee een hemellichaam, spec. een ster,
zich in de gezichtslijn v.d. waarnemer op aarde
beweegt; **ll** *zn* (*wisk.* e.d.) (symbool rad) **1** de
hoek v.e. cirkelboog, die het hoekpunt in het
middelpunt v.d. cirkel heeft, en een deel v.d.
cirkelboog insluit ter lengte v.d. straal;
hoekgrootte of hoekmaat; **2** (*tech.*) radius
(= straal).
**radiair'** [Fr. *radiaire*] in de vorm v. stralen,
stervormig. **radial** [v. MLat. *radiális* v. *radius*
= straal] hoek v.e. cirkelboog waarvan straal
en lengte gelijk zijn a.d. eenheid; straalboog of
straalhoek. **radiant'** [Lat. *rádians, -ántis*
= o.dw van *radiáre* = stralen] (*astr.*)
uitstralingspunt v. meteorenzwerm (punt a.d.
hemel waar de meteoren straalsgewijs
vandaan schijnen te komen, optisch bedrog).
**radiateur'** [Fr.] toestel voor de afvoer v.
onbenutte warmte die in auto- of
vliegtuigmotoren is vrijgekomen. **radia'tie**
**1** [Lat. *radiátio*] uitstraling, straalwerping; **2** [v.
VLat. *radiáre* = doen vervallen door er een
streep (*rádius* = straal) door te halen]
doorhaling v.e. post op een rekening e.d.
**radia'tiegordel** gordel met ruimtestraling op
bepaalde afstand v. hemellichamen. **radia'tor**
[modern Lat. = straler] toestel voor het
afgeven v. warmte, spec. als onderdeel v.e.
centrale verwarming.
**radicaal** [v. VLat. *radicális* = de wortel
betreffend; v. Lat. *rádix, radícis* = wortel] **l** *bn*
*& bw* **1** ingeworteld, diepliggend; **2** v.d. wortel
af, of tot de wortel gaande, grondig; geheel en
al; afdoende; **3** tot het uiterste gaand, geneigd
tot diep ingrijpende consequente
hervormingen, spec. op sociaal of politiek
terrein; **ll** *zn m* **1** persoon met radicale (**3**)
neigingen, aanhanger v.e. radicaal (**3**) stelsel
of v.e. radicale politieke partij; **2** *zn o* grond v.e.
aanspraak op een of ander recht; **3** *zn o* (*chem.*,
afk.: R) *a* in de *anorganische chemie* een
atoomgroepering die herhaaldelijk in
verschillende verbindingen voorkomt, *b* in de
*organische chemie* komen twee soorten
radicalen voor. De eerste soort is molecule v.e.
koolwaterstof waarvan één of meer
waterstofatomen zijn afgesplitst. De tweede
soort zijn de zogenoemde *vrije radicalen,*
atomen of atoomgroepen met als kenmerk de
aanwezigheid van een ongepaard elektron.
**radicalise'ren** *ww* **1** radicaal (**l, 3**) of
radicaler worden, een extreem standpunt gaan
innemen; **2** radicaal maken. **radicalis'me**
neiging tot diep ingrijpende (radicale)
hervormingen of maatregelen; het gaan tot het
uiterste.
**radiëel** *zie* **radiaal** (**2**, *astr.*: radiale snelheid).
**ra'dio** [afk. v. radiotelegrafie of -telefonie; v.
Lat. *radius* = stok, straal] draadloze uitzending
v. geluid; de uitzending zelf; ontvangtoestel.
**radioactief'** *zie* **radioactiviteit**; *radioactief*
*afval,* afval uit met kernstoffen werkende
fabriek (bijv. kerncentrale) of ziekenhuis;
*radioactief verval,* uitzending v. deeltjes en/of
straling door instabiele atoomkern;
*radioactieve koolstofmethode, zie*

**radiocarboonmethode**; *radioactieve*
*straling,* deeltjes en/of straling uitgezonden bij
het verval v. instabiele kernen, vnl. alfa-, bèta-
en gammastralen, *z.a.* **radioactiviteit'**
straling die na verandering i.d. atoomkernen
wordt uitgezonden.
**ra'dioastronomie** tak v. sterrenkunde die
door sterren uitgezonden radiogolven
onderzoekt.
**ra'diobiologie** leer v.d. invloed v. straling op
organismen en v. door organismen
geproduceerde straling.
**radiocarboon'methode** [v. Lat. *cárbo,*
*carbónis* = houtskool] methode om de
ouderdom v. prehistorische voorwerpen te
bepalen d.m.v. hun gehalte aan radioactieve
koolstof, C-14-methode.
**ra'diodistributie** draadomroep.
**ra'diogolf** elektromagnetische golf m.
golflengte tot 10 km voor radiouitzending.
**radiografe'ren** [v. Gr. *graphoo* = schrijven]
fotograferen m. röntgenstraling. **radiografie'**
het fotograferen d.m.v. röntgen- of
radioactieve straling. **radiogram'** [v. Gr.
*gramma* = het geschrevene] het door
radiografie verkregen beeld. **radiogra'fische**
**besturing** draadloze besturing over enige
afstand d.m.v. radioverbinding.
**radiologie'** [*zie* **-logie**] behandeling v. zieken
door bestraling; wetenschap v.d.
radioactiviteit.
**ra'dionavigatie** navigatie d.m.v.
radiosignalen.
**ra'diopathologie** studie v. door straling
veroorzaakte ziekten.
**radioscoop'** [v. Gr. *skopeoo* = (rond)kijken]
röntgenapparaat. **radioscopie'** onderzoek
d.m.v. röntgenstralen.
**ra'diosonde** (ballon met) apparaatje dat
luchtdruk, temperatuur e.d. in de atmosfeer
opmeet en doorgeeft.
**ra'diostelsel** sterrenstelsel dat als bron v.
radiostraling bekend staat. **ra'dioster**
hemellichaam dat radiogolven uitzendt..
**ra'diotelefonie** draadloos telefoneren.
**ra'diotelegrafie** draadloos telegraferen.
**ra'diotelescoop** grote antenne die kosmische
radiogolven op kan vangen.
**ra'diotherapie** geneesmethode die met
röntgen-, licht- en radioactieve straling werkt.
**Ra'dium** [v. Lat. *rádius* = straal, daar het
ioniserende straling uitzendt] chem. element,
symbool Ra, ranggetal 88, zilverwit glanzend
radioactief metaal, atoomgewicht ca. 226.
**ra'diumtherapie** *zie* **radiotherapie**.
**ra'dius,** afk. **R** *mv* **ra'dii** [*zie* **radio**] straal
(halve middellijn) v.e. cirkel of bol; *rádius*
*véctor,* voerstraal.
**ra'dix,** *mv* **radi'ces** [Lat. = wortel] **1** (*wisk.*)
*a* wortel, teken √, *oorspr.*: R, waarbij steeds
de 2e-machtswortel (∛) is bedoeld; *b*
wortelgetal, basisgetal; *bijv.*: 10 is de radix v.h.
decimale stelsel en v.d. gewone (Briggse)
logaritmen; **2** (*taalk.*) wortelwoord,
stamwoord.
**rad'ja** [Hindi *raja,* v. Sanskr. *rajan* = koning, v.
*raj* = regeren] titel v.e. vorst in India.
**Ra'don** [v. *radium, z.a.*; de uitgang *-on* naar
analogie van argon, neon en andere edele
gassen] chem. element, symbool Rn,
ranggetal 86, atoomgewicht ca. 222,
radioactief edel gas.
**raduri'seren** [maakwoord, met gedachte aan
*verduurzamen*] conserveren d.m.v.
gammastralen, doorstralen.
**rafac'tie** [Fr. *refaction,* v. *refaire* = herstellen,
v. Lat. *re-* = opnieuw en *fácere* = maken]
korting wegens beschadiging v. gekochte
waar.
**raffermir'** [Fr.] (*cul.*) versterken, stijven,
vaster maken.
**raf'fia** [Malagasi = Madagascar-taal] vlecht-
en bindmateriaal v.d. bast en de bladeren v.e.
Oostafrikaanse sierpalm (*Raphia ruffia*).
**raffinaderij'** [Fr. *raffiner, fin* = fijn, zuiver]
raffineerinrichting (bijv. voor suiker).

**raffinadeur'** zuiveraar. **raffina'ge** [Fr.]
zuivering, het raffineren. **raffinement'** [Fr.]
te grote verfijndheid of verfijning;
doortraptheid, sluwheid. **raffine'ren** [Fr.]
zuiveren, verfijnen; *geraffineerd*, verfijnd;
doortrapt.
**rag'lan** [Eng.] kledingstuk (jas of mantel) met
op spec. wijze geknipte mouwen;
mouwinzet op deze wijze [naar Lord Raglan,
Eng. bevelhebber in de Krimoorlog].
**ragoût'** [Fr., *ragoûter* = de smaak herstellen,
verlevendigen, v. *re-* = her-, en *goût*, Lat.
*gústus* = smaak] 1 gestoofde stukjes vlees, vis,
soms ook ei, kaas, groente, champignons e.d.
met sterk gekruide saus; 2 (*fig.*) mengelmoes.
**rag'time** [Am.] bep. pop. Am. muziek v.
negeroorsprong; *ook*: dans op die muziek (o.a.
charleston, bloeitijd 1900-1910), voorloper
v.d. jazz.
**raid** [Schotse vorm v. OEng. *rád* = Eng. *road*
= weg] 1 strooptocht; 2 (*mil.*) snelle overval
op een deel v.h. vijandelijk gebied, o.a. om
sterkte v.d. vijand te testen; 3 onverwachte
plotselinge inval v.d. politie in verdacht
gebouw. **rai'der** [Eng.] deelnemer aan een
strooptocht of aan een militaire raid.
**raidir'** [Fr.] (*cul.*) licht aanbraden of schroeien
in hete boter of ander zeer heet vet.
**raille'ren** [Fr. *railler*, verdere afl. onzeker]
schertsen, spotten, iem. voor de gek houden.
**raillerie'** [Fr.] (spottende) scherts.
**raisin' de Corin'the** [Fr.] (*cul.*) krent.
**raison'** [Fr., v. Lat. *rátio* = rekening, reden; het
denken, rede, v. *réri* = menen, oordelen] reden;
*ook*: oordeel; *raison d'état*, reden v.
staatsbelang; *raison d'être*, bestaansreden; *à
raison de ...*, tegen betaling v. ... **raisonne'ren**
ww [Fr. *raisonner*] 1 redeneren; 2 er tegenin
spreken. **raisonna'bel** [Fr. *raisonnable*]
redelijk, billijk. **raisonnement'** [Fr.]
1 redenering; 2 tegenspraak. **raisonneur'**
[Fr.] 1 tegenspreker, dwarsdrijver; 2
haarklover.
**1 raket'** *zie* **racket** 1.
**2 raket'** [Fr. *roquet* of It. *rocchetta*, v. *rocca*
= spinrokken] 1 vuurpijl; 2 projectiel of toestel
dat zichzelf voortstuwt door de reactiekracht
v.e. uitgestoten gasstraal; *raketauto*, *raketbom*,
*raketmotor*, *raketvliegtuig*, toestellen of
projectielen die werken met raketten 2.
**raket'basis** plaats vanwaar raketprojectielen
worden afgevuurd.
**rallentan'do**, afk. **rall.** [It., *vgl.* Lat. *lentus*
= langzaam] (*muz.*) geleidelijk langzamer.
**ral'ly** (*uitspr.*: ræ'li) [Eng., v. Fr. *raillier*
= *re-allier* = her-enigen] 1 snel uitgewisselde
slagen bij tennis e.d.; 2 sterrit, wedstrijd
waarbij de deelnemers op verschillende
uiteengelegen plaatsen starten (per fiets, auto
enz.) maar op één eindpunt samenkomen.
**ramadan'** [v. Arab. *ramada* = heet zijn]
negende maand (heilige maand) van het
islamitische kalenderjaar, gedurende welke
islamieten verplicht zijn zich v. zonsopgang tot
zonsondergang te onthouden v. voedsel en
geslachtsverkeer.
**ram'bler** [Eng. *to ramble* = rondzwerven voor
zijn genoegen] zwerver.
**rameh'** [Maleis], *ook*: **ramie'** of **ramee'**, 1 de
plantesoort *Boehméria nívea* uit de
Brandnetelfamilie in de tropen en subtropen;
gebruikt voor de vervaardiging v. zeer sterk
weerbestendig touw, dekkleden, bekleding v.
stootkussens e.d.
**ramequin'** [Fr.] (*cul.*) kaastoast; soort taart
met kaascrème.
**ramifice'ren** ww [v. Lat. *rámus*, *rámi* = tak, en
*fácere* = maken] zich vertakken. **ramifica'tie**
*zn* vertakking.
**ramolir'** [Fr.] (*cul.*) boter zacht laten worden.
**rampone'ren** *vgl.* Fr. *ramponneau* = slag,
stoot] beschadigen, vernielen.
**rams(j)**, *ook*: **ramsch** [v. Jidd. *rammo-es*,
Hebr. *ramma-oet* = bedrog] (*Barg.*, *volkst.*)
1 ongeregelde partij goed, rommel; 2 opkoop
v. ongeregelde goederen of partijtjes tegen

zeer lage prijs om ze weer snel goedkoop te
verhandelen. **ram'sjen** *ww*. **rams'prijs** zeer
lage prijs.
**ranch** [v. Sp. *rancho* = groep gezamenlijk
etende personen] veefokkerij in Am. **ran'cher**
Am. veefokker. **ranche'ro** Mexicaans
veefokker. **ran'cho** Mexicaanse ranch.
**rancu'ne** [Fr., v. Lat. *rancor* = sterke, bedorven
smaak, v. *rancére* = ranzig, rottend zijn] wrok.
**rancuneus'** [Fr. *rancuneux*] vol wrok,
haatdragend.
**range'ren** [v. Fr. *ranger*, v. *rang*, v. Germ. *kring*
= cirkel] ordenen, op regel zetten; treinstel
wisselen, op ander spoor brengen.
**rantsoen' 1** [Fr. en Eng. *ration*, v. Lat. *rátio*,
*z.a.*] hoeveelheid die toereikend moet zijn voor
bep. tijd, *spec.*: dagelijkse hoeveelheid
voedsel; 2 [Fr. *rançon*, v. Lat. *redemptio*
= verlossing] losprijs. **rantsoene'ren** op
rantsoen (1) stellen.
**raout'** [Fr.] deftige avondpartij, echter zonder
dansen, avondreceptie; hoffeest zonder bal.
**rapé** [v. Fr. *tabac rápé* = geraspte tabak, v. *ráper*
= raspen, rijden] geraspte snuiftabak.
**rapier'** [Fr. *rapière*] lange degen.
**raplot** [v. *radar*, en Eng. *to plot* = in kaart
brengen] vereniging v. twee radarbeelden (op
verschillende stations ontvangen) op één
scherm, zodat de onderlinge afstand v.d. twee
voorwerpen direct meetbaar is.
**rappel'** [Fr., v. *rappeler* = *re-appeler*
= terugroepen; *zie* **appèl**] (sein voor)
terugroeping; het aan iets herinneren.
**rappele'ren** [Fr. *rappeler*] terugroepen;
herinneren aan. **rapplement'** berisping,
standje.
**rapport'** [Fr., v. *rapporter* = *re-apporter*
= terug-aandragen] verslag. **rapporte'ren**
[Fr. *rapporter*] verslag uitbrengen, melden,
aanbrengen; terugbrengen. **rapporteur'** [Fr.]
wie verslag uitbrengt.
**rapso'die** [Gr. *rhapsoo(i)dos*, v. *rhaptoo*
= aaneennaaien, verzinnen; *zie verder* **ode**]
(bij oude Grieken) voordrager v. epische
gedichten. **rapsodie'** [Lat. *rhapsodia*, Gr.
*rhapsooidia* = episch gedicht]
muziekcompositie waarin een of meer
nationale volksliederen zijn verwerkt.
**ra'ra'vis** [Lat. = een zeldzame vogel] een
witte raaf, een soort, persoon of ding die of dat
men zelden ontmoet. **rarefac'tie** v. Lat.
*rarefácere* = dun maken, verdunnen, v. *rarus*
= niet dicht bijeen, dun, ijl, en *fácere* = maken]
verdunning v. gas. **ra'ri nan'tes in gur'gite
vas'to** [Lat. = verspreid zwemmenden op de
volle zee] sporadisch voorkomende zaken.
**rariteit'** [Lat. *ráritas* = zeldzaamheid]
zeldzaam (en tevens belangwekkend)
voorwerp; raar of vreemd iets.
**rasant'bom** v. Fr. *raser* = scheren] projectiel
dat bij explosie horizontaal scherven verspreidt
(en zo de bodem 'kaalscheert').
**raskol'niken** [Rus. = scheurmakers] v. Rus.
Kerk afgescheiden sekte.
**rassure'ren** [Fr. *rassurer* = *re-assurer* = *lett.*:
her-verzekeren] geruststellen.
**rastafa'ri** [v. bijnaam v.d. Ethiopische keizer
Haile Selassi, Ras Tafari] oorspr. Jamaicaanse
sekte die zwarten als het uitverkoren volk
beschouwt, en Ras Tafari als onsterfelijk.
**ras'ter** [v. MLat. *rastellum* = draadtralie,
rooster, v. Lat. *raster* = tweetandig houweel,
*vgl.* OFr. *rastel* = getand voorwerp, hark; *vgl.*
Ned. *ruif*] 1 hekwerk v. latten, netwerk v.
gevlochten ijzerdraad; 2 glasplaat met fijne
horizontale en verticale lijnen die voor
reproductie v. foto's in drukwerk wordt
gebruikt. **ras'ternegatief** nieuwe opname
v.e. foto m.b.v. raster. **ras'terpositief** positief
gemaakt v. rasternegatief.
**rastraal'** vijfvoudige pen voor het trekken v.
notenbalken.
**rasuur'** *zie* **ratuur**.
**ra'ta** [MLat., v. Lat. *pro rata parte* = volgens
evenredig deel, v. *reri* = menen, rekenen, *ratus
sum* = ik heb ...] evenredig deel.

**rata'fia** [Fr., afl. onzeker] bep. likeur, bereid uit brandewijn, gegiste suikeroplossing en amandelen, perzikpitten, abrikozen of kersen, evt. sap v. diverse vruchten of bloesems, *Ned. naam*: vruchtenbrandewijn.

**ratifica'tie** zn [MLat. *ratificáre*; v. Lat. *rátio* (z.a.), en *fácere* = maken] officiële bekrachtiging. **ratifice'ren** ww.

**ratiné** [Fr., v. *ratiner* = krullig maken] vrij dik, in het alg. wollen of katoenen weefsel, soms dubbelweefsel, met kleine ronde nopjes aan de oppervlakte; het weefsel, uit strijkgaren vervaardigd, dient voor wintermantels en winterjassen.

**ra'ting** [Eng.] waardering, beoordeling.

**ra'tio** [Lat. = berekening, het denken, beweeggrond, v. *réri* = menen, denken; *ratus sum* = ik heb ...] 1 reden; 2 zedelijke grond; 3 strekking; *ratio juris*, alg. rechtsbeginsel; *ratio legis*, strekking dv wet; *ratio sufficiens*, voldoende reden. **ratiocina'tie** [Lat. *ratiocinátio*] 1 het nadenken; 2 redenering, spec. logische bewijsvoering en gevolgtrekking. rationaal' *zie* rationeel.

**rationalisa'tie** 1 (*econ*.) het geheel v. methoden waardoor de grootste produktie wordt bereikt met de minste kosten; 2 het rationeel maken; 3 beredenering, gewoonte om aannemelijke redenen te zoeken en te geven als men de ware liever verborgen wil houden. **rationalise'ren** ww [Fr. *rationaliser*] praktischer, meer economisch inrichten of regelen. **rationalis'me** 1 (*fil*.) richting die de rede (het gezond verstand) als enige bron v. kennis aanvaardt, die alleen aanneemt wat de rede kan achterhalen; 2 geloof aan de rede en toepassing daarvan op alles wat de ervaring leert, en dat beoordeelt en toetst op grond v. deze rede (*ratio*). **rationalist** [Fr. *rationaliste*] 1 aanhanger v.d. wijsgerige richting v.h. rationalisme (2) 2 persoon die denkt volgens het rationalisme (2). **rationalis'tisch** bn & bw volgens het rationalisme 1 en 2; daarop gebaseerd. **rationaliteit'** [Lat. *rationális*] 1 redelijkheid; 2 het rationeel-zijn; 3 berekenbaarheid. **rationeel'**, *ook*: **rationaal'** [v. Lat. *rationális* = tot de rede behorend, redelijk] 1 (geschieden) d.m.v. de rede; 2 gebaseerd op logische redenering, weldoordacht; gebaseerd op wetensch. analyse; 3 (*wisk*.) [v. Lat. *rátio* = *ook*: berekening] volledig uitdrukbaar; *rationeel* (*rationaal*) *getal*, meetbaar getal, d.i. een geheel getal of een breuk waarvan teller en noemer gehele getallen zijn; 4 (*chem*.): *rationele nomenclatuur*, naamgeving waarbij de naam v.d. verbinding volgens vaste regels volgt uit de structuurformule (m omgekeerd). **ratio'ne offi'cii**, afk. **r.o.** [Lat. = *lett*.: om redenen v.h. ambt] ambtshalve.

**ra'to** [*zie* rata]: *pro rato* [Lat.], naar evenredigheid.

**ratuur'** [Fr. *rature*, v. Lat. *rádere* = krabben, schaven, schrabben] weggekrabde of doorgestreepte plaats (bijv. v. geschrift).

**rava'ge** [Fr., v. *ravir* = Lat. *rápere* = rapen, met kracht wegsleuren, plunderen] verwoesting.

**ravigo'te** (*cul*.) koude mayonaisesaus bereid uit mei azijn ingemaakte kruiderijen, bestemd voor het opmaken v. salades e.d.

**ravio'li** [It.] (*cul*.) deegkussentjes gevuld met *farce* (z.a.) of fijn vlees, en daarna gepocheerd.

**ravissant'** [Fr., v. *ravir*, Lat. *rápere* = wegrukken] verrukkelijk, bekoorlijk.

**ravitaille'ren** ww [v. Fr. *ravitailler*, v. re- = her-, *a* = Lat. *ad* = naartoe, en *victuailles*; *zie* victualiën] v. levensbehoeften en voorraden voorzien.

**rawl'plug** plug v. bep. fabrikaat om schroeven e.d. in hard materiaal (bijv. steen) te bevestigen.

**1 rayon** [Fr., v. *rai* = Lat. *rádius* = straal] 1 kring waarbinnen iemand of iets werkzaam is; (*mil*.) gebied dat door vestingsgeschut bestreken kan worden; kring waarbinnen iets

geldt; afdeling v.h. werkterrein v.e. handelszaak, werkgebied v.e. vertegenwoordiger; 2 afdeling v. warenhuis, bibliotheek, magazijn enz.

**2 rayon** [Eng., v. Fr. *rayonne*] alg. naam voor vezels en garens v. geregenereerde cellulose (*viscoserayon, koperrayon*), eertijds minder juist 'kunstzijde' genoemd. Bij uitbreiding wordt de naam rayon voor vezels en garens v. cellulose-acetaat (*acetaatrayon, triacetaatrayon*) gebruikt.

**raz'zia** [Fr., v. Algerijns Arab. *gazia*, v. Arab. *gazwa* v. *gazw* = oorlog voeren] *oorspr*.: drijfjacht van moslims tegen ongelovigen; *nu*: vooral politiële zoekactie naar onderduikers.

**re** (*muz*.) 2e toon in de grote tertstoonladder (diatonische toonladder) (*zie* aretijnse), in het Romaanse taalgebied naam voor de d.

**re-** *of* **red-** [Lat.] terug-, opnieuw-, weer-, her-, **ré-** *of* **re-** [Fr., v. Lat. *re-*] grondbet.: opnieuw-, her-; terug-.

**reaal'**, *mv* **rea'len** [v. Sp. *real*, v. Lat. *regális* = koninklijk] sinds de late middeleeuwen tot voor vrij kort de naam voor verschillende gouden en zilveren munten.

**reactan'tie** (*elektr*.), schijnweerstand of blinde weerstand, het imaginaire deel v.d. *impedantie* (z.a.) in een wisselstroomketen; uitgedrukt in ohm (Ω).

**reac'tie** [Lat. *re-*, en *ágere*, *actum* = voeren, doen] het reageren; terugstoot, terugwerking, conservatief streven dat vooruitgang belemmert en terug wil naar het oude.

**reac'tiedruk** druk door uitstromende gassen, m.n. in reactiemotoren. **reac'tiejager** jachtvliegtuig m. reactiemotor.

**reac'tiekinetiek** studie v. snelheid v. chem. reacties. **reac'tielak** laksoort die droogt door reactie tussen twee componenten.

**reac'tiemotor** straal- of raketmotor.

**reac'tietijd** de tijd tussen het plaatshebben v.e. zintuigprikkel en de gewaarwording v. die prikkel. **reac'tieturbine** waterturbine waarin het water v. buiten naar binnen loopt.

**reac'tievergelijking** vergelijking die moleculeverandering na een reactie tussen stoffen beschrijft. **reac'tieverschijnsel** verschijnsel bij een reactie of waarin een reactie tot uitdrukking komt.

**reac'tievermogen** het (snel) kunnen reageren. **reactief'** *bn* (*psych*.) optredend als reactie; chemisch reagerend; en chemische stof die een bep. reactie kan veroorzaken. **reactionair'** [Fr. *réactionnaire*] 1 *bn* conservatief, tegen de vooruitgang; 2 *zn* hij die het oude wil herstellen. **reactive'ren** [*zie* activeren] *ww* weer werkzaam maken, weer tot werking brengen; weer tot leven brengen. **reac'tor** toestel of vat waarin zich een chemische of (kern)fysische reactie afspeelt. **reac'torschip** schip met kernreactor voor de voortstuwing.

**rea'der** [Eng. = leesboek, v. *to read* = lezen] goedkope bundel fotokopieën van wetenschappelijke artikelen op bep. gebied, door een universiteit vervaardigd ten behoeve van studenten.

**rea'dy** [Eng.; *vgl*. Ned. *bereiden*] gereed, klaar (in de bet.: in een positie en bereid iets te doen). **rea'dy ma'de** [Eng.] een natuurobject (bijv. boomstam) of gebruiksvoorwerp, dat (uit zijn verband losgemaakt) als een kunstenaar tot kunstvoorwerp verheven wordt.

**re'agens**, *mv* **reagen'tia** [v. Lat. *re-*, en *ágens*, *agéntis* = o.dw v. *ágere*; *zie* reactie] chem. stof die dient om een bep. werking teweeg te brengen in (te reageren met) een andere stof, spec. gebruikt om een proefreactie uit te voeren ter vaststelling v.d. aard v. e. onbekende stof.

**reage'ren** [v. Lat. *re-*, en *ágere*) 1 bep. verschijnsel vertonen als antwoord op een prikkel door een levend organisme, tegenactiviteit vertonen; 2 (als geestelijk proces) een handeling verrichten of een houding aannemen als antwoord op iets dat de geest heeft geprikkeld, spec. ingaan op; antwoorden; **3** (*chem.*) a een reactie aangaan; b een bep. chem. reactie bezitten.

**reageer'buisbaby** baby die is voortgekomen uit een buiten het moederlichaam bevruchte eicel, die na enkele celdelingen i.d. baarmoeder geïmplanteerd wordt.

**reageer'buis(je)** dunwandig cilindervormig, vrij wijd buisje van spec. hittebestendig glas, van onderen gesloten, gebruikt voor het nemen v. chem. proeven in het klein en allerlei andere onderzoekingen.

**realgar'** [MLat., v. Arab. *rehj alghar* = poeder v.h. hol] bep. arsenicumsulfide, $As_2S_2$, als rode verfstof gebruikt.

**rea'lia** [*mv v.* VLat. *reális*, v. Lat. *res* = zaak] concrete zaken; leerstof die om de kennis op zich onderwerp wordt (bijv. aardrijkskunde, geschiedenis). **realise'ren** [Fr. *réaliser*] verwezenlijken, bewerkstelligen; (*hand.*) te gelde maken (bijv. geldswaardige papieren). **realisa'tie** *zn.* **realis'me** (*fil.*) leer die aan universele begrippen (*universalia*) werkelijkheidswaarde toekent; *tegenw.*: leer die ervan uitgaat dat ons kennen beantwoordt aan de dingen buiten ons; (*kunst*) richting die in haar uitbeeldingswijze objectief herkenbare werkelijkheid neerlegt; het weergeven v.d. werkelijkheid; het realisme; nuchter-zakelijk v.h. realisme; nuchter-zakelijk persoon.

**realis'tisch** de werkelijkheid weergevend zonder veel terughoudendheid, nuchter-zakelijk. **realiteit'** [MLat. *reálitas*] werkelijkheid. **Real'politik** [Du.] politiek die uitgaat v. bestaande toestand en streeft naar direct tastbare resultaten.

**reanime'ren** *ww* [v. Lat. *re-*, en *ánima* = levensgeest] weer tot leven wekken. **reanima'tie** *zn* het totaal v. handelingen die dienen om een stilstaand hart weer te doen werken en/of een stilstaande ademhaling weer op gang te brengen; ook bij uitbreiding: een bewusteloze weer tot bewustzijn brengen.

**reassure'ren** [v. Lat. *re-*; *zie* assureren] herverzekeren, d.i. zich tegen het risico v.e. verzekering weer bij een andere maatschappij verzekeren. **reassuran'tie** *zn.*

**Réaumur** bep. oude thermometerschaal (kookpunt water 80°) [naar René-Antoine Ferchault de Réaumur, Fr. natuurkundige, 1683-1757].

**reb'be** [v. Hebr. *rabbi*] joods onderwijzer (*ook*: godsdienstleraar).

**rebound'** [Eng. = het terugspringen] (*voetbal*) in het veld terugspringende bal, na tegen paal of lat geschoten of door de doelman weggestompt te zijn.

**rebut'** [Fr., v. *rebuter*, v. *re-* = terug- en *buter* = stoten], *ook*: **rebuut'**, **1** (*hand.*) uitschot; **2** (*posterijen*) onbestelbaar poststuk; **3** afstotend antwoord.

**recalcitrant'** [Lat. *recálcitrans, -ántis* = o.dw v. *recalcitráre* = achteruitslaan met hiel, v. *calx, cálcis* = hiel] weerspannig, in de contramine.

**recapitule'ren** [v. Lat. *re-* en *capítulum* = hoofdstuk, v. *caput, cápitis* = hoofd] in het kort herhalen. **recapitula'tie** *zn.*

**recei'ver** [Eng., v. Lat. *recípere* = ontvangen] radiotoestel, tuner en versterker in één toestel.

**recense'ren** [Lat. *recensére* = stuk voor stuk monsteren, beoordelen; *zie* census, censuur e.d.] beoordelen, beoordelend bespreken (bijv. boek). **recensent'** [Lat. *recénses, -éntis* = o.dw] beoordelaar v. kunst, film, muziek, boek e.d. **recen'sie** [Lat. *recénsio*] beoordeling.

**receptief'** [Fr. *réceptif*, v. MLat. *receptivus*] ontvankelijk. **receptivi'teit'** [MLat. *receptivitas*] ontvankelijkheid. **recep'tor** [modern Lat.; in Lat. is *receptor* o.a. 'heler'] **1** (*alg.*) ontvanger; **2** toestel dat elektr. energie omzet in mech. thermische of chem. energie; **3** (*biol.*) (ook *acceptor* genoemd) elk bep. deel v.h. dierlijk organisme dat zeer gevoelig is voor bep. prikkels; **4** *receptoren*, bep. chem. stoffen

of atoomgroepen die de ontvankelijkheid v.h. organisme voor een bep. stof bepalen doordat ze voedingsstoffen, vergiften e.d. aan het protoplasma hechten.

**reces'** [Lat. *recéssus* = terugtocht, v. *re-cédere, -céssum* = terugwijken] tijdelijk uiteengaan v. volksvertegenwoordigende vergadering. **reces'sie** (*econ.*) terugang.

**recessief'** terugwijkend, niet tot uiting komend (erfelijk kenmerk).

**recet'te** [v. Lat. *recépta* = de ontvangen zaken] het totaal v.d. entreegelden bij theaterbezoek, sportwedstrijden e.d.

**réchaud'** [Fr., v. *réchauffer* = opwarmen] (*cul.*) **1** komfoor; *– à gaz,* gasstel; **2** tafelkomfoor, met spiritusbrander of op elektr. wijze verhit apparaat (plaat of kast) om spijzen en/of borden op tafel warm te houden (*ook*: **réchauffoir**).

**recidi've** [Fr. *récidive*, v. Lat. *recidívus* = weer terugkomend, v. *recídere* = *re-cádere* = terug -vallen] het weer terugkomen v.e. ziekte; het hervallen in een misdrijf.

**recidivist'** [Fr. *récidiviste*] wie in een misdaad hervalt.

**recief'** [via Fr. *recevoir* = ontvangen, v. Lat. *recípere* = *lett.*: weer terugnemen (*re-* = terug-, *cápere* = nemen); ontvangen] voorlopig ontvangstbewijs v. goederen of geld; voorlopige verklaring v.d. stuurman v.e. schip over de geladen goederen, later definitief vervangen door het *connossement, z.a.*

**reciet'** [v. Fr. *récit*, v. *réciter* = opzeggen, voordragen] **1** het voordragen v.e. gedicht; **2** het voorgedragen gedicht zelf.

**re'cipe,** afk. **R** [Lat., v. *recípere* = ontvangen, *ook*: opnemen] (op recepten) neem, men neme. **recipiënt** [Lat. *recipiens, recipiéntis* = o.dw v. *recípere* = ontvangen] **1** (*chem.*) ontvanger bij distillatie; **2** (*nat.*) glazen klok v.e. luchtpomp. **recipië'ren** *ww* **1** opnemen in gezelschap; **2** bezoekers ontvangen; **3** receptie houden.

**recipis'** [v. Fr. *récipissé*, v. Lat. *recipísse* = ontvangen hebben, v. *recípere* = ontvangen = *re- cápere* = terug-vatten] **1** bewijs v. ontvangst; **2** bewijs v. storting.

**reciproce'ren** [Lat. *reciprocáre* = langs dezelfde weg terugvoeren, v. *re-* = terug, en *pro* = vooruit] beantwoorden (bijv. met wederdienst). **reciprociteit'** [Fr. *réciprocité*] wederkerigheid. **recipro'que** [Fr. *réciproque*] wederkerig; *– getallen,* getallen waarvan het product 1 is (bijv. $\frac{1}{5}$ en 5).

**reci'tal** [Eng.] solo-muziekuitvoering. **recite'ren** [Lat. *re-citáre* = hardop voorlezen, opzeggen] voordragen, opzeggen (bijv. gedicht; *zie* reciet); woorden v. zangstuk op één toon opzeggen. **recita'tie** [Lat. *recitátio*] *zn.* **recitatief'** [Fr. *récitatif*] **I** *bn* half-sprekend gezongen; **II** *zn* op deze wijze voorgedragen stuk. **recitan'do** [It.] (*muz.*) half-sprekend, half-zingend.

**recla'me** [Fr. *réclame*, v. Lat. *re-clamáre* = ertegenin roepen, luid roepen, v. *clamáre* = roepen] **1** klacht, bezwaar, bezwaarschrift, reclamatie; **2** openlijke aanprijzing en alle middelen daartoe; in het oog lopende aankondiging die een bep. artikel aanbeveelt en aanspoort het te kopen; *ideële reclame,* reclame (**2**) die een commerciële doeleinden beoogt, maar louter aanbevelingen doet voor een goed doel. **recla'mespot** kort reclamefilmpje in televisie-uitzending of in bioscoop, buiten het normale programma (*zie ook* spot). **reclame'ren** *ww* [Fr. *réclamer*] **1** terugeisen of vergoeding vorderen; **2** bezwaar maken tegen iets, klagen. **reclamant'** **1** klager, iem. die reclameert; **2** (*jur.*) klager, eiser; persoon die bezwaren opwerpt en indient. **reclama'tie** [Lat. *reclamátio* = tegengeschreeuw, luide afkeuring] **1** terugvordering; **2** klacht, indiening van bezwaren, spec. wegens rechtsschending.

**reclasse'ring** [v. Fr. *reclasser,* v. *re-*

= opnieuw] vorm v. maatschappelijk werk voor heraanpassing v. ontslagen gevangenen.

**recogni'tie** [Fr. *récognition*, v. Lat. *re-cognóscere* = *lett.*: opnieuw kennen] erkenning v. rechtswege; bedrag dat gevorderd of betaald wordt voor de erkenning v.e. recht.

**recollec'tie** [*lett.*: herverzameling, v. Lat. *re-*, en **collectie**] tijdelijke afzondering om zich geestelijk te bezinnen gedurende enkele uren of een dag (*vgl.*: **retraite**).

**recombina'tie** nieuwe, andere combinatie. **recombinant-DNA-techniek** bep. techniek om in de genen, die bestaan uit lange ketens van desoxyribonucleïnezuur (internationale afkorting DNA; A van Eng. *acid* = zuur), veranderingen aan te brengen op zodanige wijze, dat brokstukken anders gecombineerd worden, waardoor kunstmatig nieuwe erfelijke eigenschappen ontstaan.

**recommande'ren** [Fr. *recommander*, v. *re-*, en *commander*; v. Lat. *commendáre* = toevertrouwen] aanbevelen.
**recommanda'tie** [Fr. *recommandation*] zn.
**recommanda'bel** [Fr. *recommandable*] aanbevelenswaardig.

**recompense'ren** [v. Lat. *re-* en *compensare*, *-átum* = tegen elkaar verrekenen, vergoeden] schadeloosstellen, vergelden, belonen. **recompensa'tie** zn.

**reconcilië'ren** [Lat. *reconciliáre* = weer verenigen] verzoenen.

**reconstrue'ren** [v. Lat. *re-*, en *construére*, *-structum* = samenvoegen] weer opbouwen, herstellen; een gebeurtenis of zaak uit fragmentarische gegevens of stukken weer tot een geheel opbouwen. **reconstruc'tie** zn.

**reconvalescent'** [v. Lat. *re-* en *convaléscens*, *-éntis* = o.dw v. *convaléscere* = krachtig worden, genezen, v. *valére* = waard zijn, gezond zijn] herstellend v. ziekte.
**reconvalescen'tie** [Lat. *convalescéntia* = genezing] het herstellen v.e. ziekte.

**reconven'tie** [Fr. *reconvention*, v. Lat. *con-veníre*, *-véntum* = samenkomen] (*jur.*) tegeneis.

**record'** [Eng., v. Lat. *recordáre* (klassiek Lat. *recordári*) = zich weer in de geest (*cor*, *cordis* = hart) brengen, zich herinneren, gedenken] *eig.*: gedenkwaardig feit; **1** (*alg.*) het hoogste of uiterste wat op een bep. gebied is voorgevallen of bereikt, spec. in samenstellingen als recordcijfer enz.; **2** (*sport*) beste prestatie die tot op zeker ogenblik op een bep. onderdeel v. sport is bereikt en wel onder officiële controle. **recor'der** [Eng.] **1** meter die registreert; **2** elektronisch apparaat om geluiden magnetisch op een band (bandrecorder, Eng. *tape-recorder*) of draad (Eng. *wire-recorder*) op te nemen en vast te leggen, om ze later naar believen weer te reproduceren.

**recours'** [Fr.] **1** toevlucht; **2** (recht van) schadeverhaal; **3** (*jur.*) buitengewoon beroep op een hoger gerechtshof of indiening v. bezwaren bij een hoger gerechtshof (*vgl.* **recurrent II**). **recouvre'ren** [Fr. *recouvrer* = o.a. herkrijgen] terugkrijgen; (*Z.N.*) beter worden (*bijv.*: het weer recouvreert).

**reco'very-room** [Eng., herstelkamer, v. *to recover* = o.a. (een zieke) er bovenop halen, zich herstellen (v.e. slag], in Ned. meestal verkoeverkamer genoemd; speciale kamer in een ziekenhuis waar patiënten na een zware operatie gedurende enige tijd intensief verpleegd worden.

**rect-** [v. Lat. *rectus* = recht, v. *régere, rectum* = richten] recht-.
**recta-** [Lat. *recta (via)* = regelrecht, rechtstreeks] (*hand.*) niet-overdraagbaar-(bijv. wissel, cheque). **rec'ta-accept** [v. Lat. *recta* = rechtstreeks, en *accepto* = ontvangst] accept v. onoverdraagbare cheque.
**rectaal'** [Fr. *rectal*, v. Lat. *rectum* (*intestínum*) = de rechte darm] de endeldarm betreffend, in de endeldarm ingebracht.

**rectangulair'** [Fr. *rectangulaire*; *zie* **angulair**] rechthoekig.

**rectifice'ren** [VLat. *rectificáre*, v. Lat. *fácere* = maken] verbeteren (fout); (*chem.*) door herdistillatie nog zuiverder maken. **rectifica'tie** zn.

**rectilineair'** [Fr. *rectilinéaire*; *zie* **linie**] rechtlijnig.

**rec'to fo'lio**, *afk.*: r of r° [Lat.] op de voorzijde v.h. blad.

**rec'tor** [Lat., v. *régere, rectum* = richten, regeren] bestuurder, hoofd v. gymnasium of lyceum; geestelijk leidsman (bijv. v. gesticht, inrichting), hoofd v. niet-parochiële kerk; — *magníficus*, voorzitter v. academische senaat. **rectoraal'** [Fr. *rectoral*] de rector betreffend. **rectoraat'** [Fr. *rectorat*] ambt, waardigheid of ambtsduur v.e. rector.
**rec'trix** [Lat.], **rectri'ce** [Fr.] vr. rector.
**rec'tum** [*zie* **rectaal**] endeldarm.

**reçu'** [Fr., v. dw v. *recevoir* = Lat. *recípere*; *zie* **recipis**] I *bn* algemeen aanvaard en gebruikelijk; II *zn* ontvangstbewijs.

**recul'** [Fr., v. *reculer* = achteruitgaan, achteruitlopen, v. *cul* = achterste, gat, kont] terugloop v. kanon bij afvuren. **reculer' pour mieux sauter'** [Fr.] (tijdelijk) teruggaan om beter te kunnen springen, zich terugtrekken (wachten) om later des te beter zijn slag te slaan.

**recupere'ren** ww [Fr. *récupérer* = terugwinnen; terugkrijgen] **1** opnieuw in het bezit komen; terugwinnen; **2** afvalstoffen opnieuw verwerken (*vgl.* **recycling**). **recupera'tie** [Fr. *récupération*] zn terugwinning, spec. v. grondstoffen uit afval (*recycling*, z.a.), of v. warmte uit ovens. **recupera'tor** [modern Lat.] apparaat voor terugwinning v. warmte, warmte-uitwisselaar.

**recur'rens** [Lat., o.dw v. *re-cúrrere* = terug-lopen, terug-gaan, weer-keren] I *bn* terugkerend; II *zn* terugkerend verschijnsel. **recurrent'** [v. Lat. *recúrrens, recurréntis*] I *bn* terugkerend; (*wisk.*) teruglopend; II *zn* persoon die hulp zoekt; iem. die v.h. *recours* (*z.a.*) gebruik maakt.

**recuse'ren** ww [v. Lat. *recusáre, recusátum* = weigeren, afwijzen] wraken, verwerpen; weigeren; *ook*: onbevoegd verklaren. **recusa'tie** [Lat. *recusátio*] wraking, verwerping; weigering.

**recy'cling** [Eng., v. Lat. *re-* = terug-, opnieuw-, en *cyclus*, Gr. *kúklos* = kring; *hier*: kringloop] het verwerken v. afvalstoffen (of afgewerkte stoffen) tot stoffen die weer geschikt zijn voor de produktie v. nieuwe bruikbare materialen. **recycla'ge** [Fr.] (*Z.N.*) **1** recycling; **2** (cursus voor) om- en bijscholing.

**red-** [Lat.] = **re-** vóór klinkers en h (*bijv.*: *red-ígere, red-hibítio, red-emptor*).

**redacteur'** [Fr. *rédacteur*; *zie* **redigeren**] **1** leider of medewerker bij het opstellen v.d. inhoud v.e. dagblad, tijdschrift of reeks radio-uitzendingen; **2** persoon die (samen met anderen) een verzamelwerk opstelt, bijv. een encyclopedie. **redac'tie** [Fr. *rédaction*] **1** het redigeren, het opstellen v.e. stuk; de vorm, inkleding en bewoording daarvan; **2** werkzaamheden bij het schrijven en rangschikken v. artikelen voor een dagblad of tijdschrift; **3** afdeling v.e. uitgeverij die zorg draagt voor het bewerken van de kopij en het gereedmaken voor druk van boeken; **4** bureau v. redacteuren v.e. dagblad of periodiek of v.e. uitgeverij. **redactioneel'** [Fr. *rédactionnel*] *bn* **1** tot de redactie behorend; **2** v.d. redactie uitgaande (*bijv.*: redactioneel artikel in krant); de redactie betreffend. **redactri'ce** vrouwelijke redacteur.

**Redemptoris'ten** *mv* leden v.d. *Congregátio Sanctíssimi Redemptóris* (*afk.*: C.ss.R) = Congregatie van de Allerheiligste Verlosser [Lat. *Red-emptor* = *lett.*: Terug-koper = Verlosser uit slavernij, v. *redímere* = *red-émere* = terug-kopen] een religieuze congregatie, in 1732 gesticht door de H. Alfonsus Maria de Liguori in het toenmalige koninkrijk Napels. **Redemptoristin'nen** *mv* leden v.d. contemplatieve vr. *Ordo Sanctíssimi Redemptóris* = Orde v.d. Allerheiligste Verlosser, in 1731 gesticht door de H. Alfonsus de Liguori en Tommaso Falcoja, bisschop v. Castellamare.

**redhibi'tie** [Lat. *redhibítio*, v. *redhibére* = koopwaar teruggeven of -nemen, *uit*: *red-habére* = terug-hebben] koopvernietiging. **redhibitoir', redhibitoor** [Fr. *rédhibitoire*] *bn* strekkend tot koopvernietiging.

**redige'ren** [Lat. *redígere*, *redáctum* = *redágere* = terug-voeren, in een toestand brengen, in orde brengen] de redactie voeren, voor druk gereedmaken; opstellen, onder woorden brengen.

**redingo'te** [Fr., verbastering van Eng. *riding coat* = rijjas (van ruiters)] (*vero.*) geklede herenjas of damesmantel.

**redivi'vus** [Lat., v. OLat. *redi-* = Lat. *re-* = opnieuw, en *vívus* = levend] *bn* herleefd, uit de dood herrezen.

**redouble'ren** [Fr. *redoubler*, v. *re-* = opnieuw, en *doubler*] herdubbelen, d.w.z. een double (bij kaartspel) verdubbelen.

**redouta'bel** [Fr. *redoutable*, v. *redouter* = duchten, v. *re-*, en *douter* = Lat. *dubitáre* = in twijfel zijn] geducht.

**redou'te** [Fr., v. MLat. *redúctus* = wijkplaats, v. Lat. *re-dúcere* = terug-voeren] **1** kleine schans te velde; **2** gemaskerd bal.

**redres'** herstel. **redresse'ren** [Fr. *redresser*; v. *re-* = opnieuw, en *dresseren*] herstellen.

**red ta'pe** [Eng. = *lett.*: rood lint of rode band] (*fig.*) ambtelijke rompslomp, bureaucratie, ambtenarij.

**reduce'ren** *ww* [v. Lat. *re-dúcere*, *re-dúctum* = terug-voeren] **1** tot een lager peil of tot een kleiner aantal of een geringere omvang terugbrengen, beperken; **2** op een kleinere schaal brengen; **3** omrekenen, herleiden; **4** (*chem.*) kation tot een lagere lading brengen door het een elektron of elektronen te doen opnemen; zuurstof onttrekken; **5** (*cul.*) saus of soep langzaam indampen en inkoken.

**reduc'tie** [Lat. *redúctio*] **1** (*alg.*) reduceren; **2** het terugbrengen tot de vroegere vorm, herstel; (*med.*) het herstellen v.e. ingewandsbreuk; terugbrenging, vermindering, verlaging, korting of prijs; **3** (*rek.*) herleiding; **4** (*hand.*) omrekening v. maten, gewichten en valuta v.e. land in die v. een ander (*zie ook* **reductiegetallen**); **5** (*muz.*) het omwerken v.e. muziekwerk voor een kleinere bezetting; **6** (*chem.*) verlaging v.d. positieve valentie v.e. ion door het elektronen te doen opnemen; onttrekking v. zuurstof; **7** (*biol.*) geringere ontwikkeling (verkleining) v.e. orgaan of lichaamsdeel t.o.v. een vroegere toestand. **reduc'tiedeling** *zie* **meiosis**. **reduc'tiegetallen** *mv* (*hand.*) vaste omrekeningskoersen voor effecten die in buitenlandse valuta zijn genoteerd. **reduc'tio ad absur'dum** (*of: ad impossíbile*) [Lat. = herleiding tot het ongerijmde, *of*: tot het onmogelijke] (*logica*) bewijs uit het ongerijmde (*of*: uit het onmogelijke), d.i. bewijsvoering die een stelling niet rechtstreeks bewijst, maar aantoont dat het tegengestelde voert tot het ongerijmde (of onmogelijke), en dus vals is. **réduction'** [Fr.] (*cul.*) ingedampte of ingekookte saus of soep.

**reduit'** [Fr. *réduit*, *zie* **redoute**] (*mil.*) wijkplaats waarbinnen een verdediger v.e. fort of vesting zich in laatste instantie kan terugtrekken; (*alg.*) kleine vluchtschans, laatste toevlucht, (verborgen) schuilhoek.

**redundant'** [Eng., v. Lat. *redúndans*, *redundántis*, o.d.w v. *red-undáre* = terug-vloeien, over-stromen, v. *red-*, en *únda* = golf, vloed] *bn* overbodig, méér aan begrip of informatie dan strikt noodzakelijk is. **redundan'tie 1** het redundant-zijn; **2** méér

gegeven begrip of informatie dan strikt nodig; **3** overtollige woordenrijkdom, woordenvloed.

**reduplice'ren** *ww* [v. Lat. *reduplicáre*, *-átum* (weer)-verdubbelen] verdubbelen. **reduplica'tie** *zn* **1** verdubbeling; **2** (*taalk.*) gehele of gedeeltelijke herhaling v.e. woord of woorddelen (lettergrepen), bijv. papa naast pa.

**reëel'** [v. Fr. *réel*, v. VLat. *reális*; *zie* **realia**] *bn & bw* **1** (*alg.*) werkelijk, wezenlijk, inderdaad bestaande; *reëel beeld*, beeld gevormd door een optisch systeem (lens, spiegel) waarbij de lichtstralen die uit een voorwerpspunt afkomstig zijn, werkelijk samenkomen in een beeldpunt, zodat het beeld op een projectiescherm (lichtgevoelige laag v. fotografisch materiaal, matglas) zichtbaar gemaakt kan worden; *reëel getal*, oneindig voortlopende decimale breuk, bijv. $\frac{1}{3}$ = 0,333333 ...; **2** (*jur.*) verbonden aan een zaak [Lat. *res*], *tegenover*: verbonden a.e. persoon; **4** intrinsieke waarde bezittend; *reëel inkomen*, inkomen uitgedrukt in de koopkracht ervan; **5** gegrond op de werkelijkheid of daarvan uitgaande; niet speculatief, zakelijk.

**reef'er** [Eng.] sigaret met hasj of marihuana (*vgl.*: **stick**).

**reef'ter** *zie* **refter**.

**1 reel** [Eng.] bep. levendige dans v. Keltische oorsprong, meestal in twee- of vierdelige maat.

**2 reel** [Eng. = haspel, spoel, klos] trommeltje aan werphengel om het snoer te vieren of op te winden, ook *molen* of *spoel* geheten.

**3 reel** Ned. spelling voor **rail**.

**refac'tie** *zie* **rafactie**.

**refecto'rium** [MLat., *reficere*, *reféctum* = *re-fácere* = her-maken; Lat. *reféctio* = herstelling, verkwikking] eetzaal in kloosters, internaten e.d.

**referaat'** [v. Lat. *re-férre* = terug-dragen, overbrengen, melden] **1** verslag, rapport, bericht; **2** voordracht ter vergadering om discussie in te leiden. **refere'ren** *ww* [v. Fr. *référer*, v. Lat. *re-férre*; *zie* **referaat**] **1** berichten: verslag uitbrengen over; **2** referaat houden, voordracht houden; **3** *zich refereren aan*, verwijzen naar, zich beroepen op iets; *ook*: zich aansluiten bij iemands oordeel. **référé** [v. Fr.] (*jur.*) kort geding voor de president v.e. arrondissementsrechtbank.

**ref'eree** [Eng. = *eig.*: pers. op wie men zich beroept bij een dispuut ter beslissing] (*sport*) scheidsrechter (in Angelsaksische landen spec. bij voetbal). **referenda'ris** [v. MLat. *referendárius*] *oorspr.*: o.a. zegelbewaarder; **1** ambtenaar die bij een college v. justitie rapporteert over de inhoud v. akten; **2** hoofdambtenaar bij een ministerie (departement), één rang lager dan administrateur; **3** hoofdambtenaar bij een gemeentesecretarie, staande onder de gemeentesecretaris.

**referen'dum** [Lat. = *lett.*: wat overgedragen moet worden] het voorleggen v. bep. kwestie rechtstreeks aan de kiezers zelf; volksstemming, stemming v. alle leden v.e. vereniging.

**referent'** [Lat. *referens*, *-éntis* = o.d.w v. *reférre*] **1** aankondiger en bespreker v. nieuw verschenen boeken; **2** inleider v. bep. onderwerp op een congres of vergadering; **3** deskundig rapporteur. **referen'tie 1** het refereren; *onder referentie aan*, met verwijzing naar; **2** het noemen v. personen die inlichtingen over iem. kunnen geven, eventueel opgave v. adressen waar men dergelijke inlichtingen kan verkrijgen; **3** getuigschrift. **referen'tiekader 1** (*psych.*) verband waarin men denkt en handelt, afhankelijk v. opvoeding, milieu e.d.; **2** (*sociologie*) algemene samenhang v. factoren die voor een gemeenschap (of persoon) de psychische realiteit op een bep. ogenblik vormen. **referen'tiegroep**

(*sociologie*) groep waaraan een niet-lid
refereert als voorbeeld van gedragsnormen,
waarde-oordelen en ambities, spec. het
refereren aan een sociaal hoger geplaatste
groep waartoe dit niet-lid graag zou gaan
behoren; bij uitbreiding: *elke* groep waarop
men zich in zijn gedrag oriënteert, dus ook de
groep waarvan men lid is.

**refer'te** 1 verwijzing naar (iets), beroep op
(iets); 2 (*jur.*) stand v. gedaagde in een
burgerlijk proces, waarbij hij te kennen geeft
geen verweer te zullen voeren, de vordering
niet te zullen betwisten, maar haar evenmin te
erkennen, doch zich te zullen refereren aan het
oordeel v.d. rechter.

**refla'tie** [v. Lat. *re-*; *zie verder* **deflatie**,
**inflatie**] het totaal v. maatregelen om een
einde te maken aan een inflatie resp. deflatie.

**reflatoir'** of **reflatoor'** *bn & bw* tot reflatie
strekkend, reflatie bewerkstelligend.

**reflecte'ren** [v. Lat. *re-fléctere, re-fléxum*
= terug-buigen] 1 terugkaatsen, terugstralen,
weerspiegelen; 2 bespiegelend nadenken,
overwegen, zich terugbuigen op eigen
bewustzijn; 3 *op een advertentie reflecteren*,
zich n.a.v. een advertentie als gegadigde
aanmelden, op een advertentie schrijven.

**reflectant'** iem. die zich als gegadigde voor
een vacature meldt n.a.v. een advertentie.

**reflec'tie**, *ook*: **reflex'ie** [v. VLat. *re-fléxio*
= terug-buiging] 1 terugkaatsing v.
lichtstralen, weerspiegeling; *ook*: daardoor
ontstane gloed; 2 het bespiegelend nadenken,
beschouwing, overdenking, het zich
terugbuigen op eigen bewustzijn. **reflec'tor**
[modern Lat.] 1 toestel dat licht terugkaatst,
straalkaatser; hulpmiddel om lichtstraling of
een ander stralingsverschijnsel in een bep.
richting terug te kaatsen; 2 (*astr.*)
spiegelkijker. **reflecto'risch** *bn & bw* de aard
v. reflectie hebbend; reflectie
bewerkstelligend. **reflex'** [v. VLat. *refléxus*]
1 terugkaatsing v. lichtstralen, spiegelbeeld,
weerspiegeling; 2 onbewuste reactie op een
zenuwprikkel; *geconditioneerde reflex*, reflex
die alleen optreedt in bep. omstandigheden
(condities). **reflex'beweging**,
**reflex'reactie** onwillekeurige beweging die
volgt op een prikkeling v.d. periferische
zenuwen. **reflex'ie** *zie* **reflec'tie**. **reflexief'**
*bn* 1 (*taalk.*) wederkerend; 2 bespiegelend.
**re'flexief** *zn* (*taalk.*) wederkerend
werkwoord.

**reforme'ren** *ww* [v. Lat. *re-formáre,
re-formátum* = opnieuw-vormen] 1 een
andere (nieuwe) vorm geven, hervormen;
2 (*mil.*) opnieuw indelen, en *vandaar*: het
onbruikbare afdanken. **reformateur'** [Fr.
*réformateur*, v. Lat. *reformátor* = veranderaar,
verbeteraar] hervormer. **reforma'tor** [Lat.;
*zie* **reformateur**] (godsdienstig) hervormer.
**reforma'tie** [Lat. *reformátio*
= gedaanteverandering, verbetering]
(godsdienst)hervorming; *de Reformatie*, de
Kerkhervorming in de 16e eeuw (Luther,
Calvijn, Zwingli). **reformato'risch** *bn & bw*
1 op de kerkhervorming betrekking hebbend;
2 volgens de beginselen v.d. kerkhervorming.

**reformis'me** hervormingsbeweging, spec.
stroming in het socialisme om tot sociale
hervormingen te komen langs legale weg.
**reformist'** aanhanger v.h. reformisme.
**reformis'tisch** *bn & bw* op het reformisme
betrekking hebbend.

**reform'** [Fr. *réforme* = verandering,
verbetering, hervorming] 1 hervorming,
verbetering; 2 (*vroeger*) beweging om tot een
rationele regeling v. voeding en kleding te
komen; 3 (*tegenw.*) beweging die de natuurlijke,
gezonde voeding propageert; 4 (*mil.*) nieuwe
indeling; *vandaar*: afdanking v.h. onbruikbare,
afkeuring voor dienst, ontslag uit dienst.
**reform'voeding** voeding die uitsluitend
bestaat uit natuurlijke, slechts met natuurmest
gegroeide planten en produkten daarvan, dus
zonder gebruikmaking v. chemicaliën als

kunstmest of bestrijdingsmiddelen.
**reform'winkel** winkel waar uitsluitend
reformartikelen worden verkocht.

**refractair'** [Fr. *réfractaire*, v. Lat. *refractárius*,
v. *refragári* = tegen-streven] 1 *bn*
1 weerspannig; 2 (*med.*) weerstand biedend
aan geneesmiddelen; ongevoelig; 3 (*Z.N.*)
vuurvast; II *zn* weerspannige, spec. iem. die
zich onttrekt aan militaire dienst,
dienstweigeraar.

**refrac'tie** [v. Lat. *refríngere, -fráctum*
= *refrángere* = ver-breken] breking v.
elektro-magnetische stralen. **refrac'tor**
[modern Lat.] straalbreker; (*astr.*) lenzenkijker.

**refrein'** [OFr. *refrain*, v. VLat. *refrángere* = Lat.
*refríngere*] keervers, aan slot v. elke strofe
herhaalde regel(s); herhaling v. woorden.

**ref'ter** of **reef'ter** *zie* **refectorium**.

**refugié** [Fr. *réfugié*, v. *se réfugier* = toevlucht
zoeken, v. Lat. *re-fúgium* = toe-vlucht, v.
*fúgere* = vluchten] uitgewekene, vluchteling
om het geloof, spec. protestant die onder
Lodewijk XIV na 1685 Frankrijk wegens
geloofsvervolging ontvluchtte. **refu'gium**
[Lat.] vluchtplaats, toevluchtsoord; *últimum
refúgium*, laatste toevlucht.

**refuse'ren** [Fr. *refuser*, v. Lat. *re-fúndere*,
*-fúsum* = *eig.*: terug-gieten; weigeren] v.d.
hand wijzen, weigeren.

**refute'ren** [v. Lat. *re-futáre*; *re-futátum*
= terug-drijven, afwijzen] 1 weerleggen;
2 afwijzen. **refuta'tie** [Lat. *refutátio*] *zn*
1 weerlegging; 2 (*jur.*) weigering; opzegging
v.h. leen.

**refuus'** [Fr. *refus*] weigering, weigerend
antwoord; *spec.*: afwijzing v.
huwelijksaanzoek, blauwtje.

**1 regaal** [v. Lat. *regális* = koninklijk, v. *rex,
régis* = *eig.*: richter, koning] I *bn* koninklijk,
vorstelijk; II *zn*, *mv* **rega'lia** of **rega'liën**,
1 koninklijk voorrecht; 2 *mv* **rega'len**, (*vero.*)
vorstelijk onthaal, gastmaal, smulpartij (*zie
ook* **regaleren**).

**2 regaal**, *mv* **rega'len** [v. MLat. *réga* = rij]
1 orgelregister met tongwerk, o.a. de *vox
humana*, eertijds) draagbaar orgeltje met
uitsluitend tongpijpen; 2 (*boekdruk*) meubel
voor het opbergen v. letterkasten en
drukvormen; 3 boekenrek, boekenplank.

**regale'ren** [Fr. *régaler*, *zie* **1 regaal** 2]
kostelijk onthalen, vergasten, trakteren.

**rega'lia** of **rega'liën** [*zie* **1 regaal** II, 1]
1 *oorspr.*: sinds 11e eeuw: het geheel v.d.
koninklijke rechten en prerogatieven, spec. die
v. financiële aard, zoals inkomsten uit tollen,
markten, muntslag, het gerecht, en uit de
domeinen; *ook*: de symbolische sieraden
(kroon, scepter) die werden gebruikt bij de
kroning; hoogheidsrechten, bevoegdheden
waarvan de uitoefening aan het staatsgezag
als zodanig toekomt volgens de staatsregeling;
(*tegenw.*) staatsmonopolie.

**regarde'ren** *ww* [Fr. *regarder* = aankijken, v.
*re-*, en *garder* = bewaren, v. Germ. *wardon*;
*vgl.* Du. *warten*] 1 in aanmerking nemen,
aanzien; 2 betreffen, betrekking hebben op,
aangaan. **regard'** [Fr. *regard* = o.a. blik; *au
regard de* = ten opzichte van] 1 (*vero.*)
achting, aanzien; 2 aanmerking; 3: *in regard
van*, ten opzichte van.

**regat'ta** [It. *regata*; oorspr. wedstrijd v.
Venetiaanse gondels; verdere afl.
twijfelachtig] roei- of zeilwedstrijd.

**regenere'ren** [Lat. *re-generáre* = weer
voortbrengen] weer voortbrengen (bijv.
verloren gegaan orgaan of weefsel),
herscheppen, herboren doen worden.
**regenera'tie** [Lat. *regenerátio*
= wedergeboorte] *zn*.

**regent'** [via Fr. *régent* v. Lat. *régens, regéntis*
= o.d w v. *régere* = richten, besturen]
1 rijksbestuurder, spec. iem. die het
rijksbestuur waarneemt voor een ander;
2 bestuurder v.e. weeshuis, gasthuis of
gesticht; 3 (*gesch.*) in de Republiek der
Verenigde Nederlanden een pers. die tot de

kringen behoorde waaruit de
regeringspersonen voortkwamen (die een zgn.
regentenregering vormden); vandaar later
minachtend en thans nog: hooggeplaatst pers.
die blijk geeft v. autoritaire opvattingen en een
autoritaire stijl v. leiding geven ontwikkelt;
**4** (*vroeger op Java*) hoofd v. inlands bestuur
in een residentie, die leiding moest geven aan
de inheemse bevolking; **5** (*Belg.*)
niet-academisch gevormd leraar bij het
middelbaar onderwijs. **regentes**', *ook*:
**regentes'se** of **regen'te 1** vr. regent (spec.
in betekenis **1** of **2**); **2** (*Belg.*) niet-academisch
gevormde lerares bij het middelbaar onderwijs
of aan een huishoudschool. **regentesk**' op de
wijze v. regenten (**3**). **regen'tenkamer**
vergaderkamer v.d. regenten in een weeshuis
e.d. **regen'tenkliek** (*minachtend*) in de 18e
eeuw de samenwerkende groep regerende
families, die de ambten onderling verdeelden
en een regentenregering vormden.
**rege'ringsreglement** [*zie* reglement] (afk.
**RR**) **1** staatsstuk dat de regels voor het
opperbestuur bevat; **2** (*vroeger*) naam voor de
wetten op de staatsinrichting v.d. overzeese
gebiedsdelen.
**regest**' [v. Lat. *regéstum* = wat geboekt is, v.
*regérere* = *eig.*: weer terugbrengen, *ook*:
ophopen, v. *re-* = terug, en *gérere* = dragen;
*regésta* = register, naamlijst] korte maar
volledige inhoudsopgave v.e. akte (oorkonde)
of brief, die de volledige afdruk v.e. akte
vervangt (voorlopig of definitief), of de inhoud
v.e. elders opgedruk stuk samenvat.
**reges'tenlijst** chronologisch gerangschikte
reeks v. regesten v. akten of brieven, uitgaande
v.e. persoon of een reeks opeenvolgende
personen (pausen, vorsten e.d.) of betrekking
hebbend op een bep. onderwerp of een bep.
streek, en die zich in een zelfde archief
bevinden. **reges'tenboek**, *ook*: **regest**',
boek met afschriften v. belangrijke oorkonden,
spec. pauselijke.
**reg'gae** [Eng.] bep. muzieksoort,
popmuziekvorm, oorspr. afkomstig uit
Jamaica, gekenmerkt door een spec. slepend
ritme (*backbeat*).
**regie'** [Fr. *régie*, v. Lat. *régere* = richten,
besturen] **1** spelleiding, leiding bij de
uitvoering v. werken voor toneel, opera of
operette, radio, televisie, film of v. grote
openbare manifestaties of bijeenkomsten
(door *regisseur* of *régisseuse*, *z.a.*); **2** beheer
v.e. staatsmonopolie (bijv. *tabaksregie*) of v.
staatsinkomsten.
**regi'me** [Fr. *régime*, v. Lat. *régimen*, *regiméntis*
= bestuur, regering, v. *régere* = richten,
besturen] **1** regeringsstelsel, staatsbestel; **2** het
geheel v. regels en voorschriften voor het
inwendige bestel of de inwendige dienst v.
instellingen; **3** dieet, leefregel.
**regiment**' [Fr. *régiment*, v. Lat. *régimen*,
*regiméntis*, *zie* **regime**] **1** (*vero.*)
staatsbestuur, heerschappij; **2** (*mil.*) bep.
legeronderdeel, administratieve legereenheid
(onder een kolonel of luitenant-kolonel).
**re'gio** [Lat. *régio*, *regiónis* = richting, lijn,
grenslijn, streek, gebied, v. *régere* = richten]
gewest, gebied, streek met eigen karakter, die
in econ. of organisatorisch opzicht min of meer
een eenheid vormt; (in diverse
wetenschappen) een eenheid m.b.t. de
plantengroei, de bodemsoort, het klimaat e.d.;
*in regio*, in de regio, in de omliggende streek v.e. stad
(tegenover de stad zelf), in de provincie; *in
hogere regionen*, (*fig.*) a in kringen v. hoog
aanzien of v. hogere rang; *b* (*scherts.*) met zijn
gedachten niet bij het gesprek of het werk.
**regionaal**' [Fr. *régional*, v. Lat. *regionális*, v.e.
landschap] *bn & bw* een streek betreffend,
gewestelijk, streekgewijs. **regionalis'me**
[Fr. *régionalisme*] het cultiveren v.
gewestelijke zeden e.d. **regionalist**' [Fr.
*régionaliste*] aanhanger v.h. regionalisme.
**regionalis'tisch** *bn & bw*. **regio'nen** *mv*
[Lat. *regiónes*] streken, gebieden.

**regisse'ren** [*zie* regisseur] de regie voeren.
**regisseur**' [Fr. *régisseur*, v. Lat. *régere*
= richten, leiden, besturen] wie regisseert,
spelleider. **regisseu'se** vr. regisseur.
**regis'ter** [v. MLat. *regéstrum*, Lat. *regéstum*,
*zie* **regest**] **1** bladwijzer, alfabetische
inhoudsopgave; **2** aktenboek,
inschrijvingsboek (*bijv.*: de registers v.d.
burgerlijke stand); *ook*: doopregister; **3** boek
voor regelmatige optekening v. ontvangsten
en uitgaven, journaal, dagboek; **4** (*muz.*)
orgelschuif, orgelstem; de gezamenlijke
orgelpijpen die tot één geluidssoort behoren.
**regis'terton** bep. inhoudsmaat voor
zeeschepen, nl. 2,83 m³ (naar deze maat
worden de zeeschepen in de registers
ingeschreven). **regis'teren** *ww* (*boekdruk*)
juist tegenover elkaar staan v.d. regels aan de
voor- en achterzijde v.h. blad; juist tegenover
elkaar staan v.d. regels op bladzijden met
diverse kolommen; op juiste volgorde liggen
v.d. vellen v.h. boek. **registre'ren** [v. MLat.
*registráre*] **1** inschrijven in een register of
registers, boeken; **2** d.m.v. een instrument
optekenen en vastleggen. **registra'tie** *zn* **1** de
inschrijving v. oorkonden, notariële of andere
akten in een wettelijk register; dienst daarvoor;
**2** het opnemen en vastleggen v. signalen of
klanken d.m.v. een instrument. **registra'tor**
[modern Lat.] **1** pers. die of instrument dat
registreert; **2** archiefbeheerder. **registratuur**'
het ordenen en bewaren v. archiefstukken;
systeem daarvoor.
**reglement**' [Fr. *règlement*, v. *règle* = regel, v.
Lat. *régula* = eig.: wat richt (*régere* = richten),
richtlat, liniaal, richtsnoer] verordening,
geheel v. voorschriften. **reglementair**' [Fr.
*réglementaire*] volgens het reglement.
**reglemente'ren** [Fr. *réglementer*] aan bep.
regels onderwerpen.
**regres**' [v. Lat. *regréssus* = *lett.*: teruggang;
*jur.*: verhaal; *regréssus* v. *ré-gredi* = *ré-gradi*
= terugstappen; *gréssus sum* = ik heb gestapt]
verhaalsrecht v. iem. die moet opkomen voor
een schuld of schadepost, tegen een persoon
die deze heeft te dragen of mede heeft te
dragen, en wel krachtens de onderlinge
verhouding.
**regres'sie** [Lat. *regréssio*] **1** (*alg.*) teruggang,
terugval; spec. *med.*: terugkeer v.d.
ziekteverschijnselen; **2** (*astr.*) het teruglopen
v.d. knopen v. planeten, spec. v.d. maan;
**3** (*geol.*) daling v.d. zeespiegel, vermindering
v.d. uitgebreidheid v.d. zee;
**4** (*vegetatiekunde*) het aflossen v.e.
ingewikkelde plantengemeenschap door een
meer eenvoudige; **5** (*psychiatrie*,
*psychoanalyse*) terugval in kinderlijk
gedragspatroon, terugvallen op een eerdere,
meer kinderlijke ontwikkelingsfase met wat
daarbij behoort. **regressief**' [Fr. *régressif*] *bn*
teruggaand; terugwerkend.
**regulair**' [Lat. *reguláris*, v. *régula*; *zie*
**reglement**] regelmatig; (*kristallografie*): het
—*e stelsel*, het kubische stelsel (drie even
lange onderling loodrechte assen).
**regularise'ren** [Fr. *régulariser*] regelmatig
maken (bijv. loop v.e. rivier), regelen (*zie ook*
**reguleren**). **regularisatie** *zn*. **regulariteit**'
[Fr. *régularité*] regelmatigheid. **regule'ren**
[Lat. *reguláre*] regelen. **regula'tie** *zn*.
**regulateur**' [Fr. *régulateur*] regelaar
(mechanisme) (*ook* **regulator**). **regulatief**'
**I** *bn* regelend; **II** *zn* richtsnoer. **regula'tor**
[modern Lat.] regulateur. **regulier**' [Fr.
*régulier*] **I** *bn* regelmatig; tot de reguliere
behorend; **II** *zn* aan bep. regel gebonden
geestelijke (kloosterling, monnik).
**rehabilite'ren** [Fr. *réhabiliter*, v. *ré-*
= opnieuw- en *habiliteren*] **1** herstellen in
naam, eer of recht nadat deze of dit ten
onrechte is aangetast; **2** (*tegenw. ook*) een
zaak die verwaarloosd of beschadigd is weer
opknappen, herstellen. **rehabilita'tie** *zn*.
**reïncarna'tie** [v. *re-*, en *zie* **incarnatie**]
wedergeboorte (na dood, in ander lichaam).

reïntegre'ren [Lat. re(d)integráre, -átum]
herstellen in vroeger bezit. reïntegra'tie [Lat.
re(d)integrátio] zn.
re ip'so [Lat., lett.: door de zaak zelf] uit de aard
der zaak zelf.
reïtera'tie [v. Lat. reiteráre, v. re- = opnieuw,
en iteráre = nog eens doen, v. íterum = nog
eens] herhaling. reïteratief' [Fr. réitératif]
herhalend.
rejec'tie [Lat. rejéctio, v. re-Ício = re-jácere
= terug-werpen] verwerping.
rekest' [vgl. Fr. requête, v. requérir = zoeken,
v. Lat. requírere = re-quáerere = weer zoeken]
verzoekschrift, klaagschrift (ook: rekwest).
rekestre'ren een rekest indienen.
rekwest'rekest. rekwestre'ren rekestreren.
rekwestrant' indiener v.e. rek(w)est.
rekwire'ren, require'ren [Lat. requírere
= re-quáerere = weer zoeken, missen, nodig
hebben, vorderen] (jur.) eisen; opvorderen
(bijv. voertuigen). rekwisi'tie, requisi'tie
[Fr. réquisition] het rekwireren. rekwirant',
requirant' (jur.) eiser. rekwisie'ten,
requisie'ten mv [Lat. requisítum = behoefte]
benodigde voorwerpen (spec. bij
toneelvoorstelling). rekwisiteur',
requisiteur' wie voor de rekwisieten zorgt.
rekwisitoor', requisitoir' [Fr. réquisitoire]
eis v.h. Openbaar Ministerie.
relaas' [v. Lat. relátio = het terugbrengen,
verhaal, bericht, v. re-férre, re-látum
= terugbrengen] verslag, verhaal; (jur.)
vermelding.
relache'ren [Fr. relâcher, v. re- = weer, en
lâcher = losmaken, v. Lat. re-, en laxáre
= verwijden, v. laxus = wijd] ontspannen;
verslappen; vrijlaten. relâcher' [Fr.] (cul.)
saus of puree dunner maken.
relais' [Fr., v. relayer, v. re- = weer-, en OFr.
layer = laten] 1 wisselplaats (oorspr. v.
postpaarden), pleisterplaats, poststation;
2 (nat.) apparaat om m.b.v. een zwakke stroom
een andere, sterkere stroomkring te openen of
te sluiten; 3 heruitzending v.e. radio- of
televisie-uitzending v.e. ander station.
relan'ce [Fr.] (Z.N.) het weer op gang
brengen, nieuwe impuls.
relaps' [v. Lat. re-labi = terugglijden, -vallen;
lapsus sum = ik ben gevallen] terugval.
relatant' [v. Fr. relater = rapporteren; zie
relaas] rapporteur die relaas opstelt.
relate'ren [Eng. to relate; zie relatie] iets
ergens op betrekken, in verband brengen met.
rela'tie [Lat. relátio = het terugbrengen (v.
re-férre, re-látum), betrekking; zie ook relaas]
betrekking, verhouding, omgang; persoon met
wie men verkeer heeft of betrekkingen
onderhoudt. relatief' [Lat. relatívus] bn
betrekkelijk, betrekking hebbend op.
re'latief zn betrekkelijk voornaamwoord.
relative'ren iets relatief (betrekkelijk) maken,
de betrekkelijkheid van iets erkennen.
relativis'me (kenleer) opvatting dat de mens
de waarheid niet absoluut kan kennen;
(zedenleer) opvatting die geen absolute
algemene normen voor het zedelijk handelen
aanvaardt. relativiteit' betrekkelijkheid.
relativiteits'theorie theorie die leert dat de
maatstaven v. lengte, tijd en massa veranderen
bij overgang naar een ander bewegingsstelsel,
dat alle metingen dus slechts juist zijn in
betrekking met het bewegingsstelsel waarin zij
gedaan zijn; aangezien een absolute beweging
niet geconstateerd kan worden, zijn alle
metingen slechts betrekkelijk (theorie v. Albert
Einstein, 1879-1955). relati'vum, mv
relati'va [Lat.] betrekkelijk voornaamwoord.
relaye'ren v. Fr. relayer = eig.: v. paard
verwisselen; zie relais] radio- of
televisie-uitzending v.e. ander station
opvangen en versterkt heruitzenden.
relaxa'tie [Lat. relaxátio] 1 het zich
ontspannen (naar geest en lichaam); uitrusten
in ontspannen toestand; 2 (med.)
spierverslapping, spierontspanning.
relea'sen [v. Eng. to release = vrij maken,

losmaken, afleveren; uiteindelijk v. Lat. re-, en
laxáre = losmaken, slap maken; zie
relacheren] een nieuwe film,
grammofoonplaat e.d. uitbrengen. relea'se
1 (alg.) het vrijgeven; 2 (techn.) vrijloop;
3 nieuw uitgebrachte film, grammofoonplaat
e.d. 4 het uitbrengen daarvan.
releve'ren [Fr. relever, v. Lat. re-leváre, -átum
= ver-heffen; vgl. levis = licht] duidelijker
doen uitkomen, in het licht stellen, ook:
herhalen, weer ophalen; [Fr. relevé = ook:
pikant] (cul.) pikant op smaak brengen.
relevant' [Lat. relevans, -ántis = o.dw] v.
betekenis, belangrijk.
relevé [Fr., v. relever = o.a. weer rechtop
zetten, v. Lat. re- = opnieuw; leváre
= verheffen; Fr. relevé bn = hoog; zn
= overzicht, staat] (cul.) 1 hoofdschotel; 2 het
opnemen v. keukenvoorraden.
relict' [v. Lat. re-línquere, re-líctus
= ver-laten] overblijfsel uit vorige tijd als
getuigenis v. toenmalige toestand.
reliek' zie relikwie.
religieu'ze [v. Lat. religiósa = lett.:
godsdienstige, vrome vrouw] kloosterzuster,
non.
relikwie' [v. Lat. relíquiae = overblijfselen; vgl.
relict', ook: reliek' overblijfsel v.e. persoon
dat men in ere houdt en bewaart, spec.
overblijfsel v.e. heilige of heilig iets (bijv.
Christus' kruis) dat vroom vereerd wordt.
reluctan'tie [v. Lat. re-luctáre
= tegenworstelen; relúctans, -ántis = o.dw]
weerzin.
rem 1 [Eng., beginletters v. röntgenequivalent
man] eenheid v. stralingsdosis die evenveel
schaadt als 1 rad röntgenstraling; 2 [Eng.,
beginletters v. rapid eye movement] snelle
beweging v.d. oogbollen die erop duidt dat
men droomt.
rema'ke [Eng. = nieuw-maaksel, v. Lat. re-, en
Eng. to make = maken] nieuwe versie v.e.
bestaande oudere film, v.e. vroeger
muziekwerk e.d.
rembours' of remboursement' [Fr.
remboursement = terugbetaling; lett.: het weer
in de beurs doen, v. re- = terug-, en- = in-,
bourse = beurs] 1 terugbetaling, teruggave v.
voorschot; 2 dekking v.e. wissel; 3 betaling v.e.
zending wanneer men die ontvangt; zending
onder rembours, zending die bij ontvangst
betaald moet worden.
reme'die [v. Lat. remédium, v. medéri
= genezen, helen] 1 geneesmiddel,
hulpmiddel (= middel dat iets verhelpt), ook
fig.; 2 toegestane speelruimte in het gehalte v.
gouden en zilveren munten.
remigre'ren ww [v. Lat. re-, en migráre,
migrátum = verhuizen] terugverhuizen naar
het vaderland (na emigratie, z.a.; vgl. ook
immigratie). remigra'tie zn. remigrant'
[v. Lat. re-, en mígrans, migrántis = o.dw v.
migráre = verhuizen] emigrant die naar zijn
vaderland terugkeert.
reminiscen'tie [VLat.reminiscéntia, v. Lat.
reminísci = zich herinneren] herinnering, het
doen denken aan.
remi'se [Fr., v. Lat. re-míttere, -míssum
= terugzenden] 1 uitstel, vermindering of
kwijtschelding; 2 het overmaken v. geld;
3 bergloods voor voertuigen; 4 het onbeslist
eindigen v.e. partij schaken of dammen
(doordat geen der spelers zijn tegenstander v.
alle stukken kan beroven). remise'ren ww
(schaken, dammen) remise spelen. remis'sie
[Lat. remíssio] terugzending; korting;
opheffing (v. verbod); vermindering (v.
koorts). remitte'ren [Lat. remíttere]
terugzenden; (geld) overmaken;
kwijtschelden of verminderen (schuld).
remittent' [Lat. remíttens, -éntis = o.dw]
wie geld overmaakt; eerste wisselhouder.
remonstrans' zie monstrans.
remonstre'ren [MLat. re-monstráre, v. Lat.
monstráre = tonen] tegenwerpen.
remonstran'ten mv [Lat. monstrans, -ántis

= o.dw] bep. stroming in Hervormde Kerk in Nederland (Arminianen) [naar de Remonstrantie in 1610 ingediend].
**remonstran'tie** tegenbetoog.
**remonstrants'** v. of de remonstranten betreffend.
**remontoir'** [Fr., v. OFr. re-monter = weer opklimmen] **1** draaibare knop aan horloge om het op te winden en (na indrukking of uittrekking) gelijk te zetten; **2** van een dergelijke knop voorzien horloge.
**remo'te control'** [Eng.; v. Lat. remotus = ver weg, en vgl. Fr. contrôler = toezien op] bediening v. apparaat over (grote) afstand.
**remous'** [Fr., v. Provençaals remou = draaikolk, wieling, zog v. schip; vgl. Lat. movére = bewegen] **1** luchtdraaikolk, luchtwerveling; **2** de soms heftige stoten die een vliegtuig daardoor ondergaat; turbulentie.
**remo'ver** [Eng. to remove = wegnemen] stof om make-up te verwijderen.
**replace'ren** [Fr. remplacer, v. place = plaats] vervangen, in de plaats v.e. ander optreden. **remplaçant'** [Fr. = o.dw] plaatsvervanger (spec. vroeger in mil. dienst).
**rem-slaap** fase v.d. slaap waarin rem voorkomt; zie **rem 2**.
**remunera'tie** [Lat. remunerátio, v. re-munerári = vergelden, v. re-, en munus = gunstbewijs, geschenk] beloning voor bewezen dienst.
**renaissan'ce** [Fr. = lett.: wedergeboorte, v. re-naître = opnieuw geboren worden, v. Lat. nasci = geboren worden; zie **nataal**] herleving v. wetenschap en kunst, spec. in de 15e en 16e eeuw.
**rende'ren** [OFr. rendre = Lat. réddere = re-dáre = terug-geven] voldoende winst afwerpen, profijt leveren. **renda'bel** [Fr. rendable] voldoende winst opleverend. **rendabiliteit'** (mate v.) het rendabel zijn. **rendant'** rentmeester, rekenplichtig beheerder; ook: kassier. **rendement'** [Fr.] winst, opbrengst. **rendez-vous'** [Fr.] afgesproken ontmoeting, plaats daarvan.
**renegaat'** [MLat. renegátus v. Lat. re-, en negáre = ontkennen] afvallige, geloofsverzaker.
**renforce'ren** [Fr. renforcer = sterker maken; v. re- = weer, en force = kracht; v. Lat. fortis = sterk] weer sterk maken.
**reniten'tie** [v. Lat. reníti, renísus sum = weerstand bieden, tegenstreven] weerspannigheid, verzet, tegenstand.
**Re'nium** zie **Rhenium**.
**renommee'** [Fr. renommée, v. nom = Lat. nomen = naam] vermaardheid, faam.
**renon'ce** [Fr., v. Lat. re-nuntiáre = terugboodschappen, afzeggen, opgeven] (kaartspel) het niet-hebben v. bep. kleur. **renonce'ren** [Lat. renuntiáre] (een zaak) opgeven, ervan afzien; (kaartspel) een bep. kleur niet hebben.
**renove'ren** v. Lat. renováre, re-novatum = her-nieuwen, v. re-, en nóvus = nieuw] vernieuwen, spec. oudere woningen grondig opknappen. **renova'tie** [Lat. renovátio] **1** hernieuwing; **2** vernieuwbouw (grondige opknapbeurt); **3** hernieuwde (tweede of laatste) aanmaning tot betaling v. achterstallige belasting.
**renseignement'** [Fr., v. renseigner = inlichten, v. Lat. re-signáre = ontzegelen, v. re- = terug, en signáre = zegelen] inlichting.
**ren'te** [v. Lat. réddita = teruggegeven zaken, v. réddere = red-dare = terug-geven] (jaarlijkse) opbrengst v. kapitaal. **rentabiliteit'** [Fr. rentabilité] het opleveren v. rente. **ren'ten, rente'ren** ww rente opleveren. **rentenier'** persoon die v.d. rente v. zijn bezit leeft. **rentenie'ren** rentenier zijn; luilakken, niets uitvoeren. **rente'ren** rente opbrengen.
**rentrée** [Fr.] hernieuwd optreden.
**renumera'tie** [v. Lat. re- = terug, num(m)us = munt] terugbetaling (oorspr.: in klinkende munt).

**renuncië'ren** [Lat. renuntiáre, -átum; zie **renonce**] afstand doen. **renuncia'tie** [VLat. renuntiátio] het afstanddoen, afstand (v. zaak).
**renverse'ren** [Fr. renverser, v. re- = weer-, en envers = keerzijde, v. Lat. in-vérsus = omgekeerd] omverwerpen, ondersteboven keren. **renversaal'1** tegenakte, akte waardoor een eerdere akte veranderd wordt; **2** voorlopig ontvangstbewijs. **renversement'** [Fr.] ommekeer.
**renvooi'** [Fr. renvoi, v. renvoyer, v. re- = terug, en envoyer = zenden, v. en voie, Lat. in via = op weg] terugzending; verwijzing (in boek), verwijzing naar opmerking of verbetering in de marge. **renvoye'ren** [Fr. renvoyer] terugzenden; verwijzen.
**reologie'** [v. Gr. rheoo = stromen; zie **-logie**] stromingsleer; a in ruime zin: tak v.d. fysica die zich bezighoudt met het onderzoek naar de deformatie door uitwendige oorzaken v. materialen waarbij de verhouding tussen spanning en vervorming niet lineair is of/en afhankelijk v.d. tijd; b in engere zin: leer v.d. weerstanden die bij stroming v. vloeistoffen optreden. **reorne'ter 1** toestel om de stroomsterkte v.e. rivier te meten; **2** (elektr.) vroeger: toestel om de sterkte v.e. elektr. stroom te meten; tegenw.: toestel om de verbruikte elektr. te meten, elektr.smeter. **reostaat'** [v. Gr. stam sta- = staan] apparaat voor het constant houden v.d. stroomsterkte v.e. elektr. stroom in een circuit door weerstanden in- of uit te schakelen door regelbare weerstanden te regelen.
**repartitie** [Fr. répartition, v. ré-partir = ver-delen, v. Lat. re-, en pars, pártis = deel] verdeling volgens bep. verhouding, omslag.
**repasse'ren** ww [Fr. repasser = opnieuw doorgaan, v. re- = weer-, en passer = voorbijgaan] **1** nog eens nazien, nog eens dóórlopen; **2** gang van een uurwerk controleren en regelen.
**repatrië'ren** ww [v. Lat. repatriáre, v. re-, en pátria = vaderland; páter = vader] weer naar het vaderland terugkeren of doen terugkeren.
**repêcha'ge** [Fr. = lett.: het weer opvissen, v. Lat. re- = opnieuw, en piscári = vissen; piscis = vis] het nogmaals een kans geven (bijv.: een kandidaat); (sport) herkansing.
**repel'lent** [Eng., v. Lat. re-péllere = terug-drijven, af-stoten] chem. middel dat insekten verdrijft.
**repercus'sie** [Lat. repercússio, v. re-percútere = terug-stoten] **1** terugstoot; weerslag, reactie; **2** tegenmaatregel; **3** (muz.) terugkeer v.d. thema's in een fuga; **4** (nat.) terugkaatsing v. geluidsgolven, lichtgolven enz.
**repertoi're** [Fr. répertoire, v. Lat. repertórium = lijst, v. re-pério, re-pértum = weer-vinden, aantreffen (eig.: re-párere = opnieuw te voorschijn brengen)] **1** speelplan; lijst v. ingestudeerde muziek- of toneelstukken die een kunstenaar of kunstenaarsgezelschap v. plan is in een bep. periode ten gehore of voor het voetlicht te brengen; **2** al de nummers v.d. bep. programma; **3** repertorium (z.a.). **reperto'rium** [Lat.] **1** register v. ingeschreven of behandelde stukken (akten); **2** zaakregister, klapper; **3** boek met beknopte fundamentele gegevens over een bep. tak v. wetenschap; **4** repertoire (z.a.).
**repetent'** [Lat. repétens, repeténtis = o.dw v. repétere = herhalen] **1** tot in het oneindige terugkerend cijfer of terugkerende cijfergroep v.e. repeterende breuk na de komma; **2** student die onder leiding van een repetitor (z.a.) de leerstof nogmaals doorneemt. **repeti'tor** [modern Lat.] **1** pers. die tegen betaling met student examenstof doorneemt (repeteert); **2** leider v.d. oefeningen v.e. orkest of koor.
**replice'ren** ww [v. Lat. re-plicáre = open-vouwen; antwoorden] antwoorden, tegen het gezegde inbrengen, terugzeggen; v. repliek dienen. **repliek'** [Fr. réplique] **1** antwoord v.e. spreker op datgene wat tegen

hem is gezegd, tegenbescheid; *iem. v. repliek dienen,* iem. antwoord geven op een tegenwerping; **2** *(jur.)* antwoord v.d. eiser op het verweer v.d. gedaagde. **re'plica** [It.] **1** duplicaat, geheel gelijke kopie, spec. v.e. kunstwerk, door de kunstenaar zelf gemaakt; **2** afgietsel, afdruk v.e. oppervlaktestructuur; **3** *ook*: namaak (in gunstige zin).

**répon'se payée,** afk. **RP** [Fr.] *(op telegram)* antwoord betaald, met betaald antwoord (afkorting RP).

**reporta'ge** [Fr., v. *reporter,* v. Lat. *re-portáre* = terug-dragen, overbrengen] het verslag geven. **repor'ter** [Eng.] verslaggever.

**repose'ren** [Fr. *reposer* = *eig.*: weer plaatsen; neerleggen, laten rusten, v. Lat. *re-* = opnieuw, en *pónere* = zetten, plaatsen] *(cul.)* laten rusten.

**represail'les** *mv* [Fr. *représailles mv,* v. It. *ripresaglia*] weerwraakmaatregelen.

**represente'ren** [Lat. *re-praesentare, -átum* = ver-tegenwoordigen; *zie* presens] vertegenwoordigen. **representant** [Lat. *repraesentans, -ántis* = o.dw] vertegenwoordiger. **representa'tie** [Lat. *repraesentátio*] vertegenwoordiging. **representatief** [MLat. *repraesentatívus*] vertegenwoordigend; met goed voorkomen en goede manieren; typerend.

**repres'sie** v. Lat. *reprímere, -préssum* = *reprimere* = terug-drukken] onderdrukking, beteugeling. **repressief** [Fr. *répressif*] onderdrukkend, beteugelend.

**reprimande** [Fr. *réprimande,* v. Lat. *repriménda* = zaak die onderdrukt moet worden] terechtwijzing, berisping.

**re'print** [Eng. = *lett.*: her-druk, v. *to print* = drukken] geheel gelijke foto-mechanische herdruk v.e. boek.

**repri'se** [Fr., v. *re-prendre* = her-nemen, v. Lat. *re-prehéndre* = terug-vatten] **1** herhaling, spec. het weer opvoeren v.e. vroeger gespeeld toneelstuk of het weer vertonen v.e. oude film; **2** *(muz.)* herhalingsteken.

**repristina'tie** [v. Lat. *re-* = weer, en *prístinus* = vroeger, voormalig, oud] **1** het weer invoeren v. iets dat afgeschaft of verlaten was, hervatting v.h. oude; **2** zucht tot herstel v.h. oude; gebruik v. oude termen.

**reproba'tie** [Lat. *reprobátio,* v. *re-probáre, re-probátum* = weer verwerpen als ondeugdelijk] verwerping, wraking, strenge afkeuring.

**reproch'e** [Fr.] verwijt, berisping; *ook*: blaam.

**reproduce'ren** *ww* [v. Lat. *re-,* en *produceren*] **1** opnieuw voortbrengen; weergeven (bijv. geluid); **2** nabootsen, namaken, spec. een kunstwerk en wel zó dat het in grote aantallen vermenigvuldigd kan worden; **3** uit het geheugen opschrijven of opzeggen (een tekst); **4**: *zich reproduceren,* zich voortplanten. **reproducent** [Lat. *prodúcens, -éntis* = o.dw v. *prodúcere*] wie reproduceert; overlegger v. stukken (in proces). **reproduk'tie** het reproduceren; het nagebootste, nagemaakte. **reproduktief** reproducerend. **reprografie** (onjuist gevormd woord door samentrekking van *reproductie* [uit het Lat.] en *-grafie* [uit het Gr.] **1** fotografische reproduktietechniek, het kopiëren v. documenten e.d., m.b.v. lichtstraling, ultraviolette straling of infraroodstraling op daartoe geschikt materiaal, meestal ook met vermenigvuldiging van het oorspronkelijke stuk; **2** elke kantoordruktechniek; offsetdruk op kleine schaal. **reprografe'ren** *ww* een methode gebruiken om bestaande drukwerken (archiefstukken, boeken e.d.) te vermenigvuldigen, zoals fotocopiëren, stencils maken, offset toepassen, enz. **reprograaf'** vakman op het gebied v. reprografie. **reprogra'fisch** *bn & bw* op reprografie betrekking hebbend.

**republiek** [Lat. *res pública* = de algemene zaak, het gemenebest] bep. staatsvorm,

gemenebest onder leiding v. telkens gekozen president. **republikein'** [Fr. *républicain*] aanhanger v.d. staatsvorm der republiek.

**repudie'ren** *ww* [v. Lat. *repudiáre, repudiátum* = afwijzen, verwerpen, versmaden v.] *repúdium* = verstoting, scheiding (spec. v. gehuwden of verloofden) verwerpen, v. zich werpen, niet willen aanvaarden (erfenis), verstoten (vrouw). **repudia'tie** [Lat. *repudiátio* = verstoting; scheiding] *zn* verloochening; het desavoueren, het niet-erkennen v. schuld; verstoting v.e. vrouw.

**repugnant** [Fr. *répugnant,* v. Lat. *repúgnans, -ántis* = o.dw v. *re-pugnáre* = tegenstrijden] weerzinwekkend, afstotend.

**repuls'** [v. Lat. *repúlsa* = afwijzing, weigering v.e. verzoek, v. *repúlsare* = *lett.*: terugkaatsen, *fig.*: verwerpen, intensief v. *re-péllere, re-púlsum* = terug-drijven, af-stoten] weigering, afwijzend antwoord, afwijzing. **repul'sie** [Lat. *repúlsio* = weerlegging] **1** terugstoot, afstoting; **2** weigering, afwijzing.

**reputa'tie** [v. Lat. *re-putáre* = be-rekenen, aanrekenen] faam, naam, roep.

**re'quiem(mis)** [v. Lat. *réquies* = rust] mis voor overledene(n), muziek en zang daarvoor [naar beginwoorden v. Introitus: *Réquiem aetérnam dóna eis, Dómine* = geef hun de eeuwige rust, Heer]. **requies'cat in pa'ce,** afk. **RIP** [Lat.] hij (of zij) ruste in vrede.

**res** [Lat.] zaak, ding; —*dúbia,* twijfelachtige zaak; —*nullíus,* zaak zonder rechtmatige bezitter.

**rescon'tre** [Fr.] (wederzijdse) ver- of afrekening bij effectenhandel. **rescontre'ren** verrekenen, afrekenen.

**rescript'** [Lat. *rescríptum,* v. *re-scríbere, -scríptum* = terug-schrijven] schriftelijk antwoord, bescheid v. autoriteit. **rescrip'tie** [Lat. *rescríptio*] schriftelijk bevel tot inning of uitbetaling.

**research'** [Eng., v. verouderd Fr. *recercher, thans; rechercher*] wetenschappelijk onderzoek tot uitbreiding of verbetering v. reeds bestaande kennis; *ook*: speurwerk op techn. en technologisch terrein.

**resec'tie** [v. Lat. *re-secáre, re-séctum* = af-snijden] *(med.)* weg- of uitsnijding v. organen of delen daarvan uit hun natuurlijke samenhang.

**reserva'tie,** [MLat. *reservátio* = voorbehoud] **1** voorbehoud; **2** terughoudendheid *(vgl. gereserveerd* 2); *ook*: ingetogenheid.

**reserva'tis reservan'dis,** afk. **r.r.** [Lat. = *lett.*: met voorbehoud v. wat voorbehouden moet worden] met het nodige voorbehoud.

**reside'ren** [Lat. *re-sidére* = *re-sedére* = blijven zitten] zijn verblijf houden, zetelen. **resident** [Lat. *residens, -éntis* = o.dw] gevolmachtigde v.e. regering in buitenland; *(gesch.)* bep. bestuursambtenaar in voormalig Ned. Oost-Indië. **residen'tie** [Lat. *residéntia*] gewone verblijfplaats v.e. vorst of zetel v.e. regering (hofstad); *(gesch.)* gebied v.e. resident in voormalig Oost-Indië. **residu'** [Fr. *résidu,* v. Lat. *residuus* = teruggebleven) overschot, overblijfsel; bezinksel, neerslag.

**resigne'ren** [Lat. *re-signáre* = ont-zegelen (*signum* = teken, zegel), losmaken, afstand doen, opgeven] (ambt) neerleggen, ontslag indienen; berusten in lot (*ook: zich —*); *geresigneerd,* berustend, gelaten. **resigna'tie** [Fr. *résignation*] zn.

**résistan'ce** [Fr., v. *résister,* v. Lat. *resístere* = weer-staan, zich verzetten] weerstand, verzet; weerstand bieden. **resiste'ren** [Lat. *re-sístere*] weerstaan, verzet bieden. **resistent'** [Lat. *resístens, -éntis* = o.dw] weerstand biedend. **resisten'tie** [Fr. *résistance*] **1** weerstandsvermogen; **2** ongevoeligheid voor aantasting.

**resocialise'ren** *ww* [v. Lat.] weer aan het maatschappelijk leven aanpassen (v. gehandicapten, v. personen die langdurig ziek zijn geweest of gevangen hebben gezeten). **resocialisa'tie** zn.

**resolu'tie** [Lat. *resolútio* = losmaking, v.

*resólvere, -solútum* = los-binden, oplossen, verklaren/ beslissing, besluit. **resoluut'** [Lat. *resolútus* = ongebonden) vastberaden, doortastend, beslist.
**resolve'ren** [Lat. *resólvere*] besluiten, beslissen.
**resone'ren** [Lat. *re-sonáre* = weer-galmen, teruggalmen] mee- (en eventueel na-)klinken (door het meetrillen met de erop vallende trilling). **resonans'** [Fr. *résonance*, v. Lat. *resonántia*] weerklank. **resonan'tie** [Lat. *resonántia*] het resoneren, weerklank, het meetrillen. **resona'tor** [modern Lat.] toestel dat de bijtonen versterkt.
**resorbe'ren** [Lat. *re-sorbére, -sórptum* = weer inslurpen) inslorpen, opzuigen. **resorp'tie** [Fr. *résorption*] zn; (*med.*) opneming v.e. geneesmiddel i.h. lichaam.
**respect'** [Lat. *respéctus* = het omzien, inachtneming, v. *respícere, -spéctum* = re-spécere = terug-kijken] achting, ontzag, eerbied. **respecte'ren** [Fr. *respecter*] ontzag hebben voor, eerbiedigen, ontzien.
**respecta'bel** [Fr. *respectable*] achtenswaard; aanzienlijk (bijv. aantal).
**respectief'**, afk. **resp.** of **res.** [Fr. *respectif*, v. V Lat. *respectívus*] *bn* lett.: op elk terugziend; onderscheiden, elk voor zich, achtereenvolgens. **respectie'velijk**, afk. **resp.** of **res.** *bw* onderscheidenlijk. **respectueus'** [Fr. *respectueux*] vol ontzag, eerbiedig.
**respire'ren** [Lat. *re-spiráre* = terugblazen, uitademen, ademen] ademhalen. **respira'tie** [Lat. *respirátio*] zn. **respira'tor** [modern Lat.] toestel om ademhaling te bevorderen.
**responde'ren** [Lat. *re-spondére, -spónsum* = v. zijn kant beloven, antwoorden] antwoorden, spec. op vragen door hoogleraar op responsiecollege gesteld. **respondent'** [v. Lat. *respóndens, respondéntis* = o.dw v. *respondére* = antwoorden] *lett.*: antwoordgever; **1** wie antwoord geeft op een schriftelijke enquête of op een officiële vraag; **2** student die antwoord geeft (respondeert) in een responsiecollege; **3** verdediger v.e. proefschrift. **respons'** [v. Lat. *respónsum* = antwoord] **1** reactie op een plan, voorstel e.d.; **2** (*psychologie*) reactie op een prikkel v. buitenaf; **3** het aantal binnengekomen antwoorden op een vragend rondschrijven of op een enquête; **4** in een kerkelijke beurtzang het antwoord v.d. gemeente (of v.h. koor) op het gezang v.d. voorganger. **responsa'bel** [Fr. *responsáble*] *bn* verantwoording schuldig, aansprakelijk. **responsabiliteit'** verantwoordelijkheid, aansprakelijkheid.
**respon'sie** [Lat. *respónsio*] beantwoording; *responsiecollege*, les v.e. hoogleraar, bestaande in het stellen v. vragen aan de studenten. **responso'rie** of **responso'rium** [kerk. Lat.] gebed en gezang in verzen en antwoorden (tussen twee koren of tussen de dienstdoende priester en het koor of de gelovigen).
**ressentiment'** [Fr. = *eig.*: nieuw sentiment; wrok] wrok, blijvende pijnlijke herinnering.
**1 ressort'** (*uitspr.*: ressòr) [Fr., v. *ressortir* = opnieuw vertrekken, er weer uitkomen] **1** spankracht; drijfveer, (*fig.*) geheime beweegreden, verborgen motief; **2** geheim vak dat door een springveer kan worden geopend.
**2 ressort'** [Fr., v. *res-sortir* = tot rechtsgebied behoren; *vgl.* Lat. *sors, sortis* = lot, toebedeeld deel] gebied waarover gezag zich uitstrekt, ambts- of rechtsgebied, werkkring.
**ressorte'ren** [Fr. *ressortir*]: — *onder*, behoren (tot bep. gezagsgebied), vallen onder bep. gezagsorganen.
**ressour'ce** [Fr., v. OFr. *ressourdre*, *vgl.* Fr. *sourdre* = ontspringen, v. Lat. *súrgere* = opstaan; Fr. *source* = bron] **1** hulpbron; **2** middel v. bestaan, spec. in *mv ressources* = inkomsten.
**restitue'ren** [Lat. *re-stitúere* = re-statúere = her-stellen, v. *stare* = staan] terugbetalen,

vergoeden. **restitu'tie** [Lat. *restitútio*] zn.
**restitu'tio in in'tegrum** [Lat.] teruggave in oorspronkelijke toestand.
**restor'no** [It.] (*hand.*) deel v. premie, teruggegeven als verzekering vervalt.
**restric'tie** [v. Lat. *re-stríngere, -strictum* = achteruit-trekken] voorbehoud, beperkende bepaling. **restrictief'** [Fr. *restrictif*] beperkend. **restric'tio menta'lis** [MLat.] innerlijk voorbehoud.
**resulte'ren** [Lat. *re-sultáre* = terug-springen, terugkaatsen, intensief v. *resilíre* = *resalíre* = terug-springen] volgen uit een zaak of gegeven. **resultaat'** [Fr. *résultat*] wat voortvloeit uit zaak, werking of daad, uitslag, uitkomst, uitwerking, opbrengst. **resultan'te** [Fr. *résultant* = o.dw v. *résulter*] kracht die het gevolg is v. twee of meer op één punt werkende krachten.
**resume'ren** [Lat. *re-súmere, -súmptum* = weer-nemen] in het kort samenvatten. **resumé** [Fr. *résumé*] beknopt overzicht. **resump'tie, resum'tie** [Lat. *resúmptio* = herhaling] beknopte samenvatting.
**resurrec'tie** [Lat. *resurréctio*, v. *re-súrgere, -surréctum* = her-rijzen] herrijzenis, opstanding.
**re'susfactor** bep. antigene factor in de rode bloedlichaampjes bij de overgrote meerderheid v.d. mensen. **re'suspo'sitief** deze factor bezittend. **re'susne'gatief** deze factor niet bezittend. De resusfactor werd het eerst ontdekt bij de resusaap, *Maccáca rhésus*, vandaar de naam.
**reta'bel** [Fr. *rétable*; *vgl.* MLat. *retrotábulum* = achterzijde-tafel] opstand achter op altaar, meestal versierd met schilder- of houtsnijwerk of met heiligenbeelden.
**retalië'ren** *ww* [v. Lat. *retaliáre* = gelijk met gelijk vergelden, v. *re-* = weer-, en *tálio* = vergelding, v. *tális* = zodanig] wedervergelden (volgens het beginsel 'oog om oog, tand om tand'). **retalia'tie** *zn* wedervergelding.
**retarde'ren** *ww* [v. Lat. *re-tardáre, re-tardátum* = ver-tragen] vertraging brengen in iets, vertragen, ophouden. **retarda'tie** [Lat. *retardátio* = vertraging, oponthoud] *zn*.
**reten'tie** [v. Lat. *reténtio* = het terughouden, het inhouden, v. *retinére, reténtum* = re-tenére = terug-houden] **1** terughouding; *recht van retentie*, het recht om een goed v.e. ander onder zich te houden tot de schuld betreffende dat goed is betaald; **2** het inhouden, het ophouden, resp. het in- of opgehouden worden, spec. v. urine. **retenu'to** [It.] (*muz.*) ingehouden.
**reticen'tie** [Lat. *reticéntia*, v. *reticére* = *retacére* = ver-zwijgen] verzwijging, het plotseling afbreken v.e. rede, waarbij de toehoorders de gedachte zelf moeten aanvullen.
**reticulair'** [Fr. *réticulaire*, v. Lat. *retículum*, verklw. v. *rete, retis* = net] netwerkachtig, netvormig. **reticu'le** [Fr. *réticule*, v. Lat. *retículum* = netje] netje] zakvormig dameshandtasje.
**re'tina** [modern Lat.] oognetvlies.
**retire'ren** [Fr. *re-tirer* = terug-trekken; *tirer* v. Germ. oorsprong; *vgl.* Gothisch *tairan* en Eng. *to tear*] terugtreden; *zich —*, zich terugtrekken (uit openbaar leven). **retira'de** [Fr. = versterking waarop men zich terugtrekt, v. It. *retirata*] W.C.
**re'tor** [Lat. *rhetor*, Gr. *rhétoor*, v. *eiroo* = spreken] redenaar. **reto'rica, retoriek'** [Lat. *rhetórica*, Gr. *hè rhètorikè (techné)* = (kunst) v.d. redenaar) (leer der) welsprekendheid; *ook ongunstig*; bombast. **reto'risch** [Lat. *rhetóricus*, Gr. *rhètorikos*] redekunstig; bombastisch; —*e vraag*, vraag waarop men geen antwoord verwacht.
**retorque'ren** [Lat. *re-torquére, -tórtum* = achteruit- of terug-draaien] iem. met zijn eigen woorden bestrijden. **retor'sie** [MLat. *retórtio*] vergelding. **retort'** [v. MLat. *retórta* = teruggebogen (vat)] **1** (*chem.*) rond glazen

distillatievat met een naar beneden
ombogen hals die nauw toeloopt; 2 (*chem.
industrie*) met vuurvast materiaal beklede
ruimte om stoffen tot een zeer hoge
temperatuur te verhitten, *bijv.*: zinkoxide met
koolstof voor de bereiding v. zink.
**retou'che** [Fr., v. *re-toucher* = *eig.*:
weer-aanraken, v. Germ. *tukkan*] **1** bijwerking
(verbetering) op schilderij, prent, tekening of
foto; **2** aldus bijgewerkte plek. **retouche'ren**
[Fr. *retoucher*] bijwerken. **retoucheur'** [Fr.]
wie retoucheert.
**retracte'ren** [Lat. *re-tractáre, -átum*
= opnieuw behandelen (*zie* tractaat),
herroepen, frequentatief v. *re-tráhere,
-tráctum* = terugtrekken] zijn woord
herroepen, intrekken. **retracta'tie** [Lat.
*retractátio*] zn. **retrac'tie** [Lat. *retráctio*, v.
*retráhere, -tráctum*] terugtrekking. **retrai'te**
[Fr. *retráhere, -tráctum* = terugtrekken]
**1** terugtocht; **2** tijdelijke afzondering om zich te
bezinnen op geestelijke zaken en eigen
geestelijk leven. **retraitant'** [Fr.] deelnemer
aan retraite 2.
**retribue'ren** [Lat. *re-tribúere, -útum*
= weergeven; *vgl.* **contribueren**] vergoeden,
geldelijk belonen. **retribu'tie** [Lat. *retribútio*]
vergoeding; betaling voor overheidsdienst.
**retro-** [Lat., v. *re-*, en aanhangsel *-ter*]
rugwaarts-, achteruit-. **retroac'tie** [Fr.
*rétroaction*] terugwerking. **retroactief'** [Fr.
*rétroactif*] terugwerkend. **retrocogni'tie** [v.
Lat. *cognóscere, cógnitum = com(g)noscere*
= leren kennen] helderziendheid betreffende
het verleden. **retrogra'de** [Fr. *rétrograde*, v.
Lat. *retrográdi* = achteruitgaan, v. *gradi*
= stappen] vers dat ook achterstevoren
gelezen kan worden, kreeftdicht.
**retrogra'de-methode** bep. wijze v.
renteberekening in rekening-courant.
**retrogra'debeweging** (*astr.*) het periodiek
tijdelijk teruglopend zijn v. planeten tussen de
sterren (beweging v. oost naar west).
**retrogressief'** [v. Lat. *gradi; gressus sum* = ik
heb gestapt] het tegengestelde v. progressief,
afnemend. **retrospec'tie** [v. Lat. *spécere,
spectum* = zien, kijken] terugblik.
**retrospectief'** [Fr. *rétrospectif*] terugziend.
**retrover'sie** [Fr. *rétroversion*, v. Lat. *vértere,
versum* = wenden] terugbuiging;
versvertaling.
**reu'ma** [Lat. en Gr. *rheuma* = *eig.*: vloed, zware
verkoudheid, v. Gr. *rheoo* = vloeien] pijnlijke
ontsteking v. gewrichten of spieren, waarbij
vergroeiingen kunnen optreden. **reuma'tisch**
[Lat. *rheumáticus*, v. Gr. *rheumatikos*
= reumalijder] *bn* **1** v.d. aard v. reuma;
**2** voortkomend uit reuma; **3** lijdend aan reuma.
**reumatologie'** leer en bestudering v.
reumatische aandoeningen.
**reumatolo'gisch** *bn* de reumatologie
betreffend. **reumatoloog'** specialist voor
reumatische aandoeningen.
**reüsse'ren** *ww* [v. Fr. *réussir*] **1** slagen,
gelukken, goed uitvallen; **2** gedijen, welig
tieren; **3** goed vooruitkomen in het leven.
**reüssi'te** [Fr. *réussite*] **1** gunstige uitslag, het
welslagen, spec. bijzonder goed geslaagd
wijngewas; **2** (*kaarten*) soort patience.
**revalorisa'tie** [Fr. *revalorisation*
= herwaardering, revaluatie; v. *re-* = her-,
en Lat. *válor, valóris* = waarde] het opnieuw
geldigheid of waarde geven; het
herwaarderen, spec. het veranderen v.d.
ruilwaarde v.d. munt v.e. land t.o.v. het
buitenland (*vgl.* **revaluatie**). **revalorise'ren**
*ww* [Fr. *revaloriser*] de waarde v. iets opnieuw
bepalen, herwaarderen (spec. ruilwaarde v.
munt t.o.v. het buitenland).
**revalua'tie** [v. Lat. *re-* = her-, en *válor*
= waarde; *zie ook* **valuta**] het toekennen v.d.
hogere ruilwaarde aan de munt v.e. land t.o.v.
het buitenland (*tegenst.*: **devaluatie**),
opwaardering v. valuta. **revalua'ren** *ww*
een hogere waarde geven (spec. v. munt v.e.
land).

**revan'che** [Fr., v. *revancher*, v. *re-* = weer-, en
Lat. *vindicáre* = wreken] weerwraak,
genoegdoening voor geleden nederlaag;
tweede spel om nederlaag of verlies bij het
eerste te herstellen of terug te winnen.
**revanche'ren** [Fr. *revancher*]: *zich —*,
revanche nemen. **revanchis'me** streven naar
revanche, spec. voor een verloren oorlog.
**reveil'** [Fr. *réveil*, v. *réveiller* = weer wakend
maken, v. *veiller* = waken, Lat. *vigiláre*]
godsdienstige of geestelijke opleving.
**reveil'le** signaal om te wekken.
**revela'tie** [Lat. *revelátio*, v. *reveláre* = het
*velum*, (hulsel) wegnemen, ont-hullen]
openbaring, onthulling.
**revenir'** [Fr.] (*cul.*) vlees, groenten enz. in
boter, olie of vet aanfruiten.
**revenu'** [Fr., v. *re-venir*, v. Lat. *re-veníre*
= terug-komen] inkomen. **revenu'en** *mv*
inkomsten uit diverse bronnen, renten enz.
**reverbere'ren** v. Lat. *re-verberáre*
= terug-slaan] terugstralen, terugwerpen.
**reverbeer'vuur** strijkvuur, vuur in een oven
dat geen uitweg naar boven heeft (waardoor
geen hitte onnodig verloren gaat), zodat de
vlam zich ombuigt en zich rolt over de
voorwerpen die verhit moeten worden.
**reverbeer'oven** [Fr. *four à réverbère*] oven
met strijkvuur, smeltoven waarin vlammen en
hitte worden teruggekaatst op het te smelten
voorwerp.
**reveren'ce** [Fr., *révérence*, v. Lat. *reveréntia*, v.
*reveréri* = ergens met vrees tegenopzien,
eerbiedigen] kniebuiging (door dames).
**Révérende Mère** [Fr.] (*rk*) Eerwaarde
Moeder (titel v. hoofd v. sommige
zustenskloosters). **Reveren'dum
Ministe'rium** afk. **R.M.** [Lat.] (*Prot.*) het
(eerbiedwaardig) predikambt. **Reveren'dus
Do'minus** afk. **R.D.** Eerwaarde Heer (als
aanspreektitel: *reverénde Dómine*).
**Reveren'dus Pa'ter** [Lat.] (*rk*) eerwaarde
vader, (**R.P.** of **Rev. P.**). **reveren'tie** [Lat.
*reveréntia*] eerbied; eerbiedsbetuiging,
buiging als teken v. eerbied.
**rêverie'** [Fr., v. *rêver* = dromen] **1** dromerij;
**2** (*muz.*) muziekstuk v. dromerige aard.
**revers'** [Fr., v. Lat. *revérsus* = omgedraaid, v.
*re-vértere, re-vérsum* = om-keren] **1** keerzijde
v. munt of penning; **2** omgeslagen kraagrand
v. jas (of vest); **3** schriftelijke tegenbelofte,
tegenbewijs; **4** tegenspoed, tegenslag; **5** (*mil.*)
achterzijde v.e. loopgraaf (zonder
borstwering). **reversi'bel** [Fr. *réversible*] *bn*
**1** terugkerend, terugvallend (*bijv.*: een leen);
**2** omkeerbaar (gezegd v.e. chem. of fysisch
proces). **reversibiliteit'** [Fr. *réversibilité*]
omkeerbaarheid. **rever'sie** [Lat. *revérsio*]
omkering.
**revide'ren** [Lat. *re-vidére* = weer naar iets
zien] herzien; (*jur.*) herzien v. beslissing.
**revier'** [evenals rivier v. Lat. *ripárius* = de oever
(*ripa*) betreffend] gebied, terrein, spec.
jachtgebied. **revie'ren** *ww* terrein afzoeken
(gezegd van hond).
**review'** [Eng., v. Fr. *revoir* = weerzien]
tijdschrift (*vgl.* **revue 3**).
**revindica'tie** [v. Lat. *réi vindicátio; rei* = v.d.
zaak; *zie* **vindicatie**] opeising v. eigendom.
**revindicatoir'** uit terugvorderingseis
voortvloeiend.
**revise'ren** [Lat. *re-vísere* = naar iets gaan zien
*lett.*: opnieuw bezoeken; *vísere* = intensief v.
*vidére* = zien] nazien en gebreken herstellen,
tweede zetproef lezen. **revi'sie** [Lat. *revísio*
= het weerzien, v. *re-vidére, -vísum* = weer
naar iets zien] herziening (ook v. jur.
beslissing); het stelselmatig nazien en
herstellen v. gebreken v. machines en
werktuigen; tweede zetproef. **revisionis'me**
streven naar herziening. **revisionist'**
aanhanger v.h. revisionisme. **revisionis'tisch**
*bn & bw*. **revi'sor** [modern Lat.] **1** inspecteur;
**2** controleur v. rekeningen; **3** corrector v.
zetproeven.
**revitalise'ren** *ww* [v. Lat. *re-* = opnieuw, en

*víta* = leven] nieuw leven inblazen (gezegd van zaken). **revi'val** [Eng.] plotselinge herleving, spec. v.h. godsdienstige en geestelijke leven (religieus *reveil*, *z.a.*).

**revoce'ren** [Lat. *re-vocáre*, *-átum* = terug-roepen; *vox, vocis* = stem] terugroepen; herroepen. **revoca'tie** [Lat. *revocátio*] herroeping, intrekking. **revoca'bel** [Lat. *revocábilis*] herroepelijk.

**revoir'** [Fr., v. Lat. *re-vidére* = weer naar iets zien] weerzien; *au —*, tot weerziens.

**revoltant'** [Fr. *révoltant* = o.dw v. *revolter*, It. *rivoltare*, v. *volta* = wending, keer; v. Lat. *volutáre*, frequentatief v. *vólvere, volútum* = wentelen] zeer stuitend, weerzinwekkend. **revol'te** [Fr. *révolte*] opstand, oproer. **revolte'ren** [Fr. *révolter*, It. *rivoltare*] opstandig, oproerig maken of worden.

**revolu'tie** [v. VLat. *re-volútio* = om-wenteling] **1** geheel(de) ommekeer; **2** staatsomwenteling, gehele wijziging v.h. bestel en het bestuur v.e. land, meestal verkregen door een gewelddadige staatsgreep of door een gewapende opstand; **3** omwenteling v.e. hemellichaam rond een groter. **revolu'tiebouw** onsolide woningbouw. **revolutionair'** [Fr. *révolutionnaire*] **I** *bn* **1** omwentelingsgezind, oproerig; **2** de aard v.e. (staats)revolutie hebbend; een revolutie teweegbrengend; **II** *zn* aanhanger v.e. of v.d. revolutie, omwentelingsgezinde.

**revol'ver** [Eng.] **1** (*alg.*) draaibare vatting aan sommige instrumenten en machines, waarin onderdelen v.h. instrument of de machine of te bewerken voorwerpen kunnen worden bevestigd; **2** (*spec.*) repeterend vuistvuurwapen met een draaibare cilinder die 5 tot 9 patroonkamers bevat.

**revue'** [Fr., v. *re-voir* = weer-zien] **1** wapenschouw, monstering; *de — laten passeren*, achtereenvolgens monsteren, stuk voor stuk bekijken en beoordelen; **2** theatervorm met een grote afwisseling v. losse voordrachten, sketches, zang- en dansnummers, veelal gebracht met groot vertoon v. glitterende kostuums en decors; **3** overzicht; tijdschrift dat een actueel overzicht geeft of beoogt te geven.

**rez-de-chaussée** [Fr.; *rez* v. Lat. *rásus* = geschoren, met de grond gelijk, en *chaussée*] gelijkvloerse verdieping, etage op de begane grond.

**Rgve'da** *zie* **Rigveda**.

**rhe'a** *bep.* Zuidamerikaanse struisvogel, ook *nandoe* genaamd.

**Rhe'nium** ook gespeld **Renium** [naar Lat. *Rhénus* = de Rijn] chem. element, metaal, symbool Re, ranggetal 75.

**rhe'sus**- *zie* **resus**-.

**rho** [Gr.; *vgl.* Hebr. *resj* = kop] de 17e letter v.h. Gr. alfabet, overeenkomende met onze r.

**Rho'dium**, volgens de chem. nomenclatuur (NEN 3296) thans gespeld **Ro'dium**, chem. element, zacht metaal, symbool Rh, ranggetal 45 [naam naar Gr. *rhodon* = roos, wegens de kleur der opgeloste zouten].

**rhythm and blues** [Am.] een niet scherp omlijnde soort vocale negermuziek, een vereenvoudigde jazzmuziek.

**ri'al** munteenheid in Iran (Perzië); 1 rial = 100 dinar.

**riboflavi'ne** [v. *ribose, z.a.*, en *flavus* = geel] vitamine B₂, lactoflavine. **ribonucleï'nezuur** [v. *ribose, z.a.*, en Lat. *nucleus* = kern] kernzuur dat ribose bevat en o.a. erfelijke informatie uit cellen transporteert, RNA. **ribo'se** biol. belangrijke suikersoort, voorkomend in vitaminen en enzymen. **ribosoom'** [v. Gr. *sooma* = lichaam] klein deel i.d. cellen waarop eiwitten worden gevormd.

**ricam'bio** [It. = verwisseling, v. *ri-* = Lat. *re-* = terug-, en *cambio*] keerwissel, met protest teruggezonden wissel.

**richard'** [Fr., v. *riche* = rijk] rijkaard.

**rici'nusolie** of **cas'torolie** [v. Eng. *castoroil*] is een vette olie die vooral in Brazilië en India wordt gewonnen uit de zaden v. *Ricinus communis*, de zgn. *wonderboom*. De vrucht bevat drie bruin of zwart gemarmerde zaden, de (giftige) ricinusbonen, die 45% dikvloeibare olie bevatten, welke wordt gewonnen door persen of extractie. De eerste kwaliteit olie is de zgn. *wonderolie*, een bekend laxeermiddel.

**rickett'siae** *mv* [naar de Am. patholoog H.T. Ricketts, 1871-1910] zeer kleine bacteriën (geen virussen) die infectieziekten veroorzaken. **rickettsio'sen** (in het Ned. *vlektyfusachtige ziekten*) ziekten veroorzaakt door rickettsiae, o.a. verschillende soorten vlektyfus en loopgraafkoorts.

**ricoche'ren** [Fr. *ricocher*] opketsen en verder springen (bijv. kogel, keilsteen op water) (*ook* **ricochette'ren**). **ricochet'schot** [Fr. *ricochet*] schot waarbij de kogel weer opstuit.

**rideau'** [Fr. = gordijn; *maar ook*: bomenrij die het uitzicht belemmert] (*mil.*) verschansing in de vorm v.e. lage aarden wal; *ook*: dekking in de vorm v. heggen e.d. waarachter men zich voor de vijand verbergt.

**ridiculise'ren** [Fr. *ridiculiser*, v. Lat. *ridiculus* = lachwekkend, v. *ridére* = lachen] belachelijk maken, bespottelijk voorstellen. **ridiculiteit'** belachelijkheid. **ridicuul'** [Fr. *ridicule*] belachelijk, bespottelijk.

**rie'del** [herkomst onbekend] (*Barg.*) vast deuntje, klankenreeks, stereotiep loopje, bravourstukje op muziekinstrument; stereotiepe woordenreeks, vaste slagzin of kreet.

**rien du tout** [Fr.] niets en niemendal. **rien ne va plus** [Fr.] (*hazardspel*) er mogen geen verdere inzetten gedaan worden.

**right or wrong, my coun'try** [Eng.: het gezegde is evenwel niet rechtstreeks v. Eng. oorsprong] goed of verkeerd, (het is) mijn vaderland (d.w.z. zijn land trouw blijven ook al handelt het verkeerd).

**rigi'de** [Fr., v. Lat. *rígidus*, v. *rigére* = stijf staan] stijf; gestreng, onverbiddelijk, overdreven streng. **rigoreus'** *zie* **rigoureus**. **rigoris'me** [v. Lat. *rigor* = hardheid, onbuigzaamheid] overdreven strenge richting in zedenleer. **rigorist'** aanhanger v.h. rigorisme. **ri'gor mor'tis** [Lat.] doodsverstijving. **rigoureus'** [Fr. *rigoureux*] zeer streng, drastisch. **rigueur'** [Fr., v. Lat. *rigor*] strengheid, hardheid; *de —*, verplicht, voorgeschreven.

**Rig'veda** of **Rgve'da** [Sanskr. = Veda der strofen] eerste en belangrijkste v.d. Oudindische *Veda's z.a.*

**rik'sja** *zie* **jinriksja**.

**ril'(le)** [Du. *Rille*; *vgl.* Ned. *ril* = geul, groef, vore] smalle kloof op de maan.

**rinforzan'do** afk. rf of rfz [It.] (*muz.*) weer aanzwellend.

**rink** [Eng. = *eig.*: ijsbaan (voor diverse doeleinden); baan voor rolschaatsen; waarsch. v. OFr. *renc* = rij, missch. v. OHDu. *Hrinc* = ring] rolschaatsbaan.

**rinket'**, *ook*: **klinket'** of **winket'** [afl. onzeker] (*Z.N.*) deurtje in grote deur of poort; *ook wel*: luikje in deur; *rinket* ook: schuifdeur in een sluisdeur om de waterhoogte in de schutkolk te regelen.

**ri'o** [Sp., v. Lat. *rívus* = stroom] rivier.

**riposte'ren** [Fr. *riposter*, v. *riposte*, It. *riposta*] **1** (*schermen*) een tegenstoot doen; **2** een snel en raak antwoord geven. **ripos'te** [Fr.] raak antwoord.

**rips** [v. Eng. *ribs* = ribben] *oorspr.*: bep. soort katoenen stof, ribbetjesgoed, geribde stof.

**ris de veau** [Fr.] (*cul.*) kalfszwezerik.

**risee'** [Fr. *risée*, v. *ris* = gelach, v. Lat. *risus*, v. *ridére, risum* = lachen] pers. over wie iedereen lacht, mikpunt v. algemene spot.

**Risorgimen'to** [It. = wederopstanding] politieke beweging rond 1850 die Italië verenigen en bevrijden wilde.

**risot'to** [It.] (*cul.*) bep. It. rijstgerecht.
**rissole'ren** [Fr. *rissoler*] (*cul.*) snel aanbakken,
aanfruiten enz. (van bijv. vlees). **rissola'ge**
[Fr.] het snel aanbakken, aanfruiten enz. **risso'les** gevuld gebak uit bladerdeeg of
flensjes met vulling, meestal in frituurvet
gebakken.
**ritardan'do** afk. **rit**. [It., v. Lat. *re-tardáre*
= ver-tragen] (*muz.*) langzamer wordend.
**ri'te** [Lat. *ritus*] ritus, ritueel gebruik.
**ritenu'to** afk. **riten**. [It., v. Lat. *re-tenére*
= terug-houden] (*muz.*) ingehouden,
terughoudend.
**ritornel'** [It. *ritornello*] thema dat herhaald
wordt; It. volksliedje v. drie regels.
**ritueel** [Lat. *rituális* = v.d. *ritus*] voorschrift
betreffende rituele handeling, boek met deze
voorschriften. **ritueel** [Fr. *rituel*, v. Lat.
*rituális*] **I** *bn* volgens de ritus, de ritus
betreffend; **II** *zn* ritus, bep. geheel v. rituele
handelingen. **ri'tus** [Lat. = godsdienstig
gebruik, ceremonie] kerkgebruik, geheel v.
overgeleverde kerkgebruiken, bep. vorm v.
eredienst.
**rizofoor** [v. Gr. *rhiza* = wortel, en *phoros*
= drager, v. *pheroo* = dragen] tropische boom
met luchtwortels. **rizoom** [Gr. *rhizooma*, v.
*rhizoomai* = wortel schieten] wortelstok.
**roa'die** [Eng.] verzorger v. geluid en belichting
bij popconcerten via een mengtafel, zaalmixer.
**roast beef** [Eng.] geroosterd rundvlees.
**rob'ber** [Fr., v. Eng. *rubber*, verdere afleiding
onzeker] drie (of twee gewonnen) partijen
achtereenvolgens met dezelfde tegenstander
gespeeld bij bep. kaartspelen e.d.
**ro'be** [Fr.; verband met OFr. *rober* = beroven,
uitschudden, uitkleden; v. Germ. oorspr.]
japon (spec. zeer deftige), gewaad;
ambtsgewaad.
**robinsona'de** avonturengeschiedenis in de
trant v. Robinson Crusoë.
**ro'borans** *mv* **roboran'tia** [Lat. *róborans*,
-*ántis*, v. *roboráre* = versterken; v. *robur*,
*robóris* = eig.: hard hout, eik; sterkte]
versterkend middel. **roboratief** [Fr.
*roboratif*] **I** *bn* versterkend; **II** *zn* roborans.
**ro'bot** [term ontleend aan toneelstuk v. Carl
Capek; v. Tsjech. *robotíti* = werken, ploeteren;
*robota* = zwaar werk] **1** kunstmens, eertijds
automaat in menselijke gedaante, thans
mechanisme dat automatisch
produktiebewegingen uitvoert die voorheen
door een mens werden gemaakt; **2** elektr.
bestuurd apparaat, *bijv.*: *robotvliegtuig* = v.d.
grond af bestuurd vliegtuig. **robo'tica** v.d.
robotkunde.
**rocail'le** [Fr., v. *roc*, andere vorm v. *roche*
= rots, v. VLat. *rocca*] kunstmatig grotwerk,
inlegwerk met steentjes of schelpen, rotswerk.
**roche'ren** *zie* rokeren.
**rochet** [OFr., v. Germ.; *vgl.* Ned. *rok*] bep. kort
koorhemd.
**rock** [Am.] **1** afk. v. rock-'n-roll; **2** alg. naam
voor luide, ritmische, popmuziek; *hard rock*,
luide popmuziek, die wordt gekenmerkt door
een hard en stuwend ritme v. bas- en slaggitaar
en drums, en door gierende gitaarsolo's.
**rock-'n-roll** [Am.], *ook*: **rock and roll**, meestal
verkort: **rock** [Am.] **1** bep. dansmuziek (sinds
1953), die elementen bevat v. *country* and
*western* en v. *rhythm and blues*; **2** dans op deze
muziek. **rock'en** *ww* dansen op
rock-'n-roll-muziek.
**1 rock'er** [Am.] grammofoonplaat met
rockdansmuziek.
**2 rock'er** [Eng.] aanhanger v.e. bep.
jeugdsubcultuur. De rockers reden rond op
motoren (spec. in Engeland rond de jaren
1960), en waren gekleed in leren jasjes.
**rococo** [Fr., missch. v. *rocaille* = schelpwerk]
bep. stijl uit midden der 18e eeuw met vele
krulversieringen.
**ro'delbaan** [Du. *Rodelbahn*, v. *rodeln*
= sleeën in het gebergte] hellende baan
waarlangs men met sportsleden naar beneden
glijdt.

**rodentici'de** [v. Lat. *rodere* = knagen, *caedere*
= neerslaan, doden] middel om knaagdieren
(ratten, muizen) te verdelgen.
**rode'o** [Sp., v. *rodear* = rondgaan] *oorspr.*: het
samendrijven v. vee op Westam. ranch; bep.
cowboy-ruiterfeest.
**Ro'dium** *zie* Rhodium.
**roe'bel** [Rus. *roeble*; voor woordafl. *zie*
*roepia*] munteenheid v.d. Sovjet-Unie,
verdeeld in 100 kopeken.
**roed'jak** [Ind.] soort sla v. onrijp fruit in
scherpe saus.
**roe'pia** [v. Sanskr. *rupya* = gesmeed zilver],
*ook*: **roe'piah** of **ru'piah**, munteenheid v.
India.
**roke'ren**, *ook*: **roche'ren** *ww* [Fr. *roquer*, v.
*roc* = oude naam voor toren in het schaakspel]
(*schaken*) het in één zet gelijktijdig
verplaatsen v.d. koning en een toren op de
beginlijn v.d. koning, en wel zodanig dat men
de koning twee plaatsen buitenwaarts zet en
de toren aan de andere zijde v.d. koning.
**roka'de**, *ook*: **rocha'de**, het rokeren. Men
onderscheidt de *lange* en de *korte* rokade,
naargelang men de linkse dan wel de rechtse
toren verplaatst.
**rolla'de** [Fr. *roulade*, v. *rouler* = rollen]
uitgebeend, opgerold en dichtgebonden groot
stuk vlees.
**rol'lerskate** [Eng., v. *to roll* = rollen, en *skate*
= schaats] hoge schoen met vier wieltjes vast
aan de zool gemonteerd om te rolschaatsen.
**rol'lerskating** [Eng.] het rolschaatsen op
rollerskates.
**roll-on'-roll-off** [Eng. = *lett.*: rij-op-rij-af;
afk. **r.o.r.o.**] methode waarbij op een daartoe
ingericht schip (*r.o.'r.o.-schip*) beladen
vrachtwagens of containers op wielen op het
schip rijden en na de overtocht er beladen weer
af rijden (spec. toegepast bij mil.
bevoorradingsschepen).
**Romaans** [v. Lat. *románus* = romeins] **I** *bn*
afstammend v.h. Lat. of v.d. Romeinen; **II** *zn*
Romaanse taal; *-e talen*, voortzettingen v.h.
zgn. vulgair-Latijn (volkslatijn) in
verschillende landen waar de Romeinen hun
heerschappij hadden gevestigd en de
bevolking haar eigen taal opgaf ten gunste v.h.
cultureel superieure Latijn. De nog gesproken
Romaanse talen zijn: Spaans, Catalaans en
Portugees; Occitaans (Provençaals) en Frans;
Rhetoromaans, Italiaans en Sardisch, en het
Roemeens; *-e stijl*, stijl in de middeleeuwse
kunst in Europa (ca. 1000-1200 n.Chr.).
**roman'ce** [Fr.] **1** kort verhalend gedicht dat
een roerende of avonderlijke gebeurtenis
beschrijft; **2** lied of kort muziekwerk v. dgl.
strekking; **3** idyllisch liefdesavontuur;
liefdesaffaire. **romancier** [Fr.]
romanschrijver. **romancière** [Fr.]
romanschrijfster.
**Roma'nen** *mv* (*zie* **Romaans II**) volken die
een Romaanse taal spreken.
**romanesk** [Fr. *romanesque*] **1** romanachtig,
verdicht; *ook*: avontuurlijk; **2** ziekelijk
dweperig of romantisch.
**Roma'ni** naam voor de taal v.d. zigeuners.
**romanise'ren** *ww* [Fr. *romaniser*, v. Lat.
*románus* = romeins] **1** verromeinsen, een
Romeins karakter doen aannemen;
**2** verromaansen, een Romaans karakter doen
aannemen; **3** zich naar Romeinse (of
Italiaanse) voorbeelden richten in de
beeldende kunsten. **romanist** [Fr.
*romaniste*] **1** beoefenaar v.d. *romanistiek*, *z.a.*;
**2** kenner v.h. Romeinse recht; **3** schilder
staande onder de invloed v.d. It. Renaissance.
**romanistiek** wetenschap v.d. Romaanse
talen, letterkunde en cultuur.
**romantiek** [*vgl.* Fr. *le romantique* = o.a.
romantische literatuur] **1** *zn* v. bep. 18e- en
19e-eeuwse kunstrichting die gevoel en
verbeelding op de voorgrond stelt;
**2** romanliteratuur, m.n. ridderpoëzie uit de
ME; **II** *bn* romantisch. **roman'ticus**
romantiek als kunstrichting; iemand met een

**romantisch** gevoelsleven. **roman'tisch** sterk sprekend tot gevoel en verbeelding; avontuurlijk; dromerig, onwerkelijk. **romantis'me** neiging tot het romantische.
**Roma'num Impe'rium** afk. **R.I** [Lat.] het Romeinse Rijk.
**rom'be** of **rom'bus** [v. Lat. *rhómbus*, Gr. *rhombos* = toverrad; als meetkundig fig.: ruit] (*planimetrie*) ruit, een parallellogram in een euclidisch (plat) vlak waarvan de 4 zijden even lang zijn en de 2 diagonalen loodrecht op elkaar staan (dus een scheve gelijkzijdige vierhoek). **rombendodecaë'der** [v. Gr. *doodeka* = twaalf] een polyeder (veelvlak) begrensd door 12 gelijke ruiten. **rom'bisch** *bn* ruitvormig; *rombisch stelsel*, een der kristalstelsels, nl. datgene met 3 loodrecht op elkaar staande, maar ongelijk lange assen. **romboë'der** [v. Gr. *hedra* = (zit)vlak] een veelvlak begrensd door 6 ruiten, dus een hexaëder.
**rombus** *zie* **rombe.**
**romein'** [v. Lat. *románus* = de romeinse (latijnse)] staande letter (niet cursief en niet gotisch), de gewone letter in onze drukwerken.
**Romein'** [Lat. *Románus*] **1** burger v.h. Romeinse Rijk; **2** inwoner v.d. stad Rome. **Romei'nen** *mv* (*Bijb.*) korte naam voor de Brief v. Paulus aan de Romeinen (afk. **Rom.**).
**Romeins'** *bn* v. Rome, uit Rome, v.d. Romeinen, als v.d. Romeinen; *Romeinse cijfers*, hoofdletters als symbolen voor getallen, afkomstig v.d. oude Romeinen; *Romeinse Curie*, het geheel v. bestuursorganen of personen die de paus bijstaan in het bestuur v.d. universele Kerk.
**rondas'** [v. Fr. *rondache*, v. *ronde*, Lat. *rotúndus* = rond, v. *róta* = rad] (*gesch.*) rond schild. **rondeau'** [Fr.], *ook*: **rondeel'**, gedicht v. (meestal) 13 regels met twee rijmklanken, waarbij de 1e, 7e en 13e regel gelijk zijn. **rondeel'** [Fr.*rondel*] **1** rond buitenwerk, rond vestingwerk of ronde vestingtoren; **2** rondeau, *z.a.* **rondel'le** [Fr.] (*cul.*) rond (uitgestoken) plakje deeg, aardappel e.d.
**ron'do** [It.] muziekstuk met vaak herhaald hoofdthema; *ook*: laatste deel v.e. concert of sonate.
**rönt'gen** (symbool R of r) eenheid voor ionisatieblootstelling aan *röntgenstraling*, *z.a.*, en gammastraling [naar Wilhelm Conrad Röntgen, Duits fysicus, 1845-1923, de ontdekker v.d. röntgenstralen].
**rönt'genanalyse** onderzoek m.b.v. röntgenstralen. **rönt'gendiagnostiek** vaststelling v. ziekte d.m.v. röntgenstralen. **rönt'gen equi'valent man** *zie* **rem 1.**
**rönt'genfoto** foto gemaakt met röntgenstralen. **röntgenologie'** leer v. toepassing v. röntgenstralen bij onderzoek en therapie. **röntgenoloog'** arts die met röntgenstralen werkt. **rönt'genstralen** elektromagnetische straling; X-stralen die wel door weefsel, niet door bijv. metaal en beenderen gaan. **rönt'gentherapie** behandeling door straling, radiotherapie.
**ro'ro-schip** *zie* **roll-on-roll-off.**
**ror'schachtest** [naar H. Rorschach, Zwitsers psychiater 1884-1922] persoonlijkheidstest waarbij proefpers. in 10 grillige inktvlekken voorstellingen moet zien.
**ros'tra** [Lat. = spreekgestoelte op het Forum] sprekerstribune.
**rotacis'me** [naar de Gr. letter *rho* = r] (*taalk.*) de overgang v.e. medeklinker, spec. de s of z, in r; *bijv.*: Ned. ik verlies → ik verloor.
**Ro'tary Int.** **R.I**. (= Rotary International) [Eng., v. VLat. *rotárius*, v. Lat. *rota* = wiel] internationale organisatie met uitsluitend mannelijke leden voor onderlinge hulp en verbetering v. betrekkingen in humanistische geest (*oorspr.*: vereniging v. clubs met roulerende contacten).
**rota'tie** [Lat. *rotátio*] wenteling om as; *—pers*, pers die met cilinders drukt. **rote'ren** [Lat.

**rotáre**, *-átum* = in het rond draaien, v. *rota* = rad] wentelen om as.
**rôti'** [Fr., v. *rótir* = roosteren, braden] (*cul.*) gebraad. **rôtie** [Fr.] toast. **rôtisserie'** [Fr.] **1** deel v.d. keuken waar geroosterd en gebraden wordt; **2** restaurant dat zich specialiseert in geroosterde en gebraden gerechten.
**ro'ti** [Surinaams] (*cul.*) soort pannekoek met groenten en vlees.
**rotogravu're** afdruk v. draaiende gegraveerde rol.
**roton'de** [Fr., v. Lat. *rotúndus*] **1** rond bouwwerk of rond deel v.e. gebouw; **2** rond verkeersplein op een punt waar verscheidene wegen samenkomen.
**ro'tor** [modern Lat.] alg. naam voor draaiende machine-onderdelen, spec. als ze min of meer rotatiesymmetrisch zijn.
**Rot'welsch** [Du., missch. v. *Rotte* = bende, *welsch* = vreemd, spec. Romaans, Fr., It., Sp.] taal v. dieven e.d., Duits Bargoens.
**rou** *zie* **roux.**
**roué** [Fr. = v.dw v. *rouer* = radbraken, v. *roue* = rad, Lat. *rota*] tuifnummer, doordraaier.
**rou'ge** [Fr. = rood, v. Lat. *rúbeus*, v. *ruber* = rood] rode schmink. **rou'ge et noir** [Fr. = rood en zwart] hazardspel gespeeld met balletje of met kaarten op tafel met rode en zwarte vakjes waarop de inzet ligt.
**roule'ren** [Fr. *rouler*, v. Lat. *rotuláre*, v. *rótula* = verklw. v. *rota* = rad] in omloop zijn; bij toerbeurt waargenomen worden. **roula'de** [Fr.] roller v. tonen, loopje. **roula'tie** het rouleren. **rouleau'** [Fr. = rol] rolgordijn.
**roulet'te** [Fr., verklw. v. *rouette*, verklw. v. *roue*, Lat. *rota* = rad] bep. hazardspel met balletjes op draaiend bord; dat bord. **rouleur'** [Fr.] wielrenner die uitmunt in constant rijden in wegwedstrijden over lange afstanden in vlak terrein.
**routi'ne** [Fr.] **1** bedrevenheid door ervaring of gewoonte; **2** geregelde gang v. zaken; *ook*: sleur; *geroutineerd*, met ervaring, met routine. **routineus'** routinematig. **routinier'** [Fr. = sleurmens] **1** geroutineerd, zeer ervaren persoon; **2** auteur of componist die louter uit routine schrijft. **rout'ing** [Eng., v. *to route* = leiden, v. *route* = weg, route] wegbepaling, bep. v.d. meest efficiënte weg die een produkt moet doorlopen, wanneer het v. grondstof in eindprodukt wordt omgezet.
**roux** [Fr.], ten onrechte ook gespeld **rou**, (*cul.*) **1** bruin gebraden saus; *blonde roux*, witte saus; **2** mengsel v. gelijke delen boter en bloem, onder roeren verhit, dat dient voor het binden v. soep, saus of ragoût.
**royaal'** [Fr. *royal*, v. *roi* = koning, v. Lat. *regális*, v. *rex*, *regis* = richter, koning] vorstelijk, mild, vrijgevig, onbekrompen; ruim; —*papier*, papier van formaat 50 bij 65 cm. **royaliteit'** mildheid, vrijgevigheid, gulheid. **royalis'me** koningsgezindheid. **royalist'** [Fr. *royaliste*] koningsgezinde. **royalis'tisch** koningsgezind. **roy'alty** [Eng., v. OFr. *roialté*] *lett.*: koningsambt, koninklijk recht; auteurshonorarium berekend naar bep. percentage voor elk verkocht exemplaar.
**roye'ren** [Fr. *rayer* = doorstrepen, v. *raie* = straal] v. ledenlijst schrappen. **royement'** [Fr. *rayement*] schrapping als lid.
**rozet'** [Fr. *rosette* = *lett.*: kleine roos, v. *rose*, Lat. *rósa* = roos] **1** roosvormig sieraad of versiersel; **2** ronde knoop v.e. ordelint in het dagelijks leven in het knoopsgat gedragen, als aanduiding dat de drager officier is een ridderorde is; **3** in facetten geslepen diamant met plat grondvlak; **4** (*plk.*) krans v. bladeren aan de stengelvoet.
**ruban'** [Fr.] (*cul.*) lint(vormig).
**ruba'to** [It. = beroofd, v. *rubare* = roven; *zie* **robe**] bep. voordrachtwijze v. muziek met grote vrijheid v. tijdmaat om grotere gevoelsuitdrukking te kunnen geven.
**rub'bing** [Eng. = wrijven] *zn* door wrijven

verkregen afdruk, m.n. van boekband met reliëf.

**rubel'la** [v. Lat. *rubéllus* = roodachtig, v. *rúber* = rood; uit het Eng. overgenomen term] med. term voor *rode hond*, een viruszickte die vooral bij kinderen voorkomt.

**Rubi'dium** chem. element, een licht en zacht metaal dat al bij 39 °C smelt, behorend tot de groep der alkalimetalen, symbool Rb, ranggetal 37 [de naam is afgeleid v. Lat. *rúbidus* = donkerrood, *rúber* = rood, naar de kenmerkende spectraallijnen in het rood].

**rubrice'ren** [Lat. *rubricáre* = rood verven; *rubricátus* = met rode titel] in vlakken of groepen indelen of onderbrengen. **rubriek'** [Lat. *rúbrica* = rode oker, titel v.e. wet (in rode kleur geschreven), wetsafdeling] afdeling, groep, klasse; liturgisch voorschrift.

**ru'che** [Fr. = *eig.*: bijenkorf, *fig.*: geplooide kanten of tulen band als versiersel, v. VLat. *rusca*] geplooid oplegsel.

**rück'sichtslos** [Du.] zonder zich om gevolgen te bekommeren (als het ware zonder om te kijken naar wat men achter zich aanricht).

**ru'de** [Fr., v. Lat. *rudis* = onbewerkt, wild, ruw] grof, plomp, onbeschaafd. **rudimen'ten** *mv* [Lat. *rudiménta* = eerste beginselen] eerste beginselen; onontwikkelde en zich ook niet meer verder ontwikkelende lichaamsdelen. **rudimentair'** [Fr. *rudimentaire*] *bn* & *bw* **1** nog in eerste ontwikkeling zijnde; **2** in beginsel aanwezig, maar onvolledig ontwikkeld.

**ruhm'korffklos**, aan het Du. ontleende naam voor inductieklos of inductor, apparaat waarmee gelijkstroom v. lage spanning kan worden omgezet in hoge wisselspanning [naar H.D. Ruhmkorff, Duits-Frans werktuigkundige, 1803-1877].

**rumine'ren** *ww* [v. Lat. *rumináre* = herkauwen, verwant met *ructáre* = oprispen] **1** herkauwen; **2** (*fig.*) in zichzelf her- en her- overdenken, wikken en wegen; **3** (*med.*) oprispen v.d. maaginhoud in de mondholte bij zuigelingen. **rumina'tie** [Lat. *ruminátio*].

**1 run** [v. MNed. *runde, runne* = boomschors] gemalen eikeschors als looimiddel voor de bereiding v. leder.

**2 run** [Eng. = o.a. loop, aanloop, verloop, v. *to run* = o.a. lopen, hardlopen, rennen, hollen] **1** renloop, snelle loop; **2** stormloop, grote toeloop v. pers. op een gebouw, spec. op een bank die in financiële moeilijkheden verkeert; **3** (*cricket* en *honkbal*) loop tussen wickets resp. honken die als punt telt; **4** (*scheepv.*) reis v.e. schip, spec. baggermolen, v.d. ene haven naar de andere.

**ru'ne** v. ONoors *rún*] oudgerm. schriftteken. **runologie'** kennis v. runenschrift. **runoloog'** beoefenaar der runologie.

**run'nen** [Eng. *to run* = *ook*: aan het werk zijn, in actie zijn] **1** rennen; **2** in geregelde gang houden (bijv. een bedrijf); **3** (Z.N.) stollen, stremmen (v. bloed, melk e.d.). **run'ner** [Eng.] **1** zeeman die dienst doet op een gesleept schip (baggermolen, dok e.d.) wanneer dit v.d. ene haven naar de andere wordt gebracht; **2** (*gesch.*) blokkadebreker; **3** persoon die buitengaats vaart naar binnenkomende schepen om bestellingen op te nemen, plaats in de haven te reserveren enz.; persoon die op stations voor hotels klanten tracht te werven; **4** dik touw of stalen kabel dat of die door een katrol (blok) loopt; **5** gordijnwieltje, metalen rollertje dat langs een gordijnrail kan lopen. **runner-up'** [Eng.] **1** pers. die een ander pers. in bep. prestatie zeer nabij komt, bijna diens evenknie is; **2** (*sport*) team of pers. dat of die op een zeer hoge plaats v.d. ranglijst eindigt, op korte afstand v.d. kampioen. **run'ning** [Eng.] *in de running blijven*, blijven meetellen in een of andere competitie of dinging naar post; *uit de running zijn*, niet meer meetellen, niet meer gevraagd worden voor bep. functie. **run'ning**

**gag** [Am.] grapje dat in gezelschap, maar spec. in een film, televisieserie, show e.d., enkele malen terugkeert, al dan niet in een variatie, of dat aansluit op een eerder gedebiteerde mop. **run'ning mate** [Am.] pers. die door een kandidaat voor het presidentschap v.d. VS bij zijn nominatie door zijn partij wordt gekozen als zijn eventuele vice-president.

**ru'piah** *zie* roepia.

**ruptuur'** [v. Lat. *ruptúra*, v. *rúmpere, rúptum*, = breken] (*med.*) breuk; scheur; vredebreuk.

**ruraal'** [Lat. *rurális* = tot het land behorend, v. *rus, ruris* = platteland] het platteland betreffend, landelijk.

**rush** [Eng., v. Anglo-Fr. *russher*, v. OFr. *rehusser* of *ruser* = terugdrijven] **1** plotselinge snelle toeloop v. pers. naar een bep. plaats; *goldrush* (*gesch.*) massale trek v. goudzoekers naar vindplaats v. goud (bijv. Alaska); *rush-hour*, spitsuur; **2** snelle stormloop; **3** (*sport*) snelle ren voorwaarts, gevolgd door voorzet v.d. bal; **4** (*biol.*) snelle, korte, maar massale vogeltrek, vooral o.i.v. verslechtering v.h. weer.

**russifice'ren** [v. Rus. *Rusi* = de Russen of Rusland, en Lat. *fácere* = maken] Rus. maken. **russofiel'** [v. Gr. *philos* = vriend, v. *phileoo* = beminnen] vriend v. Rusland. **russofobie'** vrees of afkeer voor al wat Rus. is. **russomanie'** ziekelijke voorliefde voor al wat Russisch is.

**Rut(h)e'nium** chem. element, hard, wit, zeer edel metaal (behorende tot de platinametalen), symbool Ru, ranggetal 44 [door K.K. Klaus in 1844 in zuivere vorm geïsoleerd en door hem genoemd naar Rusland: MLat. *Ruthenia*].

**ru'therford** (symbool Rd) voorgestelde eenheid v. radioactiviteit, nl. de hoeveelheid radioactief materiaal waarvan het aantal desintegraties (uiteenvallende atoomkernen) $10^6$ (1 miljoen) per seconde bedraagt. De rutherford komt i.p.v. de *curie* (*z.a.*) [naar E. Rutherford]. **Rutherfor'dium** chem. kunstmatig radioactief element, symbool Rf, ranggetal 104. [Naar E. Rutherford, Brits fysicus, 1871-1937, opsteller v.d. moderne atoomtheorie].

# S

**sab'bat** [v. Lat. *sábbatum*, v. Hebr. *sjabbat(h)* of *sjabbat(h)om* = dag waarop men niet werkt, v. *sjabath* = rusten] joodse rustdag, gewijd aan God, v. vrijdag- tot zaterdagavond.
**sab'bat(s)jaar** 1 *(bij de oude Israëlieten)* elk 7e jaar, rustjaar, waarin de akkers braak moesten blijven liggen; 2 een jaar studieverlof voor hoogleraren.
**sa'bel** [OFr., *sable*, waarsch. v. Slavisch; *vgl.* Pools en Tsjechisch *sobol*, Hongaars *czoboly*] **I** *zn* kostbaar bont v. bep. Siberische marter; **II** *bn (her.)* zwart [Fr. *sable*, waarsch. van I].
**sabon'** [Fr.] *(vero.)* dikke, 48-punts drukletter.
**sabote'ren** [Fr. *saboter*, woord gevormd bij Franse spoorwegstaking in 1912, waarbij men de *sabots* (stoelen) van de rails losmaakte; *sabot* = klomp, v. *savate* = oude schoen, v. Turks *kchabata*, en *botte* = laars, It. *botta*] sabotage plegen. **sabota'ge** [Fr.] het tegenwerken v.e. bedrijf of zaak door langzaam of verkeerd werken of door moedwillige vernieling. **saboteur'** [Fr.] sabotagepleger.
**sabreur'** [Fr., v. *sabre* = sabel (uiteindelijk v. Russisch *sablja*)] 1 *(sport)* sabelschermer; 2 houwdegen, ijzervreter.
**sacchari'den** *mv, ook:* **sachari'den** [v. Lat. *saccharon*, Gr. *sakcharon* = sap uit bamboeriet; *zie* **-ide**] de naam voor de koolhydraten, *z.a.; (chem.)* de suikers in de ruimste zin. **sacchari'ne** een zoetstof (benzeen-thiazol-derivaat) met een zoetend vermogen van 550 × dat van saccharose.
**saccharo'se** riet- of beetwortelsuiker, $(C_{12}H_{22}O_{11})$.
**sacerdotaal'** [Lat. *sacerdotális*, v. *sacérdos*, *-ótis* = *lett.:* gever v.h. gewijde (= offerande), priester, v. *sacer* = gewijd, geheiligd, en *dos* = gave, v. *dare* = geven] priesterlijk.
**sach-** *zie ook* **sacch-**.
**sa'chem** [Indiaans] 1 bij sommige N.Am. Indianenstammen het opperhoofd, die als teken van zijn waardigheid wolvestaarten aan zijn benen droeg; 2 *(fig.)* belangrijk personage.
**sachet'** [Fr.] 1 zakje, builtje; 2 reukkussentje dat tussen linnengoed gelegd wordt.
**sacraal'** [v. Lat. *sacer*, *sacri* = heilig] geheiligd, gewijd.
**sacrament'** [Lat. *sacraméntum* = datgene waardoor men zich of een ander verbindt, wijding, eed; christelijk Lat. = godsdienstig geheimnis (vertaling v. Gr. *mustérion* = mysterie), v. *sacráre* = wijden, v. *sacer* = gewijd, heilig, verwant met *sancíre* = heilig, onschendbaar maken, bekrachtigen]
1 *(godsdienstfenomenologisch)* datgene waardoor God of de godheid tot de mens komt (naast gebed en offer waardoor de mens tot God gaat); 2 *(christelijke theol.)* een teken waarin en waardoor het rechtvaardigmakende geloof wordt beleden; 3 *(rk)* tegenwoordige definitie: door Christus ingesteld uitwendig teken waardoor genade wordt aangeduid en gegeven'. De traditionele zeven sacramenten v.d. katholieke Kerk zijn: doopsel, vormsel, eucharistie, biecht, laatste zalving der zieken (vroeger Heilig oliesel genaamd), priesterschap,

huwelijk; 4 *(prot.)* kerkelijke gewijde handeling door Christus ingesteld (doop en avondmaal). **sacramenta'le** [MLat., onzijdig v. *sacraméntális*, *zie* **sacrament eel**] *(rk)* een verzamelnaam voor elke door de Kerk (niet door Christus) ingestelde wijding, gewijde handeling of gewijd voorwerp *(bijv.:* wijwater) voor godsdienstig gebruik, waaraan geestelijke gunsten zijn verbonden of dat (door de Kerk) genade afsmeekt.
**sacrament eel'** [VLat. *sacraméntális*] een sacrament betreffend, tot een sacrament behorend. **sacre'ren** [Lat. *sacráre*] heiligen, wijden. **sacrifi'cie** [Lat. *sacrificium*, v. *sacer, sacri* = gewijd, en *fácere* = maken] offer; *(rk)* misoffer. **sacrifië'ren** [Fr. *sacrifier*, Lat. *sacrificáre*] offeren. **sacrile'gie** [Lat. *sacrilégium* = *eig.:* tempelroof, v. *sacra* = heilige zaken, en *légere* = lezen, verzamelen] heiligschennis. **sacristie'** [MLat. *sacristia*] *(rk)* kerkelijke kamer, vertrek waar de priester zich bekleedt met de liturgische gewaden en waar de benodigdheden v.d. eredienst bewaard worden. **sacris'ta** [MLat.] *(rk)* geestelijke belast met zorg voor kerkelijke benodigdheden en kerkelijke plechtigheden. **sacrosanct'** [Lat. *sancrosanctus*; *zie* **sanctus**] hoogheilig, onschendbaar.
**Sadducee'ën** *mv* [v. VLat. *Saddúcaeus*, naar *Sadok*, de stamvader van de priesters in Salomons tempel, volgens anderen v. Hebr. *Saddikim* = De Rechtvaardigen] ten tijde van Jezus een belangrijke religieus-politieke groepering bij de Joden, vooral bestaande uit de adellijke priesterstand met grote invloed in het *Sanhedrin (z.a.).* I.t.t. deze laatsten hielden zij zich alleen aan de geschreven wetten (de Thora) en niet aan de soms strenge mondelinge overlevering. Zij legden de nadruk op de vrije wil, en geloofden niet in het bestaan van engelen en geesten en evenmin in de opstanding der doden.
**sadis'me** [genoemd naar D.A.F. (markies) de Sade (1740-1814)] naam voor seksueel gedrag waarbij erotische wellust en orgasme slechts mogelijk (of het grootst) zijn als men de partner kan pijnigen en/of vernederen. *(Vgl. masochisme,* waarbij seksuele bevrediging slechts gevonden wordt als men gepijnigd, c.q. vernederd wordt.) Een sadist zoekt veelal een masochistische partner en omgekeerd. Men spreekt tegenwoordig ook wel van *sadomasochisme;* 2 *(in ruimere zin)* ziekelijke lust tot kwellen in het algemeen, zonder seksuele motieven. **sadist'** 1 iemand die zich overgeeft aan sadisme; 2 *(in ruimere zin)* persoon die genoegen schept in het kwellen van anderen. **sadis'tisch** *bn & bw* van de aard van sadisme, met sadisme of voortvloeiend uit sadisme.
**sado'** [verbastering v. Fr. *dos à dos* = rug tegen rug] licht Indonesisch huurrijtuigje, waarin passagier en koetsier rug aan rug zitten.
**sadomasochis'me** (afgekort **SM**) *zie onder* **sadisme** 1.
**safa'ri** [Swahili-woord, v. Arab. *safar* = tocht, reis] expeditie in tropisch land om op groot wild te jagen, tegenwoordig vnl. om het te observeren, te fotograferen of te filmen. **safa'ripark** groot omheind gebied, ook in niet-tropische landen, waarin groot wild (vooral leeuwen) in vrijheid leeft.
**safe** [Eng., v. MEng. en Fr. *sauf*, v. Lat. *salvus* = ongedeerd; *vgl.* Gr. *holos* = geheel] **I** *bn* veilig; **II** *zn* safedeposit. **safedepo'sit** [Eng.; *zie* **deponeren**] brand- en inbraakvrije kluis ter bewaring van geld, waardepapieren, edelstenen e.d. **sa'feloket** loket in een safekluis. **sa'fety** [Eng., v. Fr. *sauveté*, v. MLat. *sálvitas*, v. Lat. *salvus* = gered, veilig] veiligheid. **sa'fety first** [Eng.] veiligheid voor alles (ook al lijken de genomen veiligheidsmaatregelen op het eerste gezicht overbodig).
**saffiaan'** [uiteindelijk, via div. talen, v.

Perzisch *sähtiyan* = geiteleer; volgens anderen naar de stad *Saffi* in Marokko) fijne soepele en geverfde leersoort van geite- of bokkehuiden. **saffiaan'tje** (waarsch. vroegere naam voor sigaar in koker van saffiaanleer), ook verkort tot **saf'fie** (*Barg., volkstaal*) sigaret.

**saf'fisch, saffis'me** *zie* **sapfisch, sapfisme.**

**saffraan'** [Fr. *safran*, v. Arab. *za'faran*] gedroogde welriekende rode stempels v.d. saffraankrokus (*Crócus sativus*), een in Zuid-Europa inheemse gekweekte plantesoort uit de Lissenfamilie (Iridáceae). Saffraan is een oranjebruin tot oranjegeel poeder of bestaat uit gehele stempels in de vorm van draadjes, en wordt gebruikt als specerij of als kleurstof voor levensmiddelen, vroeger ook als textielkleurstof.

**sa'ga** [*zie volgende*] Oudnoors prozaverhaal (historisch of romantisch).

**sa'ge** [ONoors *saga* = verhaal] verdicht verhaal rond historische kern.

**sagittaal'** [v. Lat. *sagitta* = pijl] (*biol.*) op pijl gelijkend; volgens de pijl van een boog.

**sa'go** [Mal. *sagu*] zetmeelprodukt uit de stam van enkele soorten palmen (familie Pálmae, spec. van enkele ook aangeplante *Metroxylon*-soorten de zgn. *sagopalmen*. Werd vroeger wel gebruikt als bindmiddel.

**Sahel'landen** *mv* landen aan de zuidzijde v.d. Sahara, die door overbeweiding, overmatige houtkap (voor brandstof), aanhoudende droogte e.d. door de oprukkende woestijn worden bedreigd en geen voldoende voedsel voor de bevolking meer kunnen produceren, met als gevolg chronische hongersnood.

**saignant'** [Fr., o.dw van *saigner* = bloeden] (*cul.*) bloederig, niet doorbraden (bijv. biefstuk).

**saillant'** [Fr. = o.dw v. *saillir* = springen, v. Lat. *salire*] I *bn* vooruitspringend, op voorgrond tredend, in het oog vallend, opvallend; II *zn* vooruitspringend deel v. vestingwerk of van linie. **saillie** [Fr.] 1 uitsprong aan een bouwwerk, uitstek; 2 geestige of vernuftige uitval.

**saisir'** [Fr. = *lett.*: grijpen, vatten] (*cul.*) aanbraden (van bijv. vlees).

**saison'** [Fr., v. Lat. *sátio* = het zaaien, v. *sérere, satum* = zaaien] seizoen.

**sajet'** [Fr. *sayette*] bep. wollen garen (gekaard maar niet gekamd).

**sa'joer** of **sa'joeran** [Mal.] bep. Indonesisch groentegerecht of groentesoep als bijgerecht bij rijsttafel.

**sak** [Fr. *sac*] bep. wijde 18e-eeuwse damesjapon.

**sa'ke** of **sa'ki** Japanse (en Chinese) alcoholische drank, verkregen door gestoomde rijst te doen vergisten met behulp van de schimmel *Aspergillus oryzae* (alcoholpercentage 12-16%). Sake wordt 's winters warm geserveerd in kleine kommetjes. Zoet met bittere nasmaak.

**salam'** (*uitspr.*: salaam) [Arab. = vrede; *vgl.* Hebr. *sjaloom*]: *al-salam aláikum*, Arab. groet = de vrede zij over u, waarop als wedergroet volgt: *wa aláikum al-salam* = en over u zij de vrede.

**salaman'der** [v. Gr. *salamándra*] 1 (*dierk.*) naam voor vele soorten uit de orde der Salamanders; 2 vuurgeest (de alchemisten geloofden dat de salamander in vuur leefde); wellicht vandaar; 3 bep. type kachel, van binnen met vuurvaste steen bekleed, vroeger veel als huiskachel gebruikt; 4 (*cul.*) gasoventje waarin gegratineerd wordt; 5 beboterd sneetje brood dat even in een oven verhit is; *ook*: gebakken broodkruim.

**sala'mi** v. It. *salame* = gepekelde, gezouten waar, v. Lat. *sal, sális* = zout (*vgl.* Gr. *hals*)] Italiaanse of Hongaarse harde, stijf gestopte, gerookte worst van (meestal) varkensvlees, vroeger v. ezelsvlees, en stukjes spek, pikant gemaakt door toevoeging van allerlei kruiden, knoflook en wijn, soms ook gedoopt in

zemelenpap om een beschermende witte laag te verkrijgen. **sala'mitactiek** tactiek om door herhaalde kleine concessies af te dwingen, datgene te verkrijgen wat men ineens niet kan bereiken (woordsf. waarsch. wegens het feit dat men v.d. pikante salami-worst telkens slechts dunne schijfjes afsnijdt).

**salangaan'** [Fr. *salangane*] klipzwaluw, de vogelsoort *Collocália nidifica* in ZO-Azië, waarvan de nestjes eetbaar zijn.

**salarië'ren** [*zie volgende*] bezoldigen. **sala'ris** [OFr. *salaire*, Lat. *salárium* = mil. rantsoen zout, later in geld uitbetaald, *vandaar*: soldij, ambtenaarstraktement, v. *salárius* = het zout betreffend, v. *sal* = zout, *vgl.* Gr. *hals*] bezoldiging, loon voor ambtelijke of kantoor-arbeid.

**sal'do** [It. = vereffening, v. *saldo* = stevig, Lat. *sólidus*; *zie* **solide**] slot v. rekening (voordelig of nadelig), verschil tussen debet en credit bij afsluiting v. rekening; *per*—, per slot v. rekening. **sal'do'ren** saldo opmaken, rekening vereffenen, afsluiten.

**sa'lep** [Fr., v. volks-Arab. *sahleb*, v. Arab. *ta'lab* = vos] 1 slijmachtige stof uit de knollen v. sommige plantesoorten uit de Orchideeënfamilie die gebruikt werd als middel tegen diarree; 2 drank, als geneeskrachtig beschouwd, uit deze knollen bereid.

**Salesia'nen van Don Bos'co** *mv*, afk. **SDB**, leden van het Genootschap v.d. H. Franciscus van Sales (1567-1622), (kerk. Lat. *Societas Sáncti Francísci Salésii*), een religieuze congregatie, in 1859 gesticht door de It. priester en pedagoog Don Giovanni Bosco (1815-1888), en door hem genoemd naar de H. Franciscus van Sales, met als doel de opvoeding van de verwaarloosde opgroeiende jeugd.

**sa'les-ma'nager** [Eng., v. *sale* = verkoop, waarsch. v. ONoors *sala*; verwant met Eng. *to sell* = verkopen, v. OHDu. *sellen* = overgeven, afstaan; *zie voorts* **manager**] verkoopleider, leider v.d. verkoopafdeling v.e. bedrijf.

**sa'les-promo'tion** [*zie* **promotie**] verkoopbevordering door reclame, persoonlijke contacten e.d.

**salet'** [It. *saletta* = kleine zaal, v. *sala* = zaal] ontvangkamer, salon; —*jonker*, fat.

**salicyl'zuur** [v. Lat. *salix, sálicis* = wilg] bep. zuur voorkomend in wilgebast, gebruikt als conserveringsmiddel en als grondstof voor geneesmiddelen (bijv. aspirine), *o*-hydroxybenzoëzuur, $C_6H_4$ (OH) COOH.

**sali'ne** [Fr., v. Lat. *salínae* = zoutgroeve, v. *sal* = zout] zoutmijn.

**Sa'lische wet** oude wet v. Salische Franken (waardoor dochter v. erfenis was uitgesloten).

**salmagun'di** [v.Fr. *salmagondis*, verdere afl. onzeker] huzaren- of haringsla; poespas, mengelmoes.

**salmiak'** [v. Lat. *sal ammoníacum; zie* **ammonia**] ammoniumchloride, $NH_4Cl$.

**salmis'** [Fr.] (*cul.*) ragoût van wild of gevogelte.

**salmonel'la** [modern Lat., n.d. Am. dierenarts D.E. Salmon] geslacht v. bacteriën die o.a. paratyfus en voedselvergiftiging veroorzaken. **salmonello'sen** ziekten veroorzaakt door salmonella.

**Sa'lomonsoordeel** [naar zeer wijze koning der Israëlieten] vernuftige uitspraak in moeilijk geschil.

**salon'** [Fr., v. It. *salone* = grote *sala* (zaal)] ontvangkamer, gezelschapszaal; groep kunstenaars; expositieruimte voor kunstwerken. **salonfä'hig** [Du.] geschikt om in deftige salons te verschijnen, uiterlijk beschaafd. **saloon'** [Am.; *zie* **salon**] café.

**sa'lo'pe** [Fr.] 1 slordige vrouw, totebel, slons; 2 damesochtendjas, duster. **salopet'te** [verklw. van *salope*] tuinbroek, broek met borststuk en banden.

**salpe'ter** [v. Lat. *sal petrae* = zout v.d. steen,

uitslag op stenen muren) kaliumnitraat, $KNO_3$.

**salpe'terigzuur** zuur v. stikstoftrioxide ($N_2O_3$) afgeleid, $HNO_2$. **salpe'terzuur** zuur v. stikstofpentoxide ($N_2O_5$) afgeleid, $HNO_3$.

**salpicon'** [Fr.] (cul.) vlees, vis e.d. in blokjes gesneden.

**sal'sa-muziek** [v. salsa = lett.: saus] Afro-Cubaanse muziek, versmelting v. Cubaanse volksmuziek met Am. swing.

**salsifis'** [Fr.] (cul.) schorseneer.

**salta'tie** [v. Lat. salíre = springen] (biol.) sprongsgewijze verandering van diverse erfelijke factoren.

**saltimban'que** [Fr., v. It. saltimbanco, v. saltáre in banco = dansen op de springplank] kunstenmaker. **sal'to** [It., v. Lat. saltáre = dansen, frequentatief v. salíre = springen] sprong. **sal'to-morta'le** [It. = lett.: dodelijke sprong] sprong met buiteling.

**salubriteit'** [v. Lat. salúber, -bris = gezond, heilzaam] heilzame gesteldheid inz. v.d. lucht.

**salue'ren** [Fr. saluer, v. Lat. salutáre = iem. salve zeggen, groeten; zie salve] groeten (op mil. wijze). **saluut'** [Fr. salut, v Lat. salus, salútis = ongedeerde toestand, gezondheid, heil, groet] I zn groet; II gegroet!

**sal'va ratificatio'ne**, afk. **salv. rat.** [Lat.] behoudens bekrachtiging v. hogerhand. **sal'va remissio'ne**, afk. **salv. rem.** [Lat.] met voorbehoud v. terugzending. **sal'va reveren'tia** [Lat.] met verschuldigde eerbied.

**salvarsan'** [woord gevormd uit Lat. salváre = redden, uit arsenicum, en Lat. sánus = gezond; 'het de gezondheid reddende arsenicum'] merknaam van arsfenamine, een organisch arseniumpreparaat, dat in 1907 door Paul Ehrlich als eerste werkzaam preparaat tegen syfilis, z.a., (lues) werd gevonden. Het is ook werkzaam tegen framboesia, z.a. Salvarsan is grotendeels verdrongen door antibiotica.

**Salvatoria'nen** mv [v. chr. Lat. Salvátor = Verlosser] naam voor de leden van de Socíetas Divíni Salvatóris = Societeit van de Goddelijke Verlosser, SDS, een religieuze congregatie van priesters en broeders, in 1881 gesticht door de Du. priester Johann Baptist Jordan, 1848-1918; apostolisch werkzaam. **Salvatorianes'sen** mv (Soróres Divíni Salvatóris = Zusters van de Goddelijke Heiland), vrouwelijke tak v.d. Salvatorianen, in 1888 gesticht door de bovengenoemde Jordan en Th. von Wüllenweber.

**sal've** [Lat. gebiedende wijs v. salvére = gezond zijn, zich wel bevinden; vgl. salvus = ongedeerd, salus = ongedeerdheid) heil!, gegroet! (zowel bij komen als gaan).

**sal'vis omis'sis** (afk. s.o.) [Lat.] behoudens weglatingen (door onachtzaamheid). **sal'vis omis'sis et erro'ribus** (afk. s.o.e.e.) [Lat.] behoudens weglatingen en vergissingen.

**sal'vis ti'tulis** (afk. s.s.t.t., achter naam op adres als men de evt. titels v.d. geadresseerde niet kent) [Lat.] behoudens de titels.

**sal'vo** [v. It. salva = saluutschoten] I vt gelijktijdig afvuren v.e. aantal vuurwapens (kanonnen, geweren e.d.); 2 losbarsting v. gelach, toejuichingen e.d., algemeen applaus. **sal'vo erro're et omissio'ne** (afk. s.e.e.o.) behoudens vergissing en weglating. **sal'vo hono're**, afk. **s.h.** [Lat.] behoudens de eer, d.w.z. met verlof gezegd. **sal'vo ti'tulo** (afk. s.t.; zie bij salvis titulis) [Lat.] behoudens de titel.

**sal vola'tile** [MLat.] vlugzout, ammoniumcarbonaat, ($NH_4)_2CO_3$, vooral vroeger gebruikt om dames die in katzwijm waren gevallen weer bij te brengen.

**samaar'** [v. OFr. chamarre, Fr. simarre, vgl. It. cimarra = kleed met sleep; Sp. zamarra = pelsmantel, v. Turks samur = sabeldier] (vero.) lang slepend vrouwenkleed, damestabbaard.

**Sama'rium** chem. element, grijskleurig metaal behorende tot de lanthaanreeks, symbool Sm, ranggetal 62.

**sam'ba** [Port.] 1 bep. Braziliaanse dans in $^2/_4$ of $^4/_4$ maat; 2 alg. naam voor Braziliaanse dansen in het tempo v.d. eigenlijke samba.

**sam'bal** [Mal.] scherp mengsel voornamelijk bestaande uit gemalen Spaanse pepers (lombok) en meestal een of meer specerijen of kruiden. **sam'balan** bijgerecht bij de Indonesische rijsttafel, minder scherp van smaak dan sambal; bevat behalve Spaanse peper en kruiden ook vlees, vis, eieren of groenten.

**sambok** zie sjambok.

**sameet'** [OFr. samit, MLat. samitum, v. laatGr. hexamílum, v. hex = zes, en mitos = draad, naar verhouding v. schering en inslag] oorspr.: ME zijden weefsel met gouddraad; verouderde dicht. naam voor fluweel.

**sami'sen** [Jap., v. Chin. san-hsien = drie-snaar] lange, drie-snarige Jap. gitaar.

**samoem'** [Arab. = lett.: de giftige] verstikkend hete, met stuivend zand gepaard gaande en daardoor soms dodelijke, woestijnwind in Arabië en Noord-Afrika.

**sa'moerai** [Jap.] lid van Jap. krijgsadel voor 1871.

**samoreus'** grote aak op Sambre en Maas.

**sa'mos** wijn Gr. eiland Sámos, een zeer zoete, goudbruine wijn die bereid wordt uit muskaatdruiven.

**samova(a)r', samowa(a)r'** [Russisch samovari = zelfkoker] Russische theeketel.

**sam'pan** [v. Chin. san-pan = drie-planken] klein kustvaartuig in Ind. archipel.

**sa'nae men'tis** [Lat. = lett.: van gezonde geest] in bezit v. zijn gezond verstand.

**sanato'rium** [modern Lat.; v. Lat. sanáre, sanátum = genezen, v. sánus = gezond; zie verder -orium] herstellingsoord.

**sanbeni'to** [Sp., v. San Benito = Sint Benedictus, wegens gelijkenis met een door deze vroeger ingevoerd schouderkleed] ketterhemd tijdens Sp. Inquisitie.

**sanc'ta simpli'citas** [christ. Lat.] heilige eenvoud; ook: onnozelheid. **sanc'tae theologi'ae doc'tor** [kerk. Lat.] doctor in de heilige godgeleerdheid (afk. **S.Th.D.**).

**sanc'tie** [Lat. sánctio = strafbepaling, v. sancíre, sánctum = heilig- onschendbaar maken, bevestigen, verbieden onder strafbedreiging; vgl. sácer = heilig] 1 wettelijke bekrachtiging, bevestiging, goedkeuring; 2 dwangmiddel dat in werking treedt bij overtreding v.e. voorschrift of bepaling; ook: strafmaatregel; 3 (psych.) bestraffing of beloning voor gedrag. **sanctione'ren** ww [Fr. sanctionner] 1 bekrachtigen bevestigen, sanctie (1) verlenen aan; 2 waarborgen verzekeren, goedkeuren.

**sanc'tus** [Lat. = heilig; eig.: heilig-onschendbaar gemaakt, v. sancíre, sánctum = heilig-onschendbaar maken; zie sanctie] heilig. **sanc'tum sancto'rum** [christ. Lat.] lett.: het Heilige der Heiligen, hebraisme voor het 'Allerheiligste', een vertrek in de tempel v.d. Israëlieten, waarin de Ark des Verbonds stond. **sanctua'rium** [Lat.; zie -arium] eig.: bewaarplaats van heilige zaken; heiligdom, onschendbare plaats, vandaar ook: wijkplaats (waar de daarheen gevluchte recht van asiel had).

**san'dalwood** [Eng.] zie **sandelhout**.

**san'darak**, ook: **sandara'cha** v. Lat. sandaráca, Gr. sandarakè of sandarachè = rood auripigment, afkomstig uit een Oosterse taal] andere naam voor realgar, z.a.

**2 san'darak** of **san'drak** [v. Gr. sandarakinos = sanderak-kleurig, oranjegeel] geelwitte doorschijnende hars uit de in Noord-Afrika en Zuid-Spanje groeiende boom Callítris quadrivalvus uit de Cypresfamilie; wordt wel gebruikt om de plaats v. weggeschrapte woorden weer beschrijfbaar te maken; verder voor de bereiding van sandrakvernis (sandrak opgelost in terpentijn), vroeger ook voor de bereiding v. celluloselakken.

**san'delhout**, in het Eng. **san'dalwood** [v. MLat. *sandalum*; *vgl.* Arab. *çandal*] het geurige hout van de hoofdzakelijk in Indonesië groeiende kleine boom *Santalum album* uit de Sandelhoutfamilie (Santaláceae). Het hout, dat een etherische olie bevat (*zie sandelolie*), is hard, vast en duurzaam; het kernhout is geel, vandaar de naam *geel sandelhout*. Dit hout wordt plaatselijk gebruikt voor de vervaardiging v. luxe-artikelen, snijwerk, handvatten e.d.; vroeger ook als verf en voor de bereiding van medicijnen. Het uit India afkomstige *rode sandelhout* is het hout van *Pterocarpus santalinus*; dit harde zware hout wordt gebruikt voor snijwerk en voor de vervaardiging v. fijne meubelen. **san'delolie** uit geel sandelhout door stoomdestillatie verkregen etherische olie, gebruikt als component in de cosmetica.
**san'dhi** [Sanskr. = verbinding] fonetische inwerking v. slot v.e. woord op begin v.h. volgende, bijv. in '*wie is taar*?'
**Sandinis'ten** *mv* naam voor de linkse vrijheidsstrijders die in Nicaragua het regime van de Somoza-familie overwierpen; genoemd naar Augusto César Sandino, (1893-1934). **sandinis'tisch** *bn & bw*.
**san'drak** *zie* **2 sandarak**.
**sand'wich** [Eng.] boterham van twee dunne korstloze sneetjes wittebrood met een belegging van meestal ham of een andere vleessoort ertussen [naar John Montagu Earl of Sandwich, 1718-1792].
**sand'wich-construc'tie** twee lagen van een bep. materiaal met een ander materiaal er tussen (ter vergroting v.d. sterkte).
**sand'wichman** iemand die met reclameborden op borst en rug over straat loopt. **sand'wich-plaat** dubbele plaat v.e. bep. materiaal met daartussen een isolerende poreuze stof. **sand'wich-spread** [Eng.; *to spread* = spreiden] een uit vele ingrediënten bestaand, pittig zuursmakend broodbeleg.
**sanel'**, *ook* **sanel'la**, soort satinet, half katoen, half zijde, o.a. gebruikt als voeringstof van kleding.
**sane'ren** [v. Lat. *sanáre* = genezen, v. *sánus* = gezond] *eig.*: gezond maken; voornamelijk in overdrachtelijke zin gebruikt voor: iets zuiveren, op orde stellen, ordenen, *bijv.*: een gebit saneren (door alle aangetaste plekken uit te boren en te vullen); een stadswijk saneren (door krotopruiming, verbetering v.d. aanleg, enz.); financiën saneren (orde op zaken stellen op financieel gebied, inkomsten en uitgaven in evenwicht brengen e.d.): het rendement v.e. onderneming herstellen.
**sanforise'ren** *ww* het krimpvrij maken van bep. weefsels (katoenen en rayonstoffen) door ze op een bep. manier te persen [naar de uitvinder Sanford Cluett].
**sang de boeuf** [Fr. = *lett.*: ossebloed] **I** *bn* donkerrood (als ossebloed); **II** *zn* de donkerrode kleur op oud-Chinees porselein.
**sang-froid'** [Fr., v. *sang* = Lat. *sánguis* = bloed, en *froid* = Lat. *frígidus* = koud] koelbloedigheid.
**sangle'ren** *ww* [Fr. *sangler* = de riemen aantrekken, insnoeren, v. *sangle* = riem, singel (*cul.*) levensmiddelen verpakken in ijs waaraan zout is toegevoegd (geeft temperatuur ver beneden het vriespunt).
**sanglier'** [Fr.] (*cul.*) wild zwijn, ever.
**san'gria** [Sp.] bowl van rode wijn en stukjes (citrus)vruchten.
**sangui'ne** [Fr., v. Lat. *sánguis, sánguinis* = bloed; *sanguineus* = bloedig; bloedrood] rood krijt; tekening daarmee. **sangui'nicus 1** zgn. volbloedige, prikkelbaar en driftig persoon; iem. met fel temperament, licht vatbaar voor allerlei emoties en daarop heftig reagerend; **2** (*med.*) bloeder, d.w.z. persoon bij wie zelfs de geringste wond blijft bloeden wegens gebrek aan normale stollingsfactoren. **sangui'nisch** *bn* volbloedig; heftig van temperament; prikkelbaar; levendig.

**sanguineus'** [quasi-Fr.] volbloedig; sanguinisch.
**San'hedrin** [Aramese vorm v. Gr. *sunedrion* = vergadering, v. *sun* = samen, en *hedra* = zetel] de Hoge Raad bij de Israëlieten, het opperste gerechtshof met 72 leden, o.l.v. de hogepriester.
**sanitair'** [Fr. *sanitaire*, v. Lat. *sánitas* = gezondheid, v. *sánus* = gezond] **I** *bn* de gezondheid betreffend; *sanitaire artikelen*, alle artikelen die behoren tot de installatie van wasgelegenheden, baden, douches, toiletten (W.C.'s), urinoirs e.d.; *sanitaire stop*, kort oponthoud op reis om te voldoen aan een natuurlijke behoefte, spec. om te urineren; *cordon sanitaire* [Fr.; *zie* **kordon**] reeks posten die een gebied hermetisch afsluiten om verspreiding van een aldaar heersende besmettelijke ziekte te voorkomen; (*fig.*, *minder juist*) een reeks beschermende maatregelen om een persoon tegen bedreigingen v. buitenaf (niet zijn gezondheid betreffende) te beschermen; **II** *o zn* verzamelnaam voor sanitaire artikelen (*bijv.*: winkel in sanitair). **sa'nitas** [Lat. = gezondheid] heilwens bij drinken van alcoholische drank.
**sans** [Fr., v. Lat. *síne* = zonder] zonder. **sans-atout'**, afk. **s.a.** zonder troef (bijv. bij bridge). **sans ceremonie'** zonder omslag. **sans compliments'** zonder plichtplegingen. **Sansculot'ten** *mv* [Fr. *sans-culotte* = zonder kuitbroek, naam tijdens de Fr. Revolutie gegeven aan revolutionairen die de *culotte* (kuitbroek) verwisseld hadden voor de *pantalon* (lange broek); *culotte* v. *cul* = zitvlak, achterste] **1** aanhangers van de Franse Revolutie; **2** *spec.*: de soldaten van de Franse revolutielegers, die dermate slecht uitgerust waren dat zij volgens hun tegenstanders geen fatsoenlijke broek aan hun achterwerk hadden.
**sans dou'te** [Fr., *zie* **sans**] zonder twijfel, ongetwijfeld. **sans façon'** **I** *bw* ongedwongen, ongegeneerd; **II** *zn* (*sans-façon*) ongeneerdheid; *ook*: gemis aan gevoel voor goede omgangsvormen. **sans gê'ne** **I** *bw* ongedwongen, ongegeneerd; **II** *zn* (*sans-gêne*) (*zie* **gêne**) ongedwongenheid, ongegeneerdheid; *ook*: vrijpostigheid.
**Sanskriet'**, *ook vaak*: **Sanskrit'** [v. Sanskriet *samskrta* = samengesteld, regelmatig, welgevormd, v. *sam* = samen, en *kr* = maken] oude klassieke taal in Voor-Indië, als volkstaal uitgestorven, maar in literaire werken en vooral in de godsdienst nog steeds gebruikt. Voor de taalwetenschap is deze oude Indo-europese taal van groot belang. (*Zie ook* **Veda**.) **sanskrietist'** (**sanskritist'**) kenner v.h. Sanskriet.
**sans pardon'** [Fr.; *zie* **sans**] zonder genade. **sans pareil'** [Fr.] zonder gelijke, zonder weerga. **sans peur et sans repro'che**, zonder vrees en blaam (*bijv.*: ridder —). **sans phra'se** ronduit, zonder omhaal van woorden. **sans préjudi'ce** zonder vooroordeel, behoudens iemands rechten, vrijblijvend (vaak geplaatst als aanhef v. brieven v.e. advocaat, om zich te vrijwaren tegen latere aantijgingen van de geadresseerde). **sans rancu'ne** zonder wrok (vaak als onderschrift van boze brieven, als verzachting, inhoudende dat men geen wraakgevoelens koestert). **sans souci'** zonder zorg, 'buitenzorg', spec. naam van voormalig koninklijk buitenverblijf te Potsdam.
**sant** [v. Lat. *sánctus* = heilig] heilige. **santin'** vrouwelijke heilige. **san'tenkraam** (**san'tenboetiek**) kraam of winkel van heiligenbeelden ter verkoop; *de hele santenkraam*, de hele mikmak, de hele boel. **sant'je** [*Z.N.*] **1** heiligenbeeldje; **2** bidprentje (van overledene).
**santé** [Fr., v. Lat. *sánitas* = gezondheid; *zie* **sanitas**] gezondheid, heilwens bij het drinken van alcoholische dranken. **sant'jes** verbastering van **santé**.
**sap'fisch** als bij Sapfo [Gr. *Sapphoo*, dichteres

op Lesbos, ± 600 v. Chr.]; —*e verzen*, verzen in metrum door Sapfo het eerst gebruikt.
**sapfis'me** *zie* **lesbisch.**
**sapien'ti sat** [Lat. = genoeg voor de wijze] een goed verstaander heeft maar een half woord nodig.
**sap'peur** [Fr. *sapeur*] loopgravenmaker.
**saprofiet, saprofyt'** [v. Gr. *sapros* = rottend, en *phuton* = plant; *zie verder* **fyto-**] plant levend v. organische afvalstoffen.
**saprogeen'** [v. Gr. stam *gen-* = voortbrengen] rottingverwekkend.
**saprozo'ën** *mv* [v. Gr. *zooon* = dier] dierlijke organismen die v. organisch afval leven.
**saraban'de** [Sp. *zarabanda*, waarsch. v. oosterse oorsprong] bep. Sp. dans in ³/₄ maat.
**Sarace'nen** [via VLat. v. laatGr. *Sarakênoi*] muzelmannen. **saraceens'** v.d. Saracenen.
**sarcas'me** [via VLat. v. laatGr. *sarkasmos*, v. *sarkazoo* = tandenknersen, vlees afscheuren, v. Gr. *sarx, sarkos* = vlees] bijtende opmerking, bittere spot. **sarcas'tisch** met sarcasme.
**sarcofaag'** [Lat. *sarcophagus*, Gr. *sarkophagos* = *lett.*: vleesverterend, v. *phagos* = etend] stenen lijkkist. **sarcoom'** of **sarco'ma** [v. Gr. *sarkooma*, v. *sarkoo* = vlezig worden; *zie verder* **-oom** of **-oma**] kwaadaardig kankergezwel, dat de bouw heeft v. bindweefsel of verwante weefselsoorten, i.t.t. het *carcinoom, z.a.*
**Sar'disch** de huidige inheemse taal op het eiland Sardinië.
**sardo'nische lach** [Lat. *risus sardónius*, v. Gr. *Sardonikos* = Sardinisch] bittere, honende, schamper spottende, grijnzende lach (in de Oudheid wellicht aldus genoemd naar de op Sardinië groeiende giftige plant *sardónia hérba*, uit de Ranonkelfamilie, waarvan het eten krampachtige verwringingen v.d. aangezichtsspieren veroorzaakt. Volgens een andere verklaring is de term sardonisch echter afgeleid v. Gr. *sardánios* = grijnzend, een woord dat reeds bij Homerus voorkomt).
**sar'donyx** [NTGr. *sardonux; vgl.* Gr. *sardion* = *ho sardios lithos* = de sardios-steen, kornalijn; *zie verder* **onyx**] halfedelsteen, een wit- en bruin- (soms groenachtig) gestreepte agaat, o.a. gebruikt voor de vervaardiging van cameeën.
**Sargas'sozee** [v. Sp. *sargaza* = zeewier] deel v.d. Atlantische Oceaan ten zuiden v.d. Bermuda Eilanden, ca. 8 miljoen km² groot, ook *Wierzee* of *Kroszee* genoemd. Ze bevat enorme velden v.h. drijvende sargassowier: twee *Sargassum* - soorten uit hoofdafdeling der Bruinwieren (Phaeophyta); ze was ten tijde v.d. zeilvaart berucht, omdat er vaak schepen muurvast in kwamen te zitten.
**sa'ri** [v. Hindi] kleurig zijden of katoenen gewaad van vrouwen in India.
**sa'rong** of **sa'roeng** [Mal.] Indonesische gebatikte lange omslagdoek in de vorm v.e. rok, samen met een kort jasje (*kabaja*) de nationale dracht van vrouwen in Indonesië.
**sar'ras** [v. Pools] (zware) ruitersabel.
**sarsaparil'la** [v. Sp. *zarzaparilla*] de wortel v.d. Amerikaanse winde, *Smilax sarsaparilla*, uit de Windefamilie (Convolvulaceae); een extract daarvan werd sinds de 17e eeuw tot in het begin van onze eeuw officieel gebruikt als versterkend en 'bloedzuiverend' middel. Het woord leeft nog voort in *sassepril, z.a.*
**sas'safras** [Sp. *sasáfras*, Port. *sássafraz*, verbastering v. Lat. *saxifraga* = 'steenbreek', v. *sáxum* = steen, en *frángere* = breken] de plantesoort *Sassafras albidum*, een Noord-Am. soort uit de Laurierfamilie; het aftreksel van blad of bladeren werd gebruikt tegen verschillende kwalen; tegenwoordig o.a. nog als antisepticum toegepast.
**sas'sepril** (*Barg., slang*) borrel [verbastering v. *sarsaparilla, z.a.*, en ook als 'versterkend middel' gebruikt].
**sassolien'**, *ook*: **sassoliet'** [naar Sasso in Toscane (Italië), de eerste vindplaats; *-liet* v. Gr. *lithos* = steen], wit of grijs mineraal met de

samenstelling B(OH)₃, volgens de mineralogische notatie; de chemici schrijven de formule als H₃BO₃, boorzuur, waarvan o.a. de *boraten* zijn afgeleid.
**satelliet'** [v. Lat. *satélles, satéllitis* = bewaker] **1** (*astr.*) maan van een planeet, begeleidend hemellichaam, vroeger 'trawant' of 'wachter' genoemd; **2** (*ruimtevaart*) kunstmaan, toestel dat via lancering door een raket of door een ruimteveer, *space-shuttle* (z.a.) in een baan om de aarde gebracht is; **3** slaafse volgeling.
**satelliet'staat** of **satelliet'land** staat die in naam zelfstandig is maar in politiek en econ. opzicht volkomen afhankelijk is v.e. andere machtige staat. **satelliet'stad** stad waarvan de inwoners grotendeels economisch gebonden zijn aan een nabije grote stad.
**sa'ter** of **sa'tyr** [v. Lat. *Satyrus*, Gr. *Saturos*] **1** wellustige bosgod met bokkepoten (uit de Gr. en Rom. mythologie), de personificatie v.d. grof-zinnelijke menselijke natuur; **2** (*fig.*) geile oude man.
**satijn'** [Fr. *satin*, via Arab. *zaïtouni* v. Chinese stad *Tsia Tung*, de verschepingshaven] bep. glanzend (half) zijden stof. **satine'ren** [Fr. *satiner*] satijnglans geven. **satinet'** [Fr. *satinette*] bep. halfzijden-halfkatoenen of katoenen stof met satijnbinding.
**sati're** [Lat. *satíra*, OLat. *satúra*, v. *satúra (lanx)* = (schotel) met allerlei vruchten, mengelmoes, v. *satur* = verzadigd, v. *satis* = genoeg] (*oorspr.*: mengeldicht op wantoestanden); hekeldicht. **sati'ricus** [Lat. = hekeldicht betreffend] hekeldichter. **sati'risch, satiriek'** [Fr. *satirique*] *bn & bw* hekelend, spottend; stekelig.
**satisfac'tie** [Lat. *satisfáctio*, v. *satis* = genoeg, en *fácere, factum* = maken] genoegdoening, voldoening. **satisfait'** [Fr.] zelfvoldaan.
**satraap'** [Lat. *satrapes, satrapa* of *satraps*, v. Gr. *satrapès*, v. OPerzisch *khsatra-pava* = provincie-bewaker] landvoogd in het oude Perzische Rijk; (*fig.*) machthebber die een weelderig leven leidt.
**sature'ren** [Lat. *saturáre, -átum, v. satur* = verzadigd, zat, v. *satis* = genoeg] verzadigen. **satura'tie** *zn.*
**Saturna'lia** [Lat.] of **Saturna'liën** *mv* carnavalesk volksfeest in het oude Rome ter ere v.d. god Saturnus, ca. half december.
**saturnis'me** [v. alchemisten-latijn *saturn* = lood] chronische loodvergiftiging.
**satyria'sis** [v. Gr. *saturiasis*, v. *saturos* = wellustige bosgeest; *zie* **sater**] overmatige geslachtsdrift bij mannen.
**sauf-conduit'** [Fr., v. Lat. *salvus* = behouden, en *con-dúcere* = be-geleiden] vrijgeleide.
**saumon'** [Fr.] **I** *zn* zalm; **II** *bn* zalmkleurig, bleekrood.
**sau'na** [Fins] **1** type bad van Finse origine, een combinatie van een hete-luchtbad en een stoombad, gevolgd door koude afspoeling; **2** gebouw ingericht voor saunabaden; **3** eufemisme voor bordeel (in seksadvertenties).
**sau'riërs** [v. Gr. *sauros* = hagedis] niet-wetenschappelijke naam voor prehistorische hagedisachtige reuzenreptielen (Dinosaurus, Mososaurus, Brontosaurus e.d.).
**saus** [via Fr. *sauce* v. VLat. *salsa*, vrouwelijke vorm van Lat. *salsus* = gezouten, v. *sal* = zout] **1** vloeibaar of dik vloeibaar vl. product van zeer verschei den samenstelling en smaak, gebruikt bij gerechten om de smaak te verhogen; *ook fig.*: datgene wat het genot v.e. zaak vergroot; **2** dun vloeibare olie- of waterverfstof om muren te bestrijken of hout na te bootsen; **3** bep. afkooksel om tabak een betere smaak of geur te geven door deze daarin te dompelen of er mee te besprenkelen; **4** (*volkstaal*) zware regenval. **sau'sen**, *ook*: **sau'zen 1** met saus (**1**) overgieten of bereiden; *ook fig.*: bijv. het gesprek - met geestigheden; **2** een muur met saus (**2**) bestrijken; **3** tabak met saus (**3**) bewerken;

**4** (*slang*) hard regenen.
**saute'ren** [v. Fr. *sauter* = *lett.*: laten springen, v. Lat. *saltáre*; zie **salto**] (*cul.*) snel bruin braden op groot vuur.
**sautoir'** [Fr.] over de borst gekruist halsdoekje; halsketting.
**sauve-qui-peut'** [Fr. = *lett.*: redde zich wie kan, ieder vluchte voor eigen lijfsbehoud] wilde algemene vlucht.
**sauve'ren** [Fr. *sauver*, v. Lat. *salváre*; zie **Salvatorianen**] redden, voor onaangenaamheden behoeden.
**sau'zen** *zie* **sausen**.
**savan'ne** [Sp. *zavana*, misschn. v. Caraïbische oorsprong] grasvlakte met verspreide bomen.
**savan'te** [Fr., v. *savoir* = weten, v. Lat. *sápere* = smaken, smaak hebben, wijs zijn, *vgl.* Gr. *sophos*] geleerde vrouw, 'blauwkous'.
**savoir-fai're** [Fr.; *faire* v. Lat. *fácere* = doen] weten hoe men moet handelen. **savoir-vi'vre** [Fr.; *vivre* v. Lat. *vívere* = leven] levenskunst.
**savoure'ren** [Fr. *savourer*, v. *saveur* = smaak, v. Lat. *sapor*] met smaak verorberen, genieten van. **savoureus** smakelijk.
**sa'wa** [Mal. *sawah*] bevloeid rijstveld in terrassen in Indonesië.
**sax'hoorn**, bep. metalen blaasinstrument, genoemd naar de instrumentbouwer Adolphe Sax, een verbeterd type van de ventielbeugel, tenorhoorn en bastuba; saxhoorns zijn er in 9 grootten, ze spelen een belangrijke rol in fanfare- en harmonie-orkesten. **saxofoon'** [v. Gr. *phoonè* = geluid] metalen blaasinstrument, uitgevonden door Alphonse Sax, 1814-1894; er zijn nu 7 typen in gebruik; m.n. in de jazzmuziek neemt de saxofoon een prominente plaats in. **saxofonist'** saxofoonspeler.
**sca'biës** (*uitspr.*: ska'-bie-ès) [Lat. *scabies* = *lett.*: ruwheid; jeuk, schurft, v. *scábere* = krabben; *vgl.* Gr. *skaptoo* = graven] schurft. **scabieus'** *bn* schurftachtig.
**scabreus'** [Fr. *scabreux*, v. Lat. *scabrósus* = ruw; *vgl.* **scabiës**] *bn* gewaagd, onwelvoeglijk, schuin (bijv. mop).
**scafan'der** [Fr. *scaphandre*, v. Gr. *skaphè* = iets uitgeholds (v. *skaptoo* = graven), bak, schuit, en *anèr, andros* = man] **1** (*vero.*) zwemvest, reddinggordel; **2** bep. licht duikerpak.
**sca'la** [Lat. = ladder, v. *scándere* = klimmen] **1** gegradeerde schaal, reeks van graden; **2** (*muz.*) toonladder; **3** (*overdrachtelijk*) reeks v. opeenvolgende variaties of soorten (*bijv.*: de gehele scala v.d. ontwikkeling doorlopen); **4** *la Scala*, de opera te Milaan.
**scalair'** **1** (*wisk.*) *bn* (gezegd van een grootheid) een hoeveelheid, maar geen richting aangevend (i.t.t. een *vector*); **2** (*nat.*): *scalaire grootheid*, grootheid die wordt uitgedrukt in graden (bijv. temperatuur) en dus dimensieloos is, d.w.z. niet kan worden uitgedrukt in de drie gronddimensies van massa (m), lengte (l) en tijd (t).
**scalp** [Eng.; *vgl.* Ned. *schelp*] afgetrokken schedelhuid. **scalpe'ren** de schedelhuid aftrekken.
**scalpel'** [Lat. *scalpéllum*, verklw. v. *scalprum* = snijmes, v. *scálpere* = krabben, graveren, snijden] bep. chirurgisch of ontleedmes met dubbelsnijdende punt.
**scandaleus** *zie* **schandaleus**.
**scande'ren** [v. Lat. *scándere* = klimmen] (een vers) indelen in versvoeten.
**Scandina'vië** [Lat. *Scandinávia* = waarsch. het huidige Zuid-Zweden] Noorwegen, Zweden en Denemarken.
**Scan'dium** chem. element, een zilverwit vrij zacht metaal, symbool Sc, ranggetal 21, genoemd naar het voorkomen in bep. Scandinavische mineralen.
**scan'ner** [Eng., v. *to scan* = *eig.*: met kritische blik beschouwen; (bij radar en TV) aftasten] **1** ronddraaiende radarantenne; **2** apparaat om politieradio af te luisteren; **3** (*med.*) *zie* **total body scanner**; **4** (*alg.*) toestel voor *scanning*,

in alle betekenissen van dat woord. **scan'ning** [Eng.] het systematisch aftasten v.e. beeld of voorwerp met een daartoe geschikt apparaat, bijv. een fotocel, op zodanige wijze dat een continue reeks impulsen wordt doorgegeven, welke impulsen overeenkomen met de intensiteitsverhoudingen v.h. beeld en meestal ook verbonden zijn met de plaats, zoals bij televisie en radar.
**scapulier'** [v. VLat. *scapuláris* = de *scápula* (schouderblad) betreffend, v. *scápula* mv = schouderbladen, rug] **1** schouderkleed v. bep. kloosterlingen; **2** lapjes gewijde stof aan bandje op lichaam gedragen als teken v. lidmaatschap v. bep. broederschappen of als teken v. bep. devotie; *—medaille*, medaille ter vervanging v. scapulier (**2**).
**scarabee'** [Lat. *scarabáeus*, Gr. *skarabos* = kever] bep. kever in oude Egypte als heilig vereerd.
**scaramou'che** (Fr., v. It. *Scaramuccia*; *vgl.* **schermutseling**] hansworst in 17e eeuwse It. kluchtspelen; tegenwoordig ook: pias, grappenmaker.
**scatologie'** [v. Gr. *scor, skatos* = mest, en *-logos* = leer] grote interesse in uitwerpselen; studie v. obscene literatuur. **scatolo'gisch** betrekking hebbend op uitwerpselen.
**scena'rio** [It.; *zie* **scène**] schema van de opeenvolgende scènes (*zie* **scène 1**) van een toneelstuk, c.q. opera; **2** speelboek, d.w.z. korte beschrijving v.d. scènes (taferelen) van een te vervaardigen film; ontwerp v.e. film; **3** (*in afgeleide betekenis*) draaiboek, beschrijving v.d. opeenvolgende operaties die nodig zijn voor de realisatie v.e. ingewikkelde procedure.
**scene** (*spreek uit:* sien) [Eng. = plaats v. actie] groep personen die door hun gedrag een subcultuur vertegenwoordigen.
**scè'ne** [Fr., v. Lat. *scéna* = toneel, v. Gr. *skènè* = bedekte plaats, tent, toneel] **1** toneel, spec. elk der afdelingen van een bedrijf (akte) v.e. toneelstuk (een bedrijf v.e. toneelstuk bestaat uit een aantal opeenvolgende scènes); **2** tafereel, d.w.z. een voorval zoals dat gezien wordt door een toevallige toeschouwer; **3** met heftige emoties gepaard gaande luidruchtige woedeaanval of twist.
**scep'sis, scepticis'me** [v. Gr. *skepsis* = beschouwing, onderzoek, v. *skeptomai* = *skopeoo* = (rond)kijken, bespieden] twijfel, twijfelzucht; leer van de methodische twijfel (Descartes). **scep'ticus** [v. Gr. *skeptikos*] **1** aanhanger van het scepticisme; **2** twijfelzuchtig persoon. **scep'tisch** *bn* & *bw* twijfelend, twijfelzuchtig, geneigd tot twijfel; twijfel uitdrukkend.
**scep'ter** [Lat. *sceptrum*, Gr. *skêptron* = staf, v. *sképtoo* = doen leunen] heersersstaf.
**schaakmat'** [v. Perzisch *sjah mata* = de koning is dood] **1** (*schaken*) toestand waarin de koning door een stuk v.d. tegenpartij genomen kan worden en er geen zet gedaan kan worden die dit verijdelt; **2** (*fig.*): *iemand schaakmat zetten*, iemand zijn laatste mogelijkheid tot verweer of tot een voor hem gunstige uitkomst ontnemen.
**schabel'** [Lat. *scabéllum*, verklw. v. *scámnum* = bank] **1** voetbank; **2** laag zitbankje zonder leuning.
**schabloon'** *zie* **sjabloon**.
**schabrak'** *zie* **sjabrak**.
**Scha'denfreude** [Du.] leedvermaak.
**1 schaf'ten** of **schof'ten** [v. Rotwelsch *scheffen* = o.a. zitten, rusten, misschn. v. Hebr. *sheib* = (gaan) zitten] rustpauze houden als werkonderbreking, meestal voor een maaltijd.
**2 schaf'ten** (latere Ned. vervorming v. MNDu. *schuften* (ook in modern Hoogduits) = hard werken; *vgl. ook* het Du. zwakke ww *schaffen* = werken, *ook*: verschaffen; *ook: auf die Seite schaffen*, wegmoffelen] in de bet.: gelegenheid ver*schaffen* (iets te doen): *je hebt hier niets te schaften*, je hebt hier niets te maken.

**schake'ring** [afgeleid v. MNed. *scakier*, Fr. *échiquier* = schaakbord; schakering betekent dus eigenlijk 'geruit als een schaakbord'] verscheidenheid van tint of kleur, nuance; *ook*: afwisseling.

**scha'lebijter**, *ook*: **schal'lebijter** of **schar'rebijter** [verbastering v. *scarabee*, *z.a.*] oude naam voor kever, thans nog voor sommige soorten loopkevers.

**scha'lie** [v. Gallo-Romaans *squalia*] (*Z.N.*) lei, dakpan.

**schalmei'** [via OFr. *chalemie* v. Gr. *kalamaia* = rieten fluit, v. *kalamos* = riet] **1** herdersfluit, bep. houten blaasinstrument; **2** bep. orgelregister, het zgn. snorwerk.

**schandaal'** [christ. Lat. *scándalum* = aanstoot, ergenis, verleiding, NTGr. *skandalon* = ergenis, aanleiding tot zondigen, Gr. = struikelblok] aanstoot gevend, opspraak verwekkend feit. **schandaleus'** [Fr. *scandaleux*] schandelijk, aanstootgevend, ergeniswekkend. **schandalise'ren** [christ. Lat. *scandalizáre* = ergenis geven, verleiden, v. NTGr. *skandalizoo*] **1** ergenis geven; **2** deerlijk havenen, zwaar beschadigen. (N.B. op de bet. van *schandaal* heeft later het woord *schande* invloed uitgeoefend; *schandaal* is echter niet afgeleid v. Lat. of Gr., maar v.e. Germaans woord en staat in verband met het *schenden* en *schaamte*).

**scharla'ken** [v. MLat. *scarlátum*, v. Perzisch *säkirlat* = rood geverfd kleed (met cochenille), v. Arab. *siklat* = gekleurde zijde, v. Lat. *cýclas*, Gr. *kuklas* = vrouwenkleed dat rondom het lichaam sluit, v. *kuklos* = kring. Het tweede deel v.h. woord: *-laken*, is ontstaan te Gent, destijds men een bloeiende lakenindustrie] **I** *zn* (*vero.*) helrood gekleurde wollen stof; **II** *bn* helderrood.

**scharmin'kel** [v. MNed. *sceminkel* uit ouder *siminkel*, wellicht v. Lat. *simiúnculus*, verkleinwoord v. *simia* = aap] mager persoon of dier; *ook*: geraamte.

**scharnier'** [Fr. *charnière*, v. VLat. *cardinária*, v. Lat. *cardo*, *cárdinis* = deurhangsel; *zie* **kardinaal**] apparaat om twee voorwerpen zo te verbinden dat minstens één ervan draaiend kan bewegen.

**schar'rebijter** *zie* **schalebijter**.

**schavot'** [Fr. *échafaud* = stellage, v. voorzetsel *é*; *zie* **ex-**, en VLat. *catafalcum*; *zie* **katafalk**] verhoging waarop misdadigers terechtgesteld werden.

**scheer** [Zweeds *skär*] klip of rotseiland voor kust.

**schelf** [Eng. *shelf* = plank; rotsrand, zandbank] 'voet' van vasteland onder de zeespiegel, van 0-200 m onder water en verscheidene kilometers breed.

**schel'ling** [missch. oorspr. 'dun plaatje'] **1** oude munt; **2** (*thans nog markttaal*) 30 cent (*vgl.* Eng. *shilling*). **schel'linkje** goedkoopste rang in de schouwburg (hoog achterin), ook *engelenbak* genoemd.

**sche'ma** [MLat., v. Gr. *schèma*, *schèmatos* = (lichaams)houding, gedaante, v. *echoo* = (*schoo*) = houden, zijn] vereenvoudigde voorstelling; ontwerp; schets. **schema'tisch** [Fr. *schématique*] schetsmatig. **schematise'ren** [Fr. *schématiser*, v. Gr. *schèmatizoo* = een houding geven] schetsmatig voorstellen; in schema brengen.

**sche'mel** [Lat. *scamíllus*, verkleinwoord v. *scamnum* = bank] schabel, z.a.

**sche'pen**, *mv* **sche'penen** [v. MLat. *scabinus*, van een Frankisch woord *skapjan* (*vgl.* ons *scheppen*), dat de bet. heeft van: de rechtsorde tussen twee partijen herstellen door een vonnis, orde scheppen, verordenen] **1** (*gesch.*) rechter of stadsbestuurder; **2** (*Z.N.*) wethouder.

**sche'renkust** [v. *scheer*, v. Skand. *sker*, v. Germ. *skarja* = rots, klip] kust met rotsachtige eilandjes ervoor.

**schermut'seling** [v. It. *scaramuccia*, v. *schermire* = afweren, schermen] **1** gevecht op

kleine schaal dat geen beslissing brengt; *ook fig.*: kleine woordenstrijd; **2** spiegelgevecht.

**scherzan'do**, afk. **scherz.** [It.] (*muz.*) schertsend. **scher'zo** [It.] vrolijk, schertsend muziekwerk of deel daarvan.

**schets** [v. It. *schizzo*, via Lat. v. Gr. *schedios* = voor de vuist weg] voorlopige tekening, kort overzicht.

**scheur'buik** [volksetymologie van MLat. *scorbútus*, waarvan de woordafl. onzeker is] *scorbuut*, een ziekte ontstaan door gebrek aan vitamine C, vroeger vooral op schepen en in de poolstreken door gebrek aan vers fruit en verse groente (dus een *avitaminose*, z.a.).

**schibbo'let**, *ook*: **sjibbo'let** [Hebr. *sjibbólet*] **1** wachtwoord, herkenningswoord, woord aan de uitspraak waarvan men vreemdelingen herkent (het woord *sjibbolet* werd door de Israëlieten van Gilad gebruikt om vijandige Efraïmieten te herkennen die de *sj* niet konden uitspreken; *vgl.* Richteren 12:6; **2** kenmerk waaruit met zekerheid blijkt dat de persoon in kwestie een bep. eigenschap of hoedanigheid of overtuiging bezit.

**schil'lerhemd** overhemd met liggende opengeslagen kraag [naar dracht v. Friedrich Schiller, Du. schrijver, 1759-1805].

**schil'ling** [Du. *Schilling*; *vgl.* Ned. *schelling* en Eng. *shilling*] munteenheid van Oostenrijk; **1** Schilling = 100 Groschen.

**schis'ma** [kerk. Lat., v. NTGr. *schisma*, *-matos* = scheuring, v. Gr. *schizoo* = kloven, splijten] kerkscheuring (zonder afwijking in geloofsleer, maar met losscheuring v. wettig gezag); afscheiding in het algemeen. **schisma'ticus** [kerk. Lat. v. Gr. *schismatikos*] scheurmaker (die zich losmaakt v. wettig gezag). **schismatiek'** [*zie vorige*] **I** *bn* scheurmakend; **II** *zn* schismaticus. **schist** [Fr. *schiste*, v. Gr. *schistos* = gespleten] mineraal v. bladerachtige structuur. **schizofreen'** [v. Gr. *phrèn* = middenrif, geest, verstand; *zie* **freno-**] **I** *bn* met schizofrenie; **II** *zn* lijder aan schizofrenie. **schizofrenie'** bep. soort krankzinnigheid, ziekelijke gespletenheid in geestesleven, in het bewustzijn (voornamelijk tussen vertandelijke vermogens en vermogens v. wil en gemoed).

**schizogene'sis**, **-gonie'** [v. Gr. *gen-* = worden, ontstaan] ongeslachtelijke voortplanting door splijting v.h. organisme. **schizoï'de** [v. Gr. *-oeides* = gelijkend] op schizofrenie lijkend. **schizomyce'ten** *mv* [v. Gr. *mukés*, *mukètos* = paddestoel, zwam] splijtzwammen.

**schla'ger** [Du. *Schlager*] tijdelijk zeer populair 'inslaand' lied, operette e.d.

**schlemiel'**, *ook*: **sjlemiel'** [via Du. *Schlemihl* v. Jidd.; *vgl.* Hebr. *sjelo mohil* = iem. die niet deugt] lummel, slungel; (*Barg.*) stakker, pechvogel; *ook*: slappeling, sul, lul. **schlemie'lig**, *ook*: **sjlemie'lig** *bn* slungelig.

**Schluss!** [Du. = *lett.*: slot, einde] (nu is het) uit!, afgelopen!

**Schmie're** [Du.] **1** rondreizend toneelgezelschap van mindere rang, kermistroep; **2** het optreden, de werkwijze daarvan. **schmie'ren** [Du.] (*gebruikelijke toneelterm*) minderwaardig toneelspelen.

**schmink** [Du. *Schminke*] grimeersel, gelaats'verf' voor toneel- of filmspelers of voor optreden bij de televisie. **schmin'ken** *ww* grimeren.

**schnab'bel(tje)** [Jidd.; *vgl.* Du. *schnabeln* = smullen (v. *Schnabel* = snavel), in Rotwelsch *ook*: vangen, stelen] (kleine) bijverdienste, oorspr. gezegd v. beroepsmusicus. **schnab'belen** *ww* bijverdienen door een klein maar dikwijls winstgevend karwei naast het gewone werk.

**schnit'zel** [Du. = afsnijdsel, v. *Schnitt* = snede] beargande dunne lap vlees.

**schoffe'ren** [v. OFr. *esconfire* v. VLat. *exconficere* = vernietigen, v. Lat. *ex-* = uit, en *conficere* = vervaardigen; *dus lett.*: uit elkaar halen] **1** beschadigen, vernielen, schenden;

(*vero.*) (vrouw) onteren, schenden,
verkrachten; **2** (*fig.*) geestelijk onteren.
**schoffeer'der** verkrachter; persoon die
schoffeert.
**schof'ten** *zie* **schaften.**
**scho'la canto'rum** [kerk. Lat. = school van
zangers] zangkoor voor Gregoriaanse
gezangen. **scholas'ter** [*zie* **scholasticus,** en
**-aster**] bekrompen schoolvos.
**scholasticaat'** *zie* **scholastikaat'.**
**scholas'ticus** [Lat. = tot de school behorend,
v. Gr. *scholastikos* = zijn tijd aan wetenschap
wijdend] geleerde v.d. scholastiek.
**scholastiek'** [Fr. *scolastique; zie vorige*] **I** *zn*
**1** wetenschappelijke leer en methode v.
middeleeuwse wijsgeren en godgeleerden,
met sterke (doch niet uitsluitende) aansluiting
aan de verchristelijkte leer v. Aristoteles; **2** (*rk*)
theologant; **II** *bn* de scholastiek betreffend.
**scholastikaat'** [Fr. *scolasticat*]
opleidingsinstituut voor priesters,
grootseminarie. **scholas'tisch** *bn* hetzelfde
als **scholastiek** *bn.*
**scho'lium,** *mv* **scho'lia** of **scho'liën** [v.
MLat. *schólion* = uitlegging, verklaring van
een tekst, oorspr. ten behoeve v.d. school]
verklarend commentaar.
**Schöngeisterei'** [Du., v. *Schöngeist,*
vertaling v. Fr. *bel esprit* = schone geest]
enigszins overdreven en geëxalteerde cultus
van het schone, *estheticisme, z.a.*
**schorseneer'** of **schorseneel'** [v. Sp.
*escorzonera,* It. *scorzonera,* v. *scorzone* = bep.
soort slang, v. Lat. *cúrtio, curtiónis*; de plant
is zo genoemd wegens de lange slangachtige,
met zwarte schil omgeven wortels, waaraan
men vroeger heelkracht tegen slangebeet
toeschreef] de plant *Scorzonéra híspánica* uit
de Composietenfamilie, waarvan de wortels
(schorseneren) na koken gegeten worden.
**schout** [MNed. o.a. *scoutete* of *schouthete*
= persoon die het bevel geeft tot het verlenen
v. verplichte diensten; v. *schuld* en *heten*]
**1** (*gesch.*) bep. gerechtsdienaar, hoofd der
politie; **2** dijkgraaf. **schout-bij-nacht'**, *mv*
**schouten-bij-nacht'** of
**schout-bij-nachts'**, (*marine*) **1** *vroeger:*
'opperhoofd: wiens pligt het is, bij nagt op te
passen, dat ieder volgens zijn rang koome te
seilen'; **2** *thans:* vlagofficier in rang
onmiddellijk onder vice-admiraal volgend.
**schram'melorkest** orkest voor bep. vrolijke
marsmuziek [naar Johann Schrammel,
Oostenrijks muzikant 1850-1893].
**schrap'nel** *zie* **shrapnel.**
**schriftuur'** [Lat. *scriptúra* = het tekenen, het
schrijven, schrift, boek, v. *scríbere, scríptum*
= griften, tekenen, schrijven; *vgl.* Gr. *graphoo*]
het geschrevene, handschrift; *de Schriftuur,* de
heilige Schrift, Bijbel.
**schrijn** [christ. Lat. *scrínium*] fijnbewerkte kist
ter bewaring van relikwieën van heiligen of
zaligen. **schrijn'werker**, ebenist v. Fr.
*ébéniste*], vakkundig meubelmaker van fijne
meubelen.
**Schutz'staffel** (afk. **SS**) [Du.] speciale
beveiligingsdienst van het
nationaal-socialistische regime, een soort
geheime politie, in het toenmalige Duitsland
en de bezette gebieden zeer berucht om haar
nietsontziende methoden van onderzoek en
martelpraktijken.
**Schwung** [Du.] zwier, gang, vaart, elan.
**sciamachie'** [Gr. *skiamachia,* v. *skia*
= schaduw, en *machomai* = vechten]
spiegelgevecht.
**scien'ce fic'tion** [Eng. = verbeelde
wetenschap] literair genre dat zich toespitst op
gefingeerde toekomstige omstandigheden en
gebaseerd is op mogelijke technologische
ontwikkelingen.
**scientifiek'** [Fr. *scientifique,* v. Lat. *sciéntia*
= wetenschap, v. *scire* = weten; verwant met
*scíndere* = splijten, (onder)scheiden]
wetenschappelijk.
**scientis'me** [v. Lat. *scientia* = wetenschap]

geloof in de wetenschap. **scien'to'logy** [Eng.
= leer v.h. weten] religieus getinte doctrine
waarin men streeft naar bevrijdende
zelfontdekking d.m.v. bep. psychotechnieken.
**sci'licet** (afk. **scil.** of **sc.**) [Lat.; verkorte vorm
v. *scíre licet* = men moge weten] namelijk, te
weten.
**scintilla'tie** [Lat. *scintillátio* = flikkering, het
blikkeren, het vonken schieten] **1** (*alg.*)
fonkeling, een fluctuatie in de
stralingsintensiteit, vooral merkbaar bij hogere
frequenties van elektromagnetische straling;
**2** (*astr.*) het bekende flonkeren v. sterren; dit
zijn helderheidsveranderingen, veroorzaakt
door wisselende afbuigingen van de
lichtstralen in luchtlagen van verschillende
temperatuur ('onrust' van de lucht); **3** (*nat.*)
het optreden van een lichtstraling v. korte duur
(één miljoenste seconde of korter) wanneer
een snel deeltje, zoals een alfadeeltje of een
gammaquant, door materie passeert. Sommige
stoffen en bep. organische vloeistoffen
worden door ioniserende straling gemakkelijk
tot scintillatie gebracht; een dergelijke stof
noemt men *scintillátor* (modern Lat.); ook een
toestel dat door middel van zo'n stof scintillatie
vertoont bij opvallende alfa- of gammastraling
noemt men *scintillator.* **scintilla'tieteller**
apparaat waarbij de scintillaties, veroorzaakt
door radioactieve straling die op bep. kristallen
valt, en die met het oog niet te tellen zijn, d.m.v.
een fotomultiplicatorbuis worden omgezet in
elektrische pulsen, die vervolgens elektronisch
geteld worden. Op deze wijze kan de
intensiteit v. radioactieve straling worden
gemeten. **scintille'ren** *ww* [Lat. *scintillare*
= vonken, schitteren, v. *scintilla* = vonk]
fonkelen, blikkeren.
**sciop'ticon** [v. Gr. *skia* = schaduw, de stam
*op-* = zien, en *eikoon* = beeld] bep. grote
projectielantaren.
**sciroc'co** *zie* **sirocco.**
**sclerei'de** [v. Gr. *skléros* = dor, hard, en
*-oeides* = gelijkend] (*plk.*) steencel.
**sclerodermie'** [v. Gr. *derma* = huid] ook
**scleroder'ma, sclere'ma, sclero'ma** of
**scleroom',** een chronische huidziekte
bestaande in een verharding v.d. huid en
onderliggende weefsels. **sclero'se** [*zie -ose*]
verharding v.e. weefsel of v.e. orgaan, meestal
veroorzaakt doordat de bindweefselvezels
toenemen.
**scolio'se** [v. Gr. *skolios* = krom; *zie -ose*]
blijvende zijdelingse verkromming v.d.
wervelkolom.
**scontre'ren** [It. *scontrare* = afbetalen;
*discontere, z.a.*] met elkaar afrekenen,
vereffenen. **scon'tro** [afbetaling; *disconto,
z.a.*] wederzijdse afrekening.
**scoop** [Am., v. Eng. = *lett.*: schep, schop, *ook*:
primeur] informatie over actuele feiten uit
betrouwbare bron, exclusieve journalistieke
primeur.
**-scoop** [v. Gr. *skopeoo* = (rond)kijken,
bespieden, *skopos* = uitkijk, wachter,
boodschapper, verspieder] toestel waarmee
iets visueel waargenomen wordt, -kijker,
-spiegel, of dat iets aantoont, -aanwijzer,
-verklikker (bijv. elektroscoop) (met
uitzonderingen als horoscoop, bioscoop waar
geen toestel maar een waarneming wordt
aangeduid). **-scopie'** - visuele waarneming,
-bekijking.
**scoo'ter** [v. Eng. *scooter* = autoped, step
(kinderspeelgoed); *motor scooter* = scooter, v.
*to scoot* = rennen, wegschieten, v. *scout, z.a.,*
in vroegere bet.: snelle verkenningsboot,
*tegenw.* weer in Eng. ingevoerd als Am. *scoot*]
bep. klein motorrijwiel.
**scorbuut'** *zie* **scheurbuik.**
**sco're** [Eng., v. ONoors *skor* = kerf, keep]
aantal behaalde punten bij spel, stand v. door
partijen behaalde punten. **sco'ren** [Eng. *to
score*] **1** punten maken in wedstrijdspel, spec.
bij balspelen als voetbal, rugby, hockey *enz.*:
een doelpunt maken; **2** (*taal van*

*drugsverslaafden*) er in slagen heroïne te
bemachtigen.
**Scot'land Yard** hoofdbureau v.d. Londense
politie, die politie zelf (naar vroegere naam v.
plaats v. eerste hoofdbureau).
**scout** [Eng., v. OFr. *escoute* = verspieder, wie
afluistert, v. *escouter* = luisteren, Fr. *écouter*,
v. Lat. *auscultáre* = beluisteren; *zie*
**auscultatie**] verkenner, padvinder;
*talent-scout* (meestal kortweg scout)
talentenjager.
**scrab'ble** [Eng. = *eig*.: krabbelen; *ook*:
scharrelen; *vgl*. Ned. *schrabbelen*
= (herhaaldelijk) met de poten krabben, v.
*schrabben* = schrapen] een spel met letters
voor 2 tot 4 spelers die op een speelbord
woorden moeten vormen, zoals bij een
kruiswoordpuzzel.
**scraps** [Eng. = klein brokstuk v. iets, v. *to
scrape* = schrabben, schaven] ijzerafval.
**scree'nen** [Eng. *to screen* = *eig*.: afschermen;
*ook*: ziften, zeven, *vandaar ook*: iemands
antecedenten nagaan; *vgl*. Ned. *scherm*]
iemands betrouwbaarheid toetsen door zijn
verleden 'door te lichten', na te gaan, vooral
bij een sollicitatie.
**scri'ba** [Lat. = schrijver, v. *scríbere* = schrijven;
*zie* **schriftuur**] secretaris v.e. vereniging;
(*prot*.) secretaris v.e. kerkelijke vergadering
(classis).
**scri'bax** veelschrijver. **scribent'** [v. Lat.
*scríbens, scribéntis*, o.dw van *scríbere*
= schrijven] schrijver, opsteller v.e. geschrift
(meestal in ongunstige zin gebruikt:
prulschrijver).
**scrim'mage** [Eng. = *eig*.: verwarde strijd;
andere vorm v. *skírmish* = ongeregelde strijd
(*zie ook* **schermutseling**), v. Provençaals
*escrimir* = schermen, v. Germ. *skírmjan*
= vechten] (*sport*) gevecht van vele
opeengehoopte spelers (aanvallers en
verdedigers v.d. andere partij) om de bal, vlak
voor het doel, vooral bij voetbal en rugby.
**scrip** [Eng., afk. v. (*sub*)*scrip(tion receipt*)
= bewijs v. inschrijving, v. Lat. *scríbere*,
*scriptum* = schrijven; *zie* **schriftuur**]
stortingsbewijs, bewijs v. rentetegoed.
**scripofilie'** [v. Gr. *phíleoo* = liefhebben] het
verzamelen van oude, waardeloos geworden
waardepapieren (bankbiljetten, aandelen,
obligaties, effecten). **script** [Eng.] draaiboek
(aanwijzingen voor regie en produktie) bij
filmopname, TV- of radio-uitzending e.d.
**script'girl** assistente v.d. regisseur bij de
samenstelling v.e. draaiboek, tevens
toezichthoudster bij de uitvoering daarvan.
**scrip'tie** [Lat. *scríptio* = geschrift, het
schrijven] verhandeling door student
vervaardigd als opgedragen taak. **scrip'tum**
[Lat.] geschrift.
**scrofuleus'** [Fr. *scrofuleux*, v. VLat. *scrófulae*
= klieren, v. *scrofa* = zeug] klierachtig.
**scrofulo'se** [*zie* -*ose*] klierziekte.
**scro'tum** [Lat.] balzak.
**scrub** [Eng., andere vorm v. *shrub* = struik]
vrijwel onoordringbaar struikgewas in de
binnenlanden v. Australië.
**scru'pel** [Lat. *scrúpulus* = klein (spits)
steentje, verklw. v. *scrupus* = scherpe steen]
bep. apothekersgewicht (ruim 1,3 g).
**scrupu'le** [Fr., v. Lat. *scrúpulus* = scherp
steentje, angstvalligheid] overdreven
gewetensbezwaar, gewetensangst.
**scrupuleus'** [Fr. *scrupuleux*, v. Lat.
*scrupulósus* = vol scherpe stenen, angstig
nauwgezet] angstvallig v. geweten, (al te)
nauwgezet, zeer nauwkeurig.
**scrupulositeit'** [Lat. *scrupulósitas*]
angstvalligheid.
**scrutine'ren** [*zie* **scrutinium**] 1
onderzoeken, doorzoeken; uitvorsen; 2
stemmen opnemen bij een verkiezing.
**scruti'nium** [Lat. = het doorzoeken, v.
*scrutári* = doorsnuffelen, v. *scruta* = oude
vodden, gebroken stukken, Gr. *grutê*]
onderzoek vóór verlenen v. ambt of vóór

toediening v. wijding; *ook*: telling v. stemmen
en de daaruit volgende keuze.
**scry'er** [Eng., v. *descry*, missch. v. MEng.
*descrive* = beschrijven] persoon die in kristal
kijkt om heden en verleden te zien.
**scull'er** [Eng.; v. *scull*, soort roeiriem] bep.
eenpersoons roeiboot, met wrikriem.
... **sculp'sit** afk. **sc(ulps.)** [Lat. = 3e pers. volt.
teg. tijd v. *scúlpere, scúlptum* = graveren,
beitelen, snijden; verwant met Gr. *gluphos, zie*
**glyptiek**] ... heeft het gegraveerd. **sculptuur'**
[Lat. *sculptúra*] het beeldhouwen;
beeldhouw- of snijwerk.
**Scyl'la** [Lat., v. Gr. *Skulla*] klip in de Straat v.
Messina bij Charybdis; *van — in Charybdis*,
van de regen in de drup.
**se-** [Lat. = *sine* = zonder] afzonderlijk-,
gescheiden-, ter zijde-.
**seal'skin** [Eng.] (van) zeehondehuid,
robbevel.
**sean'ce** [Fr. *séance*, v. Lat. *sedére* = zitten]
zitting, voorstelling, (spiritistische)
bijeenkomst.
**sec** [Fr., v. Lat. *síccus* = droog] **I** *bn* **1** droog;
niet zoet (gezegd van wijn); **2** onvermengd,
zonder toevoegsel; (*cul*.) *cuire (à) sec*, zonder
vocht gaar maken; **II** *bw* **1** droogweg,
droogjes, zonder omhaal; **2** (*bridge*) met
slechts één kaart in bep. kleur; **III** *zn* bep. zware
zoete wijn, geperst uit gedroogde druiven.
**se'cans** [Lat. = de snijdende, o.dw van *secáre*
= snijden] (afk. **sec**) **1** (*meetk*.) rechte lijn die
een kromme snijdt; **2** (*goniometrie*)
verhouding v.e. geprojecteerd lijnstuk tot zijn
projectie, het omgekeerde v.d. cosinus:
sec *a*=1/cos *a*.
**sec'co** [It. = droog, v. Lat. *síccus*]: *al—*,
(schilderen) op droge kalk (*cul*. **al fresco**).
**seces'sie** [Lat. *secéssio*, v. *se-cédere*, *-céssum*
= terzijde-gaan] afscheiding.
**seclu'sie** [MLat. *seclúsio*, v. Lat. *se-clúdere*,
*-clúsum* = *se-cláudere* = afzonderlijk
opsluiten, scheiden] uitsluiting; *Akte van —*,
besluit v.d. Staten v. Holland waarbij zij de
Prins v. Oranje uitsloten v.d. waardigheden
van zijn voorouders (1654).
**secondair'**, **secundair'** [Fr. *secondaire*, v.
Lat. *secundárius* = tot de tweede rang
behorend, v. *secúndus* = volgend, na iets
komend, tweede, v. *séqui* = volgen, *secútus
sum* = ik heb gevolgd] op de tweede plaats
komend, ondergeschikt. **secondant'** *zie bij*
**seconderen**. **secon'de** (vroeger **secun'de**
[Fr., v. Lat. *grádus minútus secúndus*
= tweede verminderde graad] **1** (*als
boogmaat*, aangeduid door ") 1/60 deel van
een boogminuut, die zelf weer 1/60 deel is van
een booggraad; **2** (*als tijdmaat*), (afk. **s**) 1/60
deel v.e. minuut, zelf weer 1/60 deel v.e. uur;
**3** (*muz*.) *a* toonafstand tussen twee
opeenvolgende tonen v.d. diatonische
toonladder; *b* de tweede toon v.d. diatonische
toonladder v.d. grondtoon (ut = do) af.
**seconde'ren** *ww* [Fr. *seconder*], *ook*:
**secunde'ren** [v. Lat. *secundáre*
= begunstigen] bijstaan, helpen; secondant
zijn. **secondant'** [v. Lat. *secúndans,
secundántis* = o.dw van *secundáre*
= begunstigen] **1** getuige (en helper) bij een
duel; **2** (*schaken en dammen*) helper v.e.
wedstrijdspeler, die deze weliswaar tijdens de
wedstrijd niet mag helpen, maar hem helpt bij
het analyseren v. (afgebroken) partijen en met
hem de te volgen strategie uitstippelt.
**secreet'** [Lat. *secrétum* = afzondering,
geheim, v. *se-cérnere, se-crétum*
= afzonderlijk scheiden, afzonderen] geheim;
geheim gemak, privaat. **secreet'** [*als vorige*]
afscheiding, afgescheiden kliersap. **secre'ta**
[kerk. Lat., v. Lat. *secréta orátio*] (*rk*) gebed
dat de priester in stilte bidt vóór de Prefatie.
**secretai're** [Fr. *secrétaire; zie* **secretaris**]
schrijftafel m. laden en kast. **secretares'se** vr.
secretaris. **secretariaat'** [Fr. *secrétariat*]
ambt, waardigheid of kantoor v. secretaris.
**secretarie'** [*vgl*. Fr. *secrétairerie*] werkkamer

voor personeel op gemeentehuis (voor administratief werk voor gemeentebestuur); het gezamenlijk personeel aldaar. **secreta ris** [v. MLat. *secretárius* = geheimschrijver] geheimschrijver; schrijver v. bestuur v.e. vereniging e.d.; eerste ambtenaar v.e. gemeentebestuur; **secreta ris-generaal** [*zie* **generaal**] hoogste ambtenaar na minister aan een departement; hoofd v.d. secretarie v.e. grote organisatie. **secre tie** [Lat. *secrétio* = afzondering, afscheiding] afscheiding v. kliersap.

**sec te** *zie* **sekte**.

**sec tie** [Lat. *séctio* = het snijden, het opereren, v. *secáre* = snijden; *vgl.* Ned. *zagen*] chirurgische snede; lijkopening; afdeling (v. boek, v. gemeente enz.); (*mil.*) helft v. peloton.

**sec tio caesa rea** [Lat.] keizersnede.

**sec tor** [VLat. v. Lat. = *lett.*: de afsnijder] **1** (*wisk.*) deel v.e. cirkel dat begrensd wordt door twee stralen en een van de bogen die deze van de gehele cirkelomtrek afsnijden; **2** (*mil.*) deel v.e. frontlijn of van een bezettingszone; **3** afdeling v.e. gebied waarover bep. bemoeiingen zich uitstrekken; **4** afdeling van het maatschappelijk of economisch leven; *collectieve sector* met belastinggeld betaald en door de overheid georganiseerd gedeelte v.h. maatschappelijk of econ. leven; *primaire sector*, afdeling van het bedrijfsleven waar in de natuur voorkomende zaken worden gewonnen (mijnwezen, landbouw, visserij); *secundaire sector*, afdeling v.h. bedrijfsleven waar uit grondstoffen gerede produkten worden vervaardigd (industrie); *tertiaire sector*, commerciële dienstverlening (bijv. horeca); *quartaire sector*, niet-commerciële dienstverlening (ambtenaren en trendvolgers).

**seculair** [Fr. *séculaire*, v. Lat. *saeculáris* = behorend tot de *sáeculum* = eeuw, tijd, aardse leven, wereld; missch. verwant met *sérere* = zaaien; *semen* = zaad] wereldlijk; een eeuw oud, per eeuw. **secularise ren** [Fr. *séculariser*] wereldlijk maken; uit priesterstand in lekenstand overbrengen; (kerkelijke goederen) aan Staat trekken. **secularisa tie** [Fr. *sécularisation*] *zn.* seculier. **seculier** [Fr. *séculaire*, v. Lat. *saeculáris*] **I** *zn* wereldlijk geestelijke (niet tot orde of congregatie behorend); **II** *bn* **1** wereldlijk; **2** (*astr.*) in alle tijden in dezelfde richting aangroeiend (- e storing, d.i. niet periodiek schommelend)

**secundair** *zie* **secondair**; *secundaire sector, zie* **sector**; *secundair onderwijs, zie* **sector**; *secundair onderwijs*, middelbaar onderwijs (tegenover *primair onderwijs* = basisonderwijs). **secun de** (*vroegere wetenschappelijke taal*) seconde.

**secunde ren** seconderen. **secun do** [Lat. = *secundo loco* = in de tweede plaats] ten tweede. **secun dum quid** [MLat.] *lett.*: volgens iets; onder bepaald opzicht.

**securiteit** [Lat. *secúritas*, v. *secúrus* = vrij v. zorgen, v. *se* = *sine* = zonder, en *cura* = zorg] zekerheid, veiligheid; (*volkstaal*) preciesheid.

**secuur** [Lat. *secúrus*] zeker, veilig, vertrouwd; nauwlettend, precies; voorzichtig.

**sedan'** [Eng., afkorst onbekend] (auto) zonder ruit tussen voor- en achterzitplaatsen.

**sedatief** [Fr. *sédatif*, v. Lat. *sedáre* = doen zitten, doen bedaren, causatief v. *sedère* = zitten] **I** *bn* kalmerend; **II** *zn* kalmerend middel, sedativum. **sedati vum**, *mv* **sedati va** kalmerend middel.

**sede cimo** [Lat. *in sedécimo* = in zestienen, v. *sédecim* = *sex-decem* = zes-tien] bep. formaat (vel in 16 bladen gevouwen).

**sedentair** [Fr. *sédentaire*, v. Lat. *sedentárius*, v. Lat. *sedère* = zitten] een zittend leven leidend; een vaste woonplaats hebbend.

**se der** *zie* **sei der**.

**sede ren** *ww* (*psychiatrie*) **1** kalmerende middelen toedienen; **2** kalm worden door sedativa.

**se des** [Lat.] zetel; woonplaats. **Se des**

**aposto lica** [kerk. Lat.] Apostolische Stoel, d.i. pauselijke regering (vroeger *Sáncta Sédes* = Heilige Stoel). **Se de vacan te** [Lat. = *lett.*: terwijl de Stoel onbezet is] de periode na de dood v.e. paus tot de verkiezing v.e. nieuwe.

**se dia gesta to ria** [Lat.] draagstoel (voor de paus).

**sediment'** [Lat. *sediméntum*, v. *sedímen* = grondsop, heffe] neerslag, bezinksel, laag v. aardkorst door afzetting gevormd.

**sedimentair** [Fr. *sédimentaire*] bezinkings-.

**sedimenta tie** [v. Lat. *sedímen* = bezinksel, v. *sedere* = zakken, zinken] proces v. afzetting; proces v. bezinking.

**sedi tie** [Lat. *sedítio* = verwijdering, twist, oproer, v. *sed* = *se* = zijwaarts, en *ítio*, v. *ire* = gaan] oproer, onrust.

**se duisant** [Fr. *séduisant* = o.dw van *séduire* = Lat. *se-dúcere* = ter zijde voeren, verleiden] verleidelijk.

**sefar den, sefardim'** [Hebr., v. *Sepharad* = Spanje] joden met voorouders uit Spanje en Portugal afkomstig (*vgl.* **asjkenazim**).

**segment** [Lat. *segméntum* = insnede, deel, v. *segmen* = afsnijdsel, splinter, verwant met *secáre* = snijden] (*wisk.*) deel v. cirkel begrensd door boog en koorde; *bolsegment*, deel v. bol door plat vlak afgesneden; afdeling; (*dierk.*) lichaamsgeleding (bijv. bij insekten). **segmenta tie** het in segmenten verdeeld zijn. **segment'boog** (*bouwk.*) boog in de vorm v.e. cirkelsegment.

**seg no, dal** - [It.] (*muz.*) van het teken al (herhalen).

**segrege ren** [Lat. *se-gregáre* = van de kudde afzonderen, v. *se-*, en *grex, grexis* = kudde] afzonderen, afscheiden. **segrega tie 1** afzondering, afscheiding; *ook*: apartheid. **2** optreden v. verschillen in samenstelling v. stoffen.

**segrijn'** *zie* **1 chagrijn**.

**seicen to** [It.] 17e eeuw, als kunsthistorisch tijdperk.

**sei der** [v. Hebr.] joodse godsdienstoefening thuis op de twee vooravonden van het joodse Paasfeest; *ook*: **se der**.

**seignet'tezout** of **rochel'lezout** [naar P. Seignette, 1660–1719, apotheker] kalium-natriumzout v. wijnsteenzuur, KNatartraat, KOOC $(CHOH)_2$ COONa. $4H_2O$. De kristallen bezitten o.a. piëzo-elektrische (*z.a.*) eigenschappen, en vinden o.a. toepassing in microfoons en in pick-ups van platenspelers.

**seigneur'** [Fr., v. Lat. *sénior* = oudere, vergrotende trap v. *senex* = oud] adellijk of aanzienlijk heer (*zie ook* **grand**-).

**seis misch** [v. Gr. *seismos* = aardbeving, v. *seioo* = schudden] aardbeving betreffend.

**seismofoon'** [v. Gr. *phoonè* = stem, geluid] (*mil.*) elektrisch luisterinstrument.

**seismograaf** [v. Gr. *graphos* = schrijver, v. *graphoo* = schrijven] toestel om aardbevingen te registreren. **seismogram'** [v. Gr. *gramma* = het geschrevene] door seismograaf opgetekende grafische voorstelling v. aardbevingstrillingen. **seismologie'** [*zie* **-logie**] leer der aardbevingen.

**seismolo gisch** de seismologie betreffend.

**seks-** *zie ook* **sex-**.

**seks** [v. Eng. *sex, zie verder* **sekse**] erotiek, op het geslachtsleven betrekking hebbende motieven of bijzonderen; seksuele omgang. **seks-** in de bet. van: seksueel prikkelend, het seksuele leven stimulerend; in vele samenstellingen: *seksboek, seksblad, seksboetiek, seksartikelen, sekstheater, seksclub e.d.* **seks-appeal'** *zie* **sex-appeal**. **seks'bom** vrouw of meisje met grote seksuele aantrekkelijkheid, met veel sex-appeal. **sek'se** [v. Fr. *sexe*, v. Lat. *sexus* = *sec-sus* = geslacht; verwant met *secáre* = snijden, en *segmen* = afgesneden stuk] geslacht, kunne. **sek'sen** *ww* scheiden naar geslacht (m.n. van kuikens). **seksis'me 1** discriminatie op grond v.h. geslacht; **2** (taal)-uiting daarvan. **seksist'**

iemand die discrimineert op grond v. geslacht.
**seksis'tisch** discriminerend op grond v.h.
geslacht. **seksualiteit'** [Fr. *sexualité*, v. MLat.
*sexuális*] geslachtelijkheid; uiting v.
geslachtsleven, het op de voorgrond treden v.
geslachtelijke gerichtheid. **seksueel'** [Fr.
*sexuel*, MLat.*sexuális*] geslachtelijk; het
geslacht en het geslachtsleven betreffend.
**seksuologie'** [*zie* -logie] leer betreffende het
seksuele leven. **seksuoloog'** [*zie* -loog]
beoefenaar der seksuologie.
**sekta'riër** [*zie* sekte] aanhanger v.e. sekte.
**sekta'risch** van een sekte; sektevormend of
naar sektevorming strevend. **sektaris'me** [Fr.
*sectarisme*] zucht tot sektevorming. **sek'te**
ook: **sec'te** [v. Lat. *secta* = stellingen die iem.
volgt, partij, leer, sekte, v. *séqui* = volgen,
*secútus sum* = ik heb gevolgd] (soms
ongunstig) kleine of grote groep die zich
afgescheiden heeft v.e. hoofdkerk.
**sekwes'ter** [v. VLat. *sequestráre* = in
bewaring geven, v. Lat. *sequéster*
= bemiddelaar, derde aan wie betwiste zaak in
bewaring wordt gegeven; *sequéstrum*
= gerechtelijk beslag; *vgl. secus* = apart] 1 van
rechtswege aangesteld beslaglegger en
bewaarder v. in beslag genomen goederen;
2 sekwestratie. **sekwestre'ren** [VLat.
*sequestráre*] rechterlijk beslag leggen op.
**sekwestra'tie** *zn.*
**se'la** [Hebr.] in de psalmen een muziekteken,
aangevende een verandering van stem of maat
of een kleine rustpauze.
**seladon'** [Fr. *céladon*] zeegroen.
**select'** [v. Lat. *seligere*, *-léctum* = *se-légere*
= uit-lezen, uit-kiezen, uitgelezen, uitgezocht
(bijv. gezelschap). **selecte'ren** uitlezen,
uitzoeken, sorteren, het of de beste uitkiezen.
**selec'tie** [Lat. *seléctio*] uitlezing, keuze,
teeltkeus, sortering. **selectief'** [Fr. *sélectif*]
uitkiezend; (*radiotechniek*) scherp afstembaar
op bep. golflengte met uitsluiting v.
nabijgelegen golflengten. **selectiviteit'** [Fr.
*sélectivité*] het selectief zijn, afstemscherpte.
**Sele'nium** [naar Gr. *selénè* = maan, naar
analogie van Tellurium (v. Lat. *tellus* = aarde))
chem. element, metaal, symbool Se, ranggetal
34. **selenografie'** [v. Gr. *graphoo*
= schrijven] beschrijving van het
maanoppervlak.
**self fulfilling proph'ecy** voorspelling die
wordt bewaarheid juist omdat ze gedaan is.
**self'government** [Eng.] beperkt zelfbestuur.
**self'made** [Eng.] zelfgevormd; *— man*, iem.
die zich uit eigen kracht opgewerkt heeft tot
hoge maatschappelijke positie.
**self-suppor'ting** [Eng.; *zie* supporter]
zichzelf bedruipend, in zijn eigen behoeften
voorziend.
**sel'le de chevreuil'** [Fr.] (*cul.*) reerug.
**sel'terswater** bep. koolzuurhoudend
mineraal water [naar dorp Selters, Nassau].
**sel'va** [Port., v. Lat. *silva* = woud] dicht
oerwoud in Zuid-Amerika, spec. in het
Amazone-gebied.
**semafoom'** [v. Gr. *séma*, *sèmatos* = sein, teken,
en *phoonè* = geluid] verplaatsbare draadloze
oproepinstallatie waarmee men via een
centrale codeberichten kan doorgeven of
ontvangen. **semafoor'** [v. Gr. *pheroo*
= dragen, *phoros* = dragend] optische
seininstallatie voor scheepvaart en
spoorwegen.
**semanteem'** [v. Gr. *sèmantikos*
= veelbetekenend, v. *sèmainoo* = betekenen]
het betekenisdragende deel v.e. morfeem, *z.a.*
**semantiek'** [v. Gr. *sèmantikos* = betekenend,
v. *sèmainoo* = een teken geven, betekenen, v.
*sèma* = kenteken, merk] leer v.d. betekenis der
woorden. **seman'tisch** [als vorige] de
semantiek betreffend. **semasiologie'** [v. Gr.
*sèmasia* = betekenis; *zie* -logie] semantiek.
**semasiolo'gisch** semantisch. **semeiologie'**
[v. Gr. *sèmeion* = teken; *zie* -logie] (*med.*)
leer der (ziekte)symptomen.
**semes'ter** [v. Lat. *semé(n)stris* = zesmaands,

v. *sex* = 6, en *mensis* = maand; *vgl.*
**trimester**] periode v. zes maanden, halfjaar.
**semi-** [Lat., *vgl.* Gr. *hèmi-*] half-.
**se'mi-arts** med. student die eerste deel v.
artsexamen met goed gevolg heeft afgelegd.
**Semie'ten** bep. volkerengroep (o.a. Arabieren,
Israëlieten) [die verondersteld wordt af te
stammen v. Sem, *zie* Genesis 10:21 e.v.].
**semilor'**, *ook*: **similor'** [v. *semi*, en Fr. *or*, Lat.
*aurum* = goud; resp. v. Lat. *símilis* = gelijk]
halfgoud, d.w.z. een legering v. koper, zink en
tin, uiterlijk op goud gelijkend.
**seminaar'** *zie* **seminarie** 3 en 4. **semina'rie**,
**semina'rium** [v. Lat. *seminárium* = kwekerij,
kweekplaats, v. *semen*, *séminis* = zaad; *zie* ook
**-arium**] 1 (*alg.*) opleidingsinstituut voor
geestelijken; (*rk*) internaat voor opleiding van
seculiere geestelijken, onderscheiden in *klein
seminarie* (gymnasium-alfa-opleiding) en
*groot seminarie* (studie van filosofie,
theologie, kerkelijk recht e.d.); (*prot.*)
internaat voor a.s. predikanten die worden
voorbereid op hun praktijk; 2 universitair
instituut voor een bep. studievak; 3 praktische
oefening voor studenten o.l.v. een hoogleraar
(*ook*: **seminaar**); 4 studie- en
werkvergadering van leidende personen in het
bedrijfsleven, die zich daartoe een of meer
dagen afzonderen in een rustige omgeving
(*ook*: **seminaar**). **seminarist'** [Fr.
*séminariste*] leerling aan een seminarie (**1**).
**semiologie'** [v. Gr. *semeia* = teken] leer van
de ziektesymptomen.
**se'mi-permanent** [*zie* permanent] niet
voorgoed blijvend, maar wel voor een lange
periode. **se'mi-permea'bel** [*zie*
**permeabel**] halfdoorlatend (membraan, vlies
e.d.). **se'mi-prof** persoon die met
sportbeoefening geld verdient, maar daarnaast
nog een beroep in de maatschappij uitoefent.
**se'mi-professionalis'me** sportbeoefening
tegen geldelijke beloning met daarnaast
uitoefening van een maatschappelijk beroep.
**semi'tisch** van of betreffende de Semieten, *z.a.*
**semou'le** [Fr.] (*cul.*) griesmeel.
**sem'per** [Lat.] altijd, steeds; — *idem*, steeds
dezelfde. **sem'pre avan'ti** [It.] steeds
voorwaarts.
**sen** Japanse koperen munt, $^{1}/_{100}$ yen.
**senaat'** [Lat. *senatus*, *z.a.*] bestuur v.
universiteit of studentenvereniging;
(onofficieel) Eerste Kamer. **sena'tor** [Lat.] lid
v.e. senaat. **sena'tus** [Lat., v. *senex* = oud,
bejaard] bestuursraad in het oude Rome; —
*populúsque Románus*, de senaat en het volk
v. Rome (S.P.Q.R.); — *veteranórum*, raad der
oudsten. **senescen'tie** [v. Lat. *senéscere*
= inchoatief v. *senére* = oud zijn] het oud
worden.
**seniel'** [Lat. *senílis*] afgeleefd, afgetakeld; *ook*:
kinds. **seniliteit'** [Fr. *sénilité*] het seniel zijn,
de verschijnselen daarvan. **se'nior** afk. **Sen.**,
ook **Sr.** [Lat. = vergrotende trap v. *senex*
= oud] de oudste; de oudere (*vgl.* **junior**).
**senioraat'** voorrecht v. oudste in zake
erfopvolging. **senio'renconvent** raad der
oudsten, raad v. partijleiders.
**se non è vero è ben trova'to** [It.] al zou het
niet waar zijn, toch is het aardig bedacht
(gevonden).
**señor'** [Sp., v. Lat. **senior**, *z.a.*] mijnheer.
**señora** [Sp.] mevrouw. **señori'ta** [Sp.]
jongedame, juffrouw.
**sensa'tie** [MLat. *sensátio*, v. Lat. *sensátus*
= met rede begaafd, v. *sensus* = waarneming,
gevoel, v. *sentiri* = gevoelen, waarnemen,
*sensus sum* = ik heb ...] zintuiglijke
gewaarwording, spec. een v. sterke aard;
opschudding; ongezonde opwinding en
prikkeling; *sensatie-*, sensationeel...
**sensationeel'** [Fr., *sensationnel*]
opschudding verwekkend, opzienbarend.
**sensi'bel** [Lat. *sensíbilis* = de zinnen waar te
nemen, met zinnen (gevoel) begaafd]
voelbaar, merkbaar; gevoelig, lichtgeraakt.
**sensibilise'ren** gevoeliger maken (*spec.*:

fotografische plaat). **sensibilisa'tor** stof voor het gevoeliger maken v. panchromatische fotografische platen. **sensibiliteit'** [Fr. *sensibilité*] gevoeligheid, lichtgeraaktheid. **sensitief'** [MLat. *sensitivus*, onregelmatig v. Lat. *sentíri*] vatbaar voor gewaarwordingen; zeer gevoelig. **sensitivis'me** bep. kunstrichting met grote nadruk op gevoel. **sensitiviteit'** [Fr. *sensitivité*] zintuiglijke overgevoeligheid of fijngevoeligheid. **sensiti'vity training** [Am.; *zie verder* **trainen**], in Ned. **sensitiveits'training** langdurige bijeenkomst v.e. groep met het doel de persoonlijkheid v. elk der deelnemers te ontwikkelen doordat anderen hem met zijn eigen persoonlijkheid confronteren. **sen'sor** [Eng. v. Lat. *sensus* = het waarnemen, gevoel] gevoelig deel v.e. toestel dat door een waarneming het hele toestel inschakelt, bijv. alarminstallatie. **senso'risch** [Du.] of **sensorieel'** [Fr. *sensoriel*] de zintuiglijke waarneming betreffend; *sensorische zenuwen*, gevoelszenuwen (tegenover motorische zenuwen = bewegingszenuwen). **sensueel'** [Fr. *sensuel*, v. christ. Lat. *sensuális*] zinnelijk, spec. met betrekking tot seksueel genot. **sensualiteit'** [chr. Lat. *sensuálitas*, v. *sensuális* = zinnelijk] zinnelijkheid. **sensualis'me** [Fr.] 1 zinnelijkheid; 2 leer die de zinnelijke gewaarwording als enig uitgangspunt neemt. **sensualist'** [Fr. *sensualiste*] 1 zinnelijk persoon; 2 aanhanger v.h. sensualisme. **sen'su pro'prio** [Lat.] in eigenlijke zin. **sen'su stric'to** [Lat.] in strikte zin. **sen'sus commu'nis** [Lat.] het gezonde verstand, het algemeen gevoelen. **senten'tie** [Lat. *senténtia* = gevoelen, mening, rechterlijke uitspraak, spreuk] mening; uitspraak; zinspreuk. **senten'tia** [Lat.] vonnis. **sententieus'** [Fr. *sentencieux*, v. Lat. *sententiósus* = vol geestige gedachten] bondig kernachtig. **sentiment'** [Fr. v. MLat. *sentiméntum*] gevoel. **sentimentaliteit'** [Fr. *sentimentalité*] te grote gevoeligheid, overdreven teerhartigheid. **sentimenteel'** [Fr. *sentimental*] overmatig gevoelig, overdreven teerhartig.

**separe'ren** [Lat. *separáre*, *-átum*] scheiden, afzonderen. **separa'tie** [Lat. *separátio*] *zn.* **separaat'** [Lat. *separátus*] I *bn* afzonderlijk; II *zn* afzonderlijk stuk. **separa'bel** [Lat. *separábilis*] scheidbaar. **separa'tim** [Lat.] afzonderlijk. **separatis'me** [Fr. *séparatisme*] zucht tot afscheiding. **separatist'** [Fr. *séparatiste*] afscheidingsgezinde. **separatis'tisch** *bn & bw.*

**sephardim'** *zie* **sefarden.**

**se'pia** [Lat., v. Gr. *sèpia* = inktvis, inkt] inktvis; zwartbruine stof door inktvis afgescheiden; bep. zwartbruine verfstof.

**sepone'ren** [Lat. *se-pónere* = ter zijde zetten] ter zijde leggen; *(jur.)* niet vervolgen.

**sep'sis** [Gr. *sèpsis*, v. *sèpoo* = rotten] rotting, infectie. **sep'tisch** [via VLat. v. Gr. *sèptikos*] bederf bewerkend; infectieus.

**septem'ber** afk. **sept.** [Lat., v. *septem* = 7] 9e maand v.h. jaar (vóór eerste Romeinse kalenderhervorming de 7e). **septentrionaal'** [Lat. *septemtrionális*, v. *septem-triónes* = de zeven ploegossen = sterrenbeeld de Grote Beer, *overdrachtelijk*: het noorden] noordelijk. **septet'** [naar analogie v. *kwartet* e.d.] *(muz.)* stuk voor zeven instrumenten of stemmen; de uitvoerenden daarvan.

**sep'tic tank** [Eng., v. Lat. v. Gr. *sèptikos* v. *sèpoo* = rotten] gemetselde put voor afvalwater, waarin dat door bezinking en rotting gereinigd wordt.

**septiem'**, **septi'me** [v. Lat. *séptimus* = 7e] *(muz.)* afstand v. zeven tonen; zevende toon v. grondtoon af. **septool'** [v. lt. v. Lat. *septem* = zeven] zeven verbonden noten met de tijdwaarde van 4, 6 of 8 v. die noten.

**Septuage'sima** [kerk. Lat. = *septuagésima dies* = 70e dag] derde zondag vóór de vasten.

**septuagint'**, **septuagin'ta** [Lat. *septuaginta* = 70] vertaling v.d. Hebr. bijbel in het Grieks door joodse geleerden in Alexandrië, ca. 200 vóór Chr. (volgens legende (twee en) zeventig afzonderlijk werkende vertalers met gelijkluidende vertaling).

**sepulcraal'** [v. Lat. *sepulcralis* = v.h. graf] graf of begrafenis betreffend. **sepul'crum** [Lat.] graf, grafmonument; ruimte in altaar voor relikwieën. **sepultuur'** [v. Lat. *sepultúra*] begrafenis.

**sequens'** afk. **seq.**, ook **sq.** [Du. *Sequenz*, v. Lat. *sequéntia*; *zie volgende*] 1 *(muz.)* herhaling v. melodische figuur op andere toontrap; 2 *(rk)* sequentie. **sequen'tie** [Lat. *sequéntia* = het gevolg, v. *séqui* = volgen] 1 volgreeks, volgorde; 2 *(rk)* zang volgend op Tractus of Allelujavers tijdens de mis op bepaalde dagen. **sequen'tes** [Lat., *mv* v. *séquens* = o.dw] en volgende (bijv. bladzijden) (afgekort sq. of **sqq.**). **se'quitur**... [Lat.] daaruit volgt ...

**sequoi'a** [naar Indiaanse eigennaam Sequoiah] bep. Noordamerikaanse ceder.

**se'rac** [Zwitsers-Frans, oorspr. soort kaas] ijstoren op gletsjer.

**seradel'le** *zie* **serradelle.**

**se'raf** [Hebr. *seraph*, *mv seraphim*, missch. v. *saraph* = branden] *(Bijb.)* bep. klasse v. engelen (*vgl.* **cherub**). **se'rafijn** [v. Hebr. *mv seraphim* als *ev* beschouwd] seraf. **serafijns'** van of als van een seraf. **serafi'ne** bep. klein huisorgel.

**serail'** [Turks *serai*] 1 paleis v. Turkse vorst of heer; 2 harem.

**sereen'** [Lat. *serénus* = helder onbewolkt, verwant met Gr. *seirios* = brandend] helder, zuiver, rustig, klaar; verheven, stemmig.

**Serenan'**, **Sranan'** creoolse mengtaal v. Suriname.

**serendipis'me**, *ook*: **serendipiteit'** de gave om bij toeval (en door intelligentie) iets te ontdekken waarnaar men in het geheel niet op zoek was [naar het sprookje 'De drie prinsen van Serendip'; Serendip is een oude naam voor Sri Lanka]. **serendipist'** persoon met de gave van serendipisme.

**sereniteit'** [Lat. *serénitas*] het sereen-zijn.

**serena'de** [Ofr., v. lt. *serenáta*, v. *sereno* = open lucht, v. Lat. *serénus*] huldemuziek in de avond (*vgl.* **aubade**).

**ser'ge** [Ofr., v. Lat. *sérica*, vr. v. *séricus* = zijden, *lett.*: v.d. *Serers*, v. *Seres*, Gr. *Sères* = volk in Oost-Azië beroemd om hun zijden weefsels (Chinezen?)] bep. gekeperde wollen (oorspr. zijden) stof.

**sergeant'**, afk. **Serg.** [Ofr. *sergent*, v. Lat. *sérviens*, *-iéntis* = dienend, o.dw van *servíre* = dienen, v. *servus* = slaaf] onderofficier in laagste rang. **sergeant'-majoor** [*zie* **majoor**] rang boven sergeant.

**se'rie** [Lat. *séries*; verwant met *sérere* = aaneenrijen, samenvoegen] reeks. **serieel'** [v. Fr. *sériel*] *bn* 1 v.d. aard van series, reeksen; 2 uit series, reeksen bestaande (seriële kunst, seriële muziek). **se'ries lectio'num** [Lat.] in het Latijn gestelde lijst v. te geven colleges aan universiteit.

**serieus'** [Fr. *sérieux*, v. Lat. *sérius* = ernstig; *vgl. sevérus* = ernstig, streng] ernstig, in ernst.

**serigrafie'** [v. laat Gr. *sèrikos* = Serisch, d.w.z. Chinees, *vandaar*: zijden, en *graphoo* = schrijven] bep. soort zeefdruk, nl. het drukken m.b.v. een op zijde aangebracht sjabloon.

**sermoen'** [Lat. *sermo*, *sermónis* = gesprek; verwant met *sérere* = aaneenvoegen] preek, *ook* in betekenis: uitvoerige vermaning.

**seroen'** [v. Sp. *serón* = grote korf] verpakking v. droge waren in gevlochten repen boombast, gedroogde bananenschillen of in ongelooide runderhuid; baal van op deze wijze verpakte waar.

**serologie'** [*zie* **serum**, en **-logie**] kennis v. serums en hun toepassing. **serolo'gisch**

serums betreffende. **seroloog'** [zie **-loog**] beoefenaar der serologie.

**serpentijn'** [v. Lat. serpentínus = slangachtig] **1** (gesch.) bep. veldgeschut, veldslang (Fr. serpentin); **2** slangesteen, een magnesiumsilicaat, $(OH)_4Mg_3Si_2O_5$ (Fr. serpentine).

**serradel'le**, ook: **seradel'le** [v. Catalaans serradella] bep. plant (Ornithopus sativus) uit de Vlinderbloemenfamilie, verbouwd als groenvoedergewas.

**se'rum**, mv se'ra of se'rums [Lat., vgl. Gr. oros = (melk) wei, Sanskr. sara = vloeiend] entstof tegen besmettelijke ziekte bereid uit bloed dat de specifieke afweerstof bevat; —therapie, geneesmethode met serum; —ziekte, ziekte als bijverschijnsel ontstaan door inspuiting met serum.

**ser'val** [Fr., v. Port.] boskat, levend rond de Sahara; het okerkleurige of geelbruine bont met zwarte vlekken wordt voor de garnering v. mantels gebruikt.

**serve'ren** [v. Lat. servíre = dienen, v. servus = slaaf] (maaltijd) opdienen, (tennis) de bal in het spel brengen, aan tegenpartij 'opdienen' [Eng. to serve]. **serveer'boy** rijdend dientafeltje. **ser'vice** [Eng., v. Lat. servítium = slavendienst, dienstbaarheid] **1** bediening; **2** (tennis en volleybal) slag waarmee bal in het spel gebracht wordt. **ser'vicebeurt** gratis onderhoudsbeurt aan een pasgekochte of een gereviseerde auto. **ser'viceflat** bejaardenflatgebouw met speciale centrale voorzieningen voor de bewoners. **serviel'** [Lat. servílis] slaafs. **serviliteit'** [Fr. servilité] slaafsheid. **servituut'** [v. Lat. sérvitus, servitútis] erfdienstbaarheid, last die op bep. goed eeuwigdurend rust. **ser'vo-apparaat** apparaat dat grote machine automatisch bestuurt (door afwijkingen van vastgestelde koers automatisch te corrigeren of door middel van impulsen die het van buiten af ontvangt). **ser'vobesturing** bekrachtiging v. stuurinrichting v.e. motorvoertuig of v.e. groot vaartuig d.m.v. een servomotor, zodat minder handkracht nodig is. **ser'vomotor** motor die machines helpt besturen door bekrachtiging of ze automatisch regelt. **servotel'** servoflat en hotel gecombineerd. **ser'vum pe'cus** [Lat.] slaafse kudde. **ser'vus servo'rum De'i** [Lat.] dienaar v. de dienaren Gods (titel v.d. paus).

**sesqui-** [Lat., missch. v. semis-que = en een half] anderhalf-.

**ses'sie** [Lat. séssio, v. sedére = zitten] zitting, spec. gerechtszitting; ook [Eng. session]: bijeenkomst waarop een groep personen gezamenlijk improviseert, spec. op muzikaal gebied. **sessiel'** [Lat. séssilis = vast zittend] vaste woonplaats hebbend; (dierk.) vastzittend (gezegd van bijv. schelpdieren, zeeanemonen e.d.); een zittend leven leidend.

**sester'tie** [Lat. sestértius (nummus) = 2¹⁄₂ (munt), uit semis-tértius = derde-half] bep. Romeinse munt (¹⁄₄ v. denárius of 2¹⁄₂ as).

**ses'ton** [v. Gr. sésis = het zeven, het ziften] alle kleine deeltjes, levend of niet-levend, die in het water zwemmen of drijven, zgn. microplankton.

**1 set** [Eng. = stel zaken of personen die bij elkaar behoren (als in wezen gelijk of elkaar aanvullend, waarsch. verbastering v. sect = sekte] **1** (alg.) stel bijeenhorende zaken, bijv. schalen, boeken; garnituur; **2** (tennis) deel v.e. partij, nl. 6 games.

**2 set** [Eng., v. to set = zetten] filmdecor, al dan niet kunstmatig.

**set'tecento** [It.] 18e eeuw, als kunsthistorisch tijdperk.

**set'telen** [Eng. to settle = (zich) installeren; vaste woonplaats kiezen; koloniseren; ook: (doen) bedaren, rustig of geregeld gaan leven] **1** in orde maken: een vaste plaats geven; **2** zich installeren, zich permanent vestigen; gesetteld, tot rust gekomen; zich blijvend gevestigd hebbend. **sett'ler** [Eng.] kolonist. **set'ting** [Eng. = arrangement, omlijsting,

achtergrond] omlijsting, situatie, omgeving, verband.

**sèvres** bep. soort porselein [naar Fr. plaats Sèvres].

**sex** [Eng.; zie voor woordafleiding **sekse**] het seksuele; seksualiteit; geslachtelijke omgang. sex- zie ook **seks-**.

**Sexage'sima** [Lat. sexagésima diés = 60e dag] tweede zondag voor de vasten, achtste zondag voor Pasen.

**sexangulair'** [v. Lat. sexángulus = zeshoek, v. sex = 6, en angulus = hoek; zie **angulair**] zeshoekig.

**sex-appeal'** [Eng., v. sex, z.a.; appeal v. Lat. appelláre, zie **appelleren**] aantrekkingskracht op de andere sekse, spec. seksuele aantrekkingskracht van vrouwen.

**sex'en** zie **sek'sen**.

**se'xy** [Eng.] bn veel sex-appeal bezittend; seksueel prikkelend.

**sext** [Lat. sextus = 6e] (muz.) **1** afstand van zes tonen; zesde toon v. grondtoon af; **2** [Kerk. Lat. ad horam sextam = op het 6e uur] een der kerkelijke getijden (oorspr. te bidden op het 6e uur, d.i. ongeveer 12 uur 's middags).

**sextant'** [Lat. sextans, -ántis = 6e deel, alsof het o.dw was v. sextáre = door 6 delen] bep. meetinstrument om hoogte v. hemellichamen te bepalen (door booggraadverdeling v. ¹⁄₆ cirkelomtrek, d.i. 60°). **sexten** zie **sext 2**.

**sextern'** [v. Lat. sex = zes] katern v. zes bladen.

**sextet'** [naar analogie v. kwartet e.d.] (muz.) stuk voor zes instrumenten of stemmen; de uitvoerenden daarvan. **sex'to** [Lat.] bw ten zesde. **sextool'** [v. lt. v. Lat. sex = zes] zes noten die gespeeld worden in de tijd van 4, 5 of 7 v. die noten.

**sfeer** [Lat. sphéera, Gr. sphaira = bol] hemelbol; hemelkring, streek, gebied; gezichtskring, invloedsgebied, arbeidsveld, maatschappelijke kring; omgeving, stemming (zie **atmosfeer**); in hoger sferen, ontrukt aan het aardse, verheven. **sfe'risch** [via VLat. v. Gr. sphairikos] bolrond, bolvormig; sferische aberratie, afwijking van lichtstralen in optisch stelsel wegens de bolvormige lensoppervlakken. **sferoï'de** [v. Lat. sphaeroídes, Gr. sphairoeídes = op bol gelijkend; zie **-ide 2**] **1** (meetk.) naam voor bep. omwentelingsellipsoïden; zie bij **ellipsoïde**; **2** (geodesie) een lichaam in de vorm v.e. sferoïde (1) waarvan de omwentelingsas korter is dan de diameter v.d. equator, maar dat niet veel afwijkt v.e. zuivere bol, enigszins afgeplatte bol. **sferoïdaal'** bn afgeplat bolvormig. **sferome'ter** v. Fr. sphéromètre] instrument om kromming van een bol oppervlak te vinden.

**sfinc'ter,** [v. Gr. sphigkter, v. sphiggoo = strak dichtbinden] sluitspier.

**sfinx** [Lat. Sphinx, Gr. Sphigx, missch. v. sphiggoo = samensnoeren, wurgen] (myth.) monster met vrouwenhoofd, vrouwenborsten en leeuwelichaam, dat raadsel opgaf aan inwoners v. Thebe en ieder doodde die dit niet kon oplossen; Egyptisch beeld met mensenhoofd en leeuwelijf; (fig.) raadselachtig, zwijgzaam ondoorgrondelijk persoon.

**sforzan'do** ook **forzan'do** afk. **sfz** [It.] (muz.) sterker, aanzwellend.

**sfragistiek'** [v.Gr. sphragistikos, v. sphragizoo = zegelen, v. sphragis = zegel] kennis v. zegels (van oorkonden).

**sgrafit'to** zie **graffito**.

**shag** [Eng. = eig.: ruwe massa haar; vgl. ONoors skegg = baard] bep. soort (sigaretten) tabak v. fijne snee.

**shake hands** [Eng.] elkaar de hand schudden. **sha'ker** [Eng., v. to shake = schudden] cocktail-mixer, schudbeker voor het maken van gemengde dranken.

**shan'toeng** bep. weefsel vervaardigd uit afgehaspelde wilde zijde [naar naam v. Chinese provincie].

**sha're** [Eng. = deel voor een persoon

afgenomen v. algemene voorraad; *vgl.* Ned. *schaar, scheren*] aandeel, waardepapier.
**shar'pie** [v. Eng. *sharp* = scherp] bep. soort kleine sportzeilboot met naar voren spits toelopende zijden en bodem.
**shas'lyk**, *ook gespeld:* **sjasj'liek** een Kaukasisch gerecht, bestaande uit aan pennen geregen en geroosterde stukjes vlees of organen (bijv. nier of lever), stukjes spek, uien, paddestoelen enz.
**shed** [Eng., bijvorm v. *shade* = plaats in schaduw; *vgl.* Gr. *skotos* = duisternis] bep. open loods.
**shed'dak** [v. Eng. *to shed* = laten vallen, (ver)-spreiden; *vgl.* Ned. *scheiden*, waarsch. verwant met Lat. *scindere*, Gr. *schizoo* = splijten] zaagvormig dak v. reeks daken met een steile en een minder steile kant, de eerste v. glas (op fabrieken, loodsen e.d.).
**Shehereza'de** de sprookjesvertelster uit 1001 Nacht.
**she'kel** of **sje'kel** [naar oude Hebr. munt] officiële munteenheid van Israël; *vroeger:* het Israëlische pond (lira).
**shell'-shock** [Eng. *shell* = *eig.*: schaal, schelp; (*mil.*) granaat; *zie* **shock**] zenuwschok veroorzaakt door ontploffende granaten (of bommen).
**shel'ter** [Eng., missch. verband met *shield* = schild] 1 schuilplaats; 2 kleine eenvoudige kampeertent.
**sher'iff** [Eng., v. OEng. *scír-geréfa* = provincie-magistraat] 1 (*Engeland*) provinciaal rechter, landrechter; 2 (*V.S.*) politiehoofd in een *county* (administratieve eenheid met een zekere autonomie).
**sher'pa**, *ook wel:* **sjer'pa** [*eig.*: lid van een stam in Nepal] berggids, helper en drager bij bergbeklimmingen in de Himalaya.
**shi'ie'ten** *zie* **sji'ieten**.
**shil'ling**, afk. **sh** [Eng.; *vgl. schelling*] vroegere Britse munt ter waarde van $^{1}/_{20}$ pond sterling.
**shim'my** [Am., woordafl. onbekend] 1 Am. dans, uit de *foxtrot* voortgekomen, met schokkend ritme en snelslingerende lichaamsbewegingen; *vandaar:*
2 snelslingerende beweging van de voorwielen van een rijdende auto, en het hevig trillen v.h. stuur als gevolg daarvan.
**shingled (hair)** [Eng., v. *shingle* = houten dakpan, v. Lat. *scíndula*, vroeger Lat. *scándula* = schalie, lei] bep. kortgeknipt dameskapsel (in dakpanstijl).
**shintoïs'me** *zie* **Sjintô**.
**ship'broker** [Eng.] scheepsmakelaar.
**ship'chandler** [Eng.] handelaar in scheepsbehoeften.
**shirt** [Eng.; verwant met *short* = kort, en *skirt* = schort] 1 overhemd; 2 sporthemd (*zie ook* **T-shirt**).
**shit** [Eng. = uitwerpselen, stront; *vgl.* Ned. *schijt*) (*schuttingwoord, slang*) I **tw** 1 uitroep om afkeer of minachting uit te drukken; *ook*; gelul!; *ook*: klote! verdomme! (*vgl.* Fr. *merde*); II **zn** 1 rommel, rotzooi; 2 geleuter, onzin; 3 hasjiesj (*z.a.*), pot, cannabis, heroïne.
**shit'ten** **ww** zaniken, zeuren.
**Shi'wa** *zie* **Siwa**.
**shoar'ma** [Turks, v. *çevirmek* = draaien] gekruid vleesgerecht v. draaiend spit, opgediend met pitahbrood en sauzen.
**shock** [Eng., v. Fr. *choc* = schok] (*med.*) 1 ziekelijke toestand, veroorzaakt door veranderde bloedsamenstelling na ernstige verwonding of door verlamming v.d. bloedvaten na een ernstige zenuwaandoening; 2 kunstmatig veroorzaakte toestand van shock, bijv. d.m.v. elektrische stroom (*elektroshock*) ter behandeling van sommige geestes- of zenuwziekten. **shock'en ww** een shock (2) toedienen als therapie.
**shocke'ren ww** [v. Eng. *to shock*, in verband met Fr. *choquer* = schokken] aanstoot geven, ergenis wekken; *geshockeerd*, (zeer) geergerd, aanstoot nemend. **shock'ing** [Eng.] I **bn** ergerlijk, aanstotelijk; II

*tussenwerpsel: shocking!*, ergerlijk!
**shock'proof** [Eng.] *bn* tegen schokken bestand. **shock'therapie** [*zie* **therapie**] (*med.*) behandeling door te shocken.
**shop** [Eng. = winkel; *vgl.* Du. *Schuppen* = afdak, en Z.N. *schop* = schuur] winkel.
**shop'pen ww** [v. Eng. *to shop*] winkelen.
**shop'ping zn** [Eng.] het winkelen, het doen van inkopen; *shoppingcenter*, winkelcentrum.
**short** [Eng.] kort. **short' drink** niet-aangelengde alcoholische drank, borrel.
**short'hand** stenografie. **short pas'sing** (*voetbal*) de bal over kleine afstanden v. speler naar medespeler doorgeven en zo door de vijandelijke verdediging trachten heen te breken. **shorts** *mv* korte broek voor sport of strand. **short sto'ry** kort verhaal, novelle.
**short ton** [Am.] (*in VS*) gewicht van 907,2 kg. **short' track** [Eng.] schaatswedstrijd over korte afstand in overdekte hal. **short'writing** [Eng., v. *to write* = schrijven] hetzelfde als **shorthand**, *z.a.*, steno.
**shot** [Eng. = schot, v. *to shot* = schieten] 1 fotografische opname, *ook*: filmopname; 2 injectie; dosis v.e. drug door injectie toegediend.
**sho'vel** [Eng. = schop] soort graafmachine.
**show** [Eng., v. *to show* = laten zien, tonen; *vgl.* Ned. *schouwen*] 1 uitstalling; vertoning, spec. van nieuwe modemodellen (*modeshow*); tentoonstelling; 2 uiterlijk vertoon; *iets doen voor de -*, iets doen zodat het echt lijkt; 3 amusementsvertoning met muziek, dans, cabaret e.d. **show'biz** populaire afkorting v. showbusiness. **show'business** de wereld van toneel, film, radio, TV, circus e.d., spec. alle zaken die met show (3) te maken hebben. **sho'wen** een (mode)show houden; vertonen in een show. **show'film** amusementsfilm met veel show (3), waarbij het verhaal slechts een bijkomstige rol speelt. **show'-room** [Eng. *room* = kamer; *vgl.* Ned. *ruim*] toonkamer, vertrek in winkelzaak waarin grote stukken (bijv. meubels) geëtaleerd staan.
**shrap'nel** [naar naam van uitvinder H. Shrapnel], *ook minder juist:* **schrapnel'**, granaatkartets.
**shred'der** [v. Eng. *to shred* = klein snijden, klein scheuren, snipperen] machine om afgedankte auto's samen te persen tot een betrekkelijk klein blok metaal als schroot; *ook*: vernietigingsinstallatie die autowrakken fijnhakt.
**shrunk** [v. Eng. *shrunk* = gekrompen, v. *to shrink* = krimpen] bep. dof leer met bobbels.
**shunt** [Eng., *to shunt* = op zijspoor brengen; missch. v. *to shun* = vermijden] elektrische weerstand parallel geschakeld met meetinstrument. **shun'ten** (*elektrotechniek*) parallel schakelen.
**shut'tle** [Eng., verkorting v. *shuttlecock* = *lett.*: heen en weer vliegende haan; *shuttle* = *eig.*: schietspoel bij weven] 1 stuk kurk waarin veren of pluimen gestoken zijn en die met een soort racket heen en weer geslagen wordt, vederbal, pluimbal (*vgl.* **volant 1**), bij badminton; 2 korte vorm van **space-shuttle**, *z.a.*
**Shy'lock** wrede gierige woekeraar [naar figuur uit *De Koopman v. Venetië* v. Shakespeare].
**si** (*muz.*) 7e toon in de grote tertstoonladder (*zie* **aretijnse**), in het Romaanse taalgebied naam voor de b.
**Siame'se tweeling** aaneengegroeide tweeling [naar bekend voorbeeld uit Siam, 1811-1874].
**sib'be** [*vgl.* OHDu. *sippi*] familie, het geheel v. verwanten. **sib'bekunde** kennis betreffende voorgeslacht, genealogie.
**sibilant'** [Lat. *sibilans, -ántis* = o.dw van *sibiláre* = sissen] sisklank (bijv. s, sch).
**sibil'le**, *ook:* **sybil'le** [Lat. *Sibylla*, Gr. *Sibulla*, v. *Sios = Díos* = Zeus, en *boulè* = raad (sbesluit), priesteres die Zeus' raadsbesluit verkondigde] (*gesch.*) waarzegster, profetes (heidens, joods of

christelijk). **sibillijns'** [Lat. *Sibillínus*] profeterend.

**sic** [Lat. = zo] zo staat het er echt (gebruikt om vergissing of dwaling in citaat aan te wijzen).

**siccatief'** [VLat. *siccatívus*, v. Lat. *siccáre* = droog maken] droogmiddel voor olieverf.

**Si'cherheitsdienst** (afk. **SD**) [Du. = veiligheidsdienst] Duitse politieke politie v.h. nazi-regime, gedurende de Tweede Wereldoorlog werkzaam in de bezette gebieden, hardhandig optredend en gevreesd.

**sic tran'sit glo'ria mun'di** [Lat.] zo vergaat de roem (de grootheid) der wereld.

**sideraal', side'risch** [Lat. *sidéreus* of *siderális*, v. *sidus, síderis* = sterrenbeeld, ster] de sterren betreffend.

**siderograaf'** [v. Gr. *sidéros* = ijzer, en *-graphos* = -griffer, v. *gráphoo* = griffen, schrijven] graveur op staal. **siderografie' 1** staalgraveerkunst; **2** beschrijving v. ijzer- en staalsoorten.

**si dis pla'cet** [Lat.] zo het de goden behaagt.

**siën'na** [v. It. (*terra di*) *Siena* = (aarde van) Sienna] geel- of roodbruine kleurstof (oker).

**siër'ra** [Sp., v. Lat. *serra* = zaag] gebergte.

**si fa'bula ve'ra** [Lat.] als het verhaal waar is.

**sifon'** [Lat. *sipho, siphónis*, Gr. *siphoon* = pijp, hevel] spuitfles, fles voor spuitwater; rioolkolk met stankafsluiter; (*dierk.*) buis bij bep. weekdieren; zuigbuis bij sommige insekten.

**sight'seeing** [Eng.] het (vluchtig) bezoeken v. bezienswaardigheden. **sight-car** [Eng.] grote toeristenauto.

**sigille'ren** [Lat. *sigilláre* = indrukken, v. *sigíllum* = afdruk v. zegelring, zegel, verkleinwoord v. *signum* = teken] zegelen.

**sigillografie'** [v. Lat. *sigíllum* = zegelafdruk, en v. Gr. *-graphía* = beschrijving] zegelkunde.

**sigil'lum** [Lat.] zegel; biechtgeheim.

**sigma** [Gr.] de 18e letter v.h. Gr. alfabet, overeenkomend met onze s.

**signaal** [MLat *signále*, oorspr. onz. bn v. *signum* = teken] sein, teken. **signale'ren** [Fr. *signaler*] de aanwezigheid v.e. persoon of zaak constateren. **signalement** [Fr. (persoons)beschrijving. **signatuur'** [Fr. *signature*] **1** handtekening, spec. die v.e. kunstenaar onder zijn werk; *vandaar ook*: kenmerk (*bijv.*: iemands stralersuur dragen); **2** (*boekdr.*) letter, cijfer of ander teken aan de voet v.d. eerste bladzijde van elke katern om de juiste volgorde der katernen aan te geven; **3** (*bibliotheekwezen*) aanduiding op de rug en aan de binnenzijde v.d. band aangebracht die de plaats van het boek in de bibliotheek aangeeft; **4** teken voor een bepaald begrip op een landkaart (*bijv.*: voor kerk, molen, brug, enz.); **5** briefje aan of op een medicijnflesje dat bestemming en gebruiksaanwijzing bevat; **6** bedoeling, strekking, heersende mening (*bijv.*: de signatuur van het congres werd spoedig duidelijk; *minder juist*: karakter, aard.

**signe'ren** [Fr. *signer*, Lat. *signáre* = v. teken voorzien] v. handtekening voorzien. **signet'** [OFr.] zegelring, zegelstempel, *cachet* (*z.a.*), briefsluiter. **signi'fica** [Lat. *significáre = signum fácere* = een teken maken (geven), te verstaan geven, uiten; *ook*: betekenen] leer der verstandhoudingsmiddelen, spec. v.d. taal als middel waardoor de mensen gedachten en gevoelens aan elkaar overbrengen en zo elkaar trachten te beïnvloeden. **significant'** [v. Lat. *sígnicans, significántis* = o.dw v. *significáre* = betekenen] **1** (*alg.*) van betekenis (*bijv.*: een significant gegeven); **2** (*statistiek*) gezegd v.e. afwijking die niet aan het toeval toegeschreven kan worden (en dus een oorzaak moet hebben, van betekenis is).

**significatief'** *bn* [v. MLat. *significatívus* = betekenend] veelbetekenend, vol betekenis, veelzeggend. **signi'fisch** *bn* **1** de betekenis betreffend; **2** de significa betreffend.

**si'gnor** [It., v. Lat. *se'nior, z.a.*] mijnheer.

**signo'ra** [It.] mevrouw. **signori'na** [It.] dame, juffrouw. **signori'no** jongeheer, ongetrouwde heer.

---

**sik'kel** [v. Lat. *síclus*, Gr. *siklos*, verbastering v. Hebr. *sjekel*] naam in bijbelvertalingen voor een oude Hebreeuwse munt.

**sil'be** [*zie* **syllabe**] lettergreep.

**sileen'** [v. Gr. *Seilenos* = gezel v. Dionysus, vader v. silenen] sater, woudgeest.

**silen'tium** [Lat., v. *silére* = zwijgen] verplicht stilzwijgen (in kloosters op bepaalde tijden); *silentium!*, stilte! **si'lent majo'rity, the** [Eng.] (de) zwijgende meerderheid.

**si'lex** [Lat. = elke harde steen] vuursteen.

**silhouet'** [Fr. *silhouette*] schaduwbeeld in zwart [naar E. de Silhouette, Fr. minister v. Financiën in 1759, die men belachelijk maakte door dergelijke schaduwbeelden]. **silhouette'ren** [Fr. *silhouetter*] in schaduwbeeld voorstellen.

**Sili'cium** [modern Lat., v. Lat. *silex, z.a.*] kiezel, bep. element, niet-metaal, chem. symbool Si, ranggetal 14. **silicaat'** zout van kiezelzuur, $H_4 SiO_4$. **silica'ten** *mv* (*mineral.*) mineralen die siliciumdioxide, $SiO_2$, bevatten. Ze zijn van complexe chem. samenstelling en van ingewikkelde structuur, reden waarom ze worden onderverdeeld en een vijftal groepen. **si'lica** [Eng.] kiezelaarde. **silicagel'** [*zie* **gel**] een xerogel (gel dat later uitgedroogd is) van kiezelzuur. Men verkrijgt het door uit een opgelost silicaat siliciumdioxide, $SiO_2$, neer te slaan en dit te verhitten. Silicagel heeft een sterk absorberend vermogen en wordt daarom o.a. gebruikt voor het reinigen van gassen, en het drogen van lucht. **silici'den** *mv* verbindingen van silicium met enkele metalen (bijv. $Mo_2Si$) en enkele niet-metalen (bijv. SiC). Siliciden zijn zeer corrosiebestendige en hittevaste stoffen, o.a. toegepast als bekleding van hittevaste metalen. **silico'nen** *mv* polymeren waarvan de hoofdketen uit afwisselend silicium- en zuurstofatomen bestaat (dus: Si-O-Si-O-...) en die organische zijketens bezitten. O.a. naar gelang v.d. aard van deze zijketens ontstaan olien, vetten, rubbers, lijmen of kunststoffen. **silico'se** of *steenlong*, chronische longaandoening door inademing van fijn verdeeld zand (silicium-dioxide, $SiO_2$) of steenstof, vroeger een vaak voorkomende beroepsziekte bij o.a. zandstralers, steenhouwers en mijnwerkers.

**si'lo** [Sp., via Lat. *sirus* v. Gr. *siros* = kuil waarin Thraciers hun graan bewaarden] graanpakhuis; ondergrondse bewaarplaats v. veevoeder. **si'loziekte** ontsteking v.d. bronchiën door inademing v.h. giftige stikstofdioxide dat voorkomt in pas gevulde silo's.

**silt** [Eng. = slib] door water afgezette bodemdeeltjes ter grootte v. 2-50 micron.

**Siluur'1** bep. geologisch tijdperk, het derde van het Primair of **Paleozoïcum**; 440-400 miljoen jaren geleden; **2** aardlaag in dit tijdperk gevormd [naar Lat. *Silúres* = Siluriërs, een oude Britse volksstam in het gebied waarvan het Siluur het eerst werd onderzocht].

**Silves'teravond** oudejaarsavond [naar paus Silvester I, de heilige die op 31 dec. gevierd wordt].

**s'il vous plaît'**, afk. **s.v.p.** [Fr., v. Lat. *placére* = behagen] als het u belieft.

**simaar'** [Fr. *simarre*] zwart bovenkleed v. rechterlijke toga.

**si'mile** [v. Lat. *símilis* = gelijk, v. *simul*, OLat. *semul* = tegelijk] op dezelfde wijze. **si'mili-nagemaakt-, vals-. si'milor** ook **se'milor, z.a.** [Fr.] similigoud, namaakgoud uit koper, zink en tin.

**simonie'** [MLat. *simonía*, naar Simon (*Magus* = de Tovenaar), die geestelijke macht wilde kopen, *zie* Handelingen 8:18] handel in geestelijke goederen (vooral ambten). **simonist'** wie simonie pleegt. **simonis'tisch** met of door simonie.

**sim'ple com'me bonjour'** [Fr. = zo eenvoudig als 'goedendag' zeggen] doodeenvoudig.

**sim'plex** [Lat.] enkelvoudig, eenvoudig,

simpel; — *sigíllum véri*, eenvoud is het kenmerk (zegel) van het ware. **simpli'cia** *mv* niet-samengestelde geneesmiddelen.
**simpliciteit'** [Lat. *simplícitas*] eenvoudigheid, ongekunsteldheid; *ook:* onnozelheid. **simpli'citer** [Lat.] eenvoudig, zo maar; niet beperkt tot bep. opzicht (*vgl.* **secundum quid**). **simplifica'tie** *zn.*
*sim-plus* = enkel-voudig, en *fácere* = maken] vereenvoudigen. **simplifica'tie** *zn.*
**simplis'tisch** [v. Fr. *simpliste*] eenzijdig, te veel uit één punt beschouwend, al te eenvoudig. **simplis'me** onterechte vereenvoudiging; gemaakte eenvoud.
**simule'ren** [Lat. *simuláre, -átum* = gelijkend maken, nabootsen, veinzen, v. *similis* = gelijk] voorwenden, een schijnhandeling verrichten (*bijv.:* een gesimuleerde koopakte); *spec.:* een ziekte of de symptomen daarvan bewust voorwenden, veinzen een bep. ziekte of gebrek te hebben. **simula'tie** [Lat. *simulátio*] **1** het simuleren, spec. het veinzen v.e. ziekte of gebrek; **2** (*jur.*) het verrichten v. schijnhandelingen; **3** [waarsch. via Eng. *simulation*] a nabootsing v.e. model of systeem op een ander (*bijv.:* nabootsing van bep. gedragingen v.e. stelsel door het gedrag v.e. eenvoudiger systeem); *b* nabootsing v. menselijke gedrag (bijv. m.b.v. computers).
**simulant'** [Lat. *símulans, -ántis* o.dw] hij die een ziekte of gebrek veinst (*ook:* **simula'tor**).
**simula'tor** [modern Lat.] **1** wie simuleert; **2** toestel dat een werking of situatie nabootst (bijv. v.e. vliegtuig in vlucht ten behoeve v.d. opleiding van piloten) (*zie* **Link-trainer**); **3** toestel dat menselijk gedrag of een menselijke functie nabootst.
**simultaan'** v. Lat. *simul* = te gelijk, te zelfder tijd, missch. naar analogie v. *momentáneus*, v. *moméntum*] gelijktijdig; *simultaanwedstrijd* dam- of schaakpartij van één speler tegen vele anderen tegelijk. **simultaneïteit'** gelijktijdigheid.
**Sinan'thropus** [modern Lat., v. Gr. *Sínai* = de Chinezen, en *anthroopos* = mens] prehistorisch mensenras waarvan resten in China gevonden zijn.
**sinceriteit'** [Lat. *sincéritas* = ongeschondenheid, eerlijkheid, v. *sincérus* = ongekunsteld] oprechtheid, goede trouw.
**si'ne** [Lat.] zonder. **si'ne an'no** (afk. **s.a.**) [Lat.] zonder jaartal.
**sinecu're, sinecuur'** [Fr. *sinécure*, v. Lat. *síne cúra* = zonder zorg] **1** ambt met bezoldiging maar met weinig of in het geheel geen bezigheden; **2** gemakkelijk en voordelig baantje of karweitje.
**si'ne di'e** afk. **s.d.** [Lat. = *lett.*: zonder dag] **1** zonder vastgestelde dag voor verdere behandeling; **2** zonder dagtekening. **si'ne du'bio** [Lat.] zonder twijfel. **si'ne i'ra et stu'dio** [Lat. = *lett.*: zonder toorn en opzettelijke (kwade) bedoeling] onbevooroordeeld, onpartijdig. **si'ne mo'ra** [Lat.] zonder uitstel. **si'ne qua non** *zie* **conditio.**
**Singalees'** [v. Sanskr. *sinhalas*] oorspronkelijke bewoner v. Sri Lanka (*vroeger:* Ceylon); *zie ook* **Tamils**; **2** taal der Singalezen.
**sin'gel** v. Lat. *cíngulum* = gordel, v. *cíngere* = gorden] **1** stadsgracht (die de stad omgordt); *ook:* weg daarlangs; **2** (*rk*) ceintuur van geestelijken over de toog; **3** (*rk*) koord als gordel over de albe; **4** buikriem v.e. paard; **5** stevige band onder de zitting v.e. stoel.
**singilla'tim** [Lat., *ook: singulátum*, v. *singulus* = één enkele, alleen; verwant met *simplex*, *z.a.*] stuk voor stuk, één voor één.
**sin'gle** [Eng. = enkel, v. Lat. *síngulus*] **1** (*tennis*) enkelspel, d.i. spel v. één tegen één; **2** (*grammofoon*) plaat met slechts één muziekstuk aan beide zijden.
**sing'let** [Eng. v. *single* = enkel; waarsch. *oorspr.:* ongevoerd (niet dubbel kledingstuk] *oorspr.:* nethemd; kort mouwloos mannenhemd.

**singula're tan'tum** [Lat.], *mv* **singula'ria tan'tum** zelfstandig naamwoord dat in een taal uitsluitend in het enkelvoud voorkomt, *bijv.:* geduld, haat, nijd e.d.; *vgl.* **plurale tantum. singula'ris** afk. **sing.** [Lat. = uit één bestaande, v. *síngulus* = één enkele] (*spraakk.*) enkelvoud. **singulariteit** [Lat. *singuláritas* = het alleen zijn]
**1** eigenaardigheid, zonderlingheid;
**2** (*meteorologie*) een omstreeks een vaste datum regelmatig weerkerende weersituatie of weersomslag, zoals de enkele koude dagen op 11 t/m 14 mei (de zgn. ijsheiligen);
**3** (*astrofysica*) een onder eigen zwaartekracht volledig ineengestorte neutronenster, zwart gat (*zie* **black hole**). **singulier'** [Fr., v. Lat. *singuláris* = *ook:* uitzonderlijk] ongewoon, bijzonder; eigenaardig, wonderlijk, vreemd, zonderling.
**sinis'ter** [Lat. = links, aan de linkerkant, een ongelukkig voorteken gevend] onheilspellend, onguur, ongunstig v. uiterlijk. **sinis'tra (ma'no)** [It.]: *colla* —, met de linkerhand.
**sinjeur'** [v. Fr. *seigneur*, v. Lat. *sénior, z.a.*] heerschap. **sin'jo** [v. Port. *senhor* = heer, v. Lat. *sénior, z.a.*] **1** Indische halfbloed afstammend v. Portugees; **2** jongeheer. **sinjoor'** [v. Sp. *señor, z.a.*] (*spotnaam*) Antwerpenaar.
**Sinn Fein** [Iers = wij zelf] (*gesch.*) patriottische partij in Ierland, strevend naar onafhankelijkheid en gebruik v. Ierse taal.
**sinologie'** [v. Gr. *Sínai* = de Chinezen; *zie* **-logie**] wetenschap v. Chinese taal en letteren. **sinolo'gisch** de sinologie betreffend. **sinoloog'** [*zie* **-loog**] beoefenaar der sinologie.
**sino'pel** [Fr. *sinople*, v. Lat. *sinopis* = rood oker] oorspr. bep. bruin mineraal uit Sinope aan de Zwarte Zee; (*her.*) groen.
**sint** [v. Fr. *saint*, Lat. *sanctus, z.a.*] heilige. **sintjut'(te)mis** (verzonnen heiligedag); *met* —, nooit. **sint-veits'dans, sint-vi'tusdans** bep. zenuwziekte gekenmerkt door ondoelmatige bewegingen [naar de H. Vitus, die tegen deze ziekte werd aangeroepen].
**sin'tel** [v. Fr. *cendre* = as, v. Lat. *cinis, cíneris*] half of vrijwel geheel verbrand stuk steenkool.
**sin'ter** [v. Germ. oorsprong] door begin v. smelting (of anderszins) aaneengelopen klomp v. stukken kool, mineraal e.d.
**si'nus** afk. **sin.** [Lat. = bocht, kromming, plooi, boezem] **1** boezem, zeeboezem; **2** — *v.e. hoek*, tegenoverliggende rechthoekszijde gedeeld door schuine zijde; (*meetk.*) loodlijn uit snijpunt v. cirkelstraal op middellijn v.d. cirkel (sinus v.d. ingesloten hoek) (in Hindoe-wiskunde *ardha jiwa* = halve koorde, in Arab. *dsjib*, zonder klinker geschreven *dsjb*. De Latijnse vertaler las *dsjaib* = zeeboezem, en vertaalde onjuist door *sinus*); **3** (*anat.*) instulping; holte, spec. de voorhoofdsholte (*sínus frontális*). **sinusi'tis** [*zie* **-itis**] (*med.*) ontsteking v.d. voorhoofdsholte en/of de bijholten. **sinusoï'de** [Gr. *-eídes* = gelijkend; *zie* **-ide**] grafische voorstelling v.d. waarde v.d. sinus als de hoek geleidelijk varieert van 0° tot 360°, sinuslijn. **sinueus'** [Fr. *sinueux*, Lat. *sinuósus*] bochtig, vol kronkels; in de vorm v.e. golf.
**si par'va li'cet compo'nere ma'gnis** [Lat.] als men kleine zaken met grote mag vergelijken.
**si pla'cet** [Lat.] als het behaagt, als het u belieft.
**sir** [Eng., verkorting v. *sire, z.a.*]
**1** (*aanspreektitel*) mijnheer; **2** adellijke titel v. Knights en Baronets (vóór eigennaam, eventueel gevolgd door familienaam, niet v. deze laatste alleen). **Si're** [OFr., v. Lat. *sénior, z.a.*] aanspreektitel v. koning of keizer.
**sir'dar** [v. Perzisch *sar* = hoofd, en *dar* = het houden] (in India) leider, chef.
**sire'ne** [V.Lat. *Siréná*, v. Lat. *Síren, Sirénis*, v. Gr. *Seirèn* = eilandvogel met meisjesgezicht

en verlokkend gezang] **1** (*fig.*) bekoorlijke verleidster; **2** toestel voor het geven v. waarschuwende geluidssignalen (aankondiging v. arbeidstijd, alarm e.d.).

**si'rih** [Mal.] bep. Indische plant; bladeren daarvan (waarvan met andere ingrediënten de sirihpruim bereid wordt). **si'rihpruim** pruim om te kauwen gemaakt v. sirihblad met kalk bestreken, waarin een stuk gambir en een stuk pinangnoot gerold zijn.

**siroc'co** *juister.* **sciroc'co** [It., v. Arab. *sharq* = oosten] in het alg. een droge, hete en stoffige woestijnwind in het Middellandse-Zeegebied.

**si'sal** vezels v. agave [naar Sisal, havenplaats in Yucatán]; weefsel daarvan.

**si'syfusarbeid** [Lat. *Sisyphus*, Gr. *Sisuphos*, myth. figuur in de onderwereld veroordeeld om steen tegen berg op te rollen, de vlak bij de top telkens weer naar beneden rolde] zware doch tevergeefse arbeid.

**si'tar** [Sanskr. *tri-tantri vina*, Perzisch *sitâr* = met drie snaren] tokkelluit uit Noord-India, oorspr. met drie snaren, tegenwoordig met 7 metalen snaren, aangevuld met 11 tot 13 resonanssnaren.

**sit-down-staking** [v. Eng. *to sit down* = neerzitten] staking waarbij de werklieden in de fabriek of werkplaats aanwezig zijn om deze bezet te houden, maar geen arbeid verrichten.

**si'te-wacht** [v. Eng. *site* = terrein] wacht door dienstplichtig soldaat bij een opslagplaats van kernwapens.

**sit-in'** [Eng.] actie v.e. aantal personen die op de grond gaan zitten om voor of tegen iets te demonstreren of een gebouw te bezetten. **sit-in'staking** staking met bezetting v.d. werkplaats, sit-downstaking in de fabriek.

**sitiologie', sitiologie'** [v. Gr. *sition* of *sitos* = voedsel, en *logia* = leer, kunde] voedingsleer.

**sits** [*zie* chintz; *sits* vermoedelijk via Du. *Zitz*] gebloemd katoen, bont bedrukt katoen.

**sit ti'bi ter'ra le'vis** [Lat.] zij de aarde u licht (als grafschrift).

**situe'ren** [Fr. *situer*, v. Lat. *situs* = ligging, plaatsing] stellen, plaatsen. **situa'tie** [Fr. *situation*] ligging, stand, toestand.

**sit ve'nia ver'bo** [Lat. = *lett.*: er zij vergiffenis voor het woord] neem me het woord niet kwalijk.

**Si'va** *zie* Siwa.

**si vis pa'cem, pa'ra bel'lum** [Lat.] als gij vrede wilt, bereid u ten oorlog.

**sixtijn'se kapel** [*zie* kapel] bep. kapel in het Vaticaan; muziekgezelschap dat daar kerkelijke muziek ten gehore brengt bij bep. plechtigheden (naar paus Sixtus IV, die de kapel in 1473 liet bouwen).

**Si'wa**; ook Si'va, **Shi'va** of **Sji'va** [Hindi, v. Sanskr. *çiva* = genadig) een der drie hoofdgoden v.h. Hindoeïsme (de twee andere zijn Brahma en Vishnu).

**sjabloon'**, *ook*: **schabloon'** [Du. *Schablone*] uitgesneden vorm, mal, patroon, model (om gelijke versieringen te maken); (*fig.*) geijkte vorm; algemene vorm zonder eigen kenmerken.

**sjabrak'**, *ook*: **schabrak'** [v. Fr. *schabraque* of *chabraque*, v. Turks *chaprak*] met gouddraad bestikt paardekleed.

**sjah** (*uitspr.*: sjaah) [Perzisch *sjah*] voormalig Perz. vorst; voormalige koning van Perzië (Iran).

**sjako'** [v. Fr. *schako* of *shako*, v. Hongaars *czako*] bep. militair hoog cilindervormig hoofddeksel met klep.

**sjalom'** (*uitspr.*: sjaloom) [Hebr.] vrede! (als groet).

**sjamaan'** [v. Du. *Schamane*, v. Mongoolse oorsprong] tovenaar bij Siberische volkeren (bijv. Samojeden). **sjamanis'me** godsdienst v.d. Siberische volkeren, met sterke verering v. natuurkrachten.

**sjamberloek'** [Turks *jamurlyk*] wijde huisjas voor heren.

**sjan'ker** [v. Fr. *chancre* = Lat. *cáncer; zie* **kanker**] zweer aan de geslachtsorganen, die op syfilis wijst.

**sjasj'lik** *zie* **shaslyk.**

**sjees** [v. Fr. *chaise* = stoel, v. Lat. *cáthedra; zie* **katheder**] (*oorspr.*: rollende stoel), bep. soort rijtuig met twee wielen en kap; (*volkstaal*) groot aantal (een - kinderen).

**sjeik** [Arab. *sjeikh* = oudste, hoofd] **1** Arabisch opperhoofd; **2** geleerde, leraar; **3** predikant in een moskee.

**sje'kel** *zie* **shekel.**

**sjer'pa** *zie* **sherpa.**

**sjibbo'let** *zie* **schibbolet.**

**1 sjiek** *bn & bw zie* **chic.**

**2 sjiek** *zn* [v. Fr. *chique*] (Z.N.) tabakspruim.

**sji'i'ten** of **sji'ie'ten** *mv* [v. Arab. *Sji'at Ali* = Partij van Ali] verzamelnaam voor een grote groep verschillende islamitische sekten, die alle Ali ibn Abu Talib als enige rechtmatige kalief na de dood v.d. profeet Mohammed erkennen en het kalifaat dus opeisen voor de nakomelingen van deze Ali, (*vgl.* **sunnieten**). **sji'itisch** *bn* de sji'iten betreffend.

**Sjintō**, *ook*: **sjintoïs'me** of **shintoïs'me** [v. Chin. *shin tao* = de weg der goden of der geesten; tegenover de *Butsudō* = de weg van Boeddha = het boeddhisme] de inheemse godsdienst, tevens staatsgodsdienst van Japan.

**Sji'va** *zie* Siwa.

**sjo'goen** [Jap. = aanvoerder] opperveldheer, die doorgaans i.p.v. de keizer regeerde. **sjogoenaat'** periode tussen 14e eeuw en 1867 waarin een sjogoen de macht in Japan bezat.

**sjor'ren** [of v. Fries *sjorje* = vastsnoeren, of v. Oostfries *sjuuren, sjurren* = slepen, trekken, of v. Fries *tsjuurje* = tuieren, tuien (in scheepstaal: met touwen vastmaken)] **1** (aan touw) moeizaam meeslepen; **2** met touw vastmaken (oorspr. alleen aan boord v. schip).

**skaat**, *ook*: **skat** [v. Du. *Skat*, v. It. *scarto* = geëcarteerde kaarten; *zie* **écarté**] bep. kaartspel voor drie personen.

**skai** naam voor een bep. soort kunstleder.

**skald** [ONoors] oud-Scandinavisch episch dichter-zanger.

**skalenoë'der** [v. Gr. *skalènos* = oneven, scheef, en *hedra* = zetel, (zit)vlak] lichaam omsloten door scheve vlakken.

**skat** *zie* **skaat.**

**ska'teboard** [Eng. = *lett.*: schaatsplank] ovale plank op wieltjes waarop men zich staande, 'al schaatsende', voortbeweegt.

**ska'teboarding** [Eng.] het rijden op een skateboard, het 'plankje rijden'.

**ska'ting** [Eng. v. *to skate* = schaatsen] op rolschaatsen rijden. **ska'tingrink** [Eng. *rink* = *eig.*: ijs(hockey)baan] rolschaatsbaan.

**skee'ler** [Eng.] rolschaats met drie stellen wieltjes. **skee'leren** *ww* rolschaatsen op skeelers.

**skelet'** [v. Gr. *skeleton* = onzijdig v. *skeletos* = uitgedroogd, v. *skelloo* = doen uitdrogen, verdorren] geraamte; *ook*: betonnen of stalen geraamte v.e. in aanbouw zijnd bouwwerk. **skelette'ren** een dierlijk lichaam van het vlees ontdoen; een geraamte ineenzetten.

**ske'leton** [Eng.] sportslede voor één, op zijn buik liggende, persoon.

**skel'ter** [Eng., uit *skeleton car* = geraamtewagen] laag motorracewagentje v. laag vermogen op vier wielen doch zonder carrosserie, waarmee op spec. banen wedstrijden worden gehouden (thans *cart* geheten; de sport heet dan *carting*).

**sketch** [Eng.] **1** schets; **2** kort toneelstukje met verrassende wending.

**skiff** [Eng., v. Fr. *esquif*, It. *schifo*, verm. v. OHDu. *scif* = schip] lange, smalle eenpersoonsroeiboot. **skiffeur'** roeier met een skiff.

**skin'heads** *mv* [Eng. = *lett.*: huidkoppen; kaalkoppen] leden v.e. bep. jeugd-subcultuur met kaalgeschoren schedels en een agressieve non-conformistische inslag.

**skip'pyball** [Eng.] bep. balspel; kangoeroebal, grote bal m. handvat waarop kinderen zich springend kunnen voortbewegen.

**skunk** [v. Noordam. Indiaans *segongw*] **1** stinkdier; in de VS, Canada en Mexico voorkomende bunzing die bij dreigend gevaar een stof met een ondraaglijke stank spuit; **2** het sterke bont van dit dier.

**skût'sjesilen** [Fries] I ww zeilwedstrijd met tjalken houden; II zn het skûtsjesilen.

**sky** [Eng. = hemelgewelf, *oorspr.*: wolk, v. ONoors *sky* = wolk]: —*line*, omtrek v. heuvel, bebouwing e.d. afstekend tegen hemel; —*rocketing*, het met stuurstoel uit vliegtuig schieten in geval v. nood. **sky'channel** naam voor televisiekanaal waarop via communicatiesatellieten wordt uitgezonden.

**slacks** [Eng., v. *slack* = los; *vgl. lax* en Ned. *slaken*] *eig.*: losse broek die gedragen wordt als informele dracht.

**slam** *zie* **slem.**

**slang** [Eng. herkomst onzeker] taal met gemeenzame uitdrukkingen en woorden eigen aan bep. beroep of bep. groep of klasse; *AB-slang*, Algemeen Beschaafd Nederlands slang, d.w.z. woorden gebruikt door sprekers van Algemeen Beschaafd Nederlands, maar bewust op niet-officieel niveau, ongeveer hetzelfde als 'gemeenzaam'.

**slap'stick** [Eng., v. *to slap* = maar raak doen; *slap* = geklodder] komedie (toneel, film) met veel gooi- en smijtwerk.

**sla'visch** [v. Slaaf, MLat. *Sclavus*, v. laatGr. *Sklabos*] v.d. volksstam der Slaven waartoe o.a. Russen, Polen en Serviërs behoren. **slavist'** beoefenaar der slavistiek. **slavistiek'** wetenschap omtrent Slavische taal en cultuur.

**sleep-in'** [quasi-Eng. = *lett.*: waar men kan slapen, v. *to sleep* = slapen] eenvoudig goedkoop nachtverblijf voor jonge toeristen.

**slem** [Eng., *slam* = *eig.*: slag, klap (bijv. van dichtslaande deur), klanknabootsing] het halen van alle slagen (groot -) of alle op één na (klein -) bij bridge of whist.

**slen'dang** [Javaans] Indonesische gebatikte schouderdoek.

**slenk** [*vgl.* Ned. *slinken*] bodeminzinking tussen twee horizontale breukvlakken in de aardkorst.

**sli'ding** [Eng., v. *to slide* = glijden (*voetbal*) het zich met de voeten vooruit over de grond laten glijden om de tegenstander de bal te ontnemen; (*roeien*) beweegbare zitbank (*vgl.* Du. *Rollsitz* = rolzitting). **sli'ding-sca'le** [Eng.] glijdende schaal.

**slip** [OEng. *slippe*, v. MNed. *slippe* = slip aan een kledingstuk, pand (pandjesjas), v. *slippen* = splijten] **1** strook drukproef; **2** [via Eng. = damesondergoed] bep. onderbroekje (voor dames en heren).

**slip of the pen** [Eng. = *lett.*: uitglijding v.d. pen] verschrijving, fout bij schrijven gemaakt. **slip of the ton'gue** [Eng. = *lett.*: uitglijding v.d. tong] verspreking, fout bij spreken gemaakt. **slipo'ver** [Eng.] mouwloze trui. **slip'way** [Eng.] scheepshelling.

**sli'vovitz** [via Du. v. Servo-Kroatisch; *vgl.* Tsjechisch **sli'vovice** en Pools **sli'bowitz**] Joegoslavische pruimenbrandewijn.

**slo'gan** [Eng., v. Gaelic *sluagh-ghairm* = oorlogskreet, v. *sluagh* = leger, en *ghairm* = uitroep] slagzin, leus.

**slöjd** [Zweeds = *eig.*: handigheid, kundigheid; *vgl.* Ned. *slagen*] opvoedende handenarbeid met hout, karton, klei e.d.

**slow** [Eng.; missch. verband met Lat. *laevus*, Gr. *laios* = links] langzaam. **slow'-fox** [Eng.] langzame foxtrot. **slow mo'tion** [Eng. = *lett.*: langzame beweging] vertraagde weergave van film- of televisie-opname. **slow'-step** [Eng. *step* = stap, pas] bep. langzame dans. **slow star'ter** [Eng., v. *to start* = beginnen] iemand die moeilijk op gang komt (met werken of sporten); onderneming die na een moeizame start opbloeit.

**sludge** [Eng. = slik, slobber] bezinksel, drab in het krukkenhuis van verbrandingsmotoren.

**slum** [Eng. Barg. afl. onzeker] smerig slop of hofje in grote stad; *slums* (*mv*), achterbuurt.

**slump** [Eng. slang; vroegere bet. van het *ww slump* was: in een moeras wegzinken] plotselinge daling v. effectenkoers, scherpe daling v. prijs op de goederenmarkt.

**slur'ry** [v. vero. Eng. *slur* = dunne modder] steenkolenpap, steenkolengruis vermengd met water.

**smalt** [Fr., v. It. *smalto*, v. Germ. oorsprong; *vgl.* Ned. *smelten*] blauwe verfstof voor het glazuren v. porselein.

**smash** [Eng., waarsch. klanknabootsing, *vgl.* Ned. (*neer*)*smakken*] (tennis, volleybal) het benedenwaarts slaan v. bal over net met kracht.

**smeg'ma** [v. Gr. *smègma* = smeer, zeep] crème-achtige of vlokkige substantie, onder de voorhuid van de penis, en rond de clitoris en de kleine schaamlippen.

**smer'gel** *zie* **amaril.**

**smog** [Eng., woord gevormd uit *smoke* = rook, en *fog* = mist] mist vermengd met rook, uitlaatgassen, uitstoot van chemische fabrieken e.d.

**smør'rebrød** [Deens] Deense boterham, bestaande uit brood met div. (dikke) beleggingen.

**smorzan'do** [It.] (*muz.*) uitdovend, wegstervend.

**smou'ten** [v. *smout* = week vet] **1** met vet insmeren; **2** smoutwerk zetten. **smout'werk** (*typografie*) zetsel geheel of gedeeltelijk bestaande uit vaste, div. malen gebruikte stukken zetsel, meestal v. verschillende lettergrootte en -type (bijv. voor reclame, bep. biljetten); alle niet doorlopend uit één lettersoort gevormd zetsel.

**smyr'na** bep. geknoopte tapijtstof [naar Smyrna, een stad in Turkije, tegenwoordig Izmir geheten].

**snap'shot** [Eng., v. *to snap* = plotseling bijten; *vgl.* Du. *schnappen* = happen; Eng. *shot* = schot] momentopname.

**sneak'ers** *mv* [Eng., v. *to sneak* = sluipen] soepel schoeisel van zeildoek met rubberzool, veel gelijkend op gymnastiekschoenen.

**sneer** [Eng.; *oorspr.* = *snort* = snuivend geluid v. verontwaardiging] hatelijke opmerking, spottende lach.

**1 snees** [*oorspr.*: snoer met daaraan geregen voorwerpen, MHDu. *sneise*] twintigtal. **2 snees** [verbastering v. *Chinees*] opkoper van gestolen goed, heler.

**sneeuw** (*Barg., druggebruikerstaal*) cocaïne, heroïne, morfine [wegens gelijkenis].

**snek** [v. Du. *Schnecke* = slak] kegelvormig kettingrad (gelijkend op een slakkehuis) in uurwerken, dat de spanning v.d. veer die in de loop van de tijd minder wordt, toch dezelfde drijfkracht verleent.

**sne'zen** [*zie* **snees**] **1** stelen, kapen; **2** opkopen v. gestolen goed, helen.

**sni'per** [Eng., v. *to snipe* = *eig.*: snippen schieten; één voor één wegschieten] verdekt opgestelde scherpschutter, sluipschutter.

**snoo'ker** [Eng.] bep. biljartspel.

**snor'kel** of **schnor'kel** [Du. *Schnorkel*] **1** snuiver, een luchtverversingsinstallatie van een onderzeeboot, op periscoopdiepte varend, in staat stelt haar dieselmotoren te gebruiken; **2** boven water uitstekende buis waardoor men kan ademen bij het zwemmen vlak onder het wateroppervlak.

**snor'ren** [*oorspr.*: bédelen] (*Barg.*) *ww* losse baantjes of ongeregelde handel zoeken. **snor'der** iem. die snort, spec. taxichauffeur zonder standplaats en zonder vergunning die zijn klanten langzaam rondrijdend zoekt.

**snorrepijperij'** [naar vroegere *snorrepijp*, een kinderspeeltuig dat een snorrend geluid maakte] onbetekenend prulding, snuisterij; beuzelarij.

**soap'-opera** [Eng.] toneelstuk of film van

melodramatische aard, 'draak'.
**soa've, soavemen'te** [It., v. Lat. *suávis*
= lieflijk, aangenaam, bevallig] *bw* (*muz.*)
lieflijk, zacht.
**sobri'etas** [Lat. = matigheid, v. *sóbrius* =
*so-ébrius* = niet-dronken, nuchter]
onthouding van sterke drank; matigheid;
zuinigheid; soberheid, nuchterheid; *Sobriëtas*
naam v.e. rk vereniging tegen drankmisbruik,
in de volksmond 'de blauwe knoop', wegens
het blauwe insigne der leden.
**sobriquet'** [Fr.] bijnaam; scheldnaam,
spotnaam.
**soc'cer** [Eng., afk. v. *association-football*
= voetbalspel waarbij bal niet met de hand
aangeraakt mag worden, in tegenst. met
rugby] voetbalspel.
**sociaal'** [v. Lat. *sociális* = de gezel (*sócius*)
betreffend, gezellig] **I** *bn* **1** in groepsverband
met soortgenoten levend; **2** maatschappelijk,
de menselijke samenleving betreffend (vgl.
ook samenstellingen beginnend met *socio-*);
*sociale controle*, beheersing of beinvloeding v.
gezag, zowel binnen de maatschappij als
binnen gezin of groep; *sociale partners*, de
werkgevers- en werknemersorganisatie;
*sociale wetenschappen*, gamma-,
maatschappij- of menswetenschappen,
academische disciplines die op het sociale
leven v.d. mens zijn gericht; **3** gericht op
maatschappelijke verbetering, op een
evenwichtige verdeling v.d. welvaart en op de
bevordering v.h. welzijn; **4** begrip en begrip
hebbend voor maatschappelijke noden; **II** *zn*
(*vero.*) sociaal-democraat, socialist.
**sociaal'-democraat' 1** aanhanger v.d.
sociaal-democratie; **2** lid v.e.
sociaal-democratische partij.
**sociaal'-democratie'** [*zie* **democratie**]
leer en beweging die langs politieke,
democratische weg wil komen tot
verwezenlijking v.h. socialisme, z.a.
**sociaal'-econo'misch** *bn* op de algemene
welvaart betrekking hebbend. **socia'bel** [Fr.
*sociable* = gezellig] *bn* gezellig, prettig in de
omgang. **sociabiliteit'** [Fr. *sociabilité*
= gezelligheid] het sociabel-zijn, het goed
functioneren in een groep. **so'cial case work**
[Eng.] maatschappelijke hulp aan individuele
personen, waarbij hun naaste omgeving
betrokken wordt. **socialise'ren** *ww* [Fr.
*socialiser*] gemeenschappelijk of sociaal
maken; de materiële produktiemiddelen
overdragen aan de gemeenschap.
**socialisa'tie** [Fr. *socialisation*] *zn*.
**socialis'me** [Fr.] maatschappijvorm die
gericht is op gemeenschappelijke voorziening
in behoeften v.d. gemeenschap en zonder
klassentegenstellingen; beweging die deze
maatschappijvorm nastreeft. **socialis'tisch**
*bn & bw* van het socialisme; volgens de
beginselen van het socialisme; in de geest van
het socialisme.
**sociétair'** [Fr. *sociétair*] *bn* van of behorend tot
een gezelschap of een vennootschap.
**sociétai're** [Fr.] *m & v* lid van een gezelschap
of genootschap. **soci'etas** [Lat.] maatschap,
vennootschap. **Soci'etas Je'su** [Lat.
= Gezelschap van Jezus] officiële naam van
de *jezuieten*, z.a. **société anonyme** (afk.
S.A.) [Fr.] naamloze vennootschap (NV).
**Société des Nations** (afk. SDN) [Fr.
= Vereniging van Naties] de voormalige
Volkenbond in Genève, voorloper v.d.
Verenigde Naties. **sociëteit'** [via Fr. *société* v.
Lat. *societas*] **1** genootschap, gezelschap;
**2** vereniging voor gezellig verkeer,
gezelligheidsclub; *ook*: gebouw daarvoor.
**Soci'ëteit van Jezus** Ned. naam der orde
der jezuieten. **soci'ety** [Eng.] de hogere
kringen; genootschap.
**sociocratie'** [v. Gr. *krateoo* = heersen]
heerschappij, het besturen van een fabriek of
bedrijf door de werknemers (*so'cii*) zelf.
**sociocra'tisch** *bn & bw*. **sociografie'** [v. Gr.
*graphoo* = schrijven] sociologische stroming,

gericht op nauwkeurig en concreet onderzoek;
sociaal-econ. beschrijving v. bep.
bevolkingsgroepen. **sociograaf'** beoefenaar
v.d sociografie. **sociolinguistiek'** [*zie*
**linguistiek**] bestudering v.d. sociale
betekenis v.d. taal en de taalkennis.
**sociolinguist'** beoefenaar v.d.
sociolinguistiek. **sociologie'** [*zie* **-logie**] leer
v.d. menselijke samenleving, gericht op
onderzoek naar instellingen, sociale groepen
en processen. **sociolo'gisch** *bn & bw* de
sociologie betreffend. **socioloog'** beoefenaar
v.d. sociologie. **sociometrie'** [*zie* **metrie**]
onderzoekstechniek in de sociale
wetenschappen voor onderzoek v. (relaties in)
kleine groepen. **sociotherapie'** [*zie*
**therapie**] behandeling die ten doel heeft de
patiënt aan te passen aan het voor hem/haar
aangewezen maatschappelijk milieu. **so'cius**,
*mv* **so'cii** [Lat.] metgezel, genoot, vennoot.
**socra'tische methode** door het stellen v.
vragen de leerling zelf een waarheid laten
afleiden uit wat hem reeds bekend is [naar
Socrates, Gr. *Sookratès*, Gr. wijsgeer, 470-399
v.Chr.]
**so'da** [v. MLat. *sodánum* = middel tegen
hoofdpijn, v. Arab. *sudá* = hoofdpijn] het
natriumzout van koolzuur ($H_2CO_3$),
natriumcarbonaat; veel gebruikt in de industrie
en als reinigingsmiddel i.d. huishouding.
*caus'tische so'da* [v. Gr. *kaustikos*
= brandend; *zie bij* **caustiek**] of *bijtende
soda*, oude naam voor zuiver
natriumhydroxide, NaOH. *dubbelkoolzure
soda* oude naam voor zuiver
natriumwaterstofcarbonaat, $NaHCO_3$, in
gereinigde vorm gebruikt als 'zuiveringszout'
tegen maagzuur.
**soda'litas** [Lat. = kameraadschap,
broederschap, genootschap, v. *sodális*
= makker, medelid] geestelijke broederschap,
vereniging.
**so'dawater** [Eng.] water met daarin onder
druk opgelost kooldioxide, $CO_2$, (zgn.
'koolzuur'), dus kunstmatig spuitwater, met
kleine hoeveelheden van bep. zouten; wordt
o.a. gebruikt voor het aanlengen van sterk
alcoholische dranken.
**sodemie'ter** v. Sodomieter = inwoner van de
bijbelse stad Sodom, die wegens het
zedenbederf door het vuur verwoest werd, *zie*
Gen. 18:16-19:29] **1** *oorspr*.: homoseksuele
man; iem. die sodomie bedrijft; *ook*:
sodeflikker; **2** *tegenw*.: scheldwoord in
verschillende platte of gemeenzame
betekenissen; **3** lijf, lichaam; **4** *geen — of
sodeflikker*, helemaal niets; **5** *als de —*, als de
weerlicht, bliksemsnel. **sodemie'teren** *ww*
(*plat of gemeenzaam*) **1** sodomie bedrijven;
**2** handtastelijk zijn, frunniken; **3** zaniken,
zeuren, kankeren; **4** vallen, tuimelen (bijv. van
de trap —); **5** doen vallen, gooien, smijten; **6**
*ertoe doen* (bijv. dat sodemietert niet).
**so'dium** (*zie* **soda**) in Angelsaksische landen
de naam voor *natrium*, z.a.
**sodomie, sodomieterij'** [naar Sodom, *zie*
**sodemieter**] **1** *oorspr*.: homoseksualiteit
tussen mannen; **2** *later*: anaal geslachtsverkeer
in het algemeen; **3** *tegenw*.: geslachtsverkeer
met dieren.
**soen'na** *zie* **sun'na. soennie'ten** *zie*
**sunnieten**.
**soe'ra** *zie* **sura**.
**soesoehoe'nan** [Javaans] titel van de vorst
van het rijk Soerakarta en van de stad van Solo op
Java.
**soeverein'** [Fr. *souverain*, OFr. *soverain*, v.
VLat. *superánus*, v. Lat. *super* = boven, Gr.
*huper*] **I** *bn* onbeperkt heersend; onafhankelijk
(bijv. staat); *ook*: hoogverheven, neerziende
(bijv. -e minachting); **II** *zn* onafhankelijk vorst.
**soevereiniteit'** [Fr. *souveraineté*]
oppermacht, het onafhankelijk zijn (v.e. staat).
**sofis'me** v. Lat. *sophisma* = drogreden, v. Gr.
*sophisma* = schranter idee, list; *ook*:
voorspiegeling, bedrog, v. *sophizoo* = wijs

maken, v. *sophos* = kundig, wijs; *ook*: slim, spitsvondig; *sophia* = wijsheid) drogreden, schijnsyllogisme waarmee men een ander tracht te bedriegen of misleiden. **sofist'** [v. Lat. *sophistes* = drogredenaar, v. Gr. *sophistès* = wijze, wijsgeer; *ook*: drogredenaar] wie met sofismen iets tracht te bewijzen. (De sofisten in het oude Griekenland waren rondtrekkende leraren die tegen betaling onderricht gaven, vnl. in de wijsbegeerte en redeneerkunst). **sofisterij'** het gebruiken van sofisme(n), spitsvondigheid. **sofistica'tie** [v. MLat. *sophisticare*, v. Lat. *sophisticus* = spitsvondig, sofistisch (*z.a.*)] **1** vervalsing, meer v.e. tekst (*bijv.*: dat boek is een —, het is door een modern schrijver geschreven, onder voorwendsel dat het een herontdekte tekst v.e. oude schrijver is); **2** [Belg., via Fr. v. Eng. *sophistication* = *ook*: geraffineerdheid, gekunsteldheid, onnatuurlijkheid] gemaaktheid, gekunsteldheid. **sofis'tisch** [Lat. *sophisticus*, Gr. *sophistikos*] met schijnredenering, spitsvondig. *Zie ook* **soph—**.

**soft'ball** [Am. = *lett.*: zachte bal] balspel gelijkend op honkbal (en daaruit ook voortgekomen), maar gespeeld met een zachte bal. **soft'-drink** [Eng. = *lett.*: zachte drank] drank die geen alcohol bevat. **soft'-drug** [Eng.] drug (*z.a.*) die naar aangenomen wordt in het algemeen geen verslaving ten gevolge heeft, bijv. marihuana en hasjiesj.

**sof'tenon** een der merknamen v.e. slaapmiddel dat thalidomide bevatte en dat verboden werd toen bleek dat zwangere vrouwen die het middel gebruikt hadden ernstig misvormde kinderen, de zgn. *softenonbaby's*, ter wereld brachten.

**soft'focus** [Eng. *soft* = zacht; *zie* **focus**] opzettelijk onscherpe camera-instelling, waardoor een wazig vervloeiend beeld ontstaat. **soft'-lens** contactlens van buigzaam materiaal. **soft'porno** [*zie* **porno**] niet heftig shockerende pornografie.

**soft'ware** [Eng.] (*computerkunde*) alles wat in een computer ingevoerd wordt, *programmatuur* (gegevens, programma) om daarmee bewerkingen uit te voeren, benevens de aanwijzingen voor de bediening en de opleiding v.h. bedienend personeel. *Zie ook* **computer**.

**soi-disant'** [Fr., v. *soi* = Lat. *sibi* = zich, en *dire* = Lat. *dicere* = zeggen] *bn* zich noemend; zogenaamd, gewaand.

**soigne'ren** *ww* [Fr. *soigner* = zorg dragen voor, v. *soin* = zorg (voor), bezorgdheid; van Germ. oorsprong] verzorgen (spec. het uiterlijk); *zich soigneren*, a zich ontzien, goed voor zijn gezondheid zorgen; *b* veel zorg besteden aan zijn uiterlijk, aan zijn toilet; *gesoigneerd* [Fr. *soigné*] *bn* met goed verzorgd uiterlijk. **soigneur'** [Fr.] daartoe opgeleid persoon die sportlieden bij een wedstrijd lichamelijk verzorgt, ook vóór en na wedstrijd, bijv. door massage. **soigneus'** [Fr. *soigneux*] **1** zorgzaam; **2** zorgvuldig.

**soiree'** [Fr. v. *soir* = avond, v. Lat. *serum* = late tijd, *serum diéi* = avond] avondpartij; avonduitvoering. **soiree' dansan'te** avondpartij met dans.

**soit** [Fr., v. Lat. *sit* = het zij] het zij zo.

**so'ja** [v. Japans *shoyu*] bep. vloeibare specerij uit sojabonen voor het kruiden van gerechten; Indonesische naam *ketjap*.

**sok'kel** [Fr. *socle*, v. It. *zoccolo* = klomp (schoeisel), voetstuk] voetstuk; zuilvoet.

**1 sol** [afk. van *solútio*, *zie* **solutie**] *zn* (*chem.*) kolloïdale oplossing in niet-samenhangende vorm (tegenover **gel**, *z.a.*, in samenhangende vorm). Een sol in water heet *hydrosol*, in gas *aerosol*, in vaste stof *pyrosol*.

**2 sol** (*muz.*) 5e toon van de diatonische (natuurlijke) toonladder (*zie* **aretijnse**); in het Romaanse taalgebied g.

**3 sol** [Lat.] zon.

**so'la** [It., v. Lat. *sólus* = alleen], *ook*: **so'lawissel** (*hand.*) wissel in een enkel

exemplaar (niet door een andere gevolgd), enkele wissel.

**so'la fi'de** [Lat.] door het geloof alleen (een principe v.d. Hervorming).

**solair'** [Fr. *solaire*, v. Lat. *soláris*; *zie* **3 sol**] *bn* de zon betreffend. **solarisa'tie** [v. Lat. *sol* = zon] (*fot.*) het ontstaan v. positieven i.p.v. negatieven door sterke overbelichting v.d. film. **sola'rium**, *mv* **sola'ria** [modern Lat.; *vgl.* **-arium**; in Lat. betekent *solárium* aan de zon blootgestelde plaats, o.a. 'plat dak'] *eig.*: ruimte die is ingericht om de bestraling door zonlicht zo gunstig mogelijk te doen plaatshebben, spec. inrichting of ruimte voor het nemen van zonnebaden, zonneterras; *ook*: inrichting voor bestraling met kunstmatig zonlicht (hoogtezon), o.a. in sauna's, zonnebank.

**so'lawissel** *zie* **sola**.

**soldaat'** [Fr. *soldat*, It. *soldato*, v. OFr. *soude* = betaling, v. VLat. *sólidus* = bep. gouden munt, v. Lat. *sólidus*; zie **solide**] wie in krijgsdienst is. **soldatesk'** [Fr. *soldatesque*] op soldatenmanier, als van soldaten. **soldates'ka** [*vgl.* Fr. *soldatesque*] ruw soldatenvolk. **soldenier'** (*gesch.*) huursoldaat. **soldij'** [Fr. *solde*] soldatenloon.

**solde'ren** [v. OFr. *soudure* (Fr. *souder*), v. Lat. *solidáre* = vastmaken, solderen, v. *sólidus*; zie **solide**] stukken metaal aaneenhechten met bep. gesmolten metaallalliage.

**so'le** [Fr.] (*cul.*) tong (vis).

**solecis'me, soloëcis'me** [Lat. *soloecísmus*, Gr. *soloikismos*, v. *soloikos* = barbaars, naar verluidt afgeleid v. *Soloi* = stad in Cicilië bekend om slecht Grieks, en *-oikos* = -huis] fout tegen de taalregels of idioom, grove taalfout.

**solemneel'** [Lat. *solemnis* of *sollemnis* of *solennis*, van Oscisch *sollus* = Lat. *totus* = geheel, en *annus* = jaar; *eig.*: jaarlijks, elk jaar gevierd, plechtig] plechtig. **solemniteit'** [Lat. *solémnitas*] plechtigheid.

**solenoi'de** [Fr. *solénoïde*, v. Gr. *soolèn* = pijp, en *-eidès* = gelijkend; *zie* **-ide**] bep. elektromagneet in vorm v. spiraal.

**sole'ren** [Lat. *solus*] (*muz.*) als solist optreden; (*voetbal*) het als speler met de bal doordringen in de vijandelijke verdediging zonder hulp van medespelers.

**solfata're** [It. *solfatara*, v. Lat. *sulphur* = zwavel] terrein waar zwaveldampen uit spleten in bodem ontwijken.

**solfège** [Fr., v. It. *solfeggio*, v. *sol* en *fa*, *z.a.*] zangoefening zonder tekst op klinkers of de namen van de noten (oorspr. op sol-fa), solmisatie. **solfège'ren** solfège-oefening doen.

**solidair'** [Fr. *solidaire*, v. Lat. *sólidus*; zie **solide**] saamhorig, eensgezind, trouw blijvend aan elkaar, voor elkaar aansprakelijk. **solidariteit'** [Fr. *solidarité*] het solidair-zijn. **soli'de, solied'** [Fr. *solide*, v. Lat. *sólidus* = dicht, massief, vast, hard; verwant met Gr. *holos* = geheel, Sanskr. *sarva*] stevig, hecht, degelijk, duurzaam; betrouwbaar (in handel). **soliditeit'** [Lat. *soliditas*] het solide-zijn. **solidee', solide'o** [v. Lat. *soli Deo* = alleen voor God] bep. klein kalotje v. rk geestelijken (alleen afgezet voor het Allerheiligste).

**so'li De'o glo'ria** [Lat.] aan God alleen (zij) eer.

**solilo'quium** [v. Lat. *solus* = alleen, en *loqui* = spreken] alleenspraak. **solipsis'me** [v. Lat. *ipse* = zelf] mening dat het eigen 'zelf' het enige kenbare is of het enig bestaande.

**solist'** [Fr. *soliste*; *zie* **solo**] solo-zanger of -speler. **solis'tisch** v. een solist of als daarvan. **solitair'** [Fr. *solitaire*, v. *solus* = alleen] *solitárius* = alleen, eenzaam, v. *solus* = alleen] **I** *bn* eenzaam, afzonderlijk, alleen levend; **II** *zn* **1** kluizenaar; **2** kluizenaarsvogel (uitgestorven); **3** enkele gezette diamant; **4** uit de kudde gestoten dier; **5** soort patiencespel (quadrille voor 1 persoon).

**sollicite'ren** [v. Lat. *sollicitáre*, *-átum* = sterk

bewegen, aanzetten, v. Oscisch *sollus* = Lat. *totus* = geheel, en Lat. *ciére*, *citum* = in beweging zetten; *vgl*. Gr. *kineoo* = bewegen) dingen naar (betrekking of ambt).

**sollicita'tie** [Lat. *sollicitátio* = opruiing, verleiding] *zn*. **sollicitant'** [v. Lat. *sollicitans*, *-ántis* = o.dw] wie solliciteert.

**solmië'ren, solmise'ren** [Fr. *solmiser*, v. *sol* en *mi*, *z.a.*] tonen zingen op hun namen (do, re, mi ...), solfègiëren. **solmisa'tie** [Fr. *solmisation*] *zn*.

**so'lo** [It., v. Lat. *solus* = alleen] (*muz.*) alleenzang, alleenspel; (*kaarten*) alleenspel (zonder maat bijv. tegen de drie andere spelers); *solo-*, alleen- (bijv. solo-ren, solo-vlucht).

**soloëcis'me** *zie* solecisme

**so long** [Eng. = *lett.*: zo lang] tot ziens.

**solsti'tium** [Lat., v. *sol* = zon, en *sístere*, *statum* = plaatsen, halt houden, stilstaan] zonnestilstand, zonnewende (omstreeks 21 juni en 22 dec.).

**solu'bel** [Lat. *solúbilis*, v. *sólvere*, *solútum* = losmaken, oplossen, *eig.*: *se-luere*, v. *se-* en *luere*, *vgl*. Gr. *luoo* = losmaken] oplosbaar. **solubiliteit'** [Fr. *solubilité*] oplosbaarheid. **solu'tie**, afk. **sol**. [Lat. *solútio*] **1** oplossing v.e. stof in een andere stof, meestal een vloeistof; **2** oplossing v.e. vraagstuk; **3** [Eng. *solution* = oplossing van rubber in benzine] bep. plakmiddel voor het repareren van gaatjes in luchtbanden.

**Solutreen'** bep. periode v.h. oud-stenen tijdperk [naar resten gevonden te Solutré in Frankrijk].

**solva'bel** [Fr. *solvable*] in staat zijnde te betalen. **solvabiliteit'** [Fr. *solvabilité*] (*alg.*) vermogen om te betalen; de mate waarin een onderneming bij liquidatie in staat is te voldoen aan haar financiële verplichtingen. **solvabiliteits'percentage** (*bankwezen*) de verhouding v.h. eigen risicodragend vermogen tot de verleende kredieten en andere uitzettingen. **solvent'** solvabel, in staat te betalen (tegenstelling: *insolvent*). **solve'ren** [Lat. *sólvere* = ook: betalen; *zie verder* **solubel**] oplossen (vraagstuk); afdoen, betalen (schuld).

**som** [v. Lat. *summa* = het bovenste (getal), daar de Romeinen het resultaat v.e. optelling van een reeks getallen niet onderaan, maar bovenaan schreven] **1** het resultaat van een optelling; **2** rekenkundig of wiskundig vraagstuk (*sommen maken*); **3** bep. bedrag.

**1 so'ma** [Sanskr.] (*godsdienstgeschiedenis*) in de Indische oudheid een bep. plant, uit de stengels waarvan een opwekkend sap geperst werd dat aan de goden werd geofferd.

**2 so'ma** [Gr. *sooma*] lichaam, i.t.t. de *psyche*, *z.a.* **soma'tisch** [Gr. *soomatikos*, v. *sooma* = lichaam] het lichaam betreffend, lichamelijk. **somatologie'** [*zie* -logie] leer v.h. lichaam.

**sombre'ro** [Sp., v. *sombra* = schaduw, Lat. *umbra*] bep. breedgerande hoed.

**som'ma** [via Fr. *somme* v. Lat. *summa*; *zie* **som**] som, bedrag; in —, totaal; *summa sommarum* (onjuist voor **summa summarum**, *z.a.*) alles bijeen genomen.

**sommelier'** [Fr.] wijnkelner, kelner die wijnbestellingen opneemt en uitvoert.

**1 somme'ren** [v. Fr. *sommer* = aanmanen, dagvaarden, via OFr. *semonoir* v. Lat. *summonére* = *submonére* = onder de hand herinneren aan, v. *sub* = onder, en *monére* = iets herinneren aan iem.; *ook*: vermanen, waarschuwen; volgens anderen v. *somme* = **som** (*z.a.*) in de bet. van: tot het uiterste optellen, *dus*: een ultimatum stellen] aanmanen om aan een eis of verplichting te voldoen (in de zin van: bevelen; *bijv.*: wij sommeren u onze nota te voldoen; ik sommeer u dit huis te verlaten). **somma'tie** [Fr. *sommation*] *zn* dagvaarding.

**2 somme'ren** [v. Fr. *sommer*, *zie* **som**] (*wisk.*) de som vormen v.e. reeks of gedeelte daarvan.

optellen v.d. waarden v.e. (interval van een) functie. **somma'tie** [Fr. *sommation*] optelling. **sommiteit'** [v. Fr. *sommité* = top, spits; *zie* **som**] **1** hoogtepunt; **2** uitblinker; **3** (*Z.N.*) (zeer) hoog percentage (*vgl. Fr. les sommités* = de kopstukken).

**somnambu'le** [Fr., v. Lat. *somnus* = slaap, en *ambuláre* = wandelen] slaapwandelaar; helderziende in kunstmatige slaap. **somnambulis'me** het slaapwandelen; helderziendheid in kunstmatige slaap.

**somptueus'** [Fr. *somptueux*] weelderig, luxueus, kostbaar uitgevoerd, kostbaar ingericht. **somptuositeit'** *zn*.

**sonant'** [Lat. *sónans*, *-ántis* = o.dw van *sonáre* = geluid geven, klinken, v. *sonus* = geluid, klank] klank die én als consonant én als syllabevormende klank kan optreden (i, u, l, r, n, m).

**so'nar** [Eng.; letterwoord v. Eng. *Sound Navigation* and *Ranging* = koers- en afstandsbepaling door middel van geluid] apparatuur ter lokalisering (v. schepen, scholen vis) d.m.v. weerkaatst geluid, echopeiling.

**sona'te** [Fr., v. It. *sonata*] bep. instrumentaal muziekstuk (meestal 4-delig). **sonati'ne** [Fr., v. It. *sonatina*, verklw. v. *sonata*] kleine sonate.

**son'de** [Fr. *sonder* = peilen] (*med.*) staafje om diepte v. wonden te onderzoeken; buisje waarmee vocht in of uit 't lichaam wordt getransporteerd; peilood; onbemand ruimtevaartuig dat gegevens verstrekt over de atmosfeer. **sondeer'ballon** kleine ballon die gegevens over het weer in hogere luchtlagen registreert.

**soniek'** [v. Lat. *sónus* = geluid, klank] elektronische muziek. **so'nisch** *bn* **1** het geluid betreffend; **2** door geluid geschiedend; **3** de soniek betreffend.

**sonnet'** [Fr., v. It. *sonetto*, v. *suono* = Lat. *sónus* = klank, v. *sonáre* = geluid geven, klinken] *klinkdicht* (vroeger *klinkert*), een lyrisch gedicht, meestal in *jamben* (*z.a.*), van 14 regels in een streng geregelementeerde vorm.

**sonografie'** [onjuist gevormd uit Lat. *sónus* = klank, en Gr. *graphoo* = schrijven] beschrijving door middel van klankbeelden. **sonologie'** [eveneens onjuist gevormd uit Lat. *sónus*, en Gr. *-logia*; *zie* -logie] leer der muzikale geluiden. **so'nometer** [*zie* meter] toonmeter of klankmeter. **sonoor'** [Lat. *sonórus* = geluid, klank, toon] *bn* & *bw* welluidend, welklinkend, vol van toon, vol en helder klinkend. **sonoriteit'** *zn* **1** het sonoor-zijn; **2** volle heldere klank. **sonorise'ren** (een film) van geluid voorzien.

**sont** [v. Scandinavisch *sund* = zeeëngte] zeestraat.

**soos** (*gemeenzaam*) sociëteit, gezelligheidsvereniging; gebouw daarvoor.

**sophistica'ted** [Eng. = intellectualistisch; *ook*: quasi-intellectueel, waanwijs) (in het Ned. *ook*: *gesofisticeerd*), intellectueel van instelling; *ook*: geestig, spits. **sophistica'tion** spitsheid, raffinement, geestelijke verfijndheid.

**soporatief'** [Fr. *soporatif*, v. Lat. *sopor* = diepe slaap, *vgl. somnus* = slaap] **l** *bn* slaapwekkend; **ll** *zn* slaapverwekkend middel. **soporeus'** *bn* slaapverwekkend.

**sopraan'** [It. *soprano*, v. MLat. *superánus* = de bovenste, v. Lat. *súpra* = boven, bovenuit; *zie* **supra**] (*muz.*) **1** de hoogste vrouwen- of kinderstem (omvang ongeveer c' tot a''); *dramatische sopraan*, vrouwenstem in opera reikend tot c'''; *coloratuursopraan*, stem van coloratuurzangeres reikend tot f'''; **2** zangeres met sopraanstem (*zie ook* **mezzosopraan**).

**sor'bet** [via Fr. *sorbet* v. Arab. *sjurbat* = drank, v. *sjariba* = drinken] (oorspr. bep. Turkse koele drank), **1** consumptie-ijs met slagroom en vruchtensmaak, evt. met andere ingrediënten zoals wijn of likeur; **2** (*in oosterse landen*) limonade van een of meer vruchtesoorten met

suiker en geraspt ijs. **sorbétière** [Fr.] bus of emmer voor het bereiden van consumptie-ijs.
**sordi'no** [v. It. *sordina*, v. Lat. *surdus* = doof] (*muz.*) klankdemper.
**so'res** [Jidd., v. Hebr. *tsoro* = leed, tegenspoed] moeilijkheden, zorgen, ellende.
**sor'ghum**, *ook*: **sor'gum** [v. VLat. *súrgum* = grote gierst] belangrijk graangewas van de semi-aride gebieden van de tropen en subtropen.
**sori'tes** [v. Gr. *sooreitès*, v. *sooreuoo* = ophopen] *kettingredenering* of *polysyllogisme*, redenering waarbij de conclusie v.e. eerste syllogisme (stilzwijgend) gebruikt wordt als premisse voor een volgend syllogisme.
**soroptimis'ten** *mv* [v. Lat. *sóror* = zuster, *óptimus* = beste; *soróres óptimae* = beste zusters] leden v.e. internationale vereniging v. vrouwen, werkzaam in verschillende beroepen, met als doel of humanistische grondslag de onderlinge waardering en de nationale en internationale goede verstandhouding te bevorderen; de vrouwelijke tegenhanger v.d. Rotary, *z.a.*
**sororaat** [v. Lat. *sóror* = zuster] (*ethnologie*) het gebruik bij sommige volken dat een weduwnaar hertrouwt met een zuster van de overleden echtgenote.
**sorp'tie** [v. Lat. *sorbére*, *sórptum* = inslurpen] alg. term voor de opeenhoping van moleculen aan een grensvlak, ongeacht of dit geschiedt door fysische krachten (*adsorptie*) of door chemische krachten (*chemisorptie*).
**1 sorte'ren** *ww* [v. Du. *sortieren*; *vgl.* Ned. *soort*, v. Lat. *sors*, *sórtis* = lot, (aan)deel] soort bij soort leggen, schiften, uitzoeken; *gesorteerd bn* **1** bijeengevoegd in soorten; **2** goed voorzien, ruime keuze biedend.
**2 sorte'ren** *ww*: effect sorteren, (een gunstig) gevolg hebben, (een goede) uitwerking hebben ('vertaling' v. Fr. *sortir effect*; *sortir* v. Lat. *sortiri* = bij loting verdelen, v. *sors*, *sortis* = lot; *ook*: door toeval verkrijgen). **sorte'ring 1** het sorteren (1); **2** het gesorteerde, in de betekenis 'verscheidenheid', *bijv.*: een uitgebreide sortering.
**sortie** [Fr., v. *sortir* = weggaan, uitgaan] **1** uitgang; **2** (*mil.*) uitval uit belegerde vesting; **3** lichte mouwloze damesavondmantel gedragen bij het uitgaan; **4** contramerk v. toegangsbewijs van schouwburg e.d., d.w.z. aantekening op het toegangsbewijs dat men het gebouw even mag verlaten.
**sortiment'** *zie* assortiment.
**sospiran'do** [It., v. Lat. *suspiráre* = *eig.*: uit-dampen, v. *sus* = omhoog, en *spiráre* = *ook*: wasemen; *suspiráre* = naar iets zuchten, verlangen, smachten naar] (*muz.*) *bw* zuchtend.
**sostenu'to** (afk. **sost.**) [It., v. Lat. *sustinére*, *susténtum* = omhoog-houden, dragen, *ook*: terughouden, laten voortduren, v. *sus* = omhoog, en *tenére* = houden) (*muz.*) *bw* áánhoudend, vóórtdurend, gedragen.
**so'ter** [Gr. *Sootèr*, *Sootèros* = Redder] Verlosser, Zaligmaker, Heiland (nl. Jezus Christus). **soteriologie** [*zie* -**logie**] leer van Christus als Zaligmaker. **sote'risch** *bn* [v. Gr. *sootèrios* = reddend] verlossend, zaligmakend.
**sotternie'** (*gesch.*) middeleeuws kluchtspel.
**sotti'se** [Fr., v. *sot* = zot, dwaas] dwaze streek, zotternij, malligheid.
**sot'to vo'ce** [It. = onder de stem, v. Lat. *subtus* = onder, en *vox*, *vocis* = stem] met gedempte stem, terzijde.
**sou** [Fr., v. Lat. *sólidus*; *zie* soldaat] Franse stuiver, 5 centimes, 1/20 franc; *geen sou*, geen cent.
**soubi'se** [Fr.] (*cul.*) uiensaus.
**soubret'te** [Fr., v. Provençaals *soubreto*] **1** in opera of operette: slimme, enigszins brutale kamenier of dienstbode; **2** zangeres v.e. lichte, komische en vrolijke rol.
**sou'che** [Fr. = *eig.*: boomstronk] kantstrook v.

bonboekje, couponblad e.d., stok v. register.
**souffle'ren** [Fr. *souffler* = blazen, souffleren, v. Lat. *suf-fláre* = *sub-fláre* = tegen iets blazen] **1** (*theat.*) toneelrol fluisterend voorzeggen; **2** (*cul.*) gerechten in de oven laten rijzen d.m.v. geklopt eiwit met veel lucht er in. **soufflé** [Fr., v. *souffler*] warm gerecht met gerezen eiwit. **souffleur'** [Fr.] (*theat.*) rolvoorzegger.
**soul** [Am. = *lett.*: ziel] bep. soort popmuziek, een combinatie van rhythm and blues (*z.a.*) en gospel-song (*z.a.*), in muzikaal en emotioneel opzicht gekenmerkt door spontaneïteit en ongeremdheid.
**sound** [Eng. = *lett.*: geluid, v. Lat. *sonus*] (*jazz*, *popmuziek*) specifieke klankkleur v.e. groep of solist of v.e. bep. richting. **sound'proof** [Eng.] *bn* geluiddicht. **sound'track** Eng. = geluidsspoor] (*film*) het strookje aan de zijkant van de filmrol waarop het geluid is vastgelegd.
**souper'** [Fr.] avondeten. **soupe'ren** [v. LDu. *supen* = slikken, slokken] avondeten gebruiken. **souples'se** het soepel-zijn, buigzaamheid; het plooibaar-zijn.
**sourdi'ne** *zie* sordino.
**sous** [Fr., v. Lat. *subtus*, v. *sub*, *z.a.*] onder-.
**soubras'** [v. Fr. *bras* = arm, Lat. *bráchium*, Gr. *brachioon*] gummi of zemen oksellapje in damesjapon om deze te beschermen tegen transpiratie. **sous'chef** [Fr. *sous-chef*; *zie* **chef**] onderchef. **sousentendu'** [Fr.] stilzwijgend daaronder begrepen, vanzelfsprekend. **sousmain'** [Fr. *sous-main*, v. *main* = hand, Lat. *manus*] onderlegger bij het schrijven. **souspied'** [Fr. *sous-pied*, v. *pied* = voet, Lat. *pes*, *pedis*] riempje onder voet door aan broek of slobkous; de slobkous zelf.
**souta'che** [Fr., v. Hongaars *szuszak* = ringetje] plat koord of boordsel als garnering v. kleding.
**souta'ne** [Fr., v. It. *sottana*] lang bovenkleed v. rk geestelijke, toog.
**soutena'ble** [Fr., v. *soutenir* = Lat. *sus-tinére* = omhoog-houden, staande houden, v. *sus* = omhoog, en *tenére* = houden] houdbaar (bewering). **soutene'ren** [Fr. *soutenir*] ondersteunen; staande houden (bewering); onderhouden. **souteneur'** [Fr. = *lett.*: wie onderhoudt, beschermer] pooier, man die leeft v.d. inkomsten van een of meer prostituées voor wie hij als beschermer optreedt.
**sou'terliedeken** [v. *souter* = psalter, *z.a.*] berijmde psalmvertaling om te zingen.
**souterrain'** [Fr., v. Lat. *sub* = onder, en *terra* = aarde] kelderverdieping.
**souvenir'** [Fr., v. (*se*) *souvenir* = (zich) herinneren, v. Lat. *sub-venire* = bij-komen, in de gedachte komen] herinnering, aandenken, gedachtenis.
**sov'choz**, *mv* **sovcho'zen** [Russisch *sovchoz* is de afkorting v. *Sovjetskoje chozjajstvo* = radenbedrijf] uitgestrekt staatslandbouwbedrijf in de Sovjet-Unie. Sovchozen zijn geheel gemechaniseerd en liggen vooral in nieuw ontgonnen streken, waar weinig mensen wonen en grote oppervlakten grond voor de landbouw beschikbaar zijn. Op de sovchozen werkt men in loondienst, i.t.t. de kolchozen (*zie* **kolchoz**), de kleinere collectieve landbouwbedrijven.
**sov'ereign** [Eng., v. OFr. *soverain*; *zie* **soeverein**] Eng. gouden munt ter waarde v. pond sterling.
**sov'jet** of **sovjet'**, *ook*: **sow'jet** of **sowjet'** [Russisch = raad] in Rusland tijdens de opstand van 1905 ontstane en sindsdien gebruikelijke naam voor een op fabrieken en werkplaatsen gekozen vertegenwoordigend lichaam, een naam die oorspr. een arbeiders- en soldatenraad betekende, tegenw. bestuursraad in de Sovjet-Unie, *ook*: volksvertegenwoordiging in een sovjet-republiek; in samenstellingen: uit de Sovjet-unie; *mv* Sovjets van ook Russen betekenen. **Sov'jet-unie, Sow'jet-unie,**

ook **Sovjet'-unie** of **Sowjet'-unie**
[Russisch: *Sojoes Sovjetskich
Sotsjalistitsjeskich Respoeblik*, afk. **SSSR**, in
Russische letters CCCP] Unie van
Socialistische Sovjet-Republieken (afk.
USSR), statenunie in Oost-Europa en
Noord-Azië.

**sowieso'** [Du.] toch al (*bijv.*: dat zijn we —
kwijt); in elk geval (*bijv.*: dat gaat — niet door);
zonder meer (*bijv.*: dat is — duidelijk).

**Spaan'se pe'per** *zie* **cayennepeper**.

**spaat** [v. MLDu. *spar*; *vgl.* OEng. *spaeren*
= gips] naam voor bep. gemakkelijk splijtbare
niet-glanzende mineralen.

**spa'ce-shuttle** [Eng., v. *space* = ruimte, Lat.
*spátium*, en *shuttle, z.a.*], ook kortweg
**shuttle**, ruimteveer, spec. geconstrueerd
motorloos vliegtuig voor ruimtevluchten, dat
door een lanceerinrichting in de ruimte
geschoten wordt, daar een tijdlang rond de
aarde draait voor het uitzetten van
kunstmanen, het nemen v. proeven e.d., en
vervolgens weer op eigen gelegenheid in de
dampkring terugkeert en in glijvlucht tenslotte
landt; het is meermalen te gebruiken, vandaar
de naam ruimte*veer*. **spa'ce-suit** [Eng. *suit*
= kleding, v. OFr. *suite*, v. MLat. *secúta*, v. Lat.
*séqui* = volgen, aansluiten, zich voegen,
*secútus sum* = ik heb ...] ruimtepak, kleding
voor verblijf in het luchtledige wereldruim.

**spagaat'** [Du. *Spagat*] (*ballet*) spreidzit, het
vormen van een gestrekte hoek (180°) met de
benen.

**spa'hi** [via Turks v. Hindi *sipahi* = inlands
soldaat, v. Perzisch *sipah* = leger] Arabische of
Noordafrikaanse ruiter (soldaat).

**spalier'** [Fr. *espalier*, v. It. *spalliera*, v. *spalla*
= schouder] latwerk voor leiboom; de leiboom
zelf (spalierboom).

**span'iël** [Eng. *spaniel* v. OFr. *espagneul*, v. Sp.
*español* = Spaans, v. *España* = Spanje, Lat.
*Hispánia*] bep. kleine jachthond voor
waterwild, patrijshond. **spanjolet'**, *ook*:
**espagnolet'** [Fr. *espagnolette*,
verkleinwoord v. *espagnol*; *zie vorige*] ijzeren
draai-sluitstang voor vensterluik of deur,
draairoede.

**spar'ren** [v. Eng. *to spar* = *eig.*: boksen zonder
dóór te stoten; *spar* = boksoefenpartij] als
sparring-partner optreden. **spar'ring** [Eng.]
het oefenen van boksstoten op een
sparring-partner of op een zak.

**spar'ring-part'ner** [Eng.] persoon die bij
training optreedt als tegenstander van een
aanzienlijk sterker bokser; tegenwoordig ook
bij andere sporten, bijv. voetbal
(oefenwedstrijd van een hooggeklasseerde
club tegen een veel zwakkere).

**spas'me, spas'mus** [Lat. v. Gr. *spasmos*
= kramp, trekking, v. *spaoo* = trekken]
langdurige kramp v. glad weefsel.

**spasma'tisch** v.d. aard v. kramp, aan kramp
lijdende. **spas'misch, spasmo'disch**
krampachtig. **spasmofilie'** vatbaarheid voor
krampachtige aandoeningen. **spasmogeen'**
[*zie* -**geen 2**] krampverwekkend.

**spasmoly'ticum** krampstillend middel.

**spasticiteit'** spierhypertonie.

**spa'tel** [Lat. *spátula*, verklw. v. *spatha* v. Gr.
*spathè* = breed blad] strijkspaan, zalfmes;
tempermes (v. schilders); (*chem.*) plat lepeltje
voor scheppen en mengen v. kleine
hoeveelheden stof.

**spa'tie** [Lat. *spátium* = de ruimte; *vgl.* Dorisch
*spadion* = Gr. *stadion*; *zie* **stadium**]
(tussen)ruimte, ruimte tussen letters of regels;
metalen reep om letters of regels v. zetwerk
gescheiden te houden. **spatie'ren** met
tussenruimte zetten (s p a t i ë r e n).

**Spät'lese** [Du. = laatste pluk] wijn van zeer
rijpe druiven.

**speak'-easy** [Am. = *lett.*: praat-rustig] illegaal
kroegje in de VS tijdens de drooglegging.

**speak'er** [Eng. = *lett.*: spreker, v. *to speak*
= spreken] **1** titel v.d. voorzitter van het Britse
Lagerhuis; **2** luidspreker.

**specerij'** [v. OFr. *espeserie*, v. Lat. *spécies*
(*z.a.*) = *mv* stukken die verbonden zijn, waren,
specerijen] geurig prikkelend middel om
spijzen te kruiden, afkomstig uit tropen of
subtropen (peper, nootmuskaat, kaneel enz.).

**spe'cial** [Eng.] (*media*) speciale reportage.

**1 spe'cie** metselkalk met zand en water.

**2 spe'cie** [v. Lat. 6e naamval v. *spécies* (*z.a.*)
= o.a. VLat. enkel stuk, bijv. *spécies argénti*
= zilverstuk] metaalmengsel; letterspijs;
klinkende munt, muntstukken (tegenover
papieren geld).

**spe'cies** afk. **sp** [Lat. = het zien, aanzien,
gestalte, beeld, soort; verwant met *spécere*
= kijken] soort; (*biol.*) soort als onderdeel v.
geslacht (genus); (*logica*) groep als onderdeel
v. genus. **specifice'ren** [MLat. *specificáre*, v.
*spécies* = bepaald geval, stuk, en *fácere*
= maken] alle onderdelen opgeven,
nauwkeurig in bijzonderheden beschrijven.
**specifica'tie** [MLat. *specificátio*] *zn*.

**speci'ficum** specifiek geneesmiddel (bijv.
kinine tegen koorts). **specifiek'** [MLat.
*specíficus*] kenmerkend; speciaal voor
bepaald doel geschikt; — *gewicht*, soortelijk
gewicht. **spe'cimen** [Lat. = karakteristiek
merkteken, kenteken, voorbeeld, iets waar
men naar kijkt, v. *spécere* = kijken] proeve,
voorbeeld, staaltje.

**specta'cle coupé** [Fr., *lett.*: afgehakt
toneelstuk] voorstelling bestaande uit
gedeelten uit toneelstukken, opera's e.d.

**spectaculair'** [Fr. *spectaculaire*, v. Lat.
*spectáculum* = aanblik, schouwspel, v.
*spécere, spectum* = kijken] met veel vertoon,
een boeiend schouwspel vormend (-e
wedstrijd). **specta'tor** [Lat., v. *spectáre*
= zien, frequentatief v. *spécere* = kijken]
waarnemer, beschouwer, opmerker.

**spec'trum** [Lat. = beeld in de ziel, voorstelling,
v. *spécere, spectum* = kijken] kleurenband
verkregen door licht in zijn kleuren te ontleden.
**spectraal'** [Fr. *spectral*, v. *spectre*
= spectrum] het spectrum betreffend.
**spectraal'-analyse** [*zie* **analyse**]
onderzoek v. stof door bestudering v. spectrum
daarvan. **spectrograaf'** [v. Gr. *graphos*
= -schrijver, v. *graphoo* = schrijven] toestel
om spectrum te fotograferen of anderszins vast
te leggen. **spectrogram'** [v. Gr. *gramma*
= het geschrevene] foto v. spectrum.
**spectroscoop'** [*zie* -**scoop**] toestel waarin
invallend licht ontleed wordt in een spectrum.

**specule'ren** [v. Lat. *speculári* = rond-,
uitkijken, v. *spécula* = uitkijktoren (v. *spécere*
= kijken), *speculátus sum* = ik heb ...]
**1** bespiegelend denken; **2** kopen (spec.
beurspapieren) onder berekening dat de koers
zal stijgen en weer verkopen als men
koersdaling meent te voorzien; (*alg.*) handelen
onder invloed v. kansberekening en daarbij
groter of kleiner risico nemen; — *op*, rekenen
op. **specula'tie** [Lat. *speculátio*]
**1** en **2. speculatief'** [Fr. *spéculatif*]
bespiegelend; berekend op vermoedelijke
winst. **speculant'** [v. Lat. *spéculans -ántis*
= o.dw] wie speculeert.

**speech** [Eng. *vgl. to speak* = spreken]
toespraak, redevoering. **spee'chen** *ww*.

**speed** [Eng. *vgl.* Ned. *spoed*] **1** vaart, snelheid;
*full* —, met volle kracht (rijden, varen e.d.);
**2** wekamine: genotmiddel; *ook*: geneesmiddel,
dat stimulerend werkt (*pepmiddel*).

**speed'freak** [Eng.] liefhebber van
pepmiddelen, verslaafde; snelheidsmaniak.

**speed'way** [Eng. = *lett.*: snelweg]
(*motorsport*) motorsport met speciale
motoren op een gesloten 400-meterbaan v.
steengruis of sintels; *ijsspeedway*, het racen
met speciale motoren op het ijs.

**speleologie'** [v. Gr. *spélaion* = hol, grot, v.
*speos* = hol; *zie* -**logie**] leer en kennis v.
grotten en holen. **spelonk'** [Lat. *spelúnca*, v.
Gr. *spélugx, spéluggos*] (berg)hol, grot; spec.
vuil donker hol.

**spelotheek'** [v. Gr. *thèkè* = bewaarplaats] uitleencentrum voor speelgoed.

**spelt** [MNed. *spelte*, OHDu. *spelza*, daarnaast *spelta*; het LLat. *spélta* is ontleend aan een Germ. taal] grove tarwe, de graansoort *Triticum spélta*.

**sper'ma** [Gr. *sperma, spermatos* = zaad, v. *speiroo* = zaaien] zaad v. mens en dier.

**sper'mabank** bewaarplaats v. (geconserveerd) sperma. **spermaceet'**, **spermace'ti** [MLat. *sperma ceti* = zaad v. walvis, v. *cetus*, v. Gr. *kétos*] walschot, witte amber, vloeibare vetachtige stof uit kopholte v. potvissen. **sper'madonor** [v. Lat. *donare* = geven] man die zaad voor kunstmatige inseminatie ter beschikking stelt.

**sper'marietje** plastic buisje met geconserveerd zaad. **spermatogene'se** [v. Gr. v. stam *gen* = worden] de vorming v. rijpe zaadcellen in de zaadballen. **spermatoxi'ne** [v. Gr. *toxikon* = vergift] antilichamen die zonder het organisme te schaden de spermatozoa buiten werking kunnen stellen. **spermatozo'a** *mv* [v. Gr. *zooion* = dier, v. *zoooo* = leven] zaadcellen v. mensen of dieren. **spermatozoï'den** [v. Gr. *zooion* = dier, en -*eidès* = gelijkend op] zaadcellen v. planten. **spermaturie'** [v. Lat. *urina*, v. Gr. *ouron* = pis] aanwezigheid v. zaadcellen in mnl. urine.

**spes pa'triae** [Lat.] de hoop des vaderlands, de jeugd.

**spet'ter** v. *spetteren* = frequentatief van *spetten* (spatten) = hevig spatten] **1** spat (druppel water, modder, vet enz.; **2** (*gemeenzaam*) aantrekkelijke jonge vrouw of jongeman; **3** (*sport, gemeenzaam*) zeer hard schot.

**spial'ter** of **spiau'ter**, *ook*: **peau'ter** [OFr. *espeautre*, v. *peutre*, Lat. *peltro*; verdere woordafl. onzeker] legering van lood (Pb) en tin (Sn) voor de vervaardiging v. 'tinnen' vaatwerk.

**spicca'to** [It. = gescheiden] (*muz.*) met springende strijkstok.

**Spielerei'** [Du.] spelletje, niet ernstig gemeende affaire, spec. liefdesaffaire.

**spi'kes** [Eng.; *spike* = scherpe punt, v. Germ. oorsprong, *vgl.* Ned. *spijker*, maar gedeeltelijk ook v. Lat. *spica* = spits, korenaar] bep. sportschoen voorzien v. pinnen.

**spil'leleen** leen met recht v. opvolging v.d. vrouwen (tegenover zwaardleen).

**spin**, afk. S [Eng.] **1** (*atoom- en kernfysica*) draaiing van elementaire deeltjes om hun as (aangenomen ter verklaring v. diverse verschijnselen); **2** (*luchtv.*) tolvlucht, vrille; **3** (*dansen*) draaiende figuur.

**1 spinaal** [v. VLat. *spinâlis*, v. Lat. *spîna* = doorn; *ook*: ruggegraat (wegens de uitsteeksels)] *bn* de wervelkolom betreffend. **spinaal'punctie** (*beter*: spinale punctie) (*med.*) punctie om het ruggemergsvocht te onderzoeken.

**2 spinaal** [v. MNed. *spinael* of *spinnael* = dik getwijnd garen, v. MHDu. *spinal* = spingaren] *zn* schoenmakersgaren.

**spinel'** [OFr. (*e*)*spinelle*; verdere afl. onzeker] bep. mineraal v. verschillende kleur, waarvan sommige variëteiten waardevol zijn.

**spinet'** [MEng. *espinette*, waarsch. naar G. Spinetti, de uitvinder] bep. oud snaarinstrument met klavier.

**spin'naker** [Eng. *spinn'aker*, v. *Sfinx, z.a.*, naam van het jacht dat het eerst gebruikte] groot driehoekig bijzeil, spec. op jacht zeilend voor de wind, ballonfok.

**spinozis'me** wijsgerig stelsel v. Baruch Spinoza [Nederlands wijsgeer, 1632-1677].

**spins'bek**, *ook*: **pins'bek** [v. Eng. *pinchbeck*, naar de uitvinder Pinchbeck] legering van vnl. koper en zink, met goudachtig uiterlijk, similor.

**spiraal'** [MLat. *spirâlis*, v. Lat. *spîra* = kronkeling, krulling, v. Gr. *speira*] kromme lijn in plat vlak met steeds groter wordende straal; schroeflijn in de ruimte; voorwerp met schroeflijnvormige gedaante, (bijv. spiraalveer). **spiraal'mechanisme** mechanisme dat een ontwikkeling weer een ontwikkeling bij een ander (land) uitlokt (bijv. in wapenwedloop). **spiraal'tje** anticonceptiemiddel in de vorm v.e. klein plastic voorwerp dat in de baarmoeder wordt geplaatst, IUD (*intra uterine device*).

**spira'nen** *mv zie* spiro-verbindingen.

**spi'rans** [Lat. *spirans, -ántis*, = o.dw van *spiráre* = blazen] geruisklank (bijv. f, s, sch), ontstaan door uitblazing v. lucht waarbij de spraakorganen bijna doch niet geheel gesloten zijn. **spi'rit** [Eng., v. Lat. *spiritus* = het geblaas, adem, (bewogen) lucht, damp; geest] geestkracht, fut, vuur. **spiritis'me** [v. Lat. *spiritus* = geest] leer dat men met geesten (zielen v. overledenen) in contact kan komen; wijze waarop men dit tracht te doen. **spiritist'** aanhanger en beoefenaar v.h. spiritisme. **spiritis'tisch** spiritisme betreffend.

**spiri'tual** [Eng. = geestelijk, geestelijk lied; *zie* **spiritueel**] bep. geestelijk lied (spec. bij Am. negers; *negro-spiritual*). **spiritua'liën** *mv* geestrijke (sterk alcoholische) dranken. **spiritualis'me** stelsel dat aan de stof geen eigen bestaan toekent maar deze beschouwt als een bep. verschijningsvorm v.d. geest; *ook*: leer dat de geest onderscheiden is v.d. stof (tegenst. *materialisme*). **spiritualiteit'** [Fr. *spiritualité*, v. VLat. *spirituâlitas*] geestelijkheid, onstoffelijkheid; geaardheid in geestelijke zaken, wijze v. geestelijk leven (bijv. de franciscaanse —). **spiritueel'** [Lat. *spirituâlis* = tot de *spíritus* (adem) behorend; christelijk Lat. = tot de *spíritus* (geest) behorend] **1** geestelijk, onstoffelijk; **2** geestig; **3** geestrijk. **spiritueus'** [Fr. *spiritueux*] geestrijk. **spi'ritus** [Lat. = damp, geest] wijngeest, ethylalcohol, $C_2H_5OH$; (in praktijk) mengsel v. ethyl- en methylalcohol ($CH_3OH$).

**spirochae'ten** v. Gr. *speira* = kronkeling, en *chaitè* = fladderend haar] geslacht v. spiraal-of schroefvormige bacteriën. Sommige soorten zijn pathogeen voor de mens, o.a. *Treponema pallidum*, de verwekker v. syfilis.

**spirome'ter** [v. Lat. *spirâre* = blazen, ademen; *zie* **meter**] toestel om ademlucht (d.i. capaciteit der longen) te meten.

**spi'ro-verbindingen** (*vroeger*: **spira'nen**) *mv* [v. Lat. *spira* = kronkeling, krakeling; *zie* **spiraal**] (*chem.*) verbindingen waarbij één koolstofatoom deel uitmaakt v. twee ringsystemen die niet in hetzelfde vlak liggen.

**spit'ze** [Du. *Spitze*] balletschoen met verharde neus.

**spleen** [Eng., v. Lat. *splen*, Gr. *splèn* = milt; *vgl.* **hypochonder**] zwaarmoedigheid, gemelijkheid, landerigheid.

**splen'did-isola'tion** [Eng. = heerlijke afzondering] vrijwillig isolement v. Engeland in bep. periode v.d. geschiedenis.

**split** [Eng., v. *to split* = splijten], *ook*: **split'je**, half flesje of glas mineraalwater, voor de rest aangevuld met sterke drank, spec. whisky (vooral in voormalig Ned. Oost-Indië).

**split'-level** [Eng. = *lett.*: gespleten (afgescheiden) niveau] met vloeren op verschillend niveau in één verdieping of zelfs in één kamer (bijv.: een — bungalow).

**spolië'ren** [Lat. *spoliáre, -átum* = v. kleren of wapens beroven, v. *spólium* = afgestroopte huid v. dier, ontrukte wapens, buit, roof] roven, plunderen, rechtmatig deel onthouden, (*jur.*) te kwader trouw goederen onttrekken. **spolia'tie** [Lat. *spoliátio*] *zn*.

**spondee'**, **sponde'us** [Lat. *spondéus* (*pes*), Gr. *spondeios* (*pous*), = tot het plengoffer behorend; de spondee werd gebruikt bij sluiten v. verdrag onder brengen v. plengoffer (*spondè*); *spendoo* = plengen, verdrag sluiten] versvoet bestaande uit twee lange lettergrepen (— —). **sponde'isch** [v. Gr. *spondeiakos*] twee spondeeën.

**spongieus'** [Fr. *spongieux*, v. Lat. *spóngia* = spons, v. Gr. *spoggia* of *spoggos*] sponsachtig. **spongi'ne** stof waaruit spons is opgebouwd.

**spon'sor** [Eng., v. Lat. *spónsor* = borg, iem. die een goed woord doet voor een ander, v. *spondére* = lett.: plechtig beloven; *ook*: borg blijven) **1** (*vero.*) borg voor immigranten; **2** iem. die de TV- en radioprogramma's, sportclubs of sportgebeurtenissen financieel steunt in ruil voor het maken van reclame. **spon'soren** ww als sponsor optreden bij TV- of radio-uitzending of andere gebeurtenissen ter wille van reclame.

**spon'te su'a** [Lat.] uit eigen beweging.

**spoor, spo're** [v. Gr. *spora* = het zaaien, zaaisel, zaad, v. *speiroo* = zaaien] (*plk.*) voortplantingskiem v. cryptogame en lagere planten. **sporan'gium** (v. Gr. *aggeion* = vat] (*plk.*) sporenhouder. **spora'disch** [via MLat. v. Gr. *sporadikos*, v. *sporas, sporados* = verstrooid, her en der; *vgl. speiroo* = zaaien] verstrooid, hier en daar, zeldzaam vóórkomend. **spo're** *zie* spoor.

**spoor'elementen**, *ook*: **micro-elementen** chem. elementen die in slechts zeer kleine hoeveelheden (sporen) noodzakelijk zijn voor de instandhouding en groei van *alle* organismen. Bij tekort ervan treden karakteristieke gebreksziekten op. De belangrijkste zijn mangaan, kobalt, zink, molybdeen, borium, vanadium, seleen, jodium, fluor.

**spot** [Eng. = plaats, plek] (hier *eig.*: iets waarop een plaatselijk licht geworpen wordt) **1** kort reclamefilmpje op televisie of in bioscoop; **2** apart projectiebeeld; **3** kamerlamp die een gerichte lichtbundel werpt op een klein oppervlak. **spot'light** [Eng. = lett.: plek-licht] schijnwerper, spec. als bermlicht v. auto's of als toneelschijnwerper gericht op een klein oppervlak. **spot'market** [Eng.: *spot* (handel) = loco], of in half-Ned.: **spot'markt**, plaatselijke vrije markt voor ruwe olie met handel in direct leverbare partijen. **spot'ten** [v. Eng. *to spot* = ook: waarnemen, opmerken, verkennen] het noteren van zo veel mogelijk autonummers of registratietekens van vliegtuigen als spelletje of hobby. **spot'ter** persoon die aan spotten doet.

**spray** [Eng. = stuifwolk; *vgl.* MHDu. *spreien* = sprenkelen] bep. vloeistof (insektendodend middel, deodorant, kosmetisch middel) die door middel v.e. spuitbus wordt verstoven of op een bep. plaats wordt aangebracht.

**sprink'ler-installatie** [v. Eng. *to sprinkle* = (be)sprenkelen] sproei-inrichting, blusinrichting bestaande uit vele sproeiers die automatisch in werking treden als een bep. temperatuur wordt overschreden.

**sprint** [Eng.; *vgl.* ONoors *spretta*] wedren over korte afstand op volle kracht; ren met uiterste krachtsinspanning op einde v. langebaan-wedren. **sprin'ten** [Eng. *to sprint*] wedrennen op korte afstand; *ook*: plotseling snelheid verhogen bij wedstrijd (vooral op het einde). **sprin'ter** [Eng.] **1** wie bedreven is in wedrennen op korte afstand; **2** (*spoorwegen*) snelle trein voor korte trajecten.

**spu'rius** [Lat. verwant met *spérnere* = afzonderen, versmaden] van onbekende vader, onecht.

**spurt** [Eng. = plotselinge uitstroming, straal] plotselinge krachtige inspanning tijdens een wedstrijd, meestal aan einde daarvan. **spur'ten** plotseling grote krachtsinspanning ontplooien bij wedstrijd; plotseling hard lopen, zwemmen, rijden e.d.

**spu'tum** [Lat. = speeksel, fluim, v. *spúere, spútum* = spuwen, Gr. *ptuoo*] opgehoest slijm vanuit de longen en luchtwegen.

**squadron** [Eng. = eskader, v. It. *squadrone* in een vierkant opgestelde troepen, v. VLat. *exquádra*, v. Lat. *quádra* = vierkant; *vgl.* **eskader** en **eskadron**) **1** (*zeemacht*) een aantal kleine oorlogsschepen, meestal zes, die in een operatief verband zijn samengevoegd onder één commandant; **2** (*Ned. luchtmacht*)

de kleinste organieke eenheid, gemiddeld 350 man sterk. **square** [Eng. = *eig.*: vierkant; uiteindelijk via VLat. *exquádra* v. Lat. *quádra* = vierkant; *vgl.* **quadra-** (*eig.*: hoekig) **1** n burgerlijk, conventioneel, saai; **II** zn een dergelijk persoon. **squa're-dancing** [Eng.] bep. dans binnen een vierkant door 4 paren; er bestaan zeer veel vierkante figuren, die 'voorgezongen' worden.

**squash** [Eng., v. *to squash* = plat drukken, vermorzelen; *vandaar*: *squash* = zachte massa; *ook*: gummibal; via VLat. *exquassáre* v. Lat. *quassáre*, intensief van *quátere* = schudden] bep. balspel, enigszins gelijkend op tennis, gespeeld door 2 personen in een rechthoekige ruimte omgeven door muren waartegen de bal geslagen wordt, (*zie ook* racket-ball).

**squat'ter** [Eng., v. *to squat* = hurken] pionier die zich vestigt in onontgonnen gebied zonder eerst eigendomsrecht verworven te hebben (thans nog in Australië); persoon die zonder vergunning leegstaande woning betrekt, kraker.

**squaw** [v. Indiaans *squa*] Indiaanse vrouw.

**squire** [Eng.] landjonker.

**Sra'nang (ton'go)** inheemse (meng)taal van Suriname.

**staats'raison** [v. Fr. *raison d'Etat* = reden v. staatsbelang] de idee dat de staat zich in bep. gevallen niet a.h. bestaande recht of aan de geldende moraal gebonden moet zien.

**staat'sie** v. MNed. *staetsie, stage, staedsie, stagie* = getimmerte, podium, verdieping, dat evenals Eng. *stage* = toneel, en Fr. *étage* = verdieping afkomstig is v. VLat. *státicum*, v. Lat. *stáre* = staan; *zie ook* **statieus**) **1** uiterlijke praal, vertoon, pracht; **2** plechtige optocht, prachtige stoet; **3** sierstuk achter aan het bovenboord van schepen.

**stabiel** [Lat. *stábilis*, v. *stare* = staan] standvastig, bestendig. **stabilise'ren** [Fr. *stabiliser*] stabiel maken, duurzaam maken, vaststellen (bijv. muntstelsel). **stabilisa'tie** [Fr. *stabilisation*] zn. **stabilisa'tor** [modern Lat.; *vlg.* Fr. *stabilisateur*] inrichting om te stabiliseren, *spec.*: om automatisch koersafwijkingen v. vliegtuig e.d. te corrigeren (bijv. door vast horizontaal staartvlak).

**stabiliteit** [Lat. *stabilitas*] standvastigheid, bestendigheid, duurzaamheid.

**stacca'to**, afk. **stacc.** [It. = *lett.*: losgemaakt, v. *staccare* = losmaken] (*muz.*) stotend, met niet ineenvloeiend voorgedragen tonen.

**sta'die** [Gr. *stadion; zie* volgende] oud-Griekse lengtemaat (wisselend naar tijd en plaats; Olympische stadie = ca. 192 m).

**sta'dion** [Gr. = renbaan, stadie, v. *stadios* = (vast) -staande, v. stam *sta-* = staan] renbaan; groot sportterrein geheel door tribunes omgeven. **sta'dium** [Lat. = Gr. *stadion*] ontwikkelingstoestand.

**staf'felmethode** [naar Du. *Staffel* = trap, sport] bep. methode v. renteberekening in rekening-courant, waarbij na elke wijziging het saldo bepaald en de rente daarvan berekend wordt over de tijd dat dit onveranderd blijft (bijv. bij spaarbanken); vorm v. boekhouden waarbij elke post, hetzij credit of debet, onder de vorige wordt geplaatst en het saldo bepaald. **staf'felen** berekenen volgens de staffelmethode.

**stafylokok'ken** mv [v. Gr. *staphulé* = druif, en *kokkos* = bes] soorten v. h. bacteriegeslacht *Staphylococcus*; na hun deling blijven de bacteriën als een druiventros aan elkaar hangen. Ze kunnen div. infecties veroorzaken, o.a. de steenpuist (door *S. pyogenes*)

**sta'ge** [Fr., v. VLat. *stágium*] praktische oefentijd. **stagiair'** [Fr. *stagiaire*] wie zijn stage doorloopt. **stagiai're** vr. stagiair.

**stagfla'tie** [v. Eng. *stagflation*, woord gevormd uit *to stagnate* = stagneren, en *inflation* = inflatie] hoge inflatie gepaard met stagnatie in de economie (lage produktiegroei en hoge werkloosheid). **stagna'tie** [Fr. *stagnation*] stilstand, stremming.

**stagne'ren** [Lat. *stagnáre, -átum* = vast of onbeweeglijk maken] stilstaan (v. bedrijf of zaak die in ontwikkeling was).

**sta'ke** [Eng. = *eig.*: staak; *vgl.* Ned. *steken*] weddenschap. **staket', staket'sel** [Fr. *estacade*; *vgl.* Ned. *staak*] paalwerk, hek v. palen.

**stalactiet'** [modern Lat. *stalactites*, v. Gr. *stalaktos*, v. *stalassoo* = druppelen] hangende druipsteenkegel. **stalagmiet'** [modern Lat. *stalagmites*, v. Gr. *stalagmos* = druipend; *stalagma* = droppel; *zie vorige*] staande druipsteenkegel.

**stalinis'me** communistische leer volgens Stalin (eigenlijke naam: Josif Vissarionovitsj Dzjoegasjvili; 1879-1953).

**stal'les** [Fr., v. OHDu. *stal* = plaats] koorstoelen; voorste rangen in schouwburg; goede plaatsen ongeveer halverwege bioscoopzaal.

**stamijn'** [Fr. *étamin*, OFr. *estamine*, v. Lat. *stamen, stáminis* = ketting of schering v. weefsel (tegenover inslag), Gr. *stèmoon*] bep. grove stof, zeefdoek.

**staminee'** (Z.N.) *zie* **estaminet**, kroeg.

**stampe'de** [Eng., v. Sp. *estampida* = gekraak, groot lawaai] plotselinge schrik en op hol slaan v. troep paarden of vee. **stampei'** lawaai, geraas, rumoer, kabaal.

**stan'ce** *zie* **stanza**.

**stand** (*spreek uit:* stènd) [Eng., v. *to stand* = staan; verwant met Lat. *stare*, en Gr. *histèmi* = stellen] uitstalling v. bep. firma op tentoonstelling, beurs e.d.

**stan'daard** [v. OFr. *estandard* of *estendard*, v. Lat. *ex-téndere* = uit-strekken, ontplooien; *vgl.* ook Eng. *standard* = ijkmaat, afl. als boven, doch gedeeltelijks v. *to stand* = staan] **1** veldteken, vaandel, stok daarvan; **2** staaf op voet om iets te ondersteunen of er iets aan op te hangen, voetstuk om iets in te zetten; **3** ijkmodel; slaper; grondslag v. muntstelsel; maatstaf, model, waardemeter; graad v. voortreffelijkheid. **star'daardatmosfeer** *bij* **atmosfeer. standaardise'ren** [*vgl.* Fr. *standardiser*] een vaste maatstaf aanleggen bij fabricage; *gestandaardiseerd*, vervaardigd volgens bep. standaard of ijkmaat. **standaardisa'tie** [*vgl.* Fr. *standardisation*] *zn.* **stan'daardkaars** als standaard aangenomen lichtbron waarmee lichtsterkte vergeleken wordt.

**stand-by** [Eng.] **I** *tw* aantreden!, attentie!; **II** *bn (in samenstellingen)* reserve-, hulp-.

**Stän'dchen** [Du.] serenade; aubade.

**stand-in'** [Eng.] (*film*) plaatsvervangend filmacteur of -actrice (bijv. bij gevaarlijke scenes).

**stan'ding** [Eng., v. *to stand* = staan] aanzien, (hoge) maatschappelijke stand.

**staniol'**, **stanniool'** [v. Lat. *stannum*; *zie volgende*] bladtin, tinfoelie. **Stan'num** [Lat. = mengsel v. zilver en lood, verm. eerst in de 4e eeuw na Chr. voor tin gehouden] tin, chem. element, metaal, symbool Sn, ranggetal 50.

**stan'sen** [Du. *stanzen* = stempelen, ponsen] met snij-stempel uit metaalplaat slaan.

**stan'te pe'de** [Lat.] op staande voet.

**stan'za** [It.] bep. achtregelig couplet met drie rijmklanken (ook **stanze** en **stance**).

**star** [Eng.] ster, film- of toneelgrootheid. **stars and stri'pes** [Eng. = sterren en strepen] de vlag v.d. VS.

**sta'te** [Fries] adellijk slot of landhuis in Friesland (*vgl.* **stins**).

**sta'tement** [Eng.; uiteindelijk v. Lat. *stáre* = staan] bewering, uitspraak (spec. een vaststellende).

**Sta'te of the U'nion** [Am. = *lett.*: de stand v.d. Unie] naam voor de jaarlijkse grote rede die de president van de VS voor het Congres en de Senaat houdt, een soort 'troonrede' waarin een overzicht v.d. stand v. zaken wordt gegeven en vooral v.d. plannen die de regering voor het komende regeringsjaar heeft.

**sta'ter** [Gr. *statèr* = gewicht, spec. in goud

en zilver] de naam v. elke lokale standaardmunt in het oude Griekenland, meestal gelijkgesteld met een tweedrachmenstuk (*zie* **drachme**). Later werden ook de meest gangbare goudstukken stater genoemd.

**sta'tica** [v. Gr. *hè statikè (technè)* = de leer v.h. evenwicht, v. *statikos* = tot stilstaan brengend, v. *statos* = staande, v. stam *sta-* = staan, *vgl.* **statisch**] het onderdeel van de *mechanica, z.a.*, dat de eigenschappen bestudeert van systemen die in evenwicht verkeren (tegenover *dynamica, z.a.*).

**sta'tie** [v. Lat. *státio* = het staan, v. *stáre, státum* = staan] **1** (*rk*) elk van veertien taferelen waarop telkens een bep. episode uit Jezus' lijden is afgebeeld; **2** (*rk*) standplaats van een priester; **3** (Z.N.) spoorwegstation; **4** (*marine*) plaats waar een eskader of andere vlootafdeling zich verzamelt. **statief** [v. Lat. *stativus* = stilstaand] **1** driepoot (bijv. voor fotocamera); **2** stevig voetstuk van bep. optische instrumenten (bijv. microscoop); **3** (*chem.*) op een vierkant voetstuk rechtopstaande staaf of houten staaf om daaraan chem. apparaten met klemmen ('mannetjes') te bevestigen. **sta'tiegeld** waarborgsom voor flessen, kratten e.d., die de klant bij inlevering v.d. lege flessen e.d. weer terugkrijgt. **statieus'** *bn* met staatsie (*z.a.*), staatsie makend, pralend, pronkend.

**station** [Fr. = o.a. halte, Fr. *station* v. Lat. *státio, statiónis*] **1** halteplaats voor treinen met daarbij behorend gebouw, perrons e.d.; *vandaar ook*: grote halteplaats voor trams (*tramstation*) of autobussen (*busstation*), waar verschillende lijnen bijeenkomen; **2** post met toestellen (bijv. schakelstation); **3** post met waarnemingsapparaten (bijv. weerstation, volgstation voor satellieten); *ruimtestation*, bemande inrichting in de ruimte opgebouwd en daar in een vaste baan om de aarde draaiend, voor het verrichten v. waarnemingen, het nemen v. proeven enz. **stationair** [Fr. *stationnaire*, v. Lat. *stationárius* = stilstaand, tot een vaste standplaats behorend] *bn* **1** stilstaand, op dezelfde plaats blijvend, zich niet medebewegend; **2** in dezelfde toestand blijvend. **sta'tioncar** [Eng.] personenauto, voorzien v.e. achterdeur, die behalve voor personenvervoer ook kan dienen als bestelwagen voor niet al te grote goederen (combinatiewagen, combi). **statione'ren** *ww* [Fr. *stationner*] **1** een bep. vaste standplaats of ligplaats geven; ergens plaatsen; **2** een bep. standplaats innemen. **stationnement'** **1** het stationeren; **2** standplaats v.e. ambtenaar die daar is aangesteld met een bep. doel. **sta'tisch** [v. Gr. *statikos* = tot stilstaan brengend, v. *statos* = staande, v. stam *sta-* = staan] *bn* **1** op de statica betrekking hebbend; **2** op het evenwicht betrekking hebbend; **3** zich in evenwicht bevindend; niet beweeglijk of bewogen, in rust; stabiel, onveranderlijk, zonder beweging; *statische elektriciteit*, als stilstaande lading aanwezige elektriciteit. **statist** [v. Du. *Statist*] toneelspeler zonder sprekende rol, figurant. **statis'te** vr. statist, figurante. **statistiek'** [v. Lat. *status* = stand] hulpwetenschap waarin meetbare verschijnselen verzameld en vergeleken worden; lijst met statistische gegevens. **statis'ticus** kenner, beoefenaar van de statistiek. **statis'tisch** *bn* van, betreffende, volgens de statistiek. **sta'tor** [modern Lat., v. Lat. *stáre, státum* = staan] vaststaand deel v.e. motor of generator (tegenover **rotor**).

**statoscoop'** [v. Gr. *statos* = staande, v. stam *sta-* = staan; *zie* **-scoop**] instrument (barometer) dat aangeeft hoeveel een vliegtuig stijgt of daalt. **statoli'then** *mv* [v. Gr. *lithos* = steen] evenwichtssteentjes in evenwichtsorgaan. **statue** [Fr. v. Lat. *státua*, v. *statúere* = maken dat iets staat, zetten, v.

*stare, statum* = staan] standbeeld. **sta'tus** [Lat., v. *stáre, státum* = staan] **1** toestand, staat; **2** (*Am.*) maatschappelijk aanzien, *standing.* **sta'tus apar'te** spec. status die het eiland Aruba binnen de groep der Ned. Antillen bezit, voordat het geheel onafhankelijk wordt. **sta'tus construc'tus** [Lat.] *lett.*: samengestelde toestand; het verschijnsel dat een woord een andere klinker krijgt als het samengesteld wordt met een ander. **sta'tus nascen'di** (*chem.*) staat van wording (*zie* **in statu nascendi**). **status-quo'** [Lat. *státus quo*] toestand waarin iets zich op een bep. ogenblik bevindt. **status-quo' an'te (béllum)** [Lat.] toestand zoals die tevoren (vóór de oorlog) was. **sta'tussymbool** voorwerp dat suggereert dat de bezitter ervan een bep. (hoge) status heeft. **statu'tum est ho'minem se'mel mo'ri** [christ. Lat.] het staat vast dat een mens eenmaal zal sterven. **statuur'** [Lat. *statúra*] lichaamsgestalte. **statuut'** [Fr. *statut*, v. VLat. *statútum*, v. Lat. *statúere, statútum*; *zie* **statue**] reglement; *statuten,* bindende grondregels v. vereniging e.d. **statutair'** [Fr. *statutaire*] volgens de statuten.

**stay'er** [Eng.] = renner met groot uithoudingsvermogen, v. *to stay* = blijven; uithouden] **1** wielrenner over grote afstand achter motor met gangmaker; **2** atleet of renpaard met hoge prestaties op de lange afstanden.

**steak** [Eng.] snee of stuk braadvlees.
**stea'mer,** afk. **S.S.** [Eng.] = *lett.*: stomer] stoomboot.

**steari'ne** [v. Gr. *stear* = (gestold) vet, talk; *zie verder* **-ine**] in water onoplosbaar wit tot lichtgeel mengsel van stearinezuur en palmitinezuur; wordt o.a. toegepast in de kaarsenindustrie en in de zeep-, textiel-, leer- en kosmetische industrie. **steatopygie** [v. Gr. *stear, steatos,* en *pugè* = zitvlak, achterste] overvloedige vetafzetting in het gebied v.h. zitvlak, boven en op de billen, vaak ook bij de dijen; komt o.a. voor bij Hottentotten en Bosjesmannen, het sterkst bij vrouwen. **steato'se** [*zie* **-ose**] (*med.*) vervetting.
**stechiometrie'** (vroeger **stoechiometrie**) [v. Gr. *stoicheion* = stift, letter, *vandaar: ta stoicheia* = grondbeginselen, elementen; *zie verder* **meter**] (*chem.*) bepaling v.d. vaste verhoudingen v.d. gewichtshoeveelheden waarin de chem. elementen zich met elkaar verbinden tot verbindingen met vaste atomaire samenstelling.

**steep'le-cha'se** [Eng. = *lett.*: toren-jacht; missch. was oorspr. het eindpunt v.d. wedren een goed zichtbare toren] wedren met hindernissen (dwars door veld, over sloten, heggen e.d. te paard of te voet).
**ste'le** [Gr. *stèlè* = zuil] **1** oud-Griekse pilaar meestal met inschrift, grafzuil; **2** (*plk.*) centrale cilinder v. plant.
**stel'la** [Lat. voor *sterula,* v. Gr. *astèr*] ster. **Stella ma'ris,** sterre der zee (titel v.d. H. Maagd). **stellair'** [Fr. *stellaire,* v. VLat. *stelláris*] een ster of de sterren betreffend. **stella'ge** getimmerte, getimmerde.
**sten'cil** [Eng. = sjabloon, schildermal, missch. v. OFr. *estenceler* = met sterretjes bedekken; *vgl.* Fr. *étincelle,* MFr. *estincelle* = vonk, v. Lat. *scintilla*] vel op bep. wijze met was geprepareerd, zodanig dat waar deze waslaag weggenomen wordt inkt op afdrukpapier kan doordringen zodat vele afdrukken v. getypte of gegrifte tekst of tekening gemaakt kunnen worden; de aldus verkregen afdruk. **sten'cilen** m.b.v. stencil afdrukken maken.
**sten'gun** [Eng., sten gevormd uit *S* en *T* v.d. namen der uitvinders Shepherd en Turpin, uit *en* van *England; gun* = geweer] bep. automatisch vuurwapen (groot pistool met steunkolf).
**ste'no** stenografie. **stenografe'ren** [v. Gr. *stenos* = nauw, eng, en *graphoo* = schrijven] in verkort schrift (snelschrift) opschrijven.

**stenografie'** [v. Gr. *-graphia* = -schrijving] kortschrift, snelschrift. **stenogra'fisch** *bn* & *bw.* **stenograaf'** [Gr. *-graphos* = schrijver] kort- of snelschrijver. **stenogram'** [Gr. *gramma* = het geschrevene] stuk in kortschrift opgeschreven.
**steno'se** [v. Gr. *stenos* = nauw, eng; *zie* **-ose**] (*med.*) abnormale vernauwing v.e. buisvormig orgaan of een natuurlijke opening in het lichaam, bijv. in het hart, de bloedvaten of in het maag-darmkanaal.
**stenotelegrafie'** [*zie* **telegrafie**] het telegraferen in kortschrift. **stenoty'pen** [*zie* **typen**] stenogrammen opnemen en daarna op schrijfmachine in gewoon schrift uitwerken. **stenotypist',- typis'te** [*zie* **typist(e)**] typist(e) die tevens stenogrammen kan opnemen.
**sten'torstem** [Gr. *Stentoor* = Griek in Trojaanse oorlog die even hard kon schreeuwen als 50 man samen] zeer krachtige stem.
**step** [Eng. = *eig.*: stap] bep. Am. dans, waarbij de paren zich met schuivende passen voortbewegen (one- en two-step); **2** steun voor de voeten v.e. duopassagier bij de achteras v.e. motor, bromfiets of fiets; **3** autoped. **step'pen** *ww* [Eng. *to step*] **1** een step dansen; **2** op een autoped rijden. **step-in'** [Eng.] rondgeweven elastieken buikcorset zonder sluiting (en zonder baleinen) waar men in moet stappen om het aan te trekken.
**step'ping-stone** [Eng., = *lett.*: stapsteen] **1** platte steen in een smalle waterloop gelegd, waarop men kan stappen bij het oversteken; **2** platte stenen of plavuizen achter elkaar gelegd in een gazon op afstanden van telkens een stap, om dit over te steken zonder het gazon te betreden; **3** (*fig.*) trede, trap, hulpmiddel om iets te bereiken.
**step'pe** [v. Russisch *stepi* = vlak en dor land, heideland] boomloos grasland, dor in de droge tijd; bij uitbreiding *ook*: vrijwel onbegroeide zand- of zoutvlakte.
**steradiaal'** [v. Gr. *stereos* = vast; *vandaar* modern voorvoegsel *stereo* = ruimtelijk; *zie verder* **radiaal**] (*wisk.*) eenheid waarin men ruimtehoeken meet.
**stercorair'** [v. Lat. *stercus, stercoris* = mest] op mest betrekking hebbend. **stercora'tie** bemesting met natuurlijke mest.
**stère,** afk. **S** [Fr., v. Gr. *stereos* = stijf, hard, vast; *ta sterea* = de kubiekgetallen] kubieke meter, m³. **ste'reo** verkorte vorm v.e. **1** (*alg.*) stereofonie of stereoscopie (tegenover *mono, z.a.*); **2** (*schooltaal*) stereometrie. **stereo-ruimtelijk,** ruimte-. - **stereochemie'** [*zie* **chemie**] onderdeel d. chemie dat zich bezighoudt met de ruimtelijke rangschikking v.d. atomen in een molecule en de eigenschappen der stof die daarvan het gevolg zijn. **stereoche'misch** *bn* & *bw.*
**stereofonie'** [v. Gr. *phooné* = geluid] systeem van ruimtelijke geluidsweergave, zodanig dat verschillende geluidsbronnen afzonderlijk worden waargenomen; *ook*: de daartoe dienende opnametechniek.
**stereofo'nisch** *bn* & *bw* de indruk gevend alsof mechanisch weergegeven geluid uit de ruimte (en niet uit één richting) komt.
**stereognosie'** [v. Gr. *gnoosis* = kennis] het vermogen om zaken door betasting te herkennen. **stereografie'** [v. Gr. *-graphia* = -beschrijving, v. *graphoo* = schrijven] het projecteren v.e. ruimtefiguur op een vlak, perspectieftekening. **ste'reo-installatie** stereofonische geluidsinstallatie.
**stereo-isomeer'** [v. Gr. *isos* = gelijk, en *meros* = deel] (*chem.*) verbinding die zich v.e. andere met gelijke moleculen onderscheidt door een andere ruimtelijke ordening v. atomen. **stereo-isomerie'** het verschijnsel v.h. bestaan v. stereo-isomeren.
**stereolet'** [Fr.] soepstengel.
**stereometrie'** [*zie* **meter**] meetkunde v. ruimtelijke figuren. **stereome'trisch** *bn.*

**stereoscoop'** [zie -scoop] instrument waardoor men twee foto's kan bekijken die onder iets verschillende hoek zijn genomen, zo dat beide voor het oog samenvallen en een ruimtelijke indruk wekken. **stereoscopie'** het ruimtelijk zien v. vlakke afbeeldingen.

**stereosco'pisch** volgens de stereoscopie of met een stereoscoop. **stereotiep'** [zie **stereotype**, fig. gebruikt] onveranderlijk, steeds weer terugkerend. **stereoty'pe** [zie **type**] 1 vastgegoten drukvorm; vaststaande drukvorm die herhaaldelijk gebruikt wordt; 2 stereotiep beeld. **stereotypie'** het maken v. vastgegoten drukvormen, plaatletterdruk.

**steriel'** [v. Lat. *stérilis* = onvruchtbaar; *vgl.* Gr. *stereos* = stijf, hard, *ook*: onvruchtbaar] 1 onvruchtbaar, niets opleverend, dor; *ook fig.*, *bijv.*: een steriel debat; 2 niet in staat tot bevruchting, ongeschikt voor bevruchting; 3 kiemvrij, vrij van micro-organismen.

**sterilise'ren** *ww* [Fr. *stériliser*] 1 onvruchtbaar maken; 2 kiemvrij maken; volledig v. ziektekiemen ontdoen door sterke verhitting. **sterilisa'tie** [Fr. *stérilisation*] het steriliseren; het steriel maken (in de bet. **steriel** 2 en 3). **sterilisa'tor** [modern Lat.] toestel om te steriliseren (2). **steriliteit'** [Lat. *sterílitas*] onvruchtbaarheid; dorheid.

**ste'risch** [zie **stereo-** = ruimtelijk] *bn* op de ruimtelijke rangschikking v.d. atomen in een molecule betrekking hebbend.

**sterlet'** [v. Russisch *sterlyadi*] kleine steur met een langgerekte snuit, levend in de rivieren en grote meren v. Oost-Europa, (*Acipenser ruthenus*).

**ster'ling** [Eng. = *eig.*: echt, v. standaardwaarde; *oorspr.* Eng. zilveren penny, *missch.* = sterretje, naar sterretje op sommige oud-Engelse pennies]: *pond —*, wettelijke Eng. muntvoet.

**steroï'den** *mv* [v. Gr. *stereos* = vast, stijf (wegens vetachtige hoedanigheid), en *-eidès* = gelijkend op] (*chem.*) naam voor een grote groep organische verbindingen, die afgeleid gedacht kunnen worden v.d. koolwaterstof *steraan*, een verbinding opgebouwd uit vier gecondenseerde koolstofringen in een bep. configuratie. Deze stof bevat 17 waterstofatomen die door allerlei atoomgroepen vervangen kunnen worden, zodat een zeer groot aantal derivaten mogelijk is. Tot de steroïden behoren o.a. *sterolen* (z.a.), alkaloïden en digitalisglycosiden (en daarvan afgeleide belangrijke geneesmiddelen), galzuren, de vitaminen D, en de geslachtshormonen; *anabole steroïden*, bep. stimulerende middelen, gebruikt als doping.

**stero'len** *mv* [als **steroïden**; zie verder **-ol**] een groep steroïden die aan een bep. koolstofatoom de groep -OH (de *hydroxylgroep*) bezitten. Een belangrijke sterol is *cholesterol*, het voornaamste sterol v.d. Gewervelde dieren, dat in hun organisme een grote rol speeld.

**stet** [Lat., v. *stare* = staan] het blijve zo staan.

**stethoscoop'** [v. Gr. *stèthos* = borst; zie **-scoop**] (*med.*) hoorbuis voor borstholteonderzoek.

**stet'son(hoed)** bep. soort slappe herenhoed [naar naam v. fabrikant].

**steur'haring** [v. Lat. *steuren* = ongekaakt zouten v. haring, v. Eng. *to store* = in voorraad houden, via OFr. *estor* v. Lat. *instaurâre* = o.a. herstellen, verbeteren] grote haring die aan boord ongekaakt gezouten is en gewoonlijk tot bokking wordt gerookt.

**stew** [Eng., v. *to stew* = stoven, smoren] (*alg.*) gestoofd vlees; *Irish stew*, gestoofde hutspot v. schapevlees, savooiekool, winterwortels, uien en andere ingrediënten, alles bedekt met een laag dikke schijven aardappelen.

**ste'ward** [Eng., v. OEng. *stigweard*, v. *stig* = huis, en *weard* = bewakend; zie **garde-**] hofmeester aan boord van schip of vliegtuig, of in de trein. **stewardess'** vrouwelijke steward; op schepen: vr. hutbediende; in vliegtuigen: vr. personeelslid dat passagiers en bemanning bedient en overal behulpzaam is.

**Sti'bium** [Lat. *stibium, stibi* of *stimmi*, Gr. *stibi* of *stimmi* = spiesglanserts, $Sb_2S_3$] andere naam voor antimonium; symbool Sb.

**sti'chisch** [v. Gr. *stichos* = o.a. versregel] *bn* gezegd van dichtwerken die uit gelijksoortige verzen zijn opgebouwd. **stichometrie'** versmeetkunst. **stichomythie'** [v. Gr. *muthos* = spraak] dramatische dialoogvorm waarbij men om beurten een (deel v.e.) vers zegt.

**stick** [Eng. = stok, *oorspr.*: pin; *vgl.* Ned. *steken*, Gr. *stizoo* = prikken] 1 stok voor hockeyspel; 2 (*Am.*) zelfgerolde hasjiesj- of marihuana-sigaret (*ook*: *reefer*); in Ned. ook **stickie. stick'er** [Am. = plakstrookje, v. Eng. *to stick* = *ook*: kleven] zelfklevend stuk papier met een leuze, boodschap of reclametekst.

**stiel** (*Z.N.*) beroep, ambacht, vak.

**stig'ma** *mv* **stigma's, stigmata** [Lat., v. Gr. *stigma, stigmatos* = steek, prik, brandmerk, v. *stizoo* = steken, tatoeëren, brandmerken] 1 merk, spec. brandmerk; *ook*: schandvlek; 2 litteken; 3 (*dierk.*) ademopening van insekten; 4 (*plk.*) stempel (bovenzijde v.d. stamper); 5 wondeteken gelijk aan een of meer kruiswonden (handen, voeten, zijde) van Christus, in religieuze extase ontvangen.

**stigmatise'ren** *ww* [v. MLat. *stigmatizáre*, v. Gr. *stigmatizoo*] 1 brandmerken; *ook*: schandvlekken; 2 kenmerken met de vijf kruiswonden van Christus; *gestigmatiseerd bn*, met de wondetekenen v.d. gekruisigde Christus. **stigmatisa'tie** *zn* het ontvangen v.d. kruiswonden v. Christus.

**stile'ren** [v. Lat. *stilus* = schrijfstift; later gespeld *stylus* onder invloed v. Gr. *stulos* = zuil; *stilus* is verwant met Gr. *stizoo* = steken, prikken] in stijlvolle bewoordingen uitdrukken; (planten of dieren) in vereenvoudigde, symmetrische vorm voorstellen. **stilist'** [Fr. *styliste*] wie bedreven is in het stileren. **stilistiek'** [Fr. *stylistique*] stijlleer. **stilis'tisch** betreffende stijl of stijlleer. **stilet'** [It. *stiletto*, verkleinwoord v. *stilo*, v. Lat. *stílus* = schrijfstift] kleine dolk; graveerstift; (*med.*) instrument voor het verrichten v. puncties, peilnaald. **stilet'to** [It., v. *stilo* = dolk] mes waarvan het lemmet door veer uit het heft springt.

**still go'ing strong** [Eng.] nog steeds vitaal.

**stimule'ren** [Lat. *stimuláre, -átum*, v. *stimulus* = prikkel, stekel; verwant met Gr. *stizoo* = steken, prikken] prikkelen, aanzetten. **stimula'tie** [Lat. *stimulátio*] *zn. sti'mulans* *mv* **stimulan'tia** [Lat. = o.dw] opwekkend middel, middel dat bep. functie v.h. lichaam aanzet; (*alg.*) prikkel. **sti'mulus** [Lat.] prikkel (*vgl. stimulans*).

**stins** [Fries = stenen huis] adellijk kasteeltje in Friesland (*vgl. state*).

**stipen'dium** [Lat. = betaling, bijdrage, v. *stips, stipis* = bijdrage, toelage, en *péndere* = laten neerhangen, afwegen] 1 studiebeurs; 2 (*rk*) gift aan priester bij gelegenheid dat deze een mis celebreert tot intentie v.d. gever; 3 toelage aan kunstenaar.

**stipule'ren** [Lat. *stipulári* = vastmaken, plechtig laten beloven, bedingen, v. OLat. *stípulus* = vast; *vgl. stipáre* = samenpersen, zie **constipatie**] bedingen, bij afspraak bepalen. **stipula'tie** [Lat. *stipulátio*] zn.

**Sto'a** de richting of school der stoïcijnen [naar de Stoa Poikilè (Geschilderde Zuilengang) te Athene, waar de stichter Zeno v. Citium (ca. 335-ca. 265 v.Chr.) zijn lessen gaf].

**stochas'tisch** [v. Gr. *stochastikos* = bedreven in het gissen] van vermoedelijke aard (*bijv. —* verdeling in waarschijnlijkheidsleer).

**stock** [Eng. = *eig.*: stam; *vgl.* Ned. stok] stamkapitaal v.e. maatschappij op aandelen; voorraad; stocks, aandelen. **stock'dividend** [zie **dividend**] dividend uitgekeerd in de vorm v. aandelen. **stock'-exchange** [Eng. = uitwisseling] effectenbeurs.

**stoechiometrie'** zie **stechiometrie**.

**stoe'pa** of **stu'pa** [= *lett.*: hemelgewelf] heiligdom der boeddhisten in India ter bewaring v.e. reliek van Boeddha of een andere heilige of da gedenkteken, bestaande uit een stenen bolsegment onder een zonnescherm, omgeven door een vierkant stenen hekwerk.

**stoepier** [*uitspr.*: stoepiè) [v. Ned. *stoep* met quasi-Fr. uitgang] portier van café, eetgelegenheid e.d. die op de stoep staat en klanten tracht te lokken; *ook*: persoon op de stoep voor een winkel die de waren aanprijst en kopers tracht te lokken.

**stoeterij'** [*stoete* = merrie] paardenfokinrichting.

**stoffe'ren** bekleden met stof; (kamer) voorzien v. vloerbedekking, gordijnen (en soms ook meubelen); (schilderij) aanvullen met bijfiguren. **stoffa'ge** stoffering.

**stoïcijn'** [Lat. *Stoicus*, Gr. *Stooikos*; zie **Stoa**] wijsgeer v. bep. richting in de Oudheid, die nadruk legde op deugd en zelfbeheersing en zich onderscheidde door het cultiveren v.e. door niets te verstoren gemoedsrust; (*fig.*) onverstoorbaar, onaandoenlijk iem. **stoicijns'** volgens de leer der stoicijnen; onverstoorbaar.

**sto'la, stool** [Lat. *stola* = tot de voeten reikend kleed v. deftige dame, v. Gr. *stolè* = kleed, gewaad] (*rk*) om schouder(s) gedragen lange band v. diaken en priester; brede en lange damessjaal.

**sto'ma** *mv* **sto'mata** [v. Gr. *stoma, stomatos* = mond] **1** (*plk.*) huidmondje; **2** kunstmatige anus. **stomatoscoop** [*zie* -**scoop**] (*med.*) mondspiegel.

**sto'ne** [Eng. = *eig.*: steen] bep. Eng. gewicht (6,35 kg).

**sto'ned** [Eng. = *lett.*: versteend] verkerend onder invloed v. drugs, zeer *high z.a.*

**-stop** [Eng.] (als tweede lid in samenstellingen) aanduiding dat de uitbreiding of aanwas van het eerste deel der samenstelling wordt stopgezet, *bijv.*: *studentenstop* = vaststelling v.h. hoogste aantal studenten in een bep. studierichting dat in een bep. jaar wordt toegelaten. (Verder *bijv.*: bouwstop, loonstop, patientenstop).

**stoppa'ge** [Fr.] onzichtbaar herstellen v. gaten en scheuren in kledingstukken.

**stop'watch** [Eng. = *lett.*: stop-horloge, v. *to stop* = dichtstoppen, doorgang beletten, doen stilstaan, v. VLat. *stuppâre*; *vgl.* Gr. *stuppè* = werk (gepluisd touw); *watch* = horloge (*eig.*: wacht)] chronometer, horloge dat tienden v.e. seconde aanwijst en door indrukken v.e. knop ogenblikkelijk stilgezet kan worden (tijdopnemer).

**sto'rax** [Lat. *storax* of *styrax*, v. Gr. *sturax*] bep. welriekende gomachtige hars (ook **styrax**).

**sto're** [Fr., v. It. *stora*] rolgordijn, zonneblind.

**storne'ren** [v. It. *stornare* = terugwenden] (een fout) verbeteren door terugboeking. **stor'no** [It.] terugboeking als verbetering v. foutieve boeking; aldus teruggeboekte post.

**Stor'ting** [Noors *Storting*, v. *stor* = groot, en *t(h)ing* = vergadering] het Noorse parlement.

**stout** [Eng. = *eig.*: dapper, sterk, stevig; *vgl.* Ned. *stout(moedig)* en Du. *stolz* = trots, missch. v. Lat. *stultus* = dwaas] bep. donker krachtig bier (sterkste soort porter).

**stow'away** [Eng., v. *to stow* = stouwen; *away* = weg] verstekeling aan boord v. schip e.d.

**stradiva'rius** viool v. uitmuntende kwaliteit gemaakt door Antonio Stradivarius v. Cremona (It. vioolbouwer, 1643-1737).

**stra'lenbiologie** [*zie* **biologie**] leer v.h. effect v. röntgenstralen op levende weefsels.

**stra'lenchemie** [*zie* **chemie**] leer v.h. effect v. radioactieve stralen op chem. processen.

**stra'ling** het stralen v. licht; door element of voorwerp uitgezonden (radioactieve) stralen.

**stra'lingsdiagram** [*zie* **diagram**] voorstelling v.d. verdeling v. stralen.

**stra'lingsenergie**, energie die een lichaam opneemt of afgeeft in de vorm v. elektromagnetische straling.

**stra'lingsgenetica** leer v.d. werking v. stralen op erfelijke eigenschappen.

**stra'lingsgordel** gebied in de atmosfeer met straling en geladen deeltjes.

**stra'lingspyrometer** pyrometer die gebruikt wordt voor het meten v. uiterst hoge temperaturen. **stra'lingstherapie** het gebruiken v. stralen om te genezen.

**stramien'** [v. OFr. *estamet* = bep. dunne wollen stof; zie **stamijn**] gaas voor borduren.

**strangula'tie** [v. Fr. *estrangler* v. Lat. *strangulare* v. Gr. *straggalè* = strop] wurging. **strangule'ren** worgen.

**strapats'** [Du. *Strapaze*] (meestal *mv*) zware arbeid of toeht, vermoeienis, ontbering; bokkesprong, malle frats, gekke streek.

**strap'less** [Eng. = zonder band, v. *strap* = band, riem, waarsch. v. Lat. *struppus* = gestrengelde leren riem; *vgl.* Gr. *strophos* = band, koord, v. *strephoo* = draaien] zonder schouderbandjes (bij dames (onder)kleding).

**strapontin'** [Fr.], **strapontijn'** klapstoeltje aan muur van theater, autoklapstoeltje.

**stra'ta** [Lat. v. *stratum* = het uitgespreide, *stérnere, stratum* = uitspreiden] lagen (v. aardkorst, atmosfeer e.d.).

**stratege'me** [v. Fr. *stratagème* v. Lat. *strategema* v. Gr. *stratègèma* v. *stratègeoo* = generaal zijn] krijgslist.

**strategie'** [Gr. *stratègia* = ambt v. veldheer, krijgskunst, v. *stratègos* = veldheer, v. *stratos* = leger, en *agoo* = leiden) krijgskunde, veldheerskunst (*ook fig.*: het aanvals- en verdedigingspatroon bij een wedstrijdspel, bijv. bij dammen of schaken; *ook*: het geheel v.d. middelen waarmee men een doel tracht te bereiken. **strate'gisch** [Gr. *stratègikos*] op de strategie betrekking hebbend, krijgskundig, van belang voor de oorlogvoering (*bijv.*: strategische goederen; *-e wapens*, (kern)wapens voor zeer grote afstand, waarmee men een ander continent kan bereiken (tegenstelling: *tactische wapens*). **strateeg'** [Lat. *stratègus*, Gr. *stratègos*] krijgskundige, veldheer; kenner van strategie (ook overdrachtelijk).

**stratifica'tie** [*zie* **strata**; v. Lat. *fácere* = maken] het laagsgewijze liggen.

**stratigrafie'** [v. Gr. *-graphia* = -beschrijving] beschrijving v.d. aardlagen.

**stra'tocruiser** [Eng.] vliegtuig bestemd om in de *stratosfeer, z.a.*, te vliegen.

**stratocu'mulus** [*zie* **cumulus**] witachtige of grijze wolkenlaag, vrijwel steeds met donkere gedeelten, beneden 2000 m.

**stratografie'** [v. Gr. *stratos* = leger, en *-graphia* = beschrijving] oorlogsbeschrijving.

**stra'toliner** [Eng.] passagiersvliegtuig bestemd voor het luchtvaartverkeer in de stratosfeer. **stratopau'ze** [v. Gr. *pausis* = het ophouden] overgangszone tussen de *stratosfeer* en de daarboven liggende *ionosfeer* in de aardse dampkring. **stratosfeer'** [*zie* **sfeer**] de laag v.d. aardse atmosfeer die zich uitstrekt boven de *tropopauze* (overgangszone tussen troposfeer en de stratosfeer), nabij de polen boven 6 à 9 km en nabij de evenaar boven 17 à 18 km; de stratosfeer wordt aan de bovenzijde begrensd door de stratopauze op ca. 50 km hoogte.

**stra'tus** [v. Lat. *strátum* = het uitgespreide, *zie* **strata**; de uitgang *-us*, geassimileerd met die v. *cúmulus, z.a.*] een aaneengesloten wolkenlaag, over het algemeen grijs, met een tamelijk egale onderzijde.

**strea'ken** *ww* [v. Eng. *to streak* = zich snel bewegen; *vgl. a streak of lightning* = een bliksemflits], in Ned. *flitsen* of *schichten* genaamd: naakt over straat of door een publieke lokaliteit rennen, als rage korte tijd in zwang geweest (sinds 1974).

**stre'ber** [Du. *Streber, vgl.* Ned. *streven*] iem. die door alle middelen een hogere positie tracht te verwerven, arriviert.

**streptokok'ken** [v. Gr. *streptos*, als *zn* = halsketen, en *kokkos* = bes] soorten v.h.

bacteriegeslacht *Streptococcus*; ze delen zich
in één vlak en blijven daarna aan elkaar hangen
i.d. vorm v. ketens. Ze kunnen div. infecties
veroorzaken, o.a. roodvonk, (keel)angina,
uierontsteking bij runderen. **streptomyci'ne**
[v. Gr. *mukès* = paddestoel, zwam] een der
antibiotica, z.a., gevormd door *Streptomyces
griseus.*
**stress** [Eng. v. *distress* = nood, en missch. v.
OFr. *estresse* = benauwdheid] psychische
spanning; reactie v.e. organisme op lichamelijk
of geestelijk belastende invloed.
**stret'cher** [Eng. = *eig.*: draagbaar voor
gewonden, bestaande uit canvas gespannen
op een frame, v. *to stretch* = strekken,
uitspreiden] opvouwbaar bed.
**stret'ta** [It. = gedrang] *(muz.)* overgang naar
snel tempo a.h. eind v.e. muziekstuk.
**stret'to** [It.] *(muz.)* snel, jagend.
**stri'a** *mv* **striae** [Lat.] kerf, streep (op de huid).
**strictio'ris observan'tiae** [kerk. Lat.] van de
strenge(re) observantie. **stric'to sen'su**
[Lat.] in strikte zin. **strictuur'** [Lat. *strictúra*
= samenpersing, v. *stríngere, strictum* = straf
aantrekken, samensnoeren; *vgl.*
**strangulatie**] *(med.)* vernauwing v.e.
lichaamskanaal.
**stringen'do** *(muz.)* sneller, sterker wordend.
**stringent'** [Lat. *stríngens, -éntis* = o.dw v.
*stríngere zie* **strictuur**] nadrukkelijk (bijv.
verbod); afdoende (bijv. bewijs).
**strip** [Eng.; *vgl.* Ned. *afstropen* en Du. *streifen*]
**1** strook die over een naad gelegd wordt, spec.
een smalle reep metaal om twee metalen
platen met elkaar te verbinden; bindplaatje;
*ook*: strook materiaal om tocht tegen te gaan
of ter versiering; **2** verpakking van spec.
tabletten in een strook van kunststof, zó dat
telkens één pil eruit gedrukt kan worden; **3** rij
van enkele opeenvolgende tekeningen in
kranten of weekbladen; beeldverhaal,
stripverhaal; **4** filmstrook; **5** *(luchtv.)*
primitieve landingsbaan voor kleine
vliegtuigen in een afgelegen gebied (*airstrip*).
**stripologie'** *zie* **stripologie. strip'pen**
[Eng. *to strip*] striptease (*z.a.*) uitvoeren.
**strippofiel'** [v. Gr. *philos* = vriend]
liefhebber van stripverhalen. **striptea'se** of
**strip'tease** [Am., v. Eng. *to strip* = *ook*: zich
ontkleden, *to tease* = prikkelen]
shownummer, dans waarbij een meestal
vrouwelijk persoon zich geleidelijk en op
prikkelende wijze ontkleedt. **stripteaseu'se**
vrouw die een striptease uitvoert.
**striptologie'**, *ook*: **stripologie'** [*zie* -**logie**]
(min of meer wetenschappelijke) bestudering
van stripverhalen en wat daarmee
samenhangt. **strip'verhaal** beeldverhaal,
waarin het handelingsverloop wordt
afgebeeld en de tekst veel minder plaats
inneemt.
**stroboscoop'** [v. Gr. *strobos* = het dwarrelend
ronddraaien, *stroboo* = ronddraaien; *zie*
-**scoop**] apparaat voor het gedetailleerd
waarnemen v. snelle bewegingen; *ook*:
apparaat voor het maken v. foto's met zeer
korte belichtingsduur (0,00001 sec.).
**stro'fe** [Lat. *strópha*, v. Gr. *strophè* = *lett*.:
wending, v. *strepho* = wenden, draaien; verzen gericiteerd bij] wending
van het koor naar het altaar in de Griekse
tragedie, v. *strephoo* = wenden, draaien]
couplet, deel v.e. gedicht bestaande uit een
aantal versregels in een bep. schema, dat enige
malen herhaald wordt; een gedicht op zichzelf.
**stro'fisch** *bn* bestaande uit strofen, in
strofevorm.
**stro'ke** [Eng. = het strijken met de hand]
*(tennis)* slag.
**Stron'tium** [naar *strontian* = een
strontiumhoudend mineraal, genoemd naar
zijn voorkomen bij de plaats Strontian in
Argyll, Engeland] chem. element, metaal,
symbool Sr, ranggetal 38.
**stroop** [verbastering van siroop] dikvloeibare
suikeroplossing met bruine kleur wegens
verontreinigingen, voor huishoudelijk gebruik.

**structuralis'me** [*zie* **structuur**]
wetenschappelijke opvatting, waarbij een
verschijnsel (bijv. taal) gezien wordt als
voortgekomen uit een systeem v. relaties en
een fundamentele structuur. **structureel'**
[*vgl*. Fr. *structural*] de structuur betreffend.
**structuur'** [Lat. *structúra*, v. *strúere, structum*
= in rijen neerleggen (*vgl. stérnere*
= uitspreiden), in lagen op elkaar leggen,
opstapelen, bouwen] bouw, wijze v.
samenstelling uit onderdelen.
**structuur'psychologie'** vorm v.
psychologie die de geest ziet als een geheel v.
zinvolle delen.
**strug'gle for li'fe** [Eng.] strijd om het
bestaan.
**stru'ma** [Lat. = kropgezwel; *vgl. strúere* = *ook*:
ophopen] *krop*, ziekelijke vergroting v.d.
schildklier, met als gevolg o.a. verhoogde
stofwisseling.
**struweel'** [MNed. *struwelle* of *struvelle*
= boomstronk, struik] struikgewas.
**strychni'ne** [v. Lat. *strychnos*, Gr. *strychnos*
= nachtschade] zeer giftig alkaloïde dat
voorkomt in *Strychnos*-soorten van de familie
der Loganiáceae; de bekendste soort daarvan
is de *braaknoot*, (S. *nux-vomica*).
**stuc** [Fr., v. It. *stucco*, v. OHDu. *stukki* = korst;
*vgl. Ned. stuk*] gipspleister.
**stude'ren** [Lat. *studére* = zich ijverig met iets
bemoeien, zich toeleggen op] zich op iets
toeleggen, zich beijveren om kennis of kunde
te verwerven; *(muz.)* zich praktisch oefenen;
student zijn. **student'** [Lat. *studens, -éntis* -
o.dw] we studeert, spec. aan hogeschool.
**studentikoos'** [v. Du., woord gevormd uit
Lat. *studénti* = studenten, en Gr. *kaos*
= Ionisch voor *poos* = hoedanig, op welke
wijze] op de wijze v. studenten, van studenten.
**stu'die** [Lat. *stúdium* = ijver,
wetenschappelijke inspanning] het studeren;
geschrift waarin de resultaten v.d. bestudering
v. bep. onderwerp zijn vastgelegd; tekening,
schets e.d. ter oefening; zaal om te studeren;
tijd v. studeren; aandacht (met — naar iets
kijken). **studieus'** [Fr. *studieux*, v. Lat.
*studiósus* = ijverig, zich toeleggend op]
leergraag, vlijtig. **stu'dio** [It., v. Lat. *stúdium*;
*zie* **studie**] atelier v. schilder, beeldhouwer
e.d.; werkplaats waar films opgenomen
worden; zaal of gebouw waar radio of
TV-uitzendingen plaatshebben of waar
opnamen gemaakt worden. **studio'sus** [Lat.]
student. **stu'dium genera'le** [modern Lat.
= algemene studie] reeks colleges van
algemene aard aan een universiteit, bestemd
voor studenten v. alle faculteiten, maar niet
verplicht.
**1 stuf** vlakgom.
**2 stuf** of **stuff** [Eng. = *lett*.: materiaal, spul]
*(slang)* verdovende middelen, drugs, spec.
hasjiesj of marihuana.
**Stu'ka** [Du., afk. v. *Sturzkampfflugzeug*]
duikbommenwerper.
**stukadoor'** [v. Sp. *estucador*, v. *stuc, z.a.; vgl.*
Fr. *stucateur*] gips- of pleisterwerker.
**stunt** [Eng. = *eig*.: kunstje; woordafl. onzeker;
woord het eerst gebruikt als sportterm op Am.
colleges] **1** krachttoer als vertoning,
bijzondere prestatie, kunststuk; spec.
acrobatische vliegtoer, kunstvlucht;
**2** onverwachte prestatie; **3** *reclamestunt*, een
opzienbarende maatregel om reclame te
maken voor een bep. artikel.
**stun'ten** *ww* [Eng. *to stunt*] **1** een stunt
uithalen; **2** kunstvliegen. **stunt'man** [Eng.]
iemand die stunts uithaalt, die als stand-in
voor de filmacteur gevaarlijke toeren moet
uithalen. **stunt'prijs** zeer lage prijs voor een
artikel, bij wijze v. reclame. **stunt'vlieger**
luchtacrobaat, piloot die kunstvluchten maakt.
**stu'pa** *zie* **stoepa**.
**stupéfait** [Fr., v. Lat. *stupefáctus*, v.
*stupefácere, -fáctum* = verstomd maken, v.
*stupére* = vastmaken (*vgl. stipuleren*)
verstomd staan, en *fácere* = maken]

stomverbaasd. **stupi'de** [Fr., v. Lat. *stúpidus* = overbluft, verstomd, dom] stompzinnig, bot, dom. **stupiditeit** [Lat. *stupíditas*] stompzinnigheid, domheid.

**Sturm- und Drang'periode** [v. Du. = laatste decennia v. 18e eeuw, waarin Du. jonge dichters nieuwe wegen zochten] overgangstijdperk dat gekenmerkt is door strijd en worsteling.

**stuwadoor'** [v. Sp. *estivador*, v. *estivar*, v. Lat. *stipáre* = dicht ineenpakken] scheepsbevrachter, persoon belast met toezicht op laden en lossen v. schepen. **stuwa'ge** het stouwen v. goederen in scheepsruim.

**sty'len** (*spreek uit:* stai'len) [v. Eng. *style* v. OFr. *stile* v. Lat. *stilus* = schrijfstift] industrieel vormgeven. **sty'ler** [Eng.] elektrische krulborstel. **sty'ling** [Eng.] vormgeving; in model brengen v. kapsels.

**styp, stiep**, stereotype (*z.a.*); afgietsel in metaal van papieren zetselmatrijs.

**styp'ticum** *mv* -ca [v.V. Lat. *sty'pticus*, Gr. *stuptikos* = samentrekkend, v. *stuphoo* = samentrekken] bloedstelpend middel.

**sty'rax** *zie* **storax**.

**styreen'** [v. Lat. *styrax*, v. Gr. *sturax*] de onverzadigde koolwaterstof $C_6H_5$-CH=CH$_2$, ook *fenyletheen* of *vinylbenzeen* genoemd, die gemakkelijk polymeriseert tot polystyreen en gebruikt wordt voor bep. kunststoffen.

**su'a spon'te** [Lat.] uit eigen beweging, vrijwillig.

**sua'tie** (*vgl*. Fr. *suer* = zweten, Lat. *sudáre*] lozing v. overtollig water, uitwatering.

**sua'viter in mo'do, for'titer in re** [Lat.] zacht in de wijze van optreden, maar krachtig wat de zaak zelf betreft.

**sub-** [Lat. *vgl*. Gr. *hupo*; *zie* **hypo**-] onder-, onmiddellijk volgend-.

**subaltern'** [v. Lat. *subaltérnus*, v. *sub*- en Lat. *alter* = de ander] ondergeschikt; — *officier*, officier van lagere rang dan majoor (bij marine: dan kapitein-luitenant-ter-zee].

**subar'ctisch** [*zie* **arctisch**] binnen de poolcirkel gelegen.

**subatomair'** [v. Lat. *sub*-, *z.a.*; *zie* **atoom**] *bn* beneden de grootte van atomen (*bijv.*: subatomaire deeltjes).

**sub conditio'ne** [v. Lat. *sub condicióne*] onder voorwaarde.

**sub'continent** [*zie* **sub**- en **continent**] zeer groot deel van een vasteland, dat beschouwd kan worden als werelddeel v. lagere orde (*bijv.*: India t.o.v. Azië).

**sub'cultuur** [*zie* **sub**- en **cultuur**] **1** cultuur van een groep binnen een samenleving die het cultuurpatroon v. deze samenleving niet geheel volgt, maar een eigen variant v. dat patroon heeft ontwikkeld (*bijv.*: beroepsgroep, etnische minderheid, religieuze minderheid); **2** (*spec.* in westerse landen) cultuur v. jongeren die zich niet aan de bestaande cultuur willen aanpassen (*zie* **underground**) en afwijkende normen propageren.

**subcutaan'** [v. Lat. *sub*-, en *cútis* = huid; *vgl*. Gr. *skutos* = gelooide huid, en Lat. *scútum* = schild] (*med.*) onderhuids (*bijv.*: injectie, bloeding).

**sub'diaken** [*zie* **sub**- en **diaken**] (*rk*) onderdiaken, een in de vroeg-christelijke kerk ingesteld onderdeel v.h. kerk. ambt, bedoeld als hulp voor de diaken, nu afgeschaft.

**sub'faculteit** [*zie* **sub**- en **faculteit**] in het Ned. wetenschappelijk hoger onderwijs een min of meer zelfstandige afdeling v.e. faculteit of een interfaculteit v.e. universiteit.

**sub'familie** (*biol.*) onderfamilie, onderdeel van een familie.

**sub hac vo'ce** afk. **s.h.v.** [Lat.] onder dit woord (*zie* **sub voce**).

**subject** [Lat. *subjéctum*, v. *sub-jícere*, *-jéctum* = *sub-jácere* = onder-werpen] **1** (*spraakk.*) onderwerp; **2** het denkende en voelende 'ik' als tegengesteld aan alles wat buiten de geest is (de objecten); **3** (*jur.*) partij. **subjec'tie** [Lat.

**subjéctio**] onderwerping. **subjectief'** [Lat. *subjectivus*] het subject (ik) betreffend, persoonlijk, naar eigen opvatting. (*vgl*. **objectief**). subjectivis'me leer die de objecten meet naar het subject en ze alleen daarin meent te kennen; persoonlijke opvatting (met bijbetekenis: partijdig). **subjectiviteit'** [Fr. *subjectivité*] beschouwing vanuit persoonlijk standpunt, het subjectief zijn.

**sub ju'dice** [Lat. = onder de rechter]: *de zaak is nog — —*, het gerechtelijk onderzoek is nog gaande.

**sub'junctief** (*vgl*. Fr. *subjonctif*) [v. Lat. *subjunctivus*, v. *sub-júngere*, *sub-júnctum* = aan-voegen, aan-binden] aanvoegende wijs.

**subliem'** [Lat. *sublímis*, missch. v. *sub*, en *limen* = deurbalk; *dus*: reikend tot de bovenbalk der deur] verheven; voortreffelijk. **sublimiteit'** [Lat. *sublímitas*] het verheven-zijn, het subliem-zijn. **sublime'ren 1** (*nat.*) overgaan (of doen overgaan) v. vaste toestand rechtstreeks in gasvormige toestand (dus zonder smelten en vervolgens verdampen v.d. vloeistof). Het tegengestelde: het rechtstreeks overgaan van gas in vaste stof wordt eveneens sublimeren genoemd (echter ten onrechte; daar men jodium zuivert door het te verdampen en de damp weer neer te laten slaan, meende men dat sublimeren hier 'zuiveren' betekende, terwijl het juist betekent 'verheffen' (d.i. tot gas overgaan), en niet 'neerslaan'. Vandaar beide tegengestelde betekenissen.); **2** op een hoger niveau brengen, spec. van driften e.d. (*zie* **sublimatie 2**). **subli'ma'tie 1** (*nat.*) rechtstreekse overgang van vaste stof in de dampfase of omgekeerd; **2** (*med.* en *fil.*) het veranderen v. primitieve uitingen v. aandrift in strevingen v.e. hoger niveau, dat zich door differentiatie verheft boven het primitieve niveau. **sublimaat'1** (*nat.*) elke vaste stof die door sublimatie (rechtstreekse overgang van dampfase in vaste toestand) is verkregen; **2** (*chem.*) kwik- (II)-chloride, HgCl$_2$, zo genoemd omdat het verkregen wordt door het verhitten van kwik (II)-sulfaat met natriumchloride. **sublimineel'** [v. Lat. *limen*, *líminis* = *ook*: drempel, dorpel]: — *bewustzijn*, onderbewustzijn (waarvan de inhoud onder de drempel v. directe reproduceerbaarheid ligt).

**sub'microntechnologie'** [*zie* **sub**-, **micron** en **technologie**] techniek met onderdelen kleiner dan een micron (0,001 mm).

**submicrosco'pisch** *bn* wegens kleinheid niet met een gewone lichtmicroscoop zichtbaar te maken.

**submis'sie** [Lat. *submíssio* = verlaging, v. *submíttere*, *-míssum* = naar onder zenden, neerlaten, onder iets zetten, onderwerpen] onderwerping; het onderworpen zijn.

**subordine'ren** [v. MLat. *subordinátus* = ondergeschikt, v. Lat. *sub*, en *ordináre*, *-átum*; *zie* **ordineren**] ondergeschikt maken. **subordina'tie** [MLat. *subordinátio*] ondergeschiktheid; (*mil.*) gehoorzaamheid aan meerdere.

**sub poe'na** [Lat.] op straffe. **sub praetex'tu** [Lat.] onder voorwendsel.

**subroge'ren** [v. Lat. *sub-rogáre*, *-átum* = als plaatsvervanger voorstellen, v. *rogáre* = voorstel doen] in de plaats stellen of treden (*vgl*. **surrogaat**). **subroga'tie** *zn*.

**sub ro'sa** [Lat. = onder de roos, bij de Romeinen symbool v. vertrouwen en discretie] in vertrouwen, in het geheim.

**subscribe'ren** [Lat. *sub-scribere*, *-scriptum* = onder iets schrijven] onderschrijven; intekenen op. **subscribent'** [Lat.- *scribens*, *-éntis* = o.dw] ondertekenaar; intekenaar. **subscrip'tie** [Lat. *subscríptio*] onderschrijving; intekening.

**subsidia'bel** *bn* voor subsidie in aanmerking komend (*bijv.*: subsidiabele meerkosten).

**subsidiair'** [Fr. *subsidiaire*, v. Lat *subsidiarius* = tot de reserve behorend, v. *subsidium* = reserve, v. *sub*, en *sedére* = zitten] indien nodig te vervangen door, vervangend, in de plaats tredend (als het eerstgenoemde geen doorgang vindt). **subsi'die** [Lat. *subsidium* = reserve, reservetroepen, hulp, bijstand] steun in de vorm v. geld. **subsidiënt'** persoon of lichaam die of dat subsidie verleent. **subsidië'ren** subsidie verlenen, met geld steunen.

**subsiste'ren** [Lat. *sub-sístere* = doen staan, v. *sub-*, en *sístere* = causatief v. *stare* = staan] bestaan. **subsisten'tie** [VLat. *subsisténtia*] het blijven voortbestaan; onderhoud.

**sub spe'cie aeterni'tatis** [Lat.] onder opzicht v.d. eeuwigheid.

**sub'species** afk. **subspec.** of **ssp.** [*zie sub-*, en **species** (*biol.*) ondersoort, onderverdeling v.e. soort.

**substan'tie** [Lat. *substántia*, v. sub-*stáre* = standhouden, v. *sub-*, en *stare* = staan] zelfstandigheid (draagster v. accidenten); materie, stof; het wezenlijke, hoofdzaak. **substantieel'** [Fr. *substantiel*, v. Lat. *substantiális*] zelfstandig; wezenlijk; in hoofdzaak, hoofdzakelijk; de substantie betreffend; degelijk (voedsel), voedzaam. **substantië'ren** (*lett.*: tot een substantie maken), met gronden staven. **substantief'** [Lat. *substantivus* = zelfstandig kunnende bestaan] *bn* zelfstandig. **sub'stantief** afk. **subst.** *zn* (*taalk.*) zelfstandig naamwoord. **substantive'ren** *ww* een werkwoord tot een zelfstandig naamwoord maken, bijv. *ww* drinken maken tot *zn* het drinken. **substantivisch** *bn & bw* als een zelfstandig naamwoord, met de functie of betekenis van een substantief.

**substitue'ren** [Lat. *sub-stitúere, -stitútum* = *sub-statúere* = onder of na iets plaatsen] in de plaats stellen, (*chem.*) atoom (groep) in verbinding vervangen door ander(e); onderschuiven; als tweede erfgenaam aanwijzen in bep. gevallen. **substitu'tie** [Lat. *substitútio*] *zn*. **substituent'** [Lat. *substituens, -éntis* = o.d.w] (*chem.*) atoom (groep) die in plaats v. ander(e) wordt ingevoegd. **substituut'** [Lat. *substitútus* = in de plaats gesteld] plaatsvervanger; wat in de plaats komt. **substituut'-officier** [*zie* officier] plaatsvervangend officier van justitie (ook kortweg *substituut'*). **substituut'griffier** ondergeschikt plaatsvervangend griffier.

**substraat'** [Lat. *sub-stérnere, -stratum* = onder strooien, onder iets leggen] onderlaag, grond, (voedings)bodem.

**subtiel'** [Lat. *subtilis* = *eig.*: fijn geweven (*vgl. tela* = web), fijn dun, stipt] teer, fijn; spitsvondig, scherpzinnig. **subtiliteit'** [Lat. *subtílitas*] fijnheid, teerheid; haarkloverij, spitsvondigheid.

**subtrahe'ren** [Lat. *sub-tráhere, -tráctum* = onder weg-trekken] aftrekken. **subtrac'tie** *zn*.

**sub'tropen** [*zie sub-*] aardgordels tussen tropen en gematigde zones. **subtro'pisch** tot de subtropen behorend.

**subvenië'ren** [Lat. *sub-veníre, -véntum* = bijkomen] te hulp komen, bijstaan. **subven'tie** [VLat. *subvéntio*] bijstand, ondersteund.

**subver'sie** [Lat. *subvérsio* = omstorting, v. *subvértere, -vérsum* = het onderste boven keren] omverwerping of aantasting v.h. gezag. **subversief'** [Fr. *subversif*] omverwerpend.

**sub vo'ce**, afk. **s.v.** [Lat.] onder het woord (verwijzing naar trefwoord in encyclopedie e.d.).

**suc-** [Lat.] = **sub-** vóór **c**.

**succede'ren** [Lat. *suc-cédere, -céssum* = *subcédere* = na iets komen, opvolgen; *ook:* gelukken] opvolgen. **succes'** [Lat. *succéssus* = gelukkig gevolg] goed gevolg, resultaat; bijval, iets waarmee men bijval oogst

(-nummer). **succes'sie** [Lat. *succéssio* = het in de plaats komen] opvolging; erfenis, nalatenschap. **successie'velijk** geleidelijk, achtereenvolgens.

**succulent'** [Lat. *suc(c)uléntus* = sappig, v. *sucus* = sap; *vgl. súgere* = zuigen] **I** *bn* sappig, smakelijk; (*plk.*) vlezig en saprijk; **II** *zn* vetplant.

**succursa'le** [Fr. (*église*) *succursale*, v. MLat. *succúrsus* = hulp, v. Lat. *suc-cúrrere, -cúrsum* = *sub-cúrrere* = onder iets lopen, te hulp schieten] (*rk*) hulpkerk; bijkantoor.

**suède** *zie* **peau de suède**.

**suf-** [Lat.] = **sub-** vóór **f**.

**sufficiënt'** [Lat. *sufficiens, -iéntis*, o.dw van *sufficere* = *sub-fácere* = eronder-maken, grondslag leggen, voldoende zijn] voldoende, genoegzaam, toereikend. **sufficiën'tie** [Lat. *sufficiéntia*] (zelf)genoegzaamheid. **suf'ficit** [Lat.] het is genoeg. **suffisant'** [v. Fr. *suffire* = Lat. *sufficere*] genoeg, voldoende.

**suffix'** [v. Lat. *suf-fígere, -fíxum* = *sub-fígere* = onder of aan iets vasthechten] achtervoegsel.

**suffragaan'** [v. MLat. *suffragáneus* = assistent (bisschop), v. Lat. *suffragári* = met zijn stem begunstigen, bijstaan, v. *suffrágium* = gebroken stuk, scherf (waarmee gestemd werd, *zie* ostracisme), stem, v. *sub-*, en *frángere* = breken] stemgerechtigd lid v. geestelijke vergadering. **suffragaan'bisschop** bisschop v. bisdom (niet-aartsbisdom) in bep. opzichten onder aartsbisschop staande. **suffraget'te** [Eng.] voorvechtster v. vrouwenkiesrecht. **suffra'gium** [Lat.] stem (bij verkiezing).

**sug-** [Lat.] = **sub-** vóór **g**.

**suggere'ren** [Lat. *sug-gérere, -géstum* = *subgérere* = onder aanbrengen, aan de hand doen, aanraden] een idee of gedachte ingeven, een voorstelling opwekken door geestelijke beïnvloeding. **suggesti'bel** vatbaar voor suggestie. **suggestibiliteit'** [Fr. *suggestibilité*] het vatbaar voor suggestie zijn. **sugges'tie** [Lat. *suggéstio* = inblazing] het ingeven v.e. idee of gedachte; ingegeven gedachte, voorstel. **suggestief'** [Fr. *suggestif*] werkend of veroorzaakt door suggestie; suggererend werkend. **suggestiviteit'** het suggestief zijn.

**suici'dium**, *ook*: **suïci'de** [v. Lat. *sui* = van zichzelf, en *cáedere* = houwen, vellen, doden] zelfmoord, zelfdoding. **sui'ge'neris** [Lat.] enig in zijn soort, niet te classificeren met andere. **sui'ju'ris** [Lat. = *lett.*: van eigen recht] eigen heer en meester; meerderjarig.

**suis'se** [Fr. = *lett.*: Zwitser] (*rk*) ordebewaarder in kerk (oorspr. waren de ordebewaarders v. grote huizen vaak Zwitsers).

**suit'-case** [Eng., v. *suit* = kleding; *vgl. to suit* = passen, uiteindelijk v. Lat. *sequi* = volgen; *case* = koffer, kist, v. Lat. *capsa*, v. *cápere* = vatten, houden] bep. platte koffer. **sui'te** [Fr., v. VLat. *sequita*, v. Lat. *sequi*] gevolg, stoet; volgreeks, reeks bijeenhorende kaarten in kaartspel; twee in elkaar lopende kamers; en daarvan (de andere dan in welke men zich bevindt); (*muz.*) reeks danswijzen, compositie bestaande uit verschiedene korte delen; *en —*, in elkaar lopend (kamers en suite); *à la —*, (*mil.*) achteraan geplaatst of tot gevolg behorend.

**sujet'** [Fr. = onderdaan, v. Lat. *subjéctum; zie* **subject**] vent, kerel (bijv. een *raar —*).

**suka'de** [v. OFr. *succade* of *chucade*] met suiker gekonfijte schil van een variëteit v.d. citroen, nl. *Cítrus médica* variëteit *bajóura*, de cedraat (zelf ook sukade genoemd).

**sulfaat'** [*zie* **Sulfur**, en **-aat**] zout of ester van zwavelzuur, $H_2SO_4$. **sulfami'den** [*zie* **amide**] sulfonamiden, groep scheikundige organische verbindingen die zwavel (groep–$SO_2$) en stikstof (groep–$NH_2$) bevatten, o.a. gebruikt tegen infectieziekten.

**sul'fer** [*zie* **Sulfur**] zwavel. **sulfi'de** [*zie*

**-ide**] zout v. zwavelwaterstofzuur, $H_2S$.
**sulfiet** [*zie* **-iet**] zout of ester v.
zwaveligzuur, $H_2SO_3$. **sulfonami'den** *zie*
**sulfamiden**. **Sul'fur** [Lat., v. stam die
branden, heet zijn, betekent; *vgl.* Ned. *zwoel*]
zwavel, bep. element, niet-metaal. chem.
symbool S, ranggetal 16. **sulfureus'** [Fr.
*sulfureux*, v. Lat. *sulfurósus* = rijk aan zwavel]
zwavel bevattend.
**sul'ky** [Eng.] tweewielig wagentje voor
harddraverijen (met één paard bespannen en
voor één persoon).
**sul'tan** [Fr., v. Arab. *sultan* = *lett.*: macht]
mohammedaans vorst; (*gesch.*) heerser over
Turkije. **sultanaat'** [Fr. *sultanat*] waardigheid
of rijk v. sultan. **sulta'ne** moeder, dochter of
hoofdvrouw v. sultan.
**sum'ma** [Lat. = het bovenste, hoofdzaak,
geheel, som, v. *summus* = overtreffende trap
v. *súperus* = wat boven is; *vgl.* **super**] som,
totaal bedrag; (*gesch.*) samenvattende
behandeling v. een bep. wetenschap; —
*summárum*, het totaal der totalen, slotsom,
alles bijeengenomen; — *cum laude*, met
hoogste lof. **summa'rium** [Lat.] korte
inhoud. **summe'ren** [*vgl.* **sommeren 2**]
optellen, het totaal berekenen. **summa'tie**
[*vgl.* Fr. *sommation*] zn. **summier'** [*vgl.* Fr.
*sommaire*, v. VLat. *summárius*] in het kort,
bondig, zonder details. **sum'mum** [Lat. = het
hoogste] toppunt (dat is het –); — *bonum*, het
hoogste goed; — *jus, summa injúria*, het
hoogste recht is het hoogste onrecht; d.i. al te
strikte toepassing v.h. recht leidt tot grove
onrechtvaardigheid.
**sun'na** [Arab. = traditie] overgeleverde
levensregels v. Mohammed die niet in de koran
zijn voorgeschreven. **sunnie'ten** naam voor
de overgrote meerderheid v.d orthodoxe
islamieten, tegenover u.a. de
fundamentalistische *sji'ieten*, die een eigen
uitleg v.d. sunna volgen.
**su'o con'to** [It.] op zijn rekening.
**su'o lo'co**, afk. **s.l.** [Lat.] te zijner plaatse. **su'o
Mar'te** [Lat. v. *Mars* = de oorlogsgod,
(overdrachtelijk) krijgsgewoel] op eigen
risico, zelfstandig. **su'o peri'culo** [Lat.] op
eigen gevaar (risico). **su'o tem'pore** [Lat.] te
zijner tijd.
**sup-** [Lat.] = **sub-** vóór p.
**su'per I** *bw* en *vz* [Lat.; *vgl.* Gr. *huper*, *zie*
**hyper-**] boven, over; in samenstellingen om
zeer grote soort (*bijv.*: *supertanker*) of zeer
hoge graad (*bijv.*: *superfijn*) aan te geven; **II** *zn*
verkorte vorm van *superbenzine*, *z.a.*
**super'be** [Fr., v. Lat. *supérbus* = zich boven
anderen verheffend, v. Gr. *huper-bios*, v. *huper*
= boven, *bia* = kracht] **1** voortreffelijk,
prachtig; **2** hoogmartig.
**su'perbenzine** of *kortweg*: **su'per**, benzine
met zeer hoog octaangetal [*zie* **octaan**].
**su'perego** [modern Lat., vertaling v. Du.
*Ueber-ich* (term v. S. Freud), *lett.*: boven-ik]
(*psych.*) een aspect v.d. persoonlijkheid dat
ongeveer overeenkomt de de term 'geweten'
uit het gewone spraakgebruik, maar waarvan
de functie, in tegenstelling daarmee,
grotendeels onbewust verloopt; het superego
wordt ook wel omschreven als het
gemeenschappelijke bewustzijn als norm voor
het zedelijk handelen.
**superficieel'** [Fr. *superficiel*, v. Lat.
*superficiális*, v. *superfícies* = oppervlak, v.
*super*, en *fácies* = uiterlijk, gelaat]
oppervlakkig.
**su'perfosfaat** [*zie* **fosfaat**] kunstmeststof
bestaande uit calciumsulfaat en primair
calciumorthofosfaat.
**superieur'** [Fr. *supérieur*, v. Lat. *supérior*
= vergrotende trap v. *súperus* = wat boven is;
*zie* **summa**] **I** *bn* voortreffelijk; hoger, meer,
beter; (v. drukletter) boven aan de regel gezet;
**II** *zn* overste, meerdere, hogere in rang.
**superieu're** [Fr. *supérieure*] (*rk*)
moeder-overste v.e. zusterskloooster.
**su'perintendent** [v. Lat. *super-*, en *inténdens*,

*-éntis* = o.dw van *in-téndere* = uit-spannen,
zich op iets richten, toezien] oppertoeziener,
inspecteur.
**supe'rior** [Lat., *zie* **superieur**] (*rk*) overste
v.e. mannenklooster. **superioriteit'** [Fr.
*supériorité*] het superieur-zijn.
**superlatief'** [v. Lat. *superlatívus*, v.
*super-férre*, *super-látum* = overheen-dragen]
*bn* alles overtreffend. su **perlatief** *zn* (*taalk.*)
overtreffende trap, woord dat de hoogste
graad aanduidt.
**su'permarkt** [van Am. *supermarket*]
zelfbedieningswinkel met een uitgebreid
assortiment artikelen, *vnl.* levensmiddelen en
huishoudelijke artikelen.
**su'permogendheid** [*zie* **super**] zeer
machtige mogendheid (de VS, de
Sovjet-Unie, China).
**su'pernova** [*zie* **super** en **nova**] ster die
verschijnselen van een *nova*, *z.a.* in
buitengewoon sterke mate vertoont;
exploderende ster v. bijzondere helderheid.
**su'pernumerair** *zie* **surnumerair**.
**su'peroxide** *zie* **peroxide**.
**superplie'** [v. MLat. *superpellíceum* = *lett.*:
over het kleed, v. Lat. **super-**, en *pellíceus*
= uit vellen gemaakt, v. *pellis* = pels, vel] (*rk*)
bep. tot de knieën reikend koorhemd.
**superposi'tie** [Lat. v. Lat. *super-pónere*, *-pósitum*
= erop-plaatsen] het over iets anders heen of
er bovenop plaatsen.
**superso'nisch**, *beter*: **supersoon'** [v. Lat.
**super**, en *sónus* = geluid] *bn* & *bw* boven de
(normale) geluidssnelheid (333 m per
seconde) liggend of reikend (*bijv.*: **supersoon**
vliegtuig).
**superpsti'tie** [Lat. *superstitia*, *eig.*: wat boven
de gewone ritus gaat, v. **super-**, en *sístere*
= plaatsen, zetten] bijgeloof. **superstitieus'**
[Fr. *superstitieux*] bijgelovig.
**su'perstructuur** [v. Lat. *super-*, en
**structuur**] bovenbouw. **su'pertanker**
tanker groter dan 100 000 ton. **supervi'sie** [v.
Lat. *super-*, en *vísio* = het zien, v. *vidére*, *vísum*
= zien] oppertoezicht, controle. **supervi'sor**
[modern Lat.] persoon belast met supervisie.
**supina'tie** [Lat. *supinátio* = het terugbuigen,
v. *supináre*, *-átum* = achteroverbuigen] het
met de palm naar boven gericht zijn v.d. hand.
**supi'num** [Lat. *eig.*: *supínum vérbum* = *lett.*:
achterovergebogen werkwoord, vertaling v.h.
Gr. *huption* = achteroverliggend, waarmee
niet-actieve vormen v.h. werkwoord worden
aangeduid, tegenover *orthon* = het rechte, dat
de actieve vorm aangeeft] in de Lat.
spraakkunst de naam van die nominale (*zn* of
*bn*) vormen v.h. werkwoord op *-um* of *-u*,
gevormd v.h. voltooide deelwoord v.h.
werkwoord, en die over het alg. een doel
aangeven, dat te vertalen met (om) te. Men
onderscheidt supinum I en supinum II, resp.
uitgaande op *-um* bij werkwoorden v.
beweging (*vénio pecuniam petítum* = ik kom
om geld te vragen) en op *-u* bij bijvoeglijke
naamwoorden (*múlta dúra toleratu sunt* = veel
is hard (om) te dragen).
**supplement** [Fr., v. Lat. *suppleméntum*, v.
*supplére*; *zie* **suppleren**] aanvulling,
aanhangsel, bijvoegsel; (*wisk.*) aanvulling v.
hoek tot een v. 180° (*vgl.* **complement**).
**supplementair'** [Fr. *supplementaire*] tot
aanvulling dienend. **supple'ren** [Lat.
*sup-plére*, *-plétum* = *sub-plére* = aan-vullen,
weer vol maken] toevoegen, voltallig maken,
aanvullen; bijbetalen. **supple'tie** aanvulling.
**suppletoir'**, **suppletoor'** [Fr. *supplétoire*]
aanvullend.
**supplie'ren** [Fr. *supplier*, v. Lat. *sup-plicáre*
= zich buigen, deemoedig smeken, v. *sub-*, en
*plicáre* = vouwen] smeken, een verzoekschrift
indienen. **suppliant'** [Fr. = o.dw] indiener v.
verzoekschrift. **suppliek'** [Fr. *supplique*]
smeek-, verzoekschrift.
**suppone'ren** [Lat. *sup-pónere*, *-pósitum*
= *sub-pónere* = onder iets plaatsen]
onderstellen. **suppoost'** [Fr. *suppôt*, v. Lat.

**suppósitus**] (*oorspr.*: dienend lid v. college, medestander) **1** bediende v.e. magistraat of v.e. college; **2** toezicht houdend beambte in openbare gelegenheden (*bijv.*: musea), zaalwachter; **3** toezichthouder bij publieke evenementen zoals voetbalwedstrijden e.d.

**supporte'ren** [Fr. *supporter*, v. Lat. *sup-portáre sub-portáre* = aan-dragen, ondersteunen] ondersteunen, stutten.

**support'** [Fr.] stut, steun. **suppor'ter** [Eng.] aanhanger die bij sportwedstrijden aanmoedigt.

**supposi'tie** [v. Lat. *suppositío*; *zie* **supponeren**] onderstelling.

**supprime'ren** [Lat. *sup-primere, -préssum* = *sub-prémere* = onder-drukken] onderdrukken; afschaffen.

**supra-** [Lat., v. *súpera* (*parte*) = volgens het bovenste deel, v. *súperus* = wat boven is; *vgl.* **super-**] boven-, bovenuit-.

**supranationaal'** uitgaande boven het nationale (*bijv.*: supranationale bestuursorganen in de EEG).

**supreem'** [Lat. *suprémus*, evenals *summus* overtreffende trap v. *súperus*; *zie* **supra**] verheven (*ook* foutief: uiterst, opperst, *vgl.* Fr. *suprême*). **suprematie'** [Fr. *suprématie*] oppergezag. **suprême-** [Fr.] hoogst, opperst, uiterst; *moment —*, [Fr. = *lett.*: uur van de dood] ogenblik van opperste spanning. **suprême(s)** [Fr.] (*cul.*) **1** het allerbeste, het allermooiste; **2** borst van gevogelte.

**su'ra, soe'ra** [Arab.] naam voor elk v.d. hoofdstukken v.d. koran, *z.a.*. Elke sura is onderverdeeld in verzen (ayat) en draagt een eigen naam.

**sur'fen** [afgeleid v. Eng. *surf-riding* = het rijden op de golfslag] *oorspr.*: het zich staande of zittende op een speciale plank voortbewegen door de golfslag of de branding (richting strand), al dan niet voortgetrokken door een motorboot; tegenwoordig: het zich staande op een speciale plank voortbewegen over (vlak) water door met een zeil aan een losstaande mast te manoeuvreren (plankzeilen). **sur'fer** persoon die surft. **sur'fing** het surfen.

**surnumerair'** [Fr. *surnuméraire*, v. Lat. *supra-*, en *númerus* = getal] boventallig ambtenaar, aangesteld zonder bezolding als leerling, om later openvallende plaats te bezetten (spec. bij posterijen, belastingdienst).

**surplus'** [Fr., v. MLat. *superplus = super-*, en *plus*] overschot; het te veel betaalde.

**surpri'se** [Fr., v. *surprendre*, v. *sur* = Lat. *super*, en *prendre* = Lat. *prehéndere* = vatten] verrassing.

**surrealis'me** [Fr. *surréalisme*; v. *sur* = Lat. *super*, en *realisme*, *z.a.*] 20e-eeuwse kunstrichting die het onderbewuste wil uitdrukken door beelden in niet-logische reeksen zoals zij vrij in de geest opkomen gelijk in droom. **surrealist'** [Fr. *surréaliste*] aanhanger v.h. surrealisme. **surrealis'tisch** van of volgens het surrealisme.

**surrogaat'** [Eng. *surrogate*, v. Lat. *sub-rogáre, -átum* = als plaatsvervanger voorstellen; *zie* **subrogeren**] vervangingsmiddel (vaak met bijbetekenis: minderwaardig).

**surséance** [Fr., v. *surseoir* = uitstellen, v. *sur* = Lat. *super*, en *seoir* = Lat. *sedére* = zitten; Lat. *super-sedére* = boven iets zitten, zich onttrekken aan, iets nalaten] opschorting (v. betaling, door rechtbank verleend).

**surveille'ren** [Fr. *surveiller*, v. Lat. *super*, en *veiller* = Lat. *vigiláre* = waken] toezicht houden, waken over. **surveillan'ce** [Fr.] toezicht. **surveillant'** [Fr.] toezichthouder, spec. op leerlingen.

**survi'val of the fit'test** [Eng.] het standhouden (overblijven) v.d. krachtigsten, de best aangepasten in de strijd om het bestaan (*struggle for life*) (adagium v. Herbert Spencer, Eng. filosoof, 1820-1903).

**survi'val-kit** [Eng.; *kit* = o.a. uitrusting; *lett.* uitrusting om in leven te blijven] uitrusting

voor noodgevallen (bijv. na een noodlanding v. vliegtuig op zee).

**sus-** [Lat. *sus* = opwaarts, omhoog, waarsch. v. *sursum* = omhoog, v. *sub-vérsum* = het onderste boven gekeerd; *zie* **subversie**] op-, omhoog-.

**suscepti'bel** [MLat. *susceptíbilis*, v. Lat. *sus-cípere, -céptum* = *sus-cápere* = op zich nemen (v. *sus*, en *cápere* = vatten), *spec.*: op zich nemen om te aanvaarden, ondergaan, aannemen, voor iets vatbaar zijn] ontvankelijk voor indrukken en aandoeningen, gevoelig. **susceptibiliteit'** [Fr. *susceptibilité*] vatbaarheid voor indrukken.

**suspect'** [Lat. *suspéctus*, v. *suspícere*, *-spéctum* = naar boven zien, *spec.*: heimelijk naar iem. zien, argwaan hebben, v. *sus* = opwaarts, en *spécere* = kijken] verdacht.

**suspende'ren** [Lat. *sus-péndere -pensum* = ophangen, laten hangen, laten zweven] opschorten; schorsen (in ambt); (*nat.*) (poedervormige stof) in vloeistof verdelen zonder oplossing; (*med.*) (lichaamsdeel) in draagband hangen. **suspen'sie** [VLat. *suspénsio*] **1** *eig.*: ophijsing; **2** opschorting; **3** schorsing, tijdelijke dienstontzegging; **4** (*nat.*) vloeistof met daarin zwevende materiedeeltjes; **5** (*med.*) ophanging v. ledematen in draagbanden. **suspensief** [Fr. *suspensif*] opschortend. **suspenso'rium** [modern Lat.] (*med.*) draagband, spec. voor arm, borsten, balzak.

**suspi'cie** [Lat. *suspício*; *zie* **suspect**] argwaan, verdenking.

**su'tra** [Sanskr. = *oorspr.*: draad, koord, snoer, reeks; *ook*: aforisme] naam voor boeddhistische leerstellige verhandelingen die zo geredigeerd zijn dat ze gemakkelijk te onthouden zijn.

**sutuur'** [v. Lat. *sutura* v. *suere* = naaien] naad.

**su'um cui'que (tribu'ere)** [Lat.] ieder het zijne (toedelen).

**suzerein** [Fr. *suzerain*, v. *sus*, *z.a.* naar analogie v. *souverain*; *zie* **soeverein**] opperleenheer; staat of vorst die protectoraat uitoefent. **suzereiniteit'** [Fr. *suzeraineté*] het suzerein zijn.

**swag'ger** [Eng. = *eig.* (*gemeenzaam*) modieus] lange wijde damesjas.

**swap'transactie, swap'affaire** [Eng. *swap* = ruil; *zie* **transactie** resp. **affaire**] combinatie v. gelijktijdige koop op termijn en contante verkoop v. vreemd geld, om waarde v. valuta stabiel te houden.

**swas'tika** [Sanskr. = *lett.*: gelukkig, v. *sù* = wel, en *asti* = zijn] hakenkruis, d.i. kruis met gelijke armen, die aan hun einde rechthoekig omgebogen zijn, en wel alle in dezelfde richting, in verschillende tijden als godsdienstig symbool gebruikt. Het national-socialisme vatte het hakenkruis om het vermeend antisemitisch karakter over als herkenningsteken v.d. beweging en na de overwinning in 1933 als nationaal embleem.

**swea'ter** (*spreek uit*: swètte) [Eng. = *lett.*: zweter, v. *to sweat* = zweten) wollen sporttrui.

**swea'tingsysteem** stelsel waarbij werk wordt aangenomen dat voor weinig loon (thuis) verricht wordt. **sweat'shirt** dikke katoenen sporttrui. **sweat'shop** werkplaats voor uitvoer v. sweatingsysteem.

**sweep'stake** [Eng.] paardenwedren of weddenschap daarbij met als prijs het totaal v.d. inleggelden (*stakes*) der deelnemers.

**sweet'heart** [Eng. = *lett.*: zoethart] lieveling.

**swing** [Eng. = *lett.*: zwaai] (*oorspr.*: spanning tussen melodie en ritme, 'zwaai' daartussen), bep. vorm van jazz, waarbij de tijdsduur der melodietonen vrijelijk gevarieerd wordt, maar met een eenvoudige begeleiding in streng ritme. **swin'gen ww 1** op swingmuziek dansen; **2** opwindend, bruisend, levendig zijn (gezegd van muziek).

**swit'chen ww** [Eng. *to switch* = schakelen, rangeren] **1** overschakelen, overgaan op; **2** van plaats verwisselen (spec. van voetballers

tijdens het spel).
**sybariet'** [Lat. *Sybaríta*, Gr. *Subarítès*
= inwoner v. Subaris, een oud-Griekse kolonie
in Italië, die bekend stond om haar wellust]
verwijfde wellusteling. **sybari'tisch** *bn & bw*.
**sybil'le** *zie* sibille.
**sycofant'** [Lat. *sycophánta*, Gr. *sukophántēs*
= *eig*.: aanbrenger v. wie tegen verbod vijgen
uitvoert (in Attica), verklikker, v. *sukon* = vijg]
vleiend verklikker, klaploper.
**sy'filis** [Fr. *syphilis* naar Syphilus, een
personage uit een 16e-eeuws Lat. gedicht
over dit onderwerp] chronische
geslachtsziekte, die het hele lichaam kan
aantasten, *lu'es, z.a.* **syfili'tisch** *bn* **1** van de
aard van syfilis; **2** met syfilis besmet.
**syl-** [Gr.] = **syn-** (*z.a.*) vóór l.
**syl'fe** [v. modern Lat. *sylphes*] (*myth.*) in de
ME magie een luchtgeest, door Paracelsus tot
de elementale geesten gerekend, bijv. Oberon,
de koning der elfen. **syl'fi'de 1** vrouwelijke
sylfe; **2** (*fig.*) zeer tenger (iel) meisje.
**syllabair'** [*zie* **syllabe**] uit lettergrepen
bestaand, bijv. het Japanse schrift. **sylla'be**
[Lat. *sy'llaba*, Gr. *sullabè* = *lett*.: het
samengevatte (in het spreken), v.
*sul-lambanoo* = *sun-lambanoo*
= bijeen-nemen] lettergreep. **sylla'bisch** [Gr.
*sullabikos*] in syllaben verdeeld.
**syl'labus** [Lat., v. Gr. *sulloobos*]
inhoudsopgaaf, register, samenvatting,
overzicht, lijst. **Syl'labus** [*voluit*: *Sýllabus
errórum* = Lijst van dwalingen] (*rk*) lijst van
reeds eerder veroordeelde en van als 'moderne
dwalingen' gekenmerkte stellingen, in totaal
80, afkomstig v. verschillende schrijvers, die
door paus Pius IX in 1864 aan alle
bisschoppen werd gezonden.
**syllep'sis** of **syl'leps** [v. Gr. *sullèpsis*
= samenvatting, v. *sul-lambanoo*
= samen-nemen], ook **syne'sis** [Gr. *sunesis*
= samenvloeiing] genoemd **1** stijlfiguur
waarbij woorden of groepen woorden niet
herhaald worden, hoewel dit wel zou moeten
volgens de grammatica of qua betekenis (*bijv.*:
je doet jouw zin, ik de mijne, i.p.v. ik doe mijn
zin); **2** congruentiefout, d.w.z.
overeenstemming in geslacht en getal volgens
de gedachte, maar niet volgens de regels van
de spraakkunst (*bijv.*: een aantal mensen
menen, i.p.v. meent).
**syllogis'me** [Lat. *syllogismus*, v. Gr.
*sullogismos* v. *sun-* = bijeen-, met, en *logos*
= rede] redeneerschema waaruit conclusie
voortkomt, sluitrede.
**sym-** [Gr. *sum-*] = **syn-** vóór b, m en p.
**symbiont'** v. Gr. *sun-* = samen, en *bios*
= leven] organisme dat met een ander in
symbiose samenleeft. **symbio'se**
samenleving v. ongelijksoortige organismen,
symbionten, tot wederzijds voordeel.
**symbio'tisch** volgens of met de aard v.e.
symbiose.
**symbool'** [Fr. *symbole*, v. Lat. *sýmbolum*
= merk, kenteken, symbool, v. Gr. *sumbolon*
= *eig*.: het samentreffen, wachtwoord, v.
*sumballoo* = *sun-balloo* = bijeen werpen,
vergelijken] **1** zinnebeeld; **2** elk. (ken)teken dat
een begrip voorstelt of aanduidt, stoffelijk
(letter, cijfer e.d.) of immaterieel (een
handeling die iets uitdrukt, bijv.
schouderophalen); **3** (*psych*.) object waarop
een instincthandeling of drift gericht wordt
i.p.v. op het oorspronkelijke object.
**symboliek'** [Fr. *symbolique*, v. VLat.
*symbólica*, v. Gr. *sumbolikè* (*epistèmè*) leer
der zinnebeelden] **I** *zn* **1** kennis, leer en
toepassing van de symbool; **2** het
symbolische; **II** *bn* symbolisch, zinnebeeldig.
**symbo'lisch** [Gr. *symbolikos*] bn
zinnebeeldig, figuurlijk; *symbolische boeken*
of *symbolische geschriften* [v. kerkelijk Lat.
*symbolum* = geloofsbelijdenis] in het kerk.
spraakgebruik andere naam voor
belijdenisgeschriften. **symbolise'ren** [Fr.
*symboliser*] zinnebeeldige voorstellen.

**symbolis'me** [Fr.] (oorspr. Fr.) kunstrichting
die zich zoekt uit te drukken in symbolen.
**symbolist'** [Fr. *symboliste*] aanhanger v.h.
symbolisme. **sym'bolum** [kerk. Lat.]
samenvatting der geloofsbelijdenis, spec.: de
12 artikelen des geloofs.
**symfonie'** [Lat. *symphonia*, Gr. *sumphoonia*
= samenstemming, samenklank, akkoord, v.
*sumphooneoo* = samenstemmen, v. *sun-*
= samen-, en *phooneoo* = (doen) klinken, v.
*phoonè* = geluid] bep. groot muziekwerk voor
vol orkest; een geheel v. bijeenpassende
dingen (bijv. kleuren-). **symfonie'-orkest**
(= **filharmo'nisch orkest**) *zie bij* **orkest**;
orkest bestaande uit strijk- en
blaasinstrumenten en slagwerk. **symfo'nisch**
*bn* welluidend, goed samenklinkend,
samenstemmend; van de aard van een
symfonie; —*rock* [*zie* **rock-'n'-roll**] rock met
een groot orkest of met een instrumentarium
dat een groot orkest nabootst.
**symmetrie'** [VLat. *symmetria*, Gr. *summetria*
= evenredigheid, juiste verhouding, v.
*summetreomai* = samen-meten, uitmeten,
overeenstemmen; *zie* **sym-**, en **meter**]
evenredigheid v.d. delen tot het geheel,
evenmaat v. onderdelen, het volkomen gelijk
zijn v. overeenkomstige delen. **symme'trisch**
met symmetrie, evenredig, met twee helften
die elkaars spiegelbeeld zijn.
**sympathe'tisch** [v. laat Gr. *sumpathètikos*; *zie
verder* **sympathie**] *bn* in verband staande
met, volgens de **sympathie 1**; —*e inkt*,
'onzichtbare' inkt die pas door bep.
behandeling van het papier zichtbaar wordt.
**sympathie'** [VLat. *sumpathia*] v. natuurlijke
neiging v. Gr. *sumpatheia*, v. *sum-patheoo*
= medegevoel of medelijden hebben, v. *sum-*
= *sun-* = samen-, mede-; *zie verder* **pathie**]
**1** bep. verwantschap tussen zaken waardoor
ze op elkaar invloed kunnen uitoefenen;
**2** medegevoel, overeenstemming van
gevoelens door zielsverwantschap;
**3** genegenheid, warme belangstelling a.g.v.
overeenstemming met iemands denkwijze;
**4** gevoel van verbondenheid; **5** persoon voor
wie men sympathie voelt. **sympathiek'** [Fr.
*sympathique*] aantrekkend, genegenheid
opwekkend door zielsverwantschap; van
genegenheid blijk gevend; aangenaam
aandoend. **sympathise'ren** [Fr.
*sympathiser*] v. gelijk gevoeld zijn,
overeenstemmen denken, deelneming,
waardering of genegenheid gevoelens.
**sympathisant'** [Fr. = o.dw] wie
sympathiseert (met stelsel; beweging).
**sympa'thisch** [v. Du. = sympathiek] *bn* op
**sympathie 1** berustend; —*zenuwstelsel*,
vegetatief zenuwstelsel.
**sympo'sium** [Lat., v. Gr. *sumposion*
= drinkgelag, v. *sun-* = het samen-, en *pinoo*
= drinken; *posis* = het drinken, drinkgelag]
wetenschappelijke bijeenkomst waar door
verscheidene sprekers verwante onderwerpen
behandeld worden.
**symptoom'** [Fr. *symptome*, v. Gr. *sumptooma,
-ptoomatos* = toeval, toestand, v. *sumpiptoo*
= ineenvallen, voorvallen, v. *sun-* = samen-,
en *piptoo* = vallen] karakteristiek verschijnsel
(bijv. van ziekte, van toestand).
**symptoma'tisch** een symptoom vormend,
als een symptoom aanduidend; —*e ziekte*,
bijkomstig optredende ziekte.
**symptomatologie'** [*zie* -**logie**] leer der
ziektesymptomen.
**syn-** [Gr. *sun-*] samen-, mede-.
**synae'resis** *zie* syneresis.
**synago'ge, synagoog'** [Lat. *synagóga*, Gr.
*sunagoogè*, v. *sun-* = samen-, en *agoogè*
= het voeren, v. *agoo* = voeren] godsdienstige
samenkomst van de joden; plaats daarvoor.
**synaps'** [v. Gr. *sunapsis* = verbinding, van
*sun-aptoo* = samenbinden, v. *sun-* = samen-
en *haptoo* = vastmaken] (*fysiologie*) speciaal
gebouwde contactplaats tussen twee
prikkelbare cellen waar op indirecte (nl.

chem.) wijze een prikkel wordt overgedragen; synapsen komen voor tussen twee zenuwcellen en tussen een zenuwcel en een spiervezel.

**synchronise'ren** *ww* [Fr. *synchroniser*, v. Gr. *sugchronizoo*, v. *sun-* = samen, en *chronos* = tijd] gelijktijdig maken, laten samenvallen in de tijd, bijv. bij film beeld- en geluidopnamen zo samenvoegen dat ze bij de weergave nauwkeurig op elkaar aansluiten.
**synchronisa'tie** *zn* [Fr. *synchronisation*] het synchroniseren. **synchronis'me** of **synchronie'** gelijktijdigheid.
**synchroniciteit'** het synchroon zijn, het gelijktijdig zijn. **synchro'nisch** *bn* van gelijke tijd, samenvallend in de tijd; *synchronische taalwetenschap*, wetenschap die de taal op een bep. ogenblik van haar bestaan bestudeert. **synchronis'tisch** [Du.] synchronisch; synchronoor; *synchronische tabellen*, of *synchronistische tabellen*, geschiedkundige tabellen van gebeurtenissen die gelijktijdig maar in verschillende landen hebben plaatsgevonden. **synchroon'** *bn* & *bw* gelijktijdig, samenvallend in de tijd; *synchrone motor*, elektromotor voor wisselstroom waarvan het toerental door de frequentie van de stroom wordt bepaald. **synchroon'vertaling** onmiddellijke vertaling v.h. gesprokene in een andere taal.
**syn'chrotron** [samentrekking van *synchrocyclotron*] cyclotron (z.a.) voor het produceren van deeltjes met zeer grote snelheid.

**synclina'le** [v. Gr. *sun-* = mede-, en *klinoo* = hellen, neerzinken] (*geol.*) benedenwaartse plooi (holle plooi) in de aardkorst, waarbij de jongste aardlagen aan de binnenkant van de bocht liggen; het jongste materiaal ligt dus in de kern van de plooi (*vgl.* **anticlinale**).
**1 syn'cope** (*uitspr.:* sincope) [v. Gr. *sugkopè* = o.a. samentrekking, v. *sug-koptoo* = ineen-slaan, uithakken, stuk slaan, v. *sun-* = ineen-, samen-, en *koptoo* = slaan] **1** (*muz.*) accentverschuiving door verbinding van een volgend zwaar metadeel naar een voorafgaand licht, waardoor zwaar wordt wat licht was en omgekeerd, en zo het ritme ten opzichte van de maat verschoven wordt (veel toegepast in jazzmuziek, spec. ragtime); **2** [hier met de bet. 'ineenstorting'] (*med.*) **1** diepe bewusteloosheid, schijndood of zelfs plotselinge dood; **2** *ook*: lichte bewusteloosheid, bezwijming, flauwte.
**2 syn'cope** (*uitspraak:* sincope) [woordafl. als 1 syncope, hier met de bet. 'uitstoting'] het verschijnsel dat een klinker of medeklinker (of soms zelfs een lettergreep) midden in een woord vervalt of niet wordt uitgesproken, *bijv.*: leder → leer, broeder → broer.
**syncope'ren** *ww* [Fr. *syncoper*] **1** (*muz.*) syncopen (1) toepassen, aanbrengen in; **2** (*taalk.*) een klank in een woord weglaten; **3** (*vgl.* Lat. *syncopáre* = bezwijmen] flauwvallen, bewusteloos geraken, bezwijmen. **synco'pisch** *bn* & *bw* in syncopen (1), met syncope(n).
**syncretis'me** [v. Gr. *sugkrètismos* (*uitspr.:* sunkr ...), v. *sun-* = samen, en *Krètè* = Kreta, vroeger bekend om de hevige onderlinge twisten v.d. bewoners, die echter eensgezind waren bij gemeenschappelijk gevaar] **1** (*godsd.*) vermenging en versmelting v. godenfiguren en religieuze ideeën uit verschillende godsdiensten; **2** methode om uit verschillende leerstelsels, spec. wijsgerige, die elementen te kiezen die men waardevol acht.
**syndactylie'** [v. Gr. *syn-* = samen, en *daktulos* = vinger] (*med.*) vergroeiing van vingers en/of tenen.
**syndicaat'** [Fr. *syndicat* = vakvereniging, bond, syndicaat, v. Gr. *sun-dikos* = waarop men gemeenschappelijk recht heeft, gemeenschappelijk recht (belang) vormend, v. *sun-* = samen-, en *dikè* = recht] **1** combinatie v. zakenlieden, belangengroepering,

consortium, *z.a.*, spec. soort kartel, waarbij de deelnemers de verkoop van hun produkten overdragen aan een centraal verkoopkantoor; **2** vereniging, bond ter behartiging van gemeenschappelijke belangen; (*België*) vakvereniging. **syndicalis'me** [Fr.] politieke theorie waarbij de vakverenigingen directe macht hebben en de produktiemiddelen beheren. **syndicalist'** [Fr. *syndicaliste*] voorstander v.h. syndicalisme.
**syndicalis'tisch** *bn* & *bw* volgens of van het syndicalisme; het syndicalisme betreffende.
**syndicat' d'initiati've** [Fr.] vereniging voor (de bevordering van) vreemdelingenverkeer, VVV.

**syndroom'** [v. Gr. *sundromè* = samenloop, v. *sun-* = samen-, en *dromos* = loop] combinatie v. ziektesymptomen die samen kenmerkend zijn voor een bep. ziekte terwijl de afzonderlijke symptomen dat niet behoeven te zijn. Syndromen worden gewoonlijk genoemd naar de ontdekker(s) ervan.
**synec'doche** [Gr. *sunekdochè* = uitdrukking met onuitgesproken gedachte, v. *sun-* = samen-, en *ek-dechomai* = af-nemen; op-nemen, op-vatten, verstaan; *sunekdechomai* = mede-verstaan] stijlfiguur, een vorm van *metonymia*, *z.a.*, waarbij een woord met een engere begripsinhoud wordt gebruikt voor een woord met ruimere inhoud of omgekeerd (bijv. het groene laken voor biljart; *zie* **pars pro toto**).
**syn'ecologie** [v. Gr. *sun-* = bijeen, en van **ecologie**] leer v. milieueigenschappen van gehele levensgemeenschappen.
**syne'resis** (ook nog wel gespeld **synae'resis**) [v. Gr. *sun-aireoo* = samen-vatten, bijeen-nemen, v. *sun-* = samen-, en *haireoo* = nemen] (*taalk.*) het samenvoegen van twee klinkers in een woord met het doel één lettergreep te verkrijgen (bijv. deez' i.p.v. deze).
**synergis'me** [v. Gr. *sunergos* = samenwerkend, v. *sun-* = samen-, en *ergon* = werk] **1** (*alg.*) samenwerking; **2** (*theol.*) samenwerking tussen de mens en God tot heil v.d. mens; **3** (*anat. en fysiologie*) samenwerking van organen of orgaanstelsels, bijv. spieren, om een bep. beweging uit te voeren; **4** (*farmacie*) samenwerking van twee effecten, bijv. van farmaca. **synergis'ten** *mv* **1** samenwerkende organen of spieren voor het vervullen van één functie; **2** stoffen die elkaars werking versterken.
**syne'sis** *zie* **sylleps**.
**synesthesie'** [v. Gr. *sunaisthanomai* = tegelijk waarnemen, v. *sun-* = mede-, en *aisthèsis* = zinnelijke waarneming, gevoel] **1** (*fysiologie*) het medereageren v.e. zintuig op een prikkeling v.e. ander zintuig, het verschijnsel dat kleuren soms ook gehoorsindrukken veroorzaken of geluiden gezichtsindrukken teweegbrengen; **2** in de *literatuur* is synesthesie meestal niet meer dan beeldspraak, *bijv.*: heldere (gezichtsindruk) tonen (gehoorsindruk).
**syno'de** [v. kerk. Lat. *synodus*, v. Gr. *sun-odos* = samenkomst, vergadering, v. *sun-* = samen-, en *hodos* = weg] kerkvergadering; *a* (*rk*) een kerkelijke bijeenkomst van beperkte omvang; *b* (*prot.*) kerkelijke vergadering bij welke de alg. godsdienstige leiding in een bep. land of in een bep. ressort berust. **synodaal'** [Fr. *synodal*] *bn* **1** een synode betreffend; **2** van een synode uitgaand (*bijv.:* synodale besluiten).
**syno'disch** [v. Gr. *sunodos* = samenkomst; *zie verder* **synode**] *bn* (*astr.*) betrekking hebbend op de samenstand (*conjunctie z.a.*) van twee hemellichamen, spec. van maan of planeet met zon; *synodische omlooptijd*, tijd die verloopt tussen twee opeenvolgende conjuncties; *synodische maand*, tijd die verloopt tussen de ene nieuwe maan en de volgende.
**synoniem'** *afk.* **syn.** [v. Gr. *sunoonumos* = met gelijke naam, v. *sun-* = mede-, en *onuma*

= naam] I *bn* zinverwant, met (ongeveer) gelijke betekenis, gelijkbetekenend; II *zn* [Lat. *synonymum*] **1** gelijkbetekenend woord, d.w.z. woord binnen een taal met nagenoeg dezelfde betekenis als een of meer andere woorden (bijv. pienter- slim- schrander); **2** (*biol.*) verschillende namen voor een zelfde biologische soort, gegeven door verschillende ontdekkers die de claimen de soort het eerst beschreven te hebben. **synonymie'** [Lat. *synonymia*, Gr. *sunoonumia*] **1** het synoniem-zijn v. woorden, het van gelijke betekenis zijn; **2** (*biol.*) het vóórkomen van verschillende namen voor dezelfde dier- of plantesoort. **synonymiek'** [Fr. *synonymique*] I *bn* op synoniemen betrekking hebbend, bij synoniemen voorkomend (bijv. verschil); II *zn* leer der synoniemen; verzameling v. synonieme woorden (met verklaring).

**synop'sis** [Lat., v. Gr. *sunopsis*, v. *sun*- = samen-, en *opsis* = het zien, van stam *op*- = zien] **1** kort begrip van een wetenschap; **2** overzicht. **synop'tici** *mv* [kerk. Lat., v. Gr. *sunoptikos*] de evangelisten Mattheus, Marcus en Lucas (zo genoemd omdat hun evangeliën een overzicht van leven en leer van Jezus geven). **synop'tisch** [Gr. *sunoptikos*] *bn* & *bw* een overzicht gevend.

**syno'via** [MLat.] (*anat.*) **1** gewrichtssmeer (synoviavocht); **2** gewrichts(slijm)vlies (synoviaal vlies). **synoviaal'** *bn* de synovia betreffend. **synovi'tis** [*zie* -itis] ontsteking van gewrichten (gewrichtsvliezen) en peescheden.

**synta'xis** [via VLat. v. Gr. *sun-taxis* = samen-ordening, v. *sun*- = samen, en *tassoo* = ordenen] **1** zinsleer, onderdeel v.d. grammatica dat zich bezighoudt met vorm en structuur v. zinnen; **2** boek daarover. **syntac'tisch** [v. Gr. *suntaktikos*] *bn* & *bw* (*taalk.*) betrekking hebbend op de zinsbouw.

**synthe'se** [Lat. *synthésis*, v. Gr. *sun-thesis* = samen-stelling, v. *sun*- = samen-, en *tithèmi* = stellen] **1** (*alg.*) verbinding van afzonderlijke elementen tot een nieuw geheel; **2** (*chem.*) het opbouwen van chemische verbindingen; **3** samenvattende beschouwing; **4** (*fil.*) in de filosofie van Hegel de hogere eenheid die voortkomt uit een *thesis* (stelling) en een *anti-thesis* (tegen-stelling). **syn'thesizer** [Eng. = kunstmatig bereidend] elektronisch muziekinstrument waarmee vrijwel elk geluid kan worden opgewekt.

**systeem'** [VLat. *systéma*, Gr. *sustèma* = het bijeengeplaatste, v. *su*- = *sun*- = samen-, en *histèmi* = stellen] **1** (*alg.*) stelsel, gerangschikt geheel, geheel van onderdelen die volgens een kunstmatig of natuurlijk ordenend beginsel met elkaar samenhangen; een geheel van geordende principes (bijv. een taalsysteem), logisch geordend geheel v. stellingen en begrippen (bijv.: een filosofisch systeem, een politiek systeem); een samengesteld en betrekkelijk zelfstandig geheel dat al dan niet in uitwisseling van energie, materie of informatie met zijn omgeving staat; **2** (*natuurwetenschappen*) ordening v.d. natuurobjecten volgens bep. kenmerken; **3** ordening v.d. informatiegegevens ten behoeve van de verwerking daarvan door een computer; **4** (*muz.*) toonstelsel, aantal en onderlinge stemming van de tonen (bijv.: het twaalftonensysteem); **5** stelsel van handelingen of werkwijzen; **6** (*concreet*) samenhangend geheel van gelijksoortige eenheden, bijv. een buizensysteem. **systeem'analyse** [*zie* analyse] analyse v.e. geheel v. verschillende informatiestromen en -bronnen. **systeem'analist, -analyst** [*zie* analyst] deskundige voor systeemanalyse, iem. die informaties analyseert en een werkmethode (administratief systeem) ontwerpt om de informatie geschikt te maken voor verwerking door een computer. **systeem'bouw** bouwmethode waarbij vooraf gefabriceerde grote elementen ter

plekke worden gemonteerd. **systema'ticus** [VLat., v. Gr. *sustèmatikos*] **1** persoon die een systeem of systemen opstelt; **2** beoefenaar van de systematiek, *z.a.*; **3** iem. die systematisch te werk gaat. **systematiek'** [v. Gr. *sustèmatikos* = het systeem betreffend] **1** leer v.d. systemen; **2** rangschikking van delen of elementen volgens een bep. systeem, spec. die van chem. elementen (periodiek systeem) en van dieren en planten. **systema'tisch** [v. Gr. *sustèmatikos*] *bn* & *bw* volgens een systeem, stelselmatig. **systematise'ren** *ww* [Fr. *systématiser*] **1** in een systeem ordenen, rangschikken; **2** tot een systeem maken. **systematologie'** [*zie* -logie] leer v.d. wetenschappelijke ordening en rangschikking. **syste'misch**: *systemische bestrijdingsmiddelen*, gifstoffen ter bestrijding van schadelijke insekten e.d. welke men niet op de plant spuit maar door deze via haar wortels laat opnemen. Het vergif, dat niet schadelijk is voor de plant of hogere dieren, maar wel vretende insekten doodt, wordt dus *in het systeem* v.d. plant opgenomen, vandaar de naam.

**sys'tole** [v. Gr. *su-stolè* v. *su-stelloo* = samendrukken] **1** samentrekking v.d. spierwand v.h. hart; **2** het in een gedicht kort gebruiken v. lange lettergrepen.

**tab** [Eng., herkomst onbekend] uitstekend reepje (op kaart v. kaartsysteem).

**tabagie'** [Fr.] rookkamer.

**tab'baard** of **tab'berd** [v. Fr. *tabard*, *vgl.* Sp. *tabardo* = wapenrok] *oorspr.*: ridderkleed over wapenrusting; lang staatsiekleed met wijde mouwen (voor magistraten e.d.), tegenwoordig toga (*z.a.*) genaamd.

**tabel'** [v. Lat. *tabella* = klein plankje, verklw. v. *tábula* = plank] overzichtslijst, staat, tafel.

**tabella'risch** [Lat. *tabellárius* = de (stem)plankjes betreffend] in tabelvorm.

**tabellarise'ren** in tabelvorm brengen.

**taberna'kel** [Lat. *tabernáculum* = hut, tent, v. *tabérna* = planken woning; *zie* **tabel**; *vgl.* **taveerne**] **1** draagbaar heiligdom v.d. Israëlieten tijdens verblijf in de woestijn; **2** (*R.K.*) kastje ter bewaring v. geconsacreerde hosties; **3** (*volkstaal*) lichaam, lijf.

**tabijn'** [v. Arab. *'attabiy* = bep. wijk te Bagdad] bep. soort taf.

**tableau'** [Fr. = schilderij, verkleinwoord v. *table* = tafel, v. Lat. *tábula*; *zie* **tabel**] **I** *zn* schilderij; lijst, overzicht, tabel; **II** *tussenwerpsel* stel je voor, asjeblieft! — *de la troupe*, lijst v. spelers (v. toneelgroep); — *vivant*, levend schilderij, uitbeelding v.e. bekend schilderij door levende (onbeweeglijke) figuren. **ta'ble d'hôte** [Fr.] gastentafel, open tafel in hotel. **tablet'** [Fr. *tablette*, verkleinwoord v. *table* = tafel] pastille, plak (chocolade); plaatje.

**ta'boe**, ook **taboe** [v. Polynesisch *tapoe* = onaantastbaar wegens toegewijd zijn aan hogere machten] **I** *bn* **1** onschendbaar, onaanraakbaar; **2** waarover niet gesproken mag worden, wat niet algemeen gebruikt mag worden (volgens strenge gedragsregels v.e. gemeenschap of groep); **II** *zn* iets dat vermeden moet worden, iets dat taboe is; door de sociale conventie bepaald verbod.

**taboeret'** [Fr. *tabouret*, v. *tambour* (wegens trom-vorm); *zie* **tamboer**] leuningloos stoeltje, krukje.

**ta'bula ra'sa** [Lat. = *lett.*: geschaafd, afgekrabd (schrijf)plankje] onbeschreven blad (ook *fig.*: niets wetend); — *maken*, met schone lei beginnen.

**tabula'tor** [modern Lat.; *vgl.* Fr. *tabulateur*] inrichting aan schrijfmachine voor het gemakkelijker typen v. tabellen.

**tabulatuur'** [MLat. *tabulatúra*] het aanduiden v. tonen door letters en cijfers.

**tache de beauté** [Fr.] (schoonheids)vlekje.

**tachimetrie'** [v. Gr. *tachistos* = snelste] samenvoeging v. hoek- en lengtemeting.

**tachis'me** [v. Fr. *tache* = vlek] richting in de abstracte schilderkunst, waarbij gebruik wordt gemaakt van verfvlekken of -spatten. **tachist'** schilder die op de wijze van het tachisme werkt. **tachistisch** *bn*.

**tachograaf'** [v. Gr. *tachos* = snelheid, en *graphoo* = schrijven] zelf registrerende snelheidsmeter. **tachome'ter** [*zie* **meter**] snelheidsmeter, apparaat om de snelheid v.e. beweging of v.e. toerental te meten.

**tachoty'pe** [*zie* **typen**] snelschrijfmachine, machine die per aanslag lettergrepen of woorden typt. **tachotypie'** snelschrift d.m.v. een tachotype. **tachy-** [v. Gr. *tachus* = snel] snel-. **tachygraaf'** **1** snelschrijver; **2** bep. soort schrijfmachine voor kortschrift. **tachygrafie'** [v. Gr. *graphoo* = schrijven] **1** snelschrift door gebruikmaking v. verkortingen; **2** bep. verkort schrijfmachineschrift. **tachycardie'** [v. Gr. *kardia* = hart] (*med.*) versnelde hartwerking als afwijking.

**tack'elen**, **tek'kelen** [Eng. *to tackle* = *eig.*: vastklemmen, *vgl.* Ned. *takel* en Eng. *to take* = nemen] (*voetballen en rugby*) speler v. tegenpartij die bal heeft op bep. wijze aanvallen om hem de bal te ontnemen. **tack'le** *zn*.

**tact** [v. Lat. *tactus* = gevoel (zin), v. *tángere*, *tactum* = aanraken] fijn gevoel voor wat juist is, beleid, slag (bijv. om met mensen om te gaan).

**tac'ticus** [v. Gr. *taktikos* = de opstelling v.e. leger betreffend, bedreven daarin, v. *tassoo* = opstellen, ordenen] (*mil.*) wie bedreven is in de tactiek; wie met overleg en tact te werk gaat. **tactiek'** [Fr. *tactique*, Gr. *ta taktika* = krijgstactiek] (*mil.*) krijgsbeleid; toepassing v.d. gegeven omstandigheden om doel te bereiken, wijze waarop men te werk gaat, beleid.

**tactiel'** [v. Lat. *táctilis* = tastbaar] behorend tot de tastzin.

**tac'tisch** [Gr. *taktikos*] (*mil.*) de tactiek betreffend; met overleg, met tact, met beleid; *tactische wapens*, wapens (o.a. lichte kernwapens) die worden ingezet tegen militaire objecten; tegenover *strategische wapens*.

**tae'dium vi'tae** [Lat.] levensmoeheid.

**taf**, *ook* **taft** of **taftzijde** [Fr. *taffetas*, v. Perzisch *taftah* = gesponnen] bep. lichte, gladde, uit gekookte zijde geweven stof, tegenwoordig ook uit kunstzijde vervaardigd. **tafelement'**, *ook*: **tafelment'** (*bouwk.*) hoofdgestel. **taffetas'** *zie bij* **taf**. **tafereel'** [v. OFr. *tablel*, dialectisch *tavlel*; *zie* **tableau**] **1** schilderij, afbeelding of voorstelling v.e. gebeurtenis of situatie, waarbij het voorgestelde en niet het middel v.d. voorstelling hoofdzaak is; **2** schildering in woorden, beschrijving; **3** gebeurtenis of situatie, geheel waarop de blik blijft rusten; **4** (*perspectiefleer*) denkbeeldig loodrecht staand vlak waardoor de oogstralen gaan; **5** scène, deel v.e. bedrijf uit een theaterstuk.

**taf'fia**, **ta'fia** [West-Indisch] bep. soort rum uit suikerriet.

**tagliatel'le** (**ver'de**) [It.] (*cul.*) lintspaghetti (door spinaziesap groen gekleurd).

**tagrijn'** [v. Aramees *taggarin*, *mv* v. *taggar* = koopman] **1** uitdrager, koopman in tweedehands scheepsartikelen, oud ijzer, oud gereedschap; **2** brompot, knorrepot.

**tai'foen** [Eng. *typhoon*, gedeeltelijk v. Arab. *tufan*, missch. v. Gr. *tuphoo* = wervelwind, NTGr. *tuphonikos anemos*, gedeeltelijk v. Chinees *tai foeng* = grote wind] hevige wervelstorm, spec. in Chinese wateren. **tai'ga** [Russisch] Siberisch oerwoud v. naaldbomen.

**tail'le** [Fr., v. Lat. *tálea* = afgesneden twijg, kort afgesneden stuk (vorm v.h.)] bovenlijf, leest, middel. **tail'le dou'ce** [Fr. = zachte lijn] mengtechniek v. ets en kopergravure. **tail'le dure** [Fr. = harde lijn] staalgravure. **taille'ren** [Fr. *tailler* = *eig.*: snijden] taille maken (in kledingkunst, nauw om het middel laten sluiten. **tailleur'** [Fr. = snijder] kleermaker; nauwsluitend damesmantelpak. **tailleu'se** [Fr.] dameskleermaakster. **tai'lor** [Eng., v. OFr. *taillour*, v. VLat. *taliátor*] kleermaker; — *made*, aangemeten (bijv. damesmantelpak). **taiselet'te** [Fr.] (*cul.*) **1** deegbakje; **2** taartje.

**takela'ge** [v. MNed. *takel* = want, scheepsuitrusting; MNDu. *ook*: hijstoestel; en de Fr. uitgang *-age*; *vgl.* Russ. *takelaz̆*] tuigage, uitrusting van zeilschip.

**taks** [v. OFr. *taxer*, Lat. *taxáre*; *zie* **taxeren**] vastgestelde hoeveelheid, maat of prijs; (*Z.N.*) belasting.

**talaan'** [v. Fr. *talon* = hiel, v. Lat. *talus* = knokkel, enkel) holle lijst bestaande uit twee tegen elkaar geplaatste hiel-ojieven. **talaar'** [v. Fr. *talaire* = tot de enkels hangend, Lat. *taláris* (*túnica*)] lang staatsiegewaad, *ook*: kleed v. rk geestelijken, soutane.

**talent'** [v. Lat. *taléntum*, Gr. *talanton* = *eig.*: weegschaal; *ook*: gewicht; *vgl.* Gr. *tlènai* = dragen] **1** (*gesch.*) in het oude Griekenland oorspr. aanduiding voor een last die een volwassene kan dragen; daar men geld in goud of zilver afwoog, kreeg talent de betekenis v.e. bep. hoeveelheid geld (in goud of zilver); **2** door God geschonken gave en het gebruik dat men ervan maakt (*vgl. Mt. 25 : 14-30*); **3** natuurlijke begaafdheid of bekwaamheid tot enige kunst of werkzaamheid; aanleg, gave, kundigheid; **4** persoon met een of ander talent. **ta'lent-scout** [Eng.] iem. die personen met een bijzonder talent op enig gebied (bijv. sport, muziek) probeert op te sporen en zo mogelijk te contracteren.

**ta'le qua'le** [Lat. = *lett.*: zodanig zoals] zoals het is, zoals het reilt en zeilt.

**ta'ler** *zie* **thaler**.

**1 ta'lie** [Fr. *taglia* = katrol; *eig.*: inkeping, v. Lat. *tálea* = afgesneden stuk; *vgl.* Fr. *taille*] takel, hijswerktuig op stoep voor lichte lasten. **ta'liën** *ww* met een talie ophijsen. **ta'liereep** hijstouw v.e. scheepstakel.

**2 ta'lie** [mogelijk v. Lat. *tálea* (*zie* **1 talie**), maar waarsch. v. Mal. *tali* = touw, koord, snoer] eind touw.

**ta'lio** [Lat. = vergelding] vergelding; *jus taliónis*, recht van weerwraak, waarbij een persoon aan wie opzettelijk letsel is toegebracht de dader ongestraft hetzelfde letsel toe kan (laten) brengen ('oog om oog, tand om tand').

**ta'lisman** [v. Arab. *tilsam*, v. laat Gr. *telesma* = ritus, v. Gr. *teleoo* = ten einde brengen, inwijden in de mysteriën] voorwerp dat ongelukken heet te weren of geluk aan te brengen, amulet.

**ta'liter qua'liter** [Lat. *lett.*: op zodanige wijze zoals (het is)] middelmatig goed, zozo.

**talk'show** [Eng.] televisieshow grotendeels bestaande uit gesprekken met gasten.

**Tal'lium** *zie* **Thallium**.

**tal'migoud** [genoemd naar het handelsmerk *Talmior*] **1** namaakgoud bestaande uit een legéring van 90% koper en 10% aluminium; **2** brons (messing) dat galvanisch met een dun laagje goud verguld is.

**Tal'moed, Tal'mud** [LHebr. = instructie, leer, v. *lamad* = leren] boek met Joodse leefregels en commentaar, aansluitend op de Thora. **talmoe'disch, talmu'disch** *bn* **1** van de Talmoed; **2** op de Talmoed betrekking hebbend.

**talon'** [Fr. = *eig.*: hiel, v. Lat. *talus* = knokkel, enkel] (*kaartspel*) **1** stok; **2** strook aan couponblad dienend als bewijsmiddel ter verkrijging v. nieuwe coupons; **3** onderstuk v. strijkstok. **talonne'ren** [Fr. *talonner*] **1** aanzetten, aandrijven (*talon* = hier: deel v. paardepoot; *vgl.* de vérzenen prikkelen, de sporen geven'; **2** van talon voorzien.

**tal'pa**, *ook*: **tal'pak** [v. Fr.] eertijds bep. militair hoofddeksel v.d. Ned. veldartillerie, gelijkend op een kolbak zonder zak (halfhoge kolbak).

**talud', taluud'** [Fr. *talus*, v. Lat. *talútium* = *ongev.*: uitgraving; *vgl. talus* = enkel, hier in betekenis: helling] schuine kant, glooiing.

**tamarin'de** [v. Arab. *tamr* = (rijpe) dadel, en *Hind* = India] **1** de boomsoort *Tamaríndus índica*, afkomstig uit Afrika, veel gekweekt in tropen en subtropen; **2** de vrucht daarvan, die in laxeermiddelen, sausen, tabak e.d. verwerkt wordt; het tot moes gemaakte vruchtvlees dient als geneesmiddel; **3** hout van de tamarindeboom.

**tamarisk'** [v. VLat. *tamaríscus*] het geslacht

*Támarix* van struikachtige bomen, vnl. in Zuid-Europa en Azië. In Frankrijk wordt de zouthoudende as gebruikt voor looien en verven.

**tamboer'** [Fr. *tambour*, v. Arab. *tanbur* = luit, trommel] trommelslager. **tamboereer'raam** hoepel waarover een te borduren lap stof wordt gespannen. **tamboer-majoor'** [*zie* **majoor**; v. Fr. *tambour-major*] opperste v.d. tamboers, met de titel van sergeant-majoor; wordt tegenwoordig tambour-maître (niet uit het Fr.) genoemd. **tamboe'ren** *ww* (*lett.*: blijven trommelen), krachtig blijven aandringen op, blijven hameren op. **tamboere'ren** *ww* **1** (eig.) op de trommel slaan; **2** tamboeren; **3** bep. borduurwerk maken (op tamboereerraam). **tamboerijn'** [v. Fr. *tambourin* = verklw. v. *tambour*] **1** kleine handtrom, bestaande uit een koperen of houten hoepel, waarbinnen een trommelvel is gespannen en waarvan de rand voorzien is v. schellen, ook rinkelbom geheten; **2** tamboereerraam.

**Ta'mil** De officiële taal v.d. deelstaat Tamil Nadir (vroeger Madras) van India, gesproken door bijna 30 miljoen mensen; wellicht de enige oude klassieke taal die zich meer dan 20 eeuwen heeft gehandhaafd. **Ta'mils** *onbep.*: volken in het uiterste zuiden van India, die van de 9e tot en in de 13e eeuw een zeer hoge cultuur ontwikkelden en ook Sri Lanka veroverden; *thans*: de resten daarvan in India, en *spec.*: de afstammelingen v.d. uit India afkomstige Tamils, die het noordoosten van Sri Lanka (Ceylon) bewonen (21% v.d. totale bevolking).

**tampon'** [Fr. = stop, andere vorm v. *tapon*, v. *tape* = *eig.*: slag met de hand, tap (in vat), v. Germ. oorsprong] **1** (*med.*) prop watten of gaas om bloed te stelpen; **2** inwendig gedragen maandverband, gemaakt van watten; **3** (*typ.*) inktkussentje bij het drukken; drukbal; **4** (*cul.*) onderstuk, onderlaag van bout, gebakken brood, rijst e.a. **tampone'ren** [Fr. *tamponner*] **1** met tampon opvullen om bloed te stelpen; **2** met speciale kwast vers opgestreken verf bekloppen om deze dof te maken.

**ta'nagrabeeldjes** *mv* [naar het Griekse stadje Tanagra in het oud-Griekse Boeotië, waar deze beeldjes gevonden zijn] terracottabeeldjes van 10-20 cm hoog, meestal vrouwenfiguren in fraai gedrapeerd gewaad, stammend uit het einde v.d. 4e eeuw en het begin v.d. 3e eeuw vóór Chr.

**tan'gens** *afk.* **tg** of **tan** [Lat. *tángens*, *-éntis* = o.dw van *tángere* = aanraken] (*vero*.) raaklijn aan kromme; *thans* deel v. raaklijn tussen straal v. cirkel naar raakpunt en andere verlengde straal; quotiënt v.d. tegenover een hoek liggende rechthoekszijde en de aanliggende rechthoekszijde. **tangent'** [*lett.*: de rakende; *zie* **tangens**] **1** (*wisk.*) raaklijn; **2** (*muz.*) hamertje in klavierinstrumenten dat de snaar aanslaat, of hamertje in speelklokken. **tangentieel'** [Fr. *tangentiel*], minder juist **tangentiaal'** [Du.] *bn & bw* de raaklijn betreffend; gericht volgens een raaklijn; *tangentiële kracht*, middelpuntvliedende of centrifugale kracht.

**tan'go** [woordafl. onbekend] **1** bep. dans voor twee personen in gescandeerde 2/4 maat met gestileerde lichaamsbewegingen; **2** muziek bij deze dans.

**tan'gram** [afl. onbekend] Chinees legspel, waarbij bep. figuren met **7** geometrische stukjes gevormd moeten worden.

**tank** [Eng., v. Port. *tanque*, missch. via VLat., v. Lat. *stágnum* = poel, waterplas, of anders Oosterse oorsprong] **1** houder of reservoir (meestal van metaal) voor gassen en vloeistoffen; **2** (*mil.*) zwaar gepantserd gevechtsvoertuig op rupsbanden, voorzien van zware bewapening; **3** (*fig.*) denktank, groep deskundigen die nieuwe ideeën en suggesties ontwikkelt, waaruit bijv. de leiding

v.e. groot bedrijf ideeën kan 'aftappen'.
**tan'ken** [v. Eng. *to tank up*] de tank of tanks vullen, voorraad vloeibare brandstof innemen.
**tan'ker** [Eng.] *tankschip*, schip met vergaarbakken of tanks voor het vervoer van ruwe aardolie, geraffineerde olieprodukten, bitumen, chemicaliën, vloeibare gassen, wijn en andere vloeistoffen.
**tanni'ne**, volgens de normalisatievoorschriften
**tannien'** [v. Fr. *tanner* = looien; *tan* = eikeschors, waarsch. v. Keltisch; *vgl.* Bretons *tann* = eik, daar looistof oorspr. uit eikeschors gewonnen werd (*run*)] **1** een plantaardige stof met looiende werking, o.a. voorkomend in thee- en sumakbladeren; **2** (*in ruimere zin*) alg. naam voor plantaardige looistoffen.
**Tantaal** *zie* Tantalium. **tantalise'ren** *ww* [Fr. *tantaliser*] onvervulbare begeerten opwekken. **Tanta'lium**, in het Ned. **Tantaal**, chem. element, metaal, symbool Ta, ranggetal 73. **Tan'talus** [Lat., v. Gr. *Tantalos*] mythologische figuur, in de onderwereld eeuwig gestraft doordat het water aan zijn voeten en de vruchten die voor zijn mond hingen steeds terugweken als hij wilde drinken of eten; *tantaluskwelling*, kwelling door begeerten en verlangens op te wekken naar iets wat vlakbij en toch onbereikbaar is.
**tantiè'me** *afk.* **tant.** [Fr. = *lett.*: het zoveelste, v. Lat. *tántum* = zoveel] jaarlijks uit te betalen aandelende beloning door werknemers v.e. onderneming, een bep. percentage v.d. bruto- of nettowinst die door het bedrijf gemaakt is.
**tan'tis ver'bis** [Lat.] met zoveel woorden.
**tant mieux** [Fr.] des te beter. **tant pis** [Fr.] des te erger.
**tan'tra's** *mv* [Sanskr. *tantra* = systeem] naam voor ritueel-mystieke geschriften in het Sanskriet, vol formules, die in de 7e-8e eeuw n. Chr. in India ontstaan zijn. **tantris'me** samenvattende naam voor de invloedrijke Indische religieuze stromingen en wijsgerige systemen, die o.a. gebaseerd zijn op de tantra's. **tantris'tisch** *bn*.
**tao'gé**, *ook*: **tau'gé** of **to'gé** [v. Mal.] Indonesische en Chinese naam voor 3-4 cm lange jonge kiemplantjes v.d. boontjessoort *katjang idjo(e)*, de plantesoort *Phaséolus áureus*.
**taois'me** *zie* taoïsme.
**tap'dans** [Eng. *tapdancing*, v. *to tap* = kloppen, klanknabootsend; *vgl.* Fr. *tape, zie* **tampon**] bep. dans met de vlugge slagen v. houten hak of zool op de vloer.
**ta'pe** [Eng. = band, touw] **1** (*alg.*) strook, band; **2** telegraafflint van papier met beurskoersen gedurende de beurstijd (*vgl.* **tickertape**); *ook*: de aldus genoteerde koersen zelf; **3** band of lint van een
**tape-recorder**, *z.a.*, of van een elektronische rekenmachine; **4** plakband, vaak doorzichtig en vervaardigd van cellofaan. **ta'pedeck** [Eng. = band met bedieningspaneel] toestel zonder versterker om geluidsbanden op te nemen en af te spelen. **ta'pe-recor'der** [quasi-Eng.; *zie* **record**] toestel om geluid op metalen band magnetisch vast te leggen en daarna naar believen weer te geven, bandopnemer (*vgl.* Eng. **wire-recorder**].
**tapio'ca** [Portugees, v. Tupi-woord *típioca* = cassavesap, v. *tipi* = bezinksel, overblijfsel, en *ok* = uitpersen] cassavemeel, meel uit de wortel v.d. maniokboon: *Manihot utilissima*. Tapioca wordt uitgebreid toegepast, o.a. in de levensmiddelen- en textiel-industrie.
**tapisserie** [Fr. = wandtapijt, *ook*: borduurwerk, v. *tapis* = tapijt, v. Lat. *tapéte*, v. niet-gebruikt *tápes*, Gr. *tapès*] **1** behangsel van tapijtwerk; dit tapijtwerk zelf (wandtapijt); **2** bep. handwerktechniek waarbij op stramien, linnen, gaas e.d. met verschillende steken, meestal met de kruissteek, wordt gewerkt.
**tapisse'ren** *ww* [Fr. *tapisser*] bekleden met wandtapijten of behangsels. **tapissiè're** [Fr.] gecapitonneerde (d.i. van binnen met schokbrekend materiaal beklede)

verhuiswagen.
**tap'toe** [*lett.*: doe de tap toe, houd op met drinken] (*mil.*) signaal om soldaten binnen nachtkwartier te roepen; militaire muziekuitvoering en parade.
**tarentel'la** bep. snelle, vrolijke Zuiditaliaanse dans in meestal 6/8 maat. **tarantis'me** (*med.*) danswoede, dansmanie, een zenuwziekte.
**tardan'do** of **tarda'to** [It., v. *tardare* = talmen, v. Lat. *tardáre* = talmen; *ook*: vertragen, v. *tárdus* = langzaam, traag; *ook*: laat komen] *bw* (*muz.*) vertragend, langzamer spelend.
**tarde'ren** *ww* [Fr. *tarder*, v. Lat. *tardáre*, *zie* **tardando**] dralen, talmen, toeven; op zich laten wachten, lang wegblijven, lang uitblijven. **tardief** [Fr. *tardif* = laat] *bn* (te) laat komend. **tar'do** [It.] *bn* (*muz.*) langzaam.
**Tar'goem** of **Tar'gum**, *mv* **Targoemim** [Aramees] elk der Aramese vertalingen en parafrasen van boeken v.d. Hebreeuwse bijbel.
**tarief** [v. It. *tariffa*, v. Arab. *ta'rif* = bekendmaking, v. *'arafa* [=bekendmaken]] **1** prijslijst voor te verlenen diensten of v.d. eenheid dienstverlening (*bijv.*: prijs voor vervoer gebaseerd op de afgelegde afstand); prijsbepaling, lijst van kwantitatiet omschreven arbeidsprestaties en normen voor de beloning; *tariefloon*, loon volgens een tarief in verband met de geleverde arbeid; **2** heffing v. verplichte bedragen per eenheid v.d. desbetreffende grondslag (*bijv.*: *belastingtarieven*); **3** [anglicisme, v. Eng. *tariff* = lijst van in- en uitvoerrechten] lijst van handelsrechten, spec. van invoerrechten, het invoerrecht zelf. **tarife'ren** *ww* [Fr. *tarifer*] naar tarieven indelen, tarieven opstellen voor.
**tarlatan'** [Fr. *tarlatane*, verdere woordafl. onzeker] doorzichtig, dun, stijf geappreteerd katoenen weefsel voor toneel- en carnavalskostuums, gordijnen en verpakkingsmateriaal.
**tarok'**, *ook*: **ta'rok of tarot'** [v. It. *tarocco*, *mv tarocchi* = tarokkaarten, v. Arab. *táraka* = hij legde terzijde, v. *tahara* = wegnemen; *vgl.* **tarra**] sedert de 13e eeuw soort kaartspel, afkomstig uit Italië, bestaande uit kaarten met allegorische en mythologische voorstellingen. Het tarokspel werd oorspr. gespeeld met 78 kaarten, waarvan 22 troefkaarten (*taroks*) waren. Tarokkaarten worden tot heden toe gebruikt in de waarzeggerij.
**tar'pan** [Tataars] uitgestorven primitief paardengeslacht met twee soorten. De tarpan is een belangrijke voorvader v.d. huidige paarderassen.
**tar'ra** *afk.* **t** *ook* **tar.** [via It. *tara* v. Arab. *tarh* = aftrek, v. *tahara* = wegwerpen; *vgl.* **tarok**] **1** het verschil tussen bruto- en nettogewicht v. goederen wegens het gewicht v.d. verpakking; **2** aftrek v.h. brutogewicht (wegens de verpakking) en dus v.d. prijs (*bijv.*: 3% tarra geven); **3** verpakking in fig. zin. **tarre'ren** *ww* door weging v.d. verpakking de tarra bepalen.
**tartaan'** [via Fr. *tartane* v. It. *tartana*] klein schip in de Middellandse Zee, met grote mast met driehoekig zeil (zgn. Latijns zeil) en met kleine mast achterop.
**tartalet'te** [Fr.] (*cul.*) bakje, gekarteld of rond, met diverse vullingen.
**tar'tan** [Schots = omslagdoek; de stof tartan wordt o.a. voor omslagdoeken gebruikt] **1** Schotse geruite wollen stof; **2** mantel, plaid of veelkleurige omslagdoek daarvan.
**tartufferie'** [Fr., naar *Tartuffe*, een figuur v. blijspel v. Molière; *lett.*: truffeleter] schijnheiligheid, huichelarij.
**tastatuur'** [v. It. *tastáre* = belasten] de toetsen v. orgel of piano.
**tas'to so'lo** [It.] (*muz.*) toets alleen, d.w.z. bij *basso continuo*-spel alleen de noten spelen zonder de akkoordtoevoegingen (*afk.* T.S.].
**tatoeë'ren** [Fr. *tatouer*, v. Eng. *tattoo*, v. Tahitisch *tatau*] huid met gekleurde figuren beschilderen door kleurstof onder huid te prikken. **tatoe'age** [Fr. *tatouage*] het

tatoeëren; getatoeëerde figuur. **tattoo'** [Eng. = tatoeëring], ook wel **tatoo'**, gelegenheidstatoeëring die weer verwijderd kan worden.

**tau** [Gr.; *vgl.* Hebr. *tau*] de 19e letter van het Gr. alfabet, overeenkomend met onze t.

**tau'gê** *zie* **taogé.**

**tauïs'me,** ook **taoïs'me** [v. Chin. *tao* = juiste weg; het Absolute] filosofische en later religieuze stroming, gebaseerd op het geschrift *Tao-te-ching* v. Lao Tse, 500 v.C.

**tau'pe** [Fr. = mol, v. Lat. *tálpa*] donker bruinachtig grijs, muisgrijs.

**tautologie'** [Gr. *tautologie,* v. *to auto* = hetzelfde, en *logos* = woord, spraak] **1** (*stijlleer*) stijlfiguur die één en hetzelfde begrip op meer dan één wijze uitdrukt, en wel om de mededeling te intensiveren (*bijv.*: geheel en al, niks en niemendal, in vuur en vlam); **2** overbodige herhaling v.e. deelaspect in de stijlfout *pleonasme* (*z.a.*), zoals: groen gras, een kromme bocht; **3** (*logica*) een uitspraak die waar is, onafhankelijk v.d. waarheidswaarde van haar bestanddelen.
**tautolo'gisch** [*zie* **1 tautologie**] *bn* hetzelfde zeggend met andere woorden; een tautologie bevattend.

**tautomerie'** [v. Gr. *to auto* = hetzelfde, en *meros* = deel] (*chem.*), een spec. vorm van *isomerie, z.a.,* het verschijnsel, optredend bij sommige organische verbindingen, dat een schijnbaar zuivere stof bestaat uit twee of meer vormen met dezelfde brutoformule (isomeren), maar die in structuur verschillen (de posities v.d. atoomkernen t.o.v. elkaar in het molecule zijn verschillend) en die snel in elkaar overgaan en daarbij in evenwicht zijn.

**taveer'ne, taver'ne** [v. Lat. *tabérna* = planken hut, herberg, v. *tábula* = plank] herberg, kroeg.

**ta'xameter, ta'ximeter** [Fr. *taximètre,* v. *taxe* = tarief, v. Gr. *taxis* = *eig.*: opstelling, v. *tassoo* = opstellen; *mètre* = **meter**, *z.a.*] toestel in huurauto dat vrachtprijs aanwijst.

**taxe'ren** [Lat. *taxáre, -átum* = krachtig aanraken (*vgl. tángere* = aanraken), door belasting schatten] schatten, waarderen, waarde bepalen. **taxa'tie** [Lat. *taxátio*] zn. **taxateur'** [Fr.] schatter. **tax'-free** [Eng.] *bn & bw* vrij van invoerrechten.

**taxidermie'** [Fr., v. Gr. *taxis* = opstelling, en *derma* = huid] het opzetten van dieren. **taxidermist'** [Fr. *taxidermiste*] opzetter van dieren.

**ta'ximeter** *zie* **taxameter.**

**ta'xis** [v. Gr. *taxis* = opstelling, positie] door een prikkel gerichte beweging v. vrijlevende cellen of organismen.

**ta'xon,** *mv* **ta'xa** [modern Gr., v. Gr. *taxis* = rangorde, plaats in het gelid] in de systematische biologie een samenvattende naam voor categorieën als soort, geslacht, familie, orde, klasse, stam. **taxonomie'** [v. Gr. *nomos* = wet; *ook*: verdeling, indeling] systematische biologie, die met gebruikmaking van zoveel mogelijk waarnemingsmethoden zich bezighoudt met het beschrijven (alfataxonomie) en opsporen (biosystematiek) van taxa (*zie* taxon). **taxono'misch** *bn* de taxonomie betreffend.

**tay'lorstelsel** bep. stelsel om nuttig effect v. arbeid op te voeren door sterke verdeling der verrichtingen [naar F.W. Taylor, Am. ingenieur en econoom, 1856-1915].

**teach-in'** [Eng.; *to teach* = onderrichten] bep. bijeenkomst met openbare discussie over een actueel onderwerp, na inleidende voorlichting door deskundigen; 'discussiecollege'.

**teak** [Eng., via Portugees *teca* v. Malabaars *tékka,* Tamil *tekku*] **1** in Indië groeiende hoge boom, *Tectona grandis;* **2** het hout van deze boom, djati, een der beste houtsoorten, voor vele doeleinden zowel binnen- als buitenshuis gebruikt. **teak'olie** eigenlijk de naam voor een olie voor het onderhoud van voorwerpen van teakhout, zoals meubelen, tegenwoordig ook benaming voor oliën van allerlei aard en

verdunde vernissen, ook als deze worden gebruikt voor andere houtsoorten.

**team** [Eng.; *vgl.* Ned. *toom,* en Du. *Zaum* = paardetuig, verwant met Lat. *dúcere* = leiden] groep samenwerkende personen, groep spelers. **team'-work** [Eng.] door team verricht werk, samenwerking v. team.

**Techne'tium** bep. (kunstmatig bereid) chem. element, radioactief metaal, symbool Tc, ranggetal 43.

**techni'color** [Am., v. *technical* = technisch, en *color* = kleur] (*filmtechniek*) procédé, vnl. toegepast bij het vervaardigen v. kleurenfilms voor bioscopen, waarbij drie gekleurde deelnegatieven worden gemaakt, d.m.v. resp. een groen, een blauw en een rood filter. Van deze negatieven worden drie aparte positieve films gemaakt, waarvan dan door een kleurstofoverdracht-procédé één positieve afdruk wordt gemaakt.

**tech'nicus** [Lat. = deskundige, v. Gr. *technikos* = bedreven, v. *technè* = kunst] deskundige op technisch gebied v. industrie of wetenschap, werktuigkundige; reparateur. **techniek'** [Fr. *technique,* v. Gr. *technikos*] werktuigkunde, bedrevenheid in bep. kunst of nijverheid, manier v. werken; het geheel der verrichtingen behorende tot de toegepaste wetenschap of industrie. **tech'nisch** [v. Gr. *technikos*] *bn & bw* van of volgens de techniek, vakkundig, in de techniek (bijv. — ambtenaar). **technocraat'** [v. Gr. *technikos,* en *krateoo* = machtig zijn] voorstander v.d. technocratie. **technocratie'** heerschappij v.d. techniek en technische experts. **technologie'** [*zie* -**logie**] leer v.d. verwerking en toepassing v. natuurprodukten en grondstoffen tot produkten die menselijke behoeften bevredigen. **technolo'gisch** uit het oogpunt v.d. technologie. **technoloog'** [*zie* -**loog**] deskundige op technologisch gebied.

**te'clubrander** [naar Roem. chem. N. Teclu, 1839-1916] laboratoriumbrander voor zeer hoge temperaturen.

**tecto'nisch** *zie* **tektonisch.**

**tectuur'** [v. Lat. *tegere, tect-* = bedekken] het afdekken, afplakken v.e. fout. **tectyl'** antiroestmiddel voor auto's. **tectyle'ren** het aanbrengen v. antiroestmiddel.

**Te De'um** [Lat. naar de beginwoorden *Te Déum laudámus* = U, God, loven wij] (*rk*) lof-en dankhymne aan God.

**ted'dy** bep. ruig pluche op berevel gelijkend [naar teddybeer als kinderspeelgoed, en deze genoemd naar Theodore Roosevelt, Am. staatsman 1859-1919].

**tee** [Eng., woordaf. onbekend] afslagplaats bij golfspel.

**teen'-ager** [Eng., v. *teen-age* = leeftijd waarin de uitgang *-teen* (= tien) gebruikt wordt, in het Ned. *tiener*] jongen of meisje tussen 13 en 19 jaar.

**teeto'taller** [Eng.] geheelonthouder.

**tegal'** [Mal.] niet kunstmatig bevloeid rijstveld.

**teint** [Fr., v. *teindre,* Lat. *tingere, tínctum* = drenken, verven] kleur, spec. gelaatstint.

**tekst** [Fr. *texte,* v. Lat. *textus,* v. *téxere, textum* = weven] samenhang v. bewoordingen v.e. geschrift (afgezien v. aantekeningen daarbij); bijbelplaats; woorden waarop muziekstuk gecomponeerd is; onderschrift bij plaat. **tekstueel'** [Fr. *textuel*] naar de tekst.

**tektie'ten** *mv* [v. Gr. *tèktos* = gesmolten], onjuist ook glasmeteorieten genoemd, verglaasde gesteentebrokstukken.

**tektoniek'** [via VLat. *tectonicus* = het bouwen betreffend, v. Gr. *tektonikos* = bekwaam in het bouwen; *hè* tektonikè (*technè*) = bouwkunst, v. *tektoon, tektonos* = timmerman] leer v.d. ligging der lagen v.d. aardkorst en hun verschuivingen, leer v. opbouw v.d. aardkorst. **tekto'nisch,** *ook*: **tecto'nisch** *bn* (*geol.*) verband houdend met verstoring in de normale ligging v.d. aardlagen.

**tele-** [v. Gr. *tèle* = ver; *vgl. telos* = einde, doel]

modern voorvoegsel met de bet. ver-, in samenstellingen die aangeven dat iets op afstand wordt waargenomen of over een (grote) afstand wordt doorgegeven.

**te'lecommunicatie** [*zie* **communicatie**] overdracht v. informatie over grote afstanden, m.n. met elektromagnetische middelen, zoals telefoon, radio, mobilofoon. **telefone'ren** [Fr. *téléphoner*] per telefoon spreken. **telefonie'** [Fr. *téléphonie*] **1** het telefoneren; **2** dienst die dit verzorgt. **telefo'nisch** per telefoon. **telefonist', -nis'te 1** persoon die telefooninstallatie (in kantoren e.d.) bedient; **2** persoon die in een telefooncentrale de verbindingen tot stand brengt. **telefoon'** [v. Gr. *phoonè* = stem, geluid] inrichting om over verre afstand met een ander te spreken (d.m.v. omzetting v. geluidstrillingen in elektrische stroomstoten en omgekeerd). **te'lefoto** foto die over grote afstanden via een telecommunicatiesysteem is verzonden. **telefotografie'** het fotograferen van ver verwijderde voorwerpen met bep. lenzen (*zie* **telelens**). **telefysie'** samenvattende benaming voor de fysische verschijnselen die in het occultisme voorkomen. **telegeniek'** [naar analogie van *fotogeniek*] *bn* voordelig uitkomend op het televisiescherm. **telegraaf'** [v. Gr. *-graphos* = schrijver, v. *graphoo* = schrijven] inrichting voor het langs elektrische weg overbrengen v. berichten in de vorm v.e. bep. code. **telegrafe'ren** [Fr. *télégraphier*] d.m.v. telegraaf seinen. **telegrafie'** [Fr. *télégraphie*] **1** het per telegraaf seinen door gecodeerde boodschappen in stroomstoten om te zetten; **2** dienst die dit verzorgt. **telegra'fisch** d.m.v. telegraaf. **telegrafist', -fis'te** beambte die telegraaf bedient. **telegram'** [v. Gr. *gramma* = geschrift] bericht dat per telegraaf overgebracht is of wordt. **telekine'se** [v. Gr. *kinèsis* = beweging, v. *kineoo* = bewegen] het doen bewegen of verplaatsen van voorwerpen op afstand zonder deze aan te raken of zonder stoffelijk tussenmiddel, maar op paranormale wijze. **te'lekrant** systeem voor het verspreiden v. nieuws via telecommunicatieverbindingen. **te'lelens** lens voor het fotograferen op grote afstand. **telema'tica** [naar analogie van *mathematica*] leer en kennis v.d. telecommunicatie, *z.a.* **telematiek'** communicatie tussen computers. **te'lemeter** apparaat voor het meten op afstand d.m.v. radio- of elektrische signalen. **telemetrie'** afstandsmeting m.b.v. een telemeter. **telemetrist'** persoon die een telemeter bedient. **te'leobjectief** [*zie* **objectief**] fotografisch objectief met grote brandpuntsafstand voor het fotograferen v. voorwerpen op grotere afstand dan normaal. **teleologie'** [v. Gr. *telos* = einde, doel; *zie* **-logie**] leer v.d. doelgerichtheid in de natuur, spec. in de levende natuur. **teleolo'gisch** *bn & bw*. **telepaat'** persoon die telepathische vermogens bezit, gedachtenlezer resp. gedachtenoverbrenger. **telepathie'** [*zie* **tele-**; verder v. Gr. *-patheia* = het voelen, het ondergaan; *zie* **pathos**] het buitenzintuiglijke (paranormale) verkrijgen van indrukken v.d. gedachten, voorstellingen en emoties van andere personen, en ook het overbrengen van eigen gedachten op anderen. **telepa'tisch** *bn & bw* van telepathie, door telepathie. **te'leprinter** [Eng.] telexapparaat (*zie* **telex**). **te'lerecorder** [Eng.] toestel voor telerecording, verdrongen door videorecorder. **te'lerecording** het vastleggen v. beelden die door een televisiecamera worden opgenomen om ze later uit te zenden. **telergo'nen** *mv* [v. Gr. *ergon* = werk], ook **feromo'nen** genaamd [v. Gr. *pheroo* = dragen] stoffen (*ergonen*) door dieren geproduceerd en uitgescheiden, die werkzaam zijn op enige afstand van deze dieren, bijv. de stoffen in urine en faeces van

o.a. roofdieren die gebruikt worden om het territorium af te bakenen. **telescoop'** [via lt. *telescopio*, v. Gr. *tele-* = in de verte-, en *skopeoo* = rondkijken, kijken, bespieden] *oorspr.*: aardse verrekijker, meestal inschuifbaar; *tegenwoordig*: astronomische kijker. **telescoop'antenne** antenne die als een verrekijker inschuifbaar is. **telescoop'geweer** nauwkeurig geweer met een verrekijker als richtmiddel. **telescoop'ogen** grote ogen v. diepzeevissen met netvliezen voor dichtbij en voor veraf. **telescope'ren** *ww* [Fr. *télescoper*] **1** als een verrekijker ineenschuiven; **2** als een verrekijker doen ineenschuiven. **telesco'pisch** *bn* **1** op een telescoop of telescopen betrekking hebbend; **2** alleen met een telescoop waarneembaar; **3** in- en uitschuifbaar. **telestesie'** *lett.*: voelen op afstand; helderziendheid. **te'letekst** informatiesysteem waarbij men per televisie o.a. nieuws, beursberichten, recepten e.d. kan ontvangen via een speciaal apparaatje in de TV. **te'letype 1** teleprinter, telex; **2** apparaat waarmee men langs telegrafische weg een zetmachine laat werken. **teletypie'** het draadloos overbrengen van berichten in letters. **te'letypist(e)** persoon die een toestel voor teletypie bedient. **televi'sie** *afk.* **TV**, ook wel **t.v.** (v. Lat. *vidére, vísum* = zien] **1** het overbrengen van (bewegende) beelden langs draadloze weg, d.w.z. door middel van elektro-magnetische golven; **2** het draadloos verreizen; **3** toestel voor het ontvangen van draadloos uitgezonden (bewegende) beelden; **4** de totale organisatie voor de uitzending van draadloze (bewegende) beelden. **televi'siecircuit** reeks onderling verbonden televisietoestellen, spec. in hetzelfde gebouw, zodat wat zich afspeelt in een bep. gedeelte v.h. gebouw ook elders in dat gebouw gevolgd kan worden. Een dergelijk circuit is 'gesloten', d.w.z. niet toegankelijk voor buitenstaanders. **te'lex** [Eng., samentrekking v. *teleprinter exchange*] systeem voor automatische codering en decodering v. telegrafiesignalen, de verzonden tekst komt via een printer aan; telexapparaat; telexbericht. **te'lexen** het overbrengen per telex. **telexist', -is'te** persoon die een telexapparaat bedient. **te'letex** snelle telex.

**tellu'risch** [v. Lat. *téllus, tellúris* = aardrijk, aarde] *bn* tot de aarde behorend, aards, van de aarde. **Tellu'rium**, Ned. **Telluur**, chem. element, halfmetaal, symbool Te, ranggetal 52. **telofa'se** [v. Gr. *telos* = einde; *zie* **fase**] (*biol.*) eindstadium van kerndeling.

**tel quel** [Fr. = zodanig als] (*hand.*): verkoop ――, verkoop v.e. waar zoals die is, zonder dat de verkoper enige waarborg geeft voor de kwaliteit.

**tem'pel** [Lat. *templum* = afgesneden gedeelte, deel door *augur* afgebakend om zijn waarnemingen te doen, geheiligde ruimte; *vgl.* Gr. *temenos* = afgesneden stuk land, domein, heilig bos, v. *temnoo* = snijden] **1** gebouw gewijd aan de uitoefening v.d. godsdienst of dienend voor rituele plechtigheden; **2** (*fig.*) gebouw of plaats waar iets gebeurd of gediend wordt (bijv. 'tempel der wetenschap'). **tempelier'** [OFr. *Templier*, v. MLat. *Templárius* = ridder van de Tempel] lid van de Tempelorde, de oudste ridderlijke orde, door ridders in 1119 te Jeruzalem gesticht om de pelgrims in het Heilige Land bescherming te bieden. Hun hoofdzetel was gevestigd op de plaats v.h. oude tempelplein. De orde werd in 1312 veroordeeld wegens ketterij en vervolgens opgeheven.

**tem'pera** [It., v. *temperare* = mengen, v. Lat. *temperáre* = matigen, maat houden; *vgl.* **temperament**] in water oplosbare verf waarmee als bindmiddel eierdooier, gom, lijm, honing of een ander natuurlijk bindmiddel. De verf droogt mat op en is daarna niet meer in water oplosbaar, zodat met de tempera-techniek (*tempera al secco*) op hout of muren zeer duurzame schilderingen kunnen worden aangebracht.

**temperament'** [Lat. *temperaméntum* = juiste maat in iets, juiste menging (nl. van de vier lichaamssappen, *zie onder*)] **1** het geheel v.d. globale kenmerken v.h. gedrag, de overheersende natuurlijke gemoedsgesteldheid, voor een bep. persoon de normale gemoedsstemming. Volgens Galenus, Grieks-Romeins geneesheer, 130-ca. 210 n.Chr., zou de verschillende vermenging v.d. vier lichaamssappen van de mens, bloed [Lat. *sánguis*), gele gal [Gr. *cholé* = gal], zwarte gal [Gr. *melas cholé*] en slijm [Gr. *phlegma*], tot uiting komen in vier verschillende temperamenten, nl. het *sanguinisch* (vurig), het *cholerisch* (opvliegend), het *melancholisch* (zwartgallig) en het *flegmatisch* (onverstoorbaar, nuchter) temperament; **2** (in het gewone, niet-wetenschappelijke spraakgebruik) vurige aard, sterk emotioneel karakter, vitaliteit.
**tem'perans**, *mv* **temperan'tia** [Lat. *témperans, temperántis* = o.dw. van *temperáre* = matigen] verzachtend middel.
**temperan'tie** [Lat. *temperántia*] **1** matiging; **2** [christelijk Lat. *temperántia*] de deugd van matigheid.
**1 temperatuur'** [v. Lat. *temperatura* = behoorlijke verhouding, juiste gesteldheid] **1** graad v. warmte v. de hoeveelheid materie; **2** warmte v.d. lucht op bep. plaats en tijd; **3** warmtegraad v.h. menselijk lichaam, verhoging.
**2 temperatuur'** [It. *temperature* v. *temperamento* = matiging] wijze waarop bep. muziekinstrumenten gestemd worden.
**temperatu'ren**, *ook*: **tem'pen** *ww* (*verpleegsterstaal*) de lichaamstemperatuur opnemen m.b.v. een koortsthermometer (*zie thermometer*). **temperatuur'coëfficiënt** de relatieve toeneming v.e. natuurkundige grootheid per graad temperatuurverhoging. **temperatuur'schalen** hulpmiddelen om de temperatuur in een bepaalde eenheid uit te drukken; de bekendste is de temperatuurschaal van Celsius.
**tem'peren** *ww* [v. Lat. *temperáre* = matigen, in de juiste maat mengen] **1** matigen, verzachten; **2** in de juiste verhouding mengen (bijv. verfstoffen); **3** langzaam afkoelen; **4** (*metaalkunde*) wit gietijzer langdurig gloeien bij 900 °C; de koolstof die in het ijzer aanwezig is in de vorm van cementiet wordt dan omgezet in grafiet (**temperkool**), waardoor het gietijzer smeedbaar wordt en dan **temperijzer** genoemd wordt. **tem'permes** bep. mes waarmee door schilders verven worden gemengd. **tem'peroven** oven voor het temperen van ijzer.
**tempere'ren** *ww* [Fr. *tempérer*] **1** matigen, verzachten, temperen (1); **2** beperken; **3** gegoten voorwerpen minder bros maken door ze enige tijd op hoge temperatuur te houden.
**tempestief'** [Lat. *tempestívus*, v. *tempus* = tijd] *bn & bw* tijdig, te rechter tijd.
**tempesto'so** [It., v. Lat. *tempéstas* = storm] *bw* (*muz.*) stormachtig, onstuimig.
**tempestueus'** [v. Fr. *tempétueux*] stormachtig, onstuimig, heftig.
**tem'po**, *mv* **tem'pi** [It., v. Lat. *tempus, témporis* = spanne, ruimte, spec. tijdruimte; *vgl. téndere* = spannen, Gr. *teinoo*] **1** (*muz.*) de snelheid waarmee een muziekwerk of deel daarvan moet worden uitgevoerd of wordt uitgevoerd, vergeleken met de snelheid van andere muziekstukken; **2** de relatieve snelheid waarmee bewegingen, gebeurtenissen, werkzaamheden, bewerkingen e.d. of onderdelen daarvan elkaar opvolgen; **3** vaart, snel tempo, spec. als aansporing: *tempo, tempo!*, sneller werken!, opschieten daar!; **4** (*schaken en dammen*) relatieve vordering

per zet, vordering per zet met betrekking tot de vordering v.d. tegenpartij; **tempoverlies**, het gedwongen zijn een zet te doen die de voorafgaande zet v.d. tegenstander niet beantwoordt, en die dus voor de momentele ontwikkeling v.h. spel v.d. speler nadelig is (*tempodwang of zetdwang*); de tegenstander wint een tempo (*tempowinst*) en is dus een zet vóór.
**temporair'** [Fr. *temporaire*, v. Lat. *temporárius*] *bn & bw* tijdelijk, slechts voor een tijd, voorlopig; voorbijgaande.
**tempora'lia** *mv* [Lat.], ook: **tempora'liën** *mv* wereldlijke inkomsten of bevoegdheden van geestelijken. **tem'pora mu'tantur', nos et' muta'mur in il'lis** [Lat.] de tijden veranderen en wij veranderen met hen.
**temporeel'** [Fr. *temporel*] *bn & bw* **1** tijdelijk; **2** bepaald door de tijd; **3** de tijdsduur betreffend; **4** aards, wereldlijk.
**temporise'ren** *ww* [Fr. *temporiser*] **1** uitstellen, opschorten; **2** afwachten, dralen; **3** binden aan bep. perioden of tijden; **4** over een langere tijd uitsmeren; **5** (*sport*) spel vertragen. **temporisa'tie** [Fr. *temporisation*] *zn* **1** uitstel tot een geschiktere tijd, opschorting; **2** afwachting, draling; het trachten tijd te winnen.
**tempta'tie** [Lat. *temptátio, tentátio*] *zn* **1** verzoeking, bekoring; **2** kwelling; hard gelag, beproeving. **tempte'ren** [Lat. *temptáre* = *tentáre* = betasten, beproeven, intensitief v. *téndere* = spannen, uitstrekken] **1** in verzoeking brengen, bekoren; **2** kwellen.
**tem'pus** *afk.* **t**, *mv* **tem'pora** [Lat.] **1** tijd; **2** (*taalk.*) tijd v.e. werkwoord; *témpus áctum*, de verleden tijd, de oude tijd; *témpus abeúndi*, tijd om heen te gaan; *témpus édax rérum*, de tijd knaagt aan alles; *témpus fúgit*, de tijd vliedt heen; *fúgit irreparábile témpus*, de tijd vliedt onherstelbaar voort; *témpus ómnia revélat*, de tijd brengt alles aan het licht; *témpus rúit, hóra flúit*, de tijd snelt voort, het uur vliedt heen.
**tena'bel** [Fr. *tenable*, v. *tenir* = houden, Lat. *tenére*] houdbaar; verdedigbaar (van stelling).
**tenaciteit'** [v. Lat. *tenácitas* = het vasthouden, vasthoudendheid, gierigheid, v. *ténax, tenácis* = vasthoudend; spaarzaam, gierig; vast in elkaar, taai; (*overdrachtelijk van karakter*) in goede zin: standvastig, volhardend; in kwade zin: koppig] **1** vasthoudendheid; **2** halsstarrigheid; **3** gierigheid, vrekkigheid; **4** taaiheid, rekbaarheid (van metalen).
**tenant'** [Fr.] (*herald.*) schildhouder.
**tendens'** [via Du. *Tendenz* en Fr. *tendance* v. Lat. *téndens, tendéntis* = o.dw. van *téndere* = spannen, heenstrekken, neigen naar] **1** strekking, bedoeling; **2** geneigdheid, neiging; **3** (*hand.*) stemming als basis voor het doen van beurs- of marktzaken. **tendens'roman** roman met een duidelijke morele of sociale strekking. **tenden'tie** [v. MLat. *tendéntia*] **1** streven; **2** strekking; **3** geneigdheid; stemming. **tendentieus'** [Du. *tendenziös*, Fr. *tendancieux*] *bn & bw* met een bep. bedoeling, met een bep. strekking, en wel zodanig dat de waarheid slechts half vermeld wordt of geweld wordt aangedaan.
**ten'der** [Eng., v. *to tend* = verzorgen, v. OFr. *tendre* = strekken, v. Lat. *téndere*] **1** aanhangwagen achter een stoomlocomotief om brandstof en water mee te voeren; **2** hulpschip bij een vlootonderdeel; **3** schip om reizigers of bagage aan en van boord te brengen. **ten'dersysteem** wijze van uitgifte van obligatieleningen, spec. staatsleningen, waarbij de omvang niet van tevoren vaststaat en de emissiekoers pas na de inschrijving bekend gemaakt wordt.
**tende'ren** *ww* [v. Lat. *téndere* = heenstrekken, neigen naar] een bep. tendentie vertonen, neigen naar, een met name genoemde bedoeling of strekking hebben.
**teneramen'te of te'nero** [It., v. Lat. *téner* = teder, zacht] liefelijk, teder.
**teneur'** [Fr., v. Lat. *tenor* = voortgang, inhoud,

zin, strekking, v. *tenére* = houden] strekking; inhoud, woordelijke tekst.
**ten'no** [Jap. = hemelse heer] titel die de Japanners zelf aan hun keizer geven, om zijn goddelijke afkomst aan te duiden; *vgl.* **mikado,** titel van de Japanse keizer door westerlingen gebruikt.
**tenor'** afk. t [v. Lat. *ténor* = de voortduur, het aanhouden, v. *tenére* = houden; MLat. *ténor* = houder = hoofdmelodie, die destijds toevertrouwd werd aan een mannenstem] **1** hoogste mannenstem; **2** zanger met tenorstem.
**ten'sie** [Lat. *ténsio*, v. *téndere* = spannen] **1** spanning, gespannenheid; **2** druk, spanning v.e. vloeistof.
**tenta'kel** [v. Lat. *tentáre* = betasten, (voelend) beproeven] (*biol.*) voeldraad; vangarm.
**tenta'men,** *mv* **tenta'mina** [Lat. = proef, onderzoek, v. *tentáre*] **1** proefexamen, voorexamen; **2** voorlopig onderzoek; **3** poging (bijv. *tentamen suicidii* = zelfmoordpoging). **tentamine'ren** *ww, ook:* **tente'ren 1** een tentamen afnemen; **2** onderwerpen aan een tentamen. **tenta'tie** = **temptatie,** *z.a.* **tentatief'** [Fr. *tentatif*] **1** beproevend, verkennend, de aard v.e. poging hebbend, nog in het proefstadium verkerend. **tente'ren** *ww zie* **tentamineren.**
**tenue'** [Fr. = *eig.*: houding, wijze waarop men zich houdt; kleedt; v. *tenir*, v. Lat. *tenére* = houden] mil. uniform.
**tenu'to** afk. ten. [It.; v. Lat. *tenére* = houden] (*muz.*) aangehouden, gedragen.
**teor'be,** *ook:* **theor'be** [Fr. *théorbe*, It. *tiorba*] bep. soort basluit uit de 16e eeuw en tot ca. 1750 gebruikt als continuo-instrument.
**ter** [Lat., v. *tres* = drie] driemaal; spec. op recepten (*ter de die* = driemaal daags, afk.: t.d.d.).
**tera-** afk. **T-** [v. Gr. *teras, teratos* = (groot) monster], (*metrologie*) voorvoegsel dat biljoen maal ($10^{12}$) de daarachter staande eenheid aangeeft. **teratogeen'** [v. Gr. *genaoo* = voortbrengen; *lett.*: een monster voortbrengend] *bn* vruchtbeschadigend bij zwangerschap (gezegd van medicijn). **teratologie** [*zie -logie*] in de biologie de wetenschappelijke bestudering van monstruositeiten en andere vorm-abnormaliteiten bij planten, en v. aangeboren afwijkingen bij dier en mens. **teratoom'** of **terato'ma** [*zie -oom* en *-oma*] zogeheten 'wondergezwel', een gezwel bestaande uit een mengelmoes van uiteenlopende op een verkeerde plaats gelegen weefsel, afkomstig uit verschillende kiembladen.
**Ter'bium** chem. element, metaal, symbool Tb, ranggetal 65 [naar de plaats Ytterby, *zie* **Ytterbium**].
**terceroon'**, *ook:* **tercero'ne** [Sp., v. *tercero* = derde] kind van blanke en mulat of van blanke en mesties; een dergelijk kind heeft dus 3 blanke grootouders en 1 neger- of Indiaanse grootouder (*vgl.* **quarterone**).
**terebint** [Gr. *terebinthos*] terpentijnboom, de plantesoort *Pistacia terebinthus*, die de oudst bekende terpentijn levert.
**teria'kel** *zie* **triakel.**
**term** [Fr. *terme*, v. Lat. *términus* = grens, doel; *vgl.* Gr. *termoon* = grens] **1** binnen bep. grenzen besloten tijd, tijdperk; (*Z.N.*) duur v.e. dienstverband, spec. van militaire dienstplicht; **2** (*wisk.*) a elk der grootheden die opgeteld moeten worden om een som te verkrijgen; *bijv.*: *a* + *b* is een tweeterm (*binomium*); in het algemeen: elk deel v.e. wiskundige vorm dat met een ander dergelijk deel verbonden is met een plus- of minteken; *b* elk der grootheden die in een rij of evenredigheid optreden; *bijv.*: in de evenredigheid *a* : *b* = *c* : *d* zijn de termen *a, b, c* en *d*; **3** (*logica*) elk der drie stellingen v.e. *syllogisme, z.a.*; **4** uitdrukking, bewoording, benaming van vaste aanduiding ('geijkte term') die in een gebied van

wetenschap, techniek, kunst, sport enz. gebruikelijk is ('vakterm'). **ter'men** *mv* **1** grond, beweegreden, aanleiding; **2** *onder bedekte termen te kennen geven*, zonder de reden duidelijk te preciseren; *in algemene termen spreken*, zonder gedetailleerde aanduidingen te geven; **3** *volgens de termen der wet*, zoals de wet luidt; **4** *niet in de termen vallen*, niet behoren tot degenen die ...; *ook*: niet in aanmerking komen. **termijn'** [v. Lat. *términus*; *zie* **term**] **1** tijdruimte, bep. tijdvak waarin iets moet geschieden of waarna iets ophoudt; **2** deel v.e. schuld dat vóór of op een bep. dag afgelost moet worden; **3** *a* begrensd gebied dat aan bep. bedelmonniken is toegewezen voor een jaarlijks te houden bedeltocht; *b* die bedeltocht zelf, waarin bij de gelovigen gaven in natura worden ingezameld ('op termijn gaan'). **termijn'handel** een vorm van handel waarbij de koper een partij goederen koopt, te leveren na een bep. termijn, niet om deze goederen in zijn bezit te krijgen, maar om ze vóór de termijn van levering tegen een verwachte hogere prijs te verkopen. De verkoper doet het tegengestelde: hij verbindt zich na een bep. termijn goederen (die hij niet bezit) tegen een bep. prijs te leveren, in de verwachting dat hij dan de afgesproken partij goedkoper kan inkopen.
**terminaal'** [Lat. *terminális* = tot de grens of tot het einde behorend] *bn* **1** tot het eindstadium behorend, op het einde plaats hebbend; **2** zich bevindend aan het einde. **ter'minal** [Eng., v. Lat. *termináre* = beëindigen; *afmaken*] **1** begin- of eindstation v.e. lucht- of scheepvaartlijn; **2** toestel voor communicatie met een computersysteem. **termina'tie** [Lat. *terminátio*] **1** begrenzing; **2** einde; **3** (*taalk.*) uitgang (van een woord). **termina'tor** [modern Lat.] lichtgrens op een niet-zelflichtend door de zon beschenen hemellichaam, grenslijn tussen het verlichte en het donkere deel. **termine'ren** *ww* [Fr. *terminer*, v. Lat. *termináre, terminátum*] eindigen, begrenzen; afmaken.
**terminologie** [v. Lat. *términus* = *hier*: term; *zie -logie*] **1** geheel der termen die eigen zijn aan een bep. gebied van wetenschap, techniek, kunst, sport enz. (*vgl.* **term 4**), vaktaal; **2** woordkeus, de woorden die in een bep. verband worden gebruikt. **terminolo'gisch** *bn* & *bw* behorend tot de terminologie. **ter'minus** [Lat., *zie* **term**] **1** eindpunt, spec. eindstation van een spoorweg; *ook*: het stationsgebouw of een hotel aldaar; **2** grenspunt; termijn; *términus ad quem*, punt of tijdstip waartoe; *términus a quo*, punt of tijdstip waar vandaan; *términus post quem*, tijdstip waarna; **3** term; *términus téchnicus*, vakterm.
**ternair'** [Fr. *ternaire*, v. Lat. *ternárius* = uit drieën bestaande, v. *térni* = bij drieën; *zie* **ter**] **1** drietallig; drievoudig; **2** (*muz.*) driedelig (gezegd van maatsoort). **ter'ne** [Fr., v. Lat. *térni* = *ook*: drie te zamen] drie opeenvolgende winnende nummers in loterij met getallen (bijv. bij lotto).
**terpe'nen** *mv* [v. *terpentijn, z.a.*], *ook polyisoprenen* genoemd, verzamelnaam voor natuurlijke koolwaterstoffen en derivaten daarvan, die alle zijn afgeleid van de verbinding $C_{10}H_{16}$, het condensatieprodukt van twee moleculen isopreen, $C_5H_8$.
**terpentijn'** [v. OFr. *ter(e)bentine*, via Lat. v. Gr. *terebinthinos* = van de *terebint, z.a.*] dik-vloeibare balsem, gewonnen uit diverse soorten naaldbomen door insnijdingen in de bast van de bomen. In het spraakgebruik noemt men zowel terpentijnolie als terpentine ten onrechte terpentijn. **terpentijn'olie** een etherische olie, door destillatie verkregen uit terpentijn; een vrijwel kleurloze vloeistof met een typische geur en een relatieve dichtheid van ongeveer 0,85. **terpenti'ne** [naar de oude handelsnaam *Terpentina*], *ook: minerale terpentijn* of *lakbenzine* genoemd, in

schildersvaktaal *peut*, een kleurloze vloeistof, bestaande uit mengsels van uit aardolie gewonnen koolwaterstoffen; wordt gebruikt als verdunningsmiddel voor verven en vernissen en voor het schoonmaken van verfkwasten; voor de fabricage van schoensmeer en boenwas, voor het ontvetten van metalen en bij het chemisch reinigen van textielweefsels.

**ter'ra** [Lat. uit *ter-sa* (v. stam *ter-* = droog, *vgl. torrére* = drogen, verdorren, Gr. *tersainoo* = drogen) = *eig.*: het droge] aarde, land; — *firma*, het vaste land, vaste grond; — *incógnita*, onbekend gebied; — *sigillāta*, zegelaarde, d.i. glanzend rood aardewerk uit de Romeinse tijd, met reliëfversieringen en voorzien v.h. stempel (zegel) v.d. werkplaats waar het vervaardigd was. **terracot'ta** [It. = gebakken aarde, v. *cuócere* = koken, bakken, v. Lat. *cóquere*] **I** *zn* **1** gebrande bruinrode pottenbakkersaarde; **2** ongeglazuurd aardewerk daarvan; **3** lichte bruinrode kleur; **II** *bn* **1** vervaardigd van terracotta; **2** de kleur van terracotta hebbend, licht bruinrood. **terra'rium**, *mv* **terra'ria** [*zie* **-arium**] **1** (glazen) bak, hok of ruimte met een laag aarde waarin men (voornamelijk) reptielen en/of amfibieën houdt; **2** gebouw in een dierentuin waarin diverse terraria gehuisvest zijn.

**teraz'zo** [It. = terras] vloerbekleding bestaande uit een mengsel v.e. bindmiddel, meestal wit portlandcement, water en brokjes grofkorrelige en slijpbare natuursteen.

**terres'trisch** [Lat. *terréstris* = land-] *bn* **1** betrekking hebbend op de aarde; **2** aards; **3** op het land gevormd; **4** aangepast aan het leven op het land.

**terri'ne** [Fr., vr. v. OFr. *terrin* = komvormige schaal van aardewerk, v. Lat. *térra* = aarde], ook **terrien**, **1** komvormige schaal voor het opdienen van gerechten, spec. van soep; **2** het in zo'n schaal opgediende gerecht.

**territoir'** [Fr. *territoire*, v. Lat. *territórium* = grondgebied van een staat, v. *térra* = aarde, grond], *ook* **territoor'** grondgebied, spec. grondgebied van een staat, staatsgebied waarover de bedoelde staat rechtsmacht uitoefent. **territoriaal** [Lat. *territoriális* = tot het grondgebied behorend] *bn* behorend tot het land- of grondgebied of dit betreffend; *territoriale wateren*, binnenwateren en kustwateren die binnen de rechtspleging v.e. staat vallen, meestal 8-12 zeemijlen uit de kust. **territorialiteits'beginsel** beginsel waardoor de wetgeving v.e. staat voor alle personen v. die staat geldt, of waardoor voor wie er geboren is het staatsburgerschap geldt. **territo'rium**, *mv* **territo'ria** [Lat.] **1** grondgebied, gebied v.e. staat; **2** (*biol.*) als woon- en jachtgebied in beslag genomen stuk terrein door een dier, een dierenpaar of een groep dieren, dat op een of andere wijze gemarkeerd wordt en fel verdedigd tegen dieren van dezelfde soort.

**ter'sel** [OFr. *tercel* = mannetjesvalk, v. VLat. *tertiolus*, verkleinwoord v. Lat. *tértius* = derde; *zie* **ter**; wegens bijgeloof dat derde ei een mannetje oplevert] mannetje v. roofvogels.

**tertiair'** [Fr. *tertiaire*, v. Lat. *tértius* = de derde; *zie* **ter**] *bn* de derde plaats innemend in een volgreeks; *tertiaire kleuren*, kleuren ontstaan door menging van drie primaire kleuren (rood, geel en blauw), waarbij één primaire kleur overheerst; (*chem.*) *tertiair koolstofatoom*, koolstofatoom dat met drie andere koolstofatomen verbonden is; (*econ.*) *tertiaire sector*, de sector van de commerciële dienstverlenende beroepen; *tertiair onderwijs*, hoger onderwijs en hoger beroepsonderwijs. **Tertiair'** (*geol.*) **1** het derde Hoofdtijdvak van de aardgeschiedenis, van 70 miljoen tot 2 miljoen jaren geleden; **2** aardlagen in het Tertiair gevormd, de *tertiaire aardlagen*.

**tertia'ris** [v. Lat. *tertiárius* = tot de derde behorend; v. *tértius* = de derde; *zie* **ter**] lid v.e. derde orde, d.i. zowel bij rooms-katholieken

als bij protestanten een groep personen die hun gewone wereldlijke beroep blijven uitoefenen en geen gelofte van celibaat afleggen, maar wat spiritualiteit betreft sterk verbonden zijn met een bep. kloosterorde.

**ter'tio** [Lat. = 6e nv van *tértius* = derde; v. *tértio lóco* = in de derde plaats] ten derde (na *primo* en *secundo*). **ter'tium non da'tur** [Lat. = *lett.*: een derde (mogelijkheid) wordt niet gegeven] (*logica*) het beginsel v.d. uitgesloten derde, d.i.: 'Een uitspraak *A* is waar, of haar ontkenning is waar; een derde mogelijkheid is er niet' (*bijv.*: het vriest of het vriest niet).

**1 terts** [kerk. Lat. *ad hóram tértiam* = op het 3e uur] het vierde v.d. kerkelijke getijden te bidden op het derde uur (9 uur v.m.).

**2 terts** [Lat. *tértius* = derde] derde toon v. grondtoon af; interval v. drie tonen (*grote —*, van 1 hele en 2 halve; *kleine —*, van 3 halve).

**terzet'** [It. *terzetto*] muziekstuk voor drie (solo)stemmen.

**terzi'ne** [It. *terzina*] strofe v. drie regels.

**tessituur'** [Fr. *tessiture*, v. It. *tessitura*, v. Lat. *textura* = weefsel] omvang van zangstem of van muziekinstrument.

**testament'** [Lat. *testaméntum*, v. *testári* = getuigen, een testament maken] uiterste wilsbeschikking. **Testament' afk. Test.** elk der beide hoofddelen v.d. H. Schrift.

**testamentair'** [Fr. *testamentaire*, Lat. *testamentárius*] bij testament, of dit betreffend. **testament'-, -tri'ce** [Fr., v. Lat. *testátor, -trix*] erflater (-laatster).

**test'case** [Eng., *zie* **casus**] geval dat als proef dient; proefproces om te zien of een bep. daad strafbaar is.

**teste'ren** [Lat. *testári*] **1** bij testament vermaken; **2** getuigen. **tes'tibus ac'tis** (afk. **t.a.**) [Lat.; v. *téstis* = getuige] blijkens de akten. **testifice'ren** [Lat. *testificári* v. *téstis* = getuige, en *fácere* = maken] bewijzen door getuigen. **testifica'tie** [Lat. *testificátio*] *zn*.

**testimo'nium** [Lat. v. *testis* = getuige] getuigschrift, getuigenis; — *paupertátis*, getuigenis v. (geestelijke) armoede; bewijs v. onvermogen.

**testi'kels** *mv* [Lat. *testículus* = verklw. v. *testis*] zaadballen. **tes'tis** [Lat.] zaadbal.

**testosteron'** [v. Lat. *testis* = zaadbal, en v. Gr. *stereos* = hard] belangrijkste mannelijke geslachtshormoon voor libido en secundaire geslachtskenmerken.

**tetanie'** [Fr. = voorbijgaande kramp] vorm v. tetanus bij kinderen en zwangere vrouwen. **te'tanus** [Lat. = stijve nek, v. Gr. *tetanos*, (met reduplicatie) v. *teinoo* = spannen] langdurige spierkramp, klem, stijfkramp.

**tête-à-tête** [Fr. = *lett.*: hoofd-aan-hoofd] van aangezicht tot aangezicht, gesprek onder vier ogen; canapé of theegarnituur voor twee pers.

**te'tra** [*zie* **volgende**] **1** (*chem.*) gebruikelijke afkorting van koolstoftetrachloride, $CCl_4$, vroeger tetrachloorkoolstof geheten, een kleurloze, niet ontplosbare, zoetriekende vloeistof die gebruikt wordt als oplosmiddel voor vetten (ontvlekkingsmiddel), als extractiemiddel en verdunningsmiddel; **2** naam voor een bep. katoenen dubbelweefsel, sterk vochtopslorpend en daarom gebruikt voor luiers.

**tetra-** [Gr. *tetra* = (in samenstellingen) vier-, v. *tessares* of *tettares* = 4] vier-. **tetrachord'** [v. Gr. *chordé* = darm, snaar] (*muz.*) viersnarige lier.

**tetraë'der** [v. Gr. *hedra* = zetel, (zit) vlak] **1** (*eig.*) regelmatig viervlak, begrensd door vier gelijkzijdige driehoeken; **2** (in ruimere zin) elk willekeurig viervlak. **tetragonaal'** [v. Gr. *goonia* = hoek] vierhoekig. **tetragram'** [v. Gr. *tetragrammaton* = woord van vier letters, v. *gramma* = het geschrevene] aanduiding voor de Hebreeuwse Godsnaam, die met vier letters wordt geschreven (*zie bij* **Jahweh**). **tetralogie'** (*vgl.* **trilogie**) vier bijeenbehorende romans, toneelstukken e.d.

die een afgerond geheel vormen. **tetrarch'** [v. Gr. *tetrarkhes*, v. *tetra* = vier en *arkhoo* = regeren] heerser over een vierde v.h. land; onderkoning. **tetrarchie'** gebied v.e. tetrarch. **tetro'de** [v. Gr. *tetra* = vier, en *hodos* = weg] elektronenbuis met vier elektroden.

**textiel'** [Lat. *téxtilis* = geweven, v. *téxere*, *textum* = weven; verwant met Gr. *tektoon* = timmerman; *zie* **techniek**] weefsel, geweven stof. **textuur'** [Lat. *textúra*] weefsel, wijze v. aaneenvoeging v. samenstellende deeltjes.

**t(h)alassocratie'** [v. Gr. *thalassa* = zee, en *krateoo* = heersen] macht op zee; staatsmacht die op zeemacht berust.

**tha'ler** [Du.] naam van een vroegere Duitse en Oostenrijkse zilveren munt.

**thalidomi'de** slaap- en kalmeringsmiddel, in Ned. en België bekend onder de naam *softenon, z.a.*

**Thal'lium** [naar *thallus, zie volgende*, wegens zachtgroene lijn in het spectrum] chem. element, blauwgrijs, zeer zacht metaal, symbool Tl, ranggetal 81.

**thal'lus** [Lat. = groene stengel, v. Gr. *thallos* = groene tak, spruit, v. *thalloo* = groen zijn, spruiten] plantenlichaam zonder eigenlijke stengel, wortel en bladeren. **thallofy'ten** *mv* [v. Gr. *phuton* = plant; *zie* **fyto-**] de thallusplanten, d.w.z. planten zonder duidelijke stengel, wortel en bladeren.

**thanatologie'** [v. Gr. *thanatos* = de dood; *zie* **-logie**] 1 de leer en kennis van het sterven en de dood; 2 tak van de psychologie die zich bezighoudt met het gedrag tegenover de dood en met de begeleiding van stervenden. **thanatoloog', -lo'ge** beoefenaar van de thanatologie.

**thaumatologie'** [v. Gr. *thauma, thaumatos* = wonder; *zie* **-logie**] leer v.d. wonderen. **thaumaturg'** [Lat. *thaumatúrgus*, Gr. *thaumatourgos*, v. *-ergos* = -werkend] wonderdoener.

**thea'ter** [Lat. *théatrum*, Gr. *theatron*, v. *theaomai* = beschouwen, v. *thea* = bezichtiging] schouwburg. **theatraal'** [Fr. *théâtral*] toneelmatig, gekunsteld heftig (v. gevoelens of deze uitdrukking).

**thebai'de** [= Egyptische woestijn] nederzetting v. kluizenaars; eenzaamheid.

**thé complet** [Fr.; *thé* = thee; *complet* = aangevuld] aangeklede thee, d.w.z. thee met allerlei versnaperingen. **thé dansant'** [Fr.] theepartij met dans. **thee** (*in kringen van druggebruikers*) marihuana (wegens uiterlijke gelijkenis). **thee'ïne** alkaloïde voorkomend in thee (chem. identiek met *cafeïne, z.a.*)

**-theek** [v. Gr. *thekè* = bewaarplaats, v. *tithèmi* = zetten, plaatsen] -bewaarplaats.

**theis'me** [v. Gr. *theos* = god] geloof aan bestaan v. God als Schepper en Bestuurder. **theïst'** [Fr. *théiste*] aanhanger v.h. theisme. **theïs'tisch** *bn & bw.*

**the'ma** [Lat. = stelling, v. Gr. *thèma* = stelling, stamwoord, v. *tithèmi* = stellen] onderwerp v. denken, spreken, schrijven e.d.; (*muz.*) motief dat aan het werk ten grondslag ligt en in omgewerkte vorm telkens weer terugkeert; grondgedachte; (*taalk.*) verbinding v. wortel met uitgang; vertaaloefening v. eigen in vreemde taal. **thematiek'** uitwerking v. gekozen thema's, m.n. in literatuur. **thema'tisch** [Gr. *thématikos*] 1 betrekking hebbende op een bepaald thema, een bepaald thema behandelend; 2 (*muz.*) op thema betrekking hebbend of daarop berustend; 3 (*taalk.*) met themavocaal, met inlassing van klinker tussen wortel en achtervoegsel. **the'mavocaal** (*taalk.*) klinker die aan de wortel wordt toegevoegd en zo het thema vormt.

**The'mis** [Gr. myth. *Themis*, v. *themis* = het ingestelde, gewoonte, wet, recht, v. *tithèmi* = stellen] godin v. wet en recht.

**theo-** [v. Gr. *theos* = god] (*als eerste lid van samenstellingen*) gods-, op God of een godheid betrekking hebbend.

**theobromi'ne** [naar het plantengeslacht *Theobroma* uit noordelijk Zuid-Amerika; v. Gr. *theos* = god, en *brooma* = spijs] een alkaloïde dat voorkomt in de zaden van de cacaoboom, in het verwante geslacht *Cola* en in theebladeren. Het is isomeer met *theofylline, z.a.*; bezit dezelfde opwekkende werking als cafeïne en wordt in de geneeskunde soms toegepast als diureticum.

**theocen'trisch** [v. Gr. *theos* = god, en *kentron* = o.a. middelpunt; *zie* **centraal**] *bn & bw* God in het middelpunt stellende en in alles Gods leiding ziende. **theocraat'** aanhanger v.d. theocratie. **theocratie'** [v. Gr. *krateoo* = machtig zijn, heersen; *dus lett.*: Godsregering] 1 staatsvorm waarin God of een godheid geacht wordt het volk te regeren en de politieke macht rechtstreeks van God of de godheid afgeleid wordt; 2 priesterheerschappij, regering door religieuze leiders. **theocra'tisch** *bn & bw* tot de theocratie behorend, van de aard v.d. theocratie. **theodicee'** [v. Gr. *dikaios* = rechtvaardig; *dikaio-oo* = voor recht houden, v. *díkè* = gewoonterecht, gerechtigheid] 1 (*oorspr.*) rechtvaardiging d.m.v. verstandelijke argumenten van Gods voorzienigheid, goedheid en almacht ten aanzien van het kwaad in de wereld (term ingevoerd door G.W. von Leibniz, Du. filosoof, 1646-1716); 2 (*neoscholastiek*) godsleer uitgaande v.d. natuurlijke rede, vrijwel hetzelfde als wijsgerige theologie of natuurlijke theologie.

**theodoliet'** [*oorspr.*: *theodeliet*, missch. onregelmatig v. Gr. *theaomai* = beschouwen, waarnemen, en *dèlos* = duidelijk, zichtbaar] bep. hoekmeetinstrument.

**theofagie'** [v. *theo-, z.a.* en Gr. stam *phag-* = eten] ritueel waarbij de god of een symbool daarvoor gegeten wordt. **theofanie'** [v. Gr. *phainoo* = aan het licht komen, verschijnen] (*theol.*) godsverschijning, d.i. zintuiglijk waarneembare manifestatie v.d. godheid, ofwel in menselijke gedaante ofwel in een natuurverschijnsel. **Theofanie'**, meestal *Epifanie* genaamd [Gr. *epiphanaia* = verschijning] (*rk*) Verschijning, d.i. Openbaring v.d. goddelijke natuur van Jezus Christus *a* aan de Wijzen uit het Oosten, *b* bij zijn doop in de Jordaan, *c* op de bruiloft te Kana. De feestdag is 6 januari (Driekoningen).

**theofylli'ne** [van de plantesoort *Thea sineusis*, de theestruik, en Gr. *phullon* = blad] een alkaloïde, voorkomende in theebladeren, een isomeer van *theobromine, z.a.* Theofylline-derivaten worden in de geneeskunde gebruikt als krampstillend middel, o.a. bij astma, en als urinedrijvend middel.

**theogonie'** [v. Gr. *theogonia* = oorsprong der goden (*zie* **theo-**), v. *gonè* = geboorte, v. stam *gen-* = worden, ontstaan] (*myth.*) de genealogie der goden (hun afkomst en stamboom) volgens de oude fabelleer.

**theologie'** [Lat. en Gr. *theologia* v. *theos* = god, en *-logie z.a.*) godgeleerdheid, wetenschappelijke bezinning op het geloof. **theologisch** *bn & bw.* **theologise'ren** over theologische onderwerpen redeneren. **theoloog'** [Lat. *theologus*, Gr. *theologos*] godgeleerde, wie theologie beoefent. **theologant'** student in de theologie. **theomanie'** [v. Gr. *theos* = god; *zie* **manie**] godsdienstwaanzin. **theomantie'** [v. Gr. *manteia* = voorspelling] het voorspellen door goddelijke inspiratie. **theonomie'** [v. Gr. *nomos* = wet] 1 wetgeving Gods; 2 het onderworpen zijn aan de goddelijke wetten.

**theor'be** *zie* **teorbe**.

**theore'ma** [VLat. v. Gr. *theoorèma* = het beschouwde, leerstelling; *zie* **theorie**] wetenschappelijke stelling. **theore'ticus** [VLat. v. Gr. *theoorètikos* = bespiegelend,

**theoretisch**] persoon die de theorie v.e. vak of wetenschap bestudeert, een kenner v.d. theoretische kant v.e. wetenschap, kunde of kunst; **2** iemand die voornamelijk theoretisch bezig is zonder zich om de praktijk te bekommeren (tegenover een *prakticus*, *z.a.*). **theore'tisch** [*zie vorige*] *bn & bw* op de theorie betrekking hebbend, in theorie, volgens de theorie; volgens de leer maar niet in de praktijk. **theoretise'ren** *ww* redeneren volgens de theorie, los van de praktijk.
**theorie'** [Lat. *theoria*, Gr. *theooria* = *eig.*: het toezien, het bijwonen van een schouwspel (*vgl.* **theater**); *spec.*: het aanschouwen, beschouwing, v. *theooreoo* = aanschouwen] **1** een meer of minder gecompliceerde vorm van een *hypothese* (*z.a.*) ter verklaring v.e. verschijnsel, maar meestal ter verklaring v. aantal verschijnselen, feiten of gegevens; **2** het geheel v.d. grondbeginselen en grondregels v.e. wetenschap, kunst of kunde; leer daarvan en onderricht daarin; **3** persoonlijke opvatting van iemand buiten de praktijk om.
**theosofie'** [MLat. en laat Gr. *theosophia*, v. *theos* = god, en *sophia* = wijsheid] wereldbeschouwing met mystieke, filosofische en boeddhistische trekjes. **theoso'fisch** *bn.* **theosoof'** aanhanger v.d. theosofie.

**therapeut'** [v. Gr. *therapeutikos*, v. *therapeuoo* = dienaar zijn, verzorgen, behandelen (ook geneeskundig), v. *theraps*, *therapos* = dienaar] persoon die medische handelingen (bijv. arts) of para-medische handelingen verricht (bijv. fysiotherapeut) en daartoe bevoegd is. **therapeu'ten** *mv* [v. Gr. *therapeutai* = dienaren, verzorgers; *ook*: vereerders] joods-hellenistische gemeenschap van kluizenaars, die omstreeks het begin van onze jaartelling gevestigd was in de buurt van Alexandrië in Egypte; zij leidden een contemplatief leven en onderhielden een strenge ascese. **therapeu'tisch** *bn & bw* de therapie betreffend; geneeskundig. **therapie'** [v. Gr. *therapeia* = verzorging] **1** term voor alle vormen van geneeskundige behandeling, gebaseerd op een zo goed en volledig mogelijke diagnose, waarbij gebruik gemaakt wordt van specifieke middelen die door wetenschappelijk onderzoek zijn verkregen; **2** (*fig.*) methode om een of andere misstand te bestrijden; **3** verkorte vorm van **psychotherapie**, *z.a.*
**theriomorf'** [v. Gr. *thèrion* v. *thèr* = wild dier, en *morphè* = vorm] *bn* de gedaante v.e. dier aangenomen hebbend (gezegd v.e. god).
**thermaal'** [v. Gr. *thermè* = warmte, hitte] van of betreffende warme bronnen. **ther'men** [Lat. *thérmae*, v. Gr. *thermai* = *mv* v. *thermè*] **1** warme baden v.d. oude Romeinen; **2** warme bronnen. **thermidor'** [Fr., v. Gr. *dooron* = gave, gift; *lett.*: de warmte gevende] **11**$^e$ maand v.d. Franse Republikeinse kalender (19 juli-18 aug., later 20 juli-18 aug.).
**thermiek'** [v. Fr. *thermique* = warmte betreffend] stijgwind, opstijgende luchtstroom door ongelijkmatige verwarming v.h. aardoppervlak door zonnestraling.
**thermiet'** [Fr. *thermite*] mengsel van aluminiumpoeder en metaaloxiden, dat bij verbranding zeer hoge temperatuur (ca. 3000 °C) geeft; o.a. toegepast bij het maken van lasverbindingen en de reparatie van gietstukken; ook toegepast in sommige brandbommen en brandhandgranaten.
**ther'misch** *bn* **1** warmte betreffend; **2** geschiedend door warmte; *thermische lans*, bep. werktuig om d.m.v. hitte-ontwikkeling zware metalen door te snijden; *thermische verontreiniging*, lozing van warmte op een zo omvangrijke schaal dat het milieu waarin deze warmte terechtkomt wordt verstoord.
**t(h)ermis'tor** [v. Gr. *thermè* = warmte, hitte, en *transistor*, *z.a.*] soort transistor waarin de weerstand afneemt naarmate de temperatuur

toeneemt, gebruikt in elektrische beveiligingsschakelingen.
**thermo-** [v. Gr. *thermos* = warm] warmte-.
**ther'mobarometer** [*zie* **barometer**] toestel v.h. bepalen van luchtdruk d.m.v. het kookpunt van water. **thermocaustiek'** [*zie* **caustiek**] het inbranden door hoge temperatuur. **ther'mocauter, -cautère** [Fr.; *zie* **cauteriseren**] chirurgisch instrument om weefseldelen weg te branden.
**ther'mochemie** [*zie* **chemie**] de leer van de warmte-effecten die optreden bij chem. reacties, bij de vorming van mengsels en bij verandering van aggregatietoestand.
**ther'modynamica** [*zie* **dynamica**] tak v.d. natuurwetenschappen (spec. v.d. warmteleer) die de betrekkingen tussen diverse fysische en chemische grootheden waarbij temperatuur en warmte een rol spelen, theoretisch (niet in de praktijk) bestudeert. **thermodyna'misch** *bn*. **ther'mo-elektriciteit** [*zie* **thermo-** en **elektriciteit**] elektriciteit opgewekt door temperatuurverschillen. **thermo-elek'trisch** *bn*; *thermo-elektrische centrale* elektrische centrale waarin thermische energie in elektrische energie wordt omgezet.
**ther'mo-element** [*zie* **element**] verkorting v. thermo-elektrisch element, d.w.z. een element dat werkt d.m.v. thermo-elektriciteit.
**thermofiel'** [v. Gr. *phileoo* = beminnen] *bn* warmtelievend; *thermofiele organismen mv* micro-organismen die optimaal gedijen bij temperaturen boven 45 °C. **thermofu'sie** [*zie* **fusie**] samensmelting v. lichte atoomdeeltjes door hun temperatuurbeweging.
**thermogeen'** [v. Gr. stam *gen-* = voortbrengen] warmte ontwikkelend (*bijv.*: thermogene watten). **thermograaf'** [v. Gr. *graphoo* = schrijven] zelfregistrerende thermometer die het temperatuurverloop automatisch optekent. **thermogram'** [v. Gr. *gramma* = geschrift] diagram v.h. temperatuurverloop. **thermohar'dend** [*zie* **thermo-**] *bn*; *thermohardende stoffen*, bep. kunststoffen die door warmte en/of druk een product opleveren dat later niet meer week wordt bij temperatuurverhoging en dat onoplosbaar is, dit in tegenstelling tot *thermoplastische stoffen*, *z.a.*
**ther'mokoppel** elektromotorische kracht in thermo-element. **ther'moluminescentie** [*zie* **luminescentie**] lichtuitstraling ontstaan door verwarming. **thermoly'se** [v. Gr. *lusis* = losmaking, het scheiden] (*chem.*) ontleding (v.e. stof) door verhitting. **ther'mometer** [*zie* **meter**] meetinstrument om de warmtegraad te meten. **ther'mometeren** *ww* lichaamstemperatuur opnemen, temperaturen, tempen. **ther'mometerschaal** *zie* **temperatuurschalen**. **thermometrie'** (*nat.*) **1** warmtemeting; **2** deel v.d. fysica dat de uitzetting van stoffen door warmte bestudeert. **thermome'trisch** *bn* op het meten van de warmte betrekking hebbend.
**thermonucleair'** [v. Lat. *núcleus* = kern] *bn* betrekking hebbend op fusie van lichte atoomkernen bij zeer hoge temperaturen (ca. 100 miljoen °C), waarbij grote hoeveelheden energie vrijkomen (het principe van de waterstofbom). **ther'moperiodiciteit** [*zie* **periodiciteit**] invloed v. temperatuurwisseling op ontwikkeling en groei v. organismen. **thermoplas'tisch** [v. Gr. *plassoo* = vormen] *bn* week (plastisch, vervormbaar) gemaakt kunnende worden door verwarming.
**ther'moreceptoren** *mv* [v. modern Lat. *recéptor*, = aannemer, ontvanger, v. *recípere*, *recéptum* = ontvangen; het klass. Lat. *recéptor* = heler] vrije zenuwuiteinden in het lichaamsoppervlak die gevoelig zijn voor veranderingen in temperatuur.
**thermoscoop'** [*zie* **scoop**] **1** elk toestel dat een verandering in temperatuur aangeeft; **2** automatische brandmelder, die in werking treedt als de temperatuur boven een bep. hoge

waarde stijgt. **ther′mosfeer** [*zie* **sfeer**] laag v.d. atmosfeer boven de mesosfeer en mesopauze, op een hoogte van ca. 50-ca. 600 km (zo genoemd omdat de temperatuur daar weer begint te stijgen met toenemende hoogte, van −90 °C tot meer dan 1000 °C), en overgaand in de *exosfeer* (z.a.). Daar de thermosfeer veel vrije elektronen en ionen bevat, wordt ze ook wel *ionosfeer* (z.a.) genoemd. **ther′mosfles** bep. soort dewarvat, bestaande uit een fles met dubbele wand waartussen een luchtledig heerst, terwijl de binnenwanden v.d. fles verzilverd zijn; gebruikt om warme dranken warm en koude dranken koud te houden. **thermostaat′** [v. Gr. stam *sta-* = staan] **1** toestel dat binnen een bep. ruimte de temperatuur constant houdt; **2** een ruimte waarin gedurende lange tijd een zelfde temperatuur kan worden gehandhaafd d.m.v. een thermoregulator, zoals in een broedstoof. **thermotherapie′** [*zie* **therapie**]. geneeskundige behandeling d.m.v. warmte. **thermotropie** [*zie* **tropie**] beweging v.e. plantedeel naar of van de warmtebron. **ther′mozuil** batterij v. vele seriegeschakelde thermo-elementen.
**thesaurie′** [v. Gr. *thésauros* = schatkamer, schat, *eig.*: het weggelegde, v. *tithèmi* = plaatsen, leggen] schatkamer, schatkist; kantoor v. thesaurier. **thesaurier** afk. **thes.** [Lat. *thesaurárius* = de schat betreffend] schatbewaarder; penningmeester.
**the′se** [*zie* **volgende**] stelling, spec. te verdedigen stelling. **the′sis** [Gr. = het plaatsen, stelling, v. *tithèmi* = plaatsen, stellen] te verdedigen stelling; (*muz.*) neerslag; (*dichtkunst*) onbetoonde lettergreep in versvoet.
**thèta** [Gr.] de 8e letter v.h. Gr. alfabet, overeenkomend met onze th.
**thiami′ne** [v. Gr. *theion* = zwavel (thiamine bevat zwavelatomen), *zie verder* **vitaminen**] of **aneuri′ne** vitamine B₁.
**thin′ner** [Eng. *thin* = dun] verdunner v. verf of lak.
**thio** [v. Gr. *theion* = zwavel] (*chem.*) verkorting van natriumthiosulfaat. **thio′len** [v. Gr. *theion* = zwavel; *zie verder* -**ol**] chem. verbindingen die afgeleid gedacht kunnen worden van *alcoholen* (z.a.) doordat daarin het zuurstofatoom (O) is vervangen door een zwavelatoom (S), bijv. ethaanthiol, $C_2H_5SH$ (*vgl.* ethanol of ethylalcohol $C_2H_5OH$). Thiolen hebben een stinkende knoflookachtige geur. De SH-groep komt ook voor in het coënzym-A, dat een rol speelt o.a. bij de opbouw en afbraak v. vetzuren i.h. organisme. **thi′o-verbindingen** *mv* (*chem.*) verbindingen die men afgeleid kan denken van overeenkomstige zuurstofverbindingen door daarin één of meer zuurstofatomen te vervangen door zwavelatomen.
**third degree′** [Eng. = derde graad] naam voor het scherpste politieverhoor in de VS, waarbij de ondervraagde aan lichamelijke en psychische kwellingen wordt onderworpen om een bekentenis af te dwingen.
**thixotropie′** [v. Gr. *thixis* = aanraking, en *tropè* = wending, keer] het verschijnsel dat sommige gelen overgaan in een *sol* (z.a.) als men ze schudt of blootstelt aan mechanische trillingen: de viscositeit neemt af en het gel wordt 'vloeibaar'.
**thomasslak′kenmeel** bep. kunstmeststof uit de fosfaathoudende slakken die overblijven bij ijzerbereiding volgens door Thomas verbeterd Bessemer-procédé [S.G. Thomas, Eng. metallurg, 1850-1885].
**thomis′me** [*zie* -**isme**] filosofische stroming gebaseerd op het werk van Thomas v. Aquino, It. theoloog, 1225-1274. **thomist′** aanhanger v.h. thomisme. **thomistisch** *bn*.
**tho′ra** of **thora′**, *ook*: **to′ra** of **tora′** [Hebr. *torah* = wet, *ook*: onderrichting] **1** (*in engere zin*) de wet der israëlieten, en span. de wet van Mozes, zoals die voorkomt in de

Pentateuch, de 5 boeken van Mozes; **2** (*in ruimere en oorspr. zin*) de onderwijzing, d.i. alle onderricht dat met meer dan menselijk gezag wordt gegeven door een profeet, wijze, priester of leviet.
**tho′rax** [Lat., v. Gr. *thoorax* = borstharnas] **1** borstkas; **2** borststuk bij insekten.
**Tho′rium** chem. element, radioactief metaal, symbool Th, ranggetal 90 [naar Germ. myth. *Thor*, ONoors *Thórr*, de god v.d. donder].
**thril′ler** [Eng., v. *to thrill* = iem. met golf van emotie, sensatie of huivering doordringen; verwant met *through* = dwars doorheen] bep. genre in literatuur, toneel of film, dat o.a. gekenmerkt is door voortdurend opgevoerde of weerkerende spanning.
**through′pass** [Eng.] (*voetbal*) het doorgeven van de bal aan een medespeler dwars tussen vijandelijke verdedigers door, dieptepass.
**Thu′le** [v. Gr. *Thoulè*] in de klassieke Oudheid het meest noordelijke punt v.d. toenmaals bekende wereld, nl. het legendarische gebied in het hoge Noorden dat door de Griekse zeevaarder Pytheas van Massalia (= Marseille) in ca. 330 v. Chr. verkend is. Bij latere Romeinse schrijvers komt de term *última Thule* = het verst weggelegen Thule voor, waarmee de uiteinden der aarde bedoeld zijn, ook nu nog gebruikt voor 'afgelegen gebied'.
**Thu′lium** chem. element, zeldzame aarde, symbool Tm, ranggetal 69 [naar het legendarische *Thule*].
**thy′mus** [v. Gr. *thumos* = hart, ziel, gemoed] wetenschappelijke naam voor zwezerik, een klier met interne secretie.
**thy′ratron** [v. Gr. *thureoeidès* v. *thureos* = deur, en *zie* **elektron**] met gas gevulde triode die als elektrische schakelaar gebruikt kan worden. **thyris′tor** (*wisselstroom*) schakelaar v. lagen v. halfgeleidend materiaal.
**thyreoï′de** [v. Gr. *thureoeidès* = gelijkend op een *thureos* = platte steen voor uitgang bij wijze van deur; *ook*: schild; v. *thura* = deur, poort] *lett.*: schildvormig; korte naam voor de *glándula thyreoïdea*, de schildklier.
**thyr(e)ocalcitoni′ne**, kortweg meestal calcitonine genaamd, een hormoon uit de schildklier dat het calciumgehalte van het bloed verlaagt. **thyroxi′ne** belangrijkste schildklierhormoon, dat voor de ontwikkeling v. de hersenschors zorgt en de stofwisseling regelt.
**thyr′sus**, **thyr′susstaf** [Lat. *thyrsus*, Gr. *thursos*] Bacchusstaf met klimop en wijngaardranken omwonden.
**tiaar′, tia′ra** [Lat. & Gr. *tiára*, verm. v. Perzische oorsprong] *oorspr.*: Perzische tulband door koning hoog opgemaakt gedragen; driekroon (thans v. paus).
**ti′bet** bep. fijn gekeperde wollen stof.
**ti′betwol 1** wol afkomstig van Tibetaanse geiterassen, over het algemeen zacht en fijn; **2** een kunstwol die herwonnen is uit lichte ongevolde strijkgarens of kamgaren damesstoffen.
**tic** [Fr.; verdere woordafl. onzeker] **1** een zich steeds op dezelfde wijze herhalende onwillekeurige snelle samentrekking van bep. spieren of spiergroepen; *tic douloureux* [Fr. = pijnlijke tic] naam voor neuralgische aangezichtspijn; **2** (*fig.*), meestal **tik**, dwaze hebbelijkheid, malle eigenaardige gewoonte.
**tick′er-tape** [Eng.] strook papier uit een beursstikker of telegraaftoestel. **tick′er-tape parade** [Am.] triomftocht van een beroemdheid door de straten van een stad waarbij uit de hoge gebouwen papiersnippers (oorspr. ticker-tapes) naar beneden geworpen worden.
**tick′et** [Eng., v. OFr. *e(s)tiquet(te)*, v. ONDu. *stekan* = steken] (*oorspr.*: er op gestoken kaartje; *vgl.* **etiket**) plaatskaartje, speciaal voor schip of vliegtuig.
-**tiek** [v. Fr. -*tique*, Du. -*tik*, v. Lat. -*ticus*, Gr. -*tikè* (*technè*)] uitgang (*vgl.* het Ned. -*tisch*) die een wetenschap, kunst of kunde aanduidt,

bijv. dogmatiek, of een of andere stroming,
bijv. mystiek, romantiek.
**tiener** *zie* **teenager**.
**tier'ce** [MEng. v. OFr. *t(i)erce* v. Lat. *tertius*
= een derde] oude Eng. inhoudsmaat, 1/3 v.e.
pijp = ongeveer 190 l. **tiërce'ren** *ww* [Fr.
*tiercer*, v. *tiers* = derde, v. Lat. *tértius; zie* **ter**]
tot een derde verminderen. **tiërce'ring** *zn*
vermindering tot een derde; het slechts 1/3
deel v.d. rente v.e. staatsschuld betalen.
**tiers-état'** [Fr.] derde stand.
**tifo'si** *mv* [It. = *lett.*: tyfuslijders] fanatieke
Italiaanse voetbalsupporters.
**til'bury** [Eng., naar de naam v.d. uitvinder]
tweewielig open sportrijtuig voor twee
personen, getrokken door één paard.
**til'de** [Sp., andere vorm van *titulo* = opschrift]
**1** in het Spaans het teken ~ boven de letter n
vóór een klinker (of in sommige woorden
tussen twee klinkers), aanduidend dat deze ñ
ongeveer als nj moet worden uitgesproken;
**2** in het Portugees het teken ~ boven de letter
a, e of o, aanduidende dat deze met een
neusklank moet worden uitgesproken.
**tilt** [Eng. = scheve stand] **1** (*eig.*) marineterm
voor de standhoek tussen twee
opstellingsvlakken; **2** toestand waarin een
flipperkast verkeert als het mechanisme stil
staat doordat de kast bewogen is; vandaar *fig.*
van personen: *op tilt staan*, wegens een of
andere reden niet meer actief kunnen zijn (bijv.
wegens een depressie); *op tilt slaan* [v. Eng.
*to tilt at* = steken naar], agressief gaan doen,
woedend worden.
**timbaal'** [Fr. *timbale*] (*cul.*) vorm in de
gedaante v.e. afgeknotte kegel voor het maken
van gebak of pudding.
**timba'le** [Fr.] **1** timbaal; **2** drinkbeker.
**tim'bre** [Fr., v. Lat. *tympanum* = tamboerijn,
handtrom, pauk, v. Gr. *tumpanon*]
klanknuance, toonkleur.
**time is mon'ey** [Eng.] tijd is geld.
**ti'men** *ww* [v. Eng. *to time* = de tijd kiezen om
iets te doen] **1** de tijden v.e. gebeurtenis of
handeling opnemen, klokken; **2** op het goede
tijdstip instellen, de juiste tijd bepalen waarop
een handeling moet geschieden; **3** volgens een
vast tijdschema laten verlopen. **tim'ing** [Eng.]
*zn* het timen, het getimed-worden.
**time-out'** [Eng.] (*sport*) korte onderbreking
van bep. wedstrijden, door de coach bij de
scheidsrechter aangevraagd, om de teams
gelegenheid te geven o.l.v. hun coaches de
verder te volgen strategie of tactiek te
bespreken; (*schaken*) rustdag door een v.d.
spelers aangevraagd. **ti'mesharing** [Eng.
= het delen v.d. tijd] **1** evenredige verdeling
v.d. beschikbare tijd v.e. computer over
verschillende aangeslotenen, een computer
huren voor gebruik in bep. tijd;
**2** periode-aankoop, periode-eigendom, het
kopen v.e. huis, bungalow, appartement e.d.
door div. kopers, die ieder het recht hebben er
jaarlijks een bepaalde periode te vertoeven.
**timi'de** [Fr., v. Lat. *timidus*, v. *timére* = vrezen]
vreesachtig, bedeesd, beschroomd, schuchter,
verlegen. **timiditeit'** [Lat. *timíditas*]
beschroomdheid, bedeesdheid.
**timocratie'** [v. Gr. *timokratía*
= staatsinrichting die op de eer of op de
belastingaanslag berust; v. *timè* = prijs
waardering, eer, en *krateoo* = machtig zijn,
heersen] heerschappij v.d. bezittende klasse,
republikeinse staatsinrichting waarbij het bezit
v.e. bepaald groot vermogen aandeel en stem
in het staatsbestuur geeft.
**ti'mon** [naar *Timoon*, Athener uit de 5ᵉ eeuw
v. Chr., als mensenhater bekend]
mensenhater.
**timpaan'** [Lat. *ty'mpanum; zie* **timbre**]
**1** keteltrom; **2** geveldriehoek; **3** vierkant met
doek bespannen raam v. handdrukpers.
**tinctuur'** [Lat. *tinctúra* = *eig.*: het verven, v.
*tíngere, tinctum* = indompelen, verven]
oplossing of aftreksel in alcohol.
**tin'kal** ruwe borax, $Na_2B_4O_7 \cdot 10H_2O$.

**tinnege'ter**: *politieke* —, beunhaas in de
politiek [naar Deens toneelstuk *Den politiske
kandestøber*, v. L. Holberg 1722, in 1766
vertaald als *De staatkundige Tinnegieter*]
**tin'neroy** ribfluweel, fijner (d.i. met smallere
ribbels) dan *corduroy, z.a.*
**tint** [v. It. *tinta*, v. Lat. *tingere, tínctum*
= indopen, verven] kleurschakering,
(gelaats)kleur. tin'to [Sp. = de gekleurde]
bep. Sp. rode wijn.
**tip** [v. Eng. sport-slang *to tip* = geheime
inlichting geven over een paard e.d. vóór de
wedstrijd; *alg. ook:* een (meestal kleine)
geldsom geven voor bewezen dienst, fooi;
herkomst v.h. woord niet duidelijk]
**1** inlichting door ingewijde, aanwijzing, wenk,
raad; **2** fooi.
**ti'pi** [taal v.d. Dakota-Indianen] kegelvormige
tent van bizonhuiden v.d. prairie-Indianen in
Noord-Amerika, meestal ten onrechte
*wigwam* genoemd.
**tippelant'** [met quasi-geleerde uitgang,
wellicht gevormd naar *vigilant, z.a.*]
**1** straathoer die op straat klanten lokt,
tippelaarster; **2** hoerenloper. **tip'pelen** *ww*
**1** (*eig.*) met vlugge kleine passen lopen;
**2** (*alg.*) wandelen, lopen; **3** (van prostituées)
op straat lopen om klanten te lokken; **4** (*Barg.*)
op stelen uitgaan.
**tip'pen** [*zie* **tip**] *ww* **1** een geheime inlichting
geven; **2** een fooi geven.
**tip'sy** [Eng., waarsch. v. *to tip* = (doen)
leunen; in de bet. 'geneigd tot leunen': onvast,
wankel], *ook:* **tip'sie**, (*slang*) aangeschoten,
licht dronken.
**tip'top** [Eng. = bovenste beste, eerste klas,
prima] *bn* van de bovenste plank;
onberispelijk, keurig (bijv. gekleed).
**tira'de** [Fr., v. It. *tirata* = het trekken, tirade, v.
It. & VLat. *tiráre* = trekken] stortvloed v.
(meestal holle) woorden.
**tiraille'ren** [Fr. *tirailler* = telkens trekken,
schieten, v. *tirer* = trekken, schieten; *zie
vorige*] in verspreide gevechtsorde oprukken
of vechten. **tirailleur'** [v. Fr.] soldaat die
tirailleert, scherpschutter.
**tiras'** [v. Fr. *tirasse*, v. *tirer* = trekken; *zie
tirade*] sleepnet voor visvangst; *ook:*
vogelnet; **tirasse'ren** met sleepnet vissen of
vogels vangen.
**tiro'** [v. Fr. *tire haut* = schiet hoog] roep van
jager om zijn jachtgenoten opmerkzaam te
maken op de komst van vliegend wild.
**tisa'ne** [v. Lat. *ptisana*, Gr. *ptisanè* = gepelde
gerst, gort; *ook:* gortwater, gerstenat, v.
*ptissoo* = pellen] (*apothekersterm*) slap
aftreksel van geneeskrachtige kruiden.
**tissu'** [Fr. = weefsel, v. *tisser*, v. Lat. *téxere*
= weven] **1** (*vero.*) dameshalsdoekje;
**2** weefsel (in het algemeen). **tis'sue** [Eng.]
papieren zakdoekje.
**Titaan'** *zie* **Titanium**.
**tita'nen** *mv, ev* **ti'tan** [Lat. en Gr. *Titan*, Lat.
*mv Titânes*, Gr. *mv Titanoi*] (*Gr. myth.*) een
geslacht van reuzen, kinderen van Uranus
(Hemel) en Gaea (Aarde). **ti'tan** (*fig.*) een
'reus' op een of ander gebied van wetenschap
of werkzaamheid. **tita'nenarbeid**
reuzenwerk. **tita'nenstrijd** geweldige strijd.
**tita'nenwerk** reuzenwerk. **tita'nisch** *bn &
bw* als van titanen of van reuzen, reusachtig,
bovenmenselijk.
**Tita'nia** [*Germ. myth.*] de elfenkoningin,
echtgenote van *Oberon, z.a.*
**Tita'nium** [naar de titanen, *z.a.*, genoemd] in
het Ned. **Titaan**, chem. element, zilverwit
gemakkelijk te bewerken metaal, symbool Ti,
ranggetal 22.
**tit'bit** [Eng.] lekkerbeetje, lekker hapje.
**ti'tel** [Lat. *titulus*] opschrift; erebenaming,
naam v. ambt, waardigheid of rang;
rechtsgrond.
**ti'ter** [Fr. *titre* = titel, opschrift] (*chem.*) sterkte
v.e. oplossing uitgedrukt in aantal
grammoleculen per liter gedeeld door
waardigheid. **titra'tie** [*vgl.* Fr. *titrage*] *zn* het

titreren, methode van titreren. **titre'ren** [v. Fr. *titrer* = een titel geven] het gehalte bepalen v. oplossing v. onbekende sterkte door aan afgemeten hoeveelheid daarvan een reagens v. bekende sterkte toe te voegen en daarvan de hoeveelheid te meten die juist voldoende is om de eerste stof volledig om te zetten.

**titois'me** [naar Tito (= doe het) communistisch leider in Joegoslavië, 1892–1980] communistisch stelsel dat nationaal belang vooropstelt.

**tit'tel** afk. **tit.** [*vgl.* MEng. *tittle* = streep boven woord of letter, v. Lat. *titulum; zie* **titel**] stip, jota.

**titulair'** afk. **tit.** [Fr. *titulaire*, v. Lat. *titulus; zie* **titel**] enkel de titel hebbend; *titulair bisschop* (*rk*) bisschop die geen eigen diocees heeft, zoals een hulpbisschop, maar benoemd is op titel v.e. niet meer bestaand diocees, (*bijv.:* titulair bisschop van Ephese [in huidig Turkije]. **titula'ris** titelvoerder. **titulatuur'** betiteling; stelsel v. titels. **titule'ren** betitelen. **titulomanie'** [*zie* **manie**] verzotheid op titels.

**tjap-tjoy'** [woord uit Kanton] bep. Chinees gerecht, vnl. bestaande uit groenten.

**TL** [naar merknaam TL, v. Eng. *tubular lamp* = buislamp of mogelijk v. Fr. *tube luminescent* = lichtende buis] spec. elektrische gloeibuis, die werkt doordat een stof aan de binnenzijde v.d. buis tot fluorescentie wordt gebracht; (ook TL-buis, TL-lamp).

**tme'sis** [Gr. *tmèsis* = snijding, woordscheiding, v. *temnoo* = snijden] scheiding v. delen v.e. woord door tussenplaatsing v. een of meer woorden (komt veel voor bij samengestelde ww, *bijv.:* hij liep kwaad van huis weg).

**to be or not to be** [Eng. = zijn of niet zijn (daar gaat het om)] levenskwestie (citaat uit *Hamlet* v. Shakespeare).

**to'bogan** [Eng. *tobóggan*, v. Noordam. Indiaanse oorsprong] bep. slee; roetsjbaan.

**tocca'ta** [It. v. *toccare* = aanraken; *vgl. toucher; zie onder* **touchant**] bep. beweeglijk muziekstuk voor orgel of piano.

**tod'dy** [Eng.] **1** (*oorspr.*) palmwijn; **2** (*tegenw.*) koude grog bestaande uit rum of cognac met water en suiker.

**toe'an** [Mal.] heer; — *besar*, grote heer (gouverneur-generaal).

**toef** [Fr. *touffe*] bos, tuil, pluk; *ook*: kuif.

**toen'dra** [Laplands] steppe in de noordelijke poolstreken, van Lapland tot Siberië, met rendiermos begroeid.

**toer** [Fr. *tour*, v. *tourner* = draaien, v. Lat. *tornáre* = met de tornus (draaibeitel) bewerken; Gr. *torneuoo* = draaien] rondrit, uitstapje, plezierreis; moeilijk werk, kunststuk; omwenteling; rij brei- of haaksteken naast elkaar. **toe'ren** een plezierreis of toer maken.

**toeris'me** [Fr. *tourisme*] het reizen ter ontspanning of voor genoegen. **toerist'** [Fr. *touriste*] plezierreiziger. **toeris'tisch** *bn.*

**toermalijn'** [Fr. *tourmaline*, v. Singalees (taal v. Sri Lanka) *tóramalli*] bep. mineraal in diverse variëteiten, waarvan sommige als edelsteen gebruikt worden.

**toernooi', tornooi** [OFr. *tornei*, v. *tourner; zie* **toer**] steekspel; serie wedstrijden.

**toeropera'tor** *zie* **touroperator**.

**toets** [v. Fr. *touche*, v. *toucher* = aanraken; *zie verder onder* **touchant**] **1** beweegbaar stukje hout of ivoor, dat met de vinger naar beneden gedrukt kan worden, waarbij dan bij een piano een hamertje tegen een snaar slaat, of bij een orgel een klepje v.e. pijp geopend wordt, zodat de luchtstroom een toon doet ontstaan; *ook*: daarop gelijkend onderdeel v.e. machine (*bijv.:* de toetsen v.e. schrijfmachine, rekenmachine e.d.); **2** proef ter bepaling v.h. gehalte van edele metalen door met het metaal over een zgn. toetssteen te strijken; (bij uitbreiding) proef of onderzoek in het algemeen; **3** (*schilderkunst e.d.*) korte streek met penseel of tekengerei, het even aanraken daarmee;

streek of haal met bep. effect; *ook*: wijze van schilderen, tekenen, schrijven e.d.; *de laatste* —, dat wat een produkt tot een volkomen gereed geheel maakt, afwerking (*ook*: *finishing touch*). **toet'sen 1** de eigenschappen of de samenstelling v.e. stoffelijke zaak onderzoeken; de juistheid, waarde of grootte v.e. abstracte zaak onderzoeken (*bijv.:* iemands kennis); **2** (*schilderkunst e.d.*) een toets (**3**) of bep. accent geven.

**to'ga** [Lat. = wijd en lang opperkleed; woord verwant met *tégere* = bedekken] *ook* wel *toog* lang ambtsgewaad (professoren, rechtsgeleerden, predikanten en rk geestelijken).

**togé** *zie* **taogé**.

**tohu wa bohu** [Hebr. = woest en ledig] chaos; warboel.

**toilet'** [Fr. *toilette* = *oorspr.*: kleed, klerenkoffer, verklw. v. *toile* = weefsel v. linnen, hennep of katoen (*vgl.* Ned. *dweil*), v. Lat. *tela* = weefsel, uit *tex-la* van *téxere* = weven] **1** verzorging v. kleding, kapsel en verder uiterlijk; de kleding, *spec.*: damesjapon; **2** W.C. **toilette'ren** [v. Fr. *toiletter* = opknappen, verzorgen, wassen] zich fijn kleden.

**toi'se** [Fr.; v. *toiser* = opmeten] oude Franse lengtemaat van 6 voet = 1,949 meter (*vgl.* **vadem**, *z.a.*).

**to'ko** [Ind.] Chinese winkel; kampkantine.

**tolera'bel** [Lat. *tolerábilis* = te verdragen, duldbaar. **tolerant'** [Lat. *tólerans, -antis* = o.dw.] verdraagzaam, spec. jegens andersdenkenden. **toleran'tie** [Lat. *toleràntia*] verdraagzaamheid. **tolere'ren** [Lat. *toleráre* = dragen, houden, verdragen; *vgl.* Gr. *tlênai* = verdragen] toelaten, dulden.

**to'mahawk** [v. Indiaanse oorsprong] strijdbijl v.d. Noordam. Indianen.

**tom'bak** [v. Fr. *tombac*, v. Mal. *tambaga* = koper] roodmessing, legering van koper met op zijn hoogst 18% zink (bij 12-18% zink is het tombak goudkleurig). (*Vgl.* **messing** en **latoen**.)

**tom'be** [Fr., v. christelijk Lat. *tumba* = graf, Gr. *tumbos* = grafheuvel] grafzerk, praalgraf.

**tom'bola** [It. waarsch. v. *tombolàre* = tuimelen] loterij zonder nieten met gekregen of weinig kostbare voorwerpen als prijzen.

**to'me** [Fr.] *zie* **tomus**.

**-tomie** [Gr. *-tomia*, v. *temnoo* = snijden] -ontleedkunst, -snijding.

**tom'my** [Eng v. *Tom* = Thomas] Eng. soldaat.

**to'mus** afk. **v. tom.** [Lat. = afsnijdsel, stuk, v. Gr. *tomos* = het afgesnedene, v. *temnoo* = snijden] boekdeel, deel v. groot boekwerk.

**tonaal'** [v. MLat. *tonális* = de toon betreffend; *zie* **toon**] de toonsoort betreffend, in een bep. toonsoort geschreven; de toon betreffend.

**tonaliteit'** [v. Fr. *tonalité*] **1** (*muz.*) betrekking tussen tonen en harmonieën, gewoonlijk gegroepeerd om de *tonica*, *z.a.*, toongehalte; **2** (*schilderkunst*) toonkleur, kleurschakering.

**tondeu'se** [Fr. = vr. van *tondeur* = scheerder, v. *tonder*, Lat. *tondére*, *tonsum* = scheren; *vgl.* Gr. *temnoo* = snijden] instrument om haren te knippen.

**to'nica** v. Gr. *tonikos* = spanning betreffend; *zie verder* **toon**] **1** (*muz.*) tooncentrum: centrale toon die tegelijk de eerste trap v.d. toonladder is en de melodische slottoon; **2** *mv* van **tonicum**, *z.a.* **to'nicum** versterkend middel dat lichamelijke spankracht verhoogt. **to'nisch** *bn* versterkend, spankracht gevend; *-e kramp*, langdurige spierkramp; — *middel*, tonicum.

**tonna'ge** [Fr., v. *tonne* = grote ton] tonnenmaat v. schip, tonnegeld. **tonneau'** [Fr. = *eig.*: ton] (*luchtvaart*) rolvlucht (wenteling om lengte-as).

**tonsil'len** *mv*, *ev* **tonsil'** [Lat. *mv tonsíllae* = keelamandelen, verklw. v.h. Keltische woord *toles* = kropgezwel] keelamandelen, kortweg

ook amandelen genoemd, bep. klieren in de keelholte die tot functie hebben het lichaam tegen binnendringende ziektekiemen te beschermen. **tonsillair'** *bn* op de keelamandelen betrekking hebbend, tot de keelamandelen behorend. **tonsilli'tis** [*zie* -itis] ontsteking van de keelamandelen.
**tonsillectomie'** [v. Gr. *ektemnoo* = uitsnijden] (*med.*) het operatief verwijderen v.d. gehele tonsillen. **tonsillotomie'** [v. Gr. *temnoo* = snijden] (*med.*) het operatief verwijderen van een gedeelte v.d. tonsillen ('pellen').
**ton'suur** [v. Lat. *tonsúra* = het scheren, v. *tondére, tónsum* = scheren; *vgl.* **tondeuse**] 1 kruinschering; 2 de geschoren kruin zelf.
**tonti'ne** [v. lt. *tontina*, naar Lorenzo *Tonti*, de insteller ervan (omstreeks 1653)] vorm van lijfrente, waarbij de deelnemers ieder een geldsom in een gemeenschappelijke kas storten en jaarlijks hun deel van de rente ontvangen. Sterft een deelnemer, dan blijft zijn aandeel in de kas, en krijgen de overblijvenden dus jaarlijks een grotere geldsom aan rente. Als de laatste deelnemer overlijdt, vervalt de kas aan de kashouder of aan de Staat.
**1 to'nus** [Lat., v. Gr. *tonos* = spanning, v. *teinoo* = spannen] (*fysiologie*) spanningstoestand van levend weefsel, tot uitdrukking komend in een constante geringe graad van activiteit. *Vgl.* **hypertonie** en **atonie**.
**2 to'nus** [Lat. = *ook*: spanning van snaar; *zie verder voor woordafl.* 1 **tonus**] (*muz.*) 1 (*alg.*) toon, *z.a.*; toontrap; 2 kerktoon of psalmtoon; *tónus peregrínus* (= vreemde toon, *lett.*: vreemdelingen-toon) een psalmtoon die afwijkt van de gangbare kerktoonsoorten bij het zingen van psalmen.
**1 toog** [*zie* toga] lang opperkleed, spec. van rk geestelijken.
**2 toog** 1 (*bouwk.*) gewelfboog, draagbalk; balk in het algemeen; 2 (*Z.N.*) (*vgl. betogen* = demonstreren) toonbank in winkel.
**toog'dag** dag van demonstratie (betoging); grote gewestelijke of landelijke bijeenkomst van een bep. groep.
**-toom** [v. Gr. *-tomos* = snijdend, v. *temnoo* = snijden; *zie* **-tomie**] -snijder.
**toon** [Lat. *tonus* = spanning v. snaar, v. Gr. *tonos* = spannen; klank, toonhoogte, v. *teinoo* = spannen] 1 (*muz.*) klank met bep. trillingsgetal; afstand tussen twee noten; 2 tint, kleurnuance; wijze v. spreken; 3 gradatie v. grijstinten in een foto. **toon'ladder** serie op elkaar volgende tonen v.e. octaaf. **toon'soort** toongeslacht dat de basis v.e. compositie vormt. **toon'stelsel** geordende verzameling v. alle gebruikte tonen. **toon'trap** alle opeenvolgende tonen v.e. toonladder.
**topaas'** [Lat. *topazus*, Gr. *topazos*; missch. verband met Sanskr. *tapas* = vuur, *tap* = schijnen] bep. gele halfedelsteen (een aluminiumsilicaat).
**top'ic** [Eng., v. Gr. *ta topika* = beschouwing waaruit men argumenten kan putten (titel v. boek v. Aristoteles), v. *topos* = plaats, bewijsplaats] actueel onderwerp v. gesprek, iets waar iedeer over praat.
**topinam'boer** [v. Fr. *topinambour*, naar de naam v.e. stam v.d. Guaranen-Indianen in Brazilië] 1 de plantesoort *Heliánthus tuberósus* uit de Composietenfamilie met aardappelachtige wortelknollen; 2 de eetbare wortelknol van deze plant, in het Ned. *aardpeer* genoemd, ook wel windaardappel, soepaardappel of Jeruzalem-artisjok (de knol smaakt naar schorseneren en artisjok).
**top'less** [Eng. = *lett.*: zonder bovenstuk] I *zn* dameskleding die de borsten onbedekt laat; II *bn & bw* met onbedekte borsten.
**topo-** [v. Gr. *topos* = plaats] plaats-.
**topografie'** [VLat. & Gr. *topographia*, v. Gr. *graphoo* = schrijven] 1 plaatsbeschrijving; 2 plaatselijke gesteldheid. **topograaf'** [v. Gr. *-graphos* = -schrijver] plaatsbeschrijver.

**topogra'fisch** [v. Gr. *-graphikos*] *bn & bw*.
**topologie'** 1 rangschikking v.d. gegevens v.e. beschouwing; 2 (*wisk.*) studie v. puntverzamelingen die niet veranderen door vervorming. **topolo'gisch** de topologie betreffend. **toponiem'** [v. Gr. *onuma* = *onoma* = naam] plaatsnaam. **toponymie'** plaatsnaamkunde (linguïstische of historische studie over oorsprong v. plaatsnamen). **topony'misch** *bn.* **toponymist'** beoefenaar der toponymie.
**top'per** [Eng. v. *top* = top] 1 wat aan de top staat, bijv. tophit; topwedstrijd (wedstrijd tussen twee topclubs) e.d.; 2 korte damesmantel (bij afhangende hand reikt de top van de middelvinger tot de onderrand).
**to'que** [Fr.; *vgl.* lt. *tocca*] rond dameshoedje zonder rand.
**toque'ren** [Fr. *toquer* = kloppen] schilderen met vette verfstreken.
**tora** *zie* **thora**.
**torchon'** [Fr.] (*cul.*) zeefdoek.
**torde'ren** [Fr. *tordre* = wringen] spiraalsgewijs ineendraaien.
**toreador'** [Fr. *toréador*, v. Sp. *toro* = stier, Lat. *taurus*] stierenvechter te voet, i.h. Spaans *torero*.
**torment'** [Lat. *torméntum* = iets om te draaien, pijnbank, marteling; *vgl. torquére, tortum* = draaien] kwelling, plaag. **tormente'ren** [v. OFr. *tormenter*] kwellen, folteren; plagen. **tormenta'tie** *zn*.
**torna'do** [missch. assimilatie v. Sp. *tronada* = onweer (*tronar* = donderen) met Sp. *tornar* = draaien] tropische wervelstorm in regenseizoen (Centraal- en Noord-Amerika).
**toroï'de** *zie bij* **torus**.
**to'ros** schuivende ijsheuvel (in poolzeeën).
**torpe'do** [Lat. = sidderaal, v. *torpére* = verlamd zijn] 1 (*dierk.*) sidderaal; 2 (*mil.*) langwerpig projectiel dat onder wateroppervlak op vijandige schepen afgevuurd wordt. **torpede'ren** (schip) met een torpedo in de grond boren; ook *fig.* (een plan—).
**tors', tor'so** [lt. *torso* = staak, stomp] romp v. beeld (zonder hoofd en ledematen); (*fig.*) onvoltooid werk; romp, bovenlijf.
**tor'sie** [v. VLat. *tórtio*, v. Lat. *torquére, tortum* = draaien] draaiing, wringing.
**tortil'la** [Sp.] gevulde pannekoek, gebakken van maïsmeel.
**tortueus'** [Fr. *tortueux*, Lat. *tortuósus*, v. *tortus* = kromming, v. *torquére*] vol bochten en krommingen; slinks.
**tortu're** [Fr.] of **tortuur'** [v. Lat. *tortúra*, verwant met *torquére* = draaien; *maar ook*: folteren, op de pijnbank leggen] foltering, pijniging, kwelling.
**to'rus** [Lat. = *o.a.*: voetring v.e. zuil] (*wisk.*) ringoppervlak, d.i. omwentelingslichaam dat ontstaat als een cirkel draait om de as v.e. andere cirkel waarvan het vlak loodrecht staat op dat v.d. eerste cirkel. **toroï'de** [*zie* -ide] spiraal tot cirkel gebogen.
**To'ry** [Eng., oorspr. Iers rover, v. Iers *tóraidhe* = achtervolger, v. *tóir* = achter] *oorspr.*: lid v. partij die gekant was tegen afzetting v. Jacobus II (ca. 1689); *tegenw.*: Eng. conservatief (*vgl.* **Whig**).
**toss** [Eng. *to toss* = opgooien, 16e-eeuws, afleiding onzeker] opgooi v. muntstuk voor wedstrijd (wie goed geraden heeft mag speelhelft kiezen). **tos'sen** de toss verrichten.
**tos'ti** [lt., v. *tostáre* = roosteren, v. Lat. *tostáre* = drogen, dorren, v. *torrére, tostum* = braden, roosteren, schroeien] sandwich van geroosterde sneetjes brood (*tosti* is *mv*) met meegeroosterd belegsel.
**totaal'** – gevolgd door *zn* (*zie* **volgende**) voorvoegsel dat aangeeft dat bij de zaak die door het zn wordt aangegeven veelsoortige technieken, middelen e.d. worden toegepast, bijv. *totaal-theater*, theater met tegelijkertijd diverse films, popmuziek, lichtflikkeringen enz.
**totaal'** [VLat. *totális*, v. Lat. *totus* = geheel] I

*bn* geheel; **II** *bw* ten volle, volstrekt, geheel en al; **III** *zn* som der afzonderlijke bedragen; —*generaal*, som v.d. afzonderlijke totalen. **totalise'ren** [Fr. *totaliser*] het totaal berekenen.

**totalisa'tor** [modern Lat.; *vgl*. Fr. *totalisateur*] **1** *(alg.)* optelmachine, apparaat dat totalen van optellingen berekent of deze registreert; **2** systeem van prijsvragen of weddenschappen waarbij het totaal der inleggelden onder de winnaars wordt verdeeld; vooral bij paardenrennen en voetbal, de **toto**; **3** *(meteorologie)* regenmeter die de totale hoeveelheid regen over een bep. periode (niet per dag) meet. **totalise'ren** [v. Fr. *totaliser*] **1** het totaal berekenen; **2** tot één geheel maken. **totalitair'** [Fr. *totalitaire*] **1** het geheel omvattend; **2** met staatsalmacht.

**totalitaris'me** totalitaire staatsvorm. **totalitarist'** aanhanger v.h. totalitarisme. **totaliteit'** [Fr. *totalite*] **1** het geheel; **2** *(astr.)* de volledigheidsduur v.e. zons- of maansverduistering, d.w.z. de tijd dat de eclips totaal is. **tota'liter** [modern Lat.] geheel en al, volkomen.

**to'tal bo'dy scan'ner** [Eng. = *lett*.: aftaster van het gehele lichaam; *zie* **scanner**] bep. medisch toestel, een combinatie v.e. röntgenapparaat en een computer. Hiermede kan men op elke diepte v.h. menselijk lichaam een beeld verkrijgen v.e. doorsnede van enkele mm dikte en dit beeld op een monitor zichtbaar maken. **to'tal loss** [Eng. = *lett*.: volledig verlies] **I** *bw* onherstelbaar beschadigd, spec. gezegd van motorvoertuigen; **II** *zn* onherstelbaar beschadigd motorvoertuig.

**to'tem** [v. Noordam. Indianentaal Algonkin *ototeman*, v. *ote* = familie, geslacht] op bep. wijze door vele primitieve volkeren vereerd dier (soms plant of voorwerp) als mythisch vertegenwoordiger en beschermgeest v.e. groep mensen, meestal een stam of clan. **totemis'me** totemverering en het geheel van de daarmee samenhangende verschijnselen op religieus en sociaal gebied. **totemis'tisch** *bn* & *bw* behorend tot het totemisme; het totemisme aanhangend.

**to the point** [Eng.] ter zake. **to'tidem ver'bis** [Lat.] met zoveel woorden. **to'tis vi'ribus** [Lat. = *lett*.: met alle krachten] met alle macht.

**to'to** *zie* **bij totalisator.**

**to'tok** [Javaans] volbloed Europeaan (in voormalig Ned. Indië).

**to'tus tu'us afk. t.t.** [Lat.] geheel de uwe.

**touchant'** [Fr., o.dw. van *toucher* = aanraken, v. VLat. *toccáre* = tegen een klok slaan] iemands gemoed treffend, aandoenlijk, ontroerend. **tou'che** [Fr.] **1** aanraking, spec. bij schermen; **2** penseelstreek, toets (z.a.); **3** *(med.)* betasting, aanraking met de vinger *(zie verder* **toucheren**). **touché joué** [Fr.] *(schaken en* dammen) aangeraakt is gespeeld. **toucher'** [Fr.] de wijze waarop een pianist de toetsen aanslaat. **touche'ren** [Fr.] **1** *(sport)* de tegenstander bij het schermen met de punt v.d. degen aanraken; **2** *(med.)* met de vinger of de hand betasten, spec. bij inwendig onderzoek; *ook*: met een bijtende stof aanstippen; **3** roeren, treffen; **4** innen, geld ontvangen. **touf'fe** [Fr., *vgl*. Ned. *toef*] *(cul.)* tuiltje, bosje.

**toujours'** [Fr., v. *tout* = Lat. *totus* = geheel, en *jour* = dag] altijd.

**toupet'** [Fr. verklw. v. *toupe* = *touffe* = bundel; *vgl*. Du. *Zopf*] **1** haarkuif; **2** pruikje voor kale plek op schedel, haarstukje.

**tour de for'ce** [Fr.; *zie* **force**] krachttoer.

**tou'ringcar** [Eng.] grote autobus voor het maken van uitstapjes, toeristische reizen, pleziertochten.

**tournedos'** [Fr., woordafl. onzeker] biefstuk v.d. haas, kleine biefstuk (80-100 gram); gesneden van het smalle gedeelte v.d. haas. **tournee'** [Fr. *tournée*] **1** rondreis v. ambtenaar (inspectiereis); **2** rondreis van musicus, muziekgezelschap, toneelgezelschap e.d.

**tourne'ren** [Fr. *tourner* = draaien; *zie* **toer**] *(cul.)* snijden, draaien en/of vormen van balletjes, staafjes en andere modellen uit aardappelen, wortelen e.d.

**tourniquet'** [Fr.] **1** draaikruis bij in- of uitgang; *(med.)* bep. snoerend verband. **tournu're** [Fr.] wending, draai die men aan iets geeft; houding; queue de Paris. **touropera'tor** [Eng.], minder juist: **toeropera'tor** [*zie* **operatie**] verkoper van vakantiereizen, reisbureau.

**tout** [Fr., v. Lat. *totus*] geheel; — *à vous* afk. *t.à.v.*, geheel de uwe; — *comme chez nous*, juist als thuis, juist als bij ons; — *court*, in 't kort, kortom; dat is al; — *de suite*, ogenblikkelijk, aanstonds; — *est perdu (fors l'honneur)*, alles is verloren (behalve de eer); — *savoir, c'est tout pardonner*, alles weten is alles vergeven.

**toxemie'** [Gr. *toxikon* = vergift, en *haima* = bloed] bloedvergiftiging. **toxiciteit'** giftigheid. **toxicologie'** leer der vergiften. **toxicolo'gisch** op toxilogie betrekking hebbend. **toxicoloog'** deskundige in toxicologie. **toxico'se** vergiftiging door stofwisselingsprodukten v.h. eigen lichaam. **tox'icum** [Gr. *toxikon* = vergift; oorspr. pijlgift, v. *toxikos* = tot boog en pijl behorend] vergift. **toxi'ne** door bacteriën afgescheiden vergift. **tox'isch** vergiftig.

**tracé'** [Fr., v. *tracer* = lijnen trekken, v. VLat. *tractiáre*, v. Lat. *tráhere, tractum* = trekken] afbakening voor weg e.d., plan, schets, ontwerp. **trace'ren** [Fr. *tracer*] afbakenen; ontwerpen, schetsen. **traceer'werk** maaswerk v. meetkundige lijnen als versiering.

**tra'cer** [Eng., v. *to trace* = *ook*: aantonen; v.e. merk voorzien; via Fr. *tracer, zie* **tracé**] een isotoop (*zie* **isotopen**) die herkenbaar is doordat hij radioactief is of doordat hij in gewicht verschilt v.d. andere atomen van een bep. chemisch element; kan gebruikt worden om de gang van de stof in een of ander proces (bijv. spijsvertering) met meetinstrumenten te volgen.

**trache'a** [MLat. *trachéa*, v. Gr. *tracheia (artèria)* = *lett*.: ruwe luchtbuis = luchtpijp] luchtpijp. **trachee'ën** **1** *(dierk.)* de luchtbuizen of adembuizen, een samenhangend geheel, (*tracheeënstelsel*, c.q. *tracheekieuwen*), dat het ademhalingsorgaan vormt van insekten, duizendpoten en sommige spinachtigen; **2** *(plk.)* houtvaten.

**trachoom'** [Lat., v. Gr. *trakhooma* v. *trakhus* = ruw] oogbindvliesontsteking.

**track** [Eng. = spoor, pad] elk nummer op een grammofoonplaat; spoor v. magneetband met informatie.

**tractaat'** *zie* **traktaat.**

**tracta'bel** [Lat. *tractábilis*, v. *tractáre* = slepen, onder handen hebben, behandelen, frequentatief v. *tráhere, tráctum* = trekken] handelbaar. **trac'tie** [MLat. *tráctio*, v. Lat. *tráhere, tractum* = trekken] **1** het trekken; **2** het voorttrekken, spec. van voertuigen, bijv. locomotieven; **3** afdeling bij spoorwegmaatschappij die tractie verzorgt. **trac'tor** [modern Lat.] motorvoertuig om andere voertuigen of toestellen te trekken (trekker). **trac'tus** (*rk*) gezang tussen de lezingen in de vasten dat in de plaats komt van het Alleluja.

**tra'de-mark** [Eng.; *trade* = handel, v. MNDu. = oorspr.: pad; *vgl*. Ned. *treden*] (wettig beschermd) handelsmerk. **tra'de-union** [Eng.] vakvereniging.

**tradi'tie** [Lat. *traditio*, v. *trádere, tráditum* = *trans-dare* = doorgeven, over-geven] overlevering; overgeleverd gebruik. **traditionalis'tisch** sterk gehecht aan traditie. **traditioneel'** [Fr. *traditionnel*] berustend op overlevering, deze volgend; conventioneel, naar algemeen gebruik. **traditionalis'me** (overdreven) eerbied voor, het volgen v.d. traditie.

**trafiek'** [v. Fr. *trafic* = handel, verkeer, v. It.

*trafficare* = handel drijven] **1** handel;
**2** verwerkende of veredelende industrie;
**3** (*scheepv.*) lijndienst; **4** (*Z.N.*) verkeer;
**5** (*Z.N.*) vermoeiende arbeid.
**tra'fo** afkorting van **transformator**, *z.a.*
**tragacant'** [via Fr. *tragacante* v. Lat.
*tragacantha* v. Gr. *tragakantha* = boksdoorn
(niet onze boksdoorn), v. *tragos* = bok, en
*akantha* = doorn] gele tot roodbruine gom van
uitheemse soorten v.h. plantengeslacht
*Astrágalus*, gebruikt in industrie en farmacie.
**tragant'** [Du. *Tragant*] verkorting van
**tragacant.**
**trage'die** [v. Lat. Gr. *tragooidia*, v. *tragooidos*
= *lett.*: bokzinger, v. *tragos* = geitebok, en
*-ooidos* = zanger, v. *aeidoo* = zingen (uit
Dionysuscultus)] treurspel; treurig voorval of
reeks van voorvallen. **tragédien'(ne)** [Fr.]
treurspelspeler. **tra'gicus** [v. Gr. *tragikos*
= tot de tragedie behorend] treurspeldichter.
**tragiek'** [Fr. *tragique*] het tragische v.e.
voorval of v. leven. **tra'gikomedie** [*zie
komedie*] tragikomisch spel of voorval.
**tragiko'misch** treurig maar tevens komisch.
**tra'gisch** [v. Gr. *tragikos*] treurig, droevig,
bedroevend door schrijnende tegenstelling.
**trai'ler** [Eng.: waarsch. v. Lat. *trágula*
= sleepnet of slee, v. *tráhere* = trekken; *vgl.*
**treilen**] **1** oplegger; **2** stukken voorfilm van
binnenkort te vertonen film.
**trainee'** [Eng. = *lett.*: wat achter meegesleept
wordt; *hier*: wie getraind wordt] gesalarieerd
persoon die door een bedrijf via div. stages
wordt opgeleid voor een v.d. hogere functies.
**trai'nen** [Eng. *to train*, v. Fr. *trainer*
= meetrekken, v. Lat. *tráhere*; *vgl. Ned. trein*
(regelmatig systematisch) oefenen voor een
wedstrijd. **trai'ner** [Eng.] oefenmeester, wie
het trainen leidt. **trai'ning** [Eng.] het trainen.
**traine'ren** [v. Fr. *traîner*] (een zaak) slepend
houden, slepend blijven. **trait d'union** [Fr.:
*trait* = trek, v. Lat. *tractus*] verbindingsstreepje
(koppelteken); verbindingspersoon. **trai'te**
[Fr.] getrokken wissel.
**traject'** [v. Lat. *trajéctus* = overvaart, v.
*trajícere*, *-jectum*, v. *trans-jácere* = over iets
heen werpen, -brengen] baanvak,
weggedeelte; afstand. **trajecto'rie** [v. Eng.
*trajectory*] **1** baankromme v.e. punt dat zich
beweegt; **2** baan v.e. projectiel; **3** (*wisk.*)
kromme die alle krommen van een bep. stelsel
op een voorgeschreven wijze snijdt, bijv.
loodrecht.
**traktaat'** [Lat. *tractátus*, v. *tractáre*
= behandelen; *zie* **tractabel**] overeenkomst,
verdrag; (meestal kleine) verhandeling over
wetenschappelijk of godsdienstig onderwerp.
**trakte'ren** [v. Lat. *tractáre*] **1** onthalen [naar
Fr. *traiter*]; **2** behandelen. **trakta'tie** onthaal;
versnapering, lekkernij. **traktement'**
bezoldiging, wedde.
**tramonta'ne** [v. It. *tramontana* = *lett.*: over de
bergen] poolster; *zijn — kwijt zijn*, de koers,
de kluts kwijt zijn, in verwarring zijn, geestelijk
uit zijn evenwicht zijn.
**tramp** [Eng., v. *to tramp* = met zware stappen
lopen; *voorts*: rondlopen, door het land
zwerven, v. MNed. *trampen* = stampen]
**1** landloper; **2** schip v.d. wilde vaart.
**tran'ce** [Eng., v. OFr. *transe*, v. Lat. *trans-íre*
= over-gaan] geestverrukking; spiritistische
droomtoestand.
**tran'che** [Fr.; v. *trancher*, Lat. *truncáre*
= knotten, afsnijden, v. *trúncus* = geknot; *vgl.*
Ned. *tronk*] **1** (*alg.*) snee, schijf, moot, plak;
**2** elk deel waarin een lening wordt uitgegeven;
**3** schijf der inkomstenbelasting, tariefklasse.
**trancheer'mes**, **-vork** voorsnijmes, -vork.
**tranche'ren** *ww* [Fr. *trancher*] **1** (*alg.*) in
stukken snijden, ontleden; **2** (*cul.*) *a* in plakken
snijden; *b* voorsnijden van taart, vlees, wild,
gevogelte of vis.
**tran'quillizer** [Am., v. Lat. *tranquíllus* = kalm,
rustig] naam voor een aantal
kalmeringsmiddelen, die een bedarende
werking hebben bij angst- en

spanningstoestanden die van
niet-psychotische oorsprong zijn.
**trans** [v. Fr. *tranche* = snede; *zie* **trancheren**]
torenomgang, tinne; (*fig.*) hemeluitspansel.
**trans-** [Lat. = *lett.*: overschrijdend, o.dw van
*trare*, *vgl. intráre* = binnengaan] over-, dwars-
door-; aan gene zijde-.
**transac'tie** [Lat. *transáctio*, v. *trans-ígere*,
*-áctum*, v. *trans-ágere* = over-voeren; *zie*
**ageren**] handelsovereenkomst.
**transalpi'nisch** [Lat. *transalpínus*] aan gene
zijde v.d. Alpen. **transatlan'tisch** over de
Atlantische Oceaan.
**transcendent'** [Lat. *transcendens*, *-éntis*
= o.dw van *transcéndere* = *trans-scándere*
= overklimmen] de zintuiglijk waarneembare
werkelijkheid overschrijdend, bovenzinnelijk,
de stof overtreffend, niet begrensd (spec. v.
God). **transcendentaal'** [v. MLat.
*transcendentális* = boven de 10 categorieën v.
Aristoteles] transcendent; *transcendentaal*
*getal*, ook: *transcendent' getal* een reëel of
complex getal dat niet door een algebraïsche
vergelijking is te bepalen. Een dergelijk getal
is tevens irrationeel.
**transcontinentaal'** [*zie* **continent**] dwars
over een continent (bijv. spoorweg).
**transcript'** [v. Lat. *trans-scríbere*, *-scríptum*
= over-schrijven] afschrift. **transcrip'tie**
[Lat. *transcríptio* = overschrijving] overzetting
v. muziekwerk in arrangement voor ander
instrument; overbrenging van het ene stelsel v.
letters of tekens in een ander (bijv. de — van
Gr. woorden in romeinse letters).
**transdu'cer** [Eng.] of **transducent'** [v. Lat.
*transdúcens*, *transducéntis*, o.dw v.
*transdúcere*, v. *trans-* en *dúcere* = voeren,
leiden] apparaat dat een vorm van energie
omzet in een andere.
**transept'** [v. Lat. *trans*, *z.a.*, en *saeptum*
= omheining, heg, middelrif, v. *saepíre*,
*saeptum* = met een *saepes* (haag) omgeven]
dwarsschip v. kerk, kruisbeuk.
**transfer** [v. Lat. *trans-férre* = over-dragen] of
**trans'fer** [Eng. uitspraak] **1** overdracht,
overbrenging, overmaking spec. van
verschuldigde geldbedragen bij internationale
betalingen; **2** (*sport*) overdracht tegen
betaling v.e. beroepsspeler aan een andere
club; **3** overdrukplaatje dat een afbeelding of
tekst op iets anders overbrengt.
**transfere'ren** [v. Fr. *transférer*] overbrengen,
overdragen, overmaken van geld; naar een
ander tijdstip verschuiven. **transfera'bel**
overdraagbaar. **transferabiliteit'** het
transferabel zijn. **transfer'punt**
informatiecentrum aan hogescholen en
universiteiten van kennis en deskundigheid
tegen betaling door te geven aan het
bedrijfsleven. **transfigure'ren** [Lat.
*transfiguráre*, *-átum* = her-vormen] van
gedaante veranderen. **transfigura'tie** [Lat.
*transfigurátio*] gedaanteverandering.
**transforme'ren** [Lat. *trans-formáre*
= ver-vormen; *forma* = vorm] een andere vorm
geven, omvormen; (*elektrotechniek*) de
spanning van een wisselstroom veranderen
(*zie* **transformator**). **transforma'tie** [Lat.
*transformátio*] **1** omvorming; herschepping;
*ook*: gedaanteverandering; **2** omzetting v.e.
vorm van energie in een andere; **3** (*kernfysica*)
omzetting van een chem. element in een ander
door beschieting met bep. subatomaire
deeltjes. **transformationeel'** geschiedend
door transformatie.
**transformationeel'-generatief'**
hypothese in de grammatica (uit 1957, v. N.
Chomsky) dat alle zinnen uit dieptestructuren
voortkomen d.m.v. regels en omvormingen.
**transforma'tor** [modern Lat.] inrichting om
elektrische wisselstroom om te zetten in een
van andere (hogere of lagere) spanning.
**transformis'me** (*biol.*) evolutietheorie.
**transfu'sie** [Lat. *transfúsio*, v. *trans-fúndere*,
*trans-fúsum* = over-gieten] **1** overtapping,
overgieting; **2** (*med.*) het overbrengen van

bloed van een gezond persoon in het aderstelsel v.e. zieke of gewonde.

**transgres'sie** [Lat. *transgréssio*, v. *trans-grédi = trans-grádi* = over-schrijden]
**1** overschrijding; *ook:* overtreding; **2** (*geol.*) geleidelijke rijzing van het zeeniveau gedurende lange tijden, zodat grote landoppervlakken onder water komen staan.

**transige'ren** [Lat. *transígere = trans-agere* = over-voeren, een vergelijk treffen] een vergelijk treffen, schikken, schipperen.

**transis'tor** [Eng. samentrekking van *transfer resistor* = *lett.*: overdrachtsweerstand]
**1** elektronisch onderdeel v.e. groter apparaat ter versterking van zwakke elektrische stromen door middel van een halfgeleidend kristal; **2** verkorting van transistorradio.

**transis'torradio** radiotoestel waarin de elektrische stromen niet versterkt worden door elektronenbuizen, maar door transistors.

**transitief** [v. Lat. *transitívus*, v. *trans-ire* = over-gaan] *bn* overgankelijk. **trans'itief** *zn* overgankelijk werkwoord (*vgl.* **intransitief**).

**transi'to** doorvoer v. goederen. **transitoir'**, **transitoor'** [Fr. *transitoire*] van voorbijgaande aard, voorbijgaand.

**transito'rium** [modern Lat.] doorgangshuis.

**translaat'** [v. Lat. *translátum* = het overgebrachte] vertaald stuk, vertaling. **translate'ren** [*zie* **translatie**] *ww* vertalen.

**translateur'** [woord gevormd naar het voorbeeld van Lat. *translátor* = overbrenger; later *ook:* vertaler] beëdigd vertaler (*Z.N.* gezworen translateur), beroepsvertaler.

**transla'tie** [Lat. *translátio* = overbrenging, verplaatsing, v. *trans-férre, trans-látum* = overbrengen, verplaatsen] **1** (*mechanica, meetkunde*) beweging van een lichaam of figuur in de ruimte of in het platte vlak waarbij alle punten gelijke lijnstukken op onderling evenwijdige rechte lijnen doorlopen; **2** (*kerkgesch.*) overbrenging van relikwieën; **3** vertaling; **4** verlegging v.h. arbeidsveld v.e. persoon of v.e. rechtsgebied. **translatief** [via Fr. *translatif* v. Lat. *translatívus*] *bn* overdragend, door overdracht geschiedend.

**translit(t)era'tie** [v. Lat. *lit(t)era* = letter] het letter voor letter weergeven van tekens v.h. ene schrift in die van een ander. (*Vgl.* **transcriptie**) **transloca'tie** [v. Lat. *lócus* = plaats] overbrenging naar een andere plaats, verplaatsing. **transluciditeit'** [Fr. *translucidité*, v. Lat. *translúcidus* = doorschijnend] doorschijnendheid.

**transmigra'tie** [Lat. *transmigrátio* = het wegtrekken] **1** (*eig.*) doortocht door een land van landverhuizers naar een ander land; **2** grote verplaatsing van bevolking binnen een grote staat; **3** zielsverhuizing. **transmis'sie** [Lat. *transmíssio*, v. *trans-míttere, trans-míssum* = over-zenden] **1** overdracht; overbrenging, spec. van krachtbeweging; **2** (*techniek*) verzamelnaam voor de machine-onderdelen welke dienen voor het overbrengen van bewegingen, drijfwerk; **3** (*elektrotechniek*) verzamelnaam voor *a* energietransport, *b* informatie-overbrenging via kabels, radioverbindingen, straalverbindingen e.d. **transmis'sie-as** die een koppel overbrengt (drijfas). **transmis'sie-riem** drijfriem.

**transmit'terstof** [v. Eng. = overbrenger] overdrachtstof (*fysiologie*), stof die in een synaps (*z.a.*) vrijkomt bij prikkeling, en die de rustpotentiaal van het membraan achter de synaps minder of meer negatief maakt. **transmitte'ren** *ww* overzenden, overbrengen. **transmissi'bel** [Fr. *transmissible*] *bn* overdraagbaar, overzendbaar. **transmissibiliteit'** overdraagbaarheid. **transmuta'tie** [Lat. *transmutátio* = omzetting (van letters), v. *trans-mutáre, trans-mutátum* = ver-wisselen] **1** (*alg.*) verandering in een andere soort; **2** (*kernfysica*) omzetting van een bep. kernsoort in een andere. **transmute'ren** *ww*

in een andere soort veranderen. **transmuta'bel** [naar Fr. *transmutable*] *bn* veranderbaar. **transmutabiliteit'** veranderlijkheid.

**transparant** [v. MLat. *transparére* = verschijnen, v. Lat. *paráre* = maken dat iets te voorschijn komt] **I** *bn* doorschijnend; **II** *zn* doorschijnendeel; doorschijnende plaat of vel papier, doorschijnend scherm; onderlegger (onder schrijfpapier) met dikke lijnen die door het papier heenschijnen. **transparan'tie** [naar Fr. *transparence*, v. MLat. *transparéntia*] doorschijnendheid, doorzichtigheid.

**transpira'tie** [*zie* **transpireren**] **1** het zweten; **2** het uitgezwete, zweet.

**transpire'ren** [v. *trans*, *z.a.* en Lat. *spiráre, -átum* = ademen; *vgl. spíritus* = geest] uitwasemen door huid, zweten; (*fig.*) uitlekken (geheim). **transplantaat'** weefsel voor transplantatie. **transplanta'tie** [v. Lat. *transplantáre* = overplanten] vervanging v. cellen, weefsels of organen. **transplante'ren** transplantatie uitvoeren. **transpone'ren** *ww* [v. Lat. *trans-pónere, trans-pósitum* = over-zetten] **1** (*alg.*) overbrengen; **2** (*muz.*) het overbrengen van een muziekstuk naar een andere toonsoort of toonhoogte. (*Zie ook* **transpositie**) **transporte'ren** *ww* [v. Lat. *trans-portáre, trans-portátum* = over-dragen] **1** vervoeren; óvervoeren (= over iets heen leiden); **2** (*boekh.*) overbrengen van een bedrag of getal aan het einde van een kolom of bladzijde (het subtotaal) naar het begin van de volgende; **3** formeel overdragen bij notariële akte; overschrijven. **transport'** **1** vervoer, het overbrengen, het vervoeren; **2** hetgeen dat vervoerd wordt; **3** gelegenheid tot vervoer; **4** vervoerskosten, vracht; **5** het overbrengen van een subtotaal op het einde v.e. kolom of bladzijde naar het hoofd v.d. volgende; het aldus overgebrachte bedrag of getal; **6** rechtsoverdracht of eigendomsoverdracht bij notariële akte; de akte daarvoor. **transporta'bel** [Fr. *transportable*] *bn* **1** vervoerbaar; **2** overdraagbaar (v. verbintenis of schuld). **transporta'tie** [Fr. *transportation* = deportatie] **1** het transporteren; **2** het overbrengen van misdadigers naar strafkolonie, deportatie. **transporteur'** [Fr.] **1** vervoerder, ondernemer v.e. vervoersbedrijf (transportondernemer), expediteur; **2** verzamelnaam voor transportwerktuigen die continu transporteren; **3** onderdeel v.e. machine dat beweging overbrengt; **4** gradenboog om gemeten hoeken over te brengen. **transpo'sitie** [*zie* **transponeren**] **1** (*alg.*) overbrenging in een andere gedaante of vorm; **2** (*muz.*) overzetting v.e. muziekstuk in een andere toon; het getransponeerde stuk zelf; **3** verplaatsing van zinsdelen of letters; **4** (*wisk.*) plaatsverwisseling van twee elementen door permutatie, *z.a.*, terwijl eventuele overige elementen op hun plaats blijven.

**transseksis'me, transseksualis'me** [*zie* trans-; *zie* **seksualiteit**] het transseksueel zijn. **transseksueel** *zn* persoon met de fysieke karakteristiek v.h. ene, en de psychische karakteristiek v.h. andere geslacht (en die dit wil veranderen). **transseksualiteit'** een aan het uiterlijk tegengesteld gevoel. **transsoon'** [*zie* trans-; Lat. *sonus* = geluid] betrekking hebbend op snelheid die ongeveer gelijk is aan die v. geluid. **transsubstantia'tie** [MLat. *transubstantiátio, zie* trans- en **substantie**] verandering v.d. ene in de andere stof, m.n. die v. brood en wijn in lichaam en bloed v. Christus bij de eucharistieviering door de woorden v.d. consecratie (*z.a.*). **transsu'de** *ww* [v. *trans- z.a.*, en Lat. *sudáre, sudátum* = zweten; *súdor* = zweet] doorzweten, doorsijpelen. **transsudaat'** waterige bloedvloeistof die uit de bloedvaten is getreden. **transsuda'tie** uittreding van vocht uit bloedvaten in

lichaamsholten of in het omliggende weefsel.
**transura'nen** *mv* [v. *trans-, z.a., uranium, z.a.*] samenvattende naam voor de chem. elementen die in het periodieke systeem der elementen volgen op uranium, dat het ranggetal (atoomnummer) 92 heeft; alle elementen met rangtal hoger dan 92, zijn radioactief.

**transvers'** [v. Lat. *transvérsus* = dwars liggend, *zie verder* **transversaal**] *bn* 1 dwars; 2 doorsnijdend. **transversaal'** [MLat. *transversális*, v. Lat. *transvérsus* = dwars liggend, v. *trans-vértere, trans-vérsum* = dwars heen-wenden] I *bn* 1 overdwars gaande of staande, dwars; 2 (*wisk.*) snijdend; 3 (*genealogie*) in de zijlinie, zijdelings verwant; II *zn* 1 een verwant in de zijlinie; 2 (*wisk.*) een rechte lijn die een stelsel van krommen snijdt. **transvestie', transvestitis'me, travestie'** [It. *travestire* = verkleden] het zich kleden als iemand v.h. andere geslacht en dit prikkelend vinden (door sommigen als psychische afwijking gezien); het vertolken v. vrouwenrollen op toneel door mannen **transvestiet'**, ook minder juist **travestiet'** persoon die aan transvestie doet (of lijdt). (*Zie verder* travesteren.)

**trant** [v. MNed. *trant* = pas, schrede, stap; hiervandaan later *ook*: wijze van lopen; *vgl.* ook **trend**] manier, wijze van doen, stijl; *in die trant*, op die wijze, ongeveer op die manier.

**trape'zium** [modern Lat., v. Gr. *trapezion* = tafeltje, v. *trapeza* = tafel] een vierhoek waarvan twee zijden evenwijdig zijn en de andere twee zijden niet. **trape'ze** [Fr. *trapèze*] 1 zweefrek in de vorm v.e. trapezium voor acrobaten; 2 toestel waarmee men buiten boord kan hangen om een zeilboot in balans te houden.

**trap'per** [Eng., v. *trap* = val] vallenzetter in Noord-Amerika, pels- en wildjager.

**Trappist'** lid v. bep. Cisterciënzer monnikenorde, gesticht 1140 te Soligny-la-Trappe; door trappisten gebrouwen bier. **Trappistin'** lid v.d. vrouwelijke tak der trappistenorde.

**tras** [via Romaans v. Lat. *térra* = aarde] gemalen tufsteen, met vette kalk gemengd als metselspecie. **tras'raam**, *ook* **cementraam** genaamd, het waterdichte deel v.e. gemetselde muur direct op het fundament tot eindweegs boven het maaiveld, dat dient tegen het optrekken v. bodemvocht i.d. muur. **tra'si, tras'si** [Ind.] vispreparaat als rijststafelingrediënt.

**trassaat'** op wie een wissel getrokken wordt.
**trassant'** trekker van wissel. **trasse'ren** [via It. v. Lat. *tráhere* = trekken] een wissel trekken.

**trau'ma, my trau'mata** [Gr. = wond, kwetsuur] 1 (*oorspr.*) lichamelijke beschadiging door mechanisch geweld; 2 (*tegenw. ook*) het mechanisch geweld zelf of het ongeval dat het schadelijk geweld veroorzaakt; 3 (*overdrachtelijk*) een schokkende belevenis die een schadelijke invloed op de psyche heeft (*psychotrauma*). **trauma'tisch** [via VLat., v. Gr. *traumatikos* (*med.*)] 1 ontstaan door een trauma; 2 betrekking hebbend op een trauma of tot een trauma behorend. **trauma'tische neuro'se** alg. naam voor de zenuwziekten die optreden na een plotselinge en geheel onvoorzien voorval waarbij ernstig levensgevaar aanwezig was. **traumatologie** [*zie* -**logie**] kennis van de traumata en van de behandeling ervan.

**travee'** [v. Fr. *travée* = ruimte tussen twee balken; *ook*: bovengalerij] 1 (in kerk, spec. in het middenschip) gewelfvak tussen twee gordelbogen; 2 apart vlak in wand of gevel. **travers'** of **traver'se** [Fr. *traverse*, v. *transvérsus; zie* **transvers**] 1 dwarslijn, dwarsrichting, dwarsstang, dwarsgang e.d.; 2 zijwaartse beweging, zijsprong van een paard; 3 het deel van een doorgaande weg dat door een bebouwde kom gaat; 4 (*mil.*) aarden wal te velde loodrecht op de vuurlinie ter bescherming tegen zijvuur; 5 (*verouderd*) wederwaardigheid, tegenslag, onverwachte verhindering. **traverse'ren** *ww* [Fr. *traverser*] 1 gaan dwars door; 2 zijwaarts gaan of springen v.e. paard; 3 zijdelings afdrijven van vliegtuig, zodat de voortbewegingsrichting niet meer samenvalt met de lengte-as; 4 een berghelling in schuine richting oversteken, min of meer horizontaal. **traveste'ren** *ww* [Fr. *travestir*, It. *travestire*, v. Lat. *trans-, z.a.*, en *vestire* = kleden, v. *véstis* = kleed] 1 zich verkleden in de kleren van de andere sekse; 2 (*fig.*) anders inkleden, spec. iets ernstigs in belachelijke vorm. **travestie'** [Fr. *travesti*] 1 toneelrol in verkleding (man in vrouwenrol of vrouw in mannenrol); ook het kostuum daarvoor; *travesti-double* [Fr. = dubbele travestie], het verschijnsel dat een man eerst de rol van een vrouw op het toneel speelt en zich later in het stuk weer verkleedt als man (komt vooral voor bij Shakespeare); 2 (*minder juist*) verkleding als persoon v.d. andere sekse buiten het toneel, *zie* **transvestitisme, transvestie**; 3 lachwekkende navolging van een ernstig dichtwerk. **travestiet'** *minder juist voor* **transvestiet**, *z.a.*

**trawant'** [oorspr. *dravant*, v. Tsjechisch *drab* = voetknecht, gerechtsbode] 1 lijfwacht; 2 handlanger (vaak in ongunstige zin); 3 (*astr.*) maan, satelliet van een planeet, bijplaneet (vroeger ook wel 'wachter' genaamd).

**trawl** [Eng., wellicht via VLat. v. Lat. *trágula* = sleepnet, v. *tráhere* = trekken, slepen; *zie verder* **treil**] sleepnet in de vorm v.e. zak. **traw'ler** [Eng.] vissersschip met trawl.

**trecen'to** [It. = *lett.*: driehonderd; met weglating van *mil = mille* = duizend, betekent *trecento* dertienhonderd] de 14e eeuw in de Italiaanse cultuur.

**1 treem** *zie* **tremel**
**2 treem** [v. MNed. *trame* = balk] steunbalk; *ook*: sport v.e. ladder.

**treil** [via OFr. *trailler* = voortslepen, waarsch. v. VLat. *traguláre*, v. Lat. *trágula* = sleepnet, *vgl.* **trawl**] 1 *oorspr.*: jaaglijn; 2 sleepnet, trawl. **trei'len** 1 een schuit aan een jaaglijn voortslepen; 2 met een sleepnet vissen. **trei'ler** 1 sleepboot; 2 trawler; 3 oplegger (*zie* **trailer 1**).

**tre'ma** [v. Gr. *tréma* = het geboorde, gat, opening, v. *titraoo = tetrainoo* = doorboren] deelteken op klinker, ten teken dat hij met de voorgaande klinker geen tweeklank vormt, *bijv.*: aëro-, meeëter.

**tremblant'** (*muz.*) triller. **tremble'ren** *ww* [Fr. *trembler*, v. MLat. *tremuláre*, v. Lat. *trémulus* = bevend, trillend, v. *trémere* = beven, Gr. *tremoo* = trillen] (*muz.*) op één noot trillen, tremuleren (*z.a.*).

**tre'mel**, *ook* **treem** [v. Fr. *trémie*, v. Lat. *trimódia*, = korenmaat die drie módii bevat, v. *módius* = schepel, v. *modus* = maat] trechter waardoor in een molen het graan tussen de molenstenen gestort wordt.

**trem'men** [v. Eng. *to trim*, *zie* **trim**] 1 (*zeevaart*) kolen of andere brandstof uit bunker halen en op de stookplaat brengen; 2 (*spoorwegen*) in stoomlocomotief kolen uit de tender op de stookplaat scheppen; 3 (*visserij*) de visvangst in het ruim bergen. **trem'mer** persoon die de kolen van het ruim naar de stookplaat brengt.

**tremolan'do**, *afk.* **trem.** [It.] (*muz.*) trillend, bevig. **tremole'ren** [It. *tremolare*] trembleren. **tre'molo** [It. *tremulo*, v. Lat. *trémulus*; *zie* **trembleren**] trillend op één noot, trilling op één noot.

**tre'mor** [Lat.] (*med.*) voortdurende trilling v.e. lichaamsdeel, beving.

**trempe'ren** [Fr. *tremper* = indompelen, weken, bevochtigen] (*cul.*) 1 drenken in wijn, cognac of likeur (*bijv.* cake); 2 bonbons bedekken met couverture.

**tremule'ren** tremoleren, trembleren.
**tremulant'** (*muz.*) tremblant.

**trench'coat** [Eng. = *lett.*: loopgraafjas] militaire regenjas.

**trend** [Eng. = richting, loop, v. *to trend* = in een bep. richting gaan, v. OEng. *trendan* = rollen; vgl. **trant**] *oorspr.*: alg. verloop van statistische cijfers in een grotere tijdsruimte (dus afgezien van toevalsschommelingen); richting van ontwikkeling, ontwikkelingsgang, tendens; *ook*: mode.

**trend'setter** [Eng., v. *to set* = zetten] persoon die de trend of de mode aangeeft.

**trend'volger** werknemer in een door de overheid gesubsidieerde instelling, wiens salaris gekoppeld is aan de ontwikkeling v.d. salarissen van ambtenaren; *trend* is hier: gemiddelde stijging van de bruto lonen volgens collectieve arbeidsovereenkomst.

**tren'dy** [Eng.] modieus, hip, 'in'.

**trepaan'** [MLat. *trepanum*, v. Gr. *trupanon*, v. *trupaoo* = doorboren] schedelboor (cirkelvormige zaag om stuk v. schedel weg te halen, o.a. ter verlichting v. druk op hersenen).

**trepane'ren** [Fr. *trépaner*] de schedel doorboren. **trepana'tie** *zn*.

**treu'ga De'i** [MLat.; Fr. *trêve de Dieu* = Godsbestand] (*gesch.*) de verplichting om vijandelijkheden in privé-oorlogen en het uitvechten van plaatselijke veten te staken op bep. dagen van de week en in bep. perioden van het kerkelijk jaar.

**trezoor'** [Fr. *trésor*, v. Lat. *thesáurus*; zie **thesaurier**] schat, schatkamer. **trezorie'** [Fr. *trésorerie*] schatkamer; kantoor v.d. penningmeester. **trezorier'** [Fr. *trésorier*] schatmeester; penningmeester.

**1 tri** verkorting van trichloorethyleen, een onbrandbare kleurloze vloeistof, in de techniek gebruikt als oplosmiddel voor vetten, oliën, harsen e.d., ook wel als huishoudelijk ontvlekkingsmiddel; *tri-snuiven*, het snuiven van tri als harddrug.

**2 tri** verkorting van **trieur**, *zie* **triëren**.

**tri-** [Lat. en Gr. *tri-* = drie-, v. Lat. *tres*, Gr. *treis* = 3] drie-.

**tria'de** [Fr., v. Lat. *trias, triadis*, Gr. *trias, triados* = groep v. drie] drietal, drieheid.

**tria'ge** [Fr. = sortering] **1** schifting, selectie; **2** uitschot, het uitgeschifte v. koffiebonen.

**tria'kel**, *ook*: **teria'kel** [v. Lat. *theríaca*, v. Gr. *thèriakon* = tegengif tegen beet v.e. dier, spec. v.e. slang, v. *thèr* = wild dier, en *iaomai* = genezen, helen] tegengif bij slangebeet, antivenine.

**tri'al** [Eng. = proef] het proberen; motorwedstrijd met nadruk op behendigheid.

**tri'al and er'ror** [Eng. = *lett.*: proef en dwaling] proberen en vergissen, bep. methode om door alle mogelijkheden te proberen tot een goede oplossing te komen.

**trian'gel** [Lat. *triángulum* = driehoek, v. *tres*, *zie* **tri-**, en *ángulus* = hoek] (*muz.*) driehoekig metalen slaginstrument. **triangulair'** [Fr. *triangulaire*, v. VLat. *trianguláris*] driehoekig.

**triangula'tie** [v. MLat. *triangulátus* = met driehoeken gemerkt] driehoeksmeting, methode v. afstandsmeting door uitgaande v. bekende basislijn met behulp v. goed waarneembare punten in het landschap een netwerk v. driehoeken met bekende zijden op te bouwen.

**triarchie** [v. Gr. *tri-* = drie-, en *archia* = heerschappij] heerschappij v. drie personen.

**Tri'as** [*zie* **triade**, zo genoemd omdat deze periode plaatselijk weer verdeeld wordt in drie onderafdelingen] (*geol.*) **1** eerste periode van het Mesozoïcum (= 2e hoofdperiode), van 225 tot 180 miljoen jaar geleden; **2** aardlagen in de Trias gevormd. **tri'as** [*zie* **triade**] drietal zaken die bij elkaar behoren, triade, trits; *trías política*, de drie staatsmachten (wetgevende, uitvoerende en rechterlijke macht).

**triath'lon** [v. *tri-*, *z.a.*, en Gr. *athlon* = kampprijs] *driekamp* d.w.z. achtereen 3,8 km zwemmen, 180 km wielrennen en 42,195 km hardlopen (marathon).

**tribadie'** [v. Gr. *tribas, tribadis* = vrouw die geslachtelijke omgang heeft met seksegenote] homofilie bij vrouwen, lesbische liefde.

**triba'de** [Fr.] lesbienne.

**tribologie'** [v. Gr. *triboo* = wrijven; *zie* **-logie**] wrijvingsleer, leer van de verschijnselen die zich tussen loopvlakken afspelen; vandaar ook als onderdeel: leer v.d. smeermiddelen.

**tribula'tie** [Lat. *tribulátio*, v. *tribuláre*, *-atum* = persen, plagen, v. *tribulum* = dorsslee, v. *térere* = wrijven] onrust; wederwaardigheid, tegenspoed.

**tribunaal'** [Lat. *tribunal*; *zie* **tribuun**] rechtbank (tegenw. ook met lekenrechtspraak). **tribunaat'** [Lat. *tribunátus*] ambt v. tribuun, diens ambtsperiode.

**tribu'ne** [Fr., v. MLat. *tribuna*, v. Lat. *tribúnus*; *zie* **tribuun**] spreekgestoelte; plaats voor publiek in vergaderzaal of rechtszaal; galerij in kerk; verheven bouwsel met zit- of staanplaatsen voor publiek bij wedstrijden e.d.

**tribuun'** [Lat. *tribúnus*, v. *tribus* = elk der 3 stammen v.d. vrije Romeinse burgers, sinds Servius Tullius 4 voor Rome en 26 (later 31) voor het land] (bij oude Romeinen) hoofd v. volksafdeling, *later*: bep. staatsambtenaar.

**tribuut'** [Lat. *tribútio* = betaling v. belasting, v. *tribus*; *zie vorige*] schatting, cijns.

**tri'ceps** [v. Lat. *tri-*, *z.a.*, en *caput, cápitis*, in samenstellingen *-ceps*] driehoofdige opperarmspier om arm te strekken, gelegen aan buitenzijde v. bovenarm.

**triche'ren** [Fr. *tricher*] vals spelen, knoeien.

**trichi'ne** [v. Gr. *trichinos* = van haar, v. *thrix, trichos* = haar] haarworm, bep. inwendige parasiet v. sommige gewervelde dieren. **trichineus'** trichinen bevattend. **trichino'se** [*zie* **-ose**] ziekte veroorzaakt door eten v. trichineus vlees.

**trichloorethyleen'** [v. Gr. *tri-* = drie-, *chloor* en *ethyleen*] bep. gechloreerde koolwaterstof, ClHC = CCl$_2$, *zie* **1 tri**.

**trichotomie'** [v. Gr. *tricha* = drievoudig, v. *treis* = drie, en *temnoo* = snijden] driedeling (bijv. mens in lichaam, ziel en geest). *Zie ook* **tripartitie**.

**tricolo're** [Fr., *zie* **tri-**; *colore* v. Lat. *color, colóris* = kleur] driekleur, spec. de Franse vlag of kokarde.

**tricot** [Fr. = breisel, v. *tricoter* = breien, v. Germ. oorsprong] **I** *zn* machinaal gebreide kleding; **II** *bn* van dit breisel. **tricota'ge** [Fr. = het breien] tricot; vervaardiging v. tricot.

**tri'dimensionaal** [v. Gr. *tri-* = drie-, *zie* **dimensie**] drie afmetingen hebbend.

**tri'duüm** [Lat. *tríduum* (*spátium*) = tijdruimte van drie dagen, v. *tri-*, en *dies* = dag] (*rk*) bep. driedaagse reeks v. godsdienstoefeningen o.l.v. een priester; *Tríduum sácrum*, de drie dagen vóór Paaszondag, nl. Witte Donderdag, Goede Vrijdag en Paaszaterdag, waarop het lijden, sterven en de grafrust v. Christus worden herdacht.

**triel'je** [v. Lat. *trilix, trilícis* = driedraads, v. *tri-*, en *lícium* = draad] glanslinnen; *ook*: soort dril, *z.a.*

**triënnaal'** [Fr. *triennal* = driejarig, v. Lat. *tri-*, en *annális* = een jaar durend, v. *annus* = jaar; *zie verder* **annaal**] driejaarlijks. **triën'nium** [Lat.] tijdvak van drie jaar.

**trië'ren** [Fr. *trier; vgl.* Eng. *to try* = *ook*: (kwaliteit) onderzoeken] sorteren, spec. van poststukken en kranten ter verzending; zaden schiften; graankorrels ontdoen van vreemde zaden. **trieur'** [Fr.] *ook* kortweg **tri**, sorteerinrichting; toestel om granen of andere zaden van verschillende korrelafmeting van elkaar te scheiden.

**trifo'rium** [Lat.] open gaanderij boven zuilen van middenschip in Romaanse of Gotische kerk.

**triglief'** [Lat. *triglyphus*, Gr. *tríglyphos*; *zie* **tri-**, en *glyptiek*] steen met twee gleuven in afgeschuinde kanten in Dorische fries, afwisselend met metopen.

**trigonaal'** [Lat. *trigonális*, v. *trigónium*, Gr.

**trigoonon**, v. *tri-*, en *goonia* = hoek]
driehoekig. **trigonometrie'** [*zie* **meter**]
driehoeksmeting, leer om uit bep. elementen
v.e. driehoek de andere te berekenen.
**trigonome'trisch** *bn.*

**trijp** [v. Fr. *tripe*, in de ME *trippe de velours*
genaamd, *velours* = fluweel] bep.
fluweelachtig weefsel met katoenen of linnen
grondweefsel en een wollen pool, vroeger ook
*velours d'Utrecht* genaamd.

**trik'trak** [Fr. *trictrac*, waarsch.
klanknabootsing] bep. spel op bord of in bak
met schijven en dobbelsteen.

**trilateraal'** [Fr. *trilatéral*, v. *tri-*, en Lat. *latus*,
*láteris* = zijde] driezijdig.

**triljard'** [v. Gr. *tri-* = drie ,en *miljard*, *z.a.*] 1000
triljoen, $10^{21}$. **triljoen'** [v. *tri-*, en *miljoen*,
*z.a.*] miljoen in de derde macht (miljoen maal
miljoen maal miljoen) (een 1 met 18 nullen,
$10^{18}$).

**trilogie'** [Gr. *trilogia* = drie tragediën, v. *logos*
= woord, rede, verhaal] drie bijeenhorende
romans, toneelstukken e.d. die een afgerond
geheel vormen.

**trim** [Eng., v. *to trim* = o.a. lading van een schip
gelijk verdelen] het verschil in diepgang van
voor- en achterschip van een schip; meer in het
bijzonder bij onderzeeboten; de ideale
toestand waarbij de boot in zwevend
horizontaal evenwicht is, nodig voor de vaart
onder water.

**trimes'ter** [Fr. *trimestre*, v. Lat. *triméstris*
= driemaandelijks, v. *tri-*, en *mensis* = maand]
tijdvak v. drie maanden.

**Trinita'riërs** *mv* Orde der Allerheiligste
Drieëenheid (kerk. Lat. *Ordo Sanctissimae
Trinitátis*; afk. *OSST*) in 1198 in Frankrijk
gesticht door de heiligen Johannes de Matha
en Felix van Valois, met als vooropstaand doel
de vrijkoping van gevangenen en
christenslaven. **Triniteit'** [kerk. Lat. *Trínitas*
= Drieëenheid, v. *tri-* en Lat. *unitas* = eenheid]
de goddelijke Drieëenheid of Drievuldigheid v.
Vader, Zoon en Heilige Geest. **Trinita'tis**
(*prot.*) feest ter ere v.d. Drieëenheid op de
zondag na Pinksteren.

**trinitrotolueen'** *zie* **trotyl.**

**tri'o** [It., v. Lat. *tres* = drie] **1** (*alg.*) drietal;
**2** (*muz.*) muziekstuk voor drie zangstemmen
of drie solo-instrumenten; **3** (*muz.*)
middengedeelte van klassieke dansen, marsen
en scherzo's; **4** drie samen spelende of
zingende personen.

**trio'de** [v. *tri-*, *z.a.*, en Gr. *hodos* = weg]
elektronenbuis met drie elektroden, d.w.z. een
elektronenbuis waarbij tussen kathode en
anode een rooster is geplaatst.

**triool** [v. Du. *Triole*, vgl. Fr. *triolet*, verklw. v.
It. **trio**, *z.a.*] (*muz.*) ritmische figuur bestaande
uit drie gelijkwaardige noten, in tijdsduur gelijk
aan twee (of vier) noten van dezelfde waarde.

**1 trip** [Eng., v. *to trip* = trippelen (met kleine
passen lopen)] **1** uitstapje, pleizierreisje; **2** *a* het
totaal van psychische (meestal aangename)
ondervindingen na het gebruik van een
hallucinogeen (*z.a.*) middel; *b* hoeveelheid
v.e. drug die nodig is om de onder *a* genoemde
ervaringen te ondergaan.

**2 trip** [MNed. *trippe* = muil met houten zool;
woord verwant met *trippen* = met kleine
passen lopen] **1** plankje dat veenarbeiders
onder hun voet dragen; **2** klompachtige
houten zool met bandje als damesschoeisel.

**tripartiet'** [Lat. *tripartítus* = in drieën gedeeld,
v. *tri-*, *z.a.*, en *partíri*, *partitus sum*, of *partíre*,
*partítum* = delen, scheiden, v. *pars*, *pártis*
= deel] *bn* **1** in drieën bestaand; **2** waaraan
door drie partijen wordt deelgenomen (*bijv.*:
tripartiet overleg). **tripartí'tie** driedeling,
*bijv.*: het bestaan van de mens uit drie delen,
nl. lichaam, geest en ziel, volgens sommige
filosofen. *Zie ook* **trichotomie.**

**1 tri'pel** [v. Fr. *triple*, v. Lat. *triplus*, Gr. *triplous*
= *bn* drievoudig (*zie verder* **triple**)] drieledig,
drievoudig.

**2 tri'pel** een soort diatomeeënaarde

(kiezelgoer), die gebruikt wordt in schuur- en
polijstmiddelen, soms als vulstof in de
verfindustrie [naar Tripolis, de vindplaats].

**tri'pelconcert** [*zie* **1 tripel**] muziekwerk voor
drie solo-instrumenten met orkest.

**tri'pelpunt** (*nat.*) punt in het
druk-temperatuur-diagram van een stof dat
aangeeft dat daar de drie
aggregatietoestanden van die stof gelijktijdig
naast elkaar kunnen bestaan. **tri'ple** [Fr., v.
Lat. *triplus*, Gr. *triplous*) drievoudig. **Tri'ple
Allian'tie** [*zie* **alliantie**] drievoudig verbond,
verbond van drie mogendheden (bijv.
Duitsland, Oostenrijk, Italië tot 1914). **tri'ple
enten'te** drievoudige overeenkomst (o.a.
Engeland, Frankrijk, Rusland; 1907).

**triple-sec'** bep. zoete likeur, bereid met
glycerol en schillen van citrusvruchten.

**tri'plex** [v. Lat. *triplex* = drievoudig, v. *tri-* en
*plicare* = vouwen) drie dunne op elkaar
gelijmde lagen hout met met vezelrichting
loodrecht op die van naastliggende laag.
**triplexglas** glas bestaande uit twee lagen
verbonden door laag celluloid.

**tripliek'** [v. *tri-*, *z.a.*; *zie* **dupliek** en **repliek**)
antwoord op dupliek. **triplice'ren**
antwoorden op een dupliek.

**tri'plo** [Lat. 6e naamval v. *triplum* = het
drievoudige; *zie* **triple**]: *in* —, in drievoud.

**tri'pen** *ww* een trip (**1 trip 2** *a*) maken.
**1 trip'per** persoon die een trip (**1 trip 2** *a*)
maakt.

**2 trip'per** (*zie* **2 trip 1**) turftrapper.

**triptiek'** [Fr. *triptyque*, v. Gr. *triptuchon* = het
in drieën gevouwene, v. *tri-*, *z.a.*, en *ptusseo*
= vouwen] **1** drieluik, d.i. schilderstuk of reliëf
met aan de zijkanten twee draaibare luiken
(vleugels, deuren), die gesloten kunnen
worden en dan het middenstuk bedekken;
**2** internationaal grensdocument voor
automobilisten, meestal in drieën verdeeld.

**trip'ton** [v. Gr. *triptos* = fijngestampt, v. *triboo*
= wrijven] het niet-levende deel van *seston*,
*z.a.*, dood plankton.

**trireem'** [Lat. *trirémus*, v. *tri-*, *z.a.*, en *rémus*
= riem, roeispaan) (*gesch.*) Romeinse galei
met aan weerszijden drie rijen roeiers boven
elkaar.

**trisec'tie** [*zie* **tri-**, en **sectie**] snijding in
drieën; (*meetk.*) verdeling van een recht
lijnstuk in drie gelijke delen.

**tri'snuiver** *zie onder* **tri.**

**Tri'tium**, afk. **T** [v. Gr. *tritos* = de derde) of
*extra zware waterstof*, evenals **deuterium**,
*z.a.* of *zware waterstof* een radioactief isotoop
van waterstof, met massagetal 3, ranggetal 1,
symbool $^3_1H$ of T. De kern wordt triton
genoemd en bestaat uit 1 proton en 2
neutronen.

**trits** [Fries = aantal, groep; mogelijk later in
Ned. in verband gebracht met Lat. *tres* = drie)
drietal, reeks van drie.

**trium'vir** [Lat.] elk der leden v.e. triumviraat.
**triumviraat'** [Lat. *triumvirátus*, v. *tri-*, en
*vir* = man] driemanschap, driehoofdige
regering.

**trivalent'** [v. *tri-*, *z.a.*, en Lat. *válens*, *valéntis*,
o.d.w. van *valére* = o.a. waard zijn) (*chem.*)
driewaardig.

**triviaal'** [v. Lat. *triviális* = zich bevindende op
een driesprong of openbare weg, v. *trivium*
*z.a.*] **1** gewoon, alledaags, onbelangrijk; **2** laag
bij de gronds, platvloers; gemeen; *triviale
naam*, niet-wetenschappelijke (volks)naam
voor dieren, planten en chemische stoffen.
**trivialiteit'** [Fr. *trivialité*] het triviaal-zijn; wat
triviaal is; platheid, banaliteit, alledaagsheid,
gemeenheid. **tri'vium** [Lat. = driesprong]
(ME *gesch.*) de drie lagere van de zeven vrije
kunsten (*ártes liberáles*, *z.a.*), nl. grammatica,
retorica en dialectica. *Vgl.* **quadrivium.**

**trocar(t)'** [Fr., v. *troisquart*] driesnijdende
holle naald voor puncties.

**trochee'**, **troche'us** [Lat. *trocháeus*, v. Gr. *trochaios* (*pous*) = lopende, rennende (voet) v. *trechoo* = lopen, rennen] versvoet bestaande uit lange en korte syllabe: — ◡. **troche'isch** [Lat. *trocháeicus*, Gr. *trochaikos*] met trocheeën.

**troeble'ren** *ww* [v. Fr. *troubler*, v. Lat. *túrbidus* = onrustig, v. *túrba* = wanordelijk geraas, onrust (*ook*: menigte), v. Gr. *turbē* = gewoel, rumoer] **1** troebel (niet-helder) maken; **2** (*fig.*) verwarren, in de war brengen, verontrusten, storen; *getroebleerd*, in de war, niet goed bij zijn hoofd, onwijs, gek. **troe'belen** (*uitsluitend mv*) onlusten.

**trofologie'** [v. Gr. *trophē* = voedsel, v. *trephoo* = eig. dik maken; te eten geven, voeden; *zie* **-logie**] voedingsleer en leer van de stofwisseling. **tro'fisch** *bn* voedend; (*med.*) weefselvormend of -voedend.

**troglodiet'** [Lat. *troglodýta*, Gr. *trooglodutès* v. *trooglē* = hol, en *duoo* = binnenduiken] holbewoner.

**trois-pièces** [Fr. = *lett.*: drie stukken] driedelig damesmantelpak (*vgl.* **deux-pièces**).

**troj'ka** [Russisch] **1** driespan, wagen of slede met drie paarden naast elkaar bespannen (het middelste paard onder een hoge beugel gaat in draf, de beide andere galopperen); **2** (*overdrachtelijk*) politiek bestuurslichaam dat uit drie personen bestaat.

**troll** [Oudnoors en Zweeds], in Ned. ook gespeld **trol**, (*Noorse myth.*) buitenaards wezen in de vorm v.e. boze reus, *later ook*: goedaardige maar ondeugende dwerg.

**trol'ley** [Eng. = rolwagentje dat langs railbalk of kabel loopt; *ook*: contactrol, wiel op stang dat langs stroomdraad rolt om stroom af te nemen; *missch.* v. *to troll* = vroeger: rollen] contactsysteem van elektrische tractievoertuigen (bus of tram) met twee bovengrondse geleidingen (één voor afvoer) d.m.v. wiel aan stang die zijwaarts kan zwenken; ook de trolley-bus of -tram zelf wordt kortweg trolley genoemd.

**trombocyt'** [*zie* **trombose**, v. Gr. *kutos* = holte; hier: cel] bloedplaatje dat onder bep. omstandigheden bloedstolling bevordert.

**trombo'ne** [It. = grote *tromba* = trompet] schuiftrompet. **trombonist'** [Fr. *tromboniste*] trombonespeler.

**trombo'se** [Gr. *thromboosis* = stremmen, *thrombos* = klomp] vorming v. prop(pen) gestold bloed in bloedvat.

**tromp** [vermoedelijk v. Fr. *trompe*, met de grondbet. 'buis', mogelijk v. Frankisch \**trumpa* = buis] **1** voorste uiteinde v.d. loop v.e. geweer of v.e. kanon; **2** mondstuk van brandslang; **3** olifantsslurf; **4** (*vero.*) bazuin, jagershoorn; **5** (*Z.N.*) kindertrompet, toeter. **trompet'** [v. Fr. *trompette*, verklw. v. *trompe* = hier: soort jachthoorn] bep. koperen blaasinstrument.

**troop** [Gr. *tropē* = wending v. *trepoo* = wenden] redefiguur, figuurlijke uitdrukking.

**tro'pe** [*zie* **troop**] troop.

**tro'pen** (*uitsluitend mv*) [v. Gr. *tropē* = wending, zonnestilstand; *tropikos* (*kuklos*) = keerkring] **1** keerkringen; **2** aardzone tussen de keerkringen (tussen 23$\frac{1}{2}$° N.B. en 23$\frac{1}{2}$° Z.B.). **tro'pisch** [Lat. *trópicus*, Gr. *tropikos*] **1** in beeldspraak, oneigenlijk; **2** van of uit de tropen, als in de tropen; *tropische dag*, dag waarop de maximumtemperatuur boven 30 °C komt; *tropisch jaar*, de tijd die de zon nodig heeft om v.h. lentepunt uitgaande eenmaal rond te gaan tot het volgende lentepunt, gelijk aan 365 dagen, 5 uren en 49 minuten; *tropische maand*, de tijd tussen twee opeenvolgende doorgangen v.d. maan door de uurcirkel v.h. lentepunt.

**tropie'** [*zie* **troop**] beweging bij planten o.i.v. uitwendige prikkels. **tropis'me** het uitvoeren v. bewegingen door organismen o.i.v. uitwendige prikkels.

**troposfeer'** [v. Gr. *tropē* of *tropos* = wending; *zie* **sfeer**] onderste laag v.d. dampkring (tot ca. 10 km hoogte) waarin temperatuurdaling

naar boven, verticale stromingen, wolken e.d. voorkomen. **tro'popauze** [v. Gr. *pausis* = het ophouden] denkbeeldig vlak of laag dat of die de overgang vormt tussen de troposfeer en de daarboven liggende *stratosfeer*, *z.a.*

**trotyl'** Duitse naam voor de springstof 2.4.6-trinitrotolueen (afkorting T.N.T.), chem. formule $C_6H_2(NO_2)_3CH_3$.

**troubadour'** [Fr., v. Provençaals *trobador* = de vinder, v. *trobar* = Fr. *trouver*, v. VLat. *tropáre* = tropen (verzen maken), *zie* **troop**] **1** Provençaals ME minnezanger; **2** liedjeszanger die zichzelf begeleidt.

**trou'ble-shooter** [Eng. = *lett.*: moeilijkheidsjager, v. *trouble* = moeilijkheid, en *to shoot* = schieten; (Am.) storingszoeker, (*fig.*) man voor lastige karweitjes] **1** (*alg.*) persoon die moeilijkheden uit de weg ruimt; **2** (*spec.*) persoon die storingen in de werking v.e. machine of in het verloop v.e. technisch procédé opspoort; **3** (*voetbal*) verdediger die bij moeilijkheden voor eigen doel radicaal ingrijpt door de bal weg te werken.

**trousse'ren** [Fr. *trousser* = opbinden, v. *trousse* = bundel, pak] wild en gevogelte opbinden om het panklaar te maken (hetzelfde als **brideren**).

**trouvail'le** [Fr., v. *trouver* = vinden, *zie* **troubadour'**] vondst (op geestelijk gebied).

**troy-stelsel** [Eng. *troy* = gewicht voor goud, zilver en juwelen] Eng. gewichtenstelsel, in gebruik voor edele metalen e.d., naast *avoir du poids*, *z.a.*

**truc** [Fr., v. Gascogne-dialect *truca* = slaan] kunstgreep, handigheid, foefje; list. **truca'ge** [Fr., *ook truquage*] gebruikmaking van trucs, o.a. bij het nemen van foto's en het opnemen van films, het 'oud' maken van meubels e.d.

**truck** [Eng., via Lat., v. Gr. *trochos* = wiel, v. *trechoo* = lopen, rennen] **1** draaibaar onderstel onder een vrachtauto of spoorwagen; **2** open vrachtauto; **3** voorwagen bij een vrachtauto met oplegger. **truck'er** [quasi-Eng.] bestuurder v.e. grote vrachtauto, vrachtwagenchauffeur.

**truck'stelsel** [Eng. *truck-system*, v. *to truck* = ruilhandel drijven, ruilen, v. Fr. *troquer*, OFr. *trocker*] gedwongen winkelnering, stelsel waarbij een werkgever zijn werknemers de verplichting oplegde om bep. artikelen uitsluitend te kopen bij hem of in door hem aangewezen winkels.

**truis'me** [Eng. *truism*, v. *true* = waar; *vgl.* Ned. *trouw*] algemeen bekende waarheid zonder veel betekenis, waarheid als een koe.

**trui'te** [Fr., v. VLat. *trútta*] (*cul.*) forel.

**trust** [Eng. = vertrouwen] bedrijfsconcentratie voor het verkrijgen van macht of monopoliepositie; vorm v. kapitaalbeheer met een beheerder. **trustee'** vertrouwenspersoon m.n. bij vermogensbeheer.

**try-out'** [Eng., *lett.*: uitprobeersel] **1** *eig.*: openbare uitvoering (geen generale repetitie) v.e. nieuw toneelstuk of een nieuwe show e.d. vóór de officiële première, bedoeld om de prestaties v.d. acteurs en de reacties v.h. publiek te testen; **2** voorvoegsel voor een zelfstandig naamwoord, in de bet.: probeer- (*bijv.*: try-out-periode).

**trypsa'se** v. Gr. *tripsis* = het wrijven, v. *triboo* = wrijven] een enzym dat in de dunne darm v.d. mens en vele diersoorten sommige eiwitten v.h. voedsel splitst in eenvoudiger verbindingen. **trypsi'ne** oude, nog veel gebruikte naam voor *trypsase*, *z.a.*

**tsaar** [Russisch *tsari*, v. *tsisari*, v. Lat. *Caesar*, *z.a.*, waarvan ook ons woord *keizer*] (*gesch.*) titel v.d. vroegere Russische keizers.

**tsa'revitsj** oudste zoon en troonopvolger v.d. tsaar. **tsare'vna** dochter v.d. tsaar, met de titel 'grootvorstin'. **tsari'na** [onjuist o.i.v. het Du. *Czarin*; de Russische naam is **tsarit'sa**] gemalin van de Russische tsaar, keizerin. **tsaris'tisch** *bn* als gedurende het bewind der tsaren, van de tsaren, in de tijd der tsaren.

**tsar'das** of **tsjar'das** *zie* **csardas.**
**Tsje'ka** [Russisch *Tsj.K.,* afk. van *Tsjresvytsjajnana Komissija po borbe s kontr-revoljoetsiej i sabotazjem* = Buitengewone commissie voor de strijd tegen contrarevolutie en sabotage; *eig.:* **Ve-tsje'ka,** *V.Tsj.K.,* afk. van *Vserossijskaja* enz. = Alrussische enz.] vroegere Sovjetrussische inlichtingen- en veiligheidsdienst, opgericht in dec. 1917; ontwikkelde zich tot een instrument van staatsterreur.
**tsuna'mi** of **tsoena'mi** [Jap. = lange golf] watergolf als gevolg van een zeebeving.
**tuberculo'se** [v. Lat. *tubérculum* = knobbeltje, en *-ose, z.a.*] infectieziekte waarbij bultjes worden gevormd, waarna het weefsel wegsterft, tering.
**tu'dorstijl** laatgothische Eng. stijl (tijdens regeringen v. Hendrik VII tot Elisabeth I; naar Owen Tudor v. Wales, de grootvader v. Hendrik VII).
**Tuilerie'ën** [Fr. *tuilerie* = *eig.*: dakpannenbakkerij v. *tuile* = dakpan, v. Lat. *tégula,* v. *tégere* = bedekken] (oorspr. koninklijk) paleis te Parijs.
**tularemie'** [v. Gr. *haima* = bloed] een infectieziekte van knaagdieren zoals hazen en konijnen, veroorzaakt door de bacterie *Pasteurella tularensis*; kan ook op de mens worden overgebracht en wordt *jagersziekte* genoemd.
**tum'bler** [Eng., v. *to tumble* = tuimelen] tuimelaar, glas zonder voet; tuimelschakelaar.
**tumescen'tie** [v. Lat. *tuméscere* = beginnen te zwellen, inchoatief v. *tumére* = gezwollen zijn] zwelling. **tu'mor** [Lat.] gezwel.
**tune** [Eng. = melodie; een 14e-eeuwse variëteit v. *tone* = toon, z.a.] kenmerkend stuk muziek voorafgaand aan elk deel v.e. radio- of TV-serie, herkenningsmelodie.
**tu'ner** [Eng. *to tune* = afstemmen] radio-ontvanger zonder luidsprekers en versterker.
**Tu'pi** familie van Indiaanse talen die talrijke Indianenstammen omvat tussen de Amazone en de Rio de la Plata in Zuid-Amerika. Sedert de 17e eeuw wordt in het gehele Amazonegebied het Tupi als handelstaal gebruikt.
**Tu quo'que?** [Lat.] Jij ook al? Uitroep van droevige verbazing en diepe teleurstelling wanneer men ontdekt dat een geliefd persoon meeheult met de 'vijand' of zich schuldig maakt aan iets dat men verafschuwt, ontleend aan de woorden die Caesar gesproken zou hebben tot Brutus, zijn aangenomen zoon, toen hij deze onder zijn moordenaars ontdekte.
**tur'ban** [Fr. = *lett.*: tulband] (*cul.*) **1** wijze van serveren in cirkelvorm; **2** wijze van gereedmaken in randvorm van *farces (z.a.).*
**turba'tie** [Lat. *turbátio,* v. *turbáre, turbátum* = in verwarring brengen, v. *túrba* = verwarring (ook: menigte)] verwarring, beroering, stoornis. **turba'tor** onruststoker.
**turbi'ne** [v. Lat. *túrbo, túrbinis* = iets dat in een kring ronddraait] krachtwerktuig dat de bewegingsenergie v.e. onafgebroken doorstromende middenstof in mechanisch arbeidsvermogen omzet. De stromende stof doet schoepen draaien, die de beweging overbrengen op een as, die daardoor gaat draaien; men onderscheidt gas-, stoom- en waterturbines. **tur'bocompressor** [*zie* **compressor**] gasverdichtingsapparaat met schoepen in diverse waaiers achter elkaar bevestigd op een as. Al naar gelang v.h. aantal waaiers kan men grote overdruk bereiken, tot ca. 10 atmosfeer overdruk (ato) toe.
**tur'bogenerator** [*zie* **generator**] elke generator die ofwel rechtstreeks ofwel via een tandwieloverbrenging met een stoom- of gasturbine gekoppeld is. In de praktijk verstaat men onder een turbogenerator of **tur'bodynamo** echter een synchrone draaistroomgenerator waarbij de turborotor

rechtstreeks gekoppeld is met een stoomturbine. **tur'bo-jet** [Eng; *zie* **jet**] (straaljager met) gasturbinemotor.
**tur'bo-prop** [Eng., v. *propeller*] (vliegtuig met) gasturbinemotor, die deels dient om een propeller te doen draaien.
**turbot'** [Fr.] (*cul.*) tarbot.
**turbulent'** [v. Lat. *turbuléntus,* v. *turbáre* zie **turbatie**] *bn* woelig, onstuimig; onrustig (van atmosferische lucht). **turbulen'tie** [Lat. *turbulentia = lett.*: verwarring] **1** (*alg.*) onstuimigheid, onrustigheid; **2** (*stromingsleer*) onregelmatige beweging in een stromende stof (gas of vloeistof) op macroscopische schaal; **3** (*spec.*) onregelmatige bewegingen v.d. lucht in de benedenste lagen v.d. atmosfeer (troposfeer en tropopauze); **4** (*astr.*) gaswervelingen in de atmosferen van sterren, planeten of in gasnevels.
**turgescen'tie** [v. Lat. *turgescere* = opzwellen] gespannenheid, stijfheid v. levend weefsel. **tur'gor** [Lat. = het zwellen, v. *turgére* = gezwollen zijn, stijf staan] spanning van planteweefsels door het in de cellen aanwezige vocht, d.i. de druk waarmee het celplasma tegen de celwand wordt gedrukt.
**turn'-key-project** [Eng.; *zie* **project**] (*bouw*) sleutelklaar, d.i. kant-en-klaar project.
**tus'sahzijde** of **wilde zijde** bruikbare zijde van andere rupssoorten dan de zijderups. **tussor'** [Fr., v. Hindi *tasar,* v. Sanskr. *tasara* = weefspoel] bep. zijdeweefsel, een platweefsel uit de tamelijk grove garens van tussahzijde.
**tutelair'** [Fr. *tutélaire,* Lat. *tuteláris* = beschermend, voogdij betreffend, v. *tutéla* = bescherming, toezicht, v. *tuéri* = aanzien, beschermen] als voogd optredend, de voogdij betreffend, beschermend. **tu'tor** [Lat. uit *tútitor,* v. *tuéri* = beschermen] **1** voogd; **2** ambtelijk aangesteld persoon die de studenten leidt bij hun studie.
**tut'ti** afk. **t** [It., v. Lat. *totus* = geheel] allen tegelijk. **tut'ti quan'ti** afk. **t.q.** [It.] al dergelijke, de gehele troep v. soortgelijke.
**tuxe'do** [Am.] Amerikaanse smoking.
**TVP** [afk. van Am. *Textured Vegetable Protein* = Vezelig Plantaardig Eiwit, pluist ook wel *kunstvlees* of *synthetisch vlees* genoemd] algemeen aanvaarde naam voor een (vleesvervangend) voedingsmiddel, ontwikkeld in de VS, fabrieksmatig bereid uit eiwit van sojabonen.
**tweed** [Eng.] een nopachtig gemengd strijkgarenweefsel van tamelijk grove garens, spec. voor jassen, mantels en mantelpakken.
**twen** of **twen'ner,** *ook*: **twen'ny** [v. Eng. *twenty* = twintig] twintiger, persoon in de leeftijd van 20 t/m 29 jaar.
**two'seater** [Eng., = met twee zitplaatsen, v. *two* = twee, en *seat* = zitplaats] auto voor twee personen (*ook*: tweepersoonsvliegtuig).
**two'-step** [Am., v. *step* = pas] tapdans in 3/4 maat van Am. oorsprong.
**tycoon'** [*Eng. slang*] handelsmagnaat (die in een bep. markt een overheersende rol speelt).
**tyfoon'** *zie* **taifoen.**
**ty'fus** [modern Lat., v. Gr. *tuphos* = verdoving] besmettelijke ingewandsziekte met zware koorts en bewustzijnsverlies.
**ty'pe** [v. Lat. *týpus,* v. Gr. *tupos* = slag, stoot; *ook*: het ingeslagene, beeld, vorm, gedaante, karakter, v. *tuptoo* = slaan] **1** grondvorm, oerbeeld, voorafbeelding (*zie ook* **archetype**); **2** vorm, model, uitvoering; **3** gietvorm, spec. gegoten letter, lettervorm; *ook*: lettersoort; **4** persoon met betrekking tot zijn uiterlijk voorkomen (*bijv.*: een slank type); *ook*: persoon met betrekking tot zijn innerlijke hoedanigheden (*bijv.*: een vlot type); **5** persoon (evt. zaak) die een grondvorm zuiver of sterk vertegenwoordigt (*bijv.*: het type v.e. schoolmeester); **6** eigenaardig, wonderlijk persoon; *ook*: **typ. ty'pe-casting** [v. Eng. *cast* = o.a. rolbezetting, rolverdeling] het

toewijzen van toneel- of filmrollen aan acteurs
en actrices die het meest geschikt zijn een bep.
type uit te beelden. **ty'pen** (vgl. **type 3**) met
een schrijfmachine [Eng. type-writer]
schrijven, Ned. tikken, Z.N. kloppen, beide
klanknabootsingen. **type'ren** ww het type
aanduiden, kenschetsen, kenmerken,
karakteriseren. **ty'pescript** [Eng.] zie
**ty'poscript**. **ty'pe-writer** [Eng.; writer
= schrijver, v. to write = schrijven]
schrijfmachine. **-typie'** -drukwijze. **typist'**,
**typis'te** iem. die typt als beroep. **ty'pisch** [v.
Lat. typicus, Gr. tupikos] bn & bw **1** het type
aanwijzend, karakteristiek, kenmerkend;
**2** eigenaardig; **3** (med.) normaal verlopend
(van ziekte; tegenover atypisch = met
afwijkend verloop).

**typograaf' 1** boekdrukker; **2** letterzetter;
**3** persoon die het lettertype en de vormgeving
v. boeken bepaalt. **typografie'** afk. **typ.** [zie
**type 3**; v. Gr. graphoo = schrijven]
**1** boekdrukkunst; **2** wijze waarop iets, spec.
een boek, gedrukt is. **typogra'fisch** bn & bw
**1** de typografie betreffend; **2** uit het oogpunt
van typografie. **typogravu're** [zie **gravure**]
fotografisch drukcliché.

**1** **typologie'** [zie **type** en **-logie**]
(bijbel)verklaring v.d. voorafbeeldingen in het
Oude Testament en hun vervulling in het
Nieuwe.
**2** **typologie'** [zie **-logie**] leer der indeling v.
mensen, dieren en planten in soorten met
kenmerkende eigenschappen; leer der
karaktertypen.
**ty'poscript** [Eng. typescript; zie **typen**; Eng.
script = geschrift] tekst in machineschrift.
**tyrolien'ne** [Fr. = lett.: de Tyroolse] zang of
dans (met bijbehorende muziek) uit Tirol.

**U'-Bahn** [Du., afk. v. Untergrundbahn]
ondergrondse spoorweg (vgl. Eng.
underground, en Am. subway) metro.
**überhaupt'** [Du. = over het algemeen,
tenslotte; helemaal, eigenlijk, tenminste] in het
geheel, alles samen, alles in aanmerking
genomen, helemaal (bijv.: ik heb daar
überhaupt een hekel aan); (met ontkenning)
in geen dele, helemaal niet (bijv.: ik heb
überhaupt geen zin in muziekstudie); eigenlijk
wel? (bijv.: wie bent u überhaupt?).
**U'ber-ich** [Du.] superego.
**Ue'bermensch** [Du.] oppermens, ideale mens
v. bovenmenselijk formaat die verheven is
(meent te zijn) boven goed en kwaad (het
ideaal van Nietzsche, Du. filosoof en dichter,
1844-1900).
**u'bi be'ne i'bi pa'tria** [Lat.] waar het goed is
(waar het mij goed gaat), daar is mijn
vaderland.
**ubiquis'ten** mv [v. Lat. ubique = overal, v. úbi
= waar] organismen die onder zeer
uiteenlopende omstandigheden kunnen leven
en dus 'overal' (in een bep. gebied) worden
aangetroffen, d.w.z. planten en dieren die niet
aan een bep. klimaat of bep. type landschap
zijn gebonden, en dus 'overal' (in een bep.
gebied) worden aangetroffen. **ubiquist'** (v.
persoon) iem. die zich overal thuisvoelt.
**ubiquitair'** [Fr. ubiquitaire] bn (v. planten en
dieren) overal voorkomend (in een bep.
gebied). **ubiquiteit'** [MLat. úbiquitas, v. Lat.
ubique = overal] alomtegenwoordigheid (van
God).
**U'-Boot** [Du. afk. van Unterseeboot]
onderzeeboot.
**u'fo** [v. UFO, letterwoord v. Am. Unidentified
Flying Object = niet-geïdentificeerd vliegend
voorwerp] internationale naam voor een
vliegend voorwerp, of een daarop gelijkend
luchtverschijnsel, waarvan de aard en
herkomst onbekend zijn. Daar sommige leken
op schotelvormige voorwerpen, kwam de
naam 'vliegende schotel' in gebruik.
**ufologie'** kennis v. ufo-verschijnselen.
**ufoloog'** beoefenaar v.d. ufologie.
**uit'freaken** [v. Am. to freak out = ongev.:
uitrazen; zie **freak**] zich opzienbarend
ongebonden gedragen, spec. o.i.v. een
hallucinogeen middel (hard drug); uitfreaken
op, zeer genieten v.; ook juist het
tegenovergestelde: teleurgesteld worden over.
**ukele'le** [Hawaiiaans] bep. viersnarige kleine
gitaar, bespeeld met een plectrum.
**ulaan'** [Du. Ulan, v. Pools ulan, v. Turks
oghlaan = zoon, kind] oorspr.: bereden lansier
in het oude Duitse, Oostenrijks-Hongaarse en
Russische leger; in de Eerste Wereldoorlog:
bereden verkenner v.h. Du. leger.
**ulcere'ren** [Lat. ulceráre, -átum = verwonden,
v. ulcus of hulcus = zweer, v. Gr. helkos
= wond, zweer] etteren, zweren. **ulcera'tie**
[Lat. ulcerátio] verzwering. **ulcereus'** [Fr.
ulcéreux, Lat. ulcerósus] vol zweren, etterig.
**u'level** [It. olivélla, verklw. v. oliva
= (gesuikerde) olijf] vierkant stuk gebakken
suikerwerk (meestal in papiertje gewikkeld).
**ul'ster** bep. lange herenwinterjas [naar Ierse

streek Ulster].

**ulterieur'** [Fr. *ulterieur*, v. Lat. *ulterior* = aan de andere zijde, verderaf, vergrotende trap v. *ulter* = aan gene zijde] aan de overzijde; later.

**ul'tima ra'tio** [Lat., v. *ultimus* = overtreffende trap v. *ulter*] laatste argument, laatste middel.

**ul'tima Thu'le** *zie bij* Thule.

**ultiem'** *bn* tenslotte komend, uiteindelijk.

**ultimatief'** *bn* een ultimatum bevattend, de aard v.e. ultimatum hebbend. **ultima'tum** [onz. v.dw van VLat. *ultimare* = tot een einde komen] laatste eis v.e. der partijen, die onvoorwaardelijk moet worden ingewilligd.

**ul'timo** [Lat. = 6e nv v. *ultimus* = uiterste] op de laatste dag v.d. maand.

**ultra-** [v. Lat. *ultra* (*parte*) = naar gene zijde; *zie* ulterieur] uiterst-, verregaand-; over de grens gelegen -; al te -, overdreven -; uitermate -. **ul'tra** *zn* pers. v.d. uiterste richting, extremist.

**ul'tracentrifu'ge** centrifuge met zeer hoog toerental, waarmee isotopen gescheiden kunnen worden.

**ultramarijn'** [v. It. *oltra marino*, v. MLat. *ultramarinus* = v. over de zee] een complex mineraal blauw pigment, dat in de natuur voorkomt als lazuursteen (*lapis lazuli*).

**ul'tramicroscoop** spec. microscoop voor het aantonen v. zeer kleine deeltjes (ultramicroscopische deeltjes), waarvan de aanwezigheid met andere lichtmicroscopen niet te constateren is.

**ultramonta'nen** *mv* [v. MLat. *ultramontani* = personen aan gene zijde v.d. bergen [d.w.z. v.d. Alpen v.h. zuiden uit gezien) v. *ultra-* en Lat. *mons, montis* = berg] 1 in de middeleeuwen de naam waarmee de It. de noordelingen (die aan de overzijde v.d. Alpen woonden, spec. de Duitsers), aanduidden; 2 in de 19e eeuw het begin v.d. 20e eeuw scheldnaam door niet-katholieken in Noord-Europa voor de daar levende katholieken, die volgens de mening v. genoemde niet-katholieken al hun richtlijnen kregen 'van over de Alpen'. **ultramontaans'** *bn* volgens de geest der ultramontanen, d.w.z. overeenkomstig de stellingen en de geest v.h. pausdom; sterk en streng pausgezind.

**ultramontanis'me** [*zie* ultramontanen] een vooral in de 19e eeuw door niet-katholieken gebruikte denigrerende term voor het rooms-katholicisme dat sterk op de paus en de Romeinse Curie georiënteerd is.

**ultrasoon'** [v. Lat. *sonus* = geluid] sneller dan het geluid. **ultrasonoor'** met voor het menselijk oor niet waarneembare trillingen.

**ultraviolet'filter** filter waardoor de werking v. UV-straling wordt getemd.

**umbilicaal'** [MLat. *umbilicalis*, v. Lat. *umbilicus* = navel, v. Gr. *omphalos*] de navel betreffend.

**umbrel'la** [v. It. *ombrella*, verklw. v. *ombra*, Lat. *umbra* = schaduw; *eig.*: parasol of paraplu] (*dierk.*) scherm v. kwal.

**u'miak** (Eskimo-woord] bep. type huidboot, in gebruik in Oost-Siberië en Alaska; een primitief vaartuig waarvan de romp is opgebouwd uit takken, die zijn gevlochten tot een korf. Deze korf wordt overtrokken met huiden, zeildoek of geteerd katoen, waarna de naden waterdicht worden gemaakt met hars, of teer.

**Um'laut** [Du., v. *um-* = óm-, anders-, en *Laut* = klank] 1 klankwijziging, d.w.z. verandering v.e. klinker o.i.v. een klank (meestal i of j) in een volgende lettergreep. Zo in het Ned.: naast *water* staat *wetering*, en niet *watering*; 2 het vooral in het Duits optredende verschijnsel v. klankwijziging v.e. klinker (a, o of u) in het mv, bijv. *Mann*, *Männer* en bij trappen v. vergelijking, bijv. *groß*, *größer*, *größt*; 3 het umlautsteken op de desbetreffende klinker: twee korte streepjes, maar meestal een dubbele punt (het elders als trema gebruikte teken): ä, ö, ü.

**um'pire** [Eng., v. MEng. *nompere*, v. OFr.

**nomper** = niet gelijk] scheidsrechter, spec. bij tennis en cricket (bij andere balspelen gebruikt men de term *referee*).

**Um'welt** [Du. = wereld rondom] (*dierpsych.*) omgeving, milieu (waarin het dier in natuurtoestand leeft).

**un-, u'na-, u'ni-** [v. Lat. *unus* = een] één-.

**unaniem'** [Lat. *unanimus* = eensgezind, v. *animus* = geest] eenparig, eenstemmig. **unanimiteit'** [Lat. *unanimitas*] eenstemmigheid. **u'na vo'ce** [It.; Lat. = met één stem] (*muz.*) eenstemmig.

**un'bedingt** [Du.] onvoorwaardelijk, volstrekt.

**unciaal', unciaal'letter** v.d. Lat. *uncialis* = het twaalfde deel bevattend, v. *uncia* = 1/12, spec. 1/12 voet = duim; *vgl.* Ned. *ons* (gewicht)] middeleeuwse grote (hoofd-)letter (4e-8e eeuw) (*lett.*: duimhoge letter).

**unc'tie** [Lat. *unctio*, v. *ungere*, *unctum* = zalven] zalving.

**underac'ting** [Eng.] ingehouden, sobere wijze v. optreden, v. acteren.

**un'derdog** [Eng. = *lett.*: hond die in een gevecht onder ligt] zwakste v. twee partijen, gedoodverfde verliezer.

**un'derground** [Eng. = *lett.*: ondergrondse] 1 samenvattende benaming (vnl. uit de jaren '60) voor de verschillende stromingen onder jongeren (subculturen) die zich afzetten tegen de gevestigde orde; 2 ondergrondse spoorweg.

**understa'tement** [Eng.] te lage opgave; gezegde dat te weinig beweert; zeer gematigde, beneden de waarheid blijvende bewering.

**undi'ne** [v. Lat. *unda* = golf] (*myth.*) vr. watergeest.

**undograaf'** [v. Gr. *graphoo* = schrijven] apparaat voor het optekenen v. ontploffingsgeluidsgolven op grote afstand.

**undula'tietheorie** [v. Lat. *undulatus* = golvend, v. *undula* = verklw. v. *unda*] golftheorie v.h. licht, theorie dat licht uit elektromagnetische golven bestaat.

**unfair'** [Eng.; *un-* = niet] oneerlijk (*spec.*: in spel), *ook*: onsportief (hoewel strikt genomen niet oneerlijk).

**unhei'misch** [Du., v. *un-* = niet-; *Heim* = thuisland, vaderland, haard, *lett.*: niet zoals thuis] vreemd, niet inheems. **unheim'lich** (via betekenis 'niet zoals thuis, niet-gewoon') *bn* & *bw* akelig, ongure, angstig, eng; beangstigend, onheilspellend, angstwekkend, griezelig, luguber, somber, naar.

**uni'** [Fr., v. Lat. *unus* = een] *bn* eenkleurig, effen.

**uniciteit'** het uniek-zijn. **u'nicum** [Lat. = onz. v. *unicus* = de enige, v. *unus* = een] iets wat enig is in zijn soort. **u'nie** [Lat. *unio*, v. *unire* = verenigen] samenvoeging, vereniging, verbond (meestal v. reeds bestaande inrichtingen), statenbond. **uniek'** [Lat. *unicus*] enig in zijn soort; onvergelijkelijke.

**unifica'tie** [Lat. *facere* = maken] éénmaking, het verenigen. **uniform'** [Lat. *uniformis*, v. *forma* = vorm] *bn* eenvormig. **u'niform** gelijkvormige kleding, dienstkleding. **uniforme'ren** uniform maken; in uniform kleden. **uniformiteit'** [Lat. *uniformitas*] eenvormigheid, gelijkvormigheid. **unilateraal'** [Fr. *unilateral*, v. Lat. *latus*, *lateris* = zijde] eenzijdig.

**unionist'** [Fr. *unioniste*] voorstander v.e. unie. **unionis'tisch** naar unie strevend. **U'nion Jack** vlag v.h. Verenigd Koninkrijk, Groot-Brittannië.

**u'niseks** geldig voor beide geslachten, spec. gelijke kleding. **uniso'no**, afk. **unis.** [It., v. Lat. *sonus* = geluid] I *bn* eenstemmig, in één klank (v. alle instrumenten en stemmen); op één toon; II *zn* eenstemmig stuk.

**u'nit** [Eng., afk. v. *unity*, v. Lat. *unitas* = eenheid] 1 eenheid; stel zaken of onderdelen die samen een zelfstandig geheel vormen; 2 (*hand.*) eenheid waarin goederen verhandeld worden; bep. hoeveelheid die voldoet aan bep. voorwaarden en geldt als eenheid voor prijsnotering (bijv.: een barrel-159 liter – ruwe aardolie doet 17 dollar); **3** eenheid v. organisatie, team. **unitaris'me** streven naar eenheid. **u'nitas** [Lat.] eenheid, eensgezindheid.

**universa'lia** [MLat., onz. mv van Lat. *universális* = tot het geheel behorend, algemeen, van *univérsus* = geheel, v. *vértere*, *versum* = keren, wenden] algemene begrippen (bijv. mensheid). **universeel'** [Lat. *universális*] algemeen, alzijdig, het geheel omvattend; — *erfgenaam*, enig erfgenaam. **universaliteit'** het universeel zijn. **universitair'** tot een universiteit behorend. **universiteit'** [v. Lat. *universitas* = het geheel] instelling v. wetenschappelijk onderwijs met 3 tot 8 faculteiten. **univer'sum** [Lat., onz. van *univérsus* = geheel, gezamenlijk] heelal.

**u'no a'nimo** [Lat. = met één geest] één v. zin. **un po'co** [It.; v. Lat. *paucus* = weinig; *vgl. pauper* = arm] een weinig. **un'ster** [uiteindelijk v. Lat. *úncia* = *lett.*: twaalfde deel = een bep. gewicht; ook het woord *ons* (100 gram) is daarvan afgeleid] bep. weegapparaat; weeghaak. **u'num idem'que** [Lat.] één en hetzelfde. **un'verfroren** [Du.] *bw* brutaalweg, ongegeneerd; onbeschaamd; met een stalen gezicht, ijskoud; doodleuk. **up'percut** [Eng.] (*boksen*) stoot in opwaartse richting, kinstoot. **upper ten'** [Eng., verkorting v. *up'per ten thou'sand* = bovenste tienduizend] de aristocratie, de hoogste kringen, de aanzienlijksten. **ups and downs** [Eng.] *mv* voor- en tegenspoed, oplevingen en inzinkingen, wisselvalligheden (bijv.: de ups and downs van het leven). **up to da'te** [Eng.] *bn & bw* bij tot op het ogenblik, tot het heden geheel bijgewerkt, op de hoogte v.d. tijd.

**Ura'nium** [naar de planeet Uranus, i.h. Ned. **Uraan**, radioactief chem. element, zilverwit zacht metaal, symbool U, ranggetal 92. **urano-** [v. Gr. *ouranos* = hemelgewelf, (sterren)hemel; *ta ourania* = verschijnselen aan het hemelgewelf] eerste lid v. ss die betrekking hebben op de (sterren)hemel. **uranografie'** [v. Gr. *graphoo* = schrijven] beschrijving v.d. sterrenhemel. **uranoliet'** [v. Gr. *lithos* = steen] hemelsteen, meteoriet. **uranologie'** kennis v.d. sterrenhemel. **uranometrie'** meting aan de sterrenhemel. **uranoscopie'** waarneming v.d. sterrenhemel. **urbaan'** [v. Lat. *urbánus* = man uit de stad, stedeling] beschaafd, welgemanierd, steeds, hoffelijk. **urbanisa'tie** verstedelijking; uitbreiding v. stedelijke aaneengroeiing. **urbanistiek'** [Fr. *urbanisme*, v. Lat. *urbs*, *úrbis* = stad] stedebouwkunde. **urbanist'** [Fr. *urbaniste*] stedebouwkundige. **urbaniteit'** [Lat. *urbánitas*] stedse beschaafdheid, welgemanierdheid, hoffelijkheid. **ur'bi et or'bi** [Lat. = voor de stad (Rome) (*urbs, úrbis*) en voor de wereld (*orbs, órbis* = kring)] **1** (*alg.*) een door het centrale kerk. gezag te Rome verrichte besluit dat niet alleen voor de stad Rome, maar voor de hele wereld geldt; **2** (*spec.*) de zegen die de paus op feestdagen, met name op Paaszondag, geeft aan alle gelovigen v.d. gehele wereld. **uremie'** [v. Gr. *ouron* = water, pis, urine, en *haima* = bloed] vergiftiging v.h. bloed, doordat de nieren onvoldoende functioneren en er te veel afbraakprodukten in het bloed terechtkomen. **u'rens**, *mv* uren'tia [Lat. = o.dw v. *úrere* = branden] (*med.*) brandend (bijtend) middel. **ure'ter** [v. Gr. *ourètèr*] (*anat.*) urineleider, urine gaat hierdoor v.h. nierbekken naar de blaas.

**ure'thra** [Lat., v. Gr. *ourèthra*] (*anat.*) urinekanaal, urine gaat hierdoor v.d. blaas naar buiten. **ure'um** [modern Lat., v. Gr. *oureoo* = urineren; *ouron* = water, pis] of *carbamide*, het diamide van koolzuur, nl. $H_2N—CO—NH_2$, dus een stikstofhoudende verbinding, bij zoogdieren het voornaamste eindprodukt v.d. stikstof-stofwisseling. Deze kleurloze kristallijne stof lost zeer goed op in water en komt vnl. voor in de urine. Ureum is uitgangsstof voor de fabricage van o.a. kunstharsen en slaapmiddelen; het wordt ook gebruikt als stikstofmeststof en als gedeeltelijke eiwit-vervanger in veevoeders. **urge'ren** [Lat. *urgére* = dringen, voortstoten] pressen, drijven, dwingen. **urgent'** [Lat. *úrgens, -éntis* = o.dw] dringend, geen uitstel kunnende lijden. **urgen'tie** het urgent zijn. **Ur'heber** [Du.] schepper, grondlegger, stichter; pers. v. wie iets uitgaat, veroorzaker, aanstichter; uitvinder, ontwerper. **uri'asbrief** brief die de overbrenger zelf verderf brengt. Ontleend aan II Samuël, hoofdstuk 11 en 12. **urinaal'** [Lat. *urinále*, v. *urinális* = de urine (*z.a.*) betreffende] kolf of fles met wijde hals om urine in op te vangen bij bedlegerige mnl. patiënten. **uri'ne** [v. Lat. *urina*, v. Gr. *ouron* = water, pis] vloeistof door de nieren uitgescheiden, pis. **urine'ren** *ww* [via Fr. *uriner* v. MLat. *urináre*] zijn urine lozen, wateren, plassen. De medische term voor urinelozing is *mictie* [v. Lat. *mictio* of *mínctio*, v. *míngere, mínctum* = wateren]. **urinoir'** [Fr.] openbare gelegenheid voor mannen om te urineren, waterplaats. **urn, ur'ne** [Lat. *úrna*, verwant met *úrere* = branden] vaas voor de as v.e. gecremeerde overledene, lijkvaas, lijkbus; *ook*: stembus. **uro-** in med. termen = de urine betreffende [Gr. *ouron* = urine, water]. **urogenitaal'** (*zie genitaliën*) *bn* betrekking hebbend op de urinewegen en geslachtsorganen. **urolagnie'** [v. Gr. *lagneia* = wellust, geslacht] het geheel v. lustgevoelens die bij het urineren kunnen optreden. **urologie'** [*zie -logie*] med. specialisme dat zich vnl. bezighoudt met aangeboren afwijkingen en ziekten v.d. nieren, v.d. urinewegen en v.d. uitwendige mnl. geslachtsorganen. **uroloog'** beoefenaar v.d. urologie.

**Ursuli'nen** *mv* naam v.e. aantal rk vrouwelijke orden en congregaties, ontstaan uit of gesticht in navolging v.d. *Compagnia di Santa Orsola*, een vereniging v. vrouwelijke religieuzen in 1535 in Italië gesticht door de H. Angela Merici, die haar Vereniging noemde naar de H. Ursula, en in de ME zeer populaire heilige. Doel der eerste Ursulinen was de christelijke opvoeding van meisjes. **urtica'ria** [v. Lat. *úrtica* = brandnetel] (*med.*) netelroos.

**usan'ce, usan'tie** [OFr. *usance*, v. Lat. *usus* = gebruik, v. *uti* = gebruiken, *usus sum* = ik heb gebruikt] gewoonte; *spec.*: handelsgebruik. **usantieel'** *bn* volgens usance. **u'so** [It.] (*hand.*) wisselgebruik, d.w.z. de normale betalingstermijn, nl. met één maand zicht; *usowissel*, wissel waarvan de vervaltijd *a uso* (= volgens uso) is vastgesteld. **usueel'** [via Fr. *usual* v. Lat. *usuális*] *bn & bw* gebruikelijk, volgens gewoonte. **usufructua'rius** [VLat., v. Lat. *ususfrúctus* = vruchtgebruik; *fructus* = vrucht] vruchtgebruiker. **usufruc'tus** [Lat. *ususfrúctus*] vruchtgebruik. **usurpe'ren** [Lat. *usurpáre, -átum* = gebruik maken v. iets, in bezit nemen, zich aanmatigen] wederrechtelijk aan zich trekken. **usurpa'tie** [Lat. *usurpátio*] zn. **usurpa'tor** [Lat.] wederrechtelijk inbezitnemer, overweldiger. **u'sus** [Lat.] gebruik, gewoonte; — *loquéndi*, spraakgebruik.

**ut** (*muz.*) do, de eerste toon (grondtoon) v.d. diatonische toonschaal, de c.

**utensi'lia, utensi'liën** [Lat. *utensilia* = onz. mv van *uténsilis* = bruikbaar] gereedschap, werktuigen, benodigdheden.
**u'terus** [Lat., voor *utterus*] baarmoeder.
**u'tile dul'ci** [Lat.] het nuttige met het aangename. **utilise'ren** [Fr. *utiliser*, v. Lat. *útilis* = bruikbaar, nuttig] benutten, gebruiken. **utilisa'tie** *zn.* **utilist'** wie het nut beoogt. **utilis'tisch** *zie* utilaristisch. **utilitair** [Fr. *utilitaire*] het nut beogend. **utilitaris'me** het nemen v.h. (algemeen) nut als enige maatstaf v. handelen. **utilitaris'tisch** het nut beogend, het nut als maatstaf nemend, het nut betreffend. **utiliteit'** [Lat. *utilitas*] nuttigheid. **utiliteits'beginsel** principe dat men bij de beoordeling v.e. zaak de nuttigheid als norm neemt. **utiliteits'bouw** het bouwen v. objecten die een alg. nut hebben, zoals fabrieken, ziekenhuizen, scholen, spoor-, auto- en vaarwegen, havens e.d.
**ut in'fra** afk. **u.i.** [Lat.] als beneden (staat beschreven)
**Uto'pia** [= *lett.*: Nergens, v. Gr. *ou* = niet, en *topos* = plaats] een ideale maatschappij (naar titel v. boek v. Sir Thomas More). **utopie'** hersenschim, droombeeld. **uto'pisch** hersenschimmig. **utopist'** persoon die zich met utopieën bezighoudt. **utopis'tisch** van een utopist of daarop gelijkend.
**ut re'tro** [Lat.] als aan ommezijde. **ut su'pra** [Lat.] als boven (beschreven staat).

**va ban'que** [Fr. = *lett.*: het gaat om de bank]:
— *spelen*, alles op één kaart zetten, alles op het spel zetten, roekeloos spelen.
**vacant'** [Lat. *vacans, -ántis* = o.dw v. *vacáre, -átum* = leeg zijn] openstaand. **vaca'tie** [v. Lat. *vacátio* = het vrij zijn] 1 het open-zijn, het onbezet-zijn, het vacant-zijn v.e. post, ambt e.d.; 2 [Fr. *vacation* = o.a.: tijd aan iets besteed] *a* ambtelijke verrichting of werkzaamheid (*bijv.*: het uitbrengen v.e. exploot door een deurwaarder, aanwezigheid v.e. griffier of rechter bij het opmaken v.e. akte e.d.); *b* tijd die men besteedt aan bij *a* genoemde handelingen; 3 geldelijke vergoeding die voor de bij *a* genoemde handelingen verschuldigd is. **vaca'tiegeld** 1 vergoeding die wordt toegekend bij een vacatie (2*a*); vergoeding voor het bijwonen v.d. zitting v.e. lichaam waarvan men lid is, *bijv.*: een commissie; 2 vergoeding voor afwezigheid v. kantoor ten behoeve v.e. cliënt.
**vaccin'** [Fr.] of **vacci'ne** [v. Lat. *vaccínus* = v. koeien, v. *vácca* = koe; *vgl. vagíre* = loeien] 1 (*oorspr.*) koepokstof, een entstof ter bestrijding v. koepokken; 2 (*alg.*) entstof waarmee door inspuiting het organisme wordt gemaakt voor bep. infectieziekten; bestaande uit gedood of levend virus, dode of afgezwakte bacteriën, of afscheidingsprodukten v. bacteriën.
**vaccine'ren** *ww* [Fr. *vacciner*] 1 (*oorspr.*) inenten met koepokstof; 2 (*alg.*) inenten met een entstof. **vaccina'tie** [Fr. *vaccination*] *zn.*
**vace'ren** [v. Lat. *vacáre*, *zie* vacant] 1 openstaan, onvervuld zijn (ambt, post, betrekking); 2 [*zie* vacatie] zitting houden.
**vacuo'le** [Fr., verklw. v. *vacuüm*, z.a.] bestanddeel v. plantecellen en v.d. cel van eencellige dieren (Protozoa); een ruimte binnen het protoplasma gevuld met celvocht.
**va'cuüm** [Lat. *vacuus* = leeg] 1 ledige ruimte; luchtledig; leeg in fig. zin (*politiek —*, tijd zonder erkende regering); 2 (*nat.*) een ruimte met sterke onderdruk. **va'cuümdestillatie** het destilleren onder lage druk.
**va'cuümextractie** methode om van buitenaf de geboorte te bespoedigen door een zuignap op het hoofd v.d. baby te plaatsen.
**va'cuümpomp** 1 (*verloskunde*) pomp die bij vacuümextractie de onderdruk v.d. zuignap opwekt; 2 pomp voor het doen verdwijnen v. gas, lucht of overdruk. **va'cuümtechniek** techniek die met vacuüm werkt.
**va'cuümverpakking** verpakking i.e. zo goed als luchtledig omhulsel.
**vademe'cum** [Lat. = *lett.*: ga met mij] handboekje om bij zich te dragen en in voorkomende gevallen te raadplegen, beknopte handleiding.
**vae mi'hi** [Lat.] wee mij! **vae so'li** [Lat.] wee de eenzame. **vae vic'tis** [Lat.] wee de overwonnenen.
**va-et-vient'** [Fr.] het gaan en komen.
**vagant'** [Lat. *vagans, -ántis* = o.dw v. *vagári* = ronddolen] (*gesch.*) zwervend en rondtrekkend geestelijke of student.
**vagi'na**, ook minder juist **va'gina** [Lat. = schede (in het alg.)] schede, het uiterste

gedeelte v.d. inwendige vrouwelijke geslachtsorganen, vanaf de baarmoederhals (*cervix úteri*) tot aan de vulva, *z.a.*
**vaginis'me** verkramping v.d. schede, vaak door psychische oorzaak. **vagini'tis** ontsteking v.h. schedeslijmvlies, veroorzaakt door bacteriën, schimmels of andere micro-organismen.
**vala'bel** [Fr. *valable*, v. Lat. *valére* = krachtig zijn, gelden] **1** rechtsgeldig; **2** aannemelijk.
**valen'tie** [VLat. *valéntia* = kracht, het waard zijn; *zie* **valabel**] (*chem.*) getal dat de verbindings- of vervangingswaarde v.e. element aangeeft in vergelijking met die v. waterstof (= 1), waardigheid. **valeur'** [Fr., v. VLat. *valor, valóris* = waarde; v. Lat. *valére*; *zie* **valabel**] (gelds)waarde.
**vali'de** [Fr., v. Lat. *válidus* = krachtig, sterk, v. *valére* = krachtig zijn; *ook*: v. kracht zijn, gelden] *bn* **1** geldig in rechte, deugdelijk; **2** gezond, krachtig; in staat zijn normale werkzaamheden te verrichten. **valide'ren** [Fr. *valider*] **1** gelden, geldig zijn; als goede betaling gelden; **2** geldig maken. **valida'tie 1** geldigverklaring; **2** (*van wissels*) aanvaarding. **validiteit'** [Fr. *validité*, v. Lat. *validitas* = sterkte] **1** het valide-zijn; **2** geldigheid (v.e. bewering).
**valorime'ter** [v. VLat. *válor, valóris* = waarde, v. Lat. *valére* = krachtig zijn; gelden, en **meter**] waardemeter. **valorise'ren** *ww* [Fr. *valoriser*] **1** zich verzekeren v.e. goede prijs door een produkt of produkten op te stapelen en de verkoop tijdelijk te staken, of zelfs door kunstmatig de vraag te vergroten door een deel der produkten te vernietigen, om later een hoge prijs te kunnen bedingen; **2** (*nieuwezen*) de waarde v.e. vordering opnieuw vaststellen; **3** (*Z.N.*) iets ten nutte maken, uitbuiten. **valorisa'tie** *zn*.
**valu'ta** afk. **val.** [*vgl.* Fr. *value* = waarde, v. *valoir* = baten, v. Lat. *valére*; *zie* **valabel**] wettig betaalmiddel v.e. land in internationaal verband beschouwd, geldswaarde, muntvoet, wisselwaarde, koers v. geld; —*datum*, datum waarop renteberekening v.e. post in rekeningcourant ingaat. **valutair'** *bn & bw* op valuta('s) betrekking hebbend.
**vamp** [Eng., afk. v. *vampire* = vampier, z.a.] geraffineerde verleidelijke vrouw, die er op uit is door haar charmes mannen voor haar doeleinden te misbruiken. **vam'pier** [Fr. *vampire*, v. Hongaars *vampir*, missch. v. Turkse oorsprong] **1** in het volksgeloof, m.n. bij Slavische volken en bij niet-Slavische Balkanvolken, een overledene die 's nachts zijn graf verlaat om zich met het bloed v.e. levend persoon te voeden, die dan ook vampier wordt; **2** (*fig.*) woekeraar, uitzuiger; **3** naam voor versch. soorten Zuidamerikaanse vleermuizen die met hun scherpe gebit wondjes maken in de huid v. dieren en ook mensen, waaruit zij bloed zuigen.
**Vana'dium** chem. element, metaal, symbool V, ranggetal 23; een belangrijk legeringselement in titaanlegeringen en in staal, [door de ontdekker N. Sefström genoemd naar de Oudnoorse godin Vanadis, een andere naam voor Freyja].
**Vanda'len** *mv* Germ. volksstam, oorspr. woonachtig in het gebied v.d. Midden-Oder. Zij stichtten op de noordkust v. Afrika in 439 het rijk der Vandalen. In 455 veroverden en plunderden zij Rome; vandaar: **vandaal'1** (*lett.*:) lid v.d. volksstam der Vandalen; **2** (*overdrachtelijk*) wie iets moois of nuttigs moedwillig en zonder enige reden vernielt of bekladt. **vandalis'me** oorspr. term die Grégoire, bisschop v. Blois, in 1794 gebruikte om de vernielingen, spec. die v. kunstwerken door het Parijse gepeupel te beschrijven; elk verschijnsel v. moedwillige, redeloze vernieling of beschadiging, niet alleen v. kunstwerken, maar ook v. openbare nuttige instellingen, zoals telefooncellen, wachthuisjes bij bushalten, scholen, enz.

**va'nitas vanita'tum (om'nia va'nitas)** [Bijb. Lat.] ijdelheid der ijdelheden (hebraïsme voor 'opperste ijdelheid'), alles (is) ijdelheid (Lat. vertaling van Prediker 1:2 en 12:8).
**vapori'ren** *ww* [Fr. *vaporiser*, v. Lat. *vápor* = damp] verdampen. **vaporisa'tor** [modern Lat.] verdampingswerktuig, spec. verstuiver.
**varec'** [Fr. *varec(h)*, v. Normandisch; missch. v. ONoors *waekan* = drijven] synoniem v. *kelp*, *z.a.*
**va'ria** [Lat. *onz. mv* v. *várius* = afwisselend, bont] mengelwerk, allerlei. **varia'bel** [Lat. *variábilis*, v. *variáre*, -*átum* = afwisselend maken) veranderlijk. **varia'bele** (*wisk.*) veranderlijke grootheid; (*astr.*) veranderlijke ster. **variabiliteit'** veranderlijkheid; (*biol.*) veranderlijkheid in eigenschappen binnen soort ontstaan door kruising of anderszins (fluctuerende—). **va'riae lectio'nes** [Lat. = afwijkende lezingen] tekstvarianten.
**variant'**, **varian'te** [Lat. *várians*, -*ántis* = o.dw] afwijkende lezing v. tekst; (*schaken*) gewijzigde speelwijze; (*alg.*) afwijkende of gewijzigde vorm. **variazio'ni** [It.] (*muz.*) veranderingen v. bep. thema. **varië'ren** [Fr. *varier*, v. Lat. *variáre*] uiteenlopen, wisselen; wijzigen, veranderen. **varia'tie** [Lat. *variátio*] **1** (*alg.*) afwisseling; verandering; verscheidenheid; **2** (*genetica*) een afwijking v.h. fenotype, veroorzaakt door mutatie of door recombinatie v. genetisch materiaal; **3** (*navigatie*) in de zeevaart en luchtvaart de term voor de declinatie v.d. kompasnaald v.h. ware noorden; **4** (*astr.*) storing in de beweging v.d. maan met een periode v.e. halve synodische maand; **5** (*muz.*) verandering v.e. thema.
**varicel'la** [modern Lat., verklw. v. *variola*, *z.a.*] waterpokken, windpokken, een meestal goedaardige kinderziekte veroorzaakt door een virus.
**va'rices** [*mv* v. Lat. *varix* = aderspat] spataderen. **varicoce'le** [Lat. *varix*, en Gr. *kèle* = gezwel] zakaderbreuk, gezwel op zaadstreng. **varico'se** verschijnselen v. of lijkend op spataderen. **varico'sitas** op spatader lijkende aderopzwelling.
**vari'etas delec'tat** [Lat.] *lett.*: afwisseling is aangenaam; verandering v. spijs doet eten. Deze spreuk komt bij verscheidene Rom. schrijvers voor en gaat terug op de Gr. tragediedichter Euripides (ca. 480-406 v. Chr.)
**variété** [Fr. = *lett.*: verscheidenheid; *ook*: mengelwerk, v. Lat. *varíetas* = afwisseling] **1** een spec. vorm v. theateramusement, waarbij personen optreden met een bijz. behendigheid of vaardigheid, zoals acrobaten, koorddansers, evenwichtskunstenaars, jongleurs, snelletekenaars, komieken enz., veelal met muziek begeleid en afgewisseld door liedjeszangers; **2** gebouw daarvoor.
**variëteit'** afk. **var.** [v. Lat. *varíetas* = *ook*: afwijking] ondersoort, standvastige afwijkende vorm binnen een soort.
**vario'la** [MLat., óf v. Lat. *várius* = bont, gevlekt, óf verklw. v. *varus* = knobbel] (*med.*) pokken.
**variome'ter 1** (*alg.*) apparaat waarmee kleine veranderingen (variaties) v.e. grootheid gemeten kunnen worden, bijv. v. magnetisme, luchtdruk e.d.; **2** (*luchtv.*) instrument dat (door verandering in de luchtdruk) de stijg- of daalsnelheid v.h. vliegtuig aangeeft.
**va'rium et muta'bile sem'per fe'mina** [Lat.] de vrouw is altijd een wisselvallig en veranderlijk wezen. Dit gezegde komt voor in de *Aeneis* van Vergilius.
**var'sity** [Eng., verbastering v. *university* = universiteit; voluit: *university boat race* = universiteitsroeiwedstrijd] roeiwedstrijd tussen ploegen studenten v. verschillende universiteiten.
**vasculair'** [Fr. *vasculaire*, v. Lat. *vásculum* = verklw. v. *vas* = vat] *bn* de bloedvaten (of andere lichaamsvaten) betreffend.

**vasectomie'** [Lat. *vas* = vat, en Gr. *ektomè* = het uitsnijden; *ook:* het ontmannen, v. *ektemnoo* = uit-snijden] sterilisatie bij de man, door een stukje v.d. zaadleider weg te nemen.

**vaseli'ne** [onregelmatig gevormd uit Du. *Wasser* = water, en Gr. *elaion* = olie] *oorspr.:* merknaam (1891), een in de dermatologie en farmacie gebruikte stof, zacht tot zalfachtig vast, die bereid is uit petrolatum; grondstof voor de bereiding van zalven.

**vasoconstric'tie** [v. Lat. *vas*, *vásis* = o.a. vat; *zie* **constrictie**] vaatvernauwing, tijdelijke vernauwing v. slagaderen v. grote of middelmatige diameter (vaatkramp, vaatspasme). **vasodilatan'tia** *mv* [v. Lat. *dilatáre* = verwijden] vaatverwijdende middelen. **vasomoto'rische zenuwen** zenuwen die bloedvaten verwijden of vernauwen **vasotomie'** [v. Gr. *temnoo* = snijden] sterilisatie bij de man, door de zaadleiders door te snijden.

**vaudevil'le** [Fr., waarsch. afk. v. *vaudevires*, satirieke balladen geschreven door Olivier Basselin, afkomstig uit het *Vau* (= *Val*) *de Vire* = de vallei v.d. Vire in Frankrijk] (*gesch.*) zangklucht, luchtig toneelstuk met zang en muziek met pantomime om het verhaalde te illustreren, populair tot in de 18e eeuw.

**vazal'** [OFr. *vassal*, v. MLat. *vassállus*; *vgl.* Bretons *goaz* = dienaar] leenman; afhankelijk iemand.

**veau** [Fr. = kalf, v. Lat. *vitéllus*, verklw. v. *vítulus* = kalf] **1** (*cul.*) kalfsvlees; **2** kalfsleer.

**vec'tor** [Lat. = drager, overbrenger, v. *véhere*, *véctum* = voortbewegen, dragen] **1** (*astr.*) voerstraal (*rádius véctor*), denkbeeldige lijn v.h. middelpunt v.d. zon naar het middelpunt v.e. planeet; **2** (*wisk.*) gerichte lijnstuk in de euclidische ruimte, vaak voorgesteld in de vorm v.e. pijl, waarmee in de mechanica grootheden als krachten, snelheden en versnellingen die een bep. punt ondergaat, kunnen worden voorgesteld. Vectoren worden genoteerd door een vette cursieve letter: *a*, *b* enz., ook nog wel door een cursieve letter met een pijltje erboven: *a̅*, *b̅* enz. **3** (*parasitologie*) tussengastheer voor een inwendige parasiet die voor de eindgastheer ziekteverwekkend is en die daarin wordt gebracht door een beet of steek v.d. tussengastheer (*vector*, drager).

**Ve'da** [Sanskr. = kennis] oudste heilige boeken v.h. hindoeïsme (Rig, Sama, Yayur en Atharva). **vedan'ta** wijsgerige systeem en verlossingsleer op Veda gefundeerd. **ve'disch** v.d. Veda.

**vedet'te** [It. *vedetta*, waarsch. v. *vedére*, Lat. *vidére* = zien] **1** (*eig. oorspr.*) verspieder, uitkijkpost, voorpost; **2** (*mil.*) schildwacht te paard, ruiterwacht; **3** (*afl. v.* voorpost, voorste) beroemde actrice of zangeres e.d., primadonna; **4** (*vandaar:*) bekende sportbeoefenaar, sterspeler, of een andere op een bep. gebied op de voorgrond tredende persoon. **vedet'te-** als voorvoegsel = ster-.

**veem** [herkomst v.h. woord onduidelijk; in MNed. is *veem* of *véme:* gerecht v. vrije mannen dat onder koningsban recht spreekt in strafzaken (*zie ook* **veemgericht**); *vgl.* MHDu. *veime* = straf, veemgericht; MNDu. *veme* of *veime*, echter ook: landvrede, verbond] **1** (*oorspr.*) vereniging v. soortgenoten; in Amsterdam: handelsverbond, vennootschap; **2** (*thans*) onderneming voor het in bewaring nemen v. goederen en het exploiteren v. pakhuizen; belast zich ook met het nemen v. monsters, het verpakken van de goederen en het verzorgen v. douaneformaliteiten; verder treedt het veem op als expediteur; **3** pakhuis v. een veemonderneming. **veem'gericht** [v. MNDu. *veme* of *veime* (Du. *Feme*) = bestraffing; *ook:* verbond] gerecht in het Westfaals middeleeuws landgerecht, dat aan de macht v.d. landsheerlijkheid ontglipte, doordat het rechtstreeks v.d. koning afhankelijk was en de

schepenen niet alleen uit de adel, maar ook uit de boeren gekozen werden. Naast de openbare veemgerichten waren er ook geheime zittingen. De term 'veemgericht' is in gebruik gebleven voor de berechting v. politieke vijanden door personen die daartoe niet bevoegd zijn.

**veganis'me** [v. Eng. *vegan*; samentrekking v. *vegetarian* = vegetariër] strengste vorm v. vegetarisme waarbij zelfs geen produkten v. levende dieren worden gebruikt, zoals eieren, zuivel, honing, wol. **veganist'** iemand die het veganisme aanhangt.

**vegetaris'me** [onregelmatig gevormd v. Eng. *vegetable* = plantaardig] levenswijze waarbij geen dierlijk voedsel (afkomstig v. gedode of levende dieren) wordt gebruikt, maar enkel plantaardige kost. De strengste richting is het *veganisme*, z.a.; een gematigde vorm is het *lacto-vegetarisme* [v. Lat. *lac*, *láctis* = melk], waarbij wel produkten v. levende dieren geoorloofd zijn, zoals melkprodukten en eieren. **vegeta'riër** iem. die het volgens het vegetarisme. **vegeta'risch** *bn & bw* van of voor vegetariërs.

**vegeta'tie** [Lat. *vegetátio* = levenskracht] (rijke) plantengroei; (*med.*) woekering. **vegeta'tiekunde** leer v.d. samenleving der planten. **vegetatief** [Fr. *végétatif* = de groei betreffend] **1** (*ongebruikelijk*) plantaardig; **2** de groei betreffend of deze bevorderend; *ook:* eigen aan de fysiologische verrichtingen v.e. organisme; *vegetatief zenuwstelsel*, deel v.h. zenuwstelsel dat onbewust verlopende functies regelt. **vegete'ren** [Fr. *végéter*] leven als een plant, zonder afwisseling en emotie.

**vehement'** [Lat. *véhemens*, *-éntis* = driftig, woedend, v. *ve*, duidt scheiding aan, en *mens*, *mentis* = geest; *dus:* uitzinnig] heftig, hevig.

**vei'ne** [Fr. = ader, v. Lat. *vena* (*eig.:* ertsader; *trouver une bonne veine* = iets vinden wat men goed kan gebruiken)] geluk in het spel.

**velaar'** [Lat. *veláris* = behorende tot het **velum 6**, *z.a.*] **I** *bn* (v. spraakklanken) bij het zachte gehemelte gevormd; **II** *zn* aldus ontstane klank (*bijv.:* ch, g en k).

**velijn'** [v. Fr. *vélin* = *eig.:* geprepareerde kalfshuid] fijn perkament; fijn glad gesatineerd papier.

**velo'**, **velocipède** [Fr. *vélocipède*, v. Lat. *velox*, *velócis* = vlug, en *pes*, *pedis* = voet] (*Z.N.*) fiets. **velo'ce** [It. v. Lat. *velox*, *velócis*] snel, vlug. **velo'citas** [Lat.] snelheid. **velodroom'** [v. Gr. *dromos* = loop, renbaan] overdekte wielerbaan.

**velours'** [Fr., v. OFr. *velous*, MLat. *velluetum*, v. Lat. *villus* = wollig ruig dierenhaar, *villósus* = ruig, wollig; *vgl. vellus* = afgeschoren vacht, vlies, vel] fluweel; — *chiffon*, bep. zijdeachtig fluweel; — *d'Utrecht*, bep. meubelpluche of -trijp.

**voute'ren** *ww* [Fr. *velouter*, v. OFr. *velous* = fluweel] fluweelachtig uiterlijk geven. **velouté** (Fr., v. dw v. *velouter*) **1** *bn* fluweelachtig; **II** *zn* **1** fluweelachtig gemaakte stof; **2** fluweelpapier; *velouté frappé*, fluweelpapier met verdiept patroon; **3** (*cul.*) *a* fluwelige witte saus, blanke, met *roux* bereide grondsaus; *b* zachte, licht gebonden soep.

**ve'lum**, *mv* **ve'la** [Lat. = *eig.:* wat voortbeweging geeft, *hier:* v. schip; *dus:* zeil, v. *véhere* = voortbewegen, dragen] **1** kleed om een open ruimte af te dekken, dak v. zeildoek, zeildak, tentdak; **2** dekkleed; **3** (*rk*) kelkkleedje, kleedje dat de kelk tijdens de latijnse mis bedekt zolang deze niet gebruikt wordt, of geborduurd kleedje over de ciborie ten teken dat deze geconsacreerde hosties bevat; **4** (*rk*) rijk bewerkte langwerpige doek die de schouders en de armen v.d. priester bedekt wanneer deze de zegen geeft met het Allerheiligste (= geconsacreerde hostie in monstrans); **5** (*dierk.*) randplooi v. kwallen waarmee ze zich voortbewegen; **6** (*anat.*) zacht gehemelte (*vélum palatínum*).

**venaal'** [Lat. *venális*, v. *vénus* = verkoop;

*véndere* (ontstaan uit *vénum dáre* = ten verkoop geven, veil geven) = verkopen] **1** te koop, veil; **2** omkoopbaar.

**Vendémiai're** [Fr., v. Lat. *vindémia* = wijnoogst], wijnmaand, 1e maand v.d. Fr. Republikeinse kalender (22 sept.-21 okt.).

**vendet'ta** [It., v. Lat. *vindícta* = straf, wraak] bloedwraak.

**vendu'** [v. Fr. = verkocht, v. *vendre* = verkopen, Lat. *véndere* = *venum dare* = ten verkoop geven) vendutie; huis voor vendutie.
**vendu'tie** openbare veiling en verkoop v. tweedehands zaken.

**venere'ren** [Lat. *venerári*; verwant met *venus, véneris* = aanvalligheid] eerbiedig vereren.
**venera'tie** [Lat. *venerátio*] zn. **venera'bel** [Lat. *venerábilis*] eerbiedwaardig.

**vene'risch** [Lat. *venéreus* = v.d. *venus, véneris* = bekoorlijkheid, (overdrachtelijk) geslachtsliefde)] geslachtsziekte betreffend.
**venerologie'** kennis der geslachtsziekten.
**veneroloog'** beoefenaar der venerologie.
**veneus'** [Lat. *venósus* = vol aderen, v. *vena* = ader] aderlijk.

**venijn'** [Fr. *venin*, Lat. *venénum*] gif.

**ve'ni, vi'di, vi'ci** [Lat.] ik kwam, ik zag, ik overwon (woorden waarmee Caesar zijn bliksemoverwinning op Pharnaces v. Pontus bij Zela (47 v. Chr.) aan een vriend zou hebben meegedeeld, daarbij geïnspireerd door een Gr. spreekwoord: de wereld is een schouwtoneel, het leven een toneeloptreden: je komt, je kijkt, je gaat weer weg).

**ven'noot** [uit *veemnoot* = genoot, medelid v. veem] deelgenoot v. handelsgenootschap.

**Ventôse** [Fr., v. Lat. *ventósus* = windrijk] 6e maand v.d. Fr. Republikeinse kalender (19 febr.-20 mrt).

**ventraal'** [Lat. *ventrális*, v. *venter, ventris* = buik] de buik betreffend. **ventre à terre** [Fr. = *lett.*: met de buik op de grond (v. paard)] in volle ren, met grote snelheid.

**ventri'kel** [v. Lat. *ventrículus* = buikje, hartkamer] hol orgaan. **ventriloquist'** [v. Lat. *lóqui* = spreken] buikspreker.

**ver'ba** [*mv* v. *verbum, z.a.*] woorden, (*spraakk.*) werkwoorden. **verbaal'** [Lat. *verbális* = tot het (werk)woord behorend, v. *verbum, z.a.*] talig; **I** en **1** woordelijk; op woorden betrekking hebbend; met woorden; **2** (*spraakk.*) werkwoordelijk; **II** zn verkorting v. proces-verbaal. **verbalise'ren** [Fr. *verbaliser*] een proces-verbaal opmaken (tegen overtreder), bekeuren. **verbalisant'** wie verbaliseert. **verbalis'me** woordenkraam; aandacht voor het woord (boven gedachte).
**verba'liter** woordelijk, wat de woorden betreft. **verbeus'** [Fr. *verbeux*, Lat. *verbósus*] woordenrijk, breedsprakig. **Ver'bi Divi'ni Minis'ter** afk. **V.D.M.** [Lat. = Dienaar v.h. Goddelijk Woord] (*prot.*) predikant, dominee.
**ver'bi gra'tia** [Lat.] bij voorbeeld.
**verbositeit'** [Lat. *verbósitas*] omhaal v. woorden, breedsprakigheid. **ver'bum** [Lat.] woord; (*spraakk.*) werkwoord.

**verdict'** [Anglo-Fr. *verdit*, v. Lat. *vere dictum* = naar waarheid gezegd, v. *verus* = waar, en *dícere, dictum* = zeggen] uitspraak, beslissing; spec. jur. uitspraak v. gezworen jury in landen waar rechtspraak geschiedt m.b.v. een jury.
**verifië'ren** [Fr. *vérifier*, v. MLat. *verificáre*, v. Lat. *vérus* = waar, en *fácere* = maken] de juistheid of echtheid v. iets onderzoeken en evt. vaststellen; erkennen (een vordering); de juistheid v.e. afschrift, citaat of enige andere opgave nagaan en evt. vaststellen; de juistheid v.e. hypothese of theorie bewijzen.
**verifica'tie** zn. **verificateur'** [Fr. *vérificateur*] ambtenaar die de juistheid v. opgaven controleren moet, spec. v. belastingopgaven. **veris'me** [v. Lat. *vérus* = waar, echt] naturalisme in de It. lit. en muz. (eind 19e eeuw). **verita'bel** [Fr. *véritable*] *bn* onvervalst, echt. **ve'ritas** [Lat.] waarheid.

**verjus'** [Fr.] (*cul.*) sap v. onrijpe druiven.
**verkoe'verkamer** *zie* **recovery-room.**

**vermiljoen'** [OFr. *vermillon* = cochenilleluis, v. Lat. *vermículus*, verklw. v. *vermis* = worm] **I** *bn* hoogrood; **II** *zn* hoogrode kleurstof, verkregen uit de cochenilleluis. Kunstmatig vermiljoen is *cinnabar, z.a.*, kwik(II)sulfide, HgS.

**vernalisa'tie** [v. Lat. *vernális* = lente-, v. *ver* = lente] ook genoemd **jarovisa'tie** [v. Rus. *jarovoj* = zomer] koudebehandeling v. kiemende zaden of jonge planten op zodanige wijze dat de volgende stadia v.d. levenskringloop v.d. betrokken plant sneller worden doorlopen.

**vernissa'ge** [Fr.] **1** tentoonstelling v. schilderijen voor beperkte kring v. genodigden voorafgaande aan de openstelling voor het publiek; **2** bijeenkomst v. genodigden ter introductie v.d. uitgave v.e. nieuw boek e.d.
**verram'sjen** *ww* [Barg.] een partij goederen waar vrijwel geen vraag naar is tegen een spotprijs aan en opkoper verkopen.

**vers** [Lat. *versus*, v. *vértere, versum* = keren] regel v.e. gedicht; (*Bijb.*) van bep. nummer voorzien klein deel v.e. hoofdstuk v.e. bijbelboek. **versatiel'** [Lat. *versátilis* = wat licht draait, v. *versáre* = gedurig wenden, draaien, frequentatief v. *vértere*] ongestadig, wispelturig. **versatiliteit'** [Fr. *versatilité*] het versatiel-zijn. **verse'ren** [Lat. *versáre* = ook: zich in bep. gebied bewegen, zich met iets bezighouden] verkeren in; *geverseerd*, bedreven. **ver'sie** [Lat. *vérsio*] vertaling, vorm v. tekst, lezing. **versifice'ren, versifie'ren** [Lat. *versificáre, -átum*, Fr. *versifier*, v. Lat. *versus* = vers, en *fácere* = maken] in verzen maken of in verzen omzetten. **versifica'tie** [Lat. *versificátio*] versbouw, kunst daarvan.

**ver'so (fo'lio)** [Lat.] op de ommezijde (v.h. blad). **ver'sus** [Lat. = naar de kant van, gekeerd naar] tegen (A versus B).

**ver'te** [Lat. = gebiedende wijs v. *vértere* = keren] keer om (het blad).

**Vertebra'ten** [Lat. *vertebratus* = v. gewrichten voorzien] gewervelde dieren.
**vertebraal'** tot de wervels behorend.

**vert-cuit'** [Fr., v. *vert* = groen; *cuire* = koken] groengekookt, afkookmethode voor sommige groenten.

**ver'tex** [Lat. = al wat draait, v. *vértere* = keren, wenden; *vértex* = *ook*: top, spits, hemelpool; *ook*: draaikolk, wervelwind] **1** kruin, top; **2** (*astr.*) vluchtpunt, het punt aan de hemel waar de evenwijdige banen v.e. groep sterren, v.d. aarde uit gezien, naar elkaar convergeren en hun verlengde banen elkaar schijnbaar zullen snijden.

**verticaal'** [Fr. *vertical*, v. MLat. *verticális*, v. Lat. *vértex, z.a.*] **I** *bn* & *bw* **1** de richting hebbend die het schietlood aangeeft; loodrecht; **2** in af- en opgaande richting; *verticale prijsbinding*, het bindend vaststellen v.d. prijzen v.d. detailhandel door de fabrikant v.h. desbetreffende artikel; **II** *zn* **1** lijn waarvan de richting door het schietlood wordt aangegeven; **2** (*astr.*) (voluit: *verticaalcirkel*) elke grote cirkel aan de hemelbol die door zenit en nadir gaat; **3** (*astr.*) (voluit: *verticaalcirkel*) hoogtecirkel, een astronomisch instrument om nauwkeurig de hoogte v.e. ster te meten die ze bij het passeren v.d. meridiaan heeft.
**verti'go** [Lat., *eig.*: het draaien, verwant met *vértere* = keren, wenden; *overdrachtelijk*: de schijnbare ronddraaiing v.d. omringende dingen in onze verbeelding (zoals bij beschonkenen), *vandaar*:] duizeling.
**vertigineus'** [Fr. *vertigineux* = duizelingwekkend; v. Lat. *vertiginósus* = last hebbend v. duizelingen] *bn* duizelingwekkend (*bijv.*: hoogte).

**ver've** [Fr., verdere afl. onzeker] gloed (*fig.*) (bijv. een verhaal met veel — vertellen).

**ves'pers** [kerk. Lat. *ad Vésperas* = op het avonduur, v. Lat. *vesper, vésperis* = avond] (*rk*) het zesde v.d. kerk. getijden, in de avond (of late namiddag) gebeden of gezongen.

**vestiai're** [Fr., v. Lat. *vestiárius* = tot de kleren

behorend, v. *vestis* = kleed] bewaarplaats v. overkleren (in schouwburg e.d.).

**vestibu'le** [Fr., v. Lat. *vestibulum* = voorhof (aan Vesta gewijd)] voorportaal, ruimte achter hoofdingang v. gebouw van waaruit die andere vertrekken te bereiken zijn.

**ve'te** [v. MNed. *vête*, v. ouder *vêde*, v. MNDu. *veide* of *vede*, v. OHDu. *gi-fehida* = vijandschap, strijd, haat; *vgl.* Du. *Fehde* = vijandschap, strijd, vete, en Eng. *foe* = vijand] **1** in oude rechtstelsels de bevoegdheid om in bep. gevallen eigen rechter te spelen; **2** (*tegenw.*) blijvende vijandschap tussen geslachten, families of personen, soms wegens een onrecht dat de ene partij in een ver verleden door de andere partij is aangedaan; een ernstige vorm v. vete, nog hardnekkig berustend op het oude veterecht, is in sommige zuidelijke landen de zogenoemde bloedwraak (*vendetta*).

**veteraan'** [Lat. *veteránus*, v. *vétus, véteris* = oud] **1** *oorspr.* (Rom.) *a* oude, beproefde soldaat, die na de gebruikelijke diensttijd v. 20 jaar bleef doordienen, echter zonder verplichting v. corvee-diensten of wachtlopen; *b* oudgediende, die bij wijze v. pensioen gewoonlijk een stuk grond kreeg; **2** (*thans*) oudgediende, oudstrijder, spec. een die zijn sporen verdiend heeft in een of andere oorlog; **3** (*bij uitbreiding*) *a* oudgediende in een of ander vak; *b* persoon die behoort tot een vroegere jaargang v.e. sportclub e.d.; *c* motorfiets of auto van vóór 1940.

**vetera'nenziekte** ziekte veroorzaakt door de bacterie *Legionella pneumophila*, zich uitend in longontsteking, soms dubbelzijdig, en hoge koorts. De ziekte openbaarde zich het eerst op een reünie v. oudstrijders, vandaar de naam.

**veterinair'** [Fr. *vétérinaire*, v. Lat. *veterinárius*, v. *veterínus* = tot het trekvee behorend, samentrekking uit *vehiterínus*, v. *véhere* = voortbewegen; *medicina veterinária* = veeartsenijkunst] **I** *bn* veeartsenijkundig; **II** *zn* veearts [Lat. *veterinárius*].

**ve'to** [Lat. = ik verbied, v. *vetáre* = verbieden; met de formule *veto* verklaarden de *tribúni plébis* (volkstribunen) besluiten v. magistraten ongeldig] **1** verbod; **2** recht v. veto, zie **vetorecht**; **3** uitoefening van dit recht; in uitgebreider spraakgebruik: elk verbod v.e. gezaghebbend persoon. **ve'torecht** recht van veto, de bevoegdheid die in sommige gevallen toekomt aan een lid v.e. college, of aan een ander orgaan buiten het college, om de totstandkoming v. besluiten te verhinderen of om het in rechte in werking treden v. genomen besluiten te blokkeren. **vete'ren** *ww* zijn veto uitspreken.

**Ve'tus Lati'na** [kerk. Lat. = de oude Latijnse (nl. vertaling)] alg. naam voor bijbelteksten die in het Lat. vertaald waren en die in omloop waren voor de Vulgaat ontstaan. **Ve'tus Testamen'tum** [kerk. Lat.] het Oude Testament, het Oude Verbond.

**veu've** [Fr., v. Lat. *vídua* = weduwe, *lett.*: beroofd v. echtgenoot; *vgl. di-vídere* = scheiden] weduwe.

**vexa'tie** [Lat. *vexátio* = schudding, kwelling, v. *vexáre*, *-átum* = sterk bewegen, intensitief v. *véhere* = voortbewegen] kwelling; knevelende maatregel.

**vi'a** [Lat. = 6e nv v. *via* = weg, OLat. *vea*; *vgl. véhere* = voortbewegen] over, langs de weg v. (via B naar C reizen), door bemiddeling v. (ik zend het je via mijn broer). **vi'a doloro'sa** [Lat. = *lett.*: smartrijke weg] de kruisweg die Christus heeft afgelegd. **viaduct'** v. Lat. *dúcere, ductum* = voeren; naar analogie v. *aquaduct*, z.a.] overbrugging over weg, spoorbaan e.d. **Via'ticum** [Lat. = *viáticum* = reisgeld, v. *viáticus* = tot de weg of de reis behorend] (*rk*) teerspijze, de laatste communie aan een stervende toegediend.

**vibre'ren** *ww* [v. Lat. *vibráre, vibrátum* = trillen] **1** trillen; **2** een toon trillend ten gehore brengen; (*muz.*) zingen of spelen met

vibrato (*z.a.*) **3** doen trillen; met trillingen bewerken; **4** in trillende beweging zijn.

**vibra'tie** [Lat. *vibrátio*] **1** trillende beweging, trilling; **2** uitwijking uit hun evenwichtstoestand v. atomen in een molecule t.o.v. elkaar. **vibra'tiemassage** elektr. massage d.m.v. trillende bewegingen.

**vibra'tor** [modern Lat.] **1** trillend lichaam; **2** apparaat dat trillingen opwekt of overdraagt, spec. trilapparaatje om de geslachtsorganen te prikkelen. **vibra'to** [It.] (*muz.*) *bw* trillend, vibrerend. **vibrafoon'** [onjuist gevormd van Lat. *vibráre* = trillen, en Gr. *phoonē* = geluid] muziekinstrument, ontwikkeld uit de xylofoon, dat bestaat uit gestemde, metalen platen met daaronder resonantiebuizen die met stokken bespeeld worden; veel gebruikt in jazz- en moderne muziek.

**Vi'brio** geslacht v. spiraalachtige of kurketrekkerachtige bacteriën uit de familie der Spirilláceae (ook wel *spirillen* genoemd).

**vicariaat'** [Fr. *vicariat*, voor verdere woordafl. **zie vicaris**] **1** (*alg.*) plaatsvervanging, spec. ambtsvervanging; **2** ambt v. vicaris; **3** ambtsgebied v.e. vicaris; **4** (*prot.*) praktische werkzaamheid in het pastorale werk door een afgestudeerd theologisch student als hulp v.e. predikant. **vicarie'ren** *ww* plaatsvervangen. **vica'ris** [v. Lat. *vicárius* = plaatsvervangend, v. *vicis* = 2e nv v.h. niet voorkomend *vix* = beurtwisseling] **1** plaatsvervanger; **2** (*rk*) Lat. *vicárius, mv vicárii* of in het Ned. vicarissen; hulp- en eventueel plaatsvervangend geestelijke; **3** (*prot.*) naam voor een proponent die benoemd is als hulp in het pastoraat, ofwel de zendingsdienst. **vica'ris-generaal'** helper v.d. bisschop in bestuurszaken en hem evt. vervangend. **vica'rius aposto'licus** [Lat.] geestelijke niet-bisschop door de paus bekleed met speciale volmachten om bep. missiegebied te besturen. **vi'ce-** [Lat. *vice* = 6e nv *vix; zie bij* **vicaris**] onder-, waarnemend (*bijv.*: vice-voorzitter). **vi'ce ver'sa**, afk. **v.v.** [Lat. = gekeerde toerbeurt, v. *vérsus* = gekeerd, v. *vértere, vérsum* = wenden, keren] heen en weer; spec. gezegd v. diensten van openbare vervoermiddelen.

**vicieus'** [Fr. *vicieux*, v. Lat. *vitiósus* = vol gebreken, v. *vítium* = verwikkeling, gebrek; *vgl. viëre* = vlechten] verkeerd, gebrekkig, ondeugdelijk, bedorven; *vicieuze cirkel, zie* **circulus vitiosus**.

**vi coac'tus** [Lat.] door geweld gedwongen.

**vicom'te** [Fr.] burggraaf.

**vic'tor** [Lat., v. *víncere, victum* = de overhand krijgen, overwinnen] overwinnaar. **victo'ria** bep. open rijtuig (met halve kap) [naar koningin Victoria v. Engeland, 1819-1901]. **victo'rie** [Lat. *victoria*] overwinning, zege. **victorieus'** [Fr. *victorieux*, v. Lat. *victoriósus*] zegevierend.

**victua'liën** *mv* [Lat. *victuália*, v. *victus* = leven, levensbehoefte, v. *vívere, victum* = leven; *vgl.* Gr. *bios*] levensmiddelen, mondvoorraad, leeftocht. **victua'liewant** *zie* **komma'liewant**.

**vicu'ña** (*spr.*: vikoenja) [Sp.] **1** schaapkameel, bep. kleine soort wollige lama; **2** weefsel gemaakt v. vicuña-wol.

**vi'de** [Lat. = gebiedende wijs v. *vidére* = zien] zie (verwijzing naar andere plaats in hetzelfde boek of naar plaats in ander boek). **videa'tur** [Lat. = *lett.*: er worde gezien] men zie. **vide'tur** [Lat., v. *vidéri* = schijnen (lijdende vorm v. *vidére* = zien)] het schijnt; thans ook als *zn*: gevoelen, mening. **vide'licet** [Lat. = *lett.*: het staat vrij te zien = zoals men kan zien] te weten, namelijk. **vi'deo** [*vgl.* Lat. = *ik zie*] beeldbandapparatuur om televisiesignalen op te nemen of af te spelen. **video-** [v. Lat. *videre* = zien] in moderne ss: met beelden die langs elektronische weg van elders ontvangen worden of zijn. **vi'deocassette** cassette waarin de band is opgeborgen welke door de

videorecorder is opgenomen.
**vi'deocassetterecorder** apparatuur waarmee men televisiebeelden, ook in kleur, registreert samen met het geluid, waarbij de videoband automatisch in een cassette wordt opgeborgen. **vi'deoconferencing** [Eng.] het vergaderen per telefoon met beeldverbinding. **videofoon'** beeldtelefoon, telefoon waarbij men ook het beeld v.d. gesprekspartner op een schermpje ziet. **vi'deoplaat** [v. Am. *videodisc*] soort grammafoonplaat, waarop beelden en geluid v.e. film e.d. zijn opgenomen, die via het eigen televisietoestel weer gereproduceerd kunnen worden. **vi'deorecorder** apparaat voor het vastleggen v. evt. gekleurde televisiebeelden (met geluid) op een magnetische band om ze later naar believen te reproduceren.
**videotheek'** [v. Gr. *thékē* = bewaarplaats] 1 bedrijf dat voorbespeelde videobanden verhuurt; 2 verzameling videobanden in cassettes.
**vi'di** [Lat. volt. teg. tijd v. *vidēre* = zien] ik heb (het) gezien. **vi'dit** [Lat.] hij/zij heeft (het) gezien.
**Vi'ditel** [v. Lat. *vidēre* = zien, en *telefoon*] een viewdata-project, een tekstinformatiesysteem, bestaande in het telefonisch opvragen v. informatie uit een centrale computer, die de gevraagde informatie dan verstrekt op het eigen (abonnee)televisietoestel.
**vieux** [Fr. = oud; *vgl*. Lat. *vétus* = bejaard, oud] Hollandse cognac, een imitatiecognac. **vieux neuf** [Fr. = *lett*.: oud nieuw] 1 namaakantiek; 2 opgelapte waar. **vieux ro'se l** *zn* mat rose, oud rose; **ll** *bn* v. die kleur.
**view'data** [Eng. = *lett*.: kijkgegevens] in computers opgeslagen gegevens, die na telefonische aanvrage op het beeldscherm v.d. aanvrager worden gebracht; informatiesysteem waarbij d.m.v. telefoon gegevens uit databanken opgeroepen kunnen worden en op een televisiescherm zichtbaar gemaakt.
**vie'wer** [Eng. = *lett*.: kijker] 1 apparaat waarmee diaplaatjes en stukjes film bekeken kunnen worden; 2 toestel om microkaarten en microfilms te lezen.
**vige'ren** [Lat. *vigēre* = krachtig zijn] gelden, v. kracht zijn. **vigeur'** [Fr. *vigueur*, v. Lat. *vigor* = levenskracht] rechtskracht, het gelden.
**vigile'ren** [Lat. *vigilāre, -ātum* = waken, v. *vigil* = wakend, v. *vegēre* = opwekken] scherp toezien. **vigilant'** [v. Lat. *vigilans, vigilántis* = o.dw v. *vigilāre*. = waken; *vigileren* ook:] waakzaam heen en weer lopen] **l** *bn & bw* waakzaam, wakker; **ll** *zn* straatprostituée, tippelaarster. **vigilan'te** [Fr.] huurkoetsje wachtend op klanten; bep. gesloten huurrijtuig. **vigilan'tie** [Lat. *vigilántia; zie vigileren*] waakzaamheid. **vigilia'te en ora'te** [Lat.] waakt en bidt. **vigi'lie** [Lat. *vigília* = nachtwake] dag voor bep. kerk. feesten, inzonderh. de nacht v.d. Paasnacht of voor overledene die de volgende dag begraven zal worden.
**vignet'** [Fr. *vignette*, verklw. v. *vigne*, Lat. *vinea* = wijnstok, v. *vinum*, Gr. *(w)oinos* = wijn] drukversiering aan begin of eind v. boek of v. hoofdstuk daarvan (*oorspr*. bebladerde tak v. wijnstok voorstellend).
**vigoro'so** [It.] *(muz.)* krachtig. **vigoureus'** [Fr. *vigoureux; zie vigeren*] krachtig.
**vi'king, wi'king** [ONoors *vikingr*, missch. verband met *wic* = kamp] Noorman, oud-Scandinavisch zeestrijder.
**vilein'** [Fr. *vilain* = *oorspr. hist*.: niet-adellijk burgerlijk persoon; *vandaar*: dorpeling, boer, kerel] *bn* 1 slecht, gemeen, laag; 2 boosaardig, snood; 3 venijnig.
**vil'la** [Lat., ontstaan uit *vícula*, verklw. v. *vicus* = woning, hofstee, wijk, dorp; *vgl*. Gr. *oíkos* = huis; *vgl*. Fr. *ville* = stad] landhuis, vrijstaand aanzienlijk huis buiten of aan rand v. stad. **villegiatuur'** [It. *villeggiatura*] verblijf op het land. **vil'le lumière** [Fr.] lichtstad, spec. als

bijnaam v. Parijs.
**vinaigret'te** [Fr.: *eig*.: *sauce vinaigrette*, v. *vinaigre* = azijn (*lett*.: zure wijn)] *(cul*.) zure saus bereid uit azijn, olie, uien, zout, kruiderijen en specerijen.
**Vincen'tiusvereniging** *(rk)* vereniging v. leken, door F. Ozanam in 1833 te Parijs opgericht met als doel de christelijke naastenliefde in praktijk te brengen door persoonlijke werkzaamheden, bestaande in stoffelijke en geestelijke hulpverlening d.m.v. huisbezoek. Tegenwoordige hoofddoel: dienstverlening door vrijwilligers op maatschappelijk en cultureel gebied. Genoemd naar de H. Vincentius a Paulo, Fr. priester (1581-1660), bekend om zijn liefdewerken. **Vincentiaan'** lid v.e. Vincentiusvereniging.
**vin'culum matrimo'nii** [Lat.] huwelijksband.
**vindice'ren** [Lat. *vindicáre, -átum* = gerechtelijke aanspraak maken op iets, v. *vindex, vindícis* = aanspraakmaker, wreker] straffen, wreken; terugeisen; inroepen, doen gelden. **vindica'tie** [Lat. *vindicátio*] *zn*. **vindicatief'** [Fr. *vindicatif*] wrekend.
**vinoloog'** [onjuist gevormd v. Lat. *vinum* = wijn, en Gr. *lógos* = woord, kennis; moet zijn: *oenoloog*, ook gespeld: *enoloog, zie verder oenologie*] wijnkenner.
**vinyl'** (*chem*.) synoniem van *ethenyl*, de atoomgroep $H_2C=CH-$, waarvan verschillende kunststoffen worden gemaakt. **vinyl'chloride**, de chem. verbinding $H_2C=CHCl$, een kleurloos gas. Het dient door polymerisatie voor de bereiding van *polyvinylchloride* (PVC). **vinyl'harsen** verzamelnaam voor kunststoffen ontstaan door polymerisatie v.d. vinylgroep $H_2C=CH-$.
**vio'la** [It.] viool; — *da gamba*, bep. oude viool (een quint lager gestemd dan gewone viool), die tussen de benen gehouden bespeeld wordt; — *d'amóre*, bep. 14-snarige viool; — *di bráccio*, altviool.
**viole'ren** [Lat. *violáre, -átum* = gewelddadig behandelen, v. *vis* = kracht] schenden; onteren. **viola'tie** [Lat. *violátio*] *zn*. **violent'** [Lat. *violens* of *violéntus*] met geweld, heftig. **violen'tie** [Lat. *violéntia*] gewelddadigheid; heftigheid.
**violet'** [OFr., verklw. v. *viole*, v. Lat. *viola* = viooltje] kleur v.h. zichtbare lichtspectrum tussen blauw en het onzichtbare ultraviolet (UV), met golflengten tussen ca. 450 en 390 nm (nanometer), volgens sommigen tussen ca. 436 en 380 nm.
**violin'** [*zie* viool] kleine viool. **violist'**, **violis'te** [Fr. *violiste*] vioolspeler(speelster). **violoncel'** [It. *violoncello* = grote viool] bep. grote viool (gestemd tussen altviool en contrabas), die tussen de knieën gehouden bespeeld wordt. **violo'ne** [It. = viool] contrabas. **violonist'** basvioolspeler. **viool'** [OFr. *viele* of *viole*, verdere afl. onzeker; *vgl*. MLat. *vitula*] bep. strijkinstrument, bestaande uit langwerpig afgeronde platte kast met vier snaren bespannen.
**vip** [Am., uit de beginletters V.I.P. van *very important person* = zeer belangrijk persoon] pers. die om een of andere reden buitengewoon belangrijk is.
**viraal'** *bn* een *virus* (*z.a*.) of virussen betreffend.
**vira'go** [Lat. = manhafte maagd (*virgo*)] manwijf. **virginaal'** [v. Lat. *virginális* = maagdelijk, v. *virgo, vírginis* = maagd; evenals *virga* = groen takje, verwant met Gr. *orgáo* = zwellen (hier: van de borsten), vruchtbaar worden] **l** *bn* maagdelijk; **ll** *zn* oud toetsinstrument met een besnaring loodrecht op het toetsenbord. **virginiteit'** [Lat. *virgínitas*, v. *virgo* = maagd, verwant met Gr. *orgáoo* = zwellen, vruchtbaar worden] maagdelijkheid.
**vi'ribus uni'tis** [Lat.] met verenigde krachten.
**viriel'** [v. Lat. *virílis* = de man betreffende,

mannelijk, v. *vir, víri* = man; *vgl. vírtus* = mannelijke kracht] als v.e. man, mannelijk, mannen-; manbaar; manmoedig. **viriliteit'** [Lat. *virílitas* = mannelijkheid, mannelijke kracht, spec. wat betreft de voortplanting] mannelijkheid; manbaarheid. **virilisa'tie** [v. Lat. *vírilus* = mannelijk] vermannelijking, het ontstaan v. mannelijke geslachtskenmerken bij vrouwen.

**virologie'** [*zie* **virus**] de wetenschap die de virussen bestudeert en de gevolgen die ontstaan wanneer een organisme door een virus wordt besmet, benevens de bestrijding v. dergelijke virusinfecties. **virolo'gisch** *bn* de virologie betreffend. **viroloog'** beoefenaar v.d. virologie.

**virtueel'** [via Fr. *virtuel* v. MLat. *virtuális*, onr. gevormd v. Lat. *virtus, virtútis* = innerlijke kracht, moed, deugd] *bn* **1** innerlijk aanwezig, maar niet in zijn vermogen tot uiting komend; niet actueel, maar potentieel aanwezig en in werking kunnende treden; **2** (*optische fysica*): *virtueel beeldpunt*, snijpunt v.d. uittredende lichtstralen (zich rechtlijnig voortplantend gedacht) die uit een optisch instrument komen, aan de andere kant van dit instrument (lens, spiegel) door deze lichtstralen naar achteren verlengd te denken tot ze elkaar snijden. Door de verzameling van virtuele beeldpunten ontstaat een *virtueel beeld*, bijv. in een spiegel. Men ziet dit beeld wel, maar kan het niet op een scherm (achter de spiegel) afbeelden. **virtua'liter** *bw* op virtuele wijze; in wezen, innerlijk, maar niet tot uiting komend.

**vir'tus** [Lat., uiteindelijk v. *vir* = man] (mannelijke) moed; *ook*: deugd. **vir'tus in me'dio** [Lat.] de deugd (ligt) in het midden. De oorspr. vorm is bij Horatius: *virtus est médium vitiórum* =de deugd houdt het midden tussen (twee) ondeugden.

**virulent'** [Lat. *viruléntus* =vol vergif; *zie* **virus**] met (vermogen tot) ziekmakende of giftige werking (-e bacteriën). **virulen'tie** het virulent zijn. **vi'rus** [Lat. *en* *mv* = o.a. gif] Ned. *mv* **vi'russen** zeer kleine deeltjes, bestaande uit kernzuren, die zich alleen in levende cellen kunnen vermeerderen, waarbij deze meestal te gronde gaan; virussen verwekken op deze wijze diverse ziekten bij planten, dieren en mensen.

**1 vi'sa** [Fr., v. Lat. *(res) visa* = nagekeken zaak, v. Lat. *vísere, visum* = nauwkeurig bezien, intensitief v. *vídëre, visum* = zien] handtekening voor gezien.

**2 vi'sa** *mv van* **visum**, *z.a.*

**visagist', visagis'te** [v. Fr. *visage* = gelaat, gezicht] iem. die adviseert betreffende make-up v. bep. gezichtstypen.

**vis-à-vis** [Fr.] recht tegenover, met gelaat naar elkaar gekeerd; wie aldus tegenover iem. zit.

**visceraal'** [Fr. *viscéral*, v. Lat. *viscera*, *mv van* *viscus, visceris* = ingewand; verwant met *viscum* = vogellijm, lijmstok; *vgl.* Gr. *ixos* = kleverig] de ingewanden betreffend. **visceus'** [Fr. *visqueux*, v. Lat. *viscósus*, v. *viscum*] taai-vloeibaar. **viscositeit'** [Fr. *viscosité*] vloeibaarheidsgraad. **visco'se** bep. kunstprodukt uit cellulose (zeer visceuze colloïdale oplossing v. cellulosexanthogenaat in water) dat uitgesponnen in een zuur bad kunstzijde levert.

**viscount'** [Eng., v. OFr. *visconte*] burggraaf.

**vise'ren** [Fr. *viser*, v. Lat. *vísere*; *zie* **visa**] waarmerken, voor gezien tekenen; (een pas) van visum voorzien.

**Vish'nu**, ook gespeld **Visj'noe** een der hoofdgoden v.h. hindoeïsme (naast *Brahma* en *Siwa*), voorgesteld als een jongeman met donkerblauw of zwart lichaam, met vier armen en in de handen diverse attributen.

**visi'bel** [Lat. *visíbilis*, v. *vídëre, visum* = zien] *bn* **1** zichtbaar; te zien; **2** te spreken, bij de hand, gereed om bezoek te ontvangen. **visibiliteit'** zichtbaarheid. **vi'sie** [v. Lat. *vísio*

= **1** het zien; **2** inzage; *ter visie liggen*, ter inzage, ter lezing liggen; **3** wijze v. zien, manier waarop men iets beschouwt; *ook*: kijk op een bep. zaak, spec. v.e. kunstenaar; (*pregnant*) brede blik. **visioen'** [v. Lat. *vísio, visiónis* = *ook*: verschijning] **1** innerlijke aanschouwing, het zien v. personen, zaken of toestanden die natuurlijkerwijze niet zichtbaar zijn; **2** droomgezicht, droombeeld, hersenschim. **visionair'** [Fr. *visionnaire*] **I** *bn* met zienersblik, gezien of ziende als visioen of in een visioen; **II** *zn* ziener, persoon die visioenen heeft.

**visita'tie** [Lat. *visitátio* = bezichtiging, bezoek] **1** onderzoek door de douane, spec. onderzoek aan den lijve; *ook*: huiszoeking, doorzoeking; **2** onderzoek door kerk. overheidspersonen naar de toestand van kerk. gemeenten en naar het gedrag van kerk. functionarissen; **3** *Maria Visitatie*: (*rk*) feestdag (2 juli) ter herdenking v.h. bezoek v. Maria aan haar nicht Elisabet. **visite'ren** *ww* [Fr. *visiter* = bezoeken, *maar ook*: onderzoeken, nakijken, controleren] visitatie verrichten. **visita'tor** [modern kerk. Lat.] pers. die kerk. visitatie verricht. **visiteur'** [Fr.] douanebeambte die (eventueel lijfelijke) visitatie verricht. **visiteu'se** [Fr.] vr. douane-visiteur die visitatie aan den lijve bij vrouwen verricht.

**Visj'noe** *zie* **Vishnu**.

**vis proban'di** [Lat.] bewijskracht.

**vis'ta** [It. = *vr*. v.dw van *vedere*, Lat. *vidére* = zien] zicht, vertoon v.e. wissel; *a prima —*, **1** op het eerste gezicht; **2** v.h. blad (spelen).

**visueel'** [Fr. *visuel*, v. VLat. *visuális*, v. Lat. *vísus* = gezicht (het zien), v. *vidére, visum* = zien] *bn* **1** betrekking hebbend op het gezichtsvermogen, met behulp v. de gezichtsindruk; **2** vooral met het gezichtsvermogen waarnemend.

**visualise'ren** *ww* [v. Eng. *visualize*] **1** aanschouwelijk maken, aanschouwelijk voorstellen; **2** zich aanschouwelijk voorstellen. **visualisa'tie 1** veraanschouwelijking; **2** het visualiseren.

**vi'sum**, *mv* **vi'sa** op een paspoort aangebrachte vergunning door het consulaat v.e. bep. land om in dat land toegelaten te worden (geen permanente verblijfsvergunning) of daar doorheen te reizen, soms ook om een land te verlaten (uitreisvisum). **vi'sus** [Lat. = het zien] gezichtsvermogen, gezichtsscherpte; *virusstoornissen*, afwijkingen bij het zien, bijv. wazig zien.

**vis vita'lis** [Lat.] levenskracht. **vitaal'** [Lat. *vitális* = tot het leven (*vita*) behorend; *vgl. vívere* = leven, en Gr. *bíos* = het leven] *bn* **1** behorend tot het leven, levensbevorderend, levens-; **2** onmisbaar voor het leven, voor het voortbestaan en de werking v.h. organisme; **3** v. leven getuigend, getuigend v. levenskracht, met sterke levenskracht, vol levenskracht; **4** (*overdrachtelijk*): *een vitale kwestie*, een kwestie v. levensbelang, zeer belangrijke kwestie. **vi'tae, non scho'lae discen'dum (est)** [Lat.] men moet voor het leven leren, niet voor de school. **vitalis'me** [*zie* **vitaal**] **1** (*natuurfilosofie*) verzamelnaam voor div. theorieën die, tegenover het materialisme en mechanicisme, menen dat het leven niet volledig verklaard kan worden door fysische en chemische processen, maar dat daarnaast en daarboven een bijzonder levensbeginsel aanwezig is dat de levensverschijnselen bestuurt en richt op een doel. Dit levensprincipe draagt verschillende namen: geest of ziel, *vis vitalis* (*z.a.*), *entelechie* (*z.a.*), *élan vital* (*z.a.*). M.b.v. de natuurwetenschap zijn deze theorieën niet te bewijzen maar ook niet te weerleggen, ze vallen buiten het terrein der natuurwetenschap. Men kan dus niet zeggen dat zo'n levensbeginsel *niet* bestaat (tegenover het *positivisme*, *z.a.*); **2** (*fil.*) de

**levensfilosofie** v. H. Bergson (Fr. wijsgeer, 1859-1941) en anderen, waarin aan het leven het primaat wordt toegekend boven de materie en het verstand (waaraan dan nog niet irrationeel is, zoals men soms meent); **3** (*letterkunde*) stroming in de Ned. letterkunde, vooral onder jongeren, van ca. 1925 tot 1933, die het intens beleefde leven op even intense wijze wilde weergeven, en dit als enig criterium voor een litterair werk beschouwde. **vitalist'** aanhanger v.h. vitalisme. **vitaliteit'** [Lat. *vitálitas*] levenskracht; levensvatbaarheid.

**vitami'nen** *mv* [v. Lat. *vita* = leven, en *amine*, z.a. daar men oorspr. meende dat ze aminen waren] organische verbindingen die in geringe hoeveelheden noodzakelijk zijn voor de instandhouding en het normaal functioneren v.h. dierlijke organisme en niet (of niet in voldoende mate) door dat organisme zelf kunnen worden aangemaakt en dus met het voedsel moeten worden opgenomen (dit i.t.t. de planten). Bij totaal gebrek aan vitaminen resp. bij gebrek aan voldoende vitaminen treden *avitaminen* resp. *hypovitaminosen* op: bep. specifieke gebrekziekten; bij opname van teveel vitaminen ontstaan andere ziekten, de *hypervitaminosen*. Spec. voor de mens zijn belangrijk: vit. A of *retinol*, het vit. B-complex (B$_1$ of *aneurine* t/m B$_{12}$), vit. C of *ascorbinezuur*, vit. D (vooral D$_2$ en D$_3$, de *calciferolen*), vit. E en vit. K. Het vroegere 'vit. F' is geen vitamine. **vitamine'ren** of **vitaminise'ren** het toevoegen v. vitaminen aan levensmiddelen.

**vitië'ren** [Lat. *vitiare*] bederven, verpesten.

**vitili'go** [Lat. = huiduitslag] plaatselijk albinisme.

**vi'tium ori'ginis** [Lat.] fout in de opzet; gebrek dat in de oorsprong al aanwezig is en later doorwerkt.

**vitriool'** [MLat. *vitriolum*, verklw. v. Lat. *vitrum* = glas] zwavelzuur, H$_2$SO$_4$, of zout daarvan (sulfaat). **vi'tro** [v. Lat. *vitrum* = glas]: *vitrocultuur*, het kweken v. weefsels e.d. buiten het organisme in glaswerk (*in vitro*) (reageerbuisjes, glazen schalen e.d.).

**vi'tusdans**, sint- (*chorea infectuosa*) zie **sint-vitusdans**.

**viva'ce** [It., v. Lat. *vivax*, *vivácis* = levendig, v. *vívere* = leven] (*muz.*) vlug en opgewekt.

**vivaciteit'** [Lat. *vivácitas*] levendigheid, opgewektheid. **vi'vat!** [Lat = 3e pers. teg. tijd wensende vorm v. *vívere* = leven, v. dezelfde stam als *viva'rium* [v. Lat. *vívere* = leven, en uitgang *-arium*] glazen bak waarin levende dieren worden gehouden, bijv. terrarium, aquarium. **vi'va vo'ce** [It.] met levendige stem, mondeling. **viveur'** [Fr. = *lett.*: wie leeft] genotzoeker, fuifnummer, boemelaar.

**vivisec'tie** [Lat. *vivus* = levend, en *zie* **sectie**] proefnemingen op levende dieren.

**vi'vo** [Lat. = 6e nv van *vivum* = het levende, v. *vívere* = leven]: *in vivo* = in het levende, aanduiding dat men een proces beschouwt zoals het zich afspeelt in het levende organisme, in tegenstelling tot *in vitro*.

**1 vizier'** [v. Lat. *vidére*, *visum* = zien] **1** (*gesch.*) helmklep, met kijkgaten vóór aan een helm; **2** optisch richttoestel v. vuurwapenen; **3** scherm met opening waarin een kruisdraad is gespannen als optisch richtmiddel voor niet-militaire doeleinden.

**2 vizier'** [Turks *vezir*, v. Arab. *wazir* = raadsman oorspr.: lastdrager, v. *wazara* = een last dragen] (*gesch.*) minister v.d. sultan v. Turkije.

**vlijm** [via OFr. v. Lat. *phlebotómus* = adermes, v. Gr. *phleps*, *phlebos* = ader, en *temnoo* = snijden] bep. scherp chirurgisch mesje, lancet. **vlos'zijde** *zie* **floszijde**.

**vocaal'** [Lat. *vocális* = klinkend, v. *vox*, *vocis* = stem, klank, woord] **1** bn (*muz.*) met de stem; **II** zn klinker. **vocabulai're** [Fr., v. MLat. *vocabulárius*] woordenlijst; voorraad woorden waarover iem. beschikt, woordenschat.

**vocali'se** [Fr.] **1** zangoefening op één klinker (of op la); **2** gedicht berustend op klankschoonheid. **vocalise'ren** *ww* [Fr. *vocaliser*] **1** vocalisen zingen; **2** schrift dat alleen uit medeklinkertekens bestaat, zoals het Hebr., voorzien van klinkertekens; **3** (*taalk.*) een medeklinker stemhebbend maken.

**vocalisa'tie 1** het aanduiden v.d. klinkers bij een schrift dat uitsluitend uit medeklinkers bestaat; **2** vorming en uitspraak v. vocalen.

**vocalist', vocalis'te** (optredend) zanger(es). **voca'tie** [Lat. *vocátio* = het roepen; uitnodiging; *vgl.* **convoceren**] roeping tot een ambt, spec. rk: roeping tot het priesterschap; bestemming; **2** oproeping, dagvaarding. **vo'catief** [Lat. *cásus*) *vocatívus*, de zogenoemde 5e nv, v. *vocáre*, *vocátus* = roepen] roepnv, aanspreeknv, in de spraakkunst de naam voor de vorm v.h. zn die men gebruikt om iemand aan te spreken of aan te roepen. De huidige Romaanse en Germ. talen kennen geen vocatief.

**voici'** [Fr., voor *vois ici*] ziehier. **voila'** [Fr., voor *vois là*] ziedaar.

**voi'le** [Fr., v. Lat. *velum*, z.a.] lichte sluier aan dameshoed. **voile'ren** [Fr., *voiler*, v. Lat. *veláre*] sluieren, bedekken, wazig of dof maken; *gevoileerde stem*, doffe gesluierde stem.

**voix céles'te** [Fr. = *lett.*: hemelse stem] bep. orgelregister.

**volant'** [Fr. = o.dw van *voler*, Lat. *voláre* = vliegen] **1** pluimbal, bal met veren of pluimen bij bep. slagspelen (*zie ook* **shuttle**); **2** stuurknuppel v. vliegtuig; *ook*: stuurwiel v. auto; **3** aan één zijde vastgenaaide geplooide strook op een japon.

**Vo'lapük** [woord uit de volapüktaal zelf, met betekenis: wereldtaal, v. *vol* = Eng. *world* = wereld, en *pük* = Eng. *speak* = spraak] bep. wereldkunsttaal, in 1880 gepubliceerd door J.M. Schleyer (1831-1912), vnl. gebaseerd op het Eng.

**volatiliteit'** [Fr. *volatilité*, v. Lat. *volátilis* = gevleugeld, vluchtig, v. Lat. *volátum* = vliegen] **1** vluchtigheid; **2** (*fig.*) veranderlijkheid; *ook*: lichtzinnigheid, wuftheid. **volatiel'** [v. Lat. *volátilis*] vluchtig.

**vol-au-vent'** [Fr.] (*cul.*) bep. warme pastei, bestaande uit voorgebakken korstdeeg, gevuld met ragoût v. vlees, gevogelte of vis.

**vol d'oiseau'** [Fr.] vogelvlucht.

**volen'ti non fit inju'ria** [Lat. = *lett.*: hem die wil geschiedt geen onrecht] wat iemand wordt aangedaan met zijn toestemming, is geen onrecht; m.a.w. toestemming is een grond v. rechtvaardiging.

**vol'ley** [Eng., v. Fr. *volée* = vlucht] (*tennis*) het terugslaan v.d. bal vóór deze de grond raakt.

**volontair'**, *vr.* **volontai're** [Fr. *volontaire*, v. Lat. *voluntárius* = vrijwillig, v. *volúntas*, *voluntátis* = wil, v. *velle* = willen; *vólens*, *voléntis* = willend] **1** iem. die arbeid verricht met de bedoeling zich voor praktijk of studie te bekwamen, zonder hiervoor in principe loon te ontvangen; **2** (*mil.*) vrijwilliger.

**volt** (symbool V) de SI-eenheid van elektr. spanning (SI = *Système International* = Internationaal Eenhedenstelsel), gedefin. als het potentiaalverschil tussen twee punten v.e. elektr. geleider, waarbij een stroomsterkte v. 1 *ampère* (A), z.a., tussen deze punten een weerstand v. 1 *ohm*, z.a., overwint; exacter gezegd: tussen deze punten een warmtevermogen produceert van 1 *watt* (W), z.a. **volta'ge** elektr. spanning (potentiaalverschil) gemeten in volt.

**vol'tameter** *ook* **coulombmeter** of **coulometer** genoemd, een instrument om te bepalen hoeveel elektr. lading in een bep. tijd is getransporteerd. **voltampè're** afk. **VA** = watt (*z.a.*). **volt'meter** toestel voor het meten v. elektr. spanning (potentiaalverschil), uitgedrukt in volt.

**vol'ta** [It. = *lett.*: draai, wending, *vgl.* Lat. *vólvere*, *volútum* = rollen, wentelen] **1** (*muz.*)

keer, maal; **2** (*poëzie*) in een sonnet de wending v.d. gedachte tussen de twee kwatrijnen en de twee terzetten.
**voltai're** [Fr.] soort leuningstoel met hoge rug en zijstukken [genoemd naar de Franse schrijver Voltaire, 1694-1778].
**vol'te** [Fr., v. It. *volta, z.a.*] zwenking, wending; —*fáce*, algehele omzwenking naar tegenovergesteld standpunt.
**volti'ge** [Fr. = slappe koord; *zie* **voltigeren**] kunstige sprong (bijv. op koord). **voltige'ren** [Fr. *voltiger*, v. It. *volteggiare*] voltiges maken; (*mil.*) telkens aanvallend en weer wegtrekkend om vijand heen zwermen.
**voltigeur'** [Fr.] kunstrijder.
**volu'bel** [Fr. *voluble*, v. Lat. *volúbilis* = snel rollend, wentelend, vlugvloeiend (v. spraak), v. *vólvere* = rollen] beweeglijk, rad.
**volubiliteit'** [Lat. *volubílitas*] radheid, spec. v. tong. **volu'me** [Fr., v. Lat. *volúmen* = alles wat gerold wordt, boekrol, cilinder] ruimtelijke inhoud; omvang; *stem*—, sterkte v. stem.
**volu'men** [Lat.] boekdeel. **volumineus'** [Fr. *volumineux*; nota bene: Lat. *voluminósus* = vol bochten] omvangrijk. **volume'trisch** betrekking hebbend op volumebepaling(en).
**voluntaris'me** [= *lett.*: toekijker] *eig.*: kijker; spec. **volontair'**] leer dat de wil oorspronkelijker is dan het kennen en psychisch niet afleidbaar is.
**voluptueus'** [Fr. *voluptueux*, v. Lat. *voluptuósus*, v. *volúptas* = genot, wellust, v. *volup* = genoeglijk, v. *velle* = willen] wellustig.
**volu'te, voluut'** [Fr. *volute*, v. Lat. *volúta*, v. *vólvere, volútum* = ronddraaien] spiraalvormige versiering, krul (bijv. aan kapiteel).
**vome'ren** [Lat. *vómere; vgl.* Gr. *emeoo*] braken. **vomitief'** [Fr. *vomitif*] braakmiddel.
**vont** [v. Lat. *fons, fontis* = bron] (*rk*) vat met gewijd water voor het dopen (*doopvont*); *ook*: wijwatervat.
**voodoo'**, *ook*: **vodou'** [v. een Afr. woord dat 'heilig voorwerp, geest, godheid' betekent] samenstel v. magisch-godsdienstige handelingen en riten bij negers vnl. op Haïti en in sommige andere Caribische eilanden en in het zuiden v.d. VS, o.a. met het doel doden weer tot leven te wekken (zgn. *zombies, z.a.*), en bep. ziekten, gedacht als inwonende duivels, te verdrijven, vooral door opzwepende dansen.
**vo'po** [afk. v. Du. *Volkspolizei*] lid v.d. staatspolitie in de D.D.R.
**voraciteit'** [Fr. *voracité*, v. Lat. *vórax, vorácis* = verslindend, v. *voráre* = verslinden, vreten] vraatzucht.
**vo'tum** [Lat. = gelofte; *ook*: wat beloofd is; *verder*: wens, bede, gebed; stem, het uitbrengen v. zijn stem, v. *vóvere, vótum* = gelofte afleggen; *ook*: wensen] **1** gelofte; **2** uitgesproken wens; *pia vóta*, vrome wensen; **3** uitgebrachte stem; *votum van vertrouwen* resp. v. *wantrouwen*, stem van stemgerechtigd lid vóór resp. tegen het bestuur, spec. v.e. regering; *vóta majóra*, meerderheid v. stemmen; **4** (*liturgie*) een formule, aan het begin v.e. godsdienstoefening uitgesproken door de voorganger (predikant of priester).
**vote'ren 1** stemmen; **2** aannemen bij stemming; bij stemming toewijzen (bijv. *gelden voteren*, gelden toewijzen voor een bep. doel). **votief'** - [Lat. *votívus* = bij gelofte beloofd] krachtens gelofte geschonken -; in deze zin betekent dit, dat het voorwerp genoemd in het tweede lid, aan de eredienst is geschonken krachtens een gedane gelofte, veelal uit dank voor een verkregen gunst of om een gunst v. God af te smeken.
**vou'cher** [Eng.] **1** bewijs v. betaling; **2** bon waarop iets verkrijgbaar is; tegoedbon.
**vou'te** [Fr. *voûte*, v. VLat. *vólvita*] **1** gewelf; **2** (*Z.N.*) opkamer (*voutekamer*).
**vox**, *mv* vo'ces [Lat. = stem] stem; *vox angélica* (= engelachtige stem), bep. orgelregister; *vox caeléstis (vgl. voix céleste)*

(= hemelse stem) bep. orgelregister; *vox humána* (= menselijke stem), bep. orgelregister, bedoeld om het vibreren v.d. menselijke stem na te bootsen; *vox virgínea* (= maagdelijke stem), bep. orgelregister, lieflijker en hoger dan de *vox humana*, maar eveneens vibrerend.
**vox claman'tis in deser'to** [Lat. = de stem v. een die roept in de wildernis] meestal in Ned. vertaald: 'de stem v.e. roepende in de woestijn'. De tekst komt voor in Matth. 3:3.
**vox po'puli, vox De'i** [Lat.] de stem v.h. volk is de stem v. God, d.w.z. de openbare mening oordeelt (in dit geval) zoals God oordeelt.
**voyeur'** [Fr. = *lett.*: toekijker] *eig.*: kijker; spec. iemand die vrijende paren of zich ontkledende vrouwen en meisjes bespiedt; gluurder.
**voyeuris'me** het optreden als voyeur, de neiging daartoe.
**vril'le** [Fr. = boor, v. Lat. *vitícula* = rank v. wijnstok, verklw. v. *vitis* = druivenrank, wijnstok] het duiken v.e. vliegtuig in nauwerwordende spiraal tot het recht omlaag stortend om lengte-as wentelt.
**vue** [Fr., v. *voir*, Lat. *vidére* = zien] **1** blik; **2** uitzicht; **3** *vue d'oiseau*, gezicht in vogelvlucht; **4** *vues hebben op*, een oogje hebben op; *ook*: dingen naar (bijv. een post); **5** *à vue*, onvoorbereid, v.h. blad (spelen).
**vulcanise'ren** *ww* [Fr. *vulcaniser*, v. Lat. *Vulcánus, z.a.*] **1** ruwe caoutchouc in hitte met zwavel behandelen (om de rekbaarheid ongevoeliger voor temperatuur te maken); **2** gummi voorwerpen repareren met gesmolten rubber; **3** (*fig.*) in vuur en vlam zetten, tot groot enthousiasme brengen. **vulcanisa'tie** *zn.*
**Vulca'nus** [Lat., *ook*: *Volcánus*] (*Rom. myth.*) de Rom. god v.h. vuur en v.h. smeden.
**Vulgaat'** [kerk.Lat. *Vulgata edítio Sácrae Scriptúrae* = de verspreide uitgave van de H. Schrift] Lat. vertaling v.d. Bijbel, oorspr. gemaakt door de H. Hiëronymus ca. 390; kritisch gezuiverd door div. commissies ingesteld door paus Sixtus V in 1586 en onder paus Clemens VIII. De uitgave van 1604 kreeg als toenaam *Sixto-Clementina*, en is tot nu toe de officiële rk tekst, tot de door paus Pius X in 1907 bevolen grondige herziening door de orde der Benedictijnen geheel gereed zal zijn.
**vulgair'** [Fr. *vulgaire*, v. Lat. *vulgáris* = algemeen, alledaags, v. *vulgus* = het volk, de grote hoop] plat, minderwaardig, ordinair, gewoon.
**vulgair' Latijn'** [v. Lat. *vulgáris* = alledaags; *vulgair* betekent hier niet: plat, minderwaardig, maar volks-] Volkslatijn, het Lat. zoals het spec. in de keizertijd door het volk gesproken ging worden, in afwijking v.d. taal der documenten en literaire werken; uit het vulgair Latijn ontwikkelden zich de Romaanse talen.
**vulgarise'ren** [Fr. *vulgariser*] onder het volk brengen, gemeengoed maken, spec. v. wetenschappelijke ontdekkingen of theorieën in voor het volk begrijpelijke vorm.
**vulgarisa'tie** *zn.* **vulgarisa'tor** [modern Lat.] wie wetenschappelijke kennis in volkse vorm onder de massa brengt. **vulgaris'me** [Fr.] vulgair gezegde. **vulgariteit'** [Fr. *vulgarité*] platheid; alledaagsheid.
**vulga'riter** gemeenlijk, *vul'go* [Lat. = zesde nv v. *vulgus* = volk] in het gewone spraakgebruik. **vul'gus** [Lat.] de massa, het plebs.
**vulkaan'** [v. Lat. *Vulcánus* = god v.h. vlammende vuur] vuurspuwende berg (werkzaam of sinds eeuwen uitgedoofd). **vulka'nisch** v.d. aard v. vulkanen of erop lijkend; uit vulkanen afkomstig. **vulkanis'me 1** alle verschijnselen v.h. aardoppervlak die in verband staan met het vuur binnenin; **2** leer der vulkanisten. **vulkanist'** iemand die gelooft dat de huidige vorm v.h. aardoppervlak aan vulkanische uitbarstingen te danken is.
**vulkanologie'** leer v.d. vulkanen en vulkanische verschijnselen. **vulkanoloog'** iemand die vulkanen bestudeert.

**vul'va** [Lat. = *eig.*: bast, schil; *ook*: baarmoeder (verwant met *vólvere* = rollen, inwikkelen)] de gezamenlijke uitwendige geslachtsorganen v.d. vrouw: venusheuvel, clitoris en de schaamlippen, spec. de spleetvormige ruimte tussen deze laatste, die naar binnen toe overgaat in de vagina, *z.a.*

**Waals** verzamelnaam voor diverse v.h. Fr. stammende dialecten die in *Wallonië, z.a.,* worden gesproken. Het Waals (waarsch. in de 12e eeuw ontstaan) kan worden verdeeld in *a* het *Wallon,* gesproken in de provincies Luik en Namen en in delen van Brabant, Henegouwen en Luxemburg; *b* het *Gaumais,* dat een variant v.h. Lotharings is en gesproken wordt in het *Pays de Gaume,* het westelijk deel v. Belg. Lotharingen; *c* het *Rouchi,* een variant v.h. Picardisch, dat wordt gesproken in Doornik en Bergen in Henegouwen. **Wa'len** *mv, ev* **Waal,** in het alg. een bewoner v. *Wallonië,* die een Waals dialect spreekt.

**wa'di** [Arab. = dal; vaak verbasterd tot *oued, ued* of *oeadm*] droogliggend dal v.e. rivier in de woestijn, dat v. tijd tot tijd, na regenval ter plaatse, met water wordt gevuld.

**wagon'** [Fr., v. Ned. *wagen*] spoorrijtuig, zowel een voor personenvervoer als een voor goederenvervoer (*goederenwagon*).

**wagon-lit'** [Fr.; *lit* = bed, v. Lat. *léctus*] slaapwagen, spoorrijtuig v. internationale trein met slaapplaatsen.

**wa'jang,** sinds 1972 in Ind. spelling **wa'yang** [Javaans = schaduw] **1** (*eig.*) platte of ronde pop die op Java wordt gebruikt voor een wajang-toneeluitvoering of poppenspel; **2** typisch Javaanse toneeluitvoering waarbij verhalen of figuren uit een spec. repertoire door gemaskerde of ongemaskerde acteurs worden uitgebeeld.

**Walden'zen** *mv* [naar de rijke koopman Petrus Waldus, te Lyon, die zich in 1173 bekeerde tot een leven v. armoede] *oorspr.*: aanhangers v. de armoedebeweging *páuperes de Lúgdano* (= armen van Lyon). Tegenwoordig de leden v.d. belangrijkste protestantse kerk in Italië.

**walhal'la** [v. ONoors *Valhäll* = hal der gesneuvelden, v. *valr* = gesneuvelde, en *häll* = hal, zaal] **1** (*Oudnoorse myth.*) het paradijs v.d. helden die in de strijd waren gesneuveld en die door de *Walkuren* (*z.a.*) naar Odin werden geleid; **2** (*fig.*) paradijs (*bijv.*: deze stad is het walhalla der drugsmokkelaars).

**wal'kie-tal'kie** [v. Eng. *to walk* = wandelen, lopen, en *to talk* = spreken] draagbare draadloze zender en ontvanger. **walk-in'** [Eng.] samenkomst waar iedereen vrij kan binnenlopen. **walk-o'ver** [Eng.] **1** fase in een serie wedstrijden, waarbij een speler of team zonder te spelen overgaat naar een volgende ronde doordat er geen tegenstander is; **2** (*bij uitbreiding*) wedstrijd waarbij men een veel zwakkere tegenstander heeft die men gemakkelijk kan overwinnen; gemakkelijke overwinning.

**Walku're** [via Du. *Walküre* v. ONoors *valkyrja* = zij die gesneuvelden uitkiest, v. *valr* = gevallene, gesneuvelde, en *kyrja* = kiezeres] (*Noorse myth.*) vr. buitenaards wezen dat op het slagveld de overwinning schenkt (naar Odins besluit), bepaalt wie zullen sneuvelen en de gesneuvelde helden naar Odin (de oppergod) in *walhalla* (*z.a.*) leidt.

**wal'labies** *mv, ev* **wal'laby** [Austr.] **1** naam waaronder men in Austr. meestal de kleine soorten kangoeroes samenvat; **2** *wallaby*: bont

van deze dieren; **3** (*scherts.*) Australiër.
**walligant'** [*zie* **Walen**] persoon die er op uit
is de positie v.d. Walen in Belg. te versterken.
**Wallon'** [Fr.] Waal, d.i. bewoner van *Wallonië*
(*z.a.*). **Wallo'nië** gebruikelijke benaming voor
het Fr. taalgebied v. België.
**Walpur'gisnacht** de nacht v. 30 april op 1 mei
waarin volgens het volksgeloof de boze
geesten feest vierden en vrij spel hadden.
**1 wals** [Du. *Walzer*, v. *walzen* = o.a.: een wals
dansen, v. OHDu. *walzan*, maar daarnaast ook
*welzen* = wentelen, rollen; modern Du.
*wälzen*] bep. dans in driekwartsmaat v.
Zuidduitse oorspr.; muziek daarvoor.
**2 wals** [Du. *Walze*, v. *walzen* = o.a.: pletten met
een wals, v. dezelfde herkomst als *walzen, zie*
**1 wals**] 1 zware, harde cilinder die om een as
wentelt en die dient om te pletten, te vormen
of te harden; **2** toestel met twee of meer v.
dergelijke cilinders die in tegengestelde
richting draaien en waartussen iets geplet
wordt.
**wam'buis,** *ook:* **wam'mes** [v. OFr. *wambais*
= lichaamsbekleding onder het pantser, v.
MLat. *wambäsium* = bep. onderkleed onder
pantser, v. Gr. *bambax* = katoen] (*gesch.*)
bovenkledingstuk voor man, v. hals tot middel
reikend.
**wan'ten** [vermoedelijk v. *want*
= scheepstuigage]: *goed in zijn wanten zitten*,
fors gebouwd zijn; *van wanten weten*, weten
hoe het moet.
**waran'de** [v. ONoordfrans = OFr. *garande*
= reservaat voor konijnen, vissen e.d. als
jachtterrein, v. Germ. *waron* = waarborgen]
diergaarde; wandelpark, lusthof.
**war'lord** [Eng. = krijgsheer, groot
legeraanvoerder, v. *war* = oorlog, en *lord*
= heer] naam gegeven aan de mil.
machthebbers in China, die v. 1911 tot de
Tweede Wereldoorlog in grote delen v. dat
land heersten, vaak elkaar bestrijdend.
**warming-up'** [Eng. = opwarming] 1 (*sport*)
het losmaken v.d. spieren vóór de wedstrijd, of
idem v.e. inhaler tijdens een wedstrijd, door
lichte lichaamsoefeningen (loopoefeningen,
sprintjes trekken e.d.); **2** het op temperatuur
brengen; **3** (*fig.*) het in stemming brengen, of
het in stemming komen; opwarmertje.
**war'moes** [v. MNed. *warmmoes* = warme
spijs, soep, *later ook:* groente] oud woord voor
groente, d.w.z. bladgroente en kool.
**warmoezenier'** kweker (of verkoper) v.
moeskruid (warmoes)
**war'rant** [Eng.] 1 machtiging, volmacht, spec.
bevel tot huiszoeking of inhechtenisneming;
**2** ontvangstbewijs voor goederen die in
entrepot zijn opgeslagen, pandbewijs, ceel;
**3** waarborg voor fabrieksmerk; **4** bewijs dat
men een voorkeursrecht heeft bij het kopen v.
obligaties of aandelen.
**wasseret'te** wasserij, waar de klant tegen
betaling zelf zijn was doet in een wasautomaat.
**wa'tercloset** [Eng.] privaat met
waterspoeling, w.c. **wa'ter-cul'ture** [Eng.]
het telen v. gewassen in water (voorzien v.d.
benodigde voedingsstoffen) i.p.v. in aarde.
**wa'terproof** [Eng.] **I** *bn* ondoordringbaar
voor water gemaakt; **II** *zn* **1** waterdicht
gemaakte stof; **2** regenjas daarvan.
**watt,** afk. **W** (*spr.:* wot) praktische eenheid v.
elektr. vermogen, arbeid in 1 seconde door
stroom van 1 ampère bij spanning v. 1 volt
(voltampère), d.i. arbeid (elektr. of
mechanisch) v. 1 *joule* per seconde [naar
James Watt, Engels ingenieur, 1736-1819].
**wattsecon'de,** afk. **Wsec** 1 joule. **wattuur'**
(afk. **Wh**) energie per uur verbruikt door een
apparaat met een vermogen van 1 watt.
**watte'ren** *ww* met watten opvullen of voeren
(kleding, dekens e.d.).
**waxi'ne-lichtje** [naar merknaam Waxine,
afgeleid v. Eng. *wax* = was] glazen potje
gevuld met een waschtige stof, die voorzien
is v.e. pit en als een kaars brandt. Gebruikt om
de koffie- of theepot warm te houden.

**wa'yang** *zie* **wajang**.
**way of li'fe** [Eng., = *lett.*: manier v. leven]
levensstijl, *bijv.: the American way of life*, de
Noordamerikaanse levensstijl.
**weck** gewekte levensmiddelen. **weck'en**
levensmiddelen verduurzamen door ze in
glazen potten, gesloten met vastgeklemde
glazen deksel op gummiring, te verhitten tot
bacteriën zijn gedood.
**wedg'wood** bep. soort halfverglaasd
aardewerk [naar Josiah Wedgwood, Eng.
pottenbakker, 1730-1795].
**weed** [Am., = *lett.*: onkruid], *ook* **wiet**
(*druggebruikersslang*) *marihuana, z.a.*
**weed'-killer** [Am. = onkruiddoder]
chemisch middel dat onkruid doodt.
**weer'wolf** [v. OGerm. *wer* of *weer* = man; *vgl.*
Lat. *vir* = man] in het oeroude volksgeloof een
man die zich in een wolf kon veranderen,
vooral op speciale tijden, en dan zijn dierlijke
lusten kon botvieren.
**Weih'nachtsstollen** [Du., v. *Weihnacht*
= *lett.*: gewijde nacht; Kerstmis] kerststol, bep.
kerstgebak.
**wel'fare** [Eng.] maatschappelijke verzorging.
**wel'farestate** sociale verzorgingsstaat, staat
waarin de sociale verzorging hoogste prioriteit
geniet. **wel'farework** sociaal werk ten
behoeve van economische zwakke personen
of minder validen.
**Welsh** [Eng.] de taal v.d. inwoners v. Wales
(Eng. *Welshmen*), een Keltische taal, in hun
eigen taal *Cymraeg* genaamd, de taalkundigen
spreken van *Kymrisch*.
**welt'fremd** [Du.] wereldvreemd, niet thuis in
de wereld of onkundig v. wat daar omgaat.
**Welt'schmerz** [Du.] droefgeestigheid,
onbestemd verdriet.
**wer'da** [Du. *wer da?* = wie (is) daar?] (*mil.*)
(roep v. schildwacht; *vgl.* Fr. *qui vive?*)
**werst** [Rus.] Rus. lengtemaat (1ste 1067 m).
**wet'lands** *mv* [Eng. = *lett.*: natte gronden]
waterrijke natuurgebieden (*bijv.*: in Ned. de
Wadden, de Biesbosch e.d.)
**wet'suit** [Eng. = nat pak] pak dat plankzeiler
tegen koud beschermt door water op te nemen.
**wet'tisch** *bn & bw* **1** overdreven streng zich
houdend aan de letter v.d. wet (vaak met
ongunstige gevoelswaarde); **2** (*theologie*)
volgens de wet Gods (soms overdreven lett.
geïnterpreteerd).
**what is in a name?** [Eng.] wat doet de naam
er toe?
**wher'ry** [Eng., afleiding onbekend] bep. lichte
roeiboot met weinig diepgang.
**Whig** [Eng., missch. v. Schots, afkorting v.
*whiggamor* = scheldnaam voor Schotse
kooplieden, v. *whig* = juk, en *mare* = merrie]
*oorspr.*: lid v. politieke partij die na de
omwenteling v. 1688 de macht v.d. kroon
ondergeschikt wilde maken aan parlement;
*thans:* Eng. liberaal (tegenover Tory).
**whip'cord** [Eng. = *lett.*: zweepkoord] bep.
stof met koordachtige lengtedraden.
**whip'pet** [Eng.] bep. Brits ras windhonden.
**whirl'pool** [Eng. = draaikolk, *to whirl*
= wervelen] (zwem)bad met kunstmatige
waterbeweging.
**whist** [Eng., *vroeger:* whisk, missch. verband
met *whisk* = (stro)wis om vliegen weg te slaan
of te stoffen, *ook:* snelle beweging met wis
(wegens het snel wegvegen v.d. kaarten v.
tafel), *later: whist* in verband met het
gebruikelijke stilzwijgen onder spel, v. *whist*
= zwijgend] bep. kaartspel. **whisten** *ww*.
**wick'et** [Eng.; *eig.*: poortje, *vgl. winket* en Fr.
*guichet*] (*cricket*) drie paaltjes in de grond met
twee dwarsstokjes erop, door batsman
verdedigd tegen door bowler geworpen bal.
**wi'de-body** [Eng.] breedrompvliegtuig, d.i.
groot vliegtuig met veel bredere romp dan
normaal, zodat elke rij stoelen bestaat uit bijv.
3+5+3 stuks met twee gangpaden ertussen,
in plaats van 3+3 stuks met één gangpad.
Dergelijke reuzevliegtuigen kunnen tot ca. 500
passagiers vervoeren.

**wiet** *zie* weed.

**wig'wam** [*Algonkin-taal*] koepelvormige hut v.d. oostelijke Indianen, bestaande uit in de grond gestoken bijeengebonden gebogen takken en bedekt met berkebast. Later werd het woord ook gebruikt voor diverse Indiaanse onderkomens, inclusief tenten. (*Vgl.* **tipi** [*Dakota-taal*], de kegelvormige tent van bizonhuiden v.d. prairie-Indianen.)

**wi'king** *zie* viking.

**Wild West'** [Eng.] het Wilde Westen, naam voor het Westen v.d. VS in de tweede helft v.d. 19e eeuw, toen daar v.e. krachtig en effectief overheidsgezag nauwelijks sprake was en allerlei gewapende lieden eigen rechter speelden en vaak stad en land terroriseerden.

**winch** [Eng.] scheepslier, windas, spil; dommekracht.

**win'chester** bep. geweer met magazijn, veel gebruikt in de Am. Burgeroorlog en later bij pioniers in de Wild West [naar de Am. uitvinder en fabrikant O.F. Winchester, 1810-1880].

**wind'jack** [Eng.] of **wind'jacket** [Eng.], in Ned. *ook*: **wind'jekker**, windjak, wind- en waterdicht sportjasje, reikend v. hals tot in de taille.

**win'dow-dressing** [Eng., v. *window* = raam, etalage, en *to dress* = aankleden] **1** het smaakvol inrichten en aankleden v.e. etalage; **2** (*fig.*) een zaak of een verslag misleidend voorstellen door de gunstige zijden sterk te benadrukken en de ongunstige kanten zo veel mogelijk te verdoezelen.

**wind'surfen** *ww* zich op het water voortbewegen op een spec. plank door met een beweeglijk zeil gebruik te maken v.d. wind (thans meestal kortweg 'surfen' genoemd); plankzeilen. **wind'surfing** *zn* het windsurfen.

**winket** [v. ONoordfrans *wiket*; *vgl.* Fr. *guichet*] **1** deurtje in een grotere deur of poortje in een poort; **2** (Z.N.) loket.

**winning mood** [Eng. = gemoedsgesteldheid om te winnen] gemoedsgesteldheid v. sportbeoefenaren waarin men alle vertrouwen heeft een wedstrijd te gaan winnen en daardoor ook scherp op die winst speelt.

**wi'rerecorder** [Eng., v. *wire* = draad (*vgl.* Lat. *viére* = pletten)] draadopnemer, apparaat om geluid magnetisch op een metalen draad vast te leggen om het later te kunnen reproduceren, de voorloper v.d. bandrecorder.

**wi'secrack** [Eng., v. *wise* = wijs, en *crack* = *ook*: klap, knal] geestige opmerking, bon mot, puntige zet, goede grap; *soms ook*: spottende opmerking die zo rem is, geestig antwoord.

**wish'ful think'ing** [Eng.] denkwijze waarbij de wens de vader v.d. gedachte is; datgene denken wat men graag zou willen, niet-objectief denken.

**Wolfra'mium**, in het Ned. **Wol'fraam** of **Wolfraam** chem. element, metaal, symbool W, ranggetal 74.

**wolveri'ne**, *ook*: **wolvere'ne 1** Am. naam voor het marterachtige roofdier *veelvraat* (Noors *fjeldfress* = bergkat; *Gulo luscus*; **2** bont daarvan.

**wood's metaal** legering v. lood, bismut, tin en cadmium met zeer laag smeltpunt (ca. 68 °C).

**word'processor** [Eng.] tekstverwerker.

**workaho'lic** [Eng., afl. v. *alcoholic* = verslaafde aan alcohol] iemand die niet met werken kan ophouden, verslaafd is aan werk.

**work'shop** [Eng.] werkwinkel, soort atelier, werkplaats voor creatieve bezigheden.

**wort** ongegist bier, aftreksel v. versuikerde mout.

**would-be'** [Eng. = *lett.*: wilde graag zijn] willende schijnen, zogenaamd, zich voordoend als.

**wron'gel** gestremde melk waaruit kaas wordt bereid.

**wyandot'te** bep. soort Am. hoen [naar naam v. Indianenstam].

**x** (*wisk.*) eerste onbekende.

**xanthi'ne** [v. Gr. *xanthos* = geel] bep. gele kleurstof voorkomend in planten en in dierlijke organen, dihydroxypurine.

**xanthofyl'** [v. Gr. *xanthos* = geel, en *phyllon* = blad] naam voor een groep gele (soms rode of bruine) plantekleurstoffen.

**xantip'pe** feeks, helleveeg [naar Xanthippe, de vrouw v. Socrates].

**x'-as** (*wisk.*) de horizontale as v.h. cartesiaanse coördinatenstelsel (vlak assenkruis).

**X'-chromosomen** *zie* chromosomen.

**xenocratie'** [v. Gr. *xenos* = vreemd, vreemdeling, en *krateoo* = machtig zijn, heersen] vreemdelingenheerschappij.

**xenofilie'** [v. Gr. *phileoo* = beminnen] voorliefde voor al wat uitheems is. **xenofobie'** afkeer v. vreemdelingen. **xenoglossie'** [v. Gr. *gloossa* = tong, taal] spreken v.e. nooit geleerde vreemde taal. **xenologie'** occulte wetenschap. **xenomanie'** ziekelijke zucht voor wat vreemd is.

**Xe'non** [v. Gr. *xenos* = vreemd; *lett.*: het vreemde; uitgang -*on* naar analogie van argon, neon e.d.] chem. element, edel gas, symbool Xe, rangschikgetal 54.

**xerofyt'** [v. Gr. *xeros* = droog, en *phuton* = plant] plant die langdurige grote droogte kan verdragen (bijv. cactus). **xerografie'** [v. Gr. *graphoo* = schrijven] *lett.*: droogschrijfkunst; bep. reproduktieprocédé dat v. elektrostatische aard en dus 'droog' is (d.w.z. zonder chem. vloeistoffen). **xe'rox** een m.b.v. xerografie gemaakte kopie.

**xi** [Gr.] de 14e letter v.h. Gr. alfabet, overeenkomend met Ned. ks of x.

**xifoïd** [v. Gr. *xiphos* = zwaard, en *eidès* = gelijkend] zwaardvormig.

**X-stralen** oorspr. naam voor **röntgenstralen**, *z.a.*; *lett.*: de onbekende stralen, omdat men in het begin na de ontdekking de ware aard niet kende. Thans uiteraard volkomen verouderd.

**xyleem** [v. Gr. *xulon* = hout] houtvormend weefsel in planten.

**xyleen' (xylol')** (*chem.*) bep. koolwaterstof voorkomend in lichte teerolie, dimethylbenzeen $C_6H_4(CH_3)_2$.

**xylofoon'** [v. Gr. *phoonè* = stem, geluid] slaginstrument waarbij met twee houten hamertjes op houten staafjes v. verschillende lengte geslagen wordt. **xylofonist'** xylofoonbespeler.

**xyloglief'** [v. Gr. *gluphè* = snijwerk, v. *gluphoo* = uithollen] houtsnede, houtgravure. **xyloglyptiek'** houtsnijkunst, houtgraveerkunst. **xylografie'** [v. Gr. *graphoo* = griffen, schrijven] houtsnijkunst; het drukken met hout, de afdruk daarvan, houtsnede of -gravure. **xylograaf'** houtsnijder, houtgraveur. **xylogra'fisch** volgens de xylografie. **xyloliet'** [v. Gr. *lithos* = steen] **1** versteend hout; **2** houtgraniet.

**xylo'se** bep. enkelvoudige suiker, *houtsuiker*, $C_6H_{12}O_6$.

**xylologie'** kennis der houtsoorten. **xyloloog'** beoefenaar der xylologie.

y (wisk.) tweede onbekende.

**yacht** [Eng.] jacht. **yacht'club** [Eng.] roei- en zeilvereniging.

**ya(c)k**, ook **jak**, [Tibetaans *gyak*] Tibetaanse buffel (*Poephagus mutus* of *Bos mutus*).

**ya'leslot** bep. soort veiligheidsslot [naar uitvinder L. Yale].

**yam, yams'wortel** [v. Port. *inhame*, v.e. Afr. negerwoord] naam voor div. tropische planten met dikke knolachtige wortels die eetbaar zijn. Spec. verstaat men onder *yam* de *bataat, z.a.*

**yang** [Chinees] het actieve mannelijke natuurbeginsel (*vgl.* **yin**).

**Yan'kee** [v. Indiaans *Yengees,* verbastering v. *English* = Engels; volgens anderen v. Ned. *Jenneke,* verklw. v. *Jan,* spotnaam voor de oude Ned. kolonisten] *oorspr.:* spotnaam voor de bewoners v. Nieuw-Engeland (thans nog in de VS); buiten de VS, spotnaam voor Noordamerikaan in het algemeen.

**yard** [Eng., v. OEng. *gyrd* = stok; *vgl.* Ned. *gard,* Lat. *hasta* = speer] bep. lengtemaat (3 feet = 0,9144 m).

**y'-as** (wisk.) de verticale as v.h. cartesiaanse coördinatenstelsel (vlak assenkruis).

**ya'tagan** [Turks], *ook*: **ja'tagan,** Turkse kromsabel.

**Y'-chromosomen** *zie* **chromosomen.**

**yell** [Eng.; *vgl.* Ned. *gil*] kreet; georganiseerde aanmoedigingskreet (v. Am. studenten, overgenomen door padvinders).

**yel'low press** [Am. = gele pers; ontleend aan een stripverhaal in *The world* v. Pulitzer, waarin de held in het *geel* gekleed is] in de VS naam voor boulevardbladen; in Europa ook wel de naam voor bladen die op straat worden verkocht.

**yen** [Japans, v. Chinees *yüan* = rond; *ook*: dollar] Japanse munteenheid, verdeeld in 100 sen.

**ye'ti** [Tibetaans woord] een groot zoogdier in het Himalayagebergte, dat sommigen beweren gezien te hebben, maar waarvan het bestaan nooit met zekerheid is aangetoond. Ook 'de verschrikkelijke sneeuwman' genaamd.

**yin** [Chinees] het passieve vrouwelijke natuurbeginsel (*vgl.* **yang**).

**-yl** [v. Gr. *hulè* = materie, stof; *oorspr.:* hout, *later ook:* steen, metaal e.d.] (*chem.*) uitgang die een radicaal aanduidt (*zie bijv.* **methyl-**).

**Y-lege'ring** legering v. aluminium, nikkel, koper en magnesium.

**yo'ga** [Hindi, v. Sanskr. = vereniging door methodische inspanning] methode v. Indische mystiek, gecombineerd met ascese. Het doel is door lichamelijke versterving en geestelijke concentratie te komen tot hogere toestanden v.h. bewustzijn en tenslotte tot een 'mystieke vereniging' met de universele geest, en zo verlost te worden uit de kringloop v.d. wedergeboorten.

**yog'hurt** [Slavisch] door bep. organismen verzuurde melk als voedingsmiddel.

**yo'gi** beoefenaar van **yoga,** *z.a.*

**yperiet'** [v. Du. *Yperit,* naar *Ieper* (Du. *Ypern*) in Vlaanderen, waar in de Eerste Wereldoorlog dit gifgas door de Duitsers het eerst werd gebruikt] mosterdgas.

**y'psilon** [Gr. *u-psilon* = de kale u] de Griekse y, de 20e letter v.h. Gr. alfabet, in klassiek Gr. overeenkomend met Ned. u, later als ie uitgesproken (jotacisme).

**Ytter'bium** chem. element, zeldzame aarde, symbool Yb, ranggetal 70 [naar Zweedse plaats Ytterby].

**Yt'trium** chem. element, metaal, symbool Y, ranggetal 39 [eveneens naar Ytterby, *zie vorige*].

**yu'ca** [v. woord uit de indiaantaal der Aruakanen] cassave, maniok.

**Yuc'ca,** een plantengeslacht met ca. 35 soorten in Midden-Am. en zuidelijk Noord-Am., uit de Leliefamilie (Liliáceae).

**yup'pie** [Am., v. *young urban professional*] jonge ambitieuze carrièremaker.

**z** (*wisk.*) derde onbekende.
**zam'bo** [Sp.] kind v. neger en Indiaanse.
**Zarathus'tra** *zie bij* **zoroastrisme.**
**zarzue'la** [Sp.] **1** soort operette, vaudeville; **2** tekst daarvan.
**z'-as** (*wisk.*) op de toeschouwer toelopende as v.h. driedimensionale cartesiaans coördinatenstelsel.
**za'vel** [v. Lat. *sábulum* = zand] grondsoort bestaande uit klei en veel zand.
**zebede'us** [naar bijb. persoonsnaam] sukkelaar, tobber; (*Z.N.*) sul.
**ze'fier** [Lat. *zephyrus*, Gr. *zephuros* = westenwind] zachte zuiden- of zuidwestenwind, aangename koelte.
**zelateur', zelatri'ce** [Fr. *zélateur, -trice*, v. Christelijk Lat. *zelátor, -trix*, v. *zeláre, -átum*, Gr. *zélooo* = naijverig zijn] *lett.*: ijveraar(ster); werkend lid v. rk broederschap.
**zeloot** [Gr. *zèlootès* = ijveraar, NTGr. = ijveraar voor de oude joodse wet] overdreven ijveraar, geestdrijver. **zelotis'me** geestdrijverij, blinde geestdrijver. **zelotypie'** [Lat. *zeloty'pia*, Gr. *zélotupia*] jaloersheid.
**Zend** [naar **Zend-Avesta**, *z.a.*] bep. taal v.h. oude Iran (met Sanskr. verwant) waarin de geschriften v. Zarathustra geschreven zijn. **Zend-Aves'ta** [*Zend* = commentaar, *Avesta* = tekst] godsdienstig boek v.d. volgelingen v. Zarathustra.
**ze'nit** [OFr. *cenit*, v. Arab. *samt* (*ar-ras*) = weg (v.h. hoofd)] schedelpunt, punt v.d. hemel recht boven het hoofd v.d. waarnemer.
**zep'pelin** bep. bestuurbare langwerpige luchtballon [naar Ferdinand graaf von Zeppelin, Du. luchtvaarder, 1838-1917].
**zes'te** [Fr.] (*cul.*) dunne schil v. sinaasappel of citroen; rasp daarvan.
**zèta** [Gr.] zesde letter v.h. Gr. alfabet, overeenkomend met onze z.
**zeug'ma** [Gr. = het samengevoegde, *ook*: brug, v. *zeugnumi* = samen in het juk (*zeuglê*) spannen, verenigen] stijlfiguur waarbij een werkwoord betrokken is op twee verschillende woorden, waarmee het uit semantisch en syntactisch oogpunt zeer verschillende betrekkingen heeft, *bijv.*: hier zet men koffie en over.
**zibeli'ne** [Fr., v. It. *zibellino* = sabelmarter] **1** bont v.h. sabeldier, een soort Noordeuropese marter; **2** textielprodukt v. *zibelinegaren*, met een langharig, naar één kant gestreken haardek.
**Zin'cum** [v. Du. *Zink*, verdere woordafl. onzeker], in het Ned. **zink**, chem. element, metaal, symbool Zn, ranggetal 30.
**zin'ko** *zie bij* **zinkotypie**. **zinkografie'** [v. Gr. *graphoo* = schrijven, griffen] **1** het fotografisch overbrengen v. beelden op een zinkplaat en deze dan te etsen of te graveren en daarvan een afdruk te maken; **2** de aldus gemaakte afdruk. **zinkoty'pe** zinkografie **2**. **zinkotypie'** het maken v. boekdrukclichés d.m.v. zinkografie **1** (het aldus vervaardigde cliché wordt kortweg *zinko* genoemd).
**zionis'me** [v. Hebr. *Tsiyon* = eig.: heuvel, spec. de tempelheuvel v.h. oude Jeruzalem, Jeruzalem zelf] streven voor het krijgen v.e.

verzekerde woonplaats voor joden in het oude Palestina. **zionist'** aanhanger v.h. zionisme. **zionis'tisch** *bn & bw.*
**Zirco'nium**, *ook*: **Zirko'nium** [via Fr. *zircone*, v. Arab. *zirgun, zie* zirkoon] chem. element, metaal, symbool Zr, ranggetal 40. **zirkoon'** [v. Arab. *zirgun* = helderrode kleur] naam v.e. groep mineralen met zeer wisselende chemische samenstelling, die in de eenvoudigste vorm geschreven kan worden als ZrSiO$_4$ (zirconiumsilicaat).
**zis'te** [Fr.] (*cul.*) iets bittere massa tussen vruchtvlees v. sinaasappel of citroen en dunne schil daarvan.
**zło'ty** (*uitspr.*: zwot'tie) [Pools = de gouden], *mv* **zło'te**, de Poolse munteenheid, verdeeld in 100 grosze.
**zoantropie'** [v. Gr. *zooion* = dier, v. *zooóo* = leven, en *antropos* = mens] bep. vorm v. waanzin, waarbij de lijder meent een dier te zijn.
**Zo'diak** [Gr. *zooidiakos (kuklos)* = *lett.*: dierachtige kring, v. *zoodion* = verklw. v. *zooion* = dier, daar 7 v.d. 12 sterrenbeelden dieren voorstellen] Dierenriem.
**zodiakaal'licht** kegelvormig zwak lichtschijnsel aan hemel soms zichtbaar in oosten vlak voor zonsopkomst of in westen vlak na zonsondergang (waarsch. platte schijf v. kosmisch stof rond de zon).
**zoea'ven**, *ook*: **zoua'ven** *mv* (ev **Zoeaaf, Zouaaf**) [via Fr. *zouave* v. Arab. *zouaoua* = naam v.e. Kabylenstam] **1** Kabylse soldaten die de lijfwacht v.d. Berbervorsten vormden; **2** *pauselijke zoeaven*, Fr. en Belg. en later Ned. (ca. 3000) vrijwilligers die de kerk. staat onder paus Pius IX v. 1867 tot 1870 verdedigden bij de eenwording van Italië.
**Zoe'loe** *mv* (ev eveneens **Zoeloe**) Bantoevolk in het zuidoosten v. Afr. v. ca. 4 miljoen zielen.
**zoïatrie'** [v. Gr. *zooion* = dier, v. *zooóo* = leven] dierengeneeskunde. **zo'isch** *bn* **1** v. dieren afkomstig; **2** het dierlijke leven betreffend.
**zom'bie** volgens de *voodoo*-cultus, *z.a.*, een door magische handelingen opnieuw ten leven gewekt 'lijk' (diep bewusteloze of schijndode).
**zone** [Lat. *zona*, v. Gr. *zoonè* = gordel, v. *zoonnumi* = gorden] gordel, aardgordel, luchtstreek, hoogtegordel (op bergen), onderdeel v. geologische laag, gebied waarbinnen iets geldt of heerst (neutrale —, gevaren—). **zonaal'** [Lat. *zonális*] een zone betreffend.
**Zoo** (afk. v. *zoölogische tuin*) dierentuin (bijv. te Antwerpen, Londen).
**zoö-** [v. Gr. *zoo-os* = levend, *zooion* = dier, v. *zooóo* = leven] dier-. **zoöfiel'** [v. Gr. *philos* = vriend, v. *phileoo* = beminnen] **1** dierenvriend; **2** persoon die zich seksueel aangetrokken voelt door (sommige) dieren. **zoöfilie'** **1** vriendelijkheid jegens dieren; **2** seksuele afwijking waarbij de mens bij contact met dieren seksuele prikkeling ervaart die kan leiden tot geslachtsgemeenschap met die dieren. **zoöfiet'** [Gr. *phuton* = plant] (meestal vastzittend) dier dat een plant lijkt te zijn (bijv. bloemdieren). **zoögeografie'** leer v.d. verspreiding der dieren over de aarde. **zoögeogra'fisch** *bn*. **zoögrafie'** [v. Gr. *graphoo* = schrijven] dierenbeschrijving. **zoögraaf'** dierenbeschrijver. **zoölogie'** dierkunde. **zoöloog'** dierkundige. **zoölo'gisch** *bn & bw.* **zoömagnetis'me** dierlijk magnetisme. **zoömorf'** [v. Gr. *morphè* = vorm] *bn* in gedaante of vorm gelijkend op een dier. **zoöno'se** [v. Gr. *nosos* = ziekte] elke infectieziekte v.d. mens die veroorzaakt is door ziektekiemen welke normaliter op een bep. dier gespecialiseerd zijn (bijv. *psittacose*, papegaaieziekte). **zoöplank'ton** dierlijk *plankton, z.a.* **zoöspo're** (*plk.*) zwermspore. **zoötechniek'** kunst om huisdieren te fokken en te veredelen, veeteeltwetenschap.
**zoötherapie'** [*zie* **therapie**]

diergeneeskunde, heelkunde betreffende
dieren. **zoötomie'** [v. Gr. *temnoo* = snijden,
*tomos* = het gesnedene] dierenontleedkunde.
**zoom'lens** [v. Eng. *to zoom* = o.a. sterk
omhoogstijgen] foto- of filmobjectief met
geleidelijk (traploos) veranderbare
brandpuntafstand, om verwijderde objecten
'dichter bij te halen'.
**zoroastris'me** leer v. Zarathustra, stichter v.d.
Oudperzische godsdienst, verm. ca. 600
v.Chr., door de Grieken *Zoroaster* genoemd.
(*Zie ook* **Zend**.)
**zo'tisch** [Gr. *zootikos*] het leven betreffend.
**zoua'ven** *zie* **zoeaven**.
**zucchet'ti** *mv* [It., verklw. v. *zucca* = kalebas],
ook bekend onder de naam **courget'tes** [Fr.,
verklw. v. *courge* = pompoen] de vruchten
v.d. Zuideuropese plant *Cucúrbita melopépo*
uit de Komkommerfamilie (Cucurbitáceae), in
vorm overeenkomend met een kleine
komkommer, die gestoofd of gesmoord een
smakelijke vruchtgroente vormen.
**zwingliaan'** aanhanger v.d. leer v. Zwingli
[Ulric Zwingli, Zwitsers godsdiensthervormer,
1484-1531]. **zwingliaans'** volgens de leer v.
Zwingli, v.d. zwinglianen.
**zygo'te** [v. Gr. *zugooo* = (door dwarshout)
verbinden, *zugon* = juk] bevruchte eicel.
**zymologie'** [v. Gr. *zumè* = zuurdeeg, gist, *zie*
**-logie**] gistingsleer.

## HET GRIEKSE ALFABET

| kleine letter | hoofd- letter | Griekse naam | Ned. teken | kleine letter | hoofd- letter | Griekse naam | Ned. teken |
|---|---|---|---|---|---|---|---|
| α | A | alpha | a | ν | N | nu | n |
| β | B | bèta | b | ξ | Ξ | xi | x |
| γ | Γ | gamma | g | o | O | omikron | o |
| δ | Δ | delta | d | π | Π | pi | p |
| ε | E | epsilon | e | ρ | P | rho | r |
| ζ | Z | zéta | z | σ | Σ | sigma | s |
| η | H | èta | è | τ | T | tau | t |
| θ | Θ | thèta | th | υ | Y | upsilon | u |
| ι | I | jota | i | φ | Φ | phi | ph |
| κ | K | kappa | k | χ | X | chi | ch |
| λ | Λ | lambda | l | ψ | Ψ | psi | ps |
| μ | M | mu | m | ω | Ω | omega | oo |

# LATIJNSE EN GRIEKSE VOORVOEGSELS

| | | | |
|---|---|---|---|
| a, an | [Gr.] | zonder on- niet- | a-morf = zonder vorm a-marant = on-verwelkbaar an-organisch = niet-organisch |
| a, ab, abs | [Lat.] | (van)af, weg | a-movere = weg-bewegen (verwijderen) ab-latie = weg-neming abs-tractie = weg-trekking |
| ad | [Lat.] | aan, naar toe | ad-duceren = aan-voeren |
| amphi | [Gr.] | aan beide zijden | amfi-theater = schouwburg half rondom toneel. |
| ana | [Gr.] | omhoog, erop terug opnieuw | ana-goge = zielsverheffing ana-choreet = terug-getrokkene, kluizenaar ana-baptist = weder-doper |
| ante | [Lat.] | vóór, vooraf | ante-ludium = voor-spel |
| anti | [Gr.] | tegen ernaast, gelijk aan, in plaats van | anti-christ = tegen-christus anti-merie = noemen v.e. deel i.p.v. een ander |
| apo | [Gr.] | vanaf, weg | apo-stasie = af-val |
| cis | [Lat.] | aan deze zijde van | cis-alpijns = aan deze zijde v.d. Alpen |
| circum | [Lat.] | (rond)om | circum-polair = rondom de pool |
| co com con | [Lat.] | samen (met) | co-öperatie = samen-werking com-pact = samen-gedrongen con-centrisch = met gezamenlijk centrum |
| contra | [Lat.] | tegen | contra-dictie = tegen-spreking |
| de | [Lat.] | af, ont- geheel | de-collatie = ont-halzing de-vasteren = geheel verwoesten |
| dia | [Gr.] | (dwars)door uiteen | dia-faan = door-schijnend dia-spora = verstrooiing |
| dis | [Lat.] | uiteen | dis-sociatie = ont-binding |
| dys | [Gr.] | slecht | dys-pepsie = slechte spijsvertering |
| e, ex | [Lat.] | uit | e-manatie = uit-vloeiing ex-halatie = uit-ademing |
| eis | [Gr.] | naar binnen, in | is-agoge = in-leiding |
| ek, eks | [Gr.] | uit | ec-lecticus = uit-kiezer |
| en | [Gr.] | in | en-demisch = in-heems (ziekte) |
| epi | [Gr.] | op, bij | epi-taaf = op-schrift op graf |
| extra | [Lat.] | buiten | extra-vageren = erbuiten-zwerven |
| huper | [Gr.] | over... (heen), boven | hyper-tonie = over-spanning |
| hupo | [Gr.] | onder | hypo-these = onder-stelling |
| in | [Gr.] | vóór ww: erin, erop, erbij vóór zn of deelwoord: on- | in-haleren = in-ademen in-faust = on-gunstig |
| inter | [Lat.] | tussen | inter-jacent = tussen-gelegen |
| intro | [Lat.] | naar binnen | intro-duceren = binnen-leiden |
| juxta | [Lat.] | ernaast | juxta-positie = naastelkaarplaatsing |
| kata, kath- | [Gr.] | van... naar beneden langs, overeenkomstig | cata-plexie = het neer-geslagen zijn, verstarring cata-loog = lijst naar volgorde |
| meta, meth- | [Gr.] | samen, mede na, achter veranderend in, om- | meta-meer = uit gelijke delen opgebouwd meta-chronisme = te laat plaatsen v. gebeurtenis meta-morfose = gedaante-verwisseling |
| ob | [Lat.] | tegen | ob-jectie = tegen-werping |
| para | [Gr.] | langs, ernaast, erbij verkeerd | para-nimf = be-geleider para-logie = valse redenering |
| per | [Lat.] | dwars door door en door, geheel | per-spectief = door-kijk per-fect = door en door gemaakt, volmaakt |
| peri | [Gr.] | rondom | peri-ferie = om-trek |
| post | [Lat.] | na, achter | post-scriptum = na-schrift |
| prae | [Lat.] | voor(aan, -op) | pre-fix = voor-voegsel |
| pro | [Lat.] | voor(uit), voort | pro-duceren = voort-brengen |
| pro | [Gr.] | vóór | pro-ëmium = voor-rede |
| pros | [Gr.] | naar toe | pros-eliet = toe-getredene |
| re, red | [Lat.] | terug tegen opnieuw, her- | re-gres = terug-gang re-monstreren = tegen-werpen re-incarnatie = weder-geboorte |
| sub | [Lat.] | onder | sub-scriberen = onder-schrijven |
| sun | [Gr.] | samen, mede | syn-these = samen-stelling |
| super | [Lat.] | boven, eroverheen | super-positie = overheen-plaatsing |
| sus | [Lat.] | omhoog, op | sus-pensie = op-hanging |
| trans | [Lat.] | aan de andere kant over(heen) | trans-alpinisch = aan gene zijde v.d. Alpen trans-gressie = over-treding |

# UITSPRAAK VAN LATIJNSE EN
# GRIEKSE WOORDEN

Er zijn voor de uitspraak van het *Latijn* verscheidene methoden in zwang. Een veel gebruikte is de zgn. Romeinse, d.w.z. Italiaanse, Aangezien de uitspraak van de oude Romeinen zelf niet met voldoende zekerheid bekend is, spreekt men bij deze methode de Latijnse woorden uit zoals de huidige Italianen dat doen. Hier volgen de belangrijkste regels.

| | |
|---|---|
| a | in gesloten lettergrepen als in Ned. bàk, in open lettergrepen als Ned. baak, maar minder langgerekt. |
| e | in gesloten lettergrepen als in Ned. bek, in open lettergrepen als enigszins gerekte è (niet ee) |
| i | steeds als in Ned ie, ook bij verdubbeling ii = ie-ie |
| o | in gesloten lettergrepen als in Ned. bol, in open lettergrepen als in Ned. boot, maar minder langgerekt |
| u | steeds als Ned. oe (zoals in Duits, Arabisch, Hebreeuws en vele andere talen) |
| ae | zie e |
| au | ongeveer als Ned. aauw (1 lettergreep) |
| ei | als Ned. è-ie (2 lettergrepen) |
| eu | als Ned. è-oe (2 lettergrepen) |
| ie | als Ned. ie-è (2 lettergrepen) |
| oe | als Ned. eu |
| y | als Ned. i |
| c | vóór ae, e en i als Ned. tsj (als sisklank voorafgaat: als sj, bijv. ascensio = aassjènsieo) vóór andere klanken: als Ned. k |
| cc | vóór ae, e en i als Ned. ttsj vóór andere klanken: als Ned. kk |
| g | vóór ae, e en i: als Ned. dzj vóór andere klanken: als Ned. zachte k |
| gn | als Ned. nj |
| ti | als Ned. tie; doch midden in woord als Ned. tsie (bijv. acceleratio = attsjèlèraatsieo) |

In dit boek is het klemtoonteken van Latijnse woorden aangegeven door het teken ' op de betrokken klinker.
De *Griekse* letters zijn in dit woordenboek zó weergegeven, dat men ze kan uitspreken als in het Ned.; men dient echter te letten op de volgende regels.

| | |
|---|---|
| gg, gch, gk | als Ned. ng of nk (bijv. bij **angeliek**: *aggelos* uit te spreken als *angelos;* bij **enchiridion**: *egcheiridios* = *encheiridios;* bij **encycliek**: *enkuklios*) |
| è | enigszins langgerekte Ned. è |
| z | als Ned. dz |
| e | als Ned. e of ee, naargelang de lettergreep gesloten of open is |
| ph | als Ned. f |
| o | steeds korte o |
| eu | als Ned. ui |
| oï | als Ned. oj |
| ou | als Ned. oe |

# PRISMA TAAL
## BIEDT OOK:

PRISMA grammatica's:

| | | |
|---|---|---|
| Grammatica Nederlands | – Henriëtte Houet | 90 274 0518 2 |
| Grammatica Frans | – van Bellen | 90 274 0516 6 |
| Grammatica Duits | – Engelen/v.d. Zee | 90 274 0517 4 |
| Grammatica Engels | – Alexander | 90 274 0515 8 |
| Grammatica Spaans | – Slager | 90 274 0519 0 |
| Grammatica Italiaans | – Brinker | 90 274 0835 1 |
| Deense spraakkunst | – Bakker-Malling | 90 274 1027 5 |
| Zweedse spraakkunst | – Ten Cate | 90 274 0699 5 |

PRISMA grammatica's met oefeningen:

| | | |
|---|---|---|
| Zo leer je Frans | – Gudde | 90 274 0089 X |
| Zo leer je Duits | – Snelleman | 90 274 0082 2 |
| Zo leer je Engels | – Loof | 90 274 1007 0 |
| Zo leer je Spaans | – Luurs | 90 274 0083 0 |
| Zo leer je Hebreeuws | – Buitkamp | 90 274 1031 3 |
| Zo leer je Russisch | – Fennell | 90 274 0500 X |

PRISMA brievenboeken:

| | |
|---|---|
| Brieven schrijven in het Nederlands | 90 274 0520 4 |
| Brieven schrijven in het Frans | 90 274 0521 2 |
| Brieven schrijven in het Duits | 90 274 0522 0 |
| Brieven schrijven in het Engels | 90 274 0523 9 |
| Brieven schrijven in het Spaans | 90 274 0524 7 |

PRISMA uittrekselboeken:

| | |
|---|---|
| Prisma uittrekselboek 1 (1978–1983) | 90 274 1186 7 |
| Prisma uittrekselboek 2 (1983–1987) | 90 274 1718 0 |
| Prisma uittrekselboek Franse literatuur | 90 274 1588 9 |
| Prisma uittrekselboek Duitse literatuur | 90 274 1589 7 |
| Prisma uittrekselboek Engelse literatuur | 90 274 1587 0 |

Grote kwaliteit
voor een lage prijs

# PRISMA
## WOORDENBOEKEN

Al jaren lang de
best verkochte!

Nederlands
Nederlands/Vreemde Woorden
Nederlands/Twijfelgevallen
Nederlands/Neologismen
Afkortingen Woordenboek
Etymologisch Woordenboek

Nederlands/Frans
Frans/Nederlands
Nederlands/Engels
Engels/Nederlands
Nederlands/Duits
Duits/Nederlands
Nederlands/Italiaans
Italiaans/Nederlands
Nederlands/Spaans
Spaans/Nederlands
Nederlands/Esperanto/Nederlands

Spreekwoordenboek
Woordenboek van Voornamen

Grieks/Nederlands
Latijn/Nederlands
Woordenboek van de Klassieke Oudheid
Mythologisch Woordenboek